Chronique de l'aviation

Chronique
de l'aviation

Editions
Chronique

Nous remercions les musées, sociétés et associations pour leur collaboration exceptionnelle à ce projet et plus particulièrement l'Aéroclub de France, l'Aéroformation, l'Aéroport de Paris, l'Association des Amis du Patrimoine Morane-Saulnier, l'Association du Personnel Navigant de l'Aéronautique (APNAC), l'Association des Vieilles Tiges, le Comité d'Histoire de l'Aéronautique et de l'Espace, la CORTA, la Direction Générale de l'Aviation Civile, Fenwick Aviation, Flight Safety, la Gendarmerie des Transports Aériens Roissy Aéroport, l'IATA, Jeppesen Sanderson, le Musée de l'Air du Bourget, le National Air and Space Museum de Washington, le Rototo Club, la Snecma et la Socata,

les constructeurs Aérospatiale, Airbus Industries, Avions Marcel Dassault, Boeing, Cessna, General Electric, Latécoère, McDonnell Douglas.

Nous remercions également les compagnies qui nous ont apporté leur aide dans la recherche d'informations et la fourniture de documents rares, notamment Air France, Alitalia, Austrian, Brannif, Continental, Iberia, Japan Airlines, KLM, Lufthansa, Sabena, SAS, TAP, United Airlines, UTA.

L'éditeur tient, en outre, à remercier pour sa collaboration Jacques Noetinger, dont l'érudition nous a grandement facilité le travail et épargné bien des recherches.

ISBN : 2-905969-51-2
Dépôt légal : octobre 1991

Photocomposition : Imprimerie Louis-Jean, Gap
Photogravure : Christian Bocquez, Sigraph
Impression et reliure : Imprimerie Brepols, Turnhout en Belgique

Chronique de l'aviation

a été conçu et réalisé sous la direction de Jacques Legrand

Rédacteur en chef	Edouard Chemel
Conseiller éditorial	Vital Ferry
Consultants	Bernard Combelles, Léonard Jarvis, Ivan Rendall
Comité de rédaction	Thomas André, Laurence Caracalla, Charles Chatelin, Christine Courtois, Renée Dequidt, Christian Erhengardt, Brigitte Ferrere, Corinne Neveu, Geneviève Reynes, Ingrid Shohet, Michel Suaud, Carole Thierry
Chronologies	Pierre-Yves Grasset
Iconographie	Christian Danger, Catherine Seignouret
	Les avions de l'année : Aerospace Publishing, Londres (Stan Morse, Chris Dorrington, Robert Hewson, Jon Lake, Mike Stroud)
Cartes et dessins	Jacques Boireau, Elisabeth Chemel, Catherine Jambois, Horizon Graphique
Secrétariat d'édition	Anik Blaise, Yves Kielan
Secrétariat de production	Anne-Marie Esteves-Viana, Olivia Troublé
Index	Nathalie Legrand
Correction	Laurent André, Denis Coursin, Marianne Dauvel, Philippe Godard, Bruno Monthureux, Malika Mouaci
Informatique	Martine Colliot, Claire Forgeot, Dominique Klutz (*software*), Perry Leopard
Fabrication	Catherine Balouet, Emmanuelle Berenger, Henri Marganne

Préface

La légendaire figure de Mermoz avait hanté mes rêves d'adolescent et lorsqu'en 1948, âgé de dix-neuf ans, je me proposai d'être pilote de ligne et fus engagé par Air France, je ne soupçonnais pas le bonheur et la chance qui allaient m'échoir. Je me suis trouvé soudain en présence de quelques-uns de ces hommes qui avaient participé à la création de l'Aéropostale, s'étaient illustrés à Air Bleu ou à Air Orient, et c'est sous leur conduite que j'allais apprendre mon métier!

Le pilotage était alors une aventure non sans risques, reposant sur une vigilance rigoureuse et une observation permanente du ciel, la référence fondamentale, où entrait pour une bonne part l'expérience individuelle acquise au fil des années; l'observation du sol, les repères de la géographie n'étaient pas moins décisifs. Nulle procédure n'existait pour transmettre ce savoir irremplaçable, savoir de tous les instants fait d'intuitions et de rigueur, d'épreuves surmontées, de souvenirs patiemment tissés au cours d'innombrables heures de vol.

Mon apprentissage s'est donc fait ainsi, d'homme à homme, dans la solitude priviligiée du ciel, souvenir enivrant qui ne m'a plus jamais quitté. Dans cette chaîne sans fin de l'expérience et du savoir, où l'admiration se mêlait aux sentiments les plus fraternels, il y avait place pour chacun et ceux qui travaillaient au sol n'étaient pas exclus: eux aussi, ils faisaient partie du voyage.

Ces temps ne sont plus et, aux performances individuelles, jadis prépondérantes, s'est substituée aujourd'hui une gestion collective qui n'exige pas moins de solidarité et qui maintient cet esprit si particulier qui s'attache à toute la profession. La famille s'est agrandie, mais le souvenir des temps héroïques y est encore vivace et conserve tout son rayonnement.

Aussi, lorsque Jacques Legrand, lui-même pilote confirmé, m'a demandé en tant qu'éditeur d'assurer la direction de cette *Chronique,* son insistance n'eût sans doute pas suffi à me convaincre si je n'avais vu, là, l'occasion de transmettre à mon tour un certain savoir et de rendre ainsi hommage à tous ceux auxquels je dois quelques-unes des plus belles heures de ma vie.

Edouard Chemel

Avant-propos

Chronique de l'aviation fait revivre la prodigieuse aventure qu'a représentée pour l'homme la conquête de l'air et retrace les développements qui en ont marqué l'histoire jusqu'à nos jours. Aujourd'hui, des milliers d'avions sillonnent le ciel, et ce moyen de locomotion est devenu banal. Mais il n'en fut pas toujours ainsi et échapper à la pesanteur terrestre fut l'un des plus vieux rêves de l'humanité. Du premier vol de Clément Ader au Concorde supersonique, que de chemin parcouru en moins d'un siècle ! En 1927, il avait fallu plus de 33 h à Lindberg pour aller de New York à Paris. Le même trajet s'effectue désormais en dix fois moins de temps ! On ne s'en étonne plus et, pourtant, il est peu d'inventions qui aient à ce point bouleversé notre vie, et, en rapprochant les hommes, contribué à modifier notre perception du monde.

Chronique de l'aviation, à la différence des nombreux ouvrages qui retracent à grands traits l'histoire bien connue de la navigation aérienne, répond à un objectif à la fois plus vaste et surtout plus vivant : restituer, au jour le jour, comme le ferait un reportage sur le vif, les événements, grands et petits, qui constituent la trame de cette histoire ; accorder une place privilégiée aux hommes et aux femmes qui en furent les acteurs et qui, par leur audace, en ont fait l'épopée des temps modernes ; donner sa juste part à l'anecdote, toujours plus révélatrice qu'un grand discours ; privilégier le récit direct, le témoignage du moment, retrouver la couleur et l'ambiance du jour et, là où les mots ne sauraient suffire, laisser parler les images. Cet objectif ne pouvait être atteint que grâce à la formule, désormais bien connue, des ouvrages *Chronique*.

*

Fruit de trois années de recherches, *Chronique de l'aviation* n'est pas l'œuvre d'un seul auteur (il n'aurait pu y suffire), mais d'une nombreuse équipe regroupant quelque soixante collaborateurs sous la direction d'Edouard Chemel, ancien chef du personnel navigant technique "Concorde", ayant à son actif 22 000 heures de vol (dont 1 400 heures en supersonique) et quarante-deux ans de carrière à Air France. Il a été secondé dans sa tâche par Vital Ferry, ingénieur en chef de l'Aviation civile, Leonard Jarvis, ingénieur, directeur technique de British Airways, et Ivan Rendall, auteur de nombreuses publications sur l'aviation et d'une série télévisée bien connue, "Reaching for the sky".

Chronique de l'aviation englobe tous les aspects touchant la vie et la technique de l'aviation, au sens strict du terme, c'est-à-dire tout ce qui se rapporte aux appareils plus lourds que l'air. En sont exclus les aérostats (montgolfières, ballons, dirigeables) ainsi que les techniques aérospatiales, qui feront l'objet d'un second volume.

Couvrant la période 1900-1991, se déroulant sur 1 000 pages abondamment illustrées (4 000 documents, dont un grand nombre en couleurs), *Chronique de l'aviation* est découpée selon un ordre chronologique strict, en séquences annuelles. Chaque séquence se compose de trois éléments distincts et complémentaires :

– Une page d'éphémérides relate brièvement les événements de l'année en cours et, lui faisant face, une illustration pleine page met en valeur le fait dominant ayant frappé l'attention des contemporains. En tête de chaque éphéméride (à partir de 1909) sont indiquées les meilleures performances du moment, celles-ci étant signalées par des symboles graphiques : Altitude, Vitesse, Distance, Masse de l'avion, Puissance des moteurs.

– Une série d'articles occupant, selon les années, de 4 à 10 pages et développant, à la manière d'un journal, dans un style simple et direct, les épisodes marquants de l'année. C'est la partie vive de l'ouvrage, le récit même de la plus exaltante des conquêtes, relatée jour après jour. Un récit qui fait la part belle aux hommes et aux femmes, souvent exceptionnels, qui par leur passion et leur énergie, leur sang froid, leur esprit inventif, leur héroïsme parfois, ont contribué aux heures glorieuses ou tragiques de l'aviation. Véritables reportages, ces articles (4 000 pour l'ensemble de l'ouvrage) sont accompagnés d'une illustration d'une richesse inégalée, puisée dans la documentation de l'époque.

– Chaque séquence (à partir de 1910) s'achève sur une double page d'illustrations où sont présentés les 25 à 30 modèles d'avions, tant militaires que civils, qui ont effectué leur premier vol au cours de l'année, avec indication de date, performances et nom du constructeur.

D'importantes annexes permettent d'aborder des sujets dont la matière se prêtait mal au découpage chronologique et dont l'importance ne pouvait être ignorée :
* les développements techniques : du moteur à explosion au réacteur superpuissant d'aujourd'hui.
* la liste des principales compagnies aériennes avec fiches techniques et logos.
* un index qui répertorie systématiquement tous les noms propres (personnages, modèles d'avions, villes), ainsi que les principaux faits de l'aviation civile et militaire.

Sommaire

Ader invente l'avion et décolle

C'est une chauve-souris, la roussette des Indes, qui a inspiré à Ader les formes particulières de l'« Eole ».

France, 9 octobre 1890
Clément Ader exulte ! Cet après-midi, dans le parc du château d'Armainvilliers, le savant français a volé aux commandes d'une machine volante de sa conception, l'*Eole*. C'est dans le plus grand secret qu'Ader et ses assistants étaient venus s'installer dans la propriété de Mme Isaac Péreire, la veuve du célèbre banquier. Dès le mois d'août, des essais ont eu lieu et, aujourd'hui, à l'exception de Mme Péreire, d'une de ses amies et de sa famille, il n'y avait dans l'enceinte du château que Clément Ader et ses deux contremaîtres, Eloi Vallier et Espinosa. Une aire de manœuvre de 200 mètres de long sur 25 de large, battue au rouleau et entièrement dégagée de tout obstacle, avait été préparée. Dans l'après-midi, « l'avion », c'est ainsi que l'ingénieur appelle l'*Eole*, est amené sur la piste. Il n'y a pas de vent, ce que souhaite Ader, car, en dehors des commandes du moteur et de celle qui permet de reculer ou d'avancer les ailes, l'*Eole* ne dispose pas de gouvernail. Un peu avant quatre heures, on met en marche le moteur. Il est à vapeur, à deux cylindres et d'une qualité exceptionnelle. D'une puissance de 20 ch, l'ensemble moteur, chaudière et condenseur compris, pèse moins de 3 kg par cheval, du jamais

vu ! Pour être certain de décoller, Ader a allégé au maximum l'*Eole*, en enlevant deux des réservoirs. Le moteur fait tourner un arbre horizontal qui entraîne l'hélice dont les quatre pales sont en bambou refendu. Prouesse étonnante, les ailes sont articulées et repliables. Savamment étudiées, leur profil en creux les distingue des aéroplanes de l'époque. A quatre heures quatre minutes, Ader fait rouler l'*Eole* sur la piste improvisée, puis, ayant augmenté la vitesse du propulseur, il se sent soudainement soulevé

dans l'air. Au même moment, les assistants d'Ader placés à mi-distance sur la piste, voient les roues se détacher du sol et l'*Eole* parcourir une cinquantaine de mètres en rasant la piste à 20 cm avant de retoucher le sol. Il est 16 h 6. Ader sort de la machine visiblement ému. Sans perdre son sang-froid, et avant de rédiger un procès-verbal, il ordonne à tous de garder le secret et demande à ses contremaîtres de marquer l'endroit exact où ils ont vu les roues de l'*Eole* quitter terre (→ 14.10.97).

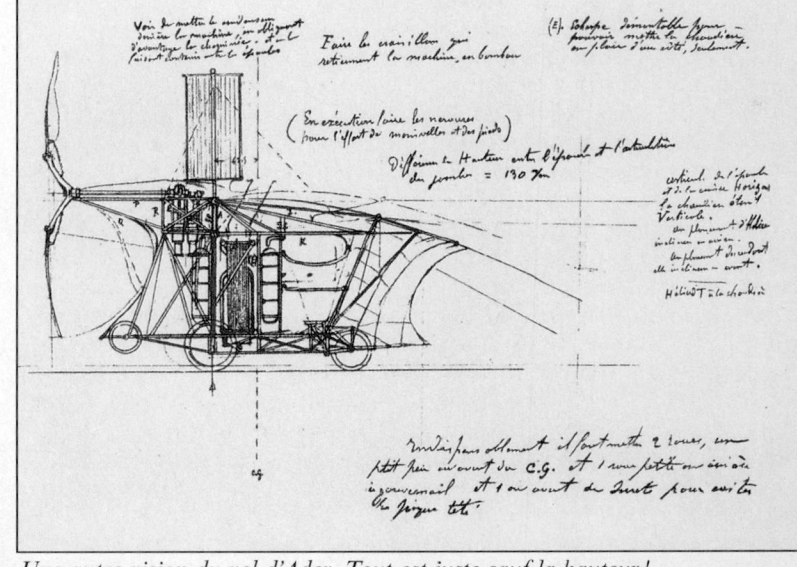

Une autre vision du vol d'Ader. Tout est juste sauf la hauteur !

Lilienthal donne des ailes à l'Homme

Grosskreuz, 1891

« Un sou de cerise et un sou de pain. » Longtemps ce fut le maigre déjeuner d'Otto Lilienthal et de son frère Gustave. Aujourd'hui, un peu plus fortunés, les deux hommes, avec leur associé Hugo Eulitz, ont construit un planeur qu'ils expérimentent près de Berlin. Bien avant la parution en 1889 de son livre *Du vol des oiseaux comme la base de l'aviation*, Otto Lilienthal était persuadé que l'imitation du vol des oiseaux conduirait un jour au vol soutenu ou stabilisé des êtres humains. Aussi, en même temps qu'il étudiait les vents ascendants et la résistance de l'air, travaillait-il sur la forme idéale à donner aux voilures de planeurs. Maintenant, tous les dimanches, les deux frères quittent leur maison de Lichterfelde pour Derwitz où un meunier remise leur planeur dans sa grange et, à tour de rôle, ils s'élancent du haut d'une colline. Au prix de quelques chutes, Otto et Gustave ont appris à manœuvrer le planeur avec leur corps : Ils arrivent maintenant à planer dans l'air sur plus de 50 m.

Lilienthal est le premier homme à avoir été photographié en plein vol.

La machine géante de sir Hiram Maxim

La machine de Maxim : les ailes latérales ont été fixées en prévision du vol.

Grande-Bretagne, 31 juillet 1894

Dans sa propriété de Baldwyn's Park dans le Kent, sir Hiram Maxim a procédé à des essais captifs sur un engin plus lourd que l'air, propulsé à la vapeur. C'est un véritable géant des airs que l'inventeur de la mitrailleuse a construit. D'une envergure de 31 m, la machine d'Hiram Maxim, comporte une surface octogonale, prolongée par des ailes latérales. Une chaudière alimente deux machines *Compound* de 180 ch qui actionnent deux grandes hélices de 5,45 mètres de diamètre. L'appareil pèse au total près de 3 500 kg. Après plusieurs tentatives infructueuses, l'aéroplane, installé sur une double voie ferrée de 550 m de long, la première pour le guider, la seconde pour l'empêcher de décoller, a effectué un bref saut de 60 cm avant de se briser dans ses rails.

Les Wright vendent des bicyclettes

Etats-Unis, été 1893

1127, West Third Street, Dayton, Ohio : une maison toute en brique rouge. Au rez de chaussée, une boutique vitrée dont le fronton s'orne d'une inscription en lettres d'or : *Wright Cycle Co.* C'est là qu'Orville et Wilbur Wright ont ouvert leur magasin de bicyclettes. Auparavant imprimeurs, les deux frères ont été saisis par la folie de la « petite reine » après que l'aîné, Orville, eut acheté il y a quelques mois un superbe vélocipède. Les jeunes gens, enthousiasmés, ont alors confié sans remords leur imprimerie à un ami, Ed Sines, pour traverser la rue et fonder leur commerce. Ils réparent, fabriquent et vendent des vélos, sans pour autant perdre de vue le rêve qui les agite depuis l'enfance : construire un jour un aéroplane et voler. (→ 27.7.1899)

Octave Chanute refait l'histoire

Etats-Unis, 1894

Le temps d'un livre, l'ingénieur des chemins de fer Octave Chanute s'est fait historien et théoricien de l'aviation. Pour ce faire, nul n'était mieux placé que lui. D'une grande culture scientifique, esprit universel, Octave Chanute est en contact avec les chercheurs du monde entier. Il connaît Lilienthal, il correspond avec Louis Mouillard. Dans son livre, *Progress in Flying Machines* (les progrès des machines volantes), paru à Chicago, Chanute dresse un état des lieux de l'aviation. Il rend compte de toutes les recherches pratiques et théoriques effectuées à ce jour, et suggère parfois des solutions. Ce faisant, il ne se doute pas de l'immense service qu'il va rendre au monde de l'aviation en mettant désormais les travaux de chacun à la portée de tous.

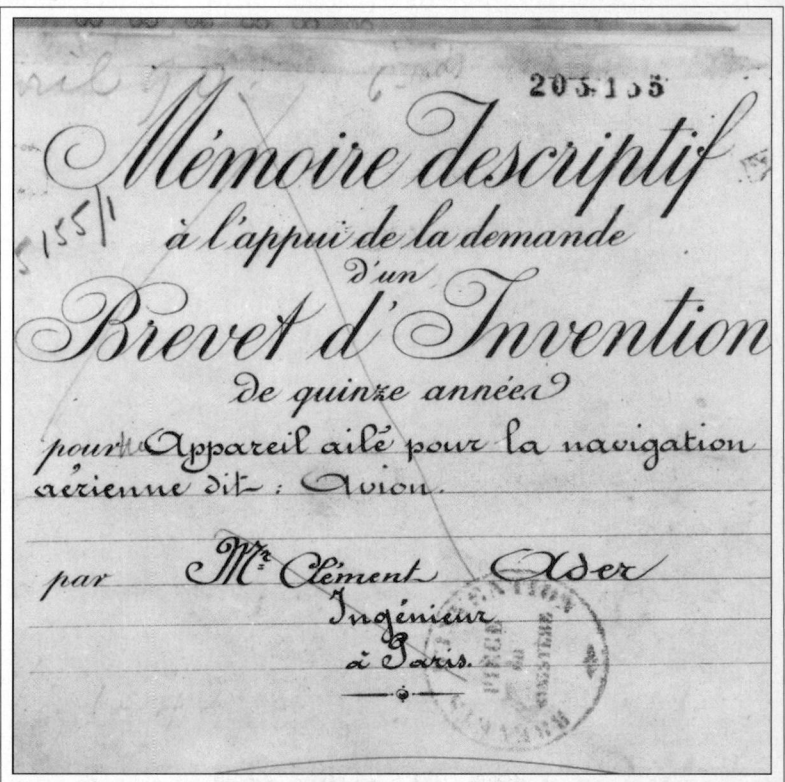

Mémoire descriptif à l'appui de la demande d'un Brevet d'Invention de quinze années pour Appareil ailé pour la navigation aérienne dit : Avion.

par M. Clément Ader Ingénieur à Paris.

Pour déposer son brevet, Clément Ader emploie le mot « avion » pour que l'on distingue son invention des aéroplanes.

1895

(1895-1899)

Paris, 28 décembre 1895
Armand Déperdussin devient « aboyeur » pour les projections des frères Lumière. (→ 15.6.1912)

France, juin 1897
Victor Tatin et Charles Richet font voler à Carqueiranne un aéroplane non monté, mû par la vapeur. La machine, qui pèse 33 kg, fait un vol de 140 m en ligne droite.

Le Caire, 20 septembre 1897
Paralysé, Louis Mouillard meurt dans la misère. Il laisse à l'état de notes un dernier ouvrage, le *Vol sans battements*.

France, 21 octobre 1897
Le général Mensier rédige le procès-verbal des essais de l'*Avion III*. A aucun moment, il ne précise si l'appareil a réellement volé.

Allemagne, 3 novembre 1897
La veuve de l'ingénieur autrichien Schwartz fait expérimenter avec succès à Tempelhof un dirigeable en aluminium, propulsé par un moteur Daimler de 12 ch.

Paris, 3 septembre 1898
Clément Ader dépose le brevet d'un moteur d'automobile d'un type complètement nouveau : il s'agit d'un moteur à deux cylindres en V.

Paris, 18 septembre 1898
Alberto Santos-Dumont équipe son dirigeable n° 1 d'un moteur à pétrole de Dion et Bouton d'1,75 ch. Il le modifie en ajoutant un autre cylindre. (→ 13.06.1899)

Etats-Unis, 11 octobre 1898
Dans le Michigan, à Saint-Joseph, Augustus Herring, en présence d'Octave Chanute, ne peut faire décoller un biplan équipé d'un moteur à air comprimé de 3 ch.

Dayton, 2 juin 1899
Wilbur Wright reçoit de la Smithsonian Institution *Progress in Flying Machines* de Chanute et, des extraits de *l'Empire de l'air* de Louis Mouillard.

Dayton, 27 juillet 1899 Les frères Wright ont achevé un planeur biplan qu'ils vont tester en l'utilisant comme un cerf-volant. (→ 17.5.1900)

Stanford Hall, 2 octobre 1899
Le pionnier anglais Percy Pilcher meurt à la suite d'une chute de 9 m faite avant-hier en planeur. (→ 19.6.97)

Ader échoue devant le général Mensier

Audacieusement, Clément Ader a équipé l'« Avion III » de deux moteurs.

France, 14 octobre 1897
Le camp de Satory n'aura pas porté chance à Clément Ader. L'essai de son nouvel *Avion III* a tourné à la catastrophe. Le nouvel engin, construit par Ader dans son atelier parisien de la rue Jasmin, conserve la silhouette primitive de l'*Eole*, mais, il dispose de deux moteurs de 24 ch qui actionnent des hélices contrarotatives afin de neutraliser l'effet du couple de renversement. Les ailes articulées sont repliables. Aujourd'hui, en fin d'après-midi, en présence du général Mensier, du général Grillon et du lieutenant du génie Binet, Ader s'installe aux commandes de son prototype. Deux aides maintiennent les ailes de l'avion, pour que celui-ci reste dans l'axe de la piste circulaire construite en prévision de l'essai. Ader pousse à fond le régime des moteurs, la vitesse augmente de seconde en seconde quand soudain

une rafale de vent prend l'avion dans le dos. Il échappe au contrôle d'Ader qui coupe alors son moteur. L'appareil sort de la piste et, après une course de près de 200 m, s'immobilise, une aile déchirée, les hélices brisées. Ader est indemne, mais les militaires, eux, voient leurs rêves guerriers s'éloigner.

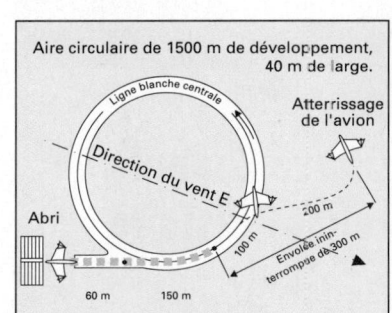
Ce croquis, exécuté par Clément Ader lui-même, montre le trajet de son avion. Le rapport officiel ne dit pas s'il a volé.

L'armée rompt avec Clément Ader !

France, 31 mars 1898
Depuis son échec du camp de Satory, les relations d'Ader avec les militaires se dégradent au point qu'aujourd'hui le ministre de la Guerre a décidé de dénoncer les conventions passées avec le savant. En effet, le général Jean-Baptiste Billot estime que l'*Avion III* n'a pas rempli les conditions de la convention établie en 1894 qui stipulait que l'avion devait « être en état de [...] manœuvrer en l'air pendant un

minimum de six heures et [d']atteindre plusieurs centaines de mètres d'altitude ». Des exigences irréalisables en l'état actuel des connaissances aéronautiques. Le ministre a refusé de suivre les conclusions du général Mensier, qui a assisté aux expériences de Satory et recommandait la poursuite des travaux. En revanche, il ne s'oppose pas à ce que Clément Ader continue seul et à ses frais ses recherches aéronautiques.

L'Aéro-Club de France est créé

Paris, 7 octobre 1898
Suivant l'exemple des aéronautes, qui ont leur société et leur revue, *l'Aéronaute*, Ernest Archdeacon, le comte de Dion et le comte de La Valette, ont fondé aujourd'hui un Aéro-Club de France. Le but de la nouvelle association est de réunir tous ceux qui s'intéressent de près ou de loin à l'aviation, les praticiens comme les savants, et de promouvoir le développement de l'aéronautique. Afin de vulgariser les recherches des scientifiques étrangers, l'Aéro-Club de France va organiser des conférences ouvertes à tous, et il compte publier une revue dont le titre est déjà trouvé : *l'Aérophile*. Archdeacon, de Dion et La Valette ont en commun la fortune, l'esprit scientifique, l'imagination et la passion. Le comte Albert de Dion, associé avec Georges Bouton, est un constructeur d'automobiles réputé. Quant à Ernest Archdeacon, n'écrivait-il pas dernièrement dans le journal le *Vélo* « qu'on volerait en 1900 ! » L'avenir lui donnera-t-il raison ?

Le planeur tue Otto Lilienthal

Berlin, 10 août 1896
Celui que d'aucuns considèrent comme le père de l'aviation est mort ce matin. La veille, Lilienthal, s'était rendu à Rhinower pour sa 2000e glissade. Hélas ! pris dans une rafale, il n'a pu contrôler son planeur. L'aile gauche décrochait et l'abattée plaquait brutalement le monoplan au sol. La colonne vertébrale brisée, le génial allemand était ramené à Berlin et hospitalisé à la clinique Bergmann. Mais, quelques heures plus tard, il expirait après avoir murmuré : « Il est des sacrifices qu'il faut savoir consentir. »

Un planeur type « Lilienthal ».

Un « Aérodrome » au-dessus du Potomac

L'« Aérodrome », catapulté d'une hauteur de six mètres, s'envole dans les airs.

Etats-Unis, 6 mai 1896

Une minute et trente-cinq secondes au-dessus du Potomac ! L'*Aérodrome* de Samuel Pierpont Langley a tenu ses promesses, mais ce n'est encore qu'une maquette au quart qui vient de voler. Pour l'occasion, le secrétaire de la Smithsonian Institution a invité Graham Bell, l'inventeur du téléphone qui est aussi un passionné d'aviation. L'*Aérodrome n° 5* est un petit aéroplane en acier. Un moteur à vapeur de deux cylindres de 1 ch actionne deux hé-

lices d'une envergure de 1,20 m. Les deux paires d'ailes de la machine sont disposées en tandem. C'est une catapulte, installée sur une des rives du Potomac, qui a propulsé dans les airs le *n° 5*. Celui-ci s'est élevé jusqu'à une hauteur de 100 pieds. Une fois la vapeur épuisée, la machine s'est posée doucement sur l'eau. Récupéré intact, l'*Aérodrome* était aussitôt relancé avec succès, il parcourait environ neuf cents mètres lors de son vol historique.

Une ascension qui fait deux morts

Berlin, 14 juin 1897

Le docteur Wolfert a été victime de son invention. Persuadé qu'en adaptant un moteur à un dirigeable tous les problèmes de navigabilité seraient résolus, il avait installé dans la nacelle de son dirigeable, le *Deutschland*, un moteur à essence Daimler de 8 ch. Après trois ascensions sans incidents, mais sans grands résultats, Wolfert et son mécanicien Knabe ont de nouveau ascensionné aujourd'hui. Quelques minutes après leur départ de Tempelhof, le dirigeable en feu s'écrasait au sol, tuant l'équipage. Il semble que le moteur ait pris feu et soit à l'origine du drame.

Octave Chanute fait voler des Américains

Boutousov, Herring et Avery dans les dunes de Miller Station.

Etats-Unis, 12 septembre 1896

« Il faut voler et tomber. Voler et tomber jusqu'à ce que nous puissions voler sans tomber. » A soixante-quatre ans, le savant américain Octave Chanute se sent bien trop âgé pour prendre à la lettre cette maxime de Lilienthal. Aussi a-t-il engagé trois jeunes gens pour essayer ses planeurs. Augustus Herring, William Avery et le Russe Paul Boutousov se sont donc installés avec leur nouvel employeur à Miller Station dans l'Indiana. Ce village, situé à 50 km au sud de Chicago, sur les rives du lac Michigan, présente la particularité d'être environné de vastes dunes, idéales pour pratiquer le vol plané. Après quelques jours de préparation, Herring et Avery ont essayé les planeurs. L'un était d'un type similaire à ceux de Lilienthal, l'autre était un multiplan conçu par Chanute et constitué par cinq paires d'ailes

oscillantes superposées devant et une autre paire à l'arrière. Il s'est révélé ingouvernable, tandis que le planeur « Lilienthal », quoique d'un maniement dangereux, fonctionne. Rentré à Chicago, le savant mettait alors au point un nouvel engin : un biplan léger et robuste dont la queue cruciforme, parallèle au plan des ailes, assure la stabilité de l'appareil. Une innovation qui n'en est pas vraiment une, car, Alphonse Pénaud, un Français, avait fait voler en 1871 le *Planophore*, un monoplan de la taille d'un jouet, muni d'un empennage et dont il tordait (gauchissait) la voilure pour compenser le couple de l'hélice. Aujourd'hui, dans les dunes de Miller Station, Herring sur ce nouveau planeur a réalisé une glissade de 123 mètres, d'une durée de 14 secondes, se rapprochant ainsi des meilleures performances de Lilienthal.

Percy Pilcher, un Anglais en planeur

Eynsford, 19 juin 1897

C'est auprès d'Otto Lilienthal que Percy Sinclair Pilcher a contracté le virus du planeur. Cet écossais de Glasgow, suivant les conseils de l'inventeur allemand a conçu un planeur original : le *Hawk* (faucon). L'appareil possède deux roues de bicyclette qui forment train d'atterrissage. L'envol s'effectue au moyen d'un treuil actionné par des aides et parfois par des chevaux. Aujourd'hui, à Eynsford dans le Kent, Pilcher grâce à ce système a gagné une hauteur suffisante pour effectuer une glissade de plus de 200 m. Un exploit qui confirme son intuition : plus on gagne de la hauteur, plus les courants ascendants portent le planeur.

Le planeur de Percy Pilcher en vol.

Santos-Dumont, un Brésilien à Paris

France, 13 juin 1899

L'Aéro-Club de France a profité de la seconde exposition publique de l'automobile pour organiser une course de distance en ballon. Hier, du jardin des Tuileries, trois ballons ont pris l'air. Parmi eux, le *Brazil*, un ballon de 1 700 mètres cubes, piloté par un jeune brésilien d'ascendance française, Alberto Santos-Dumont. Montant à une grande altitude, l'élève de l'aéronaute Henri Lachambre a fait honneur à son maître, en distançant ses concurrents et en atterrissant à Felletin, près d'Aubusson, dans la Creuse, après avoir tenu l'air pendant 21 h 50 min. (→ 31.08.1901)

1900

Allemagne, 6 mars
Décès de Gottlieb Daimler, le concepteur du moteur léger au gaz de pétrole.

Paris, 14 avril
Ouverture de l'Exposition universelle. L'*Avion III* de Clément Ader y est exposé. (→ 3.5.25)

Etats-Unis, 17 mai
Octave Chanute conseille à Wilbur Wright de se procurer les ouvrages de Louis Mouillard, en réponse à une demande de documentation.

Paris, mai
Ayant découvert l'*Avion* d'Ader à l'Exposition, Gabriel Voisin abandonne ses études d'architecture. Il dessine un projet de machine volante, inspiré des cerfs-volants cellulaires de Hargrave. (→ 8.4.04)

Lyon, 29 juin
Andrée Boyer de Fonscolombe met au monde Antoine, fils du vicomte Jean de Saint-Exupéry. (→ 31.7.12)

Etats-Unis, 6 septembre
Wilbur Wright quitte Dayton pour Kitty Hawk, en Caroline du Nord. L'année passée, les deux frères avaient demandé une aide à l'Office national américain de la météorologie afin de choisir un emplacement pour leurs essais. (→ 1.10)

Paris, 19 septembre
Lors d'une réception du Congrès international d'aéronautique de l'Aéro-Club, Henry Deutsch de la Meurthe déclare : « Espérons [...] que les automobiles aériennes arriveront à dépasser en vitesse toutes les automobiles terrestres. »

Paris, 22 septembre
A bord de son dirigeable *no 4,* Santos-Dumont survole le banquet des 22 000 maires de France qui se tient aux Tuileries. (→ 12.7.01)

Russie, 30 septembre
Le comte de La Vaulx atterrit en ballon à Brest Konyaski. Venant de France, il a accompli seul ce voyage. (→ 9.10)

Nice, novembre
Ferdinand Ferber est affecté au commandement de la 17e batterie alpine. Dès son arrivée, il fait construire une plate-forme de 5 m de hauteur, destinée à l'expérimentation de ses planeurs. (→ 7.12.01)

Octave Chanute.

Elisabeth Chanet

Une glissade du planeur biplan d'Octave Chanute. Trop âgé pour monter lui-même sur ses engins, il engagea les jeunes Herring et Avery.

La technique du moteur à explosion

Moteur à explosion fonctionnant au pétrole

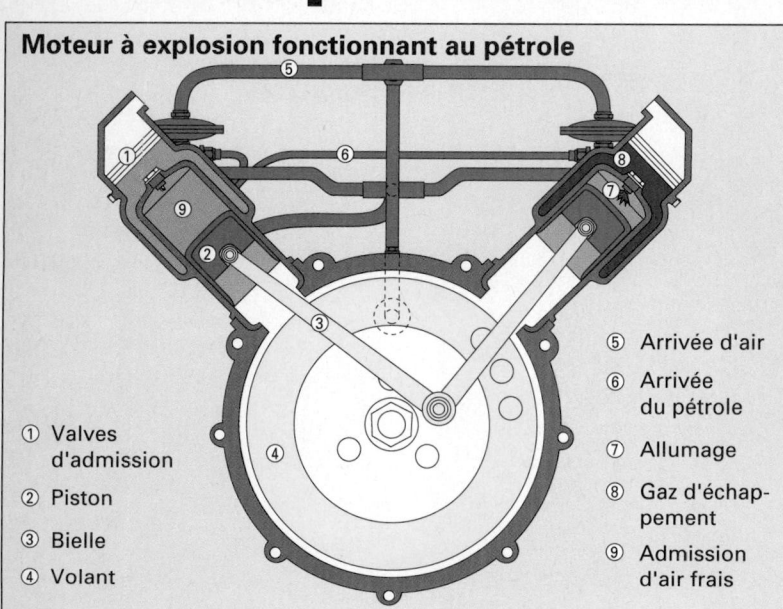

① Valves d'admission
② Piston
③ Bielle
④ Volant
⑤ Arrivée d'air
⑥ Arrivée du pétrole
⑦ Allumage
⑧ Gaz d'échappement
⑨ Admission d'air frais

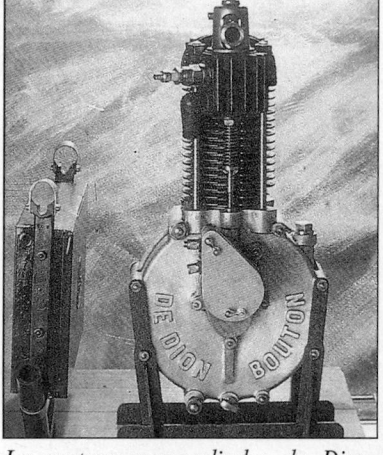

Le moteur monocylindre de Dion-Bouton est l'un des premiers moteurs à explosion destinés aux aéronefs. Refroidi par air, il développe 1,5 ch pour un poids de 25 kg.

Paris, janvier

La propulsion des aéronefs est, pour les navigateurs, le grand problème de ce début de siècle. De Henri Giffard, avec son dirigeable, à Clément Ader, avec l'*Eole*, tous ont eu recours à des moteurs à vapeur. Or, la difficulté provient du poids et du volume beaucoup trop importants de ces moteurs. En 1896 déjà, Nadar et de La Landelle réclament « un cheval-vapeur dans un boîtier de montre » pour leur machine volante. La réponse au problème sera le moteur à explosion, fonctionnant au pétrole : destiné à l'automobile, il est fait de fonte et de cuivre, et fonctionne en 4 temps (admission, compression, détente, échappement) définis en

1876 par l'ingénieur allemand Auguste Otto. En 1889, un autre moteur, destiné cette fois à la propulsion d'aéronefs, est conçu par Albert de Dion et le mécanicien Georges Bouton : monocylindre refroidi par air avec ailettes sur toute la hauteur du fût et de la culasse, il comporte une soupape d'admission automatique et un allumage haute tension par rupteur et bobine d'induction. Développant une puissance de 1,5 ch, il pèse 25 kg. C'est à partir d'un moteur à pétrole de tricycle de Dion-Bouton que le Brésilien Santos-Dumont construit le moteur destiné à son dirigeable *n° 2*. Il imagine de superposer sur un seul carter deux cylindres de deux moteurs qui actionnent une

bielle et sont alimentés par un seul carburateur, le tout allégé au maximum. Le résultat est un moteur développant 2,5 ch pour un poids de 35 kg. Pour contrôler le niveau des vibrations, il invente le premier banc d'essai en accrochant son moteur à deux grosses branches. Lorsqu'il « enfourche » l'engin et met le moteur en marche, il ne ressent presque aucune vibration. Enfin, si le moteur est effectivement léger, il veut être sûr qu'il sera assez résistant pour tourner pendant 4 à 5 heures sans tomber en panne ni trop chauffer. Lors de cet essai, Santos-Dumont résout aussi le problème des risques d'explosion du ballon gonflé à l'hydrogène dus aux étincelles provenant du moteur.

La grande prudence des frères Wright

Caroline du Nord, 31 octobre

Wilbur et Orville Wright avancent en tâtonnant mais ils semblent bien proches de la réussite. Les petits fabricants de bicyclettes de l'Ohio ont construit un planeur biplan de 5 m d'envergure et de 15 m² de surface portante, doté à l'avant d'un gouvernail de profondeur. Installés sur les dunes des plages de Kitty Hawk, un lieu où les vents sont constants, ils ont effectué des vols ce mois-ci. Parfois, ils sont restés en l'air près de 2 minutes. Ils ont aussi utilisé leur planeur comme un cerf-volant. Le système de contrôle de l'engin est astucieux : un jeu de câbles permet de relever le bout d'une aile tout en abaissant l'autre (→ 18.9.1901).

Le premier planeur des Wright.

L'aéroplane de Pompeïen Piraud

Paris, 1ᵉʳ août

A l'Exposition universelle de Paris, on se presse autour de l'aéroplane de J.-C. Pompeïen Piraud, même si ce n'est que le modèle réduit au 1/25 de la véritable machine volante de l'ingénieur. Il se compose d'une paire d'ailes articulées, inspirées directement des ailes de la chauve-souris ! L'appareil, équipé d'un moteur à vapeur bicylindre, a un poids de 45,800 kg. Le système est muni d'un contrepoids, et produit une force ascensionnelle équivalant à 5,800 kg.

Un des nombreux essais du dirigeable « Santos-Dumont n° 4 » : une longue vergue supporte un moteur de 9 ch. L'inventeur brésilien, quant à lui, est assis, sans aucune nacelle, sur une simple selle de bicyclette.

Une première au lac de Constance

Avec la première sortie du « zeppelin n° 1 » au-dessus du lac de Constance, les dirigeables rigides entrent dans l'histoire.

Allemagne, 2 juillet
Le premier dirigeable rigide conçu par Ferdinand von Zeppelin a pris l'air aujourd'hui. A bord, avec l'inventeur, se trouvaient le baron von Bassus et l'ingénieur de la firme, Ludwig Dürr. Dans la nacelle arrière, le mécanicien Gross chaperonnait le journaliste Enge Wolf. Après 18 minutes d'ascension au-dessus du lac, un incident de moteur et une avarie au gouvernail obligeaient le dirigeable à se poser prudemment sur l'eau. Il a été remisé intact sous le gigantesque hall en bois, monté sur des pontons, qui lui sert d'abri, à Manzell, près de Friedrichshafen. Ce *zeppelin*, c'est ainsi qu'il a été baptisé, se compose d'une carcasse en aluminium de 128 m de long sur

11,70 m de diamètre. D'un volume de 11 300 m³, elle est divisée en 17 cellules remplies d'hydrogène. Le lest est constitué par un réservoir qui contient 350 litres d'eau. Le *LZ 1* porte 2 nacelles, équipées d'un moteur Daimler à 4 cylindres de 14,2 ch. Chaque moteur actionne deux hélices à quatre pales. Elles sont en aluminium. Entre les deux nacelles, un câble porte un contrepoids pour contrôler les plans d'inclinaisons du dirigeable. Deux cloches d'appel et un câble sans fin monté sur deux poulies assurent la transmission des ordres écrits. Les performances du *LZ 1* sont satisfaisantes. Il s'est montré stable et capable de se poser sans difficulté, malgré quelques avaries.

Le comte Ferdinand von Zeppelin.

De Paris à Kiev en ballon

Korostychev, 9 octobre
Partis de Paris à bord du ballon *le Centaure*, le comte de La Vaulx et son compagnon de navigation, le comte de Castillon de Saint-Victor, se sont posés aujourd'hui en Russie, à Korostychev, non loin de Kiev. A l'occasion de l'Exposition universelle, à Paris, plusieurs concours d'aérostation avaient été organisés. Ainsi, Jacques Balsan est monté à 8 558 m d'altitude, à la grande joie des spectateurs. Le 30 septembre, le comte de La Vaulx avait effectué le premier vol entre la France et la Russie, couvrant 1 237 km d'une traite. Cette fois, le périple a duré 35 h 45 et un nouveau record a été établi : les aéronautes ont parcouru 1 925 km sans toucher terre.

Un congrès à Paris pour l'aéronautique

Paris, 19 septembre
Les congressistes de l'Aéro-Club de France se sont réunis pour instituer un règlement et constituer une Commission permanente internationale d'aéronautique. Ils en ont profité pour voir voler, à Saint-Cloud, Alberto Santos-Dumont à bord de son dirigeable *n° 4* à propulsion. Le président de l'Aéro-Club, M. Janssen, a émis le souhait qu'au prochain congrès les membres n'arriveraient ni en chemin de fer ni en voiture, mais bel et bien en aéroplane ou en dirigeable.

Henry Deutsch de la Meurthe lance un défi

France, 23 mars
S'il est un grand magnat de l'industrie pétrolière, Henry Deutsch de la Meurthe est aussi un passionné d'aérostation et de locomotion aérienne. Ces dernières années, il a consacré une grande partie de son temps et de sa fortune à soutenir toutes les initiatives susceptibles d'accélérer l'essor de l'aéronautique. Fondateur de l'Aéro-Club de France, il vient de créer un Grand Prix d'aérostation doté de 100 000 francs-or, qui doit récompenser le premier aéronaute qui effectuera, à bord d'un ballon dirigeable ou d'un aéronef, l'aller et retour entre le

parc d'aérostation de Saint-Cloud et la tour Eiffel dans un délai d'une demi-heure. Le vol doit se dérouler entre le 1er mai et le 1er novembre de la même année ; les inventeurs et les aéronautes ont jusqu'en 1903 pour réussir. Le contrôle de l'épreuve sera assuré par la Commission scientifique de l'Aéro-Club de France. Une dure épreuve attend donc les candidats, le trajet est de 11 km, il faut survoler Paris. En outre, départ et atterrissage devront s'effectuer à Saint-Cloud, sur un terrain propice au vol des ballons libres, mais moins adapté aux évolutions des dirigeables. (→ 4.11.01)

Passionné de vitesse et de mécanique, Henri Farman, déjà champion cycliste, excelle maintenant dans les compétitions automobiles.

1901

Bruxelles, 15 février
Fondation de l'Aéro-Club de Belgique.

Etats-Unis, juin
Samuel Langley teste un modèle réduit au 1/25 de son projet de machine volante à moteur à essence. L'essai est décevant. (→ 1.1902)

Paris, 12 juillet
Santos-Dumont pose le dirigeable *n° 5* dans les jardins du Trocadéro, à la suite d'une rupture de l'une des cordes manœuvrant le gouvernail. Une échelle fournie par des ouvriers lui permet de réparer son avarie sur place et de repartir. (→ 8.8)

Paris, juillet
Pierre-Georges Latécoère, âgé de 17 ans, abandonne le droit pour une formation d'ingénieur, et s'inscrit en classe préparatoire au lycée Saint-Louis. (→ 16.6.07)

Chicago, 18 septembre
Wilbur Wright expose ses essais de planements devant la Société occidentale des ingénieurs, avec des photographies prises lors du second séjour à Kitty Hawk. Il envisage la possibilité du vol motorisé.

Etats-Unis, 30 septembre
Glenn Curtiss fonde la fabrique de bicyclettes Curtiss Manufacturing Company. (→ 3.8.04)

Dayton, 6 octobre
Les frères Wright testent des profils d'ailes avec une bicyclette adaptée en plate-forme d'essai. Ils achèvent aussi la construction d'un tunnel aérodynamique. Dans la soufflerie, des balances de précision doivent mesurer les forces s'exerçant sur leurs maquettes. (→ 1.10.02)

France, 9 décembre
Naissance de Jean Mermoz à Aubenton. (→ 21.1.20)

France, 16 décembre
Ferber publie, pour la première fois, dans le magazine *Auto Vélo*, un article sur les engins plus lourds que l'air, dans lequel il souligne l'intérêt du moteur à pétrole.

Grande-Bretagne, 31 décembre
Samuel Cody réussit à voler avec son train de cerfs-volants cellulaires à ailes. L'appareil s'écrase mais le pilote est indemne : il a pu se raccrocher aux branches d'un arbre. (→ 31.12.02)

M. SANTOS-DUMONT
dans sa nacelle

Whitehead, la réussite controversée

Whitehead, avec sa fille Rose, à côté de son « n° 21 ». A leurs pieds : le moteur d'entraînement des roues au sol.

Bridgeport, 14 août
Vingt témoins étaient présents. Ce matin, Gustave Whitehead a fait décoller son avion d'un champ de Fairfield, près de Bridgeport. Il a réussi un vol de 850 m à une hauteur estimée à 15 m. C'est une belle revanche pour cet homme qui s'est fait chasser de Pittsburgh avec sa famille. Son premier essai, il y a quelques mois, s'était terminé sur le toit d'une habitation. Le chef de la police l'avait estimé dangereux pour la population ! Son vrai nom est Weisskopf. Il l'a changé pour

une traduction anglaise en 1895 quand il a émigré d'Allemagne aux Etats-Unis. Sa passion de voler est née à Berlin où il a rencontré Otto Lilienthal. Avec lui, il a appris la technique du vol plané. Il était certain que l'addition d'un moteur permettrait de quitter le sol. Pendant une minute et demie, il dit avoir eu l'impression, de « voler comme un oiseau ». Son appareil est composé d'une voilure monoplane. C'est lui qui a conçu le moteur. Il développe 12 ch à 2 500 tr/min pour un poids de 24,5 kg. Baptisé *n° 21*, il actionne

deux hélices de 1,82 m de diamètre qui tournent en sens contraire. Sous les yeux des curieux médusés et après quelques essais, il s'est élevé lentement du sol. Seul journaliste, Richard Howall, du *Bridgeport Sunday Herald*, sait déjà que son article fera sensation ! Whitehead n'a pas dévoilé le secret de son carburant. L'acétylène est un gaz dangereux qui présente un risque d'explosion. S'est-il servi d'acide carbonique ? Toujours est-il qu'un engin plus lourd que l'air a réussi cette fois à s'élever du sol.

Le cerf-volant porteur d'homme

Londres, 20 novembre
Samuel F. Cody a tout juste 40 ans. Américain du Texas, il porte un chapeau de cow-boy et a une grosse moustache. Il n'a cependant aucun lien de parenté avec son homonyme connu sous le nom de Buffalo Bill. C'est un voyage en Angleterre pour acheter des chevaux qui lui fait découvrir la passion du cerf-volant. Il vient de faire breveter son « cerf-volant de guerre ». Le câble du cerf-volant principal, qui emporte l'observateur, est soutenu par des cerfs-volants plus petits. Cody a eu cette idée suite aux récits des difficultés rencontrées par les ballons gênés, lors des sièges de Mafeking et Ladysmith, par les vents et le manque d'hydrogène. (→ 1902)

Samuel F. Cody et son cerf-volant.

Les incroyables mésaventures de Santos-Dumont en dirigeable

Santos-Dumont contraint d'atterrir dans le parc Rothschild à Boulogne.

Paris, 8 août
C'est avec grande émotion que tous les anciens de l'aérostation suivent les progrès de Santos-Dumont. Le richissime aéronaute brésilien est bien connu des Parisiens, surtout ceux du 16e, qu'il réveille tous les matins en essayant son dirigeable *Santos-Dumont n° 5*. Le 13 juillet, il couvrait en 40 minutes le parcours imposé par Deutsch, mais le vent le contraignait à se poser sur les arbres du parc Rothschild à Boulogne. Ce matin, l'aéronaute a dû abattre en catastrophe son *n° 5* qui se dégonflait, sur un grand immeuble de Passy, rue de l'Alboni. L'enveloppe en soie vernie est en lambeaux, la poutre armée brisée, seul le moteur Buchet 4 ch est intact. Nullement découragé, le Brésilien prépare déjà un *n° 6*. (→ 4.11)

Lors de l'accident du 8 août, Santos-Dumont sort indemne de la nacelle.

Londres a aussi son Aéro-Club

Londres, 29 octobre
Enregistrement officiel aujourd'hui de l'Aéro-Club du Royaume-Uni. On espère en recruter les membres parmi ces hommes et ces femmes de plus en plus nombreux qui veulent pouvoir voler pour leur plaisir et par passion du sport. C'est Frank Hedges-Butler, marchand de vin et pionnier automobile enthousiaste, qui est à l'origine de cette idée. Après un beau vol en ballon le mois dernier, en compagnie de sa fille Vera et de leur ami le distingué Charles Rolls, ils décidèrent la création d'un club tel qu'il en existe en France et en Belgique. Ils veulent encourager le développement de ce nouveau sport en Grande-Bretagne et en établir les règles.

Santos-Dumont récupère sa victoire

Deutsch de la Meurthe et son jury.

Paris, 4 novembre

La Commission a tranché. L'avis des scientifiques l'a donc emporté. Alberto Santos-Dumont recevra le prix de 100 000 francs-or. Il a décidé de répartir cette fortune entre ses ouvriers et les pauvres de Paris. C'est le point final d'un litige qui a largement alimenté la presse depuis l'aventure du 19 octobre dernier.

« Lâchez tout ! » Il est 14 h 42. Au parc d'aérostation de Saint-Cloud, le *Santos-Dumont nº 6* s'envole sous les yeux du jury. Poussé par un vent de sud-est, la tour Eiffel est déjà en vue. Il faut faire vite ; le retour se fera contre le vent. En 9 minutes, il a déjà doublé la tour. Le moteur tousse. Santos-Dumont ose quitter son siège et se lance sur la poutre pour aller le vérifier. Des-

sous, il voit la foule. Cramponné d'une main à la poutre, de l'autre il vérifie l'allumage et l'arrivée d'essence. L'engin retrouve son allure. Il arrive au-dessus du parc exactement à 15 h 11 min 30 s. C'est gagné. Il fait alors un virage, puis revient. François Peyrey, l'un des membres de l'Aéro-Club de France, saisit le guiderope à 15 h 12 min 40 s. Dès qu'il arrive au sol, Santos-Dumont s'écrie : « Ai-je vraiment gagné ? » Henry Deutsch de la Meurthe lui répond : « A mon sens, oui, mais vous êtes en retard de quarante secondes. » A leurs côtés, le marquis de Dion ne peut que confirmer. Le temps devait-il être compté au moment où il est arrivé au-dessus du parc ou fallait-il considérer le moment où le filin fut saisi ? (→ 1903)

Le capitaine Ferber et ses planeurs

Le planeur « nº 4 » de Ferber, à Nice.

France, 7 décembre

Le quatrième essai a été le bon. Aujourd'hui, à Nice, du haut d'un échafaudage de 5 m, le capitaine Ferber, relié à son planeur par des sangles passant sous les aisselles, s'est jeté dans le vide, sous l'œil inquiet de quelques spectateurs. Il a franchi une quinzaine de mètres et atterri doucement au bout de 2 s, un temps double de celui d'une chute libre. Ce n'est pas le premier essai de Ferber. Convaincu que l'Allemand Lilienthal avait découvert sinon le vol parfait, du moins la méthode pour apprendre à voler, il a déjà construit trois engins similaires. Le premier fut expérimenté en Suisse en 1899, le second utilisé en cerf-volant à Fontainebleau. Quant au troisième, malgré tous les efforts de son inventeur, il n'a jamais pu supporter le poids d'un être humain. (→ 15.12.02)

Les Wright pilotent leur second planeur

Caroline du Nord, août

Nouvelle année d'essais aériens pour les frères Wright. Ils sont maintenant basés à Kill Devil Hill, à 6 km au sud de leur ancien campement de fortune de Kitty Hawk. Sur un planeur de plus grande envergure (6,70 m), ils sont parvenus à réaliser un vol de 118,60 m. Mais cet engin semble difficilement maniable car il tend à dériver dès que les pilotes utilisent leur système de fléchissement des ailes, qui s'inspire des études de l'Allemand Lilienthal. Ce dernier s'est tué en s'écrasant au sol en 1896. Les Wright doutent de ces théories. Ils envisagent maintenant d'utiliser leurs propres travaux. (→ 28.10.02)

A Kitty Hawk, Wilbur Wright, à plat ventre, essaie son deuxième planeur.

Le moteur de Benz était bien trop lourd

L'aéroplane à flotteurs de Wilhelm Kress, à Tullnerbach.

Lac de Tullnerbach, 15 octobre

Il a beau avoir soixante-cinq ans, l'Autrichien Wilhelm Kress n'en a pas pour autant perdu ses rêves. Et son rêve le plus cher est de voler. Son aéroplane à flotteurs, dont il a commencé la construction en 1898, doit décoller du lac de Tullnerbach, pour ses premiers essais. Le constructeur Benz s'était engagé à lui fournir un moteur puissant et léger, qualités indispensables au bon fonctionnement du bateau volant.

Or, le moteur donne à peine 30 ch pour 380 kg : l'appareil pèse alors 850 kg au lieu des 640 prévus par

Kress. Arriva alors ce qui devait arriver : les flotteurs s'enfoncent jusqu'au bord et détruisent la stabilité, calculée avec tant de minutie par l'inventeur. De plus, la puissance est largement insuffisante. Malgré tout, l'aéroplane prend de la vitesse et des spectateurs crient déjà victoire. La malchance s'en mêle et Kress aperçoit soudain un barrage de pierre : il stoppe le moteur, vire brusquement. L'appareil oscille... et se retourne. Le vieil homme réussit à se dégager, mais l'appareil est en morceaux. Tout comme ses illusions.

Le capitaine Ferdinand Ferber.

1902

Etats-Unis, janvier
Le moteur à explosion commandé par Samuel Langley pour son *Aérodrome* est prêt. Le propulseur livré par Stephen Balzer a été modifié par Charles Manly. Il est testé avec succès durant 10 heures au banc d'essai. Avec 5 cylindres en étoile refroidis par eau, il ne pèse que 94 kg pour 52 ch. (→ 8.8.03)

Etats-Unis, 4 février
Naissance de Charles Augustus Lindbergh à Detroit. (→ 6.3.25)

France, 12 février
L'ingénieur Ducretet fait des essais de téléphonie sans fil. Il y a deux mois, Marconi a réussi une liaison à travers l'Atlantique.

France, mai
Ferber fait construire par la maison Buchet, à Levallois-Perret, un moteur à explosion développant 5 à 6 ch pour une masse de 36 à 40 kg. Il établit les plans de la transmission actionnant les hélices contrarotatives.

Paris, 28 août
Léon Levavasseur dépose le brevet 339068 concernant «un moteur de 8 cylindres décalés deux à deux à 90 degrés». Le 15 août dernier, l'ingénieur a signé un accord avec l'industriel Jules Gastambide pour la construction d'un avion équipé d'un moteur ultraléger. (→ 28.8.03)

France, 20 septembre
Edouard Nieuport écrit au journal *le Gaulois* pour obtenir des renseignements sur les travaux de Ferber.

France, novembre
Ferber obtient l'autorisation de construire sur un terrain militaire, dans un quartier alors désert, au bout de la promenade des Anglais, un «aérodrome»; ce terme désigne l'endroit où un aéroplane peut prendre le départ et atterrir. Auparavant, il désignait les hangars à ballons dirigeables. (→ 15.12)

Paris, 4 décembre
Gustave Eiffel devient membre de l'Aéro-Club. (→ 30.11.03)

Manchester, décembre
Au retour d'une croisière, Alliott Verdon Roe se met à construire des maquettes de planeurs. Ingénieur maritime, il a longuement étudié le vol des albatros en mer. (→ 24.1.06)

Ferber.

Elisabeth Chemel

Décembre 1902 : à la Californie, à Nice, le « Ferber nº 6 », avec moteur actionnant deux hélices, est suspendu à un mât de 18 m de haut.

La vie quotidienne des Wright à Kitty Hawk

Avec le vent de l'Atlantique pour complice

Gauchir les ailes pour provoquer le virage

Le planeur n° 3, muni d'un gouvernail de queue, est enlevé en cerf-volant.

Le planeur des Wright vire harmonieusement au-dessus des dunes.

Caroline du Nord, 28 octobre
Les frères Wright ont appris à dompter les vents ! Après une troisième saison sur les plages désolées de Kitty Hawk, ils sont repartis ce matin, sûrs qu'ils étaient passés maîtres dans l'art de piloter leurs planeurs de bois, de câbles et de tissu. Ils étaient devenus familiers des habitants, notamment du receveur des postes, Dan Tate, qui leur fut d'une aide précieuse lors du lancement délicat des planeurs dans des vents de 43 km/h. Cependant, ils ont su rester des hommes tran-

quilles, voire austères, dévoués à leur père, prédicateur, ne prenant jamais l'air le dimanche, et portant, même en vol, col dur et cravate. Le courage et la détermination sont les clés de leur succès. Mais il est basé au départ sur des mois de travail scientifique dans leur atelier de Dayton, dans l'Ohio, où ils ont construit une soufflerie expérimentale. Attachant des maquettes à une petite balance placée dans un flux d'air, ils ont calculé la force ascensionnelle produite, et ainsi la forme de voilure la plus adaptée.

Caroline du Nord, 28 octobre
La détermination des Wright est sans limite. Ils terminent leur troisième saison d'essais. Depuis début septembre, ils ont effectué presque mille vols au départ de Kill Devil Hill. Le plus long, d'une durée de 26 s, a atteint 189,86 m. Cependant, leur succès ne tient pas tant à la distance parcourue qu'à leur maîtrise du planeur dans les airs : ils ont appris à le faire virer, doucement, sans danger ni perte d'altitude, par simple torsion des ailes. Le pilote est allongé sur l'aile inférieure et

maintenu par un harnais. Au moment de gauchir l'aile, il se déplace et agit sur des câbles, provoquant une torsion des extrémités de la voilure. Il peut ainsi amorcer le virage. En déplaçant le harnais dans l'autre direction, il retrouvera son attitude initiale. Alors que leur premier planeur dérivait en rond lorsque le pilote tentait de sortir du virage, les frères Wright ont désormais surmonté ce défaut en transformant l'aile arrière en gouvernail mobile. Il est relié aux câbles qui agissent sur les ailes. (→ 25.9.03)

Chanute suggère d'installer un moteur

Caroline du Nord, 28 octobre
Nouvelle étape dans les brillants essais des frères Wright : ils tentent, cet automne, d'ajouter un moteur à leur planeur. Octave Chanute, leur mentor et ami de longue date, les y avait vivement incités lors de sa visite au campement de Kill Devil Hill, dans le courant du mois. Mais ce n'est pas aussi facile qu'il y paraît. Le problème essentiel est de trouver un moteur à la fois assez léger et assez puissant pour propulser le planeur. Il doit ainsi développer une puissance de 5 à 10 ch, mais ne pas dépasser le poids d'un homme. Les frères Wright ont l'intention d'aborder ce problème avec des industriels de l'automobile,

mais, si cela n'aboutissait pas, il se pourrait, selon Wilbur, qu'ils essaient de construire leur moteur. La première rencontre des Wright avec Chanute remonte à mai 1900. Ce Français de Chicago avait publié un ouvrage, *Progress in flying machines*, et procédé à un certain nombre d'essais de planeurs. Wilbur lui avait écrit, exprimant sa conviction profonde que « voler est possible à l'homme » et sollicitant des conseils techniques. Depuis, ils sont restés en contact, animés du même enthousiasme. Chanute, en compagnie d'associés, leur avait rendu visite l'année dernière puis cette année, pour assister aux essais et analyser les progrès. (→ 25.9.03)

Octave Chanute (à gauche) en visite au campement des Wright à Kitty Hawk.

Le « Pax » explose au-dessus de Paris

Paris, 12 février
Ce jour est à marquer d'une pierre noire : pour la première fois, une catastrophe aérienne a fait deux morts dans le ciel parisien. Ce matin à 5 h 30, l'aéronaute brésilien Augusto Severo, accompagné de son mécanicien Sachet, a décidé de procéder au premier vol d'essai du dirigeable *Pax*. Il est l'inventeur et le constructeur de cet appareil qui comporte deux moteurs et plusieurs hélices, dont certaines à l'avant pour « écarter l'air ». Au Lâchez tout ! dans le parc d'aérostation de Vaugirard, l'aéronef s'élève à une hauteur presque double de celle de la tour Eiffel. Affolés, les deux hommes ont, semble-t-il, perdu la tête et jeté du lest, au lieu de modérer l'ascension. Le mécanicien aurait finalement jeté un plein sac d'un coup, faisant bondir le dirigeable de plus en plus haut. La dilatation du gaz rendait l'explosion inévitable et 2 400 m³ d'hydrogène se répandirent dans l'atmosphère, avenue du Maine. Horrifiés, les témoins ont relevé, parmi les débris, les corps informes des malheureux aéronautes. Ils n'auront volé que dix minutes. Le Brésilien Alberto Santos-Dumont, en spécialiste, attribue les causes de l'accident au manque de pratique aéronautique d'Augusto Severo.

Du « Pax », explosé en vol, il ne reste que des débris sur l'avenue du Maine.

Premier dirigeable dans le ciel de Londres

Londres, 19 septembre
Stupéfaction générale cet après-midi pour des centaines de Londoniens, à l'apparition imprévue d'un dirigeable dans le ciel de la capitale. Le ballon, piloté par le célèbre aéronaute Stanley Spencer, passa, pendant son vol de trois heures, au-dessus de la plus grande partie des quartiers sud et ouest de Londres. Il s'agit du premier vol de cette sorte au-dessus de la capitale. Spencer, qui faisait depuis bientôt trois mois des vols d'essai au Crystal Palace à Sydenham, dans le Kent, sut, hier, tirer parti de conditions météorologiques favorables. A 15 h 30, il télégraphia à Percival et Arthur, ses frères et associés dans cette entreprise, son intention de s'envoler. A 16 h 15, il décolla, seul, en direction des quartiers proches de Tulse Hill, avant de virer au cap nord-ouest. De Clapham, il survola Chelsea et Ealing avant d'atterrir finalement à l'ouest de Londres, à Eastcote près de Harrow, après un vol de 48 km, améliorant ainsi de 32 km le record précédent, celui du Brésilien Santos-Dumont. Le dirigeable, qui est le résultat des années de recherches menées assidûment par les frères Spencer, fait 22,90 m de long et 6,10 m de diamètre. Ses lignes sont originales et ne s'inspirent pas du tout de celles du ballon dans lequel Santos-Dumont réalisa son record.

Ferber adopte les principes des Wright

Lancer du planeur biplan « Ferber n° 5 » à Beuil, dans les Alpes-Maritimes.

Nice, 15 décembre
La *Revue rose* ouvre les yeux de ses lecteurs. Grâce à cette publication, le capitaine Ferber est entré en contact épistolaire avec le savant naturalisé américain Octave Chanute. Ce dernier lui a obligeamment fourni un volumineux dossier sur ses propres travaux et ceux des frères Wright. Ceux-ci, après leurs premières expériences, se trouvaient devant un problème à résoudre : leur planeur ne possédait pas la force ascensionnelle escomptée. C'est Otto Lilienthal qui, le premier, avait compris que la force ascensionnelle était engendrée par l'écoulement de l'air le long des ailes portant l'aéroplane ou le planeur, comme cela se fait naturellement pour les oiseaux. Mais Orville et Wilbur se sont aperçus que les calculs de l'Allemand étaient faux. Depuis, dans leur atelier de Dayton, ils s'appliquent à étudier les phénomènes de portance. Ce sont ces découvertes que Chanute a transmises à Ferber. De son côté, le capitaine avait pu déterminer lors de ses expériences de 1901 à Nice que l'air offrait une résistance. Il s'est donc fié aux expériences des Wright et a adopté le principe du biplan pour la construction de son cinquième aéroplane. Essayé en juin à Beuil, puis au Conquet, dans le Finistère, il manquait de stabilité et vibrait, deux problèmes encore non résolus. Mais, « surprise délicieuse », comme l'a dit Ferber lui-même, après quelques avatars, l'aéroplane, un beau jour, s'est mis à glisser sur les couches d'air comme une flèche de papier.

Blériot construirait un aéroplane

France, décembre
« Monsieur a fabriqué un nouvel oiseau mécanique ! » Dans les cafés de Levallois, les conversations sur les activités de Louis Blériot vont bon train. L'industriel, qui a bâti sa fortune en fabriquant des phares de voiture à acétylène, est lui aussi saisi par le virus de l'aviation. Il a déjà construit trois ornithoptères, des appareils à ailes battantes, imitant le vol des oiseaux. Essayés sur les terrains vagues de Levallois, sous l'œil moqueur des gamins du voisinage, aucun n'a décollé. Déçu, Louis Blériot aurait décidé d'arrêter là l'expérience. (→ 18.7.05)

Mme Samuel Cody est la première femme à être soulevée par un cerf-volant. Son mari poursuit ses expériences. (→ 6.11.03)

1903

Paris, janvier
Santos-Dumont annonce le prix du voyage, proportionnel au poids, des 12 passagers que son dirigeable *no 10* pourra enlever : 1 franc par kg. Il vient d'en commencer la construction. (→ 1.7.04)

Nice, 7 mars
Chanute visite la France avec ses deux filles et arrive à Nice pour observer les essais motorisés de Ferber et informe les frères Wright des résultats. Sur ses conseils, Ferber trouve un lieu plus propice à ses essais, au Conquet, dans le Finistère.

Nice, 6 juin
Après des essais statiques de stabilité, le capitaine Ferber essaie en mouvement son aéroplane *no 6* sur l'aérodrome. Equipé d'un moteur Buchet de 6 ch entraînant deux hélices contrarotatives, il ne parvient pas à décoller. (→ 10.1.04)

Paris, juin
A la demande du capitaine Ferber, Archdeacon lance une souscription à l'Aéro-Club afin de fonder « un prix de distance pour appareils de planement ». (→ 25.3.04)

Etats-Unis, 8 août
Samuel Langley fait voler avec succès la maquette au 1/25 de l'*Aérodrome*, lancée d'une maison flottante sur le Potomac. (→ 7.10)

Allemagne, 18 août
Karl Jatho réussit à décoller sur 18 m avec son cerf-volant triplan sans queue, muni d'un moteur de 9 ch. Il n'a pas de commande de direction.

Kitty Hawk, 25 septembre
Orville et Wilbur Wright arrivent de Dayton avec leur planeur motorisé, le *Flyer*, en pièces détachées. Ils ont dessiné un moteur à 4 cylindres en ligne de 13 ch, pour un poids de 82 kg. Leur mécanicien Charles Taylor l'a construit en six semaines. Ils ont fabriqué deux hélices dont les pales présentent les qualités aérodynamiques d'une aile. (→ 17.12)

Paris, 30 novembre
Gustave Eiffel propose à l'Aéro-Club d'installer un aérodrome sur le Champ-de-Mars pour les expérimentations d'aéroplanes : un câble tendu à partir du premier étage de la Tour.

Orville et Wilbur Wright.

Elisabeth Chemel

17 décembre 1903 : l'événement est historique. Il se déroule au-dessus de l'Atlantique. Sur le « Flyer I », Wilbur Wright est le premier homme à voler.

L'« Aérodrome » de Langley termine sa course dans le Potomac

Chanute révèle les secrets des Wright

Washington DC, 7 octobre

Le premier lancement de l'avion expérimental grandeur nature de Samuel Langley, l'*Aérodrome*, a failli se terminer en catastrophe. L'avion de ce scientifique américain, décollant du toit d'un hangar à bateaux sur la rivière Potomac, est allé s'abîmer directement dans l'eau. Le pilote et mécanicien Charles Manly a pu s'éloigner à la nage, mais l'avion est gravement endommagé. Langley a mis en cause la défaillance d'un mécanisme de lancement. Il prépare l'*Aérodrome* pour une seconde tentative. Depuis seize ans, Langley, aidé par une subvention de 50 000 dollars, travaille sur son avion. En juin 1901, un modèle réduit au 1/25 de l'*Aérodrome* avait fait trois vols, les premiers réalisés par un avion utilisant un moteur à essence. (→ 27.2.06)

L'« Aérodrome » sur la catapulte de lancement surmontant le bateau-hangar (en haut)... et son épave, quelques instants plus tard, dans le Potomac.

Paris, 2 avril

On entendrait une mouche voler. Dans les salons de l'Aéro-Club de France, l'assistance n'a d'yeux que pour le savant français Octave Chanute, venu faire une conférence sur les frères Wright. Il était là, en 1902, lorsque les pilotes se sont envolés à bord de leur planeur n° 3, et il est bien placé pour révéler le secret de la maniabilité de l'appareil. A l'instar des oiseaux, les frères Wright utilisent simultanément la gouverne de direction et le gauchissement de l'aile par flexion de son extrémité. Ce mécanisme augmente la portance d'une aile et diminue celle de l'autre, provoquant l'inclinaison en virage ou stabilisant l'appareil en ligne droite. Une révélation capitale. (→ 10.1.04)

Un cerf-volant pour traverser la Manche

Levavasseur teste son moteur Antoinette

Douvres, 6 novembre

Cody poursuit ses démonstrations sur l'utilité des cerfs-volants. Il vient de surprendre en réalisant la première traversée de la Manche en utilisant ses cerfs-volants comme moyen de traction. Il est arrivé à Douvres ce matin, radieux, après une traversée de treize heures, dans un petit bateau remorqué par ses cerfs-volants. Hier en fin d'après-midi, Cody est arrivé en France en paquebot avec ses cerfs-volants et son bateau. Parti de Calais par beau temps à 17 h 30, il lui fallut bientôt abaisser le cerf-volant principal par manque de vent, et il se mit à dériver pendant la nuit. Ayant, par prudence, placé une lampe tempête à l'un des deux mâts de son bateau, Cody écarta ainsi tout risque de collision avec un autre bâtiment. Au petit jour, le vent se mit à nouveau à souffler, et il put repartir. Il a accosté à 8 h 30 ce matin en Angleterre. La faim devait le tenailler car il s'est jeté sur un copieux petit déjeuner à son hôtel. (→ 1.2.05)

Paris, 28 août

Jules Gastambide, riche industriel du Havre, donne les moyens à Léon Levavasseur de construire un moteur révolutionnaire. Sa ravissante fille donnera, elle, son prénom au même moteur. C'est ainsi que naît l'Antoinette, un 8 cylindres en V, dont Levavasseur rend le brevet public. Il s'agit d'un moteur refroidi par eau, à injection directe, d'un poids de 156 kg, développant 50 ch avec radiateur à eau. L'ingénieuse disposition du moteur permet d'éliminer pratiquement les vibrations, grâce à un équilibrage très particulier qui supprime l'utilisation d'un volant d'inertie. On a accolé deux têtes de bielle en vis-à-vis sur chacun des quatre manetons. Les cylindres sont entourés d'une chemise d'eau en laiton. S'il n'y a pas de carburateur, l'essence est refoulée dans un collecteur, et se répartit dans les distributeurs des cloches d'aspiration de chaque cylindre. Le radiateur fait fonction de condenseur.(→ 1.4.07)

Cody, à bord de son canot tiré par un cerf-volant, arrive à Douvres.

Léon Levavasseur et son aéroplane à moteur Antoinette, essayé à Villotran.

L'envol historique d'Orville Wright sur « Flyer I »

L'instant précis où Orville quitte le rail de lancement sous les yeux de son frère.

Le planeur des Wright, « Flyer I », près de leur campement à Kitty Hawk.

Caroline du Nord, 17 décembre

A 10 h 30 ce matin, un rêve aussi vieux que l'humanité s'est concrétisé : l'homme s'est rendu maître des airs. Les frères Wright viennent en effet d'accomplir ce qu'ils ambitionnaient : le premier vol stabilisé d'un engin motorisé plus lourd que l'air.

Dès ce soir, ils ont télégraphié la fantastique nouvelle à leur père, à Dayton, dans l'Ohio : « Jeudi matin, avons réussi quatre vols grâce à des vents de 40 km/h. » Leur appareil, qu'ils appellent désormais *Flyer I*, piloté d'abord par Orville, décolla d'un rail de bois de 12 m de long, près de leur campement de Kitty Hawk. Il resta en l'air durant 12 secondes et parcourut 36,5 m au milieu de sautes de vent. Wilbur effectua à midi le quatrième et dernier vol, qui dura 59 s. Il parcourut 260 m avant de tomber au sol. Mais une forte rafale l'obligea à tout arrêter. Il y avait là cinq témoins, tous des hommes de la région, qui ne furent pas spécialement impressionnés puisqu'ils avaient vu les Wright, au cours des années passées, effectuer plusieurs autres vols plus longs. Les aviateurs se sont réjouis de leur succès, persuadés qu'ils ont trouvé la clé pour construire un appareil d'usage pratique. Ce sont aujourd'hui quatre années de dur et patient labeur qui ont porté leurs fruits, l'approche scientifique qu'ils ont eue leur ayant permis de réussir là où tant d'autres avaient échoué.

Les deux frères Orville et Wilbur Wright sont entrés dans l'histoire.

Pendant leurs nombreux essais, ils n'ont jamais pris de risques inutiles, privilégiant toujours la compréhension du phénomène physique avant l'essai, et soutenant l'ensemble de leur travail par une solide connaissance des phénomènes aérodynamiques. Il y a un an, après un automne riche en succès, Wilbur et Orville avaient passé l'hiver dans leur atelier de Dayton pour travailler sur un moteur et des hélices destinés à propulser le planeur. Au début de la phase d'expérimentation à Kitty Hawk, il y a trois mois, une série de retards dus essentiellement à la faiblesse de la chaîne de transmission les avaient inquiétées. Ils ont alors craint d'être battus, dans leur conquête de l'air, par Samuel Langley. Mais l'échec du second lancement de *l'Aérodrome*, qui se termina malencontreusement dans la rivière Potomac le 8 décembre, leur redonna un nouvel espoir. L'hiver était là, les garçons avaient promis à leur père d'être à la maison pour Noël, mais ils étaient fermement décidés à voler. Le 14 décembre, à la première tentative, le *Flyer I* quitta la piste mais retomba tout de suite au sol : Wilbur n'était pas habitué aux commandes.

Hier enfin, les réparations étaient achevées, mais le vent était trop faible. Ce matin, les conditions idéales étaient pratiquement réunies et, dans les vents de l'Atlantique, les frères Wright écrivaient une page fantastique dans l'histoire de l'aviation. (→ 27.5.04)

1904

France, 10 janvier
Par l'intermédiaire d'Octave Chanute, Ferdinand Ferber écrit aux frères Wright pour acheter l'une de leurs machines. Il vient de recevoir un courrier d'Orville Wright l'informant de la réussite de leur dernier essai de vol sur le *Flyer*.

Rotterdam, janvier
L'Allemand Christian Hülsmeyer expérimente avec succès son télémobiloscope en détectant un navire à une distance de 2 km du port. Il a pu construire son appareil grâce à des réflexions d'ondes électromagnétiques qu'il avait remarquées en passant sous un pont à Cologne.

Saint-Cloud, 22 février
Le planeur Archdeacon est examiné par la Commission technique de l'Aéro-Club. Amélioration du type Wright, cet appareil a été construit par le modeleur Dargent à Chalais-Meudon, sous la surveillance du colonel Renard. Les essais sont prévus pour avril.

Berck-Plage, 8 avril
Gabriel Voisin réussit des planés avec l'appareil de Archdeacon, en présence de celui-ci et du capitaine Ferber. Ce dernier a par ailleurs reçu une réponse négative des frères Wright pour l'achat d'un planeur, sous prétexte qu'il n'est pas encore au point. (→ 18.7.05)

Etats-Unis, 30 avril
Ouverture de l'Exposition universelle de Saint Louis. Octave Chanute y présente une réplique de son planeur biplan de 1896, lancé par un treuil électrique. (→ 1.07)

Manchester, 4 mai
Charles Rolls et Henry Royce passent un accord d'association pour fabriquer des automobiles et des moteurs. (→ 15.3.06)

France, 9 mai
Sur la demande du colonel Renard, Ferdinand Ferber arrive de Nice au parc d'aérostation militaire de Chalais-Meudon, où il a été nommé le 14 avril.

Huffman Prairie, 27 mai
Les journalistes convoqués par les frères Wright depuis cinq jours quittent le nouveau terrain d'essais, situé près de Dayton. Ils repartent sceptiques, bien qu'ayant assisté hier au vol réalisé par Orville avec le *Flyer II* et constaté qu'il avait couvert une distance de 9 m.

Californie, 3 août
Thomas Scott Baldwin réalise un vol en circuit fermé à Oakland avec son dirigeable, baptisé le *California Arrow*. L'appareil est propulsé par un moteur de motocyclette Curtiss refroidi par air. (→ 24.1.07)

Huffman Prairie, 15 septembre
Depuis maintenant huit jours, les frères Wright ont repris leurs essais du *Flyer II* avec une catapulte équipant la base, désormais nommée Simms Station. Lancé à l'aide d'un contrepoids de 270 kg, Wilbur a réussi à effectuer aujourd'hui un virage contrôlé en vol. Les frères Wright peuvent maintenant envisager le décollage de leur aéroplane sans plus avoir à se soucier de la force du vent.

Simms Station, 20 septembre
Wilbur Wright réalise le premier vol en circuit fermé d'un aéroplane, à bord du *Flyer II*. Il parcourt 1 240 m en 1 min 36 s, en présence de plusieurs témoins, dont Amos Root, propriétaire d'un journal local. (→ 9.11)

Paris, 24 septembre
Un concours d'aéroplanes montés est organisé par l'Aéro-Club. Un prix de 1 500 F est offert au premier aviateur qui aura parcouru 100 m contre le vent, avec ou sans moteur. La dénivellation entre les points de départ et d'atterrissage ne doit pas être supérieure à 17 cm.

Chalais-Meudon, octobre
Le capitaine Ferber commence les essais de son planeur n° 5, du type Chanute-Wright. Pour obtenir une stabilité longitudinale, il franchit une étape importante en équipant l'appareil d'un stabilisateur placé à l'avant. Il dispose pour l'aider d'une équipe composée de plusieurs assistants, dont Louis Peyret est membre. (→ 27.5.05)

France, 19 novembre
Au prix offert par l'Aéro-Club de France le 24 septembre, Ernest Archdeacon ajoute une coupe de bronze dorée, signée Barbedienne, d'une valeur de 2 500 F. Pour tous renseignements, il suffit aux candidats de s'adresser au siège de la Société d'encouragement à la locomotion aérienne, qui se trouve au 8, faubourg Saint-Honoré, à Paris.

Charles Renard met les installations de Chalais-Meudon à la disposition du capitaine Ferber.

Un lancement de Ferber sur son planeur n° 5 à Chalais-Meudon, à l'aide d'un chariot courant sur un fil tendu entre trois poteaux.

Pendant qu'en Europe on apprend à planer...

Ferdinand Ferber décolle d'une dune, à Berck-sur-Mer.

A Berck, Gabriel Voisin plane à bord de l'aéroplane « Archdeacon ».

A Palavas, le planeur de Solirène, lancé d'un pylône, tombe à la mer.

Robart essaie son planeur dans un champ, près d'Amiens.

Europe, 20 septembre

Tous les saints seraient-ils pêcheurs en leur jeunesse ? En Europe, les pionniers de l'air continuent leurs recherches, mais sur des bases qui semblent les éloigner du succès. La plupart des théoriciens européens sont persuadés que les plus lourds que l'air n'ont pas d'avenir. Aussi se sont-ils concentrés sur la fabrication et l'essai de planeurs. Mais ceux-ci permettent tout juste de supporter le poids d'un homme sur des distances n'excédant pas quelques dizaines de mètres. Leur vol est toujours un vol descendant. Fondamentalement, un vol met en jeu quatre facteurs : le poids de l'appareil, la force ascensionnelle, la poussée et la traînée. La force ascensionnelle, qui s'oppose au poids de l'appareil, permet à l'aéroplane de vaincre la force d'attraction terrestre. La poussée représente la force de traction et s'oppose à la traînée, qui est une résultante complexe de l'écoulement de l'air freinant la progression de l'avion. La nature a depuis longtemps résolu tous ces problèmes : ainsi, les oiseaux utilisent les courants ascendants de l'air pour se maintenir en vol sans battre des ailes ni dépenser de forces. En Europe, seulement quelques hommes ont su deviner ce fait : l'Allemand Otto Lilienthal, le Français Louis-Pierre Mouillard, puis le capitaine d'artillerie Ferdinand Ferber ont compris que l'air pouvait porter un aéroplane et qu'un jour on pourrait, avec l'aide d'un propulseur, voler longtemps. Cette théorie déclenche des débats homériques entre le carré des praticiens de l'aviation et les sommités scientifiques qui crient à l'hérésie et ne croient pas à l'avenir de l'avion.

Lavezzari expérimente son planeur sur la plage de Berck.

Robert Esnault-Pelterie fait atterrir le planeur qu'il a conçu.

... à Dayton, Wilbur Wright vole en circuit fermé

Installés à la Simms Station, près de Dayton (Ohio), les frères Wright ont construit un nouveau planeur, qui effectue le premier vol en circuit fermé.

Ohio, 20 septembre

Les Wright franchissent encore un pas dans l'amélioration de leurs machines volantes! Aujourd'hui Wilbur, après avoir décollé avec leur nouvel appareil, *Flyer II,* a pour la première fois décrit un cercle. Il a établi, par la même occasion, un nouveau record en parcourant la distance de 1 240 m. *Flyer II* est une version améliorée de *Flyer I,* leur premier appareil motorisé qui avait volé à Kitty Hawk l'an dernier pour la première fois. Les frères Wright ont installé depuis cette année leur base d'essais plus près de chez eux, dans la ferme d'Huffman Prairie, à 13 km à l'est de Dayton. Mais, pour rester dans les limites de cet enclos de 36 ha et ne pas empiéter sur les propriétés voisines, il était nécessaire de voler en rond. Cette manœuvre délicate ne fut possible que grâce à leur sys-tème de gauchissement des ailes. Depuis le 7 septembre, les deux frères font aussi l'essai d'un nou-veau dispositif de lancement de l'appareil par vent faible. Leur mécanicien, Charlie Taylor, le dé-crit comme un système de cordes et de poulies reliées à des poids. Les cordes sont arrimées à l'avion et, lorsque les poids tombent, la force d'impulsion ainsi créée permet à *Flyer II* d'atteindre sa vitesse d'en-vol. Les Wright acquièrent une maîtrise de plus en plus parfaite de leur appareil, mais ils se préoc-cupent très peu de faire connaître leurs travaux. La presse avait bien été invitée deux fois pour assister aux essais au mois de mai, mais, en raison du mauvais temps qui n'avait pas permis de faire de démonstra-tion intéressante, les journalistes n'avaient fait que des commentaires très succincts. (→24.1.05)

Il rentre déçu de Saint Louis

New York, 1er juillet

Sabotage! Alberto Santos-Dumont est furieux. Venu à Saint Louis pour une course aérienne, il a re-trouvé l'enveloppe de son dirigeable lacérée dès son arrivée à New York. Ses mécaniciens ont été accusés par le colonel Kingsbury, de la police locale. En attendant, l'aérostat sabo-té est dans les cales du paquebot qui ramène le pilote en France.

Esnault-Pelterie pilote son planeur

Boulogne, 1er octobre

C'est sur la plage de Wissant que Robert Esnault-Pelterie a effectué les essais de son planeur biplan, remorqué par une automobile. Inven-teur du double entoilage des ailes (dessus et dessous), il en a équipé le devant d'un plan mobile pour stabi-liser la machine. Le contrôle latéral de l'appareil est bon, mais il faudra encore le perfectionner. (→22.1.07)

Une fortune pour qui volera un kilomètre

Paris, 25 mars

Le petit monde de l'aéronautique est en émoi. Ernest Archdeacon, le riche avocat d'origine irlandaise qui préside l'Aéro-Club de France, ne se contente plus des essais de son planeur, inspiré de celui des frères Wright. Persuadé depuis son exa-men de l'*Avion III* de Clément Ader, en 1898, de la réalité et de l'avenir du vol mécanique, il est en-thousiasmé et il vient d'annoncer qu'il ajoutait 25 000 F, prélevés sur sa fortune personnelle, à la somme de 25 000 F déjà offerte par Henry Deutsch de la Meurthe pour la fon-dation d'un grand prix d'aviation. Ce prix portera les noms des deux généreux mécènes. Il sera attribué à l'aviateur qui réalisera le premier un vol homologué avec moteur couvrant la distance de un kilo-mètre, sous réserve, évidemment, que l'appareil se pose intact. Une somme qui devrait tenter un grand nombre d'audacieux. (→1.6.07)

1905

Paris, 5 janvier
Dans une conférence à l'Aéro-Club de France, Robert Esnault-Pelterie dénonce le système de gauchissement de l'aile, qui détruit l'aérodynamisme de l'aéroplane et conduit à des tensions trop fortes pour les câbles de commande. Il propose de petites surfaces indépendantes de l'aile, commandées par le pilote, qu'il a lui-même testées avec succès l'an dernier.

Washington, 24 janvier
Le département de la Défense décline l'offre des frères Wright. Il y a une semaine, ils ont proposé au gouvernement de vendre l'une de leurs machines à l'armée. Leur note au Congrès précisait que le rôle de l'aéroplane « serait d'effectuer des reconnaissances et de porter des messages » (→ 28.11).

Grande-Bretagne, 1er février
Samuel Cody prend ses fonctions d'instructeur de cerfs-volants à Aldershot, avec un contrat de trois mois. Le ministère de la Guerre lui a acheté le 25 janvier deux trains de cerfs-volants : l'un d'observation et l'autre de transmission de signaux (→ avril 1906).

France, 12 février
L'aéronaute Jacques Faure et son cousin Hubert Latham atterrissent à Aubervilliers avec le ballon *Aéro-Club II*. Partis de Crystal Palace, à Londres, ils viennent de traverser la Manche (→ 19.2.09).

Paris, 13 février
Fin du concours d'appareils volants organisé par l'Aéro-Club à la galerie des Machines. On y a vu des modèles de toutes sortes. Le plus intéressant, celui de Paulhan, est propulsé par deux hélices mues par un moteur à pétrole de 1,75 ch. Le *Gellitas*, en forme de volatile tenant de l'aigle, du vautour et du canard, est le plus curieux.

Chalais-Meudon, 13 avril
En proie à une grave crise de dépression due à des tracasseries administratives, le colonel Charles Renard se donne la mort.

Californie, 29 avril
Largué depuis un ballon d'une hauteur de 1 200 mètres, Malloney vient de réaliser un vol de dix-sept minutes avec orbes, à bord d'un planeur conçu par le professeur Montgomery (→ 18.7).

Saint-Cloud, 14 mai
Les frères genevois Dufaux font des démonstrations de leur petit hélicoptère. Muni d'un moteur de 3 ch, il parvient à enlever une charge de 6 kg, pour un poids propre de 17 kg (→ 30.10.06).

Chalais-Meudon, 25 mai
Le capitaine Ferber réalise un premier essai, avec son planeur *no 6 bis* équipé d'un moteur Peugeot de 12 ch.→

France, 6 juin
Louis Seguin fonde la Société des moteurs Gnome. Il veut élargir la production des ateliers de Gennevilliers, qui fabriquent le moteur à explosion allemand Gnom pour automobiles (→ 28.11.08).

Simms Station, 23 juin
Les frères Wright commencent les essais en vol du *Flyer III*, construit en un mois (→ 5.10).

Russie, août
Un institut d'aérodynamique est ouvert à Koutchino. Mécène et savant, M. Riabouchinsky a dépensé 100 000 roubles pour le faire construire dans l'une de ses propriétés.

Washington, 28 novembre
L'ambassadeur de France reçoit une lettre des frères Wright. Ils veulent intéresser le ministère de la Guerre français à leur invention.

Allemagne, 30 novembre
Une tentative de lancement du zeppelin LZ 2, à partir du lac de Constance, échoue. Le dirigeable est endommagé avant même d'avoir accompli un vol (→ 18.1.06).

Etats-Unis, 30 novembre
Les créateurs de l'Automobile Club d'Amérique fondent l'Aéro-Club d'Amérique.

Washington, 5 décembre
Le colonel Foster, attaché militaire britannique, rompt les négociations d'achat d'une machine volante entamées avec les frères Wright par le lieutenant-colonel Capper en octobre 1904 (→ 8.2.06).

Canada, 28 décembre
Un cerf-volant cellulaire construit par Graham Bell, le *Frères siamois*, réussit à élever Neil MacDermid dans les airs. Il est constitué de 1 829 cellules de 25 cm de côté chacune (→ 15.9.07).

Ernest Archdeacon.

Archdeacon essaie un nouveau mode de lancement à Issy. Lesté à 60 kg et remorqué par une Renault 60 ch, l'aéroplane s'élève à 10 m.

Elisabeth Chemel

Les Américains découvrent les Wright

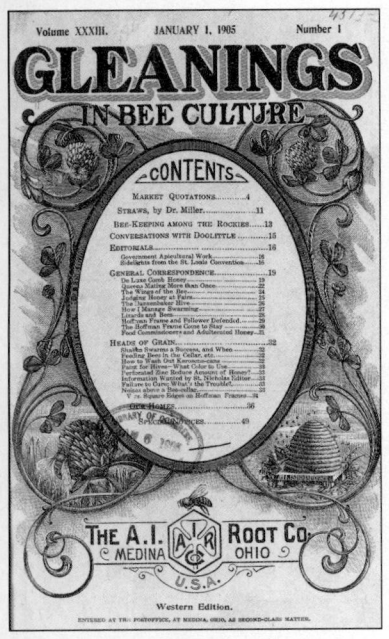

Seule une revue d'apiculture s'intéresse aux travaux des frères Wright.

Etats-Unis, 1er janvier
« Imaginez une locomotive qui a quitté ses rails et qui grimpe dans les airs droit sur vous... une locomotive qui n'aurait plus de roues... mais des ailes blanches à la place. » Voilà comment, de son œil de spectateur, Amos Root décrit le vol du *Flyer*, l'appareil des frères Wright, dans un magazine de petite diffusion paru ce mois-ci, *Remarques sur l'apiculture*. Depuis le mois de décembre 1903, où une série d'articles basés sur des ouï-dire avaient narré de façon inexacte l'aventure historique de leur premier vol, la presse américaine n'avait que très peu relaté les progrès des Wright. En effet, ils ont mis beaucoup de temps à publier leurs travaux, pensant qu'il valait mieux garder secrets les prototypes qu'ils avaient conçus pendant ces années de dur labeur.

Record de durée de vol pour « Flyer III » : les Wright vont monnayer leur invention

Le « Flyer III », conçu par les frères Wright : un aéroplane plein de promesses.

Dayton, 5 octobre
Aujourd'hui, Wilbur Wright a réussi un vol d'un peu plus de 38 min. Sur *Flyer III,* le tout dernier appareil à moteur qu'il a mis au point avec son frère Orville, il a parcouru 38,96 km au-dessus de leur terrain d'essais improvisé à Huffman Prairie. C'est donc le premier vol de plus d'une demi-heure des frères Wright. Il démontre que *Flyer III* est le premier de leurs appareils à moteur qui soit parfaitement réussi. *Flyer III* est conçu selon les modèles précédents mais avec une envergure légèrement plus développée : 12,34 m. Le remarquable moteur de 15 ch utilisé l'année passée a été conservé, mais de nou-velles hélices ont été montées. Le pilote dirige l'appareil comme auparavant, allongé au niveau des ailes. Les Wright ont débuté leurs essais à la fin du mois de juin, effectuant depuis de nombreux vols et s'exerçant à des virages complets et enchaînés. Ils sont enthousiasmés par la façon dont l'appareil se manœuvre. Depuis le début de l'année, ils essaient d'intéresser les autorités militaires des Etats-Unis et d'Angleterre aux performances de leur machine pour en faire un outil de reconnaissance. Cela n'a pas donné de résultat jusqu'à présent, mais le succès du dernier modèle pourrait les encourager à renouveler leurs démarches. (→ 4.11)

Bain forcé de Gabriel Voisin dans la Seine

L'aéroplane « Archdeacon », quelques minutes avant de prendre son envol sur une distance de 300 mètres, remorqué par le canot « la Rapière ».

Paris, 18 juillet
Que d'émotion sur la Seine entre Sèvres et Billancourt ! Gabriel Voisin se prépare à essayer deux planeurs à flotteurs qu'il a construits, appartenant à Archdeacon et à Blériot. Ces appareils ont été remorqués par le canot à moteur Antoinette *la Rapière*. Le temps est magnifique et le premier vol, sur le planeur *Archdeacon,* se déroule parfaitement : montée à 4 ou 5 m de haut, la machine a volé 300 m et s'est posée dès que le pilote du canot a coupé les gaz. Le second essai, sur l'hydro-aéroplane *Blériot,* est moins heureux. Le canot fait un mauvais départ : le câble de remorquage se raidit trop vite et provoque l'embardée transversale du planeur. L'appareil quitte l'eau et se retourne sur l'aile gauche, emprisonnant Gabriel Voisin sous le filet des « cordes à piano ». C'est de justesse que Decarme, l'un de ses ouvriers, le retire de l'eau. Louis Blériot, qui assiste à la scène, est déçu : il se contente d'admettre que les ailes de l'appareil sont trop creuses. C'est le deuxième bain forcé de Voisin dans la Seine. Le premier a eu lieu le 8 juin près du pont de Billancourt, sur un planeur achevé dans les ateliers d'Edouard Surcouf. Après un premier vol réussi de 17 m, le planeur avait lui aussi piqué dans l'eau lors du second essai. (→ 12.11.06)

L'aéroplane « Voisin-Blériot » rate son essai et tombe dans la Seine.

Ferber voulait un moteur plus puissant

Chalais-Meudon, 27 mai

Toujours sous le choc du très récent suicide de son ami et allié, le colonel Charles Renard, le capitaine Ferber s'apprête à faire voler l'appareil qu'il a conçu : l'aéroplane *n° 6*. Depuis 1904, le capitaine s'est installé à Chalais-Meudon, à la demande du colonel Renard. Celui-ci avait été si impressionné par les conférences de Ferber sur l'aviation qu'il a décidé de lui donner les moyens de concrétiser ses rêves. A peine arrivé dans son nouveau laboratoire de recherche, Ferber s'est adonné à des essais de vol plané en ajoutant à un appareil perfectionné une longue queue stabilisatrice. Il a installé un train de roues pour faciliter l'atterrissage, tandis que le lancement de l'aéroplane se fait grâce à un chariot courant sur un fil tendu entre trois poteaux. Pour ce nouvel essai, il a équipé son appareil d'un moteur Buchet de 6 ch. Si ce dernier n'est pas assez puissant pour voler horizontalement, l'engin, tiré par deux hélices, descend suivant une pente de 12 m pour 100 m. Ainsi, pour la première fois en Europe, un aéroplane conçu rationnellement, équipé d'un moteur à explosion, a fait un vol contrôlé, libéré de son câble de soutien. Bien qu'encouragé par ce premier vol en liberté, Ferber est conscient que son moteur est non seulement trop lourd, mais surtout beaucoup trop faible. Quelques heures après cet essai, Ferber s'est rendu chez l'ingénieur Léon Levavasseur. Il lui a passé commande d'un propulseur de 24 ch modifié, qui devrait pouvoir actionner deux hélices de 2,50 m à 600 tours en sens inverse l'une de l'autre. Ferber n'a plus qu'à attendre... et à continuer ses travaux. (→ 1.8.06)

Ferdinand Ferber : le talent et la passion d'un constructeur sur la bonne voie.

Daniel Malloney se tue devant la foule

Californie, 18 juillet

L'équipe du professeur John Montgomery est en deuil. Aujourd'hui à San Jose, le pilote de son planeur, Daniel Malloney, a fait une chute mortelle devant des milliers de spectateurs. La montgolfière remorquant le planeur vers les hauteurs s'élevait tranquillement quand une corde de retenue du ballon vint briser le gouvernail de profondeur du planeur. Ne s'étant aperçu de rien, l'aviateur se détacha vers 600 m du ballon. Les ailes du planeur se mirent à battre, puis l'appareil se retourna et tomba au sol. Malloney, qui ne portait qu'une blessure apparente au cou, devait décéder une demi-heure après, sans avoir repris connaissance. Sa mort ne devrait pas remettre en cause les prochains vols du planeur *Santa Clara*, l'accident n'étant pas dû à un défaut de l'appareil.

Un drame qui prouve la difficulté de l'homme à réaliser son rêve : voler.

Cherche terrain pour essayer aéroplanes

Paris, 20 mars

Une activité fébrile règne sur le terrain d'Issy-les-Moulineaux. Pour la première fois, des fanatiques de l'aviation ont l'autorisation d'utiliser ce champ de manœuvres appartenant à l'armée pour faire décoller leurs appareils. C'est Ernest Archdeacon, le mécène passionné, qui avait repéré ce terrain aux dimensions idéales. Après des mois de négociations, il a obtenu l'autorisation d'y essayer son biplan type Wright. Une telle décision ne peut que soulager les Parisiens. Las des entraînements militaires au Champ-de-Mars, ils supportaient également de plus en plus mal les vols au-dessus de la ville. Les accidents, qui peuvent se produire à tout moment à bord des dirigeables de Ferber et de Santos-Dumont, leur faisaient craindre le pire. Les autres terrains comme Bagatelle, Saint-Cloud ou Meudon sont encore trop proches de Paris. Issy-les-Moulineaux deviendra-t-il le lieu le plus fréquenté par les aéroplanes ? En tout cas Archdeacon espère ne pas être le dernier à en décoller...

Les aviateurs ont leur fédération

Paris, 12 octobre

La séance est ouverte. La Conférence internationale d'aéronautique s'est réunie à Paris, afin de fonder la Fédération aéronautique internationale (FAI). Proposée par un Français et un Belge, le comte Henry de La Vaulx et le major Moedebeck, elle réunit la France, la Belgique, l'Allemagne, l'Italie, la Grande-Bretagne, l'Espagne, les Etats-Unis et la Suisse. Son but : contrôler les épreuves et les records en aéronautique sportive. Vaste entreprise !

Un aéroplane pour un million

Dayton, 4 novembre

Les Wright proposent *Flyer III* pour un million de francs ! Ils ont écrit aujourd'hui au capitaine Ferdinand Ferber pour l'offrir à ce prix au gouvernement français, qui tirerait profit de leur invention. Cette somme inclurait l'achat de l'aéroplane, l'instruction d'un pilote et les autres détails du projet. Elle ne serait versée qu'après démonstration des qualités de vol de l'appareil. En effet, ils s'engagent à couvrir 50 km en un délai maximum de une heure. (→8.2.06)

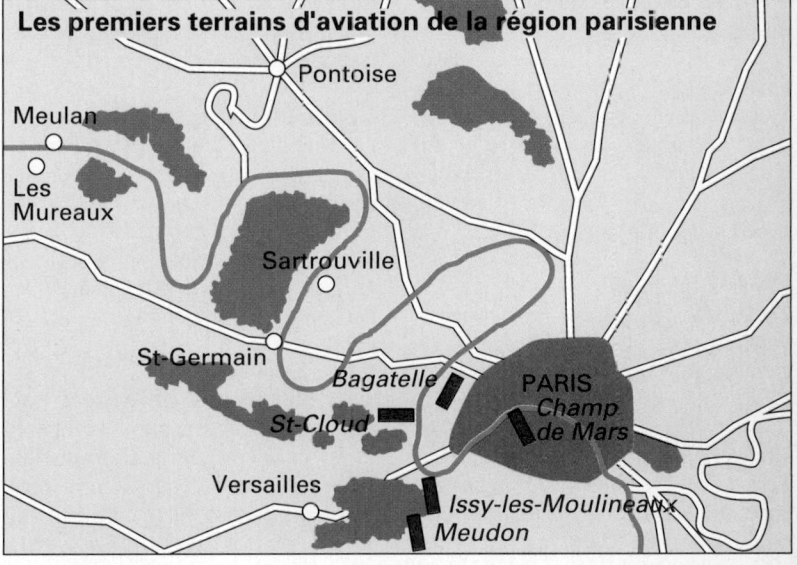

Les premiers terrains d'aviation de la région parisienne

Pontoise
Meulan
Les Mureaux
Sartrouville
St-Germain
Bagatelle
St-Cloud
PARIS
Champ de Mars
Versailles
Issy-les-Moulineaux
Meudon

1906

61,14 km/h
Etats-Unis
Wilbur Wright
Flyer III
5.10.05

38,956 km
Etats-Unis
Wilbur Wright
Flyer III
5.10.05

15 m
Etats-Unis
Orville Wright
Flyer III
28.9.05

388 kg
Etats-Unis
Frères Wright
Flyer III

52 ch
France
Léon Levavasseur
Antoinette

Paris, 2 janvier
Santos-Dumont s'inscrit pour le prix Deutsch-Archdeacon. Il a construit un hélicoptère muni d'un moteur Antoinette, afin de boucler le kilomètre en circuit fermé avec un appareil plus lourd que l'air.

Paris, 5 janvier
Un vif débat a éclaté hier soir à l'Aéro-Club de France à propos de l'affaire Wright. Déclenchée au moment délicat du cigare, la discussion s'est poursuivie jusqu'à minuit. Certains membres acceptent de reconnaître la performance des frères Wright, qui ont effectué un vol de 39 km, mais Ernest Archdeacon la refuse, le vol n'ayant pas été homologué.

Allemagne, 18 janvier
Un orage détruit le zeppelin LZ 2, laissé dehors, sans abri, après un atterrissage en catastrophe. Lors d'un vol d'essai hier au-dessus du lac de Constance, les deux moteurs étaient tombés en panne et le dirigeable avait été déporté par le vent.

Londres, 24 janvier
Un supplément du *Times* fait état d'une lettre de Alliott Verdon Roe, qui exprime sa foi dans les travaux des Wright. La rédaction du journal fait ce commentaire : «Toute tentative de vol artificiel selon ces conceptions est non seulement dangereuse pour la vie mais est vouée à l'échec, du moins du point de vue de l'ingénieur.»

Etats-Unis, 27 février
Découragé et moralement détruit par les attaques de la presse et du Congrès après l'échec de ses expériences, Samuel Pierpont Langley meurt d'un infarctus.

Londres, 15 mars
La société Rolls-Royce est officiellement créée. La fabrique d'automobiles est enregistrée avec un capital de 60 000 livres sterling.

France, 18 mars
Près de Montesson, l'ingénieur roumain Trajan Vuia réussit en public un vol de 12 m, à 50 cm de haut, mais sans contrôle officiel. Son monoplan, monté sur roues garnies de pneumatiques, est équipé d'un moteur de 25 ch à acide carbonique liquide (→ 24.6).

Londres, 7 avril
Partie de Crystal Palace, une course privée oppose le ballon *Aéro-Club III* de Butler, Pedley, Pollock et Miss Bennett au nouveau ballon de Charles Rolls. Ce dernier a décollé 40 min après ses concurrents, mais il se pose plus loin (→ 2.6.10).

Londres, 30 avril
Verdon Roe s'est engagé comme secrétaire de l'Aéro-Club. Il a quitté son poste au bout de quelques jours pour un emploi de dessinateur sur le projet d'hélicoptère de Davidson. Il part aujourd'hui avec lui à Boston (→ 6.4.07).

Grande-Bretagne, avril
Les compagnies de ballons créées par l'armée sont intégrées à l'école du ballon, sous les ordres du colonel Capper. Samuel Cody devient chef instructeur de cerfs-volants, avec un salaire annuel de 1 000 livres sterling, et le fourrage gratuit pour son cheval (→ 16.10.08).

Washington, 22 mai
Orville et Wilbur Wright reçoivent le brevet n° 821393 pour certains «perfectionnements nouveaux et utiles dans les machines volantes». Les deux frères prennent la décision de transformer leur passion en entreprise à plein temps (→ 16.5.07).

Grande-Bretagne, 1er juin
Le lieutenant Dunne est officiellement nommé assistant du colonel Capper à la fabrique de ballons de Farnborough. Il apporte avec lui les plans d'un aéroplane qu'il a dessiné : le *D 3,* un biplan à ailes en flèche et sans empennage.

Paris, 23 juillet
Santos-Dumont a abandonné son projet d'hélicoptère car il s'est heurté au problème de la transmission de la force aux hélices. Convaincu par Levavasseur, il a construit un aéroplane, le n° 14 bis. Il l'accroche aujourd'hui à son dirigeable n° 14 et évolue au-dessus de Bagatelle, mais le ballon empêche l'appareil de prendre de la vitesse. L'aviateur décide d'abandonner ce type d'entraînement (→ 29.7).

Paris, 1er août
Le capitaine Ferber a obtenu en juin un congé de trois ans. Il entre aujourd'hui à la société Antoinette pour travailler avec Levavasseur. Il peut utiliser les installations de Chalais-Meudon (→ 19.11).

Issy-les-Moulineaux, 19 août
Toujours sans contrôle officiel, Trajan Vuia quitte le sol sur 24 m de distance et s'élève à 2,50 m de haut avec son monoplan non équipé de ses gouvernes. Le vol s'achève par une chute violente (→ 27.3.07).

Paris, 25 août
Henry Deutsch de la Meurthe crée une compétition internationale de vitesse pour «tout engin aérien automobile» : la coupe Deutsch-de-la-Meurthe. Le parcours, de 190,400 km, a pour point de départ et d'arrivée Saint-Germain-en-Laye, et passe par Senlis, Meaux et Melun. Trois primes de 20 000 F seront attribuées, la dernière donnant droit à la coupe (→ 27.4.12).

Danemark, 12 septembre
Jacob Ellehammer effectue un vol de 42 m dans l'île de Sindholm. Seul un officier de marine, Ullidtz, assiste à l'expérience. L'appareil, dérivé de celui conçu par Lilienthal, est équipé d'un moteur de 18 ch mais n'a pas de gouvernail de direction (→ 14.1.08).

Bagatelle, 13 septembre
Santos-Dumont démarre les essais libres de son aéroplane n° 14 bis. Il roule sur plus de 150 m avant de quitter le sol sur 7 m à 0,70 m de haut. A l'atterrissage, un choc brise l'hélice et des membrures.

France, 18 septembre
Archdeacon fait expérimenter une aéromotocyclette. Il veut attirer l'attention des chercheurs sur le problème du rendement des hélices.

Il montre ainsi qu'une hélice mue par un moteur de 6 ch peut entraîner un poids de 150 kg à 80 km/h (→ 18.12.07).

Grande-Bretagne, septembre
Le biplan *D 3* du lieutenant Dunne est testé comme planeur. Plusieurs courtes glissades sont réalisées par le lieutenant Gibbs. Mais l'appareil s'écrase contre un mur. Les essais sont arrêtés (→ 11.3.10).

Allemagne, 9 octobre
Le zeppelin LZ 3 effectue son vol inaugural, durant 2 h et 17 min. Il atteint 51 km/h en transportant onze personnes et 2 500 litres d'eau en guise de lest. Le chantier a débuté en mai. Le comte Zeppelin a pu le construire avec l'aide du Kaiser, qui a fait un don de 100 000 marks, et grâce à une souscription nationale qui a rapporté 250 000 marks.

Bagatelle, 23 octobre
Le public arrache de sa nacelle d'osier Santos-Dumont qui vient de parcourir 60 m, en volant à 3 m du sol. Contrôlé par les commissaires de l'Aéro-Club, il gagne le prix Archdeacon de 3 000 F pour un vol minimum de 25 m (→ 12.11).

France, 30 octobre
Paul Cornu commande un moteur Antoinette de 24 ch. A la suite d'expériences publiques faites ce mois-ci à Lisieux avec un modèle réduit d'hélicoptère, 125 amis lui ont proposé leur aide. Ils ont offert chacun 100 F, afin de permettre la construction d'un appareil capable de concourir pour le prix Deutsch-Archdeacon (→ 13.11.07).

Chalais-Meudon, 19 novembre
L'aéroplane n° 8 du capitaine Ferber est détruit par une violente tempête. Il devait commencer ses essais sur le terrain d'Issy-les-Moulineaux, muni d'un moteur Antoinette de 24 ch (→ 25.7.08).

La presse relate largement l'exploit réalisé par Santos-Dumont le 12 novembre : 220 m parcourus en 21 s à une hauteur de 6 m.

L'usine d'aéroplanes des frères Voisin

Charles Voisin et le chien Stop devant l'usine de la rue de la Ferme.

France, 12 novembre.
Gabriel Voisin se retrouve seul. La société Voisin-Blériot, en seize mois d'existence, n'avait produit que des prototypes défectueux. Les essais sur flotteurs au lac d'Enghien du *Voisin-Blériot III* n'avaient rien donné, non plus que les essais terrestres effectués à Bagatelle. L'appareil, monté par Louis Peyret, s'est brisé au passage d'un caniveau avant même le décollage. Enfin, Blériot et Voisin étant de fortes personnalités, leurs positions sur l'avenir de la maison divergeaient. Voisin conserve seul les ateliers du 4, rue de la Ferme, à Billancourt. Son frère Charles, rentrant du service militaire, a rejoint la nouvelle association et les portes de l'usine s'ornent maintenant du nom de la société : les Frères Voisin, appareils d'aviation. L'outillage de la nouvelle usine est réduit au strict minimum : trois établis et quelques scies. Les deux frères ont embauché un compagnon ouvrier et attendent la venue prochaine d'un de leurs amis de Lyon, Maurice Colliex. Excellent mécanicien, Gabriel Voisin s'occupe de toute la partie qui a trait à la mécanique. Tournage, fraisage, perçage et soudure n'ont plus de secrets pour lui. Il fabrique ses hélices en aluminium; elles ressemblent à d'immenses pagaies, mais sont d'une solidité à toute épreuve. Pour l'instant, les frères Voisin cherchent à garnir leur carnet de commandes. Gabriel Voisin sait qu'il existe une clientèle passionnée, prête à payer pour voir réaliser des avions qui ne voleront pas forcément. (→ 28.2.07)

Essais sur flotteurs du biplan « Voisin-Blériot » sur le lac d'Enghien.

Toujours pas de contrat pour les Wright

Londres, 8 février
Echec des discussions entre les frères Wright et le gouvernement britannique. C.F. Hadden, directeur de l'artillerie au ministère de la Guerre, a rejeté aujourd'hui les conditions qu'ils avaient mises à la vente d'un *Flyer III*. Ainsi prennent fin des mois de pourparlers chaotiques pendant lesquels les Wright ont toujours refusé de présenter une démonstration de l'aéroplane aux différents gouvernements, tant que le contrat de vente ne serait pas établi. Le colonel Capper, superintendant adjoint de l'école de ballon de Farnborough, avait été leur premier contact auprès des Britanniques. Venu assister officiellement à la Foire internationale de Saint Louis, il s'était rendu en octobre 1904 à Dayton, où il avait passé un accord provisoire de 20 000 dollars pour la livraison d'un aéroplane. Le ministère de la Guerre a donc annulé la précommande. En fait, si les Wright voient en leur appareil un outil d'observation militaire, les chefs de l'armée britannique restent sceptiques et peu confiants en cette nouvelle invention. En revanche, dans l'armée française, l'intérêt pour cette technique demeure réel. A la suite de leur lettre au capitaine Ferber fin novembre, les Wright se sont tournés, le 30 décembre 1905, vers le financier Hart O. Berg qui les représente à Paris, car le gouvernement français ne leur offre que 600 000 francs. (→ 18.5.07)

Construit en 1905 par le constructeur Trajan Vuia, l'appareil « Vuia » est le premier modèle monté sur roues pneumatiques. Ressemblant à une chauve-souris, il vole sur 24 m à une hauteur de 2,50 m, le 19 août.

La presse anglaise lance un défi

Londres, 17 novembre
Il y a cinq jours, à Bagatelle, Santos-Dumont volait sur 220 m à 6 m de haut. L'exploit n'a pourtant pas impressionné les journalistes du *Daily Mail* qui l'ont à peine relaté dans leurs écrits. Lord Northcliffe, patron du quotidien, est furieux de cet oubli. Il vient de décider d'offrir 10 000 livres sterling «au premier aviateur qui reliera en aéroplane Londres à Manchester». Il espère ainsi convaincre ses compatriotes de l'importance du développement de l'aviation. (→ 28.4.10)

Prix et coupes pour les aviateurs

Reims, 4 décembre
Une nouvelle récompense pour les pilotes et les constructeurs d'aéroplanes. Le monde de l'aviation trouve là des ressources pour réaliser des projets de plus en plus surprenants. Le champagne Ruinart Père et Fils versera, pour sa part, 12 500 francs à qui traversera la Manche en aéroplane avant le 1er janvier 1910. Les candidats doivent adresser un engagement écrit soixante jours à l'avance à l'Aéro Club de France et payer un droit de 50 francs.

L'exploit de Santos-Dumont étonne le monde

Le plus célèbre des ânes s'appelle Kuigno

Un vol du « 14 bis » a dépassé les 200 m

Le « 14 bis », remorqué sur son câble d'expérience, chez Santos-Dumont.

Le démarreur créé par Santos-Dumont pour la mise en route du moteur.

Paris, 29 juillet

Les amis de Santos-Dumont ne sont pas au bout de leurs surprises ! Dans un atelier de Neuilly, ils ont assisté à un spectacle aussi curieux qu'inattendu. Ayant décidé de se consacrer au plus lourd que l'air, l'aviateur brésilien a construit, avec l'aide des frères Voisin, un étrange aéroplane. D'une envergure de 10,05 m pour une longueur de 12,20 m et équipé d'un moteur Antoinette de 24 ch, l'appareil entraîne une hélice située à l'arrière. La structure principale est constituée d'entretoises en pin entoilées, raidies par de la corde à piano fixée le long de la poutre de quille. Le pilote, debout, se tient à l'arrière, devant le moteur et l'hélice. Sur le câble est montée une poulie à laquelle on accroche l'aéroplane. C'est alors qu'intervient l'objet de tant d'étonnement : il s'appelle Kuigno et c'est un âne ! Il est attelé à l'engin pour fournir la traction. Faisant mine d'ignorer les railleries de ses camarades, Santos-Dumont s'est installé dans la nacelle de pilotage. Au pas, l'âne se met à tirer autant qu'il le peut. Peine perdue. La pauvre bête est bien incapable de prendre de la vitesse pour entraîner l'appareil. Furieux, l'inventeur s'est juré de ne plus jamais avoir affaire à la gente animale...

Le dandy à la mode est devenu un héros

L'élégant téméraire ravit ces dames.

Paris, 12 novembre

Il l'avait annoncé aux membres de l'Aéro-Club de France, lors du banquet donné en son honneur : il tenterait de remporter à bord de son aéroplane *14 bis* le prix de l'Aéro-Club, en volant au moins 100 m. Il en a couvert 220 ! Toutes les dames de la haute société n'ont plus d'yeux que pour le jeune Brésilien. Malgré son mètre cinquante-cinq, il est devenu la coqueluche des femmes. C'est lui qui avait lancé à Paris, voici quelques années, la mode des cols très hauts et le fameux panama souple dont il ne se sépare jamais. Ce soir, l'élégant avionneur est bien le héros de Paris. (→ 27.3.07)

Paris, 12 novembre

Santos-Dumont n'a pas perdu de temps. Le 23 octobre, il réalisait déjà un exploit en volant 60 m à une hauteur de 2 à 3 m. Il va tenter de faire encore mieux. Aujourd'hui, un millier de personnes, parmi lesquelles le président Archdeacon et des membres de la Commission de contrôle de l'Aéro-Club de France, sont à Bagatelle pour assister au nouveau départ du Brésilien. Celui-ci va tenter de voler 100 m. S'il réussit, il remportera le prix de 1 500 francs offert par l'Aéro-Club. Avec l'aide de Gabriel Voisin, Santos-Dumont a modifié sa machine, l'aéroplane *14 bis*. Très sportivement, il avait offert à Louis Blériot de tenter sa chance avant lui sur son biplan à moteur Antoinette.

Mais Blériot a cassé sa machine avant même le décollage. Il est 16 h 30. Chacun retient son souffle tandis que l'audacieux pilote met le moteur en marche. Archdeacon, haut-de-forme à la main, s'est assis à l'arrière de l'automobile Mors qui escorte l'appareil. Le *14 bis* roule 300 m sur l'herbe puis s'élève : il atteint 15 m d'altitude. La foule crie son enthousiasme. Pour ne pas perdre le contrôle de la machine par balancement, Santos-Dumont n'essaye pas de virer, il atterrit droit devant lui, touchant doucement le sol. Il est porté en triomphe par le public. La Commission se réunit sur place. Elle évalue la durée du vol à 21 s et la distance à 220 m. Cette fois encore, Santos-Dumont a été le plus fort. (→ 27.3.07)

Transport du « 14 bis » depuis Neuilly jusqu'à Bagatelle, le 23 octobre.

1907

80 km/h
France
Louis Blériot
Blériot VI
17.9.07

38,956 km
Etats-Unis
Wilbur Wright
Flyer III
5.10.05

15 m
France
Louis Blériot
Blériot VI
17.9.07

522 kg
France
Frères Voisin
Voisin-Farman n° 1

70 ch
France
Léon Levavasseur
Antoinette

Paris, 22 janvier
Robert Esnault-Pelterie dépose son troisième brevet, le n° 373818, portant sur les commandes d'aéroplane. Son dispositif comporte un levier unique agissant dans le sens des réflexes du pilote (→ 10.10).

Vincennes, 28 février
Charles Voisin commence les essais de l'aéroplane commandé par Léon Delagrange. Un bond de quelques mètres se termine par une rupture du fuselage trop fragile (→ 30.3).

Saint-Cyr, 27 mars
Santos-Dumont essaie son nouvel aéroplane, le *n° 15*. Le gouvernail est maintenant placé à l'arrière et le moteur juché au-dessus de la tête de l'aviateur. Mais avant même de quitter le sol, l'une des ailes est faussée en touchant terre (→ 4.4).

Bagatelle, 27 mars
Trajan Vuia reprend les essais de son aéroplane désormais équipé de ses gouvernes. Il ne parvient pas à quitter le sol sur plus de dix mètres.

Bagatelle, 30 mars
A bord du *Voisin-Delagrange n° 1*, Charles Voisin réussit un vol parfaitement stable sur une distance de 60 m. L'appareil a été transformé après être retombé sur la gauche lors d'un essai le 16 mars dernier. Les deux frères ont placé une surcharge de 2 kg sur l'aile droite, pour remédier à ce trouble attribué au couple moteur (→ 5.11).

France, 1er avril
Levavasseur fait passer la réclame suivante dans l'*Aérophile* : « Pour gagner les 50 000 F du Grand Prix d'aviation, achetez un moteur et des hélices Antoinette. Mettez autour un peu de toile, une queue, une roue, un gouvernail, puis asseyez-vous bien, du calme, et tant que ça peut ! » (→ 1.11).

Saint-Cyr, 4 avril
Déçu par son essai du 27 mars, et surpris par le vol de Charles Voisin réalisé trois jours après sur 60 m, Santos-Dumont reprend son aéroplane *n° 14 bis* de l'année dernière.

Il l'a modifié en y adaptant un nouveau moteur mais ne parvient pas à couvrir plus de 50 m (→ 16.11).

Londres, 6 avril
Avec un modèle de type Langley, Verdon Roe gagne une compétition de modèles réduits d'aéroplanes organisée par le *Daily Mail*. Il alloue aussitôt son prix de 75 livres sterling au financement d'un aéroplane grandeur nature.

Bagatelle, 19 avril
Après l'avoir essayé le 21 mars, Blériot remonte dans son aéroplane V. Il en confiait souvent les commandes à des salariés n'ayant pas un grand intérêt à pousser les choses à fond. Les gouvernails, placés en avant, sont d'un maniement délicat, pour éviter qu'ils ne donnent prise au vent. C'est ce qui lui arrive aujourd'hui : l'appareil se retourne et s'écrase. Blériot, en dessous, en sort indemne (→ 25.7).

Bagnères, 16 juin
Pierre-Georges Latécoère se lance dans la métallurgie. Il a fait équiper l'usine d'une forge désormais prête à fonctionner, tout en recherchant des marchés auprès des compagnies ferroviaires (→ 29.10.17).

Bagatelle, 21 juin
Trajan Vuia a construit un second appareil. Il l'a équipé d'un moteur Antoinette de 24 ch, fonctionnant toujours à l'acide carbonique, et a muni les roues d'amortisseurs. Il réussit un vol sur 100 m en s'élevant à 5 m de haut.

Grande-Bretagne, juin
Horatio Phillips a amélioré son multiplan de 1904, instable et difficile à contrôler. Il réalise un vol de 150 m à Streatham, près de Londres, avec sa nouvelle machine constituée de 200 petites surfaces portantes. Le vol n'est pas contrôlé.

Issy-les-Moulineaux, 25 juillet
Louis Blériot effectue un vol de 150 m à bord de son aéroplane VI. Louis Peyret, son chef d'atelier, a construit cette fois-ci un monoplan totalement différent du précédent,

de type Langley, comportant deux paires d'ailes en tandem. Pour commander les mouvements verticaux, l'aviateur avance ou recule sur un siège à roulettes (→ 17.9).

Etats-Unis, 1er août
Le Signal Corps de l'US Army crée un service aéronautique. Il doit expérimenter tout ce qui concerne les aéroplanes à vocation militaire, avec un effectif d'un officier et de deux hommes de troupes.

Canada, 15 septembre
Dans leur résidence de Baddeck, madame Bell suggère à son mari Graham, à Baldwin et à Mc Curdy de fonder une association d'expérimentations aériennes (→ 1.10).

France, 17 septembre
A Issy-les-Moulineaux, Blériot vole sur 184 m avec l'aéroplane VI muni d'un moteur Antoinette de 60 ch à 16 cylindres. En excès de puissance, à 80 km/h, il s'élève à 15 m en ayant eu le réflexe de se porter en avant durant la montée pour diminuer l'incidence, avant de redescendre assez brusquement. Il s'écrase à l'atterrissage mais n'a que des contusions sans gravité (→ 5.10).

Paris, 21 septembre
Louis Breguet et Charles Richet présentent leur gyroplane devant l'Académie des sciences (→ 29.9).

France, 30 septembre
Henri Farman effectue un vol de 80 m en ligne droite à Issy-les-Moulineaux, après 225 essais infructueux, à bord de son biplan *Voisin-Farman*. Il se familiarisait avec son appareil depuis le début du mois en roulant sur le champ de manœuvres (→ 26.10).

Grande-Bretagne, 30 septembre
A Brooklands, Alliott Verdon Roe commence les essais de son biplan de type Canard équipé d'un moteur anglais JAP de 9 ch. Il ne parvient pas à décoller (→ 8.6.08).

Allemagne, 1er octobre
Le gouvernement allemand décide d'accorder 400 000 marks au comte

von Zeppelin pour construire le dirigeable *LZ 4*, une réplique en plus grand du *LZ 3*, qui a accompli hier une ascension de huit heures.

Issy-les-Moulineaux, 5 octobre
Louis Blériot commence les essais de son aéroplane VII. Le fuselage est complètement recouvert et il est équipé d'un moteur Antoinette de 50 ch (→ 18.12).

Issy-les-Moulineaux, 26 octobre
Henri Farman franchit 771 m en 52 s. Sur les indications de Gabriel Voisin, il a braqué son gouvernail de profondeur vers le sol pour éviter de retomber au bout de 150 m. Durant un vol contre un grand vent il y a onze jours, le constructeur a pu suivre l'appareil à pied. Il a compris que l'angle d'attaque de l'aéroplane augmentait en braquant trop vers le ciel, faisant diminuer peu à peu la vitesse.

Issy-les-Moulineaux, 5 novembre
Léon Delagrange réussit un vol de 300 m en demi-cercle, avant de s'écraser à l'atterrissage. Il a pris lui-même les commandes de son biplan Voisin depuis seulement trois jours (→ 17.3.08).

Issy-les-Moulineaux, 9 novembre
Henri Farman réalise un vol de 1 030 m avec virage en 1 min 14 s (→ 13.1.08).

Etats-Unis, 30 novembre
Glenn Curtiss fonde la première firme de constructions aéronautiques américaine (→ 12.3.08).

Baddeck, 6 décembre
Le lieutenant Selfridge expérimente le cerf-volant *Cygnet 1* de Graham Bell, constitué de 3 393 cellules. Il s'élève à 51 m et vole 7 min, tiré par un canot à moteur. Le cerf-volant se brise à l'amerrissage, mais Selfridge s'en tire par un bain forcé (→ 17.9.08).

Après avoir fait décoller la « Libellule » d'Issy-les-Moulineaux, Blériot aperçoit la tour Eiffel et le parc d'attractions du Champs-de-Mars.

Élisabeth Chemel

Blériot fait décoller le monoplan après un an d'acharnement

Le 21 mars, à Bagatelle, le monoplan de type Blériot V « Canard » rate une fois encore son atterrissage ; Blériot abandonne bientôt ce prototype.

Essai du Blériot VI la « Libellule », le 17 septembre à Issy-les-Moulineaux : ce modèle, nouveau dans sa conception, effectue quelques vols importants.

Succédant au modèle VI la « Libellule », le Blériot VII est la première étape vers le monoplan classique ; il peut voler à 80 km/h sur une distance de 500 m.

Paris, 18 décembre

Il est bien décidé à ne pas abandonner ! Alors que la plupart des pilotes ont adopté la formule du biplan, Louis Blériot réaffirme sa volonté de voler sur monoplan, qu'il juge plus aérodynamique. Ses premiers succès sur ces appareils remontent au mois d'août, lorsqu'il avait parcouru 140 m à 12 m de hauteur. Et, malgré son premier accident, survenu le 17 septembre à bord de son monoplan VI bis, où il avait tout de même parcouru 184 m, le pilote continue inlassablement sa conquête du ciel. Le 6 décembre, il fait des essais de virage et réussit ses plus belles envolées. Il exécute même une volte-face aérienne. A bord du monoplan VII, Louis Blériot fait une nouvelle tentative. Il veut remporter, à Issy-les-Moulineaux, l'un des prix offerts pour un vol mécanique de 150 m. Equipé d'un moteur Antoinette 16 cylindres de 50 ch à refroidissement par eau conçu par Blériot lui-même, d'un poids total de 425 kilos, l'aéroplane est un monoplan muni de deux ailes concaves d'une surface de 25 m², avec une queue horizontale coupée en deux par un gouvernail de direction. Les gouvernes sont commandées par le système de direction stabilisatrice inventé par le constructeur, une tige unique terminée à son extrémité inférieure par une sorte de cloche à laquelle sont fixés les éléments de commande. Il a fallu, comme lors des précédents essais, pousser l'appareil depuis l'atelier du boulevard Victor-Hugo, à Neuilly, jusqu'au champ de manœuvres d'Issy-les-Moulineaux. Au premier essai, Blériot manque son prix en ne franchissant que 45 mètres au lieu des 150 demandés. Deuxième essai : il est 3 h 05 et le décollage est parfait, mais, lors du retour au sol, la roue porteuse de gauche s'affaisse. L'aile racle alors le sol et la machine s'écrase. La foule terrifiée imagine déjà le pire pour le pilote. Comme par miracle, et comme toujours, il sort indemne des débris de son appareil. Ce problème de roues ne peut évidemment pas remettre en cause les principes du vol en monoplan. Le succès est visiblement à portée de la main. Blériot en est conscient et se dit prêt à effectuer une nouvelle tentative ! (→ 29.6.08)

Wilbur Wright part pour l'Europe

New York, 18 mai

Wilbur Wright a embarqué ce matin pour l'Europe à bord du *RMS Campania*. Il va y poursuivre les discussions des termes de vente du *Flyer III*. Les Wright sont en effet en relation depuis la mi-décembre avec la société Flint & Cie. Cette banque commerciale, qui est aussi l'un des plus importants marchands de munitions dans le monde, voudrait acquérir le droit de vendre leur appareil hors des Etats-Unis. Wilbur devra rencontrer des agents de société à Londres, Paris, Berlin et Moscou. (→ 14.5.08)

En moto, Curtiss est le plus rapide

Floride, 24 janvier

Glenn Curtiss est l'homme le plus rapide du monde. En atteignant 219,30 km/h sur le cyclomoteur qu'il a construit, il a établi à Ormond Beach un record, hélas non homologué. Ce fabricant de motocyclettes, enragé de vitesse, est aussi impliqué dans l'aviation par les moteurs qu'il conçoit pour ses motos, et qui sont appréciés pour leur légèreté. C'est avec un tel moteur qu'en 1904 le *California Arrow* de Thomas Baldwin avait effectué le premier vol circulaire d'un dirigeable aux Etats-Unis.

Succès des moteurs de Levavasseur

France, 1er novembre

Antoinette pèse 156 kg, possède 8 cylindres en V et développe 50 ch. Créé en 1904 par l'ingénieur Léon Levavasseur et baptisé du prénom de la fille de son commanditaire, Jules Gastambide, il est le premier moteur à avoir été conçu uniquement pour faire voler un plus lourd que l'air. Depuis, ce moteur est de toutes les premières de l'aviation. Il est demandé par les constructeurs. Le capitaine Ferber en a équipé son appareil. C'est aussi avec un moteur Antoinette de 25 ch que Santos Dumont a réalisé le premier vol mécanique en Europe. Voisin, Blériot tous le louent, tous l'utilisent.

Delagrange, premier client des Voisin

Paris, 2 février

Visite inattendue dans les ateliers de Gabriel Voisin. Le sculpteur Delagrange est venu commander un aéroplane. C'est la première fois que l'on s'intéresse au biplan du Français inspiré de l'appareil des frères Wright, mais muni d'une queue et équipé d'un moteur Antoinette. Il est semblable à celui d'Ernest Archdeacon, essayé par Voisin sur la Seine, en juillet 1905. Seules les roues ont remplacé les flotteurs, et l'hélice, mue par le moteur, s'est substituée à la remorque du canot automobile. Séparé de Blériot, Voisin est à même de donner libre cours à ses conceptions : il a fait venir de Lyon son frère Charles et a embauché le dessinateur Colliex.

Les essais sont très coûteux, car la casse augmente considérablement les factures de matériel. S'il veut s'agrandir, il doit trouver le moyen de faire fortune. Or, un grand nombre de riches hommes d'affaires se piquent d'être inventeurs, et puisqu'ils ne veulent ni écouter ni imiter ce qui se fait ailleurs, Voisin va leur donner les moyens de concrétiser leurs rêves. Cette clientèle se passionne surtout pour les hélicoptères, les ornithoptères et d'autres engins trop compliqués pour fonctionner rapidement. Ce que veut Voisin, c'est satisfaire le client, et, tout en travaillant avec lui, se procurer les capitaux qui lui sont nécessaires. Il décide donc de flatter les pseudo-inventeurs : do-

Essai à Bagatelle du biplan « Delagrange », construit par Gabriel Voisin.

Léon Delagrange dans son atelier.

rénavant, ses aéroplanes porteront le nom du client qui les acquiert. Le nom de Voisin n'apparaîtra qu'en petits caractères sur le fuselage. Cette idée, jugée chimérique par certains, se révèle géniale. D'autant que la construction des aéroplanes ne réclame que des outils de menuisier, du frêne, du pin blanc ou du peuplier pour l'armature, du calicot, du fil de fer, des douilles d'assemblage et une coque métallique pour recevoir le moteur. Il ne faut alors que huit jours pour réaliser l'assemblage de l'appareil, c'est-à-dire moins de temps que pour construire un fiacre ! Le prix est élevé, excessif même : de 12 000 à 15 000 francs, dont la moitié pour le moteur. Delagrange, désormais devenu inventeur, se sent pousser des ailes ! (→ 5.11)

Henri Farman veut aussi un avion Voisin

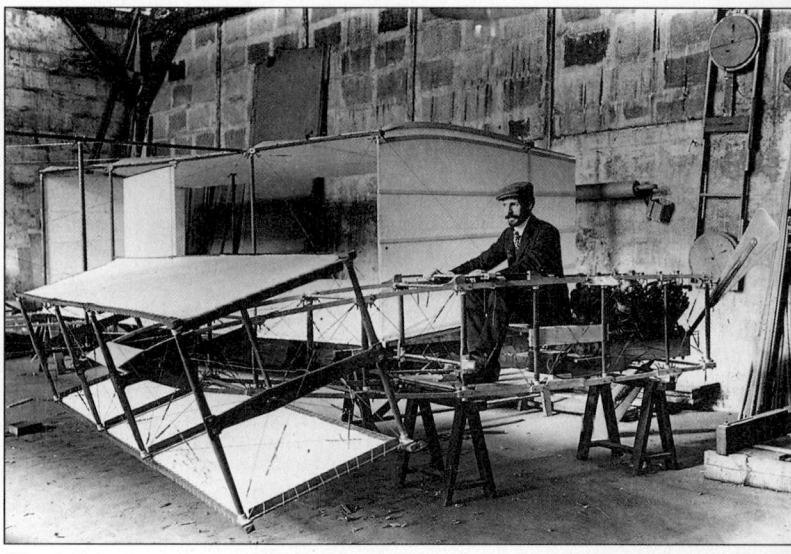

Henri Farman aux commandes de son aéroplane dans l'atelier des Voisin.

Paris, 1er juin

Dans le courrier qu'ils viennent de recevoir à leur atelier du 4, rue de la Ferme, à Billancourt, les frères Voisin découvrent une lettre signée Henri Farman. Ce Britannique, naturalisé français, est devenu champion de France cycliste en 1892, avant de se lancer dans la compétition automobile entre 1896 et 1904. Rien d'étonnant si ce *sportsman* s'est tout naturellement intéressé à l'aviation naissante. En fait, il est déjà client des frères Voisin, à qui il a commandé un planeur de type Chanute. Mais il vient de changer d'avis : il lui faut, à présent, un aéroplane à moteur. Sa lettre annule donc la commande du planeur et la remplace par celle d'une ma-

chine volante à moteur Antoinette de 50 ch, identique à celle de Delagrange. A l'instar de celui-ci, ce deuxième appareil portera le nom de son propriétaire, et non pas celui de son constructeur. Dans cette lettre destinée aux Voisin, il insiste sur le fait que le biplan sera payé comptant, soit 12 000 francs. Une seule condition est imposée, mais elle est de taille : l'aéroplane doit avoir volé 1 km en ligne droite. Car Farman a une idée derrière la tête : il est décidé à décrocher le Grand Prix d'aviation, d'un montant de 50 000 francs, créé en 1904 par l'industriel Deutsch de la Meurthe et l'avocat Archdeacon, en faveur du premier aviateur qui bouclera un circuit fermé de 1 km. (→ 13.1.08)

L'aéroplane à moteur de Henri Farman, en vol à Issy-les-Moulineaux.

La « Demoiselle » de Santos-Dumont vole

La « Demoiselle n° 19 » permet à Santos-Dumont d'effectuer des vols de 200 m.

Paris, 16 novembre

Il est toujours entouré de belles dames, il passe ses soirées chez Maxim's et ses journées dans son atelier. Santos-Dumont vient de réaliser un vol spectaculaire. Son monoplan, baptisé la *Demoiselle*, est très léger : il ne pèse que 106 kg, poids du pilote compris. Constitué par une épine dorsale en bambou de 8 m de long, le moteur, un Dutheil et Chalmers de 20 ch, se trouve à l'avant. La sustentation est assurée par une aile en dièdre recouverte de soie du Japon ; à l'extrémité arrière se trouve le gouvernail. L'ensemble est monté sur un châssis rectangulaire et repose sur trois roues. Le siège de l'aviateur, une sangle, se trouve entre les montants du châssis. L'appareil, adapté à la morphologie de Santos-Dumont, dont la taille minuscule n'est un secret pour personne, est d'une grande pureté de lignes. Mais l'ensemble fait frémir par sa légèreté. Aujourd'hui à Bagatelle, devant les membres de l'Aéro-Club, la *Demoiselle* s'est élevée dans les airs et a effectué un vol stable et aisé de 200 m, à la modeste altitude de 6 m. Le rêve du Brésilien se poursuit. (→ 16.9.09)

De Pischoff préfère le moteur Anzani

Alfred de Pischoff présente son aéroplane équipé d'un moteur Anzani.

France, 6 décembre

Alfred de Pischoff cherchait un ingénieur de génie, il l'a trouvé en la personne d'Alexandre Anzani. Ce motoriste milanais passionné de courses cyclistes a conçu un moteur très léger de 25 ch, 3 cylindres en éventail et refroidi par air. L'aviateur français a été immédiatement séduit et l'a monté sur son biplan, avec une hélice en bois fabriquée par Lucien Chauvière. Jusqu'à présent, elles étaient en métal. L'avion de De Pischoff présente une autre particularité, il n'a pas de fuselage ni de plan porteur avant adopté par les frères Wright. La cellule est à plans inégaux. Le plan inférieur est divisé en deux, pour porter à l'avant le moteur et le pilote assis sur une sangle. Les premiers essais ont eu lieu en novembre. Ils ont été décevants, marqués par des ruptures de matériel, et aucun vol n'a été possible. Mais, hier et aujourd'hui, Alfred de Pischoff a été récompensé de ses efforts, l'avion et son pilote ont pu s'élever de terre quelques instants. Un vol encore modeste, mais qui semble, sur le plan de la technique, porteur de promesses d'avenir.

La passion de l'inventeur Graham Bell pour l'aviation

Nouvelle-Ecosse, 1er octobre

Alexander Graham Bell, l'inventeur du téléphone, est, à soixante ans, un passionné de l'aviation. Dès 1905, il avait construit un cerf-volant cellulaire capable d'emporter un homme dans les airs. Grâce à une contribution de 35 000 dollars fournie par son épouse, Mabel, Bell et un groupe d'ingénieurs et de scientifiques ont créé au Canada l'Aerial Experiment Association, pour tenter de mettre au point un engin volant motorisé. Présidée par Bell, l'association comprend deux ingénieurs canadiens, John McCurdy et F.W. Casey Baldwin, le lieutenant Thomas Selfridge de l'armée américaine et enfin le célèbre mécanicien et constructeur de motocyclettes Glenn Curtiss. C'est lui qui sera chargé de diriger les expériences. Ils ont préféré transférer le siège de leur association dans les ateliers de Curtiss à Hammondsport, dans l'Etat de New York. Bell a décidé que tous les membres du groupe devront établir des comptes rendus détaillés de leurs expériences et en publier régulièrement les résultats. L'idée de créer l'association découle d'une rencontre entre Bell et Curtiss en juillet, lorsque celui-ci s'était rendu chez les Bell à Baddeck, en Nouvelle-Ecosse, pour présenter un de ses moteurs. (→ 12.3.08)

Les membres de l'AEA réunis autour de Graham Bell (assis à gauche).

Le prix détaillé d'un aéroplane

France, décembre

Combien ? Combien en coûte-t-il d'aimer l'aéroplane ? Pour ceux qui ont décidé d'accéder à ce luxe, il faudra non seulement avoir la passion du risque, mais surtout être très fortuné. Par exemple, la *Demoiselle* de Santos-Dumont est commercialisée par la maison Dutheil et Chalmers au prix de 5 000 francs. Pour voler sur le *Santos-Dumont n° 20*, il vous faudra débourser la bagatelle de 7 500 francs, soit cinq ou six fois le salaire annuel d'un employé aux écritures en fin de carrière. Un biplan des frères Voisin se négocie aux alentours de 15 000 F. Le biplan des Wright coûte 10 000, quant aux avions de Louis Blériot, ils valent plus cher : il faut compter de 20 000 à 30 000 francs.

Esnault-Pelterie pilote avec un « manche »

France, 10 octobre

Aujourd'hui, à Buc, le premier *REP* a enfin décollé de... 6 m. Depuis avril, Robert Esnault-Pelterie ne cesse de perfectionner cet avion, qu'il a baptisé de ses initiales. D'une surface alaire de 18 m², il bénéficie d'un train d'atterrissage localisé au centre de gravité de l'appareil, un peu à l'avant du poste de pilotage. Une roulette caoutchoutée, montée à l'arrière de l'avion, tient lieu de béquille. La faible performance du vol ne diminue pas sa satisfaction du bon fonctionnement du système de commande qu'il a mis au point. Depuis le début de ses recherches, Esnault-Pelterie cherche à réaliser un organe de commande unique. Sur son avion, un levier vertical, tel un manche à balai, est placé devant le pilote. Il est monté sur cardan. Dans ses déplacements longitudinaux, il agit sur le gouvernail de profondeur et la stabilité longitudinale. Dans ses déplacements transversaux, il agit sur le gauchissement des ailes. Si l'appareil vient à piquer du nez, le pilote tire ce levier en arrière pour redresser l'avion ; s'il se cabre, il le pousse en avant. Pour commander le gouvernail de direction, un palonnier actionné par les pieds permet de contrôler l'amplitude des virages. C'est une toute nouvelle technique de pilotage. Le pilote dispose d'une main libre pour régler le moteur. Déjà, les autres constructeurs envient ce système révolutionnaire. (→ 18.6.08)

Robert Esnault-Pelterie, aux commandes de son « REP », atterrit près de Buc.

L'art de fabriquer des hélices

France, 18 décembre

Si, aujourd'hui, Hésiode était encore de ce monde, il parlerait sans doute de « l'âge du bois et de l'âge du fer » des hélices. Bien des constructeurs d'avion ont commencé par fixer des hélices en métal sur leurs appareils. Comme les vitesses de rotation sont aux environs de 1 200 tr/min, ils ont choisi l'aluminium pour forger les pales. Mais, soumises à la trépidation du moteur, elles cristallisent rapidement et perdent leur cohésion. Seul Gabriel Voisin est resté attaché à ce procédé, il fabrique toujours des hélices en métal. Tous les autres constructeurs semblent aujourd'hui se tourner vers le bois. Léger, il n'est pas isotrope, il a un fil ; en outre le bois est vivant, sensible à l'humidité et à la chaleur qui le déforment. Pour pallier cet inconvénient, l'hélice est taillée dans un grand nombre de planches découpées, ajustées, puis enduites de colle et soigneusement séchées. La maison Chauvière, afin de diminuer l'effort de torsion, donne aux pales de ses hélices une forme courbe afin que la pression suive une courbe analogue. L'art, enfin, est d'équilibrer le poids de l'ensemble pour éviter les vibrations.

L'hélicoptère de Cornu

Le mécanicien Paul Cornu est l'auteur du premier vol libre d'un hélicoptère.

Lisieux, 13 novembre

Transformer les hélices en ailes ! C'est le pari audacieux d'un mécanicien normand, Paul Cornu, de Lisieux. Il s'est attelé à la fabrication d'un hélicoptère et semble avoir réussi à faire décoller sa machine. Si le principe de l'hélicoptère est simple, Cornu, comme tous les inventeurs, bute au moment du passage de la théorie à la pratique. L'idée maîtresse du système est qu'une hélice progresse dans la direction de son axe. Si celui-ci est vertical, elle progressera verticalement. En installant sur un châssis deux hélices propulsées par un moteur, l'effet conjugué de leurs rotations devrait suffire à enlever l'appareil. En outre, les hélices, en s'équilibrant mutuellement, éviteront au pilote d'être entraîné dans un tourbillon mortel. Il y a quatre jours, Paul Cornu a essayé une première fois sa machine. L'installation pour les essais était simple : un plancher dans un herbage sur lequel l'hélicoptère était posé. En ordre de marche, l'appareil pèse 203 kg. La première fois, il s'est presque soulevé, mais l'immense courroie plate de 22 m qui actionne les hélices a patiné. La poulie motrice a alors été garnie de caoutchouc. Ce matin, nouvel essai, Paul Cornu a réussi à décoller. L'hélicoptère a enlevé son constructeur pendant quelques instants à 30 cm du sol. Cet après-midi, après avoir retendu la courroie, il a récidivé, et son frère, resté accroché au bâti de l'hélicoptère, a été soulevé à environ 1,50 m. Devant de tels résultats, Cornu songe déjà au Grand Prix de l'aviation.

Le 24 août, le gyroplane « Breguet-Richet nº 1 », maintenu par quatre hommes, se soulève et atteint 1,5 mètre de hauteur. C'est le premier hélicoptère qui réalise un envol captif avec pilote à bord.

1908

 **80 km/h** France Louis Blériot Blériot VI 17.9.07

 **124,700 km** Etats-Unis Wilbur Wright Wright A 31.12.08

 **110 m** Etats-Unis Wilbur Wright Wright A 18.12.08

 **544 kg** Etats-Unis Frères Wright Wright A

 **75 ch** France Louis Renault Renault

Paris, 3 janvier
L'Aéro-Club crée un prix de 500 F pour l'invention d'un indicateur de niveau horizontal.

Danemark, 14 janvier
Jacob Ellehammer effectue un vol de 178 m sur l'île de Sindholm. Il a lui-même construit son triplan et le moteur de 30 ch qui l'équipe.

Issy-les-Moulineaux, 8 février
Le monoplan *Gastambide-Mengin*, construit par Léon Levavasseur et équipé d'un moteur Antoinette de 50 ch, commence ses essais en vol.

Etats-Unis, 10 février
A la suite d'un concours du département de la Défense pour un aéroplane militaire, les frères Wright signent un contrat avec le gouvernement. Celui-ci subventionne la construction d'un biplan *Wright* de type A, jusqu'à 25 000 dollars.

France, 6 mars
André et Edouard Michelin créent deux prix. L'un, de 100 000 F, sera attribué au pilote parti de Paris qui se posera sur le puy de Dôme. L'autre coupe annuelle de distance sera dotée pendant dix ans d'un prix de 20 000 F pour l'aviateur qui aura doublé le record précédent. (→ 31.12)

Issy-les-Moulineaux, 14 mars
Un nouveau moteur d'avion, le Renault Frères, est essayé sur le biplan *Voisin-Farman n° 1 bis*.

Issy-les-Moulineaux, 17 mars
A bord du *Voisin-Delagrange n° 2*, Léon Delagrange, pourtant gêné par des cavaliers à la manœuvre, gagne le premier des trois Prix des 200 m de l'Aéro-Club, lors d'un vol de 269,20 m à 2 m de haut.

Issy-les-Moulineaux, 21 mars
Henri Farman réussit un vol de 2 004 m en 3 min 47 s à une hauteur de 3 m dans les lignes droites et de 7 à 8 m dans les virages. (→ 30.5)

Issy-les-Moulineaux, 28 mars
Delagrange réalise le premier vol avec passager en enlevant Farman sur son biplan *Voisin*. Delagrange,

sculpteur, était élève à l'Ecole des beaux-arts à l'époque où Farman y étudiait la peinture et Voisin l'architecture. (→ 11.4)

Etats-Unis, 7 avril
L'Aerial Experiment Association s'inscrit pour la compétition du journal le *Scientific American*. Un trophée de 2 500 dollars doit récompenser un vol de plus de 1 km. Les frères Wright refusent d'entrer dans la course, car la règle stipule que l'aéroplane doit décoller sans assistance. (→ 4.7)

Issy-les-Moulineaux, 11 avril
Léon Delagrange parcourt 3 925 m en 6 min 30 s, sur son biplan *Voisin n° 2* équipé d'un moteur Vivinus de 40 ch. Il fait ensuite un vol non contrôlé de près de 6 km. (→ 30.5)

Etats-Unis, 14 mai
Depuis une semaine, à Kill Devil Hill, les frères Wright ont repris leurs vols arrêtés depuis 1905. Le *Flyer III* a été modifié pour emmener le pilote et un passager, désormais assis. Aujourd'hui, Wilbur a volé avec Charles Furnas sur 600 m durant 28 s 60/100.

Etat de New York, 18 mai
Baldwin commence les essais en vol de l'aéroplane n° 2 de l'Aerial Experiment Association, le *White Wing*, équipé d'un système de gauchissement qui permet le contrôle latéral. Il parcourt 90 m. (→ 21.6)

France, 29 mai
Wilbur Wright débarque au Havre. Il vient honorer le contrat signé par Lazare Weiller le 23 mars dernier. L'industriel a proposé aux deux frères 500 000 F pour l'achat de leurs brevets à condition qu'ils exécutent deux parcours fermés de 50 km chacun. (→ 8.8)

Gand, 29 mai
Au cours d'une tournée en Belgique pendant laquelle il a volé avec un sac de sable, Henri Farman effectue, avec Archdeacon comme passager, un vol de 1 241 m. Ce dernier gagne ainsi un pari de 50 F en étant passager d'un vol de plus de 1 km.

Rome, 30 mai
Léon Delagrange réalise un vol de 15 min 25 s sur une distance de 12,750 km. (→ 8.7)

Grande-Bretagne, 8 juin
Alliott Verdon Roe réussit à voler sur 47 m à bord de son biplan. Il a remplacé le moteur JAP de 9 ch par un Antoinette de 24 ch qu'il s'est fait prêter, a modifié l'hélice et ajouté des surfaces pour compenser l'alourdissement. (→ 23.7.09)

Toussus-le-Noble, 18 juin
A la troisième sortie de son monoplan *Rep 2*, Esnault-Pelterie se pose en catastrophe dans un champ, après un vol de 1 200 m depuis Buc à une hauteur de 50 m. Il a la vie sauve malgré de sérieuses contusions. Le choc est absorbé par l'amortisseur hydro-pneumatique de son invention qui équipe le train.

Issy-les-Moulineaux, 29 juin
Blériot remporte le deuxième Prix des 200 m de l'Aéro-Club, en volant sur 700 m en 50 s avec son nouveau monoplan VIII. Son appareil diffère du précédent par l'addition d'ailerons au bout des ailes. (→ 31.10)

Issy-les-Moulineaux, 6 juillet
Henri Farman remporte le prix Armengaud de 10 000 F (Prix du quart d'heure dans l'atmosphère française), en volant 20 min 20 s à bord de son biplan. Louis Blériot, engagé avec son monoplan, tient l'air durant 8 min 23 s. (→ 30.10)

Etats-Unis, 20 juillet
Orville Wright avise Glenn Curtiss que les ailerons utilisés sur le *June Bug* de l'AEA sont une contrefaçon du brevet qu'ont déposé les frères Wright sur le gauchissement des ailes. (→ 18.8.09)

Issy-les-Moulineaux, 25 juillet
Le capitaine Ferber franchit facilement les 770 m du polygone sur son biplan n° 9. Sur ses propres deniers, il a reconstruit un appareil totalement identique au n° 8 détruit par une tempête en 1906, et l'a doté d'un Antoinette de 50 ch. (→ 22.9.09)

Paris, 5 août
Le capitaine Ferber voit son congé annulé par le ministre de la Guerre, qui l'affecte à la Direction de l'artillerie, à Brest.

Issy-les-Moulineaux, 20 août
Georges Legagneux, mécanicien de Ferber, remporte le troisième Prix des 200 m de l'Aéro-Club avec le biplan *n° 9* de son patron.

Issy-les-Moulineaux, 9 octobre
Sorti des ateliers de Levavasseur à Puteaux, le monoplan *Antoinette n° 4* est testé en vol avec succès. Les ailes ont une épaisseur progressive et leur profil présente des courbures dorsales et ventrales. (→ 19.2.09)

France, 10 octobre
Clément Ader demande par écrit au président Fallières de créer une école militaire d'aviation. (→ 3.5.25)

France, 10 octobre
De retour d'un vol de 80 km avec Wilbur Wright, le mathématicien Paul Painlevé déclare à Auvours : « La conquête de l'air est maintenant accomplie. » (→ 31.12)

Paris, 28 novembre
Les frères Seguin présentent leur moteur rotatif en étoile Gnome Omega, dans la section aviation du Salon de l'automobile. (→ 22.8.09)

France, 19 décembre
Port-Aviation, le premier aérodrome du monde installé à 20 km de Paris par la Société d'encouragement à l'aviation, entre Juvisy et Savigny, est achevé. (→ 1.4.09)

Paris, décembre
Un prix de 2 500 F est offert par la direction de l'hôtel Meurice à l'aviateur qui atterrira sur le toit de l'hôtel. Les directeurs des Galeries Lafayette offrent la même somme à celui qui se posera sur la terrasse de leur immeuble. (→ 19.1.19)

Lors de son vol entre le village de Bouy et Reims, le 30 octobre, Henri Farman provoque la surprise d'un berger dans la plaine de Sillery.

Farman gagne le grand prix Deutsch-Archdeacon

Henri Farman, aux commandes de son biplan « Voisin-Farman n° 1 », s'apprête à franchir la ligne d'arrivée de la coupe Deutsch-Archdeacon.

Issy-les-Moulineaux, 13 janvier
La boucle est bouclée ! En présence de rares témoins, Henri Farman vient d'accomplir le premier vol de 1 km en circuit fermé de l'histoire devant la commission de l'Aéro-Club. Il remporte ainsi le prix Deutsch-Archdeacon et empoche les 50 000 F promis dès 1904 par les deux mécènes. L'auteur de cet exploit est pourtant un néophyte. Il a délaissé depuis peu les compétitions automobiles, mais sa ténacité et son pragmatisme ont payé. En juin 1907, il commande aux frères Voisin un biplan équipé d'un moteur Antoinette, le *Voisin-Farman n° 1*. L'aéroplane est acheminé à Issy, mais ses premiers essais, en août, sont décevants : il ne décolle pas. Avec son mécanicien Hebster, Farman travaille sans relâche pour améliorer l'appareil : il modifie l'inclinaison de la cellule de queue, et, le 30 septembre, après plus de 200 tentatives, le biplan fait un bond de 80 m. Quelques semaines plus tard, le 26 octobre, il effectue son premier vol en ligne droite : 770 m en 72 s. Par tâtonnements, Farman a tout simplement découvert le secret du vol ! En effet, à cette époque, tous les ingénieurs sont persuadés que, pour voler, l'angle d'incidence de l'avion doit être assez ouvert. Or, c'est une erreur car, ainsi, l'appareil oppose une grande résistance à l'air, perd de la vitesse et retombe au sol. Après de multiples essais, Farman décide de supprimer totalement l'angle d'incidence de l'équilibreur en modifiant le calage du gouvernail de profondeur. Ainsi, en roulant au sol, son avion prend de la vitesse et la portance augmente peu à peu jusqu'à provoquer le décollage, qui s'effectue lentement. Le principe du vol est acquis, reste le problème du virage. Farman poursuit ses recherches, d'autant qu'il n'est pas le seul à convoiter le Grand Prix de l'aviation. Le célèbre sculpteur Léon Delagrange possède lui aussi un avion Voisin, et, le 5 novembre, il réussit un vol de 300 m en demi-cercle. Trois jours plus tard, Farman négocie à son tour son premier virage. Les deux rivaux semblent de force égale. En fait, Gabriel Voisin apprécie peu l'extravagance de Delagrange et lui préfère la précision de Farman, auquel il apporte son aide. Des jours durant, ils s'emploient tous deux à rendre la machine de Farman moins lourde et moins résistante à l'air pour faciliter le virage. C'est à bord de cet appareil Voisin amélioré que Farman se lance ce lundi à la conquête du fameux trophée. Au petit matin, l'avion est roulé hors de son hangar jusqu'à l'extrémité du champ de manœuvres d'Issy. Les membres de la commission marquent la ligne de départ par deux poteaux distants de 25 m et fixent un fanion 500 m plus loin. Farman roule sur 50 m, franchit la ligne à 4 ou 5 m de hauteur, puis file vers le poteau de virage en s'élevant à 12 m. 1 min 28 s plus tard, il atterrit en douceur après avoir franchi à nouveau la ligne en vol. Le succès est complet. Grâce à la performance de Farman, l'ère des sauts de puce est révolue : on va vraiment voler. (→ 21.3)

Henry Deutsch de la Meurthe et Ernest Archdeacon.

Lors du Grand Prix d'aviation, on mesure la distance à parcourir avec le nombre de tours de roue d'une bicyclette tandis que Archdeacon compte les pas.

Ernest Archdeacon félicite Henri Farman, le vainqueur du Prix.

Les réussites de l'association de Graham Bell

« Red Wing » décolle devant 25 officiels

Glenn Curtiss remporte son premier prix

F.W. Baldwin, sur le « Red Wing », réalise le premier vol officiel en Amérique.

Glenn Curtiss remporte le Scientific American Trophy avec le « June Bug ».

Hammondsport, 12 mars
Le *Red Wing*, dessiné par Selfridge, a fait son premier vol. Bravant un froid glacial sur le lac Keuka gelé, quelque 25 officiels ont assisté aux essais de ce biplan aux ailes courbes, muni d'un stabilisateur mobile à l'avant et d'un plan fixe à l'arrière. Le pilote, Casey Baldwin, a fait décoller le biplan de la surface glacée pour un vol de 97,3 m, mais n'a pu éviter l'accident à l'atterrissage par manque de contrôle latéral. L'association s'est constituée en octobre au Canada mais s'est installée depuis le début de l'année à Hammondsport. Ses membres, exploitant le fait que les Wright ont tenu secrets leurs succès, prétendent qu'il s'agit du premier vol aux Etats-Unis d'un appareil plus lourd que l'air. (→ 4.7)

Hammondsport, 4 juillet
Une foule enthousiaste était venue sur le champ de courses de Stony Brook Farm pour voir Glenn Curtiss remporter le prix de 2 500 dollars offert par la revue *Scientific American* pour le premier vol de 1 km en ligne droite. Aux commandes du *June Bug*, le troisième appareil construit par l'AEA, Curtiss a réussi à voler sur 1,8 km avant de se poser. Conçu par Curtiss, comme son prédécesseur le *White Wing*, l'appareil est doté d'ailerons afin de le rendre plus stable. Les ailes du *June Bug* ont été agrandies et ont une envergure de 12,96 m. L'exploit de Glenn Curtiss est une bonne nouvelle pour l'association, car des membres influents de l'Aéro-Club d'Amérique étaient présents. (→ 20.3.09)

Volonté, ténacité et efficacité de l'AEA

Hammondsport, 21 juin
Glenn Curtiss a effectué aujourd'hui son premier vol à bord du *June Bug*, appareil qu'il a lui-même conçu. C'est le troisième avion construit par l'AEA. Cette association a la réputation d'accomplir des recherches pragmatiques, rationnelles et rapides... puisqu'en trois mois, trois avions ont été conçus. Une bonne moyenne! Déjà, pour la construction du deuxième aéroplane, le *White Wing*, le pilote-constructeur Casey Baldwin, autre partenaire de l'AEA, a fait preuve d'une grande ingéniosité. Il a lui-même étudié et financé l'appareil, qui possède des petites surfaces mobiles en bout d'aile. Ce nouveau système assure un contrôle latéral presque parfait. Cet engin, des plus perfectionnés, est le premier à être pourvu d'un train d'atterrissage tricycle. Baldwin, à l'instar de Curtiss, McCurdy et Selfridge, a réalisé un exploit. (4.7)

Le « Silver Dart » du Canadien McCurdy vole aux Etats-Unis

Hammondsport, 6 décembre
La dernière en date des machines volantes construites par l'AEA, le *Silver Dart*, a effectué son premier vol aujourd'hui. L'ingénieur canadien John McCurdy, qui a conçu l'appareil, était aux commandes de l'aéroplane. Toutefois, le vol d'essai a été de courte durée, car l'avion a dû faire un atterrissage d'urgence après que de l'eau se fut infiltrée dans le réservoir à essence. Le *Silver Dart* est le quatrième appareil à avoir été construit par l'association, et il est, techniquement, bien plus avancé que ses prédécesseurs. Après avoir effectué une série d'essais avec le *June Bug*, John McCurdy a décidé de renforcer les ailerons des bouts d'ailes. Le *Silver Dart* a une envergure plus importante, de 14,96 m, et l'appareil est équipé d'un moteur Curtiss à refroidissement à eau d'une puissance de 50 ch, alors que ses trois prédécesseurs avaient des moteurs à refroidissement à air. McCurdy participe pleinement aux activités de l'association depuis sa création en octobre 1907. Il en est devenu membre au même moment que son compatriote Baldwin, peu de temps après avoir obtenu son diplôme de l'université de Toronto. Le *Silver Dart* est le premier appareil qu'il ait conçu. L'avion va être transporté, à la fin de l'année, à Baddeck, au Canada, où le pilote et constructeur McCurdy espère offrir à Alexander Graham Bell le premier vol canadien. (→ 31.3.09)

John McCurdy, à bord du « Silver Dart », quatrième appareil de l'AEA qu'il a lui-même mis au point, effectue le premier vol officiel réalisé au Canada.

Au Mans, Wilbur Wright prouve sa supériorité

Wilbur Wright, aux commandes de son biplan, exécute son vol historique après s'être préparé à cette épreuve pendant deux mois, aux environs du Mans.

Préparatifs de départ du biplan de Wilbur Wright : l'aéroplane est posé sur l'extrémité d'un rail de bois quelques minutes avant l'envol.

Mme Hart O. Berg avec W. Wright.

Le Mans, 8 août

Wilbur Wright vient de faire taire les Français qui doutaient que les frères Wright aient réellement réalisé les vols qu'ils prétendent avoir effectués aux Etats-Unis. En présence de nombreux pionniers français de l'aviation, réunis au champ de courses des Hunaudières, près du Mans, il a réussi à voler en boucle pendant une minute et quarante-cinq secondes. Il s'est posé sous un tonnerre d'applaudissements. C'est hier en fin d'après-midi que Wilbur s'est détaché du derrick de lancement mis au point par les deux frères. Sous les yeux ahuris de la foule, il a évolué dans le ciel bleu, effectuant une boucle au-dessus des arbres et parcourant 760 m avant de se poser. Cette démonstration est historique pour

les aviateurs : pour la première fois, les Français ont pu voir comment fonctionne le système de gauchissement des ailes. Cette astucieuse méthode permet aux appareils de virer de façon contrôlée. Les réactions des aviateurs français présents ont été immédiates. Louis Blériot s'est ainsi exclamé : « Pour nous en France, et partout ailleurs, une nouvelle ère de vol mécanisé s'est ouverte. » De son côté, René Gasnier déclarait : « Nous sommes des enfants par rapport aux Wright. » Même Ernest Archdeacon, qui est un de ceux qui ont émis le plus de doutes quant aux exploits des frères, était sidéré. Ce dernier écrit dans le magazine Auto paru ce matin : « Les frères Wright ont été accusés par les Européens d'être des bluffeurs depuis trop longtemps...

aujourd'hui, ils ont été consacrés par la France. » Wilbur était aux commandes d'un appareil Flyer que les frères avaient envoyé au Havre en juillet 1907. Arrivé en France en juin dernier pour effectuer des vols de démonstration, il avait conclu le 23 mars dernier un accord avec une société française prévoyant la construction sous licence de machines Wright. Mais lors de l'arrivée du Flyer, il avait constaté que l'appareil avait été endommagé par les douaniers. Il lui a fallu un peu plus de deux mois de travail dans l'atelier de son ami Léon Bollée au Mans pour réparer le Flyer. Ce matin, des centaines de curieux sont venus aux Hunaudières pour voir Wright rééditer son exploit, mais cet homme très croyant ne vole pas le dimanche. (→ 10.10)

L'appareil de Wilbur Wright, machine complexe dont les moindres détails doivent être pris en considération pour s'assurer du succès du vol.

Quelques secondes avant le départ, l'avion est sur son rail ; derrière lui, placé sur un pylone, un poids de 700 kg qui, en retombant, le fait s'envoler.

Léon Delagrange tient l'air 29 minutes

Issy-les-Moulineaux, 6 septembre
Le sculpteur devient aviateur. Léon Delagrange, à bord de son biplan Voisin, a battu tous les records de distance et de durée. Belle victoire pour le rival malchanceux d'Henri Farman, qui a remporté le prix Deutsch-Archdeacon en janvier dernier. L'exploit de Farman, loin de décourager Delagrange, lui a donné des ailes. Tout au long de cette année, celui qu'on prenait pour un dilettante a prouvé sa détermination. Il commande tout d'abord aux frères Voisin un avion identique à celui de Farman. L'appareil, équipé d'un moteur Antoinette 50 ch, est muni de cloisons verticales. Ce dispositif, dit cellulaire, assure sa stabilité. Il compte disputer coupes et records à son concurrent, et accomplit, dès le 14 mars, un vol de 300 m. Le 19, il remporte le premier des trois Prix des 200 m créés par l'Aéro-Club de France. Confiant, il lance l'idée de courses d'aéroplanes : selon lui, les biplans cellulaires peuvent rivaliser avec les monoplans, réputés plus rapides. Il équipe son avion du nouveau moteur Vivinus 40 ch, et, le 11 avril, s'adjuge la coupe Archdeacon en effectuant un vol de 3,925 km en 6 min 30 s. Rien ne semble l'arrêter : aujourd'hui, aux commandes de son *Voisin-Delagrange nº 2*, il a exécuté, à 6 m de hauteur, un vol de 24,40 km en 29 min 53 s. L'aviation vient de franchir un pas décisif. (→ 4.1.10)

Léon Delagrange aux commandes de son biplan « Voisin-Delagrange nº 2 ».

Aux USA, Farman invente le mot aileron

New York, 15 septembre
Henri Farman, en tournée aux Etats-Unis, vient d'inventer le mot aileron. Il baptise ainsi les volets en bout d'aile dont les ingénieurs de l'AEA ont équipé le *White Wing*, puis le *June Bug*, et que lui présente McCurdy sur la piste de course de Coney Island. Ces ailerons assurent la stabilité latérale et les virages de l'avion : deux problèmes essentiels pour l'aviation naissante. Les frères Wright ont ouvert la voie, avec leur système de gauchissement des ailes. En 1904, le Français Esnault-Pelterie le trouvant inefficace, fixe sur les ailes de son planeur ce qu'il appelle des élevons. Ses résultats sont mitigés. En fait, au début de cette année, le contrôle du virage en vol est encore hasardeux. En janvier, Farman a réussi le premier kilomètre bouclé en vol, mais sur son appareil Voisin, sans gauchissement ni ailerons, il n'a pu effectuer qu'un virage très large, avec des embardées maladroites. Quelques mois plus tard, l'équipe de l'AEA réunie autour de Curtiss sort le *White Wing*. Des surfaces latérales mobiles, agissant de façon conjuguée, sont fixées à l'extrémité des ailes. Le pilote, dont les épaules sont prises dans un harnais, les actionne naturellement en se penchant d'un côté ou de l'autre. Le principe de l'aileron était acquis. Aujourd'hui, il vient d'entrer dans le vocabulaire aéronautique des Américains. (→ 30.10)

Selfridge, première victime de l'aviation

La mort peut être au rendez-vous.

Fort Myer, 17 septembre
La machine volante a tué. Le premier mort de l'aviation est le lieutenant Thomas Selfridge, décédé aujourd'hui des suites de ses blessures. L'appareil à bord duquel il se trouvait, construit par les frères Wright, s'est écrasé au sol, et le pilote, Orville Wright, a été grièvement blessé. L'accident s'est produit dans le cadre des vols d'essai entamés le 3 septembre dernier et destinés à convaincre l'armée de se doter de cet appareil. Aux termes d'un contrat signé le 10 février dernier, les Wright en ont vendu un exemplaire à l'armée pour 25 000 dollars. Malgré cet accident, ils ont bon espoir de vendre d'autres appareils à l'état-major.

On ne peut plus voler librement à Paris

Paris, 26 juillet
Le terrain d'Issy-les-Moulineaux est interdit depuis aujourd'hui aux aviateurs. La décision du gouverneur militaire de Paris surprend tout le monde. Certes, il y a des accidents : Louis Blériot, il y a deux jours, s'est écrasé avec son monoplan VIII, heureusement sans dommages pour lui. Mais la hantise des autorités est qu'un jour un aéroplane soit la cause d'un accident mortel pour les riverains. Au mois de juin, René Quinton avait fondé un prix doté de 10 000 francs pour récompenser un aéroplane « capable de se soutenir dans l'air plus de 5 minutes sans perdre plus de 50 m d'altitude ». Aussi, Farman et Louis Blériot ont-ils déjà protesté auprès du préfet de police. Privés de la possibilité d'expérimenter leurs prototypes, alors que leurs ateliers sont situés en région parisienne, ils ont fait valoir qu'une telle décision signifiait leur arrêt de mort. Ils ont enfin obtenu du préfet de police que les essais d'aéroplanes soient tolérés entre 4 h et 6 h du matin, à la condition qu'un cordon de police assure le service d'ordre sur les terrains.

Les exhibitions de Delagrange en Europe

Milan, 8 juillet
La prima donna des airs, c'est elle : Thérèse Peltier, une Française, qui a osé monter à bord de l'avion de Delagrange, en tournée en Italie. Devant les Milanais enthousiastes, le couple du jour plane quelque 200 m... à 2 m de hauteur. L'aviation française est à l'honneur à l'étranger. Ses deux ambassadeurs y font de brillantes exhibitions. Delagrange, d'abord, part pour Rome, pas en avion bien sûr ! Son appareil est démonté et transporté par voie ferrée. Le 23 mai, il y bat tous les records sous les ovations du public et du roi. De son côté, le 30 mai, à Gand, Farman emmène à bord de son Voisin le président Archdeacon. (→ 6.9)

Léon Delagrange et Thérèse Peltier à bord du « Voisin-Delagrange nº 2 ».

Farman se déplace en avion de Bouy à Reims

Henri Farman pendant son vol entre le camp de Châlons et la ville de Reims.

Reims, 30 octobre

Spectacle inédit en Champagne! Une machine pétaradante survole la campagne. A son bord, Henri Farman relie Bouy, près de Mourmelon, à Reims, réalisant le premier vol de ville à ville de l'histoire. En janvier, il a déjà relevé le défi du kilomètre bouclé en vol. Depuis, il s'est établi au camp de Châlons, où il poursuit ses essais sur son biplan Voisin. Car il caresse un projet fou: sortir des limites du terrain d'aviation. Malgré la difficulté, il ose réaliser son rêve. Le jour J, à 15 h 45, ému et impressionné, il prend son envol vers la grande ville... L'essentiel est de maintenir la direction de son avion. Il prête une grande attention aux bruits du moteur et au ronflement de l'hélice. Cela n'empêche pas notre héros de goûter la plus belle joie de sa vie: planer au-dessus de ses semblables! Mais déjà des peupliers immenses barrent sa route. Faut-il passer à gauche ou à droite? Son hésitation est de courte durée: il braque son appareil qui s'élève et franchit les arbres au ras des cimes. Puis il survole le village de Billy-le-Grand, frôle les flancs de la montagne de Reims et manque d'accrocher le clocher de Sillery. Ouf! La cathédrale de Reims est en vue. Il atteint le terrain de l'armée et coupe son moteur. A 16 h 12 il atterrit, sain et sauf, sur le terrain de cavalerie. Il a parcouru 27 km en 20 min. Aux acclamations de la foule et des officiers, il enlève son passe-montagne et sourit, tranquillement. Il vient de réaliser le premier voyage aérien du monde. (→ 3.11.09)

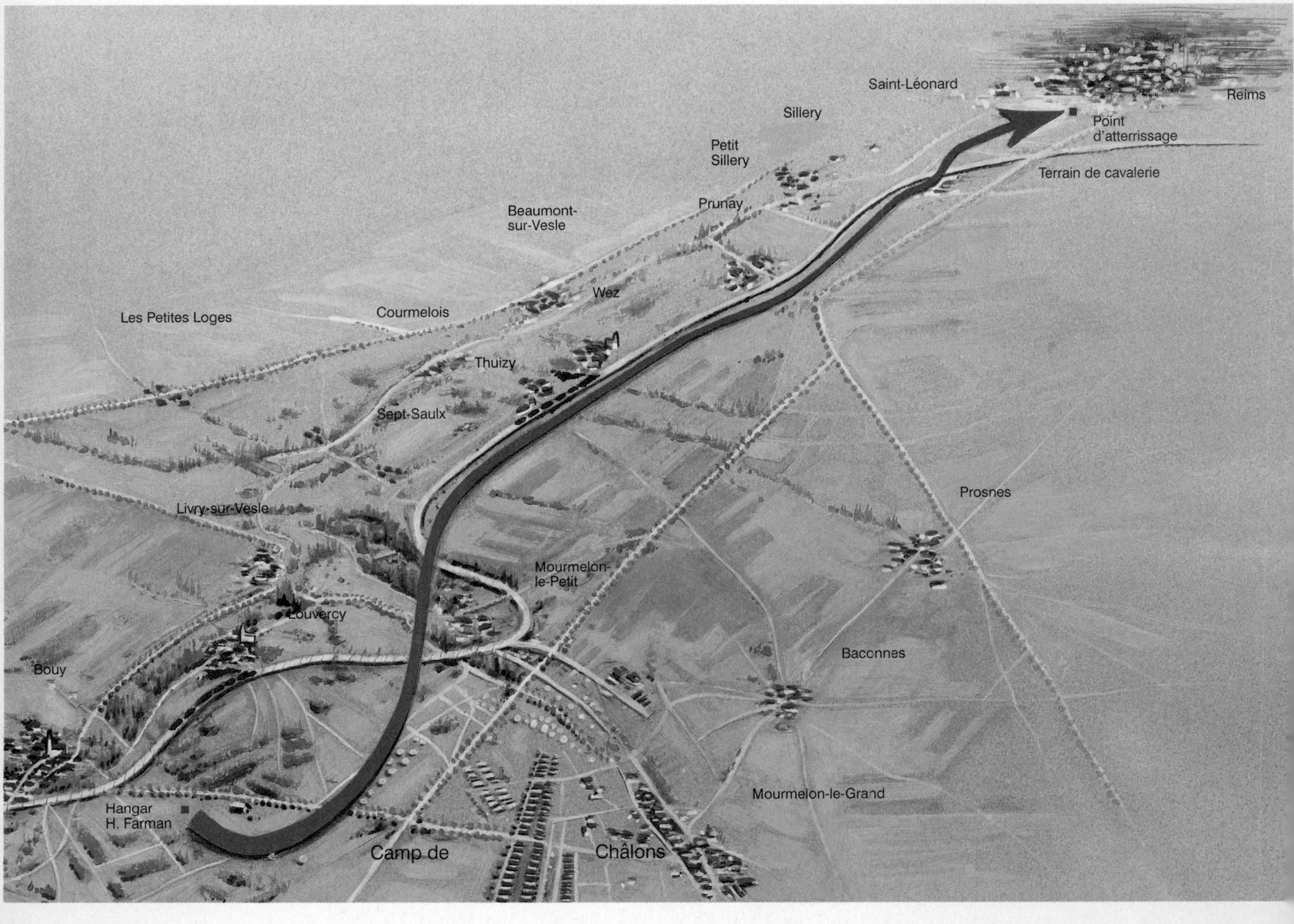

Saint-Léonard

Reims

Sillery

Point d'atterrissage

Petit Sillery

Terrain de cavalerie

Beaumont-sur-Vesle

Prunay

Les Petites Loges

Courmelois

Wez

Thuizy

Sept-Saulx

Prosnes

Livry-sur-Vesle

Mourmelon-le-Petit

Louvercy

Baconnes

Bouy

Mourmelon-le-Grand

Hangar H. Farman

Camp de Châlons

Un aéroplane militaire pour l'Angleterre

Samuel Cody aux commandes de l'aéroplane « n° 1 » de l'armée britannique.

S. Cody, rien à voir avec Buffalo Bill.

Farnborough, 16 octobre
Pour la première fois en Angleterre un homme a effectué un vol motorisé à bord d'une machine plus lourde que l'air. Cet exploit a été réalisé par l'Américain Samuel Cody, qui a parcouru 424 mètres à bord de l'aéroplane n° 1 de l'armée britannique. Malheureusement, la très grande envergure de l'appareil – 15,9 m – l'a rendu difficile à manœuvrer. Lorsque Cody a tenté de virer, l'appareil s'est écrasé au sol. Cody travaille comme instructeur à l'école d'aérostat de Farnborough. Son appareil est équipé d'un moteur Antoinette de fabrication française. Ce même moteur avait été installé à bord du dirigeable *Nulli Secundus*, projet auquel Cody a activement participé. Le ministère de la Guerre a longtemps hésité avant de s'intéresser aux machines plus lourdes que l'air. Le colonel Capper, directeur de l'école d'aérostat, avait tenté, dès octobre 1904, de promouvoir les recherches des frères Wright, et Cody a eu bien du mal à faire accepter le financement de ses travaux. (→ 31.12.10)

Franchir la Manche, un double défi

Londres, 5 octobre
Le défi aux aviateurs a été lancé par le *Daily Mail* : le premier à traverser la Manche en avion en un jour avant la fin de l'année recevra un prix de cinq cents livres sterling. Le journal encourage activement les pionniers de l'aviation, car son propriétaire, lord Northcliffe, souhaite promouvoir la conquête du ciel. En 1906, il avait été le premier à doter son journal d'un correspondant aéronautique, Harry Harper. Le 17 novembre 1906, le quotidien a même proposé de verser la somme fabuleuse de dix mille livres au premier aviateur à effectuer le trajet Londres-Manchester. Puis, l'année dernière, le *Mail* a offert un prix de cent livres pour un vol aller-retour de 400 mètres. (→ 24.7.09)

La coupe Michelin pour Wilbur Wright

Le Mans, 31 décembre
Wilbur Wright vient de remporter la coupe Michelin en réalisant un vol de 124,7 km en 2 h 20 min 23 s. Wright, à qui l'exploit a permis d'empocher un prix de vingt mille francs, a ainsi établi un double record du monde : celui de la distance parcourue et celui de la durée de vol. L'événement s'est déroulé au camp militaire d'Auvours, tout près du Mans. Depuis son vol historique du 8 août dernier, les plus célèbres aviateurs et constructeurs d'Europe, dont les Anglais Charles Rolls et Alliott Verdon Roe, et l'Américain F.S. Lahm, suivent Wilbur de près, analysant les capacités du *Flyer*. Mais Wright ne cherche pas que la gloire, il préférerait vendre des avions. (→ 4.5.09)

Les aéronautes invités au Salon de l'auto

Paris, 24 décembre
Le président Fallières est soulagé : les syndicalistes se sont abstenus de couper l'électricité lors de l'inauguration au Grand Palais du Salon de l'auto. C'est donc en toute quiétude que le président, la bête noire du syndicat des électriciens, accompagné de Georges Clemenceau et du général Picquart, a visité les stands, dont un était réservé à l'aéronautique. Il y avait là, sous la grande verrière, quatre dirigeables, seize aéroplanes, le *Wright*, le *Delagrange*, le *Farman*, le *Rep* d'Esnault-Pelterie, un biplan et un monoplan Blériot, l'*Antoinette* de Levavasseur et la minuscule *Demoiselle* de Santos-Dumont. Mais la grande nouveauté se trouvait au stand des motoristes. A côté d'Anzani et de Bayard-Clément, les frères Seguin exposaient le moteur rotatif d'aviation à 7 cylindres en étoile Gnome qu'ils ont mis au point l'an dernier. A cette occasion, le journal l'*Auto* a lancé une enquête auprès des académiciens sur le nom des machines volantes : les uns suggèrent l'aéroplane, l'aéro, le philair ou l'autoplaneuse, d'autres penchent pour l'aérion. Ader défend son avion, tandis que des plaisantins proposent le vol-au-vent...

Un vol aller-retour avec deux escales

Toury, 31 octobre
Blériot a réussi. « L'homme qui tombe toujours » vient d'effectuer le premier vol aller-retour de ville à ville. Parti du village beauceron de Toury, il a viré 14 km plus au sud à Artenay pour revenir à son point de départ. Il donne ainsi la réplique à Farman, qui, hier, a relié d'un coup d'aile Bouy à Reims. En dépit de ses accidents répétés, Blériot est resté fidèle à la formule du monoplan. Son prototype, le Blériot VIII, dont les ailes sont recouvertes de papier du Japon, a obtenu un réel succès le 17 juin... mais s'est écrasé le mois suivant. Le 30 octobre au soir, Blériot apprend l'exploit de Farman : il est une fois encore devancé. Tant pis ! Demain, il fera mieux. Son nouveau modèle, le Blériot VIII ter à moteur Antoinette 50 ch est équipé de gouvernes puissantes et d'ailerons pivotants en bouts d'aile. Il décolle par un temps superbe, et fonce vers le sud. Une panne l'oblige à se poser près d'Artenay. Au retour, une seconde escale est nécessaire près de Santilly. Puis c'est l'atterrissage, en douceur. Blériot a rejoint le cercle des hommes volants. (→ 7.1.09)

Laurent et Louis Seguin ont inventé le moteur rotatif Gnome.

1909

80 km/h
France
Louis Blériot
Blériot VI
17.9.07

234,212 km
France
Henri Farman
H. Farman III
3.11.09

453 m
France
Hubert Latham
Antoinette n° 7
1.12.09

590 kg
France
Léon Levavasseur
Antoinette n° 7

85 ch
France
Canton et Unné
Salmson CU-M7

Paris, 7 janvier
L'Aéro-Club délivre les seize premiers brevets de pilote aviateur. Le premier est donné à Louis Blériot, le seizième à Wilbur Wright.

Issy-les-Moulineaux, 23 janvier
Blériot vole sur 200 m à 75 km/h avec son nouveau monoplan XI, équipé d'un moteur REP de 30 ch.

Kiev, janvier
Igor Sikorsky, âgé de 19 ans, part à Paris. Sa sœur Olga lui a offert l'argent pour acheter le moteur et les éléments nécessaires à la construction d'un hélicoptère. (→ 31.1.10)

Issy-les-Moulineaux, 16 février
Le pilote britannique John Moore-Brabazon teste le *Voisin-Brabazon n° 3* muni d'un moteur anglais ENV de 70 ch. Il a déjà deux biplans.

Camp de Châlons, 19 février
L'*Antoinette n° 4* effectue un vol d'essai de 5 km en présence de Léon Levavasseur et de Hubert Latham. Ce dernier vient d'entrer au conseil d'administration de la firme Antoinette à la place de Blériot, démissionnaire. Il prend les fonctions de pilote d'essai. (→ 27.7)

Etats-Unis, 2 mars
La Société aéronautique de New York passe une commande de 5 000 dollars à Curtiss pour l'aéroplane Curtiss n° 1 *Gold Bug*.

Reims, 4 mars
L'Aéro-Club de Champagne est créé. Le marquis Melchior de Polignac en est le président. (→ 22.8)

Canada, 10 mars
A bord du *Silver Dart* de l'AEA, McCurdy réalise un vol de 32 km.

Etats-Unis, 20 mars
Glenn Curtiss forme avec le pionnier Augustus Herring la Herring-Curtiss Company, au capital initial de 365 000 dollars.

Paris, 25 mars
Henry Deutsch de la Meurthe fonde la Compagnie générale transaérienne. (→ 25.8.19)

Baddeck, 31 mars
L'Aerial Experiment Association est dissoute. Son but est accompli.

Port-Aviation, 1er avril
L'aérodrome de la Société d'encouragement à l'aviation est inauguré. Croyant à un canular, aucun journaliste ne s'est déplacé. (→ 23.5)

France, 1er avril
L'*Aérophile* publie un article de André Noël. Il expose son procédé de construction d'ailes extensibles en cours de vol pour obtenir des variations de vitesse, adoucir les atterrissages et faciliter les départs.

Grande-Bretagne, 30 avril
A bord de son biplan Voisin, Moore-Brabazon vole sur 147 m au-dessus de l'île de Sheppey.

Ile de Sheppey, 4 mai
Les frères Wright visitent l'usine installée par les frères Short sur l'aérodrome de Shellbeach, qu'ils viennent de créer avec l'Aéro-Club de Grande-Bretagne. En février, Eustace Short a passé un accord avec Wilbur Wright pour construire six biplans Wright. (→ 30.10)

Châlons, 18 mai
Un monoplan réalise un vol avec passager. Hubert Latham emmène René Demanest sur son Antoinette.

Issy-les-Moulineaux, 27 mai
Blériot installe un moteur italien Anzani de 25 ch sur son nouveau monoplan XII et réussit quelques envolées. Depuis six jours, il a essayé un moteur anglais ENV, puis un REP, qui chauffaient trop. (→ 13.7)

Châlons, 5 juin
Latham vole durant 1 h 7 min 37 s à bord de l'*Antoinette n° 4*. (→ 27.7)

Issy-les-Moulineaux, 12 juin
Sur son monoplan XII, Blériot réussit un vol avec deux passagers, Santos-Dumont et André Fournier.

Grande-Bretagne, 17 juin
Frederick Handley Page fonde la société Handley Page Ltd, au capital de 10 000 livres. (→ 26.5.10)

Bordeaux, 19 juin
La Ligue méridionale aérienne fait visiter les terrains qu'elle vient d'acquérir pour le futur aérodrome de Croix d'Hins. Le soir, l'Aéro-Club du Sud-Ouest offre un dîner de quatre-vingts couverts. (→ 4.1.10)

Douai, 28 juin
Louis Breguet a abandonné la mise au point des gyroplanes et construit en quelques semaines l'aéroplane *Breguet n° 1*. Il effectue son vol inaugural avec un moteur Antoinette de 50 ch. (→ 24.3.11)

France, 2 juillet
La Commission d'aviation de l'Aéro-Club établit un code des routes aériennes inspiré de la réglementation maritime. (→ 18.5.10)

Orléans, 13 juillet
Louis Blériot s'attribue le Prix du voyage de l'Aéro-Club de France avec le Blériot XI, en couvrant les 41,200 km de Etampes à Chevilly en 44 min 30 s. Sur les 4 500 F du prix, 1 500 F reviennent à Anzani, constructeur du moteur, et 1 000 F à Chauvière, constructeur de l'hélice. (→ 24.7)

Grande-Bretagne, 23 juillet
Sur son nouveau terrain de Lea Marshes, Alliott Verdon Roe vole sur 300 m à 3 m de haut avec un triplan de sa conception, muni d'un moteur anglais JAP de 9 ch. Les ailes du *Péril jaune* sont revêtues de papier huilé de couleur jaune.

Canada, 2 août
Lors d'une démonstration pour un aéroplane militaire devant des membres du gouvernement au camp de Petawawa, McCurdy emmène Baldwin à bord du *Silver Dart*.

Wimereux, 13 septembre
Ferber arrive avec son avion et effectue une démonstration. Dans l'assistance, Charles de Gaulle.

Saint-Cyr, 16 septembre
Santos-Dumont améliore de 10 m le record du décollage de Curtiss, avec un roulement de 70 m en 6 s sur la *Demoiselle*. (→ 30.4.10)

France, 21 septembre
René Caudron vole 4 fois 1 km en ligne droite sur l'aéroplane fabriqué avec son frère Gaston dans la ferme paternelle de Romiotte. (→ 30.4.10)

Boulogne-sur-Mer, 22 septembre
Le capitaine Ferber se tue au cours d'un vol sur un biplan Voisin.

Francfort-sur-le-Main, 15 octobre
Von Zeppelin fonde la Delag, première compagnie aérienne commerciale au monde. (→ 31.12.12)

Paris, 18 octobre
Le comte Charles de Lambert survole la tour Eiffel à 400 m d'altitude avec son biplan Wright et retourne se poser à Port-Aviation : il a couvert 48 km en 49 min 39 s.

Châlons, 3 novembre
Henri Farman reprend la coupe Michelin à Wilbur Wright. Il vole 234,212 km. (→ 1.7.10)

Paris, novembre
Roland Garros, 21 ans, a installé un magasin de voiturettes de sport avenue de la Grande Armée. Il est fasciné par l'aviation. (→ 31.12.10)

Etats-Unis, 22 novembre
Les frères Wright créent la Wright Company, au capital de un million de dollars. Wilbur en est nommé président.

Pau, 24 novembre
Inauguration de l'école Blériot à Caubios avec Alfred Le Blanc comme chef pilote.

Sydney, 9 décembre
Colin Defries fait décoller un aéroplane en Australie, le biplan Wright de Adamson. (→ 21.3.10)

Mourmelon, décembre
Le photographe Meurisse prend les premiers clichés à bord d'un avion en vol, l'Antoinette de Latham.

C'était donc possible ! L'ingénieur-pilote Louis Blériot a traversé la Manche le 25 juillet pour atterrir dans une prairie à Douvres.

Graham Bell a voulu un 1er vol au Canada

Baddeck Bay, 23 février

Une foule impressionnante s'est pressée aujourd'hui sur la surface gelée du lac Bras d'or. Elle venait assister au premier vol sur le sol canadien d'un appareil plus lourd que l'air. Au premier essai, John McCurdy dut arrêter son *Silver Dart* avant même le décollage, en raison d'une pompe à essence défectueuse. Au second essai, l'appareil s'éleva à 9 m pour parcourir ensuite 800 m à une vitesse estimée à 65 km/h, et fit un atterrissage parfait. Cet appareil, conçu par l'ingénieur canadien McCurdy, a été construit par l'AEA du Dr Bell. Il a été amené ici par bateau après ses brefs essais de décembre aux Etats-Unis. (→ 31.3)

Le « Silver Dart » est traîné sur le lac gelé pour son premier essai.

Les Wright installent une école à Pau

Pau, 3 janvier

Trois élèves prestigieux, Paul Tissandier, le comte Lambert et le capitaine Lucas-Girardville, attendent leur leçon. Wilbur Wright, plébiscité, vient d'ouvrir la première école de pilotage du monde, près de Pau, à Pont-Long. L'endroit, bien dégagé, est idéal, et l'accueil de la population locale est des plus prévenants. Toujours aussi austère, Wright dort sur le champ d'aviation, près de son *Flyer*. Mais il est couvert d'honneurs... et d'argent : suite à ses performances à Auvours, de nombreuses sociétés exploitent son brevet sous licence. Blériot, Farman et d'autres s'inspirent de ses conseils. La France est à l'école de l'Amérique. (→ 22.11)

Entraînement des élèves des frères Wright à l'école de pilotage de Pont-Long.

Le moteur Gnome tourne avec l'hélice

Reims, 22 août

La vraie vedette de la Grande Semaine de Champagne, c'est lui : le moteur rotatif Gnome Oméga. Farman, infidèle à son Antoinette, l'a monté sur son biplan, et décolle parfaitement, sans aucun essai préliminaire. Pour les frères Seguin, qui ont réalisé ce moteur révolutionnaire, c'est la consécration. En effet, il diffère totalement des moteurs à explosion utilisés jusqu'à présent dans l'aviation : il tourne avec l'hélice. Le vilebrequin (l'arbre sur lequel sont articulées les bielles, pour transformer les mouvements verticaux alternatifs en mouvement de rotation) est devenu fixe. Dès lors, autour de cet axe tournent l'hélice, mais aussi le moteur enveloppé dans son carter et les sept cylindres disposés en étoile. Il développe une puissance de 50 ch, donnant une impulsion sans précédent. Il est relativement léger, car la disposition des cylindres en étoile réduit le bâti à presque rien. En tournant, il induit un effet de volant qui assure un équilibrage parfait de l'appareil. Il résout enfin le problème essentiel du refroidissement. Les cylindres en acier spécial sont garnis d'ailettes taillées dans la masse. Elles se refroidissent automatiquement par l'air qui s'écoule le long de l'avion. Avec le nouveau moteur rotatif Gnome, l'aviation va pouvoir progresser très vite.

Le moteur Gnome Oméga de 50 ch.

De Havilland construit d'abord un biplan

Londres, 1er mai

Naissance d'un nouveau biplan : largement inspiré des engins des Wright, cet appareil est dû à la collaboration entre le fils d'un ecclésiastique, Geoffrey de Havilland, qui avait dessiné l'un des premiers autobus à moteur de Londres, et Frank Hearle, un ingénieur naval de Cornouailles. Ils ont équipé leur biplan d'un moteur 4 cylindres de 45 ch qui actionne 2 hélices propulsives en aluminium. De Havilland a dû emprunter 1 000 livres à son grand-père, comme avance sur son héritage. Il n'avait pas de vrai plan de travail : l'avion a été achevé à partir de croquis sommaires, et c'est sa fiancée qui a cousu la toile de coton qui recouvre les ailes.

Présentation du « DH. 1 » créé par les Britanniques de Havilland et Hearle.

Les Wright traînent Curtiss en justice

New York, 18 août
Les Wright déposent une requête devant les tribunaux contre Glenn Curtiss et la Société aéronautique de New York. Ils prétendent que le *Golden Flyer*, construit pour cette société par Curtiss et qui fut livré le 29 mai, contrefait leur système de gauchissement des ailes. D'après eux, cet avion, doté à l'extrémité de ses ailes de volets orientables appelés ailerons, s'inspire des plans de leur *Flyer*. Il y a déjà plus d'un an, le 20 juillet 1908, Orville avait écrit à Curtiss pour lui faire remarquer que le *June Bug* contrefaisait leur invention, déposée sous le brevet n° 821393 du 22 mai 1906. Il proposait donc à Curtiss de leur adresser une demande de permis s'il désirait continuer à s'en servir. Mais Curtiss a toujours refusé d'admettre cette parenté. Il a donc continué toutes ses constructions en utilisant un système que les frères Wright persistent à considérer comme leur invention. (→ 2.8)

Construire une machine volante

Paris, juillet
Ce n'est pas un hasard si les pionniers de l'aviation sont riches. Les aéroplanes construits à la main sont hors de prix. Ainsi, un moteur Renault de 25 ch coûte 6 000 F, et 14 000 F un de 45 ch. Sur le Blériot XI, le châssis d'atterrissage est à 1 000 F (la roue complète : 85 F). Le châssis arrière est moins cher : 150 F. Le fuselage, composé de pièces de bois assemblées par des fils d'acier et des tendeurs, vaut 8 000 F. Pour un amortisseur caoutchouc Michelin, fait d'un cordon de 35 cm de longueur, il en coûtera 51,50 F. C'est d'ailleurs celui de l'appareil Blériot. Une bougie ne vaut que 6 F. L'hélice Voisin de type 60 ch se vend 800 F et les pièces d'assemblages sont à 0,80 F l'unité. Fixator vend un manche à balai 300 F. Quant au tissu caoutchouté Continental, il est à 4 F le mètre tandis que celui de Michelin coûte 6,75 F. Les futurs aviateurs n'ont plus qu'à faire leur compte !

Trop de vent à la fête de Port-Aviation

Port-Aviation, à Viry-Châtillon, est le premier aérodrome du monde.

Juvisy, 23 mai
Premier meeting sur le terrain de Port-Aviation, situé à Viry-Châtillon, près de Juvisy. L'aérodrome a été construit à l'initiative de la Société d'encouragement à l'aviation. C'est la première réalisation de ce type dans le monde puisqu'elle est conçue uniquement pour des meetings. Le terrain comprend une piste en ellipse de 4 km et des gradins pour 7 000 spectateurs. Il a été béni le 1er avril par Mgr Amette, archevêque de Paris. Les avions Delagrange-Voisin, *Ile-de-France* et *Alsace*, furent baptisés par Mmes de Lagatinerie et Dussaud. « Nulle manifestation ne doit plus mériter les bénédictions de l'Eglise que celle de la conquête de l'air : l'homme imite Dieu en toutes choses et Dieu a pour lui les ailes du vent », a dit le prélat. Un journaliste écrit pourtant qu'il craint de voir la bénédiction épiscopale envoyer les appareils au paradis, battant ainsi le record d'altitude de 110 m des Wright ! Autre revers au meeting du jour : les 20 000 personnes venues pour l'inauguration ont, pour la plupart, fait à pied le long chemin depuis la gare. Elles sont déçues de ne voir, jusqu'à 19 h, que des vols de... cerfs-volants, car le vent souffle en rafales. Neuf aviateurs ont été invités, mais deux seulement se sont présentés, Lagrange et Rougier. Quand Delagrange décolle enfin pour cinq tours de piste à 4 ou 5 m de hauteur, les spectateurs, furieux, étaient repartis.

La foule rejoint le nouvel aérodrome.

Farman dessine et construit ses avions

Bouy, 6 avril
Pilote émérite, Henri Farman sait aussi construire des avions. Le biplan *HF1,* qu'il a entièrement dessiné et réalisé, a décollé ! Fin janvier, il commandait à son fidèle avionneur, Gabriel Voisin, un nouvel appareil. Mais des dissensions ont vite éclaté entre les deux hommes, et Voisin a fini par vendre l'avion à l'Anglais Moore-Brabazon. C'est la rupture. Farman décide alors de construire lui-même sa propre machine. S'inspirant du modèle Voisin, il ajoute 4 ailerons encastrés sur le bord de fuite, et des skis anti-capotage. Ultime perfectionnement, les gouvernails de direction et de profondeur comportent chacun un volet mobile articulé à l'arrière d'un plan fixe. Equipé d'un moteur belge Vivinus 50 ch, le *HF1* sort du hangar-atelier de Bouy fin mars. Aujourd'hui, avec son premier vol réussi, la saga des avions Farman commence. (→ 3.11)

Après avoir procédé à quelques vols préliminaires à Châlons, Henri Farman a décollé à bord d'un aéroplane construit par ses soins.

Les invités des tribunes de Port-Aviation ont une vue imprenable sur le terrain.

Louis Blériot réussit la traversée de la Manche

Des préparatifs et des essais douloureux

Louis Blériot, debout sur sa machine, quelques instants avant le grand départ.

Le vent l'a poussé au nord de Douvres

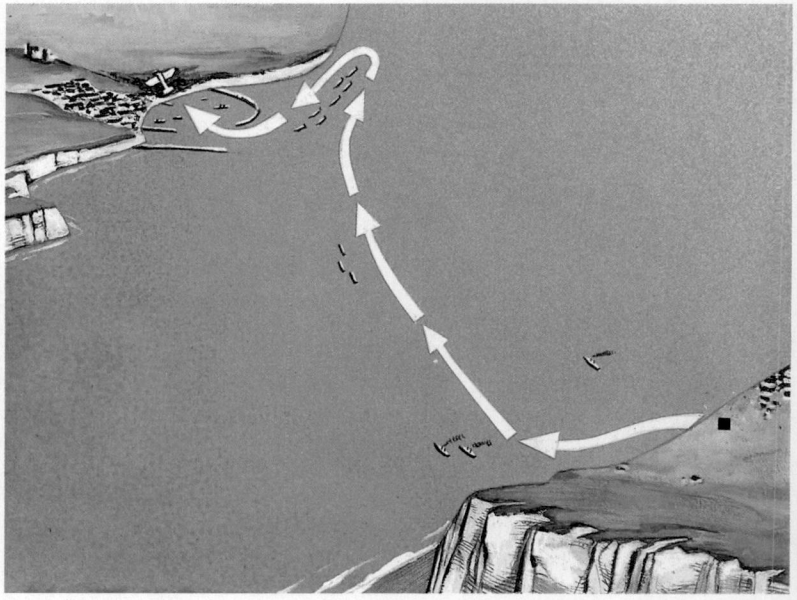

France, 24 juillet

Ils ne sont plus que trois à être en piste : Charles de Lambert, Hubert Latham et Louis Blériot. Tous espèrent gagner les 25 000 francs-or offerts par le *Daily Mail* au premier aviateur qui traversera la Manche. Des trois pilotes, c'est Louis Blériot qui semble le plus mal placé pour remporter l'épreuve. En quelques années, Blériot a dépensé la dot de sa femme et sa fortune personnelle pour fabriquer des avions qui ne se vendent pas. Au bord de la faillite, avec la ténacité des naufragés qui s'accrochent à leur radeau, il a conçu, au début de cette année, le Blériot XI, un superbe monoplan. Alexandre Anzani lui a fourni un moteur à 3 cylindres en éventail, qui développe 25 ch. Rustique, sa fonte n'est ni ébarbée ni sablée, mais c'est un engin fiable, bien que de l'huile chaude s'échappe régulièrement des cylindres, enduisant au bout de quelque temps l'avion d'une couche visqueuse qui aveugle le pilote. Blériot a ensuite sorti un type XII. En même temps, il s'est inscrit à tous les meetings aériens pour renflouer sa caisse. Le 3 juillet, il est à Douai pour tenter de battre avec le monoplan XII un record d'endurance et de distance. Il en sort vainqueur, mais avec la cheville gauche atrocement brûlée par le contact trop direct du pot d'échappement. Infatigable, le lendemain, il est à Port-Aviation et, avec le Blériot XI, remporte le prix Archdeacon. Mais le sort s'acharne : le 13 juillet, en revenant de Chevilly, le Blériot XI prend la pluie et les ailes gorgées d'eau doivent être réentoilées. Enfin, le 18 juillet, à Douai où le meeting continue, Blériot s'adjuge le prix Mahieu et le Prix de vitesse. Hélas, le feu prend dans le carter et lui brûle de nouveau le pied gauche. Mais Louis Blériot s'en moque ; malgré sa blessure, le 21, il s'installe à l'hôtel Terminus à Calais. Il s'est décidé, il courra avec le Blériot XI, malgré l'état douteux des ailes.

Blériot, le visage anxieux, s'apprête à décoller de Calais pour Douvres.

Douvres, 25 juillet

La tempête s'est calmée hier soir et à 23 h 30, Blériot décidait que ce serait pour ce matin. Alfred Le Blanc le réveilla à 2 h 10 et il partit en automobile jusqu'à la ferme de Grignon où l'attendaient ses fidèles mécaniciens Mamet et Colin à côté de l'avion. A 4 h 10, Blériot fit un très court vol d'essai vers Sangatte et à 4 h 35, il fonce vers la Manche. Rapidement, en face des Baraques, il survole le contre-torpilleur l'*Escopette* à bord duquel se trouve Mᵐᵉ Blériot. Puis, il est seul avec la mer immense d'où monte la brume. Il a une boussole, mais elle se bloque. Il écoute les bruits de son « trois pattes » qu'il graisse. Enfin, une ligne crayeuse se dessine à l'horizon. Cela doit être Deal, il est trop au nord. Il veut aller à Douvres. Sous lui, une flotille de navires avance vers le sud. Ils se rendent à Cowes pour la visite du tsar. Il vire à gauche. Le port se dessine devant lui avec ses falaises. Le vent et les remous l'empêchent de monter. Dans un creux, une tache verte, il évite des maisons, coupe le moteur et s'abat plus qu'il ne se pose sur une prairie de North Fall Meadow. Il est 5 h 13. La Grande-Bretagne n'est plus tout à fait une île. (→ 15.12)

Louis Blériot vient de se poser sur une petite prairie en pente du North Fall Meadow. L'atterrissage a été un peu brutal, cassant roues et hélice.

32 minutes d'angoisse pour entrer dans l'histoire

Le héros de la Manche à Buckingham

Louis Blériot salue de son canotier les Londoniens venus l'acclamer en héros.

Londres, 26 juillet 1909

«Louis Blériot, capitaine du vaisseau nommé *Aéroplane*, affirme n'avoir à bord ni chien, ni chat, n'être pas atteint de maladie contagieuse...» C'est avec un amusement non dissimulé que le vainqueur de la Manche montre à tous ses proches le certificat que lui ont délivré, hier, les douaniers de Douvres. Mais, maintenant, cette célébrité soudaine semble ennuyer le héros. A peine arrivé, il a dû se faire photographier en compagnie de l'envoyé spécial du *Matin*, le journaliste Charles Fontaine. Celui-ci, armé d'un immense drapeau tricolore, ne le quitte plus d'une semelle. Dans la soirée, ce furent ensuite les félicitations de l'ambassadeur de France, au cours d'une réception très «Entente cordiale», au *Lord Warden Hotel*. Aujourd'hui, c'est à Londres que Blériot triomphe. Accueilli à Victoria Station par lord Northcliffe, c'est le propriétaire du *Daily Mail* qui lui a remis son prix de 1 000 livres. Puis c'est l'Aéro-Club de Grande-Bretagne qui lui remettait une médaille d'or. Félicité par le souverain, Edouard VII, l'aviateur, malgré sa fierté, n'a qu'une envie : échapper à toutes ces mondanités. (→ 28.8)

Hubert Latham, le concurrent malheureux

France, 27 juillet

Pour Hubert Latham, tout a mal commencé et tout s'est mal terminé. Personnage haut en couleur, Latham fait partie de cette catégorie d'aristocrates qui cultivent avec art l'oisiveté créatrice. Fortuné, il préfère aux salons la chasse ou l'avion. Entré tout récemment dans la société de Gastambide et Levavasseur, qu'il commandite, c'est lui qui pilote les Antoinette de la firme. Le défi du *Daily Mail* ne pouvait que séduire et stimuler cet homme épris d'aventure et d'émotions fortes. Mais, depuis un mois, l'équipe Antoinette ne connaît que des déboires. Le temps exécrable rend difficiles les décollages. Le 19 juillet, pendant une accalmie, l'aviateur anglais a tenté sa chance. Parti des falaises de Sangatte à 6 h 42, à une dizaine de kilomètres de Calais, son moteur s'est mis à cafouiller, avant de se taire définitivement. Sain et sauf, Latham a grillé une cigarette en attendant les secours, perché sur la carcasse de son avion qui émerge de l'eau. Cet échec plonge l'équipe Antoinette dans la consternation, d'autant que le monoplan n'est pas réparable. Latham joue alors son joker : il fait venir de Puteaux un Antoinette VII, qu'il gardait en réserve. L'appareil est capricieux, à gauchissement et Latham n'a jamais volé avec. Le 25, en voyant s'envoler Blériot vers la victoire, c'est un nouveau coup pour l'infor-

Hubert Latham, pilote à 26 ans.

tuné Latham, que ne compense pas le télégramme envoyé par Blériot le jour même : «Si vous traversez dans la journée, nous partageons le prix.» Aujourd'hui, Latham, qui est le dernier concurrent en lice depuis l'abandon de Charles de Lambert, a fait une nouvelle tentative. Mais la chance qui fait les grands champions n'était pas là. Il s'envole à 17 h 45. A Douvres, malgré la pluie, une foule immense et enthousiaste attend son arrivée. A 500 m du but, le moteur lâche et l'Antoinette s'abîme dans les flots, sous les yeux des supporters. Encore une fois, Latham a perdu. (→ 7.1.10)

Réception solennelle de Louis Blériot, vainqueur de la Manche, au musée des Arts et Métiers, à Paris.

Après sa chute, l'Antoinette VII est hissé aux portemanteaux d'un torpilleur.

A Reims, la Grande Semaine d'aviation rassemble

Dans les tribunes, des visiteurs illustres

Les tribunes de la manifestation rémoise sont envahies par une foule élégante.

Reims, 22 août

Un demi-million de spectateurs, c'est le chiffre qu'on avance déjà devant l'affluence qu'a connue ce premier jour de meeting. Malgré la pluie diluvienne, les tribunes étaient pleines à craquer et le public avait même envahi les pelouses. Le beau monde venu de Paris n'a pourtant pas l'habitude d'être aussi malmené par les éléments. Les élégantes voyaient avec désespoir leurs chapeaux à plumes gorgés d'eau et leurs bottines maculées de boue, tandis que leurs époux pestaient, ayant dû souvent abandonner les voitures au milieu d'un véritable bourbier. Pour se consoler, il y avait l'extraordinaire spectacle donné par ces hommes volants et le restaurant où le champagne coulait à flots au son d'un orchestre tzigane. Parmi les personnalités présentes ou attendues, on compte des têtes couronnées, comme le prince Albert de Belgique, des représentants de gouvernements, comme le général French à la tête de la mission anglaise, et surtout de nombreux membres du gouvernement français : le président de la République, Armand Fallières, Aristide Briand, président du Conseil, Alexandre Millerand, ministre des Travaux publics et le général Brun, ministre de la Guerre. En encourageant cette manifestation, le gouvernement tient en effet à montrer l'intérêt qu'il porte à l'aéronautique, cette industrie nouvelle qui pourrait bien prendre une grande importance pour la défense nationale.

Le champagne parraine la fête de l'air

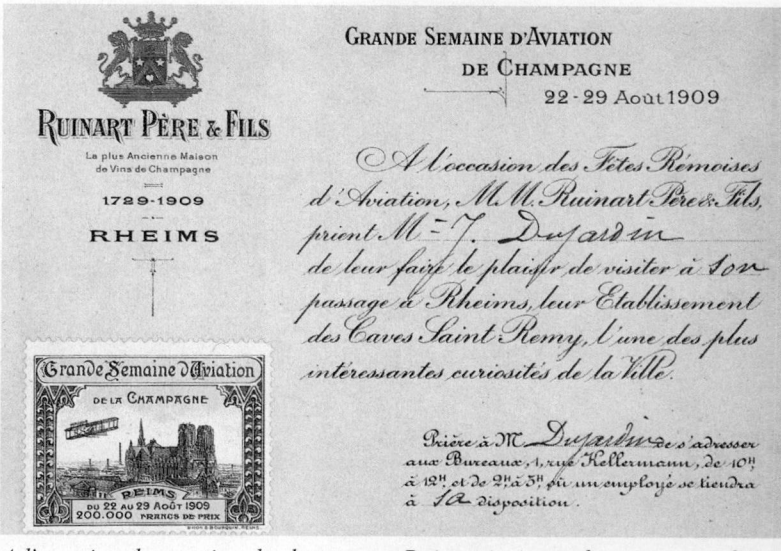

A l'occasion du meeting, le champagne Ruinart invite quelques personnalités.

Reims, 27 août

Les négociants en vin de Champagne et la municipalité de Reims, qui financent cette Grande Semaine de l'aviation, ont bien fait les choses. Peu de manifestations aéronautiques ont connu jusqu'ici une telle ampleur. Ce meeting, qui a attiré des concurrents de nombreux pays, comme Louis Paulhan, Glenn Curtiss, Henri Farman, Louis Blériot et Bunau-Varilla pour n'en citer que quelques-uns, avait pourtant mal commencé. Les trois premiers jours, la pluie a gêné considérablement le bon déroulement des épreuves. A la moindre éclaircie, les aviateurs prenaient l'air et c'était un merveilleux ballet d'oiseaux blancs au-dessus de la plaine de Bétheny. Aujourd'hui, coup de théâtre : alors que les concurrents précédents avaient déjà accompli de superbes performances, Farman a remporté le Grand Prix de distance et battu le record du monde en réalisant, en 3 h 15, un parcours de 180 km. Cette victoire est le résultat d'un beau coup d'audace : juste avant l'épreuve, Farman a décidé de changer le moteur Antoinette de son biplan par un moteur rotatif Gnome, et il s'est envolé sans aucun essai préliminaire. Il est vrai que ce moteur l'avait immédiatement séduit quand il lui avait été présenté par les frères Seguin : « C'est une merveille, s'était-il exclamé, ça tourne sans une vibration, ça souffle comme un tonnerre ! » Le public enthousiasmé lui a fait un véritable triomphe.

Le président Fallières (à droite) félicite le pilote Hubert Latham.

L'Antoinette IV de Latham est conduit jusqu'à l'emplacement de départ.

plus d'un million de spectateurs enthousiastes

Curtiss remporte la coupe Gordon-Bennett

Curtiss, sur le « Reims Racer », est le vainqueur de la coupe Gordon-Bennett.

Reims, 28 août

L'épouse du président des Etats-Unis, Mᵐᵉ Theodore Roosevelt, n'aura pas franchi l'Atlantique pour rien : elle pourra féliciter le champion américain Glenn Hammond Curtiss. Aux commandes de son aéroplane Curtiss-Herring nᵒ 1, le *Reims Racer*, dont il a lui-même conçu le moteur, celui-ci vient en effet de remporter la coupe Gordon-Bennett dotée d'un prix de 25 000 F, en parcourant la distance de 20 kilomètres en quinze minutes cinquante secondes. Pour réaliser cette performance, l'Américain a atteint la vitesse de 73,637 km/h. Le seul concurrent qui s'opposait à lui, Louis Blériot, n'a pris sur lui qu'un retard de six secondes, ce qui montre la valeur des deux hommes.

Curtiss, spécialisé dans la construction des moteurs, a mis au point ce nouveau V8 de 60 ch qu'il avait gardé secret jusqu'à ce jour. Mais fabriquer des moteurs ne lui suffisait pas. Ce champion, ce sportif a voulu voler lui-même, et ses exploits font vibrer le cœur de l'Amérique. Enthousiasmés après sa magnifique victoire, ses mécanos lui ont rendu hommage en hissant le drapeau des Etats-Unis sur le toit de leur hangar tandis que la fanfare attaquait des airs traditionnels du folklore américain. Louis Blériot, quant à lui, était évidemment déçu, mais. quelques instants plus tard, il réussit à établir un record du monde en volant à la vitesse de 77 km/h. Ainsi, l'honneur français était sauf.

Un des concurrents du record de vitesse : Louis Paulhan sur son biplan Voisin.

La semaine champenoise

Grand Prix de la Champagne et de la Ville de Reims

décerné aux six appareils ayant effectué
la plus grande distance sans ravitaillement
100 000 francs offerts par la Ville de Reims

	Pilote	Appareil	Distance fermée	Montant du prix
1ᵉʳ :	Henri Farman	biplan Farman	180 km	50 000 francs
2ᵉ	Hubert Latham	monoplan Antoinette nᵒ 29	154,500 km	25 000 francs
3ᵉ	Louis Paulhan	biplan Voisin	131 km	10 000 francs
4ᵉ	de Lambert	biplan Wright	116 km	5 000 francs
5ᵉ	Hubert Latham	monoplan Antoinette Nᵒ 13	111 km	5 000 francs
6ᵉ	Paul Tissandier	biplan Wright	111 km	5 000 francs

Prix de vitesse

décerné aux quatre appareils ayant atteint
la plus grande vitesse sur trois tours de piste (30 km)
20 000 francs offerts par Heidsieck Monopole et Louis Roederer

	Pilote	Appareil	Vitesse moyenne	Montant du prix
1ᵉʳ :	Glenn H. Curtiss	biplan Curtiss	76,68 km/h	10 000 francs
2ᵉ :	Hubert Latham	monoplan Antoinette	71,136 km/h	5 000 francs
3ᵉ :	Paul Tissandier	biplan Wright	62,100 km/h	3 000 francs
4ᵉ :	Lefebvre	biplan Wright	62,064 km/h	2 000 francs

Prix des passagers

décerné à l'appareil ayant effectué un tour de piste (10 km)
avec le plus grand nombre de passagers
10 000 francs offerts par Veuve Cliquot Ponsardin

	Pilote	Appareil	Nombre de passagers	Montant du prix
1ᵉʳ :	Henri Farman	biplan Farman	2	10 000 francs
2ᵉ :	Lefebvre	biplan Wright	1	éliminé

Prix de l'altitude

décerné à l'appareil ayant atteint la plus grande altitude
10 000 francs offerts par Moët et Chandon

	Pilote	Appareil	Altitude	Montant du prix
1ᵉʳ :	Hubert Latham	monoplan Antoinette	155 m	10 000 francs
2ᵉ :	Henri Farman	biplan Farman	110 m	éliminé

Prix du tour de piste

décerné à l'appareil ayant fait le meilleur temps sur un tour de piste (10 km)
10 000 francs offerts par Pommery et Greno

	Pilote	Appareil	Temps	Montant du prix
1ᵉʳ :	Louis Blériot	monoplan Blériot	7 min 47 s 20/100	7 000 francs
2ᵉ :	Glenn Curtiss	biplan Curtiss	7 min 47 s 80/100	3 000 francs

Prix des mécaniciens

épreuve de distance avec escales. Prime de 5 francs par km
décerné aux équipes de mécaniciens accompagnant les aviateurs

	Pilote	Appareil	Distance fermée	Montant du prix
1ᵉʳ :	Bunau-Varilla	biplan Voisin-Gnome	100 km	2 000 francs + 500 de prime
2ᵉ :	Henri Rougier	biplan Voisin-env	90 km	1 000 francs + 450 de prime

Prix des dirigeables

décerné au dirigeable ayant réalisé le meilleur temps sur cinq tours de piste
10 000 francs offerts par G. H. Mumm

	Pilote	Appareil	Temps	Montant du prix
1ᵉʳ :	Henry Kapferer	"Colonel-Renard"	1 h 19 min	10 000 francs

Tout New York veut voir Wilbur Wright

New York, 4 octobre
Une foule de plus d'un million de New-Yorkais a entr'aperçu aujourd'hui un appareil des Wright. Wilbur a fait un aller-retour le long de l'Hudson, entre Governor's Island et le tombeau du général Grant, parcourant 32 km en 33 min 33 s. La réaction enthousiaste des Européens au Mans l'automne dernier, devant les vols de Wilbur, a traversé l'Atlantique et les Américains veulent aussi les voir voler. Ils ont donc été grandement fêtés à leur retour à New York, le 11 mai, puis pendant les deux jours de festivité organisés dans leur ville natale de Dayton, les 16 et 17 juin derniers. (→30.5.12)

Dès leur retour en Amérique, les Wright sont accueillis en héros.

Blériot finit un vol à l'hôpital d'Istanbul

Empire ottoman, 15 décembre
Dans l'euphorie du succès consécutive à la traversée de la Manche, Blériot n'a pas cessé de faire des démonstrations et de prendre des risques insensés. Alors que plus de cent appareils lui ont été commandés, il participe, au mois d'août, à la semaine de Champagne. Au début d'octobre, il est à Budapest où il ravit la foule. Puis, c'est à Vienne qu'il présente son avion devant 300 000 spectateurs, dont l'empereur François-Joseph. Début novembre, il est en Roumanie, mais là, les choses se gâtent soudainement. A Bucarest, l'avion, du fait d'incidents mécaniques, ne peut décoller et Blériot manque de se faire estourbir par des Roumains déçus. Enfin, aujourd'hui, il était à Istanbul. La capitale de l'Empire ottoman ne lui a pas porté chance. Gardant en mémoire les douloureux incidents de Roumanie, il décidait de décoller malgré un fort vent. Alors qu'il survolait à 20 m de hauteur un quartier résidentiel de la ville situé sur la colline de Tataola, une rafale le rabattit vers le sol. Blériot, déséquilibré, n'a pu maîtriser l'avion qui a percuté une maison. L'aviateur a fait une chute de 7,50 m. Ce soir, Blériot est à l'hôpital français d'Istanbul. Il souffre de contusions multiples, de traumatismes au foie et à la rate, et de fractures des côtes. La nouvelle s'est répandue comme une traînée de poudre et la question est sur toutes les lèvres : Louis Blériot revolera-t-il ? (→12.4.11)

Blériot décolle de la place de Taxim, à Istanbul, sur le monoplan XII.

L'US Army a reçu son premier aéroplane

Fort Myer, 2 août
L'armée achète son premier avion ! L'état-major américain a donné aujourd'hui son accord officiel pour le biplan type A des Wright, testé depuis le 28 juin. Dans le contrat du 10 février 1908, les Wright s'étaient engagés, pour 200 000 dollars, à fournir un appareil à l'armée. Mais les premiers essais du modèle A avaient été brutalement interrompus lorsqu'il s'était écrasé le 17 septembre 1908, blessant sérieusement Orville et entraînant la mort du lieutenant T. Selfridge. Cet été, dès le 20 juin, Orville reprenait les essais avec un nouveau modèle du type A, de surface alaire plus réduite, 38,60 mètres carrés, mais pouvant atteindre 70 km/h. Tous les essais effectués entre le 28 juin et le 30 juillet furent concluants. Le 27 juillet, il vola avec le lieutenant Lahm 1 h 12 min 37 s. Il remplissait ainsi l'exigence de l'armée : rester en vol plus d'une heure, et il établissait un record de vol à deux. Pour les Wright, convaincus que leurs appareils pourraient servir en premier lieu à l'observation militaire, c'est la consécration de plusieurs années d'efforts. Seul le désintéressement initial du gouvernement américain les avait poussés alors à se tourner vers d'autres horizons. (→4.10)

Le « Military Flyer » connu sous le nom de « Signal Corps n° 1 » des Wright.

Un Australien achète deux avions

Sydney, 15 novembre
Que M. Adamson, le directeur du collège Wesley de Melbourne, en soit remercié ! Les deux premiers aéroplanes motorisés sont arrivés en Australie. Il s'agit d'un biplan Wright équipé de roues et d'un moteur Barriquand et Marre, et d'un monoplan Blériot. Ils sont arrivés à bord du *RMS Otranto* qui a accosté ici ce matin. Leurs droits de douane s'élèvent respectivement à 798 et 250 livres. C'est Colin Defries qui a été chargé de cet achat en France et en Angleterre. On peut supposer que le département de la Défense en sera enchanté, lui qui tente de susciter un enthousiasme pour l'aviation. Il avait en effet offert 5 000 livres le 11 septembre, pour le premier aéroplane militaire qui serait fabriqué par un Australien.

Les Anglais sauvent un peu la face

Ile de Sheppey, 30 octobre
Moore Brabazon a reçu la récompense offerte par le *Daily Mail* : 1 000 livres pour avoir été le premier Anglais à couvrir un mile en vol circulaire dans un avion totalement anglais. Pour remporter ce prix tant convoité, son biplan construit par les Short a décrit en 2 min 36 s une boucle de 1,6 km, après avoir été lancé par un derrick de propulsion. « Brab » avait spécialement commandé l'appareil et son moteur, un Green anglais de 55 ch, pour cet essai. C'est le deuxième avion de conception anglaise des Short, qui produisent par ailleurs sous licence depuis février les *Flyer* des Wright. Sans ce défi, Brabazon le reconnaît, il n'aurait jamais pensé à mettre un moteur anglais sur son avion.

Un salon à Paris pour l'aéronautique

Paris, octobre

L'affluence ne cesse de croître au Grand Palais où s'est ouverte le 25 septembre l'Exposition de la locomotion aérienne. Trois jours après son inauguration, plus de cent mille visiteurs ont déjà franchi ses portes pour admirer les ballons et les modèles de dirigeables les plus récents, et surtout les célèbres aéroplanes dont les exploits passionnent la foule. Le Blériot XI, encore tout auréolé de sa dernière victoire, la traversée de la Manche en juillet dernier, occupe la place d'honneur, face à l'entrée principale.

Un contrat fabuleux pour Louis Paulhan

Paris, 23 décembre

C'est en compagnie de sa femme, de deux mécaniciens élèves pilotes et d'un caniche que Louis Paulhan s'embarque pour New York. Il doit organiser, aux Etats-Unis, une série de démonstrations publiques. Le contrat signé est mirobolant : il sera payé mensuellement 100 000 francs pendant les sept mois et demi que va durer son séjour. Du jamais vu. Il emporte avec lui quatre appareils, deux monoplans Blériot et deux biplans Farman, équipés de moteurs Gnome. Il en a profité pour annoncer sa participation au meeting de Los Angeles en janvier. Il y sera le seul étranger. Une responsabilité de taille ! (→ 10.1.11)

Louis Paulhan sur son biplan Voisin.

La France équipe l'armée anglaise

Salisbury Plain, 30 septembre

Des aéroplanes ont été utilisés au cours de manœuvres de l'armée britannique. Les trois officiers intrépides qui les pilotaient, les capitaines Fulton et Dickson et le lieutenant Gibbs, de l'artillerie royale, voulaient faire la preuve du potentiel de reconnaissance et d'observation militaires de ces appareils qui sont, malheureusement, français. La cavalerie britannique redoute encore que le bruit n'affole les chevaux, bien que les Français aient déjà mis en place une unité aérienne de dirigeables et d'aéroplanes.

Eugène Lefebvre se tue en biplan

Lefebvre, 1re victime de l'aviation.

Juvisy, 7 septembre

On était habitué à le voir exécuter les plus incroyables acrobaties. Cette fois, pourtant, sur le terrain de Port-Aviation, près de Juvisy, Eugène Lefebvre ne se livrait à aucune fantaisie. Les spectateurs qui regardaient évoluer le biplan Wright, *Flyer*, sur lequel il volait, l'ont pourtant vu avec horreur piquer soudain vers le sol à une vitesse d'environ 70 km/h et capoter. Les premiers témoins qui sont venus à son secours n'ont pu que constater le décès de l'aviateur. Triste fin pour ce jeune homme de vingt-cinq ans, chef pilote de la maison Ariel-Wright. Eugène Lefebvre est ainsi la première victime européenne de l'aviation.

Le triplan d'Alliot Verdon Roe est baptisé « Bulls Eye Avroplane ». Pour son 1er vol, il a couvert une distance de 275 m. Equipé d'une hélice tractive de 6,60 m d'envergure, il est propulsé par un JAP de 9 ch.

Chaque ville veut avoir sa fête aérienne

Anvers, 23 octobre

La Semaine d'Anvers clôture pour cette année la saison des meetings aériens. Toutes les villes d'Europe veulent désormais leur propre fête aérienne. Les foules s'y précipitent pour admirer aviateurs et aéroplanes. Ainsi, Ostende offre un prix de 25 000 francs à l'aviateur qui survolera la ville durant une heure. A Douai, le 15 juillet, Louis Paulhan a couvert sur son Voisin une distance de 59,544 km. En septembre, à Brescia, un duel a opposé Blériot à Curtiss. Le même mois, on a pu assister au meeting de Spa, à la Semaine de Johannisthal et au meeting de Cologne. En octobre, après Francfort, Doncaster a accueilli le premier meeting britannique, suivi de celui de Blackpool. A la Quinzaine de Paris, le comte de Lambert a fait un aller et retour entre Port-Aviation et la Tour Eiffel, soit une distance de 48 km. Et le public est là, toujours nombreux. Si nombreux même que les trains n'ont pas pu assurer le rapatriement vers la capitale de tous les Parisiens venus à Port-Aviation.

SEMAINE D'AVIATION D'ANVERS
FLYINGWEEK - ANTWERP
23 OCT. - 2 NOV. 1909

PRIX DES PLACES :
Tribune A fr. 10,-
B 5,-
Pourtour 2,-
Rempart rés 1,-
Rempart 0.50

Un public venu nombreux et des prix d'entrée pour toutes les bourses.

Le Philipps Multiplane possède deux cents ailes lamelliformes.

Le « Wright Flyer III » en vol, à Dayton en 1905.

Un Déperdussin, l'un des premiers avions militaires français.

Le « Bell Cygnet 2 » n'a pas pu voler malgré ses 5 500 alvéoles !

Le premier triplan avec lequel A. V. Roe effectue ses premiers vols.

Un Wright Flyer militaire de 1909 au cours de ses essais.

Wilbur Wright s'envole dans le ciel du Mans en août 1908 à bord de son « Wright Model A », aisément identifiable grâce à son empennage « canard ».

Une réplique moderne mais fidèle de la célèbre « Demoiselle » de Santos-Dumont, dérivée de ses modèles 19 et 20, et construite en grand nombre.

Le Blériot XI, à bord duquel l'avionneur réalise la première traversée de la Manche, le 25 juillet 1909.

Le « Roe IV » dispose d'ailerons et d'une gouverne de profondeur.

Cody à bord du premier avion militaire britannique à Farnborough.

Le « Piggot Brothers » est équipé d'hélices contrarotatives.

Le « Roe II », un triplan nettement amélioré par A. V. Roe.

Farman a fait de ce biplan Voisin un appareil très réussi.

Le « Wright Model A » peut transporter un passager.

L'un des premiers hélicoptères du monde, celui de Paul Cornu, est équipé de deux rotors en tandem. Il vole en novembre 1907.

Ce modèle Langley de 1903 à ailes en tandem est voué à l'échec.

Le Levavasseur «Antoinette VII» est gouverné par gauchissement.

Après une période de tâtonnement, le Blériot VIII bis de 1908 a montré la voie pour le développement du modèle XI qui connaîtra la gloire.

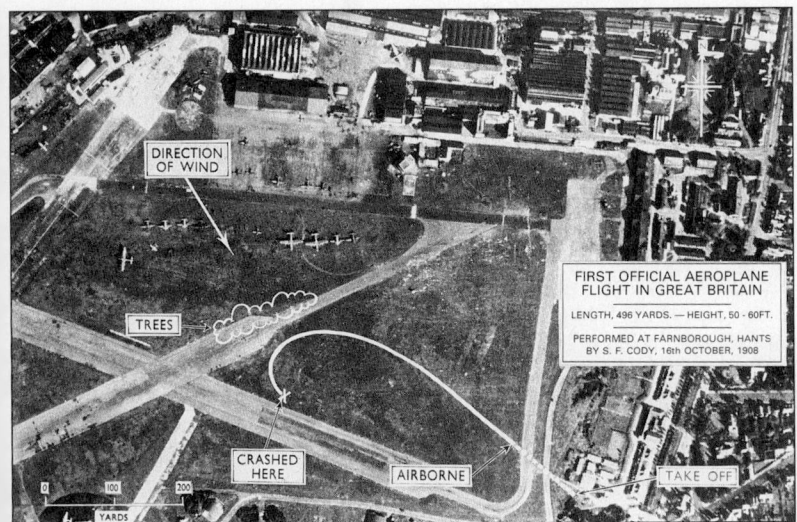

Le parcours suivi par Samuel Franklin Cody, quand il réalise, le 16 octobre 1908 à Farnborough, le premier vol d'un avion britannique.

Dérivé du Voisin, le «Henri Farman III» établit en 1909 deux records du monde et assoit la notoriété de son constructeur.

Le Blériot VII, malgré son aile basse et le revêtement complet de son fuselage pour diminuer la traînée, ne connaît pas le succès escompté.

Le «Pischoff» a réussi à parcourir 4 km en 1907.

L'AEA White Wing canadien a réussi cinq décollages en 1908.

Le «Santos-Dumont 14 bis» effectue les premiers vols internationaux.

Le «Breguet-Richet n° 1» n'est pas réputé pour sa facilité de pilotage.

Le premier avion conçu par A. V. Roe est un biplan qui effectue son premier bond le 8 juin 1908. Il est abandonné en faveur de triplans.

1910

 109,756 km/h
France
Alfred Leblanc
Blériot
29/10/10

 584,745 km
France
Maurice Tabuteau
Maurice Farman
30.12.10

 3 100 m
France
Georges Legagneux
Blériot
8.12.10

 1 338 kg
Grande-Bretagne
Samuel Cody
Cody Michelin Cup

 100 ch
France
Frères Seguin
Gnome Double Omega

Issy-les-Moulineaux, 5 janvier
Le second monoplan construit par les frères Nieuport, le Nie-2 N, commence ses essais en vol. Son moteur de 28 ch a été entièrement conçu par Edouard. (→ 21.6.11)

Châlons, 7 janvier
Latham atteint 1 000 m d'altitude sur son *Antoinette n° 7*. (→ 7.6.12)

Los Angeles, 13 janvier
Lors d'un meeting, le chef iroquois Iodine, âgé de 83 ans, s'installe aux commandes du Blériot de Radley.→

Kiev, 31 janvier
Sikorsky a commencé ce mois-ci la construction d'un deuxième hélicoptère et d'un avion. Il a acheté 2 moteurs Anzani, de 15 et 25 ch, lors d'un séjour à Paris. (→ 2.8.13)

Grande-Bretagne, 19 février
George White démarre ses activités aéronautiques en créant la British and Colonial Aeroplane Company.

France, 28 février
Géo Chavez vole durant 1 h 45 min au-dessus du camp de Châlons. Il a obtenu le brevet de pilote n° 32 de l'Aéro-Club le 15 février, huit jours après son premier vol à l'école Henri-Farman de Bouy. (→ 23.9)

Bouy, 8 mars
Le lieutenant Félix Camerman reçoit le brevet civil de pilote. Henri Farman forme des pilotes pour l'armée, qui lui a acheté deux biplans HF III en septembre 1909.

Grande-Bretagne, 11 mars
Le biplan à ailes en flèche et sans empennage Dunne D V, construit par les frères Short, commence ses essais à Eastchurch.

Paris, 20 mars
Mort du photographe Félix Tournachon, dit Nadar. En 1865, il avait publié *le Droit au vol*, sur la théorie du plus lourd que l'air.

Melbourne, 21 mars
L'illusionniste Harry Houdini, qui vole ici depuis 6 jours, réalise un vol de 10 km sur son Voisin. (→ 31.12.11)

Le Bourget, 26 mars
Un projet d'aérodrome aux portes de Paris, l'Aéropolis, est annoncé. (→ 9.10.14)

France, 1er avril
Au meeting de Miramas, des pilotes confirmés refusent de prendre l'air à cause du mistral. La foule gronde, mais Maurice Noguès, pas encore breveté, décolle avec son Voisin.

Paris, 24 avril
Parti de Draveil, Emile Dubonnet, pilote amateur, traverse Paris à faible hauteur, entre 50 et 100 m, et se pose à Bagatelle. Le 3 avril, sur le même monoplan Tellier, il a déjà remporté le prix de 10 000 F du journal *la Nature* pour un trajet de 100 km en moins de 2 heures.

Paris, 30 avril
Santos-Dumont décide d'arrêter de voler et de vendre sa gare aérienne. Toute la ville est stupéfaite. Il ressent déjà les premiers symptômes de la sclérose en plaques. (→ 23.7.32)

France, 30 avril
Ce mois-ci, les frères Caudron ont quitté la ferme de Romiotte pour s'installer sur la plage du Crotoy. Leur appareil modifié, désormais de type A-III, réussit un vol de 10 km. Ils installent aussi une usine de construction et de réparation aéronautique à Rue. (→ 1.7.13)

Châlons, 7 mai
Sur l'initiative des commandants Clolus et Laffont et du lieutenant Clavenad, la société Antoinette a fait construire un appareil d'entraînement pour l'instruction au sol à la manœuvre de ses monoplans.

Paris, 18 mai
Une conférence internationale sur la navigation aérienne est ouverte au ministère des Affaires étrangères. Elle doit établir un règlement de la circulation internationale.

Douvres, 21 mai
Parti de Calais, Jacques de Lesseps réalise la seconde traversée de la Manche sur un monoplan Blériot et gagne le prix Ruinart de 12 500 F.

Grande-Bretagne, 26 mai
Le monoplan *Bluebird* de Handley Page effectue son vol inaugural. Il s'écrase lors d'un virage. (→ 26.4.11)

Italie, 27 mai
Le pilote néophyte Ugo Tabachi réalise le vol d'essai du Ca 1, construit par Gianni Caproni. (→ 13.6.11)

Douvres, 2 juin
Charles Rolls accomplit la traversée de la Manche aller et retour sans escale, à bord de son biplan Wright-Short. (→ 12.7)

France, 1er juillet
Henri Farman installe son usine à Billancourt pour assurer une commande de 20 biplans que lui a passée l'armée.

Belgique, 7 juillet
Le général Hellebaut, ministre de la Guerre, autorise la création de l'aviation militaire. Il vient d'effectuer 2 vols sur un Farman. (→ 5.3.11)

Belgique, 10 juillet
Sur Blériot, Jan Olieslagers bat le record de durée en vol avec 5 h 03. Le 7, il avait battu le record d'altitude en atteignant 1 720 m. Son collègue Nicolas Kinet détient lui le record de vol avec passagers sur Farman. (→ Il se tue le 3 août)

Issy-les-Moulineaux, 17 août
En présence de 50 000 personnes, Alfred Le Blanc remporte le Circuit de l'Est organisé par *le Matin*. Il a couvert les 6 étapes du parcours de 782 km en 12 h 56 s sur un Blériot.

Genève, 28 août
Le pilote suisse Armand Dufaux survole le lac Léman sur sa plus grande longueur, 66 km, avec le biplan qu'il a construit. Il gagne ainsi le prix de 5 000 F offert par un mécène, M. Perrot-Duval.

Londres, 6 septembre
John Moisant gagne le prix de 50 livres du *Daily Mail* pour avoir relié Paris à Londres. Parti le 16 août, il a franchi la Manche avec, comme passagers, son mécanicien et son chat. (→ 31.12)

Grande-Bretagne, 6 septembre
Le *Boxkite*, construit dans les ateliers de George White en 17 jours, participe aux manœuvres militaires de Larkhill. Il est inspiré du biplan d'Henri Farman. (→ 2.2.11)

France, 14 septembre
Neuf aéroplanes participent aux manœuvres militaires de Picardie. (→ 16.9.11)

Milan, 2 octobre
Le capitaine Dickson, sur biplan Farman, et René Thomas, sur monoplan Antoinette, sont victimes d'une collision à 30 m de haut. Les deux pilotes sont sains et saufs.

Brévannes, 5 octobre
Léon et Robert Morane s'écrasent avec leur monoplan Blériot. Alors qu'ils concouraient pour le prix Michelin de Paris au puy de Dôme, ils sont gravement blessés. (→ 10.10.11)

New York, 25 octobre
La première aviatrice canadienne, Grace MacKenzie, effectue un vol avec de Lesseps.

New York, 29 octobre
Grahame-White, sur Blériot, remporte la coupe Gordon-Bennett au meeting de Belmont Park. (→ 1.7.11)

Chicago, 24 novembre
Brouillé avec les frères Wright, Octave Chanute meurt à 78 ans.

Issy-les-Moulineaux, 10 décembre
Henri Coanda fait un essai au sol de son aéroplane à turbopropulseur sans hélice. L'avion décolle inopinément et prend feu. Le pilote coupe le contact, mais s'écrase brutalement. (→ 1.6.12)

Grande-Bretagne, 31 décembre
Samuel Cody remporte la British Empire Michelin Cup, créée l'an dernier par les frères Michelin, avec un vol de 4 h 47 min. (→ 27.8.12)

Les élégantes sacrifient au nouvel engouement pour l'aviation et se doivent d'être vues aux grands meetings aériens.

Léon Delagrange perd une aile et se tue

L'aéroplane de Delagrange après l'accident : le pilote est mort sur le coup.

Bordeaux, 4 janvier

L'inauguration de l'aérodrome de La Croix d'Hins, près de Bordeaux, a été endeuillée par un terrible accident : le sculpteur et pilote Léon Delagrange s'est tué aux commandes de son monoplan Blériot XI. L'aviateur volait à une dizaine de mètres de hauteur, lorsqu'il a entamé un virage contre le vent qui soufflait à 26 km/h. Son aile gauche s'est brisée tandis que la droite s'inclinait : l'aéroplane s'est écrasé. Dans la chute, Delagrange a eu le crâne fracturé. C'est le troisième aviateur français victime d'un accident mortel en un mois. Cette tragédie pose la question de la sécurité de l'aviation et, en particulier, des monoplans, depuis l'accident de Santos-Dumont qui n'avait été, fort heureusement, que blessé. Le mécanicien qui a assemblé la machine a décliné toute responsabilité et a rappelé que Delagrange avait volé sur ce même appareil à Blackpool à 88 km/h. L'accident serait dû au remplacement de l'Anzani 18 ch par un moteur trop puissant de 40 ch.

Fabre essaie son hydroplane à Martigues

L'hydroplane d'Henri Fabre, muni de trois flotteurs, en tout début de course.

Martigues, 28 mars

C'est un baptême de l'air ! L'ingénieur marseillais Henri Fabre n'a jamais piloté. Pourtant, ce jeune homme de vingt-huit ans a réussi à faire voler la machine de son invention dans l'anse de la Mède de l'étang de Berre. Aux commandes de l'hydroplane *Canard*, il a effectué quatre vols, sous contrôle d'huissier. Voilà plusieurs années qu'il met au point son engin révolutionnaire. L'appareil est équipé d'un moteur Gnome qui développe 50 ch et propulse une seule hélice. Ce moteur est installé à l'arrière : le pilote peut ainsi le lancer à partir d'un canot ou d'un bateau et évite de recevoir des projections d'huile. Monté sur trois flotteurs à fond souple, l'appareil a couru 300 m, s'est élevé à 5 m et a volé 500 m avant de se poser sans difficulté. Le second essai a été tout aussi satisfaisant : la distance couverte a été de 800 m. Les quelques témoins ont fait un triomphe à Fabre, qui, à force de courage et de ténacité, a, le premier, décollé de l'eau de façon autonome. (→ 26.1.11)

Comment voler la nuit en toute sécurité

Châlons, mars

Henri Farman n'a plus peur du noir. Il vient d'accomplir le premier vol nocturne officiel. Pour se repérer, il a accroché au bout des ailes de son biplan des lanternes de papier qui lui ont servi de feux de position et de phares d'atterrissage. Jusqu'à présent, les pilotes s'aventurant dans l'obscurité naviguaient à vue ou encore profitaient de la pleine lune ! René Quinton, président de la Ligue aérienne, propose de signaler les villes par des chiffres au sol. Formés de boules argentées brillant au soleil et à la lumière artificielle, ils permettent aux pilotes d'identifier leur position et leur altitude. L'aviation de nuit, balbutiante, progresse.

La signalisation par boules brillantes permet une visibilité parfaite de nuit.

Faire de l'avion une machine de guerre

New York, 30 juin

Le pilote et dessinateur d'aéroplanes, Glenn Curtiss, à qui l'on doit tant de progrès en aviation, a effectué, avec l'un de ses biplans, des lâchers de bombes factices sur le leurre d'un bateau de guerre flottant sur le lac Keuka. Sur vingt bombes, dix-huit ont atteint leur but. Cette démonstration, exécutée en présence de l'amiral Kimball, de l'US Navy, et de plusieurs officiers supérieurs, a suscité un grand intérêt et provoqué une certaine agitation. La marine a fait remarquer qu'un vrai navire se serait mis hors de portée des bombes. Mais, si un fragile appareil, piloté par un seul homme, peut inquiéter un bateau de guerre, cela signifie que la marine va devoir prendre en compte la menace toute nouvelle que représente l'aéroplane.

Glenn Curtiss relie Albany à New York

New York, 29 mai

Glenn Curtiss a survolé le fleuve Hudson dans son *Albany Flyer*. Effectuant en 2 h 51 min les 245 km qui séparent Albany de New York, il s'octroie ainsi les 50 000 francs de récompense que le *New York World* a offert pour le vol le plus long effectué aux Etats-Unis. Le sien s'est déroulé sans incident, exception faite d'un courant rabattant qui l'a dangereusement plaqué à la surface de l'eau. Escorté par un train spécial, il s'est ravitaillé deux fois en essence et en huile pour finir en apothéose, décrivant un cercle autour de la statue de la Liberté avant d'atterrir à Governor's Island. Encouragé pendant tout le trajet par les acclamations de la foule et les sirènes des bateaux, Curtiss a gagné ce soir une réputation de héros. (→ 30.6)

Louis Paulhan est la vedette du meeting aérien de Los Angeles

Los Angeles, 10 janvier

Ce n'est pas un Américain mais un Français, Louis Paulhan, qui a conquis les cœurs par ses audaces extraordinaires lors de ce premier meeting aérien. Dès l'ouverture, le célèbre pilote a fait vrombir ses moteurs devant la tribune de Dominguez Hills. Il y a fort à parier que les milliers de spectateurs ont été saisis d'un frisson à la vue de ce spectacle aérien si proche ! Durant onze jours, les as de l'aviation internationale réunis ici se sont affrontés. Ils ont fait l'étalage de leurs capacités au cours de compétitions de vitesse, d'endurance et d'altitude comme pendant les vols d'exhibition, devant 176 466 spectateurs dont beaucoup, s'ils avaient entendu parler de ces machines volantes, n'en avaient cependant jamais vu. Le jeune Français aux yeux bleus a continué d'étonner lorsque, après 45 minutes d'une ascension circulaire au-dessus du terrain, une mesure triangulaire confirma qu'il avait battu un record du monde en atteignant l'altitude de 1 269 m. Il reçut en prix un magnifique trophée en argent ainsi que 3 000 dollars. Mais celui que l'on surnomme gentiment le Petit Mécano (il fut le premier mécanicien de dirigeable) ne voulut pas se con-

Les Etats-Unis accueillent les as.

tenter de ce seul record. Il continua donc en recueillant celui du transport de passagers pour avoir emmené, par vols successifs, quatre journalistes, sept demoiselles de la région, sa femme et son caniche français Escopette. Il transporta aussi, lors des exhibitions, le magnat de la presse William Randolph Hearst. Chez les Américains, honneur à Glenn Curtiss qui a remporté, comme à Reims l'an dernier, le prix de vitesse avec 88 km/h, et établi de nouveaux records par ses

Arrivée de Paulhan après son record.

décollages les plus rapides. Citons aussi le New-Yorkais Willard qui a fait décoller son biplan Curtiss d'un carré de 6 m de côté sur lequel il est revenu le poser, remportant le prix de 250 dollars, et, dans la catégorie des dirigeables, Beachey et Knabenshue vainqueurs respectivement en vitesse et en altitude. Ely et Parmalee ont distrait la foule par leurs lâchers de bombes sur cibles – les bombes étaient remplacées par des oranges. Ce fut, pour les organisateurs, un grand succès ! (→ 28.4)

L'aéroplane à la fête d'Héliopolis

Egypte, 6 février

A son tour, l'Egypte est gagnée par la fièvre des grands meetings. Avec le concours de l'Aéro-Club de France, le Comité d'aviation d'Héliopolis a organisé une Grande Semaine de l'aviation. Beaucoup de pilotes célèbres s'y sont retrouvés : Hubert Latham, Rougier, la Baronne de Laroche, Jacques Balsan, l'Allemand Hans Grade et l'Américain de Riensdyk. Pour attirer le public, une gigantesque loterie a été organisée, dont le premier prix est un monoplan Blériot. Un aérodrome a été installé, non loin du palais d'Héliopolis et des superbes tribunes construites pour l'occasion. L'administration postale a émis un cachet pour célébrer l'événement ; un service spécial de tramways conduisait les spectateurs à l'aérodrome. Aujourd'hui, en présence du khédive d'Egypte et de Watson pacha, quarante mille personnes ont assisté aux premières exhibitions. C'est Jacques Balsan qui a ouvert le bal avec son monoplan Blériot. Une journée splendide marquée tout de même par l'accident du Voisin de Jean Gobron, qui s'est écrasé en flammes. Mais le pilote est sain et sauf.

Madame de Laroche au club des aviateurs

France, 8 mars

Pour la première fois dans l'histoire de l'aviation, une femme obtient le brevet de pilote. A l'âge de 24 ans, Elise Deroche, *alias* la Baronne Raymonde de Laroche, a reçu le brevet numéro 36 à l'Aéro-Club de France. Une fois son brevet en poche, elle a déclaré : « Le vol est la meilleure chose possible pour les

femmes. » Bien connue du Tout-Paris pour ses talents de portraitiste, sculptrice, actrice et pilote d'automobiles, la Baronne a fait l'admiration des pilotes et des journalistes présents pendant son vol d'essai. Aujourd'hui, ils ont reconnu publiquement que le métier de pilote pouvait être exercé par une femme. (→ 25.11)

Premier vol de nuit en Argentine

Buenos Aires, 13 mars

Il est 21 h. La nuit est tombée sur l'aérodrome de Villa Lugano, près de la capitale argentine. Un monoplan Blériot XI à moteur Anzani 25 ch se prépare pourtant à décoller. Aux commandes, l'ingénieur Emile Aubrun, arrivé depuis peu en Amérique du Sud avec ses deux Blériot accompagné d'un groupe de pilotes français. Aubrun, qui a débuté sur Blériot à Issy-les-Moulineaux en 1909, a accompli son premier vol à Villa Lugano le 5 mars. L'aéroplane monte. Après un vol sans histoire, où le pilote aperçoit au loin Buenos Aires, il se pose dans la propriété du Dr Ernesto Madero, à 2 km de la gare de Tapiales, passe deux heures au sol et repart à 23 h pour Villa Lugano. C'est un des premiers vols de nuit de l'histoire de l'aéronautique.

Charles Rolls se tue

Bournemouth, 12 juillet

Drame lors de la grandiose semaine de l'aviation : peu après 12 h 30 aujourd'hui, Charles Stewart Rolls, l'un des aviateurs les plus connus et les plus aimés en Angleterre, a été tué sur le coup dans l'accident de son biplan Wright survenu devant la tribune. Il avait 33 ans. Sous l'impact, les 4 cylindres du moteur ont été arrachés du carter. Selon certains, il aurait fait un virage trop serré pour ne pas prendre le risque de toucher les spectateurs lors de l'atterrissage. Mais les officiels qui ont placé la cible sur laquelle il devait se poser, juste devant la tribune et à contre-vent, sont vivement mis en cause. Le 2 juin, Rolls avait été le premier à réussir l'aller-retour non-stop au-dessus de la Manche. Sa notoriété était grande dans le monde de l'automobile. Il était l'un des deux associés de la firme automobile Rolls-Royce.

Depuis l'exploit de Raymonde de Laroche, qui empêchera les femmes de voler ?

Paulhan gagne Londres-Manchester

Le pilote contacte le sol par radio

Manchester, 28 avril

L'intrépide Français Louis Paulhan s'est posé, dans les vents du petit matin. Il gagne les 10 000 livres du prix offert par le *Daily Mail* pour le premier vol Londres-Manchester. Son rival, l'homme d'affaires Grahame-White, a échoué à 64 km de l'arrivée. Depuis une semaine, le combat épique qui oppose les deux aviateurs tient en haleine Anglais et Français. Jusqu'au bout, l'issue en a été incertaine. Lorsque, le 17 novembre 1906, le *Daily Mail* avait lancé ce défi, beaucoup avaient ricané : à cette époque, le Brésilien Santos-Dumont était le seul à avoir volé en Europe, et il avait parcouru 214 m. Or, les règles du jeu exigeaient que les 298 km de Londres à Manchester soient parcourus en 24 heures avec seulement deux arrêts. Cela semblait alors impossible ! Mais les progrès techniques ont tout changé. Les deux hommes ont utilisé le plus récent des biplans Farman équipé avec un moteur Gnome de 50 ch. Grahame-White fait la première tentative. Il décolle du nord de Londres le samedi 23 avril, à 5 h 15. A 110 km de l'arrivée, à Lichfield, des vents glacés l'obligent à se poser. Il a aussi des

Beau joueur, Grahame-White pousse un hourra en l'honneur de Paulhan.

problèmes de carburation. L'avion est endommagé au sol, il doit être renvoyé à Londres pour réparation. Paulhan s'est envolé hier après-midi. Il était 17 h 21 et Grahame-White se reposait. Celui-ci, affolé par la nouvelle au sortir de sa sieste, prit l'air une heure plus tard. Les vents très violents forcèrent les pilotes à se poser. Grahame-White décide alors de prendre le risque

inouï d'un vol de nuit, guidé par les phares des autos. Mais le Farman, malmené par les vents doit à nouveau atterrir. Paulhan reprend son appareil à 4 h du matin. Il prend de l'altitude pour passer au-dessus des tourbillons localisés en basse couche. C'est ce qu'il fallait faire. A l'arrivée, il s'est juré de ne jamais plus tenter ce genre d'exploit, même pour 10 000 livres ! (→ 19.11)

New York, 27 août

Des messages radio viennent d'être envoyés pour la première fois d'un aéroplane en plein vol. La démonstration en a été faite par l'un des « hommes volants » de l'équipe de Glenn Curtiss, McCurdy, au cours d'un rallye aérien dans la course de vitesse de Sheepshead Bay qui se déroule dans l'Etat de New York. A 200 m au-dessus de la baie, McCurdy, actionnant le manipulateur attaché au volant, a envoyé un signal télégraphique vers un récepteur situé en haut de la tribune. Le message, transcrit par un journaliste à la demande de Glenn Curtiss, disait : « Nouvelle étape dans les progrès de l'aviation : un message radio a été envoyé d'un aéroplane. » Pesant 11 kg, l'émetteur était fixé derrière le siège du pilote. Les haubans faisaient office d'antenne et le fil de masse, de 15 m de long, traînait derrière le biplan Curtiss. Des expériences similaires sont menées dans d'autres pays. Ce nouveau type de communication aérienne par radio va sans doute accroître le rôle de l'avion en tant qu'outil d'observation militaire en le rendant plus efficace.

Hélène Dutrieu première aviatrice belge

Belgique, 25 novembre

L'Aéro-Club belge a aujourd'hui réparé une injustice : c'est dans son pays natal qu'Hélène Dutrieu s'est vu enfin remettre le brevet de pilote que les examinateurs de Mourmelon avaient hésité à lui accorder au mois d'août. Pourtant, Hélène Dutrieu n'est plus une débutante. Il y a un an, elle pilotait déjà une Demoiselle à Issy-les-Moulineaux, et, en avril de l'année dernière, elle a été la première aviatrice à emmener un passager à son bord. Le refus des juges de Mourmelon n'a d'ailleurs pas entamé son amour de l'aviation. Le 30 août, elle a effectué un vol de 50 km dans le triangle Blankenberg-Ostende-Bruges. Elle a donné le frisson aux spectateurs en effectuant un virage très serré autour du beffroi de Bruges. Elle a participé ensuite à plusieurs fêtes aériennes non seulement en Belgique, mais aussi aux Pays-Bas et en Grande-Bretagne. Cette ancienne

championne cycliste a ainsi apporté la preuve que la valeur personnelle n'a guère besoin de reconnaissance officielle. (→ mars 1911)

En Belgique, Hélène Dutrieu est, enfin, reconnue officiellement pilote.

La logistique des grands meetings de l'air

France, 22 septembre

Douai, Rouen, Reims, le Circuit d'Anjou... On n'en finirait pas d'énumérer les villes qui organisent des meetings d'aviation. Mais, derrière la façade des présentations d'appareils et des concours de distance, toute une organisation s'est mise en place pour accueillir les hommes et leurs avions. Car ce sont

des villes entières qui naissent et meurent, en l'espace de quelques jours. Les avions voyagent démontés et sont remontés sur les terrains. Des maisons spécialisées, comme les sociétés Chambly ou Bessonneau, proposent même aux concurrents des hangars démontables en bois et en toile imperméabilisée adaptés aux différents avions.

Les hangars démontables Bessonneau au meeting d'aviation de l'Anjou.

Chavez vainqueur des Alpes, mais...

Moisant avait créé le cirque aérien

Géo Chavez reçoit les dernières recommandations avant le départ de Brigue.

Un atterrissage fatal pour Chavez.

La Nouvelle-Orléans, 31 décembre
On ne saura sans doute jamais ce qui a fait soudainement piquer le Blériot de John Moisant vers le sol. Certains avancent que son lourd chargement de carburant a basculé vers l'avant, d'autres invoquent simplement le destin. John Moisant est mort en essayant de remporter la coupe Michelin. Ce prix annuel doté de 20 000 francs récompense le vol le plus long réalisé au cours de l'année. Acrobate du ciel, John Moisant avait créé, avec son frère Alfred, un cirque aérien. Roland Garros a signé un contrat avec eux le 5 novembre dernier à New York. Quarante semaines de spectacles pour 16 000 dollars. Alfred poursuivra l'activité. (→ 1.2.11)

Domodossola, 23 septembre
« Plus haut, toujours plus haut », telle est la devise de Géo Chavez qui vient de traverser les Alpes, à bord de son monoplan Blériot. Breveté pilote en février, ce jeune prodige s'est vite affirmé comme un spécialiste des records de hauteur. En juillet, à la Grande Semaine de Reims, il atteint 1 150 m d'altitude. Encouragé, il se prépare à la course

Brigue-Milan : près de 80 000 F sont offerts à celui qui franchira ainsi les Alpes, jusqu'alors inviolées par l'avion. En août, Chavez étudie le parcours imposé : la difficulté est le survol du col du Simplon, culminant à 2 009 m, et balayé par des vents violents. Le 8 septembre, à Issy, il atteint l'incroyable altitude de 2 587 m. Il est prêt. Des cinq candidats officiels, il est le seul à ne

pas renoncer. A 13 h 29, il décolle de Brigue, en Suisse. La météo est favorable. Il passe au-dessus du Simplon et commence sa descente. 40 min plus tard, il est au-dessus de Domodossola, en Italie. Les Alpes sont vaincues, mais à quel prix ! Au moment de l'atterrissage, une des ailes se replie et l'avion s'écrase au sol. Chavez, mortellement blessé, n'a pas vu sa victoire.

Moisant et son chat Paris-Londres.

Il se pose au centre de Washington

Washington, 19 novembre
Folie ou adresse diabolique ? En posant son avion en plein centre de la ville, Grahame-White a stupéfait l'Amérique. Ce jeune Anglais, véritable dandy de l'aviation, est d'ailleurs aussi célèbre pour son élégance que pour son intrépidité.

Un biplan sur la capitale fédérale.

Thomas Sopwith n'a pas perdu de temps

Eastchurch, 18 décembre
Les 4 000 livres du prix du baron de Forest reviennent à Tommy Sopwith. L'enjeu était le vol le plus long depuis l'Angleterre vers le Continent d'un appareil britannique piloté par un Anglais. Ce matin, à 8 h 16, Sopwith décolle de Eastchurch avec l'intention de gagner Châlons. Il emporte 90 l d'essence et une bouteille Thermos de bouillon de viande. Des nuages et une boussole fantaisiste le font dévier de sa route : il se retrouve finalement à Beaumont, en Belgique. Cependant, les 285 km qu'il a parcourus en 3 h 40 lui font remporter le prix. Son exploit est d'autant plus remarquable qu'il n'a volé pour la première fois que le 22 octobre. Le 21 novembre, il était diplômé du Royal Aero Club avec le biplan Howard T Wright qu'il pilotait encore aujourd'hui.

Ely décolle du croiseur « USS Birmingham »

Willoughby Spit, 14 novembre
Eugene Ely, pilote d'acrobatie, est persuadé que des bateaux peuvent servir d'aérodromes flottants. Il s'est envolé aujourd'hui du pont d'un croiseur de l'US Navy, ancré à Hampton Roads, en Virginie.

Une rampe inclinée de 25 m de long avait été installée sur le gaillard d'avant du *Birmingham*. Sous l'œil médusé des marins, le biplan Curtiss d'Ely, après avoir pris de l'altitude s'est dirigé vers la côte où il s'est posé sur la plage. (→ 18.1.11)

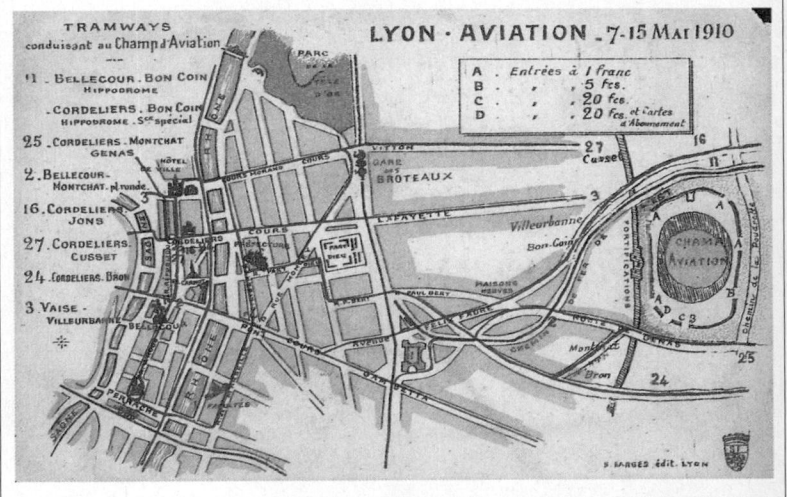

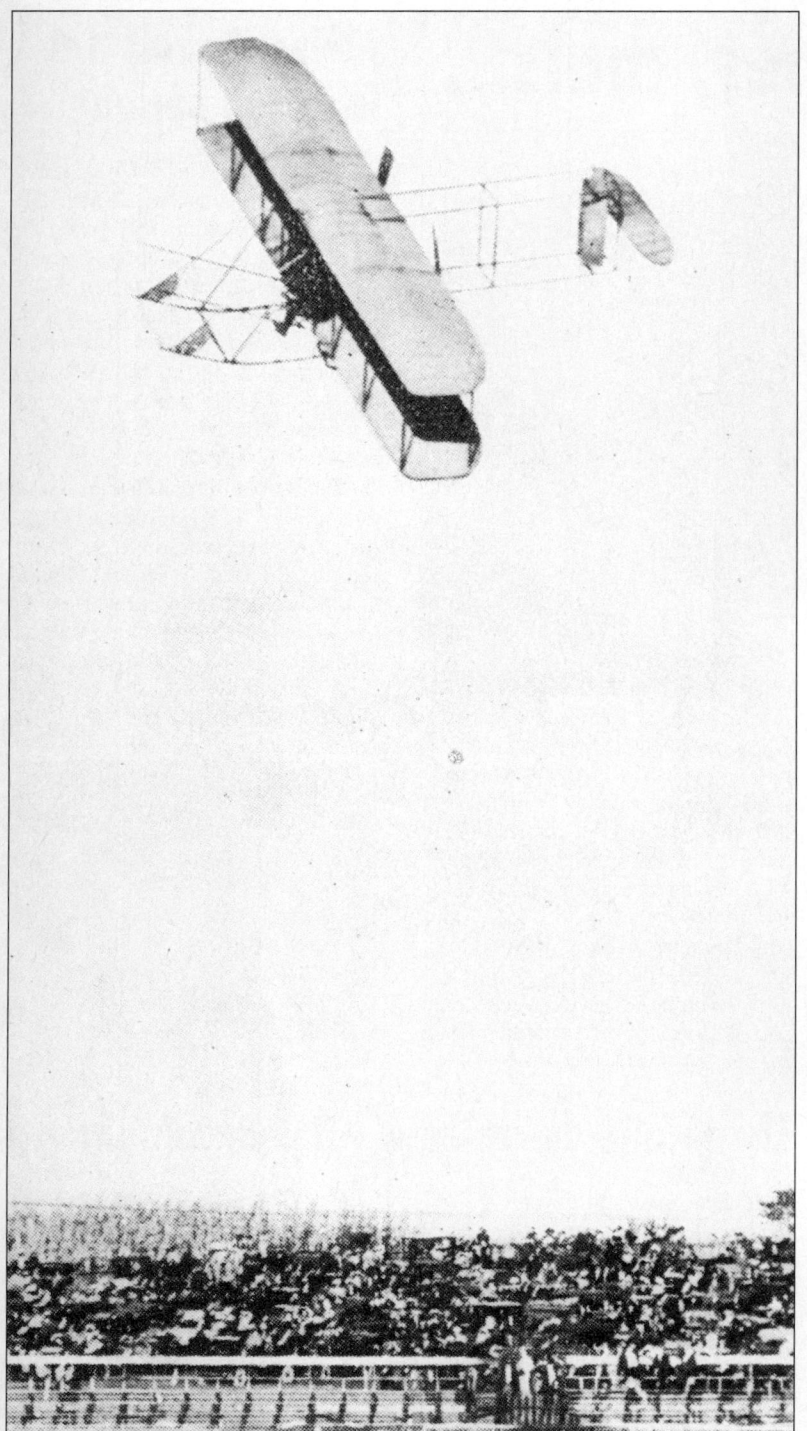

Devenu propriété de l'Aviodome (le musée de l'Air hollandais), le Fokker Spinne est le premier avion conçu par Anthony Fokker.

Le Boxkite, dû à Bristol and Colonial Aeroplane Company, qui vole le 10 juillet est le premier avion britannique à être exporté.

Archie Hoxsey se prépare à poser son Baby Wright, au terme d'un vol historique de 140 km entre Springfield et St. Louis.

Le Claude Grahame-White Baby est en fait une version construite sous licence de l'American Burgess Baby.

Curtiss est l'un des grands pionniers américains de l'aviation. Dans les années 1910, il se fait la main sur des modèles comme ce biplan.

Le biplan de Paulhan, qui relie Londres à Manchester le 26 novembre 1910, photographié peu après son premier vol.

Jacob Hackels pilote son biplan n° 3 pour la première fois en 1910. L'avion est équipé d'un moteur Anzou de 35 ch.

Les frères Wright (à l'extrême droite), Wilbur avec le melon et Orville une casquette à l'envers, devant leur biplan de 1910.

Le premier « Voisin-Farman » vole en 1907 et le « Farman III », dérivé amélioré, en 1909. Ce biplace, sans dénomination, vole en 1910.

L'étonnant « Shperoplane » d'Ubitsmers possède une bien curieuse aile annulaire. L'appareil effectue son premier vol en 1910.

Le Blériot XI fait l'objet d'améliorations constantes. La photo montre une version de 1910, différente de celle qui a traversé la Manche.

Le Fabre « Hydravion » s'avère remarquable. Sa configuration « canard » très particulière n'est cependant pas inhabituelle à l'époque.

1911

 133,135 km/h
France
Edouard Nieuport
Nieuport Nie-2 N
21.6.11

 740,299 km
France
Armand Gobé
Nieuport
24.12.11

 3 910 m
France
Roland Garros
Blériot XI
4.9.12

 1 350 kg
France
Léon Levavasseur
Antoinette Monobloc

 100 ch
France
Pierre Clerget
Clerget

San Francisco, 7 janvier
Latham survole le Golden Gate et l'île d'Alcatraz à bord de son monoplan *Antoinette*. Il se pose à Selfridge devant 200 000 personnes après 15 min de vol. (→ 7.6.12)

Grande-Bretagne, 14 janvier
Le ministère de la Guerre achète le biplan *de Havilland nº 2,* après un vol d'essai de 1 h. Il est rebaptisé *FE1,* pour *Farman Experimental 1.*

San Diego, 26 janvier
Accompagné du lieutenant Ellyson de l'US Navy, Glenn Curtiss fait déjauger son hydroplane, vole sur 1,6 km puis amerrit près de son point de départ. L'appareil est équipé de trois flotteurs copiés sur ceux créés par Henri Fabre. (→ 7.7)

Grande-Bretagne, 2 février
La British and Colonial Aeroplane Company annonce, pour sa nouvelle usine de Filton, une commande de biplans Boxkite par la Russie.

Paris, 10 février
Robert Grandseigne décolle d'Issy-les-Moulineaux à deux heures et demie du matin. Il survole la ville durant une heure avec un Caudron illuminé d'une rampe d'ampoules.

Issy-les-Moulineaux, 12 février
Pour protester contre la rigueur des horaires imposés aux essais, les aviateurs organisent le Prix des amendes : 20 tours de 3 km en circuit fermé.

Belgique, 5 mars
Le Service aéronautique de l'armée belge est officiellement créé, avec l'inauguration de l'aérodrome de Brasschaat. (→ 31.7.13)

Livourne, 5 mars
Le lieutenant Bague tente de relier Nice à la Corse. Dévié par le vent, il casse son Blériot en se posant sur l'île de Gorgona. Il a parcouru 204 km au-dessus de l'eau. (→ 5.6)

Issy-les-Moulineaux, 31 mars
Jules Védrines boucle un aller-retour sur Poitiers. Pour ne pas se perdre, il a suivi la voie ferrée.

Grande-Bretagne, 1er avril
Le bataillon aérien des Royal Engineers est créé. Il comprend la compagnie de dirigeables de Farnborough et la 2e compagnie d'aéroplanes de Larkhill. (→ 13.5.12)

Pau, 24 avril
Jules Védrines remporte la course Paris-Pau sur un monoplan Morane-Gnome. Il s'adjuge la première coupe Pommery, créée par le marquis de Polignac, pour l'étape Paris-Poitiers. (→ 23.5)

Grande-Bretagne, 26 avril
Henry Petre commence les essais en vol du monoplan Handley Page type E, biplace en tandem.

Allemagne, 5 mai
Anthony Fokker réussit un virage avec son second monoplan, le *Spin*, équipé d'un moteur Argus de 50 ch. Puis il emmène son associé, von Daum, qui a détruit en janvier l'appareil précédent contre le seul arbre bordant le terrain de Baden-Oos, en voulant l'essayer seul. (→ 1.12)

Japon, 5 mai
Le baron Narahara vole sur 60 m avec un biplan de sa conception, muni d'un moteur Gnome de 50 ch.

Grande-Bretagne, 12 mai
Howard Pixton effectue à Hendon une démonstration de l'Avro type D devant le comité parlementaire de défense aérienne. Alliott Verdon Roe réalise ensuite son premier vol en solo sur cet appareil. (→ 1.5.12)

Rome, 1er juin
André Beaumont a gagné hier la course Paris-Rome organisée par *le Petit Journal* et retrouve Roland Garros qui arrive aujourd'hui. Ils décident sportivement de se partager le prix de 12 000 F. Chaque pilote a ses habitudes : Beaumont a toujours du sucre dans les poches ; Garros ne part pas sans emporter des œufs durs. « Les œufs, ça me donne des ailes ! » dit-il. (→ 7.7)

Italie, 13 juin
Depuis le début de l'année, Gianni Caproni a créé une usine, un terrain

d'aviation et une école de pilotage à Vizzola Ticino. Il y fait voler aujourd'hui un monoplan durant 40 min, le Ca 8, équipé d'un moteur Anzani de 28 ch. (→ 5.4.12)

Châlons, 21 juin
A bord de son monoplan Nie-2 N, Edouard Nieuport atteint la vitesse de 133,135 km/h. (→ 15.9)

Grande-Bretagne, 1er juillet
L'Américain Weymann remporte la coupe Gordon-Bennett sur un Nieuport muni d'un Gnome de 100 ch. Il boucle les 150 km du circuit en 1 h 11 min 39 s. (→ 9.9.12)

France, 6 juillet
L'Institut aérotechnique de Saint-Cyr, offert à l'université de Paris par Deutsch de la Meurthe avec une rente de 15 000 F, est inauguré.

Grande-Bretagne, 26 juillet
André Beaumont, sur monoplan Blériot, gagne les 10 000 livres du Tour d'Angleterre et d'Ecosse organisé par le *Daily Mail*. Après un parcours de 1 621 km, il arrive 1 h 9 min 47 s avant Jules Védrines, second sur monoplan Morane.

Issy-les-Moulineaux, 4 août
L'hydroaéroplane *Canard* Voisin, muni d'un train d'atterrissage et de 4 flotteurs Fabre, a décollé hier du terrain d'Issy avant d'amerrir sur la Seine face à l'usine Voisin, quai du Point-du-Jour. Aujourd'hui, il a déjaugé et va être rentré à Issy. (→ 23.11.12)

France, 22 août
Les frères Michelin ouvrent le Prix de l'aéro-cible, doté de 50 000 F, pour « démontrer par des faits si l'aéroplane peut devenir un engin de guerre ». Des appareils devront placer des projectiles dans un cercle de 20 m de diamètre, en volant à plus de 200 m d'altitude. (→ 15.8.12)

Etampes, 8 septembre
Emmanuel Helen, pilote attitré des établissements Nieuport, remporte la coupe Michelin. Il couvre 1 252,800 km en 14 h 7 min 50 s, avec 3 escales. (→ 31.10.12)

France, 16 septembre
Les manœuvres militaires de l'Est s'achèvent avec la participation de 25 aéroplanes et d'une section d'automobiles-ateliers de réparation.

Grande-Bretagne, 18 septembre
Francis McClean réalise le vol inaugural du biplan *Short Triple Twin*. Il est équipé de deux moteurs Gnome de 50 ch, l'un entraînant une hélice propulsive et l'autre deux hélices tractives.

France, 10 octobre
Léon Morane et Louis Saulnier créent la société Morane-Saulnier. Il y a huit jours, ils ont fait voler leur monoplan type A équipé d'un moteur rotatif Le-Rhône de 50 ch. (→ 18.6.12)

Grande-Bretagne, 17 octobre
Le Chinois Zee Yee Lee obtient le brevet de pilote nº 148 du Royal Aero Club, à bord d'un Boxkite.

Japon, 25 octobre
Le capitaine Tokugawa effectue le vol inaugural du biplan Kai-1 muni d'un Gnome de 50 ch et construit au Japon pour l'armée impériale. L'année dernière, il a rapporté un biplan Farman de France.

Reims, 26 novembre
Sur monoplan Nieuport, Weymann remporte le concours d'aviation militaire. L'armée achète l'appareil pour 100 000 F. L'*Antoinette Monobloc* n'a pu être classé faute de mise au point. Monoplan à ailes cantilever, il est entièrement caréné, revêtu de feuilles d'aluminium, mais sous-motorisé : 50 ch pour un poids de 1 350 kg. (→ 22.3.12)

Paris, 16 décembre
Le IIIe Salon de l'aéronautique est ouvert au Grand Palais. Avec les 30 appareils présentés, il apparaît que le métal remplace de plus en plus le bois dans la construction.

Après de multiples péripéties, Jules Védrines remporte la course Paris-Madrid en quinze heures pour une distance d'environ 1 200 km.

Pour vendre des avions, les constructeurs ouvrent des écoles

Paris, janvier

Construire des aéroplanes, c'est bien. Les vendre, c'est indispensable. Les frères Wright en ont pris conscience les premiers : en janvier 1909, ils ouvrent à Pau la première école française de pilotage. En 1910, sir George White démarre, à Larkhill, la Bristol Flying School pour le développement du Boxkite. A présent, tous les autres constructeurs sont de la partie : les Farman inaugurent à Toussus-le-Noble une première école, puis des annexes à Buc, Châlons-sur-Marne et Etampes. Le coût pour les élèves est de 2 500 F, plus une assurance contre la casse de l'appareil, qui est aussi de 2 500 F. Les cours sont gratuits si l'élève est devenu client par l'achat d'un avion. Gaston et René Caudron donnent des cours et des baptêmes de l'air au Crotoy. Louis Blériot a suivi le même chemin, avec les écoles qu'il crée à Etampes, Mourmelon, Issy-les-Moulineaux et Hendon, en Angleterre, où Grahame-White en a aussi ouvert une. Armand Déperdussin est instructeur à Issy-les-Moulineaux. A Brooklands, A.V. Roe a créé pour ses clients l'Avro Flying School. Le comte italien Gianni Caproni a ouvert une école à Malpensa, près de Milan. En Allemagne, l'usine Albatros forme des pilotes à Berlin-Johannisthal, où s'est installé le constructeur néerlandais Anthony Fokker.

A Etampes, le professeur indique aux élèves la conduite du moteur Gnome.

Exercice en chambre pour maintenir l'équilibre des monoplans.

Le cirque aérien de Moisant vole à la recherche de Pancho Villa

El Paso, 1er février

Les mercenaires de l'air existent ! Ce sont les casse-cou rescapés des acrobaties aériennes du cirque de Moisant. Engagés par le gouvernement mexicain, ils doivent faire de la reconnaissance aérienne au-dessus du Rio Grande et rapporter les mouvements des rebelles. John Moisant s'est tué à La Nouvelle-Orléans il y a un mois, en effectuant un piqué. Le nouveau chef, René Simon, est tout aussi audacieux : il aime raser les têtes des rebelles dans son Blériot délabré. Pas aussi fou, cependant, que son surnom de Fou volant le laisserait croire, il lance cigarettes et oranges aux troupes mal ravitaillées. Aussi n'ont-elles tiré qu'une seule fois, pour manifester leur gratitude !

Ce train spécial permet au cirque de se déplacer. Il stationne ici sur la frontière entre le Texas et le Mexique.

McCurdy a dû être bien étonné à Cuba

La Havane, 1er février

Le président de Cuba rend honneur au pilote canadien McCurdy, déjà célèbre pour ses vols au-dessus de Baddeck Bay. Il lui a remis une enveloppe de 50 000 F pour avoir, le premier, relié par avion Cuba aux Etats-Unis. C'est du moins ce que McCurdy croit... Or, il n'a pas vraiment réussi la traversée : manquant d'essence peu avant l'île, il n'est sauvé des requins que grâce aux réservoirs flottants des ailes. Les Cubains estiment donc qu'il faut l'acclamer, mais sans plus... A l'hôtel, le pilote découvre que l'enveloppe ne contient que du journal !

Une élève de l'école Farman se tue

Etampes, 21 juillet

C'est près de Paris, à Etampes, que sont installés les hangars et l'école d'aviation Farman. Des aviateurs célèbres sont sortis de cette école tels que Cammerman, Menard, Marconnet et Fischer. Les cours sont ouverts à tous. Seule condition : payer les réparations des avions endommagés par les novices. Un apprentissage difficile, qui s'interrompt parfois tragiquement : une élève, Mme Denise Moore, s'est tuée au cours d'un vol.

L'aviation devient un sport dangereux

Paris, 31 décembre

Les hommes ont payé un lourd tribut à l'aviation cette année : à elle seule, la France a perdu 34 pilotes. Mais, avec ses 500 pilotes diplômés qui la placent en tête de l'aviation mondiale, elle possède la place la plus « sûre » ! Les Américains ont perdu 16 de leurs 35 pilotes. Leurs pertes seraient imputées aux problèmes techniques des biplans des Wright, et à l'engouement pour des spectacles d'acrobatie trompe-la-mort. Les Anglais ont perdu 8 de leurs 110 pilotes : 5 étaient inexpérimentés. Les 3 autres étaient des pilotes chevronnés, mais l'un d'eux a pourtant trouvé la mort au cours d'un vol sur un nouvel appareil.

Ely apponte et décolle de l'« USS Pennsylvania »

Le pilote Eugene Ely va se poser avec un Curtiss à hélice propulsive, à bord du croiseur « USS Pennsylvania », mouillé dans la baie de San Francisco.

San Francisco, 18 janvier

Eugene Ely est le premier aviateur à avoir posé son appareil sur un navire. Décollant du terrain de Tanforan, aux commandes de l'*Albany Flyer* modifié de Curtiss, il vient droit sur l'*USS Pennsylvania* qui est ancré à 19 km dans la baie de San Francisco. Il a passé 2 chambres à air de vélo autour de sa poitrine, dans le cas où il tomberait à l'eau. Le croiseur a été équipé pour la circonstance : une grande plate-forme de 37 m de long, bordée de garde-fous, le recouvre à l'arrière et une bâche de grosse toile a été dressée pour arrêter l'appareil avant qu'il ne percute les superstructures du navire. Ely a mis en place un système de freinage, formé de vingt-deux cordages tendus à travers la plate-forme par des sacs de sable de 20 kg placés à leurs extrémités. Le train d'atterrissage de l'avion est muni de trois crochets à ressorts qui doivent se prendre dans les cordes. Le plus étonnant pour le pilote de Curtiss est de voir, lorsqu'il dépasse le croiseur, les marins, massés sur le pont ou accrochés aux mâts. Il vire et coupe le moteur. Au dernier moment, une forte turbulence fait cabrer l'appareil. Chacun retient son souffle. Il a déjà dépassé la moitié des cordages. Les crochets jouent leur rôle et l'avion est freiné, puis stoppé. « C'est, a dit le capitaine, l'événement le plus important depuis que la colombe s'est posée sur l'Arche de Noé. » (→ 7.11)

L'hydravion de Curtiss a séduit l'US Navy

San Diego, 7 juillet

Curtiss a enfin réussi : l'US Navy lui achète un de ses hydravions. Ainsi s'achève une longue campagne de promotion pendant laquelle son pilote, Eugene Ely, a fait des démonstrations de décollage et d'appontage sur les navires de guerre. La marine était sceptique, mais Curtiss a convaincu G. Meyer, le secrétaire à la Marine, par une démonstration de son nouvel hydravion amphibie : décollant de la plage, il alla amerrir le long de l'*USS Pennsylvania* avant d'être hissé à bord par grue. L'appareil est un E Triad, appelé A-1 par la marine. Il sera piloté par le n° 1 de l'aviation navale, le lieutenant Theodore G. Ellyson.

L'US Army lance des bombes d'un avion

San Francisco, 7 janvier

Des bombes ont été lâchées pour la première fois d'un aéroplane. Les aviateurs Myron Crissy et Philip Parmalee pilotaient un biplan Wright de l'armée, afin d'évaluer ses possibilités comme appareil de bombardement. Les bombes furent simplement lâchées, mais un officier du corps d'artillerie, Riley Scott, travaille sur un viseur qui permettrait de lancer les bombes sur des cibles. D'autres tentatives sont faites pour installer des mitrailleuses et des radios sur les avions. Nombreux sont les pilotes qui sont certains que l'aviation, encore à ses balbutiements, va devenir une vraie force de guerre. Il reste à convaincre les militaires.

Curtiss amerrit dans la baie de San Diego à bord du Model A-1.

Les pilotes américains Crissy et Parmalee sur le biplan Wright Model B.

D'un coup d'aile de Londres à Paris

Issy-les-Moulineaux, 12 avril
En 3 heures 56 min de vol, Pierre Prier vient de réaliser la première liaison aérienne sans escale avec passager entre Hendon, près de Londres, et Issy-les-Moulineaux. Il donne ainsi la réplique, deux ans après, à Louis Blériot qui avait, le premier, traversé la Manche en sens inverse. C'est justement à bord d'un monoplan Blériot à moteur Gnome de 50 ch que Prier a accompli cet exploit. Rien d'étonnant : il est chef pilote de l'école de pilotage de Blériot à Hendon. A la fin de 1910, Blériot avait vendu 120 Blériot XI.

La version motorisée avec le système Gnome 50 ch coûte 21 500 F, et 30 000 F avec un 70 ch. Depuis sa malheureuse démonstration à Istanbul en décembre 1909, il se consacre exclusivement à la construction de ses monoplans à Levallois, et à la formation de pilotes dans ses écoles à Issy, Etampes et Pau. On y apprend à voler sur des monoplans de la maison, et ses élèves accumulent les trophées. Le vol que vient d'accomplir Prier prouve qu'une la liaison régulière entre la France et l'Angleterre sera possible dans un avenir proche.

Pierre Prier, aux commandes de son Blériot, prêt à partir pour Paris.

Compétition entre Breguet et Sommer

Douai, 24 mars
Les records deviendraient-ils une habitude ? Louis Breguet, à bord de son *Breguet G.3*, a emmené hier onze passagers sur cinq kilomètres, s'octroyant ainsi le record de poids utile enlevé. Roger Sommer a réitéré ce curieux record avec un 70 ch. Accompagné de douze passagers, on l'a vu s'envoler sur une distance de 800 mètres. Bien que poids légers, ces passagers, dans un cas comme dans l'autre, n'en ont pas moins participé à des performances intéressantes.

L'aviation fascine aussi les femmes

Les nouveaux pilotes de charme : de l'Américaine Mathilde Moisant...

France, 22 décembre
L'élan d'enthousiasme que soulèvent les meetings aériens dans le public est amplement partagé par les femmes. Mais rêver sur les photographies de leurs héros ne leur suffit plus. Elles aussi veulent connaître cette extraordinaire sensation de légèreté et de vitesse qui émerveillent tous ceux qui prennent la route du ciel. C'est pour répondre à leurs vœux que l'aviatrice Jane Herveux a ouvert une école d'aviation exclusivement réservée aux femmes. Les Françaises peuvent prendre pour modèles leurs compatriotes Raymonde de Laroche et Marie Marvingt, la Belge Hélène Dutrieu, la Britannique Hilda Hewlett, l'Américaine Harriet Quimby, la Russe Lidia Zvereva, pour ne citer qu'elles. Dans cette conquête des airs que les femmes entreprennent avec tant d'ardeur, elles ont à affronter deux problèmes bien différents. Le premier est d'ordre pratique : comment trouver une tenue de vol qui respecte les convenances en leur laissant la liberté de leurs mouvements ? Peu ont le courage d'Hélène Dutrieu, qui ose défier l'opinion en volant sans corset. Le second de leurs problèmes, plus difficile à résoudre, est l'hostilité des pilotes hommes. L'aviatrice allemande Melli Beese en sait quelque chose : lorsqu'elle s'est présentée pour obtenir son brevet de pilote, les autres concurrents ont tenté de saboter son avion en faussant ses commandes et en vidant son réservoir.

... à sa compatriote Harriet Quimby, les femmes sont pleines de talent.

La Copa del Rei à Hélène Dutrieu

Florence, mai
En remportant la Copa del Rei, Hélène Dutrieu a confirmé sa parfaite maîtrise des airs. L'aviatrice belge est une de celles qui ont convaincu le public, selon le mot d'un journaliste, que «l'aptitude des femmes à conduire des aéroplanes est devenue une chose évidente». Les exhibitions qu'elle multiplie dans toute l'Europe attirent les foules. Dans cette dernière course, elle a donné une nouvelle preuve de sa virtuosité en battant quatorze concurrents masculins dans une épreuve de vitesse redoutée pour sa difficulté. La carrière de celle que l'on nomme déjà la Femme épervier s'annonce donc particulièrement brillante.

Raid sur la Libye

Libye, 19 novembre
La guerre qui oppose l'Italie à la Turquie en Afrique du Nord a le don de créer l'événement. Après le premier lancer historique de projectiles explosifs depuis un avion, par Giulio Gavotti, ce fut au tour de Ricardo Moizo, sur Nieuport, et Carlo Piazza, sur Blériot, de larguer quatre grenades Cipelli sur des tentes turques. Les Italiens, premiers au monde à se servir d'avions pour faire la guerre, utilisent les meilleurs modèles fabriqués actuellement sur le marché. Parmi eux, le Blériot XI, vendu à 300 exemplaires cette année.

Tragédie au départ du Paris-Madrid

L'avion de Train, venant de droite, percute le sol, après avoir heurté les officiels présents sur le terrain.

Madrid, 25 mai

« Je ne comprends rien à ce truc qui tourne tout le temps, affolé, devant mon regard. » Védrines n'aime pas le compas, et pilote « aux fesses ». Cela ne l'empêche pas de gagner, heureusement pour lui. Jules Védrines est arrivé aujourd'hui à Madrid après avoir passé 14 h 55 min en vol. Il n'y avait personne pour accueillir le vainqueur de la première course entre capitales et, fatigué et déçu, l'aviateur a piqué une colère terrible, se laissant aller, dit-on, à des écarts de langage vis-à-vis d'Alphonse XIII, le roi d'Espagne. Parrainé par le journal *le Petit Parisien*, l'épreuve totalisait 1 170 km : départ d'Issy-les-Moulineaux, escales à Angoulême et Saint-Sébastien, arrivée à Madrid. Huit pilotes avaient pris le départ : André Beaumont, Roland Garros, Louis Gibert, Le Lasseur

de Ranzay sur monoplan Blériot, Jules Védrines, André Frey et Garnier sur monoplan Morane, et Train. De mémoire de Parisien, jamais on n'avait vu une pareille affluence pour une course. Combien étaient-ils ? 250 000, 300 000, impossible à dire. Un accident tragique endeuilla le départ et interrompit la course pendant 24 heures. Un monoplan Train, piloté par Train lui-même, se mit à piquer après avoir dépassé les hangars. Voulant éviter un groupe de cuirassiers, le pilote ne put rien tenter pour empêcher l'avion de se diriger vers le groupe des officiels présents au bord de la piste. Le ministre de la Guerre, Maurice Berteaux, était tué sur le coup, tandis que le président du Conseil et Henri Deutsch de la Meurthe étaient sérieusement blessés. La course s'est résumée à une lutte entre Védrines et Garros.

Champagne pour Jules Védrines.

Beaumont, pourtant bien préparé, avait dû abandonner dès la première étape. Védrines, après avoir affronté un aigle au passage des Pyrénées, se retrouvait seul en piste après l'abandon de Roland Garros à Saint-Sébastien.

Un avion affrété pour des lampes

Shoreham, 5 juillet

Le premier fret aérien vient d'être livré par la General Electric Company, qui a payé 100 livres pour le transport de lampes Osram entre Shoreham et Hove dans le Sussex, en Grande-Bretagne. Déjà, aux Etats-Unis le 7 novembre 1910, le Home Dry Goods Store avait déboursé 5 000 dollars pour faire sa promotion en organisant l'acheminement de rouleaux de soie de Dayton à Columbus sur un biplan Wright Model B.

Fokker à Berlin

Allemagne, 1er décembre

Fokker a reconstruit son monoplan et a donné une brillante démonstration aux Pays-Bas. Malgré cette réussite, le constructeur hollandais a quitté Haarlem pour s'installer à Johannisthal, un faubourg de Berlin où beaucoup de firmes aéronautiques allemandes ont leurs usines. Fokker, qui est arrivé sans un sou vaillant en poche et qui n'a guère de relations à Berlin, se rend compte qu'il va devoir lutter férocement pour se faire accepter des constructeurs allemands. C'est avec ironie qu'on regarde son aéroplane sans ailerons, aux ailes surbaissées. En revanche, personne ne discute ses qualités de pilote, qui le font vivre et pour lesquelles on le surnomme le Hollandais volant. (→ 24.5.12)

Record d'altitude pour Roland Garros

Roland Garros auréolé de gloire.

Saint-Malo, 4 septembre

Roland Garros tient sa revanche ! Non seulement il avait dû abandonner la course Paris-Madrid après un accident, mais il s'était classé deuxième au Paris-Rome. Et le voilà, enfin, passé à la postérité. Décidé à s'attaquer au record du monde d'altitude, il décolle de Dinard aux commandes d'un Blériot XI allégé, à moteur Gnome 50 ch. Le pilote a atteint, au-dessus de Saint-Malo, l'altitude de 3 910 m. Il balaie ainsi le précédent record du capitaine Felix, qui, sur Blériot, était parvenu à 3 190 m à Etampes, il y a moins d'un mois. On a prédit à Roland Garros le plus brillant des avenirs.

Le parachute Hervieu pèse 18 kg avec sa voilure de coton. Il est essayé sur un mannequin que l'on jette du premier étage de la tour Eiffel.

En 55 jours, Rodgers traverse les USA

Calbraith Rodgers : de New York à Los Angeles en cinquante-cinq jours.

Pasadena, 5 novembre

Quel est le plus incroyable : que Calbraith Rodgers ait accompli la première traversée des Etats-Unis par les airs, ou qu'il ait survécu, au cours de cette traversée, à une bonne vingtaine d'accidents ? Car, pendant ces 6 950 km, il a réussi à atterrir en catastrophe en des endroits aussi accueillants qu'un élevage de poulets ou une meule de foin. Puis son avion a été frappé par la foudre et attaqué par un taureau dans les prairies de l'Indiana. Selon lui, une bouteille de Vin Fiz attachée à la carlingue a été son porte-bonheur. Elle est restée, on ne sait comment, intacte au milieu de ces catastrophes. Et tant qu'il pouvait allumer un cigare en vol, tout ne

pouvait qu'aller bien ! Ce jeune homme de 32 ans, à l'allure dégingandée, descendant des amiraux Perry, s'était lancé dans l'aventure pour remporter les 50 000 dollars qu'avait offert le magnat de la presse Hearst pour le premier aviateur qui, en trente jours au plus, traverserait le continent. Mais il a mis 25 jours de trop pour finir ses 82 sauts de puce. Son biplan Wright EX, baptisé *Vin Fiz*, du nom de la boisson qui finançait le vol, était suivi au sol en train Pullman par sa mère, sa femme, qui avait pris la responsabilité du courrier, et dix mécaniciens. Interrogé sur ses motivations, il répondit : « ... parce que rien de ce que j'ai pu faire d'autre n'était important. »

Le 27 juin, Lincoln Beachey survole, à bord de son aéroplane Curtiss, les chutes du Niagara. Il passe plus tard au-dessous du pont qui sépare les Etats-Unis du Canada. Il frôle même le lac, devant une foule médusée de 150 000 personnes, et atterrit au Canada.

Un Farman atterrit sur le puy de Dôme

Arrivée de Renaux et Senoucque. L'espace est délimité par des bandes de toile.

Puy de Dôme, 7 mars

Equipé d'un moteur Renault de 60 ch, un biplan Maurice-Farman atterrit sur le puy de Dôme. A son bord, le pilote Eugène Renaux et son passager Albert Senoucque réalisent ainsi l'exploit le plus acrobatique de l'année. Dès 1907, les frères Michelin ont offert cent mille francs au premier pilote accompagné d'un passager qui, parti de Paris, irait se poser sur le puy de Dôme en moins de six heures. L'épreuve est extrêmement diffi-

cile, vu l'exiguïté de ce sommet, d'une hauteur de 1 400 m. Aucun candidat ne se présente. En effet, les avions ne permettent pas encore d'atteindre une telle altitude. Pourtant, Renaux relève le défi. Parti de Paris dans la brume, il fait une escale de ravitaillement à Nevers et parvient à 7 km du puy de Dôme. Il prend de l'altitude, monte à 1 900 m, puis Renaux coupe les gaz et l'avion redescend. Il se pose en roulant 5 ou 6 m sur l'étroite plate-forme.

L'Australie décolle

Australie, 23 décembre

Le gouvernement du Commonwealth d'Australie cherche « deux mécaniciens et aviateurs compétents » pour travailler comme instructeurs de vol au ministère de la Défense. Cette première mesure pratique pour créer dans l'armée un corps d'aviation fait suite à des mois de négociations gouvernementales internes. Le salaire proposé, 400 livres par an, doit couvrir toutes les dépenses sauf les frais de déplacement. Ce salaire initial est valable pour une période probatoire de douze mois. Le gouvernement n'engage pas sa responsabilité en cas d'accident. Le haut-commissaire australien à Londres doit demander au ministère de la Guerre qu'il lui recommande des candidats valables. Il doit aussi se renseigner sur les prix proposés par les constructeurs pour la livraison de 2 monoplans et de 2 biplans, avec pièces de rechange et contrat d'entretien.

Bague disparaît

Mer Méditerranée, 5 juin

Le lieutenant de tirailleurs algériens Edouard Bague a disparu en mer. Parti d'Antibes à bord de son Blériot pour la Corse, il tentait à nouveau de traverser les 80 km séparant le continent de l'île. Cette fois-ci, il n'y a pas eu de miraculeux sauvetage : toutes les recherches sont restées vaines.

L'aviateur Bague avant son envolée.

Liège, première étape du Circuit européen

Les deux appareils de Beaumont et de Garros sur la ligne de départ.

Vincennes, 7 juillet

André Beaumont est en tête, une fois de plus. Déjà vainqueur de la course Paris-Rome en mai, il vient de remporter le fameux Circuit européen. Tout au long de l'année, les grandes courses aériennes internationales se sont multipliées, mais cette épreuve est la plus dure jamais imposée aux pilotes et aux avions. Organisée par le quotidien parisien *le Journal*, elle est dotée d'un prix de 200 000 francs. C'est un record ! Le 18 juin, à Vincennes, 41 concurrents prennent le départ. C'est une journée de grand vent. Au terme de la première étape, à Liège, trois pilotes ont perdu la vie. Seuls 18 aviateurs restent en lice pour la suite du parcours : Spa, Utrecht, Bruxelles, Roubaix, Londres, Calais, Paris. Soit au total 1 600 km. Neuf rescapés bouclent le circuit. Vidart remporte la dernière étape, mais Beaumont sur monoplan Blériot à moteur Gnome 50 ch remporte la course. Cette fois, c'est lui qui devance son ami Roland Garros.

La poste aérienne devient une réalité

Long Island, 23 septembre

La première expérience de transport aérien du courrier aux Etats-Unis s'est déroulée lors du meeting international d'aviation de Long Island. Cette idée avait été émise dès 1910 par Frank Hitchcock, le directeur général des Postes. C'est le pilote Earl Ovington qui, à bord de son Blériot, est l'auteur de ce vol si particulier. Informé quelques jours avant la date prévue, le public a pu se préparer et venir sur le terrain d'aviation afin de déposer son courrier dûment timbré. Ovington a décollé avec, coincé entre les jambes, un sac contenant 640 lettres et 1 280 cartes postales. Cet événement fait suite à d'autres vols du même type en Europe et même en Asie. Ainsi, en Inde, le 18 février, c'est le Français Henri Péquet qui a eu l'honneur de transporter par les airs le premier courrier officiel entre Allahabad et la forteresse de Nani : 6 500 lettres et cartes. En effet, le Britannique Walter Windham, après avoir abandonné sa fabrique de motocyclettes, s'est consacré à sa passion, les aéroplanes. Invité à l'exposition commerciale et culturelle d'Allahabad, il est venu avec des avions et deux pilotes, dont Henri Péquet. Le but de sa dé-

Cette enveloppe historique contient la 1ʳᵉ lettre transportée par avion.

monstration était de sensibiliser les Indiens au tout jeune art de voler. L'aumônier local lui a même demandé de l'aider à collecter des fonds pour son nouveau dispensaire. Pourquoi ne pas aussi acheminer le courrier ?... En France, Jules Védrines assure le transport des journaux entre Issy-les-Moulineaux et Deauville. Peu de temps après, le 9 septembre, en Grande-Bretagne, à l'occasion du couronnement du roi George V, est organisée la Coronation Aerial Post entre les terrains d'aviation de Hendon et de Windsor. Les timbres étant vendus au public par les détaillants, ce sont vingt-trois sacs de courrier qui sont acheminés par la voie des airs.

Nieuport ne saura pas qu'il a convaincu

Verdun, 15 septembre

Edouard de Niéport, dit Nieuport, est mort sans savoir si son avion a triomphé. Engagé dans le concours militaire de Reims, le *Nieuport 4 G* a remporté brillamment les épreuves éliminatoires. Avec ces bonnes nouvelles en poche, Edouard Nieuport, convoqué aux manœuvres du 6ᵉ corps d'armée, s'était rendu dans la région de Verdun. Ce matin, à Charny-sur-Meuse, il a décollé par un temps épouvantable à la requête du lieutenant-colonel Estienne qui voulait démontrer au général Peruchon les possibilités de l'arme aérienne. Au terme d'une splendide spirale, exécutée moteur coupé, le *Nieuport-Gnome* allait atterrir quand une rafale le plaqua violemment au sol. Le pilote, dégagé des débris de l'appareil, a eu tout juste le temps d'expliquer la cause de sa chute avant de succomber à une hémorragie interne devant les officiers atterrés.

Nieuport avant l'accident. Il sera mortellement atteint au thorax.

Casablanca-Fez à bord d'un Breguet 11

Fez, 1ᵉʳ septembre

Tandis que la tension monte au Maroc entre Allemands et Français et menace la paix, Henri Brégi y fait du tourisme aérien : le circuit des villes impériales ! En effet, avec René Lebaut, du *Petit Journal*, pour passager, il est parti de Casablanca, à bord d'un biplan Breguet, et a rejoint Fez, *via* Rabat et Meknès. En fait, l'excursion n'a pas été de tout repos ! L'absence de ravitaillement, le manque de terrains d'atterrissage et la chaleur étouffante ont durement éprouvé l'équipage. C'est le premier voyage aérien important accompli au Maroc. Les pilotes européens sont toujours en première ligne pour exporter l'aviation naissante vers les autres continents. Henri Brégi est de ceux-là. L'année dernière déjà, il a effectué le premier vol en Amérique du Sud, à Buenos Aires, sur un biplan Voisin. Mais c'est sur un biplan Breguet, à moteur Canton Unné 80 ch, qu'il vient de relier Casablanca à Fez. Pour l'ambitieux constructeur Louis Breguet, dont les avions ont battu récemment record sur record, cette année est celle de tous les succès.

Parti de Casablanca, Brégi atterrit à Meknès sur un terrain de fortune.

Le Coanda est équipé de deux moteurs Gnome qui entraînent une seule et même hélice quadripale.

Le Short S.38 est hissé à bord du croiseur « Africa ». Il deviendra le premier avion britannique à décoller d'un navire.

Le Short S.39 Triple Twin fait appel à une configuration identique à celle du Boxkite, avec un moteur propulsif. Il se révèle très performant.

Le New Baby est dérivé du Baby, construit sous licence par Grahame-White. Il deviendra en 1913 le représentant américain de la firme Morane.

Le Curtiss Hydroaeroplane, ou Hydroplane, à hélice propulsive est l'un des premiers hydravions construits par l'avionneur américain.

Triplace d'une exceptionnelle robustesse, le Breguet G.3 est produit à 41 exemplaires et exporté en Suède, Italie et Grande-Bretagne.

Cette version du Borel Bo.11 a été équipée de flotteurs, mais a conservé le moteur rotatif de 70 ch de la version terrestre. Elle a participé au concours d'hydravions organisé par la marine britannique.

Les ailes du monoplan 1911 de Paul Kaufmann sont repliables, ce qui facilite son stockage dans les hangars de l'époque. Cet appareil préfigure les progrès dans le domaine de la technologie aéronautique.

Ce Lioré, dérivé du Blériot, a deux moteurs et une seule hélice.

Un Hanriot d'entraînement, remarquable pour son époque.

Le Short T.5 ressemble à la plupart des biplans de l'époque. Il représente une tentative du constructeur de produire un avion terrestre.

Le Tatin-Paulhan Torpille doit son nom à sa forme.

Grâce à son Spinne III, Anthony Fokker se forge une précieuse expérience du monoplan qu'il mettra à profit avec son chasseur Eindekker.

Si l'Albatros M22 présente une configuration proche de celle du Boxkite, le constructeur abandonnera vite la formule de l'hélice propulsive.

Neuf exemplaires du biplace Mercury sont construits dans les usines de Blackburn à Brough. Ils sont proposés avec trois moteurs de 50 ch au choix : Isaacson, Gnome et Anzani.

L'Avro Type D biplace donne également naissance à une version équipée de flotteurs. L'appareil, équipé d'un système de gauchissement des ailes, sert pour l'entraînement jusqu'en 1914.

1912

 **174,06 km/h**
France
Jules Védrines
Monocoque Déperdussin
9.9.12

 **1 010,900 km**
France
Géo Fourny
Maurice Farman
11.9.12

 **5 610 m**
France
Roland Garros
Morane-Saulnier
11.12.12

 **1 350 kg**
France
Léon Levavasseur
Antoinette Monobloc

 **160 ch**
France
Frères Seguin
Gnome Double Lambda

Grande-Bretagne, 10 janvier
Le lieutenant Samson réussit à décoller d'une plate-forme aménagée sur le cuirassé *HMS Africa* à l'arrêt, à bord d'un Short S.38. (→ 9.5)

Pau, 13 janvier
Jules Védrines atteint la vitesse de 145,16 km/h sur un monoplan Déperdussin. (→ 23.3)

Paris, 6 février
Franz Reichelt, tailleur autrichien, se tue en essayant son vêtement-parachute du premier étage de la tour Eiffel. Enregistré par le cinématographe, le drame est suivi le soir même dans les salles Pathé.

New York, 16 février
Avec une caméra électrique, Frank Coffyn réalise un film au-dessus de la ville, pilotant son avion avec les pieds et les genoux. Il est passé sous les ponts de Brooklyn et de Manhattan il y a trois jours.

Algérie, 17 février
Les lieutenants français Reimbert et de Lafargue font un raid expérimental de 250 km au-dessus du Sahara, de Biskra à Touggourt, à bord de biplans Farman.

Etats-Unis, 1er mars
Le capitaine Albert Berry effectue avec succès un saut en parachute à partir d'un avion, au-dessus de Saint Louis. Le biplan Benoist, piloté par Anthony Jannus, vole à 460 m d'altitude.

Floride, 5 mars
Parti de Los Angeles, Bob Fowler atterrit à Jacksonville. Sa traversée des Etats-Unis d'ouest en est lui a pris quatre mois. (→ 27.4.13)

Turquie, 15 mars
Le Service aéronautique de l'armée turque, récemment créé, reçoit ses deux premiers Blériot construits en France. Toutes les armées des Balkans doivent en être dotées.

France, 31 mars
Les ingénieurs Fernand Lioré et Henri Olivier ont fondé ce mois-ci les ateliers d'aviation LeO.

Italie, 5 avril
Le monoplan Caproni Ca 12, muni du nouveau moteur Anzani 35 ch, réussit la traversée du lac Majeur, de Vizzola à Locarno. (→ 27.2.13)

Calais, 16 avril
Harriet Quimby, première femme à avoir obtenu le brevet de pilote aux Etats-Unis le 2 août 1911, traverse la Manche en solo. Partie de Douvres, elle pose son Blériot sur la plage d'Hardelot. (→ 1.7)

Saint-Germain-en-Laye, 27 avril
Maurice Tabuteau, sur monoplan Morane-Saulnier, parvient à boucler les 190,400 km du circuit imposé pour la coupe Deutsch-de-la-Meurthe. Il vole 1 h 47 min 48 s dans des conditions atmosphériques peu favorables. (→ 31.10)

Sydney, 9 mai
William Hart est condamné en justice pour avoir « survolé longtemps le territoire du plaignant contre son gré, créant ainsi la débandade d'un troupeau de vaches effrayées, dont deux sont mortes ».

Berlin-Johannisthal, 24 mai
Fokker s'écrase avec son monoplan B-1912 construit par Goedecker et muni d'un moteur Argus de 100 ch. Son passager, l'Oberleutnant von Schlichting, est tué. Il avait emmené trois personnes à bord le 14 mai dernier pour impressionner une commission de l'armée. (→ 7.12)

Dayton, 30 mai
Wilbur Wright meurt de la fièvre typhoïde à l'âge de 45 ans. Orville devient président de la Wright Cie.

Grande-Bretagne, 1er juin
Henri Coanda entre comme ingénieur à la British and Colonial Aeroplane Company de Bristol.

Etats-Unis, 2 juin
Au cours d'essais dans le Maryland, le capitaine Chandler ouvre le feu avec une mitrailleuse inventée par le colonel Lewis, depuis un biplan Wright B piloté par le lieutenant Milling. Les résultats de l'expérience se révèlent encourageants.

Afrique équatoriale, 7 juin
Hubert Latham est chargé par un buffle et piétiné à mort lors d'un safari. Après les revers commerciaux de la firme Antoinette, il avait abandonné l'aviation en décembre 1911 pour se consacrer à la chasse.

Paris, 15 juin
Armand Déperdussin sort des ateliers de la rue des Entrepreneurs son monocoque, étudié par l'ingénieur Béchereau. Conçu comme avion de vitesse, son fuselage est fait de trois couches de tulipier en lamelles collées, d'une épaisseur totale de 3 millimètres. (→ 5.8.13)

France, 18 juin
Roland Garros entre chez Morane-Saulnier, après avoir remporté le Circuit d'Anjou clos hier.

Australie, 29 juin
La première course aérienne d'Australie est gagnée par William Hart. « Wizard » Stone, son seul concurrent, se perd dans un orage.

France, 31 juillet
Antoine de Saint-Exupéry reçoit son baptême de l'air à Ambérieu. Il a douze ans. (→ 18.6.21)

Washington, 5 août
Le Congrès vote la loi Hardwick, qui double la solde des officiers se portant pilotes volontaires. Par ailleurs, le Service aéronautique de l'armée a refusé le 18 mai dernier d'accepter les aviateurs qui portent des lunettes. (→ 18.7.4)

Châlons, 15 août
Le pilote Gaubert et le tireur Scott remportent le Prix de l'aéro-cible des frères Michelin, à bord d'un Astra-Wright type E. Ils placent 12 projectiles sur 15 dans la cible.

Grande-Bretagne, 27 août
Samuel Cody remporte l'épreuve de vitesse du concours d'aéroplanes militaires de Salisbury Plain organisé au profit du Royal Flying Corps. Sur un biplan de sa conception muni d'un moteur Austro-Daimler de 120 ch, il atteint une vitesse de 115 km/h. (→ 7.8.13)

Argentine, 8 septembre
Une école d'aviation militaire est inaugurée à El Palomar.

Chicago, 9 septembre
Jules Védrines remporte la coupe Gordon-Bennett avec le nouveau monoplan monocoque de Déperdussin. (→ 29.9.13)

Allemagne, 1er octobre
Le Service aéronautique de l'armée allemande est créé.

Grande-Bretagne, 24 octobre
Harry Hawker remporte la British Empire Michelin Cup avec un vol de 8 h 23 min sur biplan Sopwith.

Washington, 12 novembre
Le lieutenant Ellyson réussit à faire décoller un hydravion Curtiss A-1 en étant catapulté d'une barge. Le dispositif à air comprimé a été mis au point par le capitaine Chambers. (→ 6.1.15)

Grande-Bretagne, 19 novembre
Vickers reçoit une commande de l'Amirauté pour un biplan équipé d'une mitrailleuse. (→ 14.2.13)

Italie, 28 novembre
A la suite de la guerre contre la Turquie, les Italiens forment un service aéronautique militaire autonome. Un service de l'aviation coloniale a été créé le 19 novembre.

Issy-les-Moulineaux, 12 décembre
Le « siège éjectable » du baron d'Odkolek est expérimenté. Un mannequin est éjecté d'un aéroplane en vol grâce à un petit canon.

Rome, 23 décembre
Roland Garros se pose sur la place d'Armes avec son Morane-Saulnier en arrivant de Tunis. Il a traversé la Méditerranée jusqu'à Marsala, en Sicile, soit 228 km, il y a 6 jours, puis a longé la côte le long de la mer Tyrrhénienne. (→ 23.9.13)

Les journaux ouvrent une souscription, les personnalités appellent à la générosité du peuple : tous s'unissent en faveur de l'aviation militaire.

Le Grand Prix de Monaco à Farman

Monaco, 31 mars

Le premier concours d'hydroaéroplanes de Monaco a pris fin. Organisé par l'International Sporting Club, il comportait six épreuves : essor en eau calme, pose en eau calme, pose en eau agitée, départ en eau agitée, échouage sur une plage désignée et déséchouage. Les quatre premières épreuves pouvaient être tentées chaque jour plusieurs fois, un seul essai étant retenu. Une seule tentative réussie était accordée pour les deux dernières épreuves. Ce concours, qui opposait huit appareils, a vu le triomphe des frères Farman. Le premier hydroaéroplane classé est le biplan d'Henri Farman, à deux flotteurs en place des roues, avec un flotteur de queue, équipé d'un moteur Gnome de 50 ch, d'un poids à vide de 275 kg. Piloté par J. Fisher, cet appareil a remporté le prix de 8 000 F. Le deuxième est l'hydroaéroplane de Maurice Farman, biplan à deux flotteurs principaux courts et petit flotteur de queue, équipé d'un moteur Renault de 90 ch, piloté par E. Renaux. Celui-ci a successivement enlevé trois, quatre, puis cinq passagers, soit un poids total de 1 234 kg (681 kg pour la machine, 450 kg pour 6 personnes, 103 kg d'essence et divers). Deux hydroaéroplanes étrangers ont enlevé les troisième et quatrième places. Les cinquième et sixième places ont été remportées par Caudron sur Caudron-Fabre et par Benoit, sur Sanchez-Besa.

L'hydroaéroplane d'Henri Farman va prendre le départ.

L'hydroaéroplane Morane-Saulnier dans la baie de la principauté.

Denhaut présente son hydroaéroplane, le « Poisson volant »

Juvisy, 10 mars

Le *Poisson volant* est né ! En effet, un hydravion d'un genre nouveau vient d'exécuter plusieurs amerrissages et décollages sur la Seine. L'ingénieur Denhaut l'a inventé ; Donnet et Lévêque, qui ont fourni moteur et capitaux, lui ont donné son nom. Le Donnet-Lévêque diffère des hydravions actuels, simples aéroplanes munis de flotteurs. Sa coque repose sur l'eau. Le redan très étudié facilite le déjaugeage. Des flotteurs sont placés en bout d'aile. Le moteur, surélevé, est hors d'atteinte de l'eau au repos. Avec ce premier essai, l'hydravion à coque est promis à un bel avenir.

L'hydravion Donnet-Lévêque, dessiné par Denhaut et Duhamel.

Fokker développe son entreprise

Allemagne, 7 décembre

C'est officiel, la Fokker Aeroplanbau est enfin née. Anthony Fokker a fait enregistrer aujourd'hui auprès des autorités la nouvelle société, dont le capital, important, se monte à 30 000 marks. Installé depuis un an à Johannisthal, Fokker a commencé par ouvrir une école de pilotage, qui accueille aujourd'hui les officiers aviateurs de l'armée prussienne. Désireux de se consacrer surtout à la conception de ses modèles d'avions, il vient d'en confier la direction à un ami néerlandais, Fritz Cremer. Autre succès encourageant, après maints déboires, le ministère de la Guerre lui a commandé un premier appareil : le Fokker B.

Le Suisse Audemars ovationné à Berlin

Berlin, 18 août

Le Suisse Edmond Audemars a réalisé un exploit inédit. Il vient de relier deux des grandes métropoles du continent, Paris et Berlin, soit une distance de 950 km. Son vol a été unanimement salué, bien que, à quatre reprises, des ennuis mécaniques l'aient contraint à effectuer des atterrissages intermédiaires. A son arrivée à l'aéroport berlinois de Johannisthal, les pilotes allemands ont réservé un accueil triomphal à cet homme qui, il y a de cela seulement quelques années, fut représentant dans leur capitale pour la maison Motosacoche.

Helen enlève la coupe Deutsch

St-Germain-en-Laye, 31 octobre

125,370 km/h ! C'est à cette vitesse, en effet, qu'Emmanuel Helen vient de porter le record de la coupe Deutsch-de-la-Meurthe, sur son avion Nieuport. Il ravit ainsi son titre à Maurice Tabuteau, devancé malgré ses 111,300 km/h, et empoche la prime de 20 000 F. Créée en 1906, cette épreuve avait cette année pour points de départ et d'arrivée la terrasse du château de Saint-Germain-en-Laye.

Jules Védrines, pilote et homme politique

En pleine campagne, Jules Védrines expose son programme électoral.

Le moyen de transport idéal pour se faire connaître des futurs électeurs.

Limoux, 23 mars

Puisqu'il est si populaire, pourquoi ne s'essaierait-il pas à la politique ? Jules Védrines, vainqueur du record de vitesse sur Déperdussin, le 2 mars dernier à Pau, estime indispensable la présence de l'aviation au Parlement. Il a donc posé sa candidature au siège de Limoux, libéré par M. Dujardin-Baumetz. Les électeurs ne sont pas au bout de leurs surprises : il a effectué sa campagne éclair d'une semaine en aéroplane et en automobile. Atterrissant en plein champ, il a harangué les électeurs en faveur de la maîtrise de l'air pour la France. Il a obtenu près de 7 000 voix et n'est battu que de quelques centaines de votes par un industriel local. Ses partisans, déçus, ont envahi la sous-préfecture, saccagé le café de ses adversaires et renversé une statue qui ornait une place de la ville. Un régiment de dragons a dû rétablir l'ordre en ville. Jamais, de mémoire de Limouxin, on n'a vu un tel déchaînement de passions !

Quimby, victime du manque de sécurité

Boston, 1er juillet

On ne verra plus sa longue silhouette en combinaison prune arpenter les aérodromes. Harriet Quimby vient d'être victime de son amour de l'aviation. Venue pour remporter le meeting d'aviation de Harvard-Boston, la jeune femme avait décollé en fin de journée, en compagnie de l'organisateur du circuit, William A. P. Willard, le père du pilote cascadeur Charles Willard. Le Blériot biplace 70 ch s'éleva rapidement dans les airs. Planant au-dessus du port de Boston, l'avion fit aisément le tour du phare. Alors que le Blériot blanc revenait vers le terrain de Squanum, des milliers de spectateurs l'ont vu se mettre à faire des cercles au-dessus de la baie de Dorchester, tout en descendant graduellement pour atterrir. Tout à coup l'avion piqua du nez. A environ 500 m d'altitude, on vit le passager se détacher de l'appareil et plonger dans le vide, rejoint quelques secondes plus tard par l'aviatrice. Une simple ceinture ou un parachute aurait peut-être changé leur destinée et sauvé les deux malheureux.

Harriet Quimby était la première femme pilote des Etats-Unis.

Un appel en faveur de l'aviation militaire

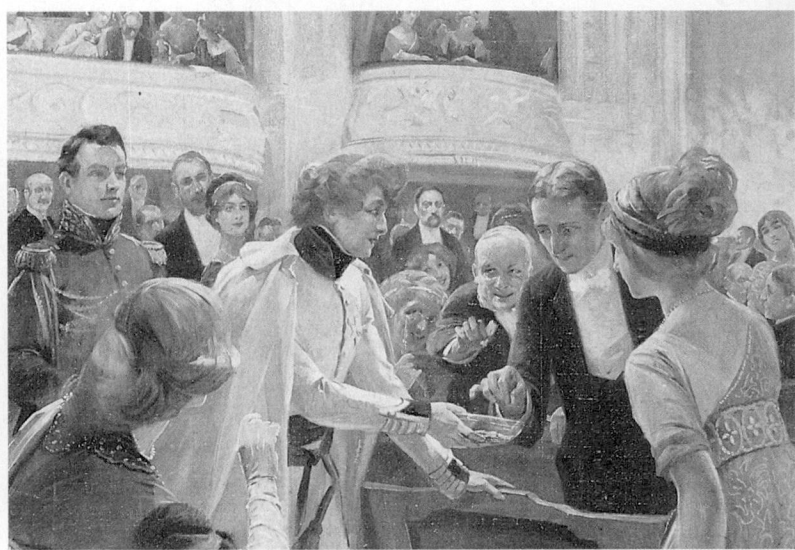

Sarah Bernhardt, dans le rôle de l'Aiglon, quête pour les oiseaux de guerre.

Paris, 5 mars

Les menaces de guerre se font de plus en plus précises en Europe. Millerand soumet à la signature présidentielle une loi d'organisation de l'aéronautique militaire. Les initiatives pour la défense de la France se multiplient. A la Sorbonne, le 11 février, un meeting sur l'aviation militaire a réuni 6 000 personnes, venues écouter le capitaine Bellenger évoquer la « 5e arme ». Le sénateur Reymond incite les Français à imiter le Kaiser, qui n'a pas hésité à puiser dans sa cassette. Clemenceau adjure chacun de donner « même trois sous » : en dix minutes, ils récoltent 3 000 francs. Le 23, *le Matin* lance une souscription nationale pour réunir 50 millions. Le journal verse, pour sa part, 50 000 francs. Les Michelin offrent 10 000 francs et le directeur du Châtelet organise une collecte à chaque représentation dans son théâtre. Tout comme Sarah Bernhardt, qui, vêtue de son costume de scène, sollicite son public.

Les Britanniques créent le RFC

Londres, 13 avril

Le Royal Flying Corps vient d'être créé par décret royal. Il sera un corps indépendant de l'armée, responsable des aviations militaire et navale. Le Parlement a voté la somme de 308 000 livres pour l'accréditer, malgré les réticences de généraux comme sir Douglas Haig, qui estime que « l'aviation ne sera jamais d'aucune utilité à l'armée ». Le RFC sera composé d'une escadrille navale et d'une escadrille militaire. Elle aura une école à Salisbury Plain. L'usine de l'aviation royale de Farnborough sera sous son contrôle. Environ trente-six avions, dont dix-huit anglais, ont été commandés. Cette création est globalement bien accueillie, mais la Royal Navy préférerait garder dans les airs la même indépendance que sur l'eau.

Une cabine pour protéger le pilote

Brooklands, 1er mai

Wilfred Parke a fait le premier vol dans un avion au cockpit totalement fermé. L'appareil, un Avro type F, possède un fuselage aérodynamique à armatures d'aluminium. Il fait au plus 60 cm de large, laissant juste assez d'espace au pilote. Les vitres sont en Celluloïd, donnant une bonne vision sur les côtés, mais le pilote ne peut voir à l'avant. C'est donc la concrétisation d'un autre des projets de Verdon Roe. Tous les pilotes ne l'ont pas bien accueilli. Ils disent aimer le vent sur leur visage et ne pas vouloir « voler dans un sous-marin ». Ces railleries ne découragent pas Roe. Il a débuté sans argent, à Lea Marshes, en construisant un avion mû par le moteur de sa motocyclette. Tous les soirs, pour rentrer, il replaçait le moteur sur sa moto.

Les monoplans Blériot interdits de vol

Un Blériot XI, piloté par Salmet, quitte le terrain d'Issy-les-Moulineaux.

Paris, 30 mars

Louis Blériot vient de remettre au gouvernement son rapport sur les accidents mortels qui ont émaillé ces deux dernières années la carrière du Blériot XI. Avec une grande honnêteté, Louis Blériot a reconnu que les morts accidentelles de Géo Chavez, Blanchard et tant d'autres avaient été causées non par des ruptures d'ailes, comme on le croit communément, mais par la rupture des haubans supérieurs, soumis à une pression trop forte. Il recommande leur consolidation. Ce rapport suffira-t-il à rassurer les militaires français qui ont décidé de retirer du service tous les monoplans Blériot en usage dans les armées ? Enfin, la polémique sur la sûreté des monoplans a gagné l'Angleterre depuis la mort de Douglas Graham Gilmour, qui s'est écrasé avec un avion Martin-Handasyde, le 17 février dernier. Une série noire qui s'est accélérée après la mort du lieutenant Lantheaume, le 13 décembre 1911. Deux autres officiers se sont tués depuis, le dernier en date étant le lieutenant Sevelle, qui s'est écrasé alors qu'il survolait Pau, le 13 de ce mois.

Des milliers de passagers en zeppelin

Friedrichshafen, 31 décembre

Le fameux dirigeable du comte Ferdinand von Zeppelin a transporté plus de 8 000 passagers depuis son premier vol, en 1908. Il y a deux ans, le comte von Zeppelin, ancien général de cavalerie, a confié l'exploitation civile de ces lignes à la société Delag. Ses dirigeables règnent en maîtres dans le ciel allemand. Des stewards stylés y servent du foie gras de Strasbourg, du chevreuil arrosé de vins du Rhin et de champagne. Aujourd'hui, l'amiral von Tirpitz, pressé par le Kaiser, a passé commande du premier zeppelin destiné à la marine allemande. Le rêve du comte est enfin exaucé : les zeppelins vont transporter des bombes.

Les passagers vont s'embarquer sur le LZ 10 « Schwaben » de la Delag.

Samson décolle d'un navire en marche

L'hydroplane s'envole depuis la plage avant de l'« Hibernia ».

Portland, 9 mai

Le commandant Charles Samson, de la Royal Navy, a décollé de la plate-forme construite sur le pont avant du vaisseau de guerre *Hibernia*. Le navire progressait alors à la vitesse de 15 nœuds. Ce décollage, avec un biplan Short à hélice, a été le clou de la revue navale tenue en présence du roi George V, et un grand moment de l'aviation. Samson, petit homme barbu et enjoué, avait auparavant posé le nouvel et imposant hydravion Short S.41 le long du yacht royal pour remettre une lettre au souverain. Le ciel, au-dessus de la longue ligne grise des bateaux, a soudain paru plein d'avions quand cinq pilotes de la marine ont fait la démonstration de leur habileté, sur l'eau et en vol, avec différents appareils. Le reporter d'un journal local, relatant que Samson avait emmené pour un vol la fille de l'amiral, le surnomma le Héros de Weymouth. Mais la démonstration de Samson a un but plus sérieux : faire la preuve de l'utilisation possible de l'aéroplane pour l'observation en mer. Cela risque de porter un coup à l'indépendance de l'aviation navale.

Autre approche du transport de passagers

Issy-les-Moulineaux, 23 novembre

Gabriel Voisin semblerait avoir résolu le problème du transport de passagers. Sa dernière invention, l'hydro-aérobus *Icare*, a réussi son 1er vol d'essai. Voisin a construit cette machine insolite sur commande de Deutsch de la Meurthe. Sa nacelle-fuselage accueille l'équipage et l'unique moteur de 200 ch. Montée sur la coque d'un canot de course, elle permet l'amerrissage. Pour l'instant, l'appareil est muni d'un train d'atterrissage de six roues. L'ossature est réalisée en tubes métalliques, et le tout pèse plus de 1 tonne. Le pilote Rugère parvient à arracher du sol l'énorme biplan... mais sans les six passagers qu'il est susceptible de transporter.

Des passagers anxieux à bord de l'« Icare », le nouvel appareil de Voisin.

L'aviation militaire française s'organise et se développe

Le quatrième Salon de l'aéronautique

Paris, 24 octobre

La IVe Exposition internationale de locomotion aérienne s'est ouverte au Grand Palais, pour dix-sept jours. L'ombre de la guerre plane sous la verrière, où l'on admire le *Tubavion* tout métal à moteur Gnome de Ponche et Primard, et le monoplan De-Marçay-Moonen à ailes tournant vers l'arrière. L'hydravion Breguet la *Marseillaise* fait sensation avec ses ailerons flotteurs. Moins remarqué, quoique très en avance, l'hydravion à coque Donnet-Lévêque est équipé d'un redan et de roues relevables. Le double monoplan Drzewiecki-Ratmanoff comporte, pour sa part, deux surfaces salaires décalées à incidence variant séparément. Déperdussin présente ses monoplans à fuselage monocoque conçus par Béchereau, en lamelles de bois de tulipier collées. On s'étonne devant le *Stablavion*, monoplan sans queue ni empennage, avec deux ailerons de manœuvre. Les avions sont équipés de moteurs en V, en étoile, à cylindres fixes ou rotatifs. Enfin, le blindage apparaît sur le Morane-Saulnier, annonçant ainsi l'apparition de l'aviation militaire.

Dispositif de lancement de bombes au concours aéro-cible Michelin.

Une escadrille de monoplans près d'un hangar à dirigeables.

Le poste TSF enregistre les dépêches transmises par les aviateurs.

Villacoublay, 27 septembre

Pour sa première revue, le ministre de la Guerre, Alexandre Millerand, peut être satisfait. L'aviation militaire française a belle allure : 72 appareils forment un front de 1 km. Ils sont groupés en escadrille. Cette formation de 6 avions de même type, rattachée à un organe de ravitaillement et de réparations assurant son autonomie, est la grande innovation des manœuvres d'automne du Poitou. En mars dernier, le Parlement votait sa première loi d'organisation, et, en août, un décret répartissait les unités en trois groupes, établis à Versailles, Reims et Lyon. Les chefs militaires, réticents, ont compris peu à peu le rôle essentiel que peut jouer l'aviation. En 1911, le général Roques, inspecteur permanent de l'aéronautique, créait à Reims le premier grand concours militaire pour sélectionner les appareils les mieux adaptés. On destine alors l'aviation uniquement à des missions de reconnaissance. Mais le Circuit d'Anjou, remporté par Roland Garros en juin dernier, a ouvert la voie à l'aviation offensive. Les officiers reçoivent maintenant une formation spécifique de pilote, sanctionnée par un brevet militaire. Ainsi, l'improvisation qui a présidé au développement de la cinquième arme a fait place à une réglementation méthodique et à une organisation plus militaire.

Les Peugeot font pédaler les aviateurs

Paris, 2 juin

Quelle mouche a piqué les frères Peugeot ? Le 1er février dernier, ils ont offert un prix de 10 000 F au premier homme qui volerait 10 m sur une machine mue par sa seule énergie. Ils ont ajouté un prix de 1 000 F pour un vol de 1 mètre. Quinze jours plus tard, 198 concurrents se sont inscrits, dont Gabriel Voisin, Ladougne, Gabriel Poulain. Devant des milliers de personnes, aviettes et cycloplanes, bicyclettes équipées d'ailes et d'hélices mues par le pédalier s'affrontent au Parc des Princes. Malgré de multiples tentatives, pas un seul concurrent, sur les trente présents, n'arrive à prendre son envol, ne serait-ce que sur un mètre.

Un pilote anglais sort de la vrille

Salisbury, 25 août

Le lieutenant Parke, de la Royal Navy, et son observateur, le lieutenant Le Breton, échappent miraculeusement à la mort. Leur biplan Avro s'est mis en vrille, alors qu'il était à une altitude de 180 m et que Parke commençait les manœuvres d'atterrissage. Tirant sur le manche et mettant trop de pied à droite, Parke provoque une vrille qui se resserre de plus en plus. Il tente alors le tout pour le tout : repoussant à fond le manche, il met plein pied dans le sens contraire dès que la vitesse est atteinte et sort immédiatement de sa vrille. Le lieutenant Parke peut alors atterrir après avoir décrit une boucle. Il est le second Britannique rescapé d'une vrille. Cet exploit alimente les conversations des pilotes réunis ici avec les meilleurs appareils, afin que le Royal Flying Corps fasse son choix.

...e tricycle biplan aviette construit par le directeur des usines Voisin.

GRAND PRIX D'AVIATION DE L'AÉRO-CLUB DE FRANCE

L'Aéro-Club de France crée son premier grand prix : le Circuit d'Anjou, qui se déroule les 16 et 17 juin. Roland Garros, parmi tous les concurrents inscrits, réussit seul à terminer l'épreuve, par un temps épouvantable, sur son avion Blériot.

Les avions de l'année 1912

L'unique exemplaire de l'Avro « Type G » est le premier avion au monde à mettre en œuvre une cabine entièrement fermée.

Le jeune Igor Sikorsky s'impose parmi ses pairs avec son R-6A qui remporte le premier prix du Salon de l'aéronautique de Moscou.

LVG a mis au point son robuste B I, équipé d'un moteur Mercedes, qui est l'un des premiers avions d'observation militaires allemands.

L'hydravion Short S.45 demeure en service pour l'entraînement et la formation des pilotes bien après le début des hostilités.

Conçu par le pionnier de l'armée de l'air australienne, le « major » Henry Peters, le Handley-Page Military Trials est équipé d'un moteur rotatif.

Le RAF BE.2, conçu par G. de Havilland, est le premier appareil envoyé au front en France au début de la guerre de 1914.

Prototype du Farman MF.7, appelé « Longhorn » (longues cornes) par les Britanniques en raison de ses entretoises si particulières.

L'hydravion Farman a traversé la Manche pour être présenté à la Royal Navy qui l'accueille peu chaleureusement.

Avec son Gnome rotatif, le Tractor Monoplane monoplace est l'un des premiers avions conçus par Short qui ne soit pas un hydravion.

Dépourvu de l'attribut de son prédécesseur, le Farman MF.11 est baptisé « Shorthorn » (petites cornes) par les pilotes britanniques.

Le Farman MF.7 est vendu à un grand nombre d'exemplaires à l'aviation britannique, où il reçoit le surnom de « Longhorn ».

Le Curtiss Triad est un hydravion de grande qualité muni d'un unique flotteur central et de deux petits flotteurs d'aile.

Le Handley Page E, ou « Péril jaune », prend part au concours militaire de 1912 à Larkhill.

Avant de fonder la Cessna Aircraft Company, Clyde Cessna a construit plusieurs modèles dérivés du Blériot, comme ce Silver Wings.

Le Curtiss Model F est un hydravion d'entraînement, également utilisé pour l'observation, équipé d'un moteur propulsif Curtiss de 100 ch.

L'hydravion de chasse Brandenburg W XII offre, par la disposition particulière de sa dérive, un large champ de tir au mitrailleur.

L'appareil qui remporte les essais militaires britanniques de l'année est ce biplan Cody totalement dépassé, équipé d'un moteur de 100 ch.

1913

 **203,81 km/h** France Maurice Prévost Monocoque Déperdussin 29.9.13

 1 021,200 km France A. Seguin Henri Farman 13.10.13

 **6 120 m** France Georges Legagneux Nieuport II N 28.12.13

 **4 100 kg** Russie Igor Sikorsky Le Grand

 **160 ch** France Louis Verdet Le Rhône 18E

Paris, 1er janvier
La Fédération aéronautique internationale communique que 2 490 pilotes étaient brevetés à la fin de 1912, dont 966 en France, 382 en Grande-Bretagne, 345 en Allemagne, 193 aux Etats-Unis, 58 en Belgique, 27 en Suisse et 1 en Egypte.

New York, 20 janvier
Lors d'une tentative pour établir un record féminin d'altitude, l'indicateur de niveau d'huile de Bernetta Miller se casse. Couverte d'huile et en partie aveuglée, elle réussit cependant un atterrissage d'urgence.

Madrid, 24 janvier
Parti de Pau, le pilote suisse Oscar Bider franchit les Pyrénées à une altitude de 3 500 m à bord de son Blériot et se pose à l'aérodrome de Cuatro Vientos. Il a obtenu son brevet le 8 décembre dernier. (→ 22.4.14)

Etampes, 24 janvier
Charles Nieuport est victime d'une avarie de gauchissement en vol, en réceptionnant des triplaces pour l'armée. Son mécanicien Guyot, qui l'accompagne, meurt avec lui.

Italie, 25 janvier
Jean Bielovucic atterrit à 200 m du monument élevé à la mémoire de son ami et compatriote Géo Chavez à Domodossola. Parti de Brigue, il vient de franchir les Alpes à une altitude maximale de 3 200 m.

Allemagne, 3 février
Les ingénieurs Bothmann et Glück, qui ont fondé la Gothaer Waggonfabrik en 1898 à Gotha, inaugurent le département des constructions aéronautiques. (→ 27.7.15)

Grèce, 8 février
De Sakoff, un mercenaire russe travaillant pour les Bulgares, lâche six bombes sur le fort Bezhani occupé par les Turcs. Les bombes, fixées sur les ailes, sont reliées par une corde aux bottes du pilote, qui déclenche lui-même le largage.

Londres, 14 février
L'Olympia Aero Show est ouvert en présence de Winston Churchill.

Vickers y présente le *Destroyer EFB 1*, biplan de combat expérimental commandé par l'Amirauté.

Milan, 27 février
Slavorosov, chef pilote de Caproni, entreprend un raid organisé par la *Gazzetta dello Sport*. Il doit joindre Rome sur un biplan Ca 14, en survolant les villes importantes pour faire connaître la firme. (→ 20.8.15)

France, 28 février
Le Comité national d'aviation a reçu 3 948 165 F de souscription pour l'armée. Elle peut ainsi acquérir environ 170 avions, créer 79 bourses pour former des pilotes, et aménager 32 stations stratégiques d'atterrissage.

Londres, 1er avril
Le *Daily Mail* offre un prix de 10 000 livres à qui réalisera la traversée de l'Atlantique sans escale en moins de 72 heures. Il lance aussi un prix de 5 000 livres pour un tour de la Grande-Bretagne effectué sur un hydravion de conception et de fabrication anglaises. (→ 27.8)

Cologne, 17 avril
Gustav Hamel arrive de Douvres par un vol sans escale de 4 h 18 min à bord d'un monoplan Blériot XI.

Panama, 27 avril
Bob Fowler vole de l'Atlantique au Pacifique en franchissant les 64 km de l'isthme avec un hydravion.

San Francisco, 15 juin
Allan Loughead réussit un vol au-dessus de la baie, à bord de l'hydro-aéroplane Model G qu'il a construit avec son frère Malcolm. (→ 20.2.15)

Los Angeles, 21 juin
Tiny Broadwick, âgée de 18 ans, saute d'un aéroplane volant à 305 m d'altitude avec le parachute en soie enfermé dans un sac qu'a inventé son père, Charles Broadwick.

Pays-Bas, 1er juillet
Le Service aéronautique de l'armée est créé par décret royal. Des aéroplanes sont employés dans les manœuvres militaires depuis 1911.

Grande-Bretagne, 13 juillet
Invoquant l'acte de 1625, le maire de Hull interdit à Whitehouse, pilote d'essai chez Handley Page, de voler le dimanche au-dessus de la ville. Bien que son avion se soit écrasé hier, Whitehouse l'a réparé à temps pour braver l'interdiction et décolle, acclamé par 7 000 opposants au repos dominical.

Grande-Bretagne, 17 juillet
L'hydravion *Folder* des frères Short est accepté par la Royal Navy après les vols d'essai réalisés par Charles Samson. Il est affecté à Sheerness, sur l'ancien croiseur *HMS Hermes*, transformé en porte-hydravions.

Belgique, 31 juillet
La firme Bollekens d'Anvers a livré ce mois-ci plusieurs biplans Farman HF 20, assemblés sous licence à la Compagnie des aviateurs de l'armée, créée par le roi le 16 avril, et totalement indépendante de la Compagnie des aérostiers. Elle est ainsi équipée de 20 aéroplanes. (→ 17.4.15)

Etats-Unis, 10 août
Lawrence Sperry, sur un hydravion Curtiss F, fait une démonstration du stabilisateur fondé sur les propriétés du gyroscope, inventé par son père Elmer Sperry. (→ 10.6.14)

Levallois-Perret, 18 août
Pierre Clerget, qui construit des moteurs pour l'aéronautique depuis 1907, crée la société Clerget-Blin. L'ingénieur décide d'élargir ses fabrications de moteurs en ligne aux moteurs rotatifs.

Deauville, 31 août
Pour le concours d'hydravions, Maurice Farman a engagé deux biplaces à flotteurs. L'un, propulsé par un Renault de 100 ch et piloté par Renaux, et l'autre, piloté par Gaubet, obtiennent le premier prix *ex aequo*.

Grande-Bretagne, 18 septembre
Le prototype du biplan biplace de reconnaissance Avro 504 commence ses essais en vol, équipé d'un moteur Gnome de 80 ch. (→ 22.8.14)

Reims, 29 septembre
Pour la seconde année consécutive, la coupe Gordon Bennett est remportée par un monoplan monocoque Déperdussin avec Maurice Prévost aux commandes. (→ 28.9.20)

France, 15 octobre
Le lieutenant Ronin décolle de Villacoublay à 7 h avec à bord de son Morane-Saulnier un sac de 10 kg de courrier. Il se pose à Pauillac à 14 h 35 et transmet le courrier au paquebot *Pérou* en partance pour les Antilles.

France, 27 octobre
La deuxième prime de la coupe Deutsch-de-la-Meurthe revient à Eugène Gilbert. Il boucle le circuit en 1 h 14 min. (→ 3.9.20)

Paris, 4 novembre
L'ingénieur Constantin obtient un brevet pour son dispositif d'aile à fente. Grâce à une lame placée en avant du bord d'attaque, il réussit à dévier l'écoulement de l'air au-dessus de l'aile. La sécurité du vol aux grands angles est ainsi améliorée. (→ 24.10.19)

Issy-les-Moulineaux, 21 novembre
Pierre Chanteloup réussit à faire un looping avec un biplan Caudron.

Mexique, 30 novembre
Deux mercenaires américains se sont affrontés au pistolet ce mois-ci dans les airs, sans qu'il y ait de victime. Dean Ivan Lamb, sur biplan Curtiss, est au service du révolutionnaire Pancho Villa, et Phil Rader, sur biplan Christofferson, vole pour le général Huerta.

Grande-Bretagne, 2 décembre
Le capitaine Lushington se tue lors d'un atterrissage à Eastchurch, en perdant le contrôle de son biplan Maurice-Farman. Il y a trois jours, il a donné une leçon de pilotage à Winston Churchill sur un Short.

La traversée de la Méditerranée en aéroplane : parti de Saint-Raphaël, l'intrépide Roland Garros rejoint d'un coup d'aile Bizerte, en Tunisie

Un Breton acclamé à Saint-Pétersbourg

Pendant son tour d'Europe des capitales, le pilote breton Marcel Brindejonc des Moulinais est accueilli triomphalement à Saint-Pétersbourg.

Saint-Pétersbourg, 17 juin

Marcel Brindejonc des Moulinais, né près de Saint-Brieuc, force l'admiration de la population de Saint-Pétersbourg. Il est arrivé à 11 h 30 aux commandes de son Morane-Saulnier équipé d'un Gnome 80 ch, et l'accueil des habitants de la capitale a été à la mesure de son exploit. Son ambition étant de montrer à l'Europe la qualité des aéroplanes français, l'aviateur entendait voler avec n'importe quel vent, se poser sur des terrains inconnus et traverser des étendues maritimes. Parti le 10 juin de l'aérodrome de Villacoublay, Brindejonc a rejoint Varsovie dès le premier jour à une vitesse moyenne de 170 km/h, soit 1 360 km en 13 h 18 min. Son désir de rejoindre directement Saint-Pétersbourg a été contrarié par le mauvais temps, et il a dû multiplier les escales avant de se voir récompensé de ses efforts.

Les Caudron livrent des avions à la Chine

Pékin, juillet

René Caudron vient de faire une énorme publicité pour l'usine familiale : il est le premier aviateur à avoir fait des photos aériennes en survolant la capitale chinoise. Son frère Gaston et lui seront donc les premiers constructeurs français à vendre des avions aux Chinois. La renommée des frères Caudron n'est plus à faire et leur usine de Rue fonctionne à plein rendement. Ils sont déjà un des fournisseurs attitrés de l'armée française, pour laquelle ils font aussi la formation des aviateurs. (→ 1.1.14)

René Caudron à Pékin pour faire voler ses avions vendus à l'armée chinoise.

Pégoud pionnier de l'acrobatie aérienne

France, 21 septembre

C'est à bord de son Blériot équipé d'un Gnome de 50 ch qu'Adolphe Pégoud a effectué le premier looping. Pour préparer son exploit, il s'était entraîné à rester jusqu'à vingt minutes la tête en bas dans son cockpit monté à l'envers. Le 19 août, à Buc, ce jeune aviateur était devenu célèbre en quelques instants. Décollant seul aux commandes d'un Blériot sacrifié pour l'expérience, Pégoud, arrivé à bonne hauteur, libère une voilure fixée sous le fuselage du monoplan. Le parachute, construit par Bonnet, s'ouvre alors facilement et arrache le pilote de son siège. C'est après avoir observé les cabrioles de son avion avant que celui-ci ne s'écrase qu'il décida de réaliser des figures d'acrobatie aérienne. Aujourd'hui, l'honneur d'avoir effectué le premier looping de l'histoire lui revient, même si, le 20 août, le lieutenant russe Nesterov a exécuté bien involontairement un looping aux commandes d'un Nieuport 70 ch. Adolphe Pégoud, pilote depuis sept mois, a complété son looping par des acrobaties : tonneaux, glissades en arrière, descentes en S et en vrille. La foule s'est enthousiasmée pour ce virtuose de l'air tandis que la presse l'a surnommé le Roi de l'air. (→ 1.11)

Une acrobatie de Pégoud à Buc.

L'avion plus économique que le train

Paris, 28 mars

Rapidité et économie : la démonstration de l'aviateur Gilbert tient dans ces deux mots. Elle a été convaincante. En reliant Lyon à Paris en 3 h 10 min, consommant seulement 60 litres d'essence et 5 litres d'huile, Gilbert a montré l'évidente supériorité de l'avion sur le train. Même en 3e classe, un voyage identique en train revient plus cher et dure évidemment bien plus longtemps. Les voyageurs se laisseront-ils un jour séduire par ce moyen de transport ? Aujourd'hui, il reste encore une aventure dangereuse.

Réussite des constructeurs britanniques

Hendon, 29 novembre

Aussitôt les essais officiels de Farnborough terminés, Harry Hawker a emmené le Tabloid, dernier-né de la compagnie Sopwith, au spectacle aérien qui a lieu chaque samedi à Hendon. Devant 50 000 personnes survolées, il a paradé dans cet appareil, survolant par 2 fois le terrain à basse altitude et grande vitesse. Ce biplan à deux places a été dessiné et construit en secret par Sopwith et Fred Sigrist. Rapide et maniable, il est destiné à des missions de reconnaissance militaire, mais pourrait être aussi un avion de chasse. Remarquable aux essais de ce matin, il a battu un record du monde de vitesse à 148 km/h, et a démontré une étonnante vitesse ascensionnelle de 336 m/s, alors qu'il était chargé d'un passager et du carburant nécessaire pour deux heures et demie de vol.

Garros a réussi la traversée de la Méditerranée

A Bizerte, il restait 5 litres d'essence et un ressort manquait au moteur.

Bizerte, 23 septembre
Au premier coup d'hélice, le moteur se met à tourner régulièrement avec souplesse. Il est 5 h 47 à Fréjus - Saint-Raphaël, quand le Morane-Saulnier est lâché. Lourd de ses huit heures de combustible, il roule longtemps avant de s'élever. Roland Garros est confiant, il se régale du spectacle de la côte de l'Esterel qui s'éloigne derrière lui. Dès qu'il atteint 1 500 m, il aperçoit la Corse, droit devant lui. Vers 7 h 20, un bruit sinistre secoue tout l'avion. Le moteur tourne encore, mais il y a une déchirure sur le capot, et il en sort des gouttes d'huile que le vent lui lance à la figure. Garros réduit le régime, il envisage le pire. Ajaccio devient un but qu'il faut atteindre à tout

prix. Une heure s'écoule, Ajaccio est en vue, le moteur tourne encore. Le pilote s'est accommodé de ce bruit supplémentaire. C'est idiot de se poser, la Sardaigne n'est pas loin et un mécanicien se trouve à Cagliari. Il fonce vers le sud. La Sardaigne est couverte de nuages, il doit descendre à 800 m, puis à 600. A Cagliari, aucun signal au sol du mécanicien. Dilemme. Garros a une heure de retard, la réserve de carburant est utilisée. Il décide de poursuivre et grimpe lentement vers 3 000 m où la consommation sera réduite. Deux heures plus tard, il aperçoit des torpilleurs. Il coupe l'allumage et plonge vers la mer. A 300 m, la côte se dessine. Il remet le moteur en marche et atteint le champ de manœuvre de Bizerte.

Déperdussin accusé d'escroquerie

Paris, 5 août
La passion de l'aviation peut-elle tout justifier ? Le constructeur d'avions Armand Déperdussin a été arrêté pour escroquerie et abus de confiance. On parle de 32 millions de francs détournés. Son excuse : une partie de cet argent aurait servi à financer ses recherches pour améliorer ses moteurs. Depuis trois ans, les avions Déperdussin sont à la pointe de la technique et remportent la plupart des épreuves de vitesse. (→ 1.8.14)

La Méditerranée est franchie. A quand l'Atlantique ? Garros s'interroge publiquement.

Seul concurrent, Hawker gagne...

Dublin, 27 août
La tentative de Hawker pour remporter le Circuit de Grande-Bretagne et les 5 000 livres du *Daily Mail* s'est terminée dans la mer, au nord de Dublin. Au moment d'amerrir pour régler son moteur, un Green de 100 ch, son pied glissa sur le palonnier, entraînant son hydravion Sopwith dans une embardée. Hawker est indemne mais son passager, Harry Kauper, a un bras cassé. Le *Mail* leur a accordé 1 000 livres de consolation.

Aux USA, Beachey imite Pégoud

Californie, 1ᵉʳ novembre
Lincoln Beachey, le Casse-cou des airs, a exécuté trois loopings à bord de son Curtiss biplan et a atterri au milieu des pavillons construits pour la Panama Pacific Exposition de San Francisco. Beachey s'était bien juré de raccrocher, et avait rangé son célèbre costume à rayures et sa non moins fameuse casquette de golf. Mais lorsqu'il a appris que le Français Adolphe Pégoud avait réussi un looping sur son Blériot monoplan, il a décidé de reprendre du service pour prouver qu'il pouvait faire mieux. (→ 14.3.15)

Monaco organise la coupe Schneider

Monaco, 16 avril
Jacques Schneider, le commissaire de l'Aéro-Club de France, avait annoncé publiquement, le 5 décembre 1912, la création d'une épreuve internationale pour hydravions : la coupe Schneider. Les inscriptions avaient été nombreuses : 26 candidats dont 24 pour la France. Après les éliminatoires, il ne reste plus désormais que quatre concurrents, tous sur matériel français. Sur la ligne de départ, Gabriel Espanet (Nieuport), Roland Garros (Morane-Saulnier), Maurice Prévost (Déperdussin). Un seul

Américain en lice : Charles Weyman sur un Nieuport. Une épreuve d'hydroplanage de 4 700 m précède le décollage. C'est là qu'Espanet et Roland Garros sont éliminés sur ennuis de moteur. Le duel oppose donc le Nieuport et le Déperdussin. Ils doivent franchir une distance d'au moins 2,5 milles marins avant d'accomplir en vol 150 milles marins, soit environ 280 km. Maurice Prévost boucle cette distance en 3 h 48 min 22 s à la vitesse moyenne de 72,836 km/h. Il empoche la somme de 25 000 francs et le trophée d'argent et de bronze.

Dans la baie de Monaco, les hydravions placés sur six rangs pour le départ.

Sikorsky fait voler un quadrimoteur

Premier quadrimoteur au monde, l'aéroplane géant construit par Igor Sikorsky avant son vol d'essai.

Russie, 2 août
C'est un record établi dans un pays pourtant peu réputé pour être en avance sur le plan aéronautique. Le constructeur russe Igor Sikorsky vient en effet d'enregistrer un vol de 1 h 54 min avec huit personnes à bord de son avion quadrimoteur, le *Grand*. Doté de quatre moteurs Argus de 100 ch, cet avion possède aussi un train d'atterrissage comprenant 16 roues. Le 13 mai, déjà, le *Grand* avait volé dix minutes avec un équipage de trois hommes. Il avait ainsi donné tort aux esprits chagrins qui remettaient en cause sa taille et son poids jugés trop importants pour permettre au pilote de décoller puis, une fois en l'air, d'évoluer en toute sécurité. La cabine fermée avait elle aussi alimenté la critique. L'ingénieux Igor Sikorsky s'était déjà fait connaître en 1909 pour ses recherches sur hélicoptère. Son record prouve son génie de façon spectaculaire et magistrale. (→ 11.7.14)

De Nancy au Caire en trente jours

Le Caire, 29 décembre
Un triomphe attendait Jules Védrines à son arrivée en Egypte. Parti de Nancy le 20 novembre, à bord d'un Blériot, il est passé par l'Europe centrale et l'Asie Mineure, ce qui représente une distance de 5 400 km. Prague, Vienne, Belgrade, Constantinople, Beyrouth et Jaffa ont été les principales étapes de son raid. Ce nouveau succès, qui fait beaucoup pour le prestige de la France, confirme aussi la valeur de ce pilote déjà chéri du public. Cet ancien mécanicien a conquis la gloire par sa fantaisie toute faubourienne autant que par son incroyable mépris du danger.

Jules Védrines devant les Pyramides.

L'aventure se termine pour Samuel Cody

Aldershot, 7 août
Disparition tragique, ce matin, de Samuel Cody. Son hydravion, un appareil de 18 m d'envergure qu'il avait conçu pour la course du Tour de Grande-Bretagne, s'est disloqué en plein vol, entraînant également la mort de son passager. Cody avait 52 ans. Texan au charisme reconnu, il avait collaboré avec l'armée britannique. Il était aussi le premier homme à avoir volé en Grande-Bretagne. Cette disparition accable sa famille et ses nombreux admirateurs. Des funérailles militaires seront organisées en son honneur.

A Laffan's Plain, les débris de l'appareil de Cody après sa chute mortelle.

La rage d'aventure des sœurs Stinson

Montana, 27 septembre
« Si d'autres peuvent voler, alors pourquoi pas moi ! » Cette déclaration d'une extraordinaire détermination a été faite par une jeune femme, Katherine Stinson, première femme pilote d'un avion postal. Ces quatre derniers jours, elle a inauguré officiellement la première liaison postale du Montana en acheminant un courrier de quelque 1 300 lettres et cartes postales, des faubourgs de la ville d'Helena jusqu'au centre-ville, sans jamais se départir de son charme ni de sa féminité. Bizarrement, cette passion, Katherine la doit à une vocation première pour la musique, qui lui fit décider d'apprendre à piloter pour payer ses études de piano. C'est alors le coup de foudre pour l'aviation, pour laquelle elle abandonne tout, ne se consacrant désormais qu'à un seul but : voler. Partie à Chicago, chez Max Lillie, elle termine son instruction et obtient sa licence, il y a un peu plus d'un an. Elle devient ainsi, à vingt et un ans, la quatrième femme aux Etats-Unis à avoir un brevet de pilote. Sa sœur, Marjorie, suit avec ferveur les exploits de son aînée et est gagnée par le même enthousiasme. Comment désormais ne pas s'incliner devant tant d'audace et ne pas reconnaître que les femmes aussi peuvent piloter ? (→ 17.12.15)

Les sœurs Stinson, Katherine et Marjorie, juste après un vol.

La France détient tous les records du monde

Saint-Raphaël, 8 décembre

Pour la troisième fois consécutive dans l'année, un nouveau record mondial est réalisé en France : Georges Legagneux vient de battre le record du monde d'altitude à bord d'un Nieuport, à plus de 6 000 m d'altitude au-dessus de Saint-Raphaël. Cette glorieuse trilogie a débuté avec Maurice Prévost qui a volé à plus de 200 km/h pendant les épreuves de la coupe Gordon-Bennett en septembre dernier. Il battait douze records mondiaux à bord de son monocoque Déperdussin dessiné par L. M. Bechereau, équipé d'un moteur Gnome de 160 ch. Le 13 octobre, A. Seguin parcourait 1 020 km à bord d'un Farman, établissant ainsi un nouveau record mondial de distance.

Le monocoque Déperdussin, vainqueur de la coupe Gordon-Bennett grâce à son fuselage aérodynamique.

Le Ve Salon s'achève par des loopings

Paris, 25 décembre

Cette année encore, le Grand Palais réunit durant trois semaines tout ce qui compte dans le monde aéronautique. Les constructeurs, pour cette cinquième exposition internationale, semblent avoir mis l'accent sur une utilisation plus militaire que civile des appareils. Les avions présentés ont tous fait leurs preuves lors de nombreux vols. Peut-être s'agit-il là de raisons qui peuvent en partie expliquer les ressemblances entre les modèles exposés par les grandes marques. Sur un plan purement technique, on peut souligner le fait que la structure des appareils est presque toujours mixte, acier et bois. En outre, la mode, cette année, semble être à l'amélioration des empennages fixes. Dans le domaine militaire, la construction des avions blindés semble être bien engagée. De leur côté, les hydravions font l'objet d'un développement sans précédent. Le Ve Salon a connu une issue pour le moins spectaculaire avec une démonstration de loopings qui a récompensé de leur curiosité les visiteurs venus nombreux admirer les progrès techniques réalisés.

Soldat de fortune

Mexique, 30 mai

Feu à volonté ! Pour sa première mission de mercenaire, qui est aussi la première attaque aérienne au monde d'un navire de combat, Didier Masson largue ses projectiles sur le *Sonora* dans le port de Guaymas. Tout a commencé à Los Angeles, quand cet ancien mécanicien de Louis Paulhan rencontre deux colonels de l'armée rebelle mexicaine : ils lui rachètent pour 5 000 dollars son aéroplane Martin et le transforment en bombardier. A aucun moment cependant Masson ne parvient à atteindre son objectif.

Dancourt casse son avion en Turquie

Turquie, 26 novembre

Il est à 3 500 m d'altitude, et c'en est fini de son rêve. Pierre Dancourt, qui fut le premier à avoir accompli Paris-Berlin en avion, a dû abandonner l'expédition qui devait le mener jusqu'au Caire. Parti d'Issy-les-Moulineaux le 20 octobre à bord d'un Borel, il a dû faire face aux pires difficultés : un temps défavorable, une traversée des Balkans difficile. Il casse définitivement son avion dans les monts du Taurus, en Turquie.

Le Texas accueille la première escadrille

Etats-Unis, 5 mars

L'armée américaine croit fermement à l'avenir de l'aviation. Au moment où ses troupes s'apprêtent à intervenir au Mexique, le *First Aero Squadron* a été formé au Texas. Stationnée à Texas City, cette escadrille, commandée par le capitaine Chandler et équipée de biplans Wright, devrait être chargée de missions d'observation le long de la frontière mexicaine.

Deux appareils de la première escadrille d'aviation réunie aux Etats-Unis.

A Buc, Pégoud expérimente sur Blériot XI un système d'accrochage en vol de l'avion à un câble tendu, en vue d'une application maritime.

Le premier prototype de l'Avro 504, dont le potentiel se révèle si exceptionnel que l'appareil sera encore en service dans les années 30.

Bien qu'étant le premier hydravion construit en Grande-Bretagne, le Sopwith Bat Boat reste un appareil aux performances modestes.

Le Grahame-White Charabanc ou Aerobus constitue l'une des premières tentatives de produire un avion pour le transport de passagers.

Le RAF HRE.2 n'est pas équipé de flotteurs pour ses premiers essais.

Un Fokker M I se prépare à décoller avec une passagère à bord.

Le prototype du Sopwith Tabloid en vol qui sera utilisé par le RAC.

Le Sikorsky Le Grand donnera naissance au puissant Ilya Muromets.

Le Farman MF.7 bis est équipé de protections à l'avant qui empêchent l'avion de capoter au sol. Cette version est équipée d'un moteur Renault 130 ch.

L'Avro Type 500, prédécesseur du 504, est considéré par son concepteur, A. V. Roe, comme son premier appareil vraiment réussi.

Le bombardier Ilya Muromets est dérivé du Sikorsky Le Grand, mais il est équipé de quatre moteurs Argus indépendants tractifs. Il établit en peu de temps un certain nombre de records du monde.

Le Farman F.20 est le dernier modèle produit par Henri Farman seul, mais il se révèle un avion d'entraînement tout à fait performant. Ce biplan est équipé d'un moteur propulsif.

Le Fokker M 2 est un monoplan d'allure racée, dont l'aile basse met en œuvre un dièdre inhabituel.

L'amphibie Caudron prêt à décoller à Deauville. Comme tous les hydravions de son époque, il possède de larges flotteurs peu aérodynamiques.

Le Morane L, le premier d'une longue série de monoplans Parasol.

Le système de gauchissement du RE.1 sera remplacé par des ailerons.

Le Burgess-Dunne Seaplane est un hydravion américain dérivé d'une « aile volante » britannique. Il est produit à trois exemplaires.

Le Royal Aircraft Factory AE.1 sert de prototype à la série FE.3, un avion de chasse à moteur propulsif typique de son temps et très fortement inspiré par les réalisations des avionneurs français.

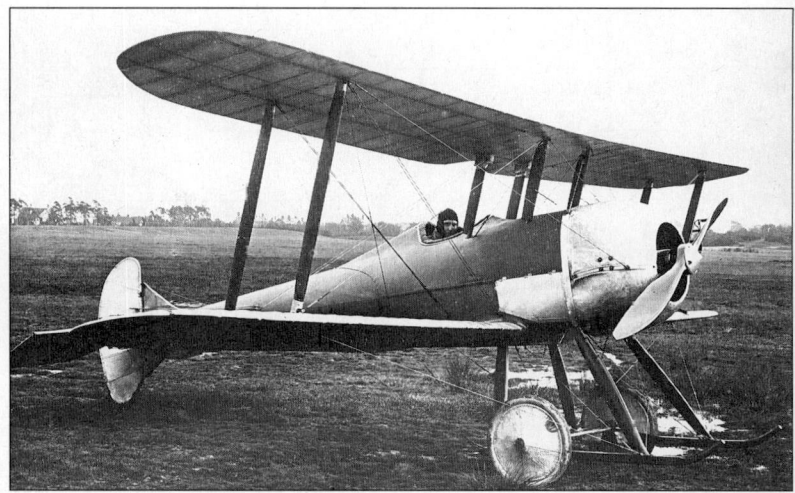

Geoffrey de Havilland aux commandes du Royal Aircraft Factory BS.2.

Le Sopwith D.1 offre deux places à des passagers devant le pilote ; son exhibition au salon d'Earl's Court de 1913 est très remarquée.

Bien que plus connue pour ses gros bombardiers terrestres, la firme Friedrichshafen a produit quelques beaux hydravions, comme le FF.31.

Une photo rare d'un hydravion Curtiss F en vol, dont 150 exemplaires sont pris en compte par l'US Navy pour l'entraînement et l'observation maritime. Il est également utilisé par la marine russe.

1914

203,81 km/h
France
Maurice Prévost
Monocoque Déperdussin
29.9.13

1 900 km
Allemagne
Werner Landmann
Albatros
28.6.14

8 150 m
Allemagne
Heinrich Oelerich
DFW
14.7.14

4 800 kg
Russie
Igor Sikorsky
Ilya Mourometz A

225 ch
Grande-Bretagne
Sunbeam

Egypte, 1er janvier
Partis de Paris le 10 novembre dernier, Marc Bonnier et son mécanicien Barnier atterrissent au Caire après un périple de 5 400 km à travers l'Europe centrale sur un Nieuport à moteur Gnome de 80 ch.

Chine, 1er janvier
L'armée chinoise se dote de l'arme aérienne. Une école d'aviation est créée à Nan Yuan pour former des aviateurs au pilotage des biplans Caudron livrés l'année dernière.

Paris, 8 janvier
Eugène Gilbert se pose « en douceur » sur un toit, 216, rue Saint-Charles. Il est tombé en panne de moteur au moment d'atterrir à Issy-les-Moulineaux. (→ 23.8.15)

Port-Aviation, 12 février
Jean Ors saute à 500 m d'altitude d'un monoplan Déperdussin piloté par Lemoine, avec le parachute qu'il a inventé. Il déclenche l'ouverture à 300 m au moyen d'une corde tenue à la main et met 39 s pour arriver au sol sain et sauf.

Grande-Bretagne, 23 février
Harry Busteed atteint 153 km/h avec le prototype du Bristol Scout A, dès le début des vols d'essais à Larkhill. (→ 3.11.15)

Italie, 26 février
Le capitaine Guidoni lance une torpille dans la baie de La Spezia à partir d'un biplan Farman.

Monaco, 20 avril
Le Britannique Howard Pixton gagne la seconde coupe Schneider, à la vitesse de 139,73 km/h. Son Sopwith Tabloid muni d'un Gnome de 100 ch a été transformé en hydravion. (→ 10.9.19)

Suisse, 22 avril
Oscar Bider franchit les Alpes de Berne à Brigue avec un passager, Hans Kempf. (→ 7.7.19)

Issy-les-Moulineaux, 1er mai
Le pilote Rugère réussit à faire décoller un biplan Voisin équipé d'un canon Hotchkiss de 37 mm pesant 100 kg à l'avant de la nacelle. Un essai de tir à blanc est ensuite réalisé au sol. L'obus ricoche et pénètre dans l'appartement d'un Anglais, à Auteuil. Il n'y a pas de victime, mais les expériences sont arrêtées.

Sydney, 2 mai
Maurice Guillaux, qui effectue des démonstrations en Australie depuis le 20 avril dernier avec son Blériot, réalise dix loopings d'affilée devant 60 000 personnes.

Hammondsport, 28 mai
Curtiss fait voler l'*Aérodrome* de Samuel Langley avec succès. Il a reconstitué l'aéroplane de 1903 à la demande de Walcott, secrétaire de la Smithsonian Institution, et a reçu pour cela 2 000 dollars. L'intention de Walcott était de prouver qu'une autre machine aurait pu voler avant celle des frères Wright, compromettant ainsi leurs brevets.

France, 10 juin
Le concours lancé par l'Union pour la sécurité en aéroplane s'achève sans que le grand prix de 400 000 F soit attribué. Elmer Sperry reçoit cependant un prix de 50 000 F pour son stabilisateur gyroscopique qu'a présenté son fils Lawrence en volant les bras en l'air sur un hydravion Curtiss F, alors que son mécanicien se tenait debout sur l'aile.

New York, 29 juin
Curtiss emmène neuf passagers sur l'hydravion *America*, baptisé à Hammondsport il y a une semaine. Il l'a construit pour Rodman Wanamaker en vue de gagner le prix du *Daily Mail* pour la traversée aérienne de l'Atlantique.

Berlin-Johannisthal, 10 juillet
Reinhold Boehm établit un record d'endurance, en volant 24 h 12 min sur l'Albatros SB 1 construit par Ernst Heinkel.

Australie, 18 juillet
Maurice Guillaux atterrit à Sydney en ayant accompli un vol postal à bord de son Blériot. Il est parti de Melbourne avant-hier avec 1 785 lettres et un chargement de thé.

Washington, 18 juillet
Le Congrès autorise la création de l'Aviation Section du Signal Corps, avec un effectif de 60 officiers. L'acte officiel limite le recrutement aux hommes célibataires.

Grande-Bretagne, 28 juillet
Pressé par Winston Churchill d'accélérer les expérimentations, Arthur Longmore, pilote de la Royal Navy, réussit à larguer en vol une torpille de 356 mm à partir d'un hydravion Short. (→ 17.8.15)

Norvège, 30 juillet
Le pilote norvégien Trygve Gran traverse la mer du Nord à bord d'un monoplan Blériot. Parti d'Ecosse, il a couvert les 320 km en 4 h 10 min.

France, 1er août
Plusieurs industriels, dont Louis Blériot, reprennent les activités de la Spad, Société de production des aéroplanes Déperdussin, mise en faillite. Ils gardent le sigle qui signifie désormais Société anonyme pour l'aviation et ses dérivés. (→ 21.5.15)

Suisse, 1er août
Avec neuf pilotes sous ses ordres, le capitaine Real crée le Corps des aviateurs militaires. Il comporte deux escadrilles, l'une équipée de 4 biplans, l'autre de 4 monoplans.

Lunéville, 3 août
Un avion allemand lâche six bombes sur la ville, causant peu de dégâts, le jour même où l'Allemagne déclare la guerre à la France.

Grande-Bretagne, 12 août
Victor Mahl commence les essais de l'avion terrestre de combat PB.9, conçu et construit en 9 jours par Pemberton Billing. Celui-ci a officiellement fondé le 27 juin dernier sa firme de construction d'hydravions. (→ 20.9.16)

Belgique, 22 août
Les reconnaissances aériennes du Royal Flying Corps permettent de repérer les mouvements allemands vers Mons. Le RFC perd également son premier avion, un Avro 504, abattu par des tirs venus du sol.

Chine, 1er septembre
Quatre hydravions japonais coulent un mouilleur de mines allemand à Qingdao. Ils sont basés sur le *Wakamiya Maru*, cargo transformé en porte-hydravions. (→ 22.6.20)

Russie, 8 septembre
Pour défendre le terrain de Sholkiv, le lieutenant russe Nesterov précipite son Morane sur l'avion du lieutenant von Rosenthal, chef d'une patrouille autrichienne. Les deux pilotes sont tués dans l'éperonnage.

France, 24 septembre
Au-dessus de l'Aisne, des avions du RFC envoient au sol des messages radio pour régler les tirs d'artillerie.

Anvers, 8 octobre
Le lieutenant Marix revient à bicyclette d'une mission de bombardement. A bord d'un Sopwith Tabloid, il vient de détruire le nouveau zeppelin *LZ 9* à Düsseldorf. Mais il est tombé en panne de moteur au retour, à 32 km de sa base. (→ 21.11)

Le Bourget, 9 octobre
Recherchant un nouveau terrain d'aviation pour défendre Paris, le capitaine Lucca pose son biplan sur le plateau d'Aéropolis choisi dès 1910 pour le projet, resté sans suite. (→ 22.5.15)

Chine, 6 novembre
Le lieutenant de vaisseau Plüschow réussit à s'évader du port de Qingdao avec son Taube, au moment où les Japonais s'emparent de la ville.

Pau, 23 novembre
Après cinq refus pour faiblesse de constitution, Georges Guynemer est admis comme élève mécanicien à l'école d'aviation. (→ 19.7.15)

Douvres, 24 décembre
Une bombe larguée du Taube du lieutenant Prondynski, à 1 640 m d'altitude, explose près du château.

La première victoire aérienne : le 5 octobre, près de Reims, le sergent Frantz et le mécanicien Quenault sur Voisin, abattent un Taube.

Jannus inaugure le service aérien régulier

Fansler, patron de la compagnie, Phiel, maire de la ville, et le pilote Jannus.

St. Petersburg, 1er janvier
Ce matin, le premier passager de l'histoire de l'aviation commerciale n'était pas très rassuré. Il devait pourtant à ses administrés cet acte de courage, puisqu'en effet il s'agit du maire de la ville. D'ailleurs le voyage, qui a duré 23 min pour une distance de 29 km, s'est passé dans des conditions idéales. A 10 h précises, le pilote Jannus, vêtu d'une élégante veste de flanelle, d'un pan-

talon blanc et d'un nœud papillon, a pris place à côté de lui et l'hydravion, un Benoist XIV, s'est envolé pour sa destination, la ville voisine de Tampa. Ce vol inaugure donc la ligne régulière qui reliera désormais ces deux villes de Floride. Nul doute que le prix du voyage convaincra de nombreux passagers : 5 dollars à peine, c'est-à-dire le prix d'un simple baptême de l'air dans un meeting.

Incident aérien au-dessus de Veracruz

La base aérienne de la marine américaine installée à Pensacola, en Floride.

Mexico, 6 mai
L'hydravion Curtiss AB-3 du lieutenant Bellinger, de l'US Navy, a été touché pendant un vol de reconnaissance. C'est pour l'Amérique le premier appareil militaire à être atteint par un tir ennemi. Depuis le coup d'Etat et la prise de pouvoir du général Huerta, le 22 février 1913, les relations entre Mexico et les Etats-Unis sont tendues. Il y a quelques mois, au début de l'année,

des marins avaient été arrêtés à Tampico. Bien qu'ils aient été libérés depuis, les forces de la marine ont été dirigées vers Veracruz, où elles sont arrivées il y a un mois, avec plusieurs hydravions Curtiss AB-3. Le 25 avril, Bellinger a fait un vol d'observation pour repérer des mines dans le port de Veracruz. C'était la première opération militaire aérienne que les Etats-Unis engageaient contre un autre pays.

Le G 3 décolle du torpilleur « La Foudre »

Décollage réussi de l'hydravion Caudron depuis le torpilleur « La Foudre ».

Fréjus, 7 mars
La marine prépare la guerre. Elle a effectué une nouvelle expérience à bord du contre-torpilleur *La Foudre*, transformé depuis 1912 en porte-hydravions. Après le *Canard* Voisin, elle s'intéresse au Caudron G 3 à flotteurs, équipé de roues. René Caudron, de retour de Chine où il a vendu 12 G 3 et où il

a contribué à la répression d'une insurrection grâce à ses observations aériennes, se charge lui-même du vol d'essai. Il décolle sans problème du pont du bâtiment sur le biplan biplace à moteur rotatif Le-Rhône de 80 ch. L'appareil vole à 112 km/h au-dessus du niveau de la mer, monte à 2 000 m en 20 minutes pour plafonner à 4 000 m.

Marc Pourpe s'aventure en Afrique

Le Caire, 3 février
Plus de 4 500 km et jamais de retard sur l'horaire prévu : ce raid restera dans les mémoires comme un des plus remarquables. Et, pourtant, Marc Pourpe, qui l'a entrepris sur un Morane-Saulnier, a accumulé les difficultés en traversant une région que pas un avion n'a encore survolée, par une température accablante. Que de beautés : de l'Egypte au Soudan, Le Caire, la vallée du Nil, Louxor, Ouadi Halfa, le désert de Nubie, Khartoum, aller et retour, peut-on imaginer un itinéraire plus fascinant, des paysages plus grandioses ? L'étape la plus difficile a été la traversée des 350 km du désert de Nubie avec ses vents brûlants et l'aveuglante réverbération du soleil sur la blancheur du sable. Mais Marc Pourpe a l'habitude des vols en pays lointains. En 1912, il a accompli un tour de l'Asie qui l'a conduit aux Indes, en Malaisie, au Cambodge et en Indochine.

Marc Pourpe arrive à Khartoum.

Un Paris-Brest mouvementé pour Challe

Buc, 3 mai

La « cage à poule » est de retour. Maurice Challe, accompagné de son mécanicien Béasse, a atterri à Buc après onze heures de voyage. Partis le 27 avril, ils s'envolent à bord du Henri-Farman n° 42 pour le premier vol entre Paris et Brest. Challe espère alors toucher son but sans encombre. C'est sans compter avec les incidents mécaniques qui se produisent vers 10 h 45, obligeant l'aéroplane à atterrir à Rennes. Les deux aviateurs y resteront bloqués quatre jours. Le vendredi 1er mai, l'appareil est enfin réparé. Challe décolle et, deux heures et demie plus tard, atterrit à Saint-Pierre, l'aérodrome de Brest. Il n'aura fallu au pilote que 6 h 20 min pour relier les deux villes. Dès le lendemain matin, l'appareil repart et la série noire continue : à cours d'essence, Challe est contraint d'atterrir à Saint-Brieuc, sur un champ cultivé. Mais la magnéto ne répond plus et le moteur ne veut rien savoir. Devant l'exiguïté du terrain, il décide de décoller seul, avec le minimum d'essence. Il atterrit à Cesson, récupère son mécanicien et, enfin, arrive à Buc. Il a parcouru un millier de kilomètres avec autant d'aventures qu'il pouvait souhaiter.

Le lieutenant Maurice Challe sur son biplan Henri-Farman.

Fokker copie le Morane-Saulnier

Allemagne, 18 juin

La *Fokkeraeroplanbau* vient de réaliser une opération aux retombées commerciales très fructueuses. Une commission militaire recommande l'adoption du Fokker M.5L par les armées allemandes. Equipé d'un moteur Oberursel de 80 ch, l'avion a effectué une démonstration de voltige aérienne époustouflante qui a conquis tous les militaires présents. Là où l'affaire ne manque pas de sel, c'est que le M.5L, est une imitation « améliorée » du Morane-Saulnier type H. Pressé par le temps et le manque d'argent, Fokker a trouvé plus simple d'acheter un avion français et de s'en servir comme modèle.

George V visite l'Olympia Air Show

Londres, 16 mars

Pour ce cinquième spectacle aérien présidé par le roi George V, deux biplans ont créé la surprise : l'Avro Scout et le Bristol Scout. Comparables dans leurs lignes au Tabloid de Sopwith, ces monoplaces sont dotés d'un moteur Gnome de 80 ch qui permet au Bristol de dépasser les 145 km/h. La compétition est très ouverte entre les Britanniques et les Français. Neuf des 25 modèles présentés ont été conçus pour opérer à partir de l'eau. Les Sopwith ont exposé la nouvelle version de leur Bat Boat, mais pas leur remarquable hydravion à deux flotteurs. Les Short, trop occupés par leurs travaux, n'ont présenté aucun modèle.

Avions et hydravions réunis à Monaco

Roland Garros, grand vainqueur du rallye sur son hydravion Morane-Saulnier.

Monaco, 15 avril

Une victoire éclatante pour Roland Garros au rallye de Monaco, sur monoplan Morane-Saulnier à moteur Gnome 80 ch. Vingt-cinq appareils participaient à ce rallye (18 français, 7 allemands), dont 2 Breguet, 3 Déperdussin, 2 Farman, 5 Morane-Saulnier, 3 Nieuport et 1 REP. Il comportait des épreuves pour avion (sept itinéraires vers Monaco, depuis Paris, Londres, Bruxelles, Gotha, Madrid, Turin, Vienne) et pour hydravion (Marseille-Monaco ou Gênes-Monaco). Des Moulinais, Renaux, Verrier, Mallard ont couvert un itinéraire complet. Garros en a réussi trois, mais au vol retour de Buc à Monaco, il a dû abandonner à Orange. Il remporte le premier prix pour Monaco-Buc en 12 h 27 min et le deuxième pour Bruxelles-Monaco en 12 h 27 min 13 s.

Saint-Pétersbourg - Kiev en 10 h 30 min

Saint-Pétersbourg, 11 juillet

Que serait l'aéronautique sans le génie du constructeur Igor Sikorsky ? Son nouvel exploit traduit une fois encore son sens de l'innovation. Il vient en effet, aux commandes de son Ilia-Mourometz et avec des passagers à bord, de relier Saint-Pétersbourg à Kiev et retour, soit une distance totale de 2 560 km en 10 h 30 min. Ce nouveau quadrimoteur, réplique du *Grand*, possède une cabine confortable équipée de vestiaires et de lavabos. Les passagers ont même eu droit à un repas servi à bord.

Le quadrimoteur russe Ilia-Mourometz, muni de skis, s'apprête à atterrir.

Préparation d'une arme nouvelle : l'aviation

Joffre inspecte les biplans blindés Dorand

Le général Joffre passe en revue les biplans blindés du commandant Dorand.

France, 13 juin
Aujourd'hui, le général Joffre a assisté à une revue d'un genre inédit : à Villacoublay, le général Bernard lui a présenté l'escadrille des biplans blindés du commandant Dorand. Les œuvres vives de ces appareils, si vulnérables aux projectiles tirés du sol, sont protégées par des plaques d'acier. L'escadrille, dont deux avions sont armés, a décollé sous les yeux de Joffre pour un raid de 300 km qui la mènera à Dijon. Le généralissime a été très impressionné. Il pense que l'aviation militaire peut rendre d'inestimables services. Les reconnaissances, les réglages de tirs d'artillerie sont du ressort de l'aviation. Du coup, les cavaliers et les artilleurs grincent des dents : ils estiment que c'est là leur domaine réservé.

Des armes offensives pour les avions

Début de l'artillerie aérienne : premier essai de mitrailleuse sur un Voisin.

France, juillet
En France, en Grande-Bretagne, en Belgique et en Allemagne, les aviateurs militaires adaptent des armes offensives sur leurs avions. Pour l'instant, il n'est pas encore question de se battre dans les airs. Le haut commandement et les pilotes eux-mêmes hésitent à envisager des combats aériens. Pourtant, dès 1912, le commandant Mathieu expérimentait en Belgique une mitrailleuse Lewis montée sur la nacelle d'un Farman. En France, en avril 1914, Raymond Saulnier déposait le brevet d'un dispositif de synchronisation du tir de la mitrailleuse avec l'hélice. A Berlin, Franz Schneider déposait un brevet similaire. Il est donc probable que d'ici quelques mois, on se mitraille aussi dans le ciel.

FORCES EN PRÉSENCE AU 1ᵉʳ AOUT 1914					
	escadrilles	avions	pilotes	personnel	observations
France	23	132	200	4382	+ 10 dirigeables
Grande-Bretagne		179	250		+ 30 dirigeables
Allemagne	41	246	254		+ 30 dirigeables
Italie		9	20		
Autriche-Hongrie		10	chiffre inconnu		
Russie		150	300		
Turquie		10	chiffre inconnu		

Des Farman transformés en bombardiers

France, 1ᵉʳ juillet
Les éclaireurs se transforment en bombardiers. Les Farman MF 11 et les Blériot XII-2 destinés à l'exploration et à la reconnaissance aérienne emportent maintenant des bombes. L'état-major y songeait depuis longtemps, des dispositifs de largage existent, mais, le plus souvent, c'est à la main qu'on largue les bombes qui tombent là où la pesanteur veut bien les diriger. En fait, ces bombes sont des obus de 90 ou de 120 mm, munis d'un empennage à ailettes. Ainsi allongés, les « obus-bombes » ou les « bombes-obus » plongent à la verticale. Pour éviter tout risque d'explosion en vol, les obus, stockés dans la carlingue, sont attachés. Une fois au-dessus de sa cible, le bombardier fixe le percuteur et jette les bombes par-dessus bord.

MF 11 équipé pour lancer des obus.

L'aviation militaire doit faire ses preuves

Europe, 4 août

L'étudiant Gavrilo Princip aurait-il tiré sur l'archiduc François-Ferdinand s'il avait su que son geste entraînerait une guerre ? Question oiseuse, répondront les cyniques : toutes les puissances européennes avaient des raisons de se faire la guerre. Si, en matière d'aviation, la France et ses alliés possède un léger avantage numérique (415 avions contre 310), cet avantage n'a pas de signification pratique, car les stratèges des deux camps excluent *a priori* de faire de l'aviation une arme offensive. On lui assigne, avec réticence du côté français, deux missions : la reconnaissance et le réglage d'artillerie. Mais les états-majors font plus confiance aux reconnaissances de la cavalerie légère. De même, on ne peut guère parler de supériorité qualitative, tous les appareils ayant des performances semblables, un plafond voisin de 2 500 m et une vitesse ne dépassant pas 110 km à l'heure. Il semble bien que, dans ce nouveau conflit, le sort de l'aviation militaire en tant qu'arme va dépendre avant tout de la capacité des aviateurs à prouver leur efficacité.

Une escadrille de Farman MF 7 en service dans l'armée française. Dans les deux camps, les aviateurs militaires se tiennent prêts à intervenir.

Le Royal Flying Corps vient à la rescousse

Le Royal Flying Corps débarque en France pour aider le pays en difficulté.

France, 18 août

Le RFC a effectué aujourd'hui les premiers vols de reconnaissance depuis son entrée en guerre. Ils ont été menés depuis la base de Maubeuge par le capitaine Joubert de la Ferté, de l'escadrille n° 3, sur un Blériot, et par le lieutenant Mapplebeck, escadrille n° 4, sur un BE 2. La Ferté devait voir quelles étaient les forces belges aux environs de Nivelles, et Mapplebeck devait observer si la cavalerie allemande opérait encore dans le secteur de Gembloux. Les deux missions furent un échec, car les deux envoyés se sont perdus et n'ont eu que très peu à rapporter à leur retour à Maubeuge. Mais c'est un début, car il n'y a que six jours que les trois premières escadrilles ont traversé la Manche, constituant la première force nationale structurée partant en guerre au-delà des mers. Accueillies avec enthousiasme à leur arrivée en France, elles ont gagné leur base de Maubeuge il y a 3 jours. Mais cette entrée en guerre a déjà fait des victimes. Cinq pilotes ont trouvé la mort, quatre appareils ont été détruits, et d'autres ont été endommagés.

Mission périlleuse pour 2 Voisin à Metz

France, 14 août

Il a fallu un formidable sang-froid au lieutenant Cesari et au caporal Prudhommeau pour aller bombarder le hangar à zeppelins de Metz-Frescaty. Partis de Verdun par un temps radieux à 17 h 30, les deux aviateurs se sont dirigés directement sur Metz. Parvenus au-dessus de la ligne des forts, les deux Voisin furent accueillis par un véritable tir de barrage : toutes les batteries de la place de Metz leur tiraient dessus. Sans se troubler outre mesure, les aviateurs naviguant entre 2 000 et 2 500 m d'altitude arrivèrent au-dessus de leur cible. Ils disposaient d'un lance-bombes, dispositif de lancement imaginé par le capitaine Mauger-Devarennes qui permet de larguer un obus de 155 mm fuselé. Cette innovation leur a évité de faire comme les autres équipages, qui larguent leurs charges, obus et fléchettes Bon à la main. Les deux aviateurs ont lancé avec succès leurs obus, mais les points d'impact étant masqués par la fumée des explosions, ils n'ont pu observer les résultats de leur action. Ils sont rentrés à Verdun sans ennuis, poursuivis par les tirs nourris des batteries allemandes pendant plus de 10 kilomètres.

Paris est bombardé

Paris, 30 août

A 12 h 35, ce dimanche, un Taube vient de lâcher trois bombes sur la capitale, qui tombent rue des Récollets, quai de Valmy et rue des Vinaigriers, faisant une victime et peu de dégâts. Immédiatement après, les Parisiens, médusés, voient une banderole lestée d'un sac de sable avec le message suivant : « L'armée allemande est aux portes de Paris. Vous n'avez plus qu'à vous rendre. Lieutenant von Hiddsen. »

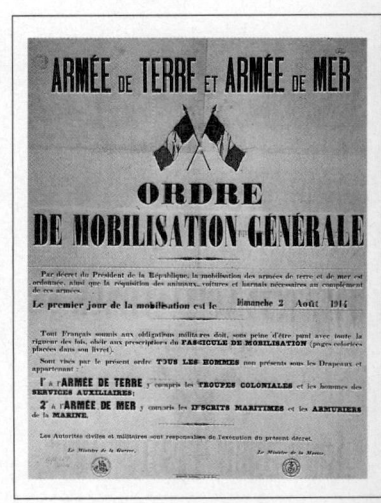

Les aviateurs observent l'avance allemande

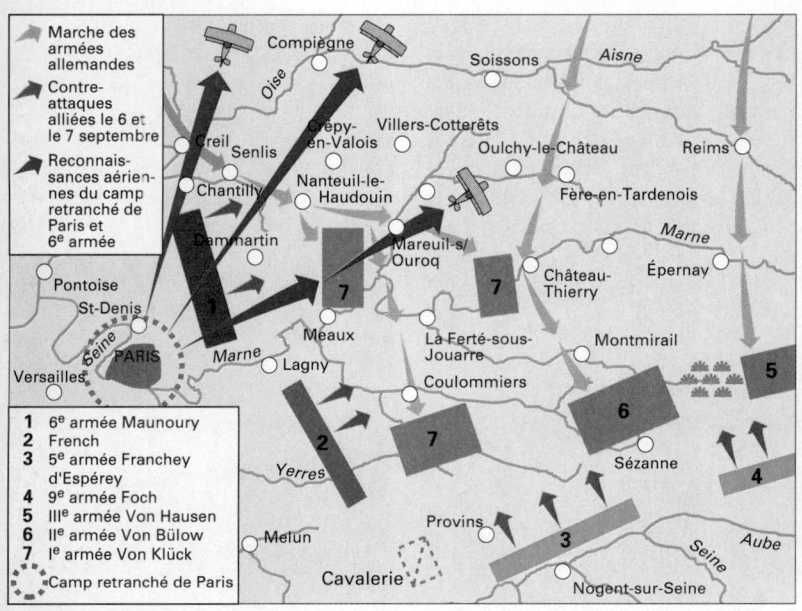

Premier rôle de l'aviation : la reconnaissance. Ici, un Caudron G 3 en vol.

France, 4 septembre

Depuis le 19 août, les armées allemandes déferlent sur le sol français. Surpris par cette attaque qui est partie du territoire belge, le général Joffre, le 24 août, a été contraint d'ordonner un repli général des armées du Nord. Malgré des retours offensifs violents, les soldats français et le corps expéditionnaire britannique du général French n'ont pu encore se rétablir sur des positions sûres. La Somme et l'Aisne sont tour à tour abandonnées ; les corps d'armée de von Klück, précédés de leur cavalerie, avançant de près de 30 km par jour. Dans la soirée du 2 septembre, à la demande de Joffre, le gouvernement a quitté la capitale pour Bordeaux. A Paris, le commandant du camp retranché, le général Gallieni, organise fébrilement la défense, tandis que la 6e armée du général Maunoury se tient prête à agir. Les avant-gardes des colonnes ennemies sont sur l'Oise, face au sud-ouest. Paris semble donc directement menacé. Mais, si Joffre a des soupçons, il n'a pas de certitude. Le salut va venir du ciel : de l'aviation du camp retranché de Paris et de celle de la 6e armée où le capitaine Bellenger déploie une inlassable activité. Le 2 septembre, un avion décolle avec à bord le caporal Louis Breguet et son observateur, le lieutenant Watteau ; ils aperçoivent des cavaliers et des fantassins se dirigeant vers l'est. Bellenger, de son côté. envoie ses escadrilles, l'une équipée de REP, l'autre d'avions Maurice-Farman, en inspection aux alentours de Creil et Senlis, et surveiller la lisière des forêts d'Halatte et d'Ermenonville. Les appareils signalent à l'est une colonne d'infanterie longue de 10 km entre Senlis et Verberie. Le lendemain, le capitaine Bellenger fait encore explorer la zone à l'est de Paris. Tous les pilotes rapportent que les troupes observées la veille se dirigent vers le sud-est. Ces indices démontrent que von Klück a abandonné l'idée de prendre Paris et infléchit sa marche vers l'est pour couper l'armée britannique du gros des forces françaises, permettant de monter une dangereuse attaque de flanc. Muni de ces précieux renseignements, Bellenger se précipite à l'état-major. Mais le commandant Duthilleul, chef du 2e bureau de la 6e armée, doute de la validité de ces informations. Ne pouvant joindre Maunoury, c'est à l'officier de liaison anglais que Bellenger confie ses renseignements. Le Royal Flying Corps avait aussi fait les mêmes observations. Convaincus, Gallieni, French et Maunoury interviennent auprès de Joffre qui, le lendemain, le 4 septembre, peut annoncer dans la soirée aux officiers : « Messieurs, nous nous battrons sur la Marne. »

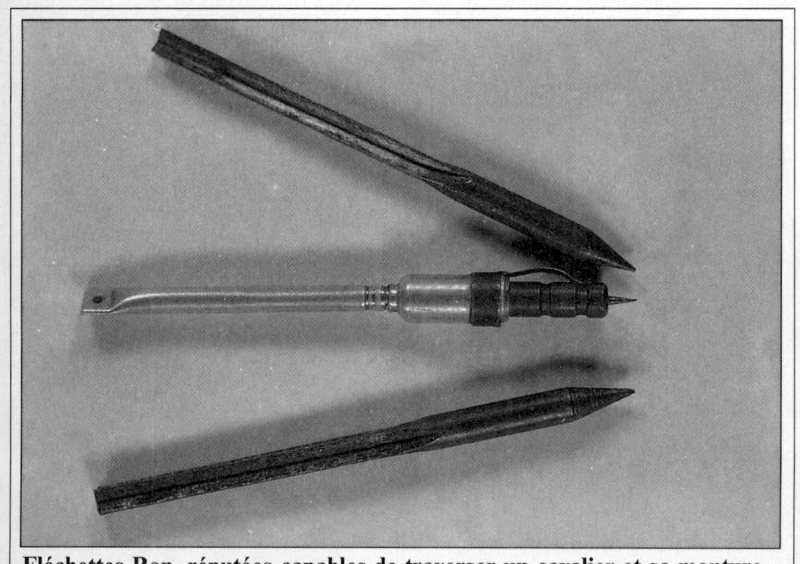

Fléchettes Bon, réputées capables de traverser un cavalier et sa monture.

Les fameux taxis de la Marne, réunis sur l'esplanade des Invalides.

Un groupe de bombardement à Nancy

Nancy, 29 novembre

«L'aviation est une arme.» Ainsi commence le rapport du commandant Barès, qui propose la création de grandes unités de bombardement. L'armée française, désireuse de détruire les industries ennemies, a donc fondé le groupe de bombardement n° 1 (GB 1). Le commandant de Goys de Mezeyrac est à la tête de cette unité, basée à Nancy-Malzéville. Elle comprend trois escadrilles (V14, V17, VB3) et un parc de réparations et de ravitaillement. Les avions sont des Voisin à moteur Salmson-Canton-Unné de 130 ch entraînant une hélice propulsive. Ce sont de bons appareils, même si les pilotes leur font une réputation de «cercueils volants». L'équipage se compose d'un pilote plus un mécanicien ou un observateur, selon les missions. L'avion est armé d'une mitrailleuse Hotchkiss et est conçu pour transporter 100 kg de bombes contenant du charbon et de l'air liquide. Malgré quelques interventions, le groupe de bombardement attend «la grande mission».

Adolphe Pégoud peut emporter huit bombes sur son appareil.

Frantz et Quenault abattent un Aviatik

Frantz et Quenault, vainqueurs du premier combat aérien, devant leur Voisin.

Brimont, 5 octobre

Le sergent Frantz et son mécanicien Quenault ont remporté la première victoire militaire contre un Aviatik. Ils avaient choisi de faire des essais de mitrailleuses Hotchkiss à hauteur du fort de Brimont, près de Reims. En rentrant vers leur terrain de Lhéry, ils ont enfin croisé un avion allemand. Devant une telle occasion, ils se sont mis en chasse. Une fois le Voisin distant de 50 m, l'Oberleutnant Fritz von Zagen a tiré. Immédiatement, Quenault a répliqué au coup par coup, évitant ainsi d'enrayer son arme. Il a vidé un premier chargeur de cartouches sans résultat, puis un second. Au quarante-deuxième tir, la mitrailleuse de l'Allemand s'est tue. L'avion ennemi a perdu de la vitesse, puis il est tombé en flammes dans les marais situés entre Muizon et Jonchery.

Un avion allemand forcé d'atterrir

Saint-Quentin, 26 août

Le lieutenant Harvey-Kelly, l'un des plus intrépides pilotes du RFC et le premier aviateur britannique à s'être posé en France, a obligé un appareil de reconnaissance allemand à atterrir de force. Alors qu'il patrouille avec deux BE 2a de l'escadrille n° 2, Harvey-Kelly prend en chasse un Allemand. Ouvrant le feu tous trois avec leurs pistolets, les Anglais obligent l'ennemi à se poser dans un champ, d'où il s'enfuit en courant. Atterrissant à côté, Harvey-Kelly saute de son avion et se lance à sa poursuite dans les bois. L'Allemand avait déjà réussi à disparaître. Les Anglais ont dû se contenter de tirer sur l'avion allemand immobile avant de se remettre à un travail plus sérieux. Il faut trouver l'armée allemande qui progresse en Belgique.

L'aviation militaire vole aussi de nuit

France, 21 décembre

Le lieutenant Laurens vient de remettre un rapport convaincant sur les possibilités de bombardements aériens et de reconnaissances nocturnes. Le 31 octobre dernier, il avait exécuté un vol nocturne au-dessus des positions allemandes en Champagne. Le 3 décembre, il récidivait. Aujourd'hui, il tire les enseignements de ces vols. Il estime que l'aviation peut d'ores et déjà être utilisée de nuit. Les avions doivent être équipés de phares. Par nuit claire, l'orientation est facile : à 1 200 m d'altitude, les voies d'eau et les routes apparaissent nettement ; les villes sont visibles à plus de 30 km. A 800 m, les détails du sol se détachent parfaitement. L'adjonction d'un silencieux au moteur permettrait de mener des missions sans être vu ni entendu.

Raid des Avro anglais sur Friedrichshafen

Au retour, l'avion du lieutenant Sippe est rentré dans son hangar à Belfort.

Belfort, 21 novembre

Mission réussie pour les Avro 504. Les trois appareils du Royal Naval Air Service, équipés chacun de quatre bombes de 9 kg, ont attaqué aujourd'hui les hangars à zeppelins de Friedrichshafen, sur le lac de Constance. Volant au ras de l'eau pour éviter d'être repérés, ils ont réussi pleinement leur mission, faisant des hangars et d'une usine d'hydrogène une véritable fournaise. Naviguant entre les tirs anti-aériens, le commandant Babington et le lieutenant Sippe ont regagné leur base à 320 km de là, alors qu'une bombe restait encore pendue à l'appareil de Sippe. L'avion de Briggs a dû se poser, l'arrivée d'essence étant touchée.

Le prototype de l'hydravion biplace Avro 510, conçu pour la course Circuit of Britain. Six exemplaires sont construits pour la Royal Navy.

Le Fokker M.5L, ou A II selon la terminologie militaire allemande, est un monoplan d'observation dépourvu d'armement.

L'Albatros B II constitue le pendant allemand au BE.2c britannique, mais il est plus lent. Il est également utilisé pour l'entraînement.

Le Short SS.1 est équipé, comme beaucoup d'hydravions de combat, d'un moteur propulsif permettant de loger le mitrailleur à l'avant.

Le Martinsyde S.I Scout est un chasseur de qualité en 1915, mais qui montre ses limites face aux chasseurs allemands de seconde génération.

Le Bristol Scout est probablement le chasseur le plus rapide en service au début de la guerre. Il atteint 155 km/h en pointe.

Le Royal Aircraft Factory BE.2c, avec son moteur de 90 ch, est utilisé pour le réglage d'artillerie, le bombardement et l'observation.

Le Royal Aircraft Factory SE.4, malgré sa silhouette moderne, ne dépasse pas le stade expérimental.

Le Vickers FB.5, surnommé « Gunbus », est armé d'une mitrailleuse Vickers à « camembert » montée à l'avant de la nacelle.

Le Caproni Ca.3, comme ses prédécesseurs, est équipé de deux moteurs tractifs et d'un moteur propulsif à l'arrière de la nacelle.

Quelque 190 Friedrichshafen FF.33 sont construits en huit versions différentes pour le bombardement et la reconnaissance.

L'hydravion Curtiss America, conçu par un officier de la Royal Navy pour la traversée de l'Atlantique, est réquisitionné par la suite.

L'Etrich Eindekker autrichien de 1914 se présente comme une version améliorée du fameux Taube de 1909.

La série des trimoteurs de bombardement Caproni Ca.1, 2 et 3, se révèle si performante que sa construction est reprise après guerre.

Le Voisin Type V est sans conteste le meilleur appareil de combat conçu par les frères Gabriel et Charles Voisin.

L'AEG B I est un biplan d'observation, sans armement défensif, qui sera suivi de plusieurs modèles de reconnaissance et de bombardement.

Le Short 166 se caractérise par ses ailes repliables. Environ 25 exemplaires sont pris en compte par le Royal Navy Air Service.

Le Morane Saulnier N, connu en Grande-Bretagne sous le sobriquet de Morane « Bullet » (obus), est également exporté en Russie.

1915

 203,81 km/h
France
Maurice Prévost
Monocoque Déperdussin
29.9.13

 1 900 km
Allemagne
Werner Landmann
Albatros
28.6.14

 8 150 m
Allemagne
Heinrich Oelerich
DFW
14.7.14

 6 359 kg
Grande-Bretagne
Handley Page Ltd.
Handley Page O/100

 230 ch
France
Louis Renault
Renault 12 A

Mer du Nord, 6 janvier
Un hydravion Friedrichshafen FF 29a décolle à 55 km de Zeebrugge. Les Allemands l'ont fixé sur le pont du sous-marin *U-12* pour un essai, afin d'accroître ses capacités de reconnaissance. (→ 1.11.16)

Egypte, 23 janvier
Une reconnaissance aérienne française révèle aux Alliés une avancée turque vers le canal de Suez.

Prusse orientale, 15 février
Un quadrimoteur russe Ilya-Mourometz, piloté par le capitaine Gorskov, effectue une mission de bombardement sur la Vistule. Il fait partie de l'escadrille des Navires volants, basée en Pologne.

Dardanelles, 17 février
Le *HMS Ark Royal* expédie l'un de ses hydravions dans une mission de reconnaissance des lignes turques. Navire marchand à l'origine, il a été adapté au transport d'hydravions.

San Francisco, 20 février
L'exposition Panama-Pacific est close. Allan Loughead, qui a obtenu l'autorisation d'établir un service aérien, a transporté 600 passagers payants en 50 jours à travers la baie. Pour 10 dollars, la traversée durait 10 minutes. (→ 12.4.18)

Barcelone, 26 février
Marc Birkigt, ingénieur en chef de la société Hispano-Suiza, a décidé de construire un moteur d'avion en octobre dernier. Aux essais, son huit cylindres en V développe aujourd'hui 200 ch. (→ 10.5.16)

Washington, 4 mars
Le Congrès vote l'attribution de 300 000 dollars à l'aviation militaire pour l'année fiscale 1916. Hier, le Comité consultatif national pour l'aéronautique (Naca), était créé. Il doit suivre l'ensemble des recherches aéronautiques.

Belgique, 10 mars
Les avions du RFC bombardent les installations ferroviaires de Ménin et de Courtrai, en soutien tactique à l'offensive de Neuve-Chapelle.

Allemagne, 11 avril
Le prototype du bombardier géant Zeppelin VGO 1 effectue son vol initial. Il est équipé de 2 moteurs tractifs et de 2 propulsifs. (→ 8.3.17)

Belgique, 17 avril
Première victoire belge : à bord d'un Farman équipé d'une mitrailleuse Lewis, le capitaine Jacquet abat un Aviatik. Il s'était déjà distingué en tuant 28 uhlans avec son automobile Opel, également munie d'une Lewis. (→ 4.9)

France, 21 mai
Le biplan de chasse Spad A.2 conçu par Béchereau, désormais directeur technique de la firme, commence ses essais en vol. Sur ce biplace, l'observateur-mitrailleur est placé dans une nacelle rapportée à l'avant de l'hélice. (→ 10.5.16)

Paris, 22 mai
L'escadrille de protection du Bourget pourchasse un biplan allemand qui a réussi à survoler le 16e arrondissement et à lâcher huit bombes.

Italie, 27 mai
Un hydravion autrichien Löhner L.1 est capturé au large de Porto Corsini, après un amerrissage forcé. L'appareil est aussitôt transporté à Varèse pour y être examiné par les techniciens de Macchi, l'Italie ayant déclaré la guerre à l'Autriche-Hongrie le 23.

Grande-Bretagne, 1er juin
Le prototype du Airco DH.2, conçu par de Havilland, effectue son vol initial. Biplan monoplace à hélice propulsive, il est muni à l'avant d'une mitrailleuse Lewis. (→ 24.4.16)

Etats-Unis, 22 juin
Un incendie de forêt est repéré grâce à un avion dans le Wisconsin.

Berlin-Johannisthal, 1er juillet
Le monoplan de chasse Fokker E.I, équipé d'une mitrailleuse synchronisée Parabellum tirant à travers l'hélice, est envoyé au centre de Döberitz pour des essais directement opérationnels sur le front occidental. (→ 6.2.16)

France, 3 juillet
Le chef de l'escadrille MS.3, le capitaine Brocard, enregistre sa première victoire en touchant un Albatros allemand à 2 500 m d'altitude. Il emporte toujours avec lui un Mauser pris aux Allemands et une carabine Winchester. (→ 30.4.16)

Allemagne, 27 juillet
La firme Gotha sort le bombardier GI, construit par Hans Burkhard. (→ 8.2.17)

Dardanelles, 17 août
Les pilotes du RNAS Edmonds et Dacre, à bord d'hydravions Short 184 basés sur le *HMS Ben-my-Chree*, coulent à la torpille 2 navires turcs de ravitaillement.

France, 19 août
Le colonel Hugh Trenchard devient commandant du RFC. (→ 3.1.18)

Autriche-Hongrie, 20 août
Des bombardiers italiens Caproni Ca 2, trimoteurs équipés de Fiat A.10 de 100 ch, font des bombardements stratégiques sur le Tyrol.

Belgique, 21 août
Le lieutenant von Richthofen est affecté comme observateur à l'Unité de pigeons voyageurs d'Ostende. Ce nom de code dissimule une escadrille de bombardement. (→ 26.4.16)

Paris, 23 août
L'aviateur Gilbert, qu'une panne de moteur avait contraint à atterrir en Suisse le 27 juin, se présente devant le général Hirschauer qui le renvoie en Suisse. Prisonnier sur parole, il s'était engagé à ne pas s'évader. (→ 3.6.16)

Allemagne, 25 août
En un seul raid, 62 bombardiers français des groupes basés à Malzéville attaquent les hauts fourneaux autour de Dillingen.

Belfort, 14 septembre
Le pilote allemand Ernst Udet perd un élément de l'aile supérieure de son Aviatik B en vol, lors d'un bombardement. Il réussit à ramener son biplan en Allemagne. (→ 30.6.17)

France, 30 septembre
La femme d'un régisseur de chasse porte plainte contre l'escadrille N3 : « Des aviateurs ont été vus tirant de leurs avions sur des compagnies de perdreaux, se poser et ramasser ensuite le gibier mort. »

Grande-Bretagne, 3 novembre
A bord d'un Bristol Scout C terrestre, le lieutenant de vaisseau Towler réussit à décoller d'un pont d'envol installé sur le porte-hydravions *HMS Vindex* en marche. (→ 17.5.16)

Etats-Unis, 6 novembre
Un hydravion Curtiss AB-2, piloté par Henry Mustin, est lancé avec une catapulte du cuirassé *USS North Carolina* en mouvement.

France, 5 décembre
Guynemer obtient sa seconde victoire près de Chauny. Il atterrit à côté de la maison paternelle et demande à son père de trouver l'avion abattu qu'il n'a pas vu tomber, afin de le faire homologuer. (→ 5.2.16)

Dessau, Allemagne, 12 décembre
Le Junkers J 1 effectue son vol initial. Le professeur Hugo Junkers a conçu sur ses fonds propres cet appareil entièrement métallique à aile cantilever, propulsé par un moteur Mercedes de 120 ch. (→ 25.6.19)

Grande-Bretagne, 17 décembre
Le prototype du bombardier lourd Handley Page O/100 commence ses vols d'essai à Hendon. (→ 22.10.18)

Los Angeles, 17 décembre
Katherine Stinson boucle un looping de nuit. Le 18 juillet, elle était la première femme au monde à en effectuer un de jour. (→ 11.12.17)

Lac de Constance, 21 décembre
L'hydravion géant Rs-1 de Dornier atteint 60 km/h, vitesse insuffisante pour déjauger. Rentré au mouillage, un orage le détruit. (→ 30.6.16)

Les escadrilles sont le fer de lance de l'aviation française. Ici, en vol de nuit, le Maurice-Farman 23, qui a à son actif des centaines de missions

Garros invente le tir à travers l'hélice

L'ingénieux Roland Garros.

Mitrailleuse montée sur un Saulnier.

France, 1ᵉʳ avril
Après trois mois de recherches, Roland Garros a mis au point une hélice de forme spéciale permettant le passage des balles de la mitrailleuse située derrière elle. Pour rendre possible le tir des projectiles, il a soudé des déflecteurs en acier sur les pales. Roland Garros a réalisé ce dispositif, breveté le 5 février, en se basant sur les recherches de Raymond Saulnier. Après avoir résolu les problèmes de synchronisation, Saulnier s'était intéressé à la forme de l'hélice. Il avait constaté que, pour assurer le passage des balles,

celle-ci devait être triangulaire. Il avait monté sur une hélice ordinaire deux triangles métalliques réunis au centre par une bande de tôle. Lorsque Roland Garros a testé ce système, la plupart des balles ont abîmé l'hélice. Peu après, son avion s'est disloqué sous l'effet des vibrations provoquées par l'hélice déséquilibrée. Tirant profit de cet accident, Garros a amélioré l'invention de Saulnier en étudiant mieux la forme des tôles qui dévient les balles dans le cas ou elles heurtent une pale et en adaptant la cadence des tirs. (→ 20)

Fokker exploite la découverte de Garros

Allemagne, 20 avril
Anthony Fokker vient de mettre au point une mitrailleuse synchronisée avec le moteur. En moins de trois jours, il a perfectionné l'invention de Roland Garros, qui a malencon-

Pilote allemand à bord d'un Fokker.

treusement atterri près de Langemark, au milieu des lignes allemandes. Conscient de l'intérêt de son invention, Garros a tenté de détruire son avion, sans succès. Son appareil n'a pas complètement brûlé, et les hélices sur lesquelles il avait monté des pare-balles sont restées intactes. Dès le lendemain, l'hélice Garros est partie à l'atelier de Fokker qui fut chargé d'améliorer son système. On lui confia une mitrailleuse Parabellum, et, immédiatement, il se mit à la tâche. Il imagina alors de fixer le déflecteur sur une tige coulissant verticalement, actionnée par une came tournant deux fois plus vite que le moteur. Monté de cette sorte, le déflecteur ne se place devant le canon qu'au passage de l'hélice. Le système de synchronisation permettant de tirer sans toucher l'hélice est au point. (→2.5.16)

Mission périlleuse sur Ludwigshafen

Nancy, 27 mai
Il est 3 h du matin. Dix-huit biplans du GB1 s'apprêtent à décoller du plateau de Malzéville, en Meurthe-et-Moselle. A la tête de la formation, le chef de bataillon de Goys dirige le raid depuis son avion, que pilote l'adjudant Bunau-Varilla. Leur mission : détruire à Ludwigshafen et Oppau les usines de produits chimiques de la Badische Anilin und Soda Fabrik. Les deux sites industriels, distants de 3 km, sont à 190 km de Nancy. Arrivés sur leurs objectifs à 6 h 15, les avions larguent 49 obus sur Ludwigshafen et 38 obus sur Oppau. Trois colonnes de fumée jaune s'élèvent des bâtiments bombardés.

A 6 h 30, les pilotes font demi-tour. La mission était dangereuse et les avions ont été sévèrement attaqués du sol. L'appareil du commandant de Goys n'est pas rentré à la base. Il aurait fait un atterrissage forcé pas loin de Ludwigshafen et aurait brûlé au sol. Les pilotes pensent que, touché, l'avion s'est posé normalement et que l'équipage y a mis le feu pour ne pas le laisser tomber aux mains de l'ennemi. On apprend bientôt que le commandant et l'adjudant pilote ont été fait prisonniers par l'ennemi, mais ils seraient tous deux sains et saufs. Selon le communiqué officiel publié ce soir, « c'est le plus beau fait d'armes aérien qui ait été accompli ».

Les pilotes et les observateurs de l'expédition de Ludwigshafen.

Guynemer abat son premier Aviatik

Carrière-l'Evêque, 19 juillet
L'une des dernières recrues, le jeune caporal Georges Guynemer, s'est distingué en remportant aujourd'hui sa première victoire en combat aérien. Affecté depuis un

Guynemer et son mécano Guerber.

mois dans l'unité combattante du capitaine Brocard, l'escadrille n° 3, tous avaient déjà remarqué sa détermination et son courage. Parti ce matin pour un simple vol d'observation, Guynemer, assisté de son mitrailleur Guerber, repère sur le chemin du retour un Aviatik ennemi qui se dirige vers Soissons. Avec une habileté et un sens tactique remarquables, il permet à son équipier de toucher l'appareil allemand qui s'abat en flammes au-dessus du village de Septmonts. De retour au sol, ils seront acclamés par les artilleurs qui ont suivi le combat. Entré le 23 novembre 1914 à l'école d'aviation de Pau, Guynemer en était sorti comme aide-mécanicien. Le 20 mars 1915, grâce à l'application dont il avait fait preuve, il rentrait à l'école d'Avord où il décrochait, un mois plus tard, son brevet de pilote. (→ 5.12)

Triplé pour Hawker

Front ouest, France, 25 juillet
Glorieuse journée pour le major Lanoe Hawker! Aux commandes de son Bristol Scout C armé d'une seule mitrailleuse, il a, aujourd'hui, mis hors d'état trois appareils de reconnaissance allemands. C'est vers 18 h que Hawker repère les deux premiers biplans. Malgré l'inégalité du combat, il parvient à abattre le premier et contraint le second à se poser. Une heure plus tard, faisant preuve d'une adresse remarquable, il touche un troisième appareil ennemi qui tombe en flammes. Le major, qui s'est illustré il y a trois mois en détruisant un hangar à zeppelins, a été proposé pour la Victoria Cross.

Les zeppelins terrorisent les populations de Londres et Paris

Des femmes policiers alertent les passants : les zeppelins arrivent sur Londres.

Les zeppelins dans le ciel de Paris.

Mort de Beachey

San Francisco, 14 mars
Le monde de la voltige aérienne vient de perdre son roi : Lincoln Beachey, le saltimbanque de l'air, qui étonnait par des acrobaties toujours plus époustouflantes, s'est tué aujourd'hui. Selon les enquêteurs, les ailes de son avion se seraient disloquées alors qu'il tentait de se redresser après un piqué à près de 300 km/h. La foule, debout et tête découverte, lui a rendu en silence un dernier hommage.

Londres, 31 mai
A Paris comme à Londres, les populations civiles sont apeurées. Le premier raid d'un dirigeable allemand sur la capitale britannique vient d'avoir lieu. Ses bombes, larguées essentiellement sur les quartiers est de la ville, ont fait sept victimes et une quarantaine de blessés. Des dégâts matériels importants sont aussi à déplorer. Pour Linnarz, le pilote du zeppelin *LZ 38*, les conditions idéales étaient réunies puisque la ville, entièrement illuminée, n'a pas aperçu les appareils protégés par l'obscurité. Les

dirigeables, utilisés initialement pour des missions de reconnaissance, sont maintenant employés pour le bombardement nocturne des grandes villes françaises et anglaises. Il ne s'agit pas là d'un coup d'essai. En janvier déjà, deux dirigeables de la marine allemande avaient effectué un raid à Yarmouth, Cromer, Norfolk et Kings Lynn, sur la côte orientale de l'Angleterre. Armes de terreur, leur discrétion lors des manœuvres et leur efficacité ont contribué à développer une véritable psychose chez les habitants des villes ouvertes.

Von Zeppelin avec le Kaiser.

La mort tragique d'un héros canadien

Le lieutenant Warneford, à Paris.

Paris, 18 juin
C'est au cours d'une mission de nuit contre des hangars à zeppelins, vers Bruges, que Reginald Warneford avait, le 7 juin, découvert le *LZ 37*. L'énorme dirigeable rentrait à sa base après un raid sur Londres. Après une traque de 40 minutes, il l'avait attaqué deux fois et, au second essai, avait fondu sur lui en un piqué silencieux, partant de 3 360 m, altitude maximale de son Morane-Saulnier. A 2 140 m, il l'avait touché de plein fouet avec une bombe. Le zeppelin était tombé en flammes. Pour ce haut fait de guerre, le lieutenant avait reçu la Victoria Cross. Aujourd'hui, à Buc, Warneford et le journaliste américain Needham ont rencontré leur destin lorsque leur biplan Farman s'est retourné dans un virage trop serré. Aucun des deux hommes n'était attaché, ils sont tombés.

Pour éviter la riposte ennemie, on organise des expéditions nocturnes. Ici, dans le faisceau des projecteurs, départ d'avions français pour un vol de nuit, du terrain du Bourget.

Fantastique effort de guerre dans toute l'Europe

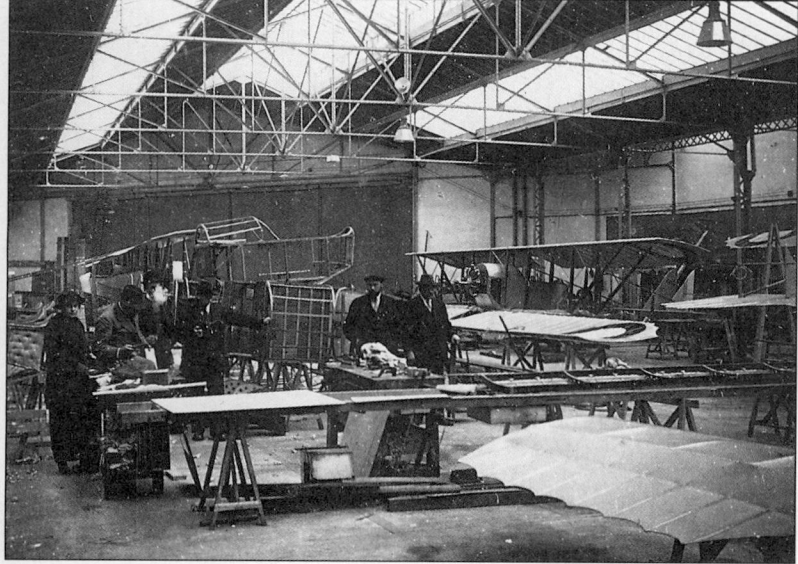

Les biplans d'observation Caudron G 3 sont construits en série.

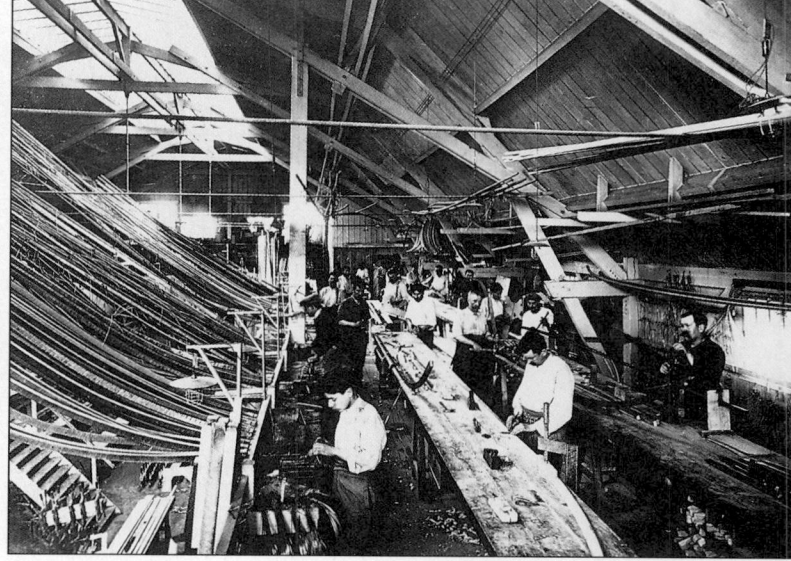

Centrage des longerons de fuselage à l'atelier de menuiserie de l'usine Nieuport.

Europe, décembre

Une guerre réserve toujours des surprises. La plus cruelle aura sans doute été que, contrairement aux prévisions des stratèges, le conflit dure toujours. En novembre 1914, le général Joffre jugeait inutile d'équiper les fantassins de casques : la guerre serait terminée à Noël ! Aujourd'hui, les armées se sont enterrées, on se bat pour quelques mètres carrés de terrain. De nouvelles armes meurtrières ont vu le jour, comme les gaz de combat. En même temps, la probabilité d'un conflit de plusieurs années a imposé aux Etats belligérants une mobilisation des énergies sans précédent. En France, l'industrie s'est trouvée placée brusquement devant l'obligation de produire à tout prix, alors qu'elle manque de main-d'œuvre spécialisée et de l'outillage indispensable. En Allemagne comme en Grande-Bretagne, les problèmes sont les mêmes : les solutions seront trouvées en cours de route. Les ouvriers spécialisés dont la présence au front n'est pas nécessaire ont bénéficié d'affectations spéciales afin de rejoindre les usines d'armement. Enfin, dans les ateliers, les femmes ont remplacé les hommes. Dans bien des usines, 60 à 70% des postes sont maintenant occupés par le sexe dit faible. L'aéronautique est concernée au premier chef : il faut produire plus d'avions, former des pilotes. Dès le mois de novembre 1914, le directeur du Service aéronautique au GQG, le commandant Edouard Joseph Barès, avait proposé un plan préconisant l'augmentation du nombre d'escadrilles et la limitation des types de matériel. De 21 escadrilles, on passe à 51 au 30 mars 1915 : 390 avions sont mis en service. Au cours de l'été, le nombre d'appareils par escadrille est porté de 6 à 10. Puis, le 7 septembre 1915, le commandant Barès propose un programme encore plus ambitieux, qui prévoit la formation de 119 escadrilles, soit 1 190 avions servis par 1 400 pilotes et observateurs. Il veut aussi promouvoir une politique cohérente au niveau de l'emploi des avions et de leur construction. Le bombardement, la reconnaissance, la chasse encore embryonnaire réclament des matériels particuliers adaptés à leurs missions. Dès les premiers mois de guerre, il fait réformer le matériel qui ne donne pas satisfaction. En même temps, les constructeurs suivent, la production mensuelle augmente : en janvier 1915, 262 appareils sortent des usines, puis en mars 1915, 431. De même, on tente de réduire le décalage entre la conception des nouveaux avions et leur mise en service (environ 9 mois) car, fréquemment, il arrive qu'à peine sortis des usines certains soient déjà périmés.

Des couturières assemblent le tissu pour l'entoilage des avions.

En Angleterre, quatre mécaniciennes vérifient un Avro d'entraînement.

Caudron victime d'un accident stupide

Lyon, 15 décembre
Triste fin pour Gaston Caudron qui trouve la mort lors des essais du Caudron R 4, un bimoteur de reconnaissance et de bombardement. Une des ailes s'est repliée en vol par suite du déboîtage des longerons mal boulonnés. Comme il semble loin le temps où, avec son frère René, il construisait une machine, utilisée comme planeur, faute de pouvoir disposer rapidement de moteur ! Peu à peu, les deux frères connaissent le succès. Leurs appareils sont toujours les plus performants. Le Caudron type G, en 1914, donne naissance au G 3, un petit biplan destiné à l'armée, ou en mars 1915, au G 4, premier bimoteur capable de voler avec l'un de ses moteurs arrêté. René, en mémoire de son frère, a décidé de reprendre le flambeau.

Gaston Caudron et son Caudron G.

Le roi Albert rend visite aux aviateurs

Le roi des Belges sur le front français, avec Poincaré, Joffre et Millerand.

France, 4 septembre
« Nous sommes acculés à l'héroïsme. » Par ces paroles, le roi Albert Ier, face aux pilotes de chasse de son aviation militaire, a réaffirmé sans hésitation ce que leur commandait le sens de l'honneur et du devoir. Très à l'aise parmi cette jeunesse enthousiaste qu'il affectionne tout particulièrement, questionnant les hommes tant sur l'art du pilotage que sur leurs expériences personnelles, il a su, par le calme et la confiance qui émanent de sa personne, maintenir leur moral et entretenir leur courage. On sait que la reine Elisabeth montre le même sentiment en visitant les blessés sous les bombardements, leur apportant aussi le réconfort de sa présence. C'est le 20 mars que le roi a officiellement créé, à Houthem, l'aviation militaire belge, qui comprend actuellement une centaine d'aviateurs au front, dont quelques-uns volent presque journellement. Aux portes de l'Yser, sur le dernier lambeau de territoire inviolé, ils sont les seuls à apercevoir encore la Belgique occupée.

L'as Pégoud abattu dans le ciel d'Alsace

Pégoud (à dr.) devant son appareil.

France, 31 août
Adieu à l'as aux six victoires. Adolphe Pégoud, le plus populaire des pilotes français, est mort lors d'une mission de reconnaissance au-dessus de la région de Belfort. Il a tenté d'abattre un Taube allemand mais a été touché. Atteint au cou et à l'aorte, il s'écrase avec son biplan. Il ne saura jamais que, quelques heures plus tôt, il avait été fait chevalier de la Légion d'honneur.

Et de quatre pour l'Aigle de Lille

Douai, 17 octobre
Encore une victoire en combat aérien pour Max Immelman, un des meilleurs de l'aviation allemande. Comment s'en étonner, puisqu'à ses qualités de pilote il ajoute celles du Fokker Eindecker ? Cet avion possède un système performant de tir à travers l'hélice, qui défavorise actuellement gravement les BE2 britanniques. De plus, Immelmann utilise une nouvelle figure d'acrobatie, une demi-boucle suivie d'un demi-tonneau, qui s'avère d'une efficacité redoutable. Celui que l'on surnomme désormais l'Aigle de Lille pour ses vols au-dessus de cette ville a été décoré de la Croix de fer. (→6.2.16)

Nungesser reçoit la Légion d'honneur

Malzéville, 4 décembre
L'adjudant Charles Nungesser sera, ce soir même, décoré de la Légion d'honneur. Affecté depuis un mois à l'escadrille de chasse N 65, il s'est fait remarquer dans une escadrille de bombardement basée près de Dunkerque. Transféré à Nancy, il avait réussi à abattre un avion ennemi depuis son bombardier. Il y a un an, il s'est distingué en volant une voiture Mors aux Allemands. Cela lui valut le surnom de Hussard de la Mors, nom qu'il changea en Hussard de la mort. Son blason représente, dans un cœur de couleur noire, une tête de mort avec un cercueil, deux chandeliers et deux tibias. (→ 20.5.16)

L'aviateur est la nouvelle coqueluche des Français. D'après le journal « la Baïonnette », il émane de lui une aura à laquelle personne ne résiste.

Les avions de l'année 1915

L'hydravion biplace Macchi L.1 a un moteur Isotta-Fraschini.

Le chasseur Halberstadt D.I est équipé d'une mitrailleuse Spandau.

Le Short 184 modifie les données du combat naval : il est le premier à couler un navire de guerre avec une torpille.

Le Caudron G 4 a été mis en service pendant la guerre. C'est un sesquiplan (biplan à ailes inégales) qui a servi la France, l'Italie et la Grande-Bretagne.

Le Nieuport II Bébé est le premier chasseur fabriqué par Nieuport.

Un bombardier lourd, le Handley Page O/100.

L'Eléphant Martinsyde, bombardier éclaireur et de reconnaissance.

Ce bombardier Siemens-Schuckert R.I a été construit à 7 exemplaires.

Le Royal Aircraft Factory FE.2a, avion de reconnaissance biplace.

Le Friedrichshafen G.II, un bombardier lourd sans succès.

Les biplaces Albatros C.I ont servi l'aviation impériale allemande comme bombardiers, appareils de reconnaissance et d'observation d'artillerie.

Les moteurs de l'étonnant Curtiss Canada sont placés entre les ailes. Son fuselage est conçu pour abriter trois membres d'équipage.

L'Airco DH.1 à moteur propulsif a été conçu par Geoffrey de Havilland et fabriqué à Farnborough. Son nez est équipé d'une mitrailleuse Maxim.

Un Farman HF 20 conçu par Henri Farman avant la guerre.

Le bombardier F 40 est utilisé par les Français, les Russes et les Anglais.

Les deux moteurs du Gotha G 1 sont fixés sur les ailes inférieures.

L'AEG C.I fut le premier d'une série de biplans de reconnaissance.

Le LFG Roland C.III est un biplace à l'aérodynamisme remarquable.

L'hydravion Curtiss R-3, inspiré du R-2, connaît beaucoup de succès.

Le RAF RE.7, bombardier biplan léger à deux ou trois places. Il est équipé d'un moteur RAF 4a. Seuls quelque 250 appareils seront construits.

L'Armstrong Whitworth FK.3, biplan de reconnaissance, est une version améliorée du BE.2c conçu par Frederick Koolhoven.

Le bombardier biplan Paul Schlitt 7 accueille deux membres d'équipage.

Le bombardier de reconnaissance Rumpler C.I sert sur tous les fronts.

Le fuselage monocoque en bois, très aérodynamique, des Albatros D1 et D2 et leur grande puissance de feu en font des Scouts très performants.

L'avion de combat Fokker E.I Eindecker est équipé d'un mécanisme de synchronisation qui lui permet de tirer entre les pales.

Le Sopwith 1 1/2 est le premier appareil britannique à disposer d'un mécanisme de tir synchronisé. Il sera rapidement relégué à des activités d'observation.

1916

 215 km/h
France
Maurice Béquet
Spad S-VII
1.4.16

 1 900 km
Allemagne
Werner Landmann
Albatros
28.6.14

 8 150 m
Allemagne
Heinrich Oelerich
DFW
14.7.14

 8 400 kg
Allemagne
Claudius Dornier
Rs-II

 300 ch
France
Louis Renault
Renault 12 F

France, 14 janvier
Le RFC décide de faire escorter chaque biplace d'observation par un minimum de trois chasseurs, pour contrer la menace des Fokker. (→ 21.2)

Allemagne, 6 février
Immelmann essaie le nouveau Fokker E.IV au front. Equipé à sa demande de 3 mitrailleuses synchronisées, il manque de souplesse et l'as revient au Fokker E.III. (→ 1.5)

Haar, 19 février
Le physicien autrichien Ernst Mach est décédé près de Munich. Né en 1838 à Turany, en Moravie, il a consacré sa vie à l'étude de l'importance de la vitesse du son en aérodynamique. (→ 14.10.47)

Mexique, 16 mars
Le First Aero Squadron américain, basé à Columbus sous les ordres du colonel Foulois, entame les opérations contre les troupes de Pancho Villa. Il fait des vols de reconnaissance en soutien à l'expédition punitive du général Pershing.

France, 19 mars
L'adjudant Navarre abat son 7e appareil ennemi au-dessus de Verdun. Son rival, Guynemer, est soigné à l'hôtel Astoria, un hôpital auxiliaire, à la suite de ce qu'il appelle un accident : il a été touché par deux balles. (→ 30.4)

Mésopotamie, 19 avril
Par 140 vols effectués en cinq jours, les avions du RFC et du RNAS ont transporté 13 t de ravitaillement à la garnison britannique assiégée par les Turcs à Kut el-Amara. (→ 1.7)

France, 24 avril
Au cours d'une « bataille rangée » entre 12 monoplans Fokker et des biplans DH.2 du RFC, ces derniers réussissent enfin à abattre l'un de leurs redoutables ennemis.

France, 26 avril
Von Richthofen, qui a passé son brevet de pilote et a été affecté dans la chasse, engage deux Nieuport français au-dessus de Douaumont.

L'un s'écrase mais Richthofen n'est pas crédité de la victoire. (→ 30.4.17)

Londres, 7 mai
Le secrétaire d'Etat à la Guerre annonce la formation d'un Comité de l'air, chargé de coordonner les commandes du Royal Flying Corps et du Royal Naval Air Service.

Grande-Bretagne, 9 mai
Durant des essais effectués avec un hydravion Short 184, une bombe de 250 kg larguée à 1 300 m d'altitude atteint sa cible. Un viseur de bombardement CFS, conçu par Tizard et Bourdillon, a été utilisé.

France, 10 mai
Le Spad S-VII, équipé d'un moteur Hispano 8 A de 150 ch, fait l'objet d'une commande de 268 appareils. Doté d'une mitrailleuse Vickers synchronisée, le biplan a accompli son vol initial le 1er avril dernier.

Grande-Bretagne, 17 mai
Un essai est tenté pour augmenter l'autonomie des chasseurs. Le capitaine Day, sur un Bristol Scout C fixé sur l'aile haute d'un hydravion Porte-Baby, piloté par le commandant Porte, quitte son avion porteur à 300 m de haut.

Grande-Bretagne, 28 mai
Hawker décolle le triplan Sopwith. Les ailes de ce chasseur monoplace sont décalées pour accroître la maniabilité et la visibilité.

Paris, 3 juin
L'aviateur Gilbert s'est à nouveau évadé de Suisse. L'accueil à la gare de Lyon est délirant. Son évasion étant cette fois « régulière », il se met à la disposition de ses chefs.

Lac de Constance, 13 juin
Les pilotes Schröter et Schulte Frohlinde réussissent à déjauger l'hydravion RS-II de Dornier et effectuent un vol de 4 min à 25 m au-dessus de l'eau. L'appareil a été construit en cinq mois. (→ 4.11.17)

France, 17 juin
Jean Navarre est blessé au-dessus de l'Argonne, mais réussit à atterrir

à Sainte-Menehould. Il s'est plaint ce matin de la lenteur pour équiper la chasse de mitrailleuses Vickers approvisionnées à 500 cartouches, alors que les Allemands disposent de chargeurs de 1 000 cartouches.

Verdun, 23 juin
Victor Chapman, de l'escadrille N 124, est le premier pilote américain à trouver la mort au combat.

France, 1er juillet
Les troupes franco-britanniques déclenchent une offensive sur la Somme. L'état-major s'est d'abord assuré la maîtrise de l'air. (→ 20.11)

Etats-Unis, 17 août
Les firmes Wright et Glenn Martin fusionnent dans la Wright Martin Aircraft Corporation. (→ 17.8.18)

France, 18 août
Le sous-lieutenant Guynemer, qui, à peine guéri, a repris son service au front, abat son 14e avion. Marcel Brindejonc des Moulinais, sans doute atteint par des tirs venus du sol, meurt après une chute vertigineuse de son avion, près de Verdun.

Etats-Unis, 2 septembre
Des essais de communication par radio entre deux avions en vol sont effectués à San Diego. Des messages sont envoyés et reçus sur une distance de 3 km. (→ 16.10.17)

France, 15 septembre
Une action combinée entre des chars et des avions est menée à la bataille de Flers-Courcelette.

Grande-Bretagne, 20 septembre
Elu au Parlement le 10 mars dernier, Pemberton Billing change le nom de sa compagnie, pour celui de Supermarine Aviation Works Ltd. (→ 30.9.19)

Londres, 5 octobre
Les activités aéronautiques civiles sont strictement interdites jusqu'à la fin de la guerre. Cependant, George Holt Thomas fonde la première compagnie aérienne britannique, Aircraft Transport and Travel Ltd. (→ 5.6.17)

France, 31 octobre
En deux mois, 25 Spad-VII ont été livrés à la chasse. L'escadrille des Cigognes était prioritaire. (→ 8.1.17)

Allemagne, 1er novembre
Un hydravion Friedrichshafen FF 33e est affecté à l'escorte et à la protection du croiseur auxiliaire *Wolf*, en partance pour les océans Pacifique et Indien. (→ 26.1.18)

New York, 3 novembre
Parti de Chicago avant-hier, Victor Carlstrom achève de nuit un vol postal avec une escale, à bord d'un biplan Curtiss R.

Etat de New York, 19 novembre
Ruth Law bat le record américain de vol sans escale avec son vieux Curtiss. Elle l'a muni de réservoirs auxiliaires pour porter sa réserve d'essence de 30 l à plus de 200 l. Partie de Chicago ce matin, elle a couvert 860 km avant d'atterrir sur un champ à Hornell. (→ 11.12.17)

France, 21 novembre
Le prototype du biplan Breguet 14 commence ses vols d'essai. Biplace de bombardement et de reconnaissance, il est équipé d'un moteur Renault de 300 ch et comporte entre autres innovations des volets de courbure automatiques. (→ 31.3.17)

Londres, 28 novembre
Un avion de reconnaissance allemand LVG C.II réussit à survoler la ville. Il largue six bombes légères près de Victoria Station. (→ 17.9.17)

Inde, 30 novembre
Des bombardiers légers BE 2c du RFC ont attaqué ce mois-ci des rebelles Mohmand à Sitapur, afin de mater un début d'insurrection.

France, 6 décembre
L'escadrille N 124 des volontaires américains prend le nom d'escadrille Lafayette. (→ 2.4.17)

Deux ans après le début de la guerre, les combats aériens continuent à faire rage. Un Albatros allemand est ici descendu par un Spad français.

Avantage allemand à Verdun

France, 21 février

Toute la journée, les Parisiens ont pu percevoir, porté par le vent d'est, un grondement sourd et lointain de canonnade. Les plus avertis se sont vite doutés que quelque chose d'inhabituel était arrivé sur le front. Effectivement, l'armée allemande a déclenché aujourd'hui une vaste offensive sur les hauts de Meuse. Des milliers de canons déversent sur Verdun des tonnes d'obus de tous calibres, laminant les défenses françaises. Le commandant en chef de l'armée allemande, Falkenhayn, a surpris l'état-major français qui avait omis de renforcer ses défenses dans ce secteur apparemment très calme. Les aviateurs avaient bien signalé de fortes concentrations allemandes, les 6 et 7 février derniers, puis hier encore, mais sans que l'on en tienne compte. Les Allemands n'espèrent pas rompre le front allié, ils veulent en fait saigner à blanc l'armée française, grâce à leur su-

En Champagne, mission de reconnaissance à bord d'un triplace d'observation.

périorité en artillerie. Falkenhayn a rassemblé des escadres aériennes considérables qui ont d'ores et déjà obtenu la maîtrise du ciel. Les ballons d'observation se font abattre les uns après les autres. Les avions d'observation et de réglage ainsi que les rares avions de chasse, qui sortent encore, subissent le même sort tragique.

Des bombardiers Voisin pilonnent Smyrne

Turquie, 28 février

C'est un véritable exploit que les pilotes de l'aviation française de l'armée d'Orient viennent de réaliser. Sept appareils du groupe de bombardement Voisin, basés à Salonique, ont bombardé la ville de Smyrne. Pour accomplir leur mission, ils ont décollé d'une île proche de la côte turque. La distance entre Salonique et Smyrne (580 km) ne permettant pas de faire le trajet d'une seule traite, des navires les ont amenés à pied d'œuvre. Les avions ont largué leurs bombes sans subir de dégâts et sont revenus par voie aérienne, en faisant escale d'île en île, jusqu'à leur base de départ. Un miracle, car les terrains de la région sont rudimentaires.

Charles Nungesser est devenu un as

Nungesser et son célèbre Nieuport.

France, 20 mai

Il est de ceux qui doivent entrer dans la légende. Il a aussi de la chance. Deux mois après avoir reçu la Légion d'honneur, Charles Nungesser s'est écrasé, le 29 janvier, en réalisant des essais de vol sur un Nieuport 11. Très gravement blessé, il se remet rapidement de ses fractures et on le retrouve au front quelques semaines plus tard. Il se présente au terrain avec des béquilles. Malgré son handicap, il se remet à voler. Il sera nommé sous-lieutenant le 4 avril, quelques jours après avoir abattu un LVG et un ballon d'observation ennemi. Basé dans le secteur de Verdun, il y accumule victoire sur victoire.

Un avion français au tir synchronisé

Jean Chaput à bord du Nieuport 12.

France, 2 mai

Les Français maîtrisent enfin le tir synchronisé à travers l'hélice. Cette technique permet aux balles de passer à travers les pales de l'hélice sans les toucher. Réalisé par le sergent mécanicien Alkan, le dispositif a été mis au point avec la mitrailleuse Vickers. Le premier appareil français à être équipé de ce système est le Nieuport 12 de 110 ch. Confié au lieutenant Chaput, il symbolise l'aboutissement de nombreuses recherches. Dès 1914, Raymond Saulnier, puis Roland Garros et Peyret avaient étudié cette question. Il fallait chercher plus loin et faire comme les Allemands qui ont adapté la cadence de tir au cycle du moteur.

Enfin un parachute pour les aérostiers

France, 1er juillet

La sécurité dans les nacelles est enfin prise en compte. Dorénavant, les aérostiers, jusqu'alors si vulnérables, seront pourvus de parachutes. En cas d'attaque, ils pourront sauter et ne plus s'écraser avec le ballon comme c'était toujours le cas. Stationnés dans le ciel, visibles de tous, les ballons d'observation constituent des cibles idéales pour l'ennemi. Quant aux mitrailleuses emportées à bord des nacelles, elles restent un moyen de défense aléatoire contre une attaque aérienne. Le recul et la difficulté de se retourner rendent les tirs d'une imprécision totale. C'est Juchmès, un ancien pilote, qui a assuré la mise au point et la fabrication des parachutes. Améliorés à Chalais-Meudon, ils avaient été fournis aux observateurs dès le mois de décembre dernier. Les aérostiers ne sont plus liés à leur ballon.

La cocarde anglaise a le rouge au centre

Allemagne, 15 mars

Les avions anglais ont enfin un signe distinctif, mais il est très facile de le confondre avec celui qui décore les appareils français. Anonymes jusqu'à présent, les Britanniques couraient le risque d'être pris pour cibles par les alliés. Leur choix s'est donc arrêté sur une cocarde tricolore avec le rouge au centre au lieu du bleu chez les Français.

COCARDE ANGLAISE

COCARDE FRANÇAISE

Le Fokker est devenu un véritable fléau pour l'aviation alliée

France, 1er mai

La situation sur le front est loin d'être rétablie pour les ailes alliées. Si, à Verdun, la concentration de toutes les escadrilles de chasse et des meilleurs chasseurs des escadrilles d'armée commence à porter ses fruits, il n'empêche que, sur le reste du front, les Allemands conservent la maîtrise du ciel. Les Fokker E.I et E.III font des ravages parmi les pilotes britanniques et français. Au départ, les monoplans Fokker n'étaient pas destinés à devenir des armes offensives. Ils servaient surtout, comme du reste leurs équivalents français, à protéger les appareils de reconnaissance et d'observation. Deux appareils de chasse étaient affectés à chaque unité opérationnelle, puis bientôt quatre par formation, dans les secteurs les plus durs. Engagés dans des opérations de chasse, ils furent finalement réunis en escadrilles. L'effet de surprise, la mise au point du tir synchronisé et la maîtrise

Un pilote allemand part en mission à bord du Fokker E.III.

indéniable des pilotes allemands ont fait le reste. Bœlcke, Immelmann volent sur des E.I. En janvier dernier, ils ont remporté chacun huit victoires avec ce type d'appareil que surclasse désormais le E.III. Très maniable, ce monoplan, qui atteint 140 km/h, bénéficie d'une puissance de feu redoutable grâce à sa mitrailleuse Parabellum qui peut tirer plusieurs centaines de cartouches. Les alliés, dans un premier temps, n'ont pas eu d'appareils comparables à opposer aux Allemands. Heureusement, l'apparition du Nieuport 11, le Bébé, et de l'Airco DH.2 britannique, deux avions aux qualités manœuvrières incomparables, permet au commandement allié d'espérer un retournement de situation rapide et la reconquête du ciel.

Guynemer est cité à l'ordre de la Nation

France, 5 février

Et de cinq ! Georges Guynemer, aux commandes de son chasseur Spad, vient une fois encore de se distinguer lors d'un combat aérien, dans la région de Roye et de Chaulnes. Après avoir coupé la route à un LVG qui rentrait dans ses lignes, il l'aborde d'en haut et de face et le foudroie. En flammes, l'avion ennemi pique et s'écrase entre Assevilliers et Herbécourt. Cette cinquième victoire est saluée par un communiqué officiel, qui annonce en outre la citation de Guynemer à l'ordre de la Nation. Le pilote français vole de succès en succès. Le 3 février déjà, sa maîtrise et son courage avaient été payants puisqu'il avait abattu trois avions en quarante minutes. Une façon comme une autre de donner tort à ses instructeurs de l'école de Pau. Ils le mentionnaient alors comme un élève qui manquait d'enthousiasme.

L'escadrille des Cigognes se bat à Verdun

France, 30 avril

Une seule consigne : balayer du ciel de Verdun tous les avions ennemis. Le général Pétain a fait rassembler dans la région de Bar-le-Duc la fine fleur de la chasse française et l'a confiée à un chef de valeur, le commandant de Rose. Guynemer, Nungesser, Chaput, Deullin, Navarre, que l'on surnomme maintenant la Sentinelle de Verdun, et le capitaine Brocard, tous sont au rendez-vous. L'escadrille des Cigognes, engagée dans la bataille depuis le 15 mars, se distingue tout particulièrement. Il n'est pas de jour où l'on n'entende au moins un appareil rentrer au terrain de Vadelaincourt en faisant vrombir son moteur trois fois en signe de victoire.

Sept volontaires américains très décidés

France, 18 avril

Ils sont au nombre de sept comme les héros d'Eschyle. Ils auraient pu aussi rester tranquillement chez eux, mais l'appel de l'aventure a été le plus fort. Norman Prince, Elliot C. Cowdin, William Thaw, Weston Bert Hall, Kiffin Y. Rockwell, James R. McConnell, Victor E. Chapman sont américains. Ils forment l'escadrille américaine, la N 124. Pour beaucoup, la création de cette escadrille est déjà une première victoire. William Thaw avait déjà offert ses services d'aviateur en 1914, mais, son offre ayant été rejetée, il s'était alors engagé dans la Légion étrangère. Désormais, commandés par le capitaine Georges Thénault, ils vont voler pour la France.

Les pilotes de l'escadrille des Cigognes au grand complet.

Ils sont arrivés des Etats-Unis pour défendre la France. Ce sont aussi des passionnés d'aviation et veulent en découdre dans le ciel avec les Allemands.

Armés, les zeppelins sont redoutables

A bord d'un zeppelin, les pilotes allemands se préparent au combat.

Allemagne, 24 septembre

A Paris comme à Londres, on en sait quelque chose : les zeppelins sont un instrument de guerre efficace. S'ils étaient au départ fabriqués dans une optique pacifique, les dirigeables allemands, la guerre naissant, ont été adaptés à un emploi militaire. D'abord utilisés pour des missions de reconnaissance à longue distance sur le front et en mer, ils contribuent à présent à semer la terreur lors de bombardements nocturnes des grandes villes ouvertes. A Paris, dans la nuit du 20 au 21 mars et celle du 29 au 30 mars, ou à Londres le 31 mai

1915 et en Angleterre au mois de janvier de la même année, leur présence dans le ciel a toujours provoqué la même panique parmi les civils. Qualifiés de tueurs d'enfants, ils contribuent à développer un sentiment de rancune à leur égard. Cibles privilégiées des avions de la chasse alliée et de la défense au sol, leur équipage dispose, à bord de la nacelle, d'un canon et de deux mitrailleuses pour éloigner d'éventuels agresseurs. A cela s'ajoute la stabilité de leur vol qui leur permet, en allant se réfugier au-dessus des nuages, de se préserver de la menace des avions ennemis.

Une photo aérienne prise à 150 m au-dessus du sol. On aperçoit la progression des soldats au milieu des cratères d'obus.

Le Nieuport est aussi avion lance-fusées

Présentation d'un Nieuport armé des nouvelles fusées Le-Prieur.

Verdun, 22 mai

L'aviation française possède une nouvelle arme redoutable, les fusées Le-Prieur. Employées pour la première fois aujourd'hui, elles viennent de démontrer leur efficacité en incendiant la quasi-totalité des ballons d'observation allemands qui sont en position sur la rive droite de la Meuse. On doit cet exploit à huit chasseurs Nieuport équipés de ce nouveau système. Chaque appareil est équipé de deux lots de quatre fusées, fixées de paire au niveau des mâts. Pour être efficaces, elles doivent être tirées à faible distance du ballon, leur mise à feu se faisant par

commande électrique. C'est à un officier de marine, le lieutenant de vaisseau Yves Le Prieur, que l'on doit cette remarquable amélioration de l'armement de la chasse. Elle devrait permettre d'empêcher toute observation du front français par les Drachen, et, par voie de conséquence, de favoriser les missions des ballons d'observation et des avions alliés. Les Allemands doivent en grande partie leur succès terrestre actuel à leur supériorité aérienne. Peu de mouvements des troupes alliées leur échappent. Cette nouvelle arme pourrait changer le déroulement des combats.

Le capitaine Ball a l'étoffe d'un as

Arras, 31 août

Seul contre douze, le capitaine Ball a livré ce soir l'un des combats les plus héroïques de la guerre. Parti pour patrouiller à travers les lignes allemandes, il repère, à 18 h 30, 12 Roland qui volent au-dessus de leur terrain de Cambrai. Piquant de 3 350 m dans son monoplace Scout Nieuport, il remonte en flèche et ouvre le feu à moins de 50 m sur l'un des appareils. Il force un second avion à se poser, mais tombe en panne de munitions. Son avion est touché par les tirs ennemis mais Ball, imperturbable, sort son colt et fait feu sur l'adversaire. Il parvient quand même à revenir à sa base où il atterrit sain et sauf. (→ 7.5.17)

L'importance du Royal Flying Corps

France, 15 juin

Le maréchal sir Douglas Haig a demandé au ministère de la Guerre de porter le nombre des escadrilles du Royal Flying Corps à 56. Elles sont actuellement 32. Alors qu'il faisait partie, avant la guerre, des sceptiques quant à l'efficacité des avions en cas de conflit, il a fait l'éloge du RFC, ajoutant : « Les services rendus ont été si grands que je considère qu'il est prioritaire de recruter le personnel nécessaire. » On place de grands espoirs dans le DH.2, le nouvel appareil du RFC, équipé d'un moteur Gnome 100 ch. Il inspire confiance aux pilotes, malgré son surnom de Cercueil volant.

Un nom d'animal pour chaque Sopwith

Le Sopwith anglais pourrait donner aux alliés la suprématie aérienne.

Angleterre, 24 septembre

Avec la victoire remportée par le Pup (chiot) sur un avion allemand, les Sopwith entrent dans la légende. Cet avion aux excellentes performances méritait d'attirer l'attention. Sa maniabilité, son aisance en altitude et sa puissance de feu en font un remarquable appareil de combat dans la lutte contre les zeppelins. D'ailleurs, d'autres Sopwith sont actuellement à l'étude, dont les qualités vont être encore améliorées. Le prochain est déjà baptisé Camel à cause de la bosse prévue à l'avant du fuselage pour contenir deux mitrailleuses jumelées. Et, après le chiot et le chameau, la ménagerie va probablement continuer à s'agrandir.

Un hydravion repère la flotte du Jutland

Londres, 31 mai

Pour la première fois, la force aérienne est intervenue dans le combat naval qui oppose les flottes britannique et allemande : à Jutland, sous les tirs nourris de quatre croiseurs, le capitaine Rutland a réussi à communiquer par radio à la Royal Navy la position de l'ennemi. Son hydravion, un Short Sunbeam 184, avait décollé du porte-avions *Engadine*, un ancien ferry qui faisait la traversée de la Manche, et s'était dirigé vers la flotte allemande. Aussitôt celle-ci repérée par Trewin, son observateur, Rutland envoya trois messages. Alors que les tirs faisaient rage, une arrivée d'essence éclata, forçant Rutland à entreprendre un amerrissage hasardeux près de l'*Engadine*, dans un ciel sombre et avec un appareil en difficulté. Les aviateurs furent hissés sains et saufs à bord. La Royal Navy a forcé les Allemands à se replier dans leurs ports. Bien que cette première mission de reconnaissance n'ait joué qu'un rôle mineur dans l'issue de la bataille, elle permet d'imaginer quels avantages la marine pourrait tirer de l'action de l'aviation. Les Allemands l'ont aussi compris et il faut faire plus vite qu'eux.

Le Short 184, bombardier torpilleur britannique de l'Amirauté.

Berlin survolé par un aviateur français

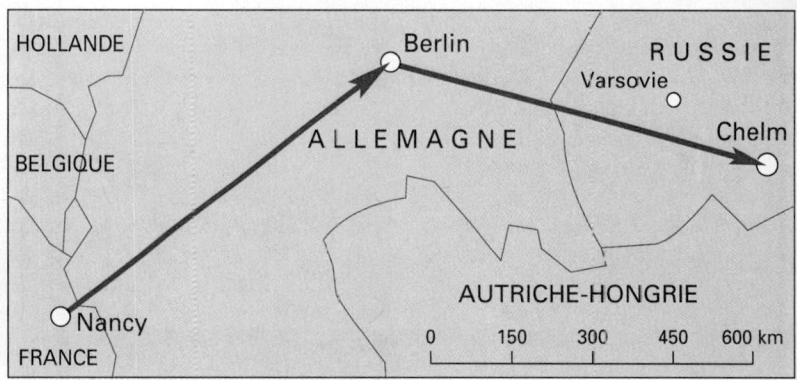

De Nancy à la voïvodie de Lublin, il y a 1 370 km en ligne droite.

Chelm (Pologne), 21 juin

Une panne de moteur a mis un terme à l'incroyable exploit du lieutenant Anselme Marchal. Après avoir fait spécialement équiper un Nieuport pour tenir l'air quatorze heures, Marchal s'est envolé hier soir de l'aéroport de Nancy en direction de l'Allemagne. A trois heures du matin, il est passé au-dessus de Berlin, où il a jeté une pluie de tracts, puis il a continué sa route vers la Russie. Malheureusement, une panne l'a obligé à atterrir près de Chelm, à moins de cent kilomètres de la frontière. L'aviateur a été fait prisonnier. Avec son appareil, Marchal aura couvert 349 km de plus que le précédent record du monde de distance.

Le ciel de la Somme est aux Allemands

France, 20 octobre

Ayant abandonné tout espoir de vaincre à Verdun, les Allemands reportent maintenant tous leurs efforts sur le front de la Somme. Empêtrés dans une offensive meurtrière au sol, les Britanniques et les Français ont bénéficié au départ d'une supériorité aérienne qui aujourd'hui n'est plus qu'un souvenir.

Le Jasta 2 d'Oswald Boëlcke mène la vie dure au Royal Flying Corps et à l'escadrille des Cigognes. Le 16 octobre, Boëlcke détruisait deux appareils anglais tandis que Richthofen et Rudolf Reimann abattaient chacun un BE 2. Les as anglais, Ball et McCudden, ne restent pas inactifs, mais les insolents pilotes du Jasta 2 leur tiennent tête.

Un Albatros D3 stationné derrière une escadrille de D5.

W. Boeing fonde la Pacific Aero Products

Seattle, 15 juillet

Il est négociant en bois et s'appelle Boeing ; il possède un avion, baptisé *Bluebill*, et une compagnie, Pacific Aero Products. La ville de Seattle, dans l'Etat de Washington, va peut-être devenir, grâce à lui, un centre de l'aviation. Ce qui n'était qu'un rêve est devenu réalité, car Boeing a décidé d'y installer sa compagnie. Agé de trente-quatre ans, il volait auparavant sur un Glenn-Martin. C'est alors qu'il décida de construire lui-même un aéroplane. Il a effectué le mois dernier un premier vol d'essai à bord de l'hydravion B & W, le *Bluebill,* sur le lac Union. Cet appareil a été conçu avec l'aide du capitaine de frégate Conrad Westervelt. Il a une envergure de 15,85 m et une vitesse de pointe de plus de 120 km/h. Directeur de cette nouvelle compagnie, Boeing a transformé le chantier naval qu'il avait acheté pour réparer des yachts en une usine aéronautique. La marine américaine a déjà exprimé son intérêt pour le B & W afin de former les jeunes pilotes. (→ 27.12.19)

L'hydravion de William Boeing se prépare à effectuer son premier vol.

Disparition de deux grands as allemands

Max Immelmann, surnommé par ses camarades l'Aigle de Lille.

Le pilote allemand Oswald Boëlcke, titulaire de quarante victoires.

Lagnicourt, 28 octobre

Nouveau coup du sort porté aux forces aériennes allemandes. Après la disparition, le 18 juin dernier, de son compatriote et ami Max Immelmann, le capitaine Oswald Boëlcke vient à son tour de trouver la mort. Parti à la tête de cinq appareils du Jasta 2 sous le ciel gris et venteux de ce début d'après-midi, il se heurte alors à un groupe d'appareils de reconnaissance britanniques. Dans le combat qui s'ensuit, Boëlcke et son ami Erwin Böhme ne parviennent pas à s'éviter et, gênés par un appareil ennemi qui leur barre la route, ils s'accrochent. Böhme arrache avec son train d'atterrissage le bout de l'aile gauche de l'autre Albatros : l'irrémédiable se produit. Pendant quelques instants encore, on put croire que Boëlcke parviendrait à sortir de la vrille et à reprendre le contrôle de son appareil, mais, l'aile se détachant, il piqua pour aller s'écraser au sol. La colonne vertébrale fracturée, l'as allemand fut tué sur le coup. Ce sont ainsi deux grands tacticiens qui viennent de disparaître en peu de temps : alors que Max Immelmann avait imaginé une figure d'acrobatie qui permettait au chasseur de ne se présenter que sous l'angle le plus favorable, sans jamais exposer son flanc (cette figure porte désormais son nom), Boëlcke avait formulé les théories du combat aérien : la *Dicta Boëlcke*. Avec passion, il s'efforçait à Berlin d'instruire ses jeunes camarades et il insistait sur l'importance de la formation des pilotes, l'apprentissage du tir et le choix du lieu du combat. C'est pendant l'été 1915 que Boëlcke et Immelmann s'étaient distingués en pilotant les premiers Fokker E.III, munis du système de tir à travers l'hélice, qui devaient devenir le fer de lance de la chasse allemande dès la fin de l'année. Boëlcke venait de remporter sa quarantième victoire en combat aérien. Ses adversaires, rendant hommage à l'ennemi mais aussi un aviateur remarquable, sont venus jeter des bouquets de fleurs au-dessus du terrain du Jasta 2.

Ravitaillement aérien pour les assiégés

Le Handley Page O/100 est le premier bombardier lourd britannique.

Egypte, 1er juillet

Le commandement des escadrons du Royal Flying Corps en Egypte, en Mésopotamie et dans l'Est africain, s'est vu désigner aujourd'hui une nouvelle tâche : la création d'une brigade pour le Moyen-Orient. Son quartier général sera au Caire, sous le commandement du général Salmond. Les opérations au Moyen-Orient sont secondaires, comparées à celles du front ouest. Les moyens logistiques sont faibles, et beaucoup d'opérations sont me-nées par de vieux appareils. Au printemps, le squadron n° 30 a fait la démonstration d'une nouvelle utilisation militaire de l'avion en ravitaillant la garnison britannique assiégée de Kut el-Amara, située en Mésopotamie. Du 15 au 29 avril, ses Farman Longhorns BE 2as et BE 2cs surannés et des hydravions du RNAS, ont effectué 140 sorties. Mais les 8 625 kg de farine, sucre et chocolat qu'ils ont lâchés n'ont pas suffi à sauver la garnison, qui a finalement dû se rendre.

L'aviation anglaise paie un lourd tribut

France, 31 décembre

Ce sont douze mois difficiles et coû-teux que le Royal Flying Corps vient de passer en France. Au début de l'année, les pilotes étaient encore ébranlés par l'effet dévastateur du Fokker E.III, avion de combat mo-noplace allemand. La situation s'aggravant, le gouvernement an-nonça le 7 mai l'ouverture d'une enquête parmi le commandement du corps. En juin, au début de la bataille de la Somme, l'arrivée des Nieuport 11 français et des de Havilland 2 permit aux pilotes bri-anniques de reprendre l'avantage. Mais à quel prix ! 363 appareils perdus pour le RFC en cinq mois de combat, contre 359 chez l'ennemi. En fin d'année, la supériorité est revenue à l'Allemagne grâce à l'Al-batros 2, un nouveau monoplace rapide doté de 2 mitrailleuses, qui met à nouveau le RFC en difficulté.

La chasse française perd son créateur

Soissons, 11 mai

Yeux clairs, longues moustaches blondes, Jean-Baptiste de Ticornot de Rose était le type même du che-valier de l'air. En 1915, il crée la chasse dans l'armée de l'air fran-çaise. Il obtient d'équiper l'esca-drille de la 6e armée, la célèbre MS.12 au fanion mi-bleu, mi-blanc, de Morane-Saulnier bi-places. Ces appareils sont les plus rapides du moment puisqu'ils avoi-sinent les 125 km/h. Comme lui, ses hommes sont des cavaliers : on retrouve les Navarre, Pelletier-Doisy et autre Gastin. Désigné pour remplacer le commandant Barès à la tête des forces aériennes voici quelques mois, le comman-dant de Rose a été victime d'un accident au cours d'un vol de dé-monstration. Son avion, en perte de vitesse trop près du sol, a décroché. Il n'avait que quarante ans.

Les techniques et les astuces de la chasse

L'avion ennemi est abattu. Le Spad vainqueur est entouré de shrapnells.

Europe, août

« Plus de dix balles et c'est raté. » Toujours laconique, c'est ainsi que René Fonck, l'as français, exprime sa vision de la chasse. La chasse nécessite une technique et des apti-tudes particulières. Dans les deux camps, les pilotes de chasse ont pe-tit à petit mis au point une tech-nique et des principes qui leur per-mettent d'abattre leurs adversaires en prenant le «moins de risques possible». Côté français, l'indi-vidualisme ressort, même si le travail en escadrille reste essentiel. Fonck, Guynemer, Deullin, Dorme, Nun-gesser affectionnent particulière-ment les sorties en solitaire ou en duo. L'adresse au tir est essentielle, c'est elle qui fait que deux ou trois cartouches suffisent pour abattre un ennemi, mais elle n'est pas suffi-sante. La vigilance est peut-être la qualité essentielle demandée au pi-lote de chasse. La plupart des avia-teurs, surtout les jeunes frais ému-lus des écoles, se font abattre par surprise. Il y a enfin le position-nement : aveugler l'ennemi, l'at-taquer par derrière en altitude, se tenir dans les angles morts... En Allemagne, les principes du combat aérien sont codifiés dans la *Dicta Boëlcke*. Cette bible des pilotes sert aujourd'hui de base à l'entraî-nement, elle donne aux aviateurs des consignes précieuses comme de «conserver une altitude supérieure et piquer rapidement sur l'arrière de l'avion ; se placer entre le soleil et l'ennemi afin que celui-ci ne puisse ajuster son tir... » Combien d'hommes sont morts de ne pas avoir suivi ces judicieux conseils ?

6 août : René Fonck attaque deux appareils allemands, à bord de son Caudron G 4. Il réussit l'exploit d'amener l'un d'eux, un Rumpler, à se poser dans les lignes françaises. C'est sa première victoire.

1917

215 km/h
France
Maurice Béquet
Spad S-VII
1.4.16

1 900 km
Allemagne
Werner Landmann
Albatros
28.6.14

8 150 m
Allemagne
Heinrich Oelerich
DFW
14.7.14

11 824 kg
Allemagne
Zeppelin
Staaken R. VI

400 ch
Etats-Unis
Packard et Hall-Scott
Liberty

Paris, 8 janvier
Guynemer suggère à Béchereau de monter sur le Spad-VII un canon tirant à travers le moyeu de l'hélice.

Allemagne, 1er février
Le nouveau bombardier lourd Friedrichshafen G 3 arrive en unités opérationnelles. Propulsé par deux moteurs Mercedes de 260 ch, il peut transporter 1 500 kg de bombes.

France, 8 février
Guynemer et Chainat obligent un bombardier Gotha G III à se poser à l'intérieur des lignes alliées. L'appareil est aussitôt confié au service technique de l'aéronautique pour être étudié.

France, 11 février
En pleine nuit, les lieutenants Peter et Frohwein, à bord d'un biplan DFW CV, surprennent et abattent deux bombardiers Voisin à l'atterrissage sur leur base de Malzéville.

France, 17 mars
Georges Madon tombe en panne de moteur alors qu'il vient d'abattre son 8e avion allemand. Ne pouvant planer jusqu'aux tranchées françaises, il se pose à l'intérieur des lignes ennemies et réussit à réparer l'avarie. Il redécolle ensuite sans problème.

France, 31 mars
Le biplan Caudron R.11 A3, qui a effectué son vol initial au début du mois, a ensuite été commandé à 70 exemplaires par le GQG. Bimoteur triplace, il est équipé de 5 mitrailleuses mobiles, dont une ventrale, et doit servir d'escorte aux Breguet 14 en cours d'affectation.

Washington, 2 avril
Le Congrès vote l'entrée en guerre contre l'Allemagne. L'Army Signal Corps possède 250 avions et l'US Marine Corps 54 avions.

Douai, 6 avril
Le groupe n° 100 de bombardement de nuit du RFC, créé le 23 février et transféré en France le 21 mars, effectue un raid sur l'aérodrome du Cirque Richthofen. (→ 30.4)

Belgique, 7 avril
Le roi Albert Ier survole les lignes belges à bord d'un Farman F-40, avec les pilotes de l'escadrille du commandant Jacquet. (→ 7.9.18)

France, 16 avril
Une très grave erreur tactique est commise au début de l'offensive du Chemin des Dames. Les pilotes alliés suivent l'instruction du GQG du 11 février : « L'aviation doit aller chercher l'ennemi chez lui et le détruire. » Les Allemands refusent le combat et vont abattre les avions d'observation laissés sans défense.

France, 1er mai
Les escadrilles de chasse commencent à recevoir le Spad-XIII. Doté de 2 mitrailleuses Vickers, il a été testé en vol le 4 avril par René Dorme. Il remplace les Spad-VII et XII. Ce dernier, équipé d'un canon de 37 mm tirant à travers le moyeu de l'hélice, présentait un inconvénient majeur : chaque coup de canon gênait le pilote par la fumée qu'il émettait.

Mer du Nord, 20 mai
Un hydravion Curtiss H.12 du RNAS, commandé par le lieutenant Morrish, coule le sous-marin allemand *U-36* à la bombe.

France, 25 mai
René Dorme, as des Cigognes âgé de 23 ans, est abattu en affrontant quatre avions ennemis. En 11 mois de front et 623 h de vol il a totalisé près de 70 victoires dont 23 seulement seront homologuées.

Grande-Bretagne, 25 mai
Partis de Belgique, 21 bombardiers Gotha G IV du groupe 3 larguent leurs bombes sur Folkestone, faisant 95 morts et 260 blessés. Ils devaient attaquer Londres, mais ont rencontré une couche de nuages à 30 km de la ville. (→ 17.9)

Cambrai, 2 juin
A bord d'un Nieuport 17 du RFC, l'as canadien William Bishop attaque un aérodrome et détruit sept appareils allemands au sol, avant d'en abattre trois en combat aérien.

Grande-Bretagne, 5 juin
La société Aircraft Manufacturing de George Holt Thomas fusionne avec la firme Martyn pour former la Gloucestershire Aircraft Co.

Champagne, 30 juin
Durant l'offensive allemande, l'as Ernst Udet a engagé un Spad sur le fuselage duquel il a réussi à lire l'inscription *Vieux Charles*. Mais la mitrailleuse de son Albatros s'est enrayée. Guynemer s'en est aperçu lors d'un passage et lui a fait un signe de la main avant de s'éloigner vers ses lignes. (→ 29.6.18)

France, 1er juillet
Le Sopwith Camel entre en service opérationnel sur le front, et est intégré au squadron n° 70 du RFC. (→ 28.1.18)

Paris, 20 juillet
Louis Béchereau, qui a quitté la Spad en début d'année du fait de désaccords avec Blériot, est décoré de la Légion d'honneur par Guynemer. L'escadrille des Cigognes lui a offert la croix. Guynemer a reçu la rosette d'officier sur le terrain de Bonne-Maison le 5 juillet. (→ 11.9)

France, 7 août
Le Morane-Saulnier AI Parasol effectue son vol initial. Propulsé par un moteur Le-Rhône de 160 ch, il atteint 209 km/h. (→ 13.4.18)

France, 3 septembre
En testant son nouveau Spad-XIII, le capitaine Heurtaux engage un avion ennemi. Touché à la cuisse, il perd connaissance à 6 000 m d'altitude et revient à lui à 500 m du sol, à temps pour atterrir. Le phosphore de la balle a cautérisé la blessure.

France, 3 septembre
Les pilotes et les mécaniciens du 1er groupe aérien du corps expéditionnaire américain débarquent à Pauillac. (→ 2.2.18)

Belgique, 23 septembre
Werner Voss, 20 ans et 48 victoires, est abattu après 10 min de combat contre 7 avions britanniques. Il pilotait le nouveau triplan Fokker Dr.I, qu'il a testé au front le 30 août et avec lequel il a abattu 21 avions.

Londres, 24 septembre
Parti de Turin, le SIA-7B2, prototype d'avion de reconnaissance de Fiat, est arrivé. (→ 14.7.19)

Flandres, 30 septembre
René Fonck obtient sa 15e victoire. Il abat le biplan Rumpler du capitaine Wisemann, vainqueur de Guynemer il y a 19 jours. (→ 14.8.18)

France, 11 octobre
La 41e escadre du RFC est créée et affectée à Bainville-sur-Madon. Equipée de DH.4, de FE.2b et de Handley Page O/400, elle a pour mission d'effectuer des bombardements stratégiques sur des cibles industrielles situées en Allemagne.

Toulouse-Montaudran, 15 octobre
Emile Dewoitine devient chef de fabrication du département aéronautique des Forges Latécoère. Il rentre de Russie où il a organisé en un an, à Odessa et à Simferopol, des usines qui fabriquent des appareils Voisin sous licence. (→ 29.10)

Italie, 20 octobre
L'as italien Baracca, de la fameuse escadrille Cavallino Rampante, réalise son premier doublé.

Etats-Unis, 21 octobre
Construit en six semaines, le moteur Liberty de 400 ch à 12 cylindres est essayé en vol sur un hydravion Curtiss HS-1.

Russie, 10 novembre
Le Bureau des commissaires de l'aviation et de l'aéronautique est créé 3 jours après la prise du pouvoir par les bolcheviks. (→ 24.6.18)

San Francisco, 11 décembre
Partie de San Diego, Katherine Stinson bat le record américain de vol sans escale (976 km).

Cette affiche de propagande américaine invite les jeunes à s'inscrire à l'Army Air Service pour aller se battre dans le ciel français.

Le Baron rouge fait des ravages

Front ouest, 30 avril

Les Français savent de quoi ils parlent lorsqu'ils surnomment l'Allemand Manfred von Richthofen le Baron rouge. Rouge sang comme l'Albatros D1 qu'il pilote en ce mois meurtrier. Décoré le 16 janvier dernier de la croix du Mérite, il commande le Jasta 11 lors des combats sur le front occidental. Tous les appareils de son groupe ont été peints de différentes couleurs vives ; seul l'avion du Baron est rouge. On les a affublés du nom de Cirque volant. Ils sont immédiatement repérables par les observateurs à terre allemands et par les pilotes eux-mêmes durant les affrontements. Au cours du mois, Manfred von Richthofen a abattu, à lui seul, vingt et un avions anglais. Un jeune élève vient de le rejoindre : il s'agit de son frère Lothar, qui a de qui tenir puisque, de son côté, il a détruit quinze appareils britanniques. Leur témérité, qui effraie tant le Royal Flying Corps, les a faits entrer dans la légende. (→ 7.5)

Manfred von Richthofen, ici à bord de son appareil, est entouré de ses pilotes, avec qui il forme une redoutable escadrille.

Avril sanglant pour l'aviation alliée

Front ouest, 30 avril

Pour les Anglais, c'est le *Bloody April*. Ce mois d'avril est le plus meurtrier qu'ils aient jamais connu. Le printemps est l'époque des offensives et les forces aériennes se livrent un combat sans merci. Pendant les cinq premiers jours de la bataille du ciel, les Britanniques enregistrent la perte de 75 avions en combat et 56 par accident. On compte, chez les pilotes, 19 morts, 73 disparus et 13 blessés. Cette hécatombe serait due à l'inexpérience des hommes. En effet, la Royal Flying Corps veut frapper un grand coup et enrôle le plus de pilotes possible : la majorité d'entre eux n'ont même pas vingt-cinq heures de vol à leur actif... De plus, le chasseur Bristol n'est pas un appareil très sûr, et les jeunes, inexpérimentés, sont effrayés à l'idée de l'utiliser. Enfin, les équipages ont commis différentes erreurs tactiques, comme d'utiliser trop souvent la mitrailleuse de la tourelle arrière, servie par le mitrailleur, plutôt que la mitrailleuse fixe qui permet de tirer à l'avant. En revanche, les Allemands n'ont jamais été aussi sûrs d'eux à bord de leurs chasseurs Albatros et Halberstadt. Certains même n'hésitent pas à attaquer seuls toute une formation britannique. Le squadron n° 57, équipé de FE.2d, perd, le 5 avril, cinq appareils au cours d'un combat contre deux biplaces allemands. Quelques heures après, quatre Bristol neufs du squadron n° 48 sont abattus. A la tête des pilotes allemands : l'invincible Baron rouge...

Georges Guynemer, à bord de son Spad-VII, attaque un Albatros.

La chance inouïe d'Hermann Göring

Allemagne, février

La tactique d'Hermann Göring est la plus primaire qui soit. Il repère l'avion ennemi et fonce sur lui avec son monoplace de chasse en oubliant la plus élémentaire des prudences. Cette fois, Göring a aperçu un bombardier anglais volant plus bas que lui. Il met pleins gaz et fonce. Il n'a pas vu les chasseurs de protection et, touché sans savoir par qui, l'avion termine sa chute dans un cimetière. Tout près, une église, transformée en... hôpital de campagne. Gravement blessé, il ne reprendra connaissance qu'après l'opération. (→ 6.7.18)

A 24 ans, Göring a plus une réputation de fonceur que de bon pilote.

Un grand pilote se tue en Australie

Victoria, 28 mars

Mort de l'Australien Basil Watson. Ce pilote virtuose a disparu dans l'accident de son avion, à Port Phillip Bay, près de Laverton. Les ailes de l'appareil se seraient disloquées alors qu'il tentait un looping. C'est en Angleterre que Watson avait fait ses preuves en tant que pilote. Il avait obtenu son brevet le 18 octobre 1915, puis avait été engagé par la Sopwith Company comme pilote d'essais. Gravement accidenté au début de l'année suivante, il était retourné en Australie en juin 1915. Là, il avait construit son propre biplan en reprenant les lignes du Sopwith Pup, et l'avait équipé d'un moteur Gnome de 50 ch. Fin novembre, il se lançait dans des spectacles d'acrobatie aérienne à travers l'Australie. Le 9 décembre dernier, au cours d'un spectacle à Bendigo, sa ville natale, le looping qu'il réalisait avait failli mal se terminer, en raison d'une panne d'essence. Il en était alors sorti indemne. Aujourd'hui, la chance l'a quitté.

Le Canadien Bishop abat un Albatros

William Bishop en pleine action contre un Albatros sur son Nieuport 17.

Saint-Léger, Belgique, 25 mars
Le pilote Billy Bishop, la nouvelle recrue canadienne, a échappé de justesse à la révocation. Après le brutal atterrissage de son Scout Nieuport, hier, juste devant un groupe de personnalités en visite, Bishop se voyait prié de retourner chez lui. Mais ce matin, repartant en vol, il abattait un Albatros et remportait sa première victoire en combat. Bishop raconte qu'attaqué par l'Albatros, l'un des avions de combat allemands les plus redoutés, il ne fit que suivre son instinct et fonça droit sur lui. L'allemand partant brutalement en piqué pour lui échapper, Bishop le prit en chasse et le força finalement à s'écraser au sol. Son moteur se mit alors à bafouiller puis tomba en panne. Ce n'est qu'au tout dernier moment que Bishop réussit à redresser son avion. Réputé maladroit, Bishop vient de montrer que dans l'action, il a un sens inné du métier. Pendant quelques mois, il n'a volé que comme observateur pour le RFC. Il n'a reçu l'ordre de rejoindre l'escadrille n° 60 que ce mois-ci.

Le FE.2b, avion de toutes les missions

Suffolk, 17 juin
Le zeppelin *LZ 48* a été abattu en flammes tôt ce matin près de Saxmundham par le capitaine Saundby volant sur un FE.2b de la station expérimentale d'Orfordness, et par le lieutenant Watkins sur un BE 12 de l'escadron n° 37 de la Défense nationale. La démonstration des multiples possibilités du FE.2b est faite. Surclassé en tant que chasseur de première ligne par le Sopwith Camel et le SE 5, il est utilisé comme bombardier et appareil de chasse dans les raids nocturnes contre les zeppelins et des Gotha.

e FE.2b, un biplace à hélice propulsive construit par les Britanniques.

Le DH.4 des Anglais tient ses promesses

Le DH.4, premier avion britannique conçu pour les missions de bombardement.

France, 6 mai
Les premiers bombardiers DH.4 ont été remis aujourd'hui à l'escadrille n° 55, basée à Valenciennes. Ce nouveau modèle dessiné par Geoffrey de Havilland est porteur de grands espoirs. Conçu à l'origine pour l'attaque et le bombardement de cibles comme les dépôts de munitions des arrière-lignes ennemies, il pourrait être utilisé par le RFC comme appareil de chasse, pour la reconnaissance et la photographie aérienne. La Royal Navy, quant à elle, projette de l'utiliser dans l'attaque des zeppelins et dans la chasse aux sous-marins. Les aviateurs qui l'ont testé vantent déjà son extrême maniabilité et ses performances remarquables. Une vitesse de pointe de 174 km/h, une autonomie de plus de quatre heures et trois mitrailleuses en font un appareil re-

Poste de mitrailleur-radio du DH.4.

doutable. Capable d'opérer à plus de 4 570 m, il peut dépasser en vol tous les chasseurs allemands. Il devrait encore être amélioré et son moteur, un BHP de 230 ch, remplacé par l'Eagle de 375 ch actuellement à l'étude chez Rolls-Royce.

Les as témoignent pour Déperdussin

Paris, 30 mars
Accusé d'avoir détourné des millions de francs, le constructeur d'avions Déperdussin s'en tire avec une peine relativement légère : cinq ans de prison avec sursis et 1 000 F d'amende. Ses aviateurs sont venus témoigner pour lui. Védrines a rappelé que Déperdussin avait « rendu des services immenses » au pays, et Gilbert a dit que c'est grâce à lui que « l'aviation française a été capable de retrouver sa suprématie ».

Navarre chasse les agents en Torpédo

Paris, 11 avril
Jean Navarre chasse le sergent de ville. Cette nuit, en rentrant d'un souper fin aux Halles en compagnie du boxeur Théophile Régnier, la Sentinelle de Verdun a renversé avec sa Torpédo deux agents qui veillaient sur le sommeil des Parisiens, place des Victoires. Place de la Concorde, ce fut un nouvel assaut du même style. Pris peu après, ils cuvent leur vin au dépôt. Les autorités militaires enquêtent.

Le frère du Baron rouge abat Albert Ball

Arras, 7 mai

Le capitaine Albert Ball, l'as de Nottingham aux 43 victoires, a été abattu cette nuit au-dessus des lignes allemandes. Il avait 20 ans. Lors de son dernier engagement, il a eu pour adversaire le frère du Baron rouge, Lothar von Richthofen. L'Albatros de l'Allemand a été contraint de se poser après que son réservoir a été touché, mais l'on n'arrive toujours pas à comprendre pourquoi Albert Ball s'est écrasé. Son appareil a surgi à 150 m au-dessus du petit village d'Annœullin, volant tête en bas avec une hélice en croix. L'examen médical n'a révélé aucune blessure par balle, mais le corps a été très abîmé dans l'accident.

Albert Ball, le fameux as anglais.

L'esprit chevaleresque des aviateurs

Pour ceux qui se battent dans les tranchées, ce sont des aristocrates.

Zeppelin avait aussi construit des avions

Le bombardier lourd Staaken R.VI, l'un des appareils conçus par Zeppelin.

Berlin, 8 mars

Le comte von Zeppelin n'est plus. Il avait soixante-dix-huit ans. Inventeur du vaisseau aérien qui porte son nom, l'industriel était aussi un passionné d'aéroplanes. Contrairement au haut commandement allemand, qui s'est convaincu que les dirigeables feraient de formidables matériels de guerre, Zeppelin, lucide, se rend compte qu'il n'en est rien. Il crée alors la société Versu-chbau GmbH Gotha-Ost, en Saxe. En septembre 1914, les travaux sur le premier bombardier, le VGO I, sont lancés. Il vole le 11 avril 1915. Parmi tous les bombardiers construits depuis lors, ceux de Zeppelin sont les plus nombreux et les plus réussis. Après le VO I, II et III, un quatrième appareil est réalisé, le Staaken R.IV. Le comte Zeppelin meurt avant de le voir prendre du service.

France, 24 mai

C'est parfois avec envie et jalousie que leurs camarades au sol entendent parler des exploits des pilotes. Les aviateurs sont devenus un mythe. Même s'ils se satisfont de leur célébrité, les aviateurs en sont les premiers étonnés. On les comble d'honneurs et de médailles, les femmes les adulent. Cependant, pour beaucoup d'entre eux, ce qui compte, c'est de voler et de « casser du Boche ». Guynemer se moque de la gloire, des médailles, comme il le dit lui-même en riant : « Il ne me manque plus que la croix de bois. » En 1914, le cavalier Nungesser était hussard. Il viendra à l'aviation pour l'ivresse du mouvement et échapper à une guerre de positions qui a asphyxié son arme. Devenus pilotes, tous éprouvent de nouveau une sensation grisante de vitesse et de liberté. La mort, ils en ont peur mais l'abordent avec humour comme toute chose sérieuse : s'ils doivent mourir, la plupart du temps cela va vite. Ils sont maîtres de leur destin. C'est là un rare privilège par rapport aux combattants au sol. Entre eux, ils instaurent des règles de camaraderie. Navarre at-tribue souvent les avions qu'il abat aux jeunes pilotes qui l'accompagnent. Quand il fait un prisonnier, il l'invite à sa table, le garde avec lui un certain temps. Il arrive qu'un avion ennemi vienne jeter une couronne sur les lieux d'un combat. On donne aussi des nouvelles des disparus en jetant un billet dans les lignes ennemies. En somme, des aristocrates que la guerre jette dans la fournaise.

Les Français se reposent.

Escadrilles françaises

Clyde Cessna a son usine à Wichita

Wichita, 5 septembre

Avec l'entrée en guerre des Etats-Unis, Clyde Cessna se voit obligé d'arrêter momentanément la construction de ses avions. Il quitte donc l'atelier de la Jones Motor Car qu'il occupait à Wichita depuis 1916, et annonce son retour dans sa ferme natale de Rago, dans le Kansas. Ce fermier de 37 ans, connu pour réparer n'importe quel moteur ou machine agricole, s'est lancé dans l'aviation en 1911 avec l'intention première d'y gagner plus facilement sa vie (un aviateur pouvait alors exiger une fortune pour une exhibition en raison de la nouveauté de ce type de spectacle). Passant des démonstrations à la construction de ses propres appareils, il a réalisé, depuis, deux avions à Wichita : un *Silver Wings* (son appareil d'acrobatie) amélioré, et le Comet qui a battu, le 5 juillet dernier, un record de vitesse aux Etats-Unis.

Un laboratoire de recherches aux USA

Hampton, 4 juillet

Les Etats-Unis vont enfin avoir un centre de recherches aéronautiques. Le Congrès accorde l'autorisation de sa construction à la Naca, le Comité consultatif national en aéronautique, qui en sera l'administrateur. Depuis 1913, date de sa création, la Naca n'a eu de cesse de promouvoir ce domaine de la recherche dans lequel les Etats-Unis avaient un important retard par rapport à l'Europe. Ce futur complexe de bureaux et de laboratoires, baptisé Samuel Langley, du nom d'un des pionniers de l'aviation, doit comporter une soufflerie expérimentale. Par son importance, il se place en tête des laboratoires d'essais dans le monde.

Londres reste la cible privilégiée des bombardiers allemands

Ces bombardiers Gotha II sont prêts à partir en mission. Ils sont armés de deux mitrailleuses Parabellum.

Londres, 17 septembre

Les Allemands ont renforcé leur flotte pour les raids au-dessus de Londres : le bombardier Staaken R.VI, lourd quadrimoteur qui peut transporter une bombe de 900 kg, vient de rejoindre le Gotha G IV. Ces appareils prennent le relais des zeppelins qui se sont révélés beaucoup trop vulnérables aux attaques de la chasse. Ils ont quand même fait 557 victimes en 51 raids. En novembre l'année dernière, les LVG, bombardiers plus légers, n'avaient causé que peu de dégâts. Cette année, un premier raid de 22 Gotha partis de Belgique vers le sud de l'Angleterre faisait, le 25 mai, une centaine de victimes. Puis, le 13 juin, un autre bombardement frappait Londres en plein jour et faisait 150 morts. Le choc subi par le public entraîna le retour des chasseurs opérant en France pour qu'ils luttent contre les Gotha. Trois étaient abattus le 22 août. Depuis le 3 septembre, ils ont cessé leurs attaques de jour mais poursuivent les raids de nuit, quand les chasseurs ont plus de mal à les repérer.

Guynemer n'est pas rentré à sa base

Poelcapelle, 11 septembre

Personne encore, ici, ne veut croire à une disparition définitive. Certes, le chef d'escadrille Georges Guynemer n'a toujours pas regagné son terrain de Saint-Pol-sur-Mer, mais n'a-t-il pas essuyé, depuis quelques semaines, plusieurs revers de fortune dont il est sorti, à chaque fois, indemne ? Le récit du sous-lieutenant Jean Bozon-Verduraz, seul à avoir accompagné aujourd'hui le capitaine en mission, n'apporte que peu d'éclaircissements à ce mystère. Il faisait beau à 8 h 25 ce matin, quand Guynemer est parti en reconnaissance au-dessus des Flandres. Il pilote son *Vieux Charles*, un Spad S-XIII, suivi de près par son camarade d'escadrille. Vers 4 200 mètres, au-dessus du village de Poelkapelle, Guynemer repère une formation de huit monoplaces venant des arrière-lignes ennemies. Il fait signe et engage immédiatement le combat. Bozon-Verduraz est séparé de son chef qui disparaît dans une couche de nuages. Il ne devait jamais plus le retrouver, malgré les recherches qu'il a menées jusqu'aux dernières limites de ses réserves d'essence. Guynemer avait déjà été touché le 20 août, victime de l'erreur d'un pilote britannique, mais avait pu rejoindre sa base. Le 10 septembre, journée particulièrement noire, son moteur était tombé en panne, puis il avait été touché en vol. Malgré 54 victoires, celui dont la devise est *Je me dois à mon pays* est parti, dans le petit matin, pour un vol de trop. (→ 30)

Le 18 février dernier, il avait été promu capitaine. Le 11 juin, il était fait officier de la Légion d'honneur.

Escadrilles belges

Escadrilles italiennes

Claudius Dornier ne construit que des hydravions géants

L'un des « géants » de Dornier, le RS-III, dans sa seconde configuration avec ses grandes dérives de dirigeable.

Allemagne, 4 novembre
Baptême de l'eau pour le RS-III. La météo sur le lac de Constance est au beau fixe. Weiss, pilote, et Schulte Frohlinde, père des moteurs en tandem, peuvent décoller à bord du tout nouvel hydravion réalisé par Dornier. Pour des raisons de sécurité, l'engin vole à basse altitude. Très vite, les pilotes remar-

quent la paresse des ailerons et le manque de stabilité en roulis. En revanche, le RS-III a décollé avec une extrême facilité. L'hydravion géant quadrimoteur à flotteur central unique est destiné à la reconnaissance en mer et à la détection des sous-marins. Le mastodonte atteint 130 km/h. Voilà trois ans que Dornier s'est lancé dans la con-

ception d'hydravions. Le RS-I et le RS-II, frères du nouvel engin, ont permis au constructeur de prendre conscience du plus important problème que pose ce type d'appareil : la coque qui n'arrive pas à être aussi efficace sur mer que dans l'air. Il ne reste plus aux spécialistes qu'à remédier aux défauts enregistrés pendant le vol.

La Royal Navy transforme un de ses croiseurs en porte-avions

Des membres de l'équipage du « Furious », un croiseur modifié et doté d'un pont d'envol de 70 m, courent pour saisir le Sopwith Pup et le freiner.

Ecosse, 7 août
Dramatique accident lors d'essais aériens sur le porte-avions *HMS Furious*. Le capitaine Dunning s'est tué en tentant de poser son Sopwith Pup sur le navire. Les manœuvres de décollage d'un porte-avions sont relativement maîtrisées, mais il s'est révélé beaucoup plus difficile d'apponter. Il y a 5 jours, Dunning avait réussi à s'arrêter avec l'aide d'autres pilotes qui avaient saisi les cabillots d'amarrage sur les ailes et freiné l'avion, une fois sur le pont. Aujourd'hui, Dunning a réussi sa première tentative sans assistance mais, au second essai, le Pup ne s'est pas arrêté et bascula à la mer. Dunning était noyé avant que les marins aient eu le temps de mettre à l'eau un canot de sauvetage pour aller lui porter secours. (→19.7.18)

Grand progrès dans la radiotéléphonie

Langley Fields, 16 octobre
Les progrès réalisés en navigation aérienne sont remarquables. Les récents essais de communication par radiotéléphonie, réalisés sur des appareils militaires, se sont achevés avec succès au laboratoire de recherches aéronautiques de Langley, en Virginie. Des communications ont été établies sur des distances de 40 km pour les liaisons d'avion à avion, et 72 km entre l'avion et le sol. Cela signifie que non seulement on pourra communiquer avec un avion mais aussi que ce dernier sera en mesure de recevoir des signaux du sol et de se diriger vers eux. L'étape suivante sera de placer des stations d'émission aux différents points des routes aériennes.

Latécoère décroche une belle affaire

Montaudran, 29 octobre
Pierre Latécoère a réussi à convaincre le ministre de l'Armement de lui faire confiance. Le gouvernement lui a donc passé commande de mille avions biplaces Salmson, dont il devra livrer le premier avant le 15 mai prochain. Terrible gageure, car l'usine de Latécoère n'est pas encore sortie du sol.

Curtiss ouvre sa nouvelle usine

Buffalo, 30 septembre
Pour répondre à des commandes de plus en plus nombreuses, Glenn Curtiss s'installe à Buffalo. Cette ville lui offre la main-d'œuvre et les facilités de transport indispensables aux vastes opérations de fabrication qu'il ne pouvait plus mener à bien à Hammondsport.

Escadrilles américaines

Les zeppelins terrassés par la chasse

Le Nieuport 17 équipe toutes les armées

Ce qu'il reste d'un zeppelin abattu en flammes, celui-ci près de Compiègne.

Le Nieuport 17 est vite devenu le plus populaire des chasseurs.

Grande-Bretagne, 19 octobre
Mauvaise journée pour les zeppelins. La carrière de cinq d'entre eux vient de prendre fin tragiquement au cours d'un raid sur les Midlands. Partis à onze, ils ont, dès leur arrivée au-dessus des îles Britanniques, essuyé une violente tempête qui a gêné leur évolution. Contraints de prendre de l'altitude par mesure de sécurité, seuls six dirigeables sont parvenus à rejoindre l'Allemagne. Pour les cinq autres, la dérive a été de plus ou moins longue errance.

Parmi eux, le *L 55*, piloté par le capitaine Fleming, a été abattu. Le *L 45* s'est posé à Sisteron, dans les Basses-Alpes et le *L 49* à Bourbonnes-les-Bains. Ils ont été tous deux capturés. Le *L 50*, lui, a fini par s'écraser contre les flancs d'une colline dans la région de Dommartin, après un voyage de 24 heures. Le *L 44*, quant à lui, a été abattu par des avions basés près de Saint-Clément et de Lunéville, en Meurthe-et-Moselle. Un bilan lourd pour des appareils réputés si redoutables.

Armées alliées, décembre
C'est devenu une évidence, le Nieuport s'impose comme le meilleur monoplace de chasse de la guerre. Avec son moteur rotatif de 110 ch Le-Rhône, cet avion français révèle des qualités inégalées : endurance, maniabilité extraordinaire, vitesse de montée impressionnante. C'est l'avion que chacun veut piloter. Il a une autonomie de deux heures de vol et atteint un plafond de 5 000 m. Sa vitesse n'est pas moins performante : 175 km/h. Aussi, toutes les armées l'ont adopté. La France, les Etats-Unis, la Grande-Bretagne, la Belgique, la Russie, l'Italie en ont commandé. Plus de 7 000 exemplaires ont été construits par Nieuport et par six constructeurs qui travaillent sous licence. Les Allemands ne pouvaient rester insensibles. Ils en ont produit une copie, le Siemens-Schukert I, qui a été conçu à partir de Nieuport capturés intacts. Seule différence : sur le modèle allemand, le moteur tourne en sens inverse de l'hélice.

Au cours d'un essai effectué au large du littoral anglais, un Sopwith décolle d'une plate-forme montée sur une tourelle de l'« Australia ».

Cette grange rouge est le siège de la compagnie Boeing, au sud de Seattle. Des soldats gardent l'entrée car on y construit des avions militaires.

Escadrilles américaines (suite)

Le triplan Dr.I conçu par Anthony Fokker, bien que fragile, est la monture favorite des grands as allemands, comme Manfred von Richthofen.

Le chasseur Macchi M.7ter.

Le Siemens-Schuckert D.I.

Le Pfalz D.III, équipé d'un moteur Mercedes de 180 ch, allie des performances, une maniabilité et une grande puissance de feu qui le rendent redoutable.

Le Spad-XIII, construit à 8 472 exemplaires, équipe la majorité des escadrilles de chasse françaises, mais vole aussi sous de nombreuses autres cocardes.

Surclassé en performances par le Spad-XIII, le Nieuport 28 se trouve relégué à l'équipement du corps expéditionnaire américain.

Le chasseur D.I de DFW ne dépasse pas le stade expérimental.

Le Labourdette-Halbronn français ne fait l'objet d'aucune commande.

Le SIA 7B affiche de belles performances pour un biplace.

Un Gotha G IV se prépare à un raid sur les Iles britanniques.

Le bombardier Ansaldo SVA.5 a les performances d'un vrai chasseur.

L'Ansaldo A-1 Balilla italien est construit à 176 exemplaires.

L'hydravion Fairey N.10 débouche sur la fameuse série du Fairey III.

Arrivé trop tard pour les combats, le bombardier Vickers Vimy sera utilisé par Alcock et Brown pour leur traversée transatlantique sans escale.

Dérivé du SE.5, le Royal Aircraft Factory SE.5a prouve ses grandes qualités entre les mains des grands as britanniques, comme Mannock et McCudden.

Le Parnall Panther est le premier avion embarqué britannique.

Le F.2 est le premier appareil conçu et construit par Fairey.

Le Junkers J 1 d'appui tactique est muni d'un épais blindage.

Le Campania de Fairey tire son nom du porte-hydravions qu'il équipe.

Le Sopwith Dolphin est jugé un peu trop dangereux par ses pilotes.

Le HB 2, construit par Georges Lévy, sert à la lutte antisousmarine.

Le LVG C.V d'observation découle des expériences tirées du front.

Le Salmson 2A équipe onze escadrilles d'observation américaines.

Le SIA 9B, bombardier rapide, est dérivé du SIA 7.

Le Morane-Saulnier AI ne reste en unité que quatre mois.

Le Dornier Rs-III est conçu pour opérer avec les Zeppelin.

Le prototype du biplan construit par Curtiss, le H.16-2, est équipé d'un moteur propulsif.

Le DD.8 est le meilleur hydravion conçu par Donnet-Denhaut.

Le prototype du Felixstowe F.3 au cours de ses premiers essais.

Le Pfalz D.XII ne fait pas l'unanimité chez les pilotes de chasse.

Le triplan Sopwith Rhino souffre de lignes lourdes et peu esthétiques.

Curieux, inélégant et inefficace, tel est le quintuplan Fokker V.VIII.

Malgré sa brève carrière en opération, le Sopwith Snipe a démontré ses grandes qualités et il ne sera retiré de la première ligne qu'en 1926.

Equipé d'un moteur trop faible, l'Airco DH.9 n'en est pas moins construit à 3 500 exemplaires ; il peut emporter 460 kg de charges offensives.

1918

240 km/h
France
STAé
Nieuport Nie-29
21.8.18

1 900 km
Allemagne
Werner Landmann
Albatros
28.6.14

8 807 m
Etats-Unis
Rudolph Schroeder
Bristol
18.9.18

13 608 kg
Grande-Bretagne
Handley Page Ltd.
Handley Page V/1500

460 ch
France
Canton et Unné
Salmson Z 18

Londres, 3 janvier
Le gouvernement britannique forme le Comité pour l'aéronautique, après la création hier du ministère de l'Air. Lord Rothermere est nommé secrétaire d'Etat à l'Air et le général Hugh Trenchard devient chef d'état-major de l'air. (→ 5.6)

Kiel, 26 janvier
Le Friedrichshafen FF 33e, baptisé *Wölfchen*, escorte en vol le croiseur auxiliaire *Wolf* de retour à sa base. Durant les 452 jours de mission sur les océans, l'hydravion a aidé à couler 28 navires de commerce alliés. Il a été réentoilé trois fois.

Berlin-Adlershof, 31 janvier
Le prototype Fokker VII, conçu par Reinhold Platz, a remporté ce mois-ci contre 30 concurrents le concours pour un chasseur muni du moteur Mercedes de 160 ch. Renommé D.VII, le biplan a été commandé à 400 exemplaires.

France, 2 février
Après la dissolution de l'escadrille La Fayette le 10 janvier, l'US Air Service obtient sa première victoire. Le lieutenant Stephen Thompson, qui n'avait jamais tiré à la mitrailleuse, abat un Albatros. (→ 25.9)

Paris, 7 février
A la suite du raid meurtrier effectué par 28 bombardiers allemands il y a huit jours, les compagnies d'assurance lancent l'assurance contre les Gotha : 10 000 F en cas de décès pour une prime de 20 F. (→ 12.4)

Paris, 3 mars
Les aviateurs Garros et Marchal, évadés d'Allemagne le 15 février, arrivent gare du Nord et sèment les journalistes. Ils sont sortis du camp de Magdebourg par la grande porte avec de faux uniformes allemands, salués par les sentinelles, puis sont passés par la Hollande. (→ 5.10)

New York, 8 mars
Au cours d'un vol simulé en altitude, les commandants Schneider et Whitney atteignent l'altitude artificielle de 10 500 m en 24 min, au laboratoire du Signal Corps.

Sahara, 14 mars
Trois biplans Farman transportent le courrier postal en moins de 7 h de vol, avec trois escales, d'Ouargla à In-Salah. Jusque-là, les chameaux mettaient un mois pour l'apporter.

Vienne, 20 mars
Le service postal international vers Kiev, inauguré il y a dix jours avec des biplans Hansa-Brandenburg C.I, est ouvert aux passagers.

France, 27 mars
L'as canadien McLeod est proposé pour la Victoria Cross. Il a réussi à ramener son avion en feu à sa base en le pilotant installé sur une aile.

Californie, 12 avril
Les frères Loughead, qui se sont adjoint les services de l'ingénieur John Northrop, relient Santa Barbara à San Diego avec leur nouvel hydravion F-1. Piloté par Allan, il transporte 3 passagers. (→ 31.12.26)

Toulouse-Montaudran, 5 mai
Le pilote d'essai Pierre Bastide décolle le premier Salmson 2A.2 de série sorti des usines Latécoère.

Grande-Bretagne, 22 mai
Le prototype du Handley Page V/1500 effectue son vol initial en ligne droite. Le bombardier a été commandé à 20 exemplaires dès le 27 janvier. (→ 31.12)

Paris, 27 mai
Les aviateurs Devienne et Lorgnat font un essai de service postal sur Londres. Partis de Bezons à 12 h 50 avec 300 kg de courrier, ils sont de retour à 19 h 30.

Mer du Nord, 4 juin
La patrouille du Canadien Robert Leckie, 4 hydravions Felixstowe F.2A et un Curtiss H.12, rencontre une formation de 12 hydravions allemands. Elle en abat deux et en endommage quatre autres.

France, 24 juin
Fuyant la révolution russe, Igor Sikorsky s'installe en exil à Paris. Il offre ses services au gouvernement français. (→ 24.3.19)

France, 9 juillet
L'as britannique James McCudden, 57 victoires, se tue dans un atterrissage sur le terrain d'Auxi-le-Château. Le moteur de son biplan SE 5a est tombé en panne. (→ 26.7)

Etats-Unis, 6 août
L'armée rompt l'accord passé avec la Poste pour assurer un service aéropostal, du fait des conditions d'exploitation. Les pilotes militaires avaient baptisé leur service le Club du suicide. La Poste engage aussitôt des pilotes civils.

France, 7 août
Le Spad-XX, biplan de chasse muni d'un moteur de 300 ch, commence ses vols d'essai. Il a été conçu par l'ingénieur Herbemont qui a remplacé Béchereau au poste de directeur technique de la firme.

France, 14 août
René Fonck abat trois avions allemands en 10 secondes. (→ 26.9)

Le Bourget, 17 août
L'adjudant Houssais et le sergent Van Caudenberg ouvrent la ligne postale aérienne Paris - Saint-Nazaire avec deux avions Letord.

Los Angeles, 17 août
Commandé à dix exemplaires par Washington dès le mois de janvier, le bombardier MB-1, équipé de 2 moteurs Liberty de 400 ch, réalise son vol initial. Conçu par Donald Douglas, il a été construit dans les ateliers de Glenn Martin qui a rompu l'année dernière son association avec la firme Wright. (→ 21.7.21)

France, 21 août
Le Nieuport 29, dessiné par l'ingénieur Mary et propulsé par un moteur Hispano de 300 ch, est testé par les pilotes du service technique de l'aéronautique. (→ 12.12.20)

Allemagne, 21 août
Une enquête est ouverte sur le nouveau monoplan Parasol Fokker D.VIII engagé sur le front depuis deux semaines. Trois appareils se sont écrasés au sol à la suite de ruptures au niveau des ailes.

France, 28 août
Trois nouveaux groupes de bombardement de nuit, les F-25, 110 et 116, sont dotés chacun de 15 bimoteurs Farman F-50. (→ 8.2.19)

Corse, 5 septembre
Une ligne postale militaire entre en exploitation de Nice à Ajaccio. Elle remplace la liaison maritime, menacée par les sous-marins ennemis.

Paris, 7 septembre
Pierre-Georges Latécoère transmet un mémoire au sous-secrétaire d'Etat à l'Aéronautique, Jacques-Louis Dumesnil. Il lui demande un soutien des pouvoirs publics pour son projet de ligne aérienne de Toulouse à Buenos Aires. (→ 25.12)

France, 9 octobre
Une concentration de 250 bombardiers, escortés par une centaine de chasseurs, largue 32 t de bombes sur des troupes allemandes, pour aider à briser une contre-attaque dans le secteur Meuse-Argonne.

Lac de Constance, 12 octobre
L'hydravion Dornier RS-IV est mis à l'eau. Le 13e couple du flotteur est destiné à recevoir une tourelle de tir pour couvrir ses arrières. (→ 12.1.22)

Grande-Bretagne, 19 octobre
Des avions-torpilleurs Sopwith Cuckoo sont embarqués à bord du *HMS Argus*. Son pont d'envol de 172 m de long en fait un véritable porte-avions, qui peut contenir 20 appareils dans son hangar.

Moscou, 1er décembre
Le TsAGI, Institut de recherches aérodynamiques, est créé.

Jacksonville, 22 décembre
Partis de San Diego le 4 décembre, 4 biplans Curtiss JN-4 achèvent la première traversée du continent américain effectuée par l'armée d'ouest en est.

*Le triplan de Manfred von Richtho-
fen lancé derrière un avion anglais.
A la virtuosité du pilote, il faut ajouter les qualités du Fokker Dr.I.*

Elisabeth Chemel

La dernière poursuite de l'As des as

Le Baron rouge, Manfred von Richthofen, poursuivi par le Canadien Brown.

Il était redouté et respecté.

Des changements à la Royal Air Force

Londres, 5 juin
Création aujourd'hui de l'Independent Air Force. Cette naissance fait suite à celle de la Royal Air Force, le 1er avril, par fusion du Royal Flying Corps avec le Royal Naval Air Service. L'IAF sera placée sous les ordres du général Trenchard, ancien chef de l'état-major de l'air. Destinée à anéantir l'industrie de guerre allemande par des bombardements stratégiques, elle est dotée de Handley Page O/400 et de Vickers Vimy, bombardiers lourds qui peuvent atteindre Berlin en décollant de l'est de l'Angleterre. Mais une opposition se dessine dans le commandement en chef qui préférerait les voir concentrés sur le champ de bataille.

France, 21 avril
Manfred von Richthofen, l'As des as allemand, a rejoint ses victimes dans la mort. Figure de légende chez les pilotes des deux camps, Richthofen n'avait pas que les qualités des héros. Au dire de certains de ses équipiers, l'homme était méprisant, taciturne, obsédé par la mort : il suivait parfois de son avion l'agonie de ses victimes. Ce matin, les Sopwith Camel du capitaine canadien A. R. Brown et le Jasta de Richthofen sont tombés nez à nez au-dessus de la Somme. Une mêlée confuse a suivi, au cours de laquelle le Fokker Dr.I rouge a reçu le tir du capitaine Brown. Sans dommages apparents, le Baron rouge a encore forcé un Camel britannique dont le pilote était inexpérimenté à se poser dans ses lignes. Sous l'œil de Brown, venu à la rescousse, les deux avions ont volé en rase-mottes vers une tranchée australienne d'où des coups de feu sont partis. Quelques instants plus tard, le Fokker s'écrasait dans un champ le long de la route Bray-Corbie. Le Rittmeister avait une balle en plein cœur.

Hugh Trenchard, à la tête de l'IAF.

L'aviation bloque l'offensive allemande

France, 27 mars
Depuis le 21 mars, les alliés plient sous le choc de l'offensive déclenchée en Picardie par Ludendorff. Les Allemands ont frappé au point de jonction des armées britannique et française. Arras, Saint-Quentin, Laon sont tombés, il semble que l'on soit revenu aux plus mauvais jours de 1914. Pire, une brèche s'est ouverte entre Britanniques et Français. Le général Pétain, qui craint une offensive en Champagne et n'a plus de réserves à envoyer au général Haig, a décidé d'utiliser les groupements aériens pour colmater la brèche. Le groupement Féquant constitué d'une escadre de chasse et d'une escadre de bombardement a été lancé dans la bataille le 24. Entre la Somme et l'Oise, les avions français sont engagés dans le combat terrestre, mitraillant sans relâche les colonnes ennemies, tandis que les bombardiers bloquent le passage de la Somme. Ce soir, l'offensive allemande semble stoppée.

Un terrain allemand est bombardé.

Un millier de victoires pour le Camel

Londres, 28 janvier
Les habitants de Londres espèrent qu'ils vont enfin pouvoir dormir tranquilles. Ils en ont assez de vivre dans la hantise des bombardements aériens auxquels leur ville est soumise depuis le mois de juin dernier. Opérant d'abord de jour, puis, à partir du 3 septembre dernier, de nuit, les appareils ennemis. surtout les redoutables Gotha G V, semaient la terreur, évoluant presque impunément au-dessus de la capitale. Ces raids allemands, ressentis comme une humiliation par les Britanniques, ont jusqu'à présent fait plus de huit cents victimes. Mais maintenant, les Londoniens sont persuadés que le règne des Gotha touche à sa fin. En effet, un Sopwith Camel des forces aériennes britanniques vient d'abattre un premier Gotha au-dessus de Londres. Armé de deux mitrailleuses Vickers de calibre .303, le Camel, ou chameau, ainsi nommé en raison de la forme de son fuselage, a déjà fait ses preuves lors d'innombrables duels aériens, en France notamment, abattant un millier d'appareils ennemis. Très apprécié des pilotes anglais, ce petit biplace est équipé d'un moteur puissant qui lui permet de grimper rapidement pour intercepter les bombardiers.

Les Sopwith Camel contre les Gotha.

Les Gotha sèment la terreur à Paris

Les Andes franchies par un Argentin

Chargement de bombes sur un appareil allemand Gotha G V.

La rue Geoffroy a été bombardée.

Cunco, 13 avril
Le militaire argentin Luis C. Candetaria a franchi la cordillère des Andes aux commandes d'un Morane-Saulnier Parasol de 80 ch. Bénéficiant de la neutralité de son pays durant le conflit, le pilote argentin a établi un formidable record en traversant les Andes d'est en ouest. Pour cette première traversée, Luis Candetaria est monté à une altitude de 4 500 m. Parti de la ville de Zappala, en Argentine, il a volé sans escale jusqu'à Cunco, au Chili.

Paris, 12 avril
La capitale vit dans la peur. Dans la journée, cinq bombes sont encore tombées sur la ville et deux sur la banlieue nord, faisant deux morts et quatorze blessés. Le soir, vers 22 h, une alerte a annoncé une nouvelle attaque encore plus meurtrière. Cette fois, c'est la rue de Rivoli et le quartier Saint-Paul qui sont atteints par le bombardement. On déplore 26 morts et 72 blessés et, rue de Rivoli, d'importants dégâts consécutifs à l'explosion d'une conduite de gaz. Presque toutes les nuits, Paris a pleuré des morts. En effet, les Allemands préfèrent les bombardements nocturnes pour éviter la chasse alliée. Dans la seule journée d'hier, la capitale a reçu cinq bombes, dont l'une, en tombant sur la maternité de Port-Royal, a tué une mère, son bébé et une infirmière, et blessé une vingtaine d'autres personnes. Mais les Parisiens seront toujours aussi curieux. Une foule de badauds s'assemble chaque jour sur le lieux des drames pour constater les dévastations et les ruines.

L'aviation repère les trois Bertha

Paris, 5 mai
Les Parisiens leur doivent une fière chandelle ! Grâce à l'astuce des aviateurs qui ont repéré les Grosse Bertha et au courage des artilleurs qui les ont bombardées, Paris peut souffler. Le conseil municipal a tenu à saluer leur bravoure : chacun a reçu, en guise de récompense, une caisse de vin fin.

Le pilote de la Poste se perd en route

Washington, 15 mai
Les Etats-Unis sont le premier pays au monde à avoir un service aéropostal régulier. Cette grande première s'est toutefois terminée de façon inattendue. Le pilote de l'armée chargé d'effectuer ce vol historique a perdu sa route en vol. Au Potomac Park de Washington, le président Woodrow Wilson et son épouse avaient tenu à assister au départ du vol postal pour Philadelphie. Parti avec vingt minutes de retard en raison d'une panne d'essence, le lieutenant George Boyle s'est perdu et a posé son Curtiss Jenny dans un champ, à 35 km du point de départ. Boyle affirme que son compas était défectueux. Le courrier a fini sa route en camion.

D'Annunzio lâche des tracts sur Vienne

Vienne (Autriche), 9 août
« Vive la Liberté ! Vive les Italiens ! Vive l'Entente ! » Des milliers de tracts sont tombés du ciel ce matin sur la ville. En les lisant, comment les Viennois auraient-ils su que ces messages les invitant à se ranger aux côtés de l'Italie leur viennent de l'un de ses plus grands poètes, Gabriele d'Annunzio ? En survolant la capitale autrichienne avec son escadrille Serenissima composée de huit avions, l'écrivain épris d'héroïsme a réalisé un superbe exploit. Il a montré que les pilotes italiens ne prennent pas seulement des risques dans les raids de guerre, mais qu'ils font preuve d'autant de courage dans les missions de paix, tout aussi périlleuses.

Au départ de Washington, il avait bien cousu une carte sur sa jambe...

D'Annunzio à bord de l'avion d'où il a jeté des tracts sur Vienne.

L'aviation décide de la victoire finale

La RAF perd un très grand pilote

France, 15 juillet

Les Allemands tenteraient-ils le tout pour le tout ? On peut se poser la question lorsque l'on voit la force de leur seconde offensive dans la Marne. En effet, bénéficiant de conditions atmosphériques détestables, ils sont quand même parvenus à lancer de nombreuses passerelles sur la rivière. Ces dernières, franchies par l'infanterie, mettent bientôt les 3e et 5e corps d'armée français et le 2e corps italien dans une situation délicate. L'avance allemande est si rapide que les ponts demeurent hors d'atteinte des tirs de l'artillerie et de l'infanterie alliées. La seule puissance de feu capable de réagir est alors celle de la division aérienne. Créée le 14 mai, elle est dirigée par le général Duval. Son rôle est de coordonner l'action de l'aviation de combat réservée au groupe d'armée de réserve. En même temps, elle doit jeter les bases de la future organisation des masses d'aviation offensive. Aussi, pour contrer les Allemands, l'escadre 13 a-t-elle ordre de bombarder les passages de la Marne et les rassemblements ennemis entre Dormans et Vézy. L'escadre 12, elle, placée sous les ordres du commandant Vuillemin, comprend la totalité des bombardiers en état de vol : 88 Breguet 14 B2, escortés par des Caudron R.11. Elle doit bombarder les ponts de la Marne et les troupes qui essaient de franchir la rivière. Partant de bases éloignées de plus de 100 km de leurs objectifs, les escadres décollent immédiatement. Leur mission est un succès total. 20 000 kilos de projectiles sont lancés et 50 000 cartouches sont tirées en une heure et demie. La réaction de l'aviation allemande reste timide : trois avions ennemis et deux avions alliés sont abattus. L'artillerie française parvient à se porter en avant et à prendre position. Bientôt, obus et bombes ravagent la vallée de la Marne. A 16 heures, l'escadre 12 coupe un dernier pont au sud de Tréloup. Puis, c'est au tour de l'escadre 13 de mitrailler et de bombarder près de la rivière. En fin de journée, l'offensive allemande est définitivement brisée. L'aviation, une fois encore, vient de prouver son rôle déterminant et son efficacité dans le conflit.

Dans l'Est, préparatifs de départ d'un bombardier britannique.

Un bombardier français de la 13e escadre, le Breguet 14, en plein vol.

Appareil américain équipé de mitrailleuses jumelées.

Région de la Marne, 26 juillet

La Royal Air Force est en deuil. Son pilote le plus doué, Edward Mannock, vient de trouver la mort au cours d'un combat aérien. Parti en compagnie d'un ailier, il aperçoit un biplace LVG au-dessus des lignes allemandes. Il balance ses ailes et se lance dans un piqué vertigineux. Bientôt atteint, l'avion ennemi ne tarde pas à s'embraser. Mais, ne volant qu'à une quinzaine de mètres, Mannock est une cible facile pour les Allemands au sol. Les tirs, nourris, le foudroient, et il s'écrase peu de temps après. L'as britannique disparaît le jour de sa soixante-treizième victoire. Pour lui, « il n'y aura pas d'après la guerre ». Comme il l'avait prédit.

Göring succède au Baron rouge

Allemagne, 6 juillet

Le Jagdgeschwader a un nouveau commandant. Il s'agit de Hermann Göring, l'as de l'aviation allemande. Décoré le 2 juin dernier de l'ordre du Mérite, héros national accrédité de vingt et une victoires officielles en combats aériens, son courage et sa détermination ont depuis longtemps forcé l'admiration générale. L'avenir du Cirque Richthofen est donc assuré.

Touché, Ernst Udet saute en parachute

Nord de la France, 29 juin

L'as de l'aviation allemande, Ernst Udet, a eu chaud. Mitraillé par un avion français Breguet, son appareil, déstabilisé, a fini par piquer. Le pilote allemand ne doit son salut qu'au parachute, dont il est l'un des premiers à se servir. Bien que venu assez tard au Cirque volant de Richthofen, il a déjà derrière lui un palmarès impressionnant. Il livre son premier combat le 12 mars 1916 mais, terrorisé, n'ose pas utiliser sa mitrailleuse. Par la suite, les exploits se succèdent et, en mars 1918, il compte vingt victoires. Sur son avion on peut lire : *Tu ne m'auras pas...*

Fonck est le virtuose du Spad-XIII

Champagne, 26 septembre

Entre aviateurs, on parle du coup d'œil de Fonck, comme s'il s'agissait d'un don du ciel qu'ils n'auront jamais. Grâce à cette acuité visuelle inhabituelle, René Fonck a abattu six avions allemands au-dessus des villages de Sommepuy et de Perthes-lès-Hurlus, en Champagne. Déjà, le 9 mai dernier, à bord de son Spad-XIII, il avait réussi le même exploit. Du jamais vu : cinquante-deux balles lui avaient suffi pour descendre les six avions qui tombèrent dans les lignes françaises. Son extrême pouvoir de concentration et son sang-froid sans pareils forcent l'admiration de tous. C'est en avril 1917 que Fonck, tout auréolé du prestige que lui vaut sa médaille militaire, est arrivé au fameux groupe des Cigognes où sont passés des pilotes célèbres comme Guynemer, Deullin, Heurtaux et Dorme. Malgré son inexpérience sur les monomoteurs de chasse, le commandant Brocard, qui a remarqué l'adresse de l'aviateur, lui confie un appareil réservé

Le lieutenant Fonck est promu officier de la Légion d'honneur.

aux pilotes d'élite : le Spad 180 ch. Brocard ne le regrettera pas. Trois semaines plus tard, Fonck a déjà abattu cinq avions ennemis et figure dans le communiqué avec le titre convoité d'as. Il surpasse même Guynemer. Malgré ses 24 ans, il est

promu lieutenant le 5 mai, puis il reçoit la Légion d'honneur. Cet homme modeste, comme le prouve la simplicité de son uniforme, ne s'enorgueillit que d'une chose : son avion n'a jamais été touché par une seule balle ennemie.

Mission réussie pour le « Furious »

Jutland, 19 juillet

C'est la première opération de bombardement par des appareils opérant à partir d'un porte-avions : à l'aube, sept Sopwith Camel ont décollé du *HMS Furious* en direction de Tondern, à 130 km au sud-est de la frontière germano-danoise. Ils avaient pour objectif les hangars à zeppelins et emportaient chacun deux bombes de 23 kg. Un premier avion dut se poser en mer. Les six autres parvinrent, au terme de deux attaques, à toucher les hangars, entraînant de violentes explosions d'hydrogène. Les zeppelins *L 54* et *L 60* ont été totalement détruits. Pendant tout le combat, les Camel ont été pris sous les tirs nourris de l'ennemi. Au retour, un premier appareil, touché au réservoir, dut se poser au Danemark, suivi de 2 autres pour erreur de navigation. Le capitaine Yeulett est porté disparu. Les 2 pilotes rescapés, forcés d'amerrir près de leur flotte, purent être sauvés, mais l'un des avions n'a pas été récupéré.

Les pilotes américains ont aussi du talent

Etats-Unis, 25 septembre

Qu'on les appelle des as ou les maîtres du ciel, pour les Américains, ils sont des héros. Parmi ce groupe de 88 hommes se trouve le capitaine Edward Rickenbacker, qui a été nommé chef de la célèbre 94e escadrille aérienne. Au total, il a

abattu 26 appareils ennemis. Quant au lieutenant Frank Luke, dit le Tueur de dirigeables, il a 21 victoires à son actif, devant le commandant G. Raoul Lufbery, crédité de 17 victoires. Selon un système créé en France, un aviateur ayant au moins cinq victoires est un as.

À bord de son Spad-XIII, l'as américain Edward Rickenbacker.

Le roi Albert décore l'as Willy Coppens

Bruxelles, 7 septembre

L'as belge Willy Coppens a reçu des mains du roi Albert la croix de chevalier de l'ordre de Léopold. Surnommé le Diable bleu par les aviateurs allemands en raison de la couleur de son Hanriot, Coppens a en effet remporté sept victoires entre avril et juin. Aujourd'hui, sa réputation a traversé les frontières, et les ballons ennemis craignent de le voir arriver. Car depuis six mois, Willy Coppens vole de succès en succès. Connaissant la bravoure et la précision de ses attaques, les Allemands ont analysé sa tactique pour mieux lui tendre un piège. Le mois dernier, ils ont chargé un ballon d'une grande quantité d'explosifs. Mais Coppens ne s'est pas laissé surprendre. C'est avec un grand sens tactique qu'il a évité l'explosion qui lui était destinée, déjouant par là même les batteries antiaériennes qui entourent toujours les Drachen. Au cours de la même cérémonie, le président du Conseil français, Georges Clemenceau, a tenu à lui remettre la croix de guerre.

L'adjudant belge Willy Coppens.

L'armada franco-américaine de Mitchell porte l'estocade

France, 14 septembre

Pour la première fois dans l'histoire de la guerre, les alliés ont réussi à faire voler mille cinq cents avions de combat – des chasseurs et des bombardiers –, soit la plus importante force aérienne jamais réunie. Placée sous le commandement d'un jeune officier américain nommé William Mitchell, dit Billy, cette armada rassemble 49 escadrilles composées de pilotes anglais, français, et américains. En outre, 40 escadrilles françaises et 9 escadrilles britanniques ont été placées pour la circonstance sous les ordres du colonel Mitchell. Il a pour mission d'aider les forces françaises et la 1re armée américaine du général Pershing, forte de plus de un demi-million d'hommes, à réduire le saillant de Saint-Mihiel. Cette zone stratégique, située au sud-est de Verdun, est tenue depuis des mois par les Allemands. Soigneusement préparée, l'attaque a commencé le 12 septembre sur les deux faces du

Le colonel Mitchell (à gauche) pose devant un Curtiss.

saillant. Alors que l'artillerie et les chars américains pilonnaient sans relâche les positions allemandes, plusieurs centaines d'avions ont mitraillé et bombardé les troupes ennemies. Le commandement alle-

mand a tenté, vainement, de lancer des contre-attaques, appuyées par près de 300 avions. Quarante-huit heures après le début de l'opération, les alliés réussissaient à enlever les positions allemandes.

La chance abandonne Roland Garros

Vouziers, 5 octobre

Roland Garros est mort à bord de son Spad-XIII au cours d'un fantastique engagement aérien que menait son escadrille 26 contre les Allemands. Son avion s'est désintégré en l'air et s'est écrasé à quelques kilomètres de Saint-Morel, près de Vouziers, dans les Ardennes. Au cours de cette difficile mission aérienne, sept pilotes de l'escadrille 26 se sont trouvés nez à nez avec 15 avions ennemis. Roland Garros s'est retrouvé six fois de suite en face d'une patrouille de 7 Fokker. Les cinq premières fois, le capitaine de Sevin, commandant du groupe de combat de Garros, a pu se dégager pour venir à son secours. A 11 h 15, l'escadrille a de nouveau attaqué les Allemands en piquant sur eux les uns derrière les autres. Assailli de dos par six Fokker, de Sevin a été obligé de faire un demi-tour, quittant de vue Roland Garros qui engageait de front un groupe d'appareils allemands. Malgré son habileté, l'attaque frontale ne porta pas ses fruits, comme la veille où il avait réussi à abattre son adversaire à sa première passe. On pense que l'hélice de Garros s'est alors brisée, peut-être par un dérè-

glement du système de tir de ses mitrailleuses. Une aile se serait repliée. On a vu son avion piquer du nez. Le moteur était probablement touché, mais certains disent que Roland Garros a tenté de garder le contrôle de l'avion en donnant des grands coups de moteur. De toute manière, la bataille au sol faisait rage et personne n'avait le temps d'observer le ciel et de s'occuper des avions tombés. Celui de Roland Garros s'est alors brisé et il s'est écrasé au sud-ouest de Vouziers.

Garros devant son Nieuport 17.

Parti d'un ponton, il abat un zeppelin

Grande-Bretagne, 11 août

Le zeppelin *L 53* a terminé sa carrière englouti dans les flots de la mer du Nord. Pour en venir à bout, les unités de la Royal Navy de Harwich n'ont pas hésité à employer les grands moyens. Après avoir remarqué la présence du dirigeable, les Anglais ont lâché un vaste écran de fumée pour aveugler l'équipage de la nacelle. Profitant de ces quelques minutes de confusion, le lieutenant Stuart D. Culley a décollé d'un ponton remorqué par le destroyer *Redoubt*. Il est monté rapidement au-dessus de sa victime et a décidé d'une action très rapide. Il sait que le dirigeable peut monter et que son avion a un plafond de 5 500 m. L'attaque est brève mais efficace. Bientôt, le zeppelin *L 53* n'est plus qu'une boule de feu qui, un moment, reste suspendue en l'air. Il tombe en se coupant en deux et s'abîme dans la mer.

Les avions alliés bombardent l'Allemagne

Le prototype du biplan quadrimoteur de bombardement Handley Page O/400.

Allemagne, 22 octobre

La déroute de l'ennemi serait en train de se préciser. Si l'on en juge par le nombre de bombardements que subit l'Allemagne depuis quelque temps, tout laisse à penser que les alliés souhaitent mettre fin à une guerre qui n'a que trop duré. La ville de Kaiserslautern a subi les attaques de quatre bombardiers Handley Page O/400 qui, au cours de leur raid, ont largué 1 650 bombes, occasionnant des dommages matériels très importants. Ce raid ne va pas contribuer à redonner le moral aux Allemands. Une fois encore, les bombardiers anglais ont prouvé leur efficacité et la bonne

organisation des forces alliées. Les Handley Page furent, à l'origine, créés spécialement pour réagir aux attaques ennemies contre l'Angleterre. Le but principal de leurs missions était de bombarder l'Allemagne. Mis au point par sir Handley Page et son ingénieur Volkert, le bombardier Handley Page O/100 fut mis en service en décembre 1915. Il était chargé d'attaquer des objectifs industriels de la Sarre et de la Ruhr. Plus récent, équipé d'un moteur Rolls-Royce de 360 ch, le Handley Page O/400 permet d'emporter une charge de bombes de plus de une tonne et son autonomie a été augmentée.

Mission de paix pour le Breguet 14

La reconversion de l'industrie anglaise

Morville, 11 novembre

Le lieutenant Minier est anxieux. Sur le terrain d'aviation de Tergnier, à 40 km de Rethondes où l'on vient de signer l'armistice, il attend l'arrivée d'un passager inattendu. Il s'agit du capitaine allemand von Geyer, qu'il doit emmener à Morville, près de Dinant, à bord de son Breguet 14 désarmé. Malgré le mauvais temps, le vol se déroule convenablement. Tout à coup surgit un avion. Pensant à un appareil allemand venu les guider, Minier le suit, confiant. Très vite, il réalise son erreur : l'avion est français et s'est sans doute perdu dans le brouillard. Le lieutenant et le parlementaire se sont bel et bien égarés ! Ils se posent dès qu'ils le peuvent. En les voyant atterrir, une foule immense accourt : Vive la France ! entend-on de toute part. Le Breguet redécolle après les explications nécessaires sur la route à suivre. Soudain, le moteur se met à

La foule entoure le Breguet « Armistice » sur le terrain de Tergnier.

baisser de régime, et Minier, découragé, se voit dans l'obligation d'atterrir une nouvelle fois. Il réussit à réparer, repart et peut enfin déposer von Geyer sur le terrain de Morville où une voiture attend son pas-

sager. Mission accomplie, mais pas terminée : au retour, une autre panne attend l'officier français. Il se pose une troisième fois, et, comble de malchance, se foule le poignet en faisant une fausse manœuvre !

Grande-Bretagne, 31 décembre

Une nouvelle voie s'ouvre au secteur de l'aéronautique. On assiste, depuis la signature de l'armistice, à une succession de vols et de records qui laissent présager un bel avenir pour l'aviation civile. Entre le 28 juillet et le 8 août, les pilotes MacLaren et Borton, à bord d'un Handley Page, établissent la première liaison entre l'Angleterre et l'Egypte. Le 15 novembre, Clifford Prodger, à bord d'un Handley Page V/1500, emporte quarante passagers à 1 980 m d'altitude. Enfin, partis le 13 décembre d'Angleterre, encore avec un Handley Page, le major MacLaren et le capitaine Halley tentent d'établir la première liaison avec l'Inde. Initialement destiné à bombarder Berlin, cet avion a vu sa carrière prendre fin avec l'armistice avant même d'entrer en service. L'ère des liaisons remplace celle des bombardements.

La tourmente balaie le Cirque Richthofen

Allemagne, novembre

Les rébellions ont même atteint l'escadrille Richthofen, commandée par Göring. Celui-ci, retenu au quartier général, n'est d'ailleurs pas là pour assister au départ des mécaniciens au sol. Ces derniers ont décidé de prendre les camions de l'armée pour rentrer chez eux. Les pilotes ne peuvent admettre un tel abandon. Ils se précipitent sur leur avion et décollent pour tirer sur les

fuyards. Les quelques mécaniciens qui n'ont pas eu le temps de partir se ruent sur les mitrailleuses situées aux quatre coins de la piste. A leur tour, ils mitraillent les avions. Les pilotes ripostent et tentent vainement d'atterrir. Ils doivent partir vers d'autres aérodromes. Heureusement, cet affrontement n'a fait aucune victime. Les mécaniciens ont donc gagné la bataille. C'en est fini du célèbre Cirque Richthofen.

Fokker fuit l'Allemagne avec ses avions

Allemagne, novembre

C'est un vrai tour de passe-passe. L'Allemagne est en pleine révolution et le constructeur néerlandais, Anthony Fokker, profite de la confusion générale pour s'enfuir vers son pays natal. Il n'a bien sûr aucune autorisation, et c'est en cachette des autorités qu'il embarque dans sept trains tout ce qui est transportable. Trois cent cinquante wagons emporteront plus de quatre

cents moteurs 120 D-7, soixante aéroplanes d'observation biplaces, une vingtaine de D-8 et des milliers de pièces détachées (vis, hélices, plaques d'aluminium...). Fokker n'a même plus de bâches anonymes pour camoufler le tout et doit en utiliser d'autres, sur lesquelles il est écrit en toutes lettres : Fabrique d'aéroplanes Fokker. On ne peut pas faire moins discret ! Il a passé la frontière sain et sauf. (→ 21.7.19)

Latécoère a reçu de l'Etat une commande de mille Salmson 2A.2. A l'usine de Montaudran, la production s'effectue à une cadence effrénée.

Au moment de l'armistice du 11 novembre sortent chaque jour six biplaces Salmson. Un exploit industriel unique en son genre.

1919

268,631 km/h
France
Bernard de Romanet
Nieuport-Delage 29v
20.10.19

3 185 km
Grande-Bretagne
Alcock et Brown
Vickers Vimy
15.6.19

9 622 m
Etats-Unis
Rudolph Schroeder
Le Père-Lusac 11
4.10.19

20 385 kg
Grande-Bretagne
W.G. Tarrant Ltd.
Tarrant Tabor

500 ch
Grande-Bretagne
A.J. Rowledge
Napier Lion

Inde, 16 janvier
Partis d'Angleterre le 13 décembre à bord d'un Handley Page V/1500, McLaren et Halley se posent à Delhi. Ils sont passés par Rome, Malte, Le Caire et Bagdad.

New York, 6 mars
La Chambre de commerce recommande la création d'un aérodrome municipal à usage commercial.

Melbourne, 10 mars
Le Premier ministre australien annonce que son gouvernement offre 10 000 livres à l'aviateur qui ralliera la Grande-Bretagne à l'Australie en moins de 30 jours. (→ 10.12)

France, 24 mars
Igor Sikorsky part s'installer aux Etats-Unis. Ses propositions pour poursuivre ses travaux en France ont été repoussées. (→ 5.3.23)

Grande-Bretagne, 31 mars
Le prototype du DH.16 réalise son vol initial. De Havilland a construit un biplan à usage uniquement commercial pour 4 passagers. (→ 17.5.20)

France, 3 avril
Afin de démontrer les qualités du F-60 Goliath, Henri Farman lance une série de vols de performances. Bossoutrot monte à 6 200 m avec 15 passagers, en 1 h 5 min. (→ 21.8)

Rome, 3 avril
Le lieutenant Roget arrive de Paris à bord d'un Breguet 14. Il a couvert 1 100 km en 9 h 40 min. (→ 13.4.21)

Grande-Bretagne, 13 avril
Stan Cockerell décolle le prototype du Vickers Vimy Commercial. Le fuselage de l'ancien bombardier est fermé et peut recevoir 10 passagers.

France, 21 avril
En panne de moteur, Jules Védrines et son mécanicien Guillain s'écrasent dans la Drôme et se tuent, en tentant de relier Paris à Rome.

Dayton, 28 avril
Leslie Irvin fait une chute libre sur 200 m. Il a volontairement retardé l'ouverture de son parachute.

New York, 22 mai
Raymond Orteig, riche propriétaire d'hôtels né en France, offre un prix de 25 000 dollars à l'aviateur qui volera sans escale de Paris à New York, ou l'inverse. (→ 21.5.27)

France, 31 mai
Les casinos de Bayonne ont fondé ce mois-ci la Taso, société des Transports aériens du Sud-Ouest, afin de relancer l'activité touristique de leur ville. (→ 10.1.20)

Rockwell Field, 1er juin
Une patrouille de surveillance des incendies de forêt est mise en place dans le district de San Francisco. Elle est équipée d'avions Curtiss.

Québec, 8 juin
Ellwood Wilson, un ingénieur forestier basé au lac à la Tortue, reçoit 2 hydravions Curtiss HS-2l. Il veut repérer les incendies et dresser des cartes de la région. (→ 31.12.21)

France, 12 juin
Raymonde de Laroche enlève le record féminin d'altitude à Ruth Law en atteignant 5 150 m. (→ 18.7)

Londres, 13 juin
Le ministère de l'Air britannique ordonne que tous les pilotes de la RAF soient équipés de parachutes.

Versailles, 28 juin
Le traité de Versailles interdit à l'Allemagne de posséder une aviation militaire, et l'oblige à remettre 15 000 avions, dont tous les chasseurs Fokker D.VII, et 25 000 moteurs aux alliés. (→ 29.1.21)

Suisse, 7 juillet
Oscar Bider se tue à Dübendorf lors d'un vol acrobatique sur chasseur Nieuport. Le 21 juin, il a accompli un tour de Suisse (900 km) avec un passager, en 7 h 30 min.

Paris, 14 juillet
Un bombardier Fiat BR arrive de Rome, par un vol sans escale. Il a été conçu par l'ingénieur Celestino Rosatelli, qui a quitté la firme Ansaldo pour entrer à la Fiat Aviazione l'année dernière. (→ 26.8.22)

Pays-Bas, 21 juillet
Fokker fonde les Usines aéronautiques hollandaises à Schiphol, près d'Amsterdam. Il entreprend avec son ingénieur Reinhold Platz de fabriquer des appareils de transport et de terminer le montage des 200 avions sortis clandestinement d'Allemagne. (→ 14.4.21)

Canada, 7 août
Ernest Hoy franchit les montagnes Rocheuses à bord d'un Curtiss JN-4 muni d'un réservoir supplémentaire de 55 l. Parti de Vancouver, il s'est posé 14 h 42 min plus tard à Calgary, avec quatre escales.

La Haye, 28 août
L'Association internationale du transport aérien, l'Iata, est fondée.

Grande-Bretagne, 10 septembre
La coupe Schneider est disputée à Bournemouth malgré un brouillard intense. L'Italien Guido Janello, sur un hydravion Savoia S.13 bis, est le seul concurrent qui réussit à achever le parcours, à la moyenne de 201 km/h. Son exploit n'est pas homologué. Il a viré dans le brouillard autour de balises non réglementaires. (→ 21.9.20)

Manche, 30 septembre
Le commandant Biard transporte un financier belge, M. Lowenstein, sur la ligne Southampton - Le Havre inaugurée par la Supermarine il y a trois jours. Mais le pilote doit assommer son passager qui s'apprêtait à ouvrir son parapluie en pleine bourrasque.

Grande-Bretagne, 11 octobre
Handley Page Transport lance un service de paniers repas (sandwichs, fruits et chocolat), pour 3 shillings le panier, sur la ligne Londres-Bruxelles ouverte depuis le 25 septembre.

Londres, 24 octobre
F. Handley Page reçoit le brevet n° 157567 pour son dispositif de becs de sécurité, placé sur le bord d'attaque de l'aile. De son poste, le pilote peut ouvrir des fentes afin de reculer la limite de décrochage.

Californie, 15 novembre
Les officiels d'Alameda annoncent qu'ils soumettront les criminels suspectés à des « vols périlleux », pour leur arracher des aveux.

France, 16 novembre
René Fonck s'est présenté aux élections législatives pour défendre l'aviation à la Chambre et est élu à Saint-Dié. L'As aux 75 victoires avait porté le drapeau de l'aéronautique militaire lors du défilé de la victoire, le 14 juillet. (→ 12.5.24)

Ecquevilly, 24 novembre
Le pionnier Henry Deutsch de la Meurthe, âgé de 73 ans, s'éteint au château de Romainville.

Birmanie, 30 novembre
Partis de Paris le 14 octobre avec l'intention de rejoindre l'Australie, Etienne Poulet et son mécanicien Benoist posent leur Caudron G 4 à Rangoon. Ils sont talonnés par les frères Smith. (→ 10.12)

Australie, 12 décembre
Wrigley et Murphy réalisent un vol transcontinental de Melbourne à Darwin, avec un RAF BE 2e. Ils ont couvert 4 000 km en 46 h de vol.

France, 18 décembre
John Alcock, aux commandes d'un biplan amphibie Vickers Viking, s'écrase et se tue près de Rouen.

Seattle, 27 décembre
Un appareil commercial conçu par la firme Boeing, l'hydravion B-1, effectue son vol initial. (→ 15.10.20)

France, 31 décembre
Parallèlement aux avions géants, les frères Farman construisent des appareils pour l'aviation sportive. Ils ont sorti ce mois-ci le biplan Sport-Farman vendu 15 000 F avec la réclame : « L'ancien pilote X peut retrouver dans ses jours de loisir les émotions de jadis. »

Les Messageries aériennes s'affichent : avec leurs avions rapides, elles assurent le transport international des hommes et des marchandises.

MESSAGERIES AÉRIENNES

Guy ARNOUX

TRANSPORTS extra-rapides
de marchandises et AVIONS
de voyageurs par

PARIS . LILLE . BRUXELLES
Prochainement PARIS-LONDRES et PARIS-CÔTE-NORMANDE
PRIX AVANTAGEUX

Départs quotidiens et réguliers

Renseignements  2 rue Galilée
Tél : Passy 24,74   Paris XVI. Métro Boissière

La RAF établit la liaison Londres-Paris

Le bombardier DH.4 modifié avec une cabine fermée pour les passagers.

France, 10 janvier
La conférence de la paix méritait bien une liaison aérienne. C'est désormais chose faite. Un de Havilland DH.4As, un bombardier monomoteur modifié pour le transport de deux passagers, s'est posé aujourd'hui sur l'aérodrome de Buc avec deux diplomates en provenance de l'aéroport londonien de Hendon et avec deux sacs de courrier. L'appareil appartient au British Communications squadron n° 2 de la RAF basé à Buc et à Hendon. En raison de la tenue à Versailles de la conférence de la paix, la RAF a estimé que diplomates, journalistes et militaires devaient pouvoir se rendre de Londres à Paris rapidement. Quant au courrier, après maintes hésitations, les responsables des postes britanniques, sceptiques sur les projets de poste aérienne, l'ont confié aux aviateurs.

Une ligne régulière de Berlin à Weimar

Le ministre Albertz monte dans l'avion qui va l'emmener de Berlin à Weimar.

Allemagne, 5 février
Le ministre Albertz s'est équipé : casque, lunettes protectrices, gants de fourrure et cache-col de laine, il est prêt à s'envoler de Berlin pour Weimar. Depuis trois jours, en effet, la Deutsche Luft-Reederei (DLR) a mis en place la première ligne commerciale régulière en Europe. Les appareils AEG et LVG de la compagnie ne mettent jamais plus de 3 heures pour parcourir les 200 km qui séparent le centre administratif du centre politique du Reich. Le hasard fait bien les choses : à la veille des élections au Reichstag (c'est la première fois que les Allemandes vont voter), les avions ont enfin obtenu l'autorisation de décoller. Quatre mille quotidiens berlinois ont pu être envoyés à Weimar il y a trois jours. Voici, sans aucun doute, la plus efficace des campagnes politiques !

Winston Churchill chargé de l'Air

Londres, 12 janvier
Nomination de Winston Churchill au poste de secrétaire d'Etat à la Guerre. Il devient ainsi chargé de l'aviation. En cette fin de conflit, le gouvernement britannique, qui s'organise peu à peu, n'a pas encore pris position sur les vols civils, alors qu'ils sont déjà autorisés en Allemagne depuis quatre jours. La compétition pour la conquête du marché aérien s'annonce ici très serrée, notamment pour les lignes devant relier les grandes villes européennes. G. Holt-Thomas, de l'Air Transport and Travel, a annoncé en novembre l'ouverture de la ligne régulière Londres-Paris, aussitôt les restrictions levées. Mais Churchill a clairement fait comprendre que les compagnies devraient apprendre « à voler par elles-mêmes » sans attendre aucune aide de l'Etat. (→ 8.2)

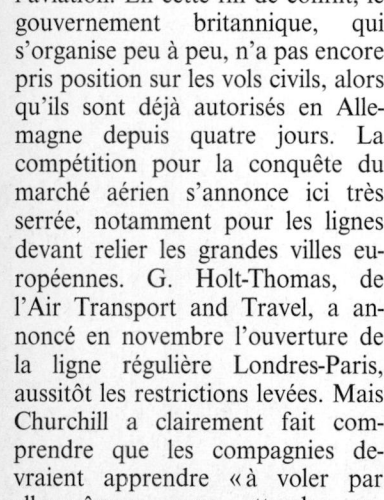

L'exploit de Jules Védrines sur le toit des Galeries Lafayette

Paris, 19 janvier
Jules Védrines vient de relever le défi lancé par les Galeries Lafayette. En effet, la direction du grand magasin avait promis un prix de 25 000 francs au premier pilote qui se poserait sur la terrasse de son immeuble et en repartirait. Déjà célèbre et admiré pour son audace et son mépris du danger, Jules Védrines voit ici une occasion de renouer avec les foules parisiennes, si avides de ses exploits. Il prépare alors l'avion qui lui semble le mieux adapté à son projet : un Caudron G 3 à moteur Le-Rhône de 80 ch. Il décolle de l'aéroport d'Issy-les-Moulineaux et se dirige vers Paris. Au carrefour de la Chaussée-d'Antin et du boulevard Haussmann, il pose son avion entre les cages d'ascenseur et les cheminées. L'exploit est partiellement réussi, car le pilote a cassé son train d'atterrissage et ne peut pas repartir. De toute façon, la police, prévenue entre-temps, ne le lui aurait pas permis. (→ 21.4)

L'avion est arrivé par l'angle du bâtiment, à l'intersection du boulevard Haussmann et de la Chaussée-d'Antin.

Les Anglais pénalisent les frères Farman

Le Farman de Bossoutrot, quelques minutes avant son départ pour Londres.

Londres, 8 février
Cet exploit restera dans l'histoire de l'aviation d'après-guerre. Un appareil français, le Farman Goliath F-60, piloté par Lucien Bossoutrot, vient de réaliser le premier transport aérien commercial entre Paris et Londres avec onze passagers à son bord. Mais, dix ans après la traversée de la Manche par Louis Blériot, les frères Farman ne peuvent revendiquer la première liaison civile, puisqu'il s'agissait d'un vol militaire. En effet, au lendemain de la guerre, le développement de l'avion comme moyen de locomotion fait prendre conscience aux Anglais de l'enjeu formidable que représente la maîtrise de l'espace. Aussi, pour ne pas se laisser dépasser et s'assurer la suprématie aérienne au-dessus de la Manche, interdisent-ils désormais tous les vols civils vers leur île.

Colette inaugure la ligne Paris-Bruxelles

Les passagers attendent le départ du Caudron C.23 de Villacoublay.

Bruxelles, 12 février
La deuxième liaison aérienne entre Paris et Bruxelles est bien arrivée. Il y a deux jours, le 10, un Caudron C.23 a amené de Villacoublay cinq passagers frigorifiés parmi lesquels se trouvait la romancière Colette. C'est le pilote Georges Boulard qui s'est chargé de ce vol qui a duré 2 h 45. Le bimoteur Caudron n'avait pas été aménagé avec une cabine pour les passagers. L'appareil est reparti pour Paris quelques instants avant que la deuxième liaison ne soit annoncée. Il n'a mis que deux heures pour le vol retour. L'impression des Bruxellois à l'arrivée du Goliath de Farman fut toute différente. Les treize passagers, parmi lesquels Henri Farman et sa femme, sont sortis de la vaste cabine en vêtement de ville. Le pilote était Lucien Bossoutrot, assisté d'un mécanicien.

Latécoère a convaincu le général Lyautey

Rabat, 10 mars
La volonté de Pierre Latécoère a payé. Le premier jalon de son projet de ligne France-Amérique du Sud est posé : parti le 8 mars de Toulouse avec le pilote Lemaître, il s'est posé hier à Casablanca, après 11 h 45 de vol effectif. En homme avisé et galant, il a remis un exemplaire daté du 7 mars du quotidien *le Temps* au gouverneur général Lyautey, et un bouquet de violettes de Toulouse à son épouse. Lyautey est séduit par la performance. Il a signé une convention postale avec Latécoère et lui alloue une subvention de un million de francs. (→ 5.10.20)

Walter, des postes chérifiennes, remet à Latécoère des lettres pour la France.

Le voyage aérien surprend les passagers

Bruxelles, 6 avril
La Belgique inaugure dans le domaine de l'aviation civile en instituant un comité d'accueil à l'arrivée des avions. Il est composé de douaniers... C'est aussi l'indice que le mode de transport aérien entre dans les mœurs. Le Goliath de Farman ne doit pas être étranger à la bonne impression que les passagers retiennent de leur voyage. Ils ne savent probablement pas que le nombre de sièges en osier mis à leur disposition est calculé en fonction d'un poids total qui ne doit pas dépasser celui qui était prévu pour des torpilles. Il reste que cet avion a été aménagé pour le transport civil en un temps record. Biplan bimoteur avec une envergure de 28 mètres, son fuselage est entièrement encapuchonné de toile. Les passagers accèdent à la cabine sans gymnastique dangereuse et disposent de parties vitrées. L'appareil, qui pèse 2 tonnes, peut emporter 3 000 kg de charge utile. Chaque moteur a une puissance de 270 ch. Seul le pilote est à l'air libre, dans son poste niché au-dessus de la cabine. Il a la vue entièrement dégagée, un petit pare-brise le protège du vent qui défile en vol à plus de 140 km/h. Le Goliath est aussi apprécié pour ses atterrissages en douceur.

La cabine du Farman Goliath.

Multiplication des sociétés aériennes

La fin du premier conflit mondial entraîne l'essor de l'aviation civile : des milliers d'avions militaires sont bradés, des dizaines de sociétés aériennes, dont l'existence sera souvent éphémère, se créent un peu partout. En France, ce sont les constructeurs qui créent leurs propres lignes.

France

8 février. La société Henri et Maurice Farman ouvre une ligne Paris-Londres.
12 février. Farman inaugure une ligne régulière Paris-Bruxelles.
25 février. Pierre-Georges Latécoère inaugure le tronçon Toulouse-Barcelone de la ligne qui doit aller jusqu'à Rabat.
28 février. Louis Breguet, qui vient de fonder la Compagnie des messageries aériennes, inaugure une liaison Paris-Lille.
17 avril. Création de la Compagnie aérienne française Nîmes-Nice.
30 mai. Création de la Compagnie des grands express aériens.
27 juillet. L'Etat français concède à la Société des lignes aériennes Latécoère l'exploitation de la ligne Toulouse-Rabat.
25 août. Les PTT confient à la Compagnie générale transaérienne (CGT) l'exploitation du service postal Paris-Londres.
1er novembre. Création de la Société des transports aériens guyanais.

Belgique

Novembre. Syndicat national pour l'étude du transport aérien (Sneta).

Suisse

15 avril. Création de la Comte-Mittelholzer et Cie à Zurich.
25 juin. Création de Avion de tourisme SA.
15 décembre. Création de Ad Astra Aéro à Zurich.

Allemagne

5 février. La Deutsche Luft-Reederei inaugure la ligne aérienne Berlin-Leipzig-Weimar.

Pays-Bas

7 octobre. Albert Plesman fonde la Koninklijke Luchtvaartmaatschappij NV (KLM).

Grande-Bretagne

10 janvier. La RAF inaugure une liaison postale aérienne régulière Londres-Paris. Accessoirement, des passagers prennent place à bord.
23 avril. Formation à Leeds de la North Sea Aerial Navigation Co. Ltd.
10 mai. L'AV Roe Civil Aviation Service ouvre une liaison régulière Manchester-Southport-Blackpool.
14 juin. Formation de la Handley Page Transport.
25 août. Aircraft Transport and Travel Ltd. établit une liaison Londres-Paris et une liaison Londres-Amsterdam.
28 septembre. Formation de la Supermarine Aviation Company.
30 septembre. Formation de la Instone Airlines.

Etats-Unis

3 mars. Mise en place de la Seattle-Victoria Air Mail Line, connue également sous le nom de Hubbard Air Transport. C'est William Boeing qui pilote le premier avion jusqu'à Vancouver.
15 novembre. West Indies Airways effectue un vol de Key West à La Havane.

Canada

30 janvier. Un syndicat financier dirigé par Roy Conger rachète 500 avions à l'Imperial Munitions Board pour le transport de passagers.

Australie

16 janvier. Création de la société aérienne Aerial Services Ltd.
12 avril. Formation à Melbourne de l'Aerial Transport Ltd.

Il passe d'un avion à l'autre en plein ciel

Etats-Unis, 24 mai
A vingt-huit ans, il n'a peur de rien. Le lieutenant Omer Locklear, ancien menuisier et mécanicien à Fort Worth, au Texas, aime le danger. Depuis qu'il s'est engagé dans l'aviation militaire, et surtout depuis l'armistice, il étonne ses supérieurs en inventant des cascades de plus en plus effarantes. La dernière en date est peut-être la plus terrifiante : il est passé d'un avion à un autre en plein vol, à environ 800 m d'altitude. Suspendu par les mains au train d'atterrissage d'un appareil Jenny, il a lâché prise pour s'agripper au plan supérieur d'un autre Jenny. Bien que strictement interdites, ces prouesses de Locklear remontent le moral des recrues, au dire des officiers supérieurs.

Omer Locklear se dresse pour saisir l'échelle et passer sur l'autre avion.

Junkers construit un avion tout en métal

Une construction rigide et légère.

Allemagne, 25 juin
Sa structure métallique est recouverte de tôles ondulées qui augmentent encore la résistance à la torsion. L'inventeur de cet avion tout en métal, le J-13, est Hugo Junkers. Il vient de procéder au premier essai de l'appareil. Au cinquième vol, l'avion est parvenu à enlever 1 730 kilos, soit un poids représentant 42% de sa masse totale. Doté d'un moteur Mercedes D-III développant 185 ch, il a une hélice bipale en bois. Il a atteint les 2 000 m en 21 min et 3 300 m en 45 min. Monoplan à aile basse épaisse, cantilever, sa surface alaire est de 34,5 m² pour une longueur de 9,59 m et son envergure est de 14,82 m. L'aile est formée de neuf longerons tubulaires en Duralumin, croisillonnés pour constituer une ossature métallique résistante. En plus de l'équipage de 2 personnes, le J-13 emporte 4 passagers, installés deux par deux dans une cabine fermée avec glaces latérales ouvrantes. On accède à l'avion en passant par l'aile gauche où il faut gravir 2 marches. (→ 17.2.23)

Junkers a toujours dit que l'avenir est dans le tout métal. Le J-13 le montre.

Traverser l'Atlantique en avion n'est plus un rêve

Les miraculés de l'Atlantique

Thurso, 23 mai

Ils voulaient être les premiers à traverser l'Atlantique au moyen d'un appareil autre qu'un hydravion : les Anglais Harry Hawker et Kenneth Mackenzie Grieve ont failli payer de leur vie cette ambition. C'est avec soulagement et joie que l'Angleterre a appris aujourd'hui que les deux hommes, que l'on croyait perdus en plein océan Atlantique, sont saufs. Partis de Terre-Neuve le 18 mai dernier à 15 h 48 à bord de leur Sopwith Atlantic, ils espéraient rallier l'Irlande. Cinq heures plus tard, Hawker, aux commandes, est pris dans une tempête. Après une lutte désespérée contre le vent et la pluie, c'est la catastrophe : le moteur lâche. Mais Hawker réussit à amerrir près d'un cargo danois, le *Mary*, 14 heures et 30 minutes après avoir quitté Terre-Neuve. L'avion avait parcouru 2 200 km. Sans radio, le commandant du navire a dû attendre son arrivée en Angleterre pour annoncer la bonne nouvelle.

Un des trois hydravions Navy-Curtiss relie New York à Plymouth

Plymouth, 31 mai

Avant même d'amerrir à Plymouth sous les applaudissements de la foule, le *lieutenant-commander* A. C. Read et ses cinq compagnons étaient déjà des héros. Ce port du sud-ouest de l'Angleterre est la toute dernière étape d'un voyage historique qui a commencé le 3 mai dernier à Rockaway Beach, non loin de New York. Ce jour-là, trois hydravions Navy-Curtiss connus sous les seules initiales NC-1, NC-3 et NC-4 ont décollé ensemble. Leurs chefs de bord étaient bien résolus à réaliser un formidable pari : relier le nouveau et l'ancien continent par la voie des airs. Mais le NC-4, piloté par Read, a dû amerrir à la suite d'ennuis sur deux de ses quatre moteurs de 400 ch chacun. Les réparations enfin effectuées, Read a pu rejoindre ses camarades dans la baie des Trépassés, à Terre-Neuve, le 15 mai. Le lendemain, à partir de 22 h, et à environ une minute d'intervalle, les trois appareils décollaient. Le dernier à s'envoler, le NC-4, était hors de l'eau à 22 h 5.

Le NC-4 décolle de Rockaway Beach avant de traverser l'Atlantique.

Les conditions météo étaient loin d'être idéales : brume très épaisse et fortes pluies. Dotés d'émetteurs-récepteurs leur permettant de communiquer entre eux ou avec des navires, les trois hydravions ont pu contacter les navires américains placés à intervalles réguliers sur leur trajet. Après un vol de 15 heures et 13 minutes, Read et ses hommes, épuisés, se posaient dans le port de l'île de Horta, aux Açores. Les NC-1 et NC-3, victimes d'en-nuis mécaniques, ont été contraints de se poser en mer avant d'abandonner, et leurs équipages ont été secourus par l'US Navy. Bloqué par le mauvais temps pendant de longues journées, ce n'est que le 27 mai que Read a pu quitter les Açores pour Lisbonne. où il amerrit après un vol sans incident de 9 heures et 43 minutes. Read et son NC-4 étaient dès lors des héros, et l'ultime escale Lisbonne-Plymouth une simple formalité.

Alcock avait bien préparé le Vickers Vimy

Terre-Neuve, 14 juin

L'avion qui s'apprête à traverser l'Atlantique d'ouest en est a commencé son long périple en Angleterre, chez le constructeur Vickers, à Weybridge. Acheminé par bateau, le Vickers Vimy, équipé de deux moteurs Rolls-Royce Eagle de 360 ch chacun, est arrivé à Saint-Jean le 28 mai dernier. Il a d'abord fallu remonter méticuleusement l'appareil, arrivé dans treize caisses de bois, puis installer des réservoirs d'appoint dans la soute à bombes afin de le doter des capacités en carburant nécessaires à un aussi long vol. Au terme de ces préparatifs, Alcock se montre confiant.

Alcock et Brown ont réussi l'exploit

Irlande, 15 juin

C'est fait. La victoire est totale. Pour la première fois, un avion a traversé l'Atlantique, bord à bord, sans escale. Les Anglais John Alcock, le pilote, et Arthur Brown, son navigateur, ont posé leur bimoteur Vickers Vimy dans un champ boueux à Clifden, en Irlande, ce matin. Leur vol historique et particulièrement mouvementé en raison d'une zone de fortes turbulences à mi-parcours a duré seize heures et douze minutes. Partis la veille de Terre-Neuve, Alcock et Brown ont parcouru 3 185 km. Epuisés, les deux héros ont déjà été félicités par le roi George V.

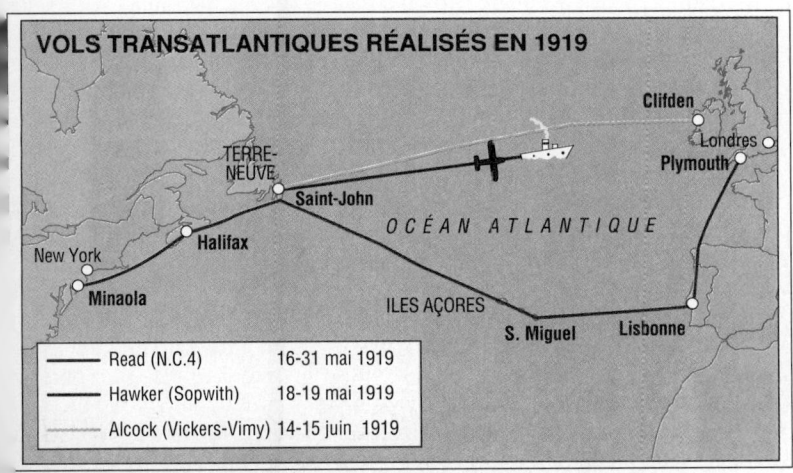

VOLS TRANSATLANTIQUES RÉALISÉS EN 1919

Clifden
TERRE-NEUVE
Saint-John
Londres
Plymouth
New York
Halifax
OCÉAN ATLANTIQUE
Minaola
ILES AÇORES
S. Miguel
Lisbonne

Read (N.C.4)	16-31 mai 1919
Hawker (Sopwith)	18-19 mai 1919
Alcock (Vickers-Vimy)	14-15 juin 1919

John Alcock et Arthur Brown décollent pour leur vol transatlantique.

Bossoutrot termine à dos de chameau

L'équipage du Goliath échoué transporte ce qui peut être sauvé.

Le mécanicien du Goliath, Jousse, va aller réparer un moteur en plein vol.

Côte de Mauritanie, 21 août

Le 16 août, son dernier message avait été : « Goliath survolant mer de nuages depuis Atlas sera Dakar vers 7 heures. » Mais le Farman F-60 piloté par Bossoutrot et Coupet, avec six autres personnes à son bord, n'est pas arrivé à destination : resté en contact radio, l'équipage épuisé vient d'être recueilli sain et sauf par une caravane nomade. Jusqu'à Mogador, le voyage s'était déroulé sans incident. Mais, à 250 km de Dakar, l'avion, contraint d'atterrir sur une plage après la perte d'une hélice, fut détruit par les vagues. Pendant six jours, les huit hommes ont pu survivre en buvant de l'eau distillée obtenue par un alambic de leur fabrication et en mangeant des coquillages. Ce raid, entrepris par les frères Farman pour montrer les possibilités de leur avion sur de longues distances, aurait pu finir plus mal.

Une voltige de trop pour Jean Navarre

Villacoublay, 10 juillet

C'est un banal accident qui a tué Jean Navarre, l'enfant terrible de l'aviation. Ce téméraire aviateur avait reçu dès le début de la guerre la médaille militaire et la Légion d'honneur, mais c'est à Verdun qu'il allait se distinguer d'une façon encore plus éclatante. Les nombreuses victoires de cet as français allaient lui apporter une renommée mondiale. Le 17 juin 1916, un accident d'avion fit tout basculer pour lui. Depuis, il souffrait de graves troubles mentaux. Après la fin de la guerre, il chercha à reprendre l'air, mais cet accident a mis fin à ses rêves.

Un Nieuport sous l'Arc de Triomphe. Charles Godefroy proteste contre le défilé à pied des aviateurs le 14 Juillet.

Londres établit ses règles de l'aviation

Londres, 25 août

C'est une compagnie britannique, l'ATT, qui vient d'inaugurer le premier service aérien régulier entre Londres et Paris, en association avec la compagnie française CGT. Face à l'improvisation des Français, qui agissent en ordre dispersé, la stratégie anglaise a mieux réussi. A l'abri de l'interdiction de navigation aérienne, en vigueur jusqu'en mai dernier, la coopération entre les constructeurs, la Royal Air Force et les autorités a permis aux avions anglais de se placer les premiers sur les liaisons à travers la Manche. Le 30 avril dernier, l'Angleterre était le premier pays au monde à publier ses règles de navigation aérienne. Malgré le rétablissement de la liberté de vol en mai, les frontières sont restées fermées, et les Français n'ont pu obtenir pour leurs vols Paris-Londres qu'un arrangement provisoire en juillet. Pendant ce temps, les pilotes et les avions de Sa Majesté, issus de la guerre et reconvertis pour l'aviation civile, accumulaient les heures de vol. Aujourd'hui, à bord d'un DH.4, le pilote Cyril Pattison a emporté quatre passagers de Hounslow au Bourget. Ce vol sera désormais quotidien. A Paris, la Compagnie des messageries aériennes a annoncé son premier vol pour le 12 septembre.

Avant le départ, une envoyée du « Daily Mail » confie un pli à un passager.

Trois pays, trois menus en un jour

Hounslow, 25 août

Amsterdam : petit déjeuner ; Bruxelles : déjeuner ; Londres : dîner. Le capitaine Shakespeare aura été gâté par le vol de reconnaissance Amsterdam-Hounslow qu'il a mené à bien cet après-midi aux commandes d'un Handley Page O/400. Par ailleurs ce matin, à 9 h 30, le DH.4a du capitaine Bill Lawford avait décollé de Hounslow pour Le Bourget. Il emportait dans ses flancs un passager, des coqs de bruyère et une cargaison de crème Devon : Aircraft Transport and Travel Ltd. inaugurait aujourd'hui la première ligne régulière de commerce international.

La France perd une grande aviatrice

Crotoy, 18 juillet

Elle se disait baronne, mais elle était plutôt actrice et sculptrice. Raymonde de Laroche, la grande dame de l'aviation, s'est tuée au cours d'un vol auquel elle participait, ironie du sort, comme simple passagère. Sa vocation d'aviatrice s'était révélée en 1909 à Châlons, où elle avait pris sa première leçon. A la surprise de l'instructeur, après quelques explications, elle avait décollé seule et s'était posée dans un style parfait. Le 8 mars 1910, elle fut la première Française à obtenir un brevet de pilote. Depuis, elle avait participé en professionnelle à de nombreux meetings.

Daurat inaugure la ligne Toulouse-Rabat

Le Breguet 14 de Didier Daurat à son arrivée à l'aéroport de Rabat.

Rabat, 1er septembre

A 17 h 30, Didier Daurat s'est posé sur le sol marocain, bientôt suivi par le lieutenant Dombray. Dans la carlingue de leurs Breguet 14 sont empilés des sacs de courrier, chargés hier au départ de Toulouse. La Société des lignes aériennes Latécoère vient en effet d'inaugurer le premier service postal régulier entre la France et le Maroc. Latécoère dispose maintenant de quinze Breguet 14, fournis par l'armée, et de pilotes émérites, issus de la guerre. Sans garantie réelle quant à l'extension future de son réseau en Afrique et malgré la mauvaise volonté de l'administration espagnole, il a décidé de démarrer l'exploitation de la ligne Toulouse-Rabat. Il n'a pas vraiment le choix : le contrat signé en juillet avec le gouvernement français lui accordait un délai de deux mois. Mais il compte bien en renégocier les clauses, trop restrictives à son goût.

On identifiera un avion par cinq lettres

France, 13 octobre

Prévoyant une rapide multiplication des liaisons aériennes, les Etats ont décidé de faire la police dans le ciel. Une convention a réuni à Paris ces derniers jours les représentants de vingt-sept pays. Ceux-ci ont adopté une réglementation pour la navigation aérienne qui prévoit l'enregistrement de tous les avions civils en service et leur identification. Plusieurs articles de la convention traitent de l'immatricula- tion qui va se mettre en place. Tout d'abord, pour circuler, un aéronef doit avoir une nationalité. Cette nationalité sera celle de l'Etat dans lequel l'appareil est enregistré. Deux sections entières de la convention traitent des marques à porter sur les fuselages des avions. La marque de la nationalité sera repré- sentée par une lettre majuscule en caractère romain, par exemple un F pour France, un I pour l'Ita- lie, un E pour l'Espagne, un G pour la Grande-Bretagne, un O pour la Belgique. Enfin, les juristes ont dé- cidé que l'immatriculation serait un groupe de quatre lettres majuscu- les. Chaque groupe devra contenir une voyelle. Les représentants des principales nations européennes, la France, la Belgique, l'Allemagne et la Grande-Bretagne ont signé les textes. Ils devront être ratifiés dans les six mois par les différents gou- vernements. L'interdiction de sur- vol faite aux pays non signataires devrait accélérer le processus de normalisation. (→ 19.3.20)

Immatriculation d'un Farman.

La folle course aérienne Londres-Darwin

Escale à Singapour du Vickers Vimy de Ross Smith, en provenance de Londres.

Australie, 10 décembre

Tous les habitants de Port Darwin se sont retrouvés sur le petit aéro- drome de Fanny Bay, au nord de l'Australie. Ils sont venus acclamer leurs nouveaux héros, Ross Smith et son frère Keith. C'est à 15 h 40 précises que les frères Smith ont posé leur Vickers Vimy sur le sol australien après avoir parcouru 18 175 km. Les Smith sont les pre- miers à avoir réussi, en vingt-huit jours, à rallier Londres à l'Aus- tralie, le plus isolé des continents. Après avoir gagné l'Inde par une série de sauts de puce à travers l'Europe et le Moyen-Orient, ils ont contourné le golfe du Bengale, puis ont survolé l'Indochine et l'In- donésie, avant une dernière étape au-dessus de la mer de Timor. Déjà en octobre dernier, le pilote Poulet et son mécanicien Benoît quittaient Issy-les-Moulineaux pour Mel- bourne, à bord d'un antique Cau- dron G 4, utilisé pendant la guerre. Pour certains, c'était de la folie, et c'est vrai qu'ils ne sont pas allés plus loin que Rangoon. Ils n'empo- cheront pas les 10 000 livres pro- mises par le gouvernement austra- lien à tous ceux qui accompliraient cet exploit en moins de trente jours. Les lauréats, ce sont les Smith. Par- tis le 12 novembre dernier à 9 h 5 de l'aérodrome d'Hounslow, près de Londres, ils sont accompagnés des mécaniciens Bennet et Shiers. Ils ont tout d'abord mis le cap sur Lyon. De là, malgré une pluie diluvienne, ils sont allés à Pise, puis en Crète et au Caire. Ensuite, Ra- madie, en Irak, Karachi et Delhi, où ils se sont posés le 25 novembre. Les terrains étaient souvent rudi- mentaires, comme celui de Singa- pour qui n'était que la ligne droite du champ de courses. Smith a eu bien du mal à poser son avion dé- muni de freins. Après une ultime halte sur l'île de Timor, cap sur Port Darwin. (→ 13.4.22)

Atterrissage à Afioun Kara Hissar de l'avion de Poulet et Benoît.

Le premier avion entièrement métallique à vocation commerciale, le Junkers F 13, a été développé à partir d'appareils militaires.

Le Sopwith Snark est équipé du dangereux moteur ABC Dragonfly.

Le Nieuport Nighthawk est très mal servi par son moteur Dragonfly.

L'hydravion Sea Lion I de Supermarine a été mis au point à partir d'appareils ayant servi pendant la guerre pour participer au trophée Schneider de 1919.

Le biplan Blériot-Spad 27 à vocation commerciale possède une cabine pour ses deux passagers mais le poste de pilotage n'est pas abrité.

L'expérience acquise par Anthony Fokker pendant la guerre l'a amené à mettre rapidement en service le F.II sur des destinations européennes.

Le Sopwith Schneider a été conçu pour le trophée Schneider 1919.

Le biplace Westland Weasel ne recevra aucune commande.

Le prototype du Thomas-Morse S-4E est déséquilibré vers l'arrière. Conçu pour l'entraînement à l'acrobatie, il sera en fait utilisé pour les courses.

L'Airco DH.16 de Havilland est une version du DH.9A au fuselage élargi pour recevoir quatre passagers.

Le Thomas-Morse MB-3 est arrivé trop tard pour les combats.

Le Pomilio LV-8 est construit aux Etats-Unis sur des plans italiens.

L'avion de combat Dragon de Sopwith restera à l'état de prototype.

Le Siddeley Siskin appartient à une grande lignée d'avions de combat.

L'avion de ligne Farman Goliath est dérivé des bombardiers FF.60. Il est particulièrement utilisé par les compagnies françaises.

Le nombre d'appareils militaires disponibles ne permettra pas au 6/B-1, premier avion commercial de Boeing, de trouver place sur le marché.

Le Vickers Viking, avion amphibie de commerce, est un succès.

L'armée suisse s'est dotée du biplace DH.5 Hafeli.

Il n'y a que peu d'acquéreurs pour le Dove, avion civil biplace, que Sopwith a construit en utilisant les plans du Pup, un appareil de combat.

Les liaisons aériennes de la RAF sont confiées au de Havilland DH.4A, équipé à l'arrière du cockpit d'une cabine pour recevoir deux passagers.

L'Atlantic de Sopwith a été construit pour tenter la traversée.

Le Limousine de Westland reçoit les passagers civils dans le confort.

La firme italienne Savoia vient de produire l'hydravion S.16 à cinq places. De nombreux appareils seront utilisés sur des lignes commerciales.

1920

 **313,043 km/h**
France
Joseph Sadi-Lecointe
Nieuport-Delage 29v
12.12.20

 **3 185 km**
Grande-Bretagne
Alcock et Brown
Vickers Vimy
15.6.19

 **10 093 m**
Etats-Unis
Rudolph Schroeder
Le Père-Lusac 11
27.2.20

 **20 385 kg**
Grande-Bretagne
W.G. Tarrant Ltd.
Tarrant Tabor

 638 ch
Etats-Unis
Packard
Packard 1A-2025

France, 10 janvier
La compagnie franco-bilbaine de Marcel Gindner, qui veut établir une liaison entre Bayonne, Bilbao et Santander, reprend l'activité de la Taso, qui n'a duré que huit mois. La société Aérotransports du Midi-Sud-Ouest, créée par Ernoult, un ancien clerc de notaire, ouvre une ligne Bordeaux-Toulouse avec, entre autres pilotes, Codos et Costes.

Afrique du Sud, 1er février
Un service aéronautique est créé au sein de l'armée, le Suid Afrikaanse Lugmag. (→ 10.6.22)

Grande-Bretagne, 25 mars
Les avions civils sont autorisés à utiliser les 9 stations radiogonio-métriques de la marine britannique.

Londres, 29 mars
L'aérodrome de Croydon, équipé d'un hôtel, est ouvert au trafic pour remplacer Hounslow. (→ 31.3.21)

Pologne, 25 avril
L'escadrille Kosciuszko, formée de volontaires américains, participe à l'offensive polonaise contre l'invasion bolchevique sur la frontière orientale. Elle vient de recevoir des chasseurs italiens Ansaldo Balilla. (→ 11.5.21)

Paris, 29 avril
Louis Blériot est condamné à cinq millions de francs d'amende pour profits illicites pendant la guerre dans la construction aéronautique.

France, 7 mai
Les frères Farman créent la Société générale de transports aériens. La SGTA reprend l'exploitation des lignes aériennes Farman, interrompue à cause de la faible fréquentation des vols. (→ 17.5.21)

Amsterdam, 17 mai
Un de Havilland 16, loué par la compagnie hollandaise KLM à la compagnie britannique ATT, ouvre la liaison avec Londres. (→ 14.4.21)

Bruxelles, 25 mai
La compagnie belge Sneta inaugure sa ligne vers Londres. (→ 1.7)

Tokyo, 31 mai
Partis de Rome le 11 février, les pilotes Ferrarin et Masiero atterrissent avec leurs biplans SVA.9, après avoir parcouru 18 105 km.

Washington, 4 juin
La loi de réorganisation de l'armée crée l'US Army Air Service, faisant ainsi de l'aviation une section à part entière. Ses effectifs sont de 17 514 officiers et hommes de troupe.

San Antonio, 8 juin
John Wilson fait un saut en parachute, d'une altitude de 6 500 m. (→ 23.3.21)

Paris, 12 juin
Jean Casale essaie un respirateur à oxygène, appareil devant permettre le vol à haute altitude en air raréfié.

Japon, 22 juin
Pilotant un Sopwith Pup, le lieutenant Kuwahara décolle d'un navire en marche, le porte-hydravions *Wakamiya*. Le pont avant est équipé d'une rampe spéciale. (→ 30.11.21)

France, 26 juin
Jean Mermoz, qui a échoué au baccalauréat l'année dernière, souscrit un engagement dans l'armée pour quatre ans. Il choisit l'aviation sur les conseils de Max Delty, chanteur d'opérette. (→ 29.1.21)

Grande-Bretagne, 3 juillet
Un meeting d'aviation militaire est organisé par la RAF à Hendon. Il attire une foule considérable.

Darwin, 2 août
Partis de Londres le 8 janvier, Parer et McIntosh bouclent l'ultime étape en consommant la dernière goutte d'essence de leur de Havilland 9.

Londres, 20 août
Avec un téléphone ordinaire et par radiotéléphonie, un directeur de société tient une conversation avec un aviateur survolant la Manche.

Madrid, 27 août
Juan de La Cierva reçoit le brevet n° 74322 pour l'invention de son autogire. (→ 31.1.23)

Etats-Unis, 1er septembre
Le quotidien *Evening Sun* achète un avion pour collecter plus vite ses reportages dans le Maryland.

France, 3 septembre
La coupe Deutsch-de-la-Meurthe, interrompue par la guerre, est attribuée à Sadi-Lecointe. Il a effectué le parcours le 3 janvier dernier en 42 min 53 s. (→ 1.10.21)

Etats-Unis, 11 septembre
La route aéropostale transcontinentale est ouverte de New York à San Francisco. Ne volant que le jour, quatre pilotes se sont relayés durant quatre jours et ont battu de 22 heures le train le plus rapide. (→ 22.2.21)

Manche, 12 septembre
Un pilote de Supermarine repère un remorqueur qui se dirige droit sur une mine. Il évite le drame en lui indiquant la direction du danger.

Venise, 21 septembre
L'Italien Luigi Bologna, à bord d'un hydravion Savoia S.12 bis, remporte la coupe Schneider à la vitesse de 172,550 km/h. (→ 7.8.21)

Etampes, 28 septembre
Les Français Sadi-Lecointe, Bernard de Romanet et Georges Kirsch emportent les 3 premières places de la coupe Gordon-Bennett. Elle est définitivement acquise à l'Aéro-Club de France, ayant été gagnée trois fois de suite par la France.→

Allemagne, 30 septembre
La Commission de contrôle alliée interdit de poursuivre les essais, qui viennent de débuter, du monoplan Zeppelin-Staaken E.4/20. Quadrimoteur à aile haute entièrement métallique, il peut transporter 18 passagers à la vitesse de 211 km/h.

Toulouse, 1er octobre
Emile Dewoitine, qui a démissionné des Forges Latécoère en juillet, crée la SAD, Société anonyme des avions Dewoitine. Il s'installe au 22, rue La Fayette avec sa planche à dessin pour étudier un monoplace de chasse. (→ 18.11.22)

Washington, 3 octobre
Le lieutenant Cabot fait un essai de ravitaillement en vol. Il saisit un bidon d'essence sur un radeau ancré sur le Potomac. (→ 12.11.21)

Seattle, 15 octobre
A bord d'un hydravion B-1, Eddie Hubbard ouvre une ligne postale quotidienne et internationale avec Victoria, en Colombie britannique.

Moscou, 21 novembre
Lénine décide d'affecter 35 millions de roubles-or à la reconstruction d'une armée de l'air.

New York, 25 novembre
Créé en mai 1919 comme épreuve de distance, le trophée Pulitzer est transformé cette année en course de vitesse mais les concurrents doivent atterrir à moins de 120 km/h. Sur les 65 participants, seuls 23 finissent la course et les 2 premières places reviennent à des appareils inscrits par l'armée. Le capitaine Moseley remporte le trophée sur Verville-Packard VCP-R, à la vitesse de 251,921 km/h. (→ 3.11.21)

Grande-Bretagne, 10 décembre
L'aérodrome de Lympne est équipé de deux projecteurs pour les atterrissages de nuit. Ils fonctionnent sur demande, durant deux heures après le coucher du soleil.

Villacoublay, 12 décembre
Le prototype du Spad 33, dessiné par Herbemont, réalise son vol initial. Il peut emporter quatre passagers assis dans des fauteuils en osier en cabine, et un cinquième à côté du pilote dans le cockpit. (→ 16.6.21)

France, 15 décembre
Le premier des centres d'entraînement de pilotes de réserve, créés par Paul Richard, est ouvert à Orly. Les pilotes civils mobilisables y ont droit à une heure de vol gratuite par mois, sur Caudron G 3. (→ 1.3.21)

Un cirque volant dans une bourgade du Middle West : un Jenny traîne une échelle pour permettre aux cascadeurs de changer d'avion.

Vuillemin traverse le désert du Sahara

Le commandant Vuillemin et le lieutenant Chalus à Dakar.

Dakar, 31 mars

Après un périple mémorable, seul le Breguet 16 du commandant Vuillemin et du lieutenant Chalus a atterri à 10 h 30 à Dakar. Le raid aura coûté la vie au général Laperrine. Passager dans un des appareils du groupe Rolland, il est mort dans un accident lors d'un atterrissage forcé dans le désert. Le pilote Dagnaux, lui, a été retrouvé. Depuis Villacoublay, Vuillemin et Chalus ont parcouru 6 630 km en 21 étapes, traversant la Méditerranée par les Baléares. Leur matériel n'est pas adapté aux conditions rencontrées dans le désert. Vuillemin n'oubliera pas qu'il a dû remplacer les chambres à air de ses roues par de la paille à l'escale de Menaka.

Adrienne Bolland devient pilote d'essai

Adrienne Bolland à bord de son avion à l'aérodrome de Buc.

France, 1er février 1920

Le constructeur René Caudron vient d'engager Adrienne Bolland comme pilote d'essai. En moins de six mois, la jeune femme a obtenu son brevet, progressant avec une facilité déconcertante. Connaissant son talent, Caudron lui a proposé de devenir pilote dans son école si elle réussissait un looping. Il est convaincu qu'une femme peut donner une excellente image de marque à sa société. A son premier essai, Adrienne Bolland a réussi la figure acrobatique. Tous ses confrères masculins avaient tenu à être présents pour cette occasion. Le constructeur a tenu parole : Adrienne Bolland devient l'ambassadrice de Caudron. (→ 1.4.21)

Partis de Londres, ils atteignent Le Cap

Cape Town, 20 mars

La tentative est réussie. Deux pilotes de la RAF, le capitaine Brand et le lieutenant-colonel Van Ryneveld, ont rallié l'Afrique du Sud. Ils sont partis de Brooklands dans le Surrey et il leur a fallu 45 jours et trois appareils pour pouvoir joindre Wynberg où ils ont atterri aujourd'hui. Leur épopée débute le 4 février, à bord du *Silver Queen*, un Vickers Vimy bimoteur. Ils se posent tout d'abord en Italie en raison de fuites à un radiateur, puis en Libye où ils réparent le Vimy, endommagé par un atterrissage fâcheux. Ils s'écrasent dans le Sahara, entre Le Caire et Khartoum : leur appareil, irréparable, est remplacé par un nouveau Vimy prêté en Egypte par la RAF. A Bulawayo, au sud de la Rhodésie, le *Silver Queen II* les abandonne à son tour. En effet, l'altitude et la température locales, trop élevées, entraînent une perte de puissance des moteurs et empêchent l'avion de décoller. Toujours résolus, ils empruntent alors au gouvernement sud-africain un de Havilland 9 qui était en réserve depuis la guerre et dans lequel ils terminent leur héroïque périple. Ils auront volé en tout cent neuf heures et trente minutes.

Le surplus d'avions de guerre à la casse

France, 29 avril

Pour l'industrie aéronautique, le retour à la paix constitue une véritable catastrophe. Les commandes chutent, et partout les constructeurs se retrouvent avec des stocks énormes qu'ils ne peuvent écouler. Rien qu'en France, 52 000 avions ont été produits entre 1914 et l'armistice. Or, on ne sait plus que faire de ces surplus, et si certains avions démilitarisés sont vendus à des amateurs, il n'en reste pas moins que des centaines de carcasses de Spad, de Morane-Saulnier et autres Caudron pourrissent sur les terrains d'aviation français. Toutes les usines ont licencié des ouvriers. Les constructeurs se recyclent comme ils peuvent, en construisant des voitures (Salmson), ou des motos. Quant à Gabriel Voisin, écœuré par la tuerie, il s'est juré de ne plus construire que des avions civils. En Allemagne, on détruit le matériel militaire pour d'autres raisons. Fokker, après avoir dit se recycler en fabriquant des yachts, est reparti aux Pays-Bas. Aux Etats-Unis, une pléthore de Curtiss JN-4 Jenny encombre les aéro-clubs, les écoles de pilotage, les cirques aériens et les entreprises agricoles. L'âge d'or se termine, mais l'aviation demeure.

Les avions de guerre sont rassemblés à l'aéroport de Johannisthal, à Berlin, afin d'être détruits pour satisfaire aux conditions du traité de Versailles.

Les hydravions se retrouvent à Monaco

Ultimes préparatifs de l'hydravion Nieuport avant son départ dans la course.

Monaco, 2 mai

Courage et adresse sont les maîtres mots de ce IVᵉ meeting de Monaco. Après les éliminatoires, réservées aux civils, seul Sadi-Lecointe a pris le départ. Parti avec Coli, à bord d'un Nieuport, il devait établir une liaison postale entre Monaco, Ajaccio, Bizerte, Tunis et Sousse. Malheureusement, avant la traversée finale, son hélice s'est brisée. En revanche, le capitaine de vaisseau Bellot a effectué le parcours complet à bord d'un G.L. Renault. Le concours d'altitude a donné lieu à une lutte sans merci entre Sadi-Lecointe et Casale. Ce dernier a remporté l'épreuve en atteignant 6 500 m en 1 h 16 min 10 s à bord d'un Spad Herbemont 26. De Romanet gagne le prix de vitesse, à bord du même appareil que celui de Casale, à 211 km/h de moyenne. Un meeting qui fera date.

Les avions belges jouent avec l'alphabet

Regroupés côte à côte, les avions du Sneta exhibent leur nom de baptême.

Belgique, 19 mars

Ce qui se prononce facilement se retient aisément. C'est ce que pensent les Belges. Cette règle en vaut bien une autre même si elle semble ne pas avoir d'avenir à long terme. Le Sneta vient de baptiser les premiers avions de sa jeune flotte. Société d'étude expérimentale, crée l'année dernière pour développer les lignes aériennes en Europe et vers l'Afrique, elle dispose de quelques avions. Le nº 1 est un Fokker D-VII. Il se nomme O-BEBE. Un Breguet 14, le premier d'une série de trois a reçu le nº 2 du registre d'immatriculation. Six autres appareils monomoteurs sont inscrits : trois de Havilland DH-9 et trois Rumpler C-IV. Les noms se lisent : O-BLON, O-BLOC, O-BROC, O-BEAU, O-BELG, O-BIEN, O-BORD, O-BRUN et O-BUIS On les retiendra en France. (→ 1.7)

Aux USA, les anciens as font du spectacle

Etats-Unis, 30 juin

Que faire lorsqu'on a été pilote de combat et que la guerre est finie ? Des centaines de jeunes aviateurs américains ont trouvé un moyen de satisfaire leur passion pour le vol tout en gagnant leur vie. Ils ont acheté un avion bon marché – le pays en regorge – et se sont lancés dans le spectacle. Transformés en cascadeurs et saltimbanques des airs, ces jeunes pilotes sillonnent les Etats-Unis à la recherche de meetings et de courses aériennes. Certains, tel Omer Locklear, sont même devenus stars à Hollywood.

Le cascadeur s'apprête à attraper l'échelle de corde suspendue à l'avion.

Une étrange sirène à Berlin-Tempelhof

Berlin, 10 août

Dans sa tour d'observation, le policier repose ses jumelles sur la table, et presse un bouton. La sirène retentit, stridente, en une longue et unique sonnerie à travers l'ancien champ de manœuvres situé aux portes de la capitale allemande. Elle annonce l'approche d'un appareil allemand. Deux sonneries auraient indiqué l'arrivée d'avions étrangers ou non identifiés. Les deux pistes, l'une pour le décollage, l'autre pour l'atterrissage, séparées par une zone neutre de 50 m, sont dégagées. L'appareil peut se poser... Ainsi se déroule chaque jour la surveillance du trafic aérien à Berlin-Tempelhof. Ce terrain, trop rudimentaire pour être qualifié d'aéroport, n'en devient pas moins un pivot du trafic aérien européen. Il doit bientôt être pourvu de hangars et de nouveaux bâtiments pour faire face au trafic de la compagnie DLR.

Une émission radio donne la direction

Etats-Unis, 7 juillet

L'US Navy vient de réaliser une expérience d'intérêt public qui va certainement passionner les aviateurs du monde entier. Un avion F-5-L équipé de flotteurs, parti de la base d'Hampton Roads en Virginie, a rejoint l'*USS Ohio* qui croisait à 94 milles nautiques au large des côtes. L'appareil a ensuite regagné sa base. L'originalité de l'opération réside dans le fait que l'équipage a pu suivre une route directe vers sa destination grâce à un câble électro-magnétique mouillé sur les fonds de l'Atlantique. Un cadre récepteur installé sur l'avion recevait les signaux et l'équipage suivait un cap qui correspondait à une réception constante. Avec cette méthode, les avions pourraient se diriger sans risques, la nuit ou par temps de brouillard, au moyen de cette technique électro-magnétique nouvelle. (→ 31.7.23)

La Belgique inaugure au Congo la Ligne aérienne roi Albert

Léopoldville, 1er juillet

La mission d'étude menée depuis plusieurs mois par le commandant Michaux, Tony Orta et l'ingénieur Allard est passée au stade de l'application. Un de leurs 6 hydravions Lévy-Lepen a ouvert la ligne régulière entre Léopoldville et N'Gomé, soit un trajet de 560 km le long du fleuve Congo. Cette première ligne mise en service dans un territoire d'outre-mer porte le nom de Ligne aérienne roi Albert, ou Lara. Le travail d'exploration a été effectué pour le Sneta par la Cenac ou Compagnie d'études pour la navigation aérienne au Congo. Le tracé suit le fleuve car il n'est pas possible de s'aventurer dans la forêt équatoriale. Les prochaines étapes sont Lisala puis Stanleyville. (→ 23.5.23)

Un Lévy-Lepen à N'Gomé. Le but est d'atteindre Stanleyville en trois jours.

L'aviation s'impose en Australie

Australie, 16 novembre

Le rêve de deux anciens aviateurs de la Grande Guerre est désormais réalité. Hudson Fysh et P. J. McGinness viennent, grâce à l'aide d'un riche éleveur, Fergus McMaster, de fonder la première compagnie aérienne australienne. Il s'agit de la Queensland And Northern Territory Aerial Service, ou Qantas. Ils sont sûrs que leur projet de créer un système d'avions-taxis va réussir, car l'Australie est un territoire idéal pour l'aviation. Cet immense continent n'est équipé que de réseaux de transport peu efficaces, et seul l'avion peut mettre fin à l'isolement dans lequel vivent des millions d'Australiens. (→ 2.11.22)

Les ennuis diplomatiques de Latécoère

Espagne, 5 octobre

Un drame a frappé les lignes Latécoère. Genthon et Benas se sont écrasés près de Valence. Pour la compagnie, cette année est celle de toutes les épreuves, humaines mais aussi diplomatiques. Latécoère doit faire face à l'hostilité des autorités espagnoles. Son projet de ligne vers le Maroc est resté lettre morte, il cherche donc ailleurs le surcroît d'activité nécessaire à la rentabilité de son entreprise de transport. Il s'est tourné vers l'Espagne, dont il compte faire un tremplin vers le Maghreb. C'est compter sans les susceptibilités nationales et sans les Anglais qui cherchent à vendre leurs avions et promettent d'apprendre aux Espagnols comment les exploiter. Latécoère passe pour un suppôt de l'hégémonie française, voire un espion. La convention de janvier, autorisant l'exploitation de la ligne Barcelone-Alicante-Malaga-Tanger, est soumise à de multiples restrictions. La dernière étape est exclue du projet. Ce qui compromet la rentabilité de la ligne, inaugurée en avril. Mais les difficultés n'altèrent pas la détermination de Latécoère, qui poursuit l'exploitation de la ligne Toulouse-Rabat. Daurat, à la tête de l'exploitation, fait régner la discipline et mène son équipe de main de maître. (→ 13.5.21)

Escamoter les roues pour voler plus vite

Etampes, 28 septembre

Les spectateurs sont venus nombreux à Etampes pour assister à la coupe franco-américaine Gordon-Bennett et admirer, non seulement le Nieuport de Sadi-Lecointe, mais surtout un incroyable avion venu tout droit des Etats-Unis. Le Dayton-Wright R.B Racer est l'avion le plus audacieux que l'on ait jamais vu. Mis au point avec le concours d'Orville Wright, il a été réalisé pour la coupe. Ce monoplan a été bâti sur une structure de balsa et de contre-plaqué. L'originalité de l'appareil vient de son train d'atterrissage rétractable à commande manuelle. C'est la première fois qu'un tel système est présenté. Le pilote tire sur un levier pour remonter le train. La pesanteur facilite le mouvement de descente. Le moteur est un Hall-Scott à 6 cylindres en ligne refroidi par liquide, de 250 ch. Sa ligne aérodynamique est parfaite et il est en plus doté d'un dispositif qui permet de modifier l'angle d'incidence des ailes. Le pilote, Howard Rinehart, n'a pas pu atteindre les 322 km/h prévus sur le papier. Il ne les atteindra jamais. Alors qu'il a décollé sans incident, il abandonne dès le premier tour à la surprise générale. Un câble de commande s'est rompu. Sadi-Lecointe sera le vainqueur.

Premier collaborateur de Latécoère, Beppo de Massimi, à droite, est mandaté pour négocier avec l'Espagne le droit de passage vers les pays du Maghreb.

Le monoplan de Rinehart dans lequel le pilote, presque entièrement enfermé, ne peut voir l'extérieur qu'au moyen des hublots disposés sur les côtés.

L'atelier de Douglas est à Los Angeles

Le cockpit du Cloudster est renforcé avec du contreplaqué.

Los Angeles, 15 novembre
Arrivé à Los Angeles avec toute sa famille en avril, Donald Douglas n'a que quelques dollars en poche et une recommandation de son ami Martin. Il a rencontré David Davis, un riche Californien qui veut lier son nom à un record d'aviation.

Cela vaut bien les 40 000 dollars qu'il investit. Ils fondent la Davis-Douglas et les premiers dessins sont tracés dans la salle d'un salon de coiffure de Pico Boulevard. L'atelier est dans Wilshire Boulevard, près du centre-ville où il construit son avion, le Cloudster. (→ 28.6.21)

La Franco-Roumaine relie Paris à Prague

Paris, 27 octobre
Après l'inauguration du tronçon Paris-Strasbourg, le 20 septembre, la Franco-Roumaine prolonge sa ligne jusqu'à Prague. Ce nouveau service sera exploité avec des avions Spad et Potez. Fondée le 23 avril dernier à l'initiative d'un banquier roumain, Aristide Blank, et de Pierre de Fleurieu, la nouvelle société de transport aérien a établi son siège rue de Rivoli. Son chef pilote n'est autre que l'as de guerre aux vingt victoires et aux treize citations, Albert Deullin. Le but de la

société est de relier quotidiennement Paris à Varsovie et à Bucarest. Ce projet, d'un intérêt politique et commercial considérable, a exigé un grand travail de préparation. Chaque escale a été équipée de pièces de rechange et un mécanicien, envoyé sur place, est prêt à toute intervention. La Franco-Roumaine vient grossir le nombre des compagnies françaises de transport, qui est actuellement de onze. Elles se partagent un réseau de quatorze lignes, assez courtes, mais qui sont les bases de longs trajets. (→ 12.4.21)

Air Transport and Travel dépose son bilan

Grande-Bretagne, 15 décembre
Après quatre ans d'existence, la compagnie Aircraft Transport and Travel Ltd. vient de mettre la clé sous la porte. Fondée par George Holt Thomas, la compagnie britannique avait pour concurrents cinq autres sociétés, dont Handley Page et Instone Air Line. Le dernier bilan d'Aircraft Transport and Travel Ltd. avait révélé un déficit important. Aussi, avant de déposer le bilan, George Holt a cherché un

nouveau mode de financement. Sachant que deux compagnies françaises qui assuraient la liaison Paris-Londres étaient subventionnées par leur gouvernement, il s'est adressé à sir Winston Churchill, en espérant que ce dernier adopterait la même politique de financement que son homologue français. Hélas ! Churchill a décrété que la jeune aviation civile devait voler de ses propres ailes, coupant court à toute subvention.

Sadi-Lecointe pulvérise les 300 km/h

Villacoublay, 12 décembre
Les coupes et les prix se succèdent. Il n'est pas de semaine sans qu'un concours d'aviation ne soit organisé dans une grande ville. Les records attirent les constructeurs. Joseph Sadi-Lecointe vient de battre son propre record de vitesse en volant à 313 km/h sur son Nieuport-Delage équipé d'un moteur Hispano-Suiza de 300 ch. C'est un tout petit monoplace de course, monoplan avec l'attache de l'aile placée

sur le dessus du fuselage. Sur cet avion, les ailerons ont été modifiés et les bouts d'ailes arrondis pour augmenter la finesse et gagner de la vitesse, au détriment de la facilité de pilotage. La grande hélice est en bois. Il y a deux mois, Sadi-Lecointe avait atteint la vitesse de 302 km/h à Villacoublay, établissant alors le record mondial de vitesse. Ainsi, la barre des 300 km/h a été franchie par le chef pilote de la société Nieuport.

L'activité du Bourget est en plein essor

Le Bourget, 31 décembre
Avec un total de 3 124 mouvements d'avions sur l'année écoulée, on ne peut plus parler de terrain d'aviation, mais bien de port aérien. On a comptabilisé 6 666 passagers au départ ou à l'arrivée et 2 625 kg de sacs postaux sont sortis des soutes des avions. La douane a enregistré près de 300 000 francs de recettes. Il n'y avait eu que 740 passagers l'année dernière. L'aéroport de Paris s'est organisé en conséquence. Les appareils sont garés sur de vastes parking, d'où les passagers

sont dirigés par des allées vers le bâtiment des douanes. Les hangars se sont multipliés. Leurs grandes portes, souvent ouvertes, laissent voir le travail du personnel des services techniques. Le hangar de la Compagnie aérienne française, fondée en 1919, est le plus central. Ses avions, garés devant le bâtiment, sont à quelques mètres des berlines qui emmènent les passagers vers Paris. On parle aussi d'installer à l'aéroport un centre médical important sous la direction du docteur Paul Garsaux. (→ 1.3.21)

Le Potez VII avec lequel Albert Deullin a inauguré la ligne Paris-Prague.

L'aéroport du Bourget a accueilli cette année plus de 6 500 passagers.

Le Westland Walrus est une version navale du De Havilland DH.9A.

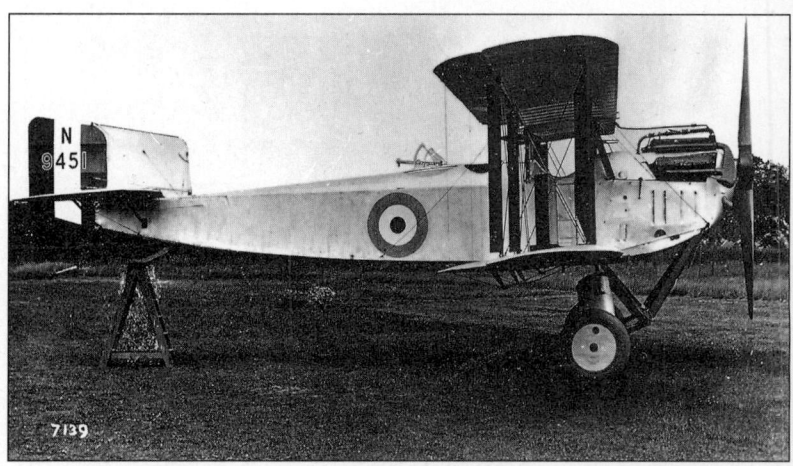

Le Fairey IIID fait partie d'une des lignées les plus réussies de la période de l'entre-deux-guerres. L'appareil peut recevoir des flotteurs.

Le Martin NBS-1, bombardier de nuit, est un développement du MB-1, le premier bimoteur de conception américaine ayant eu du succès aux Etats-Unis.

Le Sopwith Antelope, avec son curieux train à quatre roues, ne parvient pas à attirer la clientèle potentielle.

Le patrouilleur maritime Fairey Pintail se caractérise par sa dérive montée de sorte que le champ de tir du mitrailleur soit dégagé.

Le Saunders Kittiwake aurait pu connaître une belle carrière civile si son prototype n'avait pas terminé ses vols d'essai de façon tragique.

Le Blériot-SPAD 34 est construit à 154 exemplaires pour l'entraînement des futurs pilotes français, mais aussi argentins, finlandais et boliviens. Il combine robustesse, maniabilité et faible coût de revient.

Sur le très curieux Dornier Delphin, les ailettes remplacent avantageusement sur le plan aérodynamique les flotteurs montés à l'extrémité des ailes. La version Delphin III (ci-dessus) est équipée d'un Rolls-Royce Eagle.

A.V. Roe revient temporairement à la formule du triplan avec son Type 547, mais jugé dépassé, l'appareil ne reçoit aucune commande.

Le Bristol Type 36 Puma est une version modifiée du célèbre Bristol Fighter qui s'est illustré pendant la Première Guerre mondiale.

Développement logique du F II, le Fokker F III transporte six passagers. Il entre en service à la KLM en 1921.

Le bombardier torpilleur embarqué Blackburn Swift permet à son constructeur de remplir son carnet de commandes et d'établir sa réputation.

Le Blériot-SPAD S.33 connaît un important succès international.

Le pilote du De Havilland DH.18 est installé derrière la cabine.

Le Handley-Page W.8 est capable de transporter dix passagers sur de très longues distances.

Le Boulton & Paul P.8 est construit en vue d'une traversée sans escale de l'Atlantique, mais sa carrière s'achève bien avant. Il ne parviendra en fait jamais à rassembler les qualités nécessaires pour réaliser cet exploit. Il se distingue de ses concurrents par son poste de pilotage entièrement fermé.

1921

330,275 km/h
France
Joseph Sadi-Lecointe
Nieuport-Delage Sesquiplan
25.12.21

3 185 km
Grande-Bretagne
Alcock et Brown
Vickers Vimy
15.6.19

10 518 m
Etats-Unis
John McReady
Le Père-Lussac 11
28.9.21

26 000 kg
Italie
SAI Caproni
Caproni Ca 60

850 ch
France
Marcel Riffard
Breguet-Bugatti 32A

Grande-Bretagne, 7 janvier
La firme Handley Page achève les essais du stabilisateur automatique inventé par le Français Aveline. Il permet de maintenir le cap et l'altitude du HP O/10 utilisé. (→ 9.8.22)

Australie, 16 janvier
Les habitants de Melbourne reçoivent le *Daily Mail* imprimé le matin à Brisbane et transporté par DH.4.

Istres, 29 janvier
A la troisième tentative, Mermoz obtient le brevet de pilote sur Caudron G 3. (→ 31.3.22)

Fuhlsbüttel, 29 janvier
En protestation au traité de Versailles qui a exigé la destruction de 15 000 avions, les aviateurs allemands érigent un monument : un moteur et une hélice brisée enchaînés à un socle.

Londres, 6 février
Cockerell essaye le biplan amphibie Vickers Viking sur la Tamise. Il envisage un vol vers Paris avec atterrissage sur la Seine. (→ 30.6.25)

Etats-Unis, 18 février
L'avion postal de Carroll Eversole perd son hélice en vol. Celui-ci saute en parachute et en prouve ainsi l'utilité à l'administration qui refuse d'en fournir à ses équipages.

France, 1er mars
L'aérodrome d'Orly est ouvert. Il dispose d'une zone d'atterrissage de 800 m sur 750 et de quatre hangars.

Etats-Unis, 23 mars
Arthur Hamilton effectue un saut en parachute à 8 000 m d'altitude. Il se pose à 13 km du point prévu.

Pologne, 12 avril
La Franco-Roumaine ouvre la ligne Prague-Varsovie en liaison avec Paris-Prague. Son réseau couvre plus de 1 500 km. (→ 6.9)

Monaco, 13 avril
Le lieutenant Roget s'entraîne pour la course vers Ajaccio. Victime d'une panne, il doit amerrir, mais la houle couche son hydravion. Sa chienne Folette est noyée mais Roget est sauvé par les concurrents d'une course de canots. (→ 31.8)

Amsterdam, 14 avril
Le monoplan Fokker F.III inaugure le vol quotidien de la KLM vers Brême et Hambourg. (→ 31.12)

Pologne, 11 mai
L'escadrille Kosciuszko est dissoute, après le retour hier de Merian Cooper, son commandant, abattu il y a dix mois. Il a pu convaincre les Soviétiques qu'il avait été enrôlé de force, et il s'est évadé.

Toulouse, 13 mai
Pierre Georges Latécoère fonde la Compagnie générale d'entreprises aéronautiques. (→ 1.4.22)

New York, 15 mai
Laura Bromwell bat le record féminin de loopings successifs. Elle en boucle 199 en 1 h 20 min. (→ 27.5.24)

France, 17 mai
La SGTA des frères Farman ouvre la ligne Paris-Amsterdam, parcourue en 4 h de vol. (→ 30.7.22)

Toulouse, 28 mai
Le tribunal correctionnel condamne un pilote des Lignes aériennes Latécoère pour trafic de drogue. Il convoyait de la cocaïne du Maroc.

Arizona, 6 juin
Le lieutenant Pearson réussit à atterrir puis à décoller au fond du grand canyon de Williams.

Ohio, 8 juin
Une cabine pressurisée est expérimentée à Dayton sur un DH.4.

Londres, 15 juin
Face à la concurrence française, le ministre de l'Air met en place un système d'assistance financière aux sociétés exploitant Londres-Paris.

France, 16 juin
Le prototype du Spad 46 effectue son vol initial. Herbemont l'a conçu à partir du Spad 33 pour proposer une berline plus rapide aux compagnies aériennes. (→ 3.10.22)

Strasbourg, 18 juin
Incorporé le 9 avril, Saint-Exupéry prend des leçons de pilotage. Il fait un vol en double commande avec le moniteur Robert Aéby. (→ 3.5.23)

Pékin, 1er juillet
Un service aérien est ouvert sur Jinan, la capitale du Shandong.

Etats-Unis, 21 juillet
Six Martin MB-2, commandés par le général Mitchell, coulent le cuirassé *Ostfriesland*. Un observateur japonais déclare : « Il y a beaucoup à apprendre ici. » (→ 15.11.23)

Ohio, 3 août
Le lieutenant McReady, pilotant un Curtiss JN-6, pulvérise près de 20 kg d'insecticide sur des vergers infestés de chenilles. (→ 1.1.25)

Venise, 7 août
L'Italie gagne la coupe Schneider pour la deuxième fois consécutive, avec l'hydravion militaire Macchi M.7 bis, piloté par Giovanni de Briganti, à la vitesse de 189,676 km/h. (→ 12.8.22)

Paris, 31 août
Le lieutenant Roget meurt de pleurésie à l'hôpital du Val-de-Grâce.

Washington, 3 septembre
Les experts des compagnies d'assurance annoncent leur participation aux enquêtes sur les accidents d'avions, pour en connaître les causes et prévenir leur apparition.

France, 23 septembre
Bernard de Romanet se tue à Villesauvage, près d'Etampes. Une aile de son avion s'est désentoilée, alors qu'il volait à plus de 300 km/h.

Etampes, 1er octobre
La première épreuve de la seconde coupe Deutsch-de-la-Meurthe est emportée par Georges Kirsch à la vitesse de 278,360 km/h. (→ 30.9.22)

Séville, 15 octobre
La Ceta, Compania espanola de trafico aereo, inaugure sa ligne postale vers Larache, au Maroc espagnol, avec des DH.9.

Istanbul, 27 octobre
Les pilotes Deullin et de Marmier arrivent de Paris, terminant un vol de reconnaissance pour la compagnie Franco-Roumaine. (→ 3.10.22)

Nebraska, 3 novembre
Bert Acosta remporte le trophée Pulitzer à la vitesse de 284,39 km/h à bord du *racer* mis au point par Glenn Curtiss, le CR-1. (→ 14.10.22)

Etats-Unis, 12 novembre
Wesley May réalise un ravitaillement en vol. Avec un bidon attaché sur le dos, il passe de l'aile d'un Lincoln Standard sur celle d'un JN-4, et verse l'essence dans le réservoir de ce dernier. (→ 28.8.23)

Corse, 18 novembre
La compagnie Aéro-Navale ouvre sa liaison Antibes-Ajaccio avec un hydravion bimoteur à coque LeO H-13. Fernand Lioré l'a étudié et construit pour cette ligne. (→ 1.1.25)

France, 23 novembre
Le musée de l'Aviation de Chalais-Meudon est inauguré.

Washington, 24 novembre
L'aviation américaine adopte un système d'informations météorologiques par radio, diffusant notamment des avis de variation brusque.

Japon, 30 novembre
Le *Hosho*, véritable porte-avions de la marine impériale, est lancé. Il peut embarquer 25 avions.

New York, 30 décembre
Edward Stinson et Lloyd Bertaud battent le record du monde d'endurance avec 26 h 18 min 35 s de vol. (→ 6.10.22)

Canada, 31 décembre
La patrouille aérienne d'Ellwood Wilson devient la Laurentide Air Services Ltd., pour la surveillance forestière et la cartographie.

Une affiche qui vante la conquête du ciel par les hommes. Ce document témoigne des jalons posés par Latécoère vers l'Amérique du Sud.

Oehmichen fait décoller son hélicoptère

Le ballon, gonflé à l'hydrogène, allège la masse que l'hélicoptère doit enlever.

Valentigney, 15 janvier
Des années de recherche peut-être récompensées. Etienne Oehmichen, ingénieur à la société Peugeot et passionné par le problème du vol vertical, a réussi à faire monter son premier hélicoptère à sept ou huit mètres de hauteur pendant une minute et demie. Cet appareil présente un aspect pour le moins surprenant : une poutre en treillis supporte deux rotors bipales de six mètres quarante ; le moteur de 25 ch entraîne les rotors et un ballon sphérique de 144 m³ occupe la partie supérieure de l'hélicoptère. Engagé dans l'artillerie, Oehmichen a dû stopper ses recherches le temps que dura le premier conflit mondial. Avec ce premier vol libre d'un hélicoptère piloté, l'inventeur se voit encouragé à perfectionner ses travaux, qui ouvrent des perspectives de vol vertical. (→ 1.5.23)

Adrienne Bolland à l'assaut des Andes

Adrienne Bolland, à bord de son Caudron G 3, avant sa traversée des Andes.

Santiago du Chili, 1er avril
Adrienne Bolland vient de réussir l'impossible. Déterminée à tenter la traversée de la cordillère des Andes, elle était arrivée à Buenos Aires en janvier avec son mécanicien Duperrier pour attendre l'avion puissant que lui avait promis René Caudron pour mener son projet à bien. Mais l'appareil n'est jamais arrivé. Elle n'a pas voulu renoncer. La jeune femme était bien décidée à réussir coûte que coûte. Elle s'est donc lancée sur son Caudron G 3, oubliant même d'emmener une carte. Après 3 h 15 de vol, au cours desquelles elle a dû dépasser l'altitude de 4 500 m que son avion ne pouvait normalement pas atteindre, elle est arrivée à Santiago où elle a reçu un accueil triomphal. L'aviatrice de Caudron s'était déjà rendue célèbre par sa hardiesse et ses prouesses. (→ 18.10.23)

Amerrissage difficile du Capronissimo sur le lac Majeur

Lac Majeur, 21 septembre
Avant ses essais, on le considérait comme un des avions les plus sûrs du monde. Mais le Capronissimo a déçu toutes les espérances. A peine avait-il décollé des flots et atteint une faible hauteur qu'il a piqué du nez vers la surface du lac et s'y est brisé.

L'équipage a pu heureusement être sauvé et l'hydravion a été remorqué jusqu'au rivage. Qu'est-il donc arrivé à cet avion tellement en avance sur son temps ? Les causes de l'accident sont multiples : d'abord, une mauvaise répartition du lest qui a déséquilibré l'appareil, et surtout

une technologie audacieuse mais encore trop mal maîtrisée. Avec ses neuf ailes et ses huit moteurs, ce monstre d'une longueur de 23,36 m, capable de transporter une centaine de passagers, aura été l'une des conceptions les plus ambitieuses de l'époque.

L'US Air Mail vole jour et nuit

Etats-Unis, 22 février
« C'est en volant vingt-quatre heures sur vingt-quatre que nous tirerons pleinement profit de la vitesse de l'avion ! » Grâce à d'aussi ardents défenseurs d'un service postal aérien, des appareils prennent le départ de chaque côté du pays et vont voler, pour la première fois, de jour comme de nuit. Les communes survolées ont accepté d'allumer des phares pour guider les pilotes. Leonhardt et Allison décollent de la côte est peu après 6 h. Une heure et demie plus tard, c'est à Farr Nutter et Ray Little de décoller de San Francisco. Mais la météo ne permet pas aux hommes de l'Ouest de poursuivre leur mission. En revanche, près de 2 000 personnes accueillent à Omaha l'équipe de l'est... prête à repartir, dès le lendemain, pour la suite de l'aventure.

L'hydravion de Gianni Caproni, aux dimensions extravagantes et à la conception hardie, peu avant l'accident.

L'aéroport de Croydon ouvre ses portes

C'est ici qu'arrivent les avions en provenance de Bruxelles ou du Bourget.

Croydon, 31 mars

Inauguration officielle de l'aérodrome terminal de Londres, un an après le début du transfert des différents services depuis Hounslow. Cette inauguration arrive à la fin d'un mois de crise qui a vu avec bonheur la reprise de l'activité des lignes aériennes, dramatiquement ralentie cet hiver par le refus du gouvernement de leur octroyer des subsides. La puissance insuffisante des moteurs d'avion conduisait à des charges marchandes très faibles. Cette réduction de capacité de transport était fatale aux compagnies non subventionnées, comme Handley Page et Instone Air Line, qui ont suspendu leur activité fin février. Le 2 mars, Churchill, au ministère de l'Air, demandait que le Cross Channel Committee revoit la question des subventions. Il était alors voté 25 000 livres à Instone ainsi qu'à Handley Page, qui rouvrait le 19 mars sa ligne vers Paris.

Boeing présente ses nouveaux avions

Charlie Thompson, mécanicien de Boeing, devant un des premiers GA-1.

Etats-Unis, 1er juin

Boeing a gagné le gros lot ! La firme de Seattle, qui présentait à l'US Army, son commanditaire, le nouvel avion blindé GA-1, vient d'emporter le contrat pour 20 appareils supplémentaires. Ce triplan d'attaque au sol est une copie améliorée du modèle expérimental GA-X, conçu par l'armée : le ventre et les flancs du fuselage sont recouverts d'acier, mais sa structure reste en bois. La réussite de la démonstration relance l'activité de Boeing, qui a subi la stagnation du marché aéronautique après la guerre. Pour y faire face, la compagnie, qui propose des prix avantageux, a obtenu des commandes de l'armée. Il s'agit de moderniser des modèles anciens, le DH.4 puis le MB-3A. Comme pour le GA-1, la société Boeing est chargée de leur fabrication, et non de leur conception. Mais cette expérience la place en position dominante pour les années à venir.

Une Noire américaine s'inscrit en France

Bessie Coleman fait fi des préjugés.

France, 15 juin

Bessie Coleman présente sa situation avec humour : elle est là pour donner de la couleur à l'aviation. Fermement décidée à apprendre à voler, cette jeune femme noire, originaire du Texas, vient de traverser l'Atlantique en emportant toutes ses économies pour s'inscrire en France et obtenir sa licence. Elle devrait commencer son apprentissage sur un appareil de type Nieuport. Ainsi, Bessie touche à son but. Mais que d'obstacles avant d'y parvenir lorsque l'on est femme et, de surcroît, de race noire aux Etats-Unis. Si l'aviation est un monde qui n'entrouvre ses portes que pour de rares élues, les barrières deviennent insurmontables lorsque des préjugés raciaux s'y ajoutent. Bessie s'est vue rejetée par plusieurs écoles d'aviation américaines, et n'a plus trouvé d'espoir qu'en se tournant vers l'Europe. Elle s'est donc lancée dans cette aventure avec la détermination et la volonté qu'elle avait déjà manifestées dans ses études, et a quitté sans hésiter son petit restaurant de Chicago pour partir à la rencontre de son rêve.

Echec de Douglas dans sa traversée

Fort Bliss, 28 juin

David Davis était bien entendu à bord du Cloudster lorsqu'il s'est envolé du champ d'aviation militaire de March Field, près de Riverside à Los Angeles. Eric Springer, chef pilote, est aux commandes de l'appareil qui s'élève péniblement, lourd de tout le carburant qu'il emmène pour cette tentative de traversée des Etats-Unis sans escale. Le premier vol du Cloudster a eu lieu le 24 février dernier, sur ce même terrain. Si le premier décollage fut spectaculaire, les vols suivants ont démontré les très bonnes qualités de l'avion. Pour les petites modifications et améliorations, l'expérience de Springer a été mise à profit ; il était pilote d'essai chez Martin avant de rejoindre l'équipe de Douglas. Après ces quatre mois d'essais, Douglas a estimé que son avion était prêt pour la tentative de vol intercontinental. Ils sont partis hier au petit matin à destination de New York. Le moteur Liberty les a lâchés dans la région d'El Paso, et ils se sont posés à Fort Bliss.

La célèbre artiste de cinéma Pearl White, à la gare aérienne de Criklewood, s'apprête à prendre l'avion pour se rendre d'Angleterre en France.

Durafour se pose sur le mont Blanc

François Durafour pose son avion Caudron G 3 sur le col du Dôme.

Mont Blanc, 30 juillet
C'est un Suisse de Genève, François Durafour, qui aura finalement réussi cette première : un atterrissage sur le plus haut sommet des Alpes. Un premier essai l'an dernier avait échoué, son avion n'avait pas pu atteindre l'altitude du sommet. Mais cette tentative lui avait permis du moins de bien connaître les difficultés que présente un vol en montagne. Cette fois, l'avion n'a pas déçu l'aviateur, qui a pu se poser sur le vaste champ de neige au col du Dôme. Cela n'a pourtant pas été sans mal. A la dernière minute, un violent remous a manqué déstabiliser son appareil et, s'il n'avait pu le redresser, il aurait été précipité dans une crevasse. Durafour l'a dit lui-même, il n'est pas prêt de recommencer un exploit qui demande au pilote autant d'habileté que de chance. (→ 31.10.51)

Les visions prophétiques de Louis Breguet

Rouen, 5 août
La science de l'aviation ira-t-elle aussi vite que l'avion lui-même ? Invité au congrès de l'Association française pour le relèvement des sciences, Louis Breguet y a donné une conférence étonnante par la hardiesse de ses vues. Après un rappel des débuts de la locomotion aérienne, il a rappelé que c'étaient les progrès de l'aviation de guerre qui avaient permis ceux de l'aviation civile, dont l'essor a dépassé tous les espoirs. Malgré la rareté des accidents, un objectif reste à atteindre : l'amélioration de la sécurité, qui devrait devenir quasi absolue. Puis Breguet a abordé la partie la plus passionnante de son exposé : l'avion de demain. Selon lui, cet avion sera « confortable, puissant, rapide et sûr ». Bientôt, a-t-il prédit, le voyage en bateau paraîtra aussi « excentrique que celui en chaise de poste ». Quand il a évoqué les vitesses futures, le vertige a pris ses auditeurs : alors que la vitesse de 400 km/h n'a pas encore été atteinte, celle de 1 200 km/h lui paraît déjà pouvoir être envisagée. Un jour, a-t-il annoncé, les passagers d'un avion lancé à cette vitesse, effectuant le tour de la terre dans le sens inverse de sa rotation, verront le soleil se lever à l'ouest. (→ 14.10.47)

L'AVIATION D'HIER ET DE DEMAIN
Par Louis Bréguet

PRIX Frs 2.00

Louis Breguet, optimiste quant aux performances futures de l'avion.

Course Paris-Pau pour les multimoteurs

Le Bourget, 19 juin
Le Grand Prix de l'Aéro-Club de France s'achève en apothéose pour le trio gagnant Bossoutrot, d'Or et Drouhin, à bord du Goliath Farman. Pour cette épreuve de vitesse et d'endurance, les avions de transport doivent emporter, outre l'équipage, 6 charges de 80 kg et 200 kg de marchandises, et même changer une bougie en vol sur un parcours en étoile de 2 245 km, au départ de Paris. Hier, d'Or et Drouhin ont effectué la première étape Paris-Lille. Bossoutrot a remplacé Drouhin pour Paris-Pau. Tous trois se sont retrouvés pour l'ultime boucle Paris-Metz. Leur victoire prouve la supériorité des multimoteurs avec changement d'équipage pour les grands voyages.

Claude Gonin, avec son Goliath, s'est distingué en altitude et en vitesse.

Le Varsovie-Paris s'écrase au Bourget

Blanc-Mesnil, 6 septembre
Rien n'explique pourquoi le Potez IX de la Franco-Roumaine, en provenance de Strasbourg, s'est écrasé à 18 h 30 rue de l'Abbé-Niort, pas loin de la route de Paris. Il ne reste que des débris de l'appareil qui était en phase d'approche pour Le Bourget. Les conditions de vol étaient très bonnes. Le pilote, Jean Brosse, gravement blessé, est mort à son arrivée à l'hôpital Saint-Louis alors que les quatre passagers ont été tués sur le coup. Il s'agit des Raymond, un couple de jeunes mariés, et de deux Anglais, Perkins Park et Robert Boton. L'avion, qui venait de Varsovie, avait fait escale à Strasbourg où rien d'anormal n'a été signalé par le pilote, engagé au mois d'avril. Il comptait 150 heures de vol. L'avion avait été mis en service au mois de juillet. C'est la première catastrophe aérienne dans les environs du Bourget. Certains ne vont pas manquer d'évoquer la fatalité pour un appareil qui était immatriculé F-ADCD. La compagnie a fait paraître un communiqué pour indiquer que ce drame n'affectait pas les vols prévus sur sa ligne de Varsovie. Il n'y a pas d'annulation pour le départ de demain. Huit passagers restent inscrits.

Imaginé par l'ingénieur français Tampier, l'avion automobile, une fois son voyage aérien terminé, se mue en véhicule terrestre pour circuler dans les rues ou sur les routes. On en voit ainsi deux exemplaires se promener dans Paris, rue Royale et aux abords du Grand Palais.

Les Grands Express Aériens à Lausanne

L'aéroport du Bourget, le jour de l'inauguration de la ligne Paris-Lausanne.

Lausanne, 28 octobre

Vers midi, sur l'aéroport de la Bécherette, la foule guette avec impatience l'aérobus venu de Paris. Soudain, il est là, point noir à peine visible dans le ciel. Les spectateurs agitent leur chapeau avec enthousiasme, tandis que l'avion se pose doucement sur la prairie. La ligne Paris-Lausanne est inaugurée. Le syndic, des membres du Conseil d'Etat, des dirigeants de l'Aéro-Club se pressent autour du pilote René Labouchère et de ses passagers, parmi lesquels se trouvent le lieutenant de vaisseau Husson, représentant le gouvernement français, le colonel Saconney, directeur du Service de la navigation aérienne, le président du conseil d'administration de la Compagnie des grands express aériens et son administrateur, ainsi que la journaliste Louise Faure-Favier.

Un guide pour les voyageurs aériens

France, décembre

A quelle heure part l'avion du Bourget pour Varsovie? Combien coûte donc le billet Paris-Londres? Quelle escale fait le Toulouse-Casablanca? Les voyageurs, toujours plus nombreux à prendre la voie des airs, peuvent désormais consulter de petits guides pratiques, comme la série que publie la journaliste Louise Faure-Favier, et qui répondent à toutes ces questions. Ils y trouvent toute sorte de renseignements, comme les tarifs des compagnies, leurs horaires, les prix des services postaux, le plan des aéroports. A moins qu'ils ne rêvent à leurs futurs voyages en regardant ces cartes qui montrent avec tant de précision les itinéraires des avions et les régions qu'ils survolent...

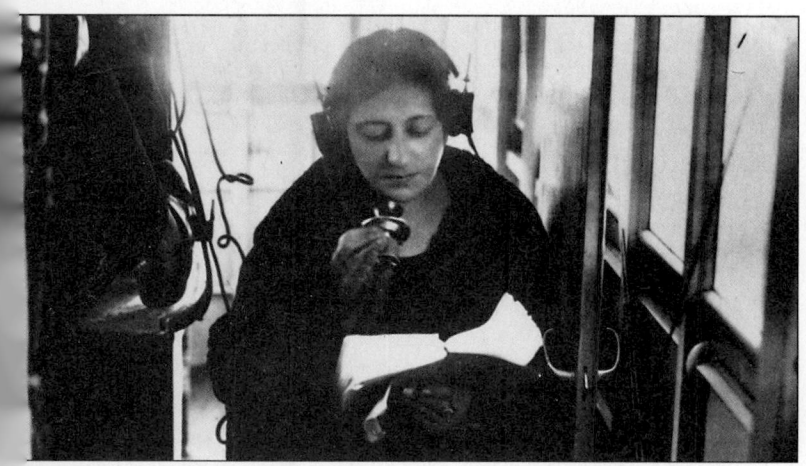

Louise Faure-Favier : une journaliste au service de la curiosité des passagers.

Le roi Albert sur les lignes Latécoère

Toulouse, 14 octobre

Les lignes Latécoère sont habituées à transporter des personnages importants. Cela a pourtant été un grand honneur pour cette compagnie française d'être choisie par le Albert Ier, roi des Belges, pour son retour du Maroc où il était allé rendre visite au général Lyautey. Depuis deux ans, la ligne Toulouse-Rabat fonctionne en partie grâce à des subventions de la poste marocaine. Ce nouveau service a considérablement raccourci les délais d'acheminement du courrier pour le Maroc, qui sont passés de quatre à six jours par voie maritime à vingt-quatre heures par avion.

Le roi des Belges a déjà une grande expérience de l'aviation.

L'avion de Fokker est saisi au Salon

Paris, 26 novembre

Le monoplan fabriqué et présenté au salon par le constructeur néerlandais Fokker a été saisi par les autorités à la demande de Robert Esnault-Pelterie. Celui-ci affirme être l'inventeur du modèle en question. Les experts analyseront la plainte. Mais, au-delà de cette querelle, il semble bien que ce soit la rancune qui soit à l'origine de cette affaire. Il y a de la part de certains une animosité à l'égard de cet homme qui, durant la guerre, s'est enrichi en construisant en Allemagne des avions pour l'ennemi puis est revenu dans son pays natal quand le vent a tourné. (→ 31.12)

Plesman et Fokker animent la KLM

Amsterdam, 31 décembre

Albert Plesman doit à son passé militaire le fait d'avoir obtenu de la reine Wilhelmina l'autorisation exceptionnelle d'adjoindre le qualificatif royal au nom de sa compagnie aérienne. C'était le 7 octobre 1919. Il avait fondé la KLM en ne libérant que 500 700 florins du capital porté à 5 millions. Le 17 mai 1920, le pilote Jerry Shaw inaugurait la première ligne vers Londres en emmenant 2 passagers et quelques liasses de journaux. L'avion était un de Havilland DH.16 exploité sous contrat de location. A la fin de l'année dernière, la KLM avait transporté 345 passagers. Anthony Fokker vient de s'associer à la société où il trouve un bon débouché pour ses avions de transport. Plesman se lie ainsi à un partenaire très motivé.

TRAFIC TOTAL COMPARÉ DES COMPAGNIES FRANÇAISES
1er semestre 1920 et 1er semestre 1921

	1920	1921	accroissement 1921
Voyages ou étapes effectués	852	2 674	3,4
Kilomètres parcourus	331 639	991 884	3,0
Passagers payants	227	3 468	15,0
Kilomètres passagers	88 000	1 400 000	16,0
Colis (kilogrammes)	14 217	68 964	5,0
Poste (kilogrammes)	1 044	3 465	3,0

Sur les douze trimoteurs Caudron C.61, six sont exploités par la compagnie Franco-Roumaine sur la ligne Paris-Bucarest.

La particularité du bombardier Siddeley Sinaia était d'avoir placé le mitrailleur derrière le moteur. Un seul modèle de cet appareil a été construit.

Le Nieuport-Delage sesquiplan est construit à deux exemplaires pour la coupe Deutsch-de-la-Meurthe qu'il remporte en 1921.

Le bombardier Farman BN-4, qui connaît peu de succès, a comme particularité ses deux énormes ailes carrées.

L'avion de course de Nieuport a une aile principale au-dessus du fuselage et une aile plus petite en dessous sur laquelle est fixé le train d'atterrissage.

Prototype disgracieux de bombardier lourd, le Farman BN-4 ne parvient pas à intéresser les militaires et ne connaît aucune suite.

Le Fokker F.III, accueillant cinq passagers, est mis en service en 1921 par KLM, mais également par Luft Hansa, Dereluft et Balair.

Le bombardier Levavasseur PL.2 est entré en service sur le porte-avion français « Béarn » en 1926. Des problèmes de moteurs l'ont discrédité.

L'extraordinaire vol autour du monde du Douglas World Cruiser lui a fait gagner une renommée qui le suivra pendant toute sa carrière.

L'avion amphibie Seagull de Supermarine a été étudié pour être un avion de reconnaissance. Ceci en est la version expérimentale, le Mk IV.

Ce modèle de Boeing 10 GA-1, avion triplan d'attaque au sol, n'a jamais eu beaucoup de succès. L'US Army Air Service n'en commande que dix.

Le bombardier Blackburn Dart est conçu pour pouvoir loger une torpille au-dessous du fuselage. Elle est fixée entre les deux roues.

Bert Acosta remporte le trophée Pulitzer avec le Curtiss CR-2. Transformé en hydravion, il remporte le trophée Schneider de 1923.

Prévu pour être un avion de chasse de nuit, le Curtiss PN-1, équipé d'un moteur Liberty, n'a jamais été utilisé par l'armée.

Le premier avion d'Alexandre Yakovlev était un monoplace léger, appelé NT-1. Il était équipé d'un moteur radial.

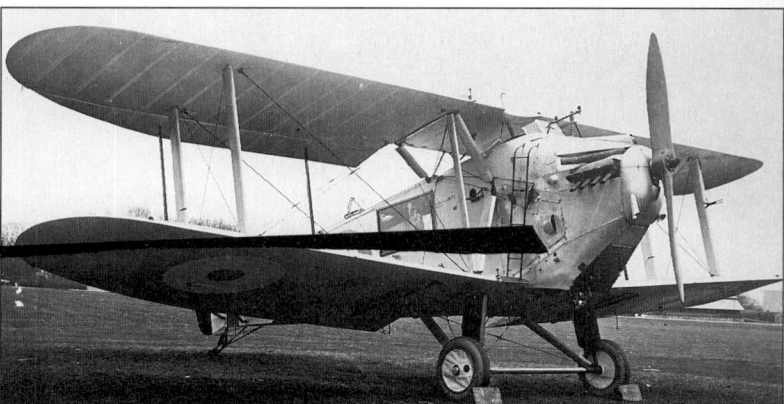

Le pilote de l'Avro Bison était très haut par rapport au sol et tout près du moteur Napier Lion. Il accédait à son siège par une échelle.

1922

392,64 km/h
Etats-Unis
William Mitchell
Curtiss MS-D 12
18.10.22

4 050 km
Etats-Unis
Kelly et McReady
Fokker T-II
6.10.22

10 518 m
Etats-Unis
John McReady
Le Père-Lusac 11
28.9.21

26 000 kg
Italie
SAI Caproni
Caproni Ca 60

850 ch
France
Marcel Riffard
Breguet-Bugatti 32

Pise, 12 janvier
Les techniciens des Costruzioni Meccaniche Aeronautiche, société fondée par Dornier, s'installent dans les bâtiments de la Societa Galinari Shipyard, pour construire des hydravions. (→ 31.12.24)

France, 2 février
Le gouvernement prend à sa charge l'édification d'un réseau de phares, sur les axes fréquentés par l'aviation commerciale dans le but de faciliter les vols nocturnes. (→ 10.2.23)

Washington, 7 février
Le colonel Hayward suggère de créer une section aéronautique dans les Coast Guards, afin de compléter les patrouilles recherchant les importateurs clandestins de rhum. (→ 14.10.26)

New York, 25 février
La cartographie aérienne de la ville est réalisée en 69 min avec le nouvel appareil inventé par S. Fairchild.

Etats-Unis, 20 mars
Le porte-avions *Langley* sort des chantiers navals. Sa vocation est d'être un laboratoire. Un nouveau système d'appontage a été mis au point : des câbles sont tendus en travers du pont, pour être happés par des crochets fixés aux avions.

Syrie, 31 mars
Le moteur du Breguet 14 de Mermoz a pris feu lors d'une mission d'évacuation sanitaire, ce mois-ci. Avec son mécanicien, il a marché dans le désert durant 4 jours et 4 nuits, avant de trouver du secours chez les méharistes. (→ 1.10.24)

Grande-Bretagne, 13 avril
Ross Smith, qui a été anobli pour son vol vers l'Australie, se tue en essayant un Vickers Viking.

Etats-Unis, 20 avril
Ralph Haynes établit un record de descente en vrille, sur 3 200 m.

Suisse, 1er juin
La société Ad Astra Aero ouvre le vol régulier international Genève-Nuremberg, avec un Junkers.

Le Bourget, 3 juin
Cécile Sorel et la troupe de la Comédie-Française arrivent d'une tournée à Londres, avec un avion des Grands Express Aériens.

Afrique du Sud, 10 juin
L'armée utilise son aviation pour mater une rébellion des Hottentots.

Paris, 24 juin
L'inventeur du moteur Antoinette, Léon Levavasseur, meurt à 58 ans.

Paris, 10 juillet
Laurent-Eynac signe l'arrêté fixant le trajet français de la route Paris-Londres : au gré du pilote du Bourget à Ecouen ; jusqu'à Abbeville, suivre la nationale 1 ; jusqu'à Etaples, la voie ferrée Paris-Calais ; pas d'indication spéciale pour la traversée de la Manche. (→ 15.12.24)

Paris, 11 juillet
Une Commission internationale de navigation aérienne, la Cina, est créée par quinze Etats.

New York, 22 juillet
Anthony Fokker embarque sur le paquebot *Rotterdam*. Il a séjourné trois mois aux Etats-Unis et rencontré des officiels et des financiers dans le but de construire ses avions sous licence aux USA. (→ 7.11.24)

France, 27 juillet
Un arrêté prescrit l'installation d'une boîte médicale de secours sur les aéronefs de transport public.

Paris, 30 juillet
La SGTA ouvre de nouvelles lignes vers Cologne, Hambourg, Berlin et Malmö. (→ 12.5.26)

Moscou, 2 août
Le pilote Gotte arrive de Berlin sans escale, à bord d'un Junkers. Il a couvert 1 900 km en 10 h 40 min.

Washington, 9 août
Le capitaine Mustin achève les essais d'un conservateur de cap gyroscopique. Grâce à cet instrument, le pilote peut naviguer avec une indication de cap plus stable que celle du compas magnétique. (→ 31.3.24)

Naples, 12 août
Face à ses trois adversaires italiens, Henry Biard, seul concurrent britannique, gagne la coupe Schneider avec un Supermarine Sea Lion, à la vitesse de 234,48 km/h. (→ 28.9.23)

Italie, 26 août
Le Fiat R.700, conçu comme appareil de vitesse par l'ingénieur Rosatelli, atteint 336 km/h. (→ 4.11.24)

France, 27 août
Les passagers d'un vol Genève-Paris peuvent entendre un concert retransmis à bord par radio.

Etampes, 21 septembre
Sadi-Lecointe atteint 341,239 km/h sur Nieuport-Delage sesquiplan.

Etat de Washington, 27 septembre
La réflexion d'une onde radioélectrique par une surface métallique est observée par deux techniciens du laboratoire radio de la marine.

Oran, 29 septembre
Le pilote Vachet effectue un vol de reconnaissance Casablanca-Rabat-Fès-Oran pour les lignes Latécoère, en convoyant un Breguet 14. (→ 6.10)

Etats-Unis, 30 septembre
Claude Ryan fonde la Ryan Flying Company à San Diego et lâche des tracts sur les villes : « Volez avec moi. Faites un vrai voyage à travers les nuages. Ryan l'aviateur est dans votre ville. » (→ 1.3.25)

Irak, 1er octobre
La surveillance des frontières est confiée à la RAF qui remplace l'armée britannique dans ses fonctions traditionnelles.

San Diego, 6 octobre
Les lieutenants Kelly et McReady portent le record d'endurance à 35 h 18 min 30 s à bord d'un monoplan Fokker T.2. (→ 3.5.23)

Michigan, 14 octobre
Des Curtiss R.6, pilotés par Russel Maughan et Lester Maitland, prennent les deux premières places du trophée Pulitzer. (→ 6.10.23)

Etats-Unis, 26 octobre
Le capitaine de corvette de Chevalier, sur un Aéromarine 39-B, réussit un appontage sur le porte-avions *Langley* en marche. Le lieutenant Griffin a réussi à en décoller le 17 avec un Vought VE-7SF. (→ 11.3.25)

Paris, 31 octobre
Le Britannique Jack Savage a fait essayer son système d'écriture par fumigène dans le ciel parisien. Ce mois-ci, son pilote Turner a formé à 3 000 m d'altitude les lettres du mot Citroën, sur 10 km de long.

France, 18 novembre
Georges Barbot décolle des landes de Pont-Long, près de Pau, avec le prototype n° 1 du chasseur monoplan à voilure Dewoitine Parasol D.1. L'Etat en a commandé 2 au début de 1921. (→ 6.5.23)

Hongrie, 19 novembre
La compagnie de transport aérien Malert est créée.

Prague, 21 novembre
L'une des principales questions débattues par le Comité juridique international d'aviation concerne la nationalité d'un bébé né au-dessus des océans ou d'un pays étranger.

New York, 28 novembre
Pilotant un chasseur des surplus de guerre, Turner écrit au-dessus de la ville : « Exigez des Lucky Strike ».

Dayton, 18 décembre
Le commandant Thurman Bane atteint 1,80 m de haut et reste en l'air durant 1 min 40 s avec l'hélicoptère à 4 rotors construit par George de Bothezat.

Paris, 23 décembre
L'aviateur Becheler atterrit avenue Alexandre-III avec son Caudron C.67. Il replie les ailes de l'avion, le range le long du trottoir et se rend au VIIIe Salon de l'aéronautique.

Cette affiche de Torlotim, en même temps qu'elle vante les qualités de la compagnie, indique les villes desservies et la durée des voyages.

La drôle de machine du marquis Pescara

Le gouvernement français voudrait entrer en possession de cette invention.

Issy-les-Moulineaux, 11 janvier
Le marquis Pescara est-il sur la bonne voie ? L'ingénieur d'origine argentine a procédé aux essais de son hélicoptère à deux rotors coaxiaux. Équipé d'un moteur de 170 ch, l'appareil a fait des tentatives de soulèvement direct et de déplacement horizontal. Lors de ces vols contrôlés, l'hélicoptère a atteint une hauteur de un mètre environ pendant à peine une minute.

Si la stabilité de l'appareil semble encore précaire, le marquis Pescara n'en a pas moins réalisé des progrès. C'est juste après la guerre que le constructeur réalise son premier hélicoptère. Le moteur de 45 ch, trop faible alors, ne parvient pas à soulever le poids de 800 kg. Mais, grâce à des essais répétés, Pescara sera le premier à comprendre la possibilité de l'atterrissage en autorotation des hélicoptères. (→ 29.1.24)

La CGEA lance un vol de nuit sur Londres

Paris et Londres, 7 juin
Le vol commercial de nuit entre Paris et la capitale anglaise a été une réussite totale. C'est René Labouchère qui pilotait la limousine Farman Goliath. Il transportait huit passagers dont la journaliste Louise Faure-Favier, qui ne voulait en aucun cas rater une pareille première. L'avion a effectué l'aller et le retour dans la même nuit. Volant parfois à une altitude de 2 500 m, l'appareil, malgré un bon grain au retour, a effectué un voyage sans encombre. Le choix du Goliath n'est pas étonnant. Ses deux moteurs Salmson de 270 ch représentent une sécurité indispensable pour les vols de nuit. En cas de panne d'un moteur, l'autre permet la manœuvre de l'avion jusqu'à un terrain de secours.

Une heure et quart du matin, l'aérobus Verdun sur l'aérodrome de Croydon.

Cabral le découvreur

Rio de Janeiro, 17 juin
Les Portugais Cabral et Coutinho sont enfin arrivés à Rio de Janeiro après deux mois et demi de périple. Partis le 30 mars de Lisbonne, à bord du *Lusitania*, un hydravion Fairey F-III à moteur Rolls-Royce de 360 ch, ils atterrissent après 8 h 30 de vol à Las Palmas, aux Canaries. Le temps incertain les contraint à ne repartir que le 4 avril pour Saint-Vincent, au cap Vert. La tempête fait rage et bloque les pilotes qui, après un saut de puce de 315 km, arrivent à Porto Praïa, au sud de l'archipel. Ils s'envolent vers l'île Fernando de Noronha. Les vents soufflent de plus en plus fort : à l'île Saint-Paul où ils ont dû amerrir, l'hydravion est détruit. Le 11 mai, un 2e Fairey leur permet de remettre le cap sur la côte brésilienne. Une panne de moteur les oblige à se poser en mer et ils ne doivent leur salut qu'à un vapeur qui les recueille. L'appareil se brise lorsque l'on tente de le hisser à bord. 5 juin : un 3e hydravion est mis à leur disposition. Partis de l'archipel Fernando de Noronha pour Pernambouc, ils arrivent enfin à Rio où les Brésiliens font un accueil triomphal à ceux qui ont couvert 8 000 km en deux mois et demi.

Ils voulaient à tout prix arriver.

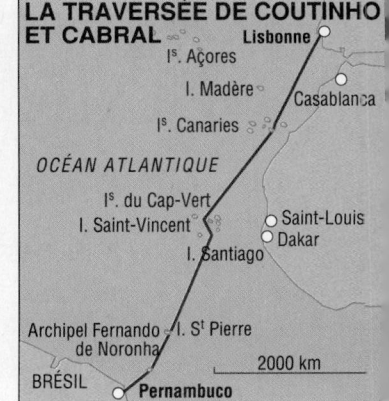

LA TRAVERSÉE DE COUTINHO ET CABRAL
Lisbonne
Is. Açores
I. Madère
Casablanca
Is. Canaries
OCÉAN ATLANTIQUE
Is. du Cap-Vert
I. Saint-Vincent
Saint-Louis
Dakar
I. Santiago
Archipel Fernando — I. St Pierre
de Noronha
BRÉSIL
Pernambuco
2000 km

Collision aérienne près de Beauvais

Thieuloy-Saint-Antoine, 7 avril
Sept personnes ont été les victimes de la première collision de l'aviation civile. Le drame s'est déroulé à 29 km au nord de Beauvais entre deux avions de ligne régulière. Le de Havilland de la compagnie Daimler Airways était piloté par Robin Duke, et le Farman Goliath de la Compagnie des grands express aériens par M. Mier. Ils se sont percutés de plein fouet au-dessus du village de Thieuloy-Saint-Antoine. Tous les passagers ainsi que l'équipage ont été tués dans ce terrible accident. (→ 15.12.24)

Difficultés pour la société Latécoère

France, avril
Latécoère a fait son choix : les avions contre les wagons. En proie à des difficultés de trésorerie, il vient en effet de vendre sa Société des forges et ateliers de construction, spécialisée dans le matériel ferroviaire. Latécoère, qui a créé la Compagnie générale d'entreprises aéronautiques pour exploiter la ligne marocaine, va devoir concentrer tous ses efforts sur l'aviation.

Les Allemands vont s'entraîner en URSS

Allemagne, 30 avril
Un établissement d'entraînement pour les pilotes de nationalité allemande est actuellement en projet sur le territoire soviétique. La mise en place de ce centre aéronautique a été imaginée à la suite de la signature du traité de Rapallo entre les deux pays. Les Allemands ont choisi la ville de Lipetsk pour implanter cet établissement dont la création est interdite en Allemagne.

Un vol de Tunis à Paris en douze heures

Pelletier Doisy aux commandes du Breguet avec lequel il a relié Tunis à Paris.

Paris, le 7 juillet

George Pelletier Doisy a réussi à joindre (presque) d'une traite Paris depuis Tunis, en 12 h 15 min. Pour ce raid, il avait minutieusement préparé son Breguet 14 A2. De chaque côté du fuselage, il a fixé deux réservoirs, disposant ainsi de 1 150 litres d'essence supplémentaires. Cette initiative a augmenté le poids de son avion de 930 kg, rendant le décollage plus délicat. Pendant les 1 700 km du voyage, dont 700 au-dessus de la mer, il a volé à une altitude de 400 à 800 m. Parfois, pour éviter la couche nuageuse, il a été obligé de grimper, ce qui a consommé pas mal de carburant. Tout au long du vol, le vent a été opposé à sa route. Le temps de vol a été allongé au point qu'à 100 km de la capitale, les conditions météorologiques n'étant pas très bonnes, il a préféré faire escale à Auxerre. Il en est reparti un peu plus tard et, à 17 h 50, il se posait au Bourget.

Les grands de la ligne jouent au planeur

Piloté par Douchy, le Potez décolle sans moteur, lancé par les élastiques.

Combegrasse, 19 août

Moteur coupé, Lucien Bossoutrot a tenu l'air quelques instants au cours du meeting organisé en faveur du vol à voile. Pour valoriser cette manifestation, l'Association française aérienne a demandé la participation de plusieurs pilotes de ligne bien connus. C'est au terrain de Le-Puy-de-Combegrasse que la compétition a été organisée. Le public a pu assister à des démonstrations de lancement de planeur, parfois même avec des Sandow dont la détente propulsait l'appareil en l'air. Le choix de ce terrain n'a pas été favorable au vol à voile, les temps de vol ont été très faibles. En effet, les planeurs doivent utiliser les courants ascendants créés par le vent lorsqu'il frappe les collines. Il n'y avait ni vent ni collines. Seul Bossoutrot a impressionné les spectateurs en tenant l'air 5 min 18 s dans son avion, moteur arrêté. Chardon et Sardier n'ont pas pu l'égaler.

Le rallye du kilomètre 104 se termine en garden-party au Bois-Joli

Tillières-sur-Avre, 18 juin

Au km 104 de la route Paris-Brest, trente avions de tous modèles, pilotés par les plus prestigieux aviateurs, se sont donné rendez-vous dans une prairie bordée de pommiers. Cent quatre, c'était aussi le nombre de pilotes et de passagers fixé pour ce premier rallye de l'aviation organisé par l'Aéro-Club de France. Cent quatre voyageurs des airs, de sept à quatre-vingt-deux ans, sans compter un petit fox-terrier déjà coutumier des excursions aériennes. Autour de cette prairie, des fauteuils installés sous les arbres attendaient les premiers arrivants, qui ont pu ainsi assister aux atterrissages qui se sont succédé toute la matinée. Malgré un soleil un peu capricieux et un fort vent du nord, la journée s'est tout de suite annoncée comme une réussite, et André Schelcher, son organisateur, rayonnait d'une juste fierté. Vers midi, les cent quatre étaient tous bien arrivés, et c'est en bande joyeuse qu'ils se sont rendus à l'hôtellerie du Bois-Joli, où les attendait un excellent déjeuner, présidé par le sous-secrétaire d'Etat à l'Aéronautique, M. Laurent-Eynac. Après le repas, un bal improvisé sur la pelouse de l'auberge et diverses attractions ont terminé le plus agréablement du monde cette journée. On ne sait ce qui a le plus agrémenté cette rencontre : l'élégance très parisienne des participants, leur gaieté ou ce brin de folie qui anime désormais tout ce qui touche à l'aviation.

Au milieu d'un verger, des spectateurs regardent un Goliath atterrir.

L'hôtellerie du Bois-Joli, au kilomètre 104 de la route Paris-Brest.

La Franco-Roumaine arrive à Istanbul

L'avion de la Franco-Roumaine survole l'entrée du Bosphore, à Istanbul.

Istanbul, 3 octobre

« Beau temps, vol sans histoire. » C'est avec modestie et discrétion que Louis Guidon vient d'annoncer son arrivée en Turquie, aux commandes d'un Spad 46, après un vol de 3 144 km en six escales. Il ouvre ainsi pour le compte de la compagnie Franco-Roumaine la dernière branche de la plus longue ligne du monde. Elle reliera les deux extrémités de l'Europe : Paris et Istanbul. Cette ligne est due à l'initiative du président de la banque roumaine, Marmorosh A. Blank, qui a fourni les capitaux, et de Pierre de Fleurieu. Elle crée un lien entre les pays de la Petite Entente ; elle repousse progressivement son terminus vers l'Orient – notamment vers le Levant –, et permet de favoriser la pénétration de l'industrie française dans les pays traversés. La jonction doit être quotidienne jusqu'à Bucarest, puis bihebdomadaire jusqu'à Istanbul.

Visite au Maroc du ministre de l'Air

Maroc, 6 octobre

Double but à la visite du ministre de l'Air au Maroc : réaffirmer le lien qui existe entre la France et son protectorat du Maroc, auquel l'expansion des lignes aériennes Latécoère à travers le sultanat donne tout son sens, et s'enquérir ensuite de la situation dans le Rif, où l'agitation entretenue par le rebelle Abd el-Krim semble prendre de plus en plus d'ampleur.

Le ministre de l'Air photographié à bord de l'avion alors qu'il survole le Maroc.

Doolittle traverse les USA en 21 h 19

Le lieutenant Doolittle tient fièrement son fils à bord du de Havilland DH.4.

Etats-Unis, 4 septembre

Il n'a que vingt-cinq ans et c'est déjà un héros. Le lieutenant James Harold Doolittle, dit Jimmy, vient de réaliser un vol historique : il est le premier à avoir traversé les Etats-Unis d'est en ouest en moins de vingt-quatre heures. Doolittle avait bien préparé son de Havilland DH.4 avant de tenter l'exploit, installant même des réservoirs supplémentaires de carburant. Sa première tentative de décollage de Pablo Beach, en Floride, a failli tourner au drame. Une des roues de l'avion s'est embourbée et l'appareil a été légèrement endommagé. Indemne, le pilote a vite réparé les dégâts et a pu repartir sans encombre. Sur un parcours total de 3 480 km, Doolittle n'a fait qu'un seul arrêt, à Kelly Field, au Texas, pour se ravitailler en carburant. Il s'est posé à San Diego, en Californie, 21 heures et 19 minutes après avoir quitté la Floride.

Les Robinsons de l'air ont dérivé en mer

Océan Indien, 24 août

C'est un véritable miracle si Geoffrey H. Malins et le capitaine Norman McMillian sont encore vivants. Partis de Calcutta le 19 août dernier à bord d'un hydravion Fairey IIIC, ils voulaient réaliser un tour du monde. Leur voyage s'est terminé piteusement dans les eaux du golfe du Bengale. Après un quart d'heure de vol, un incident de moteur les obligeait à se poser sur l'île de Lakhidia Char. Le 22 août, la mousson s'étant calmée, ils profitèrent de la marée haute pour redécoller et tenter d'atteindre le port de Chittagong, mais une nouvelle panne les obligea à amerrir. Depuis, ils ont dérivé au gré des flots, leur appareil flottant grâce à ses réservoirs vides. Aujourd'hui, un avion les a enfin localisés.

Latécoère prépare Toulouse-Dakar

Maroc, octobre

Latécoère poursuit son rêve : prolonger sa ligne vers l'Amérique du Sud. Son nouvel objectif, le tronçon Casablanca-Dakar : tandis qu'une expédition militaire explore le parcours mauritanien, Massimi négocie en Espagne les escales au Rio de Oro. Enfin, une mission d'étude confiée au capitaine Roig est prévue pour le printemps. (→ 6.5.23)

Les coupes restent un grand défi

Qantas sillonne l'est de l'Australie

Etampes, 30 septembre

Il suffit de constater le nombre de spectateurs aux différentes fêtes de l'aviation pour comprendre l'attraction qu'elle exerce sur le public. Les coupes et autres compétitions se succèdent. A Villesauvage, près d'Etampes, le pilote français Fernand Lasne a remporté aujourd'hui la troisième coupe Deutsch-de-la-Meurthe à bord de son biplan Nieuport. Il a parcouru le trajet imposé de 300 km en 1 h 02 min 11 s, réalisant ainsi la vitesse de 289,404 km/h. Au cours de la deuxième coupe Deutsch, disputée le 1er octobre de l'année dernière, on avait vu aussi la victoire de la maison Nieuport qui, outre la coupe, s'est ainsi octroyé la totalité des primes mises en jeu pendant ces deux années : 120 000 francs. Ainsi, les performances alors jugées exceptionnelles qu'avaient accomplies Helen et Gilbert pour la première coupe en 1912 sont désormais les vitesses moyennes des appareils actuels de tourisme et de transport. Les progrès extraordinaires de l'industrie aéronautique doivent beaucoup à l'évolution des moteurs. Ils sont plus puissants pour un même poids et surtout plus fiables :

Le titre de transport vendu pour le voyage entre Longreach et Cloncurry.

A. Kennedy, le premier passager.

Australie, 2 novembre

Il aura fallu deux ans à Hudson Fysh et Paul McGinnis pour faire de la Qantas une véritable compagnie de transport aérien. La compagnie, fondée le 16 novembre 1920 à Longreach, dans le Queensland, vient d'obtenir l'exclusivité du service postal dans l'est du pays, desservant les localités de Charlesville, de Longreach et de Cloncurry. Pour le moment, sa flotte n'est composée que de deux biplans : un BE.2 et un Whitworth FK-8. Ces appareils peuvent transporter deux passagers et du fret en plus du courrier. C'est à Longreach que la jeune compagnie a accueilli ce matin son premier passager, Alexander Kennedy, âgé de 85 ans. Ce vieil éleveur avait accepté d'être l'un des premiers à investir dans la Qantas, à condition d'en être le premier passager. Lors de son arrivée à Cloncurry, distant de 500 km, après quatre heures et demie de vol, il a raconté qu'il lui avait fallu huit mois pour faire le même trajet en char à bœufs, il y a de cela cinquante ans !

Au Salon aéronautique qui se tient au Grand Palais, Latécoère expose une de ses dernières créations dans le domaine des avions de transport : le trimoteur Laté 4, conçu, réalisé et mis au point par le bureau d'études dirigé depuis avril 1918 par l'ingénieur Moine.

Aux Etats-Unis, les aviateurs au chômage ont imaginé une nouvelle manière d'attirer les foules. Ils parcourent le pays pour donner les plus spectaculaires des représentations. Ici, un de ces équilibristes de l'air se hisse en plein vol d'un avion à un autre. (→ 31.12.23)

Equipé d'un Bristol Lucifer à trois cylindres en étoile, le Junkers K-16 est essentiellement utilisé pour la photographie aérienne.

Incorporant le travail de recherche du Dr Dornier sur ses premiers hydravions entièrement métalliques, le Wal affiche de belles performances.

La production du Dornier Wal est assurée en Italie, le traité de Versailles interdisant à l'Allemagne de construire des avions.

Développement des bombardiers Handley-Page de la première guerre, le W.8 est exploité par Handley Page Transport, puis par Imperial Airways.

Le de Havilland DH.34 est exploité par Instone Air Lines et Daimler Airways avant de finir sa carrière sous les couleurs d'Imperial Airways.

Le Lioré-et-Olivier LeO 13 est exploité sur les lignes de la Méditerranée. Sur les vingt-cinq appareils construits, trois sont amphibies.

Le Breguet 19 B2 n°09, équipé d'un Hispano-Suiza 12Ha de 450 ch, est transformé en appareil long-courrier et relie Villacoublay à Athènes.

Le squadron n°99 de la RAF fut le seul à être équipé du bombardier Avro Aldershot dans sa version Mk.III, entre 1924 et 1926.

L'un des principaux avions de transport de la RAF entre les deux guerres, le Vickers Victoria est surtout employé au Moyen-Orient.

Le Fairey Flycatcher, à l'origine un chasseur embarqué, peut être également équipé de flotteurs pour être lancé à partir de catapultes.

e chasseur Armstrong Whitworth Siskin II n'intéresse pas la RAF et les rares xemplaires construits porteront une immatriculation civile.

Supermarine Seagull III est la version construite pour la Fleet Air Arm i prend livraison de six appareils.

De par sa construction métallique, avec les ailes entoilées, le Dewoitine D.1 présente une grande avance technologique sur ses concurrents.

Modifié par rapport à sa forme d'origine, le Vickers Virginia est le fer de lance du Bomber Command pour les missions nocturnes de 1924 à 1937.

Contemporain du Flycatcher, le chasseur embarqué Parnall Plover ne connaît pas le même succès et n'est livré qu'à quelques exemplaires.

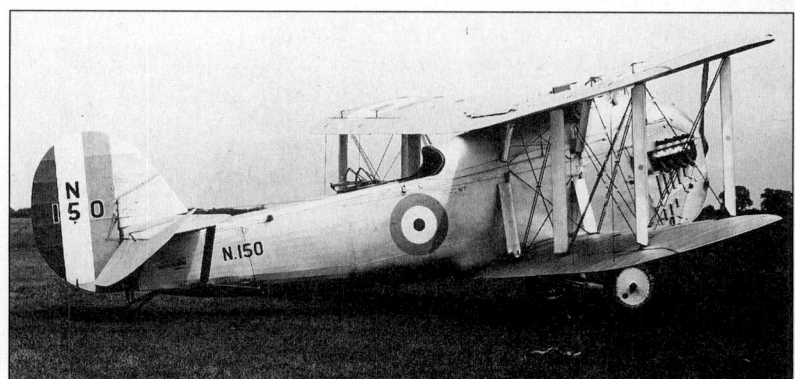

Le Blackburn R.1 Blackburn entre en service en 1923 comme appareil de réglage de l'artillerie de la Royal Navy. Il est équipé d'un Napier Lion.

1923

441,30 km/h
Etats-Unis
Harold Brow
Curtiss R2 C-1
4.11.23

5 299,90 km
Etats-Unis
Smith et Richter
De Havilland DH.4B
28.8.23

11 145 m
France
Joseph Sadi-Lecointe
Nieuport-Delage
30.10.23

26 000 kg
Italie
SAI Caproni
Caproni Ca 60

850 ch
France
Marcel Riffard
Breguet-Bugatti 32

Biskra, 3 janvier
A bord d'un Hanriot HD-14, le lieutenant Thoret coupe le moteur au-dessus du Delouatt. Les courants ascendants lui permettent de tenir l'air pendant 7 h 3 min en vol de pente, hélice calée. (→ 27.8.24)

Etats-Unis, 7 février
Le lieutenant Meredith réussit un atterrissage sur le lac Michigan, gelé. Il transporte un médecin dans l'île Beaver, auprès d'un mourant.

France, 10 février
Essai d'un vol de nuit en provenance de Croydon. Le pilote donne sa position par radio et utilise la chaîne de phares aéronautiques pour faire son approche et se poser au Bourget.

Espagne, 17 février
Le prototype du Breguet 19 présenté au Concours international de Madrid remporte un tel succès que le gouvernement espagnol achète sa licence de fabrication.

Tchécoslovaquie, 1er mars
La compagnie nationale CSA, Ceskoslovenske Statni Aerolinie, ouvre le service Prague-Bratislava avec des biplans Aero A.14, pouvant emmener chacun un passager.

Etats-Unis, 5 mars
Un essai sur bombardier MB-3A démontre l'utilité du réservoir auxiliaire largable. Le rayon d'action est augmenté de 650 km.

Moscou, 17 mars
La Commission de l'aviation civile, mise en place le 9 février pour promouvoir le transport aérien, fonde la compagnie Dobrolet, équipée par l'Armée rouge. (→ 30.6)

Washington, 22 mars
L'office météorologique déclare sans intérêt la méthode d'ensemencement des nuages de Bancroft et Warren, pour provoquer la pluie.

Grande-Bretagne, 10 avril
Daimler Airways inaugure sa ligne régulière Londres-Berlin, avec escales à Brême et Hambourg. (→ 3.5)

Etampes, 17 avril
Le capitaine Arbanère présente à Laurent-Eynac l'avion automatique de Max Boucher, qui a suivi depuis 1918 un programme méthodique sur la stabilisation automatique, le vol commandé, précommandé et télécommandé. (→ 31.3.24)

Le Bourget, 1er mai
La station radiotélégraphique inaugure, entre 8 h 50 et 9 heures GMT, les avis urgents aux navigateurs sur la longueur d'onde de 1 680 m.

Londres, 1er mai
Parti le 25 février, le Britannique Alan Cobham pose son DH.9 au point de départ de son raid autour de la Méditerranée. Il a parcouru 20 000 km en 130 h de vol effectif, *via* l'Europe, l'Egypte, l'Afrique du Nord et l'Espagne. (→ 17.3.25)

Le Bourget, 3 mai
Saint-Exupéry est puni de 15 jours d'arrêts simples pour avoir pris en début d'année un Hanriot HD-14 sans autorisation. Lors de ce vol, il a eu un grave accident à la suite d'une descente en vrille. (→ 15.12.26)

Labrador, 16 mai
Stanley Cotton atterrit avec son Martinsyde à Cartwright. Il apporte le courrier de Terre-Neuve, d'où il est parti le... 8 février.

Le Bourget, 4 juin
Le pilote Hofstra inaugure avec un Fokker F.III la liaison régulière de la KLM Amsterdam-Paris avec escales à Rotterdam et Bruxelles.

Paris, 6 juin
Trois lions, bloqués dans un train en Belgique par une grève des cheminots, arrivent par avion postal.

Londres, 8 juin
La Lloyd's assure Edward Rikenbacker pour un million de dollars en cas d'accident ou de chute mortelle au cours d'un vol.

Moscou, 19 juin
Léon Trotski déclare au congrès des Métallurgistes que l'avion sera l'arme majeure du futur.

France, 23 juin
Jean Casale, chef pilote chez Blériot, meurt aux commandes d'un quadrimoteur Blériot 115 F-ESBB. Cet accident est dû à une rupture d'une commande en vol au-dessus de Berck.

Japon, 1er juillet
Le constructeur Kawanishi fonde la Kawanishi Japan Air Lines. Sa base est un aéroport établi sur une bande de terre récupérée dans l'estuaire du Kitsu à Osaka, d'où un service régulier dessert Beppu, sur l'île de Kyushu. (→ 30.10.28)

Santa Monica, 5 juillet
En réponse à un appel d'offres visant à trouver un avion susceptible de réussir un tour du monde, la firme Douglas propose une version modifiée de son biplan amphibie DT-2. (→ 23.11)

Buc, 15 juillet
Lucien Coupet remporte sous des trombes d'eau le Grand Prix de la moto-aviette, sur Farman, en 4 h 37 min. Créée par *le Petit Parisien*, l'épreuve impose aux concurrents de couvrir une distance d'au moins 300 km.

Dublin, 18 août
Le président du conseil exécutif de l'Etat libre d'Irlande, William Cosgrave, utilise un avion pour mener sa campagne électorale.

Moscou, 23 août
Le monoplace de chasse Polikarpov I-400, monoplan à aile basse, effectue son vol initial. Il est équipé d'un moteur Liberty de 400 ch, récupéré sur un de Havilland 9A. (→ 7.1.28)

France, 26 août
Sur un planeur Bardin, le lieutenant Thoret s'assure le record du monde de distance avec 8 100 m.

France, 2 septembre
Le chef pilote Maurice Noguès, de la compagnie Franco-Roumaine, ouvre au trafic passager de nuit l'étape Strasbourg-Paris, avec un trimoteur Caudron C.61. (→ 20.9)

France, 5 septembre
La croisière aérienne de Méditerranée, démarrée le 25 août, est gagnée par un hydravion monomoteur Schreck FBA-17 HE.2, devant plusieurs multimoteurs. (→ 29.6.24)

Nouvelle-Calédonie, 17 septembre
Les habitants de Nouméa ont la surprise de découvrir un hydravion Vought VE-7H au-dessus de leur ville. Il est basé sur le croiseur *Milwaukee* qui fait une tournée de propagande dans les mers du Sud.

Grande-Bretagne, 28 septembre
Des hydravions américains Curtiss CR-3, pilotés par David Rittenhouse et Rutledge Irvine, prennent les deux premières places de la coupe Schneider, devant le Supermarine Sea Lion du Britannique Henry Biard. (→ 26.10.25)

Missouri, 6 octobre
Les deux premières places du trophée Pulitzer sont remportées par des *racers* R2C-1 de Curtiss. Ils sont pilotés par Alford Williams et Harold Brow, aux vitesses respectives de 392,069 et 389,022 km/h. Le R2C-1 a réalisé son vol initial le 9 septembre dernier. (→ 4.10.24)

Yougoslavie, 12 octobre
Les villageois voisins de Novi Sad, l'aérodrome de Belgrade, escale des vols de la Franco-Roumaine, se plaignent de l'absence de pluie depuis l'arrivée des avions.

Helsinki, 1er novembre
La compagnie aérienne finlandaise Aero O/Y est fondée.

Manche, 13 décembre
Des pêcheurs retrouvent l'avion vide de Lawrence Sperry, près de Hastings. L'aviateur américain disparu au cours d'un vol de Londres à Amsterdam, où il alla faire une campagne électorale avec son appareil pour le parti libéral.

L'imagination au service de l'aviation commerciale : pour Valerio, Le Touquet n'est qu'à un jet de balle de golf de Londres.

Air Union s'est installé au Bourget

Sikorsky crée une société aux USA

Le Bourget, 16 mars
Une évolution dans l'organisation des transports aériens entre Paris et Londres. Les Messageries aériennes et les Grands Express Aériens ont pris la décision de fusionner. Ces compagnies, jusqu'alors concurrentes pour les vols entre Paris et Londres, travailleront désormais dans un but commun sous le nom d'Air Union. Ce regroupement a été favorisé par Laurent-Eynac, sous-secrétaire d'Etat à l'Aéronautique. Chaque partenaire apporte son infrastructure : pilotes, dirigeants et matériel. Le conseil d'administration regroupe les constructeurs de la première heure. Parmi eux, Louis Renault est administrateur et Louis Breguet administrateur délégué. Albert Gauchet devient directeur commercial, et Henri Bardel directeur technique.

Embarquement des passagers et des bagages sur un Farman F-60, au Bourget.

La flotte est constituée de Farman Goliath, de Breguet 14 T bis et de berlines Blériot Spad 33. En tout, cinquante-sept avions pour seize pilotes. Quant au réseau exploité, il s'agit de Paris-Londres et de Paris-Bruxelles. Cependant, si la concurrence est réglée du côté français, les problèmes ne vont-ils pas provenir des compagnies anglaises ?

Etats-Unis, 3 mai
Une nouvelle carrière aéronautique s'ouvre pour Igor Sikorsky. Exilé aux Etats-Unis depuis la révolution bolchevique, le célèbre constructeur russe vient d'y fonder, après des années de vaches maigres, la Sikorsky Aero Engineering Corporation. Débarqué à New York en 1919, il prend la nationalité américaine. Mais, après la guerre, l'industrie aéronautique est en crise. Sans emploi, Sikorsky végète un an avant de trouver un poste de professeur dans une école pour émigrés russes. Avec l'aide de compatriotes, il réunit un capital suffisant pour fonder sa propre société. Installé dans une ancienne ferme à Long Island, il compte se lancer dans la construction d'un bimoteur de transport métallique. (→ 24.5.24)

La Cierva démontre l'intérêt de l'autogire

Des balises lumineuses pour voler la nuit

L'autogire n° 4 de La Cierva, avec son rotor de dix mètres d'envergure.

Espagne, 31 janvier
Un avion sans aile a pris son envol. Il s'agit de l'autogire de l'inventeur Juan de La Cierva y Cordoniu. Piloté par Gomez Spencer, le modèle n° 4 vient d'effectuer, à Cuatro Vientos, un circuit de 4 km en 4 minutes, à 25 m d'altitude. A la fois fils de l'avion et de l'hélicoptère, il est muni d'une hélice tractive mue par un moteur, et d'un rotor de sustentation. L'hélice n'assure que son déplacement horizontal. C'est le vent relatif engendré par la vitesse de l'appareil qui entraîne le rotor. Cet effet d'autorotation assure la force portante, tout comme une aile fixe. Les pales du rotor sont liées au moyeu central par des charnières permettant leur

oscillation verticale. En pivotant, elles modifient leur angle d'attaque, maintenant l'équilibre des forces. Ainsi, l'autogire vole comme un avion et peut atterrir sur une distance très courte. Il a la simplicité des inventions inspirées par le génie. Mais La Cierva y a beaucoup travaillé. D'abord tenté par la formule de l'hélicoptère (un rotor actionné par un moteur), il a rapidement abandonné cette voie, vu la complexité des problèmes mécaniques à résoudre, et s'est tourné vers une solution intermédiaire. Un an plus tard, il faisait breveter son système d'ailes rotatives et forgeait un mot nouveau : l'autogire. Un mot qui est devenu une réalité. (→ 12.12.24)

Chicago, 21 août
Afin de faciliter les vols de nuit, des faisceaux lumineux ont été installés sur les terrains de l'Etat de l'Illinois. Ces balises à l'acétylène ont une portée visuelle de 60 km, et leur intensité est de 5 millions de bougies. Mises au point par une compagnie de gaz, elles fonctionnent pendant un an environ. Tous les 45 km, une balise a été placée. Elles éclairent les 1 575 km de la longue route aérienne Chicago-Omaha-Cheyenne-North Platte. Elles indiquent la route et les obstacles aux pilotes, en émettant six éclairs par minute. Les terrains d'atterrissage de secours sont délimités par des faisceaux lumineux. Les pilotes peuvent les apercevoir à une distance voisine de 40 km. Fonctionnant électriquement, ils clignotent 250 fois par minute, se distinguant de la sorte des balises de route. Pour autant que les conditions météorologiques ne soient pas trop mauvaises, les faisceaux lumineux s'avèrent être de précieux points de repère pour les pilotes qui ainsi ne devraient plus s'égarer.

En France, le balisage de nuit existe depuis 1915. Ici, un faisceau lumineux installé sur l'aérodrome du Bourget éclaire un Farman F-60.

L'Etat belge fonde la Sabena

Bruxelles, 23 mai

Le Sneta ayant rempli sa mission d'études, l'Etat belge a décidé de créer la Sabena (Société Anonyme Belge d'Exploitation de la Navigation Aérienne). Celle-ci va prendre le relais de son aîné, disparu le 1er juin 1922. C'est à la fin de la guerre que Georges Nélis, pilote célèbre, songe à créer une compagnie aérienne en Belgique. Il a l'occasion d'en parler au roi Albert, dont il connaît l'intérêt pour l'aviation. L'idée chemine et le Sneta (Syndicat National pour l'Etude du Transport Aérien) bientôt constitué projette la création de lignes aériennes en Europe et en Afrique. De 1920 à 1922, avec quarante avions militaires adaptés au transport commercial, le Sneta assure son rôle de pionnier de l'aviation civile. Sa tâche s'étend

Passagers équipés pour un des premiers vols du DH.9 O-BEAU de la Sabena.

jusqu'au Congo où une ligne est ouverte entre Léopoldville et Stanleyville. A l'été 1920 apparaissent des services réguliers Bruxelles-Londres et Bruxelles-Paris. En deux ans, le Sneta a parcouru 125 000 km, emmené 95 passagers et transporté 2 000 kg de courrier. Il a terminé sa mission et ouvert la voie à l'aviation belge. (→ 14.7.24)

Le pilote sera aidé par la goniométrie

France, 31 juillet

Pendant la guerre, les dirigeables en mission étaient munis d'un poste émetteur-récepteur. Les stations au sol, équipées de cadres goniométriques, transmettaient leur position. Les progrès ont permis de réduire la dimension des cadres et les avions en sont maintenant équipés. L'opérateur radio obtient la direction de l'origine d'une émission en faisant tourner lentement le cadre tout en restant à l'écoute du signal. Il le reçoit ou faiblement ou de mieux en mieux. Il recherche le minimum de réception, plus facile à déterminer. La station est alors dans une direction perpendiculaire au plan du cadre, devant ou derrière. Sur les routes équipées d'émetteurs-balises, l'avion passe de fréquence en fréquence pour tracer sa route.

De Berlin à Londres pour 1 300 000 marks

Le terrain de Tempelhof à Berlin, ouvert pour la nouvelle ligne vers Londres.

Berlin, 3 mai

Malgré la crise qui règne en Allemagne, la ligne directe Berlin-Londres est ouverte. Jusqu'ici, les passagers quittaient la plaine de Tempelhof pour rejoindre Amsterdam où s'organisait un transit vers Londres sur un appareil britannique. En effet, il n'était pas possible à l'Allemagne vaincue de faire voler ses appareils en dehors de ses frontières. Mais, ayant retrouvé sa souveraineté aérienne le 1er janvier dernier, celle-ci a signé un accord de réciprocité avec la Grande-Bretagne. Le premier appareil britannique de la Daimler Hire Ltd., venant de Londres, a atterri à Berlin. Les passagers ont été reçus par les représentants de la Deutscher Aero Llyod. En réalité, le vol a duré neuf heures car, après Amsterdam, l'appareil s'est posé à Hambourg et à Brême. En effet, ces escales ont été imposées par la compagnie allemande. Les passagers paieront six livres à Londres et 1 300 000 marks à Berlin.

Oehmichen perfectionne son hélicoptère

Valentigney, 1er mai

L'hélicoptère Oehmichen-Peugeot n° 2 bat décidément tous les records réalisés jusque-là. Après un vol sur place de 5 minutes réalisé le 28 avril sur le terrain des Breuils, il vient en effet d'accomplir sur le même terrain une autre performance : un vol de 120 m en circuit fermé, composé de deux parcours en ligne droite d'inégales longueurs avec un virage à 180 degrés. Oehmichen doit ce record à la nouvelle hélice tractive à pas variable qu'il a inventée et qui assure à l'appareil un équilibre et une maniabilité supérieurs. Le procès-verbal rédigé à cette occasion note : « L'obéissance de l'appareil est complète. La marche est semblable à celle d'un bateau propulsé par une hélice et gouvernant bien. »

Débarrassé du ballon gonflé d'hydrogène qui soutenait l'hélicoptère n° 1, le n° 2 comporte quatre hélices sustentatrices, deux hélices pour la translation et cinq « évolueurs » ou hélices à axe vertical, un gyroscope de stabilisation et des surfaces orientables de sustentation qui s'opposent à la rotation de l'appareil. Avec un poids total de 850 kg et un moteur Le-Rhône de 120 ch, ce nouvel appareil est un des plus prometteurs, du point de vue de la stabilité, jamais réalisés. Il reste encore cependant à résoudre le problème du gain d'altitude, car l'évolution entre 1 m et 3 m du sol n'est pas suffisante pour considérer l'hélicoptère ni comme machine volante ni comme véritable moyen de transport. (→ 4.5.24)

Vol au point fixe de l'hélicoptère Oehmichen effectué le 28 avril.

Vol direct de New York à San Diego

Chacun peut voler en moto-aviette

L'avion de MacReady et Kelly, un Fokker T.2, au cours de son vol transcontinental de New York à San Diego.

France, 6 mai
Chacun peut apprendre à le piloter en quelques jours. Il se pose dans une prairie et peut décoller sur une très courte distance. C'est l'avion pour tous. La moto-aviette peut même être montée dans un garage personnel. Aujourd'hui, en s'adjugeant le prix offert par *le Matin* pour la traversée de la Manche par un avion léger, le Dewoitine D.7 va sans aucun doute s'ouvrir à de nouveaux marchés.

San Diego, 3 mai
Il y a encore deux jours, ce n'était qu'un rêve, risqué, presque insensé... Et l'impossible s'est réalisé : à 0 h 26, heure locale, les lieutenants J. MacReady et O. Kelly, de l'armée de l'air des Etats-Unis, se sont posés sur la côte pacifique, s'attribuant l'exploit de la première transcontinentale sans escale des Etats-Unis. Les 4 088 km ont été franchis à la moyenne de 147 km/h

en 26 h 50 min. « C'est une page d'histoire qui s'est écrite sous nos yeux... Ils sont les prophètes d'un rêve... » La presse et les officiels ne tarissent pas d'éloges à propos des deux aviateurs. A San Diego, coups de sifflets et de Klaxon ont retenti dès leur approche à l'horizon. Car l'Amérique n'a vécu pendant ces deux jours que pour entendre ou apercevoir l'avion historique. Ce Fokker, équipé d'un moteur Li-

berty de 400 ch, a été amélioré pour pouvoir emporter à l'intérieur de ses ailes le supplément de 2 700 l d'essence nécessaire au vol non-stop. Le train d'atterrissage a été emprunté à un bombardier Martin MB-1 pour supporter cette charge excédentaire qui a rendu le décollage hasardeux. Dès son arrivée, il a été placé sous surveillance afin de ne pas être endommagé par des admirateurs trop enthousiastes.

Barbot au départ, dans son appareil.

L'URSS met en place son réseau aérien

Union soviétique, 30 juin
La société Junkers confirme la prédominance allemande sur l'aviation russe. Elle participe en effet à la création de lignes entre Berlin et Königsberg, et entre Moscou et Bakou. Après la guerre, matériel et techniciens allemands arrivent en URSS. La société russo-allemande Deruluft voit le jour le 11 novembre 1921 et reçoit son premier avion, un Fokker F.III. En 1922, elle assure deux fois par semaine une liaison

Königsberg-Moscou en Fokker F.13. La même année, les républiques du Caucase négocient avec les Allemands l'organisation de la ligne Moscou-Vladikavkaz-Tiflis, avec des Junkers. Des vols postaux Rostov-Königsberg sont créés, et des communications bihebdomadaires entre Moscou et Kharkov sont mises en place. Enfin, avec Dobrolet est créée une liaison vers les républiques de l'Asie centrale, entre Moscou et Nijni-Novgorod.

Trop de records sont devenus américains

France, 17 juillet
Cinquante mille francs ! C'est la somme que met en jeu le gouvernement français pour la reconquête des records aériens de vitesse et d'altitude. Depuis le 29 mars dernier, le record de vitesse, détenu par le pilote français Joseph Sadi-Lecointe avec 374,95 km/h, est tombé entre les mains du lieutenant américain R.L. Maugham, à Dayton (Ohio) sur Curtiss R-6 avec 380,75 km/h. Quant au record

d'altitude, il appartient depuis deux ans au lieutenant J. MacReady avec 10 518 m. Le record de distance n'est plus homologué par la FAI (Fédération Aéronautique Internationale) depuis 1913 : la performance de la traversée échappe donc à la compétition. Mais peut-on réellement être étonné de tous ces succès lorsque l'on sait que l'aviation est désormais devenue outre-Atlantique, une véritable entreprise d'Etat ?

L'amphibie « Sea Eagle » est sorti des ateliers de la Supermarine Aviation Works. Ce biplan est propulsé par une hélice fixée à l'arrière du moteur, placé entre les deux plans de voilure.

Le 17 février au camp de Johannisthal, près de Berlin, six Junkers sont réunis pour effectuer une série de vols d'essai. Un des appareils est déjà dans les airs, avec, à son bord, des délégués du Reichstag.

Latécoère prolonge sa ligne vers Dakar

**RÉSEAU DE LA COMPAGNIE
DES LIGNES AÉRIENNES LATÉCOÈRE**

Paris

Bordeaux
Toulouse

Bayonne
Marseille
Valladolid
Perpignan
Madrid
Barcelone

Lisbonne
Palma
Alicante

Malaga
Tanger
Alger
Oran
Rabat
Casablanca

Agadir

Iles Canaries

Cap-Juby

Villa Cisnerose

Port-Étienne

Nouaktchott
Saint-Louis
Dakar

Ligne en exploitation régulière
Toulouse - Casablanca

Ligne reconnue et inaugurée officiellement
Casablanca - Dakar

Ouvertures de lignes prévues en 1923
Marseille - Alger
Cap-Juby - Canaries
Oran - Alicante
Bordeaux - Madrid - Lisbonne

Dakar, 6 mai

Roig et ses hommes viennent d'accomplir le premier vol de Casablanca à Dakar. Hier, ce trajet n'était qu'un pointillé sur la carte. Pour Latécoère, ce raid est un coup d'éclat, prouvant la validité de son projet de ligne vers le Sénégal. En février, Roig, envoyé en mission de reconnaissance, a mis en place des escales, et négocié avec les tribus nomades. Le 3 mai, à bord de Breguet 14 venus de Toulouse, trois équipages décollent de Casablanca : Delrieu pilote l'avion-guide transportant Roig, Hamm part seul avec vivres et pièces de rechange, et Cueille emmène un journaliste. Le raid est un succès, malgré quelques ratés. Faute de pompe à essence aux escales, on fait le plein à la main. La mission prend du retard, et doit faire halte le soir même à Cap-Juby, où elle laisse un mécanicien blessé, et le lendemain à Port-Étienne. A Saint-Louis, il faut emprunter une magnéto à l'armée. Enfin, les Breguet, perdus dans la brume, se posent en ordre dispersé à Dakar. La ligne est tracée. Pour l'ouvrir au service régulier, il reste à créer une infrastructure. (→ 7.3.25)

Un avion postal Breguet 14 des lignes Latécoère surpris en plein vol.

Adrienne Bolland vedette de l'acrobatie

France, 18 octobre

Spécialiste des loopings, Adrienne Bolland vient d'en exécuter 98 en 58 minutes devant un jury admiratif. Mais cette performance n'a pas satisfait la jeune femme qui compte bien l'améliorer encore. Depuis son exploit dans les Andes, Adrienne Bolland participe à de nombreux meetings. Elle vient d'ailleurs de quitter la maison Caudron où elle occupait le poste de pilote d'essai. Elle travaille maintenant pour la Société de propagande aéronautique. Elle se consacre désormais au renom de l'aviation française. Avec le Caudron 127 dont elle a fait l'acquisition l'an dernier, elle mène la vie errante des artistes du ciel. Elle va de ville en ville pour effectuer des vols de démonstration et des baptêmes de l'air. Elle participe à de nombreuses manifestations aériennes. Elle a pris goût en particulier à la voltige et son rêve serait d'améliorer son record du monde de loopings. Sa hardiesse n'a d'égale que son franc-parler et son mauvais caractère. Enfant terrible de l'aviation, sa noblesse de cœur force l'admiration. Ses mots préférés : justice, amour et liberté. Elle dit volontiers : « C'est l'aviation qui m'a fait découvrir mon royaume intérieur. » (→ 27.5.24)

Adrienne Bolland, pilote de charme et acrobate des airs.

Ils volent pendant plus d'un jour et demi

San Diego, 28 août

Ils sont restés 37 h 15 min 44 s dans le ciel ! Cette performance a pu être réalisée grâce à des ravitaillements en vol, une première mondiale. C'est à Rockwell Field, près de San Diego, que cet exploit a eu lieu, permettant aux lieutenants Lowell H. Smith et Paul Richter d'établir un record mondial d'endurance. Leur tentative avait été soigneusement préparée : un parcours de 50 km avait été défini, près de San Diego, afin qu'ils puissent contrôler la distance parcourue. L'appareil choisi était un bombardier léger, un de Havilland DH.4B, légèrement modifié. Hier, Smith et Richter décollaient, sans imaginer qu'ils allaient couvrir pendant ces deux jours 5 299,90 km, améliorant ainsi le record de distance de plus de 1 000 km. Quinze ravitaillements en vol auront été nécessaires, assurés par d'autres de Havilland, des DH.4S de l'armée de l'air.

Ravitaillement en plein ciel du de Havilland DH.4B de Smith et Richter.

La nuit n'arrête plus la Franco-Roumaine

LA PLUS GRANDE LIGNE AÉRIENNE D'EUROPE

Tableau de bord du Caudron C.61.

Bucarest, 20 septembre

«C'est magnifique! Pas une seule turbulence. On y voit comme en plein jour.» C'est dans l'enthousiasme que l'équipage du trimoteur Caudron C.61 s'est posé sur le terrain de Bucarest éclairé par un superbe clair de lune. Louis Guidon, le pilote, accompagné de Maurice Noguès, chef pilote de la Franco-Roumaine, n'en revenait pas de son exploit, d'autant qu'il n'est encore guère familier des vols nocturnes. Il y a quelques semaines seulement, la Franco-Roumaine décidait de modifier ses horaires et d'effectuer la liaison Paris-Bucarest dans la même journée, ce qui signifiait un vol de nuit entre Belgrade et Bucarest. Décision importante car jusque-là aucune compagnie n'avait osé programmer des vols de nuit avec passagers. La mise en route rapide de ce nouveau service n'avait permis d'effectuer qu'un seul essai, le 9 septembre. C'est donc avec une certaine émotion que Guidon et Noguès, qui avaient pris à leur bord quelques passagers dont Jules Bétard, le directeur général de la compagnie, se sont envolés hier soir de Belgrade. La nuit claire et le temps calme ont bien facilité les choses. Tout le relief était parfaitement visible. Un seul incident de parcours sera à retenir. Le fort de Bragadir était en flammes, ce qui se voyait de très loin. Il a explosé au moment où l'avion approchait et Guidon a pu s'écarter à temps de la gerbe de feu et de débris lancés vers le ciel. Puis, ce fut l'arrivée à Bucarest, où l'avion se posa dans l'ombre que lui dessinait la lune. (→6.11)

Les grandes angoisses d'un vol de nuit

Bucarest, 6 novembre

En quittant Belgrade hier soir pour leur dernier vol nocturne de l'année vers Bucarest, le pilote Louis Guidon et son mécanicien Gilson se sentaient confiants. Les moteurs de l'avion, qui viennent d'être changés, tournent bien. L'avion est complet. Pourtant, la nuit est pluvieuse et noire et le vent secoue terriblement l'appareil. Pour éviter les remous au-dessus des montagnes, le pilote oblique un peu vers le sud, et bientôt c'est le vol à l'aveuglette dans une obscurité éclairée parfois par les feux de villages inconnus. Tandis que les passagers dorment, inconscients du danger, les deux hommes s'aperçoivent avec angoisse qu'ils se sont perdus. «Voilà sept heures que nous sommes partis, dit Gilson, et nous avons moins de huit heures d'essence.» Soudain, c'est le miracle, une lumière dans la nuit : Bucarest! Alors qu'ils se croient sauvés, leur espoir s'évanouit à nouveau : le terrain où on ne les attend plus est éteint. Guidon décide de survoler la ville en allumant les fusées de détresse de l'avion. A terre, une voiture démarre et fonce vers l'aérodrome qui bientôt s'illumine. L'avion se pose et s'immobilise. Il ne lui reste plus une goutte de carburant.

Sadi-Lecointe s'adjuge le record d'altitude

Issy-les-Moulineaux, 30 octobre

Sur son Nieuport-Delage équipé d'un moteur Hispano-Suiza, Joseph Sadi-Lecointe a atteint l'altitude de 11 145 m, battant son propre record de 10 741 m atteint le 5 septembre dernier. Il va être difficile de faire mieux... La préparation spéciale qu'il a reçue et l'équipement particulier de son avion sont évidemment pour beaucoup dans cet exploit, mais Joseph Sadi-Lecointe est aussi un pilote très sérieux qui accumule victoires et records. Les qualités de ce pilote ancien mécanicien l'ont fait remarquer pendant la guerre, et c'est ainsi qu'il a été engagé puis est devenu le chef pilote de Nieuport-Delage. (→23.6.24)

Un des aérobus de la compagnie Franco-Roumaine, le Caudron C.61, vient d'atterrir de nuit sur l'aérodrome du Bourget.

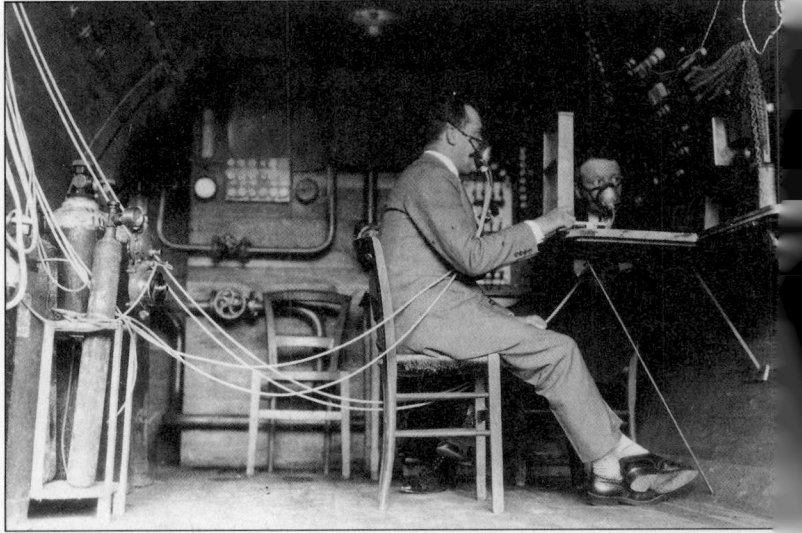

Expériences de résistance physique de Sadi-Lecointe, dans le caisson dépression atmosphérique et à basse température du docteur Garsaux.

Les cirques aériens ont tué 85 pilotes

Les ambitions de Mussolini pour l'aviation militaire italienne

Etats-Unis, 31 décembre

85 morts et 126 blessés... C'est le lourd tribut que les pilotes cascadeurs américains ont payé cette année à l'aviation, pour leurs acrobaties ahurissantes. Car, pour attirer les foules, c'est à qui imaginera le numéro le plus dangereux : looping en partant près du sol, alors que le souffle de l'hélice projette des graviers, équilibre sur une échelle fixée sur l'une des ailes d'un avion qui exécute un looping, échange des pilotes entre deux avions volant côte à côte, les ailes imbriquées... sans parler des cascades que l'industrie cinématographique commande de plus en plus à ces pilotes intrépides. Devant une telle hécatombe, une opposition grandissante se manifeste : nombreux sont les pilotes et les constructeurs qui pensent que ces spectacles causent du tort à l'aviation. Ils demandent la mise en place de règlements restrictifs pour la sécurité de tous.

Présentation de l'aviation italienne à l'occasion du cinquième anniversaire de la victoire sur l'Autriche.

Italie, 31 décembre

Les ingénieurs italiens n'ont pas attendu les fascistes pour construire de bons avions. En 1913, au temps où Benito Mussolini n'était encore qu'un modeste professeur de français et un agitateur socialiste, la Fiat construisait déjà des appareils remarquables. La Società Idrovolanti Alta Italia, à Sesto Calende, construit des hydravions depuis 1915. Les bombardiers de Caproni ont été utilisés par l'armée française pendant la Grande Guerre. L'arrivée au pouvoir des fascistes va sans doute accélérer la production d'avions armés. d'autant que l'aviation militaire italienne s'est constituée en arme indépendante au mois de mars de cette année. L'ingénieur de Fiat, Celestino Rosatelli, travaille déjà au prototype d'un chasseur de conception entièrement italienne. (→ 4.11.24)

Contrat de 192 684 dollars pour Douglas

Washington, 23 novembre

Donald Douglas a donc été choisi par le département de la Guerre : il fournira à l'armée de l'air les quatre appareils qu'elle veut engager dans son projet d'un raid avec étapes autour du monde. Le biplan amphibie Douglas DT-2 apparaît comme l'appareil le mieux adapté à cet ambitieux projet. Il y a tout juste quatre jours que le département de la Guerre a donné son feu vert à cette croisière. Il reste à Donald Douglas à honorer son contrat de 192 684 dollars en fournissant une version légèrement modifiée du DT-2, biplace et de plus grande autonomie. Il sera baptisé World Cruiser, d'après la mission à laquelle il est destiné. (→ 6.4.24)

Mitchell veut imposer ses bombardiers

Etats-Unis, novembre

La polémique engagée par le général de brigade Billy Mitchell quant au rôle des bombardiers en cas de conflit prend l'allure d'une crise au sein de l'armée. Affirmant avec force que l'apparition des bombardiers et des avions-torpilleurs condamne les navires de surface, Mitchell se heurte aux intérêts des diverses castes militaires, et s'attire l'hostilité des amiraux. En septembre, l'US Army Air Service a effectué de nouvelles expériences avec des appareils qui opèrent depuis une altitude de 3 000 m. Ils réussissent à couler les cuirassés déclassés *Virginia* et *New Jersey* et démontrent ainsi la vulnérabilité des unités de la marine. (→ 17.12.25)

l'usine du constructeur d'avions Donald Douglas. Elle est installée parmi les eucalyptus sur Wilshire Boulevard, à Los Angeles.

Le gigantesque hydravion gros-porteur de haute mer « Marcel Besson », essayé par la marine française, peut servir aux opérations militaires comme au transport civil des passagers et des dépêches.

Les avions de l'année 1923

Ultraléger, équipé d'un bicylindre de 398 cm³, l'English Electric Wren remporte un concours organisé par le « Daily Mail ».

L'avion d'entraînement Great Lakes Sports est représentatif des biplans de l'époque. Il est très prisé par les pilotes privés.

Le de Havilland DH.50 (premier vol le 12 août) connaît un immense succès.

Le bombardier lourd Handley-Page Hyderabad (premier vol le 15 octobre) est construit à 45 exemplaires pour la RAF qui les garde sept ans.

Le Type 17 (avril) constitue le premier grand succès commercial tant civil que militaire de la firme française FBA.

Construit en deux exemplaires, le quadrimoteur Blériot 115 bat le record du monde d'altitude avec transport de charge le 9 mai.

A cause de tous les problèmes qui interviennent, le développement des hélicoptères est lent. Ce modèle de Pescara s'est élevé, mais n'a pas été plus loin...

Le premier autogire espagnol de La Cierva, le C-4, a montré que le principe avait de l'espoir. Des études plus approfondies sont menées par les Anglais.

Monoplace ultraléger, équipé d'un moteur de moto, le de Havilland DH.53 Humming Bird est produit à quinze exemplaires.

Le Junkers A 20, conçu pour le transport de courrier et de fret, intéresse les compagnies Luft Hansa et Ad Astra Aero.

L'hydravion Atalante, construit par Fairey, est de taille impressionnante. Cela ne suffit pas à convaincre les acheteurs. Un seul modèle est construit.

Avion de reconnaissance aux grandes qualités, l'Aero A.11 tchécoslovaque est produit en vingt-deux versions différentes.

L'avion de combat de Hawker, le Woodcock, n'a jamais eu de succès dans sa forme originale, lorsque ses ailes étaient en deux parties.

Biplace d'entraînement et de liaison, l'Avia BH-9 tchèque est équipé d'un moteur Walter Nz de 60 ch et est construit à dix exemplaires.

'Armstrong Whitworth Worlf, avion biplace de reconnaissance, n'a jamais ɔçu de commande, probablement à cause de son inesthétisme.

L'un des premiers nouveaux chasseurs entrés en service dans la RAF après la guerre, le Gloster Grebe est construit à cent vingt exemplaires.

Le B 15/PW-9 est le premier Boeing a être entré au service de l'US Army Corps. Il est équipé d'un moteur Curtiss D-12 de 440 chevaux.

Curtiss a construit plusieurs avions rapides pour l'armée. Ce modèle, le RC, a des lignes très pures qui contribuent à sa vitesse.

Russell L. Maughan réalise avec son Curtiss PW-8 la première traversée des USA entre le lever et le coucher du soleil, le 23 juin.

1924

 448,171 km/h
France
Florentin Bonnet
Bernard-Ferbois V2
11.12.24

 5 299,90 km
Etats-Unis
Smith et Richter
De Havilland DH.4B
28.8.23

 12 066 m
France
Jean Callizo
Gourdon-Lesseurre 40 C.1
10.10.24

 26 000 kg
Italie
SAI Caproni
Caproni Ca 60

 1 000 ch
Grande-Bretagne
Napier
Cub

France, 1er janvier
Pour pouvoir produire le D.1, Dewoitine a porté à 10 millions de francs le capital de la SAD, qui devient la CAD (Constructions Aéronautiques Dewoitine). Les plus gros actionnaires en sont le motoriste Hispano-Suiza et la société japonaise Mitsubishi. (→ 31.1.27)

Issy-les-Moulineaux, 29 janvier
L'hélicoptère no 3 de Raoul Pescara à moteur Hispano de 180 ch réussit un vol contrôlé de 10 min 10 s.

Berlin, 31 janvier
Le Sportflug GmbH est créé, grâce aux subventions du ministère des Transports, afin d'établir des écoles de pilotage. Les pilotes militaires souhaitant maintenir leur qualification pourront s'y entraîner.

Barcelone, 1er février
La construction d'un aéroport est autorisée par décret royal.

Alaska, 2 février
Carl Eielson assure un vol postal de Fairbanks à McGrath, deux villes distantes de 450 km, avec un DH.4.

Queensland, 21 février
Hudson Fysh, l'un des fondateurs de la Qantas, réussit à poser son BE 2e près d'une ferme isolée par les inondations de la saison des pluies. Il embarque sur le siège avant la femme du fermier, prête à enfanter, pour l'hôpital.

Nebraska, 4 mars
La rivière Platte étant bloquée par la glace, deux bombardiers de l'armée parviennent à la briser, après six heures de bombardement.

Etats-Unis, 7 mars
A bord d'un DH.4B, le lieutenant Barksdale et son navigateur Jones relient Dayton à New York, en volant uniquement aux instruments.

Grande-Bretagne, 31 mars
Les pilotes de Croydon forment un syndicat. Ils décident de faire grève pour s'opposer au projet de la nouvelle compagnie Imperial Airways visant à réduire leurs salaires.→

Australie, 2 avril
Le gouvernement impose la modification des avions naviguant entre Perth et Derby. Ils devront pouvoir embarquer une civière. (→ 1.10.28)

Schiphol, 11 avril
Le pilote Herman Hess décolle le prototype du monoplan Fokker F.VII. Plesman, directeur de la KLM, en commande trois sans moteur. Il estime que Fokker n'a pas à faire de bénéfice sur un moteur qu'il n'a pas construit. (→ 24.11)

Arbouans, 4 mai
Etienne Oehmichen boucle 1 km en circuit fermé avec son hélicoptère no 2, en 7 minutes et 40 secondes.

France, 12 mai
René Fonck part pour les Etats-Unis à l'expiration de son mandat parlementaire, après la victoire du Cartel des gauches sur la Chambre bleu horizon. Il a été officieusement nommé conseiller technique par le gouvernement américain afin de développer la chasse. (→ 21.9.26)

Melbourne, 19 mai
Partis le 6 avril à bord d'un hydravion à flotteurs Fairey III D, le lieutenant-colonel Goble et le lieutenant McIntyre terminent le tour de l'Australie en 93 h de vol effectif pour 13 600 km. (→ 29.8)

France, 20 mai
L'aéronautique militaire reçoit le premier des 490 Breguet 19 qui doivent remplacer les Breguet 14.

New York, 24 mai
Dès le début des essais, le biplan S-29A de Sikorsky, doté de deux moteurs Hispano de 300 ch, se révèle sous-motorisé. (→ 23.8.26)

Paris, 27 mai
Adrienne Bolland enlève le record féminin de loopings successifs à Laura Bromwell. En 72 min, elle en exécute 212 sur son Caudron 127.

France, 11 juin
Armand Déperdussin, le fondateur de la Spad, réduit à la misère, se suicide.

Allemagne, 23 juin
Un groupe de financiers de Brême a fondé la Focke Wulf Flugzeugbau GmbH en janvier, pour utiliser les talents de Heinrich Focke et Georg Wulf. Le monoplan A.16 fera son vol initial aujourd'hui. (→ 29.12.27)

Istres, 23 juin
Sadi-Lecointe gagne les 100 000 F de la coupe Beaumont, à bord d'un Nieuport-Delage 42. (→ 18.10.25)

San Francisco, 23 juin
Parti de New York, le lieutenant Maughan réalise entre l'aube et le crépuscule une traversée transcontinentale des Etats-Unis. Il couvre 4 345 km en 21 h 44 min dont 18 h 12 min de vol, sur Curtiss PW-8.

Alaska, 6 juillet
Noel Wien décolle d'Anchorage sur son Standard J-1. Naviguant avec une carte ferroviaire, il franchit la chaîne de l'Alaska, mais se retrouve ensuite dans le nuage de fumée d'un feu de broussailles. Presque aveuglé, il vole à 30 m du sol pour suivre à vue la voie ferrée, avant d'arriver à Fairbanks. (→ 23.5.25)

Bruxelles, 14 juillet
La Sabena inaugure une ligne vers la Suisse, sur Bâle, avec le Handley Page W/8 qu'elle vient de recevoir.

France, 17 juillet
Les pilotes Coupet et Drouhin, sur Farman F-60, battent le record d'endurance sans ravitaillement en vol, avec 37 h 59 min 10 s. (→ 9.8.25)

Le Bourget, 19 juillet
La valise diplomatique destinée à Londres est désormais transportée par la voie des airs.

Japon, 23 juillet
Parrainé par le quotidien *Mainichi Shimbun*, Yukichi Goto achève un vol de 4 395 km autour du Japon, avec un hydravion Kawanishi K-6.

New York, 1er août
Herbert Barr Griggs reçoit une amende de 25 dollars pour avoir enfreint l'interdiction de survol de la ville à basse altitude.

Cap Farvel, 24 août
Le croiseur *USS Richmond* recueille les aviateurs italiens Locatelli, Crosio, Farcinelli et Fraccini. Ils tentaient la traversée de l'Atlantique Nord sur un hydravion Dornier Wal. Pris par la tempête, ils ont dû amerrir parmi les icebergs.

France, 27 août
Le lieutenant Thoret a ouvert hier l'école des Alpilles à Saint-Rémy-de-Provence. Il veut montrer aux pilotes comment tirer parti des courants créés par le vent lorsqu'il se heurte à un obstacle. Il tient l'air aujourd'hui durant 9 h 4 min, hélice calée, avec son Hanriot. (→ 24.9.25)

Dayton, 4 octobre
G. H. Curtiss ayant retiré ses *racers* R2C-1 afin de les transformer en hydravions de course pour la coupe Schneider, le trophée Pulitzer est remporté par Harry Mills, sur un Verville-Sperry R-3. (→ 12.10.25)

Rome, 4 novembre
Le nouveau biplan de chasse Fiat CR.1, développé par Rosatelli, est présenté lors de la revue annuelle des forces aériennes à Centocelle.

New York, 7 novembre
Anthony Fokker arrive par bateau d'Angleterre, afin de choisir un site industriel dans le New Jersey pour monter les avions achetés par le gouvernement américain. (→ 4.9.25)

Tunis, 11 novembre
N'ayant pu sortir d'un looping, l'as des as Georges Madon va s'écraser sur une villa, pour éviter la foule lors de l'inauguration d'un monument dédié à Roland Garros.

Getafe, 12 décembre
Le capitaine Loriga arrive de l'aérodrome de Cuatro Vientos à bord de l'autogire La Cierva C.6. Il a couvert les 12 km en 8 minutes et 12 secondes. (→ 16.1.25)

Les avions Handley-Page W/10 de la compagnie Impérial Airways vont desservir dès à présent les grandes capitales européennes.

202

Londres impose Imperial Airways

Croydon, 31 mars

Imperial Airways est née. Cette nouvelle compagnie regroupe les quatre lignes aériennes pionnières Instone, Handley Page, Daimler et British Marine Air Navigation. Conséquence d'une forte pression gouvernementale, cette fusion est le prix qu'il leur a fallu payer pour recevoir le soutien financier du Trésor. D'après les accords passés, Imperial Airways reprendra les avoirs des quatre compagnies et recevra une subvention à long terme de un million de livres sur dix ans, mais à condition qu'elle n'utilise que des appareils britanniques et qu'elle réalise un certain kilométrage annuel. Voilà de quoi apporter quelque stabilité à une industrie en herbe ! En effet, leur indépendance a amené les compagnies britanniques à se débattre dans les difficultés financières alors qu'elles dominaient certaines lignes européennes. Ainsi, l'année dernière,

Le Handley Page W/10, avion de transport de la compagnie Imperial Airways.

7 736 des 9 377 voyageurs pour Paris sont passés par Handley Page et 1 736 des 2 712 passagers pour Amsterdam par Daimler. Instone, quant à elle, a pratiquement transporté l'ensemble des 3 022 passagers des vols sur Bruxelles. Comme son nom le suggère, Imperial Airways a été voulue pour être l'instrument de la cohésion de l'Empire britannique et le porte-drapeau de la nation dans le monde. (→ 30.3.26)

Les avions de Douglas partent pour faire le tour du monde

Seattle, 6 avril

A moitié cachés aux yeux de la foule venue les acclamer par les nuages de poussière que soulevaient leurs moteurs, les quatre Douglas World Cruiser de l'Army Air Service ont décollé pour la première étape de leur croisière autour du monde. A leur bord, huit pilotes de l'armée, enthousiastes et confiants, se sont promis 49 500 km de dangers et d'aventures et, au bout, la victoire et la gloire pour leur nation. Baptisés *Chicago*, *Boston*, *New Orleans* et *Seattle*, du nom de

villes américaines situées aux quatre points cardinaux, ces appareils ont été spécialement conçus pour la tentative par le constructeur Donald Douglas. Ce sont des biplans monomoteurs à cockpit ouvert, pouvant être dotés, suivant la nécessité des escales, d'un train d'atterrissage ou de flotteurs. Ils emportent 1 700 l d'essence en version hydravion et 2 270 l en configuration terrestre. L'armée, chargée de l'organisation du vol puisqu'elle est à l'origine de ce projet, a tracé une route d'est en ouest qui devrait

éviter les plus mauvaises conditions climatiques : brouillards de l'Alaska, typhons du Japon et de Chine, mousson du Sud-Est asiatique et tempêtes d'hiver de l'Atlantique Nord. Elle a installé des dépôts de carburant et de ravitaillement pour l'entretien des appareils, et la marine a disposé ses navires afin de pouvoir porter secours à un équipage en difficulté. Les cartes sont maintenant entre les mains du lieutenant Lowell H. Smith et de son escadrille, que toute l'Amérique accompagne de ses vœux. (→ 14.7)

Un des quatre World Cruiser construits par Donald Douglas pour tenter de réaliser le tour du monde. Le « Chicago » est ici équipé de flotteurs.

Les pilotes réunis avant leur départ pour la grande aventure.

Le salaire des pilotes de ligne

France, 1er juillet

L'essor de l'aviation commerciale fait des pilotes de nouveaux héros largement rémunérés. Mais, il n'y a pas si longtemps, la plupart d'entre eux volaient en ignorant le montant de leur solde. Animés d'un même amour du pilotage, ils n'en étaient pas moins inégalement assidus ou disciplinés. C'est pourquoi Latécoère a eu idée d'instaurer un système de rémunération prenant en compte les mérites du pilote. A une base fixe s'ajoutent des primes d'étape, de régularité (tout retard est sanctionné), de non-casse (les dommages causés sur les avions sont pénalisés) et de bon rendement. Les pilotes sont aussi intéressés à la vente des billets. Ainsi, le salaire de base d'un pilote ne doit pas être inférieur à 1 000 F. Mais il faut tenir compte de la responsabilité, des risques encourus et de la fatigue due aux vols.

La météorologie au service des pilotes

France, 30 juin

La météorologie, comme de nombreux domaines liés à la sécurité des voyages aériens, connaît sans cesse des améliorations. Les pilotes, en effet, ont besoin d'informations précises avant et pendant les vols. Un précieux élément de données est pour eux le tableau météorologique. A l'aéroport du Bourget, il représente les cartes de France, de Grande-Bretagne et de Belgique. Des flèches sont plantées sur les villes : elles indiquent la direction des vents ; des ronds fournissent des indications sur la nébulosité. A côté figure le QAM, nom de code de la dernière observation faite sur le terrain. Les services météorologiques, dans les grands aéroports européens sont ainsi toujours capables de fournir les informations désirées. Au Bourget encore, le bureau, par le biais de la TSF, est en communication directe avec les pays étrangers. Il établit les prévisions du temps plusieurs fois par jour et procède également à des sondages par ballons. Les résultats permettent aux spécialistes de déduire de prévisions sur l'évolution du temps

Essai réussi d'un pilote automatique

Le Canada se donne une force aérienne

Les trois servomoteurs montés à l'arrière de l'avion contrôlent ses évolutions.

Le tableau des commandes.

Canada, 1er avril

Le chemin parcouru depuis 1914 est énorme. En effet, le Canada, au début de la guerre, n'avait pas de force aérienne. Il n'y avait dans le pays ni aviateurs ni appareils. En 1918, en revanche, on pouvait déjà compter 3 000 pilotes et observateurs canadiens, formant près de 30% des effectifs de la Royal Air Force. C'est donc tout naturellement que fut créée la Canadian Air Force. Il s'agissait d'une organisation moitié militaire, moitié civile. Elle fut à l'origine de grandes réalisations comme la première traversée aérienne du Canada en 1920, un périple effectué en dix jours. La Canadian Air Force devient une unité permanente et officielle du département canadien de la Défense. Elle prend dorénavant le nom de Royal Canadian Air Force (RCAF) et compte 680 officiers. Ce sont des hommes qui connaissent à fond leur métier pour avoir tous participé à la Grande Guerre. 90% du budget de la RCAF sont consacrés à l'aviation civile. Il ne reste que très peu de crédits pour l'entraînement et l'équipement militaire. Mais, en ces années de paix, on n'imagine pas l'apparition d'un autre conflit.

France, 31 mars

Un avion qui contrôle son vol, c'est la fin de la fatigue et de l'attention permanente des pilotes qui surveillent et corrigent les attitudes de la machine. Deux méthodes sont rassemblées pour faire voler un avion par lui-même : un appareil contrôle le vol stable et un autre le dirige au moyen d'un faisceau hertzien établi au sol. Les stabilités horizontale et transversale sont assurées par un groupe de gyroscopes qui réagissent suivant les lois de l'inertie. La résultante de ces commandes est transmise aux gouvernes de l'avion par un système de câbles et de moteurs électriques. Le pilote peut agir sur une molette pour indiquer le cap choisi. Ainsi dégagé du pilotage manuel, il peut concentrer son attention sur le fonctionnement des moteurs. Les premiers essais d'un avion à pilotage automatique datent de 1918 avec les travaux du capitaine Max Boucher qui, dès juillet 1917, a fait décoller et atterrir un avion sans l'aide du pilote. Encouragé par le général Ferrié, il constitue une équipe à Etampes afin de poursuivre ses expériences pour le compte du ministère de la Guerre. Il doit faire face à la concurrence de la marine, qui travaille de son côté à un projet similaire. Cette situation devrait être stimulante.

Une tour de vigie équipe Le Bourget

Le Bourget, 15 février

La densité du trafic aérien de l'aérodrome est devenue telle qu'on a été obligé d'organiser les déplacements au sol et dans le ciel. Une tour de vigie a été construite au bord du terrain et, à son sommet, un responsable équipé de jumelles signale l'approche des appareils et indique le nom de leur compagnie. A côté de lui, des opérateurs sont en liaison radio avec les avions dont la position leur est indiquée par les relèvements goniométriques.

Tupolev a fait voler son premier avion

Union soviétique, 26 mai

Andreï Tupolev a fabriqué un avion entièrement métallique. Il l'a baptisé ANT-2 et lui a fait exécuter son premier vol. Il s'agit d'un monoplan à ailes hautes, doté d'un fuselage ventru accueillant deux passagers en cabine. Equipé d'un moteur Bristol Lucifer à trois cylindres en étoile de 100 ch, cet avion comporte un poste de pilotage à ciel ouvert. Le revêtement en tôle ondulée imite la technique élaborée en Allemagne par Junkers en 1919. (→ 24.11.25)

Aéroport du Bourget : les bâtiments administratifs et les hangars.

L'ANT-2 de Tupolev, petit avion de transport entièrement métallique.

Pelletier-Doisy est enfin arrivé à Tokyo

L'avion de Pelletier-Doisy dans la rivière de l'hippodrome de Shanghai.

Tokyo, 9 juin

Quarante-sept jours après leur départ de Paris, le lieutenant Georges Pelletier-Doisy et son mécanicien, le sergent Bésin, ont atterri à Tokyo, le but d'une aventure ponctuée d'incidents parfois sérieux. D'une traite, ils ont relié Paris à Bucarest, avant d'atteindre les Indes six jours plus tard. Arrivé en Chine, Pelletier-Doisy a été mal dirigé dans son roulage au sol sur l'hippodrome Kiang Wang de Shanghai. Son Breguet 19 s'est brisé en deux dans un fossé qu'il n'a pas aperçu à temps.

Pour qu'ils puissent poursuivre leur vol, le gouvernement chinois a mis à leur disposition un vieux Breguet 14. C'est dans cet avion d'emprunt qu'ils sont arrivés à Tokyo où ils ont été accueillis par Paul Claudel, ambassadeur de France. Le retentissement de ce raid est tel que l'opinion publique s'accorde pour dire qu'une page historique de la navigation aérienne a été écrite. L'équipage a reçu des félicitations de toutes parts pour ce périple de 20 146 km, et Pelletier-Doisy a été promu capitaine.

Boeing construit ses avions à la chaîne

Seattle, 1er juin

Grande effervescence dans les ateliers de la Boeing Airplane Company : après les résultats remarquables des deux prototypes M-15 qu'elle a testés au début de l'année, l'Army Air Service vient de faire la commande de trente de ces biplans. Soigneusement alignés côte à côte dans le hangar, les treillis des fuselages attendent d'être complétés. Leur structure, en acier et non en bois comme celle des appareils précédents, est assemblée selon le procédé de soudure électrique mis au point par Boeing. Pour le reste, la firme reprend le modèle MB-3A du constructeur Thomas-Morse, grâce à qui elle dispose d'un appareil sans rival. (→ 7.7.25)

Fuselages en construction dans un atelier de la compagnie Boeing.

Les héros du tour du monde sont à Paris

Paris, 14 juillet

La croisière américaine est arrivée à Paris. La nouvelle s'est répandue comme une traînée de poudre dès que les trois World Cruiser ont fait leur apparition dans le ciel de la capitale en fête. Escortés d'une dizaine d'avions français, ils ont évolué quelques instants au-dessus de l'Arc de Triomphe, rendant ainsi, en ce jour de fête nationale, leur hommage à la mémoire du Soldat inconnu. Ils se sont ensuite dirigés vers Le Bourget, atterrissant à 17 h devant une foule nombreuse qui a manifesté son enthousiasme. Cela fait maintenant cent jours que l'escadrille a décollé de Seattle. Longeant d'abord l'Alaska, elle a perdu très vite le *Seattle* du major Martin, qui, après des ennuis de moteur pendant un orage, s'est écrasé à Port Moller dans la péninsule de l'Alaska en avril. Les trois appareils rescapés ont ensuite gagné le Japon, où des enfants agitant des drapeaux japonais et américains les accueillirent. Puis ce furent Hong Kong, Saigon, Bangkok et surtout Calcutta, à mi-chemin de ce tour du monde. Le major Wade a exprimé ce soir son plaisir d'être à Paris et son regret de ne pouvoir y séjourner plus longtemps. (→ 28.9)

Le lieutenant Odgen déploie le drapeau tricolore à son arrivée au Bourget.

US Air Mail inaugure les vols de nuit

Cheyenne, 1er juillet

Fragile point lumineux, l'appareil est apparu soudain au milieu des étoiles. Dirigé par le phare et les feux d'atterrissage du terrain, il s'est posé peu après devant les spectateurs venus fêter cet événement : l'inauguration de la première liaison postale de nuit entre Chicago et Cheyenne. Le pilote recevra entre 30 et 40 cents par kilomètre, selon l'estimation faite de la difficulté de son parcours. D'autres sections étaient inaugurées par le service postal au même instant à travers les Etats-Unis : San Francisco - New York et Omaha - Cheyenne. La poste aérienne veut ainsi améliorer son image en proposant une distribution rapide du courrier qui lui est confié.

Indispensable aux vols de nuit : le phare. Ici, dans le Wyoming.

Ils ont bouclé le tour du monde en 175 jours

Seattle, 28 septembre

Pour la première fois, des avions viennent d'accomplir un tour du monde. Cinq mois et demi après leur départ de Seattle, le *Chicago* et le *New Orleans*, les deux World Cruiser rescapés de cet extraordinaire périple, ont regagné leur point de départ, acclamés et fêtés par une foule de 50 000 personnes qui avaient tenu à assister aux dernières minutes de ce vol historique. Commandés par les lieutenants Lowell H. Smith et Leslie P. Arnold, les appareils ont parcouru 49 561 km en 371 heures et 11 minutes de vol, réalisant ainsi une moyenne de 125 km/h. La puissance et la régularité de leurs moteurs Liberty 12A ont été pour beaucoup dans cet exploit qui aurait été impossible il

y a seulement deux ans. Mais c'est aussi une grande victoire des équipages que l'Army Air Service avait voulu mettre à l'épreuve en cette période d'après-guerre. Le Pacifique a été conquis et l'Atlantique traversé d'est en ouest pour la première fois. Si l'on n'a heureusement pas à déplorer de pertes humaines, il n'en est pas de même pour le matériel : après l'accident du *Seattle* en Alaska en avril, ce fut au tour du *Boston* de sombrer au large des îles Féroé le 3 août, pendant une opération de sauvetage. Son équipage, doté en septembre d'un nouveau Douglas Cruiser, le *Boston 2*, a rejoint vers la fin du raid les deux autres appareils, et les a escortés aujourd'hui jusqu'à leur arrivée triomphale.

Les pilotes du premier tour du monde sont acclamés à leur retour.

Cet avion se pose sur la terre ou sur l'eau

Fontainebleau, 29 juin

Grâce à Louis Schreck, le tourisme aérien ne connaît plus de limites. Son hydravion amphibie peut se poser sur la terre et sur l'eau, au gré de son pilote. En effet, sa coque flottante repose sur des roues amovibles, se relevant sous les ailes pour l'amerrissage et pour le vol. Installé à Argenteuil et financé par des Anglais, Schreck produit, depuis 1913, des hydravions dérivés du Donnet-Levêque sous le sigle FBA. Le FBA-17 à moteur Hispano, le dernier modèle conçu par Emile Paumier de manière assez empirique, a

déjà remporté coupes et records. A la fête de clôture de la conférence de la FAI tenue cette année à Paris, il a fait définitivement la preuve de son efficacité. Parmi la centaine de personnalités arrivées par la voie des airs, Laurent-Eynac, sous-secrétaire d'Etat à l'Aéronautique, piloté par Laporte, vient d'amerrir à son bord sur la Seine, à Samois. Parti d'Argenteuil, Laporte a testé d'abord l'appareil, seul. Puis, ayant pris son passager, il s'est posé sur la Seine. Déjà, il repart pour son port d'attache, comme les autres avions de cet original rallye aérien.

Encore une coupe du monde pour Farman

France, 31 août

Cette année encore, le nom de Farman est à l'honneur dans la nouvelle édition de la Coupe du monde des aérobus. Le circuit, disputé en trois parcours Paris-Bordeaux-Paris, couvre une distance totale de 3 090 km. Les conditions climatiques ont rendu le déroulement de l'épreuve particulièrement périlleux. En effet, la base a été constamment balayée par la bourrasque, la pluie et l'orage. Evoluant à la vitesse moyenne de 178,709 km/h, l'équipage Coupet, Bossoutrot et Lebourg à bord du F-3X remporte

ce Grand Prix 1924. Le Caudron trimoteur, lui, n'a pu terminer la course. Quant au Blériot quadrimoteur type 115, il n'a atteint que la vitesse de 146 km/h. Ce Grand Prix est décidément une source de satisfaction pour Farman. L'année dernière déjà, sur les trois parcours Saint-Inglevert - Metz - Paris, Coupet, aux commandes du Jabiru tout juste sorti du bureau d'études, avait remporté la course. Il devançait ainsi Bossoutrot, le frère ennemi, qui, par prudence, avait choisi de voler sur le Goliath.

l'hydravion amphibie de Louis Schreck, à Melun.

Le Jabiru, ou Farman F-3X, quadrimoteur à deux tandems d'Hispano de 180 ch, est le grand gagnant de la Coupe du monde des aérobus.

Le nouveau Fokker F.VII arrive à Batavia

Le Fokker F.VII, l'avion du raid entre les Pays-Bas et les Indes néerlandaises.

Batavia, 24 novembre
Vol historique entre les Pays-Bas et les Indes néerlandaises pour le Fokker F.VII, dernier-né du grand constructeur. Parti le 1er octobre de Schiphol, une panne le contraint à faire escale à Saladinovo, en Bulgarie. Une souscription lancée pour l'acquisition d'un nouveau moteur lui permet de redécoller dès le 3 novembre. Construit pour remplacer les F.II et F.III devenus insuffisants pour le transport, le F.VII, doté d'un moteur Rolls-Royce Eagle IX, est capable d'emporter huit passagers en plus des deux pilotes. Il est à parier que les compagnies aériennes s'intéresseront à ce modèle, qui a été dessiné par Rethel.

Un avion de la KLM embarque un taureau

Königsberg, 21 août
La compagnie néerlandaise KLM se prend pour l'arche de Noé des airs! Les Fokker F.VII semblent, en tout cas, prédestinés pour les transports d'animaux : ces monoplans à ailes hautes et à large autonomie ont accueilli le 9 juillet dernier le taureau Nico V. La bête a eu l'air d'apprécier le trajet Rotterdam-Paris. Tout comme l'ours du zoo de Berlin qui a été transporté sans encombre de Moscou à Königsberg. La KLM devient ainsi la première compagnie à embarquer des animaux...

Au Maroc, le trafic des lignes Latécoère se développe. Plus de 4 millions de lettres et près de 2 000 passagers ont été transportés cette année. Ici, l'avion postal Salmson 2A.2 de 1920 lors de son escale de Rabat.

Sabca construit des avions pour Sabena

Un nouvel avion de transport civil : le bimoteur Handley Page W/8b.

Belgique, 14 juin
Handley Page, dès 1920, a su évoluer vers l'aviation commerciale en créant le bimoteur W/8b, bientôt suivi d'un trimoteur. De son côté, la Sabena, fondée en 1923, commanda sept appareils pour assurer ses vols européens. Quatre exemplaires furent construits par Handley Page et la Sabca se chargea des trois autres. Aussi, le transport des marchandises a démarré dès le 1er avril, avec des bimoteurs, sur la ligne Rotterdam-Bruxelles-Strasbourg. Cette liaison est prolongée jusqu'à Bâle depuis le 1er juin. Enfin, les trimoteurs ont transporté les premiers passagers en service régulier de Rotterdam à Strasbourg *via* Bruxelles. (→ 6.6.25)

Ils font le tour de l'Australie en 22 jours

Melbourne, 29 août
Le DH.50 qui tentait d'effectuer le premier vol autour du continent australien a atterri aujourd'hui à Melbourne, point de départ de ce périple d'où il avait décollé il y a exactement vingt-deux jours. Le colonel Brimsmead, contrôleur de l'aviation civile, le capitaine Jones et M. Buchanan, inspecteur de l'aviation civile, les trois hommes engagés dans cette aventure, auront parcouru un peu plus de 13 244 km en 88 heures de vol. Ce voyage devait leur permettre de faire un bilan des routes aériennes en opération et d'examiner celles en préparation. Le résultat de cette mission semble très positif puisque à son arrivée le colonel Brimsmead a déclaré l'Australie prête à accueillir une aviation commerciale. En effet, face à de si grands espaces, les services qu'elle rendra seront inestimables.

Walter Beech et Clyde Cessna s'associent

Wichita, 24 décembre
Trois des plus grands concepteurs d'avions de Wichita se sont associés aujourd'hui pour fonder la Travel Air Manufacturing Company. Ils mettent ainsi fin à des mois de pourparlers entre Beech, Cessna et Stearman, entamés après que Beech et Stearman eurent claqué la porte de la Swallow Airplane Manufacturing Company. Leur désaccord avec leur ancien partenaire vient de ce qu'ils prônaient vivement tous deux l'utilisation de châssis en acier mis au point à Detroit il y a quelques années, mais l'idée avait été rejetée. Ils abandonnèrent leurs fonctions de vendeur et pilote d'essai pour Beech, de mécanicien en chef pour Stearman, et rendirent visite à Cessna, constructeur déjà connu à Wichita. Ils convainquirent ce dernier d'investir le plus gros du capital nécessaire. Travel Air, la nouvelle compagnie, construira et commercialisera des biplans destinés au transport de deux passagers et du courrier. (→ 21.8.26)

Dornier, installé en Italie, vend des hydravions à toute l'Europe

Jean Mermoz entre chez Latécoère

Les vols d'essai de l'hydravion Dornier Do J Wal, couronnés de succès, sont prometteurs pour l'avenir.

Marina di Pisa, 31 décembre
Pour Claudius Dornier, l'avenir est à l'hydravion. L'ancien ingénieur de la société Zeppelin, qui a fondé sa propre société, est persuadé que l'on traversera l'Atlantique avec ces avions extraordinaires qui décollent et se posent sur l'eau. Du fait des dispositions du traité de Versailles interdisant la construction d'hydravions en Allemagne, c'est en Suisse, puis en Italie, que Dornier a mis au point son nouvel hydra-

vion, le Dornier Do J Wal, à Marina di Pisa, dans les ateliers de la société des Costruzioni Meccaniche Aeronautiche (CMASA). Le Wal (baleine) est un hydravion à coque centrale dont la stabilité est assurée par des ailerons. La propulsion de ce monoplan à structure métallique en Duralumin est assurée par deux moteurs montés en tandem au-dessus de la partie centrale de l'aile. Plusieurs versions de cet appareil existent. Les premiers modèles ont

reçu des moteurs de 360 ch Rolls-Royce Eagle IX et des Hispano-Suiza de 300 ch. Le Dornier Wal, outre les deux hommes d'équipage, peut emmener de huit à dix passagers. Les premières commandes sont venues d'Espagne, de Colombie, du Brésil et d'Allemagne. Quelques autres pays, tel le Japon, envisagent déjà de construire sous licence cet appareil, réputé pour ses grandes qualités aéronautiques et marines.

Toulouse, 1er octobre
Pour entrer chez Latécoère, être un virtuose du manche à balai ne suffit pas. Jean Mermoz, une nouvelle recrue, vient d'en faire l'expérience. Au début du mois, il se présente plein d'espoir devant Didier Daurat, l'austère patron de la ligne. Voilà plus d'un an que ce pilote militaire a quitté l'armée. Depuis, il mène à Paris une existence de paria, et cherche en vain un emploi de pilote dans une compagnie civile. Mais Daurat fait peu de cas du carnet de vol que Mermoz lui présente fièrement. « Pour être pilote, il faut être ouvrier d'abord. Je vous engage comme mécano. » Durant des semaines, Mermoz lave des cylindres à la potasse, puis démonte et remonte les moteurs. Arrive enfin le jour de son vol d'essai. Mermoz compte bien prendre sa revanche et se lance dans une éblouissante démonstration de voltige aérienne. A l'atterrissage, Daurat lui signifie son renvoi : « Ici, on n'engage pas d'acrobates ! » Mermoz, ulcéré, va partir quand Daurat le rappelle : « Je vous prends à l'essai, mais on vous dressera. » (→ 27.5.26)

Route obligatoire sur Paris-Londres

Noguès atteint Moscou en hiver

Paris, 15 décembre
C'est après une collision aérienne, à Beauvais, en 1922, qu'est apparue la nécessité d'instituer une route à sens unique pour la liaison Paris-Londres. Aussi, les avions décollant du Bourget doivent-ils suivre la route nationale vers Ecouen et Abbeville et ne pas s'en approcher à moins de cent mètres.

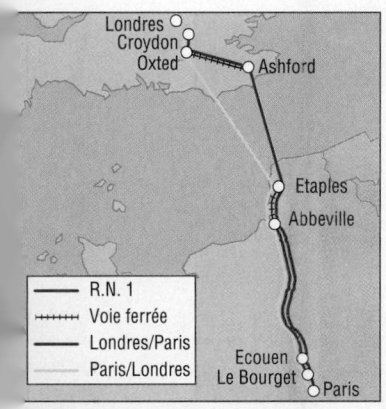

Le Bourget, 15 décembre
Pour la première fois, Maurice Noguès brave l'interdiction d'effectuer un vol commercial entre le 1er novembre et le 15 février. La compagnie Franco-Roumaine suspend systématiquement les vols à cette période en raison des conditions climatiques. Maurice Noguès a tout de même effectué un vol de reconnaissance en compagnie de Laulhé, son fidèle compagnon. Le 7 novembre, ils ont décollé du Bourget, pour se rendre à Moscou *via* Prague, Varsovie, Wilno, Minsk et Smolensk. Ils ont atteint ces villes dans les pires conditions météorologiques, et le froid a eu raison de leur avion trimoteur. Pendant vingt jours, ils sont restés bloqués dans la capitale soviétique, leur matériel n'étant pas adapté à un froid aussi saisissant. C'est péniblement que les deux hommes ont pu regagner l'aéroport du Bourget.

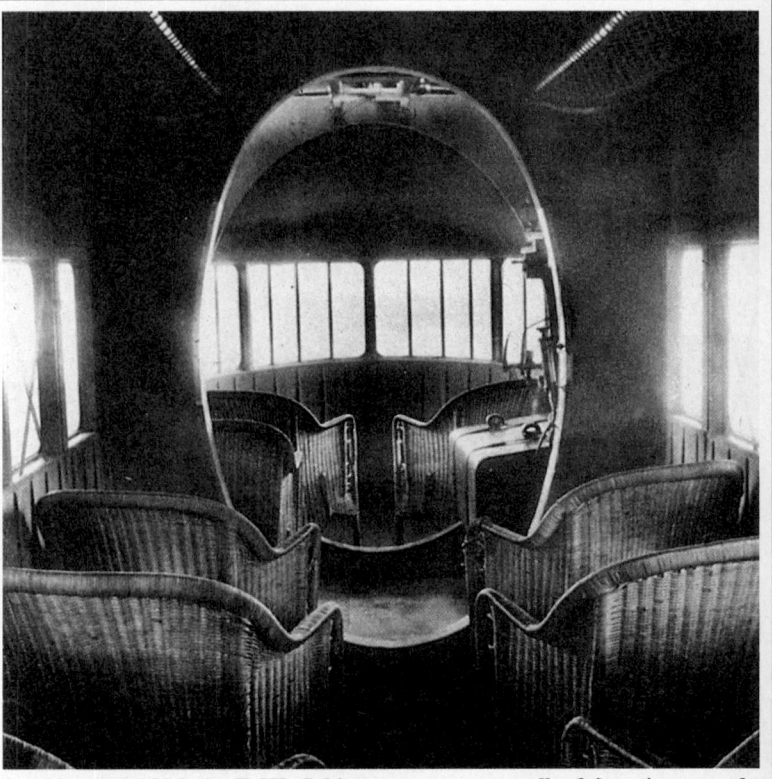

Le 20 août 1924, le F-3X Jabiru sort une nouvelle fois vainqueur du Grand Prix des avions de transport. Ici, l'intérieur de la cabine.

Conçu pour les compétitions d'avions légers de Lympne, le Bristol Brownie se montre performant malgré sa puissance limitée et ses problèmes de moteurs.

Le Short S.1 Stellite, équipé de deux moteurs de 32 ch, est l'un des plus petits hydravions monoplaces métalliques.

Le Wibault Wib.7, monoplace de chasse équipé d'un Gnome-Rhône de 480 ch, est construit à une centaine d'exemplaires et exporté.

Hawker s'est lancé dans la compétition de Lympne avec son Cygnet, dont l'esthétisme est dû au travail de Sidney Camm.

Le Junkers G 23, avion de ligne entièrement construit en métal, est un trimoteur dont le constructeur s'est inspiré pour son Ju 52.

L'URSS se lance aussi dans la construction d'avions métalliques avec le Tupolev ANT-2, dont le matériau de la coque est inspiré de celui de Junkers.

Le Focke-Wulf A.16 est le premier appareil conçu par Heinrich Focke et Georg Wulf à être construit en série (20 ex.). Il vole le 23 juin.

Bill Stout est le précurseur des avions métalliques commerciaux. Ses avions de ligne 2.A.T sont sponsorisés par Henry Ford.

Ce sesquiplan de Fokker, le C.V, est construit à Amsterdam. Son succès vient du fait qu'il est agréable à piloter, robuste et qu'il nécessite peu d'entretien.

Plus de 4 000 Potez 25 ont été construits pour des besoins militaires et civils, prouvant le succès de ce modèle largement exporté.

Avec son Bristol Jupiter de 420 ch, le Koolhoven FK.31 est utilisé par les armées néerlandaises, finlandaises et des Indes néerlandaises.

Dernier Curtiss à porter le nom de Falcon, le O-1 de reconnaissance reste en service une dizaine d'années en différentes versions.

Le Blériot-Spad 21 (premier vol le 16 juin), rejeté par l'aéronautique militaire française, est vendu à la Pologne, l'Union soviétique et la Turquie.

Le Fokker D.XIII (premier vol le 12 septembre), équipé d'un Napier Lion, est utilisé pour l'entraînement clandestin des pilotes allemands en URSS.

Produit en nombre limité pour la RAF, le bombardier de jour Fairey Fawn est un des rares modèles mis en service dans les années d'après guerre.

Conçu à l'origine comme bombardier, le Macchi M.24 donne naissance à une version civile pour le transport de huit passagers.

L'avion le plus ambitieux construit par les Tchécoslovaques : l'Aero A-24, un bombardier de nuit équipé d'un moteur Maybach de 245 chevaux.

1925

448,171 km/h
France
Florentin Bonnet
Bernard-Ferbois V2
11.12.24

5 299,90 km
Etats-Unis
Smith et Richter
De Havilland DH.4B
28.8.23

12 066 m
France
Jean Callizo
Gourdon-Lesseurre 40 C.1
10.10.24

26 000 kg
Italie
SAI Caproni
Caproni Ca 60

1 000 ch
Grande-Bretagne
Napier
Cub

France, 1er janvier
La compagnie Aéro-Navale crée un service régulier Antibes-Tunis, sur hydravion LeO-H 13. (→ 31.1.26)

Madrid, 16 janvier
Le capitaine Loriga tombe en panne à 60 m d'altitude, lors d'une démonstration de l'autogire La Cierva C.6 pour une délégation anglaise. Il réussit à atterrir. (→ 24.3.26)

Washington, 2 février
Le président Coolidge signe le projet de loi Kelly, qui autorise l'attribution des contrats aéropostaux à des compagnies privées. (→ 7.11)

Dakar, 20 février
Trois équipages, sous les ordres du lieutenant-colonel Tulasne, reviennent d'un vol de groupe aller et retour sur Colomb-Béchar. Ils ont couvert 12 000 km. (→ 4.4)

Grande-Bretagne, 22 février
De Havilland décolle le prototype de son biplan de tourisme et d'entraînement DH.60 Moth. (→ 8.1.27)

Etats-Unis, 11 mars
L'exercice naval, auquel le porte-avions *USS Langley* a participé avec succès dans une action combinée, s'achève. La marine demande que soit accélérée la construction des porte-avions *Lexington* et *Saratoga*, en chantier. (→ 1.7.26)

Paris, 16 mars
A la suite de l'interdiction par l'Allemagne de survoler son territoire, la Cidna détourne par Zurich et Vienne le tronçon Strasbourg-Prague de sa ligne Paris-Istanbul. (→ 14.4.26)

Londres, 17 mars
Alan Cobham revient avec Sefton Brancker, directeur de l'aviation civile, d'un vol de reconnaissance de ligne sur Rangoon, commencé le 20 novembre dernier. (→ 13.3.26)

New York, 30 mars
Le chef du bureau d'études de la firme Pioneer Instrument, Morris Titterington, expose son compas à induction terrestre.

Londres, 3 avril
La Cina ouvre sa 3e session, pour examiner notamment l'exclusion des femmes des emplois d'équipage dans le transport public. (→ 31.5.26)

Kharkov, 15 avril
La compagnie Ukvozduchput démarre l'exploitation d'une ligne vers Kiev, avec 6 Dornier Komet.

Toulouse, 3 mai
Clément Ader meurt, persuadé que celui qui disposera de la puissance aérienne sera maître du monde.

Malmö, 15 mai
La compagnie AB Aerotransport introduit le trimoteur métallique Junkers G-23 sur sa ligne desservant Hambourg et Amsterdam.

Allemagne, 16 mai
Le M-17, premier avion de la firme Messerschmitt-Flugzeugbau AG, décolle avec Willy Messerschmitt à bord. Il heurte une ligne à haute tension à l'atterrissage; l'avionneur et le pilote sont blessés. (→ 26.7.26)

Washington, 29 mai
Le ministère de la Guerre adopte un uniforme spécial pour les aviateurs. Ils conservent cependant les bottes à lacets héritées de la guerre.

San Francisco, 1er juin
Pour obtenir une place dans l'avion postal de New York, un quidam se colle pour 718 dollars de timbres de la poste aérienne. La Poste refuse le colis. (→ 7.11)

Congo belge, 6 juin
La Sabena ouvre le premier tronçon de la ligne du Katanga. Il relie Léopoldville à Luebo. (→ 10.2.26)

Seattle, 7 juillet
Le Boeing Model 40 réalise son vol initial. Prévu pour le transport postal, il a été adapté pour emporter en plus deux passagers, afin de réduire les coûts d'exploitation. (→ 22.10.28)

Chine, 13 juillet
Arrivée de quatre avions soviétiques, partis de Moscou le 10 juin. Ils ont survolé le désert de Gobi.

Bolivie, 5 août
Le Lloyd Aereo Boliviano, à capitaux allemands, débute un service Cochabamba-Santa Cruz. Trois heures de vol remplacent les quatre jours nécessaires par voie terrestre.

Sahara espagnol, 13 août
L'équipage du remorqueur *Falcon II*, échoué au cap Barbas, est sauvé par 2 Breguet des lignes Latécoère, au moment où les Maures allaient le capturer. (→ 25.12)

Los Angeles, 14 août
Jack Richman, âgé de 17 ans, fait de l'avion-stop. Il voyage jusqu'à Las Vegas sur l'aile d'un appareil de la garde nationale de Californie.

France, 1er septembre
La station radio de Viry-Châtillon, près d'Orly, est ouverte. Elle suit les aéronefs sur la bande des 900 m, adoptée le 15 août par la Grande-Bretagne, la France, la Belgique et les Pays-Bas pour créer un réseau radiogoniométrique.

Bâle, 2 septembre
La compagnie aérienne Balair est fondée. (→ 26.3.31)

Schiphol, 4 septembre
Avec les instructions téléphoniques d'Anthony Fokker, en séjour aux Etats-Unis, ses ingénieurs ont mis 7 semaines pour construire le trimoteur F.VII/3m. Aujourd'hui, il réalise son vol initial. (→ 23.6.26)

Grande-Bretagne, 13 septembre
Henry Biard dépasse 360 km/h sur l'hydravion Supermarine S.4 conçu pour la coupe Schneider. (→ 26.9.27)

La Havane, 19 septembre
Deux Dornier Wal, partis de Colombie le 10 août, achèvent à Cuba un vol d'exploration en Amérique centrale. La compagnie Scadta les a loués au Condor Syndikat.

Cap Corse, 24 septembre
Le lieutenant Thoret, à bord d'un Hanriot HD-17 à flotteurs de plus d'une tonne, tient l'air hélice calée durant 3 h 33 min sur 40 km. Sans moteur, il gagne 500 m en altitude.

New York, 3 octobre
Orville Wright accepte la présidence du collège d'aéronautique Daniel-Guggenheim. Celui-ci, industriel et mécène, a offert 500 000 dollars à l'université de New York le 14 juin pour le créer. (→ 20.4.27)

Bordeaux, 5 octobre
Maryse Bastié, pilote brevetée depuis le 29 septembre, passe sous les câbles du pont transbordeur, à bord d'un Caudron G.III. (→ 13.7.28)

New York, 12 octobre
Les premières places du trophée Pulitzer sont enlevées par 2 Curtiss R3C-1. Cyrus Bettis, vainqueur, couvre le circuit à 400,680 km/h.

Istres, 18 octobre
Sadi-Lecointe remporte la seconde coupe Beaumont, à 312,464 km/h.

France, 17 novembre
Bossoutrot emporte une charge de 6 t à 3 580 m d'altitude à bord du Super-Goliath F-140 Bn6, dernier avion géant des frères Farman.

Moscou, 24 novembre
Le prototype du bimoteur Tupolev ANT-4 commence ses essais en vol. L'ingénieur Petlyakov a conçu ce bombardier monoplan. (→ 1.11.29)

Rio de Janeiro, 3 décembre
Pierre-Georges Latécoère rencontre Marcel Bouilloux-Lafont, industriel et financier établi en Amérique du Sud. (→ 15.4.27)

Washington, 17 décembre
Le général William Mitchell est condamné par la cour martiale à cinq ans de suspension d'activité.

Le Bourget, 31 décembre
Au cours de l'année, l'aérodrome a enregistré 4 922 départs et arrivées d'avions, un mouvement de 17 829 passagers et 1 105 164 kg de transport de messagerie et de poste.

Un appareil monstre : le Farman F-4X Jabiru, version trimoteur du fameux F-3X, utilisé par la compagnie Cidna.

La mission Roig en Amérique du Sud

Brésil, 7 mars

Nouveau pari gagné pour Latécoère. La mission d'exploration du fidèle capitaine Roig en Amérique du Sud est une réussite. En mai dernier, Latécoère lance une première expédition. Roig, qui a déjà mis en place le tronçon Casablanca-Dakar, part reconnaître le terrain : sur la côte brésilienne, il repère une dizaine d'escales entre Buenos Aires et Natal, et établit d'intéressants contacts avec les représentants français et les gouvernements des pays concernés : le Brésil, l'Uruguay et l'Argentine. Au vu des conclusions optimistes de Roig, une seconde mission repart dès décembre pour Rio. Le prince Murat, administrateur de la CGEA (Compagnie Générale d'Entreprise Aéronautique), est chargé des négociations diplomatiques et commerciales, et Roig, avec ses pilotes, des vols de démonstration et de l'implantation des bases. Dès le 14 janvier, un raid établit le tronçon sud de la ligne, de Rio à Buenos Aires en 36 heures de vol. Partis hier de Rio, Hamm et Vachet ont rejoint Recife sur deux Breguet. Le trajet Buenos Aires-Recife, soit 4 600 km, est balisé.

A Montevideo, Roig offre des fleurs du Brésil à l'épouse de l'ambassadeur.

Les champs de coton traités par avion

Monroe, 1er janvier

Avec des avions dérivés du Curtiss JN Jenny, la Huff Daland Dusters Inc. a mis au point un système pour traiter les champs de coton en un temps record et sans les abîmer : la pulvérisation aérienne. De chaque côté du pilote on a installé des réservoirs d'insecticide, et sous les ailes une série de pulvérisateurs. Le pilote, mis avec son avion à la disposition du cultivateur, va survoler les champs en rase-mottes et effectuer une série de passes parallèles. L'efficacité est totale. Après un an de service sur le delta du Mississippi, la compagnie veut élargir ses activités. Elle se propose de créer une ligne commerciale entre Birmingham et Dallas.

Le Huff Daland, prêt pour sa mission de traitement des champs de coton.

Ryan crée une ligne aérienne régulière

Los Angeles, 1er mars

Un inconnu, Tubal Claude Ryan, vient de créer l'événement. La société qu'il a fondée, la Ryan Airlines, inaugure la ligne Los Angeles-San Diego. C'est le premier service régulier de transport de passagers des Etats-Unis, exploité toute l'année, avec 2 vols par jour. Le prix du billet est de 22,50 dollars aller-retour, avec une réduction de 5 dollars en cas d'atterrissage forcé. Pionnier de l'aviation commerciale, Ryan est parti de rien. En 1922, avec 400 dollars pour toute fortune, il achète un Curtiss JN Jenny, et organise des baptêmes de l'air. Puis il construit lui-même ses avions et emmène les touristes admirer la ville depuis le ciel. Il acquiert bientôt deux Standard J-1 de l'armée. Ce matin, ils ont transporté leurs premiers passagers de Los Angeles à San Diego, en 1 h 30.

Les USA achètent des avions Douglas

Washington, 16 mars

Le gouvernement des Etats-Unis a tenu compte des résultats des raids effectués sur des appareils dont il avait suggéré la construction d'un prototype et pour lesquels les constructeurs avaient fait face au financement. Il a, par le biais du ministère de la Guerre, commandé quatre-vingt-cinq nouveaux appareils. Deux contrats ont été signés : avec Curtiss pour 250 000 dollars, et avec la compagnie Douglas qui obtient, quant à elle, un contrat de 833 000 dollars.

Charles Lindbergh dit Lucky Lindy

Kelly Field, 6 mars

« Si un jour tu as besoin de ton parachute et que tu n'en as pas, tu n'en auras plus jamais besoin. » Ce dicton, Charles Lindbergh ne l'a pas oublié. C'est à Kelly Field, où il suit des cours de perfectionnement, que le pilote a cru voir son dernier jour arriver. Au cours d'une manœuvre, il a attaqué, avec ses camarades, une escadrille de bombardement. Il pique sur un de Havilland et, en remontant, se trouve accroché par l'appareil d'un lieutenant qui faisait la même opération en sens inverse. Les deux avions se mettent à tourner et les pilotes n'ont plus qu'à sauter : c'est la première fois de sa vie que Lindbergh utilise un parachute. (→ 10.4.26)

Lindbergh, Lucky Lindy (à gauche).

Tragique reconnaissance de ligne en AEF

A gauche, Vandelle, puis Vuillemin, le commandant Dagnaux et Knecht.

Gao, 8 février

Le *Jean Casale* s'est écrasé au décollage. Le radio Vendelle est tué sur le coup, ses compagnons sont tous grièvement blessés. Partis de Villacoublay le 18 janvier, deux quadrimoteurs Blériot 115 se sont envolés pour un voyage d'étude en Afrique. A bord du *Roland Garros*, cinq hommes dont Pelletier-Doisy et de Goys, alors que le *Jean Casale* est aux mains du colonel Vuillemin et de Dagnaux. Knecht est le mécanicien. Le 7 février, les deux appareils arrivent au Niger et, le lendemain, c'est l'accident. On pense à une déformation de l'avion par la chaleur et à une mauvaise répartition des charges qui ont provoqué un déséquilibre au décollage.

Un Breguet 19 relie Etampes à Dakar

Dakar, 5 février

Il est 18 heures. Le lieutenant Arrachart et le lieutenant de réserve Lemaître ont atterri à Dakar. Ils ont parcouru 4 800 km, pour n'atteindre que partiellement leur but : un Paris-Dakar sans escale. Leur Breguet 19 de série, équipé d'un moteur Renault de 480 ch et muni d'un système de vidange rapide, disposait de cinq réservoirs, dont un de 1 146 litres dans le fuselage. Partis avec 1 980 litres de carburant, ils ont dû se poser hier à Villa Cisneros, dans la colonie espagnole du Rio de Oro, ratant ainsi le record de distance en ligne droite, qui reste américain depuis 1923 avec MacReady et Kelly. Les deux aviateurs sont repartis pour Paris.

Arrachart et Lemaître à Etampes, peu avant leur envol pour Dakar.

La Cidna remplace la Franco-Roumaine

Le Farman F-4X Jabiru de la Cidna, prêt au départ de Paris pour Zurich.

Paris, 1er janvier

La Franco-Roumaine change de nom. Elle s'appellera désormais la Compagnie Internationale de Navigation Aérienne (Cidna). En effet, certains ont trouvé l'appellation trop limitée et ont décidé de l'internationaliser. Aucun changement, en revanche, pour ce qui est de la flotte et des équipages : le chef pilote Noguès reste en place et la compagnie conserve son immense réseau de 3 717 km, le « plus grand réseau du monde » comme le dit la réclame. Les projets ne manquent pas : déjà l'an passé, Noguès poursuivait ses essais de pénétration de la ligne d'Orient et, très bientôt, le pilote effectuera un voyage d'étude sur Téhéran. (→23.12)

Un avion-taxi pour les chercheurs d'or

Alaska, 23 mai

La prudence ne suffit pas lorsqu'on survole des étendues glacées. Noël Wien, l'un des plus habiles pilotes de la région, venait de ravitailler une colonie de chercheurs d'or, à Wiseman, quand une panne d'essence l'a obligé à se poser en plein désert. Après une marche de trois jours, il a pu par miracle rejoindre Nenana. Il a maigri de 9 kg, mais il est sain et sauf. « Ce fut une expérience quelque peu désagréable », grommelle-t-il quand on l'interroge sur son aventure. En Alaska, où les communications sont si difficiles, l'avion-taxi est devenu un moyen de liaison vital, mais dangereux pour les pilotes, sans radio ni cartes.

Sur le terrain de Bolling, à Washington, Sikorsky donne un récital impromptu sur un petit piano transporté depuis Long Island par le biplan qu'il a construit avec l'aide d'autres réfugiés russes.

Amundsen repart à l'assaut du pôle Nord

Un hydravion de l'expédition polaire d'Amundsen, pris au milieu des glaces.

Norvège, 15 juin

L'homme qui a conquis le pôle Sud en 1911 a décidé de vaincre le pôle Nord. Assisté de Lincoln Ellsworth, mécène de l'opération, le Norvégien Roald Amundsen a mis au point les détails de l'expédition. Deux avions sont nécessaires puisque l'un d'eux doit être abandonné sur place pour céder son carburant au second qui se charge de ramener les deux équipages. Désignés N-24 et N-25, les hydravions quittent le Spitzberg le 21 mai, avec à leur bord Amundsen, Ellsworth et leurs équipes. Huit heures plus tard, Amundsen, désireux de calculer sa position, décide d'atterrir : ils sont à 240 km du Pôle. Le N-24, très abîmé ne peut repartir. Après plusieurs jours d'essais infructueux et au terme de conditions de vie très précaires, l'hydravion parvient enfin à redécoller. Il arrive à Kings Bay, remorqué par un navire. Tout est à refaire. (→9.5.26)

Accueil triomphal de la Sabena au Congo

A bord du « Princesse Marie-José », Léopold Roger relie la Belgique au Congo.

Léopoldville, 3 avril

La preuve vient d'être apportée qu'une liaison aérienne régulière entre la Belgique et le centre de l'Afrique est réalisable. En effet, un trimoteur Handley Page, baptisé *Princesse Marie-José*, a relié la capitale belge à Léopoldville. Parti le 12 février de Bruxelles-Haren, il a rejoint le Congo après avoir parcouru environ 8 000 km en 75 heures et 25 minutes. Les hommes d'équipage, Léopold Roger, Edmond Thieffry et Jef de Bruycker, ont reçu à leur arrivée un accueil triomphal, à la mesure de l'importance de ce vol pour l'Afrique. Et pourtant, que de retard sur l'horaire prévu ! En effet, des pannes dans le désert, puis l'attente, à Bangui, de la livraison d'une hélice de rechange, expliquent ce contretemps. Dès sa création, la Sabena avait annoncé son intention de tracer une ligne aérienne vers le Congo. C'est désormais chose faite.

De la Seine à la Tamise d'un coup d'aile

Londres, 30 juin

Les aérodromes sont-ils absolument indispensables ? Pour Robert Bajac, chef pilote d'Air Union, la réponse est non. Et il le prouve. A bord de l'hydravion Schreck FBA 19 F-AHCY, il a effectué la liaison Paris-Londres, déjaugeant de la Seine pour amerrir sur la Tamise. Une liaison ville à ville qui a bien des avantages. Malheureusement, le Schreck, à cause de sa lourde coque amphibie, ne peut emporter qu'une charge marchande dérisoire et ne peut guère transporter qu'un ou deux passagers. L'avenir de ce type de transport est donc fort compromis.

Amerrissage de l'amphibie Schreck sur la Tamise, à Hammersmith.

Tokyo-Paris en passant par la Sibérie

Paris, 28 septembre

Abé et Kawachi, les deux pilotes japonais partis de Tokyo le 25 juillet, ont atterri au Bourget. Comme Pelletier-Doisy, dont ils rendent la visite de l'année dernière, ils ont effectué ce voyage sur deux Breguet 19 à moteur Lorraine. La ligne droite étant le plus court chemin, ils ne s'en sont presque pas écartés pour cette traversée de 14 130 km accomplie en 65 jours, qui les a faits passer par la Sibérie, la Russie et l'Allemagne. Une escale de trois semaines à Moscou a été nécessaire pour la révision des appareils, ce qui les a beaucoup retardés dans leur périple. C'est un grand quotidien d'information de Tokyo et d'Osaka, l'*Asahi*, qui a financé ce raid qui constitue la première manifestation mondiale de cette importance organisée par le Japon. L'un des deux pilotes, le capitaine Abé, a combattu aux côtés de la France pendant la guerre.

Abé et Kawachi au Bourget.

Le maréchal Pétain utilise l'aviation dans la guerre du Rif

Ford s'oriente vers le transport aérien

Des Goliath bombardent le Rif.

Les avions français ravitaillent en glace un fort assiégé par les rebelles.

Dearborn, 30 juin
Henry Ford, le prestigieux constructeur automobile, ajoute une nouvelle corde à son arc en se lançant dans l'aviation commerciale. Le premier vol régulier de sa toute nouvelle compagnie, la Ford Air Transport Service, a été effectué le 13 avril par l'un des cinq 2-AT (pour Air Transport Model 2) qui constituent sa flotte. Ces appareils sont en fait les Air Pullman agrandis du constructeur William B. Stout. Ces gros monoplans sont construits autour d'un moteur Liberty. Ils sortent de l'usine moderne de Dearborn dans laquelle Stout abrite, grâce au financement de Ford, la Stout Metal Airplane Company. On comprend pourquoi ces appareils portent le nom de Ford sur leur fuselage ! Il s'agit de la première compagnie à exploiter des lignes intérieures à horaire fixe, née de la conviction de Ford que le transport aérien va devenir un outil de travail indispensable. Et cela, alors qu'il avoue lui-même ne pas aimer l'avion.

Maroc, 18 juillet
Trois appareils des lignes Latécoère se sont posés à Rabat aujourd'hui. A bord, le maréchal Pétain, le général Georges et le colonel Paquin venus enquêter sur les mesures militaires à prendre dans le Rif. Ils ont été accueillis par le résident général au Maroc, le maréchal Lyautey. Depuis 1921, le Rif est en rébellion ouverte contre les autorités espagnoles. Mohammed ben Abd el-Krim al-Khatabi, l'émir du Rif, a chassé l'armée espagnole de la région. Enfin, au mois d'avril dernier, Abd el-Krim a lancé ses forces sur le Maroc français. Disposant de 60 000 combattants, de 200 canons servis par des déserteurs allemands de la Légion, les rebelles ne se trouvent plus qu'à 60 km de Fez. L'aviation se dépense sans compter pour ravitailler les postes français encerclés, bombarder les souks et les villages, couvrir les colonnes mobiles françaises, mais l'autorité coloniale reste menacée. Aussi le gouvernement souhaite-t-il voir Pétain prendre le commandement des opérations.

Tournée de présentation pour le Potez 25

Paris, 12 août
Campagne de publicité réussie pour le Potez 25. Le 10 août, piloté par Arrachart et Carol et équipé d'un moteur Lorraine 450 ch, il s'envole de Villacoublay pour un circuit des capitales européennes : Belgrade, Istanbul, Bucarest, Moscou, Varsovie, Copenhague. A chaque escale, l'appareil est examiné, essayé, apprécié, et aussitôt commandé. Ainsi commence l'étonnante carrière de ce biplace apparemment si ordinaire.

Deux records pour Drouhin et Landry

Etampes, 9 août
Maurice Drouhin et Jules Landry sont les héros du jour. A bord du Goliath monomoteur F62, ils ont établi un double record du monde : celui de distance en circuit fermé avec 4 400 km, et celui de durée avec 40 h 12 min 12 s de vol ininterrompu. A 3 h ce matin, ils se posent alors qu'il ne leur reste que 10 litres de carburant. Quant au constructeur Henri Farman, il améliore ainsi son record de durée de plus de deux heures.

Arrivée d'Arrachart et Carol au Bourget après leur tournée en Europe.

Sur les ailes d'un avion en plein vol, une partie de tennis acrobatique entre Ivan Unger, membre des Flying Black Hats, et Gladys Roy.

Mitchell est traduit en cour martiale

Le dirigeable « Shenandoah », brisé après son accident dans l'Ohio.

L'accusé : le colonel W. Mitchell.

Nungesser tourne « The Sky Raiders »

New York, 31 octobre

L'as aux vingt-trois victoires fait son cinéma. Le fameux pilote français Charles Nungesser a repris du service : s'il délaisse pour quelque temps ses prouesses aériennes, c'est pour mieux se concentrer sur les plateaux de cinéma. Dans un film américain, *The Sky Raiders*, Nungesser interprète un héros de l'aviation pourchassant un voleur de courrier dans tous les Etats-Unis. Ce n'est évidemment pas un rôle de composition ! Durant ce film, tourné à Roosevelt Field et dans un studio new-yorkais, il pilote avec maestria des avions Nieuport et Hanriot. Nungesser n'est pas le premier aviateur à faire l'acteur. En 1917 déjà, on a pu voir le lieutenant Bert Hall dans *A Romance in the Air. The Sky Raiders* remporte un certain succès, surtout quand Nungesser se rend aux projections. Le capitaine sait profiter de sa nouvelle vie de comédien et ne quitte qu'à l'aube les réceptions données en son honneur. Juste à temps pour partir en patrouille... en smoking, une ravissante starlette au bras ! Un climat autrement plus détendu que lorsqu'il participait aux terribles combats aériens durant la guerre.

Washington, 28 octobre

Nul n'est prophète en son pays. Le général William Mitchell en fait aujourd'hui la cruelle expérience. Partisan du bombardement stratégique et convaincu que le sort du combat terrestre se jouera à l'avenir dans les airs, William Mitchell avait émis publiquement, l'année dernière, des doutes sur la validité du système défensif américain de Pearl Harbor. Il avait déclaré à la presse : « Si jamais notre flotte du Pacifique était surprise au mouillage, incapable de se soustraire à une attaque aérienne, et si nos appareils étaient détruits au sol avant de pouvoir décoller, seul un miracle nous permettrait de conserver nos positions en Extrême-Orient. Il est probable qu'une telle attaque nous briserait les reins. La même observation s'applique aux Philippines. » Il y a quelques semaines, après le naufrage d'un hydravion qui tentait de relier sans escale San Francisco à Hawaii, puis la perte du dirigeable *Shenandoah* dans l'Ohio, il récidivait. Mais, cette fois-ci, Mitchell est allé trop loin : il a accusé les ministères de la Guerre et de la Marine « d'une gestion qui frise la haute trahison ». Du coup, l'ancien commandant en second de l'US Air Force a été inculpé pour insubordination et conduite indigne d'un officier. Aujourd'hui, il passe devant une cour martiale bien résolue à le sanctionner. (→ 17.12)

Sauvetage d'un équipage naufragé

Hawaii, 10 septembre

Ils sont sains et saufs ! Le commandant John Rodgers ainsi que les quatre hommes d'équipage de l'hydravion PN-9 n° 1, portés disparus depuis le 1er septembre, viennent d'être retrouvés dans la soirée à quinze milles à l'est de l'île de Kauai. C'est un sous-marin, le *R-4* du lieutenant de vaisseau Osborne, qui a repéré l'appareil et l'a pris en remorque. Les cinq hommes, qui dérivaient au gré des flots depuis dix jours, avaient perdu tout espoir d'être sauvés. Partis de San Francisco le 31 août afin de rallier Hawaii sans escale, ils avaient disparu à 300 milles de leur but, après avoir indiqué par radio que leur réserve de carburant était épuisée.

A San Fransisco, départ pour Hawaii de John Rodgers, à bord du PN-9.

Raid de 51 700 kilomètres en hydravion

Rome, 7 novembre

Le périple du commandant De Pinedo et de son mécanicien Campanelli vient de s'achever. Seuls à bord de leur hydravion à coque Savoia 5-16 ter, ils ont relié Sesto Calende à Kasumiga Ura, puis ils sont repartis pour Rome. Ils ont découpé l'itinéraire de ce formidable voyage en trois parties, comptabilisant soixante-huit étapes. En trente jours, ils ont parcouru les 23 000 km séparant l'Italie de Melbourne, *via* le golfe Persique et les Indes. Ils ont atterri ensuite à Tokyo le 26 septembre, après être passés par la Nouvelle-Guinée, les Philippines et Formose, inaugurant un nouvel itinéraire. De Tokyo à Rome, ils ont mis 21 jours, pour une distance de 18 000 km, effectuant des étapes de 1 000 km en moyenne. Ce fait extraordinaire a été largement salué à leur retour, où un accueil triomphal leur a été réservé. (→ 6.4.27)

Le commandant De Pinedo.

Les Maures rançonnent Latécoère

Maroc, 26 décembre

D'un côté, la mer, de l'autre, le désert hostile où sévissent les Maures insoumis. Pour les pilotes de Latécoère, la ligne Casablanca-Dakar est un parcours périlleux. L'un d'eux, Marcel Reine, capturé il y a cinq jours par des guerriers rebelles dans l'enclave d'Ifni, au sud d'Agadir, vient d'être libéré, ainsi que son interprète El-Houmic, contre une rançon de 4 500 F. Depuis l'ouverture de la ligne au trafic en juin dernier, les incidents de ce type se multiplient. Dès juillet, Ville et Rozès, après un atterrissage forcé entre Agadir et Cap-Juby, avaient échappé de justesse à une attaque des Maures. Début août, Dubourdieu, tombé en panne, est lui aussi pris à parti par des rebelles au sud d'Aglou. L'émotion est vive parmi les pilotes, à qui on a interdit le port d'armes. Ils reprochent à la direction de ne pas donner suite aux négociations menées par Roig avec les tribus, et refusent de poursuivre le

Les appareils des lignes Latécoère, alignés sur l'aérodrome de Toulouse.

service. Daurat arrive de Toulouse pour calmer les esprits. Il conclut des accords avec les indigènes, qui recevront une prime pour chaque sauvetage d'équipage égaré sur leur territoire. La ligne fonctionne à nouveau normalement. Mais, dès fin août, Lassalle est assailli par des guerriers à Cap-Juby. L'inquiétude gagne les pilotes qui deviennent des otages en sursis, comme le montre la capture de Reine. (→ 11.11.26)

La folie de la poste aérienne aux USA

Etats-Unis, 7 novembre

La poste aérienne remporte tous les suffrages : hommes politiques, banquiers, hommes d'affaires ou simples particuliers, tous reconnaissent que le service postal aérien est d'une valeur inestimable. Les uns apprécient la ponctualité de la distribution, les autres gagnent un temps précieux pour effectuer leurs opérations. Chaque soir, les Américains affluent sur les aérodromes pour assister aux départs des appareils. Des dispositions ont été prises afin que le ministre des Postes passe des marchés avec des firmes privées. L'appel d'offres a été lancé en juillet, pour l'adjudication de huit lignes desservant Boston, Chicago et New York. Les premières attributions des Contract Air Mail viennent d'être annoncées : CAM 1, Boston - New York, ira à la Colonial Air Transport et CAM 3, Chicago-Dallas, à la compagnie National Air Transport. (→ 10.4.26)

Doolittle remporte la coupe Schneider

Baltimore, 25 octobre

Consternation à Londres comme à Rome. Le lieutenant américain Doolittle, vainqueur de la coupe Schneider, a disposé de ses adversaires avec une humiliante facilité. Les résultats sont là : 395,439 km/h pour Doolittle sur un avion Curtiss R3C-2, 325 km/h pour le premier Britannique classé, soit 50 km/h d'écart. Le premier Italien n'a pu atteindre que 217 km/h. Le moteur de 600 ch dont Curtiss a équipé les 3 hydravions alignés dans cette coupe a fait ses preuves. Il y a deux ans, à Cowes, la victoire était déjà allée à une équipe de Curtiss CR-3 à moteur de 465 ch. L'année dernière, la coupe avait été suspendue, aucun Européen ne s'étant engagé. L'industrie aéronautique du Vieux Monde se fait dépasser. (→ 12.1.27)

Le lieutenant James H. Doolittle sur un flotteur de son hydravion de course.

Noguès fait un voyage d'étude à Téhéran

Naples, 23 décembre

Maurice Noguès aura joué de malchance lors de son voyage d'étude. Son Spad S-56 se retrouve en train de couler au beau milieu de la baie de Naples, mais Noguès et son équipage, repêchés, sont sains et saufs. Chef pilote de la Cidna, Noguès s'était vu confier un vol de reconnaissance vers Téhéran. Le programme de la compagnie est en effet de développer au plus vite une liaison avec l'Iran. Parti du Bourget le 18 septembre, il s'est d'abord heurté à des difficultés liées aux conflits locaux dans les pays qu'il traversait. La révolution de Turquie et la révolte des druzes en Syrie l'ont retardé, puis les autorités d'Istanbul ont refusé de le laisser poursuivre son vol. Il a fallu trois semaines de tractations pour qu'il puisse reprendre sa route. Atteint de la malaria à Alep, il atterrit à Téhéran le 10 octobre avec 40° de fièvre. A peine rétabli, il repart vers Paris avec son mécanicien Morin. Mais au-dessus de l'Italie, c'est une fuite d'essence qui est à l'origine de cet ultime accident. Noguès doit son salut à un navire danois qui lui a porté secours.

Noguès, chef pilote de la Cidna.

Le Dornier Mercur, monoplan à aile haute embarquant 8 à 10 passagers, possède un BMW VI. Il est exploité avec succès par Luft Hansa.

Du Boeing Model 40 sont dérivés un certain nombre d'avions commerciaux de grande qualité. L'appareil peut transporter 500 kg de courrier.

Le Fokker Universal, ici dans sa forme d'origine.

Conçu spécialement pour l'aéropostale, le Douglas M-4.

Le Tupolev ANT-4 bombardier de construction métallique.

Le Fokker Universal, doté dans cette version d'une cabine fermée.

Le Fokker T-2, premier avion à traverser les USA sans escale.

Le premier vol du De Havilland DH.60 Moth constitue une véritable révolution dans le domaine de l'aviation légère.

Le Fokker F 10A est le dernier développement de la famille du F VII. Il est intensivement exploité sur les lignes intérieures américaines.

Le Fokker F VIIa monomoteur transporte huit passagers ou l'équivalent en frêt. Il est mis en service sur les grandes lignes européennes.

Le Westland-Hill Pterodactyl Ia, un appareil expérimental.

Biplace de bombardement tchèque, le Letov S-16.

L'Avro 504 donne naissance à de nombreux dérivés après guerre.

L'Armstrong Whitworth Atlas, avion de reconnaissance terrestre.

L'Armstrong Whitworth Siskin IIIA est l'un des meilleurs chasseurs de la RAF dans les années qui suivent la guerre.

Le Curtiss P-1 est le premier à porter le nom de Hawk. On voit ici un appareil équipé à titre expérimental d'un Allison V-1410.

Le bombardier Fairey Fox est plus rapide que les chasseurs.

Le Savoia S.55, hydravion à deux coques construit en série.

Le Tupolev ANT-6 (TB-3) se présente comme une version quadrimoteur de plus grandes dimensions du TB-1. Il est produit à 818 exemplaires.

Le Supermarine Southampton, hydravion de patrouille maritime.

Le Hawker Horsely, bombardier de jour et lance-torpilles.

Construit sous licence par Avions Fairey, le Firefly est dérivé du Mk.I britannique qui a volé pour la première fois en 1925.

Le Tupolev ANT-3 a réalisé un tour d'Europe en 1926.

Le Fiat BR.2 se caractérise par ses entretoises de type Warren.

Le Gloster Gamecock est l'un des avions de chasse les plus répandus dans la RAF entre les deux guerres.

1926

 448,171 km/h
France
Florentin-Bonnet
Bernard-Ferbois V2
11.12.24

 5 396 km
France
Costes et Rignot
Breguet 19
29.10.26

 12 442 m
France
Jean Callizo
Blériot-Spad 61
23.8.26

 26 000 kg
Italie
SAI Caproni
Caproni Ca 60

 1 000 ch
Grande-Bretagne
Napier
Cub

Berlin, 6 janvier
La Deutsche Luft Hansa est créée par la fusion de Junkers Luftverkehr et de Deutscher Aero Lloyd.

Paris, 27 janvier
Paul Codos, pilote d'Air Union, achève un vol commercial de nuit, au départ de Londres. (→ 9.4.29)

France, 31 janvier
La compagnie Aéro-Navale a été absorbée ce mois-ci par Air Union. Le service Antibes-Tunis devient bihebdomadaire.

Washington, 5 février
Albert Reed reçoit le trophée Collier pour ses recherches sur une hélice métallique à pas variable.

Congo belge, 10 février
Léopold Roger, qui a décollé hier de Léopoldville avec 1 200 kg de courrier sur le *Princesse Marie-José*, inaugure le nouveau tronçon de la ligne du Katanga, prolongée de Luebo à N'Gulé. (→ 21.3)

Argentine, 10 février
Le commandant espagnol Ramon Franco et son équipage amerissent à Buenos Aires avec leur hydravion Dornier Wal *Plus Ultra*. Partis de Melilla le 22 janvier, ils ont franchi l'Atlantique Sud *via* Las Palmas et Recife, puis ont fait escale à Rio.

Paris, 24 février
A la suite d'un pari, le lieutenant Collet réussit à passer entre les piliers de la tour Eiffel. Une aile de son Breguet 19 touche une antenne de radio : l'avion s'écrase et prend feu ; le pilote meurt carbonisé.

Londres, 13 mars
Alan Cobham atterrit à Croydon avec son DH.50J, après un périple de 25 750 km. Parti d'Angleterre le 16 novembre 1925, cette reconnaissance de ligne l'a conduit au Cap le 17 février. (→ 1.10)

Grande-Bretagne, 24 mars
Juan de La Cierva fonde la Cierva Autogiro Company Ltd. à Hamble, du fait de l'intérêt des Britanniques pour son appareil (→ 30.7).

Grande-Bretagne, 30 mars
Imperial Airways reçoit 4 Handley Page W/10 bimoteurs pour 14 passagers. Le trimoteur Armstrong Whitworth Argosy (18 passagers) a démarré ses vols d'essais il y a deux semaines. (→ 17.12)

Paris, 14 avril
Accord aérien franco-allemand mettant fin à la lutte entre les compagnies françaises et les autorités allemandes qui, depuis 1923, ont saisi quinze appareils de la Franco-Roumaine (aujourd'hui la Cidna) que diverses pannes avaient forcés d'atterrir.

France, 28 avril
Etant donné le manque de moyens de transport aux abords des stations radio, le personnel de la navigation aérienne reçoit une prime de 90 F pour l'achat d'un vélo (coût : de 200 à 300 F), afin d'assurer le service.

Berlin-Tempelhof, 1er mai
La Deutsche Luft Hansa, qui a débuté son exploitation le 6 avril, ouvre un service de nuit avec un Junkers G-24, vers Königsberg.

France, 12 mai
La compagnie SGTA (Farman) inaugure la ligne Paris-Cologne-Hambourg-Copenhague.

Berlin, 25 mai
Les compagnies Luft Hansa et SGTA signent un accord de pool pour exploiter en commun la ligne Paris-Cologne-Berlin. (→ 29.3.28)

Londres, 31 mai
La Cina autorise les femmes à piloter des avions sur les lignes commerciales. Elles doivent toutefois passer une visite médicale tous les trois mois, les hommes n'y étant astreints que tous les six mois.

Grande-Bretagne, 1er juillet
Avec un Blackburn Dart, le capitaine britannique Boyce apponte de nuit en pleine mer sur le porte-avions *HMS Furious*. Les Américains ont déjà effectué des appontages de nuit sur le *Langley*, au mois d'avril 1925.

Washington, 2 juillet
L'US Army Air Service prend le nom d'US Army Air Corps, demi-satisfaction pour les aviateurs, qui dépendent toujours de l'armée de terre. Mais les unités sont commandées par un officier aviateur.

Allemagne, 26 juillet
Créée le 25 mars par Messerschmitt, la compagnie Nordbayerischen Verkehrsflug démarre l'exploitation de lignes intérieures au départ d'Augsbourg. (→ 1.7.28)

Etats-Unis, 28 juillet
Le sous-marin *S-1* se livre à des essais au large de New London. L'hydravion Cox-Klemin XS-2 est assemblé et décolle en 12 min, avant de revenir pour la plongée.

Grande-Bretagne, 30 juillet
Le pilote Frank Courtney emmène Juan de La Cierva en passager sur l'autogire biplace C.6D. (→ 18.9.28)

Brindisi, 1er août
La compagnie Aero Espresso Italiana inaugure une ligne vers Istanbul, avec un hydravion SIAI-Marchetti SM.55C.

Italie, 18 août
La compagnie Transadriatica-SA Italiana di Navigazione Aerea prolonge vers Vienne la ligne Rome-Venise ouverte le 1er février.

Paris, 19 août
Gaston Doumergue signe un décret rendant obligatoire l'usage d'un appareil de radiotélégraphie à bord des aéronefs de transport public.

New York, 23 août
Igor Sikorsky teste le S-35 avec René Fonck. L'appareil, bimoteur à l'origine, a reçu un troisième moteur et des réservoirs supplémentaires. (→ 21.9)

Chine, 30 août
Partis de Berlin le 23 juillet, des équipages germano-soviétiques posent leurs deux Junkers G-24 de la Luft Hansa à Pékin. Sans visas de sortie, les pilotes soviétiques ont été bloqués à Irkoutsk par les autorités.

Marseille, 11 septembre
Le pilote Achille Enderlin effectue une liaison postale d'essai vers Alger et retour, à bord d'un hydravion bimoteur Latécoère 21. (→ 31.12.27)

Etampes, 16 septembre
Le nouveau bombardier LeO-20 a battu 4 records avec une charge de 2 tonnes.

Ankara, 29 septembre
Le gouvernement turc impose une taxe de 10% sur les revenus pour financer l'aviation nationale.

Washington, 14 octobre
Les Coast Guards reçoivent un amphibie Loening OL-5 spécialement conçu pour ce service, avec une capacité accrue en carburant.

Grande-Bretagne, 21 octobre
Deux chasseurs Grebe de la firme Gloucester Aircraft, accrochés sous le ventre du dirigeable R.33, sont lâchés, l'un à 760 m d'altitude au-dessus de Pulham, l'autre à 900 m au-dessus de Cardington, et reviennent s'y accrocher.

Sahara espagnol, 11 novembre
Forcés de se poser dans le Rio de Oro lors de vols postaux de la CGEA (Latécoère), le pilote Erable et le mécanicien Pintado sont abattus par les Maures ; le pilote Gourp est grièvement blessé. (→ 10.3.27)

Londres, 17 décembre
Imperial Airways inaugure la route des Indes. Un de Havilland DH.66 Hercules décolle de Croydon pour Le Caire, première étape. (→ 7.1.27)

Los Angeles, 31 décembre
Après la dissolution de la société Loughead en 1921, ayant exercé diverses professions à seule fin de survivre, Allan Loughead a fondé ce mois-ci la Lockheed Aircraft Company, installée dans un garage à Hollywood. (→ 16.8.27)

A l'occasion de la nouvelle édition du Salon de l'aéronautique, un appel public est lancé pour une mobilisation nationale de soutien à l'aviation

Le lieutenant Challe revient de Téhéran

Le lieutenant Léon Challe, héros du raid Paris-Téhéran, devant son appareil.

Villacoublay, 21 janvier

Un mois jour pour jour après avoir quitté Téhéran, le lieutenant Léon Challe a atterri à Villacoublay. Partis de Paris pour la capitale iranienne le 5 novembre dernier, les quatre appareils de l'équipe de Challe, tous munis de moteurs différents, devaient démontrer la valeur des pilotes et des avions français. Dès le départ, les trois Breguet et le Potez subissent une météorologie difficile : au-dessus des Alpes, le brouillard les oblige à se séparer. Le 15 novembre, Léon Challe arrive à Belgrade, où ses compagnons

le rejoignent cinq jours plus tard. Le 25 novembre, ils atteignent Istanbul et sont à Bagdad le 7 décembre. Après six jours de repos, Challe couvre en trois heures et demie les 1 100 km le séparant de Téhéran. Les trois autres avions l'accompagnent et une foule d'admirateurs les attend à leur atterrissage. Après quelques baptêmes de l'air et des démonstrations, les équipages n'ont plus qu'à reprendre le chemin de la France. Le voyage se passe à la perfection. Il est ainsi prouvé que les avions français valent bien leurs concurrents étrangers.

Le décollage de la poste aérienne aux USA

La Western Air Express a choisi des Douglas M-2 pour exploiter son CAM-4.

Etats-Unis, 10 avril

Les derniers CAM (Contract Air Mail) viennent d'être attribués. Les sociétés aériennes ont dû rassembler d'importants moyens financiers afin de disposer de la flotte indispensable. Elles savent que les contrats issus de la loi Kelly peuvent rapporter beaucoup d'argent. Cette loi permet à l'administration des postes de confier à des firmes privées l'exclusivité du fret postal. Ainsi, le CAM 1 pour la ligne New York - Boston, est revenu à de gros investisseurs. William Rockefeller et Cornelius Vanderbilt Whitney

se sont associés à un homme d'action, Juan Trippe. Le CAM 2 revient aux frères Robertson, pilotes de la dernière guerre. Ils exploitent la ligne Saint Louis - Chicago. Ces derniers ont obtenu l'argent par un homme d'affaires de Saint Louis. La Western Air Express se voit attribuer le CAM 4 (ligne Los Angeles - Salt Lake City), qui est financé par Harry Chandler, l'éditeur du *Los Angeles Times*. Enfin, le CAM 5, attribué à la Varney Air Lines, transportera le fret postal d'Elko, dans le Nevada, à Pasco, dans l'Etat de Washington.

Mermoz est libéré contre 1 000 pesetas

Maroc, 27 mai

La valeur n'attend pas le nombre des années. Nouveau venu sur la ligne Casablanca-Dakar, Mermoz vient d'être échangé par les Maures contre 1 000 pesetas. Le 22 mai, en panne de moteur, il se pose dans le désert entre Agadir et Cap-Juby. Après un jour d'attente, il abandonne son Breguet et se dirige vers le sud avec son interprète maure. Mais les deux hommes rebroussent chemin. Dans la nuit, son passager prend la fuite avec la réserve d'eau. Le lendemain, Mermoz repart seul, après avoir absorbé le liquide du radiateur de l'avion. A bout de forces, il est «recueilli» par des nomades qui le rouent de coups mais lui donnent à boire. Ce matin, après plusieurs jours de négociations, il a été conduit au fort de Cap-Juby.

Le chef mécanicien Amédée Jayet et Jean Mermoz, à Casablanca.

Lindbergh chef pilote chez Robertson

Charles Lindbergh, équipé pour le froid, est prêt pour son vol postal.

Saint Louis, 10 avril

Parmi tous les pilotes de l'école de perfectionnement de Kelly Field dans le Texas, Charles Lindbergh, âgé de vingt-quatre ans, a conquis camarades et instructeurs tant par sa simplicité et son courage que par son sérieux. Aussi, lorsque la Robertson Aircraft Corporation se met à la recherche de nouveaux pilotes pour la ligne Saint Louis-Chicago *via* Springfield, c'est le nom de Lindbergh qui revient le plus souvent. Il devient donc chef pilote de cette nouvelle ligne postale. La liaison doit faire gagner une journée au courrier entre Saint Louis et New York, en le transportant par air de Saint Louis à Chicago. Lucky Lindy pilotera donc les biplans DH.4 des frères Robertson. (→03.02.27)

La course au pôle Nord de Byrd et Amundsen

Byrd a choisi le Fokker « Josephine Ford »

Amundsen et Nobile fidèles au dirigeable

Le « Josephine Ford » pendant un vol d'essai au-dessus de Curtiss Fields.

Arrivée du dirigeable « Norge » à Kings Bay. A droite, le mât d'amarrage.

Pôle Nord, 9 mai

Le pôle Nord, décidément, est l'objet de toutes les convoitises. Depuis la première tentative d'exploration aérienne par Roald Amundsen l'an passé, la compétition était ouverte. Richard Evelyn Byrd, un Américain de trente-six ans, ambitieux et combatif, s'est lui aussi mis en tête d'arriver le premier au Pôle par avion, et ce, au moment même où Amundsen met au point une nouvelle expédition. Pour réaliser son projet, Byrd parvient à convaincre des financiers tels qu'Edsel Ford et John Rockefeller, qui n'hésitent pas à le soutenir. Son avion, un Fokker F.VII muni de 3 moteurs Wright de 230 ch et équipé de skis, est baptisé *Josephine Ford*. Après quelques réglages et un faux départ la veille, Byrd et le pilote Floyd Bennett s'envolent depuis Kings Bay, le 9 mai à 0 h 30. Volant à la vitesse de 145 km/h, le Fokker atteint le Pôle à 9 h 3. De retour vers le Spitzberg, le *Josephine Ford* atterrit à Grey Point à 15 h, accueilli par Amundsen et son équipe. Byrd voit enfin son rêve se réaliser. Premier homme à admirer le Groenland depuis le ciel, en 1925, il est aussi celui qui a survolé le pôle Nord avant ses concurrents.

Byrd, équipé pour le froid polaire.

Pôle Nord, 11 mai

Après Byrd, il y a de cela deux jours, c'est au tour d'Amundsen et de Nobile de s'élancer vers le pôle Nord. Pour réaliser leur projet, les deux explorateurs se sont procuré en Italie un dirigeable d'une longueur de 106 m baptisé *Norge*. L'appareil, propulsé par trois moteurs Maybach de 230 ch, a une autonomie de 5 600 km. Au retour du *Josephine Ford* de Byrd, le premier avion à avoir survolé le Pôle, le *Norge* s'envole le 11 mai au matin. A son bord, Amundsen, Ellsworth, Nobile, quatorze membres d'équipage, un chien et des provisions. Le lendemain, un message annonce le survol du Pôle ; ce n'est que la deuxième fois en deux jours ! Au retour, son antenne ayant gelé, le dirigeable reste muet durant quelques jours et le froid rend les conditions de navigation difficiles. Après un vol de 70 heures et 40 minutes, le *Norge* se pose à Teller, en Alaska, à 5 100 km de distance de son point de départ. Déjà vainqueur du pôle Sud en 1911, Roald Amundsen, dès cette époque, avait souligné l'importance de la voie aérienne pour conquérir le pôle Nord. Après plusieurs échecs, il ne doit son succès qu'à sa persévérance.

Amundsen, conquérant des pôles.

Les Belges participent aux grands raids

Bruxelles, 21 mars

C'est l'époque des grands raids à travers le monde. Il faut des semaines de bateau pour relier le Congo depuis la Belgique. Or, parti de l'aéroport de Bruxelles-Evere le mars, l'avion *Reine Elisabeth* n'a mis que douze jours pour parcourir les 18 000 km qui séparent la capitale belge de Léopoldville. Transformé en triplace pour grand raid, le biplace de reconnaissance Breguet 19 a volé à la vitesse moyenne de 192 km/h, équipé d'un moteur Hispano-Suiza de 450 ch. L'équipage du *Reine Elisabeth*, était composé des lieutenants-pilotes Coppens et Medaets et du sergent-radio Verhaegen. En 1925, cinquante jours avaient été nécessaires au lieutenant Thieffry pour effectuer ce même voyage.

Le record inattendu de John MacReady

Dayton, 10 avril

Le lieutenant John A. MacReady vient de réaliser un insolite record du monde de vol plané, grâce... à une panne de moteur. Pour son dernier vol dans l'armée de l'air, le pilote voulait établir une nouvelle performance d'altitude. Pour battre le record officiel établi par Sadi-Lecointe en 1923, il lui faut dépasser l'altitude de 12 724 m. Au cours de la montée, quelques dizaines de mètres avant le record, le moteur s'arrête : panne d'essence ! Alors qu'il a perdu son pari, il va, à sa plus grande surprise, effectuer le plus long vol plané jamais réalisé depuis une telle altitude ! Il n'est plus question dès lors d'homologuer un nouveau record d'altitude, mais MacReady aura quand même son nom à la une...

Air Union joue la carte du grand luxe

Luxe, calme et volupté pour les passagers de l'air... jusqu'au décollage.

Paris, 31 août

Fauteuils capitonnés, bar en acajou et rideaux aux hublots : les cabines des avions de la compagnie Air Union sont aménagées comme de véritables pullmans. La concurrence entre les compagnies européennes pousse à attirer le client par tous les moyens. Les cabines, maintenant fermées, sont aména-gées avec un sens du luxe qui rappelle celui que l'on trouve dans les grands express sur rails. Dans les avions d'Air Union, les passagers sont informés par un haut-parleur installé à chaque rangée de sièges de la position de l'appareil sur sa route. A l'arrière, les voyageurs trouvent un exquis cabinet de toilette décoré de carrelage vernissé.

De Bernardi gagne le trophée Schneider

Etats-Unis, 18 novembre

Les Italiens exultent. A Hampton Roads, en Virginie, ils viennent de ravir la fameuse coupe Schneider aux Américains. L'année dernière, les Curtiss emportaient haut la main cette épreuve de vitesse pour hydravions, devant les Macchi. Stimulés par cette humiliante défaite ainsi que par Mussolini, les Italiens mettent au point un prototype en-tièrement national : le monoplan à flotteurs Macchi S.39, remarqua-blement profilé, muni d'un moteur Fiat de 800 ch. A bord de cette magnifique bête de course, De Ber-nardi a pulvérisé tous les records de vitesse, à 396,698 km/h, laissant sur place son rival américain Schilt. C'est une victoire totale et méritée.

Mlle Mable Cody joue à l'acrobate des airs. Embarquée sur un bateau à moteur, elle va grimper, par une échelle de corde, dans un aéro-plane en vol stable au-dessus du bateau.

Alan Cobham réalise de grands exploits

Retour de Cobham, prêt à amerrir sur la Tamise devant Westminster.

Londres, 1er octobre

Londres fait un accueil triomphal à Alan Cobham à son retour d'Aus-tralie. La foule, massée sur le pont de Westminster, est venue acclamer le de Havilland DH.50 qui s'est posé sur la Tamise, devant le Par-lement. Cobham a donc réussi son vol aller-retour vers l'Australie, épopée de 43 000 km qui fut mou-vementée et dont le but était de renforcer l'image de l'aviation ci-vile. Cobham avait fait auparavant, toujours avec le G-EBFO, des vols de reconnaissance vers Capetown et Rangoon pour Imperial Airways. Les terrains d'atterrissage s'étaient révélés plus que douteux, et les plans d'eau étant abondants, il avait remplacé les roues de l'avion par des flotteurs. Il avait aussi câblé aux différentes capitaineries et aux res-ponsables de district pour qu'ils l'aident tout au long du vol. Cette préparation soignée a parfaitement fonctionné. Pourtant, une tragédie est venue endeuiller le vol. Alors qu'il volait bas au-dessus du désert, entre Bagdad et Bassorah, Cobham entendit une explosion. A.B. Elliot, son mécanicien, lui fit savoir qu'une tuyauterie d'essence avait éclaté sous l'impact d'une balle tirée par un Bédouin et que lui-même était atteint et saignait abondamment. En fait, le pauvre Elliot devait mourir peu après dans la nuit à l'hôpital de la RAF de Shaibah.

Beech gagne la Coupe de la fiabilité

Detroit, 21 août

Il avait déjà gagné ce trophée l'an dernier. C'est un nouveau succès pour Walter Beech dans cette deu-xième compétition organisée par Henry Ford pour convaincre le pu-blic de la fiabilité de l'aviation. Son avion, un Travel Air, équipé d'un moteur Wright J-4 a été le meil-leur. Beech a prouvé sa supériorité grâce à deux idées nouvelles : ses freins, prévus pour réaliser des atterrissages courts, et le compas à induction qui permet une naviga-tion plus précise. Grâce à ces vic-toires, Walter Beech a un carnet de commandes bien rempli. (→ 15.2.27)

W. Beech et B. Goldsburough.

Fonck rate le décollage de New York

Une succession de records de distance

Fonck (à gauche) et le constructeur Sikorsky devant le « New York - Paris ».

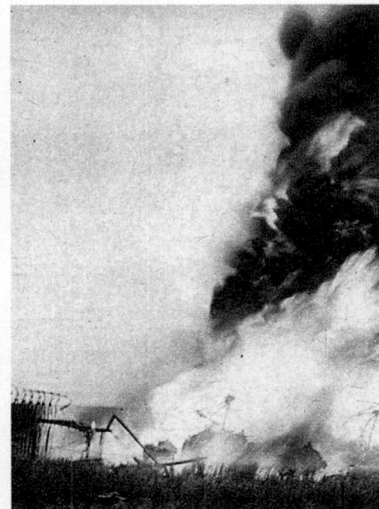

Neuf tonnes d'essence en flammes et deux victimes dans le brasier.

New York, 21 septembre

Depuis longtemps, René Fonck, l'as des as de la Grande Guerre, était désireux d'ajouter à son palmarès un exploit pacifique : effectuer la première traversée aérienne New York - Paris. Le prix Orteig doté de 25 000 dollars est ouvert depuis 1919 mais, jusqu'à présent, aucun pilote n'a réussi la traversée.

Fonck a choisi un appareil de qualité, qu'il baptise *New York - Paris*. C'est un trimoteur Sikorsky S-35. Confiant dans sa bonne étoile, il a tenté l'aventure, mais elle a tourné à la tragédie. L'avion, surchargé, n'a pas accéléré normalement avant la fin des 1 500 m de piste de Roosevelt Field. Jugeant que l'avion ne décollerait pas, Fonck a tenté de freiner mais, sous l'effort, le train d'atterrissage s'est effondré et l'appareil a capoté. Les 9 tonnes de carburant se sont immédiatement enflammées. Le radio Clavier et le mécanicien Islamoff ont alors péri carbonisés sous les yeux de leurs camarades Fonck et Curtins, le copilote, qui, par miracle, ont réussi à échapper au brasier.

France, décembre

La course à la plus longue distance parcourue en vol laisse entrevoir la possibilité de traverser les océans. Les dernières compétitions ont démontré la supériorité française. Deux premières performances ont conduit les frères Arrachart en Mésopotamie, soit 4 305 km. Girier et Dordilly ont rejoint Omsk, en Sibérie, soit 4 716 km. Partis le 31 août du Bourget, Weiser et le lieutenant Léon Challe font encore mieux : ils ont atteint le golfe Persique en 27 heures et 15 minutes pour 5 174 km sur un Breguet 19. Les deux hommes ont emporté 2 990 litres d'essence. Si le voyage a été facile au début, il n'en a pas été de même ensuite : le vent n'a cessé de souffler avec violence depuis la traversée du Bosphore jusqu'au-dessus de l'Asie Mineure. Costes et Vitrolles quittent Le Bourget le 26 septembre : 4 100 km en 25 heures ; après avoir survolé la Méditerranée, ils arrivent à Dhahran. Le 29 octobre, Costes et Rignot rejoignent Djask : 5 395 km en 32 heures, le record de Challe est battu.

Saint-Exupéry, nouveau venu sur la Ligne

Perpignan, 15 décembre

Une immense émotion envahit un jeune pilote de vingt-six ans : après deux mois d'attente, Saint-Exupéry effectue sa première sortie aérienne sur le Breguet 14 n° 215 F-AFEH. Son plus grand rêve est enfin réalisé. Il a obtenu son brevet de pilote de transport public le 5 juillet et est engagé à Toulouse le 14 octobre par le marquis Beppo De Massimi, administrateur des lignes Latécoère. Il s'envole de Montaudran à 6 h 50 et emporte avec lui 113 kg de poste et 54 kg de colis. Un pilote expérimenté, Henri Guillaumet, l'accompagne. Cet autre aviateur a tenu à être présent en ce grand jour, pour observer son compagnon de route et corriger ses manœuvres hésitantes. Une épaisse brume au sol, aux alentours de Narbonne, oblige Saint-Exupéry à un large détour. Il arrive sans encombre à Perpignan, où il s'est parfaitement posé.

La France ouvre la route vers Madagascar

Tananarive, 7 décembre

Le lieutenant de vaisseau Bernard et le mécanicien Bougault repartent pour Paris. Ils se sont posés voici trois jours à Tananarive, où ils ont achevé avec brio leur mission : reconnaître, entre la métropole et Madagascar, une route aérienne. Ils n'étaient pas les seuls à prendre le départ en ce mois d'octobre. Un autre équipage les accompagnait. Le lieutenant de vaisseau Guilbaud, chef de l'expédition, est immobilisé par des problèmes mécaniques et Bernard doit continuer sans lui. Quant au commandant Dagnaux, il est parti pour la même destination, le 28 novembre. (→ 14.01.27)

Cap-Juby, Saint-Exupéry, Dumesnil, Guillaumet, Antoine et Reine.

Particulièrement robuste, doté de trois moteurs Wright Whirlwind de 300 ch : le Ford 4.AT est un avion de transport métallique monoplan à ailes hautes revêtu de tôle ondulée en aluminium comme les Junkers.

Les avions de l'année 1926

L'Avro Avian s'inspire de la formule du Moth sans grand succès.

Le Ryan M-1, monoplan à aile haute très performant.

Le Curtiss Lark.

Le de Havilland DH.66.

Le Lioré-et-Olivier LeO 213 se présente comme une version civile du LeO 20, mais il dispose d'un fuslage plus ventru, avec trois soutes.

Le Ford 4-AT rappelle les modèles Junkers par son revêtement en métal ondulé. Une compagnie a exploité un Tri-motor jusqu'en 1982 !

En tout 199 exemplaires du Junkers W.33 sont construits, en version terrestre ou navale, pour différentes compagnies aériennes européeennes.

Le Macchi M.39 remporte la coupe Schneider de 1926.

A. Cobham pilote ce DH.50J pour ouvrir une ligne vers l'Australie.

La construction du Ryan B.1 Brougham a été interrompue pour permettre la réutilisation du NYP. Il est équipé du moteur Wright J-5 Whirlbird.

Les Dornier Super Wal de série sont normalement équipés de quatre moteurs Bristol Jupiter VIII en étoile de 500 ch, montés par paire en tandem.

Le Parnall Peto, un hydravion de surveillance sans suite.

Le Laird Model LC-B, un biplace de tourisme et de sport aérien.

Les 311 Lioré-et-Olivier LeO 20 servent au sein d'escadrilles de l'aéronautique militaire française, roumaine et brésilienne.

Le CR.20 est le meilleur chasseur produit par Fiat entre les deux guerres. Il est construit à plus de 670 exemplaires.

Le Letov S-20, utilisé par la Tchécoslovaquie et la Lituanie.

Le Boeing XF2B-1 est longuement testé à bord de l'« USS Langley ».

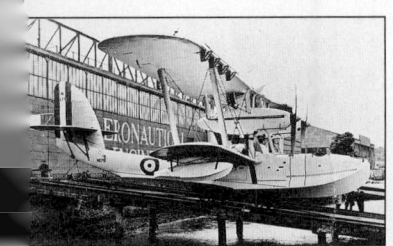

Le Short Singapore III est utilisé par la RAF jusqu'en 1941.

Le Dewoitine D.27 est exporté en Suède et en Yougoslavie.

Vingt Vought FU-1 sont construits pour les besoins de l'US Navy.

Le F2B-1 se caractérise par une cellule en Dural et en acier.

Le Junkers W.34 se différencie du W.33 par sa cabine ouverte.

Malgré une certaine faiblesse de sa structure, le Levasseur P.L.7 se trouve encore en première ligne en septembre 1939, faute de successeur.

Le prototype du Blackburn Iris vole en septembre 1926 et l'avion de série entre en service en 1930. Il est alors le plus gros appareil de la RAF.

Le Fairey F.III (ici, le prototype) est le meilleur avion de sa catégorie.

Le Boulton-Paul Sidestrand connaît une carrière très limitée.

Le Blackburn Ripon est adopté par la Fleet Air Arm comme hydravion torpilleur. Le Ripon II (ci-dessus) a un aérodynamisme amélioré.

Il ampute les ailes du Breguet et repart

Le commandant Dagnaux recoud le bout de l'aile à Broken Hill, en Rhodésie.

Rhodésie du Nord, 18 janvier
Jean Dagnaux connaît très bien l'Afrique, et il sait aussi comment réparer ses avions. Au cours de son voyage Paris-Madagascar, il s'est posé à Broken Hill, en Rhodésie du Nord. De là, il doit rejoindre Tète, au Mozambique. Le Breguet 19 est prêt à décoller. Mais le terrain est minuscule, entouré d'arbres, et, de plus, situé à 1 000 mètres d'altitude. A ce niveau, le moteur perd un tiers de sa puissance. A cet inconvénient s'ajoute celui des hautes tempéra-

tures, ce qui rend la portance plus faible. Dagnaux décolle, réussit à franchir les premiers obstacles, puis se trouve en face d'un grand arbre qu'il ne peut éviter. L'aile droite de l'avion accroche les branches. Il réussit à se reposer et répare avec les moyens du bord, disposant de peu d'outillage. La structure est en alliage d'aluminium : il redresse le bord d'attaque, coupe un bout du plan et ses nervures, et recolle la toile avec de la gomme laque. En deux jours, le Breguet est prêt.

La grande aventure africaine de Bernard

L'hydravion Lioré et Olivier est exposé aux Tuileries après sa traversée.

Paris, 14 janvier
A 14 h 15, le lieutenant de vaisseau Bernard et le maître principal Bougault se sont posés sur la Seine à bord de l'hydravion Lioré et Olivier. Partis le 12 octobre dernier, ils ont parcouru 26 000 kilomètres. Le 21 novembre, ils touchent Madagascar ; le 4 décembre, ils se posent à Tananarive, puis atteignent le lac Nyassa le 12. Ils passent Albertville, le lac Victoria, Kisoumou, Mongalla puis le Nil. De Khartoum, les pilotes gagnent Aboukir.

Après une escale d'une semaine, c'est le grand retour à travers la Méditerranée. Paris attend les deux hommes, qui sont accueillis à leur arrivée à la capitale par une foule de spectateurs venue les acclamer. La remise des décorations est faite dans l'enthousiasme. Bernard reçoit la Légion d'honneur et le ministre de la Marine, M. Leygues, annonce à Bougault sa prochaine nomination au grade d'officier des équipages de la flotte. L'aviation maritime a reconquis sa popularité.

De Londres à Karachi en Moth

Karachi, 8 janvier
Jour historique pour l'avion léger de Havilland DH.60 Moth : le capitaine Neville Stack et B.S. Leete sont arrivés de Londres après avoir parcouru 8 850 km en 54 jours et 23 étapes. Les Moth sont dotés du moteur Cirrus II de 80 ch, à refroidissement par air. Ce sont des avions biplaces mais, pour ce vol, les pilotes étaient à l'arrière, car un réservoir supplémentaire occupait la place avant. Le DH.60 est un biplan léger très robuste, construit à Stag Lane par l'équipe de de Havilland, dont on connaît les facultés d'invention. Le Moth est autant utilisé comme avion-école que comme avion privé. Il sert aussi à l'entraînement des pilotes de la RAF. Son train lui permet de résister à la brutalité des atterrissages des élèves. Il est assez confortable pour les longs trajets, comme le prouve ce raid Londres-Karachi.

Imperial Airways explore Bassorah

Le Caire, 7 janvier
Etape décisive du plan de développement d'Imperial Airways pour conquérir la route aérienne des Indes : un DH.66 Hercules prolonge aujourd'hui le service de la compagnie jusqu'à Bassorah, dans le golfe Persique. C'est la route du courrier du désert, *via* Gaza, la Palestine et Bagdad, en Irak. Elle a été établie en 1921 par les pionniers de la RAF. Des pistes d'atterrissage et

des stations radio ont été installées sous forme d'étapes-relais comme la station H3 le long de l'oléoduc jordanien et Rutbah Wells dans le désert irakien. Là, les passagers sont hébergés sous la tente et gardés par les militaires, en cas d'attaque d'une tribu rebelle. La prochaine étape pour Imperial Airways est à New Delhi, où un Hercules est attendu demain, avec une équipe de reconnaissance à son bord.

En route pour Bassorah à bord du de Havilland Hercules d'Imperial Airways.

James Doolittle séduit les Chiliens

Santiago, 12 janvier
Grâce à l'étonnante prestation du « pilote aux chevilles brisées », les Américains décrochent un important contrat avec l'armée de l'air chilienne. Des pilotes allemands, anglais et italiens, personne n'a pu faire preuve d'autant d'audace que James Doolittle. Au cours d'une réunion, il se fracture les chevilles en tombant d'une fenêtre. A la surprise générale, il s'envole à bord de son Curtiss P-1, bien qu'on lui ait plâtré les chevilles. La douleur est vive à chaque pression sur les palonniers, mais Doolittle effectue une boucle et un vol sur le dos. C'est le tour de l'as de guerre allemand von Schonabeck à bord d'un Dornier. Lui aussi impressionne le public. Doolittle sait qu'il a une meilleure machine. Pour le prouver, il recolle et décrit des boucles autour de l'Allemand, en simulant un combat qui amuse les Chiliens. (→ 24.5)

Les Américains font des statistiques

Washington, 3 janvier
Les Américains ont toujours aimé les statistiques et sont devenus des spécialistes pour les présenter de manière à démontrer les théories qu'ils veulent soutenir. La sécurité des voyages aériens est cette fois en cause. On met donc en avant des statistiques effectuées par le capitaine de l'armée de l'air H.G. Stevens, pour le compte de la Société américaine pour la promotion de l'aviation : en 1926, quatre-vingts personnes ont été blessées mortellement par les ruades de leurs mulets dans le Missouri, alors que huit pilotes seulement disparaissaient dans des accidents d'avion.

La CGEA est devenue l'Aéropostale

France, 15 avril
Il devait se soumettre ou se démettre. Latécoère a choisi, seul. Le 11 avril il a vendu, pour 30 millions de francs or, 93% des actions de la CGEA à la Société franco-sud-américaine de travaux publics de Marcel Bouilloux-Lafont, qui baptise la société Compagnie générale aéropostale. La transaction vient d'être avalisée officiellement. Latécoère a mûrement pesé sa décision : le rendement commercial du réseau baisse, et des dépenses importantes sont à prévoir pour remplacer les Breguet et mettre en place une infrastructure en Amérique du Sud. Le gouvernement français, qui veut former un groupe puissant face à la concurrence étrangère, le presse de céder la direction de la compagnie, en échange de nouvelles subventions. Ulcéré, il décide d'abandonner la partie. Ce faisant, il réalise une excellente affaire financière, et sauvegarde les intérêts de la Sidal, qui fournit le matériel volant. Le « sauveur », Marcel Bouilloux-Lafont, n'a pas hésité à mettre le prix fort. Le rachat de la société de Latécoère va permettre à son groupe de pallier le manque de moyens de transport sur le continent sud-américain. Mais il forge déjà un projet plus ambitieux : la ligne doit être un tremplin pour s'élancer à la conquête du marché de l'aviation commerciale.

L'Aéropostale à l'assaut du Maroc.

Moteurs Pratt & Whitney pour Boeing

Hartford, 13 février
Le nouveau moteur 420 ch Pratt & Whitney à refroidissement par air vient de décrocher une belle commande : la société Boeing a annoncé qu'elle l'utiliserait pour le nouveau courrier Chicago-San Francisco. Le Wasp, comme l'a baptisé Mme Rentschler, est l'invention personnelle de son époux Frederick, convaincu des atouts de ce type de moteur depuis la bonne expérience du Whirlwind de Wright. Mais c'est par son poids que le nouveau modèle l'emporte. Il pèse en effet 100 kg de moins que le moteur à refroidissement par eau dessiné pour le Boeing 40A. Grâce à la légèreté du moteur et à sa résistance, Boeing va pouvoir viser un nouveau marché, en proposant de transporter l'US Air Mail à 1,50 dollar la

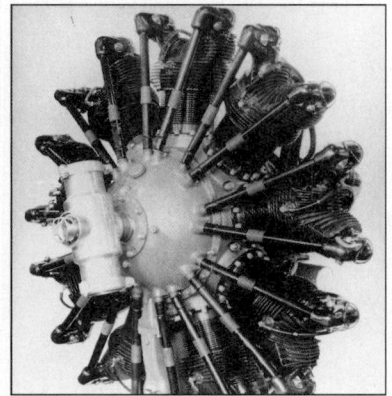

Le Wasp, moteur en étoile de 420 ch.

livre sur les mille premiers miles (1 609 km) et à 15 cents les cent miles suivants. La Poste ne paiera pas plus pour traverser la moitié du pays que ce qu'elle donne pour relier New York à Boston.

La Varig a pour marraine la Luft Hansa

Brésil, 7 mai
La Luft Hansa décide de s'implanter en Amérique du Sud. Sa filiale au Brésil, le Condor Syndikat, vient de créer la Varig (Viaçao Aerea RIo Grandense), concessionnaire d'une ligne entre Santa Catarina et l'Etat du Rio Grande. La puissante firme allemande prend de vitesse l'Aéropostale. En effet, les deux compagnies rivales partagent le même objectif à terme : relier l'Europe au continent sud-américain. Mais, au lieu d'exploiter sur place leurs propres sociétés, les Allemands constituent des filiales locales de leur compagnie nationale. La première d'entre elles, la Scadta (Sociedad Colombo-Alemana De Transportes Aereos), créée en 1919 en Colombie, est chargée de développer un réseau de lignes à travers l'Amérique centrale et Panama. En 1924 est constitué, au Brésil, le Condor Syndikat, opérant exclusivement sur l'Amérique du Sud et tête de pont de la future liaison transatlantique. Dès lors, sillonnant sans cesse le continent, ses hydravions se livrent à une intense propagande aérienne. En novembre dernier, un passager de marque, Hans Luther, ex-chancelier du Reich, reliait Rio à Buenos Aires à bord de l'*Atlantico*. Les retombées sont immédiates. Le 26 janvier, le gouvernement brésilien lui concède l'exploitation de services postaux et des passagers entre Rio de Janeiro et la frontière uruguayenne. Devenu principal actionnaire de la toute jeune Varig, le Condor Syndikat a ainsi complété son réseau. Il se prépare à la liaison avec l'Europe.

La RAF achète du chewing-gum

Londres, 18 janvier
Fidèle à la tradition des Peaux-Rouges, la RAF recommande à ses pilotes de mâcher de la gomme pour dissiper la soif. Le chewing-gum proposé aux aviateurs est plus élaboré, mais son effet est strictement le même. Selon le manuel de la RAF, il empêche les oreilles des pilotes de se boucher lors de la descente et atténue le dessèchement de la gorge.

Le Bristol Bulldog est le chasseur standard de la Royal Air Force. Il est utilisé au même titre que d'autres appareils comme le Gloster Gamecock ou même le Amstrong-Whitworth Siskin.

Ryan reçoit un télégramme très étonnant

Les premiers bâtiments de l'usine de Ryan à San Diego, en Californie.

San Diego, 3 février
Ryan retourne encore une fois le papier dans ses mains. Il vient de recevoir un télégramme d'un dénommé Charles Lindbergh. Celui-ci, désireux de relier New York à Paris, lui demande le temps et la somme nécessaires à la construction d'un avion capable d'effectuer la traversée. Pilote chez Robertson, c'est lors d'un vol en solitaire que lui vient l'idée de traverser l'Atlan-

tique. A force d'efforts et de persuasion, il est parvenu, par l'intermédiaire de financiers et d'amis de Saint Louis, à réunir la somme de 15 000 dollars. Il veut acquérir un Bellanca. Il effectue des démarches dans ce sens, mais les exigences et les coûts du constructeur vont à l'encontre de ses projets. Ryan Airlines Incorporated construit des avions postaux. C'est là le dernier espoir de Lindbergh. (→ 4.5)

Les ambitions de Pan American Airways

New York, 14 mars
Enregistrement officiel aujourd'hui de la Pan American Airways Inc. Les formalités, qui avaient été entamées le 8 mars, viennent d'être achevées sous la juridiction de l'Etat de New York. Ce groupe, dont l'instigateur est le jeune officier de l'armée, le capitaine J.K. Montgomery, possède une grande ambition : développer le transport civil aérien international des Etats-Unis à partir de la Floride. Montgomery, qui a su intéresser à son projet Richard Bevier, beau-fils du banquier Pierson, et Grant Mason,

est assuré de solides appuis financiers. Influencé par les idées de von Bauer, le directeur de la compagnie germano-colombienne Scadta, le groupe de Montgomery travaille pour obtenir le contrat postal à travers les Antilles, vers l'Amérique latine. Mais il n'est pas seul en lice : l'enjeu que représente un tel marché suscite l'intérêt d'autres hommes d'affaires, comme le jeune Trippe. Actuellement, la Pan Am est la mieux placée dans cette compétition : Mason a obtenu du dictateur Machado les droits exclusifs d'atterrissage à Cuba. (→ 16.7)

A Goldpines, Ontario, un Fokker de la Western Canada Airways est tiré par des chiens de traîneau. La compagnie fonctionne depuis 1926.

Les Allemands exportent leur aviation

Les Dornier Wal et autres Junkers sont utilisés par la Colombian Airlines.

Allemagne, 7 mai
Parmi les clauses du traité de Versailles, l'une fait interdiction aux Allemands de construire et d'entretenir une flotte aérienne militaire. Malgré ces restrictions, refusant de s'avouer vaincue, l'industrie aéronautique allemande a trouvé la parade : continuer ses activités, mais à l'étranger. Ainsi, la firme

Dornier poursuit la construction de ses hydravions en Italie, en Espagne et en Hollande. Son Wal (baleine), réputé pour ses qualités marines et aéronautiques, remporte toujours un grand succès commercial. Le constructeur Junkers, raisonnant de même, s'est expatrié en Suède tandis que la firme Sablatning est partie pour l'URSS.

Beech et Cessna ne sont plus d'accord

Wichita, 15 février
Clyde Cessna vient de décider de quitter la Travel Air Company. Il en était pourtant l'un des membres fondateurs, associé à Walter Beech et Lloyd Stearman. Interrogé sur les raisons de cet étonnant départ, Cessna a déclaré ne plus vouloir s'investir que dans la construction de monoplans, seuls avions d'avenir

selon lui. Malgré l'éclatant succès de son Type 5000, un monoplan que National Air Transport utilise pour ses vols Chicago-Dallas, Cessna n'a pas convaincu ses associés de poursuivre dans cette voie. Encouragé cependant par Beech qui a toujours respecté ses convictions, il a donc décidé de fonder sa propre société.

Voyager en avion devient un plaisir

Comme Air Union, Imperial Airways installe le luxe entre Londres et Paris.

Croydon, 1er mai

A dater d'aujourd'hui, les passagers de la compagnie Imperial Airways peuvent savourer un déjeuner de gourmet sur le vol Londres-Paris. Cette note de confort fait partie du service à bord proposé sur le *Silver Wing* avec un steward et un bar-buffet. Les passagers décollent à midi et ont deux heures et demie pour apprécier ce lunch avant d'atterrir. Le spacieux Argosy, reconnaissable à ses vingt sièges, son fuselage argent et son liséré bleu nuit, est devenu le favori des voyageurs trans-Manche et devance ses concurrents français. Le déjeuner gratuit risque de fidéliser davantage la clientèle.

Les passagers peuvent contempler Londres, une tasse à la main...

Sauvés des Maures de justesse

Maroc, 10 mars

Sauvetage rocambolesque dans le désert ! Deux pilotes de la Ligne ont libéré quatre aviateurs uruguayens à la barbe de leurs geôliers maures. Le 3 mars, leur hydravion se brise en amerrissant dans l'oued Fatma, au nord de Cap-Juby. Gagnant le rivage à la nage, ils sont aussitôt capturés par des Maures. L'alerte est donnée. Le 5, Ville et Mermoz repèrent l'épave, sans son équipage. Le 7, Guillaumet et Riguelle remarquent une caravane avec quatre sacs de forme humaine, ficelés à dos de chameau ! Le lendemain, Reine et Antoine arrivent au campement des ravisseurs, à Puerto Casando, pour y négocier la rançon des prisonniers. Les Maures veulent garder le commandant Larre-Borges, mais acceptent de libérer les trois autres contre 5 000 pesetas. Au cours de la discussion, ces derniers sautent dans le Breguet de Reine, qui décolle sur-le-champ. Profitant de la surprise, Larre-Borges grimpe à son tour dans l'avion d'Antoine. Mission réussie, mais par un fabuleux coup de chance !

Doolittle réussit une belle acrobatie

Dayton, 24 mai

James Doolittle a accompli le premier looping inversé, c'est-à-dire que c'est le ventre de l'avion qui est resté face au centre de la boucle. En 1912, deux aviateurs s'étaient risqués, au prix de leur vie, à cette acrobatie. Doolittle a déclenché le looping à l'altitude de 2 400 mètres puis a plongé sur 600 mètres de dénivelé. La tête en bas, soumis à la force centrifuge, il a réussi à boucler la figure. Son organisme a résisté à la pression. (→ 24.9.29)

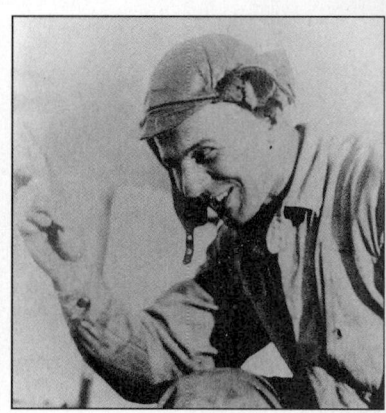
Le voltigeur du ciel : James Doolittle.

Une fin stupide pour un avion glorieux

Roosevelt Dam, 6 avril

Le *Santa Maria* est en feu au sol. Le colonel italien De Pinedo n'en croit pas ses yeux. Il y a quelques instants encore, il était prêt à partir, à bord de l'hydravion bimoteur Savoia-Marchetti S.55, pour une périlleuse aventure : la traversée de l'Atlantique Nord. C'était compter sans l'imprudence d'un fumeur qui, tandis que l'on faisait le plein de l'appareil, a jeté une allumette sur une flaque d'huile, tout près de l'avion. Le S.55 est complètement détruit. Parti de Sesto-Calende, sur le lac Majeur, le 8 février, De Pinedo avait gagné l'Afrique et traversé l'Atlantique Sud. Le 26, il était à Rio. Puis il avait remonté les Antilles et une partie du sud des Etats-Unis, jusqu'au lac artificiel Roosevelt, près de Phoenix, où vient de brûler son appareil. De Pinedo n'a plus qu'à attendre : l'arrivée d'un nouvel hydravion. Il l'a déjà baptisé : ce sera le *Santa Maria II*.

Un Goliath disparaît dans l'Atlantique Sud

Saint-Louis du Sénégal, 5 mai

On reste sans nouvelle du Farman Goliath à bord duquel se trouvent le comte Saint-Roman, le lieutenant de vaisseau Mouneyres et le mécanicien Petit. Les fausses nouvelles affluent : on signale leur passage au-dessus de Fernando de Noronha et leur atterrissage dans les Antilles. En réalité, c'est le mystère. C'est contre l'avis des services officiels de l'aéronautique que le comte et son équipage sont partis : en effet, les flotteurs du Goliath ont été remplacés par des roues. De plus, ils ont quitté Saint-Louis, non pas avec les 4 290 litres d'essence prévus, mais avec 5 000 litres. Si l'appareil a l'autonomie suffisante pour la traversée sans escale, comment se poser sur l'eau, sans flotteurs, en cas d'incident ?

Le « Santa Maria », quelque temps avant l'incendie qui l'a totalement détruit.

Les essais du Farman Goliath, piloté par Mouneyres, en avril, à Casablanca.

Alors que Nungesser et Coli sont portés disparus,

Nungesser et Coli posent à bord de l'« Oiseau blanc » avant le départ.

C'est une erreur énorme des journalistes français, pour lesquels les deux pilotes seraient arrivés à bon port.

Paris, 9 mai

La France est dans l'angoisse. On est sans nouvelle de l'*Oiseau blanc* de Nungesser et Coli, qui s'est envolé hier matin du Bourget pour tenter la traversée de l'Atlantique. A Paris comme à New York, on se refuse encore à croire à une catastrophe, et des recherches vont être entreprises immédiatement pour retrouver l'avion. Cependant, les journaux français d'aujourd'hui avaient commencé par donner de bonnes nouvelles du raid : ce matin,

les deux aviateurs seraient passés au-dessus de Terre-Neuve ; dans l'après-midi, ils auraient été vus à Portland, puis à Boston. Vers 17 h, le journal *la Presse* annonçait même l'arrivée triomphale de l'*Oiseau blanc* à New York. A sa suite, certains journaux n'ont pas hésité à donner tous les détails de cette victoire, décrivant l'accueil que les deux hommes avaient reçu des Américains, et rapportant les paroles historiques qu'ils auraient prononcées à leur descente d'avion.

Hélas ! après l'explosion de joie que cette annonce a provoquée, il a fallu se rendre à l'évidence : l'avion n'a peut-être jamais atteint l'Amérique. Seule l'imagination de certains journalistes en mal de sensationnel a pu colporter ces fausses nouvelles. La dernière fois que l'*Oiseau blanc* a été signalé, c'est au-dessus de l'Irlande, mais avec un fort vent debout qui réduisait dangereusement sa vitesse et risquait de le laisser sans carburant à 650 km de son but. Depuis, l'avion n'a plus

été vu nulle part. L'idée de ce raid risqué vient de Charles Nungesser lui-même, un as de la dernière guerre, qui avait réussi à convaincre le constructeur d'avion Pierre Levasseur de lui confier un de ses PL.8 pour tenter cette aventure. Il avait choisi pour le seconder François Coli, un autre aviateur expérimenté, qui rêvait comme lui depuis longtemps de franchir l'Atlantique. Les deux hommes ont-ils payé de leur vie leur grand courage et leur témérité ?

L'insigne personnel de Nungesser sur la carlingue de l'« Oiseau blanc ».

Le train d'atterrissage de l'« Oiseau blanc » largué peu après le décollage.

Lindbergh, parti seul de New York, arrive à Paris

Ryan lui a construit un avion sur mesure

LE MONOPLAN TRANSATLANTIQUE RYAN "SPIRIT OF St. LOUIS"

Périscope — Tableau de bord — Hublot — Casier pour carnets, lampe de poche, etc.

Eau — Girouette pour le compas à induction Pioneer

Prise d'air du réservoir

Entrée du réservoir

Réservoir à carburant (capacité 1 934 l.)

N-X-211 RYAN N.Y.P.

Soute

Hélice métallique

Stabilisateur ajustable

Moteur 220 cv. — Provisions — Canot de sauvetage — Fuselage en acier — Béquille de queue

Envergure: 14,2 m   Poids brut: 2 381 kg   Vitesse maximale: 217 km/h

Charles Lindbergh a étudié très méticuleusement les détails de son avion.

Etats-Unis, 4 mai

La firme Ryan, conseillée par Lindbergh, a conçu un appareil adapté aux exigences et aux besoins du pilote. Face à lui, un énorme réservoir de carburant d'une contenance de 1 912 litres obstrue toute visibilité. Incurvé à sa base, il permet à l'aviateur, de grande taille, d'y loger ses pieds. A côté de la tablette d'instruments, un périscope installé à hauteur des yeux doit suppléer au manque de visibilité. Derrière la tête, une gourde d'eau, facilement accessible. Dans son dos, Lindbergh a voulu une niche pour y ranger carnets de bord, cartes et outils. A ses pieds, un espace devra contenir ses sandwichs. Enfin, le *Spirit of Saint Louis* est volontairement instable, Lindbergh craignant de s'endormir durant le vol...

Il avait la confiance de ses financiers

New York, 11 mai

En volant à travers les Etats-Unis d'ouest en est en 14 h 25 min à bord de son *Spirit of Saint Louis*, Charles Lindbergh a déjà battu un record. Après les essais concluants de son avion, il a averti ses amis de son arrivée imminente. Ces hommes lui ont donné leur soutien financier pour réaliser son projet de relier New York à Paris. Ils ont été mis en confiance par ce jeune pilote ambitieux dont l'expérience et la sagesse ont été mises en évidence lors de la préparation de l'avion. Aussi, à son arrivée à Saint Louis, Knight et Bixby l'accueillent et lui réaffirment qu'ils fondent tous leurs espoirs sur lui. Lindbergh confie à Knight une lettre de bons vœux de son confrère, maire de San Diego, et une autre de la chambre de commerce locale. Il a accepté de ses amis une bague en or décorée d'une hélice, un petit fer à cheval et une patte de lapin fétiches.

C. Lindbergh avant la traversée.

Course contre la montre à Roosevelt Field

New York, 20 mai

Charles Lindbergh a finalement décollé, faisant fi des conditions méorologiques. Et, jusqu'à la dernière minute, la question est restée posée : qui partira le premier de Lindbergh, Chamberlin ou Byrd ? Depuis dix jours, les trois concurrents attendaient à Roosevelt Field, presque côte à côte, un signe favorable de la météo. Cette nuit même, inquiet de se faire doubler, Lindbergh décide de partir. L'ultime vérification de l'avion est entreprise. Les réservoirs sont remplis. Le carburateur est alimenté en air chaud. La graisse qui protège certains endroits de l'appareil est enlevée. Un bref repos, puis Lindbergh s'élance sur la piste. Le *Spirit of Saint Louis* roule, hésite, et, enfin, s'élève dans le ciel, en direction de Paris.

Plus de 33 h avec le « Spirit of St. Louis »

Le Bourget, 21 mai

Il est 22 h 22 à Paris ce samedi quand Lindbergh se pose sur le terrain du Bourget encombré d'une foule incroyable, informée de son arrivée depuis qu'il est passé au-dessus des côtes normandes. Depuis 33 h et 30 min que le moteur, un Wright du type J-5, l'assourdit dans le petit cockpit du NX-211 ; il ne sent plus la fatigue, elle a fait place à l'excitation. Il a rencontré pendant le vol toutes les conditions possibles. Givrage avec descente au ras des flots, nuages bas et un peu de ciel clair. Le contrôleur de vol, créé par le Français Badin, ainsi que les indicateurs de virage et de pente transversale lui ont permis de piloter sans regarder dehors. Il est passé en Irlande au point prévu. Le prix Orteig est bien gagné.

New York, le « Spirit of Saint Louis » va décoller pour rejoindre Paris.

Le tableau de bord : Lindbergh ne l'a pas quitté des yeux durant tout le voyage.

Chamberlin perd mais il vole plus loin

Byrd achève son aventure à Ver-sur-Mer

Chamberlin à son arrivée à Croydon : il a aussi traversé l'Atlantique.

L'« America » lorsqu'il voguait encore, à Ver-sur-Mer, dans le Calvados.

Eisleben, 6 juin

Marcher sur les traces de Lindbergh et tenter de faire mieux que lui : le pilote Clarence Chamberlin avait osé ce pari. Une panne de carburant l'a obligé à atterrir dans un champ de blé, mettant un terme à son voyage à 160 km de son but : Berlin. Il n'en a pas moins parcouru 6 293 km, soit presque 480 km de plus que Lindbergh. Charles Levine, le commanditaire de ce raid, avait eu de la peine à convaincre un pilote de tenter une aventure où il n'y avait aucun prix à gagner. A

bord d'un Bellanca baptisé *Miss Columbia*, Chamberlin s'apprêtait à décoller le 4 juin de New York lorsque Levine s'engouffra dans la carlingue, décidant à la dernière minute de l'accompagner sans même prévenir sa femme. Leur voyage avait pourtant très bien commencé : ils étaient passés au large de Terre-Neuve avant de traverser l'Atlantique en direction de Plymouth. De là, ils ont survolé la Belgique, puis la Saxe où cette panne malencontreuse les a contraints à interrompre leur raid.

Ver-sur-Mer, 1er juillet

Depuis leur départ de New York, il y a deux jours, ils ne voient qu'une mer de nuages désespérément uniforme s'étendre sous leurs ailes. Richard Byrd, le héros du Pôle, croyait pourtant avoir pris toutes les précautions pour que son raid s'effectue dans les meilleures conditions de sécurité. L'équipage est composé de pilotes éprouvés – Bert Acosta et Bernt Balchen – et d'un opérateur radio très expérimenté, George O. Noville. L'aménagement de l'appareil, un trimoteur Fokker F.VII-3, l'*America*, est particulièrement soigné : cabine avec couchettes et équipement médical complet, des provisions pour plusieurs jours et l'indispensable canot pneumatique, qui leur sauvera la vie. Il avait embarqué également le premier courrier officiel à New York. Dès le départ, le mauvais

temps rend le vol très pénible, mais, en abordant les côtes de la France, hier soir, des difficultés avec le compas à induction terrestre mettent leur aventure en péril. Un message reçu de Paris annonce un épais brouillard, et il fait déjà nuit noire. Le commandant Byrd, prudent, décide de faire demi-tour au-dessus de ce qu'il croit être Paris, car le carburant s'épuise. A la faveur d'une éclaircie, il aperçoit la mer. Les lumières qu'il a survolées ne sont donc pas celles de Paris. Il ne lui reste plus qu'une solution : tenter de se poser sur l'eau. Le choc est si brutal qu'il arrache le train d'atterrissage. Heureusement, l'équipage est sain et sauf et le rivage, peu éloigné, peut être facilement gagné en canot. Avec 5 600 km parcourus en 46 h 6 min, Richard Byrd et ses compagnons ont accompli une des traversées les plus difficiles.

Au cours de la fête annuelle de l'aviation militaire britannique, à Hendon, une attraction inattendue : six descentes simultanées en parachute.

Costes et Le Brix ont franchi l'Atlantique Sud

Natal, 15 octobre

La traversée de l'Atlantique Sud sans escale : une tentative courageuse, mais aussi une magnifique propagande pour l'aéronautique française. C'est en vainqueurs que Costes et Le Brix sont arrivés à bord de leur Breguet-Hispano baptisé *Nungesser et Coli* en hommage aux grands aviateurs disparus. Partis du Bourget le 10 octobre à 9 h 43, ils ont atteint leur première étape, Saint-Louis du Sénégal, le lendemain soir. C'est de là qu'ils devaient s'envoler le jour suivant pour traverser l'océan, mais des pluies violentes qui avaient détrempé le terrain les empêchèrent de décoller. Ce n'est qu'hier qu'ils ont pu repartir, malgré un léger accident arrivé à leur hélice, heurtée par une pierre au décollage. Jusqu'à présent, la traversée de l'Atlantique

Sud n'avait pu être réalisée que par des hydravions faisant escale aux Açores et à San Fernando de Noronha. La tentative précédente de trois aviateurs français, Mouneyres, Saint-Roman et Petit, s'était terminée par la tragique disparition en mer des trois hommes. Dès demain, Costes et Le Brix comptent reprendre l'air pour leur prochaine étape, Rio de Janeiro. Ils gagneront ensuite Buenos Aires et New York, but de leur voyage. Cette première liaison rapide entre l'Europe et l'Afrique ne va pourtant pas permettre l'établissement immédiat d'une route aérienne, les moyens techniques actuels étant insuffisants. Aucun avion n'offre encore assez de sécurité sur une telle distance. Costes et Le Brix ont fait preuve d'un grand courage dans leur tentative.

L'aviateur Costes distribue des autographes à ses admiratrices argentines.

Leur expérience était reconnue de tous

Natal, 15 octobre

Alors que l'émotion suscitée par la disparition de Nungesser et de Coli est encore très vive, Costes et Le Brix ont voulu associer le nom des disparus à leur exploit. Comme eux, les pilotes de l'*Oiseau blanc* joignaient un courage presque insensé à une fabuleuse expérience du vol. Lors de la dernière guerre, Nungesser avait conquis la gloire par sa témérité dans le combat aérien. Après l'armistice, il avait été fêté comme un héros. Puis l'oubli

était venu et c'est pour retrouver la faveur de ses compatriotes qu'il s'était lancé dans l'aventure de l'Atlantique. François Coli, son compagnon, était un marin converti à l'aviation. Il s'était lui aussi révélé un pilote remarquable et avait effectué la première traversée aller et retour de la Méditerranée et le premier vol sans escale Paris-Casablanca. L'histoire associera désormais étroitement le nom de ces hommes si différents par le caractère et si semblables par le cœur.

J. Northrop a dessiné le Lockheed Vega

Etats-Unis, 4 juillet

Ils sont trois frères irlandais. Ils sont installés à Santa Barbara, en Californie. Victor, Allan et Malcolm Loughead se fâchent quand on prononce leur nom *lovheid* ; ils insistent pour Lockheed. Depuis 1912, Allan et Malcolm construisent des hydravions ; ils sont devenus célèbres en transportant des passagers, en 1915, à travers la baie de San Francisco, avec le Model G. En 1916, ils rencontrent John Northrop, un ingénieur avec qui ils créent une société à Santa Barbara, qui produira le Model F-1, prêt en 1918. C'est un hydravion de bonne

qualité, mais il arrive à une mauvaise période. En 1919, le roi Albert et la reine Elisabeth de Belgique le loueront pour aller de Santa Barbara à l'île de Santa Cruz. Northrop perfectionne le Model S-1, mais le manque de débouchés provoque la fermeture de l'entreprise en 1921. Malcolm crée alors un système d'équilibrage des circuits de freins de voiture, le procédé Lockheed. Allan poursuit dans l'aviation. Avec Northrop et Vultee, il fonde à Hollywood la Lockheed Aircraft Company. Le Model 1 Vega 2788, leur premier avion, a fait son vol inaugural. (→ 5.5.29)

Costes (à gauche) et Le Brix, avec Lacoste et Louis Breguet.

Allan Loughead fonde à Hollywood, en 1926, la Lockheed Aircraft Co.

Le Lockheed Vega est doté d'un capot moteur aérodynamique.

Vol sans escale de Californie à Hawaii

Le Fokker de Maitland et Hegenberger passe au-dessus de San Francisco.

Honolulu, 29 juin
Une pluie battante balaie la piste de Wheeler Field à Hawaii au moment où le Fokker trimoteur des lieutenants Lester Maitland et Albert Hegenberger se pose après un vol transpacifique de 25 heures 50 minutes. C'est la première liaison directe depuis la côte des Etats-Unis. Ils sont partis avec le *Bird of Paradise* de Bay Farm Island, la base d'Oakland. La première mission consistait à tester les radio-

phares installés par le Signal Corps à San Francisco et à Maui. Hegenberger, ses écouteurs sur les oreilles, a dû admettre au bout de quelques minutes que rien ne marchait comme prévu. Il recevait des signaux aberrants et l'aiguille se promenait de gauche à droite à la manière d'un essuie-glace. Il naviga au cap 260, se basant sur les vagues pour mesurer le vent. Même le givrage du carburateur à 3 000 mètres n'aura pas eu raison d'eux.

L'Aéropostale mise sur l'Amérique du Sud

Buenos Aires, 22 novembre
Latécoère est parti, mais l'Aéropostale poursuit son rêve. Son patron, Marcel Bouilloux-Lafont, a mis tout en œuvre pour ouvrir le plus vite possible la ligne Brésil-Argentine. Le parcours complet de Buenos Aires à Natal vient d'être inauguré officiellement. Chargé par Latécoère de préparer l'infrastructure sur le trajet reconnu par Roig, Paul Vachet poursuit son travail de fourmi sous la houlette de Bouilloux-Lafont. Inlassablement, pen-

dant des mois, celui que les Argentins ont surnommé le Laboureur sillonne le littoral pour installer les futurs aéroplaces d'escale. A l'automne, les travaux d'aménagement sont achevés quand un nouveau contingent de personnel et de matériel débarque à Rio. Le 14 novembre, Pivot et Vachet effectuent sur Laté 25 un premier vol de contrôle sur les tronçons nord et sud. La ligne Buenos Aires-Natal est ouverte. Reste à couvrir les 3 150 km d'océan la séparant de l'Afrique.

Natal : le premier aéroport de l'Aéropostale au Brésil a été inauguré.

De Havilland présente son Gipsy Moth

Le Gipsy Moth de Havilland devient célèbre en battant record sur record.

Londres, 31 juillet
Gipsy : c'est le nom du moteur qui équipe le tout nouveau Moth. Le DH.60X Gipsy Moth de Havilland a effectué aujourd'hui son premier vol, qui s'est déroulé sans problème. L'appareil, d'une facilité de pilotage remarquable, est en fait le prolongement de la grande famille des avions légers de Havilland. Le moteur Gipsy de 100 à 120 ch, conçu par Frank B. Halford, remplace le Cirrus de 60 ch. C'est un moteur en ligne à refroidissement par air, extrêmement simple mais, surtout, robuste et fiable. Le Gipsy Moth est un biplan à ailes en bois, aux lignes aérodynamiques pures. Les attaches des roues du train d'atterrissage ont été modifiées. Le réser-

voir, d'une capacité de 68 l, est logé dans la partie centrale de l'aile supérieure. L'avion de Havilland ne remporte que des succès avec ses Moth. Déjà le 5 juillet dernier, lady Mary Bailey enlevait à bord d'un de ces avions un record d'altitude en atteignant 5 268 m. Six appareils ont même été livrés à la RAF. Ils sont destinés à la Central Flying School. Ils sont aussi les vedettes incontestées des meetings aériens et des démonstrations de vol acrobatique. Le Gipsy Moth, fort de ce premier vol réussi, va contribuer, comme tous les autres membres de cette lignée, à développer l'aviation légère. Déjà, il constitue une référence et va probablement inspirer d'autres constructeurs.

Boeing Air Transport reçoit ses Boeing

Washington, 1er juillet
Les 25 Boeing Model 40 de la compagnie Boeing Air Transport sont prêts pour la liaison Chicago-PSan Francisco. Ils sont livrés directement du constructeur à sa propre société de transport fraîchement

créée. Washington voulait confier le fret postal à une compagnie privée capable de fournir suffisamment d'appareils pour le 1er juillet William Boeing gagne le contrat Deux tonnes de courrier vont voyager chaque jour dans ses avions.

Le business, c'est construire et être son propre client avec un marché assuré.

La Pan American sauve son contrat à la dernière minute

Key West, 19 octobre

Il s'en est fallu de peu que la Pan American ne puisse pas respecter le contrat qu'elle a obtenu pour acheminer le courrier vers Cuba. Elle sauve ainsi ses 25 000 dollars de dépôt de garantie et son avenir. La chance était au rendez-vous : alors qu'aucun avion n'était disponible pour effectuer ce vol, un petit hydravion s'est arrêté pour faire escale en Floride. La *Nina*, un Fairchild FC-2 de la West Indian Aerial, faisait le plein pour continuer sa route. Le pilote, Cy Caldwell, a accepté de prendre en charge les 30 000 lettres jusqu'à La Havane en échange de 145,50 dollars. En une heure, la mission était accomplie et la Pan American sauvée. (→ 16.1.28)

Le Fairchild FC-2 « Nina » n'imaginait pas rendre pareil service.

L'aviation inspire les cinéastes

Etats-Unis, décembre

Les producteurs ont compris qu'il n'y a pas de films plus passionnants que ceux qui racontent des aventures modernes. Ils s'attaquent donc à l'histoire des nouveaux héros populaires : les pilotes. *The Lone Eagle, Now, we're in the air, Sky-high Saunders, Three Miles up, Wide open* et surtout *Wings*, aux spectaculaires batailles aériennes, font salle comble. A peine sorti, ce dernier film de William A. Wellman, produit par la Paramount, devient un classique. Quant aux interprètes, Clara Bow, Charles Buddy Rogers et Gary Cooper, ils sont consacrés stars de l'année.

Trippe veut contrôler le ciel des Antilles

Etats-Unis, 30 septembre

Ils sont trois à se battre pour un contrat important : obtenir le monopole du trafic aérien des Antilles. Chambers et Rikenbacker, fondateurs de Florida Airways, Montgomery et sa Colombo-Alemana de Transportes Aereos et, enfin, Juan Trippe qui a fondé l'Aviation Corporation of America, sont sur les rangs. Les discussions avec le président cubain Machado prennent fin le 8 mars : Montgomery remporte la bataille. C'est sans compter sur l'acharnement de Trippe qui ne va pas s'arrêter là. A force de négociations, il obtient un droit exclusif d'atterrissage à Cuba. Montgomery et Trippe vont devoir coopérer. (→ 23.6.28)

Concurrence sévère sur les tarifs aériens

France, 26 octobre

Les voyages en avion ne seront plus réservés à l'élite. La compagnie française Air Union casse ses prix et crée une seconde classe aux tarifs très intéressants sur la ligne Paris-Londres. Concurrence oblige, cette innovation répond à l'inauguration d'une nouvelle classe aux tarifs préférentiels, à bord d'une autre compagnie, britannique cette fois, Imperial Airways. La classe de luxe de la firme anglaise permet aux passagers du Londres-Paris de bénéficier de la présence d'un steward et de l'accès au bar. La guerre des prix commence : pour le plus grand bénéfice des voyageurs.

Luft Hansa participe à la création d'Iberia

Espagne, 12 décembre

L'Allemagne ne veut laisser à personne le privilège d'aider l'Espagne. Créée à l'initiative de la firme germanique Luft Hansa associée à des hommes d'affaires de la Péninsule, la toute récente compagnie aérienne Iberia inaugure sa première ligne, de Madrid à Barcelone. Le roi Alphonse XIII en personne est présent lors du décollage des trois Rohrbach Roland qui assureront désormais un vol quotidien aller et retour entre les deux villes.

Léon Challe met 10 jours sur Paris-Saigon

Saigon, 20 octobre

Avec leur avion Potez 25, le capitaine Léon Challe et le mécanicien Rapin comptaient relier Paris à Saigon dans un minimum de temps. En couvrant les 12 000 km du parcours en neuf jours, ils ont réussi au-delà de toute espérance. Le 11 octobre, ils décollaient de Villacoublay en direction de Rome. Puis ils devaient gagner Athènes, Alep, Bassorah, Bandar Abbas, Karachi, Allahabad, Calcutta, Bangkok et, enfin, Saigon, soit dix étapes de 1 200 km en moyenne. Le même raid effectué par Pelletier-Doisy en 1920 avait pris le double de temps. Cet exploit montre les progrès réalisés sur le matériel aéronautique, mais aussi sur l'aménagement des aérodromes. Une foule enthousiaste et de nombreuses personnalités attendaient les aviateurs sur le terrain de Bien Hoa.

Pour attirer les clients, les compagnies font de leurs appareils des palaces.

Le capitaine Léon Challe et le mécanicien Rapin posent devant leur appareil.

La fin tragique de Jacques de Lesseps

Jacques de Lesseps (assis) et son mécanicien Chikenko vont prendre le départ.

Terre-Neuve, 3 décembre
La mer a rejeté le corps de Jacques de Lesseps. Voilà un mois et demi que l'on était à la recherche de ce grand aviateur, le dernier fils de Ferdinand de Lesseps, constructeur du canal de Suez. Le 18 octobre dernier, Lesseps, accompagné de son mécanicien Chikenko, s'envole en hydravion depuis le port de Gaspé pour regagner Val-Brillant, sur le lac de Matapédia. Chef des services aériens de la Compagnie franco-canadienne, le pilote devait régler la prise de clichés en vol de la péninsule de Gaspésie. C'est au cours d'un de ces vols, lors d'une violente tempête, que Lesseps s'est abîmé dans le fleuve Saint-Laurent alors qu'il tentait de s'y poser. C'est en tout cas l'explication la plus vraisemblable. Jacques de Lesseps, précipité hors de l'hydravion, ne sera retrouvé qu'à plus de 750 km de Terre-Neuve, dans la baie de Port-au-Port.

Les Alsaciens au service de l'Aéropostale

Marignane, 31 décembre
Tragédie à l'Aéropostale. L'accident d'un hydravion Laté 21 vient de faire cinq victimes. Parmi les membres de l'équipage : Achille Enderlin. Ce pilote avait effectué sa première liaison aéropostale Marseille-Alger en 1926. Sa disparition rappelle une fois encore le rôle déterminant des Alsaciens au sein de la compagnie Latécoère. A l'instar d'Enderlin, ils sont nombreux à livrer le courrier à travers le monde. Ainsi, Joseph Doerflinger, pilote d'essai chez Latécoère, est originaire de Mulhouse comme Enderlin ; il a été engagé chez Latécoère dès 1922, et c'est lui qui effectue le transport du courrier entre Casablanca et Dakar. Denis Hodapp, beau-frère de Doerflinger, se tue dans les Pyrénées le 20 juillet 1925, jour de sa première mission. Les Alsaciens peuvent aussi être fiers de Victor Hamm, dont on ne compte plus les missions à travers l'Afrique. C'est lui qui avait réalisé la première liaison postale entre Rio de Janeiro, Montevideo et Buenos Aires. (→ 1.3.28)

Mise à l'eau d'un des hydravions Latécoère 21, un appareil de l'Aéropostale.

Le Pacifique devient le nouveau défi

Le Woolaroc est le vainqueur du Dole Race qui relie les USA à Honolulu.

Etats-Unis, 31 décembre
En cette fin d'année, un challenge obsède tous les aviateurs : traverser le Pacifique entièrement, c'est-à-dire relier la côte ouest des Etats-Unis à l'Australie ou au Japon. Maitland et Hegenberger sont déjà parvenus à Honolulu en juin. Autre événement de l'année : le Dole Race, en août. Le Roi de l'ananas, James Dole, offre 25 000 dollars au premier et 10 000 dollars au second pour effectuer le même trajet. La course est gagnée par Arthur C. Goebel, mais à quel prix : cinq avions détruits, trois perdus en mer et on déplore la disparition de dix personnes, dont le pilote Mildred Doran, qui volait à bord du « Miss Doran ». De plus, des sommes fabuleuses sont dépensées dans ce type de longs raids pour tenter de venir en aide aux concurrents disparus. Pour la Dole Race, il en a coûté plus de 67 000 dollars à l'US Navy.

Le Supermarine est imbattable à Venise

Venise, 26 septembre
Le lieutenant Webster remporte le trophée de vitesse Schneider. La veille, des dizaines de milliers de spectateurs sont arrivés par trains spéciaux pour assister à l'événement. La compétition a débuté dans une atmosphère d'exaltation, tout le monde attendant pendant une journée entière que le vent tombe. Dès les premiers tours, bien des concurrents, volant à 415 km/h, ont été contraints à l'abandon. Puis deux pilotes de la RAF, aux commandes des Supermarine S.5, se sont dégagés du peloton de tête. Les spectateurs ont alors scruté le ciel, pour observer la compétition. Au terme des 350 km du parcours, le lieutenant Webster a finalement remporté la coupe haut la main. En une journée, son Supermarine S.5, équipé d'un moteur 12 cylindres Napier Lion VII B de 875 ch, a battu de 5 km/h le record de vitesse que l'avion français Bernard détenait depuis 1924. Le lieutenant a en effet volé à la vitesse de 453 km/h. La foule, enthousiaste, l'a porté en triomphe.

L'hydravion Supermarine S.5, doté d'un moteur Napier Lion de 875 ch.

L'épopée de l'Atlantique

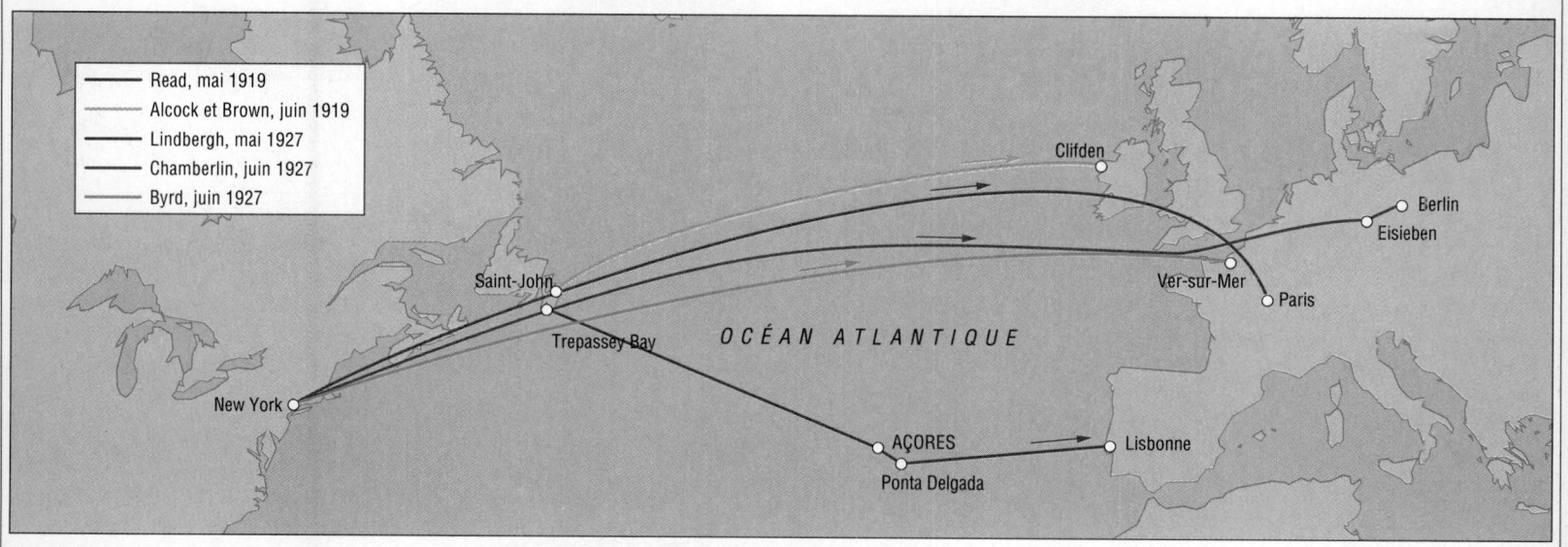

Légende :
- Read, mai 1919
- Alcock et Brown, juin 1919
- Lindbergh, mai 1927
- Chamberlin, juin 1927
- Byrd, juin 1927

26 avril : Davis et Wooster, *American Legion*, vers l'est.

8 mai : Nungesser et Coli, *Oiseau blanc*.

20 mai : Lindbergh*, NX-211 *Spirit of Saint Louis*.

20 mai : De Pinedo*, *Santa-Maria II*, avec escales.

4 juin : Chamberlin et Levine*, NR-237 *Miss Columbia*.

29 juin : Byrd*, *America*.

1er août : Chamberlin, *Miss America*.

14 août : Loose, Koehl et von Hü-

Tentatives de traversée de l'Atlantique

nefeld, *Bremen*.

14 août : Ristics, Edzard et Knickerbocker, *Europa*.

28 août : Brock et Schlee*, *Pride of Detroit*.

29 août : Tully et Medcalf, *Sir John Carling*.

31 août : Minchin, Hamilton et Löwenstein, *Saint-Raphaël*.

1er septembre : Tully et Medcalf, *Sir John Carling*.

2 septembre : Givion et Corbu, *Oiseau bleu*.

3 septembre : Courtney, Downer, Hosmer et Little, *The Whale*.

5 septembre : Tully et Medcalf, *Sir John Carling*.

6 septembre : Bertaud, Hill et Payne, *Old Glory*.

7 septembre : Schiller et Wood, *Royal Windsor*.

16 septembre : McIntosh et Fitz-

maurice, *Princesse Xenia*.

11 octobre : Haldeman et Ruth Helder, *American Girl*.

14 octobre : Loose, Starke, Lœwe, Fritzler et Mme Dillens, D-1230.

23 octobre : Hultz, Mrs. Grayson et Goldsborough, *Dawn*.

4 novembre : Merz, Rohde et Bock, D-1220.

23 décembre : Omdal, Kœhler, Goldsborough et Mrs. Grayson, *Dawn*.

(* signale les réussites)

Une princesse disparaît

Atlantique, 31 août

L'Océan continue d'engloutir certains de ceux qui osent le défier. Le Fokker *Saint-Raphaël* (G-EBTO), équipé d'un moteur Bristol de 500 ch, qui devait rejoindre les Etats-Unis, n'a plus donné de nouvelles depuis son décollage de Grande-Bretagne. L'équipage, composé du lieutenant-colonel Minchin et du capitaine Leslie Hamilton, comptait également la première femme à se lancer dans une telle aventure, la princesse Löwenstein-Wertheim, fille du comte de Mexborough, âgée de soixante ans. L'équipage d'un pétrolier dit avoir vu l'avion quelque part entre l'Angleterre et Terre-Neuve. Mais, depuis, c'est le silence.

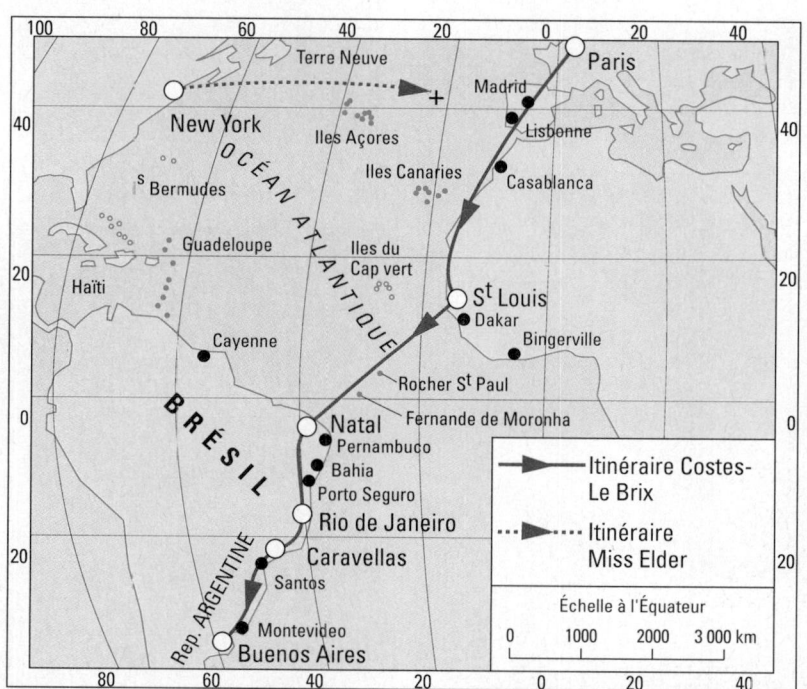

Légende :
- Itinéraire Costes-Le Brix
- Itinéraire Miss Elder

Échelle à l'Équateur
0   1000   2000   3000 km

Ruth Elder avait dépassé les Açores et approchait de l'Espagne. Plus au sud, le trajet de Costes et Le Brix passe près de deux îles situées en plein océan.

Une starlette rescapée

Atlantique, 12 octobre

L'Océan ne réussit décidément pas aux femmes qui tentent de le traverser. Ruth Elder, un jeune mannequin de vingt-trois ans, peut en témoigner. Accompagnée du pilote Georges Haldeman, elle ambitionne de devenir la première femme à franchir l'Atlantique. Le mardi 11 octobre, à 17 h 4, l'*American Girl* décolle de New York. Il doit rejoindre Paris *via* les Açores. A 670 km des îles, la pression d'huile tombe soudain à zéro. Ruth Elder lance un SOS à l'aide du petit poste de radio de l'avion. Le pétrolier néerlandais *Barendrecht*, alerté, dévie sa route et recueille les deux naufragés. Paris et ses magasins devront attendre.

Les avions de l'année 1927

Le Lockheed Vega possède une silhouette particulièrement élégante pour son époque. L'appareil battra un grand nombre de records.

Luft Hansa exploite 10 Focke-Wulf A.17 Mowe.

Trois Macchi M.52 sont construits en vue de la coupe Schneider de 1927, où ils abandonneront.

Le premier Stearman, le C-3, est équipé d'un moteur en ligne.

Le Waco Model 10 peut recevoir une grande diversité de moteurs.

Autre variation sur le thème du tout-métal, le H-47 Metalplane.

Faut-il présenter le Ryan NYP, baptisé par Charles Lindbergh « Spirit of St Louis », qui réalise la première la plus convoitée ?

Le Fokker F.VIII n'est pas construit en grand nombre.

Le Boeing Model 40A transporte des passagers et du courrier.

Le Bach 3CT Air Yacht est équipé de trois moteurs en étoile.

Le Fairchild FC-2 trouve un débouché intéressant au Canada.

Le Ford Tri-motor donne naissance à de multiples versions.

Armstrong-Whitworth s'intéresse au trimoteur et met au point l'Argosy, massif et peu esthétique, qui trouve preneur avec Imperial Airways.

La réponse d'Adolph Rohrbach est son Roland monoplan entièrement métallique, dont les lignes sont plus harmonieuses que celles de l'Argosy.

Le Stinson Detroiter, avec son moteur en étoile Wright Whirlwind de 300 ch, établit plusieurs records d'endurance et de distance.

De Suisse arrive le Comte AC-4 Gentleman produit en petite série.

Le Junkers K.37 est un bombardier qui commence sa carrière sous le manteau dans l'Aéropostale.

Le Bristol Bulldog II entre en service dans une dizaine d'escadrilles de chasse de la RAF, dont certaines le conservent jusqu'en 1937.

Dérivé de l'Avro 504K, le 5O4N est aussi exploité par les civils.

Le Vickers Valos canadien se révèle dangereux au pilotage.

Le Westland Wapiti Mk.II se différencie du Mk.I par une cellule entièrement métallique. Il remplace le célèbre de Havilland DH.9A dans la RAF.

L'US Navy achète 74 chasseurs embarqués Boeing F3B-1.

Le Handley-Page Hinaidi entre en service dans la RAF en 1929.

Torpilleur bimoteur de l'US Navy, le Douglas T2D.

Le Boeing FW-9C (Model 15C) est directement dérivé du PW-9. Quarante exemplaires ont été livrés à l'US Army Air Corps.

Le Nieuport-Delage Ni.D.52 sert pendant la guerre d'Espagne.

1928

 **453,174 km/h**
Grande-Bretagne
S.N. Webster
Supermarine S.5
26.9.27

 **7 663 km**
Italie
Ferrarin et Del Prete
Siai-Marchetti SM 64
2.6.28

 **12 442 m**
France
Jean Callizo
Blériot-Spad 61
23.8.26

 **26 000 kg**
Italie
SAI Caproni
Caproni Ca 60

 1 000 ch
Grande-Bretagne
Napier
Cub

San Francisco, 1er janvier
Boeing Air Transport prend la majorité dans le capital de Pacific Air Transport, société qui appartient à Vern Gorst. Cette compagnie représente un marché potentiel pour les avions Boeing. (→ 22.10)

Cuba, 16 janvier
Un Fokker F.VII transporte de Key West à La Havane les premiers passagers de la Pan American Airways.

Tchécoslovaquie, 1er février
Essais officiels du monoplace de chasse BH-33.2 de la firme pragoise Avia.

Grande-Bretagne, 13 février
Premiers essais à Rochester de l'hydravion de transport Short S.8 Calcutta. Imperial Airways prévoit de l'utiliser en Méditerranée. Si le confort des passagers est particulièrement soigné – les passagers peuvent consommer des plats chauds en cabine – l'équipage reste, lui, à l'air libre.

Etats-Unis, 28 février
A Saint Petersburg, en Floride, Mrs. C. Fenton reçoit son baptême de l'air à l'âge de cent quatre ans.

Argentine, 1er mars
Jean Mermoz, aux commandes d'un Latécoère 26 de l'Aéropostale, décolle de Buenos Aires pour Rio, inaugurant le service régulier de la ligne postale d'Amérique du Sud. Les accords passés entre l'Aéropostale et le gouvernement argentin stipulent que le voyage doit se faire en sept jours et demi, plus une marge exceptionnelle de 48 heures de retard.→

Italie, 3 mars
A Cameri, présentation du Savoia-Marchetti S.64, construit par la SIAI à Sesto Calende sur les plans d'Alessandro Marchetti. Du fait de la faiblesse du moteur par rapport à son poids, une piste spéciale de 1 300 m a été édifiée près de Rome, à Montecelio. Les 300 premiers mètres suivent une pente à 6,5% pour faciliter le décollage.

France, 13 mars
A 23 h 50, le pilote Elisée Négrin se pose à Montaudran avec le courrier d'Amérique du Sud. Le voyage inaugural de Buenos Aires à Toulouse a duré 12 jours 20 heures et 35 minutes. L'Aéropostale n'a pu respecter le calendrier prévu par son contrat avec les Argentins.

France, 14 mars
Tout en travaillant pour les Ateliers fédéraux de Thoune, Emile Dewoitine reprend pied en France. Avec le groupe Forgeot (lui-même associé avec le japonais Mitsubishi) et l'industriel Edgar Brandt, il fonde à Châtillon-sous-Bagneux la Société Aéronautique Française des avions Dewoitine [SAF]. (→ 28.10)

Argentine, 17 mars
Venant de Rio de Janeiro, Mermoz atterrit à Buenos Aires, clôturant la liaison inaugurale France-Amérique. Il aura fallu plus de quinze jours pour mener à bien cet extraordinaire périple. Le calendrier n'a pas été respecté du fait d'une surestimation par les responsables de la compagnie des possibilités techniques de l'Aéropostale.

France, 29 mars
La compagnie SGTA (Farman) met en place un vol direct Paris-Berlin.

Brésil, 16 avril
Jean Mermoz effectue le premier vol de nuit sur le tronçon Buenos Aires -PRio de Janeiro.→

Grande-Bretagne, 2 mai
Ouverture officielle à Croydon du nouvel aéroport de Londres.

Suisse, 3 juin
A Dübendorf, Marcel Doret teste en vol les réactions du prototype du chasseur Dewoitine D.27.

Etats-Unis, 23 juin
Fusion au sein d'un seul holding, l'Aviation Corporation of the Americas créée par Trippe, de Pan American Airways, Gulf and Caribbean Airways et Aviation Corporation of America. (→ 7)

France, 29 juin
Le XIe Salon de l'aviation rompt avec la tradition! Il se déroule en effet durant l'été et les vols de démonstration ne se font plus à Orly mais à Vincennes.

Cap Bojador, 30 juin
L'équipage du Latécoère 26 no 680 F-AINF de l'Aéropostale est capturé par les Maures après un atterrissage de fortune à la hauteur du cap Bojador.→

Allemagne, 1er juillet
Willy Messerschmitt devient directeur technique de la BFW, la Bayerische Flugzeug-Werke, qui absorbe sa propre firme. Il conserve cependant la propriété des plans, brevets et droits des avions dessinés au sein de la BFW.

Berlin, 1er août
La Luft Hansa et la compagnie soviétique Dobrolet s'associent pour exploiter un service postal régulier sur l'axe Berlin-Moscou-Irkoutsk. Le 6 juin, un accord de ce type avait été conclu avec Deruluft, l'autre compagnie soviétique, au sujet du parcours Berlin-Leningrad.

France, 14 septembre
A la suite d'un long débat au Parlement, le gouvernement crée un ministère de l'Air, qui est confié à Victor Laurent-Eynac.

France, 4 octobre
Le commandant Jean Dagnaux, avec l'appui de la société Gnome & Rhône, fonde une société d'études, la compagnie générale d'aviation Air Afrique, qui va tenter d'exploiter une ligne France-Congo-Madagascar. (→ 29.3.29)

Etats-Unis, 22 octobre
A Seattle, Boeing propose aux compagnies aériennes un nouveau biplan conçu pour transporter de 12 à 18 passagers, le Model 80. Ce trimoteur est censé remplacer le Model 40, qui a servi de « cheval de trait » à l'aviation postale américaine. Innovation : au fond de la cabine, un siège rabattable est réservé à un steward. (→ 1.2.29)

Cap Juby, 24 octobre
Marcel Reine et Edouard Serre, qui étaient prisonniers des Maures, sont libérés après de longues négociations avec les autorités espagnoles du Rio de Oro.

Argentine, 26 octobre
Le 35e courrier Frame (France-Amérique) de l'Aéropostale est le premier à effectuer la liaison entre la France et Buenos Aires en moins de neuf jours. Dans l'autre sens, les Amfra ne parviennent toujours pas à effectuer les traversées en moins de douze jours.

Yougoslavie, 28 octobre
Le nouveau monoplan de chasse Dewoitine D.27 est présenté au salon aérien de Novi Sad. (→ 31.7.29)

Japon, 30 octobre
Le gouvernement japonais procède à une concentration de ses compagnies aériennes. La Tozai Regular Air Transport Society et la Kawanishi Japan Airlines forment désormais la Japan Air Lines.

Congo belge, 2 novembre
Destruction accidentelle du Breguet 19 A2 *Général Laperrine* à Luluabourg. L'avion, piloté par l'équipage militaire des lieutenants Marie et Boulmer, était en mission d'études et cherchait à reconnaître les routes aériennes menant à Madagascar.

Chili, 28 novembre
Mermoz parcourt avec difficulté la route sud de la cordillère des Andes à bord d'un Latécoère 25F. Il finit par atterrir à Santiago du Chili sain et sauf. (→ 12.3.29)

Honduras, 29 décembre
Le gouvernement hondurien accorde le monopole du service postal à la Pan American Airways, qui continue d'étendre son réseau en Amérique centrale.

La compagnie Curtiss s'affiche : elle dispose de succursales dans tout le pays qui permettent aux clients de louer un avion avec son pilote.

Arrivant seul de Londres, Hinkler est reçu en héros en Australie

Darwin, 22 février

A son arrivée de Londres, après seize jours de vol à bord de son monoplace Avro Avian, le chef d'escadrille Bert Hinkler a été salué comme un héros national. Il a parcouru près de 18 000 km en solo ; il est arrivé tout ébouriffé et pas rasé, mais satisfait de son exploit. Ce petit Australien discret n'a reçu aucune aide du gouvernement. Aucun journaliste n'était présent quand il a embrassé sa femme et décollé de Croydon par un froid matin d'hiver. Ce seul vol lui a permis de battre plusieurs records : celui du plus long vol solo jamais réalisé par un avion léger ; du premier Londres-Rome sans escale ; des vols les plus rapides de Londres aux Indes et de Londres en Australie. Dès la première étape, l'aventure est au rendez-vous. Mettant le cap sur Rome, Hinkler est arrêté à l'atterrissage : il s'est posé sur un ter-

Hinkler enlève le capot du moteur afin de le présenter aux spectateurs.

rain militaire et il faudra l'intervention du consul britannique pour le faire libérer. Les péripéties qu'il a vécues, nuits dans le désert sous les ailes de son Avro, tempêtes tropi-

cales, fuite de réservoir et bien d'autres, ont forgé sa renommée peu à peu. La foule est venue acclamer aujourd'hui celui qui s'est fait connaître par sa persévérance.

Mermoz impose les vols de nuit

Buenos Aires, 17 avril

Mermoz n'a pas froid aux yeux. Sans relais radio et avec pour tout balisage quelques feux d'essence, il vient de réaliser le premier vol de nuit entre Rio de Janeiro et Buenos Aires. Décollant dans l'obscurité, il a rejoint la capitale argentine cette nuit, couvrant 2 500 km en vingt heures de vol. C'est un véritable exploit que le chef pilote de l'Aéropostale en Amérique du Sud n'a pas hésité à tenter : seule la ligne compte. Le 1er mars, il inaugurait la liaison postale entre l'Argentine et la France. Hélas ! les délais prévus ont été dépassés. Mermoz décide alors de voler de nuit pour rattraper le retard imposé par les 96 heures de traversée de l'Atlantique en aviso. Mission jugée alors impossible, mais, quand Mermoz a pris une décison, il n'hésite plus, il agit.

Croydon inaugure son aérogare

Croydon, 2 mai

Lady Maude Hoare, épouse du secrétaire d'Etat à l'Aviation, inaugure aujourd'hui la nouvelle aérogare de Londres. Premier terminal commercial au monde, Croydon s'impose comme le dernier cri en matière de confort, avec notamment son hôtel intégré. S'il en a coûté 267 000 livres au ministère de l'Air pour sa construction, le nouvel aéroport symbolise tout ce qu'il y a de fascinant et d'avant-gardiste dans le voyage aérien. Ici le confort

le dispute à l'efficacité : une tour de contrôle haute de 15 mètres supervise les mouvements des avions ; un poste émetteur radio va y être testé. Un autre terminal aérien devrait s'implanter prochainement près de la base de Cardington, pour accueillir les passagers des gros dirigeables qui vont bientôt sillonner le monde. Nul doute que les aérogares de Croydon et de Cardington vont bientôt améliorer les transports et les communications à travers tout l'Empire britannique.

Costes et Le Brix sont arrivés à New York

New York, 11 février

Les deux aviateurs français Costes et Le Brix sont arrivés au terme officiel de leur périple. En 125 jours, ils ont couvert 36 000 km, soit l'équivalent du tour de la Terre à la hauteur des tropiques, à la vitesse moyenne de 169 km/h. Leur prochaine étape sera San Francisco, d'où ils comptent embarquer pour le Japon. Après la traversée de l'Atlantique, une des plus grandes difficultés de leur entreprise a été l'étape de La Paz, en Bolivie, dont

l'aérodrome situé à 4 100 m est un des plus élevés du monde. A cette altitude, la raréfaction de l'air rend le vol très difficile. Deux souvenirs émouvants auront par ailleurs marqué leur voyage. Le premier, à Buenos Aires, restera les obsèques de trois officiers brésiliens dont l'avion, qui leur faisait une escorte d'honneur, s'est écrasé. Le second, c'est la chaleureuse poignée de main de Lindbergh, le héros américain, qu'ils ont rencontré à France Field (Panama).

Une nouveauté de la compagnie allemande Luft Hansa. Des bus-navettes sont à la disposition des voyageurs afin de se rendre le plus rapidement possible jusqu'à Berlin. Ici, les passagers d'un G 24. Ils ont inauguré une nouvelle ligne, créée le 21 mars 1927. Après des négociations avec la Tchécoslovaquie, la Luft Hansa permet un accès plus facile vers l'Est.

Le « Nungesser et Coli » au-dessus des forêts de la zone du canal de Panama

L'aviation est vraiment entrée dans les mœurs

Un avion de tourisme, les ailes repliées, est remorqué par une automobile.

En Angleterre, près de Salisbury, une nouvelle manière de faire du camping.

France, avril

L'avion concurrencera-t-il un jour l'automobile ? Si les avions légers commencent à séduire les particuliers, leur prix de revient reste assez élevé, de sorte que beaucoup hésitent à en acquérir. Ce n'est pas tant leur prix d'achat, entre 40 000 et 100 000 francs, qui est dissuasif, car il est comparable à celui d'une voiture. Ce qui revient le plus cher, c'est l'entretien, le garage, l'assurance, la consommation d'huile et d'essence. Pour une simple avionnette, les frais annuels peuvent se monter à plus de 20 000 francs, soit la moitié du prix d'achat, pour un usage limité de 300 à 400 kilomètres par mois. Il faut ajouter à ces sommes les leçons de pilotage qui reviennent à une dizaine de milliers de francs. A de tels tarifs, l'aviation privée reste réservée à quelques privilégiés. Il y a un million d'automobiles en France, mais les avions particuliers ne sont encore qu'une centaine. Et pourtant, que de possibilités offertes : selon ses goûts, l'aviateur amateur peut pratiquer le vol sportif autour de l'aérodrome et

La création de M. Albessard : son « triavion » possède une voilure « autostable ».

apprendre les figures de l'acrobatie ; il peut effectuer des promenades dans un rayon de 150 km autour de son point de départ, et même de véritables voyages s'il dispose de l'autonomie nécessaire pour parcourir de plus grandes distances. Avec un matériel de campement léger et confortable, l'avion devient un moyen de locomotion idéal pour des vacances imprévues, d'autant plus que les aérodromes se multiplient en France et à l'étranger, et que de petits avions peuvent atterrir assez facilement partout. On propose même sur le marché des appareils amphibies qui peuvent se poser aussi bien sur un champ que sur la surface d'un lac. Si les risques d'accident impressionnent encore le public, il faut reconnaître qu'ils sont actuellement fort limités pour un pilote prudent et assez expérimenté. Reste donc le seul obstacle réel : le prix de revient beaucoup trop élevé de l'aviation privée. Pour la démocratiser, une solution intéressante serait à envisager : des groupements de propriétaires qui permettraient d'obtenir des conditions avantageuses pour les commandes de matériel et d'avions et des prix plus compétitifs pour l'entretien et le garage des appareils. A l'étranger, en particulier en Grande-Bretagne et aux Etats-Unis, les clubs d'aviation privée connaissent un grand succès. La France saura-t-elle rattraper son retard sur les pays anglo-saxons ?

Quelques pilotes amateurs se sont regroupés autour de leurs appareils respectifs. Ils font partie d'une des nombreuses associations britanniques.

Parti d'Irlande, un Junkers traverse l'Atlantique

Ile de Greenly, 13 avril

Epuisés mais heureux, quatre hommes ont survolé l'Atlantique. Le Junkers W-33L, baptisé *Bremen*, quitte l'aéroport de Berlin pour Dublin. Les pilotes Koehl et Spinder, ainsi qu'un passager, le baron von Hünefeld, vont chercher à Dublin leur coéquipier, l'Irlandais Fitzmaurice. Ils ont déjà tenté la traversée de l'Atlantique, en vain, et sont prêts à renouveler l'aventure pour atteindre leur but : New York. A Dublin, les nouvelles de la météo sont catastrophiques. Voilà trois semaines qu'ils attendent. Advienne que pourra : le 12 avril, quelques centaines de personnes voient monter les hommes à bord du *Bremen*. Koehl est aux commandes, Fitzmaurice surveille les instruments, Hünefeld est chargé de la navigation. Le vent, tant redouté, est bien au rendez-vous et ralentit l'appareil de 160 km/h à 100 km/h. La météo, au-dessus de l'océan, se dégrade de plus en plus : le Junkers affronte la tempête. Pis encore, la

Le Junkers « Bremen » va décoller pour une grande traversée qui finira dans l'île de Greenly (Labrador).

neige se met à tomber. Toute la nuit, et 35 heures durant, c'est une lutte incessante pour maintenir l'avion en l'air. Soudain, une île est en vue. Ils tentent de se poser. L'appareil percute brutalement le sol : le train d'atterrissage s'effondre et l'hélice se brise. Les quatre hommes sont perdus jusqu'à ce qu'ils aperçoivent un phare. Ils sont dans l'île de Greenly, au Labrador, à plus de 2 000 km de New York, mais ils ont réussi la première grande traversée de l'Atlantique sans escale d'est en ouest.

L'« Arc-en-ciel » de Couzinet est conçu pour les grands raids

L'appareil révolutionnaire du jeune ingénieur Couzinet, l'« Arc-en-ciel ».

Orly, 7 mai

Le Couzinet 10, baptisé *Arc-en-ciel*, a pris son envol. A bord, son inventeur, René Couzinet, en compagnie du pilote Drouhin et de l'ingénieur Giannoli. Depuis qu'il a assisté à l'atterrissage de Lindbergh, Couzinet n'a plus qu'un but : concevoir un appareil capable de traverser, lui aussi, l'Atlantique. Il réussit à trouver les fonds nécessaires grâce aux anciens des Arts et Métiers dont il a fait partie. Ainsi, il réalise un solide appareil dans les usines Letord et se fait prêter trois moteurs de 180 ch par la société Hispano-Suiza. Son monoplan est entièrement réalisé en bois, avec un revêtement en contre-plaqué de bouleau. L'appareil dispose d'une structure qui lui permet de flotter un certain temps, en cas d'amerrissage forcé. Le fuselage se termine par une dérive induite. Les moteurs, comme les circuits d'huile, sont accessibles en vol. L'ingénieur fait monter dans sa voilure basse, construite autour de deux longerons-caissons, sept réservoirs d'une capacité de 6 300 l. De quoi accomplir la traversée...

Une armada sur le « Saratoga »

Canal de Panama, juillet

Le spectacle est impressionnant. Le *Saratoga*, le cuirassé américain transformé en porte-avions, est un véritable aérodrome flottant. Ce navire, d'une longueur de 275 m, transporte une trentaine d'appareils. Pourtant, il est difficile d'y loger de grands bombardiers ou des avions torpilleurs. Il faudrait pour cela envisager de replier les ailes des avions pour pouvoir les loger en soute.

Le porte-avions « Saratoga ».

Le « Southern Cross » a traversé le Pacifique

L'arrivée à Eagle Farm (Brisbane) du « Southern Cross ». Il vient d'accomplir la première traversée du Pacifique.

Les pilotes Ulm et Kingsford-Smith.

Brisbane, 9 juin
Quinze mille spectateurs sur l'aérodrome d'Eagle Farm, des milliers d'autres dans la rue principale de Brisbane : c'est l'accueil que l'Australie réservait aujourd'hui au *Southern Cross* et à son équipage pour leur victoire sur le Pacifique dans la première liaison Californie-Australie. Les noms de ces héros, hier encore inconnus, volent de bouche en bouche : capitaine Kingsford-Smith, chef de l'expédition ; capitaine Ulm, second pilote ; lieutenant Lyon, navigateur, et James Warner, opérateur radio. Le public, qui suit depuis le 31 mai à la radio les étapes de ce raid fantastique (11 788 km en 83 heures et 11 minutes de vol), prend conscience des risques encourus en voyant sur la carte les distances parcourues au-dessus des étendues solitaires du Pacifique : 3 850 km d'Oakland à Honolulu, 5 050 km de Honolulu aux Fidji, 2 888 km des Fidji à Brisbane ! Ni la fureur des orages ni les pistes d'atterrissage dangereusement courtes n'ont arrêté le Fokker trimoteur, naviguant sous la protection de la constellation dont il porte le nom. Mais cette victoire est avant tout celle de Kingsford-Smith qui, depuis dix ans, n'a jamais renoncé à son rêve d'une traversée du Pacifique. Il a su réunir l'appareil et l'équipage qui lui assureraient le succès, instaurant des liens durables entre l'Australie et l'Amérique. (→ 11.9)

Amelia Earhart passagère de l'Atlantique

Bury Port, 18 juin
«Je n'ai rien fait d'autre que de rester allongée et de photographier les nuages», répond avec un peu d'agacement Amelia Earhart aux journalistes. Pour une aviatrice, il est amer de se faire un nom comme simple passagère, mais elle a accepté ce rôle passif car elle avait peu de chance d'être vraiment partie prenante dans un raid de cette importance. La riche Anglaise qui finançait ce raid n'avait renoncé à y participer qu'à condition qu'on trouve pour la remplacer «quelqu'un qui symbolisât la femme américaine». Amelia avait été choisie pour son charme et sa compétence. Le 3 juin, elle s'envolait de Boston sur le *Friendship* avec les pilotes Wilmer Stulz et Louis Gordon. Retenus à Terre-Neuve par la tempête pendant deux semaines, ce n'est qu'aujourd'hui qu'ils ont touché le pays de Galles, et non l'Irlande, comme cela était prévu.

Elle ne pouvait pas rater ce vol.

De Rome au Brésil sans escale en Savoia

Rio de Janeiro, 5 juillet
Le capitaine Arturo Ferrarin et le major Carlo P. Del Prete ont joint d'une traite la capitale italienne à Rio de Janeiro. Partis de Rome à 20 h, ils n'ont mis que 48 heures pour traverser l'océan Atlantique. Arrivés à hauteur de Port Natal à 16 heures, heure locale, ils ont voulu tenter le diable en poursuivant leur raid vers Bahia, mais l'obscurité les a obligés à rebrousser chemin. Ils ont atterri à proximité de Natal. Après avoir réparé leur Savoia-Marchetti S.64, ils sont repartis pour Rio. Ce vol d'endurance de 7 188 km n'aura duré que 58 heures 35 minutes, l'occasion pour les pilotes d'établir un nouveau record mondial de distance.

Un record de distance pour Maryse Bastié

Traptow, 13 juillet
Depuis qu'elle a conquis en juin la seconde place au meeting de Reims, Maryse Bastié est devenue une aviatrice célèbre. Avec le Caudron C.109 qu'elle vient d'acheter, elle a accompli un nouvel exploit, le record du monde de distance en ligne droite sur le parcours Le Bourget-Treptow (1 058 km) avec à son bord l'aviateur Drouhin. Originaire d'une famille modeste, Maryse Bastié découvre l'aviation avec son second mari, un ancien pilote militaire. En 1925, un mois après avoir passé son brevet, elle attire déjà l'attention en passant avec son avion sous les câbles du pont transbordeur de Bordeaux. Tout à la joie de son dernier succès, la jeune femme ne compte pas s'en tenir là : elle veut maintenant s'attaquer au même record, mais cette fois seule à bord. (→ 4.9.30)

Trippe convoitait Pan American Airways

Le « General Machado », l'un des nombreux appareils de la Pan Am à Cuba.

Etats-Unis, 27 juin
Juan Trippe joue sa carte secrète et obtient le monopole des liaisons sur l'Amérique latine. Les réunions entre l'Aviation Corporation of America, de Trippe, Pan American et le groupe de Hoyt ont pourtant mal commencé. Finalement, c'est ce dernier qui trouve la solution : aucun des groupes n'aura la majorité et les actions seront payées *cash*. Le 23 juin est fondée l'Aviation Corporation of the Americas. Un changement de nom subtil de la part de Trippe, puisque ce nom est presque similaire à celui de son ancienne compagnie ! En achetant aujourd'hui les biens de la Pan Am pour 500 000 dollars, Trippe s'offre ainsi les contrats de poste internationale de cette dernière, conserve ses droits sur Cuba et contraint ses partenaires à la coopération. En outre, sa compagnie devient un instrument de la politique étrangère des Etats-Unis qui veulent contrer l'expansion des Européens en Amérique latine. (→ 25.1.29)

Service de médecins volants en Australie

Une « ambulance volante » va emmener un blessé de Camooweal à Longreach.

Australie, octobre
En Australie, les médecins se mettent à l'aviation ; ils sont aussi leur propre pilote. L'organisation des missions sanitaires n'étant pas au point, John Flynn, de la Presbyterian Church Australian Inland Mission, a créé le Service des médecins volants. Il a installé un centre de coordination des secours médicaux aériens à Cloncurry. Puis il a décroché un contrat avec la compagnie nationale Qantas. Celle-ci s'engage à lui fournir à tout moment un avion et un pilote, jusque dans les endroits les plus isolés. Il demande en outre à chaque agglomération et à chaque ranch d'être équipé d'une balise de détresse et d'une surface dégagée pour se poser. Pour l'instant, il n'y a qu'un seul médecin, le Dr St. Vincent Welch, et un seul avion, un de Havilland 50. Cet appareil est le mieux adapté à ce genre d'opération puisque sa cabine est assez vaste pour y placer une civière. Le pilote et son appareil ont déjà fait 28 000 km.

La Cierva franchit la Manche en autogire

Paris, 18 septembre
La Cierva vient d'effectuer le premier vol international d'un autogire. C'est grâce au dernier modèle, le C.8L-II, qu'il remporte le Grand Prix de l'académie des sports, soit 25 000 francs, offert par Henry Deutsch de la Meurthe. Le C.8L-II a volé de Croydon au Bourget, en s'arrêtant deux fois : à Saint-Inglevert d'abord, puis à Abbeville. Le voyage a duré 66 min, à une altitude de 1 200 m. Henri Bouché, le directeur de la revue *l'Aéronautique*, a été aussi impressionné par l'autogire que l'avait été, la veille, le journaliste britannique C.C. Turner qui a volé de Hamble à Croydon. Le C.8L-II, équipé d'un moteur Armstrong Siddeley Lynx IV de 180 ch, peut voler à une vitesse de 40 à 170 km/h. (→ 8.10.29)

Juan de La Cierva s'apprête à faire repartir son autogire du Bourget.

Les Italiens prisonniers de la banquise

Pôle Nord, 12 juillet
Les survivants de l'expédition italienne Nobile ont pu être retrouvés grâce au brise-glace russe *Krassine*. Parti le 23 mai de la baie du Roi, le dirigeable *Italia* s'est écrasé deux jours plus tard sur la banquise avec, à bord, 16 personnes, dont le météorologue Malmgren. Celui-ci, parti chercher du secours avec deux de ses compagnons, a trouvé la mort. Grâce à la radio de bord, qui est restée intacte, le SOS des naufragés a enfin été entendu. Il était temps : la glace n'allait pas tarder à se fendre et à se liquéfier.

Les quatre derniers naufragés de l'expédition Nobile, recueillis par un Fokke

Charles Kingsford-Smith pilote hors pair

Une radio va relier le « Southern Cross » en permanence à la terre.

Nouvelle-Zélande, 11 septembre
Charles Kingsford-Smith s'impose comme un vrai spécialiste des longs raids. Parti hier de Sydney, il est venu à bout d'une mer jusqu'à présent inviolée, la mer de Tasmanie, pour atterrir aujourd'hui à Christ Church, en Nouvelle-Zélande. Son vol a duré 14 heures et 25 minutes. Héros populaire pour avoir été le premier à traverser le Pacifique, Kingsford-Smith ajoute ainsi un nouveau record à sa carrière. Fidèle, il avait tenu à faire cette tentative sur l'appareil qui lui avait porté chance lors de son dernier exploit : le Fokker F.VIIb baptisé *Southern Cross*, et en compagnie du même second pilote, le capitaine Ulm. Pour cette performance, ils recevront 2 000 livres du gouvernement. L'Australie a en effet compris que de telles expériences contribuaient à développer le pays.

L'US Navy reçoit des chasseurs Boeing

Etats-Unis, 23 novembre
Boeing ne s'est pas seulement spécialisé dans la construction d'avions de transport. L'usine vient de livrer à la marine soixante-treize F3B-1. Ce nouveau modèle de chasseur est une version améliorée du F2B-1 qui avait déjà obtenu un grand succès auprès des mêmes autorités. Boeing, voulant accroître encore les performances de ce biplan, s'est mis au travail pour son propre compte et a sorti le Model 74, désigné par la marine comme XF3B-1. Equipé d'un moteur Wasp et d'une aile plus fine, il pouvait si besoin recevoir des flotteurs en Duralumin pour opérer comme hydravion, ou être équipé d'un train d'atterrissage conventionnel. Mais les essais de la marine, le 2 mars, ont révélé un prototype décevant, qui fut donc renvoyé à l'usine. Doté d'un plan supérieur en flèche qui a amélioré ses performances en altitude, le F3B-1 satisfait ses acheteurs, mais il a coûté très cher.

La marine est maintenant équipée de 73 Boeing F3B-1 destinés au porte-avions « USS Langley ».

L'hydravion fait gagner 24 h au courrier

New York, 13 août
La vitesse d'un avion est quatre fois plus grande que celle d'un paquebot. C'est ce qu'a compris la Compagnie générale transatlantique en créant la Société transatlantique aérienne. Le paquebot *Ile-de-France*, qui a quitté Le Havre, emporte à son bord un hydravion chargé du courrier pour les Etats-Unis. L'appareil, un Lioré et Olivier H 198 équipé d'un moteur Gnome-Jupiter de 420 ch, est lancé à 750 km de New York, ce qui fera gagner 24 heures au courrier. L'idée était simple. Encore fallait-il pouvoir la réaliser, c'est-à-dire lancer un hydravion en pleine mer à partir d'un bateau. Cette difficulté a été résolue grâce à la mise au point d'une catapulte de lancement par les chantiers de Saint-Nazaire.

Tragédie au large de Rio de Janeiro

Rio de Janeiro, 3 mars
La consternation est à son comble, au Brésil. Ce qui devait être une fête s'est transformé en un véritable cauchemar. Le pionnier Alberto Santos-Dumont avait décidé de revenir finir sa vie dans son pays natal. Les autorités locales ont prévu de lui réserver un accueil digne de sa réputation internationale. A l'arrivée du paquebot *Cap Arcona* qui l'amène, un grand hydravion, le *Santos-Dumont*, est affrété pour saluer le retour de l'inventeur. A son bord, des membres éminents de l'intelligentsia brésilienne et des journalistes. Parvenu aux abords du paquebot, dans la baie de Rio, l'avion explose en vol, tuant tous ses passagers. Alberto Santos-Dumont, déjà très malade, s'est effondré à la vue de ce drame.

l'instant de l'envol, du pont de l'« Ile-de-France », à 750 km de New York.

Le comptoir de la KLM à l'aéroport de Croydon : le voyageur peut y réserver son billet pour l'une des nombreuses destinations proposées.

Le Polikarpov Po-2 a commencé sa longue carrière en 1928. Quelque 40 000 exemplaires seront construits en 25 ans.

Le CAMS 55 donne naissance à de nombreuses variantes. Un certain nombre de ces hydravions sont encore en service lorsque la guerre éclate.

Environ 460 Hawker Hart sont affectés à la RAF. Ce bombardier léger est aussi construit sous licence en Suède.

Le Vickers Vildebeest, un bombardier torpilleur de la RAF.

Le Gloster Gambet n'est construit qu'à un seul exemplaire.

Le Fairey Long Range Monoplane a été conçu pour tenter de battre le record de vitesse.

Le Gloster Gnatsnapper ne dépasse pas le stade expérimental.

Le Lioré-et-Olivier LeO H-25 est produit en plusieurs versions et deux groupes de bombardement en sont encore équipés en mai 1940.

Le Bristol Bulldog Mk.II vole au début de l'année 1929.

Le Beardmore Inflexible, un avion tout-métal expérimental.

Le Fairchild 71 est un avion de brousse apprécié au Canada.

Cet appareil, un Boeing Model 80A est la dernière version du Boeing Model 80.

Le Consolidated Commodore, avion de transport commercial, tire son origine du PY-1 qui a été commandé en série par l'US Navy.

Le Loening Air Yacht est réservé à une clientèle aisée.

La famille des Bellanca CH, à cabine fermée, est très populaire aux USA.

Le chasseur expérimental Boeing XP-9 aux nombreuses entretoises.

Le Kalinin K4 peut transporter six passagers. Sa série est limitée.

Un Boeing Model 40B de la filiale aéropostale de Boeing.

Le Sikorsky S-38, hydravion amphibie à deux poutres.

Le Macchi M.52, présenté par l'Italie pour la coupe Schneider de 1929.

développement du Ford Tri-motor, le 5-AT peut accueillir 14 ou 15 passagers. l'appareil intéresse également l'armée américaine.

Le Boeing Model 95 transporte du frêt et du courrier.

Le Breda Ba 15, appareil de tourisme du plus pur style italien.

C.W. Holman pose avec fierté devant son Laird Speedwing LC-R.

Le Travel Air 6000 exploité sur les lignes transcontinentales US.

Le Focke-Wulf F-19 Ente à empennage canard en démonstration à Hanworth en 1931. L'appareil ne dépasse pas le stade expérimental.

Le premier hydravion Short Calcutta d'Imperial Airways, sur la Tamise, attend, devant Westminster, une visite des parlementaires.

1929

528,765 km/h
Grande-Bretagne
H.R.D. Waghorn
Supermarine S.6
7.9.27

8 029, 44 km
France
Dieudonné, Costes et Codos
Breguet 19
17.12.29

12 738 m
Allemagne
Willi Nevenhofen
Junkers
25.5.21

56 000 kg
Allemagne
Dornier
Do X

1 920 ch
Grande-Bretagne
Rolls-Royce
RV-12

Pologne, 1er janvier
Le gouvernement polonais fusionne les diverses compagnies aériennes existantes en une compagnie nationale : la Polskie Linje Lotnicze (LOT).

Argentine, 1er janvier
Le pilote Paul Vachet effectue le premier service bihebdomadaire Buenos Aires - Asuncion.

Nice, 1er janvier
Mort de George Holt Thomas, fils du propriétaire du *Daily Graphic* et fondateur de la société de construction Airco, dont l'ingénieur d'études était de Havilland.

Pérou, 25 janvier
Juan Terry Trippe forme la Pan American - Grace Airways Inc. (PANAGRA). En s'associant à égalité avec la W. Grace Corporation, Trippe va exploiter une ligne postale entre le canal de Panama et l'Argentine. (→ 22.5)

Etats-Unis, 1er février
Boeing crée la United Aircraft and Transport Corporation. Elle dispose d'un capital de 146 millions de dollars et achète Pratt & Whitney. Elle vise aussi l'achat de Hamilton Propeller. (→ 7.5.30)

France, 29 mars
Retour à Paris du Farman F-190 d'Air Afrique qui a reconnu l'itinéraire Paris - Fort-Lamy. Le voyage de retour a duré 27 jours. (→ 23.7)

France, 9 avril
La compagnie Air Union met en place une liaison nocturne quotidienne Paris-Londres.

Mexique, 5 mai
L'aviatrice Amelia Earhart réalise avec un Lockheed Vega la première liaison directe Newark-Mexico en 14 heures 19 minutes. (→ 27.8.30)

Panama, 22 mai
La Pan American Airways inaugure son service passager. Le voyage entre Miami et la zone du canal dure 56 heures avec escales à Belize et Managua.

Etats-Unis, 13 juin
Quinze minutes après le décollage de l'*Oiseau canari*, qui tente la traversée New York - Paris, Alfred Assolant et Armand Lotti découvrent un passager clandestin à bord, le journaliste Arthur Schreiber. La première réaction d'Assolant sera de crier à son navigateur René Lefèvre : « Passe-le par la porte... et vite ! » (→ 14.06)

France, 30 juin
Les deux hangars à dirigeables de l'aérodrome d'Orly sont achevés. Comme l'aéronautique militaire a cessé d'utiliser des dirigeables, ils abriteront des avions de l'aéronautique navale.

Venezuela, 3 juillet
A Caracas, le congrès vénézuélien ratifie le contrat qui accorde à l'Aéropostale l'exclusivité du transport postal pour une durée de cinq ans.

France, 23 juillet
Assemblée générale constitutive de la Compagnie Transafricaine d'Aviation (CTA) qui succède à Air Afrique. Jean Dagnaux est nommé directeur général et Marcel Bouilloux-Lafont président du conseil d'administration.

Grande-Bretagne, 27 juillet
Conçu l'an dernier par Sydney Camm, le bombardier léger Hawker Hart est présenté au public à l'Olympia Aero Show.

Italie, 8 août
A Desenzano, sur les rives du lac de Garde où est installée depuis 1927 l'école de haute vitesse destinée à l'entraînement des pilotes italiens engagés dans la coupe Schneider, l'hydravion Macchi M.67 fait ses premiers essais entre les mains du lieutenant Giovanni Monti, en présence d'Italo Balbo.

Roumanie, 7 septembre
A Bucarest, le IIIe circuit de la Petite Entente et de la Pologne se termine par la victoire du commandant tchèque Kalba sur un Letov S-31. Organisée par l'Aéro-Club royal de Roumanie, cette course de 3 111 km passe par Iassy, Lvov, Varsovie, Cracovie, Prague Brno, Zagreb et Belgrade.

Grande-Bretagne, 7 septembre
La Xe coupe Schneider s'est déroulée cette année sur le chenal de Solent, entre Portsmouth, Rydes et Cowes. C'est le Supermarine S.6 qui remporte la compétition, l'Italie se classe deuxième. La France n'y participait pas : les hydravions Bernard ont déclaré forfait, leurs moteurs n'étant pas au point.

Pays-Bas, 12 septembre
A Amsterdam, la compagnie KLM ouvre sa ligne d'Extrême-Orient, dont le terminus est Batavia (Djakarta). C'est un Fokker F.VII.3M qui inaugurait cette ligne postale, la plus longue du monde. →

France, 29 septembre
Le pilote tchécoslovaque Kalba, à bord d'un chasseur Letov S-516, moteur Sotta-Fraschini, bat le record des 1 000 km sur le parcours Etampes, Villesauvage, Orléans.

Grande-Bretagne, 30 septembre
Frank Whittle présente à Londres ses travaux sur les turbines à gaz. En guise d'application, il modifie un moteur Rolls-Royce Buzzard de 800 ch qui va donner le type R de 1900 ch. (→ 16.1.30)

Etats-Unis, 8 octobre
Juan de La Cierva présente à Bryn Athyn le premier autogire construit par la société Pitcairn-Cierva Autogiro Company of America.

Suisse, 20 octobre
Premier vol avec passagers à bord de l'hydravion géant de Claudius Dornier, le Do X. →

Etats-Unis, 1er novembre
Parti le 23 août de Moscou, le Tupolev ANT-4, *Ailes soviétiques*, arrive à New York. C'est le premier appareil à relier l'Amérique dans le sens ouest-est. L'avion a couvert 19 840 km en vingt-trois étapes. Par deux fois, les moteurs et le train d'atterrissage ont été changés.

Suède, 11 novembre
Le créateur de la firme suédoise Svenska Aero Aktiebolaget (SAAB), l'Allemand Carl Bücker, présente à Stockholm le prototype d'un biplan de chasse, le Jaktfalken Svenska J 5, qu'il compte vendre à l'armée de l'air suédoise.

France, 15 novembre
L'inventeur William Loth présente au Bourget une installation de guidage sans câble. Expérimentée à Vaux-sur-Seine, elle permet de définir une route grâce à deux radiophares tournants.

Suisse, 19 novembre
En rachetant une aile de Dewoitine, le constructeur Alfred Comte la monte sur un monoplace de chasse AC-1 et grimpe à 10 000 m, battant le record suisse d'altitude.

Etats-Unis, 22 novembre
A New York, lors des épreuves pour l'attribution du prix de 100 000 dollars de la fondation Guggenheim, un petit monoplan biplace, le *Doodlebug* (bourdon) heurte, après un piqué, un bloc de béton. Le pilote James S. McDonnell, qui en est aussi le constructeur, s'en vont indemne. (→ 22.11)

Antarctique, 29 novembre
Parti de la base scientifique de Little America, sur la barrière de Ross, Richard Byrd, à bord d'un trimoteur Ford 4-AT réussit à survoler le pôle Sud.

Thaïlande, 16 décembre
Ouverture de la ligne postale d'Air Asie, Bangkok-Saigon. Le voyage se fait sur des Potez 32 et dure deux jours.

France, 31 décembre
Les hydravions CAMS d'Air Orient Lignes d'Orient ont effectué à ce jour cinquante-neuf liaisons entre Marseille et Beyrouth.

Mermoz a été retrouvé. On n'avait plus de nouvelles de son Laté qui devait franchir la cordillère des Andes. Il est arrivé à Santiago.

Un « Spirit of St. Louis » pour les Chinois

Le « Chu Kiang », modèle directement dérivé du « Spirit of Saint Louis ».

Chine, 14 janvier
Les seuls avions que l'on trouve en Chine sont militaires. Ils ont été vendus à profusion aux différents seigneurs de la guerre. Il y a maintenant une exception : l'aviation civile fait ses premières études. Le jeune aviateur Chang Wai-chung est parti de Canton pour rejoindre Nanning, à 200 km d'Hanoi. Il est général et sa femme aussi est pilote. Aux commandes du *Chu Kiang*, un Ryan Brougham directement

dérivé du célèbre avion de Charles Lindbergh, il emmenait les notables des régions qu'il survolait. Le petit avion civil de 250 ch, à cabine fermée et à conduite intérieure, a réalisé un voyage de 4 000 km à travers la Chine. Equipé de flotteurs, l'avion a pu suivre le réseau des fleuves, des canaux et des lacs, qui représente une infrastructure toute disponible. Un autre pilote, Chan Hing-wan, avait déjà effectué un raid quinze jours plus tôt.

Mary Bailey héroïne du tour de l'Afrique

Londres, 16 janvier
Lady Mary Bailey, fille d'un pair irlandais, en véritable aristocrate, se rend à peine compte de la valeur de son exploit. En se posant sur son sol natal après un voyage d'un an, elle

Et elle s'excuse d'arriver en retard.

a appris qu'elle avait remporté le Britannia Trophy pour avoir parcouru en solitaire 27 950 km entre Londres et Le Cap, aller et retour. Partie le 9 mars 1928 sur son de Havilland Moth, elle s'était décidée à s'envoler pour l'Afrique du Sud, d'autant que son mari, sir Abe Bailey, y vit. Elle passe par le Soudan, le lac Victoria et le Tanganyika. C'est là que son avion se retourne. Lady Mary est furieuse contre elle-même : tout est de sa faute, elle n'a pas su prendre de l'altitude. N'importe quel pilote aurait alors abandonné. C'est mal connaître la Britannique qui, jamais, ne s'avouera vaincue. Elle change d'avion et repart. Elle est au Cap le 30 avril et se précipite pour s'excuser auprès de son mari. Elle est en retard, mais toutes ces montagnes se ressemblent tant ! Son voyage de retour a été plus long : elle a décollé du Cap le 21 septembre pour n'arriver qu'aujourd'hui à destination, en passant cette fois par le Congo belge et le Sahara.

Le vol prénuptial de Lindbergh finit mal

Cette fois, il ne faut pas incriminer la présence d'une femme dans le cockpit.

Mexico, 3 mars
La fiancée de Charles Lindbergh, Anne Morrow, se souviendra de son baptême de l'air ! En week-end dans la famille de sa future femme à Mexico, Lindbergh accepte d'emmener son amie en avion. Quand le Stinson Junior, équipé d'un moteur de 110 ch, quitte le sol, une des roues du train d'atterrissage se détache. Lindbergh, qui a connaissance de l'avarie, tente alors de poser son avion en douceur, l'aile inclinée du côté de la roue qui tient toujours. L'appareil reprend contact avec le sol et roule un moment sur cette roue. Quand le moyeu de

l'autre côté touche le sol, Lindbergh, malgré toute sa dextérité, ne parvient pas à maîtriser le Stinson qui capote. Anne est indemne, le fiancé est légèrement blessé au bras. Quelle aventure pour un vol prénuptial ! Depuis sa rencontre avec la fille de Dwight W. Morrow, ambassadeur des Etats-Unis au Mexique, Lindbergh, dès qu'il le peut, monte dans son avion pour filer la rejoindre. Anne sait maintenant que Lindbergh est bien pilote. La première fois qu'elle l'a vu, elle avait en effet demandé au héros de l'Atlantique s'il savait piloter... Le mariage est prévu pour mai.

Surprise de promeneurs dans le village de Saint-Maur (Indre). Un avion a percuté de plein fouet le toit d'une maison et y est resté encastré.

Survol difficile de la cordillère des Andes

Pendant plusieurs jours, on a cru Jean Mermoz disparu dans les Andes.

Santiago du Chili, 12 mars

On les croyait perdus dans la cordillère des Andes. Epuisés et affamés, Mermoz et Collenot viennent de rejoindre Santiago. Le 2 mars, Mermoz tente la traversée de la vertigineuse barrière. Il décolle de San Antonio, en Argentine, avec Collenot et le comte de La Vaulx. Une panne de moteur les contraint à se poser sur un plateau incliné, à 3 000 m. Tandis que le Laté roule vers le précipice, Mermoz saute à terre et l'arrête. Collenot le répare dans le froid ; l'avion redécolle et

gagne Santiago. Pour le retour le 9 mars, Collenot et Mermoz choisissent la route du nord. A 4 000 m d'altitude, l'avion est plaqué par un vent violent sur une paroi rocheuse. Le train d'atterrissage est faussé, puis les conduites d'eau éclatent sous l'effet du gel. Ils mettent trois jours pour réparer, avec les moyens du bord (ficelles, morceaux de vêtements). Reste le décollage. La moindre fausse manœuvre, et c'est la mort au fond de l'abîme. Enfin, Mermoz arrache le Laté et descend en vol plané jusqu'à Copiapo.

Imperial Airways ouvre la route des Indes

L'Amstrong Whitworth Argosy d'Imperial Airways : un avion de grand luxe.

Croydon, 30 mars

Cinq ans après sa création, Imperial Airways concrétise le rêve de ses fondateurs, en ouvrant la route aérienne vers les Indes. A dix heures ce matin, l'Argosy *City of Glasgow* a décollé pour le vol inaugural de la ligne. Une partie du voyage s'effectue par le train car Mussolini n'a pas accordé aux Anglais le droit de survoler l'Italie. Ces derniers, qui redoutent de voir croître l'influence du Duce en Méditerranée, avaient interdit le survol de Malte et de Gibraltar aux avions italiens. Les

passagers volent donc à bord de l'Argosy jusqu'à Bâle, où ils prennent le train pour Gênes. Là, ils embarquent sur l'hydravion Short Calcutta qui se pose à Alexandrie. La dernière étape, celle de Karachi, s'effectue à bord d'un DH.66 Hercules. Cet appareil trimoteur a été choisi pour sa grande fiabilité, malgré sa cabine équipée pour sept passagers seulement La porte des Indes n'est ainsi qu'à une semaine de la Grande-Bretagne, pour la somme relativement modique de 130 livres sterling. (→1.4)

Air Union fête son dixième anniversaire

Le Bourget, 9 avril

Déjà dix ans. C'est au lendemain de la guerre, en 1919, que sont créées la Compagnie des messageries aériennes et la Compagnie des grands express aériens. Quatre ans plus tard, la fusion des deux compagnies donne naissance à Air Union. Pour célébrer comme il se doit cet évé-

nement, l'aérodrome du Bourget est en fête. Les avions les plus récents sont exposés : on y admire des Blériot, des Lioré et Olivier et autres Farman. Même les Goliath sont là, rutilants. Les pilotes, presque tous des anciens de la Grande Guerre, lèvent leur verre : longue vie à Air Union !

Un hydravion Short Calcutta d'Imperial Airways attend ses passagers à Gênes.

Des spectateurs sont venus nombreux pour admirer les appareils d'Air Union.

Edward Link invente un entraîneur de vol

Etats-Unis, 14 avril

La formation des pilotes est un des soucis majeurs des compagnies. Un Américain, Edward Link, fabricant de pianos, a inventé un appareil qui reproduit exactement les conditions de vol. Les commandes électropneumatiques permettent aux élèves de retrouver les sensations d'un vol réel. Cet avion fictif facilite l'apprentissage et permet surtout

de réduire le nombre d'heures de vol réel sur avion. Un mécanisme permet de faire varier un vent fictif et même la turbulence. Les évolutions sont transmises à un stylet qui se déplace sur une carte en indiquant la trajectoire décrite par l'appareil. L'instructeur envoie des ordres au pilote par un interphone et peut contrôler immédiatement les exercices de son élève.

Cent mille dollars pour un avion fiable

Les ailerons flottants de l'aile inférieure améliorent la sécurité en virage.

New York, 22 novembre

La Curtiss Company vient de remporter les 100 000 dollars du prix Guggenheim, qui récompense l'appareil le plus sûr. Le *Tanager* a réussi l'épreuve de la vitesse minimun de 56 km/h sans présenter la moindre tendance au décrochage. Ce résultat a été obtenu grâce à des volets installés sur la totalité du bord de fuite. Les becs à fentes disposés sur le bord d'attaque augmen-tent à eux seuls la portance de 50%. Pas de problème non plus pour atteindre les 177 km/h imposés, car la rentrée des becs est automatique. Le moteur Curtiss Challenger de 185 ch permet au *Tanager* de franchir aisément un obstacle de 10 m situé à 152 m du début de décollage. Le seul ennui pour Curtiss, c'est que l'avion a coûté plus de 100 000 dollars et que l'Amérique en crise ne commande plus d'avions.

Ils tiennent l'air six jours sans escale

Etats-Unis, 7 janvier

Cinq hommes ont volé 150 heures et 46 minutes sans se poser une seule fois. Parti de Los Angeles le 1er janvier, l'équipage avait reçu pour consigne de tenir jusqu'à la limite de ses forces. Ce record sportif a été rendu possible grâce à la mise en place d'un système de ravitaillement spécial : un monomoteur placé au-dessus du Fokker *Question Mark* déroule un tuyau qui déverse 285 l d'essence par minute. Enfin, après six jours de cette fastidieuse ronde, le commandant Spatz a décidé d'atterrir.

L'équipage du « Question Mark » pose devant les bidons d'essence utilisés.

Un voyage train-avion organisé aux USA

Charles et Anne Lindbergh entourent l'actrice Mary Pickford (avec des fleurs).

Los Angeles, 8 juillet

Un millier de personnes se sont inscrites au voyage inaugural de la Transcontinental Air Transport. Vols de jour et trains de nuit pour ces passagers qui traversent le pays dans le confort et la sécurité. Pour rallier New York, destination de la ligne Lindbergh sur la côte Est, les pionniers de la Transcontinental commencent le voyage avec le tri-moteur Ford *City of Los Angeles*, piloté par Lindy lui-même. Ils ont décollé aujourd'hui de Los Angeles, salués par l'actrice Mary Pickford au bras de Douglas Fairbanks. C'est Amelia Earhart qui inaugurait le vol similaire côte Est - côte Ouest. Les étapes de jour en avion alternent avec les étapes de nuit en train. Le voyage complet proposé par Airway Limited coûte de 337 à 403 dollars l'aller, incluant repas chauds et sièges Pullman. Avec Transcontinental Air Transport, il faut 48 heures pour traverser le pays, soit un jour de moins que le trajet en train. Cinq heures de moins aussi que la compagnie Universal Aviation !

La compagnie AULO s'ouvre sur l'Orient

Beyrouth, 8 juin

Le vol a duré deux jours. Pour la première fois, un des avions du service postal d'Air Union Lignes d'Orient (AULO) a décollé de Marseille pour Beyrouth. L'hydravion CAMS 53, piloté par Winckler, a parcouru 3 254 km. La ligne est désormais officiellement ouverte, avec une fréquence hebdomadaire. L'hydravion doit faire trois escales : il se pose à Naples, à Corfou puis à Athènes. L'aventure ne s'arrête pourtant pas là : en effet, Beyrouth ne possède pas d'aérodrome. Le courrier, à peine sorti de l'hydravion, est chargé à bord d'une camionnette. Celle-ci l'achemine à travers le désert, pendant 100 km, jusqu'à Damas. Un trimoteur Farman 303 emporte alors le chargement vers Bagdad. Un voyage bien mouvementé, mais qui permet un gain de temps considérable.

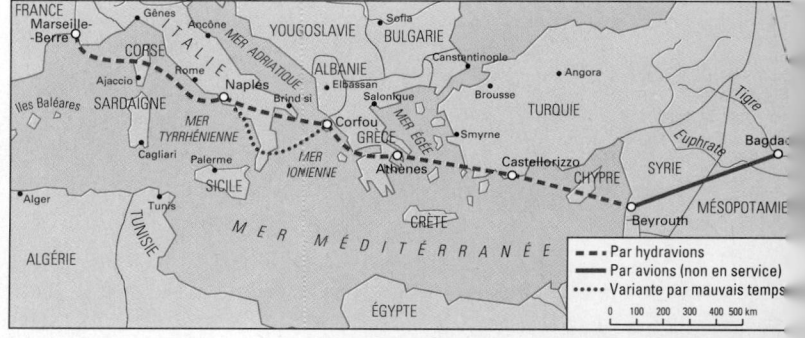

Le clandestin de l'« Oiseau canari »

Le ravitaillement près de Santander. Au fond, on aperçoit un avion espagnol de secours tiré par des bœufs.

Marie Marvingt et l'aviation sanitaire

Paris, 20 mai

La foi en son œuvre qui a toujours animé Marie Marvingt aura vaincu tous les obstacles. Le premier congrès de l'aviation sanitaire qui s'ouvre à Paris est la consécration de son travail humanitaire. Troisième femme à avoir obtenu en France un brevet de pilote, Marie Marvingt a vu dans l'aviation le moyen de transport idéal des blessés, dès 1912. Parmi les personnalités fortes qui ont marqué les débuts de l'aviation, Marie Marvingt est l'une des plus étonnantes. Une anecdote suffira pour la caractériser : en 1915, comme elle voulait participer activement à la guerre, elle s'engagea dans un bataillon de chasseurs sous une identité d'homme et ne fut jamais découverte.

France, 14 juin

« Here I am. » A bord de l'*Oiseau canari*, une voix inconnue se fait entendre. L'équipage français devait comporter trois membres mais, à la surprise générale, ils sont quatre à bord ! Arthur Shreiber, très décontracté, vêtu de cuir comme les pilotes, a profité de l'inattention d'Assolant, Lefèvre et Lotti pour se glisser dans l'avion, au moment du départ, sur la plage d'Old Orchard, près de New York. L'équipage comprend à présent pourquoi l'*Oiseau canari*, un appareil de 600 ch, a eu tant de mal à décoller : c'est le poids du passager qui a alourdi la queue de l'appareil. En effet, après deux cents mètres, Assolant ne parvenait toujours pas à soulever l'appareil et il se serait écrasé si le pilote n'avait tiré avec énergie la commande de profondeur. Assolant et ses deux compagnons sont fous furieux : par la faute de ce jeune inconscient, ils ont failli mourir. Mais, puisqu'il le faut, ils continueront leur voyage avec le « resquilleur », le premier de l'histoire de l'aéronautique. A une condition, cependant : signer sans discuter le contrat que lui propose Lotti. S'il écrit ses mémoires, il devra abandonner à l'équipage la moitié de ses droits et bénéfices éventuels. Mais qu'importe ! Pour le jeune Américain, c'est le baptême de l'air, et il n'en revient toujours pas d'être parvenu à ses fins. Le voyage se poursuit. Après un orage foudroyant dans la nuit, l'équipage atteint l'Espagne, près de Bilbao. Le carburant ne va plus tarder à manquer, d'autant que la surcharge que constitue Schreiber augmente la consommation. En se posant au cap Finistère, en Espagne, l'équipage réalise le plus long trajet jamais accompli par-dessus les étendues marines : 5 032 km parcourus en 29 h 22 min. La plage de Comillas les accueille. Et le passager clandestin est devenu une vedette !

L'équipage et le passager clandestin.

Farman arrache le record d'altitude

France, 26 juillet

La tentation du vol à haute altitude n'est pas seulement motivée par la course à l'exploit. Très haut, la consommation d'essence diminue et la résistance de l'air est moindre. Le record mondial d'altitude avec 1 t de charge, jusqu'alors détenu par un Allemand, a été pulvérisé par Joanny Burtin, pilote d'essai chez Henri Farman. A bord d'un Breguet 19 équipé d'un moteur Farman de 550 ch à 12 cylindres en W, suralimenté par un compresseur centrifuge construit par Rateau-Leparmentier, il est monté à 8 089 m. Farman caresse un ambitieux projet : la navigation commerciale dans la stratosphère.

Le 22 juillet, le paquebot « Bremen » catapulte un He 12 qui va faire gagner quelques heures pour l'arrivée du courrier à New York.

Dewoitine récupère ses locaux à Toulouse

Toulouse, 31 juillet

Un retour discret et pourtant de taille. Lorsqu'en 1927 la CAD (Construction Aéronautique Dewoitine) est en liquidation, Emile Dewoitine part s'exiler en Suisse. Sur les instances d'Albert Caquot, qui a lancé « la politique des prototypes » au ministère de l'Air, Dewoitine réemménage à Toulouse, dans ses anciens locaux du boulevard Pasteur. Il y installe la Société Aéronautique Française, la SAF, fondée en 1928. Immédiatement, Dewoitine met en chantier une berline de transport, le D.35. Il s'agit d'un monoplan commercial à aile haute, équipé d'un moteur Hispano-Wright 9 Qc en étoile de 300 ch. Cet avion, qui pourra transporter quatre passagers, est destiné au déplacement rapide, à la demande du personnel de la SAF entre Paris et Toulouse.

Le tour du monde en « Graf Zeppelin »

La grande nacelle avant du célèbre dirigeable, le « Graf Zeppelin ».

Allemagne, 4 septembre

Le champagne coule à flots à bord du *Graf Zeppelin*. En 12 jours 12 heures et 20 minutes de vol, le dirigeable vient de boucler son tour du monde, soit 34 201 km. Tout n'était pas gagné lorsque Hugo Eckener se mit à imaginer un tel voyage. Le premier problème a été d'ordre financier, le coût du vol étant de 250 000 dollars. Des directeurs de grands quotidiens ont accepté de financer en partie l'expédition. Les billets, eux, ont été vendus 2 500 dollars. Le 15 août enfin, le *Graf*, avec 21 passagers et 41 membres d'équipage, prend son envol de Friedrichshafen. Après l'Union soviétique, il traverse le Pacifique. Le 19 août, le dirigeable atterrit sous les acclamations à Tokyo. Etape suivante, les Etats-Unis, où les voyageurs découvrent San Francisco le 25, après une traversée difficile de 67 heures. Puis c'est l'heure du retour. Un seul petit mois suffit désormais pour une vision d'ensemble du vaste monde !

Le terminal de l'Aéropostale en Patagonie

Argentine, 1er novembre

L'Aéropostale explore l'Amérique du Sud jusque dans les contrées les plus reculées. Dernier avant-poste : Comodoro Rivadavia, en

L'Aéropostale va toujours plus loin...

Patagonie, qui vient d'être relié officiellement à Buenos Aires par les deux héros de la ligne. Hier, Saint-Exupéry empruntait le sens sud-nord, *via* Trelew, San Antonio Oeste et Bahia Blanca, à bord d'un Laté 25, et Mermoz vient d'ouvrir la ligne en sens inverse à bord d'un Laté 28. Au début de l'année, l'infatigable défricheur Paul Vachet a reconnu le trajet de 1 600 km séparant les deux villes. A l'automne, Daurat, en tournée d'inspection, constate que la ligne de Patagonie est prête à entrer en exploitation. Le 12 octobre, Antoine de Saint-Exupéry, nommé chef pilote de l'Aeroposta Argentina, débarque à Buenos Aires. Dès le 14, Vachet l'emmène comme passager pour un voyage de reconnaissance du parcours, inauguré aujourd'hui. Déjà on prépare les prochaines étapes de la ligne vers la Terre de Feu.

La Sabena s'équipe avec des Fokker F.VII

Vingt-trois Fokker F.VII 3M seront livrés cette année. Sept iront au Congo.

Bruxelles, 30 novembre

La Sabena a fait son choix : elle équipera ses lignes commerciales de Fokker. Il s'agit de Fokker F.VII 3M aménagés pour le transport de dix passagers avec leurs bagages (20 à 25 kg). Sa vitesse de croisière est de 192 km/h. D'un poids total de 5 tonnes en charge, son autonomie est de l'ordre de 650 km, mais peut être portée à 1 000 km si on réduit la charge payante. La Sabena va bientôt les mettre en exploitation sur ses lignes Bruxelles-Londres et Anvers-Bruxelles-Dusseldorf-Essen-Hambourg. L'équipage sera constitué de deux pilotes. Economiques, confortables et sûrs, les Fokker F.VII sont équipés pour les vols de nuit et possèdent la radio et des instruments de bord modernes. Le premier de la série, OO-AIE, a fait aujourd'hui un essai réussi devant le ministre des Transports. La toute nouvelle gare aérienne qui a été inaugurée à l'aérodrome de Haren offre aussi un grand confort dès le début du voyage.

Dornier lance un immense palace volant

Constance, 21 octobre

Ils sont 150 passagers à bord d'un hydravion, pour un essai au-dessus du lac de Constance. L'ingénieur Claude Dornier a conçu le fameux Do X, achevé en juillet dans les ateliers d'Altenrhein, sur la rive suisse du lac de Constance. L'appareil possède une envergure de 48 m et douze moteurs de 520 ch installés dans six nacelles au-dessus de la voilure, d'une surface de 486 m². Sur le pont supérieur se trouve l'équipage de dix hommes. Le pont inférieur se partage en sept salons on ne peut plus luxueux. La coque est dessinée comme celle d'un navire pour une tenue de mer impeccable. Les six réservoirs ne contiennent chacun que 16 000 litres de combustible. Assez, en tout cas, pour que les passagers et les neuf clandestins découverts à l'amerrissage effectuent un beau voyage...

Le Dornier Do X peut atteindre jusqu'à 210 km/h avec ses douze moteurs.

Junkers aussi construit un avion géant

Le plus grand avion du monde : le G 38 de l'Allemand Hugo Junkers.

Allemagne, 6 novembre
C'est la course au gigantisme chez les constructeurs allemands. Après le vol inaugural du géant Dornier Do X le 21 octobre dernier, Hugo Junkers vient de présenter son nouveau modèle. Le G 38 conserve la structure métallique typique des Junkers, mais son fuselage disparaît presque sous une aile de 44 m d'envergure, 10 m de large et 1,70 m d'épaisseur. Elle abrite les quatre moteurs, les réservoirs, les radiateurs de refroidissement et six passagers privilégiés qui pourront jouir là d'une vue superbe grâce à de vastes hublots percés dans le profil de l'aile. L'aménagement intérieur est somptueux. Derrière le poste de pilotage, une première cabine, et, au niveau inférieur, deux plus petites, offrent chacune onze places ; à la proue, il y a deux sièges et, à l'arrière, encore quatre places, réservées aux fumeurs. Au total, cela fait trente-quatre places pour les passagers, plus, bien sûr, celles des six membres d'équipage.

L'avion propulsé par fusées de von Opel

Les essais de l'avion à réaction de Fritz von Opel à Francfort-sur-le-Main.

Francfort, 30 septembre
Fritz von Opel a décidé de passer de l'automobile à l'aviation et d'innover dans ce domaine. Le célèbre constructeur allemand a réussi à décoller à bord d'un planeur propulsé par seize fusées donnant 25 kg de poussée chacune. C'est sur l'aérodrome de Francfort que le San der Rak 1 a volé quelques kilomètres, pendant 75 secondes, à la vitesse de 160 km/h. L'atterrissage a été brutal et l'avion a subi des dommages, tandis que Fritz von Opel, qui pilotait lui-même, est sorti indemne de l'incident. Déjà les 10 et 11 juin 1928, il avait fait voler, au-dessus du terrain de la Wasserkuppe, en Allemagne, un planeur muni de fusées spéciales de démarrage et de propulsion. Si von Opel est satisfait de cette nouvelle expérience, il reste sceptique quant au poids, beaucoup trop élevé, de ses Rak (pour « rakette », fusées). Fritz von Opel aurait maintenant l'intention de traverser la Manche, à bord de ce même planeur.

L'amiral Byrd fonde la « Petite Amérique »

Pôle Sud, novembre
Voici près d'un an maintenant que l'expédition Byrd a quitté la Nouvelle-Zélande pour un nouveau voyage d'exploration dans l'Antarctique. Près des lieux mêmes où Amundsen avait établi son campement il y a dix-huit ans, Byrd et ses compagnons ont construit un véritable village, la Petite Amérique, pour les abriter pendant le terrible hiver austral. L'expédition se compose d'une quarantaine de membres, parmi lesquels de nombreux savants de toutes les disciplines. L'exploit sportif se double donc d'une mission scientifique. Quatre avions font partie de l'équipement : un Ford trimoteur, un monoplan Fairchild, un autre monoplan General Aircraft et un Fokker. Byrd profite des moindres instants favorables, toujours rares sous ces climats, pour partir en reconnaissance au-dessus de ce continent si mystérieux.

Au centre, la base de l'un des trois pylônes de TSF ; au fond, un monoplan.

Vol direct de Séville au Brésil par Challe

Brésil, 17 décembre
Nouvel exploit dans l'Atlantique Sud. Partis de Séville le 15 décembre, Challe, le Français, et Larre-Borges, l'Uruguayen, ont relié l'Espagne au Brésil aux commandes de leur *Oiseau blanc*, un Breguet équipé d'un moteur Lorraine de 450 ch. Ils ont ainsi parcouru 5 670 km et survolé l'océan sur 3 600 km. Les premières heures de la croisière ont été agréables et la TSF a permis aux pilotes d'avoir un contact permanent avec la terre ou avec des bateaux. Mais, le 16, un orage les a déviés vers l'ouest. Puis survint une fuite au réservoir d'essence. Il ne leur restait que 50 litres de carburant. Il fallait atterrir au plus vite. En vue de la côte brésilienne, l'appareil est arrivé à atteindre Mabacuta. A l'atterrissage, l'aile droite heurta un obstacle au sol et l'*Oiseau blanc* capota. L'appareil fut détruit, mais les deux pilotes, indemnes, avaient atteint leur but.

Challe, à Séville, pour un dernier adieu avant son départ vers le Brésil.

Le radiophare au service des aviateurs

Abbeville, 1er octobre

Depuis que la radio est réglementaire sur les vols commerciaux, un système de radioguidage est testé en France. Un radiophare tournant peut donner, à 2° près, la position de l'avion tout au long de la ligne Paris-Londres. La balise balaie les 360° en une minute et émet un trait continu pendant cinquante secondes, puis son indicatif. Au passage du Nord, elle émet un top bref. Le pilote déclenche son chronomètre au moment du top et mesure le temps qui s'écoule jusqu'à ce que le plan du cadre de l'émetteur passe dans la direction de l'avion, moment où le pilote reçoit le signal le plus faiblement. Le décompte en secondes lui donne le relèvement précis mais pas la distance.

Un récepteur radio moderne.

Doolittle démontre le vol aux instruments

Long Island, 24 septembre

Une expérience capitale a eu lieu aux Etats-Unis. Le lieutenant James H. Doolittle, de l'United States Army Air Corps, vient d'effectuer un vol complet aux instruments. Aux commandes d'un biplace d'entraînement, une capote en toile lui masquant toute visibilité, il décolle de Mitchell Field, près de New York. Il suit un parcours déterminé et revient se poser, guidé uniquement par un récepteur radio spécial et les indications de ses instruments. La technique élaborée par le US Bureau of Standards a bien fonctionné. Deux radiobalises lui donnaient un signal pour rester sur l'axe de la piste, une troisième, en travers du seuil de piste, lui faisait connaître le moment de couper les gaz. Le lieutenant Ben Kelsey n'a pas eu à intervenir sur les doubles commandes. En plus des signaux radio, il a utilisé trois instruments. L'horizon artificiel de Sperry lui a donné la position de l'appareil par rapport à l'horizon. Il a pu régler l'angle de montée et calibrer sa descente. L'altimètre de Kollsman lui a permis de contrôler son altitude. Le gyro-directionnel de Sperry a stabilisé l'indication de cap mieux qu'un compas. (→ 19.12.30)

Il sait ignorer ses sensations.

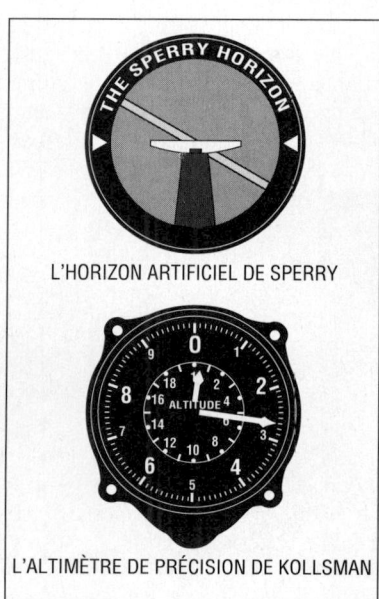

L'HORIZON ARTIFICIEL DE SPERRY

L'ALTIMÈTRE DE PRÉCISION DE KOLLSMAN

Un Commodore de luxe pour Buenos Aires

Buenos Aires, 23 décembre

Le Commodore aux ailes corail et au fuselage crème entre en service sur la route Buenos Aires-Rio de Janeiro, *via* Montevideo, Rio Grande, Florianopolis et Santos. Baptisé *Buenos Aires* le 3 octobre dernier, le Commodore 16 accueille à son bord trente-deux passagers. Ces derniers sont installés dans des compartiments de quatre ou huit places. Des fauteuils réglables, munis de coussins, ont été placés dans ces cabines luxueuses, où un cabinet de toilette est mis à la disposition des voyageurs. La compagnie Nyrba (New York - Rio - Buenos Aires) a voulu vérifier chaque détail afin que le confort des passagers soit total. Au début de l'année prochaine, l'avion desservira Santiago.

Le Commodore survole New York.

Le Supermarine affirme sa supériorité

Grande-Bretagne, 7 septembre

Les Anglais sont encore vainqueurs pour la deuxième année consécutive. S'ils remportent une troisième fois la coupe Schneider, l'Aéro-Club royal britannique sera, selon la règle, propriétaire de la coupe et la compétition disparaîtra. Les Italiens étaient accueillis à Calshot, en Grande-Bretagne, et volaient sur des Macchi équipés d'Isola-Fraschini de 1 800 ch et sur des Piaggio P-8. Ils se sont inclinés devant les Supermarine S.6 anglais, à moteur Rolls-Royce de 1 900 ch. Ce n'était pourtant pas gagné d'avance : les Supermarine n'ont été livrés à la RAF que cinq semaines avant la course, ce qui laissait très peu de temps aux pilotes pour se familiariser avec ces hydravions extrêmement puissants. Le vainqueur de la Coupe de vitesse est le pilote anglais Waghorn avec 528 km/h. Son compatriote, le Flight Lieutenant d'Arcy, a même volé jusqu'à 595 km/h, mais a été disqualifié pour erreur de parcours. Comme sur les précédents Supermarine, les S.4, le carburant est logé dans les flotteurs. Cet agencement est d'ailleurs problématique et l'un des flotteurs a dû être délesté en partie. L'Italie, vaincue, rêve de revanche.

Un officier pilote de la RAF qui gagne la course ne se mouille pas les pieds.

Costes et Bellonte testent le Super Bidon

France, décembre

Aucun équipage, aucun appareil n'a jamais relié Paris à New York. Il n'en faut pas plus à Costes et Bellonte pour rêver de cette aventure. Ils ont l'avion : le Breguet Super Bidon, orné du fameux point d'interrogation qui lui donne son nom. Le 13 juillet, ils décollent de Paris. Le vent souffle avec tant de force au-dessus de l'océan qu'il faut se rendre à l'évidence : ils sont à 4 000 km de New York et à 2 296 km de Paris, mieux vaut faire demi-tour. Le 27 septembre, les deux hommes repartent, sur le même appareil. Seule la destination n'est plus la même : la Mandchourie. En franchissant les 7 905 km qui les séparent de Tsitzikar, ils battent le record du monde de distance. Cette victoire ne fait que les motiver davantage pour le fameux Paris - New York qu'ils rêvent toujours d'effectuer. Bellonte se penche sur les problèmes de moteur : celui-ci doit être amélioré pour développer 50 ch de plus (soit 650 au total). Il s'intéresse également à la météorologie et à l'équipement radio. (→ 2.9.30)

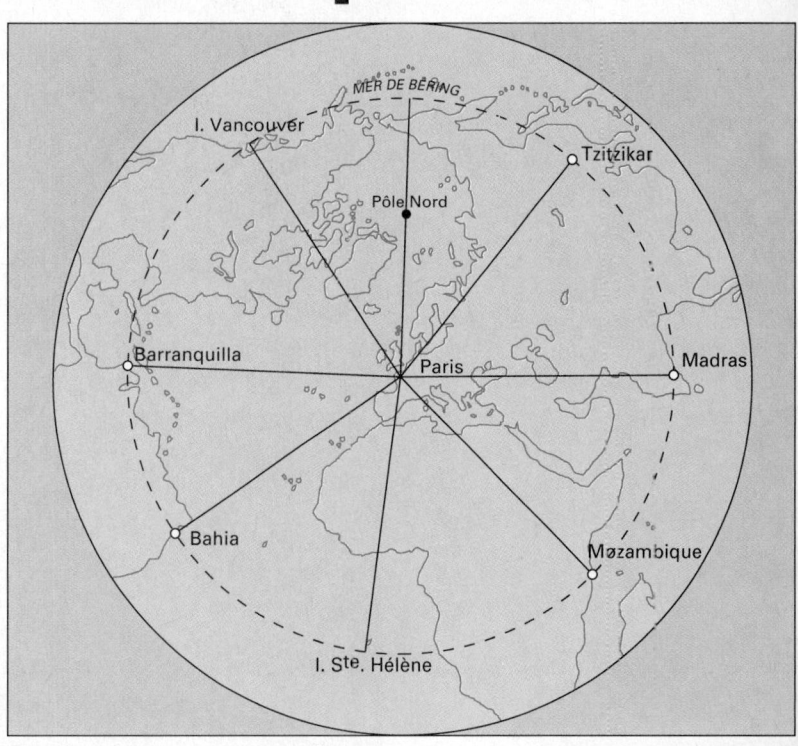

Un point d'interrogation pour un avion et une question : réussiront-ils ?

Hawaii possède sa compagnie aérienne

Honolulu, 11 novembre

L'aéroport John Rodgers, à Honolulu, est en effervescence. Le gouverneur de Hawaii, Lawrence M. Judd, va inaugurer le premier vol de l'Inter-Island Steam Navigation Co., la nouvelle compagnie aérienne. Honolulu sera enfin réuni aux autres îles de l'Etat. La fille du gouverneur, Betty, baptise les deux Sikorsky S-38 amphibies, choisis pour assurer ces vols historiques. Ce sont, en effet, des appareils idéaux : ils peuvent se poser sur la terre comme sur l'eau, possèdent deux moteurs et transportent jusqu'à huit passagers. Des milliers de spectateurs assistent à la cérémonie à laquelle 40 avions de l'armée prennent part. «La marche du progrès est encore mise en évidence ce matin», conclut le gouverneur.

Betty Judd, la fille du gouverneur, baptise l'un des Sikorsky S-38.

Grave échec pour le Fairey Long Range

Tunisie, 18 décembre

Le Fairey Long Range porte mal son nom. Conçu pour les longues distances, l'avion britannique, parti de Cranwell, s'est abîmé hier dans le massif du Djebel, au sud de Tunis. On vient d'en retrouver les débris, avec les corps de ses deux pilotes. Pourtant, Jones-Williams et Jenkins pensaient traverser le Sahara, puis gagner Le Cap, enlevant ainsi le record de distance à Costes et Bellonte. Huit heures après son départ, l'équipage signalait par TSF sa position près de la Sardaigne, puis ce fut le silence.

Charles Lindbergh, le héros de l'Atlantique, est le prestigieux conseiller technique de la Pan American Airways. Il vient de réaliser un voyage d'étude dans la région des Antilles et a inauguré pour la compagnie sa ligne vers le Mexique.

Le Fokker F.32, premier quadri-moteur en service aux USA.

Conçu aux USA, le Fokker F.14 se caractérise par son aile parasol.

Le Model A, premier appareil conçu par Cessna.

Le Consolidated Fleester possède aussi une aile parasol.

Le Hall XPH-1, hydravion de surveillance côtière, a obtenu une petite commande de l'US Navy. Il est équipé de deux Wright R-1820.

L'Aeronca C peut également recevoir des flotteurs à la place des roues.

Avec douze moteurs montés en tandem, le Dornier Do X, le plus gros hydravion de son temps, ne dispose pas d'une autonomie suffisante.

Le Boeing Model 203, un avion de compétition monoplace.

L'unique exemplaire du Heinkel He 57 à moteur Wasp.

L'Avro 638 Club Cadet descend du Tutor Trainer de 1929.

Le Dornier Do K ne sera jamais construit en série.

Le Macchi M.66 échoue à la coupe Schneider de 1929.

Le Curtiss Condor est dérivé du bombardier B-2. Il donnera naissance à la version CT-32 Condor, aux lignes plus raffinées.

Le Tupolev ANT-9, trimoteur pouvant emporter 9 passagers.

KLM exploite deux Fokker F.IX entre Amsterdam et Londres.

Le Curtiss Kingbird, prévu pour transporter huit passagers.

Le Kellett Autogiro, basé sur le principe des autogyres La Cierva.

KLM exploite quelques Koolhoven FK.40 construits aux Pays Bas.

Le de Havilland DH.80 Puss Moth fait le délice de quelques riches clients privés qui apprécient le confort de sa cabine fermée.

Le Junkers G.38 loge six de ses 34 passagers dans l'attache des ailes. Deux exemplaires sont achetés par la Luft Hansa.

Plus d'un millier de Morane-Saulnier MS.230 sont utilisés par l'armée de l'air pour la formation des futurs pilotes de chasse.

Le Stearman C-3R Speedster arrive sur le marché américain saturé par des appareils de la catégorie des biplaces de sport.

Le Levasseur P.L.14, hydravion lance-torpille de l'Aéronavale.

Le chasseur Fokker D.XVI est un dérivé monoplace du C.V.

Le Boeing P-12 devient le chasseur standard de l'US Army Corps.

Le PZL P.11 reprend la formule de l'aile de mouette du P-1.

Bien qu'étant monoplan, le Boeing XP-15 n'en tire aucun avantage de vitesse en raison de la structure complexe de sa voilure.

Le Gloster AS.31, appareil de surveillance et d'observation.

Le Tupolev ANT-7 est une version plus courte du bombardier ANT-4. Il est construit à 135 exemplaires.

Le Lockheed Sirius a été conçu à la demande de Lindbergh.

Le PZL P-1, un chasseur révolutionnaire conçu par Pulawski.

Le Gloster SS.18 est équipé de plusieurs mitrailleuses.

Fritz von Opel utilise un planeur pour tester ses moteurs-fusées.

Le prototype du Hawker Fury, ici avec un moteur Hornet à titre expérimental, se voit honoré d'une importance commande de la RAF.

Le Levasseur 10, avion de reconnaissance embarqué à bord du « Béarn ».

Le Breguet Bre 27 reste en première ligne jusqu'en septembre 1939.

Le Consolidated XPY-1 est commandé en série par l'US Navy.

Le Fairchild XO-27 est un avion d'observation conçu pour l'armée.

Les avions révolutionnaires de Northrop

Le moteur de 90 ch est logé dans l'épaisseur de l'aile de l'« Avion 1929 ».

Etats-Unis, 1er mai

Depuis longtemps, les constructeurs explorent les géométries les plus diverses pour construire des avions ; la formule canard de Voisin en est un exemple. L'avionneur californien John K. Northrop, après avoir travaillé chez Lockheed, s'est attaqué de son côté à la formule de l'aile volante. Installé à Burbank en Californie, il a réussi l'an dernier à faire voler sa première réalisation. Très modestement dénommé *Avion 1929*, ce prototype d'aile volante renferme en son centre le poste monoplace de pilotage et le moteur qui actionne une hélice axiale propulsive. Il a monté des empennages supportés par deux fines poutres, mais leur effet peut être annulé en vol afin de retrouver toutes les caractéristiques de l'aile volante pure. Il vient aussi de réaliser un monomoteur de 450 ch, l'Alpha, à structure monocoque entièrement métallique.

Boeing dessine l'aérodynamique du futur

Etats-Unis, 6 mai

Le dernier-né du grand constructeur américain, le Model 200 Monomail, dont l'aérodynamisme a été particulièrement soigné, mérite son qualificatif d'avion de transport moderne. A l'origine de sa création, Eddie Hubbard a voulu concevoir un avion monoplan de transport entièrement en métal. Aussitôt, les ingénieurs de chez Boeing se sont mis au travail dans le plus grand secret. Le fruit de leurs efforts est impressionnant. Le Monomail, entièrement métallique, est doté d'une aile basse, légèrement inclinée, et d'un train d'atterrissage rétractable. Le compartiment pour la poste est situé en avant du cockpit, qui est resté ouvert.

Il est aussi prévu de loger des passagers dans le compartiment de la poste.

L'exploit de Mermoz, Dabry et Gimié

Brésil, 13 mai

A leur amerrissage à Natal, trois vedettes viennent à la rencontre de Mermoz, Dabry et Gimié, lesquels pensent à une escorte officielle : n'ont-ils pas effectué la première liaison postale aérienne entre l'Europe et l'Amérique du Sud ? En fait, ce sont des douaniers brésiliens qui, tout de suite, leur réclament leurs passeports. Jusqu'à présent, le courrier franchissait l'Atlantique par bateaux avisos. Perte de temps inacceptable pour Mermoz, qui, sûr du Laté 28, décide de tenter la traversée de l'Atlantique Sud. Hier, à bord de l'hydravion *Comte de La Vaulx*, il décollait de Saint-Louis-du-Sénégal avec le navigateur Dabry et le radio Gimié, ainsi qu'une charge de 130 kg de poste. Volant à très basse altitude et à vitesse régulière, ils pénètrent, soudain, dans la fameuse zone de

Mermoz et ses deux compagnons devant le « Comte de La Vaulx ».

dépression du pot au noir. Trois heures durant, ils sont ballottés par les éléments ; le moteur manque même d'être noyé par la pluie. Enfin, se dessine une trouée. La côte brésilienne est en vue. Pour Jean Mermoz, « ce fut un vol sans histoire » ! (→9.7)

L'arrivée à Natal, au Brésil, des aviateurs français Mermoz, Dabry et Gimié.

Amy Johnson vole seule vers l'Australie

Darwin, 24 mai

En se posant à Darwin, Amy Johnson devient la première femme à avoir volé en solitaire de Grande-Bretagne en Australie, au terme d'un parcours de 16 025 km, effectué en 19 jours et demi, sur le *Jason*, un de Havilland Gipsy Moth. Partie le 5 mai de Croydon, après Vienne et Istanbul, elle doit rallier Alep, en Syrie. Avant, il lui faut franchir les montagnes du Taurus, en Turquie. Amy entre dans une couche de nuages bas, perd toute visibilité et croit alors sa fin arrivée. Au sortir de cette purée de pois, elle se retrouve face à une muraille rocailleuse qu'elle évite *in extremis*. En arrivant à l'aéroport de Bagdad, elle affronte encore une violente tempête et se pose en catastrophe. Ayant éprouvé durement son train d'atterrissage, elle ne pourra repartir que trois heures plus tard. Le 10, en atterrissant à Karachi, elle apprend qu'elle a battu le record de Bert Hinkler. Elle va alors tenter de voler sans escale jusqu'à Allahabad, mais sera obligée, à cause de vents contraires, de se poser en hâte, heurtant un poteau et brisant une aile de l'avion. Le 13, à Rangoon, elle ne trouve pas le champ de courses où elle doit atterrir. Seule solution, un terrain de football, trop court, où le *Jason* pique du nez dans un fossé : l'aile inférieure et l'hélice sont abîmées. Vite réparé cette fois, l'avion peut repartir pour Bangkok puis Singara. Après l'île de Timor, Amy Johnson se pose à Darwin à 15 h 30. Elle y est accueillie en héroïne par des milliers d'Australiens. (→4.8)

Le « Southern Cross » traverse l'Atlantique

Le départ du « Southern Cross » à Port Marnock, en Irlande, pour New York.

New York, 26 juin
Après l'océan Pacifique, le *Southern Cross* de Kingsford Smith traverse l'Atlantique d'est en ouest. Pour ce long voyage, le Fokker a décollé le 24 juin depuis la plage de Port Marnock, en Irlande, avec 4 911 l d'essence. L'équipage est vite confronté à des conditions météo détestables. Smith descend à 150 m d'altitude pour tenter de trouver un ciel dégagé. Soudain, le radio lui signale que les émissions ont été interrompues par deux fois, l'antenne, longue de 40 m, ayant touché la mer. Doutant de l'altimètre, il préfère quitter cette zone à risques. Aux abords de Terre-Neuve, le radio-compas se dérègle. La côte est invisible, Smith réclame l'aide d'un avion et, à midi, se pose à Harbour Grace. Le lendemain, à 6 h 30, le *Southern Cross* redécolle et atteint New York à 19 h 30. Il a couvert les 5 100 kilomètres en 45 heures.

Ce qu'il a fait, aucune bête ne l'aurait fait

Argentine, 20 juin
« Guillaumet... vivant ! » Un paysan vient de signaler à la police un homme tombé du ciel. Pour sa 92e traversée des Andes, celui qu'on surnomme désormais l'Ange de la Cordillère a vécu les heures les plus éprouvantes de sa carrière de pilote. Le 12 juin, il décolle de Santiago avec son Potez 25 pour Mendoza. C'est un vol postal de routine. Mais, pris dans une tempête au cœur des Andes, il tente un atterrissage dans un vaste cirque situé à 3 000 m d'altitude, la Laguna Diamante. Freiné par la neige, son appareil capote. Après deux jours de vaine attente, il décide de gagner la vallée à pied. Il rassemble ses vivres, une boussole, une lampe électrique, et inscrit sur la carlingue : « Suis parti vers l'est, direction Argentine, pense que l'avion ne fut pas repéré, adieu à tous, ma dernière pensée pour ma femme. Guillaumet. » Pendant cinq jours et quatre nuits, il marche dans la neige jusqu'à l'épuisement. A bout de forces,

Saint-Exupéry retrouve Guillaumet.

affamé et les pieds gelés, il arrive enfin près d'une maison habitée. Il est sauvé. Averti par les autorités de Mendoza, Saint-Exupéry saute dans son avion pour retrouver son ami, qui lui déclare : « Ce que j'ai fait, aucune bête ne l'aurait fait. »

AULO et Air Asie créent Air Orient

France, 8 juillet
S'associer pour aller plus vite et plus loin, telle pourrait être la devise des compagnies Air Asie et Air Union Lignes d'Orient. C'est en 1926 qu'Air Asie est fondée en Indochine. Elle exploite le tronçon Saigon-Kratié-Savannakhet. Vers 1929, les appareils de la compagnie poussent même jusqu'à Pnom Penh et Angkor. Air Asie est en relation avec la France par le canal d'Air Union Lignes d'Orient, dont le but est de desservir Saigon le plus rapidement possible. Quant au service postal, il n'est assuré que jusqu'à Karachi, par une compagnie étrangère. Maurice Noguès, l'organisateur des lignes françaises d'Extrême-Orient, réalise l'intérêt et le gain de temps que représenterait la fusion des deux compagnies. Air Orient est née : l'Extrême-Orient est à portée d'aile. (→ 16.2.31)

Curtiss meurt d'une crise d'appendicite

Etats-Unis, 23 juillet
Il aurait pu mourir en plein vol dans l'un des innombrables avions qu'il avait conçus. Mais c'est dans un lit d'hôpital, à Buffalo, que s'est éteint Glenn Hammon Curtiss, des suites d'une appendicite. A 52 ans, il pouvait se vanter d'avoir mis au point des appareils performants et d'avoir créé en 1909 la première manufacture d'aéroplanes implantée aux Etats-Unis. Sa mort, qui a suscité une vive émotion, le fait entrer dans la légende.

Le Potez 25 n'a pu être dégagé de la neige que quelques mois plus tard.

Série noire pour l'hydravion Latécoère 28

Atlantique, 9 juillet
Vaincu par Mermoz, l'Atlantique Sud vient de prendre sa revanche. Il a englouti son hydravion *Comte de La Vaulx*, de retour du Brésil, au large de Dakar. Ce naufrage est le point d'orgue de la série noire que connaît le Laté 28. Voilà des semaines que Mermoz, Dabry et Gimié tentent de rejoindre le Sénégal depuis Natal. Le 8 juin, l'hydravion ne parvient pas à déjauger, après trente-cinq essais. Le courrier est transbordé sur l'aviso *Epernay*. Daurat envoie à Natal l'ingénieur Larcher pour modifier les flotteurs de l'appareil. Le 8 juillet, à la 53e tentative, Mermoz arrache enfin le Laté de la surface de la lagune Bomfin. Hélas ! après 14 heures de vol, une fuite d'huile va l'obliger à amerrir à 900 kilomètres du Sénégal ! L'aviso *Phocée*, qui se trouve à proximité, porte secours aux trois naufragés et récupère le courrier. Mais le Laté coule lors de la tentative de remorquage. Malgré ses qualités indéniables, cet hydravion monomoteur est abandonné pour la traversée de l'Atlantique Sud. Les avisos vont reprendre du service et Mermoz ne décolère pas.

Une grande oreille qui écoute les avions

L'oreille du ciel est testée à Lyon.

France, 29 juillet
La détection des avions en cas d'attaque aérienne est un problème crucial pour les grandes villes. Un détecteur acoustique géant est actuellement testé à Lyon, où se déroulent des exercices de défense. C'est en fait une oreille géante, tendue vers le ciel. Elle peut pivoter à la demande de l'opérateur. Le dispositif permet de déterminer la direction des sons émis par les moteurs d'avion. L'emploi de plusieurs centres d'écoute semblables, répartis en plusieurs points, permettrait, par recoupement de plusieurs azimuts relevés, de déterminer la position et la direction de l'ennemi. Dans le cas de plusieurs avions venant de directions différentes, le système semble précaire.

Howard Hughes ovationné à Hollywood

Los Angeles, 7 juin
Première au Grauman's Chinese Theatre. Le milliardaire américain Howard Hughes présente son film *Hell's Angels*, avec une de ses découvertes, la blonde Jean Harlow. Les stars de la scène et de l'écran se bousculent pour obtenir le ticket à 11 dollars qui leur permettra d'entrer. C'est la première fois que l'on paye aussi cher pour voir un film. 300 000 personnes acclament l'acteur Frank Clark, venu avec son Fokker D.VII repeint en noir et

blanc pour l'occasion. Le film va commencer : dans la salle, on entendrait une mouche voler. Mais, lorsque le projectionniste a la bonne idée de placer un filtre rouge devant son objectif pendant une bataille aérienne, c'est le délire. Les mots *The End* apparaissent et le public se lève, enthousiaste. Pour ce film, Hughes aura dépensé quatre millions de dollars, plus que ce qu'il a jamais investi pour ses avions. A en croire les spécialistes, il n'aura pas à le regretter.

Accueil triomphal pour Amy Johnson

Elle est une authentique vedette.

Croydon, 4 août
Des milliers de personnes ont attendu jusqu'à la tombée de la nuit pour accueillir, de retour au pays, celle qui a atteint en solo l'Australie. Amy Johnson est arrivée avec trois heures de retard car l'Argosy qui la ramenait à Londres a essuyé une tempête au-dessus des Alpes. C'est la preuve que la météo peut contrarier l'emploi du temps d'une pilote, fût-elle la plus populaire des championnes. C'est la première fois, depuis son exploit de mai dernier, que la fille du poissonnier de Hull retrouve le sol natal. Le public reconnaît en cette ancienne dactylo une véritable pionnière de l'aviation. Et n'apporte-t-elle pas la preuve qu'une femme a les mêmes capacités qu'un homme ?

L'expansion de Pan American Airways

Le Sikorsky S-38 amerrit puis vient déposer les passagers sur la plage.

Etats-Unis, 1er octobre
La desserte de la côte Est de l'Amérique latine devient l'exclusivité de Juan Trippe. La Pan American vient de racheter une compagnie, la Nyrba, qui, comme elle, opère dans cette région. Fondée en 1926 par Ralph O'Neill, la Nyrba a débuté en assurant des liaisons régulières entre Buenos Aires et New York. Elle est alors en plein boum. Survient le Jeudi noir. James Rand, son principal bailleur de fonds, est ruiné. La compagnie devient déficitaire. O'Neill ne dispose d'aucun groupe de pression à Washington. La Pan Am est donc bien placée pour obtenir la ligne postale sur la côte Est de l'Amérique du Sud. Le ministre des Postes américain, Walter Brown, conseille alors aux dirigeants de la Nyrba de se laisser absorber, ce qu'ils acceptent de faire. Une fois encore, Juan Trippe remporte le marché. Décidément, tout semble lui réussir.

Wolfgang von Gronau passe par le nord

New York, 22 août
La « route nord du monde » est-elle praticable ? C'est pour répondre à cette question que le capitaine allemand Wolfgang von Gronau a voulu relier l'Allemagne et les Etats-Unis en passant par l'Islande et la pointe sud du Groenland. Parti de Sylt, le 18 août, avec trois coéquipiers sur un hydravion Wal, von Gronau vient d'amerrir dans la baie de New York. Son voyage s'est déroulé dans des conditions tellement favorables qu'il se garde d'en tirer des conclusions trop optimistes. Le temps exceptionnellement beau a permis une traversée rapide. Il faudra d'autres raids avant de décider si cet itinéraire est suffisamment sûr pour permettre d'établir une véritable route aérienne régulière.

La route du nord ne comprend que trois courtes traversées de l'océan.

Parade pour Costes et Bellonte à New York

Le « Point d'interrogation », un Breguet 19, a fait son entrée dans l'Histoire.

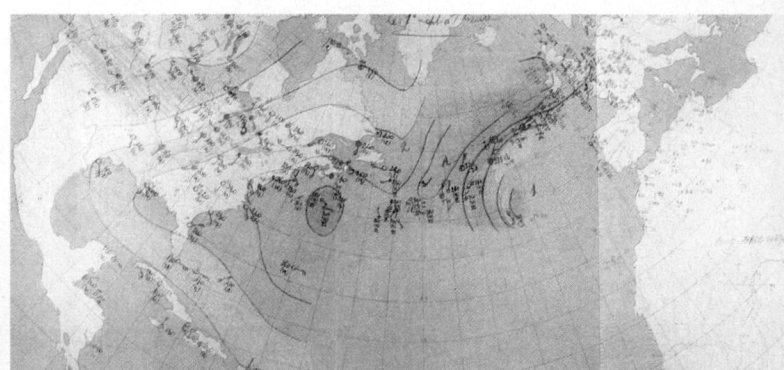

Un outil indispensable pour la navigation : la carte météo indiquant les vents.

New York, 3 septembre

Les deux *Frenchies* n'auraient jamais imaginé un tel accueil ! New York est en liesse pour acclamer l'équipage français qui vient de vaincre l'océan Atlantique. Partis le 1er septembre à 10 h 55 du Bourget, ils ont atteint Curtiss Field, près de New York, en 37 heures et 18 minutes. Une première effectuée à la vitesse moyenne de 167 km/h. Les deux héros ont tenté cet exploit en toute connaissance de cause. Dieudonné Costes, chef de bord du Breguet 19 baptisé *Point d'interrogation* a, une fois encore, montré son savoir-faire. Quant à Maurice Bellonte, on connaissait déjà ses talents de navigateur formé à l'école du transport aérien. La préparation de la traversée de l'Atlantique a été minutieuse. L'avion, peint en rouge, est orné d'un point d'interrogation blanc, apposé en fait par des mécaniciens en 1929, alors que l'usine Breguet, qui préparait l'appareil, gardait jalousement secrète sa future destination. A présent, on la connaît et le beau biplan rouge, doté d'un moteur Hispano, s'envole

« Tu me donneras un peu de poulet et de bouillon chaud »

vers la mer. Les deux hommes ne peuvent communiquer qu'au moyen de messages écrits sur des bouts de papier, tels que : « Tu me donneras un peu de poulet et de bouillon chaud. » Ils survolent Southampton à 11 h 50 ; à 13 h 45, la côte irlandaise ; enfin à 14 h 50, le fleuve Shannon. Entre 19 et 22 heures, l'appareil doit se détourner de sa route, en raison de turbulences atmosphériques, et fait un crochet vers le nord. De 22 heures à 4 h 35, le *Point d'interrogation* fait un nouveau crochet, vers le sud cette fois, pour rejoindre les Etats-Unis par la ligne la plus directe. A 11 h 25, vingt-quatre heures après le départ, il sera repéré par la station de Saint-Pierre-et-Miquelon. Au-dessus de Boston, un avion vient à la rencontre de Costes et Bellonte qui se savent au bout de leurs peines. En effet, ils atterrissent à Curtiss Field onze minutes après minuit. A peine sortis de l'appareil, les deux héros sont portés en triomphe par la foule jusqu'à un hangar où les attendent toutes les personnalités françaises alors présentes à New York : le navigateur solitaire Alain Gerbault, le joueur de tennis Jean Borotra... On entonne *la Marseillaise*. Tout à coup, Costes et Bellonte remarquent une grande silhouette filiforme qui leur sourit depuis un coin du hangar. Charles Lindbergh est là, venu les féliciter en personne. C'est à cet instant que les Français comprennent qu'ils sont, eux aussi, entrés dans la légende. C'est ensuite la parade dans Broadway Avenue, sous des milliers de feuilles d'annuaires téléphoniques tombant de ce ciel qu'ils ont vaincu.

Les deux héros à leur arrivée à New York : Bellonte (à gauche) et Costes.

Dans les rues de Broadway, l'enthousiasme délirant de la foule new-yorkaise.

Fin tragique du dirigeable « R.101 »

Une partie de la carcasse avec la cabine arrière servant de poste d'observation.

Beauvais, 5 octobre

Drame fatal pour le programme de ballons anglais : lors de son vol inaugural, le dirigeable *R.101* s'est écrasé ce matin aux abords de la ville, après avoir subi des avaries en raison de la tempête qui sévissait sur la Manche. L'incendie qui a suivi le crash a fait 48 morts, parmi lesquels le secrétaire d'Etat à l'Air, lord Thomson, commanditaire du projet. On ne compte que six survivants. Parti de Londres il y a deux jours, le plus grand dirigeable du monde devait rallier Karachi et revenir à Londres pour la conférence impériale. Sorti des ateliers royaux de Cardington, le *R.101* a été construit dans le cadre du Plan d'utilisation des dirigeables dans l'empire, comme son rival du secteur privé, le *R.100*, dessiné par M. Barnes Wallis, qui vient d'effectuer une croisière triomphale au Canada. Mais la catastrophe du *R.101* amorce le déclin des dirigeables.

Des autogires accueillent La Cierva

Deux autogires en vol devant les buildings de Manhattan.

New York, 11 novembre

L'inventeur de l'autogire a été accueilli de manière spectaculaire par les Américains. A bord du transatlantique *Bremen*, Juan de La Cierva a contemplé quatre avions à voilure tournante, construits aux Etats-Unis par Pitcairn, licencié de la firme britannique Cierva-Autogiro. Sur deux des appareils, les organisateurs de cette cérémonie ont eu la bonne idée de faire inscrire les mots *Welcome* et *Cierva* sur le flanc du fuselage des appareils. L'ingénieur espagnol vient de signer un contrat avec les Américains pour la production de PCA-2, le 1er octobre dernier. La vitesse maximale de ces appareils est de 158 à 190 km/h et leur vitesse moyenne de 140 à 158 km/h. La vitesse ascensionnelle est de 3,3 à 4,06 m/s. La Cierva, touché par cet accueil, compte faire fabriquer aux Etats-Unis de nombreux exemplaires d'autogires. (→ 12.2.31)

L'Aéropostale négocie avec les Portugais

Portugal, 30 septembre

L'Aéropostale fait coup double. La compagnie de Bouilloux-Lafont a obtenu du Portugal le droit d'escale exclusif aux îles du Cap-Vert, clé de l'Atlantique Sud, et dans l'archipel des Açores, relais essentiel pour la traversée de l'Atlantique Nord. Le contrat vient d'être ratifié entre le gouvernement et la Spela, société portugaise dont l'Aéropostale et la firme Gnome & Rhône sont les actionnaires principaux. En contrepartie, l'Aéropostale doit assurer les liaisons aériennes entre le Portugal, qui est dépourvu d'industrie aéronautique, et ses colonies d'Afrique : Angola et Guinée.

Un Canadien traverse aussi l'Atlantique

Sorlingues (Scilly), 10 octobre

Ils connaissent bien leur machine. Le capitaine Erroll Boyd est canadien, le lieutenant Harry Connor est américain. Ensemble, ils ont déjà volé cette année sur le Bellanca *Columbia*, de New York aux Bermudes, soit un vol aller-retour de plus de 3 000 kilomètres. L'avion, lui, a déjà traversé l'Atlantique avec Chamberlin et Levine en 1927. Ils ont rebaptisé l'avion *Maple Leaf* et sont prêts pour cette traversée. Sans tenir compte des conseils des météorologistes, ils quittent Harbour Grace, à Terre-Neuve. 23 heures et demie plus tard, ils se posent à Tresco, dans les îles Sorlingues.

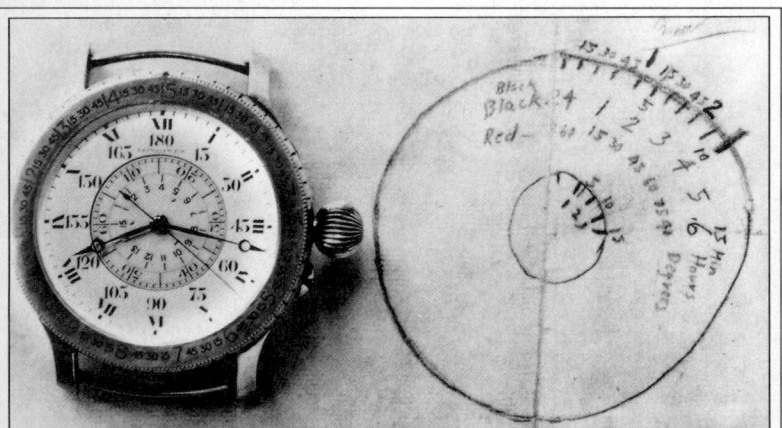

Les dessins originaux de Lindbergh, premiers pas vers la montre angle horaire que va produire Longines dans ses ateliers de Saint-Immier.

Acrobatie pratiquée par l'aviation navale américaine : les avions sont reliés entre eux au moyen d'un câble et exécutent un vol de virtuosité.

Un paquebot volant dans le ciel de France

Le Dornier Do X dans l'estuaire de l'Ile-Verte, à 25 km de Bordeaux.

Bordeaux, 16 novembre
Le plus grand avion du monde s'est posé en Gironde. Pour montrer les qualités de leur Dornier Do X, les Allemands ont entrepris un voyage de démonstration en France qui doit se poursuivre par un tour du monde. Le gigantesque hydravion de 52 tonnes est aménagé comme un paquebot de luxe. Dans les salons des passagers, tout a été prévu pour le confort du touriste comme de l'homme d'affaires : fauteuils en cuir, épais tapis, éclairage tamisé, ambiance feutrée. La cuisine, tout

électrique, est le dernier cri de la technique. Malgré la publicité que lui a assurée son vol inaugural l'an dernier sur le lac de Constance, les clients ne semblent pas pressés de passer commande. Le géant des airs doit encore faire ses preuves. En ce moment même, les Allemands ont envoyé en France deux autres avions géants : le Dornier Do S, un autre hydravion, qui a remonté la Seine jusqu'à Paris, et le fameux Junkers G 38, surnommé *l'Aile volante*, qui est au Bourget après un vol de 8 000 km à travers l'Europe.

Un nouveau record pour Maryse Bastié

Le Bourget, 2 septembre
Depuis qu'elle a passé son brevet de pilote, il y a deux ans, Maryse Bastié rêve de battre le record du monde de durée. Avec 37 heures et 55 minutes en l'air, elle l'a littéralement pulvérisé. Aucun pilote n'a tenu seul à bord aussi longtemps. Son petit Klemm, acheté en avril et baptisé *Trottinette*, s'est magnifiquement comporté. Elle compte d'ailleurs sur lui pour tenter un nouveau record, celui de distance. Maryse Bastié s'affirme décidément comme un des pilotes les plus doués de sa génération.

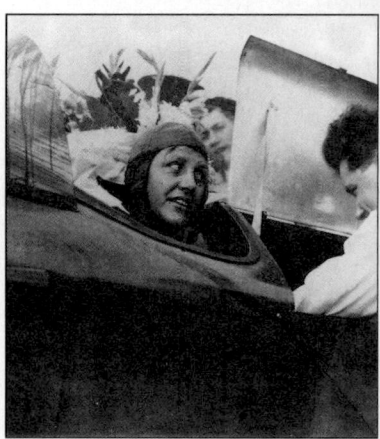

Maryse Bastié juste après son record.

PSV pour Pilotage Sans Visibilité

France, 19 décembre
Le Farman 301 F-AJIG est dans les nuages quand il passe à la verticale de l'aéroport de Dortmund. En bas, l'opérateur gonio l'entend et lui passe le message « ZZ ». Gaston Genin met son chronomètre en marche et vire à droite pour prendre un cap qui lui donne une ouverture de 12 degrés par rapport à l'axe de la piste dont il s'éloigne. Aubert, le radio, continue ses émis-

sions. Au sol, l'opérateur note les relevés gonio. Après trois minutes, Genin, toujours sans visibilité, vire une nouvelle fois à droite, prend le cap de la piste et amorce sa descente. Un relevé gonio lui fait faire une correction de cinq degrés. Le vent est en travers. A quelques mètres du sol, l'avion sort de la couche et vient se poser. C'est une première du vol aveugle comme on l'enseigne à l'école Rougerie de Toussus.→

Le Salon attire la foule au Grand Palais

A Los Angeles, on entraîne les pilotes à prendre des photos depuis leur avion. Pour les mettre en condition, les pilotes sont assis sur des chaises articulées.

Paris, 13 décembre
C'est le XIIe Salon de l'aéronautique au Grand Palais : l'occasion pour le public de manifester son engouement pour ces belles machines volantes. Ce salon se caractérise par l'importance du nombre des avions militaires présentés. Sur les 21 exemplaires exposés, il y a 18 avions et 3 hydravions. Présents

également, 17 avions de transport dont la puissance s'échelonne de 120 à 2 600 ch et dont le poids, fret et combustible compris, varie de 700 kg à 10 t. La longévité de ces avions étant à peu près de cinq ans, l'Europe peut espérer un débouché de 250 à 350 avions par an. L'aviation commerciale semble avoir de beaux jours devant elle.

Sous la voûte d'accès du Grand Palais, le fuselage d'un avion à flotteurs.

L'aviatrice américaine Betty Huyler Gillies, ici devant un appareil Curtiss, participe à des vols de démonstration pour promouvoir les ventes d'avion.

Le Taylor Cub lance la grande lignée des avions de tourisme Piper. Tout comme le Piper Cub, l'appareil est encore construit après guerre.

Le Swift a été mis au point par Nick Comper pour sa clientèle.

Le Douglas Dolphin est destiné aux garde-côtes américains.

Le Lockheed Orion est l'un des premiers avions civils offrant une silhouette moderne, un train escamotable et une hélice à pas variable.

La lignée du Wibault 280 joue un rôle majeur dans le développement de l'aviation commerciale en France. Ici un des huit Wib.282 construits.

Le Bellanca Pacemaker et ses entre-toises à profil aérodynamique.

Le PWS-10 est un avion de chasse conçu en Pologne.

L'appareil aéropostal Boeing Model 200 Monomail affiche des performances impressionantes. Il est équipé d'un train semi-escamotable.

Le Handley Page HP.42, produit à quatre exemplaires, est le long-courrier le plus élégant et le plus confortable de son époque.

Le Bellanca P.200 se présente comme une sorte de sesquiplan.

Un prototype de transport dû à American Airplane & Engine Corp.

Le Potez 39, avion d'observation utilisé par l'armée de l'air.

Le Fairchild F-100 prend la suite de ses grands prédécesseurs.

Le Tupolev ANT-6 est l'objet d'améliorations constantes. Ce gros bombardier est également employé pour le largage de parachutistes.

Le Douglas YO-31A est conçu comme avion d'observation pour l'US Army qui n'en commande que peu d'exemplaires.

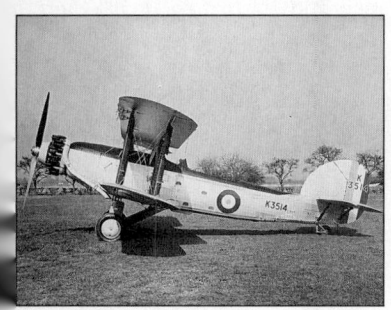

Le Fairey Seal, version navale du Fairey Gordon.

Le Sikorsky S-14, dérivé du S-38, accueille 15 passagers.

Monoplan à cellule métallique, mais à revêtement entoilé, le Fairey Hendon sert dans le Bomber Command de la RAF. Il est équipé de deux Kestrel.

L'ANT-6 peut emporter une charge offensive de 10 000 kg.

Développement du Calcutta, le Short Rangoon est livré à la RAF.

Malgré sa silhouette vieillotte, le Handley Page Heyford se révèle un excellent bombardier. Les bombes sont logées dans l'aile inférieure.

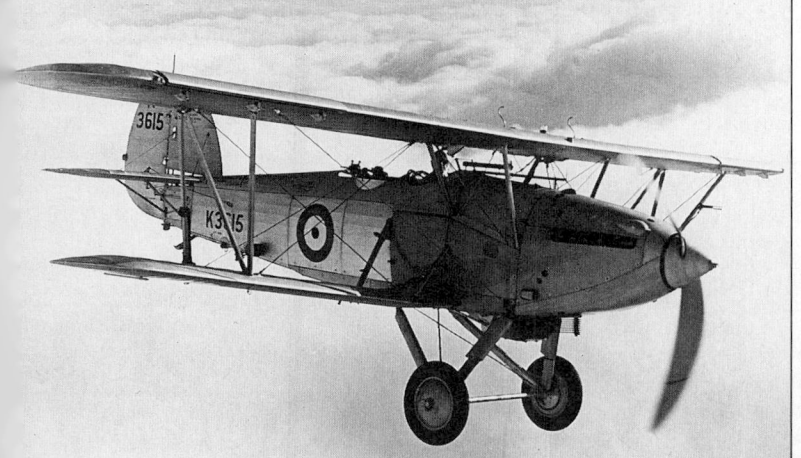

Le Hawker Osprey, un chasseur de reconnaissance embarqué, directement dérivé du Hart terrestre. Il possède des ailes repliables.

Le Henschel Hs 130 a été mis au point pour opérer à très haute altitude. Ses moteurs DB.601R de 1 100 ch sont munis d'un système à injection.

1931

574,307 km/h
Grande-Bretagne
John H. Boothman
Supermarine S.6 B
13.9.31

10 371,051 km
France
Joseph Le Brix et Marcel Doret
Dewoitine D-33
10.6.31

13 156 m
Etats-Unis
Apollo Soucek
Wright Apache
4.6.30

56 000 kg
Allemagne
Dornier
Do X

3 100 ch
Italie
Fiat
AS. 6

Brésil, 15 janvier

Conduite par le général Italo Balbo, l'escadrille d'hydravions Savoia–Marchetti S.55, partie d'Italie le 17 décembre, arrive à Rio de Janeiro. Quatre hydravions ont été victimes d'accidents pendant la traversée de l'Atlantique Sud. Ce raid soulève une vague d'enthousiasme sans précédent en Italie.

Grande-Bretagne, 31 janvier

Le gouvernement britannique annonce qu'il ne financera pas la participation britannique à la coupe Schneider. C'est la mécène lady Houston qui décide alors de se substituer à l'Etat.

Etats-Unis, 5 février

Le département de la Marine homologue le prototype d'un avion miniature dessiné par le constructeur Grover Loening, destiné à être embarqué sur les sous-marins.

Etats-Unis, 12 février

Le *Detroit News* achète un autogire PC A-2 à ses journalistes pour accéder plus facilement aux lieux de reportage. (→ 6.6)

Algérie, 1er mars

Sur le Blériot 110, conçu par l'ingénieur Zappata, Bossoutrot et Rossi battent le record de distance en circuit fermé en parcourant 8 822 km.

Pérou, 2 mars

A Arequipa, le pilote d'un Ford tri-motor de la Panagra, Byron Rickards, retenu à l'aéroport depuis le 21 février malgré ses protestations contre cet acte de piraterie aérienne, est autorisé à repartir vers Lima.

Etats-Unis, 6 mars

A Newark, dans le New Jersey, l'aviatrice Ruth Nicols, sur un Lookheed Vega, porte le record féminin d'altitude à 8 760 m.

Chine, 31 mars

Erich Just, un ancien du Cirque Richthofen, crée une ligne Shanghai-Yichang qui réduit la durée du voyage entre les cités à 9 heures.

Algérie, 2 avril

Oran, Paillard et Mermoz battent le record du monde de distance en circuit fermé sur un Bernard 80 GR. Ils ont couvert, en 59 heures et 14 minutes, la distance de 8 960 kilomètres.

Londres, 1er mai

Entrée en service dans la RAF du Hawker Fury. Les premiers exemplaires vont à l'escadrille de voltige du lieutenant Donaldson. Ce biplan, mis au point par Sydney Camm, est l'avion d'armes le plus rapide au monde.

Allemagne, 5 mai

Le pilote de planeur Günther Groenhoff part de Munich, couvre plus de deux cent soixante kilomètres et pose son planeur Fafnir à Kaaden, en Tchécoslovaquie.

France, 10 mai

Arrivée à Orly du Tour de France aérien organisé par *le Journal*. La patrouille d'Etampes, formée au début de l'année par le capitaine Amouroux, fait à cette occasion une démonstration de voltige aérienne sur Morane 230.

France, 21 mai

Près de Tourcoing, au cours de manœuvres qui se déroulent en présence du maréchal Pétain, une nappe de brouillard artificiel est utilisée avec succès pour dissimuler aux avions des objectifs terrestres.

Etats-Unis, 27 mai

Inauguration dans les laboratoires de la Naca, à Langley Field, d'une soufflerie capable d'accueillir dans sa veine d'air une maquette d'avion ou un prototype grandeur nature.

Etats-Unis, 31 mai

A Houston, devant cinq mille spectateurs, Robert E. Autrey guide par radio au sol un Stinson Detroiter sans pilote.

Chine, 31 mai

Eurasia Aviation Corporation inaugure un service postal régulier Berlin-Shanghai-Pékin.

France, 5 juin

Le lieutenant de vaisseau Paris et Jean Gonord battent plusieurs records de vitesse sur l'hydravion Latécoère 28-5 *La Frégate.*

Grande-Bretagne, 11 juin

Rencontre de deux technologies sur l'aéroport de Croydon : l'allemande, avec l'arrivée du dernier-né de la firme Junkers, le quadrimoteur de transport Junkers G 38, et l'anglaise, avec le départ pour Paris du Handley Page Hannibal.

Etats-Unis, 1er juillet

Après l'achat de Varney Air Lines, United Air Transport Corporation, propriété de Boeing, organise sous le nom de United Airlines ses activités de transport aérien. (→ 26.9.34)

Hongrie, 16 juillet

Les pilotes George Endresz et Alexandre Magyar sur Lockheed Sirius *Justice for Hungary* relient New York à Budapest sans escale.

Union soviétique, 14 août

Le Tupolev ANT-14, un avion de transport conçu par Andreï Nicolaïevitch Tupolev, fait un vol d'essai réussi. D'une envergure de 40 m et d'un poids au décollage de 17 tonnes, son autonomie lui permet de relier Moscou à Vladivostok.

Allemagne, 1er septembre

La Luft Hansa reçoit son deuxième avion de transport Junkers G 38. Cet avion exceptionnel a la forme d'une aile volante. Six des passagers peuvent être installés dans un compartiment aménagé à l'intérieur de l'aile où de vastes hublots ont été percés ; s'y trouvent logés également les réservoirs et les quatre moteurs.

Etats-Unis, 4 septembre

Le major James Doolittle remporte le premier trophée Bendix. Parti de Burbank, en Californie, il couvre les trois mille neuf cent trente-six kilomètres le séparant de Newark (New Jersey) sur un biplan de compétition Laird LC-DW-500, à la vitesse moyenne de 374,958 km/h.

Grande-Bretagne, 13 septembre

Le capitaine Boothman, en volant à 547 km/h sur un hydravion Supermarine S.6B équipé d'un moteur Rolls-Royce poussé à 2 300 ch, remporte la coupe Schneider. L'Angleterre, seule en course, a refusé de reporter la compétition malgré les demandes réitérées des Italiens, dont le Macchi MC 72 n'était pas prêt, et des Français.

Italie, 3 octobre

Un réfugié italien, Lauro de Bosis, quitte Marignane sur un avion Klemm. Il largue 400 000 tracts antifascistes sur Rome, puis disparaît après avoir largué un document intitulé *Histoire de ma mort.*

Etats-Unis, 5 octobre

Clyde Pangborn et Hugh Herndon se posent à Wenatchee, dans l'Etat de Washington, après avoir traversé en 45 heures le Pacifique sur le Bellanca *Miss Veedol.* Ils avaient décollé de la plage de Samushiro, au nord de Tokyo, le 3 octobre.

Etats-Unis, 12 octobre

A la base aéronavale d'Anacostia, Mrs. Herbert Hoover baptise *American Clipper* l'hydravion Sikorsky S-40. Du fait de la prohibition, une bouteille d'eau de mer remplace le champagne du baptême. (→ 19.11)

Algérie, 29 novembre

A Oran, Mermoz et Mailloux ne peuvent reconquérir le record du monde de distance, du fait d'une avarie sur leur Bernard 81.

Union soviétique, 12 décembre

A Moscou, Maxime M. Gromov décolle le nouveau biplan de chasse Polikarpov I-8.

France, 17 décembre

Le pilote Jean Gonord et son mécanicien Vergès sont blessés lors des essais de l'hydravion Latécoère 300 à Biscarrosse.

On a beau être sportive, on n'en rest pas moins femme. Amelia Earha et Ruth Elder, aviatrices de charm l'avaient déjà prouvé.

Air Orient dessert Saigon en dix jours

Le Fokker F.VII « la Courageuse » à Karachi avant le départ pour Saigon.

Le Bourget, 16 février
Maurice Noguès et son copilote Delaunay sont de retour de Saigon. Leur périple aérien porte un coup à l'avenir des liaisons maritimes car, en bateau, il faut trente jours pour aller de France en Indochine. Maurice Noguès réalise là le rêve de sa vie. C'est lui qui a été, au sein de la compagnie Air Orient, l'artisan de cette ligne qu'il vient d'inaugurer par un vol superbe. Rien n'avait été laissé au hasard pour l'ouverture entre la métropole et l'Indochine de cette liaison bimensuelle. Les différents tronçons de la ligne étaient tous reconnus. Noguès et Delaunay décollaient le 17 janvier de Marseille avec un hydravion CAMS 53. Arrivé à Tripoli, Noguès empruntait un Farman 300 pour gagner Karachi. Là, l'équipage changeait encore d'avion, effectuant la dernière étape avec un Fokker VII. Le 27 janvier, ils étaient reçus officiellement à Saigon. Leur voyage avait duré douze jours. Le 4 février, Noguès repartait vers la France, en songeant déjà à l'extension de la ligne vers la Chine.

Concurrence sur la route aérienne d'Asie

Avant le départ, chargement d'un appareil de la compagnie hollandaise KLM.

Amsterdam, 16 février
Pour des raisons administratives, le Fokker VII ne peut pas encore être immatriculé en France. La fixation du moteur n'est pas conforme aux normes en vigueur. Albert Plessman, directeur de la KLM, a accepté de louer trois de ces appareils à Air Orient qui voulait disposer d'une flotte complémentaire pour l'ouverture de la ligne Marseille-Saigon. La KLM, de son côté, exploite une ligne en Extrême-Orient, qui permet d'aller d'Amsterdam à la capitale des Indes néerlandaises en dix jours. Les avions font escale à Bangkok puis à Medang, sur l'île de Sumatra, et à Batavia, sur l'île de Java, qui est le « terminus » de la ligne. Un événement intéressant s'est produit sur le vol du retour. Le 11 février, l'avion de la KLM et celui d'Air Orient se posaient à Bagdad. Le Fokker de la KLM a transféré à bord de celui d'Air Orient le courrier pour la France. Les deux appareils repartaient en suivant des routes différentes. Ils sont arrivés en même temps, l'un à Marignane et l'autre à Amsterdam.

L'US Air Mail accuse un énorme déficit

Washington D.C., 16 février
150 millions de dollars : c'est le montant du déficit de l'US Air Mail. Le général W.F. Brown, patron des Postes, lance aujourd'hui un avertissement sévère aux compagnies aériennes et leur annonce qu'elles vont devoir se serrer la ceinture. L'énorme déficit de la poste américaine signifie la fin pour elles des bénéfices faciles. Le département des Postes a subventionné généreusement le transport du courrier depuis 1925 afin d'encourager les compagnies au développement de ce secteur. Le déficit enregistré a dépassé toutes les prévisions. Un des problèmes majeurs reste le non-respect des horaires agréés, qui entraîne la chute des revenus postaux. Le patron de la Poste recommande la révision des tarifs et la réunion d'un comité pour définir de nouvelles orientations.

Imperial Airways s'étend aussi en Afrique

Croydon, 28 février
Le service d'Imperial Airways, en provenance de Londres pour Le Caire, est prolongé à partir d'aujourd'hui vers Mwanza, sur le lac Victoria, dans le Sud-Est africain. Un Short Calcutta trimoteur vient de partir pour cette ville du Kenya, à huit mille deux cent trente kilomètres de la capitale britannique.

L'ouverture du tronçon marque la volonté du gouvernement anglais d'étendre ses lignes sur tout l'empire, et d'ouvrir la route vers Le Cap. Lors du voyage, dont la durée prévue est de dix jours, les quinze passagers ne changeront pas d'appareil, mais, tout au long de la route africaine, les atterrissages sur des pistes de fortune seront nombreux.

Inauguration d'Empire Air Service : un Argosy part pour Mwanza.

Balair et Ad Astra fondent Swissair

Suisse, 26 mars
Une nouvelle page dans l'histoire de l'aviation commerciale suisse. Les compagnies Ad Astra Aero et Balair se regroupent pour donner naissance à la Swissair. La jeune société dispose de 9 pilotes, 4 radiotélégraphistes et 8 mécaniciens de bord. C'est en 1919, près de Zurich, que naît l'Ad Astra Aero, fusion de trois compagnies privées. Équipée d'hydravions, elle organise des voyages entre les lacs helvétiques. Les services réguliers ne démarrent qu'en 1922 avec la création de la ligne Genève-Zurich-Nuremberg. En 1925, à Bâle, est créée une compagnie de transport aérien : Balair. Elle met en place des services réguliers à destination de Stuttgart et, *via* Bâle, des lignes vers Karlsruhe et Francfort. En 192. apparaît la ligne Zurich-Berlin sa. escale, soit 680 kilomètres.

Mise en liquidation de l'Aéropostale

Le Fokker incriminé dans le drame TWA

France, 31 mars

L'Aéropostale a déposé son bilan. Le tribunal de commerce vient de prononcer sa mise en liquidation judiciaire. A qui la faute ? La CGA, en déficit permanent depuis 1927, succombe à la suite d'une série de revers. Marcel Bouilloux-Lafont avait pensé équilibrer ses frais d'exploitation et ses investissements considérables grâce aux recettes commerciales et aux subventions promises par l'Etat français. Mais l'histoire en a décidé autrement. C'est d'abord la crise mondiale de 1929 qui atteint de plein fouet l'économie sud-américaine et, par ricochet, l'Aéropostale. C'est ensuite la révolution brésilienne de 1930 qui, en interrompant la ligne plusieurs mois, lui porte un coup fatal. Le groupe bancaire dont elle dépend étroitement, son principal soutien financier, subit de grosses pertes dans cette affaire. Le 11 mars de cette année, il suspendait ses paiements. L'appel à l'épargne publique, pour suppléer aux aides gouvernementales aléatoires, n'a pas suffi à redresser la situation. Le refus du Parlement de reconduire la convention liant la CGA à l'Etat, connu trop tardivement, impose inexorablement le dépôt de bilan. Cependant, l'exploitation par les filiales des branches sud-américaines est poursuivie.

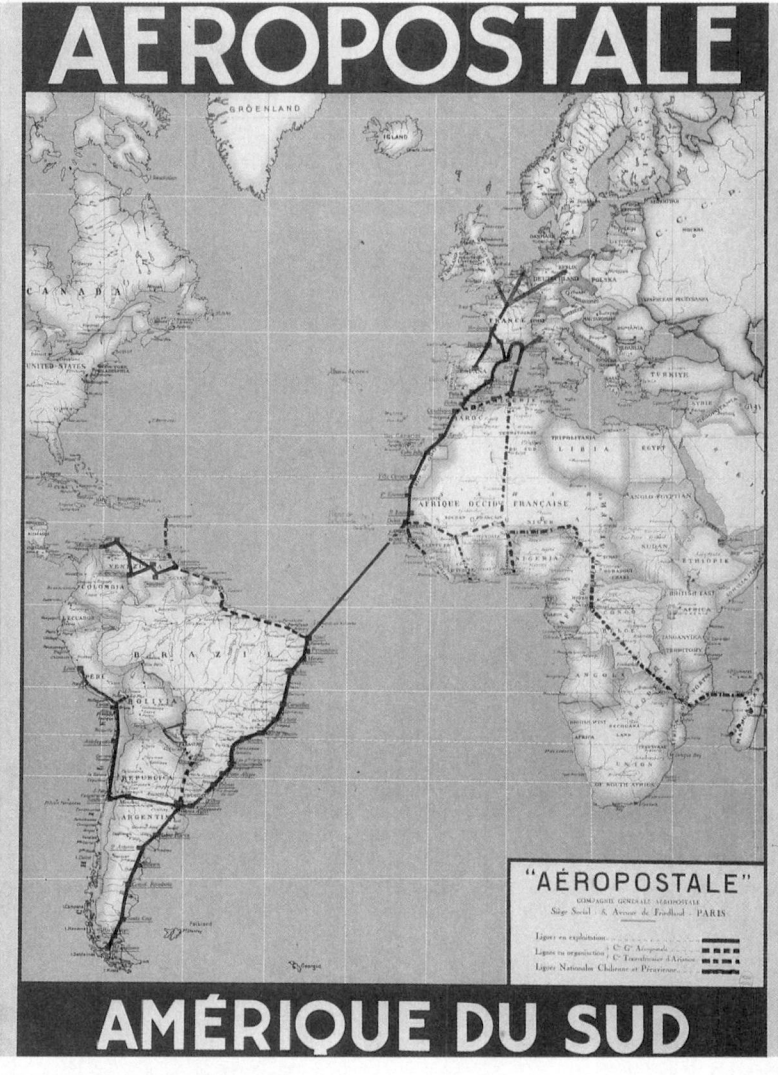

AEROPOSTALE

AMÉRIQUE DU SUD

Etats-Unis, 24 juin

Le 31 mars, un trimoteur Fokker F-10A de la compagnie TWA décolle de l'aéroport de Kansas City. Deux heures plus tard, il s'écrase à Bazaar, dans le sud-est du Kansas. Un accident qui fait grand bruit car, parmi les sept victimes, on compte Knute Rockne, l'entraîneur de la célèbre équipe de football de Notre-Dame. L'événement crée un choc dans l'opinion publique. Le responsable des opérations de TWA explique l'accident par le givrage des moteurs. La TWA, tout comme Fokker, ne pouvait pas redouter pire contre-publicité : la disparition de Knute Rockne donne à cet événement une autre dimension. Le colonel Young, adjoint du ministre du Commerce à l'aviation, suspend aussitôt le transport des passagers sur les avions Fokker de type F-10A et F-20, soit de trente-cinq à quarante appareils. Au mois de mai, l'avocat d'Anthony Fokker, payé 50 000 dollars par an pendant toute la durée du procès, passe un accord avec le colonel Young : les Fokker peuvent reprendre du service à condition que certaines de leurs caractéristiques soient transformées. Une meilleure protection contre le givrage sera installée et testée avant la reprise des vols.

Le Tour de France des avions de tourisme

Orly, 10 mai

Venant de Douai, la dernière étape, trente-neuf avions sont arrivés à Orly, point final du Tour de France aérien et terrestre. C'est *le Journal* qui a organisé cette épreuve, à laquelle participent aussi des automobiles et des motocyclettes. Parmi les pilotes, on a remarqué des aviatrices célèbres, telles Maryse Bastié, Maryse Hilsz et Jeanne Pujol. Les épreuves, qui ont duré dix-sept jours, se sont déroulées dans des conditions souvent difficiles, même si de longs délais ont été accordés durant le trajet. Ce Tour de France a mis en valeur les possibilités des avions de tourisme.

Une armada dans le ciel de New York

New York, 23 mai

La plus grande ville d'Amérique a été le témoin d'un événement extraordinaire. Une armada composée de 597 avions de la First Air Division du United States Army Air Corps a offert aux habitants un spectacle grandiose. Ayant décollé en formation de tous les terrains d'aviation de Long Island, ils traversent le bras de mer qui sépare la longue île du Connecticut. Puis, volant en échelon, ils descendent l'Hudson le long de la partie ouest de Manhattan. Enfin, ils achèvent leur périple de 256 kilomètres en retournant se poser sur le nouvel aéroport municipal Floyd Bennett. Une façon impressionnante de fêter l'inauguration de ce terrain qui fut baptisé du nom de l'explorateur du pôle Nord décédé en 1928.

es spectateurs sont venus admirer les avions de tourisme avant le départ.

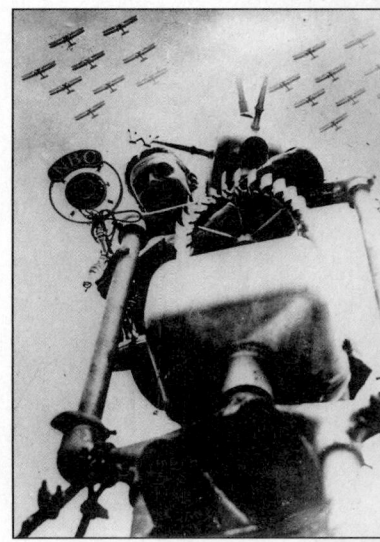

J. Wollington, du haut de l'Empire State Building, commente des manœuvres aériennes à la radio.

Le Dornier ne vole qu'au ras des flots

Le Dornier Do X croisé par un paquebot au milieu de l'océan Atlantique.

Fernando de Noronha, 4 juin
Le «navire volant» a donc franchi l'Atlantique Sud. Parti du lac de Constance le 2 novembre dernier pour un vol autour du monde, il a parcouru l'étape la plus longue en atteignant les côtes brésiliennes. Ce voyage a-t-il pour autant atteint son but publicitaire? Si l'on pense aux espoirs que l'on avait placés en lui, le Dornier Do X se révèle bien décevant. En effet, sa capacité de cent cinquante passagers doit être réduite de moitié pour un bon fonctionnement. Plus grave, sa vitesse de croisière (190 km/h) et son altitude maximale (500 mètres) en font un mastodonte difficilement maniable. En outre, à cette altitude, le passager, qui essuie toutes les turbulences atmosphériques, n'est guère en mesure d'apprécier le luxe qui a rendu célèbre ce véritable palace des airs.

Amelia Earhart met l'autogire en valeur

Un couple hors du commun : Amelia Earhart et George Putnam.

Oakland, 6 juin
Amelia Earhart n'a pas hésité à poser un de ces engins hybrides, appelés autogires, près de Los Angeles. Le PC A.2 de la compagnie Pitcairn, construit d'après les plans de l'ingénieur espagnol Juan de La Cierva, inventeur du prototype, a été certifié par le ministère du Commerce américain le 2 avril dernier. Le 8 avril, Amelia Earhart est devenue la première femme à faire voler un autogire en solo. Elle a du même coup, atteignant l'altitude de 5 613 mètres, battu le record d'altitude. Partie de Newark le 29 mai, elle a accompli avec succès le premier vol transcontinental sur le PC A.2, rejoignant ainsi les cent pilotes américains à avoir adopté cet appareil, déjà utilisé par les sociétés Coca-Cola, Beech-Nut, Standard Oil et Detroit News à des fins publicitaires. Nul doute que la douce Amelia, grande habituée des «premières» aéronautiques, contribue à la renommée de l'autogire, héritier direct de ces machines volantes imaginées par Léonard. (→ 21.5.32 et 31.5.32)

Accident sur la route Londres-Australie

A l'aéroport de Croydon, le courrier s'apprête à s'envoler vers l'Australie.

Darwin, 25 avril
Charles Kingsford-Smith, à bord de son *Southern Cross*, vient d'arriver avec le courrier du *City of Cairo*. Ce dernier, un de Havilland DH.66 Hercules, avait décollé de Karachi le 12 avril avec la poste en provenance de Londres et destinée à Brisbane. Les étapes se sont succédé : Jodhpur, Delhi, Allahabad, Calcutta, jusqu'à l'accident. Le 19, le *City of Cairo* s'écrasait à Koepang, dans la mer de Savu. La compagnie australienne ANA (Australian National Airway) décida alors de recourir aux services de Charles Kingsford-Smith pour aller chercher le courrier qui a été repêché. Le 21, il décollait avec tous les sacs et déposait ceux-ci à Darwin quatre jours plus tard. Il reste encore le dernier tronçon vers Brisbane, sa destination finale, qui sera confié à un DH.61 Apollo.

Un Handley Page emporte 24 passagers

Hanworth Air Park, 6 juin
Le premier Handley Page HP.42 livré à Imperial Airways, l'Hannibal, vient d'effectuer aujourd'hui, à Hanworth Park, son vol d'inspection préliminaire avant sa mise en service régulier. Les membres des deux Chambres ont été favorablement impressionnés par l'aménagement intérieur de l'appareil, même si l'un d'entre eux a critiqué l'aspect quelque peu kitsch de la décoration murale. Avec ses deux cabines, l'Hannibal peut accueillir vingt-quatre passagers. Ses quatre moteurs Jupiter sont groupés de part et d'autre du fuselage, dégageant ainsi la vue, et la partie de la carlingue la plus bruyante est réservée à la soute à bagages. Le Handley Page n'est pas particulièrement rapide, n'excédant pas les 160 km/h en vitesse de croisière, mais il se pose dans un mouchoir et peut garder son altitude même avec un moteur coupé. Malgré tout, les aviateurs redoutent un peu son pilotage délicat et l'on surnommé la Banane volante.

Le Handley Page Hannibal est réputé pour le raffinement de son service.

Commandant, vous oubliez vos drapeaux

L'« Heracles » muni de drapeaux.

Le Bourget, juillet
Les aéroports accueillent des avions de toutes nationalités. Pour s'identifier, l'équipage doit, sitôt l'avion au sol, fixer à l'avant deux drapeaux. Par deux petites fenêtres situées de part et d'autre du cockpit, pilote et copilote fixent les fanions. Il y a celui de la compagnie et celui du pays d'accueil. C'est ainsi décoré que l'appareil aborde et quitte l'aire de stationnement. Plongé dans les dernières vérifications de vol, il arrive souvent que le pilote oublie de les ôter avant le décollage. C'est alors la vigie d'entrée de piste, le starter, qui lui en fait la remarque.

Record de distance pour Doret et Le Brix

Istres, 10 juin
10 520 kilomètres. Cette fois, le record de distance en circuit fermé est largement battu. Le Brix et Doret peuvent être satisfaits de leur *Trait d'union*, monoplan Dewoitine D.33, aux lignes élancées, grâce auquel ils ont parcouru cette distance, sans ravitaillement, en 70 heures et 11 minutes. C'est la première fois que le cap des dix mille kilomètres est ainsi franchi. Dès 1929, le ministère de l'Air avait commandé trois avions spécialement conçus pour ces records de distance. En effet, la France, lasse de se voir ravir par les Italiens le titre envié, a décidé de mettre les bouchées doubles. Triples même, avec les records successifs de Codos et Rossi, sur leur Blériot 110, de Mermoz et Paillard, sur le Bernard 80 *Oiseau Tango*, et du Dewoitine. Doret et Le Brix s'entraînent maintenant pour un nouveau raid vers l'Extrême-Orient, expédition qu'ils ont déjà tentée en 1929 sur le *France Indochine*. (→ 12.9)

En avion léger de Paris à Madagascar

Madagascar, 8 avril
Le petit Potez 36 accède à la célébrité. Il doit cette toute nouvelle renommée au premier raid Paris-Madagascar qu'ont effectué avec succès les pilotes Desmazières et Lefèvre. Partis le 16 novembre 1930, ils ont parcouru 12 200 kilomètres. Le monoplan monomoteur est un petit biplace de 10,44 m d'envergure et de 7,35 m de longueur. Il possède un dispositif révolutionnaire : un «bec de sécurité fixe» dont l'effet aérodynamique permet à l'avion de conserver un comportement stable aux grands angles d'incidence. Quant à sa structure en bois entoilée, elle ne pèse pas plus de 427 kilos à vide. La cabine vitrée est confortable et permet une bonne visibilité. Un progrès que les pilotes ont apprécié, pendant ces quatre mois d'aventure.

L'US Army achète un Lockheed Vega

Detroit, 28 mai
Les succès du Lockheed Vega ne pouvaient laisser les militaires américains indifférents. Un exemplaire du Model 5 a été livré au 35e groupe de chasse où il servira d'avion de liaison. Un Model DL-1B doit être livré prochainement. Ce dernier, de construction métallique, est monté à Detroit. Sa dénomination DL correspond à Detroit Lockheed. Dès le début de 1929, alors que les ordres de commande du Vega parviennent en nombre à l'usine de Burbank, et que les performances de l'avion étonnent tout le monde, la crise générale frappe Lockheed. Un groupe financier de Detroit dirigé par Carl Squier, la Detroit Aircraft Corporation, ne laissa pas passer l'occasion et acheta la majorité des actions ; Allan Loughead quittait sa société. (→ 21.6.32)

Un hydravion qui surgit d'on ne sait où

Un sous-marin britannique M 2, le hangar clos, vient en surface.

Du hangar-caisson étanche apparaît un hydravion, prêt à être lancé.

L'appareil est lancé : avant de monter, le pilote prend de la vitesse.

Après avoir amerri, l'hydravion vient se placer sous la grue du sous-marin.

L'hydravion, hissé à bord du sous-marin, sera replacé dans le hangar.

Lindbergh explore la route vers l'Orient

Tokyo, 26 août

C'est en tant que conseiller technique pour la Pan American que Charles Lindbergh et son épouse, Anne, sont partis pour un vol de reconnaissance vers l'Orient. Le 29 juillet, le couple décolle de New York, à bord d'un hydravion Lockheed Sirius, et devra franchir de nombreuses étapes avant l'arrivée au Japon puis en Chine, but du voyage. Anne est chargée de la radio. Le plus beau compliment qu'elle ait d'ailleurs jamais reçu est venu d'un opérateur radio sur sa façon de prendre et d'envoyer des messages : « Aucun homme ne pourrait mieux faire », lui dit-il. La météo est épouvantable. Ils passent par Ottawa, Point Barrow, où les quelques Blancs perdus chez les Esquimaux les accueillent avec stupeur. Enfin, ils arrivent à Tokyo malgré un brouillard persistant. Dans quelques jours, ils partiront vers la Chine.

Le couple Lindbergh à Washington.

Une aile basse permet d'éclipser le train

Etats-Unis, 17 novembre

Tous les moyens sont bons pour gagner de la vitesse. Après avoir développé le Model 200 Monomail, un appareil révolutionnaire, Boeing décide de réaliser un bombardier aux lignes similaires. Le Model 215, doté de deux moteurs en étoile Pratt & Whitney Hornet de 600 ch, se révèle plus rapide que les chasseurs contemporains. Boeing a surtout mis en évidence l'importance des monoplans à ailes cantilever.

Cette voilure épaisse permet pour la première fois de loger le train qui rentre électriquement. Seules aspérités d'une ligne aérodynamique très pure : les cinq cockpits. Ils permettent de loger un mitrailleur et un bombardier, dans le nez de l'appareil, puis le pilote et le copilote, l'opérateur radio, et enfin un autre mitrailleur arrière. Destiné à l'US Air Force, il peut franchir 2 010 km avec 300 kg de bombes accrochées sous les ailes.

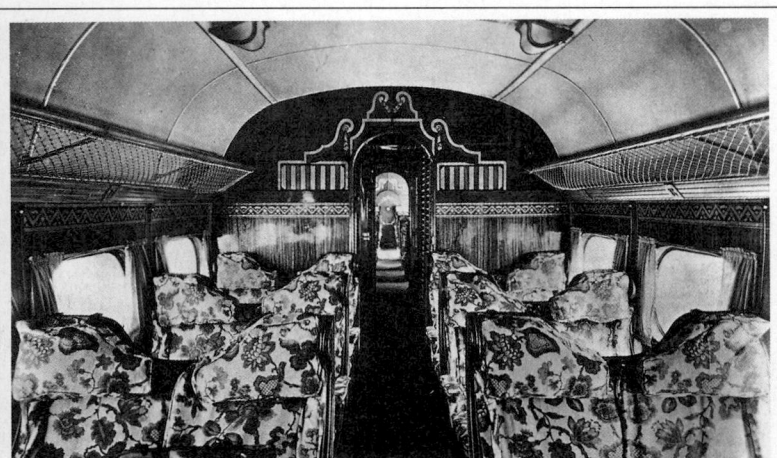

La cabine avant de l'« Heracles », d'Imperial Airways. Appareil le plus grand du monde pour le transport civil, il emporte trente-huit passagers, et il est en service sur la ligne Londres-Paris.

Le Brix se tue, Doret a réussi à sauter

C'est le seul moyen pour brasser l'hélice d'un moteur placé si haut.

Oufa, 12 septembre

Défaut technique ou malchance ? Le *Trait d'union II* s'est écrasé en URSS. Le Brix et le mécanicien Mesmin sont morts. Doret a pu se servir à temps de son parachute. L'équipage connaissait parfaitement le Dewoitine D.33. Avec le premier, ils étaient partis, il y a deux mois, du Bourget pour Tokyo. Mais Doret avait dû se poser en catastrophe près de Nijni-Oudinsk, à 6 000 kilomètres de Paris. Il n'avait été que légèrement blessé tandis que Mesmin et Le Brix avaient utilisé leur parachute. Cette fois, à bord de cet autre Dewoitine, ils volent sur le même parcours. Des nuages épais englobent le massif de l'Oural. Doret tente de garder le contrôle de l'appareil, en vain. Il ordonne à Le Brix d'abandonner son poste. Ce dernier file vers l'arrière afin d'en informer Mesmin et de l'aider à enfiler son parachute. Doret, convaincu que ses amis ont sauté, quitte l'avion par sa trappe de secours. Il atterrit indemne tandis que le D.33 s'écrase non loin d'Oufa. Il ignore que ses amis n'ont pas pu sauter et qu'ils sont morts dans l'avion. (→ 18.6.32)

Présentation à l'aéroport de Tempelhof du Junkers Ju 52. Monoplan à aile basse cantilever, son moteur BMW-VII lui permet d'emporter une charge de 2 170 kg sur 900 kilomètres, à 160km/h. (→ 1.5.32)

Ils font le tour du monde en huit jours

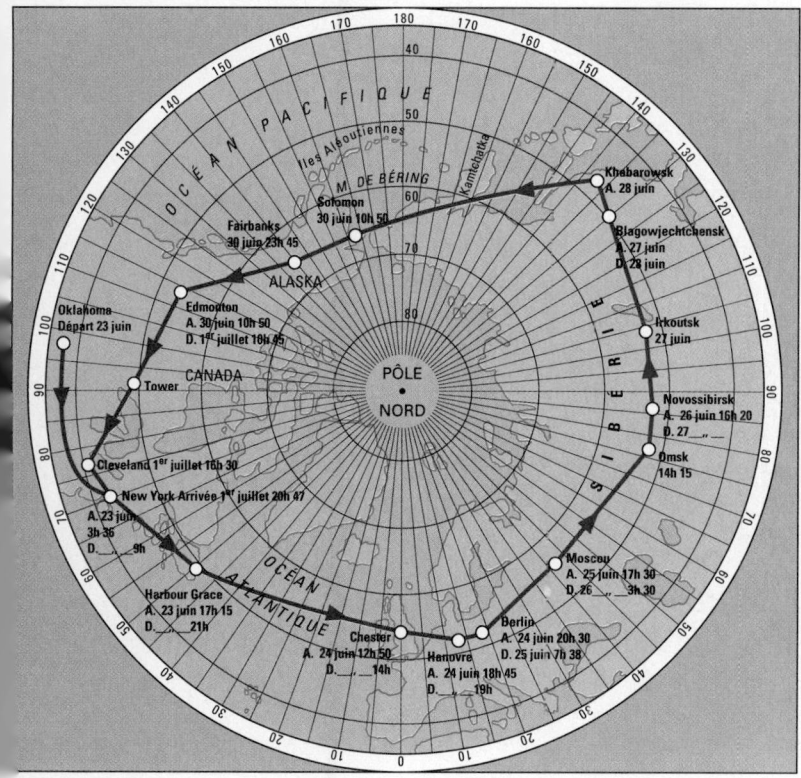

Lindbergh est aux commandes du Clipper

Le Clipper survole les gratte-ciel de New York au cours d'un vol d'essai.

Roosevelt Field, 1er juillet

Le *Winnie Mae of Oklahoma* est rentré sans encombre de son tour du monde. Aux commandes du Lockheed Vega, Wiley Post, qui, s'il est un as du pilotage, n'en est pas moins borgne ! Gatty, le navigateur est, tout comme Post, bien décidé à aller plus vite qu'au cours du précédent tour du monde, en 1924. Le 23 juin, ils décollent de Roosevelt Field (New York) à 4 h 55. La première étape les conduit à Terre-Neuve. Ils décollent alors pour l'Europe : cap sur l'Angleterre. A la

tombée de la nuit, Post pilote aux instruments, aidé par les indications de Gatty. Ils vont se poser ensuite à Moscou, puis à Novosibirsk, en Russie centrale. Pour gagner le Canada, ils doivent survoler les montagnes Rocheuses, et, sous une pluie battante, ils atterrissent à Edmonton. Enfin, à 0 h 47, ils arrivent à Roosevelt Field où les attend une foule de dix mille personnes. Post et Gatty ont ainsi parcouru quelque 25 000 kilomètres en 207 heures – soit huit jours et quinze heures – et 51 minutes.

Miami, 19 novembre

Charles Lindbergh engage son prestige aux côtés de la Pan Am en pilotant un des deux géants Clipper, le Sikorsky S-40 *American Clipper*. Ce vol inaugural le conduit de Miami à Panama, *via* Cuba, la Jamaïque et la Colombie. A bord, se trouve Igor Sikorsky lui-même. L'hydravion est le premier de l'his-

toire de la Pan American à s'appeler Clipper, du nom de ces grands bateaux du XIXe siècle, symboles d'efficacité et de rapidité. Pan Am a fait de cette appellation une marque déposée afin qu'elle soit liée à ses voyages aériens de grand luxe. L'*American Clipper* peut accueillir 38 passagers. Avec cet hydravion, Juan Trippe concrétise ses rêves.

Lockheed Vega « Winnie Mae of Oklahoma » de Post, à Harbour Grace.

Le dernier des Moth s'appelle Tiger

Stag Lane, 26 octobre

Vol inaugural aujourd'hui pour le DH.82 Tiger Moth, dernier-né de la lignée des Moth dessinée par de Havilland. Il est dérivé du brillant Gipsy Moth de 1925 qui s'illustra au cours de nombreux raids vers l'Australie et l'Afrique du Sud. Le Tiger est un biplan biplace conçu pour l'entraînement des pilotes de la RAF. Ce nouveau modèle est propulsé par le moteur Gipsy Major inversé de 130 ch, qui a donné tant de satisfaction sur le très populaire Puss Moth. Avec ce nouvel appareil très sûr et bien adapté à la voltige, de Havilland joue gagnant. Les qualités de vol sont excellentes : l'avion ne présente aucun défaut et se révèle agréable à piloter. En vol stabilisé, le pilote du Tiger peut même lâcher les commandes.

Le tableau de bord du dernier de Havilland, le Tiger Moth.

Les avions de l'année 1931

Le Boeing B-9 incorpore un grand nombre d'innovations techniques.

Le Douglas RD est employé par l'US Coast Guard et l'US Navy.

Biplace de liaisons interarmées, le Heinkel He 46.

Le Berliner Joyce OJ-2 est un avion d'observation lancé par catapulte.

L'Amiot 143 est encore en première ligne en mai 1940.

Le Heinkel He 59 est également utilisé pour les secours en mer.

Le Focke-Wulf A.47, prototype d'observation météorologique.

Le Heinkel He 50, utilisé pour le bombardement et l'observation.

Le chasseur Arado Ar.65 est livré à la Luftwaffe en 1933.

Le Latécoère 29, hydravion bombardier torpilleur, présente de nombreuses similitudes avec le Laté 28 commercial.

La silhouette du Breguet 410M est typique des avions de combat multiplaces français de l'époque. Il ne sera pas commandé en série.

Le Curtiss A-8 est commandé par l'USAAC pour l'appui tactique.

L'USAAC prend livraison de cinq Douglas Y10-35 d'observation.

Le prototype Curtiss XF9C-1 donne naissance au F9C-2 Sparrowhawk qui est utilisé depuis les dirigeables « Akron » et « Macon ».

Le de Havilland Tiger Moth forme des milliers de pilotes.

Le Saunders-Roe Cloud est aussi utilisé par la RAF.

Le Macchi M.67 prend part à la coupe Schneider de 1931.

Le Fokker F XII est aussi construit sous licence comme bombardier.

Le Hawker Fury, considéré par les Britanniques comme le meilleur chasseur biplan du monde, demeure en première ligne jusqu'en 1939.

Adoptant la formule testée sur le S.55, le Savoia-Marchetti S.66 se présente comme un plus gros hydravion, capable de transporter 14 passagers.

Le Grumman FF-1 biplace est le premier chasseur embarqué, commandé par l'US Navy, à disposer d'un train escamotable.

Le RWD-5 effectue un raid Dakar-Natal par l'Atlantique Sud.

Le Sikorsky S-40, le plus gros avion amphibie de son époque.

Le General Aircraft Monospar met en oeuvre une voilure spéciale.

Le Junkers Ju 52/3m débute sa carrière comme avion civil avant d'être utilisé comme bombardier, puis transporteur de troupes par la Luftwaffe.

Seuls deux Arrow Active d'entraînement sont construits.

Le Blackburn B.2 accueille l'instructeur et l'élève côte à côte.

Savoia-Marchetti S.71, trimoteur civil pour huit passagers.

Le Macchi MC.72 est encore l'hydravion le plus rapide du monde.

L'American Pilgrim 100-4 utilisé pour les lignes intérieures.

Dernier de la série Focke-Wulf Mowe, le A.38 à moteur Jupiter.

1932

 **574,307 km/h**
Grande-Bretagne
John H. Boothman
Supermarine S.6 B
13.9.31

 **10 601,48 km**
France
Bossoutrot et Rossi
Blériot 110
26.3.32

 **13 403 m**
Grande-Bretagne
Cyril F. Uwins
Vickers
16.9.32

 **56 000 kg**
Allemagne
Dornier
Do X

 **3 100 ch**
Italie
Fiat
AS. 6

Belgique, 10 janvier
L'aéronautique militaire belge reçoit ses premiers bombardiers Fairey Fox II. Tout comme les chasseurs Fairey Firefly II M, les autres exemplaires commandés à la firme anglaise seront assemblés directement à Gosselies, près de Charleroi, où une filiale belge de Fairey a construit une usine.

France, 21 janvier
Air Orient dépose au greffe du tribunal de commerce de Paris l'idéogramme de l'hippocampe ailé. (→ 30.10.33)

France, 1er février
Publication de la première partie du règlement du service radio électrique international qui impose l'utilisation du code Q et la veille de sécurité sur 333 kilocycles. (→ 30.4)

Suisse, 2 février
A Genève débute la conférence sur le désarmement général organisée par la SDN.

Chine, 5 février
A la suite de l'incident de Shanghai, trois chasseurs Nakajima type 3 décollent du porte-avions japonais *Hosho* et abattent un chasseur chinois dans le district de Shingu : le conflit sino-japonais commence.

Etats-Unis, 28 février
A New York, après un long procès, Robert Esnault-Pelterie ne peut faire valoir ses droits quant à l'utilisation de son brevet sur les commandes «pied et manche», maintenant d'usage courant sur tous les avions.

Union soviétique, 25 mars
Tandis que toutes les activités de l'aviation commerciale à l'intérieur du territoire soviétique sont placées sous la responsabilité d'une direction de l'Aviation civile, les Soviétiques créent, à partir du réseau et des avions de Dobroflot, la compagnie Aeroflot.→

France, 31 mars
L'ingénieur Marcel Riffard est engagé par René Caudron.

Etats-Unis, 1er avril
Walter H. Beech et sa femme Olive Ann Beech fondent la Beech Aircraft Corporation. (→ 4.11)

Union sud-africaine, 21 avril
Arrivée au Cap du Farman F-190 de Goulette et Salel. Ils ont relié l'Europe à l'Afrique du Sud en un peu moins de cent heures (3 jours 18 heures et 25 minutes).

Chine, 24 avril
L'aviateur Perry Hutton parcourt sans faire escale le trajet Hong Kong - Pékin sur un trimoteur Ford destiné à l'un des seigneurs de la guerre, le maréchal Chang Hsiao Lang.

Paris, 30 avril
Retour du Farman F-190 baptisé *Paris*, piloté par d'Estailleur qui, en 258 heures de vol, a réussi la traversée d'est en ouest de l'Afrique en suivant le 13e parallèle.

Allemagne, 7 mai
Construit par la filiale suisse de Dornier, à Altenrhein, le prototype du bombardier Dornier Do 11 prend l'air. Il est officiellement destiné aux liaisons postales.

Etats-Unis, 12 mai
Tragique épilogue dans l'affaire du bébé des Lindbergh : dans le New Jersey, un camionneur, William Allen, retrouve à six kilomètres d'Hopewell, la maison familiale des Lindbergh, le cadavre d'un bébé de vingt mois qui s'avère être le petit Charles Augustus, enlevé le 1er mars dernier. Le colonel Lindbergh venait de verser les 75 000 dollars de la rançon exigée par le ravisseur. (→ 3.4.36)

Grande-Bretagne, 31 mai
La Cierva ouvre une école de pilotage à Hanworth, près de Londres. Le directeur est Reginald Brie ; son premier élève, James McCullen, est âgé de 68 ans.

France, 18 juin
Vol initial du Dewoitine D.500, un chasseur à aile cantilever ; Marcel Doret est aux commandes.

Etats-Unis, 21 juin
La société Lockheed passe sous le contrôle du financier Robert Gross. Celui-ci oriente la firme vers la construction d'un bimoteur capable de rivaliser avec le futur 247 de la société Boeing.

France, 25 juin
A Toussus-le-Noble, Lucien Coupet fait décoller le Farman 1 000 en présence d'Henri Farman. Cet avion est conçu pour l'exploration stratosphérique.→

Allemagne, 1er juillet
Luft Hansa rachète un cargo, le *Westfalen*, afin de le transformer en base flottante pour hydravions. (→ 29.5.33)

Suisse, 8 juillet
Le capitaine belge Vanderlinden et le lieutenant Serva remportent le Circuit international des Alpes.

Union soviétique, 14 août
L'hélicoptère Zagi 1A (initiales de l'Institut central d'aérodynamique et d'hydrodynamique), piloté par Alexei Cheremukhin, atteint l'altitude de 605 mètres.

Etats-Unis, 22 août
Deux aviatrices, Frances Marsalis et Louise Thaden, établissent un nouveau record d'endurance en tenant l'air 196 heures à bord d'un Curtiss Thrush.

Etats-Unis, 5 septembre
L'aviatrice Mae Haizlip porte à 405,9 km/h le record féminin de vitesse sur Wedell Williams.

France, 20 septembre
A Toulouse, la construction du Dewoitine D.332 commence.

Etats-Unis, 25 septembre
A Boston, Lewis L. Yancey porte à 6 550 mètres le record d'altitude sur autogire que détenait depuis avril 1931 Amelia Earhart.

Grande-Bretagne, 26 septembre
Imperial Airways introduit sur ses lignes le quadrimoteur Armstrong Whitworth Atalanta.

Paraguay, 29 septembre
La guerre du Chaco Boreal entre la Bolivie et le Paraguay se rallume. Vaincus en 1929, les Boliviens envahissent les régions contestées. Les trois Potez 25 du lieutenant-colonel Vicente Almonacid, un as argentin qui a servi à la MS 26 en 14-18, obtiennent la reddition des fortins boliviens de Boqueron.

Etats-Unis, 15 octobre
A la suite du rachat de deux petites compagnies, Pan American forme en Alaska la Pacific Alaska Airways Inc.

Etats-Unis, 4 novembre
A Wichita, sortie du Beech Model 17 construit par la toute jeune société Beech Aircraft Corp.

Grande-Bretagne, 24 novembre
Vol du de Havilland DH.24 Dragon. Construit à la demande d'Edward Hillman, cet élégant bimoteur peut transporter 6 passagers et 122 kg de bagages.

Allemagne, 1er décembre
Vol d'essai à Travemünde du nouveau Heinkel He 70 Blitz, un appareil de transport rapide commandé par Luft Hansa. Il est doté d'un train rétractable.

France, 15 décembre
Vol inaugural du Caudron 27 Luciole, un avion léger biplan pour la formation des pilotes.

Etats-Unis, 17 décembre
A New York, la firme Texaco prend livraison de son monoplan Northrop Gamma, et le met à disposition du pilote Frank Hawks en vue d'établir de nouveaux records de vitesse.

France, 30 décembre
Publication au *Journal officiel* de la loi votée le 11 décembre fixant statut de l'aviation commerciale.

Elle est la première femme à avoir franchi l'Atlantique entre Terre-Neuve et l'Irlande. Amelia Earhart salue la foule venue l'acclamer.

Il faut limiter le nombre de bombardiers

Le bombardier Boeing B-9 est directement inspiré du Model Monomail.

Genève, 5 février

La menace de la guerre aérienne plane sur la conférence du désarmement qui réunit une soixantaine de nations à Genève. D'entrée de jeu, la France très inquiète du réarmement clandestin de l'Allemagne, réclame en priorité une réglementation internationale sur la production des armes aériennes. Sa délégation vient de déposer un texte de propositions concrètes en ce sens : limitation du tonnage et du nombre d'appareils militaires, en particulier de bombardement, mais aussi civils, construits et mis en service par les différentes nations ; droit exclusif et permanent de contrôle et de réquisition pour la Société des Nations, qui pourra intervenir en cas de dépassement des normes établies ; constitution sous son égide d'une force aérienne « licite » de coercition et interdiction de l'emploi de bombes incendiaires ou contenant des gaz toxiques. Il est vrai que l'industrie mondiale de l'arme aérienne est en pleine fièvre de croissance, de liberté des prix et de concurrence. Les onze plus grandes puissances, libres de leur armement, disposent de 12 000 appareils de guerre environ pour un coût annuel de 13 milliards de francs. L'arme aérienne n'est pas un mythe et elle fait peur, car c'est la plus offensive et la plus menaçante pour les populations civiles. Les propositions françaises défendues à la conférence de Genève ne font qu'exprimer au grand jour l'obsession, largement répandue dans l'opinion publique, des attaques aériennes.

Les deux pilotes américains Halliburton et Stevens, à bord du « Tapis volant », l'appareil avec lequel ils effectuent leur tour du monde. Ici, ils survolent le mausolée du Tadj Mahall, à Agra, aux Indes.

Le code Q ou le langage des avions

Paris, 30 avril

Le bulletin officiel de la navigation aérienne, dans le numéro 145 de ce mois, informe de l'utilisation à l'échelle internationale d'un code de communication. C'est l'application d'une décision qui avait déjà été prise au cours d'une conférence à Washington en 1927. Cette règle est indispensable au moment où le trafic aérien devient international. Par ailleurs, l'utilisation généralisée de la radiotélégraphie à bord des aéronefs implique que les opérateurs se comprennent. Il n'est pas pensable de demander à chacun d'eux de parler toutes les langues. Le code est basé sur des abréviations à employer dans les transmissions. Chaque question utile dans la conduite de l'avion est résumée par trois lettres dont la première est toujours un Q. Les abréviations prennent la forme de question si elles sont suivies d'un point d'interrogation. Cette décision mettra fin au véritable désordre qui règne aujourd'hui encore dans les transmissions radiotélégraphiques. La liste ci-contre reprend les principales abréviations à la forme non interrogative.

QAA : Je compte arriver à...
QAB : Je suis en route pour...
QAC : Je retourne à...
QAH : Ma hauteur est de...
QAL : Je vais atterrir à...
QAM : Voici la dernière météo...
QAR : Répondez pour moi à...
QAY : Signal de détresse de....
QBA : La visibilité à ... est de...
QBF : Je suis dans les nuages.
QBG : Suis au-dessus des nuages.
QBH : Suis au-dessous des nuages.
QBU : Votre message est douteux.
QCI : Mon antenne est douteuse.
QCJ : Réception hors service.
QDM : Cap pour venir vers moi...
QFC : Le vent en altitude est de...
QFE : Pression au niveau du sol.
QRA : Le nom de ma station est...
QRD : Je vais à...
QRE : Je compte arriver à...
QRF : Je fais demi-tour.
QRK : Je vous reçois très bien.
QRH : Ma longueur d'onde est...
QRL : Je suis occupé.
QRM : Je suis brouillé.
QRO : Augmentez l'énergie.
QRP : Diminuez l'énergie.
QRQ : Transmettez plus vite.
QRS : Transmettez plus lentement.
QRT : Cessez la transmission.
QTU : La station est ouverte de...

Manœuvres sur le porte-avions « Béarn »

Toulon, 3 février

C'est une année qui a mal commencé pour le *Béarn*. Dès le début des manœuvres, le quartier-maître Martin s'est tué au cours de sa première approche du porte-avions en Dewoitine D.1C1. Pourtant, tout avait été mis en œuvre pour assurer la meilleure sécurité pendant les opérations de décollage et d'appontage. Début avril 1930, le bâtiment a subi des modifications. On a installé un système de freinage plus élaboré. Ce dispositif spécial freine l'avion dès que sa crosse a accroché un câble. On peut ainsi réduire la distance d'arrêt et aussi assurer les appontages qui ne se présentent pas dans l'axe. Le Dewoitine D.1C1 est un avion d'une grande robustesse, qualité très importante pour les opérations sur porte-avions où les contacts avec le pont sont toujours brutaux. Sa crosse est à amortisseur en Sandow. L'escadrille 7 C1, reconnaissable à son insigne, l'hippocampe ailé, est commandée par le lieutenant de vaisseau Noël.

La crosse de l'avion saisira un de ces câbles tendus en travers du pont.

Reconnaissance de ligne sur Nouméa

Le trimoteur Couzinet 33, à l'escale de Tjililitan (aérodrome de Batavia).

Nouvelle-Calédonie, 5 avril
Le *Biarritz* n'a pas de chance. Les avaries qu'il a subies en percutant un arbre sur le terrain de Nouméa vont le contraindre à interrompre son tour du monde. Ce trimoteur Couzinet 33 est piloté par un équipage remarquable, les aviateurs de Verneilh et Dévé, accompagnés du mécanicien Munch. Mais, depuis son départ de France le 9 mars, le sort s'est acharné contre lui. Le mauvais temps a gêné son raid, surtout aux Indes néerlandaises et sur la côte australienne. Ensuite, le mauvais état des pistes d'escale a presque toujours empêché l'avion de décoller avec des réserves suffisantes d'essence pour couvrir les étapes prévues de 3 000 km. Pourtant, les qualités de cet appareil nouveau, qui n'avait pu être testé que pendant 28 heures avant son départ, autorisaient les plus grands espoirs. Il aura du moins permis à un équipage français de réaliser la première liaison aérienne entre Paris et Nouméa.

Le Blériot 110 bat un record de distance

Oran, 26 mars
Les pilotes Lucien Bossoutrot et Maurice Rossi accomplissent depuis deux ans de nombreuses performances. Ils ont cette fois porté le record de distance en circuit fermé à 10 601,480 km aux commandes du Blériot 110. Et cela, malgré une fuite à un réservoir après 40 heures de vol, qui a occasionné la perte de 30 litres de carburant. De plus, les conditions de vent ont fait tomber la moyenne de l'avion à 145 km/h. Le Blériot 110 a été dessiné, au début de l'année 1929, par l'ingénieur Filippo Zappata qui l'a conçu spécialement pour battre des records de distance. Le Blériot a été baptisé *Joseph Le Brix* en hommage à l'aviateur disparu voici quelques mois dans l'Oural. Après un premier vol d'essai, au mois de mai 1930, il s'est rapidement imposé comme un appareil aux qualités exceptionnelles. Ce record était détenu depuis juin 1931 par Le Brix, Doret et Cadiou sur le Dewoitine 33 *Trait d'union*.

Le Blériot 110 « Joseph Le Brix » au Bourget, lors de son retour d'Oran.

La technique du guidage se modernise

Newark, 12 mars
L'aéroport au trafic le plus dense des Etats-Unis est le premier à recevoir une station de radioguidage pour l'approche des appareils. Elle est l'application civile du système que Doolittle avait déjà expérimenté en 1929. C'est Hegenberger qui a amélioré la technique pour l'US Air Corps. Deux balises radio omnidirectionnelles sont disposées à 500 et 3 000 m de l'entrée de piste, dans son axe. A chacune de ces balises, est associée une radioborne VHF qui actionne un indicateur lumineux dans l'avion. Le maintien dans l'axe de la piste se fait par le pilote qui recherche en permanence l'axe équisignal des deux émissions dirigées dans le sens de la piste. Elles sont émises sur 330 MHz et modulées l'une à 65 et l'autre à 86,7 Hz. Pour le guidage de la pente de descente, le pilote sait qu'il doit débuter progressivement celle-ci au passage du premier radiophare et qu'il doit être à 50 m d'altitude au second. Le Bureau of Air Commerce américain a adopté le système. En Europe, l'ingénieur Kramar met au point pour Lorenz un système qui donnera aussi un guidage de pente en restant dans le champ constant d'une émission. (→ 31.12.33)

L'autorisation de décoller ou d'atterrir est donnée avec pistolet lumineux.

La photo aérienne prend des couleurs

Orly, mai
Les progrès de la photographie sont mis à profit par l'aviation : à présent, les photos aériennes peuvent être réalisées en couleurs. Grâce au procédé Finlay, Michaud a pris des clichés d'Orly d'une stupéfiante précision, égale à celle qui existe déjà pour le noir et blanc. En Californie, on a même pu prendre des photos à 6 000 m d'altitude grâce à des pellicules hypersensibles.

Orly : à droite, les hangars de dirigeables, à gauche, le centre d'entraînement.

Swissair met en service le Lockheed Orion

Ce Lockheed Orion a une autonomie de 950 km, sa vitesse est de 260 km/h.

Zurich, 1er mai
La direction de la compagnie Swissair a enfin obtenu l'autorisation de mettre ses deux appareils Lockheed Orion Model 9B en service. Depuis le 22 avril, date de leur premier vol d'essai en Suisse, le chef de l'Office fédéral de l'air refusait leur exploitation commerciale. Ces avions américains, qui étaient arrivés dans des caisses à la gare de Zurich le 7 avril, n'avaient pas de radio ni aucun équipement de navigation.

De plus, monomoteurs, ils étaient en infraction avec le règlement helvétique. Ils n'avaient pour eux que l'enthousiasme des pilotes qui les avaient testés et les très bonnes références de leurs performances aux Etats-Unis. Swissair a passé commande avec certaines modifications : la cabine a trois larges hublots et accueille quatre passagers. Le moteur est un Wright-Cyclone de 575 ch. Les avions entrent en service sur la ligne de Vienne.

Cabine pressurisée pour le Farman 1000

Toussus-le-Noble, 25 juin
« Faites donc un avion qui puisse évoluer à 20 000 m avec une cabine étanche », avait dit un jour Albert Caquot à Henri Farman. Et le Farman 1000 a décollé quand Lucien Coupet a tiré sur le manche ce matin. Trois turbines Rateau maintiennent la pression d'alimentation du moteur Farman 8 Vi jusqu'à 16 000 m d'altitude. La cabine, un cylindre étanche, a seulement trois hublots. Sa pressurisation est d'un fonctionnement simple : le moteur entraîne un petit compresseur qui injecte l'air extérieur dans la cabine sous une pression de 2 kg par cm². Deux valves de sécurité s'ouvrent automatiquement lorsque la pression de la cabine atteint une valeur égale à 3 500 m d'altitude. Le pilote est toutefois obligé de sortir de sa cabine pressurisée pour le décollage et l'atterrissage. (→ 5.8.35)

Le premier avion pour les vols dans la stratosphère, construit par Farman.

Vol quotidien Berlin-Rome par Luft Hansa

En version trimoteur, le Junker Ju 52 croise à 5 200 m et survole les Alpes.

Rome, 1er mai
La compagnie Luft Hansa met en place un service quotidien entre Berlin et Rome, *via* Munich et Venise. C'est le Junkers Ju 52/3m, version trimoteur du Ju 52, ayant effectué ses premiers vols en avril dernier, qui a été mis en service sur cette ligne. Equipé de moteurs BMW Hornet de 575 ch, l'appareil atteint la vitesse de croisière de 245 km/h ; il transporte dix-sept passagers ainsi qu'un équipage de trois hommes. Le Junkers a mis dix heures pour effectuer les 1 358 km qui séparent les deux capitales. La traversée des Alpes est devenue facile car cet appareil vole à une altitude opérationnelle de 5 200 m, bien au-dessus des plus hauts sommets. Auparavant, les avions devaient se faufiler dans les cols et les vallées alpines à des altitudes où les conditions atmosphériques, souvent très mauvaises, rendaient les vols inconfortables et dangereux.

Italo Balbo offre un meeting à Mussolini

Spires tracées par deux avions fumigènes en formation serrée.

Rome, 27 mai
Quatre cents avions exécutent dans le ciel romain d'incroyables acrobaties. Chacun se dit impressionné par la reconstruction de l'aviation italienne, due au général Italo Balbo, nommé ministre de l'Air par Mussolini. Pour le Duce, les raids et les grandes traversées devront être accomplis sur des appareils italiens. Et, à la vue du spectacle d'aujourd'hui, on ne doute plus de leurs futures performances. Dornier, qui s'est installé en Italie, conçoit le Dornier Do J Wal, un hydravion à coque centrale, utilisé pour les raids comme pour le transport civil. La SIAI-Marchetti vient, elle, de réaliser le SM.71, un monoplan à aile haute, propulsé par trois moteurs Piaggio Stella VII en étoile à 7 cylindres refroidis par air de 370 ch chacun. Il peut embarquer huit à dix passagers. Les avions de vitesse ne sont pas en reste avec le Macchi M.39, à moteur Fiat AS2 à douze cylindres en V de 800 ch. En 1926 il gagna la coupe Schneider. L'Italie affirme de plus en plus sa présence dans le domaine aéronautique.

Amelia fête « Lindy » sur l'Atlantique

Londonderry, 21 mai

L'exploit est déjà remarquable en lui-même : l'Atlantique Nord a été traversé plus rapidement que jamais à 237 km/h. Mais ce qui est encore plus étonnant, c'est le pilote qui a mené à bien cette aventure : il ou plutôt elle, puisqu'il s'agit d'une femme, s'appelle Amelia Earhart. Cette fluette et jeune Américaine, surnommée miss Lindy, tant elle ressemble à son compatriote Charles Lindbergh, renouvelle l'exploit de ce dernier, cinq ans plus tard. Partie sur son Lockheed Vega à moteur refroidi par air de 425 ch, elle s'est envolée de Harbour Grace (Terre-Neuve) le 20 mai, jour anniversaire du départ de Lindbergh. La traversée a été difficile : non seulement le mauvais temps n'a pas cessé, mais une fuite d'essence, due à la rupture d'un jaugeur, a failli lui être fatale. Amelia s'est finalement posée dans un champ près de Londonderry, en Irlande. Elle a parcouru 3 198 kilomètres en 13 h et 33 min. D'un coup d'aile, elle a franchi un pas vers l'égalité des hommes et des femmes...

Accueil chaleureux pour Amelia Earhart, à Culmore, près de Londonderry.

Santos-Dumont met fin à ses jours

Guaryja, 23 juillet

Il fut le premier homme à posséder les trois brevets de pilote : ballon libre, dirigeable et aéroplane. Alberto Santos-Dumont a sans doute été le plus populaire des aviateurs. La gloire ne lui a pas suffi. Dépressif, il s'est pendu dans une résidence de Guaryja. Il avait 59 ans.

Aeroflot est créée en Union soviétique

Union soviétique, 25 mars

La réorganisation du transport aérien en URSS vient d'aboutir à la naissance d'une nouvelle compagnie : Aeroflot. Pour l'heure, la société Aeroflot ne s'occupe encore que du transport de passagers et du fret. Ce sont des divisions autonomes qui ont reçu la charge de l'aviation agricole (Aeropyl) et des lignes arctiques (Aviaarktika). En ce qui concerne la Deutsch Russische Luftverkehrs AG, plus connue sous le nom de Deruluft, elle garde pour l'instant la haute main sur les lignes internationales. Toutes deux isolées, du fait du traité de Versailles, l'Allemagne et l'URSS avaient décidé, en 1921, de développer en commun un programme aéronautique global qui porte maintenant ses fruits.

Eustace Short meurt aux commandes

Rochester, 8 avril

Juste après avoir posé son nouvel hydravion, le *Mussel*, Eustace Short est mort à ses commandes. Il avait 56 ans. Dès 1901, après une série de tentatives pour faire voler des ballons à nacelle, Short s'est lancé dans la construction d'avions. C'est en 1909 que Short ouvre avec ses frères la première usine aéronautique au monde, sur l'île de Sheppey, dans le Kent. Ils y produisent sous licence les biplans Wright. Le fameux Calcutta, dessiné en 1927, sera le premier hydravion à desservir des lignes commerciales régulières. Imperial Airways et la RAF l'ont toujours en exploitation.

L'aérogare de Deauville inaugurée

Deauville, 31 juillet

C'est au cours des Journées internationales d'aviation qu'a été inauguré le nouveau pavillon de l'aéroport de Deauville. A cette occasion, un magnifique spectacle aérien a fait l'admiration de tous : vol de virtuosité par les champions les plus réputés, comme l'Allemand Achgelis qui a volé la tête en bas à moins de 30 m du sol, vols d'ensemble avec une présentation de nouveaux appareils. Soixante-dix concurrents se sont inscrits à un rallye aérien : le challenge de la plus longue distance a été remporté par M. et Mme Liétard. Le Prix du pilote le plus âgé est revenu à M. Auger, 56 ans, qui possède son brevet de pilote depuis vingt ans...

ne supportait pas la maladie.

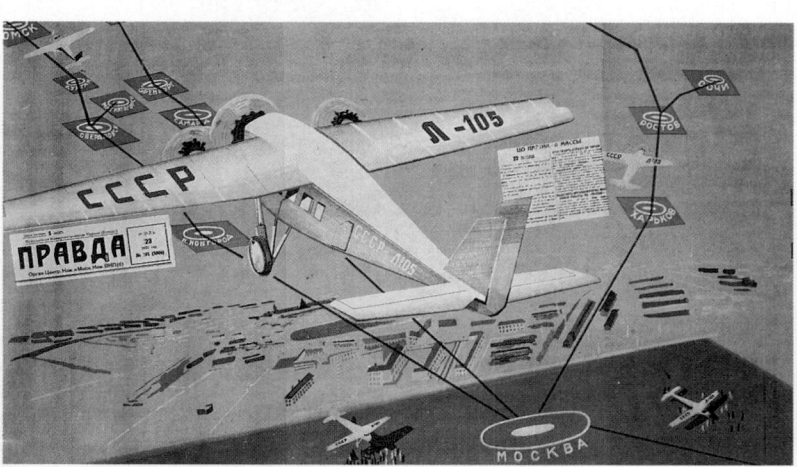

Pour les autorités « chaque ville d'URSS doit avoir un aéroport bien équipé ».

Le nouveau pavillon de l'aéroport.

Odyssées dramatiques sur l'océan Atlantique

Hutchinson ou la famille volante

Groenland, 13 septembre

Les recherches entreprises pour retrouver la famille Hutchinson ont abouti à l'aube. L'appel de détresse lancé par le *Flying Family* avait soulevé une émotion immense dans le monde. Avant son départ, le 23 août, beaucoup jugeaient déjà l'entreprise du colonel Hutchinson comme une véritable folie, mais chacun la considère maintenant comme criminelle. Son projet de relier New York à Londres en hydravion amphibie Sikorsky n'aurait suscité que de l'intérêt s'il n'avait décidé, pour lui donner plus de publicité, d'embarquer avec lui sa femme, Blanche, et ses deux filles de 8 et 6 ans, Kathryn et Janet Lee. Cinq autres passagers, dont le cinéaste Norman Alley, étaient également de la partie. Pour marquer sa désapprobation, le Danemark a interdit à l'hydravion de survoler le

Madame Hutchison et ses filles regardent leur avion échoué au Groenland.

Groenland. Hutchinson a pourtant fait escale à Godthab et à Julianehab. Alors qu'il se dirigeait vers Angmasalik, le drame a éclaté. Comme une violente tempête obligeait le *Flying Family* à amerrir, il endommagea son aile en heurtant un bloc de glace. Ce n'est que cinq jours plus tard qu'il a été retrouvé après avoir lancé un SOS par radio. Il avait réussi à gagner la côte inhabitée en hydroglissant. Toute la famille et les membres de l'équipage sont heureusement sains et saufs.

Haussner dérive pendant sept jours

Atlantique Nord, 11 juin

« *Thanks very much, captain* », a murmuré le pilote polonais Stanley Haussner avant de s'écrouler sur le pont du *Circe Shell*. Voilà sept jours que son avion, le *Rose-Marie*, dérive en pleine mer. Quinze navires sont passés à proximité de son épave sans qu'il réussisse à attirer leur attention. Au moment où, à bout de forces, il n'attendait plus que la mort, un bateau venant d'Anvers l'a aperçu. Son sauvetage, à la nuit tombante et par une mer démontée, tient d'ailleurs lui aussi du miracle. Haussner avait décollé de New York le 3 juin à bord d'un monomoteur Bellanca pour relier Varsovie sans escale, mais une fuite dans le réservoir d'essence l'a obligé à amerrir à 1 000 km des côtes européennes. Son aventure extraordinaire fait de lui un héros plus célèbre que s'il avait réussi son exploit.

Le meeting aérien de Berlin fête le Do X

Berlin, 3 septembre

Que d'émotions au cours du troisième Challenge international de tourisme ! Français, Allemands, Suisses, Polonais, Italiens... tous sont au rendez-vous. Le concours débute à Berlin par des épreuves éliminatoires. A la veille du départ, les premiers accidents ont lieu. Deux chutes mortelles chez Messerschmitt, par rupture en vol, entraînent le retrait de l'équipe entière. Sur 43 concurrents, 39 ont pu prendre le départ pour le circuit de

7 362 km, avec 26 escales à travers l'Europe : Berlin, Varsovie, Prague, Vienne, Rome, Paris, Hambourg... Entre le 21 et le 27 août, 24 équipages seulement ont accompli le parcours dans les conditions réglementaires, avec un jour de repos obligatoire le 25 à Paris. La victoire revient au Polonais Zwirko sur un avion RWD à moteur Genet major de 140 ch qui peut atteindre la vitesse de 225 km/h. Les Berlinois ont réservé le même accueil à l'hydravion géant Dornier DO X.

Fin de l'aventure de Mattern et Griffin

New York, 17 août

Les New-Yorkais ont accueilli dans l'enthousiasme le paquebot *Leviathan* qui ramenait aux Etats-Unis James Mattern et Bennett Griffin. Les deux aviateurs ont même eu droit à l'honneur d'une escorte de quatre avions militaires. Leur tour du monde est manqué, puisqu'un accident arrivé à leur Lockheed Vega, le *Century of Progress*, les a arrêtés en Russie, mais leur performance n'en est pas moins étonnante. Partis de New York le

5 juillet, ils ont quitté le continent américain à Terre-Neuve pour traverser l'Atlantique. Le lendemain, ils étaient à Berlin, ayant réalisé cette traversée dans le temps fabuleux de 18 h 41 min, ce qui constitue un gain de 10 h 48 min sur le record de Post et Gatty. Malheureusement, le 7 juillet, ils devaient atterrir d'urgence près de Minsk. Ils se blessaient légèrement et endommageaient trop sérieusement leur avion pour pouvoir poursuivre leur raid.

Le Dornier Do X s'est posé sur le Muggelsee, aux environs de Berlin.

Des avions militaires sont venus survoler le « Leviathan » pour le saluer.

Les folles compétitions des Mollison

Douglas signe un contrat avec TWA

Le Cap, 18 novembre

La compétition bat son plein entre les époux Mollison : Amy, ex-Johnson, la célèbre aviatrice, fait mieux que son mari Jim sur la distance Londres - Le Cap, qu'elle a franchie en 4 jours et 7 heures à bord de son Puss Moth, le *Desert Cloud*. Pour établir ce nouveau record, Amy a risqué un vol de nuit entre le Cameroun et l'Angola. « J'ai mis 13 heures pour parcourir 1 300 km, sans visibilité », a-t-elle déclaré à son arrivée. Le mariage des Mollison constitue en Angleterre la romance de l'année. Ils se sont fiancés le jour de leur rencontre, au *Quaglino*, restaurant en vogue à Londres en ce moment. A l'époque, le séduisant Jim, qui avait troqué son accent de Glasgow pour le parler châtié d'Oxford, aurait été promis à une jeune aristocrate. Les noces de Jim et d'Amy eurent lieu le 29 juillet à St. George Hanover Square dans la plus stricte intimité. Ce qui n'empêcha pas la foule de se ruer à la sortie de l'église pour voir le célèbre couple s'enfuir vers son hôtel.

Mrs. Mollison, reçue par son mari Jim, à son retour sur l'aéroport de Croydon.

Moins de trois semaines plus tard, le 18 août, Jim décollait de Port-Marnock, en Irlande, pour tenter la première transatlantique Europe-Amérique en solo. Son Puss Moth, *The Heart's Content*, avait 725 l d'essence, soit huit fois la capacité d'origine. Mollison affronta des vents de face de 65 km/h et rallia Pennfield Ridge (Canada) en 31 h. Il n'avait plus que deux heures d'essence à l'arrivée, ayant erré 7 heures dans le brouillard. Quels risques prendra-t-il demain ?

Etats-Unis, 20 septembre

Depuis que, le 31 mars 1931, un Fokker F.10-A de la TWA s'est écrasé au Kansas, la compagnie a décidé de remplacer ces appareils. United Air Lines attend le Boeing 247. C'est un avion d'une génération nouvelle, et Boeing, qui désire protéger sa filiale de transport, ne veut pas en fournir à un concurrent direct. TWA doit donc trouver ailleurs un appareil équivalent qui lui permette aussi de franchir aisément les montagnes Rocheuses. Jack Frye est vice-président de TWA. Il rencontre Douglas et lui propose de concevoir l'avion qui lui paraît être idéal pour son marché. Il est pressé, la clientèle préfère voler avec United. L'équipe de Douglas décide de tenter le pari. Le bureau d'études prépare en quelques semaines un projet qui est accepté et le contrat est signé. Le constructeur fournira à TWA un premier prototype pour 125 000 dollars. Les appareils construits en série vaudront 58 000 dollars l'unité. (→ 1.7.33)

Le largage des passagers en parachute

Record de vitesse à Doolittle sur Gee-Bee

France, novembre

Le saut en parachute est à l'heure actuelle une opération bien contrôlée. Depuis quelque temps, des recherches se poursuivent pour appliquer cette technique au sauvetage des avions en perdition. Le Français Ben Ayad propose un système original. La cabine de l'avion glisse vers l'arrière de l'appareil, s'en sépare et descend accrochée à un parachute. Des essais sur maquette ont eu lieu à Saint-Cyr. L'Anglais Floyd Smith propose des parachutes fixés aux sièges des passagers. Placés sur des trappes, ils sont largués par le pilote. Des essais ont donné satisfaction. Aux Etats-Unis, on envisage de laisser descendre tout l'avion en parachute.

Cleveland, 3 septembre

L'Américain James H. Doolittle a établi un nouveau record du monde de vitesse au cours du Thomson Trophy. Il a atteint 497,18 km/h à bord de son avion, le Gee-Bee R-1. Ce Gee-Bee spécial a reçu un P.W Hornet qui donne plus de 900 ch. Cet appareil aux formes caractéristiques le fait ressembler à un véritable tonneau volant. « J'ai appuyé et il est parti comme une balle », dit-il. En fait, cette victoire est le fruit d'une longue préparation : Doolittle a pris la tête dès le départ, volant à pleins gaz, bien au-dessus des pylônes, afin d'éviter les virages trop inclinés. Avec une moyenne de 473,82 km/h, il a distancé largement les autres concurrents.

Doolittle, à Cleveland, fait un « passage » sur base à près de 500 km/h.

Le Farman 220, en version civile, sert sur les lignes de l'Atlantique Sud.

Seuls quatre Junkers Ju 60 sont construits pour Luft Hansa.

Le Heinkel He 70, aux lignes très pures, est essentiellement utilisé pour le courrier. Au début de la guerre, il servira aux liaisons.

Le Beech Model 17 se caractérise par ses plans décalés. Ses qualités sont telles que l'appareil est encore construit en série jusqu'en 1948.

Le General Aviation GA-43 accomode dix passagers.

La silhouette de l'Airspeed AS.4 Ferry est quelque peu vieillotte.

Trimoteur, le Fokker F XVIII peut transporter quatorze passagers.

Le Consolidated Model 20 Fleetster, un avion déstiné à l'Aéropostale.

L'Armstrong Whitworth AW.15 Atalanta, conçu pour Imperial.

Le de Havilland Fox Moth, un avion de tourisme léger multiplace.

Le Gull conçu par Edgar Percival se place bien sur le marché de l'aviation de tourisme. Il établit même plusieurs records de distance.

Le Focke-Wulf Fw 44 Stieglitz, avion d'entraînement primaire.

Le trimoteur de bombardement et de transport Savoia-Marchetti S.72.

Le Farman 221 a la silhouette typique des bombardiers français.

Le Lioré-et-Olivier LeO 206 est équipé de moteurs montés en tandem.

L'un des cinq Junkers Ju 46 exploités par Luft Hansa.

Le Letov S-328, bombardier léger de l'aviation tchécoslovaque.

Le F11C-3 Goshawk est le dernier chasseur Curtiss de l'US Navy.

Le transporteur de troupes Gloster TC.33 est ignoré par la RAF.

Le Fiat CR.30 fait appel à des entretoises de type Warren.

Le Farman 221 et ses dérivés sont encore utilisés par l'armée de l'Air en 1940 pour le bombardement de nuit.

L'Anbo IV lituanien, utilisé pour la reconnaissance et les liaisons.

Le chasseur Morane-Saulnier 225 conserve une aile parasol.

Le Hawker Nimrod, réplique navale du Fury terrestre.

Le Lioré-et-Olivier LeO 203 ne reçoit aucune commande.

Malgré quelques innovations, la lignée du Dewoitine D.500 est passablement démodée avec son train fixe et son habitacle ouvert.

Le Berliner Joyce XY1P-16 est construit en série limitée.

Le Heinkel He 45, biplace de servitudes utilisé par la Luftwaffe.

Le Supermarine Scapa, un dérivé modernisé du Southampton.

Le Blackburn Baffin succède au Ripon dans la Fleet Air Arm.

La série Loire 43, 45 et 46 met en œuvre un revêtement travaillant, mais leur structure complexe et leur train fixe limitent leurs performances.

Le Consolidated P2Y-1, hydravion patrouilleur, est commandé à 23 exemplaires par l'US Navy. Sur le P2Y-3, les moteurs sont montés sur l'aile.

Le P-26 Peashooter est le premier et le dernier chasseur construit en série par Boeing. Son Pratt & Whitney en étoile délivre 600 ch.

1933

682,078 km/h
Italie
Francesco Agello
Macchi Castoldi MC-72
18.4.33

10 601,48 km
France
Bossoutrot et Rossi
Blériot 110
26.3.32

13 660 m
France
Gustave Lemoine
Potez
28.9.33

56 000 kg
Allemagne
Dornier
Do X

3 100 ch
Italie
Fiat
AS. 6

Etats-Unis, 30 janvier
En Californie, à Glendale, le dernier-né de la firme Vultee, le V-1, fait un vol d'essai réussi, il marque la fin de l'ère des monomoteurs de transport.

France, 31 janvier
Le prototype du Morane-Saulnier MS.225, chasseur de transition, est livré à l'armée pour évaluation.

France, 31 janvier
Le radical-socialiste Pierre Cot devient ministre de l'Air en remplacement de Paul Painlevé, malade. (→ 1.4)

Etats-Unis, 8 février
A Seattle, vol initial du Boeing 247, un avion de transport bimoteur conçu pour United Airlines.

Grande-Bretagne, 21 mars
Sur l'aérodrome Fairey à Londres, le lieutenant Christopher Staniland décolle l'avion torpilleur Fairey Swordfish.

Etats-Unis, 30 mars
Boeing Air Transport, une filiale de United Airlines, reçoit ses premiers Boeing 247.→

France, 1er avril
Le ministre de l'Air, Pierre Cot signe le décret de création de l'armée de l'air.

France, 14 avril
Le ministre de l'Air Pierre Cot adresse aux compagnies aériennes françaises une lettre d'intention dans laquelle il communique la décision prise par le gouvernement de « réaliser la concentration des lignes et d'en confier l'exploitation à une société unique ». (→31.10)

Japon, 16 avril
A Tokyo, baptême et présentation devant 20 000 spectateurs de deux autogires Kellett K-3 rebaptisés Aikkoku 81 et 82, achetés aux Etats-Unis par la société Okura pour le compte de l'aviation militaire nippone, qui, en 1932, s'était déjà procuré trois autogires La Cierva de fabrication britannique.

Argentine, 20 avril
La percée allemande en Amérique du Sud se confirme : le gouvernement argentin accorde au Condor Syndikat le droit d'atterrissage à Buenos Aires.

Italie, 28 avril
Celestino Rosatelli présente à l'Aéronautique militaire son nouveau chasseur, le Fiat CR.32. Piloté par un as de la Grande Guerre, Brackpapa, il fait montre de qualités exemplaires.

France, 17 mai
Les quatre compagnies Air Orient, Cidna, Air Union et SGTA (Farman) forment la Scela (Société Centrale pour l'Exploitation des Lignes Aériennes) dans le dessein de soumissionner pour la constitution de la future compagnie unique. (→31.10)

France, 21 mai
Retour de l'*Arc-en-ciel* au Bourget. La réussite de Mermoz et de Couzinet démontre la capacité des avions terrestres à effectuer des traversées océaniques, à condition qu'ils soient multimotorisés.

France, 29 mai
Fondée par Suzanne Deutsch de la Meurthe en 1931, la nouvelle coupe Deutsch, ouverte aux avions dont la cylindrée est inférieure à huit litres, se court à Etampes. Ce sont deux Français qui occupent les premières places : Georges Détré sur un Potez 53 et Raymond Delmotte sur un Caudron C.362 dessiné par Marcel Riffard.

Allemagne, 29 mai
Au cours d'essais au large de Bremerhaven, un Dornier Wal de huit tonnes est catapulté avec succès du *Westfalen*, le bateau relais affrété par Luft Hansa. (→19.11)

France, 30 mai
Une convention passée entre le ministère de l'Air et la Scela stipule que les quatre compagnies qui la composent doivent fusionner en une société unique avant le 1er septembre de cette année.

Etats-Unis, 6 juin
Fondé le 21 janvier 1919, le Caterpillar Club regroupe en son sein tous les « fous volants » qui ont utilisé un parachute pour évacuer un avion en difficulté. Il compte aujourd'hui 552 adhérents. Le record appartient à Charles Lindbergh avec quatre abandons en vol.

Etats-Unis, 1er juin
Un Boeing 247 de United Airlines réduit le temps de parcours de la côte atlantique au Pacifique à 19 heures 45 minutes contre plus de 26 heures pour les Ford trimoteurs de la TWA.→

France, 1er juillet
En proie à de graves difficultés financières, la société Caudron est rachetée par Louis Renault. Une société anonyme des avions Caudron est formée pour développer des avions légers. Marcel Riffard est placé directement sous les ordres de François Lehideux, le patron de Renault.

Etats-Unis, 1er juillet
A Santa Monica, sur le terrain de Clover Field, le pilote d'essai de Douglas Aircraft, Carl Cover, décolle le prototype du DC-1. Un début d'incendie dans l'arrivée d'essence interrompt l'essai.

Italie, 13 août
Parti le 1er juillet d'Ortobello sur le lido d'Ostie, le général Italo Balbo y amerrissait aujourd'hui, ramenant à bon port 23 des 25 hydravions SIAI SM.55 qui ont franchi en formation l'Atlantique Nord et sont revenus par la route sud.

Etats-Unis, 18 août
Avec le Vought O3U-3 Corsair, la firme d'East Hartford fête dignement la sortie de son millième appareil.

France, 30 août
Tandis que la Scela est dissoute, les statuts de la compagnie Air France sont officiellement déposés au greffe du tribunal de commerce. Le siège de la nouvelle société se trouve au 2, rue Marbeuf. (→7.10)

France, 28 septembre
A bord d'un biplan Potez 50 spécialement préparé et équipé d'un moteur Gnome & Rhône K14, le pilote français Gustave Lemoine monte dans le ciel de Villacoublay à 13 660 mètres d'altitude.

France, 7 octobre
Cérémonie organisée à l'aéroport du Bourget où le ministre de l'Air, Pierre Cot, consacre officiellement la naissance d'Air France. (→31.10)

France, 9 octobre
A Villacoublay, devant des dizaines de milliers de spectateurs, un aréopage de pilotes de valeur, dont Willy Coppens, arbitre un match de voltige aérienne entre Michel Détroyat et l'Allemand Gerhardt Fieseler. A l'issue des deux manches, on ne peut les départager.

France, 8 novembre
Le signal du départ est donné à Istres aux 30 Potez 25 de la Croisière noire. Ce raid organisé par le général Vuillemin doit faire le tour de l'Afrique française. (→ 15.1.34)

Gambie, 19 novembre
Ancré à Bathurst, le *Westfalen* entre en service. Un hydravion catapulté du navire relie la capitale de la Gambie au port brésilien de Natal en 15 heures et 15 minutes.

Union soviétique, 31 décembre
A Moscou, le pilote d'essai V.P. Tchkalov décolle le TsKB-12, qui deviendra le Polikarpov I-16. Le fuselage de ce monoplan de chasse est en bois revêtu de feuilles de bois de bouleau collées et bakélisées.

Etats-Unis, 31 décembre
Cette année, sortie à Hollywood du film de Clarence Brown *Night Flight (Vol de nuit)* d'après le roman de Saint-Exupéry, avec dans le rôle principal Clark Gable.

Le dessinateur Dransy a été choisi par Air France pour illustrer la naissance de la nouvelle compagnie nationale française de transport aérien.

DRANSY

L'« Arc-en-ciel » en Amérique du Sud

Création de l'armée de l'air française

Natal, 11 février

Après l'abandon des hydravions Latécoère, la ligne d'Amérique du Sud pense avoir trouvé l'avion idéal avec l'*Arc-en-ciel*. Piloté par Mermoz, ce trimoteur conçu par l'ingénieur Couzinet a réussi sa première traversée de l'Atlantique. Après un périple en Argentine et au Brésil, il s'apprête à regagner l'Europe. L'idée de ce raid expérimental revient à Mermoz. Il est vraiment enthousiasmé par cet avion révolutionnaire, construit autour d'une voilure basse cantilever. Le 12 janvier, il décolle du Bourget avec six personnes à bord. Après une première escale à Istres, une vitre brisée interrompt le voyage à Port-Etienne, d'où il repart le 13 vers Saint-Louis-du-Sénégal. Retardé par des pluies diluviennes, l'avion quitte l'Afrique le 16 au matin et atterrit le jour même à Natal. Il a traversé l'océan en 14 h 27 min de vol à une vitesse régulière de 230 km/h avec une sécurité maximale. Accueilli triomphalement pour cette performance, il est fêté à Rio, puis repart pour Bueno Aires et rejoint Natal.

Jean Mermoz, à bord de son « Arc-en-ciel », traverse l'Atlantique Sud.

France, 1er avril

Les aviateurs de l'aéronautique militaire ont eu finalement gain de cause. Aujourd'hui, le ministre de l'Air, Pierre Cot, a signé le décret de création de l'armée de l'air. Depuis 1918, l'aviation militaire française dépendait de cinq ministères différents. La nomination de Pierre Cot en janvier 1933 a finalement débloqué la situation. Mais s'ils vont être désormais indépendants sur le papier, rien ne dit que les stratèges de l'aviation le seront sur le terrain. Pour eux, le grand conflit futur débutera par une bataille aérienne décisive, que seule une armée de l'air indépendante est à même de remporter. Une doctrine opposée à celle de l'armée de terre, pour qui, aujourd'hui encore, l'aviation en temps de guerre doit être subordonnée à l'armée. Cette dernière refuse énergiquement de céder le contrôle de l'aviation de reconnaissance et d'observation attachée aux corps d'armée. Mais, contrairement à la Guerre et à la Marine, Pierre Cot est persuadé de l'importance du facteur aérien.

Plate-forme en mer pour les hydravions

Bremerhaven, 29 mai

La route de l'Atlantique Sud, sans escale naturelle, est longue. Trop longue pour qu'un hydravion la parcoure d'un coup d'aile en toute sécurité. Avec leur base flottante au milieu de l'océan, les Allemands ont trouvé une solution. En effet, la Lutf Hansa envisage de placer, à mi-chemin de Balthurst, en Guinée britannique, et de Natal, une escale artificielle : le *Westfalen*. Elle vient de procéder à une première démonstration au large du port de Bremerhaven en mer du Nord. Le *Westfalen* est un cargo de 5 000 t, qui a été modifié en conséquence. Une rampe d'accostage permet l'approche de l'hydravion, un Dornier Wal bimoteur. A l'arrière du bâtiment, cette rampe est recouverte de toile et de planches transversales pour éviter d'endommager la coque de l'hydravion. Ce dernier amerrit à proximité et s'approche lentement du plan incliné où il est tiré, puis saisi par une grue qui le hisse à bord sur un long rail de lancement. L'appareil est ravitaillé et si nécessaire réparé. Pour le lancement, une puissante catapulte donne à l'hydravion de 8 t la vitesse initiale de 150 km/h. L'essai s'est déroulé sans accroc. (→ 19.11)

L'hydravion approche du bateau.

L'« Atalanta » effectue un vol d'endurance

Le Cap, 14 février

Le nouveau quadrimoteur d'Imperial Airways, l'Armstrong Whitworth 15 baptisé *Atalanta*, est arrivé de Londres aujourd'hui, après un vol d'endurance de 71 heures. Pour rallier la capitale sud-africaine, Imperial Airways a choisi cet avion d'une autonomie de 600 à 900 km, qui peut transporter neuf passagers, du courrier et du fret à la vitesse de 185 km/h. Soucieux de répondre aux besoins de la compagnie, son concepteur, John Lloyd, a dessiné un monoplan à la place du biplan traditionnel. Le monoplan, par sa configuration aérodynamique, est plus rapide en vol. La configuration aile haute et train fixe convient pour les lignes africaines.

Après le raid, l'« Atalanta » est exposé au public à l'aéroport de Croydon.

Le Boeing 247, la nouvelle génération

Le premier exemplaire a effectué son vol d'essai le 8 février dernier.

Seattle, 30 mars
S'inspirant de l'expérience acquise avec le Monomail et le bombardier B-9, Boeing a fait voler avec succès son premier bimoteur de transport, le Model 247, le 8 février dernier. United Airlines le met en service aujourd'hui. Cet avion ne ressemble à aucun autre. Sa structure est entièrement métallique. Son poids maximal au décollage peut atteindre 5 738 kg. Il peut monter avec la puissance d'un seul de ses deux moteurs Pratt & Whitney Wasp qui développent chacun 550 ch. Son plafond est de 5 610 m et son autonomie de 780 km à la vitesse de 249 km/h. Sa cabine reçoit dix passagers et il est équipé d'un système de dégivrage pneumatique des ailes.

L'Italien Agello dépasse les 680 km/h

Desenzano, 10 avril
Le MC.72, conçu par la firme Macchi, vient de battre le record du monde de vitesse pour hydravions. Sur le lac de Garde, l'émotion du public italien est à son comble puisque le pilote de l'exploit est l'un de leurs compatriotes, Francesco Agello. Il a atteint la vitesse de 682,403 km/h sur 3 km, battant ainsi de plus de 25 km/h le précédent record, détenu par le lieutenant britannique Stainforth. L'hydravion Macchi possède une aile basse en Duralumin de 9,50 m d'envergure, un fuselage et des flotteurs métalliques. Seuls la queue et les pylônes sont en bois. Il est équipé d'un double moteur Fiat AS-6 de 2 600 ch qui actionne deux hélices concentriques tournant en sens inverse. (→ 23.10.34)

La série noire des dirigeables continue

L'amiral W. Moffett était à bord.

New Jersey, 4 avril
On peut douter de l'avenir des dirigeables de l'US Navy après la catastrophe de l'*Akron*. Pris cette nuit dans un orage violent au large des côtes du New Jersey, l'*Akron* s'est abîmé en mer. Il n'y a que quatre rescapés. Construit par Goodyear-Zeppelin Corporation, il mesurait 250 m de long. Il avait été conçu pour la marine américaine, qui utilisait ces dirigeables pour la surveillance des côtes. L'*Akron* embarquait dans sa soute cinq biplans de chasse Curtiss qu'il larguait et récupérait en vol grâce à un trapèze auquel l'avion venait se fixer.

Un biplan survole le Toit du monde

Les quatre membres de l'expédition passent au-dessus du mont Everest.

Népal, 19 avril
Des aviateurs britanniques ont survolé l'Everest et ont fixé ses secrets sur la pellicule. Le 3 avril, deux biplans Westland Wallace décollent de la base de Purnea à l'assaut du plus haut sommet du globe. A leur bord, les pilotes Clydesdale et MacIntyre, et les photographes Blacker et Bonnett. Après avoir lutté contre les vents rabattants, ils passent de justesse au-dessus de l'Everest, culminant à 8 882 m. Mais l'objectif de la mission est raté. Le quadrillage photographique devant servir à tracer des cartes de la région est inexploitable. Aujourd'hui, ils bravent l'interdiction de leur chef Fellowes et tentent un second vol. Restant à basse altitude jusqu'au pied des montagnes pour se protéger du vent, ils montent rapidement et émergent des nuages à 5 500 m : la visibilité est parfaite. Ils s'approchent par le flanc sud, prennent cliché sur cliché, puis passent à nouveau à la verticale du pic. La mission a atteint son but.

Le « City of Liverpool » s'écrase à Dixmude

Dixmude, 28 mars
Un Argosy d'Imperial Airways, le *City of Liverpool*, a pris feu en plein ciel et s'est écrasé à Dixmude. Il assurait la ligne Bruxelles-Londres. Les douze passagers et les trois membres d'équipage ont été tués. Alors qu'il volait à 600 m d'altitude, on vit de la fumée s'échapper du trimoteur. Le commandant Leleu tenta de se poser d'urgence. Au moment où l'Argosy atteignait 60 m, le fuselage se coupa en deux, l'appareil tomba et s'écrasa au sol. C'est la première fois qu'un Argosy, en service depuis plusieurs années sur les vols longue distance, est victime d'une catastrophe. Pour Imperial Airways, c'est le premier accident fatal en deux ans et demi.

L'épave du trimoteur « City of Liverpool » dans un champ à Dixmude.

American Airways recrute des hôtesses

Les boissons alcoolisées sont interdites, le Coca-Cola est de rigueur.

Etats-Unis, 3 mai
American Airways a compris que le service aux passagers était indispensable à cette époque de concurrence. Quatre charmantes hôtesses de l'air ont été engagées sur la ligne Chicago-Newark assurée en Curtiss Condor. Velma Maul Tanger, Agnes Novaha Hincks, Mae Bobeck et Marie Allen Sullivan doivent, pour leur premier vol, rendre agréable le voyage de dix-huit passagers. Le repas est servi. Au menu, boissons chaudes, sandwichs, salade verte accompagnée d'une vinaigrette dite *Special American Airways* ; enfin, glace à la pistache, gâteaux et café. Le rôle des hôtesses ne s'arrête pas là. En période de prohibition, les quatre jeunes femmes doivent assurer la sécurité et surveiller les voyageurs. Il est si facile de dissimuler du whisky dans une bouteille de sirop pour la toux !

Performances étonnantes du Heinkel 70

Allemagne, 1er mai
Le Heinkel 70 Blitz vient de battre huit records mondiaux de vitesse sur des distances de 1 000 et 2 000 km en emportant une charge de 500 ou de 1 000 kg. Il porte ainsi à 347 km/h le record de vitesse sur 1 000 km avec une charge de 500 kg. Cet appareil, commandé pour équiper les lignes commerciales de la Luft Hansa et destiné à concurrencer le Lockheed Orion américain, a effectué son premier vol le 1er décembre 1932. Monoplan à aile basse, le He 70 a un revêtement de fuselage d'une haute finition et comporte un raccordement aile-fuselage de forme galbée. Le train d'atterrissage, rétractable, contribue au bon coefficient aérodynamique. Le moteur BMW-VI de 637 ch est refroidi par un petit radiateur au glycol. Quant à la cabine, elle accueille quatre passagers.

Le He 70 est le plus rapide des avions de transport en Europe.

Le Tupolev « Pravda » sert la propagande

Une estrade est improvisée autour de l'avion ANT-14 qui vient d'atterrir.

Moscou, 1er mai
Depuis la révolution d'Octobre, le jeune constructeur Andreï Nicolaïevitch Tupolev construit des avions de transport. Le Tupolev ANT-14, le fleuron de la firme d'Etat, a survolé la place Rouge lors du défilé de la fête du Travail. Entièrement métallique et propulsé par cinq moteurs en étoile M.22 (copie des Gnome & Rhône Jupiter), il emporte trente-six passagers et six hommes d'équipage. Son autonomie de 1 200 km permet à l'ANT-14 de relier Moscou à Vladivostok. L'un d'eux, le *Pravda*, est affecté à l'escadrille Maxime Gorki, qui effectue des vols de propagande dans les campagnes. Les aviateurs et les militants recueillent ainsi des adhésions au Parti et des souscriptions aux associations aéronautiques dans les régions les plus reculées.

Maryse Hilsz réalise 30 600 km en solo

Le Bourget, 14 mai
D'un atelier de couture parisien à un terrain d'aviation à Tokyo, que de chemin parcouru ! Maryse Hilsz, aviatrice française célèbre pour son raid vers l'Indochine, fait un retour triomphal au Bourget. Partie le 1er avril, à bord du monoplan Farman 291 *Joe 2* doté d'un Gnome & Rhône de 300 ch, pour tenter de battre le record de distance sur la liaison Paris-Tokyo, elle arrive à destination le 16. Au cours de ce troisième raid, elle aura parcouru 30 600 km, rivalisant ainsi avec Amelia Earhart et Amy Johnson.

Les aviatrices françaises se distinguent. Maryse Hilsz bat record sur record.

Le Northrop, avion de liaison rapide

Le Northrop Gamma, avion de croisière rapide, d'Ellsworth et Balchen.

Etats-Unis, septembre

Il ne lui faut que onze heures et demie pour traverser le continent américain! Le Gamma de Northrop est, décidément, l'avion du futur. C'est en collaboration avec Ed Heinemann que Northrop a créé toute une gamme d'avions de combat. La vitesse et l'autonomie de ce Gamma est donc supérieure à tout ce qui a été fait jusque-là. Il est propulsé soit par un moteur Wright-Cyclone, soit par un Pratt & Whitney Hornet. L'appareil a été construit à neuf exemplaires : des particuliers comme Jacqueline Cochran, le lieutenant Frank Hawks et Lincoln Ellsworth en ont été les premiers utilisateurs. La compagnie TWA en a, elle, acquis trois.

Des Espagnols relient Séville à La Havane

La Havane, 10 juin

A l'arrivée au terrain de La Havane, il restait 25 gallons d'essence dans les réservoirs. Le capitaine Mariano Barberan et le lieutenant Joaquin Collar ont réussi à relier directement Séville à Cuba. Leur avion, un biplan Breguet baptisé *Cuatro Vientos*, est équipé d'un moteur Hispano-Suiza de 600 ch avec refroidissement à eau. Le tout a été construit en Espagne. Il leur a fallu 39 h et 55 min pour couvrir une distance totale de 7 240 km.

Wiley Post a fait le tour du monde en solo

New York, 22 juillet

Pour boucler le tour du monde en solitaire, il a mis 7 jours, 18 heures et 49 minutes. Wiley Post vient de réaliser cet exploit avec son Lockheed Vega, *Winnie Mae*. Parti le 15 juillet de Floyd Bennett Field, le pilote établit la première liaison New York - Berlin sans escale en 26 heures. Après quoi, il gagne l'URSS où des ennuis mécaniques l'obligent à s'arrêter à Moscou et à Novosibirsk. Puis il fait route vers l'Alaska où les nuages rendent le vol pénible. A New York, il est accueilli en héros. (→ 6.3.35)

Post a perdu un œil avant d'être pilote. De son Vega, il salue ses amis.

Retour triomphal de l'escadrille de Balbo

L'escadre italienne transatlantique est accueillie en grande pompe à Ostie.

Italie, 12 août

L'armada de Balbo est de retour. Après un périple qui l'a conduite en Amérique, son escadre d'hydravions, ovationnée par la foule, s'est posée près d'Ostie. Pour Mussolini, ce raid marque de façon éclatante le 10e anniversaire du régime fasciste et prouve sa puissance aérienne. Italo Balbo, le ministre de l'Air, a minutieusement préparé cette croisière du *Decennale*. Il a perfectionné les 25 hydravions Savoia S.55X et formé les pilotes au vol en formation parfaite. Le 1er juillet, l'escadre décolle de la base d'Orbetello et franchit les Alpes à 4 000 m d'altitude. A Amsterdam, la première escale, un mécanicien périt noyé dans le capotage d'un appareil. Le lendemain, les 24 hydravions restants gagnent l'Irlande, puis l'Islande. Malgré un brouillard épais, ils gardent leur formation en escadrilles. Après Reykjavik et Montréal, ils atteignent leur but le 15 juillet : Chicago, où se tient l'Exposition internationale. L'exploit de Balbo y est fêté 4 jours. Après New York, ils repartent pour l'Italie le 25 par un autre itinéraire. Un appareil s'étant écrasé aux Açores, ils ne sont plus que 23 à avoir enfin retrouvé la mère patrie.

Hélène Boucher aux 12 heures d'Angers

Angers, 2 juillet

Ils étaient dix-sept ce matin, sur la ligne de départ, pour parcourir en avion la plus grande distance possible en douze heures. La ville d'Angers a accueilli ces appareils qui doivent être au moins biplaces et d'une puissance motrice limitée par une cylindrée maximale de huit litres. Les concurrents ne peuvent changer, pendant ces douze heures, ni l'hélice ni le moteur. En cette magnifique journée, le Farman 358, piloté par Burtin et Langlois, a remporté l'épreuve en parcourant 2 463 km. L'aviatrice Hélène Boucher a terminé à la treizième place sur un Zodiac-Mauboussin propulsé par un moteur de 60 ch : elle a parcouru 1 650 kilomètres, soit la distance de Paris à Stockholm. Elle était aidée dans cette entreprise par une autre femme, Mlle Jacob. La foule a tenu à rendre hommage au seul équipage féminin de l'épreuve. (→ 30.11.34)

Hélène Boucher, seule femme à avoir participé à cette difficile épreuve.

Le couple Lindbergh se pose sur la Seine

Lindbergh et sa femme Anne à Paris.

Paris, 26 octobre
Ce n'est pas la première fois qu'il vient à Paris. Charles Lindbergh, six ans après son exploit historique, rend visite aux Parisiens. Cette fois, son hydravion s'est posé sur la Seine, près des Mureaux, et la foule enthousiaste a aperçu, accompagnant le colonel, une délicate silhouette ; l'épouse de Lucky Lindy, Anne Morrow-Lindbergh, est du voyage. Discrète, elle n'a pas voulu se faire mieux connaître des Parisiens. Toutefois, elle sera aux côtés de son mari, lors de la visite obligée à l'ambassade des Etats-Unis. C'est avec beaucoup de courtoisie qu'elle laissera une horde de photographes prendre des clichés du couple. Le voyage de Lindbergh n'a rien à voir avec le tourisme. Le pilote, engagé récemment par la Pan American Airways, explore la route transatlantique du nord qui permettra, peut-être, un premier service aérien entre les Etats-Unis et l'Europe.

Codos et Rossi volent plus de 9 000 km

Un record du monde qui rapporte ! Codos et Rossi font de la réclame.

Syrie, 7 août
Le record du monde de distance sans escale appartient à la France. Paul Codos et Maurice Rossi viennent, à bord de leur Blériot 110 baptisé *Joseph Le Brix*, de relier New York à Rayak, en Syrie, couvrant la distance de 9 104 kilomètres en 55 heures et 30 minutes. Leur départ de Floyd Bennett Airport a pourtant été hasardeux. Le poids de l'avion, charge comprise, était de 9 tonnes. Le terrain d'aviation, très médiocre, ne comporte qu'une piste de 1 000 mètres à peine. Aussi Codos a-t-il dû être très adroit. Le *Joseph Le Brix*, surchargé, est parvenu quand même à s'arracher du sol. Cependant, durant de longues minutes, il a volé à faible altitude. Après quoi, les conditions météorologiques se dégradent. Il faudra toute la science et la maîtrise de ces pilotes pour faire de ce vol dangereux une vraie réussite. A leur arrivée, il reste 200 litres de carburant sur les 6 300 du départ. Les Français dépassent les Anglais Gayford et Nicholetts, qui, à bord d'un avion Fairey, ont couvert seulement 8 544 kilomètres entre Cranwell et Walfish Bay, sur la route du Cap, le 8 février.

L'avion d'Alexeïevitch Kalinin s'écrase

Union soviétique, 21 novembre
K. Alexeïevitch Kalinin était saisi par le démon du gigantisme. Le prototype de l'avion Kalinin K7 s'est écrasé au sol aujourd'hui, lors d'un essai. Il semble qu'une faiblesse dans la structure soit à l'origine de cette catastrophe ; l'appareil, immense monoplan à double empennage, d'une envergure de 53 mètres, pesait 38 tonnes ! L'originalité de ce bombardier lourd résidait dans les deux vastes carénages à l'intérieur desquels s'encastraient les trains de roue ainsi que neuf tonnes de bombes.

L'avion privé de Boeing est un Douglas

Etats-Unis, 31 décembre
Le bimoteur amphibie Douglas Dolphin, fabriqué par la firme Douglas, rapproche les deux grands constructeurs américains. William Boeing vient de passer commande de cet avion amphibie produit par son concurrent. Surnommé *Rover*, il s'agit d'une version luxueuse qu'il compte utiliser personnellement. Boeing n'est pas le premier particulier à acquérir cet appareil. Un tel avion a été mis à la disposition du président Roosevelt. La famille Vanderbuilt en a déjà acquis deux exemplaires.

Les pilotes sont à l'écoute des A et des N

Le Bourget, 31 décembre
L'Europe s'est équipée progressivement de moyens de radioguidage. Depuis quelque temps, des radiobalises fonctionnent sur les routes les plus importantes. A Abbeville-Buigny, le mât de 45 mètres supporte deux cadres triangulaires de 100 mètres de base. L'émetteur de 1 700 watts émet sur 964 mètres de longueur d'onde avec une modulation à 1 200 cycles par seconde. L'un des deux cadres émet dans l'espace la lettre L (•—••), l'autre la lettre F (••—•). Pour un récepteur situé dans l'axe de la bissectrice de l'angle des deux cadres, le son est continu, les points étant couverts par les barres. Les quatre bissectrices dessinées dans l'espace délimitent des zones où soit le L, soit le F, prédomine. Deux de ces lignes à son continu sont dirigées sur la route de Paris à Douvres qui passe par Abbeville. La balise fonctionne quotidiennement entre 8 heures et 17 heures GMT. Une autre balise fonctionne à Bobigny. C'est sur le même principe que fonctionne le système d'approche de précision installé dans les grands aéroports. Toutefois, ce sont les lettres A (•—) et N (—•) qui sont émises. Le pilote, qui doit toujours rester à l'écoute, dirige son avion sur un axe à son continu. La radiotélégraphie est devenue courante. Si, aux Etats-Unis, la langue unique facilite les communications, en Europe, le code Q, adopté à la conférence de Washington en 1927, est utilisé en raison de la diversité linguistique.

L'une des dernières scènes de « King Kong ». Attaqué au sommet de l'Empire State Building, il saisit un avion pour le broyer. Le film de Merian C. Cooper et Ernest B. Schoedsack remporte un vif succès.

Air France devient l'unique compagnie nationale

Lors de la cérémonie inaugurale, le ministre Pierre Cot prononce un discours.

Les équipages posent devant un appareil de la nouvelle compagnie unique.

France, 31 octobre

C'est tambour battant que le ministre de l'Air, Pierre Cot, a rempli sa mission. Il devait rassembler les sociétés aériennes françaises en une compagnie unique. Une décision justifiée par le refus de l'État de poursuivre une politique de subvention aux compagnies dont la situation n'est jamais très claire.

Beaucoup sont liées à des constructeurs qui imposent leurs appareils. D'autre part, leur développement se fait de manière désordonnée avec un esprit de concurrence néfaste. La première étape a été la fondation, le 31 mai, de la Scela, (Société Centrale pour l'Exploitation des Lignes Aériennes), regroupant les quatre principales sociétés fran-

çaises : Air Union, issue de la compagnie fondée par Breguet en 1919, la Cidna, héritière de la Franco-Roumaine, la SGTA (Farman) et Air Orient. Le 30 août, la Scela est devenue Air France, société anonyme au capital de 120 millions de francs. Enfin, aujourd'hui, le rachat des actifs de l'Aéropostale, mise en liquidation judiciaire, achève l'opé-

ration. Air France recueille un héritage d'une valeur incalculable, car les cinq sociétés absorbées par la nouvelle compagnie ont forgé l'aviation civile française. Ernest Roume préside la nouvelle compagnie dont l'emblème vient d'Air Orient. C'est l'hippocampe ailé qui symbolise la victoire de l'avion sur le ciel et la mer.

Le Douglas DC-1 est livré à la TWA

Etats-Unis, décembre

Dans la lutte pour la suprématie en matière d'avions de transport qu'elle mène contre United Airlines, TWA a enfin trouvé son avion providentiel. Le prototype DC-1, que vient de lui livrer après d'ultimes modifications la firme Douglas, semble surpasser le fa-

meux Boeing 247 exploité par sa rivale. Elégant monoplan à aile basse et train rentrant, doté de deux moteurs Wright-Cyclone développant 875 ch au décollage, il peut transporter quatorze passagers, et la cabine est bien plus spacieuse et plus commode que celle de son concurrent direct.

Le voyage de l'« Emeraude » vers Saigon

Saigon, 28 décembre

Le trimoteur Dewoitine 332 *Emeraude* (F-AMMY) a réussi la première partie de son voyage d'étude. Parti du Bourget le 21 décembre, il a relié Saigon en 48 heures et 30 minutes, au lieu des 79 heures jusque-là nécessaires. Launay, un familier de la ligne d'Indochine, en

est le pilote et Crampel le mécanicien. Maurice Noguès, chef pilote d'Air France, est aussi du voyage. Commandé spécialement à Dewoitine par Air France pour assurer cette liaison rapide, ce modèle à aile basse a déjà fait ses preuves en battant des records de vitesse lors des vols probatoires. (→ 4.1.34)

Le Douglas DC-1 est exposé au grand aéroport central de Glendale, Californie.

L'« Emeraude ». On remarque sur le toit du cockpit l'antenne gonio du radio.

Le Boeing 247 possède un train d'atterrissage escamotable et une struture monocoque. Cependant, il est vite dépassé par les nouveaux Douglas.

Le Miles M.2 Hawk, premier d'une longue lignée à succès.

Le de Havilland DH.85 Leopard Moth, biplan à cabine fermée.

Le Douglas DC-2, mis au point pour TWA, attire immédiatement d'importantes commandes de la part de nombreuses compagnies aériennes.

Le Seagull V est en fait le prototype du Supermarine Walrus.

Le Northrop Delta, version de ligne du Gamma.

L'unique Dewoitine D.332 construit et exploité par Air Orient.

L'Airspeed AS.5 Courier, à train escamotable, offre cinq sièges.

Le Breguet 393T est retenu par Air France.

Le Douglas DC1 effectue son premier vol le 1er juillet 1933.

Le Northrop Gamma est un monoplace rapide destiné au fret.

Le premier Vultee VI fut testé sur les lignes d'American Airlines.

Le Stinson Reliant vise le marché des pilotes de tourisme privés.

Le Northrop Alpha, prévu pour le transport de six passagers.

Le Tupolev ANT-25 est transformé en bombardier moyen.

Le Klemm Kl 35 est un remarquable avion de sport et de voltige.

Le Loire 70 est construit à sept exemplaires dont le prototype.

L'Avro Club Cadet trouve un débouché limité au Royaume-Uni.

Le Klemm Kl.32, un triplace équipé d'un Siemens SH.14a.

Le Stampe SV.4C, conçu en Belgique, est un avion de tourisme et de voltige aérienne aux qualités supérieures à celles du Tiger Moth britannique.

Le sesquiplan biplace Breguet Bre 27 a été conçu pour l'observation. Quelques exemplaires se trouvent encore en première ligne en septembre 1939.

Le Heinkel He 60, biplace de reconnaissance et d'entraînement.

Le Great Lakes BG-1, bombardier en piqué embarqué de l'US Navy.

Le Gloster Gauntlet est le dernier biplan de chasse à habitacle ouvert utilisé par la RAF. En 1937, il équipe 14 escadrilles de chasse britanniques.

Le Curtiss XSBC-1, prototype du Helldiver.

Le Heinkel He 51, chasseur allemand testé en Espagne.

Le Bloch 200, bombardier standard français des années trente.

Le Blacburn Shark, bombardier torpilleur de la Fleet Air Arm.

Le Heinkel He 72, avion d'entraînement favori de la Luftwaffe.

Le Blackburn Perth remplace l'Iris au sein de la RAF.

Le Grumman JF-2, un hydravion monoflotteur très répandu.

Le Breguet Bre 521 Bizerte a été déterminé du Short Calcutta. C'est l'hydravion de reconnaissance le plus répandu dans l'Aéronavale entre 1939 et 1942.

Le Dornier Do 23G demeure à l'état expérimental.

L'Avia B.534 tchèque est construit en grande série et exporté.

Cinquante-quatre exemplaires du chasseur embarqué Grumman F2F sont livrés à l'US Navy. Son Pratt & Whitney délivre 700 ch.

Le Boeing XF7B-1, jugé trop avancé par l'US Navy qui le refuse.

Le Curtiss XSBC-2 donnera naissance au SBC Helldiver.

1934

711,462 km/h
Italie
Francesco Agello
Macchi-Castoldi MC-72
23.10.34

10 601,48 km
France
Bossoutrot et Rossi
Blériot 110
26.3.32

14 433 m
Italie
Renato Donati
Caproni Ca 113 AQ
11.4.34

56 000 kg
Allemagne
Dornier
Do X

3 100 ch
Italie
Fiat
AS.6

Seattle, 10 janvier
Le chasseur Boeing P-26 effectue son vol initial. Sa forme et le faible calibre de ses mitrailleuses lui valent le surnom de *Petite Sarbacane*.

Hawaii, 10 janvier
Six hydravions Consolidated P2Y arrivent à Pearl Harbor. Partis de San Francisco, ils ont couvert 3 860 km en 24 h 35 min. (→ 27.11.36)

Argentine, 9 février
Le courrier parti de Berlin il y a six jours arrive à Buenos Aires. La Lufthansa l'a transporté avec un Heinkel 70 jusqu'à Séville, puis avec un Junkers 52/3m jusqu'en Gambie. Un hydravion Dornier lui a fait traverser l'Atlantique, avec escale sur le navire-base *Westfalen*, avant d'être chargé sur un Junkers du Condor Syndikat à Natal. (→ 28.9)

Sydney, 17 février
Charles Ulm réalise une liaison aéropostale de Nouvelle-Zélande en Australie, en franchissant la mer de Tasmanie en 14 h 10 min à bord de son Avro Ten *Faith in Australia*.

Inglewood, 19 février
Le premier des 24 bombardiers Northrop Gamma commandés par le gouvernement chinois est livré.

Arabie, 7 mars
A bord d'un Farman F.190, André Malraux survole Saba, la capitale perdue de la reine Balkis. (→ 18.8.36)

Rome, 24 mars
Le ministre de l'Air de Mussolini supprime l'interdiction faite aux aviateurs de l'armée de se marier.

Moscou, 13 avril
Sept pilotes sont faits héros de l'Union soviétique, distinction qui leur est attribuée pour le sauvetage du mois dernier. Par un pont aérien, ils ont secouru les 109 survivants du brise-glace *Tchéliouskine*, coulé après une collision avec la banquise. (→ 21.5.37)

Grande-Bretagne, 17 avril
Le prototype du de Havilland 89 *Dragon rapide* fait son vol initial.

Vincennes, 29 avril
Willy Coppens arbitre un concours d'acrobatie aérienne. Sur Morane-Saulnier, Michel Détroyat l'emporte contre Marcel Doret sur Dewoitine, qui tombe en panne de moteur pendant la troisième manche.

Etampes, 27 mai
Maurice Arnoux gagne la coupe Deutsch-de-la-Meurthe avec un Caudron 450 à la vitesse moyenne de 389 km/h. Sur les sept pilotes engagés, quatre volent sur des Caudron, dont trois sont les seuls à terminer le parcours. (→ 19.5.35)

New York, 28 mai
Paul Codos et Maurice Rossi posent leur Blériot 110 *Joseph Le Brix* à Floyd Bennett. Ils interrompent une tentative de vol sans escale du Bourget à San Francisco, à cause de vibrations provenant de l'hélice.

Norfolk, 4 juin
Le porte-avions *USS Ranger* entre en service. Hier, le département de la Marine a lancé un plan pour passer de 997 pilotes actuellement à 2 075 d'ici à sept ans. (→ 30.7.35)

Atlantique Sud, 14 juin
A bord de l'*Arc-en-ciel*, Mermoz effectue une reconnaissance de piste sur l'île Fernando de Noronha, à 333 km de Natal. L'avion s'enlise à l'atterrissage. Il est dégagé par les 200 forçats du pénitencier de l'île, puis retourne à Natal. (→ 7.12.36)

Paris, 6 juillet
Le Parlement vote le plan I, dit des 1 023 avions. (→ 15.2.37)

Londres, 20 juillet
Le Parti travailliste empêche le vote d'un plan d'accroissement de la RAF présenté à la Chambre des communes. (→ 22.5.35)

Rhodésie du Nord, 29 juillet
Jean Assolant et René Lefèvre, de la Régie malgache, se posent à Broken Hill avec un trimoteur SPCA. Ils apportent la poste de Tananarive (2 000 km) et la transmettent à Imperial Airways pour le transport en France. (→ 9.12.35)

Grande-Bretagne, 9 août
Leonard Reid et James Ayling se posent à Heston après un vol de 30 h 50 min. Ils arrivent du Canada sans escale, à bord du DH.84 Dragon baptisé *Trail of the Caribou*.

Berlin-Tempelhof, 11 août
La direction de l'aérodrome installe un millier de moutons sur les pistes pour garder l'herbe rase.

Toulouse-Francazal, 14 août
Marcel Doret commence les essais en vol du chasseur Dewoitine 510, issu d'une cellule de D.500. Il est muni d'un moteur-canon Hispano-Suiza de 860 ch, dont la régulation de température est améliorée par un radiateur ventral. (→ 31.12.36)

Mexique, 27 août
L'Américain Gordon Barry ouvre une ligne entre le port de Mazatlan et Tayoltita, où sont implantées les mines d'argent de San Luis.

Cleveland, 31 août
Douglas Davis remporte le trophée Bendix sur Wedell-Williams, à la vitesse de 347,925 km/h. (→ 31.8.35)

Le Caire, 1er septembre
La compagnie Misr Air, fondée par la banque égyptienne Misr, lance des vols spéciaux vers Djedda pour le grand pèlerinage de La Mecque.

Cleveland, 3 septembre
Roscoe Turner gagne le trophée Thompson à la vitesse moyenne de 399,239 km/h, avec un Wedell-Williams à moteur Pratt & Whitney Hornet de 1 000 ch. (→ 2.9.35)

Paris, 8 septembre
La police de l'air est organisée. Elle dispose de commissariats sur les aéroports de Strasbourg, Bron, Toulouse et Marignane.

Mer Méditerranée, 22 septembre
La rupture d'un câble de commande oblige Alan Cobham à se poser à Malte. Il tentait un vol sans escale Portsmouth-Karachi sur un Airspeed AS.5 équipé pour le ravitaillement en vol. Deux transferts de carburant avaient déjà été faits.

Union soviétique, 7 octobre
Le bombardier bimoteur Tupolev SB-1 commence ses vols d'essai. La production en série est déjà lancée depuis six mois. (→ 29.10.36)

Melbourne, 24 octobre
Les 2e et 3e places de la course McRobertson sont prises par deux avions américains. Le DC-2 *Uiver* de la KLM, piloté par Parmentier et Moll, avec 3 passagers payants et 190 kg de poste, arrive 19 h après le Comet vainqueur, précédant de 2 h le Boeing 247 de Turner.→

Paris, 23 novembre
Durant le 14e Salon de l'aéronautique, Lepreux pose un autogire C.30 sur les Champs-Elysées, devant Victor Denain et François Piétri, ministres de l'Air et de la Marine. Le 7 mars, La Cierva atterrissait sur le navire espagnol *Dedalo* avec un C.30P. (→ 9.12.36)

Alger, 6 décembre
Les Lignes aériennes nord-africaines (Lana), créées par Henri Germain, ouvrent un service vers Oran.

Congo belge, 22 décembre
Partis de Bruxelles avant-hier, Ken Waller et Teddy Franchomme terminent un vol postal rapide avec le DH Comet *Reine Astrid*. (→ 9.3.35)

Istres, 25 décembre
Raymond Delmotte bat le record du monde de vitesse pour avions terrestres, à 505,848 km/h, avec un Caudron 460. (→ 19.5.35)

Paris, 29 décembre
Au moment où l'hydravion *Santos-Dumont* accomplit sa 4e traversée de l'Atlantique Sud sans escale, son constructeur, Blériot, se prononce pour les îles flottantes : ces escales artificielles (piste longue de 457 m à 31 m au-dessus de la mer) seraient placées sur les océans tous les 1 000 à 1 500 km. (→ 27.2.35)

Arrivant d'Europe centrale avec ses dix passagers, un trimoteur Wibault d'Air France se présente en finale pour atterrir au Bourget.

Le Laté 300 est lancé sur l'Atlantique Sud

Arrivée du commandant Bonnot à Natal, à bord du Laté 300 « Croix du Sud ».

Natal, 4 janvier

Une étoile est née : la *Croix du Sud* ! Il s'agit non d'une constellation mais de l'hydravion construit par la Sidal, le Laté 300, qui vient d'accomplir sa première traversée de l'Atlantique Sud. Après le naufrage du *Comte de La Vaulx*, l'Aéropostale vient d'opter pour le multimoteur, plus fiable, pour assurer la liaison Dakar-Natal. La firme de Latécoère, avec son Laté 300, enlève le contrat. Cet énorme appareil, doté de 4 moteurs Hispano-Suiza de 650 ch, est construit en alliage léger et possède une coque de 3,50 m de large stabilisée par deux nageoires latérales. Après un premier décollage raté en 1931, le prototype est rééquilibré et termine ses vols d'essai à l'été 1933. Le 31 décembre, il relie sans escale la France au Sénégal en 23 h de vol, battant ainsi le record du monde de distance. Hier, l'équipage, Bonnot, Gautier, Emont et Duruthy, s'envolait de Dakar à bord du Laté 300 *Croix du Sud*. Ils viennent de se poser à Natal, ayant franchi les 3 173 km d'océan en 19 h 7 min.

Les Potez 25 bouclent la Croisière noire

Le Bourget, 15 janvier

Les cocottes sont de retour ! Arborant tous l'image qui a fait la gloire du général Vuillemin, vingt-huit Potez 25 se sont enfin posés au Bourget. Le président Albert Lebrun est venu féliciter les pilotes après leur longue traversée africaine : le 8 novembre, ils s'envolaient vers Los Alcazares. Le 12, le voyage saharien commence. De Colomb-Béchar, l'escadre parvient à Adrar. Elle rejoint Gao, traverse l'Afrique occidentale française jusqu'à l'océan Atlantique. A Saint-Louis, les Potez gagnent Kayes, Ouagadougou, Niamey et Fort-Lamy pour l'Afrique équatoriale. Début décembre, ils sont à Fort-Archambault pour revenir à Istres, leur point de départ, et décollent vers le Bourget. Ils ont parcouru 25 000 km en 170 h de vol effectif. Deux appareils ont été perdus au cours de l'expédition. Ce sont ceux de Cazabonne et de Chassin.

Les trente avions de la Croisière noire, prêts à s'envoler d'Istres.

Le Saigon-Paris s'est écrasé à Corbigny

Le ministre de l'Air Pierre Cot et les officiels devant les décombres.

Corbigny, 14 janvier

La nouvelle de la tragédie a été communiquée à Paris par le maire de Corbigny : le Dewoitine D.332 baptisé *Emeraude* s'est écrasé dans le Morvan. Il n'y a aucun survivant. Parti de Saigon le 5 janvier, l'avion devait rejoindre Paris. A son bord, sept passagers. Parmi eux, Maurice Noguès, animateur de cette ligne d'orient, Maurice Balazuc, directeur d'exploitation d'Air France, Chaumié, directeur de l'aéronautique civile, sa femme et, enfin, le gouverneur d'Indochine, Pasquier. L'équipage se composait du pilote Launay, du mécanicien Crampel et du radio Queyrel. Dès le retour, les ennuis mécaniques se succèdent : panne de moteur à Calcutta, avarie au train gauche à Gwadar (Béloutchistan). L'*Emeraude* atteindra Marseille, retardé par le mauvais temps. Noguès, malgré des prévisions météo pessimistes, décide de gagner Lyon. Puis arrive un ordre du Bourget où l'arrivée de l'avion est très attendue par les officiels. Noguès obéit, l'*Emeraude* redécolle. Après quelques minutes de vol, l'appareil, à 1 700 m d'altitude, est pris dans la neige. Victime du

Une des victimes de la tragédie : le gouverneur d'Indochine, Pasquier.

givrage, il s'abat sur les monts du Morvan. Entré en service en 1933, cet avion métallique n'en est pas à son premier long voyage. Après son vol initial, il avait effectué une centaine d'heures de vol d'essai sur des lignes d'Air France. Puis Maurice Noguès et Jean Mermoz étaient partis pour une inspection de la ligne d'Amérique du Sud. Tout s'était très bien passé.

Lundi à 15 h 10, le trimoteur « Emeraude » décolle de Marseille.

Scandale autour des contrats de l'US Air Mail

Roosevelt confie le trafic aux militaires

Des membres du Congrès, en visite d'inspection impromptue sur un aérodrome.

Washington D.C., 19 février

L'armée prend en charge les vols postaux de l'US Air Mail. Elle va essayer de faire oublier la mort récente de deux de ses pilotes, tués au cours de vols d'entraînement. La décision prise il y a dix jours par le président Franklin D. Roosevelt a fait beaucoup de bruit. Une grande partie de la presse crie au scandale et on redoute les lenteurs et retards qui risquent de s'accumuler. Le général Benjamin D. Foulois a déclaré l'armée prête à relever le défi. Les militaires ont modifié bon nombre de biplans et d'avions de chasse en les désarmant et en supprimant des sièges pour gagner de la place. Les soutes et les cockpits arrière ont été également aménagés en compartiments d'appoint pour le courrier. Le décret exécutif qui supprime tous les contrats privés pour le transport du courrier est la conséquence d'une enquête sur certains arrangements financiers faits sous l'administration Hoover. Le comité, dirigé par Hugo Black, sénateur d'Alabama, fait état de favoritisme dans l'attribution des contrats aux grandes compagnies, aux dépens des petites sociétés. Le tout sur fond de dessous-de-table. En réalité, ce sont deux théories qui s'affrontent. Certains pensent que les grandes sociétés, en accumulant des bénéfices, peuvent mieux investir dans le développement de l'aviation ; d'autres que l'US Air Mail est un service public et que les règles de la concurrence doivent jouer pour l'attribution des contrats. (→ 1.6)

En quatre mois, douze pilotes sont tués

Washington, 1er juin

Après ce qu'on a appelé un épisode malheureux et que la presse a qualifié de « meurtre légalisé », les pilotes de l'armée de l'air ont reçu l'ordre d'interrompre le service postal. En moins de quatre mois, ils ont à déplorer douze morts et soixante-six atterrissages forcés. Selon les experts, le service qui était demandé comportait deux difficultés majeures. Les pilotes militaires ne sont pas familiarisés aux vols de nuit et par gros temps. Ils ont dû affronter, l'hiver dernier, de nombreuses tempêtes de neige. Leurs avions, parmi lesquels on trouve d'anciens appareils de guerre reconvertis à la hâte, constituent un parc hétéroclite. La plupart n'ont ni phares d'atterrissage ni éclairage de cabine. La volonté des pilotes de prouver leur compétence s'est exercée aux dépens de la plus élémentaire prudence. En quatre mois, l'armée a couvert moitié moins de liaisons que les compagnies qui avaient les contrats. Le Président et le Congrès ont décidé de faire cesser ce gâchis et de renégocier. (→ 12)

Les nouveaux accords sont moins lucratifs

Washington D.C., 12 juin

Le Congrès a accepté de remettre les contrats de l'US Air Mail à des compagnies privées. Sous le nom de loi Black-McKellar, la législation approuvée par le président Roosevelt est censée répartir de façon plus équitable ces énormes budgets. Elle doit aussi donner une chance aux petites sociétés, qui devront fournir de bonnes garanties de sérieux. La plupart des grands constructeurs voient d'un mauvais œil la clause requérant la séparation des lignes aériennes de leurs filiales actives dans la construction. Elles vont y perdre une de leurs raisons initiales d'exister. Le cas de Boeing est typique. Son président, appelé en commission à Washington, n'a pas caché les bénéfices réalisés grâce aux anciens contrats postaux par sa division de transport. Par ailleurs, il est évident que ses ateliers de construction investissent des fortunes dans le développement technologique. Les nouveaux tarifs sont négociés à la moitié des anciens. Les quatre grands, United, American, TWA et Eastern, espèrent obtenir la majeure partie des lignes. En dépit de la volonté avouée des démocrates d'en finir avec la corruption républicaine, le nouveau réseau de l'US Air Mail ressemble à s'y méprendre à l'ancien. (→ 26.9)

L'avion « sleeping » Curtiss Condor : la cabine est protégée contre le bruit par plusieurs épaisseurs de matériaux spéciaux. Derrière le poste de pilotage, un compartiment de quatre places est aménagé en couchettes.

Le quadrimoteur Sikorsky S-42 a été construit en dix-huit mois à la demande de Pan American Airways. C'est le premier hydravion rapide au long cours. Sa vitesse maximale dépasse les 300 km/h.

TWA met son premier DC-2 en service

Le DC-2, le nouvel avion de transport civil de la compagnie TWA.

Etats-Unis, 18 mai

A première vue, le DC-2 ressemble comme un frère à son prédécesseur, le DC-1. En réalité, c'est un tout autre avion. Il est beaucoup plus rapide et a une autonomie bien supérieure. Il est aussi plus large de 60 cm, ce qui permet de loger une série de sièges supplémentaires du côté gauche de la cabine. Les passagers sont maintenant trois de front. La Transcontinental and Western Company (TWA) a pris possession de son DC-2 le dimanche 13, deux jours après son premier vol. Il porte le numéro de série 301. Il sera mis en opération sur la ligne Newark-Chicago. En service transcontinental, le DC-2 reliera New York à Los Angeles en 15 h. Aménagé en version luxe, il permettra aux hommes d'affaires de se reposer et d'être plus en forme à l'arrivée. Si les contrats postaux ont représenté la plus grande partie des recettes des compagnies aériennes jusqu'à présent, il reste que l'avenir est dans le transport de passagers. Il est donc indispensable de les attirer avec des vols rapides et confortables.

Le Venezuela choisit le Lockheed Electra

Avec son premier bimoteur Electra, Lockheed entre dans une nouvelle ère.

Burbank, 23 février

Marshall Headle est le pilote qui a effectué le premier vol du Lockheed Model 10A Electra. Cet avion, tout en métal, est totalement différent des monomoteurs conçus jusqu'à présent par Lockheed. Le président, Robert Gross, a voulu construire l'Electra après enquête auprès de passagers utilisant soit un de ses avions Orion monomoteurs, soit un Ford trimoteur, soit un bimoteur Boeing 247. Il est arrivé à la conclusion que, pour le transport aérien, un seul moteur est insuffisant et que trois sont excessifs. Il a donc fait construire un bimoteur et devient le concurrent de Boeing et de Douglas. Ces derniers mettent au point des avions basés sur des considérations assez semblables. Son service commercial lui a permis de remplir un carnet de commandes de plus de 250 000 dollars avant même que le prototype fît son premier vol. La réputation de Lockheed vaut la confiance qui lui est témoignée. Le Venezuela a choisi l'Electra pour sa compagnie LAV-Venezuela.

La régie Air Afrique se lance un défi

France, 28 février

La Transafricaine d'Aviation est devenue la régie Air Afrique. La compagnie passe donc du statut de société commerciale indépendante à celui de régie d'Etat. Elle garde le personnel en place. Le commandant Dagnaux reste le directeur. Les premiers vols sont prévus pour septembre avec la liaison entre Alger et Brazzaville. L'appareil, un Bloch 120, sera aménagé pour le transport de cinq passagers. Le commandant Dagnaux a prévu de mettre moins de dix jours pour le voyage aller et retour. Pour l'instant, il achemine du matériel pour préparer les étapes. (→ 2.5.35)

Les hydravions de la compagnie Western Canada Airways, en été, sur le lac Campbell. Dans ce pays aux lacs innombrables, ils peuvent se poser presque partout, munis de flotteurs l'été et de skis l'hiver.

Lufthansa fête son millionième client

Allemagne, 28 septembre

Depuis le 1er janvier de cette année, Lufthansa s'écrit en un seul mot. Le réseau de la compagnie du Reich ne cesse de se développer. En plus de ses lignes internationales, on peut dire que ses vols relient toutes les principales villes d'Allemagne à la capitale. Le 1er mai, Lufthansa a inauguré son service vers Varsovie. Le trimoteur Ju 52 apporte plus de confort et le pilotage par tout temps est devenu banal. L'école de Staaken attire des pilotes étrangers qui viennent y effectuer leur formation. Aujourd'hui, Lufthansa constate son succès en transportant son millionième passager.

Une Néo-Zélandaise qui ne craint rien

Joan Batten, un pilote de charme qui a gardé toute sa féminité.

Port Darwin, 23 mai

Elle est grande, belle et n'a peur de rien. Du haut de ses 24 ans, cette jeune Néo-Zélandaise au sourire radieux vient de stupéfier le monde. Partie seule aux commandes d'un vieux Gipsy Moth avec lequel elle n'avait raisonnablement aucune chance de réussir, Joan Batten a triomphé des 16 000 km qui séparent Londres de Port Darwin, en Australie. Elle a fait le voyage en 14 jours, 23 heures et 30 minutes. Elle bat le record d'Amy Johnson de plus de quatre jours ! Fille d'un dentiste, née quelques semaines après l'exploit de Blériot, elle a reçu son baptême de l'air avec le célèbre Kingsford-Smith. Surprenant désagréablement sa famille en décidant de devenir pilote et non pianiste, elle part en 1929 pour Londres afin de passer son brevet privé et de mettre sur pied, avec un enthousiasme juvénile, son vol vers l'Australie. Sourde à l'ironie des journalistes face à ses deux précédents échecs, Joan témoigne, par son cran, de la volonté des femmes qui ont décidé de voler. (→ 28.4.35)

Air France plus rapide que Lufthansa

Des tracteurs dégagent l'« Arc-en-ciel », embourbé après son atterrissage.

Natal, 28 mai

C'est un vrai duel au-dessus de l'Atlantique Sud entre la France et l'Allemagne. L'enjeu est de relier le plus vite possible l'Europe à l'Amérique du Sud. Dans cette lutte, Air France a pris de vitesse sa rivale Lufthansa, qui a pourtant mis tout en œuvre pour avoir la suprématie. Son service postal, inauguré en février, achemine le courrier de Berlin à Buenos Aires en six jours. La traversée est assurée soit par le dirigeable *Graf Zeppelin*, soit par des hydravions Dornier, ravitaillés à mi-course par un bateau-relais. Air France, avec Mermoz en première ligne, contre-attaque en lançant de puissants appareils au-dessus de l'océan. Grâce à l'*Arc-en-ciel*, qui vient de relier en 16 h 10 min Saint-Louis à Natal, et aux avions se relayant sur les deux parcours terrestres, le courrier d'Europe est acheminé à Buenos Aires en deux jours et quinze heures. De son côté, Bonnot avec le *Croix du Sud* met la France à trois jours et quelques heures de l'Argentine. Air France a relevé le défi de Lufthansa.

Il y a même un cinéma à bord de l'avion géant soviétique

Moscou, 19 mai

Les Moscovites ne doivent pas en croire leurs yeux et, pourtant, il est là, suspendu dans le ciel, tel un épervier géant. Le *Maxime Gorki*, ou ANT-20 de son vrai nom, n'est ni plus ni moins qu'un outil de propagande. Dans ses 60 m de longueur, on trouve cuisine, cinéma, laboratoire photo, salle de radio, et même une imprimerie. Il a été construit par Tupolev à l'usine de Fili en deux ans avec l'argent d'une souscription organisée par l'Union des écrivains et éditeurs, qui voulaient célébrer l'anniversaire de l'entrée de Maxime Gorki dans la carrière littéraire. Il peut transporter plus de cinquante passagers, avec vingt membres d'équipage. (→ 18.5.35)

Le « Maxime Gorki » a huit moteurs, six sur les ailes et deux sur la cabine.

Un échec coûteux pour Fokker

Amsterdam, 28 septembre

Il n'y aura qu'un seul exemplaire du Fokker F-36. Son rival américain DC-2 lui est à ce point supérieur que la KLM a annulé sa commande de seize appareils. Coup dur pour Fokker, qui avait étudié, à la demande du directeur de la KLM, Albert Plesman, cet avion destiné aux lignes d'Extrême-Orient. C'est la technologie européenne qui perd devant l'Amérique. On ne compare plus un avion à structure composée de métal, toile et bois à un avion tout métal. Le F-36 était le plus grand avion de transport construit en Europe. Avec ses quatre moteurs, il pouvait couvrir 1 350 km.

315

le couple espère trouver la paix.

L'hydravion Macchi piloté par Agello détient le record du monde de vitesse.

Les avions de l'année 1934

Le Lockheed L.10 Electra, construit à 148 exemplaires, entre en service avec Northwest Airlines en août 1934. Il accueille dix passagers.

L'Aeronca L, monoplan à aile basse et pantalons.

Le Savoia-Marchetti SM.79 sera très utilisé pendant la guerre.

Plus de 700 de Havilland DH.89 Dragon Rapide sont produits.

Le de Havilland DH.87 Hornet Moth s'attaque au marché privé.

Le Savoia-Marchetti S.73 accueille dix-huit passagers.

Un Fokker F XXXVI est construit spécialement pour KLM.

Le Miles M.3 Falcon, un avion de tourisme à cabine fermée.

Avec seulement deux moteurs, le SM.79 manque de puissance.

Dernier biplan opérationnel de la Luftwaffe, l'Arado Ar 68.

Le Sikorsky VS-44A Excalibur est dérivé d'un bombardier.

Shot n'a construit que deux Scylla, dérivés de l'hydravion Kent.

Le Potez 29 opère sous toutes les latitudes de France et des TOE.

Le Savoia-Marchetti SM.62, utilisé en URSS sous le nom de MBR.4.

Le PZL P-23 tentera de s'opposer à la percée allemande en 1939.

Le Sikorsky S-42, élégance et confort à la disposition des passagers.

Le Stinson Trimotor est muni d'entretoises plutôt disgracieuses.

L'Airspeed AS.6 Envoy, un développement du Courier.

Le de Havilland DH.86 Express est acheté par la compagnie Qantas.

Le Fieseler Fi 97 construit pour le Challenge de Tourisme de 1934.

Le Loire 130, conçu pour être catapulté depuis les gros bâtiments.

Le CANT Z.501 possède un poste de tir dans la nacelle du moteur.

Le Messerschmitt Bf 108 Taifun, le grand-père du célèbre Bf 109.

Le Dewoitine D.37 trouve quelques débouchés à l'exportation.

L'Avia B-122, un remarquable avion de voltige tchèque.

Le Lioré-et-Olivier LeO H-43 se révèle peu performant.

Le Mitsubishi G3M («Nell») commence sa carrière dans la guerre sino-japonaise. Il coulera ensuite le «Prince of Wales» et le «Repulse».

Le Bloch 210 est moderne quand il entre en service. Vite dépassé par le progrès de la technique, il n'est remplacé qu'en juin 1940.

Le Gloster Gladiator, dernier chasseur biplan de la RAF.

Le Breda Ba 27 est exporté en petit nombre vers la Chine.

Le Caudron Goeland est encore utilisé à la fin des années quarante.

Le Junkers Ju 86, d'abord avion de ligne, puis bombardier.

Le Saro London, hydravion patrouilleur, entre en service en 1936.

Le Levasseur P.L.14, version à flotteurs du P.L.7.

Le Northrop A-17 connaît une brève carrière avec l'USAAC.

L'Armstrong Whitworth Scimitar, un chasseur boudé par la RAF.

Le Henschel Hs 121, monoplace d'entraînement malheureux.

Le Polikarpov I-17 est équipé d'un Hispano-Suiza en ligne.

Surnommé le Crayon volant, le Dornier Do 17 est produit en nombreuses versions de bombardement et de reconnaissance pour la Luftwaffe.

Le Fairey Swordfish, malgré ses insuffisances, obtient quelques retentissants succès pendant la guerre et ne sera pas immédiatement remplacé.

Le Tupolev ANT-20 géant est utilisé à des fins de propagande.

Succès total pour le premier avion conçu par Bücker, le Jungmann.

Le Hawker Hind remplace temporairement le Hart.

Le Blackburn Baffin, dérivé amélioré à moteur en étoile du Ripon.

Le Gotha Go 145 dépasse les 10 000 exemplaires construits.

La production du Cessna C-34 se monte à 42 machines.

1935

711,462 km/h
Italie
Francesco Agello
Macchi-Castoldi MC-72
23.10.34

10 601,48 km
France
Bossoutrot et Rossi
Blériot 110
26.3.32

14 575 m
URSS
Vladimir Kokkinaki
Polikarpov Ts KB-3
21.11.35

56 000 kg
Allemagne
Dornier
Do X

3 100 ch
Italie
Fiat
AS.6

Paris, 8 janvier
Le gouvernement approuve la création d'un réseau postal métropolitain distinct d'Air France. (→ 10.7)

Chicago, 14 janvier
United Air Lines décide d'équiper sa flotte d'un système de dégivrage d'aile, créé par Goodrich and Co., après des essais sur un Boeing 247.

France, 22 janvier
L'épreuve du brevet de pilote de transport public est complétée par un atterrissage sans vue extérieure.

Kagamigahara, 4 février
Le chasseur monoplan Mitsubishi A5M commence ses vols d'essai. Il est doté d'un moteur Nakajima de 580 ch. (→ 2.12.37)

La Mecque, 18 février
Le roi Ibn Saud d'Arabie décide de créer une force aérienne avec l'aide des Italiens qui acceptent de former quatre-vingts pilotes.

Berlin, 20 février
Un Junkers 52/3m de la Lufthansa revient d'un vol de reconnaissance sur Le Caire. Il a couvert les 3 300 km du vol retour en 16 h 30 min.

Paris, 27 février
L'hydravion *Santos-Dumont* établit un record de vitesse dans le transport postal Natal-Paris, avec deux escales : 53 h 4 min. (→ 20.7.36)

France, 1er mars
Le Caudron 440 Goéland effectue son vol initial. Bimoteur à train escamotable, l'ingénieur Riffard l'a conçu pour emmener six passagers.

Lisbonne, 10 mars
Le Portugal ouvre des négociations avec Pan Am et Imperial Airways, qui réclament les droits d'escale aux Açores, malgré un monopole concédé à l'Aéropostale en 1928.

Etats-Unis, 16 mars
Wiley Post tente une traversée du continent à haute altitude. Il vole durant 8 heures à plus de 10 000 m, mais échoue après avoir parcouru 3 290 km. (→ 15.8)

Berlin, 17 mars
Les autorités rendent obligatoire le codage en couleurs des différents organes des avions : rouge pour les coupe-circuits d'incendie ; vert pour la régulation de température ; jaune pour les commandes de gaz et brun pour les circuits d'huile.

Gournay-en-Bray, 1er avril
Inaugurant une liaison postale de nuit Paris-Londres, Robert Bajac se perd dans la brume. Le trimoteur percute un arbre et s'écrase. Chef pilote d'Air France, il avait 38 ans.

Grande-Bretagne, 12 avril
Le Bristol 142 *Britain First*, commandé par lord Rothermere, propriétaire du *Daily Mail*, fait ses vols d'essai sur une base de la RAF. Les chasseurs les plus récents n'arrivent pas à le suivre. (→ 25.6.36)

Croydon, 28 avril
Joan Batten fait sensation en achevant son vol de retour d'Australie. Elle porte des pantalons et un manteau de fourrure. (→ 16.10.36)

Washington, 8 mai
Le département du Commerce va équiper d'aides à l'atterrissage tous les aérodromes importants de New York à Los Angeles. Cette décision fait suite à un accident de la TWA avant-hier, dans lequel le sénateur du Nouveau-Mexique est mort.

Etampes, 19 mai
Raymond Delmotte remporte la 3e coupe Deutsch-de-la-Meurthe à la vitesse moyenne de 443,965 km/h, sur son C.460. Les cinq appareils qualifiés étaient tous des Caudron.

Londres, 22 mai
Le Parlement vote le projet du gouvernement de porter les forces de la RAF à 1 500 appareils en deux ans.

Bridgeport, 5 juin
Lors du vol initial de l'hydravion Sikorsky 43, la pression de carburant chute dans le moteur droit. Le pilote Sergievsky déjauge et atteint 65 m de haut sur un seul moteur. Il rétablit la pression avec une pompe à main et vole 9 minutes. (→ 2.12.36)

Villa Montes, 12 juin
Deux Potez 25 escortent le Breda transportant la délégation paraguayenne victorieuse. Elle va signer l'armistice de la guerre du Chaco.

Medellin, 24 juin
Carlos Gardel, le roi du tango, est une des quinze victimes d'une collision entre deux trimoteurs Ford. Ils décollaient au même moment.

Washington, 29 juin
Le gouvernement signe le plus important contrat aéronautique passé depuis 1918. Pour huit millions et demi de dollars, il commande soixante hydravions XP3Y-1 Consolidated pour l'US Navy. (→ 22.10.36)

Etats-Unis, 30 juillet
Parti de San Diego et naviguant aux instruments, le lieutenant Akers réussit à rejoindre le porte-avions *Langley* dont il ignorait la route et sur lequel il apponte. (→ 22.1.36)

Toussus-le-Noble, 5 août
Aux commandes du F.1001, avion expérimental de Henry Farman, le pilote Cogno est tué par la brusque dépression due à la rupture d'un hublot de la cabine à 10 400 m d'altitude. L'avion s'y est maintenu 30 min avant de piquer vers le sol.

Villacoublay, 8 août
Michel Détroyat décolle le prototype du chasseur Morane-Saulnier MS-405. (→ 7.9.36)

Cleveland, 31 août
A bord de son Howard DGA-6 *Mr. Mulligan*, Benjamin Howard gagne le trophée Bendix, à 384,074 km/h de moyenne. Il bat Roscoe Turner de 23 secondes et demie. (→ 4.9.36)

Cannes, 31 août
Maryse Hilsz remporte la coupe Hélène Boucher, aux commandes d'un Breguet 27, devant Claire Roman. Elle a couvert les 689 km depuis Paris à 277 km/h. (→ 23.6.36)

Cleveland, 2 septembre
Harold Neumann gagne le trophée Thompson avec le Howard DGA-6 *Mr. Mulligan*. (→ 7.9.36)

Baltimore, 9 octobre
La Glenn Martin livre l'hydravion quadrimoteur M.130 *China Clipper* à la Pan Am. Il a coûté 430 000 dollars. (→ 29.11)

France, 20 octobre
Le 100e Pou du Ciel, créé par H. Mignet, est homologué. (→ 3.8.36)

Grande-Bretagne, 29 octobre
La compagnie British Airways est créée par la fusion de Spartan Air Lines, United et Hillman Airways.

Croydon, 2 novembre
L'aérodrome reçoit un système radioélectrique d'aide à l'atterrissage, inventé par l'Allemand Lorentz.

Le Bourget, 29 novembre
Un balisage de brume entre en service. Une ligne d'approche équipée de lampes à vapeur de sodium est installée sur 5 km vers le nord à partir de la station gonio FNB 2, mise en place le 10 janvier. (→ 5.1.37)

Afrique, 9 décembre
La ligne Alger-Brazzaville de la régie Air Afrique est raccordée, à Elisabethville, à la ligne Congo-Madagascar de la Régie malgache.

Saigon, 16 décembre
Parti du Bourget le 12 décembre, André Japy atterrit à bord de son monoplace Caudron Aiglon. Il a couvert les 12 000 km en 86 h 52 min de vol. (→ 19.11.36)

Tananarive, 21 décembre
L'équipage Génin-Robert, parti du Bourget le 18 décembre, pose son Caudron Simoun. Ils ont franchi 8 665 km en 57 h 36 min de vol.

Hawaii, 27 décembre
Cinq appareils de l'US Army Air Corps larguent 4 150 kg de bombes sur une coulée de lave du volcan Mauna Loa, pour arrêter sa progression vers la ville de Hilo.

Le « Skysleeper » DST emporte quatorze personnes installées dans des fauteuils ou des couchettes. La version DC-3 aura vingt et un sièges.

Le géant de Latécoère vole à Biscarosse

L'hydravion « Lieutenant de vaisseau Paris » s'envole de l'étang de Biscarosse.

Biscarosse, 10 janvier

Depuis le Do X on n'avait pas vu d'hydravion aussi gigantesque. Le Laté 521, baptisé *Lieutenant de vaisseau Paris*, a pris son envol de l'étang de Biscarosse. Jean Gonord, accompagné de Crespy, est aux commandes de ce navire des airs baptisé du nom du lieutenant Paulin Paris (lequel, détaché par la marine chez Latécoère, a été emporté par la maladie le 24 juillet dernier à l'âge de 35 ans). Avec 31,62 m de long et 49,31 m d'envergure, un poids en charge de 37,9 t, ce monoplan entièrement métallique transporte 30 passagers sur la route atlantique et 70 sur les lignes méditerranéennes. Il est propulsé par 6 moteurs Hispano-Suiza de 860 ch, les 4 centraux sont groupés en tandem et les tractifs externes sont montés sur le bord d'attaque de la voilure. Ses nageoires latérales servent à la fois de stabilisateurs, d'ailes en vol et de réservoirs d'essence. Le fuselage-coque comporte 2 ponts d'inégale largeur, d'où sa silhouette particulière. Les hélices Ratier sont à pas variable. Depuis sa mise en chantier en 1933, il a été sans cesse perfectionné. Achevé en juillet 1934 à Montaudran, il a été acheminé vers Biscarosse par la route en novembre et monté en un temps record.

Sabena assure la ligne vers Léopoldville

Le Fokker « Edmond Thieffry », prêt à quitter Bruxelles pour le Congo.

Bruxelles, 9 mars

Le Fokker F-VII est de retour. Il vient d'effectuer la première liaison aérienne régulière entre la Belgique et le Congo. N'offrant que deux places de passagers, les candidats pour cette traversée (de six jours pour l'aller et de cinq jours pour le retour) se bousculent ! L'*Edmond Thieffry*, baptisé ainsi en hommage au pionnier qui a parcouru ce même trajet dix ans plus tôt, a quitté la capitale belge le 23 février dernier. L'équipage est commandé par le chef pilote Prosper Cocquyt. Il est accompagné par son second, Jean Schoonbroodt, et par le radiotélégraphiste Fernand Maupertuis. Le voyage aller avait été épique... Ils étaient partis à quatre heures du matin malgré les violentes perturbations annoncées au-dessus de la France. Le temps avait obligé le pilote à se poser à Alicante au lieu d'Oran. Mais le mauvais temps l'avait encore poursuivi et une tempête de sable avait immobilisé l'*Edmond Thieffry* à Zinder, au Niger. Malgré ces nombreux incidents, le Fokker était reparti pour atterrir comme prévu à Léopoldville le 28 février. Ce voyage inaugural de cinq jours et demi est malgré tout un grand succès, qui va bientôt être suivi d'une liaison tous les quatorze jours.

La Guardia plaide pour New York

New York, 5 janvier

Fiorello La Guardia, maire de New York depuis deux ans, fait partie de la longue liste de personnalités venues à l'inauguration du nouvel aéroport, le Municipal Airport 2. Il croit en l'avenir de l'aviation et se bat pour offrir à ses concitoyens un grand aéroport à New York. Il ne veut plus entendre parler de Newark, situé en face, dans le New Jersey. L'ouverture du n° 2 n'est qu'une étape vers le but qu'il poursuit. Dans son discours, il promet de continuer à travailler sur d'autres projets. Le n° 2 est, en réalité, l'ancien terrain Glenn Curtiss, dans le Queens, partie de Long Island la plus proche de Manhattan.

Amelia Earhart franchit seule le Pacifique

Oakland, 12 janvier

Ils sont 10 000 à s'être donné rendez-vous sur la piste d'Oakland. Il n'est pas encore midi quand ils aperçoivent enfin le Vega tant attendu. Aux commandes, Amelia Earhart est souriante. On a du mal à imaginer que la jeune femme, partie de Honolulu, a couvert 3 875 km en 18 h 16 min. Si elle est portée en triomphe, ce n'est pas parce qu'il s'agit d'une femme. Elle est le premier pilote à avoir accompli un tel exploit. Elle avait pourtant cru ne pas pouvoir partir. Le ciel de Honolulu était couvert de nuages et une trombe tropicale venait de frapper la ville. Fidèle à sa réputation et forte de son expérience, elle a décidé malgré tout de décoller. Elle ne le regrette pas. (→ 2.7.37)

Amelia Earhart, héroïne du jour.

L'île de Wake sera une base aérienne

Washington, le 22 janvier

Après de longues discussions, le gouvernement américain a révélé les nouvelles dispositions concernant l'atoll de Wake. Situé au cœur du Pacifique, il est un relais indispensable pour les liaisons avec les Philippines et l'Australie. Pan American Airways et Southern Airways seront les seules à pouvoir en faire usage. Située à 2 130 miles à l'ouest de Hawaii et au nord-ouest des îles Marshall, Wake est sous l'autorité de l'administration navale. Les compagnies ont été autorisées à procéder, à leurs frais, aux travaux d'aménagement nécessaires pour recevoir les appareils qui y feront escale. (→ 22.11.35)

Hitler se dote d'une force aérienne

Le Heinkel 111 ressemble à un bombardier

Le prototype Heinkel He 111, dans sa version de transport civil.

Allemagne, 24 février

Les frères Siegfried et Walther Günter travaillent ensemble depuis toujours. L'un dessine les plans des avions, l'autre les réalise. Entrés chez Heinkel au début des années trente, ils présentent aujourd'hui un avion qui fera sans doute date : le Heinkel He 111. C'est l'année dernière que les frères Günter ont commencé son étude, à la demande de la Lufthansa. Celle-ci voulait un bimoteur rapide pour le transport des passagers et du fret postal. En même temps, Ernest Heinkel leur demanda d'en étudier une version bombardier. Cela pour répondre aux besoins de réarmement de la

Luftwaffe. Inspirés par le Heinkel He 70 Blitz dont les succès avaient été incontestables, ils ont conçu un bimoteur équipé de deux BMW-V1 de 660 ch. L'avant de l'avion, entièrement vitré, abrite un observateur. Gerhrard Nitschke était aux commandes pour le vol d'essai, qu'il a qualifié de satisfaisant. L'avion est supérieur au He 70 dans tous les domaines. La vitesse atteinte aux essais, 350 km/h, frise celle d'un chasseur. Ces performances intéressent au plus haut point les militaires, plus nombreux que les civils aux bords de la piste lors des premiers vols. La version avion de ligne semble oubliée.

Göring dispose de 1 888 avions

Allemagne, 5 mars

Anthony Eden et sir John Simon, les deux envoyés du gouvernement britannique, ont été reçus par le chancelier Hitler. Ils ne peuvent que constater la modernisation de l'aviation allemande. L'Allemagne, en dépit des clauses du traité de Versailles, s'est lancée dans une grande campagne de réarmement. La Deutscher Luftsportverband (DLV) est devenue la Reichsluftwaffe. Voici deux ans que les nazis ont décidé de reconstituer la force aérienne du pays. Le ministre de l'Air, Hermann Göring, et Erhard Milch ont adapté l'industrie aéronautique afin qu'elle produisît des avions militaires. De nombreux appareils, présentés comme avions civils, sont en fait conçus dès l'origine comme des avions de guerre. C'est ainsi que le Heinkel He 111, théoriquement destiné à la Lufthansa, est devenu un avion de bombardement. Le monomoteur Ju 52 a évolué. Il est devenu Ju 52/3m, trimoteur de transport de troupes qui peut être transformé en bombardier. Avec ses 1 888 avions et ses 20 000 hommes, la Luftwaffe est une arme redoutable aux mains d'Hermann Göring.

Hugo Junkers meurt à Munich

Gauting, 3 février

Depuis la nationalisation de ses usines, en 1933, Hugo Junkers s'est retiré à Munich. Il vient d'y mourir à l'âge de 76 ans. C'est passé la cinquantaine que Junkers s'est intéressé à l'aviation. En 1912, l'ancien professeur de thermodynamique d'Aix-la-Chapelle construit un premier monoplace tout en métal. A la mi-décembre 1915, il présente son Junkers J 1, un monoplan à aile cantilever. L'appareil est jugé trop lourd et peu maniable par les militaires, quoiqu'il vole à 170 km/h avec un moteur de 120 ch. L'arrivée sur le marché d'un nouveau matériau léger et résistant, le Duralumin, lui redonne confiance dans ses théories. Après la guerre, Junkers met au point des avions de transport. Son dernier modèle, le monomoteur Ju 52, ne semble pas avoir de succès. En revanche la version en trimoteur, le Ju 52/3m, semble promise à un brillant avenir.

Pan American vole vers Hawaii

San Fransisco, 23 avril

La Pan Am installe sa ligne transpacifique. Première escale : les îles Hawaii. Le 16 avril, à bord d'un Clipper S-42, Musick a décollé de San Francisco. Le lendemain, il arrive à Pearl Harbor après un vol de 3 600 km. A l'atterrissage, quatre jours plus tard, les vents de face ayant été si forts, il ne restait plus dans les réservoirs que quelques litres de carburant. (→ 22.11.35)

Service passager de Londres à Brisbane

Brisbane, 17 avril

La ligne Londres-Brisbane est ouverte aux passagers. Depuis l'an dernier, des avions relient les deux villes, mais ne transportent que des lettres et des colis. Douze passagers australiens ont fait le vol inaugural. Cette nouvelle route est le fruit de la collaboration entre Imperial Airways et Qantas. Le prix du billet aller simple est de 195 livres pour un voyage de 20 000 km.

Le DC-2, ici aux couleurs de la compagnie Swissair, donne une nouvelle dimension au transport aérien.

Les essais en soufflerie se généralisent

La plus puissante soufflerie pour les essais des avions militaires anglais.

Angleterre, 4 avril
Le marquis de Londonderry vient d'inaugurer, au Royal Aircraft Establishment (RAE), une soufflerie aérodynamique géante. Cette installation va permettre de tester tous les modèles d'avions avant leur mise en service. Ces essais se généralisent en Europe. En France, c'est un officier de Chalais-Meudon, le général Antonin Lapresle, qui a mis au point le concept des tests au sol. Depuis l'an dernier, la soufflerie de Chalais-Meudon permet d'analyser le comportement aérodynamique des avions dans leurs différentes configurations de vol. On étudie sur les maquettes les effets de sillage, les tourbillons et autres vitesses de décrochage des ailes.

Ils étaient 48 à bord du « Maxime Gorki »

Moscou, 18 mai
L'Union soviétique est en deuil. Le *Maxime Gorki* s'est s'écrasé près de Tushino, tuant les 48 personnes qui se trouvaient à bord. On déplore deux victimes parmi les habitants de la maison sur laquelle l'appareil s'est abattu. Il faut enfin ajouter le pilote du petit appareil qui est entré en collision avec une aile du géant. L'équipage de l'ANT-20 se composait de onze ingénieurs, et les trente-sept passagers étaient tous des ouvriers de l'usine où l'avion a été construit. Staline doit venir se recueillir devant les dépouilles, qui ont été rassemblées dans une chapelle ardente. Chaque cercueil est surmonté de la photo du défunt. C'est la plus grande catastrophe aérienne à ce jour. Elle est due à une fausse manœuvre pendant un vol de démonstration. Pour mieux mettre en évidence la taille exceptionnelle du *Maxime Gorki*, les autorités faisaient voler le géant avec deux petits biplans qui évoluaient de part et d'autre. C'est l'un d'eux qui l'a percuté au cours d'une démonstration d'acrobatie. Les deux avions sont tombés en vrille d'une altitude de 800 mètres. Le gouvernement, pour qui cet avion était un outil de propagande, considère cet accident comme une catastrophe nationale. Quelques jours plus tôt, Pierre Laval était à Moscou, où il a assisté à une parade aéronautique donnée en son honneur. Il a déclaré être très impressionné par les réalisations soviétiques, dont la qualité est contestée par certains.

Le « Maxime Gorki », avant l'accident, avec ses deux chasseurs d'escorte.

L'Aéromaritime reliera Dakar à Brazzaville chaque semaine

France, 23 mars
L'aventure de la compagnie maritime des Chargeurs réunis se poursuit dans le ciel d'Afrique. Par la convention signée avec les ministres de l'Air et des Postes, elle s'engage à réaliser une liaison hebdomadaire dans les deux sens entre Dakar et Brazzaville. La naissance de ce service aérien, baptisé Aéromaritime, vient récompenser l'audace des frères Fabre, à la tête des Chargeurs réunis. Dès 1929, ils envisagent de doubler leur réseau maritime par des lignes aériennes. Après avoir tenté d'entrer dans le capital de l'Aéropostale, ils décident de constituer leur propre entreprise privée. En Afrique, leur choix se porte sur les ports de la côte entre Dakar et Pointe-Noire, qui sont desservis par leurs navires. La ligne, longue de 5 300 km, s'étend sur une vaste région couverte jusqu'à la mer par la forêt équatoriale. Les brumes, orages, tornades y sont, par leur fréquence, redoutables pour l'aviateur, et de rares aérodromes rudi-

mentaires jalonnent la côte. L'année dernière fut consacrée à une minutieuse reconnaissance du parcours. Cette prospection a fait apparaître que la solution optimale serait d'utiliser des avions amphibies pour tirer parti des nombreux plans d'eau. Très intéressés par leur initiative, les pouvoirs publics ont rapidement apporté leur concours à la réalisation de l'infrastructure et des équipements météorologiques indispensables. La saga de l'Aéromaritime peut commencer. (→ 7.7)

Construction de la base de Conakry (Guinée française), une étape de la ligne.

Accord entre Air Afrique et Sabena

Brazzaville, 2 mai
Français et Belges s'unissent pour sillonner l'Afrique. Partis d'Alger le 27 avril à bord d'un Bloch 120, avion particulièrement robuste, les pilotes Pharabod et Dupuy et leurs équipiers viennent de gagner Brazzaville, *via* les escales d'El Goléa, Aoulef, Aguel'hoc, Gao, Niamey, Zinder, Fort-Lamy, Fort-Archambault, Bangui et Coquilhaville. Huit mois après le premier service postal régulier, la régie Air Afrique ouvre ainsi officiellement la ligne au transport de passagers. Le projet du commandant Dagnaux se réalise : on va enfin traverser l'Afrique du nord au sud. La Sabena, qui exploite cette ligne avec ses trimoteurs Fokker, en pool avec la compagnie française, a choisi le parcours Oran, Reggan, Gao, Léopoldville. Dorénavant, les deux compagnies assureront un service hebdomadaire régulier dans les deux sens. (→ 7.7)

Le Breguet-Dorand s'élève sans rouler

A Villacoublay, départ du gyroplane Breguet-Dorand à deux hélices coaxiales.

Villacoublay, 26 juin

Le vœu le plus cher de Louis Breguet est en train de se réaliser. L'hélicoptère conçu par René Dorand vient d'effectuer des essais encourageants. C'est l'amélioration de la qualité des moteurs qui, dès le début des années trente, pousse Breguet à construire un gyroplane. L'élaboration en est difficile. Actionné par des commandes hydrauliques, cet appareil est muni d'un moteur Breguet-Bugatti de 250 ch. Les premiers essais, en novembre 1933, sont décevants. Certaines commandes mécaniques sont alors remplacées par des commandes hydrauliques. A présent, le gyroplane décolle, prouvant que Breguet pensait juste. (→ 22.9.36)

De Cotonou à Niamey par l'Aéromaritime

Arrivée à Niamey du Caudron Pélican venant de Cotonou, piloté par Janet.

Niamey, 7 juillet

Avant l'ouverture de sa ligne côtière, l'Aéromaritime s'aventure à l'intérieur de l'Afrique. A bord d'un Caudron Pélican, Pierre Janet vient d'inaugurer une deuxième ligne entre Cotonou et Niamey. Le voyage n'a pas été de tout repos : aux pistes d'aviation inadaptées s'ajoutent une couverture météo et des liaisons radio aléatoires. Après un départ laborieux, l'avion, pris dans une tornade, a dû se poser sur un terrain marécageux à 50 km de Cotonou. Redécollant de justesse entre des arbres immenses, il a atteint Niamey en 7 h. Cette nouvelle liaison doit assurer la correspondance avec le réseau africain de la régie Air Afrique et de la Sabena. (→ 2.12.36)

La poste aérienne est confiée à Air Bleu

Le Bourget, 10 juillet

Régularité et ponctualité, telle doit être la devise d'une ligne postale. Et, effectivement, c'est la politique d'Air Bleu, qui brave le gros temps quand il le faut pour ne pas retarder le courrier. Pourtant, la nouvelle compagnie s'annonce déjà comme déficitaire. A trois francs par lettre, il est peu probable que le volume de courrier soit suffisant, même si le réseau est conçu de telle sorte qu'un échange de lettres entre deux correspondants puisse avoir lieu dans la journée. Qu'importe, la France se devait de rattraper son retard sur d'autres pays européens et devait mettre en place une organisation rapide. L'inauguration des quatre premières lignes entre Bordeaux, Le Havre, Lille et Strasbourg a eu lieu aujourd'hui. (→ 2.8.36)

Le Sleeper coûtera 79 500 dollars

New York, 8 juillet

Le président d'American Airlines, Cyrus Smith, vient de confirmer à Donald Douglas la commande de dix Douglas Sleeper Transport, au prix unitaire de 79 500 dollars. La compagnie veut ainsi remplacer son parc de trimoteurs Fokker et ses avions-lits Curtiss Condor. L'appareil, qui en est encore au stade de projet, combinera les formes spacieuses du Condor et les performances et le modernisme du DC-2. Douglas, très hésitant à modifier son DC-2, s'est finalement laissé séduire par le concept. (→ 17.12)

Devant les officiels, un avion d'Air Bleu en partance pour Bordeaux.

Le de Havilland Comet, aux couleurs de la Royal Air Force, a été livré au gouvernement britannique pour des vols expérimentaux.

Un oubli du pilote et le Boeing B-299 s'écrase devant ses juges

Sa désignation non officielle est XB-17. Ce stupide accident l'élimine de la compétition remportée par le B-18 Douglas.

Wright Field, 30 octobre
Ce devait être un vol de routine comme il y en eut beaucoup. Tous les tests précédents l'avaient placé en position de favori dans la course au contrat de l'armée qui voulait un nouveau bombardier. Le bimoteur B-12 de Martin semblait bien inférieur et le B-18 de Douglas moins performant. Ce matin, il a accéléré sur la piste, tiré par les 3 000 ch de ses 4 Pratt & Whitney Hornet lancés à pleine puissance, il s'est élevé normalement pour ensuite basculer et piquer vers le sol dans une invraisemblable embardée. Le major Peter Hill, qui était aux commandes, a été tué sur le coup. Leslie Tower, chef pilote de Boeing, et un de ses collègues techniciens, ne survivront pas à leurs brûlures. Les autres membres de l'équipage, dont le lieutenant Don Putt, responsable des tests, sont indemnes. L'excès de confiance a toujours été le pire ennemi des pilotes. Tout se déroulait trop bien pour le prototype B-299. Déjà, le 20 août, pendant son con-

voyage de Seattle, Tower avait battu un record de vitesse en couvrant les 3 380 km d'une seule traite en un peu plus de 8 heures de vol, à la moyenne de 406 km/h. Il volait à une altitude de plus de 20 000 pieds. En le voyant évoluer, avec ses tourelles armées de mitrailleuses et son nez en Plexiglas, les journalistes l'ont baptisé *flying fortress* (forteresse volante). Pourtant, ce matin, les pilotes avaient oublié de desserrer le blocage des commandes. (→ 17.1.36)

On détecterait les avions sur un écran

Londres, 9 septembre
Au département « top secret » de la recherche, on laisse entendre que les chercheurs sont désormais capables de détecter la position des avions en vol en utilisant les ondes radio. R. Watson-Watt, responsable de l'expérience, vient d'écrire au Comité pour la recherche de la défense aérienne. Il propose de construire des stations équipées du nouveau système de détection radio sur tout le littoral sud et sud-est, pour identifier les bombardiers ennemis. La démonstration de ce nouvel appareillage, le 26 février dernier à Daventry, devant un membre du bureau du ministère de l'Air, a été concluante. Depuis, des fonds ont été dégagés et le groupe de Watson-Watt travaille loin de la foule, à Orford Ness on Suffolk, pour mettre au point ce nouveau système. (→ 13.3.36)

Wiley Post se tue en Alaska

Point Barrow, 15 août
Il fallait surtout éviter une panne de moteur à basse altitude. Les flotteurs étaient trop gros, ils déséquilibraient l'hydravion qui a plongé, comme Wiley le craignait. L'*Orion Explorer* a été mis au point trop vite, après la vente, le 15 juin, de son *Winnie Mae* pour 25 000 dollars à la Smithsonian. Wiley s'est noyé en Alaska avec son ami Willy Rogers, avec qui il recherchait un chasseur de baleine. Il avait 37 ans.

Howard Hughes a la passion de l'aviation

Los Angeles, 13 septembre
Pour certains, ce n'est qu'une lubie de milliardaire. Pourtant, c'est dans le plus grand secret qu'Howard Hughes construit l'engin de ses rêves, surnommé par les journalistes l'Avion mystère. Il veut battre le record du monde de vitesse, remporté en 1934 par le Français Delmotte sur Caudron C.460, avec 505,848 km/h. Le H-1, c'est ainsi qu'il s'appelle, a coûté la fabuleuse somme de 100 000 dollars. C'est un monoplan à aile basse de 8 m de long avec une envergure de 7,30 m.

Après avoir effectué lui-même les essais, Hughes a décollé de Martin Fields pour tenter le fameux record. Au 5e parcours, effectué sur 3 km, il a approché les 590 km/h, mais le moteur a lâché. Les spectateurs ont vu le H-1 s'écraser dans un champ de betteraves. Ils se sont précipités, convaincus d'avoir vécu un drame. Ils ont trouvé Hughes tranquillement assis sur le fuselage de son appareil, en train de prendre des notes. Ils l'ont informé qu'il avait ravi le titre au Français avec une vitesse de 567,115 km/h. (→ 14.1.36)

L'aviation italienne attaque en Ethiopie

Ethiopie, 3 octobre
C'est bien une guerre familiale que semble vouloir mener en Ethiopie le Duce. Son gendre, Ciano, et ses fils Bruno et Vittorio, étaient aux commandes des bombardiers qui ont attaqué Adoua et Adigrat, localités du nord de l'Ethiopie. Partis d'Erythrée et de Somalie, 280 000 Italiens épaulés par cinq cents chars et trois cents avions tentent de réaliser le rêve italien de construire un empire. (→ 28.3.36)

Le prototype de bombardier en piqué adapté à la guerre éclair, le Junkers Ju 87 Stuka, effectue ses premiers essais en vol.

Formation de Junkers 52 avec la tourelle ventrale sortie et avec le mitrailleur du poste supérieur en position de combat.

Le Douglas DC-3 fait son vol d'essai

Hôtesse de l'air, un emploi convoité

Etats-Unis, 17 décembre

Il ne pouvait y avoir de meilleure conclusion pour ce vol d'essai. American Airlines a modifié son bon de commande à Douglas. Il ne s'agit plus maintenant de livrer dix avions, mais vingt, répartis en huit DST (Douglas Sleeper Transport) et douze en version DC-3. Le DST peut transporter quatorze personnes installées dans des couchettes superposées deux par deux. La version DC-3 emportera vingt et un passagers assis dans des sièges classiques. Cette version ne sera disponible que dans huit mois. Au sol, pour le distinguer du DC-2, la manière la plus simple pour le profane est de compter les fenêtres. Le DC-2 en a sept le long du fuselage et le DC-3 en compte huit. Le vol d'essai a eu lieu à l'aérodrome de Clover Field, en Californie. L'appareil a décollé à 15 h, piloté par Carl Cover, assisté de Fred Stine-

L'avion-lit DST, prototype du DC-3, à Glendale, en Californie.

man et de Franck Collbohm. Ce fut 1 h 40 de vol sans histoire. Pour Douglas, ce succès est encourageant. L'étude de cet avion a nécessité 4 500 000 dollars d'emprunt à l'Etat. La rentabilité de l'appareil est étonnante. Avec vingt et un sièges contre quatorze au DC-2, les frais d'exploitation ne sont que de 10% supérieurs. Le transport de passagers peut devenir rentable. (→ 18.8.36)

Los Angeles, 6 décembre

TWA lance un escadron de charme. La compagnie vient en effet d'engager trente hôtesses de l'air pour le plus grand bonheur de ses usagers. La concurrence a été rude. Il y avait 1 600 candidates présentes aux épreuves de sélection. Première condition requise : être infirmière. Deuxième condition : porter élégamment l'uniforme de serge de laine grise dessiné pour l'occasion par TWA et ne pas être frileuse, car les hôtesses doivent porter ce tailleur toute l'année, quel que soit le climat. Véhiculant l'image de la compagnie, elles accueilleront les passagers, vérifieront avant l'embarquement le compte des repas et soigneront l'accueil des voyageurs. Elles devront connaître par cœur le nom de chaque client. Dans ces conditions, tous voudront voler à nouveau sur TWA.

Kingsford-Smith est porté disparu

Aux USA, on peut s'assurer au départ

De San Francisco à Manille avec Pan Am

Océan Indien, 8 novembre

L'aviation australienne a perdu un de ses pionniers. Charles Kingsford-Smith s'est abîmé en mer dans le golfe du Bengale. On n'a retrouvé qu'un mât et une roue de son avion. Le 6 novembre, il avait décollé de Londres, à bord de son monomoteur Lockheed Altair, *Lady Southern Cross*, bien décidé à reprendre son record de vitesse entre l'Angleterre et l'Australie. Deux jours plus tard, il disparaît dans l'océan Indien.

Etats-Unis, 18 décembre

Le voyage aérien peut encore rebuter certaines personnes, impressionnées par les risques, ou certaines sociétés qui craignent de voir disparaître dans des accidents des cadres difficiles à remplacer. Six compagnies d'assurances étudient en ce moment des contrats qui auront pour but d'assurer les passagers et de dédommager leur famille en cas d'accident. Ces assurances couvriront tous les risques.

Manille, 29 novembre

Le China Clipper NC14716 est arrivé en rade de Manille ce vendredi après-midi à 3 h 32. Son capitaine, Edwin Musick, l'avait fait déjauger de Guam à 6 h 12 ce matin. Depuis son départ de San Francisco, le vendredi 22, il a couvert la distance de 8 210 miles en 59 h et 48 min de vol, avec escales à Honolulu, Midway, Wake et Guam. Le franchissement, après Midway, de la ligne de changement de date lui a fait perdre un jour. Pour ce vol inaugural, il ne transportait que du courrier, réparti en 58 sacs pour un poids de 1 837 livres. Pas moins de 110 865 lettres dont 44 346 pour Manille. Par contre, plus de 200 000 timbres spécialement imprimés à l'occasion de ce voyage ont été vendus et une bonne partie du courrier indiquait comme adresse celle de l'expéditeur qui voulait un souvenir de cette épopée. L'hydravion est un Glenn Martin 130, construit dans le Maryland, à Middle River. Il est doté de 4 Pratt & Whitney Twin Wasp. Il a été livré le 9 octobre. (→ 27.10.36)

Le prototype du Hawker Hurricane, le premier monoplan de chasse de la RAF, en vol d'évaluation avec le pilote George Bulman.

Trippe et Lindbergh ont effectué le vol de réception du China Clipper.

L'unique Armstrong Whitworth AW 23, précurseur du Whitley.

Trois Koolhoven FK.50 à huit places ont été achetés par Alpar.

Douglas a développé le DC-3 à partir du DC-2 pour American Airlines.

Le Sikorsky S-43, une version du S-42 pour 11/15 passagers.

Le Macchi MC.94, principalement destiné à Ala Littoria.

Onze Model 82 ont été assemblés par Fairchild au Canada.

Air France exploite 16 Bloch 220 transportant 16 passagers.

Le Caudron C.641 Typhon, un avion destiné au service aéropostal.

L'Aéronavale a préféré le Bizerte au Latécoère Laté 582.

Le Nardi FN.305 de tourisme sert également à l'entraînement.

Le prototype du Dornier Do 18, un long-courrier pour LuftHansa.

Le prototype du Heinkel He 112 est équipé d'un Rolls-Royce Kestrel.

Pan American Airways a acheté des hydravions Fairchild 91.

Un Klemm Kl 35 modifié en monoplace à cabine fermée.

Le gouvernement français a financé 155 Potez 60 pour les aéro-clubs.

Le Focke-Wulf Fw 159, concurrent malheureux du Bf 109.

Dernier biplan en service dans la Luftwaffe, le Henschel Hs 123.

Précurseur du Magister, le Miles M.2X Hawk Trainer.

Le Savoia-Marchetti SM.81 prend part à la campagne d'Ethiopie.

Le Heston Aircraft Phoenix est muni d'un train escamotable.

Le Nordyun Norseman s'avère idéal dans la brousse canadienne.

Le Seversky SEV-X-BT sert de prototype au chasseur P-35.

Le Vulte V-11 a été vendu à la Chine, l'URSS, la Turquie et le Brésil.

Le Supermarine Stranraer, hydravion de reconnaissance.

Vickers a contruit 177 Wellesley pour la Royal Air Force.

Le Pérou est le premier client du Caporni Ca 135.

Le Bf 109V4 a testé les mitrailleuses de capot MG FF.

Le Savoia-Marchetti S.73 a servi de transport militaire en 1940.

Le Heinkel He 118, concurrent malchanceux du Junkers 87.

Des missions de reconnaissance ont été confiées aux Breda Ba-65s.

Le prototype du North American NA 16 qui deviendra le BT-9.

L'Us Army Air Corps prend livraison de 240 North American O-47.

L'Ikarus IK-2 yougoslave est armé d'un canon de 20 mm.

Le Focke-Wulf Fw 58 Weihe, bimoteur de servitudes et de liaisons.

Le Bristol Bombay, bombardier et avion de transport militaire.

Le Boeing B-17 Flying Fortress, construit à 12 731 exemplaires.

L'unique exemplaire de l'hydravion hexamoteur Latécoère 621.

Le Morane-Saulnier MS.405 qui donnera naissance au MS.406.

Premier monoplan embarqué de l'US Navy, le Douglas TBD.

Le Koolhoven FK.51, produit à 51 exemplaires pour l'entraînement.

Un Curtiss P-36A camouflé pour les manœuvres de 1939 de l'USAAC.

L'Avro Anson est également utilisé pour des patrouilles côtières.

Le Curtiss Model 76 est évalué par l'USAAC en tant que XA-14.

Le PZL P-37 Los, un bombardier léger polonais très performant.

Premier chasseur de la RAF à huit mitrailleuses, le Hurricane.

Le quatrième prototype du Junkers Ju 87 Stuka.

Le Consolidated XP3Y-1 est l'ancêtre direct du PBY Catalina.

Un Naval Aircraft Factory N3N transformé en hydravion.

Le bombardier Douglas B-18A est extrapolé du DC-2 civil.

Le Heinkel He 111 débute sa carrière comme moyen-courrier civil.

Le seul exemplaire du Fieseler Fi 98a de bombardement en piqué.

1936

 **711,462 km/h** Italie Francesco Agello Macchi-Castoldi MC-72 23.10.34

 **10 601,48 km** France Bossoutrot et Rossi Blériot 110 26.3.32

 **15 223 m** Grande-Bretagne SRD Swain Bristol 138 28.9.36

 **56 000 kg** Allemagne Dornier Do X

 **3 100 ch** Italie Fiat AS.6

Tahiti, 9 janvier
La marine française crée une escadrille d'hydravions à Fare Ute. Elle dispose d'un monomoteur Cams 37 et de deux bimoteurs Cams 55.

Washington, 17 janvier
L'US Army Air Corps commande à Boeing treize bombardiers YB-17 et un quatorzième pour des essais de structure au sol. Le contrat fixe le coût de chaque appareil à 432 034 dollars. (→ 1.3.37)

Alaska, 22 janvier
Le porte-avions *USS Ranger*, avec 23 appareils à bord, commence une campagne d'essai. Il doit évaluer les effets du froid sur ce type de navire en opération. (→ 5.10.37)

Afrique, 13 février
Imperial Airways ouvre un service aéropostal de Khartoum à Kano, avec le de Havilland 86A *Dædalus*.

Londres, 2 mars
Frank Whittle crée la firme Power Jets pour développer une tuyère thermo-propulsive. (→ 12.4.37)

Londres, 8 mars
L'école de pilotage ajoute l'étude du comportement des vaches à son programme. Elles gardent toujours la queue au vent et l'observation de ce phénomène peut aider un pilote pour un atterrissage d'urgence.

Croydon, 17 mars
Un passager surpris à fumer dans la cabine d'un HP.42W d'Imperial Airways sur un vol Paris-Londres est condamné à dix livres d'amende par le tribunal de police.

Malaisie, 23 mars
La ligne hebdomadaire Londres-Hong Kong, ouverte par Imperial Airways le 14 mars avec le DH.86 *Dorado*, est prolongée sur Penang, avec escale à Saigon. (→ 30.10)

Allemagne, 1er avril
Le prototype du Fieseler Fi 156 Storch, monoplan à décollage et atterrissage court (Adac), conçu pour l'observation et les liaisons, effectue son vol initial. (→ 12.9.43)

Trenton, 3 avril
Bruno Hauptmann, l'assassin du bébé des Lindbergh, est exécuté.

Marienehe, 15 avril
Financés par Ernst Heinkel, les ingénieurs Hans Pabst von Ohain et Max Hahn poursuivent leurs recherches, commencées en 1934, sur une turbine à gaz. (→ 27.8.37)

Augsbourg, 12 mai
Rudolf Opitz décolle le prototype du chasseur Messerschmitt Bf 110 V1. Il est conçu comme *Zerstörer*, appareil capable de dégager le ciel des chasseurs ennemis. (→ 18.12.39)

Dublin, 27 mai
Aer Lingus Teoranta, compagnie créée il y a cinq jours, inaugure un service quotidien sur Bristol, avec le de Havilland 84 Dragon *Iolar*.

Dresde, 3 juin
Le Heinkel 70 du général Walther Wever s'écrase au sol. Chef d'état-major de la Luftwaffe, il réclamait à Göring la création d'une force de bombardiers lourds destinés à attaquer des objectifs éloignés.

Londres, 6 juin
L'aéroport de Gatwick est officiellement ouvert. Aérodrome depuis 1930, il double celui de Croydon.

Etats-Unis, 6 juin
La compagnie Socony-Vacuum Oil débute la production de carburant d'aviation à indice 100 d'octane, par craquage catalytique.

Etats-Unis, 7 juin
Le major Ira Eaker et un radio, à bord d'un Curtiss P-12 «aveugle», traversent le continent de New York à Los Angeles, en naviguant uniquement aux instruments.

Hendon, 15 juin
Mutt Summers décolle le prototype du bombardier Vickers Wellington. Son fuselage est construit selon la méthode géodésique inventée par Barney Wallis, laquelle permet d'absorber les efforts de structure. Le ministère de l'Air en commande 180 unités. (→ 31.10.38)

Grande-Bretagne, 25 juin
Le prototype du bombardier Bristol Blenheim effectue son vol initial. Il a été développé à partir du Bristol *Britain First* de lord Rothermere, que ce dernier a offert à la RAF.

Allemagne, 26 juin
Le pilote Ewald Rohlfs commence les essais de l'hélicoptère Fw-61 à double rotor construit par Heinrich Focke. Le premier vol dure 26 s, le quatrième atteint 16 min. (→ 26.6.37)

Dayton, 3 juillet
Henry Ford achète l'atelier de bicyclettes des frères Wright et le laboratoire attenant. Il veut le faire restaurer pour l'installer à Detroit.

Londres, 14 juillet
La RAF, organisée auparavant en unités territoriales, se dote de quatre commandements distincts : les Bomber, Fighter, Coastal et Training Command. (→ 31.8.40)

Tétouan, 20 juillet
Le général Franco organise un pont aérien pour transporter ses troupes à Séville, avec un Douglas DC-2, deux Dornier Wal et trois Fokker F-VII. Après le soulèvement des garnisons avant-hier, il est arrivé hier des îles Canaries à bord d'un DH.89 de la compagnie Olley Air Service, secrètement affrété par Juan de La Cierva. (→ 29.7)

Grande-Bretagne, 3 août
Le Français Edouard Bret emporte la première course de Pou du ciel, organisée à Ramsgate. (→ 1.10.37)

Etats-Unis, 31 août
Plus de 100 000 passagers ont été transportés sur les lignes intérieures au cours du mois.

Genève, 15 septembre
La piste de l'aérodrome est bétonnée sur une longueur de 400 m, la première de ce type en Europe.

Villacoublay, 22 septembre
Le pilote d'essai Maurice Claisse atteint l'altitude de 158 m aux commandes de l'hélicoptère Breguet-Dorand.

Afrique du Sud, 1er octobre
L'équipage Scott-Guthrie gagne en 52 h 56 min la course Portsmouth-Johannesburg dotée par l'industriel sud-africain Schlesinger. Sur les 9 concurrents au départ, ils sont les seuls à arriver avec un Percival.

Paris, 16 octobre
Pierre Cot annonce la nationalisation des industries aéronautiques travaillant sur contrats étatiques, suite à la loi du 11 août. (→ 15.7.37)

Nouvelle-Zélande, 16 octobre
Partie de Londres le 5 octobre, Joan Batten achève à Auckland un vol en solo de 11 jours 1 h 25 min. Elle a couvert 21 000 km sur son Percival.

Espagne, 29 octobre
Un bombardier soviétique Tupolev SB-2, volant pour les républicains, est abattu par un chasseur italien Fiat CR.32. Le 13 octobre dernier, 13 chasseurs soviétiques Polikarpov sont arrivés à Carthagène. (→ 6.11)

Espagne, 30 octobre
La légion Condor est officiellement créée, sous les ordres du général Hugo Sperrle. (→ 6.11)

Istres, 19 décembre
Lors d'une tentative de record de vitesse, Maryse Hilsz est éjectée de son Caudron Typhon. Elle se pose évanouie en parachute. (→ 23.12.37)

Dessau, 21 décembre
Le prototype du bombardier rapide Junkers 88 effectue son vol initial.

Espagne, 31 décembre
Deux chasseurs Dewoitine 510 T construits pour une commande de 36 appareils passée par la Turquie puis dénoncée, se sont retrouvés ce mois-ci sous les couleurs républicaines, grâce à un marché ficti passé avec l'émirat du Hedjaz. Il ont rejoint 7 D.501 arrivés après u détour par la Lituanie. (→ 2.10.38)

Les vols de nuit se sont banalisés. l'aéroport du Bourget, ces Wibau d'Air France, avec le drapeau natic nal obligatoire, sont prêts au départ.

Naufrage du Latécoère 521 à Pensacola

Renflouage du « Lieutenant de vaisseau Paris » dans la baie de Pensacola.

Miami, 14 janvier

C'est une triste fin pour le voyage de prestige du fleuron de l'aéronautique française. Ancré dans la baie de Pensacola, le Laté 521 *Paris*, littéralement retourné par un typhon, n'est plus qu'une épave. Le 8 décembre, il avait décollé de Biscarrosse avec un équipage de la marine dirigé par le commandant Bonnot. Le lendemain, il fait escale à Dakar, où il devait rester 5 jours avant de traverser l'Atlantique Sud vers Natal. Le 21, il est à Fort-de-France, pour fêter le tricentenaire de la colonisation française. Pendant les quatre semaines de son séjour martiniquais, il effectue de nombreux vols de propagande qui lui valent un grand succès. Le 13 janvier, par un temps médiocre, il gagne Pensacola, en Floride. Dans la nuit, une tornade imprévue balaie la région. Solidement amarré à l'avant et à l'arrière, l'hydravion ne peut tourner avec le vent, d'une violence inouïe. Son aile a été soulevée d'un seul coup, et l'appareil a sombré en quelques secondes. Seuls le fond de la coque et les deux nageoires émergent. Les ailes sont irrécupérables. C'est un désastre. (→ 24.9.37)

Mussolini passe son aviation en revue

Rome, 28 mars

Alors que dix escadrilles italiennes sont toujours engagées en Ethiopie, le Duce a passé en revue à Rome des unités de l'armée de l'air. L'occasion était la venue du chancelier autrichien, Kurt von Schuschnigg, et du Premier ministre hongrois, le général Gyula Gömbös. D'obédience fasciste, Gömbös a rapproché son pays de l'Italie et de l'Autriche en signant en 1934 un traité d'amitié avec ces deux nations : la Petite Triplice. Aujourd'hui, après des entretiens qui ont abouti à la signature de nouveaux protocoles, le Duce, pour le treizième anniversaire de la création de l'armée de l'air, a présenté sur l'aéroport du Licteur les plus beaux fleurons de son aviation. Des bombardiers Savoia-Marchetti S.73 et des chasseurs de la Fiat ont survolé le terrain. (→ 9.5)

Mussolini, accompagné du général Gömbös, passe en revue ses appareils.

La carte de France en 150 clichés aériens

France, 1ᵉʳ février

La France se fait photographier. Les services cartographiques de l'armée ont décidé que les cartes d'état-major établies au 1/80 000 et au 1/50 000 ne seront plus remises à jour. L'échelle du 1/50 000 est donc conservée pour cette nouvelle carte de France tirée en cinq couleurs. Contrairement aux cartes précédentes, le relief ne sera plus représenté par des hachures mais par des courbes de niveau. Avec les méthodes cartographiques habituelles, c'était deux siècles de travail. Grâce à la photographie aérienne, on ne parle plus que de vingt ou trente ans de labeur.

Le plus grand appareil de photographie aérienne Fairchild, muni de neuf objectifs verticaux et de huit miroirs réflecteurs.

Un avion est détecté à 5 000 m d'altitude

Bawdsey, 13 mars

Nouvelle percée dans la détection des avions en vol : un Hawker Hart volant à 5 000 m a été repéré aujourd'hui par les services de détection radio. Les techniciens sont désormais capables de calculer le cap de l'appareil identifié, en plus de sa vitesse, si elle est supérieure à 100 km/h, et d'estimer son altitude. Le gouvernement suit de très près les progrès de la recherche en ce domaine. Le 16 septembre 1935, un comité de défense aérienne a voté les crédits pour la création sur tout le littoral de l'*English Channel* d'une série de stations dotées de ce nouveau type d'équipement. Le système fonctionne en émettant une impulsion radio qui est réfléchie par l'avion vers la station émettrice. Le temps de détection est calculé puis affiché sur un oscilloscope. Les opérateurs en déduisent alors la vitesse, la distance et la direction de l'appareil, donc la position. (→ 1.4.39)

Hughes traverse les USA en 9 h 36 min

Newark, 14 janvier

Howard Hughes a ajouté un nouveau trophée à son tableau de chasse. Après avoir enlevé il y a quelques mois le record du monde de vitesse, il vient d'établir celui du vol transcontinental le plus rapide. Il a décollé de Burbank, en Californie, aux commandes d'un avion Northrop Gamma loué à l'aviatrice Jacqueline Cochran. L'appareil fut modifié par ses soins. Il l'équipa d'un nouveau moteur Wright en étoile développant 1 000 ch et actionnant une hélice à trois pales. D'ouest en est, il a parcouru sans escale tout le territoire américain. Après 9 h 36 min 10 s de vol, il a atterri à Newark, dans le New Jersey. Il a tenu la vitesse moyenne de 417 km/h pendant ce vol. Il a battu une fois encore le record de vitesse établi par Roscoe Turner, ce qui laisse prévoir les vols transcontinentaux de ligne. (→ 21.4)

Howard Hughes devant son avion.

Le prototype du Supermarine Spitfire vole à Southampton

Le roi Edouard VIII inspecte avec minutie le prototype du Spitfire, le chasseur de la firme Supermarine.

Southampton, 5 mars
Ce qui a frappé, c'est le bruit très caractéristique de son moteur de douze cylindres et l'étroitesse de son habitacle. Au sol, on a surtout remarqué les douze pipes d'échappement qui garnissent de part et d'autre le long nez de ce nouveau chasseur. L'hélice qui le tire, bipale, est à pas fixe, ce qui explique

la distance qu'il lui a fallu pour décoller du terrain d'Eastleigh. C'est le Supermarine 300 Spitfire n° K 5054, résultat de plusieurs années d'études, qui débute ses vols d'essai. Depuis 1930, la RAF et l'Air Ministry réclamaient un chasseur rapide. Le Supermarine 224 n'a pas donné entière satisfaction, mais son successeur semble

en voie de tenir ses promesses. Il pourra être équipé de huit mitrailleuses et atteindre la vitesse de 610 km/h. Sa maniabilité est extraordinaire. Son train est escamotable au moyen d'une pompe à main actionnée par le pilote. Sur le prototype, c'est un moteur Rolls-Royce Merlin C de 900 ch qui a été choisi. (→ 4.8.38)

Un Douglas pour 400 000 dollars

Etats-Unis, 18 mars
Le temps où l'existence des compagnies américaines était uniquement basée sur le seul revenu des contrats postaux semble révolu. Les quatre grandes compagnies ont décidé de se regrouper autour d'un projet. United Airlines, Eastern Airlines, Pan American et TWA ont signé un contrat de développement avec le constructeur Donald Douglas pour créer « l'avion de ligne parfait ». Chacune d'elles apporte une somme de 100 000 dollars. Cet appareil à concevoir serait le DC-4. Cet accord a trouvé son origine dans la volonté de United Airlines de mettre en service sur ses lignes un avion de grande capacité et de confort encore supérieur. Les spécifications prévoient d'ailleurs un appareil quadrimoteur dont le rayon d'action sera de 3 500 km. Depuis quelques années, ce projet était à l'étude. Mais, jusqu'alors, les budgets de l'étude prévus dépassaient les possibilités financières de United et de Douglas. L'association des intérêts était nécessaire. (→ 25.9.38)

Un Beechcraft s'est évadé de Vélizy

Vélizy-Villacoublay, 2 mai
C'est une évasion si spectaculaire qu'elle serait digne d'Arsène Lupin. Feignant de procéder à des vérifications sur son Beechcraft D17 monomoteur, le pilote Drouillet a fait mettre en marche le moteur puis, montant dans la cabine sous prétexte de contrôler les freins, il en a profité pour décoller sous les yeux ébahis des policiers venus surveiller

l'opération. Drouillet et son avion étaient retenus depuis deux mois à la demande de la Sûreté nationale sous prétexte de défaut de visite médicale. Motif bien léger, qui cachait une raison mystérieuse. Drouillet, conseiller de l'aviation abyssine et pilote personnel du Négus, était en route pour l'Ethiopie. Le gouvernement du Négus avait passé la commande de l'avion.

L'aviation au service des chercheurs d'or

Nouvelle-Guinée, 16 mai
Sans l'aviation, l'or de la Nouvelle-Guinée serait encore inaccessible. Défendue par un important relief montagneux, des forêts impénétrables et des tribus dangereuses, l'île a longtemps découragé les explorateurs. Même l'or dont on la savait riche ne suffisait pas à entraîner les plus audacieux. Ce n'est que depuis 1927 que la New

Guinea Airways fondée par Cecil Levine a permis à des chercheurs d'or de s'établir dans la vallée du Buolo. Très vite, l'avion s'est révélé indispensable non seulement pour le transport des hommes, de l'or et du matériel, mais aussi pour l'exploration de l'île. Les compagnies se sont multipliées. Même les pères de la mission mariste ont mis un avion privé au service de l'Evangile.

L'aviateur Drouillet devant son appareil Beechcraft à Vélizy-Villacoublay.

Une voiture est chargée sur un Junkers G 31 de Guinea Airways.

Le Lysander décolle sur un bout de piste

C'est un petit avion de liaison qui peut se poser et décoller n'importe où.

Grande-Bretagne, 10 juin
A peine quelques dizaines de mètres et, déjà, l'avion se soulève. La firme Westland vient de procéder aux essais de son biplace Lysander, piloté par Harald Penrose. Cet appareil, équipé d'un moteur Bristol Mercury IX de 890 ch, a été construit pour répondre à une spécification officielle qui demandait un appareil de liaison interarmes. Le *Lizzie* respecte la tradition du constructeur. Son cockpit, largement vitré, offre une visibilité totale au pilote. L'avion est doté d'une aile surélevée d'une envergure de 15 m, composée de deux plans de forme trapézoïdale, avec fentes et volets. Le train d'atterrissage fixe se compose de deux jambes carénées dans lesquelles sont logés les phares. Elles peuvent aussi abriter deux mitrailleuses Browning. Deux plans horizontaux pour loger des bombes peuvent y être montés. Cet avion atteint l'altitude de 7 800 m, mais sa principale qualité est de franchir un obstacle de 15 m de hauteur après n'avoir utilisé que 210 m de terrain dont seulement 150 m roulés au sol.

Au large de Ryde Pier, un hydravion anglais, gêné par l'air chaud d'une cheminée, s'est écrasé sur le pont du «Normandie».

Un enfant de 11 ans pilote le Taylor Cub

Etats-Unis, 15 mai
Le Taylor Cub E-2 est un avion si simple que même un enfant peut le piloter. A Savannah, en Georgie, un jeune garçon de 11 ans a volé seul à bord de ce petit avion, conçu par Oilman Piper. En 1929, ce dernier investit dans la firme d'aviation des frères Taylor. Mais, peu après l'Amérique sombre dans la Dépression. Pour relancer les ventes, Piper suggère de construire un avion élémentaire à un prix minimal. Ainsi naît le Model E-2 Cub, léger et peu encombrant, propulsé par un moteur Brownbach de 20 ch. Hélas ! la puissance du moteur est insuffisante, et l'avion peut à peine voler. C'est la faillite. Mais Piper poursuit son idée. Il rachète les actions de la compagnie Taylor et équipe cette fois le E-2 Cub d'un Continental Motor de 37 ch à 4 cylindres refroidis par air. L'avion est proposé au prix de 1 325 dollars : il obtient un énorme succès.

La vie d'Amy Mollison reste trépidante

Une foule nombreuse accueille Amy Mollison à son arrivée à Croydon.

Croydon, 15 mai
La pionnière Amy Mollison fait à nouveau la une des journaux, sans doute parce que sa vie d'aviatrice comme sa vie d'épouse semblent menacées. Elle a pourtant atterri hier à Croydon après avoir établi un nouveau record sur le vol Le Cap - Londres, soit 4 jours 16 heures et 17 minutes. Lors du vol Londres - Le Cap, en début de mois, elle a battu de 11 heures l'ancien record, en 3 jours 6 heures et 26 minutes. Mais son mariage comme ses finances battent de l'aile. Son mari Jim a fait un vol Londres - New York sans elle, à seule fin de la doubler au moment où Amy avait les faveurs de la presse. Puis elle s'est lancée dans des entreprises financières qui ont toutes tourné court. Amy est habituée aux revers de fortune. La première fois qu'elle s'est attaquée au record Londres - Le Cap, le 3 avril, elle s'est crashée dès le premier jour dans l'indifférence générale. Amy sait que tout revers est passager et que seule la persévérance paie : c'est pourquoi elle continue de voler. (→ 4.11)

Maryse Hilsz monte à 14 309 m d'altitude

Villacoublay, 23 juin
Décidément, rien n'arrête l'aviatrice française Maryse Hilsz. A peine remise de son accident, survenu en mai dernier, elle tente à nouveau de se surpasser à bord d'un biplan Potez 50 équipé d'un moteur Gnome & Rhône de 900 ch. Cette fois, elle bat le record d'altitude féminin en grimpant jusqu'à 14 309 m ; ce qui la laisse seulement à 266 m du record mondial du Soviétique Kokinadi. C'est une belle performance, car le vol à grande altitude est très différent de celui exécuté en basse couche. (→ 23.12.37)

Le biplan Potez 50, à bord duquel Maryse Hilsz a battu le record d'altitude

Air France s'équipe pour l'Atlantique Sud

L'avion « Ville de Montevideo » sur l'aérodrome de Toussus-le-Noble.

Atlantique, 20 juillet

Air France fête sa centième traversée aérienne de l'Atlantique Sud. Pour atteindre cet objectif et surclasser la concurrence allemande, la compagnie s'est équipée méthodiquement. Certes, les avisos continuent d'assurer le transport du courrier lourd ou volumineux, mais la liste des appareils capables de franchir l'Atlantique s'enrichit sans cesse. A côté des infatigables Blériot 5190 *Santos-Dumont*, Farman 220 *Centaure*, Couzinet 70 *Arc-en-ciel*, et Laté 300 *Croix du Sud*, de nouveaux modèles ont été mis en service sur la ligne. Le Laté 301 *Ville de Buenos Aires* a, hélas! été accidenté en février. Les *Ville de Rio* et *Ville de Santiago* sont arrivés en mars, et enfin le nouveau Farman 2 200 *Ville de Montevideo* a effectué le 5 juillet sa première traversée. Guillaumet était chef de bord. Aujourd'hui, Guerrero, aux commandes du *Ville de Santiago*, a relié Dakar à Natal pour le vol anniversaire. La régularité et la rapidité de la ligne de l'Atlantique Sud sont désormais assurées.

Le Potez 62 d'Air France, en service sur la ligne de Buenos Aires à Santiago.

Les Caproni du Duce écrasent l'Ethiopie

Addis Abeba, 9 mai

Les derniers tirs ont cessé. L'empereur Hailé Sélassié est en fuite et, à Venise, Benito Mussolini fête la renaissance de l'Empire italien. Le général Pietro Badoglio est nommé vice-roi d'Ethiopie et le roi Victor Emmanuel redonne un empereur à Rome. Contre les 500 000 soldats éthiopiens qui se cachaient dans les montagnes, le Duce a fait donner en force son aviation. Ses avions de reconnaissance détectaient la présence de l'ennemi et les bombardiers Caproni 101 ou Savoia-Marchetti 81 venaient déverser des quantités de bombes ainsi que des charges de gaz asphyxiants. Le succès fut rapide. Mais il y eut une bévue. Vittorio Mussolini, le fils du Duce, a largué par erreur 40 bombes sur un hôpital.

Champagne à l'aérodrome du Touquet

Inauguration du nouveau bâtiment de l'aérodrome du Touquet.

Le Touquet, 5 juillet

Un magnifique ballet d'avions, évoluant au-dessus du nouveau bâtiment couleur bleu ciel, a fêté l'inauguration de l'aéroport du Touquet. Depuis hier, les manifestations se succèdent, auxquelles assistent de nombreuses personnalités dont le ministre de l'Air lui-même, Pierre Cot. Il devenait urgent que la station balnéaire ait son terrain d'aviation. En particulier, la petite ville est très appréciée des cercles sportifs et mondains de la Grande-Bretagne toute proche, pour lesquels l'avion privé est devenu aussi banal que l'automobile. Le succès de la manifestation d'aujourd'hui montre que le résultat dépasse déjà les espérances. On attendait 200 appareils, ce sont 231 avions qui se sont posés sur la piste.

Potez fait voler un multiplace de défense

France, 25 avril

La firme Potez a été la plus rapide. Son multiplace léger de défense, le Potez 63, vient d'effectuer son vol inaugural au terrain de Méaulte. C'est le pilote d'essai Nicole, aux commandes de l'appareil muni de moteurs Hispano-Suiza de 580 ch, qui a eu la primeur de ce vol. Le 31 octobre 1934, le ministre français de l'Air évoquait les conditions de construction d'un bimoteur de trois ou quatre places. Déjà, il fixait les tâches que devrait remplir ce «multiplace léger de défense» : organisation des combats, attaque de jour, accompagnement de bombardier et attaque de nuit. Cet appareil, en outre, devait avoir une vitesse de 450 km/h, à une altitude de 4 000 m. L'armement devait comprendre deux canons de 20 mm à l'avant et une arme de défense à l'arrière. Plusieurs constructeurs ont soumis des projets et le Potez 63 l'a emporté.

New York, 21 avril : arrivée triomphale d'Howard Hughes, à bord du Northrop Gamma à moteur Wright-Cyclone, sur la piste de Floyd Bennett Field. Parti de Miami, il vient de battre un nouveau record de vitesse, en reliant les deux villes en 4 h 21 min 32 s de vol. (→19.1.37)

Un avion de 22 passagers pour Air France

L'un des plus récents avions d'Air France, le Dewoitine 338 « Clément Isaure ».

France, 6 juin
Air France a décidé de passer une commande de huit exemplaires du D.338, dernier modèle d'avion de ligne construit par Dewoitine. Pour les chefs pilotes De Marmier et Durmon, cet appareil répond exactement aux besoins de la compagnie. C'est un monoplan métallique à aile basse, puissant et rapide. Tout comme son cadet, le D.333, il dérive du fameux D.332 Emeraude. Les trois moteurs Hispano-Suiza de 650 ch à 9 cylindres en étoile lui assurent une puissance étonnante et sa vitesse de croisière avoisine les 260 km/h. Son train d'atterrissage escamotable et ses hypersustentateurs ont permis d'accroître le fuselage et de porter le nombre des passagers de 12 à 22 selon les versions. Le D.338 doit être mis en service prochainement sur les lignes intérieures, avant de voler sous les couleurs d'Air France sur la ligne Toulouse-Casablanca-Dakar.

Louis Blériot meurt dans la détresse

Louis Blériot et l'un de ses fervents admirateurs, Charles Lindbergh.

Paris, 1er août
L'aviation lui avait donné la gloire et la fortune. Elle, qui a fauché tant de jeunes vies, l'a laissé mourir dans son lit comme s'il était un homme comme les autres. Ingénieur d'un immense talent et aviateur aux multiples exploits, il avait été l'un des premiers à se passionner pour la technique du vol qu'il contribua à perfectionner. Sa témérité était telle qu'elle lui avait valu le surnom de l'Homme qui tombait toujours. Ces dernières années, des problèmes financiers l'avaient contraint à fermer ses ateliers et il était presque sans ressources lorsqu'il a été emporté par une crise cardiaque.

La Lufthansa sur l'Atlantique Nord

New York, 10 septembre
Forte de son expérience sur les liaisons de l'Atlantique Sud, Lufthansa continue ses vols de reconnaissance sur les routes de l'Europe vers les Etats-Unis. Le bateau-relais pour les hydravions, le *Schwabenland*, est en place aux Açores. Ce matin, il a catapulté un hydravion Do 18 qui est arrivé à New York ce soir. Son pilote, Joachim Blankenburg, a mis 22 heures et 15 minutes pour arriver à Port Washington. Il reste à déterminer si une escale est nécessaire aux Bermudes. (→ 15.8.37)

Le Do 18 a deux moteurs Diesel.

Beryl Markham franchit l'Atlantique Nord

Edgar Percival et Beryl Markham, première femme à traverser l'Atlantique.

Nouvelle-Ecosse, 6 septembre
Elle n'en est pas à son premier exploit. La Britannique Beryl Markham a effectué quatre fois le trajet Afrique orientale - Londres. Cette nuit, elle décolle d'Abingdon, en Angleterre, pour se rendre à New York. Elle veut traverser l'Atlantique Nord d'est en ouest, autant dire qu'elle ne choisit pas la facilité. Dans un Percival Vega Gull, elle navigue pendant 19 h dans la tempête et l'obscurité. Ses inquiétudes se dissipent lorsqu'elle voit la lumière du jour. Elle compte faire le plein de carburant à l'aéroport Sydney, en Nouvelle-Ecosse. Mais c'est la panne : le moteur cale et l'avion commence à perdre de l'altitude. Elle réussit quand même à se poser dans un marécage après 21 h et 25 min de vol. Beryl est devenue, à cet instant, la première femme à avoir traversé l'Atlantique Nord.

Le trophée Bendix à Louise Thaden

Cleveland, 4 septembre
« Naturellement, les femmes sont de meilleurs pilotes que les hommes. » C'est ce que dit et ce que prouve l'Américaine Louise Thaden. Elle est, en effet, la première femme au monde à remporter le trophée Bendix. Avec sa copilote Blanche Noyes, une ex-actrice, elle a effectué le trajet Los Angeles - Cleveland, en 15 h 55 min 1 s, sur un Beechcraft. Elle gagne ainsi non seulement l'estime de ses pairs mais aussi, ce n'est pas à négliger, les 7 000 dollars de récompense.

Louise Thaden devant son appareil.

La guerre civile éclate en Espagne

L'aviation allemande soutient Franco

Des Marocains montent à bord d'un Ju 52 pour être emmenés en Espagne.

Espagne, 29 juillet

Douze jours après le *pronunciamento* des militaires espagnols, c'est toute l'« Europe noire » qui vient au secours des généraux Sanjurjo, Mola et Franco. Le coup d'Etat, techniquement réussi, est un sanglant échec politique. La greffe n'a pas pris et, si la majorité des cadres de l'armée espagnole a rejoint l'insurrection, la population y est hostile. Le général Franco tient parfaitement le Maroc, mais il n'en a pas de même dans la péninsule, où les nationalistes n'ont gagné qu'une partie des provinces du Nord et de l'Ouest. Dans le Sud, seules les villes de Séville et de Cadix sont

aux mains des insurgés. La marine est restée républicaine et patrouille en permanence le long des côtes marocaines. Du coup, les insurgés ne savent comment venir au secours des garnisons assiégées par les milices ouvrières. Face à cette situation critique, le général Franco a décidé de faire passer les troupes d'Afrique vers le continent par la voie des airs. Hitler lui a envoyé neuf Ju 52 et promis des renforts, le Duce également. Déjà, les premiers équipages nazis, arrivés aujourd'hui au Maroc, prennent part avec les quelques avions en possession de Franco à ce qu'il faut qualifier de premier pont aérien de l'histoire.

Malraux s'engage avec les républicains

Espagne, 18 août

Cruelle déception pour André Malraux : trois pilotes recrutés à prix d'or et qui devaient convoyer des avions à Barcelone ont fait défection. Le jeune écrivain, qui a son quartier général à l'hôtel Florida à Madrid, sert en effet d'agent recruteur au gouvernement républicain de Manuel Azana. Il ne se limite pas à ce seul rôle. Dès le 8 août, il était à pied d'œuvre à Barajas, l'aéroport de Madrid, pour former et commander une escadrille, l'Escuadra Espana avec des volontaires rémunérés. Aviateur de rencontre, sans aucune compétence en matière d'aviation, Malraux rend pourtant un service inestimable au camp républicain miné par la faiblesse mortelle de son aviation. La moitié des cinquante appareils, dont disposait au Maroc le général Herrera (resté fidèle à la République), s'est posée le 19 juillet à Séville en ignorant que la ville était aux mains de Queipo de Llano. Celui-ci s'est empressé de saisir les appareils et de faire fusiller les pilotes. Depuis, l'aide du Duce et de Hitler, qui ont envoyé à Franco des dizaines d'appareils servis par des soldats expérimentés, n'a fait qu'aggraver la situation. Madrid est survolé et bombardé régulièrement par les Allemands de la légion Condor et les Italiens de l'Aviazione Legionaria sans rencontrer d'opposition. Des communistes, comme Julien

André Malraux en tenue de combat.

Segnaire, des démocrates, comme Abel Guidez, René Darry, Victor Veniel, tous pilotes expérimentés, côtoient donc dans les rangs républicains d'étranges personnages attirées par l'argent. Pour l'instant, l'escadrille s'est illustrée le 14 août en bombardant entre les villes de Merida et Medellin la colonne du général Yagué qui remontait d'Andalousie pour faire sa jonction avec les troupes du général Mola basées en Galice et en Vieille-Castille. Disposant de six vieux appareils, l'escadrille de Malraux a réussi à couper la route aux franquistes, donnant ainsi un peu de répit aux républicains. (→ 6.11)

Dortmund, mise en service de l'escadre « Horst Wessel » de Heinkel 51.

En Espagne, un trimoteur italien Savoia largue sur les positions ennemies par « aspersion diffuse » de petites bombes multipliant les éclats au sol.

Le DC-3 entre en service chez American

Vol du Douglas Sleeper Transport au-dessus du Grand Canyon.

New York, 18 septembre
Depuis le 25 juin, American Airlines exploite la ligne Chicago - New York en service non-stop avec ses premiers Douglas DST (Douglas Sleeper Transport). Ces derniers ont été reconvertis en version DC-3 pour réaliser des vols de jour. Au départ à midi de Chicago, l'*American Eagle* arrive à New York à 17 heures, soit un vol de 6 heures. L'*American Arrow* quitte Chicago à 17 heures et arrive à 20 h 45. Jusqu'à présent, TWA ne parvenait à voler en non-stop avec ses DC-2 que sur le trajet vers New York. Le 18 août, les DC-3 ont été livrés et le service couchettes existe maintenant en transcontinental pour un vol de 16 h. (→ 31.10.37)

L'US Navy patrouille l'océan en hydravion

L'hydravion PBY (Patrol Bomber) de la Consolidated Aircraft Corporation.

San Diego, 27 novembre
Consolidated Aircraft Corporation enregistre la troisième commande de l'US Navy pour son hydravion PBY-3. Elle porte sur 66 appareils. Le premier contrat datait du 29 juin 1935. Il prévoyait la livraison de 60 P3Y-1 et confirmait les bonnes performances de ces hydravions qui équipent les patrouilles de reconnaissance de l'US Navy. Reuben Fleet, président et fondateur de Consolidated Aircraft, en a profité pour déménager son usine de Buffalo dans l'Etat de New York vers San Diego où le climat est plus clément. Il a gagné contre Douglas en offrant un prix unitaire de 95 000 dollars contre les 110 000 proposés par son concurrent. (→ 28.2.37)

Air Bleu arrête la Postale intérieure

Le Bourget, 2 août
La compagnie privée Air Bleu a vécu. Bleu comme le ciel, mais aussi comme les pneumatiques que les Parisiens appellent justement des bleus et dont elle tirait son nom. Un an après sa fondation, si le transport de poste aérienne a fait ses preuves sur le plan de l'aéronautique, il n'en a pas été de même du point de vue commercial. Malgré les efforts de Louis Renault, son principal actionnaire, qui a toujours tenté de combler le déficit, en raison de la publicité que lui assurait ce soutien, il a fallu mettre un terme à une expérience si désastreuse sur le plan de la rentabilité. La jeune équipe de pilotes enthousiastes, qui a toujours assuré une extraordinaire régularité dans le service des six lignes, n'est responsable en rien de cet échec. Le volume du courrier était beaucoup trop faible pour couvrir les frais d'un service peut-être trop parfait. (→ 7.7.37)

Compétition pour le record d'altitude

Farnborough, 28 septembre
C'est à qui volera le plus haut. En trois mois, le record d'altitude a été amélioré trois fois. Une bonne moyenne ! A Farnborough, près de Londres, le pilote anglais Swain a atteint 15 223 m d'altitude avec un Bristol type 138. Il bat ainsi les deux précédents records établis il y a quelques mois. Le 23 juin, la Française Maryse Hilsz monte à 14 309 m, à bord d'un Potez 50 à moteur Gnome & Rhône de 900 ch. Elle remporte deux records : elle est la première femme à voler aussi haut, et, de plus, elle améliore le record français, détenu jusqu'alors par Gustave Lemoine, depuis septembre 1933, sur le même appareil. Le 14 août, à Villacoublay, toujours sur Potez 50, le Français Detré porte le record du monde d'altitude à 14 843 m. S'il espérait détenir ce titre envié encore quelque temps, il doit être déçu : les Anglais ont déjà fait mieux.

Les hôtesses de United Airlines, ici assises près d'un DC-3, s'engagent à ne pas abandonner leur carrière si elles se marient. Depuis cette année, elles servent des repas chauds à bord des avions.

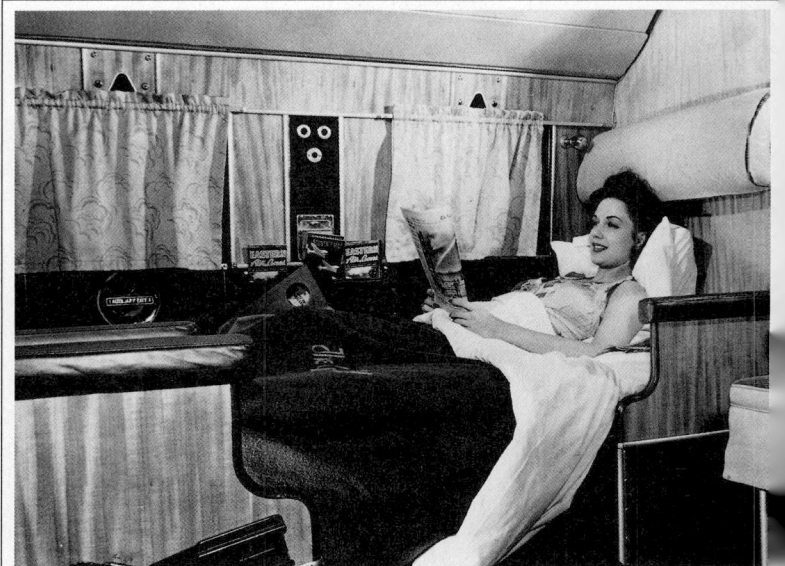

Un sommeil confortable est assuré aux passagers du DST (Douglas Sleeper Transport). Cet avion-lit est équipé pour recevoir 14 personnes. De jour, les couchettes se transforment en fauteuils.

Imperial Airways mise sur les hydravions

Mise à l'eau du nouvel l'hydravion « Caledonia » d'Imperial Airways.

Brindisi, 30 octobre

Nouvelle étape aujourd'hui pour Imperial Airways avec le premier vol régulier de l'hydravion Short C classe *Canopus* entre Brindisi et Alexandrie. Cet immense appareil de 34 m d'envergure s'avère être aussi le dernier cri en matière de luxe. Il offre des sièges inclinables, installés sur une moquette de couleur assortie et un vaste pont promenade duquel les passagers peuvent admirer la vue. Grâce à ses deux réservoirs de 1 480 l, cet appareil, équipé pour le vol long-

courrier, bénéficie d'une autonomie de 1 245 km. Propulsé par quatre moteurs de 920 ch, il peut voler à la vitesse de 265 km/h. Aucun autre avion terrestre de même envergure et de même poids ne peut égaler ses performances sur une piste en dur. L'hydravion dispose d'un espace quasi illimité, mers ou lacs, pour atteindre la vitesse qui lui permet de décoller. Imperial Airways mise sur le classe C pour s'assurer les lignes d'Extrême-Orient. Les DC-2 et les DC-3 de la KLM sont rapides mais n'offrent pas ce niveau de confort.

Déjaugeage de l'hydravion Short C classe « Canopus » d'Imperial Airways.

L'aviation populaire équipée de Luciole

France, 1er novembre

Spécialiste de l'aviation légère et sportive, Caudron continue sur sa lancée. Déjà créateur du C.109 en 1925, il construit toujours en nombre limité ce petit appareil qui a déjà remporté de nombreuses courses et records du monde pour avions de tourisme. Cette fois, le Caudron C.272 Luciole apparaît sur le marché et connaît immédia-

tement un grand succès. Il devient même l'un des fers de lance de l'aviation populaire, initiée par le ministre de l'Air, Pierre Cot, afin de promouvoir la démocratisation du sport aérien et la formation rapide de pilotes. Ces biplans biplaces, à ailes repliables, sont équipés d'un moteur Renault de 95 ch. Ils se manient avec aisance et devraient confirmer leur succès. (→ 20.11)

Détroyat bat les Américains chez eux

Un fuselage aérodynamique pour un champion de vitesse : le Caudron C.460.

Etats-Unis, 7 septembre

Les Américains n'en reviennent toujours pas. Michel Détroyat, aux commandes d'un Caudron C.460, vient de remporter le Thompson Trophy et le Greve Trophy. Il a volé à 422 et 438 km/h. Il bat des appareils de 750 ch et même de 1 000 ch. Les Américains, furieux de se voir ravir la première place, décident d'une vérification. Ils finissent par admettre que la cylindrée de l'avion français est bien inférieure à la limite des 9,5 litres auto-

risés et s'inclinent devant la suprématie de cet avion à l'aérodynamisme parfait. Ce n'est pas la première fois que cet appareil se fait remarquer. En décembre 1934, Raymond Delmotte battait avec 505,848 km/h le record du monde de vitesse sur base pour les avions terrestres toutes catégories. C'était la première fois qu'un avion terrestre dépassait les 500 km/h. Puis, en 1935, Delmotte, remportait la coupe Deutsch avec une vitesse de 443,965 km/h. (→ 31.12.38)

Le Polikarpov malmène la légion Condor

Espagne, 6 novembre

Hier après-midi, alors qu'ils bombardaient Madrid, la capitale républicaine, les avions allemands de la légion Condor et les Italiens de l'Aviazione Legionaria se sont vu attaquer par des nuées de chasseurs biplans. Très vite, un Junkers Ju 52, puis un Roméo 37 italien et deux Fiat CR.32 furent abattus par les

mystérieux appareils. Au même moment, d'autres petits monoplans trapus arborant les couleurs républicaines rasaient les toits, sous les applaudissements des Madrilènes sortis de leurs abris. Les premières escadrilles de Polikarpov I-15 et I-16 soviétiques venues secourir les républicains étaient enfin entrées en action.

Une nouvelle arme pour les républicains : l'avion de chasse Polikarpov.

La Pan Am inaugure un service passager

Le Hawai Clipper est baptisé au lait de noix de coco par Patricia Kennedy.

Manille, 27 octobre
Ils sont onze passagers à débarquer à l'aéroport de Cavite et parmi eux deux femmes, Mmes Clara Adams et Zetta Averill. Ils arrivent de San Francisco d'où ils sont partis le mercredi 21 à bord du *Hawai Clipper* de la PAA. C'est un hydravion Martin M-130, immatriculé NC 14714. Son équipage, sous les ordres du capitaine Edwin Musick, comportait huit officiers dont un steward. Pour assurer à ces pre- miers passagers un confort total, PAA n'a pas hésité à aménager le mieux possible les escales de Hono- lulu, Midway, Wake et Guam. Le cargo *North Haven* avait emporté des Etats-Unis le mobilier néces- saire pour permettre de passer les quatre nuits d'étape dans les meil- leures conditions. Il faut dire que le prix du billet (799 dollars) justifiait ces efforts. L'avion repartira le 31 pour San Francisco. Un vol est prévu chaque semaine. (→ 30.7.38)

Le Bellanca de James Mollison est saisi

Etats-Unis, 4 novembre
Confisqué ! Le détenteur du record des vols transatlantiques (il en a ef- fectué trois), James Mollison, ronge son frein. La société Bellanca Air- craft Corporation a dû saisir le *Miss Dorothy*, l'appareil avec lequel il a survolé l'Atlantique le mois der- nier. Une partie de l'argent pour le financement du Bellanca n'avait jamais été versée par le sponsor, The Irish Hospitals Ltd. Ce n'est vraiment pas une bonne période pour l'aviateur : il divorce d'avec sa femme Amy Johnson, autre célé- brité de l'aéronautique, et subit une grave dépression. Sa troisième tra- versée, de New York à Croydon, lui avait bien rendu le sourire. Un bon- heur de courte durée.

L'avion de James Mollison, « Miss Dorothy », à son atterrissage à Croydon.

Juan de La Cierva disparaît à Londres

Les débris de l'appareil après l'accident qui a coûté la vie à La Cierva.

Londres, 9 décembre
L'inventeur de l'autogire n'est plus. Juan de La Cierva, l'homme qui a consacré sa vie à la sécurité en vol, a été victime d'un accident d'avion. Le Douglas DC-2 de la KLM, qui partait de Croydon avec treize pas- sagers à bord, a heurté une maison au décollage. Le drame n'a laissé aucun survivant. Ingénieur ex- traordinairement doué, Jean de La Cierva explorait une voie nouvelle dans l'aéronautique. Entre l'avion et l'hélicoptère, l'autogire ne res- semble ni à l'un ni à l'autre. Son originalité était un décollage par bond presque sans rouler, puis une montée sur un plan très incliné. Rien ne plaisait plus à La Cierva que d'avoir imité le vol des oiseaux.

André Japy l'a échappé belle au Japon

Kyushu, 19 novembre
Après un début fulgurant, le raid d'André Japy a failli connaître une issue tragique. Il y a quatre jours, il quittait Paris pour le Japon à bord d'un Caudron Simoun. En reliant Hanoi en 51 heures, il commençait par battre de 1 jour et 15 heures le précédent record sur cette route, détenu d'ailleurs par lui-même. La poursuite de son voyage a été moins heureuse. Alors qu'il n'était plus qu'à quelques heures de Tokyo, une panne entraîne un atterrissage de fortune non loin de l'aéroport de Fukuoka. Il en est sorti indemne.

Un aérodrome est ouvert à Bassillac

Périgueux, 20 novembre
L'aérodrome de Périgueux, situé sur la commune de Bassillac, est ouvert au trafic civil. Dans le cadre de l'aviation populaire, le minis- tère de l'Air a donné l'autorisation à la municipalité d'ouvrir sur cette surface en herbe une plate-forme munie de trois axes d'envol. Il est destiné à l'aviation légère et spor- tive. Une école de pilotage s'y est installée et des avions personnels devraient s'y rassembler. On voit décoller des Potez, des Caudron, des Luciole, des Morane et autres Farman.

Mrs. Richardson, 100 000e pas- sager d'Air France de l'année, est fêtée comme il se doit.

Disparition dramatique de Jean Mermoz

France, 7 décembre

On le croyait invincible. Pourtant, il faut se rendre à l'évidence : Jean Mermoz, l'Archange de la Ligne, a disparu en plein ciel au-dessus de l'Atlantique. Ce matin, à 4 heures, aux commandes du Laté 300 *Croix du Sud*, il décollait de Dakar vers le Brésil pour sa 25e traversée. S'envolaient avec lui Pichodou, Ezan, Lavidalie, Cruveilher, pionniers de l'Atlantique. Après une heure de vol, une défaillance de l'hélice du moteur arrière droit les oblige à faire demi-tour vers Dakar. La panne est localisée. Mais une fuite d'huile, apparemment bénigne, est détectée à la sortie de l'arbre porteur. Il faudrait changer le moteur, mais aucun n'est disponible. Un bon nettoyage permet à l'équipage de repartir à 6 h 43. Régulièrement, il envoie sa position par radio. Un dernier message : «Coupons moteur arrière droit...» est brutalement interrompu à 10 h 47 et suivi d'un silence total. Bientôt, plus aucun doute n'est possible : l'Atlantique a englouti à jamais Jean Mermoz et ses compagnons.

Jean Mermoz avait trente-cinq ans.

Maryse Bastié rend hommage à Mermoz

Paris, 30 décembre

C'est une coïncidence émouvante. Alors qu'aux Invalides une foule immense assiste recueillie aux cérémonies dédiées à la mémoire de Jean Mermoz et de son équipage, Maryse Bastié a battu le record de vitesse sur la ligne de Dakar à Natal. Seule, à bord de son monomoteur Caudron-Simoun, sans radio, elle est partie de Dakar pour franchir la distance de 3 090 km au-dessus de l'Atlantique Sud où elle sait que le *Croix du Sud* a sombré. Elle réussit à atteindre la côte du Brésil en 12 h 5 min et bat ainsi le record de Joan Batten de 1 h 10 min. L'aviatrice française a rendu à sa façon un dernier hommage à son ami disparu le 7 décembre sur cette route de l'Atlantique Sud qu'il avait tant sillonnée.

La Sabena se lance dans la compétition

Le Savoia-Marchetti S.73 relie Bruxelles à Léopoldville une fois par semaine.

Haren, 31 décembre

Le troisième trimoteur Junkers Ju 53/3m est arrivé aujourd'hui à l'aéroport de Haren. Les deux premiers avaient fait l'objet d'une commande dès le 26 janvier de cette année. Ils ont été livrés en avril et mai pour être mis immédiatement en service sur la ligne de Berlin, *via* Düsseldorf et Essen. Les deux premiers sont immatriculés OO-AGU et OO-AGV, et le dernier porte les lettres OO-AGW. Pour le personnel, le Junkers 52 porte le nom de Tante Ju. Il est lourd (plus de 9 tonnes) mais fiable. Dans la version utilisée par la Sabena, il emporte 16 ou 18 passagers à la vitesse de 280 km/h. Il a un rayon d'action de 1 800 km et peut voler à 3 000 m. Son équipement de navigation a permis d'assurer les vols de nuit en toute sécurité. La ligne de Bruxelles à Léopoldville est assurée par les Fokker F.V-VIIb et les Marchetti S.73. (→ 24.5.38)

Le S-43 de l'Aéromaritime arrive à Dakar

Dakar, 2 décembre

Il y a foule à l'aéroport pour accueillir le premier Sikorsky S-43 de l'Aéromaritime, le F-AOUK. Voici plus d'un an que cette compagnie, à la recherche d'appareils fiables et performants pour assurer l'exploitation de sa ligne côtière africaine, a commandé trois de ces appareils à la firme Sikorsky de Bridgeport. Equipés de deux moteurs Pratt & Whitney de 750 ch, ils transportent 3 hommes d'équipage, 8 passagers et près d'une tonne de fret, à la vitesse de croisière de 272 km/h. Acheminés depuis les Etats-Unis par bateau, ils sont montés à Marseille, puis soumis à d'ultimes tests techniques. Après 47 vols d'essai, ils se sont révélés être les meilleurs hydravions jamais construits. (→ 17.5.37)

L'avion soviétique de grand raid Antonov 25 vient d'arriver au Bourget.

L'arrivée du premier Sikorsky S-43 de l'Aéromaritime à Dakar.

Les avions de l'année 1936

Le Miles M.11 Whitney Straight, biplace à cabine fermée.

Le quadrimoteur Loire 102 a été conçu pour Air France.

Le Kawanishi H6K Type 97 de la marine impériale japonaise.

Le Romano 82, un avion d'entraînement très utilisé en France.

Le Mitsubishi Ki.21, surnommé le Briquet volant...

Le Bristol Blenheim est aussi utilisé comme chasseur de nuit.

Le Vought SB2U Vindicator, très actif dans le Pacifique en 1942.

Short Brothers a reçu une commande ferme d'Imperial Airways pour 28 hydravions Empire avant même le vol du premier prototype.

Le Bristol 138A est un monoplace expérimental à haute altitude.

La production du Handley Page Hampden totalise 1430 appareils.

Le prototype du Supermarine Spitfire a été suivi par 20 350 avions de série produits en de très nombreuses versions, entre 1936 et 1947.

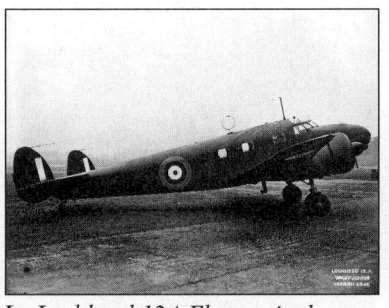

Le Lockheed 12A Electra, également employé par la Royal Air Force.

Le Fairey Battle remplace le biplan Hawker Hind.

Le bombardier Junkers Ju 89 est modifié en Ju 90 civil.

Le Breda Ba 88 Lince, produit à 105 exemplaires en Italie.

Le troisième prototype du Heinkel He 115 avec un nez vitré.

L'Arado Ar 95L est une version terrestre de l'hydravion Ar 95A.

Les premiers Fiat BR.20 sont envoyés en Espagne avec la division azul.

Le Messerschmitt Bf 110, bimoteur biplace d'escorte et de chasse.

Le Fairey Seafox, hydravion catapulté depuis les gros bâtiments.

342

Le prototype du Vickers Wellington est dépourvu d'armement à l'avant. Cette erreur ne passe pas inaperçue, elle est rectifiée dans la version de série.

Trente-six Fokker G.1 ont équipé la chasse néerlandaise. La plupart sont anéantis au sol dès le 10 mai 1940.

Le Lioré-et-Olivier LeO H-47 est conçu pour Air France.

Le Fiat BGA, bombardier moyen de la Regia Aeronautica.

Le prototype du Tupolev ANT-37 (DB-2) à long rayon d'action.

Le bombardier Heinkel He 111 est déguisé en avion de ligne civil.

Le prototype du Focke-Achgelis Fa 266 est développé du Fa 61.

Le Henschel Hs 126 sert de relai aérien aux unités de Panzer.

Le Bloch 174, le meilleur avion de reconnaissance français en 1940.

Le LWS.4 Zubr, construit à 14 exemplaires pour l'aviation polonaise.

Le Fokker D.XXI est produit sous licence en Finlande.

Le seul bombardier lourd soviétique de la guerre, le Petlyakov Pe-8.

Le bimoteur le plus éclectique de la Luftwaffe, le Junkers Ju 88.

Le Tupolev ANT-35 (PS-35) est exploité par l'Aeroflot.

Le Heinkel He 114, hydravion embarqué allemand.

Le Handley Page Harrow servira de transporteur pendant la guerre.

Le Fieseler Fi 156 Storch, aux qualités Adac exceptionnelles.

La version SB-2bis dérivée du Tupolev ANT-40 possède des moteurs M-103 plus puissants. La production du SB-2 s'élève à 6 656 machines.

Le Westland Lysander, avion de liaisons interarmées, est également utilisé par la RAF pour ravitailler le maquis et le parachutage d'agents.

1937

711,462 km/h
Italie
Francesco Agello
Macchi-Castoldi MC-72
23.10.34

10 601,48 km
France
Bossoutrot et Rossi
Blériot 110
26.3.32

16 440 m
Grande-Bretagne
MJ Adam
Bristol 138
30.6.37

56 000 kg
Allemagne
Dornier
Do X

3 100 ch
Italie
Fiat
AS.6

Le Bourget, 5 janvier
Un radioalignement de descente est mis en service dans l'axe d'approche de la station gonio QDM 196.

Wichita, 15 janvier
Walter Beech, qui a racheté la firme Travel Air pour 150 000 dollars, autorise le vol initial du Beechcraft Model 18, son nouveau monoplan bimoteur à revêtement métallique.

France, 16 janvier
Le prototype du bombardier LeO-45 débute les vols d'essai, équipé de 2 moteurs Hispano de 1 200 ch.

Etats-Unis, 19 janvier
Sur le monomoteur H-1 de sa création, Howard Hughes traverse le continent de Los Angeles à Newark sans escale, en 7 h 28 min 25 s. Il a dû rester en l'air à l'arrivée de ce vol record, en attendant qu'une piste soit dégagée. (→ 14.7.38)

Etats-Unis, 3 février
Les autorités imposent l'installation d'un enregistreur de vol sur les avions commerciaux effectuant des vols entre Etats.

Paris, 15 février
Pierre Cot, ministre de l'Air, présente le plan IV au Comité permanent de défense nationale qui le rejette. Le plan II, non achevé, reste en vigueur... avec une diminution des crédits de 8 à 5 milliards de francs pour le réaliser. (→ 15.3.38)

Espagne, 18 février
Ben Leider, mercenaire américain volant pour les républicains, est abattu dans un combat aérien avec 3 Heinkel 51 allemands. (→ 26.4)

Moscou, 28 février
Les Soviétiques achètent trois hydravions PBY pour transporter du fret en Sibérie. (→ 31.7.39)

Cheyenne, 16 mars
A bord d'un avion transportant des fûts de nitroglycérine destinés à éteindre un puits de pétrole en feu, Donald McIntyre se perd dans une tempête de neige. Il réussit à atterrir sain et sauf à Fort Warren.

Suède, 2 avril
Pour garantir sa neutralité, le gouvernement provoque la création de la firme aéronautique Svenska Aeroplan Aktiebolaget, la SAAB-T implantée à Trollhättan. (→ 31.3.39)

Santa Monica, 5 avril
Douglas Aircraft Corporation absorbe la firme Northrop.

Rugby, 12 avril
Le turboréacteur Gyrone, construit par Frank Whittle, est testé au banc avec succès, malgré la peur de l'ingénieur de le voir exploser. (→ 1.6.40)

Berlin, 20 avril
Hitler annonce la transformation de l'Association sportive de l'air en unité aérienne nationale-socialiste.

Espagne, 30 avril
L'aviation républicaine coule le cuirassé *Espana* des nationalistes.

Grande-Bretagne, 2 mai
Le HP.42W *Heracles* effectue la 40 000e traversée de la Manche de la compagnie Imperial Airways.

El Ferrol, 8 mai
L'*oberleutnant* Adolf Galland débarque après deux semaines de voyage au fond de la cale d'un rafiot battant pavillon panaméen. Il est nommé à la tête de la 3e escadrille de chasse, dite Mickey Mouse, de la légion Condor. (→ 6.6.39)

Pôle Nord, 21 mai
Vodopianov pose son quadrimoteur ANT-6, équipé de skis, à 20 km du Pôle. Il transporte une mission scientifique qui devra fournir des bulletins météorologiques aux raids aériens prévus d'URSS vers les Etats-Unis, *via* le Pôle. (→ 15.7)

New York, 25 mai
Une lettre postée à Manhattan le 19 avril et destinée à un correspondant en ville est enfin arrivée. Elle est passée par San Francisco, Hong Kong, Penang, Amsterdam et Rio.

Grande-Bretagne, 11 juin
Reginald Mitchell, concepteur du Spitfire, meurt à l'âge de 42 ans.

Paris, 16 juin
Air France et Lufthansa signent un accord d'exploitation en commun des lignes transatlantiques. (→ 15.8)

Allemagne, 26 juin
Rohlfs couvre 100 km avec l'hélicoptère FW-61. Hier, il a pulvérisé le record d'altitude du ZAGI 1A, de 605 à 2 100 m. (→ 24.6.38)

Washington, 6 juillet
Un contrat de 4 133 550 dollars est passé entre le département de la Guerre et la firme Curtiss pour la livraison de 210 chasseurs. Le 10 juin, 177 bombardiers bimoteurs B-16 étaient commandés à Douglas pour un coût de 11 651 948 dollars.

Dübendorf, 23 juillet
Les états-majors occidentaux sont surpris par les performances des appareils allemands présentés au meeting de Zurich : le Dornier 17 V8 et le Messerschmitt Bf 109.

Shanghai, 27 juillet
Trois chasseurs Nakajima 90, partis du porte-avions japonais *Hosho*, abattent un bombardier Martin de l'armée de l'air chinoise. (→ 21.9)

Ohio, 31 juillet
Par un amendement, la législation de cet Etat interdit aux compagnies aériennes de refuser le transport de toute personne à cause de sa race.

Le Bourget, 21 août
Trois trimoteurs italiens Savoia-Marchetti 79 gagnent les premières places de la course Istres-Damas-Paris devant l'équipage britannique et les quatre Français engagés.

Marienehe, 27 août
Le pilote d'essai Warsitz réussit à décoller sur le moteur-fusée sans utiliser le moteur à pistons qui équipe aussi un Heinkel 112 expérimental. (→ 20.6.39)

Etats-Unis, 3 septembre
Frank Fuller remporte le trophée Bendix à Cleveland, à bord d'un Seversky Sev-S2, à la moyenne de 415,511 km/h. Jacqueline Cochran prend la troisième place. (→ 3.9.38)

Etats-Unis, 6 septembre
Rudy Kling arrache le trophée Thompson au dernier moment, par une soudaine descente en piqué, juste devant Earl Ortman. (→ 5.9.38)

Etats-Unis, 5 octobre
L'escadrille VT-3, embarquée sur le porte-avions *USS Saratoga*, reçoit le bombardier-torpilleur Douglas TBD-1 Devastator. Il y a cinq jours le porte-avions *USS Yorktown* entrait en service. (→ 17.5.38)

Bruxelles-Evere, 5 novembre
L'adjudant Van Damme décolle le monoplace de chasse Renard R.36 pour son vol initial. C'est le premier chasseur belge à train rétractable.

Japon, 16 novembre
Un nouveau porte-avions, le *Hiryu*, est lancé à l'arsenal de Yokosuka.

Croydon, 20 novembre
Le lieutenant Clouston achève un vol aller-retour au Cap, à bord du DH.88 Comet *Burberry*, en 5 jours 17 h 28 min. Il a réduit de 4 jours la durée du voyage. (→ 26.3.38)

Chili, 22 novembre
Aux commandes du Farman 2231 *Chef pilote Laurent Guerrero*, Paul Codos relie Paris à Santiago avec trois escales, en 58 h 42 min.

Syrie, 28 novembre
Le Dewoitine 338 mis en service sur la ligne d'Orient par Air France se pose à Damas. (→ 10.8.38)

Chine, 2 décembre
A bord d'un Mitsubishi A5M, le lieutenant Kashimura éperonne un appareil chinois. Il réussit à rejoindre sa base avec un tiers d'un des plans du chasseur arraché. (→ 1.4.39)

Indochine, 23 décembre
Partie d'Istres, Maryse Hilsz pose son Caudron Simoun à Saigon. Elle a franchi 10 135 km en 92 h 36 min.

L'aéroport du Bourget se modernise. Inaugurée le 12 novembre 1937, la nouvelle aérogare regroupe tous les services administratifs.

Transport de troupes à travers le Sahara

Les deux Potez et leur convoi à l'arrière font halte au poste-bidon 5.

Algérie, 22 février
Qui, de l'automobile ou de l'avion, aura le dernier mot? Ni l'un ni l'autre ou les deux à la fois, comme le prouve l'essai de transport de troupes par la route transsaharienne effectué par un convoi de tirailleurs. Partis de Gao au Soudan français, ils ont rejoint en douze jours Alger. Les véhicules ont emprunté des pistes reconnues bien des années auparavant, lors des raids sahariens menés par le commandant Vuillemin. Tout au long du voyage, le convoi a été surveillé par des avions de protection, un Bloch du centre aéronautique de Gao, puis à partir du poste-bidon 5 où se trouve le phare Vuillemin, par deux Potez, dont un sanitaire. Une protection rendue nécessaire par la présence dans le désert du Tanezrouft de nomades touareg et les risques encourus dans cette région. Le 18 au soir, le convoi arrivait à Colomb-Béchar. Le surlendemain, les voyageurs sahariens abandonnaient le camion pour le train.

Les enseignements tirés des essais en vol

Allemagne, 6 mars
Un avion-laboratoire a été conçu afin de poursuivre des expériences en plein vol. La méthode des «fils de laine» peut sembler rudimentaire. Pourtant des fils de grosse laine noire fixés sur la face supérieure des ailes sont des éléments précieux d'enseignement. Par leur position et leur mouvement dans différentes attitudes de vol, on visualise les perturbations dans l'écoulement de l'air au contact des surfaces portantes. On est conduit de cette manière à modifier certains éléments de l'appareil. La «danse des fils de laine» est enregistrée à bord par un appareil cinématographique, tandis que l'avion est filmé depuis le sol. Ces observations permettent de mieux dominer certains aspects du vol.

Des fils de laine sont fixés à différents endroits de la voilure du Couzinet.

L'effort des Chinois pour leur aviation

Les avions livrés par les Etats-Unis à la Chine sont prêts pour l'entraînement.

Chine, 18 février
Cérémonies pour le renouveau de l'aviation militaire chinoise. Quatre filles d'officiels de Nanking ont brisé des bouteilles de vin sur des appareils de chasse fabriqués aux Etats-Unis, pour les baptiser et les dédier à la cause du salut de la Chine. Ces onze exemplaires du Model 281, dénommé P-26A aux Etats-Unis, sont fabriqués par Boeing. Ils ont été financés avec des fonds rassemblés par des Chinois résidant à l'étranger, dont la majorité aux Etats-Unis. Menacée par le Japon, la Chine avait besoin de renouveler son parc aérien. Elle a fait appel à Boeing, réputé pour ses Monomail et autres Model 215. Le Model 281 livré à la Chine a une autonomie de 570 km, une vitesse de 377 km/h et atteint 8 810 m d'altitude. Son poids maximal au décollage est de 1 533 kg. Equipé de deux mitrailleuses de 12,7 mm, il peut transporter 90 kg de bombes. Chasseur monoplan à train fixe, son cockpit est ouvert. (→ 21.9)

Boeing livre les Flying Fortress

Wright Field, 1er mars
Le premier des 13 Y1B-17 est arrivé au centre d'essai pour débuter ses tests de réception. Y1B-17 est la dénomination officielle de l'US Army Air Corps pour désigner le bombardier B-299 de Boeing. Il a effectué son premier vol à Seattle le 2 décembre dernier. Il y a peu de changements par rapport au prototype qui avait effectué des essais tragiques le 30 octobre 1935. Les quatre moteurs Pratt & Whitney Hornet de 750 ch ont été changés pour des Wright de 1 000 ch. Le surcroît de puissance lui permet de grimper à 30 000 pieds (9 300 m) et d'y maintenir une vitesse de 412 km/h. En fonction de la charge qu'il transporte, son rayon d'action varie de 2 200 à 5 300 km. Sa charge maximale au décollage est de 19 323 kg. Le coût de production est le double de celui du Douglas bimoteur B-18 qui avait gagné la compétition il y a 2 ans. (→ 27.2.38)

Trois des nouveaux bombardiers B-17 de l'armée américaine en vol de groupe.

Tokyo-Londres à bord du « Vent de Dieu »

Arrivée à Croydon de l'équipage japonais à bord du « Vent de Dieu ».

Croydon, 9 avril

Il ne leur a fallu que 94 heures pour rallier Tokyo à Londres. Le pilote Ihinouma et le radio Tsukakoshi sont arrivés sans encombre en Angleterre, en passant par les Indes et en ne se reposant que 36 heures. Le *Kamikaze* ou *Vent de Dieu* est un appareil japonais. Il a été construit par Mitsubishi grâce au patronage du grand quotidien japonais *Asahi Shimboun*. S'il n'a apporté aucune révélation, le voyage est un vrai succès, avec un moteur de 600 ch, l'essence nécessaire pour 2 500 km et une vitesse moyenne de 163 km/h par suite d'un vent d'ouest qui a freiné l'avion pendant les deux tiers du voyage. On peut alors rêver d'un appareil de transport qui permettrait de se rendre au pays du Soleil-Levant en moins de quarante heures, grâce à un système d'étapes-relais.

Rickenbacker préside Eastern Air Lines

New York, 8 avril.

Edward Rickenbacker était déjà General Manager de Eastern Air Transport au moment où le groupe General Motors décida de rebaptiser cette division Eastern Air Lines. A ses qualités de pilote de guerre, il faut ajouter ses capacités à diriger une société de transports publics. Il y a cinq mois, Eastern a racheté pour 160 000 dollars la Wedell-Williams Transport Corporation avec son contrat postal New Orleans - Houston. De son côté, Rickenbacker a acheté de plus en plus d'actions de la société où il vient d'être nommé président. Il en a presque le contrôle. Cette idée d'abandonner le Lockheed Electra pour les DC-2 et DC-3 donne de bons résultats quant au rendement du service passagers. (→ 22.4.38)

Le pilote américain Frank Hawks, bien connu pour ses avions-bolides, survole les gratte-ciel de New York à 560 km/h.

Les Heinkel allemands écrasent Guernica

Chargement des bombardiers He 111 de la légion Condor à Saragosse.

Espagne, 26 avril

Cet après-midi, 4 bombardiers Heinkel 111, capables d'emporter 1 400 kg de bombes, et trois escadrilles de Junkers Ju 52 ont bombardé pendant trois heures la cité basque de Guernica. Les appareils appartenaient à la légion Condor, cette unité allemande au service des nationalistes espagnols. Les avions ont largué 50 tonnes de bombes incendiaires et de bombes à fragmentation. Le centre de la ville est complètement rasé. D'après les correspondants de guerre britanniques qui étaient sur place, il y aurait au moins un millier de morts et un nombre important de blessés. Un bilan rendu d'autant plus lourd par la présence dans la ville, au moment du bombardement, de milliers de réfugiés qui fuyaient les combats se déroulant à une quinzaine de kilomètres de Guernica.

L'avion stratosphérique de Lockheed

Burbank, 7 mai

C'est à la demande de l'USAAC que Lockheed a réalisé une version modifiée de son Model 10 Electra en vue de tester les vols à haute altitude. Cet exemplaire, dénommé XC-35 et immatriculé 36-353, a fait un vol d'essai satisfaisant ; il doit être expédié à la base d'essai de Wright Field prochainement. La pressurisation de l'avion a posé des problèmes. On a vite réalisé qu'il était impossible de pressuriser l'ensemble de l'appareil, d'où l'idée de ne rendre étanche que la partie contenant les postes d'équipage. Les surfaces vitrées ont été diminuées. L'avion a reçu des moteurs prototypes Pratt & Whitney qui donnent 550 ch grâce aux turbocompresseurs, dont les turbines sont visibles sous les capots.

Le Lockheed XC-35 est la version prototype pressurisée du Model 10 Electra.

Le « Hindenburg » aurait-il été saboté ?

L'explosion du dirigeable « Hindenburg » à Lakehurst fait 36 victimes.

New York, 6 mai

Il est 19 h 30 quand le dirigeable *Hindenburg* venant de Berlin arrive à son mât d'amarrage au terrain de Lakehurst, près de New York. Tout à coup, il s'enflamme. Il y a 36 victimes dont 13 passagers. Il y avait 97 personnes à bord. A New York, on parle d'accident, mais, dans certains milieux du Reich, on ne retient que l'hypothèse du sabotage. Il ne fait pas de doute que cette catastrophe, survenue aux Etats-Unis, risque de mettre fin au transport de passagers par dirigeable. L'année dernière, plus de 3 500 personnes ont traversé l'Atlantique à bord des dirigeables allemands sans que l'on déplore le moindre accident. La ligne était partagée entre le *Graf Zeppelin* et le *Hindenburg*. Depuis 1928, le *Graf Zeppelin* a parcouru 1 350 000 km et transporté 13 000 personnes dans des conditions de confort qu'on ne rencontre pas dans les avions.

La duchesse de Bedford disparaît en mer

Grande-Bretagne, 29 mars

Elle avait 71 ans et sa passion de l'aviation n'avait pas de limite. La Flying Duchess, organisatrice en 1931 du premier meeting d'aviatrices en Angleterre, avait obtenu la même année sa licence de pilotage. Elle avait alors 65 ans. Le 22 mars, elle s'est envolée seule de Woburn sur son Moth. On ne l'a plus revue. Après une semaine de recherches, un bout d'aile de son avion a été repêché en mer. Il semble que, se sachant très diminuée par l'âge, elle ait choisi cette façon de mettre fin à ses jours.

L'avion au service de la communication

Le Lockheed Electra « Daily Express », sous le feu des photographes.

New York, 14 mai

Ils sont déjà de retour ! Parti voici cinq jours vers la Grande-Bretagne, le Lockheed Model 10, baptisé *Daily Express*, se pose sur le terrain de Floyd Bennett. On n'a jamais fait un aller-retour transatlantique aussi rapide. C'est, en fait, pour des raisons journalistiques que les pilotes Merrill et Lambie n'ont pas voulu perdre une minute. Leur mission : déposer en Angleterre les films sur l'incendie du dirigeable *Hindenburg* et, surtout, prendre les images du couronnement du roi George VI pour les livrer de l'autre côté de l'Atlantique. Les films de la cérémonie n'étaient pas prêts, mais ils rapportent 600 photos du souverain.

Jacqueline Cochran remporte une victoire

Etats-Unis, 26 juillet

La compétition réussit à Jacqueline Cochran. Elle détient maintenant le record national féminin de vitesse avec 328 km/h atteints au cours d'un vol de 1 000 km. Elle pilotait un Beechcraft équipé d'un moteur Wasp. Après un échec dans la course Bendix en 1935, Jackie prit la résolution de mieux préparer ses compétitions. La voici donc en quête de records qu'elle ne veut pas exclusivement féminins, ceux-ci étant, d'après elle, trop facilement et trop rapidement battus par les hommes. Il est vrai que les femmes pilotes se trouvent actuellement confrontées à une opinion partiale selon laquelle elles ne pourraient

Jacqueline Cochran, une gagnante.

maîtriser des appareils de vitesse pure. Refusant d'être ainsi limitée par des avions surclassés, Jackie a décidé de se lancer dans la bataille avec les hommes. (→ 3.9.38)

Les princes de l'acrobatie aérienne française sont les pilotes de l'école d'Etampes, une patrouille de présentation et de voltige. Les figures qu'ils exécutent sont étonnantes de précision. Ici, les équipiers, à bord de leur Morane MS.225, se mettent en place pour une nouvelle démonstration.

Le « dernier vol » d'Amelia Earhart

L'aviation française est nationalisée

LA RANDONNÉE AÉRIENNE AUTOUR DU MONDE D'AMELIA EARHART

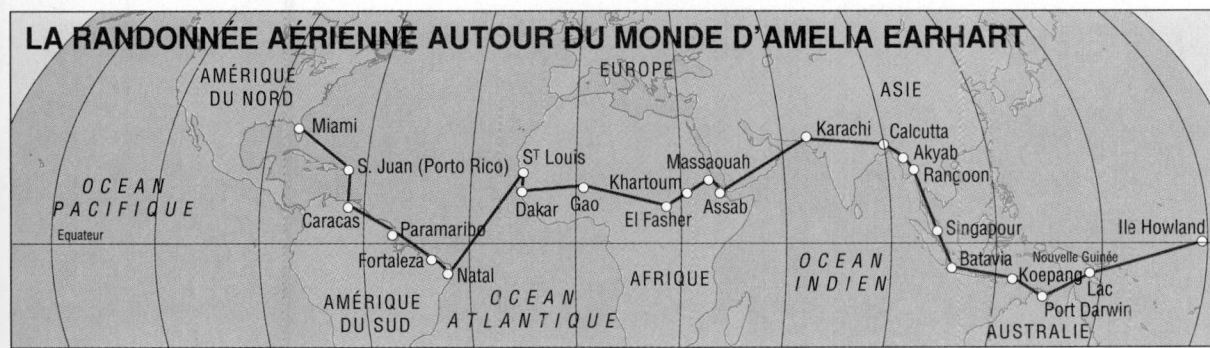

France, 15 juillet

L'industrie des armements aéronautiques change de main. Sont créées : les Sociétés nationales aéronautiques de l'Ouest SNCAO (Loire Nieuport), du Sud-Ouest SNCASO (Bloch), du Nord SNCAN (Potez), du Sud-Est SNCASE (Lioré et Olivier), du Centre SNCAC (Farman), ainsi que la SNCAM (Dewoitine). Les usines rachetées par l'Etat sont proposées en location aux nouvelles sociétés nationales qui les exploitent pour leur propre compte. Les sociétés qui fabriquent les moteurs, Hispano-Suiza et Gnome & Rhône, devaient aussi être nationalisées. Or, il semble qu'on ne songe pour elles qu'à une participation minoritaire de l'Etat. 50 millions ont été débloqués sur l'exercice 1936 par décret, et 200 millions sur le budget de 1937. Toutes ces entreprises seront transformées en sociétés d'exploitation lorsque l'Etat aura indemnisé les anciens propriétaires, qui pourront prendre leur part, à concurrence de 33%, dans le nouveau capital social. Chaque société aura à sa tête un conseil d'administration composé de trois membres ; y siégeront deux représentants de l'Etat.

Pacifique, 2 juillet

Elle a dit : « Nous faisons route nord et sud », et puis plus rien. Un silence terrible qui a fait entrer Amelia Earhart dans la légende. L'aviatrice était partie à bord du Lockheed Electra 10E, en compagnie du navigateur Fred Noonan, le 1er juillet. Tout avait été préparé avec minutie, sauf peut-être la radio. Amelia avait dû laisser à Miami une longue antenne, pourtant nécessaire durant la longue traversée du Pacifique. Néanmoins, tout se passe pour le mieux jusqu'à Porto Rico, puis à Natal, le point de départ pour l'étape transatlantique. L'aviatrice est impressionnée par les paysages qu'elle survole : Dakar, l'Arabie, puis Karachi, Calcutta et Rangoon. Après être passé par Singapour et Bandung, l'équipage gagne l'Australie et la Nouvelle-Guinée. Il leur reste encore 11 000 km à couvrir. Jusqu'ici, le pilote est conquis par son appareil. Ils doivent se poser à Howland, un tout petit point dans le Pacifique qu'ils ne rejoindront jamais. Les messages d'Amelia sont brouillés par des parasites. L'*Itasca*, le navire garde-côte désigné pour prendre poste devant Howland, tente, en vain, de reprendre contact. Il émet pourtant sans interruption. Pendant des heures, des appareils et des navires essaient de retrouver l'équipage. Amelia Earhart et Fred Noonan ont disparu à jamais dans le ciel, mais pas dans les mémoires.

Amelia Earhart examine sa radio. Elle savait l'émetteur indispensable pour une telle expédition.

L'Aéromaritime contrôle la côte africaine

Afrique, 17 mai

Pari tenu pour l'Aéromaritime, qui inaugure sa ligne côtière entre Dakar et Pointe-Noire. Grâce aux efforts conjugués des techniciens de la compagnie et des autorités coloniales, l'aménagement des terrains et hydrobases du parcours est achevé. Le 1er mars, moins de deux ans après la signature de la convention, le Sikorsky S-43, piloté par Hervieu et Janet, reliait Dakar à Cotonou. Cet équipage vient d'ouvrir au fret et à la poste le deuxième tronçon de la ligne, Cotonou - Pointe-Noire.

Les Soviétiques survolent le pôle Nord

San Jacinto, 15 juillet

Les Californiens viennent de réaliser qu'ils ne sont qu'à 8 500 km de Moscou si on utilise la route qui passe par le pôle Nord. Trois Soviétiques, Gromov, Youmatchev et Daniline, sont partis de Moscou le 12 avec leur ANT 25. En 28 heures de vol, ils sont au pôle Nord. Le 14, ils abordent le territoire américain et poursuivent vers le sud. Ils se poseront dans des plantations à San Jacinto, à 150 km au sud-est de Los Angeles. Ignorant tout de la région, ils tournaient depuis trois heures à la recherche d'un terrain d'aviation. Avec une distance parcourue de 10 148 km, ils battent le record de 9 104 km de Codos et Rossi du 7 août 1933. Le 18 juin, déjà, Tchkalov, Baïdoukov et Beliakov étaient partis pour une même tentative. Après deux jours et demi de route et une distance parcourue de 8 700 km, ils se posaient à Portland, dans l'Etat de Washington.

Douala, le radio Desroses commande la manœuvre d'amarrage du S-43.

L'ANT 25 qui a fait réaliser aux Californiens que Moscou est à 8 500 km.

L'Atlantique Nord devient le véritable enjeu

Lufthansa choisit la route par les Açores

Catapultage sur l'Atlantique d'un amphibie Blohm und Voss de la Lufthansa.

New York, 15 août
La Lufthansa poursuit conscencieusement ses essais sur l'Atlantique Nord. Ils ont repris depuis deux jours et sont programmés jusqu'en novembre. Lufthansa joue sur deux tableaux. Ses dirigeants n'ignorent rien du premier vol d'essai, en juin, du quadrimoteur Focke-Wulf Fw 200 construit à Brême. Il a une autonomie qui lui permet de franchir l'Atlantique en une étape. C'est un avion amphibie quadrimoteur qui est testé à Horta, aux Açores. Le Blohm und Voss Ha 139S est catapulté du *Friesenland* où il a été hissé à la grue. Au bout des 39 mètres de la catapulte, sa vitesse est suffisante pour assurer le vol. Avec 4 hommes d'équipage, son temps de vol pour New York a été de 17 h 24 min. (→ 10.8.38)

Imperial Airways utilise le « Caledonia »

Terre-Neuve, 6 juillet
Avec ses hydravions à long rayon d'action, Imperial Airways part à la conquête de l'Atlantique Nord. A bord du quadrimoteur Short Empire *Caledonia*, complètement dégarni pour l'alléger afin d'augmenter la capacité des réservoirs, Wilcockson a relié Foynes (Irlande) à Botwood (Terre-Neuve) en 15 h de vol. Mais les Anglais ne sont pas seuls sur la ligne. Simultanément, un Sikorsky S-42B de la Pan Am effectue une reconnaissance en sens inverse. Des réservoirs complémentaires ont été montés à bord à la place des sièges des passagers. Ce vol croisé est le fruit d'une entente des deux compagnies qui, exploitant déjà en alternance la liaison de New York aux Bermudes, vont s'unir pour régner sur l'Atlantique.

L'hydravion « Caledonia » en rade de Foynes, avant son départ pour Botwood.

La traversée d'Air France a été interdite

L'hydravion « Lieutenant de vaisseau Paris » est prêt pour le départ.

France, 24 septembre
Stupéfaction générale ! Le départ de Guillaumet à bord du Laté *Paris* pour Saint-Pierre-et-Miquelon est ajourné *sine die* par le ministère de l'Air. Cette décision surprenante contredit totalement l'effort déployé depuis quelques mois pour rattraper le retard de la France sur l'Atlantique Nord, déjà survolé par les concurrents étrangers. Créée le 18 juin, la compagnie Air France Transatlantique a fait rénover d'urgence le fameux *Lieutenant de vaisseau Paris*. Le 23 septembre, tout est paré : l'itinéraire Biscarosse-Saint-Pierre et la météo favorable assurent toute la sécurité possible. Au dernier moment, le départ est annulé. Cette année, il n'y aura pas d'ailes françaises sur l'Atlantique Nord. (→ 31.8.38)

Pan American a l'expérience du Pacifique

Dublin, 26 juillet
Une conférence réunit des représentants de Pan American Airways, d'Imperial Airways et du gouvernement britannique. Elle étudie les résultats des vols d'essai qui se sont déroulés depuis que les autorités de Londres ont signifié à PAA leur accord, le 22 février, pour la création d'un service vers la Grande-Bretagne avec Imperial Airways. Les Américains ont pris la chose au sérieux. Des analyses météo leur ont démontré que l'avion idéal est un appareil pressurisé et non pas l'hydravion. Pendant une partie de l'année, le climat sur cette route rend le givrage inévitable dans les couches nuageuses qui peuvent culminer à 20 000 pieds. PAA a d'ailleurs commandé, dès mars, des Boeing S-307. (→ 31.12.38)

Le Sikorsky S-42B de Pan Am, à Foynes, après sa traversée de l'Atlantique.

La Chine attaquée par les avions japonais

L'un des appareils blindés de bombardement japonais volant en escadre.

Chine, 21 septembre
Depuis le mois de juillet, le Japon et la Chine sont en guerre. L'armée impériale a envahi les provinces du Nord. Pékin, puis Tianjin sont tombés rapidement entre ses mains et les Japonais menacent maintenant Shanghai. Aujourd'hui, ce sont des avions de l'aéronavale japonaise qui ont bombardé les bases de Tianhe et Paiyun près de Canton, détruisant en l'air et au sol 12 Curtiss Hawk de l'aviation chinoise. Celle-ci, fort mal équipée, ne survit que grâce aux fournitures des Soviétiques et à l'action de quelques hommes épris d'aventure, comme l'Américain Claire Lee Chennault qui, en mission d'évaluation pour le compte de Tchang Kaï-chek, a rejoint les rangs des pilotes chinois (avec le grade de brigadier général) pour mener avec eux des missions de bombardement. (→ 15.10.39)

Le Pou du ciel est jugé très dangereux

France, 1er octobre
Le Pou du ciel va-t-il disparaître ? Rarement pourtant, un petit appareil aura fait l'objet d'un tel engouement populaire. En 1934, paraît le *Bouquin*, où Henri Mignet explique comment construire le Pou pour moins de 4 000 F. Les aviateurs en herbe de toute l'Europe, se mettent au travail. En octobre 1935, le centième avion est homologué. Un an plus tard, les avions font onze victimes. Un chiffre inquiétant. L'ingénieur Léon Lacroix a peut-être trouvé une solution aux problèmes de sécurité : il s'agirait de rendre mobile l'aile arrière et l'aile avant, corrigeant ainsi la tendance au piqué quand on dépasse une certaine vitesse. Le Pou du ciel retrouverait ainsi ses fervents adeptes.

Le Pou du ciel a été conçu et lancé par Henri Mignet. Certes, cet avion miniature est extraordinaire, mais il s'avère dangereux.

La Lufthansa défriche les routes de l'Asie

L'appareil utilisé pour la deuxième expédition Pamir : un Junkers Ju 52.

Kaboul, 27 septembre
On les croyait morts. L'équipage de l'un des Ju 52/3m de la seconde expédition Pamir vient de regagner son point de départ. Partie de Kaboul à la mi-août, cette expédition, composée de deux avions, devait rejoindre Anji en Mongolie Intérieure, puis Xiang en Chine. Peu après son départ, le Ju 52 immatriculé D-ANOY rencontrait des difficultés techniques, mais parvenait à gagner Anji, puis Xiang. Au retour, de nouveaux problèmes surgissent et c'est l'atterrissage forcé. Les réparations vont vite, l'avion est bientôt prêt à repartir. Alors qu'il roule, il est la cible de coups de feu et son équipage est arrêté. Les semaines passent, puis la libération intervient de façon aussi incompréhensible que l'arrestation. L'avion, malgré son mauvais état, a redécollé en direction de Kaboul.

L'avion se pose en pilotage automatique

Wright Field, 23 août
C'est un vol historique dans l'histoire de l'aéronautique. A Wright Field vient d'avoir lieu le premier atterrissage entièrement automatique. Piloté par le capitaine Carl J. Crane, l'inventeur de ce système automatique, avec George Holloman, assistant pilote, et l'ingénieur Raymond K. Stout, l'avion s'est posé sans aucune intervention de l'équipage ou des hommes chargés du contrôle à terre. Ce pilote automatique prouve qu'il est en mesure de remplacer le pilote. Deux gyroscopes permettent d'annuler toute variation horizontale ou verticale qui écarterait l'avion du cap choisi. Toute amorce de changement d'attitude déclenche la mise en route de moteurs de correction qui actionnent les commandes.

Le service postal est repris par Air Bleu

France, 7 juillet
Second souffle pour Air Bleu. Cette compagnie spécialisée dans le transport rapide du courrier sur le territoire métropolitain, qui, déficitaire, avait suspendu ses services en mai 36, vient de « renaître » à l'initiative du ministère des Postes. Elle inaugure aujourd'hui trois lignes au départ de Paris vers Pau, Perpignan et Grenoble. Si la société conserve son personnel et son matériel, les nouveaux actionnaires, l'Etat et Air France, ont mis en place un système plus efficace et plus attractif pour la distribution postale. Désormais, les appareils décollent à l'aurore pour livrer le fret postal avant midi et regagnent la capitale vers 17 h, avant la fermeture des bureaux. De plus, le courrier n'est plus frappé par la lourde surtaxe qui dissuadait bon nombre d'expéditeurs. (→ 16.2.38)

Le Bourget est l'aéroport international de Paris

Vue des terrasses du poste de vigie.

La nouvelle aérogare du Bourget au moment de son inauguration.

Le poste de vigie domine les pistes.

Le Bourget, 12 novembre

On a dû faire vite et les délais furent respectés. L'Exposition internationale approchait et il fallait donner à la capitale un aéroport digne de ce nom, capable d'accueillir les visiteurs venus de l'étranger. C'est Albert Lebrun, président de la République, qui a inauguré l'aérogare prévue pour accueillir 7 000 à 8 000 voyageurs par jour. Cette gare groupe tous les services autrefois dispersés. Une voie de circulation de 50 m de large et de 1 km de long permet une circulation facile et un accès aux avions plus rapide. De plus, l'aérogare, construite sous la direction de l'architecte Georges Labro, se situe juste en face d'un

prochain réseau d'autoroutes. On comprend l'intérêt d'une telle proximité. Le terrain est idéal, c'est la raison pour laquelle il n'a pas été modifié depuis 1915. Il est à la fois très dur et légèrement pentu, ce qui permet l'écoulement des eaux par temps de pluie. Le Bourget est le centre de l'aviation du transport public. Pour beaucoup, le nom de l'aéroport est lié aux célèbres départs et arrivées de prestigieux pilotes. Lindbergh n'a-t-il pas atterri ici même, après sa fameuse traversée de l'Atlantique ? Dix ans plus tard, Le Bourget a bien évolué : cette année, 18 162 avions s'y sont posés ou en ont décollé ; y ont transité 127 713 passagers, 360 tonnes

de poste et 2 146 tonnes de messageries ou de gros bagages. Seuls les aéroports de Londres-Croydon et de Berlin-Tempelhof peuvent se vanter d'être des centres aussi actifs. L'activité la plus importante du Bourget est, sans aucun doute, la ligne Paris-Londres (un avion sur trois vient de la capitale britannique). Ces deux métropoles, séparées seulement de 350 km, accueillent des voyageurs de plus en plus nombreux. C'est la compagnie Air France, avant Imperial Airways et British Airways, qui reçoit le plus de clients. Après Paris-Londres, les lignes les plus actives vont vers la Hollande, la Scandinavie, Prague et l'Europe orientale. Et cela ne fait

que commencer ! De juin à septembre inclus, on a compté au Bourget 68 171 passagers. Même s'il s'agit de la période pendant laquelle s'est déroulée l'Exposition internationale, le chiffre est impressionnant. Enfin, la compagnie Air Bleu est chargée depuis juillet dernier de transporter la poste sans surtaxe sur de nombreuses lignes depuis l'aéroport du Bourget. Ce dernier peut vraiment être regardé comme un site moderne destiné à régler tous les problèmes qui peuvent se poser pour le trafic comme pour les voyageurs. Au Bourget, on rêvait, hier encore, de voler plus haut et plus loin. Le rêve est, aujourd'hui, devenu réalité.

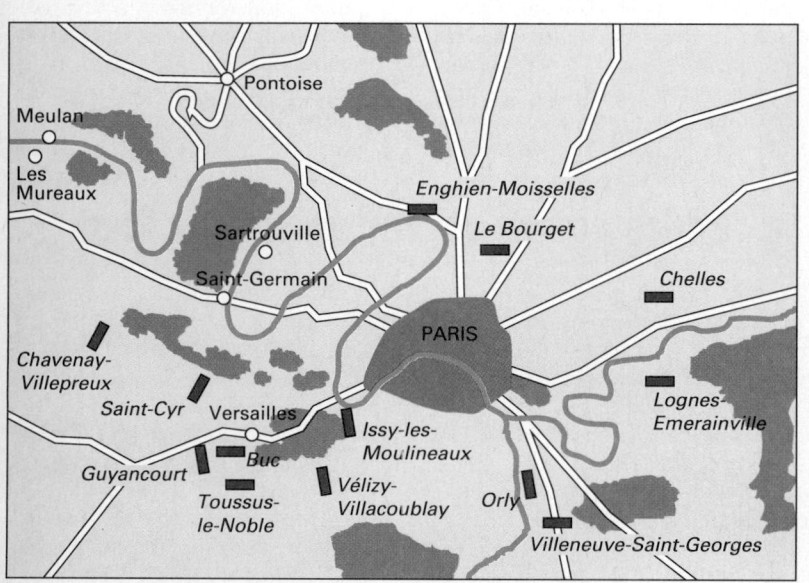

De nombreux aéroports s'ouvrent en région parisienne.

Sur l'aire du Bourget : au premier plan, un Caudron d'Air Bleu, un Junkers de Lufthansa, un DC-2 de Swissair et un Breguet d'Air France.

Il faut 700 000 pièces pour faire un DC-3

Segments de voilure de DC-3 stockés dans l'usine de Santa Monica.

Santa Monica, 31 octobre
Douglas a construit 198 DC-2 au total. Fort de ce succès, la production du DC-3 a été conçue dès le départ de manière à répondre à des demandes importantes. Le DC-3 marque une étape dans la façon de concevoir l'assemblage et le montage des avions. Sa conception a nécessité 3 600 dessins, soit une surface de 2 800 mètres carrés de papier. Dans la construction de chaque exemplaire, il entre 1 190 m de tubes, 2 438 m de fils métalliques et 1 230 mètres carrés de feuilles d'aluminium. C'est le tout premier avion dont les pièces sont livrées entièrement usinées pour être assemblées directement. On compte 500 000 rivets qui, mis bout à bout, couvriraient une distance de 5 km. Le système de ventilation brasse 28 mètres cubes d'air par minute. Dans la version équipée de moteurs Pratt & Whitney, la consommation horaire normale est de 320 litres de carburant et de 2,5 litres d'huile. Parmi les nouveautés, on retient le système de dégivrage des ailes. Les bords d'attaque sont recouverts d'une bande de caoutchouc dans laquelle le pilote peut envoyer de l'air sous pression pour faire craquer la couche de glace.

Air France met en service le Bloch 220

Le nouveau bimoteur Bloch 220 assurera les liaisons européennes.

France, 31 décembre
La société de Marcel Bloch, spécialisée depuis 1933 dans l'aviation militaire, n'abandonne pas le marché des gros porteurs civils. En témoigne le succès de son nouveau modèle, le MB 220. La compagnie Air France en a commandé seize, et elle compte les mettre en service dès cet hiver sur la ligne Paris-Marseille. Dérivé du bombardier MB 210, ce bimoteur métallique est aménagé pour transporter 16 passagers à une vitesse de croisière de 280 km/h. Avec ses deux cabines insonorisées, son bar, ses vastes soutes à bagages, il est sans conteste l'avion de transport standard idéal.

A. de Saint-Exupéry dépose des brevets

France, 19 novembre
On peut être écrivain, philosophe, pilote et aussi scientifique. Antoine de Saint-Exupéry est un authentique inventeur et il le prouve en déposant en un mois deux brevets à l'Institut national de la propriété industrielle. Après son dispositif pour atterrissage d'avion, publié le 11 mars 1936, voici ses « nouvelles méthodes pour l'atterrissage des avions sans visibilité, avec dispositif et appareils de réalisation ». Cette méthode permet de connaître en permanence la distance exacte par rapport au sol survolé. 2e brevet, tout aussi révolutionnaire, le goniographe : il s'agit d'un appareil qui permet des tracés géométriques avec mesure précise des angles. Travailleur infatigable, il est en mesure de déposer un autre brevet : un système répétiteur de lecteur d'appareils indicateurs ou de mesure. Saint-Exupéry n'a pas fini d'étonner. (→ 18.8.38)

7: Bâtis moteurs
8: Nacelles moteurs
9: Ailes
10: Saumons d'ailes
11: Ailerons entoilés
12: Compensateur d'ailerons
13: Volets d'intrados des ailes
14: Volets d'intrados du plan central de l'aile
15: Fuselage
16: Section d'empennage
17: Plan fixe vertical du gouvernail de direction
18: Plan fixe horizontal du gouvernail de profondeur
19: Gouverne entoilée de profondeur
20: Gouverne entoilée de direction
21: Compensateur de la gouverne de direction
22 : Compensateur de la gouverne de profondeur
23: Cône de queue
24: Carénage du gouvernail de profondeur
25: Roulette de queue
26: Carénage d'aile
27: Plan central de l'aile
28: Train d'atterrissage principal
29: Roue principale

1: Hélices Hamilton-Standard à pas variable
2: Capots moteurs équipés de volets de refroidissement
3: Moteurs Pratt & Withney R-1830 (Cylindrée unitaire : 1830 inches/cube, soit environ 30 litres.)
4: Nez
5: Capots moteurs anti-traînée
6: Cockpitt

Schéma d'ensemble, en vue éclatée, de l'avion DC-3 Douglas.

Le 11 novembre, le Messerschmitt Bf 109B-2 remotorisé porte le record de vitesse terrestre sur base pour avions à 611 km/h. (→ 26.4.39)

Le Lockheed 14 Super Electra, prévu pour le transport de douze passagers.

La production du Beech 18 ne s'est arrêtée qu'en 1969!

Le Luscombe 8 Silvaire.

Fairchild Canada a développé le Sekani, un biplace léger.

Le Miles Kestrel d'entraînement précède le M.9 Master.

Le Potez 62 Courlis a été conçu pour les besoins d'Air France.

Le troisième prototype du Junkers Ju 90, conçu pour le transport de 40 passagers et destiné à Lufthansa.

Sept exemplaires du de Havilland Albatros ont été produits.

Le Short Sunderland, surnommé le Porc-épic par la RAF.

Le North American NA-26, dont dérivera le fameux T-6 Texan.

Le Lockheed XC-35 est une version expérimentale du Model 10.

Le Blohm und Voss Ha 140 est un hydravion embarqué.

Les premiers Fiat G.50 ont servi pendant la guerre d'Espagne.

Le Caproni Ca 310 a été conçu pour le maintien de l'ordre dans les colonies italiennes.

Le Focke-Wulf Fw 200, modifié par la suite pour la lutte maritime.

L'Iliouchine DB-3/Il-4, bombardier à long rayon d'action.

L'Amiot 350, un excellent bombardier produit trop tard, en 1940.

Le Boulton-Paul Defiant est armé d'une tourelle de 4 mitrailleuses.

Le chasseur Focke-Wulf Fw 187 biplace Falcke ne connaît pas de suite.

Un bombardier torpilleur Nakajima BN52, capturé par l'USAAF.

Le Boeing XB-15 est un bombardier lourd capable de franchir 8 000 km. Il ne connaît pas de suite.

Le Grumann G-21 Goose a été mis en service par l'US Navy.

Un triplace IAR 37 des forces aériennes roumaines.

Le prototype de l'hydravion Blohm und Voss Ha 140.

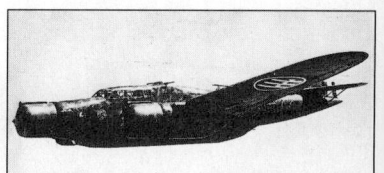

Quelques CANT Z.1007 bis Alcione possèdent une unique dérive.

Le prototype du Blackburn Skua, chasseur bombardier embarqué.

Le Breguet Bre 462 Vultur ne connaît pas le succès escompté.

Le Dornier Do 24, commandé par la marine hollandaise, sera intensivement utilisé par la Luftwaffe.

L'Arado Ar 197 a été prévu pour son emploi sur les porte-avions.

Le Koolhoven FK.52 est également utilisé par la Finlande.

Le Hawker Henley est un appareil de remorquage de cibles.

Le Waco YPT-14 militaire est dérivé du Model UPF-7 civil.

Le Brewster F2A-2 Buffalo sera aussi utilisé en Finlande.

Le Grumann F4F-2 Wildcat joue un rôle considérable dans les premières phases de la guerre du Pacifique.

Le Vought XOS2U-1 Kingfisher peut aussi recevoir des roues.

Le Macchi MC.200 pâtit de la trop faible puissance de son moteur.

Le Consolidated XPB2Y-1 avec une double dérive.

Conçu pour l'appui tactique, le Fiat CR.25 servira comme avion-cargo.

L'Arado Ar 196, un hydravion de reconnaissance très répandu.

Le deuxième prototype du Blohm und Voss Bv 138, un hydravion de lutte maritime très répandu.

Plus de 8 500 Airspeed Oxford sont construits pour le Commonwealth.

L'unique exemplaire du Sikorsky Model VS-44 XPBS-1.

Le Heinkel He 115 sera présent sur tous les fronts pendant la guerre.

Le Bloch 150 donne naissance au Bloch 152, plus performant.

Le Fiat CR.42, l'un des derniers biplans de chasse en service, a été utilisé par plusieurs pays.

Le Heinkel He 119 ne dépassera pas le stade expérimental.

Avion-cible sans pilote, l'Airspeed AS.30 Queen Wasp.

Trois Curtiss YIP-36 précédèrent 178 P-36A et 31 P-36C.

Le prototype du PZL P.37 Los est un avion monodérive.

Le multiplace de chasse Bell YFM-1 Airacuda embarque cinq hommes.

Le prototype du chasseur britannique Gloster F5/34.

Le LeO 451 est l'un des meilleurs bombardiers français de 1940, mais ses moteurs sont fragiles.

1938

711,462 km/h
Italie
Francesco Agello
Macchi-Castoldi MC-72
23.10.34

11 651 km
Japon
Fujita, Takahashi et Sekine
Koken
16.5.38

17 083 m
Italie
Mario Pezzi
Caproni 161 bis
22.10.38

56 000 kg
Allemagne
Dornier
Do X

3 100 ch
Italie
Fiat
AS.6

Rio de Janeiro, 25 janvier
Trois appareils italiens, dont l'un est piloté par Vittorio Mussolini, arrivent de Rome, *via* Dakar, en vol de reconnaissance.

Paris, 5 février
Le ministère de l'Air signale que Orly doit être considéré comme aérodrome de secours. Tout le trafic pour la capitale doit utiliser l'aéroport du Bourget qui dispose de trois stations goniométriques, dont une travaille en permanence.

France, 16 février
Air Bleu ouvre la ligne Marseille-Nice en correspondance avec celle d'Air France Paris-Marseille, qui se réserve le transport du courrier sur cet axe privilégié. (→ 10.5.39)

Paris, 22 février
Guy La Chambre, ministre de l'Air depuis le 19 janvier dernier, nomme le général Vuillemin chef d'état-major général de l'armée de l'air.

Tokyo, 24 février
Mitsui achète pour 90 000 dollars les droits de construction sous licence et de vente du DC-3 pour le Japon et la Mandchourie.

Etats-Unis, 27 février
Six bombardiers Boeing Y1B-17, conduits par le colonel Olds, reviennent à la base de Langley Field d'où ils étaient partis le 15 février, après un périple de 19 000 km. Le vol aller, *via* Miami et Lima, a duré 34 h 15 min et le retour, avec escale dans la zone du canal de Panama, 33 h 35 min.

Paris, 15 mars
Guy La Chambre fait adopter le plan V par le Comité permanent de défense nationale. Il prévoit de doter l'armée de l'air de 4 739 avions de guerre dans un délai de deux ans.

Guatemala, 20 mars
Un aéroport est ouvert à Uaxactum pour faciliter l'exportation de la gomme entrant dans la composition du chewing-gum. On espère que des explorateurs l'utiliseront pour découvrir des ruines mayas.

Grande-Bretagne, 26 mars
Avec le journaliste Victor Ricketts, Arthur Clouston achève un vol aller-retour en Nouvelle-Zélande avec son DH.88 rebaptisé *Australian Anniversary*. Ils ont couvert 42 881 km en 10 jours et 21 heures.

Etats-Unis, 20 avril
Une mission britannique, conduite par le général Arthur Harris, arrive pour acheter des avions d'entraînement et de surveillance maritime.

Atlantique Nord, 12 mai
Trois Boeing Y1B-17, menés par le colonel Olds, localisent le paquebot italien *Rex* à 1 200 km des côtes américaines. Ils larguent un message de bienvenue sur le pont.

Moyen-Orient, 15 mai
Andrée Dupeyron bat le record féminin de distance avec un Caudron 610, en volant d'Oran à Tel-el-Aham (4 360 km). Elle le ravit à Elisabeth Lion, qui a volé avant-hier 4 063 km d'Istres à Abadan sur un avion identique. (→ 25.9)

Etats-Unis, 17 mai
Le *Naval Expansion Act* autorise la construction des porte-avions *USS Essex* et *Hornet*. L'*Enterprise* est entré en service le 12 mai. (→ 13.6.39)

Allemagne, 24 juin
Heinrich Focke, évincé de la direction de Focke-Wulf en 1937, a créé la firme Focke-Achgelis. Son nouveau pilote d'essai, Karl Bode, a battu le record de distance en hélicoptère avec 230 km sur le Fa 61, en posant le 20 juin l'appareil sur un terrain où Igor Sikorsky leur rend visite aujourd'hui. (→ 14.9.39)

Montréal, 21 juillet
L'hydravion Short 20 Mercury, lâché hier du S.21 Maïa au-dessus de l'Irlande, se pose avec 500 kg de fret après 20 h 20 min de vol. (→ 8.10)

Bogota, 24 juillet
Un appareil militaire s'écrase sur une foule de 50 000 personnes assistant à une revue d'acrobatie pour l'ouverture du terrain de Campo de Marte : 34 morts et 150 blessés.

New York, 8 août
Parti des Açores, l'hydravion quadrimoteur Blohm und Voss Ha 139 *Nordwind* amerrit à Port Washington, après 15 h 50 min de vol.

Le Bourget, 10 août
Lucien Gambade ouvre le service France-Indochine sur un Dewoitine 338 long-courrier. Air France en a affecté six à cette liaison qui doit être effectuée par un même appareil et un même équipage en cinq jours. La compagnie met en service la version court-courrier sur Cannes, Londres et Berlin.

Lons-le-Saulnier, 14 août
James Niland, dit Williams, se tue dans un meeting en commentant au micro sa chute libre. Le 8 mars, il établissait un record mondial, sautant de 11 420 m et ouvrant son parachute à 245 m du sol.

Paris, 18 août
Saint-Exupéry fait une demande de brevet pour un traceur de route, après celle déposée, hier, pour un système de sustentation et de propulsion. (→ 22.7.39)

Le Bourget, 21 août
A bord d'un Amiot 340, le général Vuillemin revient d'un voyage de six jours en Allemagne. Invité par les responsables de la Luftwaffe, il a visité des usines de construction aéronautique et assisté à de nombreux vols d'appareils militaires.

Etats-Unis, 22 août
Le *Civil Aeronautics Act* entre en vigueur. Il coordonne toutes les activités aériennes non militaires au sein de la Civil Aviation Authority.

Etats-Unis, 3 septembre
Jacqueline Cochran remporte le trophée Bendix à Cleveland, aux commandes d'un Seversky P-35, devant Frank Fuller. (→ 24.3.39)

Etats-Unis, 5 septembre
A bord de son monoplan Laird-Turner L-RT Meteor baptisé *Pesco Special*, Roscoe Turner gagne le trophée Thompson à la moyenne de 456,02 km/h. (→ 5.9.39)

Union soviétique, 25 septembre
Valentina Grizodoubova, Paulina Ossipenko et Marina Raskova enlèvent à Andrée Dupeyron le record féminin de distance en franchissant 5 908 km de Moscou à Kerbi, à bord du Tupolev ANT-37 bis *Rodina*, en 26 h 29 min.

Port Wolloth, 8 octobre
Le Mercury, lâché au-dessus de Dundee, en Ecosse, par son hydravion porteur Maïa, réalise un record de distance avec 9 652 km en allant se poser à Orange River sur la côte ouest d'Afrique du Sud.

Soest, 10 octobre
Sur la ligne Bruxelles-Berlin, après une escale à Düsseldorf, un Savoia-Marchetti 73 de la Sabena perd une aile en vol et s'écrase. Les 20 occupants sont tués.

Croydon, 24 octobre
Imperial Airways lance le quadrimoteur Armstrong Whitworth 27 *Ensign* sur Londres-Paris. Pour célébrer l'événement, la compagnie a invité 50 passagers à prendre le thé au-dessus de Londres le 11 octobre. Deux vols furent nécessaires, les places étant limitées à 40.

Londres, 11 novembre
Le gouvernement publie son intention de créer la BOAC (British Overseas Airways Corporation), après la fusion de British et Imperial Airways. (→ 4.8.39)

Etats-Unis, 10 décembre
La mission française Hoppenot-Monnet arrive pour compléter la commande du 13 mai dernier de cent Curtiss H.75A (version exportation du P-36) avec cent appareils supplémentaires. (→ 15.2.39)

Espagne, 31 décembre
Depuis octobre 1936, l'URSS a envoyé 1 409 avions pour soutenir les républicains. 1 176 ont été détruits.

L'avion de ligne Focke-Wulf Fw 200 Condor a effectué le 10 août le premier vol sans escale Berlin-New York en 24 heures et 54 minutes.

Ravitaillement en vol d'un avion de ligne

L'avion-citerne ravitaille l'hydravion avec 3 500 litres d'essence.

Grande-Bretagne, 20 janvier
Le rayon d'action d'un avion de ligne n'est lié qu'à la quantité de carburant qu'il emporte. Le ravitaillement en vol est très sérieusement étudié. Un projet est mis au point par sir Alan Cobham, fondateur de la Flight Refuelling Ltd. Pour les essais, il utilise, comme avion-citerne, un prototype Armstrong Whitworth AW.23 prêté par le ministère de l'Air. Il ravitaille l'hydravion *Cambria* de la compagnie Imperial Airways. La liaison transatlantique sans escale est le but recherché. En principe, il est prévu que l'avion ravitailleur rencontre l'hydravion dès que celui-ci quitte les côtes britanniques. C'est en effet au décollage que la consommation est la plus importante. Ce système permet de décoller avec moins de carburant et davantage de charge marchande. (→ 24.5.39)

Avec le D17A, Walter H. Beech apporte des améliorations importantes à ses biplans. Sur l'aile inférieure, des volets remplacent les ailerons qui sont repositionnés sur l'aile supérieure et l'empennage devient cantilever.

L'avion porté sera largué en plein ciel

Le Mercury et le Short Maïa forment un ensemble assez étonnant.

Rochester, 23 février
Robert Mayo est un ingénieur britannique assez astucieux. Il a réglé à sa façon les problèmes posés par la charge maximale qu'une aile peut porter. On sait que pour qu'un avion décolle la charge alaire ne doit pas dépasser 70 kg par m². Lorsque celui-ci est en phase de vol stabilisé, la charge diminue de par la vitesse et la consommation du carburant. Donc, un avion qui pèse quatorze tonnes devrait posséder, pour quitter le sol, une voilure de 200 m² dont le poids serait un handicap en vol. Mayo a, lui, imaginé et testé un catapultage en vol. Le petit hydravion Mercury décolle attaché à l'hydravion porteur Short Maïa. A l'altitude de 225 m, la séparation s'effectue entre les deux avions et le Mercury poursuit sa route en ayant économisé le carburant nécessaire au décollage.

Avantages pour les épouses des pilotes

Etats-Unis, 27 janvier
Les aspirations des épouses des pilotes de ligne américains vont désormais être mieux considérées par les compagnies aériennes. United Airlines et TWA annoncent un programme pour stimuler la motivation des pilotes. Une majorité de ceux-ci cherche en effet à éviter les temps d'absence très longs qu'entraînent les vols intercontinentaux. Il sera dorénavant prévu que, sur ces grandes lignes, les épouses accompagnent leur mari. Les compagnies ont compris que l'évolution des techniques de vol rend la sélection et le recrutement des pilotes plus difficiles. Leur formation évolue et revient de plus en plus cher aux compagnies.

Moitié prix pour les enfants chez TWA

Etats-Unis, 28 juin
La concurrence entre les compagnies les oblige non seulement à assurer un service à la clientèle, mais aussi à rechercher tous les moyens pour la fidéliser. Toutes les sociétés de transport aérien volent sur des avions identiques. Les grandes compagnies basent leur publicité sur le dernier modèle de Douglas ou de Boeing. Il reste au client à choisir entre deux DC-3 à bord desquels le service est pratiquement équivalent. Pour garder sa clientèle, TWA vient de lancer son Family Plan. Les enfants de 2 à 12 ans ne paieront plus que la demi-tarif. C'est une campagne de promotion qui plaît, car elle s'adresse à l'ensemble des familles.

Rickenbacker achète Eastern Air Lines

Rickenbacker, heureux propriétaire.

Etats-Unis, 22 avril
Edward Rickenbacker a gagné la bataille financière contre John Hertz. Avec un groupe d'amis, il a acquis pour 3 500 000 dollars toutes les actions qui restaient dans les mains du holding de North American Aviation. Cette société, propriété de General Motors, avait accepté le principe de séparer ses activités aériennes et s'est décidée à vendre Eastern Air Lines. Elle préfère concentrer ses efforts dans la construction aéronautique. Malgré un bénéfice de 200 000 dollars l'année dernière et de bonnes prévisions pour cette année, Rickenbacker avait senti la démotivation de son partenaire. Aussi avait-il commencé à racheter des actions en fonction de ses possibilités financières. La décision l'a surpris et il n'a pu sauver sa situation qu'en rassemblant en peu de temps une somme considérable. (→ 12.11.42)

Le Salvador paie ses avions en café

Balboa, 7 mars
Un contrat un peu particulier a été signé entre l'Italie et le Salvador. Les Italiens vont échanger quelques-uns de leurs avions contre du café. Leur but est non seulement de vendre des avions, mais aussi de pénétrer le marché sud-américain, comme l'ont déjà fait les Allemands. Ils espèrent ainsi créer et gérer des compagnies aériennes de l'autre côté de l'Atlantique.

Un Clipper de la Pan Am porté disparu

Manille, 30 juillet
Le mystère est total sur la disparition dans le Pacifique du *Hawaiian Clipper* de la Pan Am. Il était en vol de routine sur la ligne de Manille. Rien d'anormal n'avait été signalé à Guam, sa dernière escale. Le capitaine Léo Terletzay avait à son bord six passagers et neuf membres d'équipage. A San Francisco, la presse évoque la possibilité d'un détournement de l'appareil par des Japonais. On repense à l'incident de 1935. A la veille du départ du premier vol de reconnaissance, trois Japonais avaient été surpris à bord de l'avion, en pleine opération de sabotage du gonio. On sait aussi que le *Hawaiian Clipper* transportait plusieurs millions de dollars...

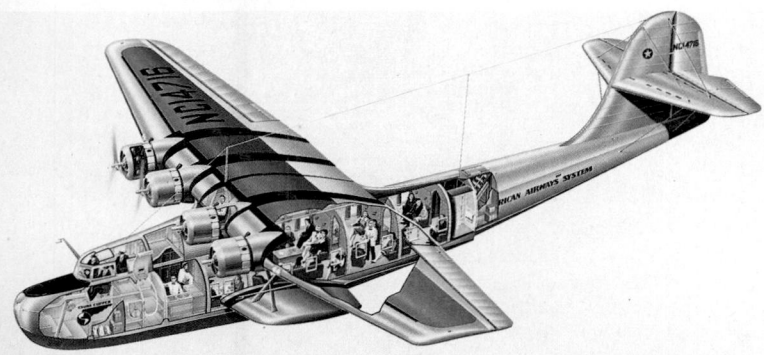

Le luxe et le confort des Clippers Martin M-130 de Pan American Airways.

Sabena met en service le SM.83 italien

Oscar Flerackers, directeur technique, était avec Prosper Cocquyt aux essais.

Bruxelles, 24 mai
Dans le cadre de la modernisation de sa flotte, Sabena a reçu le premier des trois Savoia-Marchetti SM.83. Prosper Cocquyt l'avait testé à Milan en juillet et le conseil d'administration confirmait la commande le 15 septembre 1937. Cet avion, qui transporte dix passagers à la vitesse de 360 km/h, va assurer la relève des Fokker F.VII b et des SM.73 sur la ligne du Congo, après une période de rodage qui se fera sur les liaisons européennes. Il faut trois jours et demi pour atteindre Léopoldville ou Elisabethville. On espère que le SM.83 réduira à 24 heures le temps de vol, alors qu'il en faut actuellement 36 avec les Fokker F.VIIb. La distance est de 10 600 km et les escales se font à Marseille, Oran, Colomb-Béchar, Reggan, Gao, Niamey, Fort-Lamy, Fort-Archambault, Bangui, Stanleyville, Kindi, Kabalo, Manome, Bukama et Elisabethville. Léopoldville est rejoint de Libenge *via* Coquilhatville. Le premier SM.83 est immatriculé OO-AUC, il entrera en service le 1er juin. (→ 10.10)

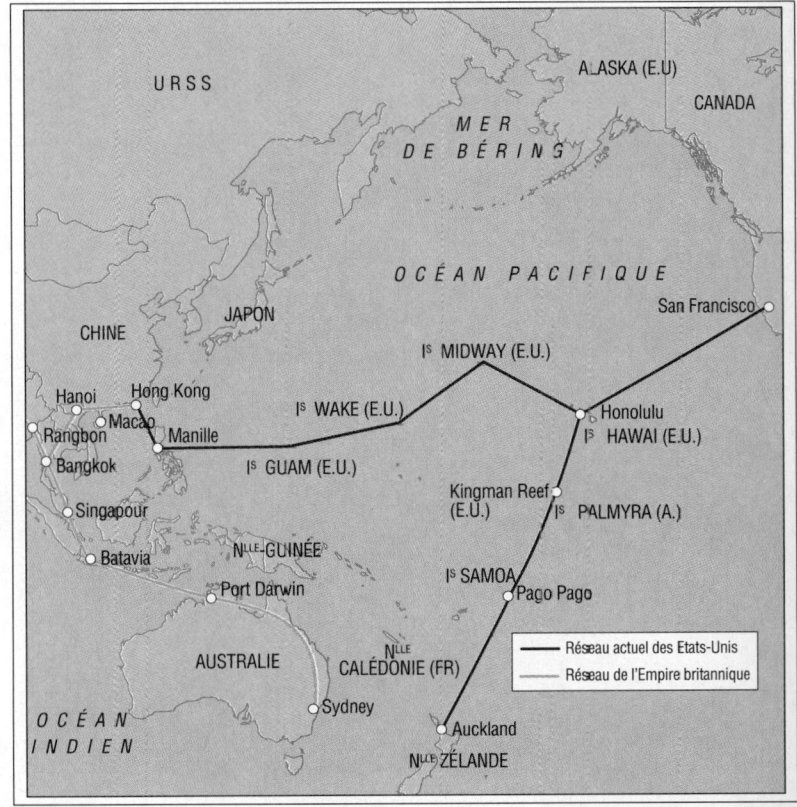

Hughes boucle le tour du monde en trois jours

Son navigateur est superstitieux

Parti de New York, il passe par Paris, Moscou et Fairbanks

Los Angeles, 12 juillet
Howard Hughes est content de son choix : perspicace et intelligent, le lieutenant Thomas Thurlow est le navigateur qu'il faut pour la périlleuse expédition du 14 juillet. A l'hôtel, où les cinq membres d'équipage se sont installés pour quelques jours, le lieutenant est allé chercher la note. Ils doivent 13 dollars et 13 cents. Thurlow devient blême : deux fois le chiffre 13, la veille d'un départ comme celui-là ! C'en est trop pour un homme superstitieux comme lui. Ses quatre amis comprennent peu à peu ce qui l'effraie. Ils le voient courir vers sa chambre. Va-t-il décider d'abandonner ? Thurlow donne plusieurs coups de téléphone et revient. La facture s'élève à présent à 14 dollars. Un chiffre rond qui n'attire pas la malchance. Le voyage peut commencer. (→ 14)

New York, 14 juillet
Si Jules Verne a pu rêver de faire le tour du monde en quatre-vingt jours, Howard Hughes a accompli cet exploit en trois jours. Une aventure extraordinaire que ce passionné de vitesse et quatre membres d'équipage ont menée à terme. Le milliardaire avait pourvu le Lockheed Model 14 Electra des équipements les plus modernes en matière de communication et de navigation. Il avait mis dans les ailes de l'avion 40 kg de balles de Ping-Pong, pour qu'il flotte en cas d'amerrissage forcé. Le fantasque Hughes ne fait pas les choses à moitié : il avait installé à New York un centre de météorologie qui recevait et transmettait au Lockheed des informations venues des endroits par lesquels il passait, l'Europe, le Pacifique et la côte ouest des Etats-Unis. Mais Hughes est aussi un homme d'affaires avisé : son arrivée coïncida avec la foire mondiale de New

Au retour de Hughes à Floyd Bennett Field, la foule entoure l'avion.

York. Il avait d'ailleurs baptisé son appareil *New York World's Fair*. Autant dire qu'il ne s'attendait pas à être seul sur la piste de Floyd Bennett Field. 25 000 personnes sont venues acclamer, comme il se doit, ce record de vitesse pour un tour du monde. En 3 jours 19 heures et 24 minutes, Hughes a fait son entrée dans l'histoire.

Corrigan aussi menteur que bon pilote

Dublin, 17 juillet
« Comment ? Je suis en Irlande ? J'ai donc franchi l'Atlantique... Ma boussole ne fonctionnait pas bien. » L'air innocent, Douglas Corrigan répond aux autorités de Baldonnel. Bien qu'il n'ait pu obtenir l'autorisation pour ce raid à cause de la vétusté de son appareil, Corrigan passant outre cette interdiction a décollé hier de New York. Il prétendait rejoindre Los Angeles, mais, une fois dans les airs, il a pris la direction de l'Europe et a franchi l'océan en 28 heures et 13 minutes. La chance lui a souri, mais les autorités seront peu indulgentes pour le *Wrong Way*.

Le squadron 19 reçoit le premier Spitfire

Duxford, 4 août
Il porte le numéro de série K9787, et c'est le troisième exemplaire fourni en version Mk I. Le second a été livré chez Rolls-Royce pour tester les moteurs, et le premier, qui a volé en juillet, reste à l'usine pour améliorations. Le squadron 19 a l'honneur de recevoir ce chasseur qui a impressionné les rares pilotes l'ayant testé. Au mess, ils racontent à leurs collègues qu'il faudra tourner, de la main droite, 27 fois la manivelle pour rentrer le train en gardant le manche fixe de la main gauche. Avec le moteur Merlin III et l'hélice bipale en bois, sa vitesse est de 750 km/h. (→ 16.8.40)

Parti de New York, Douglas Corrigan (à gauche) a atterri sur le sol irlandais.

Les Spitfire Mk 1 du squadron 19 en vol de formation en Angleterre.

Le Condor est l'avion de ligne transocéanique

New York, 10 août
Si la compagnie danoise Dania a eu le privilège d'en recevoir le premier exemplaire, baptisé par la princesse Margaretha le 28 juillet, l'exploit du Focke-Wulf Fw 200 est revenu de droit à la Lufthansa. Croisant à 2 000 m d'altitude, le capitaine Kurt Henke a amené le Condor à New York en un vol direct depuis Berlin-Staaken en 24 h 54 min. Au décollage, l'avion pesait 18 tonnes, alourdi par ses réservoirs supplémentaires. Il a volé à la moyenne de 255 km/h. Cet avion avait déjà fait forte impression lors d'un vol d'essai, le 27 juin, entre Berlin et Le Caire, *via* Salonique. Le Condor est équipé de 4 moteurs BMW de 750 ch ; il transporte 26 passagers et 24 membres d'équipage. (→ 30.11)

Une des particularités du Focke-Wulf Fw 200 est le changement de moteurs qui peut s'effectuer en trente minutes.

Au départ de Biscarosse, le Laté F-NORD pesait 43 tonnes

Le Laté F-NORD « Lieutenant de vaisseau Paris » à la base de Biscarosse.

New York, 31 août
Enfin, les gratte-ciel sont en vue. Henri Guillaumet survole le Verrazano Bridge, laisse à sa gauche la statue de la Liberté et se pose sur le fleuve Hudson. L'hydravion F-NORD a réussi sa première traversée de l'Atlantique Nord. Le 23 août, après un premier décollage raté, Guillaumet arrache les 43 tonnes de l'étang de Biscarosse. En 5 heures et 19 minutes, il couvre 1 300 km et arrive à Lisbonne. Le lendemain, il repart vers les Açores. Après 8 heures de vol, il se pose dans le port d'Horta. Le 25, tout est prêt pour affronter l'océan sur 2 750 km ; mais la mer, démontée, empêche de franchir la limite des jetées. Le 30, malgré une forte houle, l'équipage décide de profiter de l'accalmie provoquée par le renversement de marée. L'hydravion prend de la vitesse dans les eaux du port et fonce dans des creux de deux mètres. Les vagues atteignent les moteurs et les éclaboussent. Il faut toute l'habileté de Guillaumet et de Leclaire pour éviter l'embardée. Deux minutes d'angoisse et, enfin, le *Paris* déjauge. Il leur faudra encore essuyer un grain au milieu de l'Atlantique avant d'être accueillis triomphalement par les autorités de New York. Epuisés par la traversée, Guillaumet, Leclaire, Bouchard, Neri et Comet se reposent au Waldorf Astoria. (→ 14.7.39)

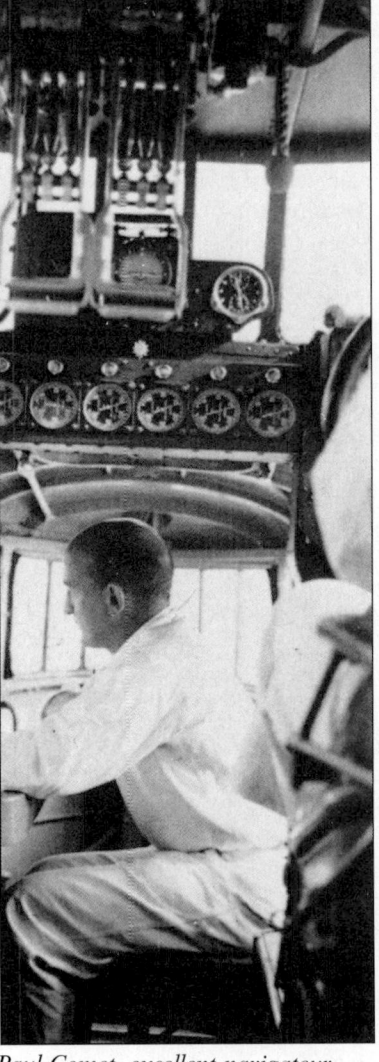

Paul Comet, excellent navigateur.

A pour attaque B pour bombardier P pour poursuite

Etats-Unis, 31 décembre
L'armée de l'air et la marine codifient les appareils en fonction de leur mission future. Ces codes n'ont rien à voir avec ceux des constructeurs qui, généralement, donnent à chaque projet un numéro de série. Par exemple, le B-299 (Boeing model 299) devient le B-17 (Bombardier 17). La lettre X reste celle qui désigne les prototypes. Les avions de transport sont désignés par la lettre C, ceux d'entraînement par les lettres BT. et ceux d'observation par la lettre O.

L'avion pour guérir la coqueluche

France, 14 septembre
Le corps médical n'explique pas comment un vol à 2 ou 3 000 mètres d'altitude dans un avion non pressurisé peut guérir de la coqueluche, qui est une maladie infectieuse. Il reste que plusieurs enfants ont été traités de cette manière et que les quintes de toux sont nettement diminuées après l'expérience. Les montées et descentes se font par paliers. Les aéroclubs se lancent dans des « vols coqueluches ».

Le DC-4E a une cabine climatisée

Santa Monica, 25 septembre

Douglas a des problèmes avec son DC-4, car il ne répond pas aux spécifications demandées par ceux qui ont initié le projet. PAA et TWA se sont d'ailleurs retirées de l'affaire. Le *coast to coast* pressurisé n'est pas tout à fait au point. Carl Cover a piloté un prototype non pressurisé. Il est immatriculé NX-18100 et Douglas le désigne par le sigle DC-4E, la dernière lettre signifiant expérimental. Sa dérive arrière est triple et sa cabine est climatisée par des moteurs auxiliaires que le jargon aéronautique désigne par APU (Auxiliary Power Unit). Actuellement, l'appareil est en cours de certification. Il devra être prêté à United pour être testé en exploitation. (→ 25.2.42)

Le DC-4E devait être pressurisé et capable de relier Los Angeles à New York.

Le Condor sur la route de Tokyo

Tokyo, 30 novembre

Il est 22 h 30 à l'aéroport de Tachikawa quand le Condor roule pour se garer devant les 10 000 personnes venues l'accueillir. Il est tracté dans un hangar où il brille sous les feux des projecteurs. La presse japonaise est présente et les radios ont retransmis l'arrivée de l'avion. Le quadrimoteur allemand a relié Berlin à Tokyo en 46 h 18 min de vol. Il a couvert la distance de 14 278 km à 192 km/h de moyenne. C'est une fantastique publicité pour le Reich. En raison du conflit sino-japonais, son itinéraire a emprunté la route méridionale, avec escales à Bassora, Karachi et Hanoi. Il a mis moins de deux jours pour parcourir la moitié du globe.

Dowding ne croit plus aux bombardiers

Londres, 1er novembre

L'*air marshall* sir Hugh Dowding vient de se faire quelques ennemis de plus. Alors que ses collègues du Bomber Command réclament toujours plus de bombardiers, il exige du gouvernement la construction de huit cents chasseurs supplémentaires. La rapidité du réarmement allemand inquiète le chef du Fighter Command et le ministre chargé de la coordination de la Défense, sir Thomas Inskip. Depuis 1936, ils ont calculé que, pour le prix d'un seul bombardier, on pouvait produire et armer un nombre suffisant de chasseurs et atteindre ainsi très vite la parité avec la Luftwaffe.

Le frère de Franco se tue en hydravion

Méditerranée, 28 octobre

C'est la défaillance d'un moteur à 4 000 m d'altitude qui a causé la mort du lieutenant colonel Ramon Franco. Il pilotait un trimoteur italien Cant Z.506. Parti de la base aérienne franquiste des Baléares, il était en mission de bombardement sur Valence et transportait 250 kg de bombes. Bien que réputé pour ses prouesses acrobatiques, il n'a pas réussi à contrôler l'hydravion en détresse. Frère du généralissime, il vivait depuis 1935 aux Etats-Unis où il était attaché à l'ambassade d'Espagne. Son frère l'avait rappelé et nommé à la tête de l'aviation des Baléares.

Le Dewoitine D.520 volera à 520 km/h

France, 2 octobre

Emile Dewoitine n'a reçu la commande de ce chasseur que le 12 mai dernier. Il lui a fallu insister pendant quatorze mois auprès des autorités pour qu'elles se décident à lancer le programme d'un chasseur moderne. Dewoitine a des ennemis dans les ministères. Ce marché portait sur trois appareils. Le premier revenait à 2 200 000 F et les deux suivants à 2 000 000 F. Les prix ne comprennent pas les moteurs. Moins de cinq mois plus tard, Marcel Doret faisait décoller le D.520-01. Le prototype se distingue par un radiateur ventral et une béquille de queue.

Le Curtiss P-40, un chasseur bon marché

Etats-Unis, 11 octobre

En juillet 1937, Curtiss a reçu une commande de l'US Army pour deux cent dix exemplaires de son chasseur Model 75, connu par les militaires sous le nom de P-36. C'est un chasseur conçu pour le soutien au sol des troupes. Son prix, 19 500 dollars hors moteur, fixé par contrat, est très avantageux. Au numéro 10 de la série, Curtiss convertit ces avions en P-40 en changeant le moteur radial refroidi par air par un moteur de 12 cylindres en ligne, refroidi par liquide. Sa vitesse et son armement sont inférieurs à ceux des chasseurs européens. (→ 15.4.41)

Il doit atteindre, selon le cahier des charges, 520 km/h. D'où son nom.

Le moteur en ligne de 12 cylindres a allongé le nez du P-36 d'origine.

Le Reich impose des couloirs aériens

Allemagne, 10 septembre

Le trafic aérien au-dessus de l'Allemagne risque fort de voir sa fréquence diminuer dans des temps relativement proches. Les autorités du Reich viennent d'instaurer une réglementation stricte en ce qui concerne la circulation des avions. Dorénavant, aucun appareil étranger ne sera autorisé à survoler le territoire de l'Allemagne en dehors d'itinéraires préétablis. Les appareils des compagnies étrangères devront emprunter ces couloirs sous réserve de se voir retirer les droits de trafic. C'est une décision sans précédent qui ne peut se justifier que par la volonté de camoufler des installations militaires et des concentrations de troupes.

Boeing présente un avion pressurisé

Une situation critique en vol, deux hélices en drapeau du même côté.

Seattle, 31 décembre

Boeing a réussi là où Douglas est tenu en échec. Le Model 307 Stratoliner est un avion de ligne pressurisé. Il évolue à des niveaux de vol qui réduisent la consommation d'essence et augmentent la vitesse à cause d'une moindre résistance de l'air. Le dernier avantage est le confort pendant le vol qui se déroule au-dessus de la plupart des couches nuageuses. Le premier appareil de série vient de réussir son vol inaugural. Pan Am et TWA en ont déjà commandé plusieurs. Howard Hughes en attend un aussi. Dérivé du B-17, dont il emprunte les ailes, l'empennage et les quatre moteurs Wright-Cyclone 900 ch, le Boeing 307 prépare une aviation nouvelle. (→8.7.40)

Présentation d'une escadrille de Morane

France, 31 décembre

Les Français le disent le meilleur chasseur du monde. Le Morane-Saulnier MS.406 est présenté aujourd'hui en escadrille à l'aérodrome du Bourget. C'est le premier chasseur moderne à être opérationnel en France. Avec le Hurricane et le Spitfire, il semble en mesure d'affronter les appareils de la Luftwaffe. Au terme du Plan V, activé au mois de mars dernier, huit cents exemplaires ont été commandés en avril aux usines de Bouguenais et de Puteaux. Fin mai, des modèles de présérie sont soumis à des vols d'essai. Malgré quelques problèmes nécessitant des modifications, les pilotes en sont satisfaits. Le fer de lance de la chasse française, qui doit équiper d'autres escadres, décolle à la vitesse de 140 km/h et atteint 486 km/h à 5 000 m. Son plafond se situe à 9 850 m. (→8.2.39)

La RAF reçoit le bombardier Wellington

Mildenhall, 31 octobre

L'escadrille n° 9 du Bomber Command de la RAF a reçu un nouveau bombardier. Il s'agit du Vickers Wellington. Ses performances sont étonnantes pour un bimoteur. Il peut emporter jusqu'à 2 000 kg de bombes, mais son rayon d'action se limite alors à 2 000 km. Sans cette charge, la distance passe à 4 000 km. Sa vitesse atteint 410 km/h. Il est équipé de moteurs Bristol Pegasus de 1 000 ch. En défense, il est équipé de six mitrailleuses Browning. L'ingénieur Barnes Wallis a emprunté à la géodésie les principes de calcul pour la conception du Vickers. Sous le tissu de revêtement de l'appareil, les cadres et les lisses sont entrecroisés comme dans un travail de vannerie. Il en résulte que la cellule présente un gain de poids très appréciable et offre une remarquable résistance.

l'aérodrome du Bourget, présentation officielle des Morane-Saulnier.

En opération, l'altitude plafond du Wellington est de 5 500 m.

Douze hydravions Boeing 314 Clipper ont été construits pour Pan American Airways, qui les exploite sur ses lignes de l'Atlantique Nord.

L'Armstrong Whitworth Ensign a été conçu pour Imperial Airways.

Un Savoia-Marchetti SM.84, aux couleurs d'Ala Littoria.

L'Auster a été extrapolé de la série des Taylorcraft.

Le prototype du chasseur Martin-Baker MB.2 est resté sans suite.

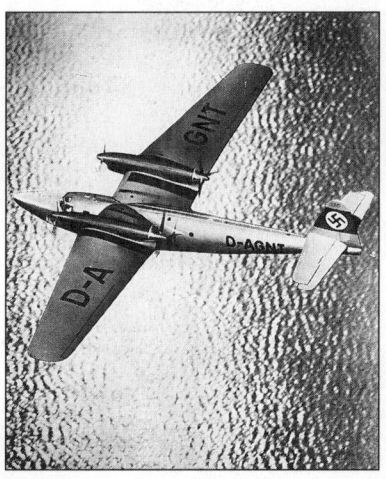

Le Dornier Do 26, conçu pour le service aéropostal de Lufthansa.

Un prototype du bombardier Dornier Do 217 de la Luftwaffe.

L'Avia Av-35 donnera naissance à l'Av-135 (douze exemplaires).

Le Blohm und Voss Ha 142 est une version terrestre du Bv 139.

Le seul exemplaire construit du Potez-CAMS 141 quadrimoteur.

La carrière du bimoteur Saro Lerwick sera courte au sein de la Royal Air Force.

Le moteur du Bell XP-39 est monté derrière le poste de pilotage.

Le Rogozarski SIM-XIV-H yougoslave est équipé de deux moteurs Argus.

Le prototype du Douglas DC-4E a été mis au point pour les grandes compagnies américaines, mais le DC-4 de série sera un peu différent.

Le Boeing Model 307 Stratoliner est le premier avion civil pressurisé à entrer en service au monde. La guerre retardera son développement.

Le Miles Mentor a été construit pour l'entraînement des radios.

Le Curtiss XP-40 est un P-36 équipé d'un moteur en ligne.

Le prototype du bombardier torpilleur Bristol Beaufort.

Le Supermarine Sea Otter, très utilisé pour les secours en mer.

Le Focke-Wulf Fw 189 Uhu, avion d'observation et de coopération.

L'Aichi D3A Val est un bombardier en piqué embarqué.

Le Dewoitine D.520, équipé d'un moteur Hispano-Suiza 12Y-45, est le seul avion de chasse français pouvant tenir tête au Bf 109.

Asymétrique et étrange, le Blohm und Voss Bv 141 d'observation.

Le bombardier torpilleur Blackburn Botha.

Le prototype du Messerschmitt Me 209 bat le record du monde de vitesse avec 469 mph. Il inaugure un système de refroidissement du moteur.

Premier monoplace bimoteur en service au monde, le Westland Whirlwind ne tiendra pourtant pas toutes ses promesses en première ligne.

Le Reggiane Re 2000 Falco, premier d'une longue lignée de chasseurs.

Le Messerschmitt Me 210 ne parvient pas à remplacer le Bf 110.

Le prototype du Bloch 174, dont la version de série différera un peu.

Le Heinkel He 100, chasseur raté, mais propagande réussie.

Le Douglas SBD Dauntless, dont 5 936 exemplaires sont construits, joue un rôle déterminant contre la marine japonaise dans le Pacifique.

L'Arado Ar 196 est également embarqué sur les navires allemands.

Le Koolhoven FK.58, dont quelques exemplaires vont atteindre la France.

Le Fiat CR.42 est le principal chasseur italien en service en 1940.

Le Blackburn Roc est un Skua armé d'une tourelle Boulton-Paul.

1939

920 km/h
Etats-Unis
Lloyd Child
Curtiss H-75 A
24.1.39

12 935 km
Italie
Tondi-Dagasso-Vignoli
Savoia-Marchetti 79
1.8.39

17 083 m
Italie
Mario Pezzi
Caproni 161 bis
22.10.38

56 000 kg
Allemagne
Dornier
Do X

500 kgp
Allemagne
Pabst von Ohaim
Heinkel HeS 3B

Atlantique Nord, 21 janvier
Le pétrolier *Esso Baytown* sauve 10 des 13 occupants du *Cavalier* d'Imperial Airways. Durant son 290e vol de New York aux Bermudes, deux moteurs givrés n'ont pu être remis en marche. L'hydravion a amerri violemment avant de couler.

France, 8 février
Léopold Galy atteint 825 km/h avec le prototype n° 2 du Dewoitine 520 en survitesse dans un piqué, comme l'Américain Lloyd Child le 24 janvier sur un Curtiss.

Etats-Unis, 11 février
Kelsey arrive à Mitchell Field à New York avec le XP-38. La commande des volets casse et les moteurs s'arrêtent. L'avion s'écrase dans un terrain de golf, mais Kelsey n'est que blessé. (→ 13.12.41)

Etats-Unis, 12 février
La firme Hamilton annonce la mise au point d'un régulateur automatique d'hélices, qui maintient un régime constant sur les multimoteurs et diminue les vibrations.

Chili, 14 février
Le prototype du Boeing XB-15 apporte de la Virginie 1 474 kg de médicaments aux victimes d'un tremblement de terre. Le vol sans escale dura 29 heures et 53 minutes.

Palm Springs, 24 mars
Jacqueline Cochran bat le record national d'altitude féminin, avec 9 854 m sur un Beech 17. (→ 20.6.40)

Suède, 31 mars
SAAB-T et ASJA, qui construisent respectivement sous licence les bombardiers allemands Junkers 86 et américains Northrop 8A, ont fusionné ce mois-ci pour former la SAAB. (→ 19.6.42)

Augsbourg, 26 avril
Fritz Wendel, pilote d'essai chez Messerschmitt, porte le record de vitesse sur base à 755,138 km/h sur un Bf 109 remotorisé. Il l'enlève à Hans Dieterle de l'équipe Heinkel, qui a atteint 746,610 km/h sur le He 100 V8, le 30 mars dernier.

Miscow Island, 28 avril
Les Soviétiques Kokkinaki et Gordienko sont forcés d'atterrir après 24 h de vol... dans un marais du Nouveau-Brunswick. Ils tentaient Moscou - New York sans escale.

Moscou, 7 mai
Le prototype du bombardier Pe-2 fait son vol initial. Il a été conçu par Vladimir Petlyakov qui, victime des purges staliniennes, est placé en régime de détention spéciale.

Le Bourget, 10 mai
Le pilote Raymond Vannier inaugure le service de nuit d'Air Bleu. Le Caudron 449 Goéland décolle devant un public conquis. (→ 31.8.40)

Grande-Bretagne, 24 mai
L'hydravion Short *Cabot* d'Imperial Airways est ravitaillé en vol avec succès par un bombardier Handley Page transformé en avion-citerne de 4 050 l. (→ 11.8)

Washington, 7 juin
Le pilote mexicain Francisco Sarabia meurt à bord de son avion qui s'écrase dans le Potomac peu après le décollage. Un mécanicien a oublié un chiffon dans le carburateur. Le 24 mai, il avait battu le record d'Amelia Earhart entre Mexico et New York en 10 h 48 min.

Etats-Unis, 13 juin
Le porte-avions *USS Saratoga* fait des essais de ravitaillement en mer avec le pétrolier *Kanawha*. L'US Navy cherche à étendre le rayon d'action de ses navires. (→ 8.5.42)

Peenemünde, 20 juin
Erich Warsitz décolle le Heinkel 176, équipé du moteur-fusée R-1 à poussée variable, fonctionnant à l'oxygène et au méthanol. (→ 27.8)

Londres, 28 juin
La Women's Auxiliary Air Force (WAAF) de la RAF est créée à partir d'unités de l'armée de terre.

Amérique du Sud, 6 juillet
Air France met un Douglas DC-3 en service sur la ligne Buenos Aires - Santiago du Chili.

Paris, 22 juillet
Saint-Exupéry fait une demande de brevet pour un dispositif de contrôle de l'allumage et de synchronisation des moteurs en vol. (→ 23.5.40)

Londres, 31 juillet
Le ministère de l'Air britannique a commandé à Consolidated Aircraft Corporation un PBY-4 pour évaluation. L'hydravion vient d'être convoyé en Angleterre depuis la Californie. (→ 10.5.41)

Mongolie, 20 août
Les Soviétiques lancent une offensive contre les Japonais avec 294 avions. Cinq chasseurs Polikarpov I-16, équipés chacun de huit roquettes RS 82, abattent deux Mitsubishi A5M. (→ 15.10)

Grande-Bretagne, 1er septembre
La RAF rappelle ses réservistes et met toutes ses formations en état d'alerte. Elle décide de créer l'Air Transport Auxiliary (ATA) qui doit assurer le convoyage des appareils des usines aux unités et aux dépôts de réparation. (→ 11.1.40)

France, 2 septembre
Dix groupes de bombardiers (160 Fairey Battle) de l'Advanced Air Striking Force britannique sont déployés sur des bases en Champagne.

Etats-Unis, 2 septembre
A Cleveland, Frank Fuller remporte le trophée Bendix avec un Seversky S2, avion vainqueur pour la troisième année consécutive.

Grande-Bretagne, 3 septembre
Le jour même de la déclaration de guerre à l'Allemagne, une fausse alerte est déclenchée par le vol imprévu d'un avion d'Air France se dirigeant vers Croydon.

Etats-Unis, 5 septembre
A bord de son avion rebaptisé *Miss Champion*, Roscoe Turner gagne le trophée Thompson. En queue de peloton au départ, il a remonté tous ses concurrents sur les neuf tours du parcours. Plus de 60 000 spectateurs l'ont applaudi.

France, 30 septembre
Les lignes d'Air France, suspendues le 3 à la déclaration de guerre, reprennent leurs services hors des zones de guerre. (→ 31.5.40)

Mer du Nord, 16 octobre
Première victoire aérienne du Spitfire. Les pilotes des squadrons 602 et 603, basés en Ecosse, abattent un premier Ju 88 à 14 h 45 et un autre 15 minutes plus tard. Sur les 1 143 commandés, plus de 300 exemplaires ont déjà été livrés. (→ 28)

Dalkeith, 28 octobre
Des Spitfire de la RAF abattent un Heinkel 111. Examiné, le système d'approche à l'atterrissage Lorenz, très précis, donne un indice au professeur Jones. Selon lui, les Allemands l'auraient adapté en système de navigation par signaux radio. (→ 15.11.40)

Atlantique Sud, 31 octobre
Sous couvert de vols de reconnaissance pour Air France, le Farman F-2234 stratosphérique *Camille Flammarion* a effectué ce mois-ci plusieurs missions secrètes. Il recherchait les cuirassés allemands *Graf Spee* et *Admiral Scheer*.

Lorraine, 6 novembre
Neuf Curtiss H.75A du groupe de chasse français II/5 affrontent 27 Messerschmitt Bf 109. Ils abattent 14 appareils allemands, sans perte.

Mer du Nord, 18 décembre
Seize Messerschmitt Bf 110 et 34 Bf 109 interceptent 24 Vickers Wellington de la RAF allant bombarder Wilhelmshaven. Douze sont abattus, dont 9 par les Bf 110.

New York, 18 décembre
Harold Gray, pilotant l'hydravion *American Clipper*, achève la 100e traversée de l'Atlantique Nord de la Pan Am. Il transporte 18 passagers et 1 tonne de colis de Noël.

Des Stuka de la Luftwaffe partent en mission. Leur précision étonnante en piqué font d'eux les meilleurs des bombardiers d'assaut.

Le chasseur Lockheed P-38 bimoteur

Le chasseur P-38 a enthousiasmé les pilotes qui l'ont testé en vol.

March Field, 27 janvier
Plus de peur que de mal à l'aéroport de March Field lors du premier vol du Lockheed P-38. A l'atterrissage, alors que le pilote d'essai, Benjamin S. Kelsey, tente d'actionner la manivelle qui commande la sortie des volets Fowler, la chaîne cède. C'est à très grande vitesse qu'il se présente au seuil de la piste. Il réussit à s'arrêter en écrasant les freins. Le chasseur P-38 est l'aboutissement du contrat signé par la firme Lockheed en juin 1937. Ce bimoteur métallique, dessiné par Kelly Johnson, a été conçu avec deux moteurs à 12 cylindres en V refroidis par liquide Allison V-1710, qui actionnent des hélices tripales. Les capotages ont été prolongés vers l'arrière par un fuselage-poutre de très grande finesse. Ces deux poutres portent les entrées d'air des radiateurs et les empennages. Le fuselage central se compose d'un nez en forme d'obus précédant l'habitacle vitré. Les ailerons occupent plus de la moitié des panneaux extérieurs de la voilure. Le P-38 atteint 675 km/h. (→ 11.2)

Un chasseur japonais pour porte-avions

Japon, 1er avril
L'aviation embarquée japonaise devrait être bientôt dotée du chasseur Mitsubishi dont le prototype A6M1 a volé aujourd'hui avec un moteur Mitsubishi Zuisei 13 de 780 ch. Il a effectué un premier vol très satisfaisant. En mai 1937, la marine impériale a fixé un carnet de caractéristiques d'un chasseur capable d'opérer à bord des porte-avions. Nakajima, qui se désistera, est en concurrence avec Mitsubishi. Cet avion à aile basse a un fuselage entièrement métallique. Les réservoirs d'essence et d'huile sont logés entre des cloisons pare-feu. Deux mitrailleuses synchronisées de 7,7 mm sont fixées au-dessus de cette section. Le poste de pilotage, fermé par une verrière à glissière, est surmonté du mât de l'antenne-radio. Le train d'atterrissage se relève vers l'intérieur. (→ 13.9.40)

Le chasseur prototype Mitsubishi A6M1 est le premier à cockpit fermé.

L'avion saisit en vol les sacs postaux

Dans quelques instants, les sacs seront hissés à bord de l'appareil.

Pennsylvanie, 5 mars
L. Adams, fondateur de la *All American Aviation*, teste en Virginie et en Pennsylvanie un astucieux système pour accroître l'efficacité de la poste aérienne. La géographie de ces régions fait que des petits bourgs isolés pourraient recevoir le courrier plus vite que les grandes villes. Se présentant à vitesse réduite et à basse altitude, l'avion déroule un filin terminé par un crochet. Des sacs, attachés au bout d'une corde tendue entre deux poteaux, sont emportés par l'avion dans lequel ils sont hissés par un treuil. Le largage de la livraison est bien plus brutal. L'armée s'intéresse aussi à ce procédé qui permettrait de récupérer des hommes isolés. Le climat du sud des Etats-Unis et la dispersion des exploitations agricoles permettent l'application de ce système sans aucune difficulté.

Premier vol de Trans-Canada Airlines

Montréal, 1er avril
Il y a encore de la neige à Montréal pour l'inauguration du premier vol transcontinental vers Vancouver de la Trans-Canada Airlines. Le prix du billet est de 255 dollars, soit quatre mois de salaire d'un employé. Depuis quelques mois déjà, les pilotes ont testé le nouveau Lockheed 14H dont ils connaissent bien les caractéristiques. La consigne à TCA est : « Mille pieds en ligne droite au départ et à l'arrivée. » La société est très stricte. Les hôtesses, infirmières, gagnent 140 dollars par mois, mais elles doivent payer leur uniforme qui en vaut 40.

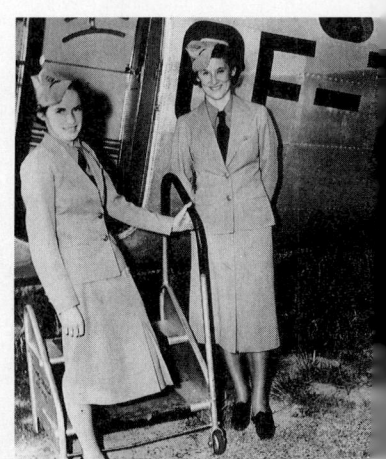

L'accueil de deux hôtesses de l'air.

Marseille, première étape du « Yankee Clipper » de la Pan Am

Marseille, le 23 mai

Le 3 mars dernier, Eleanor Roosevelt baptisait le Boeing 314 *Yankee Clipper*. L'hydravion vient d'assurer la première liaison postale transatlantique de la Pan American Airways. Aux commandes, le capitaine Arthur La Porte amerrit sur l'étang de Berre. C'est un jour de consécration pour l'équipe qui a préparé cette route. Les premières autorisations françaises furent données le 17 janvier dernier. Les Portugais n'ont pas fait trop de difficultés pour accorder les droits de passage aux Açores et à Lisbonne. C'est aussi la victoire de Pan Am et de Boeing sur tous les autres concurrents. Les hydravions britanniques ne sont pas techniquement capables de telles performances. Les Français sont partis trop tard dans la course et enfin les Allemands, les concurrents les plus sérieux, ont des difficultés politiques qui ont cloué le Condor au sol. Pour son voyage vers l'Europe par la route sud, le *Yankee Clipper* est parti du terminal Pan American de Port Washington, à New York, le 20 pour un premier trajet vers les Açores. Il est reparti de Horta le 22 pour Lisbonne. Le lendemain, il accomplissait le tronçon vers la France et arrivait à Marseille où il n'a fait qu'une courte escale avant de s'envoler pour Southampton. Il reviendra à Marseille le 24 pour reprendre le chemin des Etats-Unis. Le tarif pour les passagers est de 375 dollars pour le trajet de New York à Marseille. Le service doit débuter au mois de juillet. C'est Pan American qui a emporté le contrat postal FAM 18 (Foreign Air Mail). Au départ de New York, 12 574 lettres ont été embarquées. Cela représentait un fret de 727 kg. Des milliers de collectionneurs ne voulant pas rater l'occasion, 15 210 lettres ont encore été chargées aux Açores et 6 507 à Lisbonne. La route du nord doit être inaugurée le 24 juin.

Au décollage, chacun des quatre moteurs du Boeing 314 développe 1 500 ch.

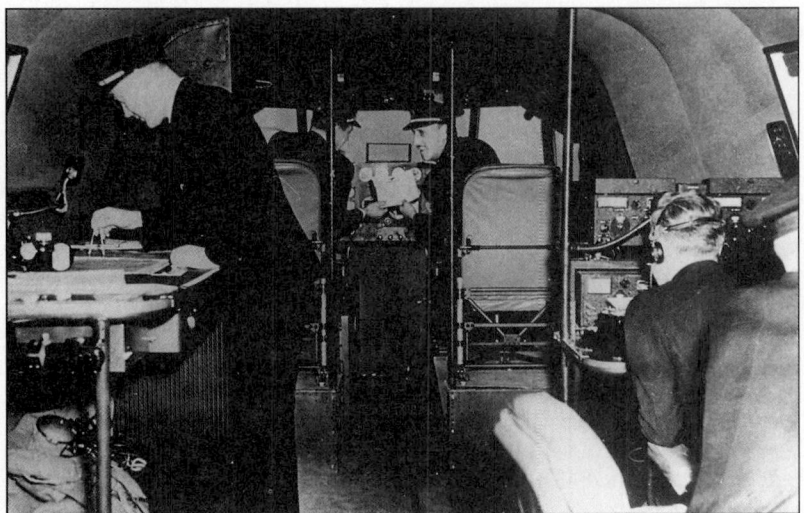

Le poste de pilotage avec à l'avant, à gauche, le capitaine Arthur La Porte.

Un repas servi à 3 000 mètres d'altitude. L'hydravion vole à 330 km/h.

La Sabena reçoit ses DC-3 en caisses

Bruxelles, 16 janvier

C'est dans des caisses que la Sabena vient de recevoir à Anvers ses premiers DC-3. Les parties prémontées à Santa Monica, faubourg de Los Angeles en Californie, ont été expédiées par bateau. La firme néerlandaise Fokker, qui est sous contrat avec Douglas, est chargée de l'assemblage qu'elle réalise dans des ateliers à Deurne. Le premier des deux exemplaires immatriculé OO-AUH est arrivé à l'aéroport de Haren aujourd'hui. Le deuxième devrait être livré dans les prochaines semaines. Les DC-3 de la Sabena, version 21 places, seront exploités sur les lignes de Londres et Vienne avec escale à Francfort et Munich. (→ 14.2.40)

Un Bf 110 piraté par deux frères

Doubs, 10 mai

Le 2e bureau vient de récupérer un avion allemand accidenté sur le sol français. Les deux pilotes, Jean et Xavier Oettil, sont morts sur le coup. Embauchés aux usines Messerschmitt, ils avaient réussi à dérober ce Bf 110. Mais, pris dans un épais brouillard, l'avion s'est écrasé près de Villers-sous-Chalamont.

Un Paris-Londres toutes les heures

Paris, 16 juin

Air France propose à ses passagers un vol de une heure et quinze minutes entre Paris et Londres, à bord d'un Bloch 220, pour 875 F aller-retour. Un départ a lieu toutes les heures. La compagnie est en compétition directe avec Imperial Airways, British Airways, Wright Ways et Air Dispatch.

Des Fairey Fox assemblés en Belgique

Belgique, 25 mai

Un moteur américain, un constructeur britannique et une usine belge : c'est un tiercé gagnant pour le bombardier Fairey Fox, qui a la particularité d'être plus rapide que beaucoup de chasseurs. Propulsé par un Curtiss D-12, il est construit par la firme Fairey qui a créé une filiale à Gosselies, près de Charleroi. C'est là qu'est monté le Mk VII, destiné aux escadrilles belges.

Les radars anglais surveillent la Manche

Grande-Bretagne, 1er avril

Les Français comptent sur la ligne Maginot, les Anglais sur leurs radars face à la menace allemande. Ils ont construit une ligne de stations radar sur la côte est qui est à même de détecter les avions ennemis au-dessus de la Manche et du continent. Ce réseau d'alerte très efficace fonctionne désormais en continu. Il ne cesse d'être perfectionné.

Le moteur du P-39 est derrière le pilote

Le chasseur P-39 de la firme Bell : un excellent avion de combat américain.

Wright Field, 6 avril

Le Bell P-39 Airacobra a effectué son premier vol de présentation dans l'Ohio. Ingénieur en chef de la firme Bell, Robert Woods voulait fabriquer un appareil de chasse doté du canon T-9 de 37 mm, un gros calibre pour un avion. Le 7 octobre 1937, la Bell Aircraft Corp. signe un contrat avec l'armée pour la création d'un prototype. Woods dessine alors un fuselage dont la partie avant renferme le canon. L'accès à l'habitacle se fait par une porte latérale. Derrière le pilote, le moteur Allison V-1 710-17 à 12 cylindres en V actionne un arbre qui entraîne une hélice tripale. Son refroidissement est assuré par deux radiateurs situés sur les flancs du fuselage. Les empennages à structure métallique sont recouverts de toile pour les parties mobiles. L'armement est puissant.

La légion Condor est rentrée d'Espagne

Allemagne, 6 juin

Fidèles à leurs habitudes théâtrales, les nazis ont organisé une grande parade en l'honneur de la légion Condor. Cette unité de la Luftwaffe a défilé au grand complet devant son chef, le général von Richthofen, aux côtés de Hitler et du maréchal Göring. Créée en novembre 1936, cette formation a agi comme une véritable armée aérienne autonome. Forte de 6 500 hommes, elle a permis à la Luftwaffe de tester de nouveaux avions comme les Junkers 52 et les Heinkel 111, et ses chasseurs Messerschmitt Bf 109E-1.

La France reçoit ses chasseurs Curtiss

France, 13 mai

La France vient de recevoir ses premiers Curtiss H.75A qui avaient été commandés par centaines dès 1938. Ils doivent pallier une production nationale jugée insuffisante. C'est une version du P-36A de l'US Army, conçue pour l'exportation. Les améliorations de la version P-40 n'ont pas été effectuées. Les manettes de gaz ont été inversées pour les pilotes français. L'avion est équipé d'un moteur Pratt & Whitney de 1 050 ch et possède un train rétractable. Son armement se compose de quatre mitrailleuses de construction française. Facile à manœuvrer, cet avion a été conçu pour appuyer les attaques au sol.

La réception des Curtiss H.75A.

De New York à Marseille pour 375 dollars

New York, 28 juin

Pan American a publié ses horaires et tarifs sur l'Atlantique. Suivant leur destination, les passagers peuvent choisir la route du nord par l'Irlande ou celle du sud qui passe par les Açores et le Portugal. Il faut être très riche pour s'offrir ces voyages. L'aller simple sur Londres ou Marseille, au départ de New York, vaut 375 dollars et 675 l'aller-retour. Les vols de la route nord portent les numéros 100 et 101 et ceux de la route sud, *via* Marseille, les numéros 120 et 121. Les prix comprennent les repas et les boissons. Le *Dixie Clipper* ouvre la route sud avec 22 passagers.

Le Focke-Wulf 190 est testé à Brême

Brême, 1er juin

Le chef pilote de la firme Focke-Wulf ne tarit pas d'éloges sur le dernier-né de la firme de Brême. Aujourd'hui, le *Flugkapitän* Hans Sanders a effectué un vol d'essai sur un prototype d'avion de chasse : le Focke-Wulf Fw 190V-1. L'essai s'est révélé très concluant. L'appareil a fait preuve d'une maniabilité remarquable et sa vitesse ascensionnelle est surprenante. Cette qualité est très appréciable pour un chasseur. Par contre, le moteur BMW-139 en double étoile de 1 550 ch a tendance à chauffer.

Un Messerschmitt Bf 109E-1 de la légion Condor à son retour d'Espagne.

Premier vol du Focke-Wulf Fw 190V-1 réalisé par l'ingénieur Kurt Tank.

Paris achète cent bombardiers Douglas

Le bombardier Douglas DB-7 a fait ses premiers essais le 26 octobre 1938.

Paris, 15 février

C'est grâce à l'intervention directe du président Roosevelt que le gouvernement français a pu passer une commande de cent bombardiers Douglas DB-7. Ces appareils font partie d'un lot de 535 avions de combat négociés par une mission d'achat que dirigent Jean Monnet et Henri Hoppenot, assistés du colonel Jacquin. Au départ, l'état-major américain s'est montré très réticent pour céder ces bimoteurs de bombardement ultramodernes. Roosevelt est intervenu auprès des autorités pour leur expliquer qu'il ne servirait à rien de livrer aux Français des avions en passe d'être périmés, alors qu'ils formaient la première ligne de défense de l'Amérique. Cet argument a su convaincre l'US Army Air Corps. Le 23 janvier, les Français assistaient à un vol de leurs Douglas. (→ 7.4.41)

Un turboréacteur propulse le Heinkel 178

Peenemünde, 27 août

Quand, au mois de juin, Ernst Udet vit voler l'avion-fusée de Heinkel, le He 176, il demanda au constructeur pourquoi il avait remplacé les ailes par des marchepieds. Le tout petit avion dans le nez duquel le pilote était assis, les jambes allongées, avait atteint la vitesse de 750 km/h avec la fusée qui lui donnait une poussée de 690 kg. Udet ne fut pas impressionné, mais Heinkel décidait de poursuivre ses recherches pour produire un avion capable de dépasser la barre des 1 000 km/h. Il était encouragé par Werner von Braun qui travaillait au développement des fusées. Par ailleurs, depuis six ans, le physicien Pabst von Ohain met au point à Göttingen un réacteur. Heinkel s'y intéresse, et dès 1937 ils mettent au point un réacteur à hydrogène qui, dans sa première version, développe 130 kg de poussée. Heinkel a construit, autour d'une version améliorée de ce moteur, un petit avion de 7,20 m d'envergure et de 7,48 m de long. La prise d'air se fait par l'avant, le pilote est assis au-dessus des premiers compresseurs et l'échappement de la turbine se fait à l'arrière du fuselage. Erich Warsitz a volé ce matin devant les ingénieurs de l'usine. La poussée de 500 kg du réacteur à hydrogène a propulsé l'appareil de 1 998 kg à une vitesse de 700 km/h. (→ 2.10.41)

L'avion à réaction Heinkel He 178 propulsé par les 500 kg de poussée.

L'Avro Manchester est lent mais vole loin

Grande-Bretagne, 25 juillet

En mai 1936, le ministère de l'Air britannique avait publié les spécifications du programme P.13/36. Il s'agissait d'étudier la construction d'un bimoteur gros porteur, qui constituerait la deuxième génération des bombardiers monoplans. La firme Avro a suivi ces instructions à la lettre : elle vient de procéder au vol d'essai de l'Avro type 679 Manchester. Avec 2 moteurs Rolls-Royce Vulture, il emporte 4 700 kg de bombes et dispose d'une autonomie de 2 000 km. Il peut bombarder l'Allemagne. (→ 9.1.41)

Un chasseur anglais qui peut tout faire

Grande-Bretagne, 17 juillet

Le Bristol Beaufighter est un avion destiné à remplir tous les types de missions. Un contrat de trois cents exemplaires est signé 15 jours avant son vol d'essai. Il est construit par la firme Bristol où il est connu sous la référence Type 156. Bimoteur trapu, il a reçu deux moteurs Bristol Hercules qui lui permettent de voler à 515 km/h à l'altitude de 3 000 m. Il est prévu pour des missions de nuit et pour la surveillance maritime. Il doit aussi être équipé d'un radar. (→ 20.11.40)

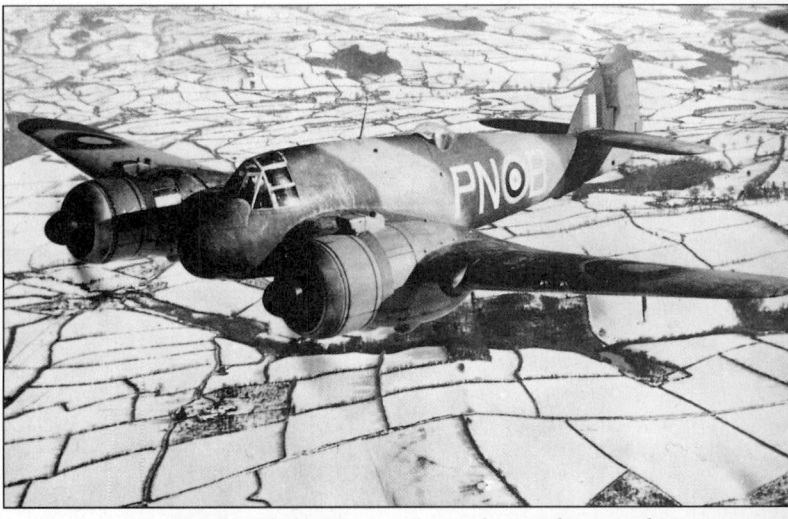

a firme Avro présente son nouveau bombardier : l'Avro type 679 Manchester.

Le Bristol type 156, Beaufighter, avion de combat et chasseur de nuit.

Guillaumet réalise un New York - Biscarosse sans escale

Guillaumet (à gauche) et Saint-Exupéry après la traversée de l'Atlantique.

Biscarosse, 14 juillet

Ils célèbrent la fête nationale à leur manière : à bord du *Lieutenant de Vaisseau Paris*, Guillaumet et son passager, Saint-Exupéry, ont réalisé la première traversée de l'Atlantique Nord sans escale avec un avion de ligne. Guillaumet a choisi la route nord, plus courte, pour son retour de New York vers la France. A la verticale de Saint-Pierre, il maintient le cap vers l'est, et brûle ainsi l'étape de Botwood. Dans la nuit, un début d'incendie l'oblige à couper un des moteurs. Heureusement poussé par un vent d'ouest, le Laté poursuit sa route avec cinq moteurs sur six. Au large de l'Irlande, il décide d'éviter Foynes et de continuer jusqu'à Biscarosse, où il amerrit dans la soirée. Ce bel exploit, préparé en secret par Guillaumet, redonne à la France un prestige battu en brèche par les Clipper.

Les avions du Reich passent à l'attaque

Les avions de combat du Reich s'apprêtent à prendre le départ.

Grande-Bretagne, 16 octobre

Le premier raid de la Luftwaffe en Grande-Bretagne a eu lieu au-dessus de l'estuaire de Forth, à l'est du pays. Douze Junkers ont bombardé les bâtiments de la Navy. Des chasseurs de la Royal Air Force basés à Glasgow et à Edimbourg ont immédiatement répliqué. Ils ont abattu deux Junkers 88. Le ministère de l'Air britannique a annoncé officiellement la perte de deux officiers pilotes et de leurs avions ainsi que de treize hommes. On compte trente-cinq blessés.

James McDonnell s'installe à St. Louis

Lambert Field, 25 septembre

Il est né le 9 avril 1899. Il a donc 40 ans quand il décide de ne plus travailler pour les autres et de créer sa propre société. James McDonnell est un ingénieur en aéronautique très expérimenté. Pendant plusieurs années, il a travaillé chez Ford, où il a participé à la mise au point du trimoteur *Tin Goose*. Et quand Ford s'est lancé dans la voiture populaire, il a voulu développer la même idée pour les avions. Il a créé en 1929 un petit monoplace *Doodlebug*, mais il a dû admettre que si le public avait du mal à se payer une voiture, l'avion resterait un rêve inaccessible. Il a choisi de s'installer à Lambert Field, près de St. Louis, où l'importance du trafic commercial lui semble propice pour réparer et construire des avions. McDonnell a loué un bâtiment à American Airlines.

Imperial Airways vole vers New York

Southampton, 11 août

Le Caribou est arrivé à destination. L'hydravion postal d'Imperial Airways a effectué un aller-retour de Southampton à New York. Il est le premier long-courrier de la compagnie sur l'Atlantique Nord. Le partage de la ligne avec Pan American est réalisé ; il y a toutefois une classe de différence entre les avions.

On se bat dans le ciel de Chine

Chine, 15 octobre

La situation des nationalistes chinois en lutte contre l'envahisseur japonais semble désespérée. Aujourd'hui, un conseil de guerre a réuni à Chongqing le président Tchang Kaï-chek, le général Mow, qui est à la tête de l'aviation chinoise, et le major américain Claire Lee Chennault. Ce dernier dirige à Kunming une école de pilotage et une escadrille internationale formée de volontaires occidentaux. La marraine de l'école est Mme Tchang Kaï-chek. Le président chinois a prié Chennault, qui lui demande des avions performants, d'organiser un groupe aérien. (→ 15.4.41)

Le B-17 Flying Fortress. Le prototype de cet appareil a volé pour la première fois en 1936. Il a été mis en évaluation en mars 1937 et, vu ses qualités indiscutables, l'armée américaine en a commandé trente-sept.

John F. Kennedy, ici avec son père, l'ambassadeur des Etats-Unis en Grande-Bretagne.

La Luftwaffe s'abat sur les armées polonaises

Les Stuka allemands sèment la panique

Un Junkers Ju 87 Stuka en action.

Pologne, 1er septembre
C'est seulement cet après-midi que la Luftwaffe a pu lancer des raids massifs sur la Pologne. Un épais brouillard avait empêché les sorties du matin. Trente attaques massives ont été lancées sur des objectifs stratégiques, dont huit par 219 Stuka. Couverts par des Bf 109, les avions d'observation Hs 126 ont d'abord repéré les concentrations ennemies. Prévenus par radio, les Ju 87 sont intervenus. Toutes sirènes hurlantes, les avions ont piqué sur leurs cibles, largué leurs bombes et mitraillé les troupes au sol. En maints endroits, la violence du choc a été telle que les soldats polonais n'ont plus offert de résistance face aux Panzer.

Le premier raid anglais est un désastre

Les Bristol Blenheim Mark IV en vol de formation vers l'Allemagne.

Grande-Bretagne, 4 septembre
La RAF se devait de riposter. Au deuxième jour de la guerre, vingt-quatre avions du 1er groupe de bombardement ont tenté de détruire les grandes bases de la Kriegsmarine à Wilhelmshaven et à Brunsbüttel. Les Wellington et les Blenheim ont opéré en fin de journée et n'ont causé que des dégâts insignifiants. Seuls huit bombardiers ont pu trouver leurs cibles. Un croiseur a reçu deux bombes de 500 kg, lancées à trop basse altitude pour avoir un effet de perforation suffisant. Sept appareils sont portés manquants. Cela représente de sévères pertes pour un bien maigre bilan.

BOAC réunit les compagnies anglaises

Londres, 4 août
Vote aujourd'hui du projet de loi pour la fusion des deux principales compagnies britanniques. Imperial Airways et British Airways vont donc former la British Overseas Airways Corporation, propriété de l'Etat. Ainsi s'achèvent des années de discussion pour déterminer la meilleure formule de développement des lignes aériennes britanniques. Pendant seize ans, Imperial Airways avait les faveurs de la politique gouvernementale, obtenant contrats postaux et subventions. Cette politique orientée vers le long-courrier a négligé l'Europe. Depuis 1936, Imperial Airways était en concurrence avec British Airways qui, elle, opérait en Europe avec des avions étrangers. La nouvelle BOAC est encouragée à utiliser dorénavant des appareils de conception britannique.

La Guardia a son aéroport à North Beach

New York, 15 octobre
45 millions de dollars! Tel est le coût de l'aéroport de New York inauguré par son maire, Fiorello La Guardia, en présence d'une foule de 320 000 personnes. A sa mise en service, il sera officiellement baptisé LaGuardia Field. Il offre trois pistes pour les avions terrestres et un grand bassin pour les hydravions. Le choix du site a été critiqué par certains qui le disent trop proche de la ville, ce que voulait précisément La Guardia. Ce parc récréatif avait été transformé en aéroport privé en 1929. En août 1937, l'accord était donné pour sa transformation en aéroport municipal et, le 9 septembre, La Guardia inaugurait le début des travaux. Pas moins de cinq mille ouvriers, à raison de trois équipes par jour, six jours par semaine, auront travaillé pour remodeler et agrandir le site.

Un hydravion Sunderland du Coastal Command britannique. On lui confie surtout des missions de reconnaissance en mer, mais il intervient également dans les opérations de sauvetage.

Le 14 septembre, Igor Sikorsky essaie son hélicoptère VS-300, sur lequel il vole dix secondes. Le petit engin possède un moteur de 75 ch à quatre cylindres et un rotor principal à trois pales. (→ 13.5.40)

Trois Short G ont été construits pour les besoins d'Imperial Airways.

Trois Macchi MC.100 ont été réceptionnés par Ala Littoria.

Le Curtiss CW.21 Demon, utilisé aux Indes néerlandaises.

Le fameux Mitsubishi A6M ou Zero, le plus célèbre chasseur japonais.

L'un des premiers gros porteurs de la RAF, le Short Stirling.

Le Martin 167 Maryland a été aussi employé par l'armée de l'air.

Le Bloch 160 a été commandé par Air Afrique.

Un seul Laté 631 a pu être sorti avant l'armistice de juin 1940.

Le Fokker D.XXIII n'aura pas le temps d'être produit en série.

Le Vultee P-66 Vanguard est fourni à la Chine en prêt-bail.

Fiat a produit 152 RS.14 pour la marine italienne.

Le Vultee Vigilant est sorti en deux versions, le BT-13 et le BT-15.

Le Klemm 35 d'entraînement a été produit sous licence en Suède.

Le Henschel Hs 129 de lutte anti-char est fortement blindé.

Fin et profilé, le Mitsubishi Ki.46 peut tenir différents rôles.

Le Percival Proctor, employé pour les liaisons et l'entraînement radio.

Lily, surnom donné par les Alliés au Kawasaki Ki.48 japonais.

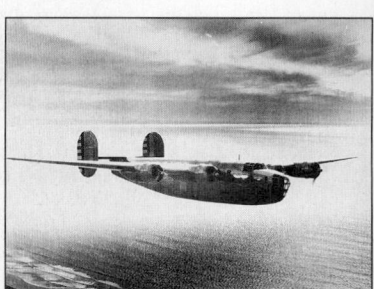

Le Consolidated B-24 Liberator, produit à plus de 18 000 exemplaires.

Le bombardier japonais Nakajima Ki.49 est surnommé Helen.

Le Seversky XP-41 est dérivé du P-35, mais il reste expérimental.

Le North American NA-40 donnera naissance au B-25 Mitchell.

Le Bücker Bü 181, appareil de liaison de la Luftwaffe.

Le Heinkel He 177 connaîtra bien des problèmes de mise au point.

Le Heinkel He 178, le premier véritable avion à réaction au monde.

Le Commonwealth Wirraway est dérivé du NA-33 américain.

Le Nakajima Ki.43 Oscar est maniable mais faiblement armé.

Les premiers Iliouchine Il-2 Stormovik sont monoplaces.

Le VS-300 avec son créateur, Igor Sikorsky, aux commandes.

Le DC-5 est sans doute l'avion le moins réussi de Douglas.

Le Bristol Beaufighter rôde la nuit avec beaucoup de succès.

Dernier chasseur biplan en service, le Fiat CR.42 manque de punch.

L'échec de l'Avro Manchester mène au développement du Lancaster.

Conçu pour la chasse, le Fiat CR.25 trouvera sa voie dans le transport.

Le Vickers Warwick devait remplacer le Wellington.

Le Lockheed P-38 Lightning est le meilleur chasseur bimoteur.

Le Lockheed 18 Lodestar est un développement du Model 14.

Le Focke-Wulf Fw 190 est produit à plus de 20 000 exemplaires.

Le prototype de l'hydravion patrouilleur PBM-1 Mariner.

Le SE.100 n'a pas pu voir le jour en raison de l'armistice de 1940.

Le Douglas B-23 connaît une modeste carrière au sein de l'USAAF.

L'hydravion d'observation embarqué Curtiss SO3C Seamew.

Le Savoia-Marchetti SM.82 sera surtout utilisé pour le transport.

Le Piaggio P.108B, un bombardier italien bien décevant.

Le Handley Page Halifax est utilisé la nuit au-dessus du Reich.

Le Kawasaki Ki.45 sera utilisé la nuit contre les raids des B-29.

1940

960 km/h
Etats-Unis
George Price
Bell P-39 Airacobra
1.2.40

12 935 km
Italie
Tondi-Dagasso-Vignoli
Savoia-Marchetti 79
1.8.39

17 083 m
Italie
Mario Pezzi
Caproni 161 bis
22.10.38

56 000 kg
Allemagne
Dornier
Do X

750 kgp
Italie
Secondo Campini
Caproni-Campini CC 2

Congo belge, 6 janvier
Kelly Rogers réussit à déjauger son hydravion Short Corsair. Il était immobilisé depuis le 19 mars 1939, suite à un amerrissage forcé. La nécessité de faire construire par les indigènes un canal large de 45 m a conduit à la création d'un village : Corsairville.

Mer du Nord, 8 janvier
Un bombardier Wellington, équipé d'un cadre métallique, réussit à faire exploser des mines magnétiques larguées par les Allemands.

Grande-Bretagne, 11 janvier
La section féminine de l'ATA fait sa 1re livraison d'avions, de l'usine à un dépôt de la RAF. (→20.6)

Etats-Unis, 23 janvier
L'armée procède à des essais de transport aérien massif. Un bataillon du 65e régiment d'artillerie côtière est déplacé sur 800 km par 38 bombardiers de l'USAAC.

Marseille-Marignane, 14 février
La Sabena, qui a déplacé ici la base de sa ligne vers le Congo, reprend un service hebdomadaire avec trois Savoia-Marchetti 83. (→23.5)

Grande-Bretagne, 24 février
Le prototype du chasseur Hawker Typhoon débute ses vols d'essai, muni du nouveau moteur en ligne Napier Sabre de 2 180 ch. (→26.5.41)

Pôle Sud, 26 février
Au cours d'une mission scientifique, l'Américain Petras atteint 6 536 m d'altitude, un record dans cette région. Avec un Beech AD 17, il étudie le rayonnement cosmique.

Union soviétique, 5 avril
Le prototype du chasseur I-200, conçu par les ingénieurs Mikoyan et Gurevich, effectue son vol initial. Il est équipé d'un moteur Mikulin de 1 200 ch. (→23.6.41)

Nouvelle-Zélande, 30 avril
La compagnie Tasman Empire Airways, fondée il y a quatre jours, ouvre la ligne Auckland-Sidney avec l'hydravion Short Aotearoa.

Allemagne, 10 mai
La Luftwaffe attaque les Pays-Bas, la Belgique et la France. A la suite d'une erreur de navigation, un groupe de bombardiers Heinkel 111 largue ses bombes sur Fribourg, se croyant au-dessus de Dijon.→

Rotterdam, 14 mai
Sur les 100 bombardiers allemands volant vers la ville, 43 seulement reçoivent l'ordre d'annuler le raid, du fait de la capitulation néerlandaise. Les 57 autres lâchent 97 t de bombes qui causent 900 morts.

Washington, 16 mai
Le président Roosevelt demande de produire 50 000 avions par an pour faire face aux besoins militaires du pays. Le 25 mars dernier, l'USAAC autorisait ses fournisseurs à construire des avions pour les pays en guerre contre l'Allemagne.

New York, 19 mai
La Civil Aviation Authority expérimente de nouvelles radiobalises de précision sur le terrain de Floyd Bennett.

Strattford, 29 mai
Lyman Bullard décolle le prototype XF4U-1 de Vought. Pour la voilure de cet appareil destiné aux porte-avions de l'US Navy, on adopte la forme en W aplati (aile de mouette inversée) pour abaisser les articulations du train. (→13.2.42)

France, 31 mai
Pour la première fois, les recettes commerciales d'Air France ont dépassé ce mois-ci le montant des subventions de l'Etat.

Paris, 3 juin
Au moment où la direction d'Air France fête la 500e traversée de l'Atlantique Sud par la compagnie, 200 bombardiers allemands, escortés par 150 chasseurs, lâchent un millier de bombes sur la ville.

Mer du Nord, 8 juin
Le porte-avions HMS Glorious est coulé par les croiseurs Scharnhorst et Gneisenau. Il évacuait de Narvik le reste de deux unités de la RAF.

Indochine, 17 juin
Après la fermeture par Air France de la ligne Hanoi - Hong Kong il y a dix jours, le dernier courrier Saigon-Marseille part aujourd'hui, sur Dewoitine 338. Il est détourné par Zinder et Fort-Lamy, en raison de l'entrée en guerre de l'Italie.

Douarnenez, 19 juin
Les 108 élèves pilotes de l'école de Morlaix répondent à l'appel du général de Gaulle et partent pour Londres sur un langoustier. (→20.6)

Libye, 28 juin
Italo Balbo, le gouverneur général italien, est abattu par sa propre DCA au-dessus de Tobrouk.

Moyen-Orient, 8 juillet
L'amiral Muselier, provisoirement à la tête des Forces aériennes françaises libres (FAFL), met en place les premières escadrilles : la n° 1 à Aden est affectée au squadron 73 sur Hurricane. La n° 2 à Haïfa a des Potez 63-11 et un Bloch 81. Le Free French Communication Flight possède 4 avions. (→20.10.41)

Etats-Unis, 8 juillet
La TWA met en ligne le Boeing 307 Stratoliner, à cabine pressurisée, sur la route San Francisco - New York. Avec 13 h 40 min de vol, il gagne deux heures sur le DC-3.

Washington, 17 août
Ross Gunn reçoit un brevet pour son compas de navigation utilisant le champ magnétique terrestre.

Vichy, 31 août
Le général Pujo, ministre de l'Air, regroupe sous la direction d'Air France les services assurés par Air Bleu et Air Afrique. (→11.11.42)

Chine, 13 septembre
Premières victoires des chasseurs japonais A6M1. Leur référence est type 0 modèle 11. Pour les Alliés, c'est le Zeke ou Zero.

Grande-Bretagne, 19 septembre
Des volontaires américains forment l'escadrille de chasse Eagle, dans la RAF, à Church Fenton. (→5.2.41)

Gibraltar, 25 septembre
En représailles à l'attaque britannique d'avant-hier contre la flotte française à Dakar, 80 bombardiers partis d'Afrique du Nord larguent 56 t de bombes sur le port, sur ordre du général Bergeret, nouveau ministre de l'Aviation de Pétain.

Boscombe Down, 13 octobre
Le quadrimoteur Halifax de série Mk 1 entame ses essais. Avec trois tonnes de bombes, il a une autonomie de 3 000 km. (→11.3.41)

Irlande, 11 novembre
Les opérations de convoyage sur l'Atlantique Nord (ATFERO) débutent avec succès, via Montréal et Gander. Les colonels Bennett, Page et Store (ex-pilotes de la BOAC) se posent chacun à la tête d'un groupe de sept Lockheed Hudson.

Tarente, 11 novembre
Partis hier soir du porte-avions HMS Illustrious, 21 bombardiers-torpilleurs Swordfish ont attaqué la flotte italienne de nuit par surprise. Cinq cuirassés et croiseurs sont désormais immobilisés dans le port.

Grande-Bretagne, 15 novembre
Des avions-éclaireurs Heinkel 111, équipés du système de navigation radio X-Gerät, ont permis à 437 bombardiers allemands de raser la nuit dernière la ville de Coventry.

Grande-Bretagne, 15 novembre
Maurice Halna du Fretay décolle de l'allée du manoir familial à Dinan avec un monoplan Zlin et rejoint l'Angleterre. Il avait caché les éléments de l'avion dans une ferme et l'a reconstruit en secret.

Middle Wallop, 20 novembre
Le lieutenant Cunningham, à bord d'un chasseur Bristol Beaufighter, réussit à abattre de nuit un Junkers 88, sous la conduite du radar logé dans le nez de l'avion. (→18.7.41)

On distingue deux Spitfire au premier plan, puis deux Hurricane et en haut, deux Spitfire, dont le dernier en version de reconnaissance.

Yakovlev fait voler son premier chasseur

Alexandre Yakovlev s'est inspiré des chasseurs Spitfire et Messerschmitt.

Union soviétique, 13 janvier
Au cours de ses visites à l'ouest, l'ingénieur Alexandre Yakovlev avait été très impressionné par les Spitfire et les Messerschmitt 109. Quand Molotov lui demanda de construire un chasseur, il fut perplexe, n'ayant réalisé que des avions de tourisme ou d'entraînement. Il a donc copié ce qu'il a vu et son I-26 ressemble aux chasseurs qui l'ont inspiré. Cette ressemblance n'est qu'extérieure car les performances du prototype sont loin d'être extraordinaires. Le personnel qui l'a construit l'a surnommé *krasavets*, ce qui signifie beauté. Son aile est en bois et en contre-plaqué. Les structures des ailerons et de l'empennage sont métalliques et recouvertes de toile. Le fuselage en tubes d'acier soudés est revêtu de contre-plaqué sur la partie arrière et de Duralumin à l'avant.

Une prise de guerre aux Champs-Elysées

Paris, 15 janvier
C'est le clou de l'exposition. Un Messerschmitt Bf 109 est présenté par l'association Pour ceux de l'escadrille à Paris, au numéro 24 des Champs-Elysées. Les recettes perçues grâce à la vente des billets seront intégralement versées au comité de propagande. L'appareil est en assez mauvais état. Il a été récupéré après un atterrissage en catastrophe dans les environs de Nancy. Les spectateurs peuvent malgré tout venir observer cet avion qui est réputé être le meilleur chasseur allemand. Pour les amateurs de technique, certaines parties du recouvrement des ailes ont été retirées pour permettre d'observer sa structure.

Le Messerschmitt Bf 109 arrive aux Champs-Elysées. Il va être remonté.

La RAF fait un vol de représailles de nuit

Les pilotes de la RAF consultent une carte avant de se lancer en vol de nuit.

Ile de Sylt, 19 mars
Ils étaient au moins trente avions britanniques. Par vagues successives, ils ont bombardé de nuit les bases navales et aériennes allemandes de l'île de Sylt. La RAF répond ainsi à l'attaque allemande contre Scapa Flow, au cours de laquelle plus de six cents bombes ont été lancées, faisant un mort et plusieurs blessés parmi les civils. De nombreux dégâts ont été signalés sur l'île de Sylt : des hangars ainsi que des dépôts de pétrole ont été incendiés, et des voies ferrées détruites. La tactique utilisée a été pour beaucoup dans le bon déroulement de la mission. Les avions ont attaqué seul ou par groupes de deux, obligeant l'artillerie allemande à gaspiller, sans résultat notable, une grande quantité de munitions. Un seul bombardier britannique n'est pas rentré à sa base.

Les Polonais se battent pour la France

Lyon, 1er mars
Le gouvernement polonais en exil, qui s'est fixé en France, tâche de recréer une armée de terre et une aviation. Le terrain de Lyon-Bron a été mis en partie à la disposition du général Wladislav Sikorski pour rebâtir ses escadrilles. Il vient d'ouvrir officiellement l'école de Chasse et d'Instruction (ECI) polonaise. Elle se composera de deux escadrilles qui seront soumises aux normes françaises. Les pilotes polonais, qui sont actuellement éparpillés dans les écoles de chasse de Fréjorques et Etampes, sont attendus à Lyon pour passer le brevet français. La France a mis à leur disposition 4 Caudron Renault CR.714 et des Morane MS.406.

Le général Sikorski passe en revue les hommes qui composeront ses escadrille

La Luftwaffe surprend les Alliés en Scandinavie

Les parachutistes précèdent l'invasion

Les parachutistes allemands sautent des Junkers Ju 52, en Norvège.

Norvège, 9 avril
Avec une rapidité fulgurante, le Fliegerkorps 10 du général Hans Geisler a largué des parachutistes sur l'aérodrome norvégien de Sola qui dessert la ville de Stavanger. Après une attaque en piqué des Junkers Ju 87, les parachutistes ont pris sans problème l'aéroport où les avions de transport débarquent maintenant de l'infanterie et du matériel lourd. A Oslo, les choses se sont moins bien déroulées. Les huit Messerschmitt Bf 110 chargés de nettoyer le ciel au-dessus du terrain de Fornebu ont été pris à partie par des Gloster Gladiator anglais. Au cours du combat, trois Gloster et deux Bf 110 ont été abattus. Enfin, le mauvais temps n'a pas permis aux parachutistes de sauter. Ce sont les Bf 110 à court de carburant qui se sont posés en faisant feu de toutes leurs armes et ont ainsi permis à la deuxième vague de Junkers Ju 52 de débarquer des soldats sur l'aéroport. Dès lors, le succès de l'opération *Weserübung* était assuré.

Débarquement aérien massif en Norvège

Le bombardier Heinkel He 111 a été engagé dans l'opération de Norvège.

Norvège, 10 avril
L'opération *Weserübung* continue de se dérouler parfaitement. Cette offensive est destinée à prévenir une invasion des Alliés en Scandinavie, à contrôler la route du fer suédois et à offrir un balcon sur l'Atlantique à la Kriegsmarine et à la Luftwaffe. Elle déconcerte par sa rapidité. Aujourd'hui, le dernier grand aéroport norvégien, à Trondjhem-Vaernes, a été conquis grâce à une nouvelle opération aéroportée. Le terrain de Kristiansand est déjà transformé en base de chasseurs. Le sud et le centre de la Norvège sont désormais entièrement contrôlés par les Allemands. La Luftwaffe n'a pas lésiné sur les moyens : Geisler disposait de 100 chasseurs, 330 bombardiers et 550 avions de transport, des Junkers Ju 52 et quelques Ju 90. Cette armada aérienne a mis en place un pont aérien sans précédent dans l'histoire, débarquant sur le territoire norvégien près de 4 000 hommes en moins de 48 heures, ainsi que des milliers de tonnes de carburant, de munitions et de vivres. Face à ce déploiement de force, il n'y a pas eu de vraie riposte de la part des Alliés.

Les Skua de la Royal Navy font mouche

Bergen, 10 avril
Quand les Britanniques ont appris que le croiseur allemand *Königsberg*, endommagé par les batteries côtières norvégiennes, avait dû se réfugier le long d'une jetée du port de Bergen, ils ont décidé d'envoyer 16 avions pris dans les escadrilles 800 et 803 de la Fleet Air Arm. Partis de la base de Hatston, dans les îles Orcades, chacun était chargé d'une bombe de 227 kg et de 8 bombes de 13 kg fixées sous la voilure. Les bombardiers en piqué de la Royal Navy avaient du carburant pour un vol de 1 000 km. Attaquant avec le soleil dans le dos, ils ont mis trois coups au but. Le *Königsberg* a coulé le long de la jetée ; trois avions anglais ne sont pas rentrés.

William Boeing achète un Douglas DC-5

Los Angeles, 19 avril
Il avait déjà acquis à titre personnel un Douglas Dolphin en 1933. William Boeing vient de le changer pour un DC-5. Etrange décision quand on sait que ce dernier avion de Douglas n'a pas encore fait ses preuves. Dérivé du bombardier DB-7, réalisé à la seule initiative des ingénieurs de Douglas dès 1938, il ne peut pas emporter plus de passagers que le DC-3. Il n'est pas pressurisé et ne représente pas une évolution du DC-4. Il est équipé de moteurs Wright de 1 100 ch et a reçu un train d'atterrissage tricycle. Une de ses qualités est de pouvoir utiliser des terrains courts. L'US Navy en a commandé trois sous la désignation R3D-1.

Le Skua équipe la Royal Navy. C'est un chasseur bombardier de Blackburn.

Le bimoteur DC-5 de Douglas a effectué son premier vol le 12 février 1939.

Les Pays-Bas et la Belgique envahis par les airs

Les Junkers 52 atterrissent sur les routes

Un des Ju 52, qui s'est posé très facilement sur une route des Pays-Bas.

Conçu pour 28 passagers, il transporte 40 hommes en version militaire.

Un groupe aéroporté prend Eben-Emael

Un Ju 52 largue du matériel et des munitions au-dessus des forts de Liège.

Pays-Bas, 10 mai

La grande offensive à l'ouest a commencé. Depuis ce matin, les parachutistes de la 7e Fliegerdivision et ceux de la 2e division aérotransportée sont entrés en action. A Rotterdam, le succès est complet : avec une audace incroyable, douze He 59 ont amerri sur la Meuse en plein centre de Rotterdam. Aidés par une cinquantaine de paras qui avaient sauté dans le stade de Feyenoord, les occupants des hydravions se sont emparés des ponts. Ailleurs, les Ju 52 se sont posés carrément dans les champs et sur les routes. En revanche, le général von Sponeck a essuyé un échec cuisant à La Haye. Ses objectifs : les terrains d'Ypenburg et d'Openburg ne sont que partiellement occupés ce soir. Il enregistre des pertes terribles. La première vague d'assaut a perdu 92% de ses avions et près de la moitié des officiers ont été tués. On compte 183 appareils de transport détruits sur les 450 engagés. Mais les troupes de von Sponeck, soit 2 000 hommes, immobilisent trois divisions néerlandaises. (→ 14.5)

Liège, 10 mai

A l'aube, dans le flou du demi-jour, les parachutistes allemands du lieutenant Witzig ont atterri en planeurs sur les toits du fort d'Eben-Emael. Ce fort est un objectif vital situé à l'est de la Belgique, car il surplombe les ponts sur la Meuse et le canal Albert. Remorqués par des Ju 52 depuis Cologne, les planeurs ont suivi un itinéraire balisé par des projecteurs jusqu'à Aix-la-Chapelle. La première surprise aura été pour le lieutenant Witzig : le câble de son planeur s'étant rompu, il se verra obligé d'attendre un second Ju 52 pour se poser sur Eben-Emael à 7 h 30. Entre-temps, ses sapeurs parachutistes avaient réussi à contrôler les superstructures du fort. Une partie des hommes étant tombés sur des leurres, non détectés par l'Abwehr, ce sont 55 paras qui ont fait le gros du travail. Attaquant à revers, en dix minutes, ils ont fait sauter avec des charges creuses 7 coupoles blindées, 9 canons de 75 mm sous tourelle et 3 pièces de 120 mm, semant la panique dans la garnison.

Les Hawker Hurricane Mk 1 de la force aérienne belge alignés à Schaffen.

Cinq Fairey Battle en vol à basse altitude au-dessus de la campagne belge.

Dès l'aube, la Luftwaffe frappe partout en France

Les terrains d'aviation pour objectif

Vue du poste du mitrailleur avant d'un bombardier Heinkel He 111.

France, 10 mai
Avant l'aube, quelque quatre cents bombardiers des 1er, 2e et 5e Fliegerkorps ont décollé d'Allemagne avec pour mission la destruction au sol de l'aviation alliée. En région parisienne, dès 4 h 45, les sirènes avaient donné l'alerte en raison des passages d'avions au-dessus de la vallée de l'Oise. Ce sont en tout 72 terrains qui étaient visés, dont 47 situés dans le nord de la France. Cette première frappe de la Luftwaffe ne semble pas avoir atteint ses objectifs. Une soixantaine d'appareils français et anglais ont été détruits au sol et seuls quatre aérodromes sont inutilisables.

360 sorties des pilotes français en un jour

Le Curtiss H.75A (P-36) du sous-lieutenant Plubeau, le jour de l'offensive.

France, 10 mai
Dès l'annonce de l'attaque allemande, les chasseurs français sont montés en ligne. Les Morane 406, les Bloch 152, les chasseurs Dewoitine 520 ou les Curtiss H.75A de l'armée de l'air se sont rués sur les bombardiers à croix gammée. Ils ont bénéficié du fait que les raids de la Luftwaffe ne sont pas pour la plupart protégés par des chasseurs d'escorte Bf 109 ou Bf 110. En outre, de nombreux objectifs étaient noyés dans le brouillard. Au terme d'une journée de combat, la chasse française, qui a effectué 360 sorties, revendique la destruction de quarante-quatre appareils ennemis.

Un bombardier allemand explose à Borre

Borre, 10 mai
La DCA tonne et réveille toute la région des Flandres. Il est 4 h 30 du matin : un bombardier allemand survole Hazebrouck et lâche quatre bombes. Soudain, le Heinkel He 111 perd de l'altitude et s'écrase en flammes dans un champ près du village de Borre. Aussitôt, les curieux se précipitent. Depuis le temps qu'ils rêvent d'apercevoir un Allemand et un appareil ennemi. Deux des aviateurs sont faits prisonniers. Ils font signe que l'appareil peut sauter à tout instant. On tente d'éloigner les nombreux badauds. Mais civils et militaires arrivent de toutes parts et sont pour le moins indisciplinés. Parmi eux, de nombreux enfants. Soudain, c'est l'explosion : il y avait seize bombes dans le Heinkel. On comptera 61 victimes et une centaine de blessés.

Des billets de banque qui tombent du ciel

Lille, 26 mai
Alors que l'évacuation des troupes anglaises a débuté dans la région de Dunkerque, le préfet de Lille, Fernand Carles, avait demandé l'envoi urgent de fonds importants. Pour des raisons de sécurité, il fut décidé de les lui faire parvenir par la voie des airs. Deux appareils Glenn Martin se sont ainsi retrouvés dans une mission de convoyage inhabituelle. Peu connus des hommes de la défense aérienne, ces avions ont immédiatement été pris pour cibles dès qu'ils arrivèrent dans la région. Avant que les artilleurs ne constatent qu'il n'y avait pas de croix gammée sur les ailes de leur objectif, mais bien des cocardes tricolores, les deux appareils furent touchés et abattus. Un seul membre d'équipage a eu le temps de sauter alors qu'une pluie de billets de banque s'abattait sur la région.

Le Messerschmitt Bf 110 a atterri sur le ventre après une attaque française.

Ce sont des Glenn Martin qui ont été victimes de la terrible méprise de Lille. ▷

Boeing construira des Douglas DB-7

L'appellation Boston a été donnée au Douglas DB-7 destiné à la RAF.

Seattle, 18 mai
Boeing devra aider son concurrent pour remplir un contrat de l'armée qui porte sur la livraison, dans un délai très court, de 240 bimoteurs DB-7. Douglas avait abandonné rapidement le projet du Model 7A pour développer le 7B, offrant des performances bien supérieures. Capable d'atteindre 480 km/h grâce à ses Twin Wasp de 1 100 ch montés sur l'aile haute, sa grande origi-nalité est d'offrir la possibilité d'interchanger la section avant de l'appareil. Son aile, tout en métal, peut recevoir 4 mitrailleuses. L'autre est vitrée pour abriter l'officier bombardier. Intéressé par les performances de l'appareil, le gouvernement américain a signé avec Douglas un contrat pour 240 bimoteurs. La France en a aussi commandé, mais il est possible que ces avions soient livrés en Angleterre.

La Sabena se met au service de la RAF

A leur arrivée sur le sol britannique, les S.73 sont mis au service de la RAF.

Merville, 23 mai
Mis au service de la RAF, les pilotes de la Sabena paient leur tribut à la guerre. Deux S.43 et un DC-3 abattus par deux chasseurs allemands, un équipage disparu : tel est le bilan de leur dernière mission, lancée sur Merville depuis l'Angleterre, sous la conduite de Jo Van Ackere. En effet, dès l'invasion de la Belgique par l'Allemagne, tous les pilotes disponibles ont volé vers Londres, évacuant sept Savoia-Marchetti et deux Douglas DC-3. A peine arrivés sur le sol britannique, ils sont réquisitionnés par le squadron 24 pour approvisionner l'armée anglaise bloquée en France. Mais à mesure que les Alliés sont repoussés, les missions sont devenues plus dangereuses, d'autant que les pilotes de la Sabena ne sont pas entraînés pour ce genre d'opération militaire.

Saint-Exupéry en mission sur Arras

Meaux, 23 mai
Une mission délicate qu'il fallait absolument réussir ; Saint-Exupéry le savait. Devant l'avance de l'armée allemande, les missions de reconnaissance se sont multipliées depuis quelques jours. L'objectif d'aujourd'hui : repérer les positions amies et ennemies entre Arras et Douai. Pour protéger l'aviateur, cinq avions répartis en deux patrouilles l'ont accompagné jusqu'à Arras, puis l'équipage de Saint-Exupéry a continué seul sa route dans un ciel d'apocalypse où les nuées d'orage se mêlaient aux fumées d'incendie. Très légèrement atteint par des tirs de la DCA, l'appareil a pu regagner sa base, mission accomplie. Les chasseurs qui l'accompagnaient ont eu moins de chance : trois d'entre eux ont été descendus, mais les pilotes ont pu sauter en parachute.

Le vol libre de l'hélicoptère est maîtrisé

Etats-Unis, 13 mai
S'élever dans l'air à la verticale, flotter sur un point précis puis redescendre pour se poser à l'emplacement souhaité : un rêve qui jusqu'ici n'avait pu être réalisé de façon convaincante. Le progrès des techniques a permis à Igor Sikorsky d'imaginer un nouvel hélicopère, le VS-300. Pour la première fois, sa drôle de petite machine a tenu en l'air plus de quinze minutes, délivrée des cordes qui la maintenaient pour éviter les embardées. (→ 6.5.41)

Igor Sirkosky a volé cette fois plus de 15 minutes dans son hélicoptère VS-300.

L'avion à réaction italien de Campini

Milan, 30 avril
Mario De Bernardi est le pilote de la firme Caproni. Il est maintenant le premier pilote en Italie à avoir volé sur un avion à réaction, construit par la firme Caproni. A l'altitude de 1 000 m, l'avion a atteint la vitesse de 292 km/h. Elle devrait être de 800 km/h à 10 000 mètres. L'ingénieur Campini a conçu son moteur à réaction d'une manière simple. Il y travaille depuis quatre ans. Il a appliqué le principe même de la réaction. Un moteur à explosion de 12 cylindres entraîne un compresseur radial à trois étages qui est situé dans le nez de l'avion. L'air pris à l'extérieur est porté à une pression et à une température très élevées. Ensuite le carburant est injecté et s'enflamme automatiquement. La violente détente génère la poussée. Campini a appliqué le principe de la postcombustion.

Les Stuka tenus en échec à Dunkerque

Sous l'œil du pilote, les chapelets de balles sont chargés dans le Hurricane.

Dunkerque, 4 juin

Malgré des pertes énormes, l'opération *Dynamo* se solde par un succès : 338 000 hommes ont pu être rembarqués et parmi eux il y a 123 000 Français. En entrant dans la ville, la 6e armée allemande a trouvé 40 000 Français, restés sur place après avoir assuré les derniers embarquements, mais plus aucun Anglais. Le succès de l'entreprise revient non seulement à la marine britannique, mais surtout à la RAF qui depuis une semaine empêche la Luftwaffe d'interdire l'évacuation. L'erreur de Hitler a été de croire que la Luftwaffe suffirait à réduire Dunkerque. Eloignés de leurs bases et gênés par des conditions météorologiques très défavorables, les appareils allemands n'ont pas pu contester la suprématie aérienne aux formations britanniques, qui ont le contrôle du ciel.

La chasse française compte 733 victoires

Des Bf 110 de la Luftwaffe survolent la capitale française après l'armistice.

France, 25 juin

C'est la rage au cœur que les pilotes français ont cessé le combat. Comme leurs camarades de l'armée de terre, ils ont subi 47 jours durant la loi d'une Luftwaffe plus forte que jamais. Le 16 juin, le général Vuillemin ordonnait le repli des dernières unités en Afrique du Nord, afin de sauver ce qui pouvait l'être encore. Aujourd'hui, on peut dire qu'il n'y a plus d'armée de l'air en métropole. Pourtant, malgré des appareils périmés, tels les Bloch 152 et les Morane 406, la chasse française a détruit 733 avions ennemis. Un palmarès impressionnant que les pilotes français ont souvent payé de leur vie : 852 appareils français ont été détruits, soit 504 chasseurs, 211 bombardiers et 137 avions d'observation. Les équipages des bombardiers se sont sacrifiés dans des missions qu'ils savaient désespérées. Plus d'un quart des officiers navigants ont été tués ou sont encore portés disparus. C'est un sombre bilan.

L'évasion réussie du Farman « Altaïr »

Newquay, 20 juin

SOS... Ce quadrimoteur français vient se mettre aux ordres du général de Gaulle. » Dans le Farman 22 *Altaïr*, on attend dans l'angoisse la réponse au message envoyé sur la fréquence de détresse. Les côtes de la Grande-Bretagne sont en vue. Quel accueil vont recevoir les Français ? Vont-ils être attaqués ? La réponse en morse est reçue avec soulagement : QAS (attendez), mais QAL Newquay (atterrissez à Newquay). Deux Avro Anson ont surgi pour encadrer le Farman. A Saint-Jean-d'Angély, où se trouve l'école des radios navigants, le maréchal Pétain a choqué par son discours. Gagner l'Angleterre est devenu une idée fixe mise à exécution ce matin. Accompagnés du chef de l'escadrille, le capitaine Soumin, seize hommes sont partis rejoindre le camp de la liberté.

La BOAC au service de Sa Majesté

Afrique du Sud, 19 juin

La défaite de la France et l'entrée en guerre de l'Italie auront eu des répercussions importantes et à long terme pour la BOAC. L'Europe et la Méditerranée étant interdites à l'aviation civile, les routes de l'Empire britannique ont été coupées de la Grande-Bretagne. Mais les pilotes de la BOAC ont su réagir promptement : établissant une base logistique à Durban, en Afrique du Sud, ils ont fait partir aujourd'hui le premier service aérien sur une route que l'on surnomme déjà la Route du fer à cheval. Longeant la côte d'Afrique de l'Est vers Le Caire, elle traverse les Indes et le Sud-Est asiatique et atteint Sydney. Un autre service d'hydravions, passant par Lisbonne, Lagos et Kisumu, au Kenya, devra bientôt relier la Grande-Bretagne à cette nouvelle route aérienne.

Berlin bombardé par le « Jules Verne »

Berlin, 8 juin

Le feu vert a été donné à Daillière, et le *Jules Verne* s'est envolé pour Berlin, chargé de bombes. L'Amirauté avait hésité à accepter la proposition du capitaine de corvette de bombarder la capitale allemande. On ne hasarde pas un officier de cette valeur dans une mission aussi dangereuse. Mais Daillière finit par obtenir gain de cause. A 15 h, son Farman a décollé de Bordeaux-Mérignac, avec à son bord Yonnet et Paul Comet, pour atteindre Berlin vers minuit. Une consigne : ne pas bombarder la ville. Les bombes ont donc été larguées sur la banlieue. Bien qu'il n'ait pas hésité à faire plusieurs passages au-dessus de Berlin, en désynchronisant ses moteurs pour faire croire à la présence d'une importante formation, le Farman a facilement échappé à la DCA.

Avant le départ pour Berlin, le « Jules Verne » est minutieusement vérifié.

La RAF dispute la maîtrise du ciel à la Luftwaffe

Le cœur du dispositif britannique.

Londres, 15 août
Le plan d'invasion de la Grande-Bretagne par Hitler dépend de la capacité de la Luftwaffe à contrôler le ciel de la Manche et de la côte est de l'Angleterre. Les Allemands ont lancé aujourd'hui leur plus grande offensive contre la RAF, avec une série de raids sur les terrains et les stations radar du pays. Ils attaquent tous azimuts, de l'Ecosse à la côte du Kent et du Sussex, pour obliger la RAF à se battre sur un front très étendu. Göring est sûr que ses équipages plus aguerris – ils n'ont subi à ce jour aucune défaite – ne vont faire qu'une bouchée des centaines de chasseurs anglais qui croiseront leur route. La tactique de l'état-major allemand est de bombarder les terrains du Fighter Command pendant que les Messerschmitt Bf 109 abattront les Spitfire et les Hurricane de la RAF. Alors que des terrains comme Manston ont subi un terrible pilonnage, occasionnant de lourdes pertes, la Luftwaffe a été attaquée par des avions surgis d'autres bases, avec une telle bravoure que la campagne anglaise est jonchée de débris d'avions allemands. Le bon usage du radar, un centre tactique bien géré, la qualité des hommes et des appareils de la RAF ont transformé le rêve de Göring en cauchemar sanglant.

Les Allemands préparent l'attaque.

L'aviation allemande serait en difficulté

Hampshire, 18 août
La bataille pour le contrôle du ciel d'Angleterre fait payer un lourd tribut aussi bien à la RAF qu'à la Luftwaffe. Guerre d'usure, le vainqueur en sera celui qui tiendra le plus longtemps en avions et en pilotes. L'avantage est pour l'heure à la RAF qui n'a perdu que 83 appareils contre 194 pour la Luftwaffe. Le Ju 87 Stuka, si efficace dans les précédentes campagnes, va être retiré des combats, car il a subi les plus grosses pertes. Le coup de grâce lui a été donné aujourd'hui par le Fighter Command au-dessus du West Sussex et du Hampshire. Le bilan est de quatorze appareils détruits. Le Stuka s'est révélé beau-coup trop lent et vulnérable. Il n'est efficace que comme bombardier en piqué, protégé par des chasseurs. Le Messerschmitt Bf 110 devient aussi une proie facile pour la chasse britannique alors que le Bf 109, gêné par son manque de puissance, a perdu de son habileté à abattre les pilotes anglais qui ont compris toutes ses faiblesses. Si les avions sont facilement remplaçables, il faut du temps pour former des pilotes. La supériorité numérique de départ des Allemands est réduite parce que leurs pilotes abattus au-dessus de l'Angleterre sont faits prisonniers, alors que ceux de la RAF sautent en parachute, sont récupérés et peu-vent retourner au combat.

Les trois commandements de la RAF

Grande-Bretagne, 31 août
Contrairement à la Luftwaffe et à l'armée de l'air française destinées avant tout à servir d'appui aérien aux forces au sol, la RAF est entièrement autonome. D'où l'existence en son sein de trois commandements aux attributions spécifiques : le Bomber Command dont la fonction est de porter la destruction en territoire ennemi, le Coastal Command chargé de protéger les côtes anglaises et le Fighter Command. Ce dernier contrôle la chasse de la RAF, et son importance croît de jour en jour. La défense contre une invasion du Royaume-Uni repose désormais sur l'aptitude du Fighter Command à repousser la chasse ainsi que les bombardiers ennemis. Une gageure qui n'effraie pas son chef, sir Hugh Dowding.

Le Spitfire, avion de toutes les missions

Grande-Bretagne, 16 août
Depuis le 30 juin dernier, l'usine de Castle Brownwich produit sur ses chaînes de montage le Spitfire dans sa version Mk II. Par rapport aux derniers exemplaires du Mk I, on note un moteur Merlin XII plus puissant, une nouvelle verrière largable et surtout un renforcement du blindage derrière le pilote. C'est sir Hugh Dowding qui avait insisté pour cette modification après avoir remarqué le nombre de pilotes tués par des tirs venant de l'arrière. Depuis mai 1939, le Spitfire a reçu une hélice tripale à deux pas ; elle n'a pas résolu tous les problèmes. Le Spitfire manque toujours d'un moteur à injection, ce qui oblige les pilotes à piquer à pleine puissance s'ils ne veulent pas que le moteur s'arrête. Les qualités de maniabilité restent extraordinaires. La préoccupation actuelle est son armement : les canons qui ont été testés ne cessent de s'enrayer.

Le Spitfire (en bas) grimpe pour attaquer un des bombardiers allemands.

Le Spitfire en version Mk II.

Un mystérieux passager pour la BOAC

Le Sunderland Clyde de la compagnie britannique BOAC au mouillage sur le Nil lors des vols réalisés sur la ligne du « Fer à cheval ».

Lagos, 19 août
Ce n'est qu'en amerrissant à Lagos que le capitaine britannique Loraine a appris le but de sa mission : le passager qu'il a conduit de Londres en Afrique n'est autre qu'un collaborateur du général de Gaulle, le colonel de Larminat. Le voyage a été difficile pour le *Clyde*, hydravion de la classe Empire de la BOAC. Il a dû suivre une route défrichée en 1939, mais encore jamais exploitée. Aucune escale de ravitaillement d'un quelconque ré-

seau commercial n'existait. Il a fallu improviser. Deux accidents ont même failli faire tourner l'expédition au tragique. A Lisbonne, l'hydravion a heurté le mât d'un navire au décollage. Il y a laissé un morceau d'aileron. A Freetown, la barge de ravitaillement qui amenait le carburant a failli le percuter. De Larminat continuera seul son voyage jusqu'au Congo belge. De là, il doit tenter de persuader les autorités de l'AEF, à Brazzaville, de rejoindre la France libre.

Jacqueline Cochran au Ferry Command

Etats-Unis, 20 juin
Jacqueline Cochran sera-t-elle la première femme pilote américaine du Ferry Command ? Désireuse de prendre part à l'effort de guerre des Alliés, l'aviatrice américaine s'est

mise en rapport avec les autorités britanniques. Elle leur demande la permission de convoyer un des bombardier Lockheed Hudson vers le Royaume-Uni. Les Anglais acceptent sous certaines conditions : l'aviatrice devra céder les commandes à un pilote militaire au moment du décollage et de l'atterrissage. A son arrivée en Grande-Bretagne, l'Américaine, ambitieuse aux yeux des femmes et aussi combative qu'un homme, entre tout de suite en contact à Londres avec miss Pauline Gower, responsable du corps des pilotes féminins de l'Air Transport Auxiliary (ATA). Etudiant leurs méthodes de travail, elle songe elle-même au rôle que les femmes pilotes américaines peuvent jouer dans la guerre. Elle les considère adaptées physiquement au pilotage des avions militaires à grandes performances. Elle a soumis son projet au général Arnold, commandant en chef de l'US Air Corps.

Cochran à bord d'un Seversky.

L'affaire des Lockheed d'Air Afrique

Un des deux Lockheed Super Electra, saisi par la Sabena à Elisabethville.

Afrique, 10 septembre
Les Belges se sont remboursés. C'est une sombre histoire qui se termine au mieux pour la Sabena. Dès juillet, les avions belges ont assuré des missions militaires à la demande de l'Angleterre. En août, ils sont autorisés à gagner l'Afrique centrale. Ils quittent le sol anglais et font escale en Algérie. A Alger, cinq SM.73, un SM.83 et un DC-3 sont saisis par les autorités de Vichy, tandis qu'un SM.83 subit le même sort à Oran. Les appareils de

la Sabena sont livrés à la Regia Aeronautica et convoyés en Italie en août. Les Belges ne comptent pas en rester là. Deux mois plus tard, en compensation, la Sabena s'empare à son tour de deux avions Lockheed L.14 Super Electra de la régie Air Afrique. Les appareils sont confisqués dès leur atterrissage à Elisabethville. En service pour le gouvernement de Vichy, ils assuraient la liaison Madagascar-France. Les Lockheed reçoivent les immatriculations belges OO-CAG et OO-CAH.

Comment distinguer les avions de Vichy

France, 12 août
A partir d'aujourd'hui, tous les avions devant effectuer des vols hors de France devront porter obligatoirement une bande tricolore. Cela leur permettra de faire escale

dans des pays non belligérants. D'autre part, les avions du régime de Vichy se distingueront en arborant des bandes orange et noires ou jaunes et rouges sur les moteurs et les empennages.

Le bombardier britannique Mosquito est réputé très difficile à abattre.

La Luftwaffe attaque Londres et perd la bataille

Londres, 18 septembre

Alors que, jusqu'à présent, la tactique utilisée par la Luftwaffe consistait à neutraliser les bases aériennes du sud de l'Angleterre, Göring a pris la décision de frapper les grandes villes et de concentrer les bombardements sur Londres. Le but est de saper le moral des populations. Depuis 10 jours, le Centre d'interprétation radar repère des regroupements allant jusqu'à 400 bombardiers et 700 chasseurs ennemis le long de la côte française. Sir Hugh a dû réquisitionner tout ce qui volait. En quelques minutes, la RAF a pu rassembler le Big Wing, soit 24 escadrilles. Les Allemands devaient ignorer que la chasse britannique était au bout de ses forces. Le Fighter Command était au bord de la déroute. Il a été taillé en pièces, plus souvent au sol qu'en l'air. En interrompant ses attaques sur Londres, Göring a permis à la RAF de se ressaisir. La défense de Londres était confiée au 11e groupe du *air vice marshal* Keith Park et au

Une formation de bombardiers allemands Messerschmitt Bf 110 en vol à basse altitude vers la Grande-Bretagne.

12e, pour la région nord, sous les ordres de Leigh Mallory. Les deux hommes défendent des théories différentes. Park pense que l'attaque par petits groupes isolés est la meilleure. Mallory, lui, préfère le rassemblement d'une grande force aérienne avant l'attaque. Il y a une semaine, quand Winston Churchill avait demandé à Keith Park sur quelles réserves il pouvait compter, ce dernier lui a répondu qu'elles étaient nulles. La journée du 15 fut très violente : les chasseurs de la RAF ont abattu 80 appareils allemands alors que 35 avions anglais étaient perdus et que 23 pilotes ont pu être sauvés.

La RAF réplique en frappant Berlin

Londres, 24 septembre

Si les bombardiers allemands attaquent surtout le jour, les Britanniques sont équipés pour mener des attaques de nuit. La RAF a rendu à la Luftwaffe la monnaie de sa pièce en envoyant la nuit dernière 119 Wellington, Whitley et Hampden bombarder Berlin. 84 d'entre eux arriveront sur l'objectif. Lors de leur départ, Londres se voit infliger à nouveau de lourds dégâts par la Luftwaffe qui n'en a pas moins perdu 23 bombardiers. Actuellement, la supériorité des représailles revient aux Allemands qui ont l'avantage d'utiliser des bases plus proches des objectifs. Ils partent de France et de Belgique. Le ministère de l'Air était peu enclin à bombarder les zones résidentielles, il préférait attaquer les cibles stratégiques. Churchill, par contre, n'a pas oublié le discours arrogant de Hitler dans lequel il affirmait que la RAF n'atteindrait jamais Berlin. Churchill veut aussi saper le moral des Allemands en envoyant ses bombardiers au-dessus de Berlin.

La protection radar s'est révélée efficace

Bentley Priory, 18 septembre

La bataille d'Angleterre tourne ces derniers jours à l'avantage de la RAF. Cet important succès est largement dû à l'utilisation du nouveau réseau de protection radar, le Chain Home. Le centre nerveux de la défense radio britannique est installé dans le Middlesex, à Bentley Priory, où il est logé dans un château du XVIIIe siècle. C'est de là que sir Hugh et ses officiers observent sur écran les escadrilles ennemies qui arrivent vers l'Angleterre, et préparent les ripostes les plus efficaces. Cette station, aussi équipée du RDF (Radio Detection and Finding), permet de maintenir les chasseurs de la RAF au sol jusqu'au moment opportun et de les diriger à la rencontre de la Luftwaffe. Les Allemands ne semblent pas avoir trouvé un moyen de parer à cette tactique.

Dowding donne la victoire à la RAF

Londres, 30 septembre

Le *air chief marshal* sir Hugh Dowding, qui a fait de la bataille d'Angleterre une grande victoire, a été promu grand commandeur de l'ordre du Bain. Sa conduite des opérations fait de sir Hugh l'un des plus grands commandeurs du pays, au même titre que les amiraux Wellington ou Nelson.

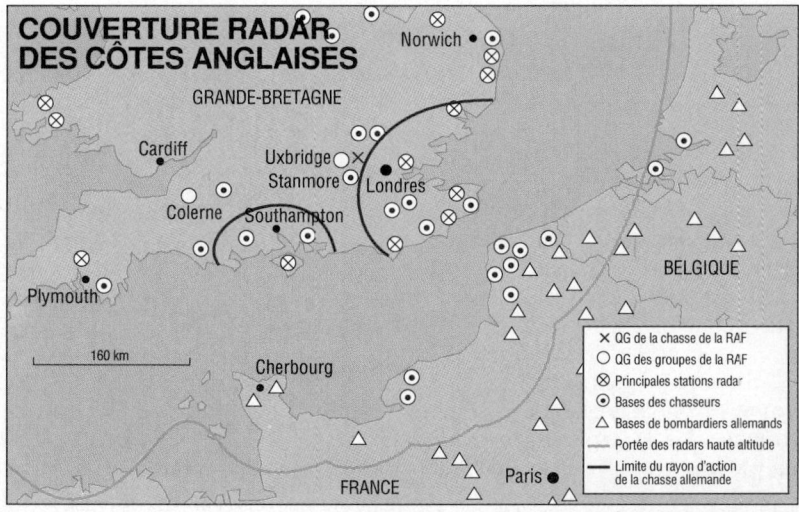

COUVERTURE RADAR DES CÔTES ANGLAISES

GRANDE-BRETAGNE

Norwich

Cardiff

Uxbridge
Stanmore · Londres

Colerne
Southampton

Plymouth

160 km

Cherbourg

BELGIQUE

FRANCE   Paris

✕ QG de la chasse de la RAF
◯ QG des groupes de la RAF
⊗ Principales stations radar
⊙ Bases des chasseurs
△ Bases de bombardiers allemands
— Portée des radars haute altitude
▬ Limite du rayon d'action de la chasse allemande

Le « air chief marshal » sir Hugh.

De Gaulle et de Marmier sont en Afrique

Le général de Gaulle est arrivé à Douala à bord d'un Ju 52 de la Sabena.

Freetown, 3 octobre

De Gaulle ne s'attendait pas à un tel échec. L'opération *Menace*, appuyée par une flotte et un porte-avions britanniques, n'a pas réussi à convaincre les Français de Dakar de rejoindre les Forces françaises libres. Au contraire, les autorités de la colonie française ont répondu aux propositions de De Gaulle en opposant une défense farouche. Le 25 septembre, après deux jours de siège, les Anglais et les Français libres ont renoncé à un débarquement qui entraînerait trop de pertes en hommes et en matériel. C'est un coup dur pour la France libre qui, après le ralliement du Tchad en août, espérait que celui de l'AOF suivrait sans peine. Non seulement l'opération présentait un grand intérêt stratégique, mais elle avait aussi

pour but de récupérer l'or de la Banque de France et de la Banque de Belgique entreposé à Kayes. C'est le 25 août que de Gaulle, de Marmier et d'Argenlieu ont quitté Liverpool pour l'Afrique et, le 23 septembre, le groupe Menace, composé de trois Dewoitine D.520, de six bombardiers Blenheim et de douze Lysander, s'est présenté face à Dakar. Chargé des négociations, de Marmier faillit y laisser la vie, les vichystes l'ayant accueilli par des coups de feu, blessant le petit-fils du maréchal Foch qui l'accompagnait. Après l'échec de l'opération, de Gaulle, de Marmier et d'Argenlieu ont rejoint Freetown d'où ils se sont envolés pour l'aéroport de Douala, sur un Junkers de la Sabena mis en service pour le compte de la BOAC. (→ 22.2.41)

Milan, 28 août. L'avion à réaction italien Caproni-Campini continue ses essais. Le biplace a dépassé la vitesse de 500 km/h avec son moteur dont la poussée est réglée par l'orifice de postcombustion.

Guillaumet et Reine disparaissent en mer

Henri Guillaumet aux commandes du « Lieutenant de vaisseau Paris ».

Méditerranée, 27 novembre

« Il me semble ce soir que je n'ai plus d'ami. » Saint-Exupéry vient d'apprendre la mort du frère qu'il s'est choisi. Henri Guillaumet a été abattu par un chasseur italien au-dessus de la Méditerranée. Désigné pour emmener à Beyrouth Jean Chiappe, nouveau commissaire de France en Syrie et au Liban, il décollait ce matin de Marignane avec

un équipage chevronné : Reine, Le Duff, Franques, Montaubin. Mais vers midi, les stations de Tunis et d'Ajaccio reçoivent un message : « Sommes mitraillés. Avion en feu. SOS. » Leur Farman, le *Le Verrier*, pris au beau milieu de la bataille aéronavale que se livrent Anglais et Italiens au large de la Sardaigne, a disparu à jamais dans les profondeurs de la Méditerranée.

La bombe guidée Henschel Hs 293 a été expérimentée pour la première fois le 18 décembre. Le guidage de l'arme est assuré par radio.

North American plus têtue que les Anglais

Ingelwood, 30 novembre

Le président de North American a tenu son pari. En 120 jours, il a fourni les plans d'un chasseur et 117 jours plus tard, le prototype NX 19988 était prêt. C'était pour North American plus prestigieux que de construire sous licence des Curtiss pour les besoins anglais. L'USAAC est intéressée par cet avion et en a demandé deux pour évaluation sous la référence PX-51. Un autre pari vient d'être gagné. Vance Breese a fait les premiers essais le 20 octobre. Quand il a appris que Belfour allait voler sur l'appareil, il a parié qu'il le casserait. C'est fait. Belfour a sélectionné un réservoir vide en cours de vol et a dû se poser en catastrophe. (→ 5.5.42)

Le NA-73X de North American.

Le Republic P-43 a été développé pour l'USAAF, qui le juge trop peu puissant, et l'appareil est cédé à l'Australie et à la Chine.

Conçu comme intercepteur, le Hawker Typhoon trouve sa voie dans l'appui tactique. Armé de roquettes, il devient un véritable tueur de chars.

L'Arado Ar 240 est armé de tourelles télécommandées.

Le Caproni-Campini N.1 est le premier avion à réaction italien. Mais la soufflante de son réacteur est entraînée par un moteur à piston.

Le PT-17 de Boeing est un monomoteur d'entraînement à train fixe.

Le Northrop N-3PB est construit à 24 exemplaires pour la Norvège.

Le chasseur Yakovlev Yak 1 est équipé d'un moteur de 1 100 ch et vole à 820 km/h.

La Mort sifflante, c'est le surnom donné par les Japonais au redoutable Vought F4U Corsair, utilisé par la plupart des forces alliées.

L'Avia B-35 ne dépassera pas le stade du prototype.

Le Yokosuka D4Y a servi dans tous les rôles imaginables.

Le Mikoyan-Gurevitch MiG 1, premier chasseur moderne soviétique.

L'Airspeed AS.39 Fleet Shadower n'est pas entré en production.

Le North American B-25 Mitchell s'illustrera lors du fameux raid sur Tokyo. Il sera utilisé par le groupe Lorraine des Forces françaises libres.

Le North American NA-73 a été développé à la demande des Britanniques, qui le baptisent Mustang. Il est équipé à l'origine d'un moteur Allison.

L'Aichi H9A est construit pour la formation des équipages destinés à l'hydravion géant Kawanishi H8K. Il sert aussi pour les patrouilles.

Le Fiat G.12C est prévu pour transporter douze passagers.

Une version à flotteurs du chasseur Fiat CR.42, peu répandue.

À l'origine avion commercial, le Curtiss C-46 Commando se révèle être un appareil de transport militaire très performant.

Le Curtiss SB2C Helldiver est à l'origine un bombardier en piqué.

Le Martin 179 donne naissance au fameux B-26 Marauder. L'US Army Air Corps l'utilise pendant la guerre.

Construit tout en bois, le de Havilland Mosquito n'est pas armé et compte sur sa vitesse et son altitude pour échapper à la chasse allemande.

Conçu pour traverser l'Atlantique avec la Lufthansa, le Blohm und Voss Bv 222 est employé par la Luftwaffe pour le transport.

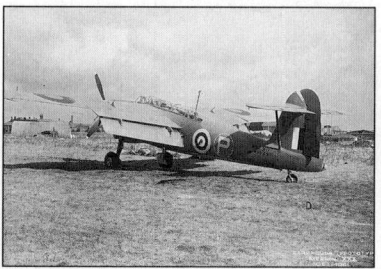

Le Fairey Barracuda, premier torpilleur monoplan britannique.

Le Mikoyan-Gurevitch I-250 est équipé d'un statoréacteur.

Le Macchi MC.202 reçoit une version italienne du Daimler-Benz.

Le Nakajima Ki.44, premier chasseur japonais puissant et nerveux.

Le chasseur biplace Fairey Fulmar.

Le remorqueur de cibles Armstrong Whitworth Albemarle.

Amy Johnson disparaît accidentellement

Un portrait de l'aviatrice en 1938.

Londres, 5 janvier
On n'a repêché que deux bagages marqués A. Johnson. Un mystère plane sur la disparition de la célèbre aviatrice Amy Johnson. A bord de l'avion qu'elle convoyait pour l'Air Transport Auxiliary, elle s'est abîmée dans l'estuaire de la Tamise. Aucun appareil ennemi n'était dans le secteur à ce moment. On pense qu'ayant perdu son cap à cause du mauvais temps elle est tombée en panne de carburant. Certains avancent qu'elle revenait d'une mission en France occupée, avec un passager clandestin. L'équipage du chalutier *Haslemere* l'a vue sauter en parachute. Malgré la mer agitée, son capitaine, W. Flechter, a plongé à son secours mais en vain.

Vichy offre l'or des Belges aux Allemands

Marseille, 22 février
En 1939, les Polonais avaient confié à la France 30 tonnes d'or. Au moment de l'invasion, les Belges ont également envoyé à Paris un trésor de 200 tonnes. Dès mai 1940, les 900 tonnes d'or de la Banque de France, l'or des Belges et des Polonais furent transférés vers Lorient et ensuite vers le Sénégal, où le tout fut entreposé dans une école désaffectée. Après l'échec de l'opération des Alliés sur Dakar, le butin fut transféré au Niger. Le Reich a signifié à Vichy que cet or était considéré comme une prise de guerre et devait lui être remis. Chaque semaine, les avions d'Air France en rapatrieront quelques tonnes vers Marseille *via* Agadir et Oran.

Hanna Reitsch pilote d'essai du « Gigant »

Leipheim, 7 mars
Elle a eu l'honneur du cinquième vol du Me 321 V1. Hanna Reitsch, qui a reçu voici quelques jours la Croix de fer de deuxième classe des mains même de Hitler, a pu piloter le *Gigant* pendant trente-huit minutes. C'est un planeur géant construit par Messerschmitt. A vide, il pèse 12 tonnes, mais son poids maximal au décollage est de 34 tonnes. Ses ailes font 300 m², sa largeur est de 55 mètres. Pour le faire décoller, tiré par un Ju 290 ou trois Messerschmitt Bf 110, on lui place sous les ailes huits fusées d'appoint qui donnent chacune une poussée de 500 kg. Il est manœuvré par un seul pilote et sa vitesse de remorquage est de 160 km/h. (→ 15.12.42)

Le planeur Messerschmitt « Gigant » Me 321 sera utilisé sur le front de l'Est.

L'aviation française en guerre au Siam

Le Potez 25TOE se pose en Indochine. En blanc, le lieutenant Horvatte.

Indochine, 31 janvier
La guerre franco-thaïlandaise n'a fait ni vainqueurs ni vaincus. Malgré leur victoire du 17 janvier qui leur a permis de détruire 40% de la marine thaïlandaise, les Français vont être obligés d'accepter l'arbitrage du Japon qui, après avoir soutenu la Thaïlande, entend mettre fin aux hostilités. Il est vrai que la suprématie aérienne thaïlandaise reste incontestée. Equipés d'un nombre d'appareils double de celui des Français, les Thaïlandais disposent en outre d'un meilleur matériel, acheté aux Etats-Unis et au Japon. Face à eux, la France n'aligne qu'une centaine d'appareils comme des Potez 542 ou 25 TOE, des Farman 221 et une escadrille de Morane 406. Si cette flotte aérienne insuffisante a pu rendre des services, le mérite en revient aux pilotes qui ont su en tirer le meilleur parti en attaquant la nuit, alors que les Thaïlandais ne volent que de jour.

Vols spéciaux pour les pilotes de la BOAC

Grande-Bretagne, février
La Suède est restée neutre, mais le Danemark et la Norvège sont aux mains des Allemands. Depuis avril dernier, la BOAC a fermé sa ligne européenne qui reliait Stockholm à Londres *via* Oslo. Il n'est pas possible pour Londres de se priver de certains produits vitaux comme les roulements à billes fournis par la Suède. Son industrie de guerre en a un besoin urgent. Ce sont donc de véritables missions de guerre qui sont confiées aux pilotes de la BOAC. Ils partent de Leuchars, en Ecosse, à bord de Lockheed ou de Mosquitos désarmés et modifiés avec lesquels il leur faut éviter les forces allemandes et ramener leur indispensable fret.

Ce Lockheed 18 Lodestar aux couleurs de British Airways a été cédé à BOAC

Le Halifax a mal entamé sa carrière

Le Bomber Command commence à recevoir les bombardiers lourds Halifax.

Linton-on-Ouse, 11 mars

Le squadron 35 du Bomber Command a effectué la nuit dernière sa première mission de bombardement en utilisant les nouveaux quadrimoteurs Halifax. Ce matin, ce n'est pas dans la bonne humeur que les six équipages se retrouvent. L'objectif était le port du Havre. Chacun des bombardiers avait emporté 5 900 kg de bombes, le vol étant particulièrement court. L'un des avions n'a trouvé ni l'objectif principal ni le second, Boulogne-sur-Mer, et a largué ses bombes sur Dieppe... Un autre n'a pas non plus trouvé Le Havre. Il a préféré rentrer en larguant ses bombes au milieu de la Manche. Un troisième, qui, lui, a réussi sa mission sur Le Havre, s'est fait abattre par la chasse anglaise au retour. Les chasseurs ne connaissaient pas ce type d'appareil, dont ils n'ont même pas vu les cocardes. Les deux équipiers ont réussi à sauter en parachute.

Le Douglas DB-7 Boston devient le Havoc

Le Douglas A-20 Havoc, très efficace pour les opérations de chasse de nuit.

Liverpool, 7 avril

Les Britanniques lui ont donné un nom qui devrait bien lui convenir : Havoc signifie ravage. En fait, c'est le bombardier Douglas DB-7 de 1938, modifié pour les Français en DB-7A, qui est livré le 17 août 1939. Au début de la guerre, très peu d'exemplaires reçus par la France étaient opérationnels, et une bonne partie s'est retrouvée en Grande-Bretagne. La RAF, qui a aussi récupéré quelques DB-7 belges, l'a baptisé Boston et en a fait un bombardier moyen. Ses excellentes qualités d'origine permirent, grâce à quelques modifications, de le rendre opérationnel la nuit. Il existe maintenant en version d'attaque et de chasseur de nuit. Avion passionnant pour les pilotes qui le pratiquent, son équipage est composé de trois hommes. Armé de 13 mitrailleuses de 12,7 mm, il vole à 475 km/h et peut emporter 900 kg de bombes.

L'Irak bombardé par les Anglais

Habbaniyya, 2 mai

Le pétrole de Mésopotamie ne peut tomber aux mains des Allemands, les Anglais se le sont promis. Le coup d'état du 1er avril, qui a donné le pouvoir à Rachid Ali et aux hommes du Carré d'or à la solde des Allemands, les oblige donc à agir vite. Rachid Ali avait pourtant commencé par accepter le passage des troupes britanniques sur son territoire, conformément aux clauses du traité de paix anglo-irakien. Ruse de guerre ? Peut-être, car cela ne l'a pas empêché d'attaquer les Britanniques sans attendre l'aide des Allemands occupés en Grèce. Cette précipitation est peut-être la chance des sujets de Sa Majesté. Leur riposte a été cinglante. Les appareils de la RAF ont largué 2 tonnes de bombes sur l'Irak et sa capitale, déclenchant un terrifiant déluge de feu sur la population.

Les Liberator traversent l'Atlantique

Atlantique, 4 mai

Consolidated Aircraft l'a construit pour répondre à toutes les missions. Le B-24 Liberator est un bombardier à long rayon d'action qui peut être utilisé indifféremment pour des patrouilles de reconnaissance en mer ou pour chasser les sous-marins. Quand il a fait son premier vol le 29 décembre 1939, l'USAAC en avait déjà commandé 43, la France 120 et la Grande-Bretagne 164. Armé, son équipage est de douze hommes. La RAF compte l'utiliser comme avion de transport. Le capitaine Bennett a effectué le vol de convoyage du premier exemplaire au Coastal Command à l'altitude de 10 000 m et à la vitesse de 450 km/h. (→ 13.2.42)

Le Liberator de Consolidated, de la RAF, est un bombardier quadrimoteur.

Le transport aérien couronné aux USA

Etats-Unis, 20 avril

Un milliard de passagers, tel est le nombre de personnes transportées par la compagnie American Airlines en cinq ans. Cette compagnie peut en outre revendiquer la performance de n'avoir à déplorer aucune perte humaine. C'est la raison pour laquelle, le 30 mars dernier, le Civil Aeronautics Board rapportait que l'aviation civile n'a jamais été aussi sûre. L'agence fédérale ajoutait que les pilotes volent sur une distance de un million de kilomètres avant d'être confrontés au moindre incident de vol. Plusieurs raisons à ces résultats satisfaisants : les progrès réalisés dans le guidage radio ou l'information météorologique. A cela, il faut ajouter la fiabilité des moteurs obtenue grâce à la technologie mise au point sur des appareils comme le DC-3 ou encore les Lockheed.

Whittle fait enfin voler son réacteur

Le prototype du Gloster E-28/39, le premier avion à réaction britannique.

Cranwell, 15 mai

Frank Whittle a gagné son pari. Son moteur a propulsé un avion pendant 17 minutes. Dès 1936, il avait réussi, malgré d'énormes difficultés financières, à fonder la Power Jets Ltd., destinée à développer un moteur à réaction qu'il avait lui-même réalisé : le Gyrone. En 1937, à Ladywood, l'engin est prêt à fonctionner : le compresseur monte jusqu'à 8 000 tr/min. Les témoins se souviennent encore de leur panique devant l'engin qui semble prêt à exploser. Finalement, les essais sont satisfaisants et le ministère de l'Air demande à Whittle d'équiper un avion du Gyrone. Un Gloster devient ainsi le premier avion à réaction britannique. Il a décollé de Cranwell avec, aux commandes, Gerry Sayer, qui a lancé les réacteurs jusqu'à 16 000 tr/min. Frank Whittle voyait ses quatre années de recherches enfin couronnées de succès. (→ 1.10.42)

Une escadrille de B-17 vole vers Hawaii

Pacifique, 14 mai

C'est le premier grand déploiement de bombardiers américains. Sous les ordres du lieutenant-colonel Eubank, 21 Boeing B-17D affectés au 19e groupe de bombardement de l'US Army Air Corps se sont envolés de leur base de Californie pour Oahu, dans l'archipel des Hawaii. Ces Flying Fortress, qui en profitent pour battre un record de vol en formation au-dessus de l'océan, vont renforcer les défenses des positions américaines dans le Pacifique. L'attitude des Japonais et les attaques allemandes contre les cargos dans l'Atlantique résonnent comme un avertissement pour Washington qui a décidé d'intensifier ses préparatifs de guerre.

Une formation de bombardiers Boeing B-17 Flying Fortress de l'US Army.

Un début difficile pour le Thunderbolt

Le Republic XP-47B Thunderbolt en préparation pour son premier vol.

Etats-Unis, 6 mai

Jour J pour le Thunderbolt qui effectue son vol inaugural. Commandé par l'armée américaine à la Republic Aircraft Corporation, ce prototype XP-47B est le chasseur le plus grand et le plus lourd jamais construit : 12,60 m d'envergure et 10 m de long pour un poids de plus de 5 200 kg. Son habitacle paraît immense. Doté d'un moteur Pratt & Whitney de 2 000 ch et d'un turbocompresseur, il doit atteindre sa vitesse maximale en palier à 7 600 m. Piloté par Brahham, l'appareil se comporte bien au décollage, mais peu après l'habitacle est envahi par une épaisse fumée, et Brahham atterrit précipitamment. La cause de l'incident ? Une accumulation d'huile de moteur dans le collecteur d'échappement. Mais les essais seront poursuivis, car le concepteur, l'ingénieur russe Kartveli, croit au potentiel de son appareil, notamment à haute altitude.

Le « Bismarck » victime d'un petit avion

Atlantique Nord, 26 mai

L'enseigne Leonard Smith ignorait que sa mission de formation des pilotes anglais de Catalina serait fatale pour le *Bismarck*. Ce matin, il part à 3 heures avec Dennis Briggs, de la RAF. Le temps est maussade. Son PBY-5 du squadron 209, codé Z, vole au ras des vagues. C'est Smith qui verra le *Bismarck*. Le cuirassé ouvre le feu sur l'hydravion. Smith remonte se cacher dans les nuages pendant que Briggs transmet le message. Un petit Swordfish, muni d'une torpille, viendra porter le coup mortel.

Le « Bismarck » est torpillé par un Fairey Swordfish dans l'Atlantique.

L'aviation allemande en Méditerranée

Malémé, 30 mai

L'opération *Merkur* touche à sa fin. Les parachutistes et les chasseurs alpins du général Student ont bouté les Anglais hors de Crète, mais à quel prix ! Le 20 mai en fin de matinée, les parachutistes de la 7e Fliegerdivision sautaient à Malémé, au nord de La Canée, dans la région de Réthymnon, et à Héraklion. Mais les défenseurs les attendaient de pied ferme depuis 48 h. Sur les 2 300 parachutistes largués le matin, seuls 650 seront en état de combattre le soir. Le général Meindl, grièvement blessé, devra passer son commandement au colonel Ramcke. A Réthymnon, les paras se retrouvent sans chef, le général Süssmann ayant été abattu au-dessus d'Egine. Mais une erreur des défenseurs de Malémé va leur permettre de renverser la situation. Ayant tardé à contre-attaquer, les Néo-Zélandais perdent le lendemain le contrôle de l'aérodrome. De plus, les navires de l'amiral Cunningham n'ont pu intercepter qu'un des convois transportant les troupes de montagne du général Ringel. Sous les bombes des Stuka, le cuirassé *Warspite* doit rompre le combat. Le lendemain, Ringel décide de nettoyer toute la partie occidentale de l'île. Les parachutistes attaquent le long de la route côtière du nord de l'île, les chasseurs alpins progressant dans les montagnes où ils se heurtent avec âpreté aux soldats grecs. Le 24 mai, la situation s'aggrave encore ; l'amiral Cunningham informe Londres qu'il n'est plus en mesure de barrer la route aux convois allemands du fait de la maîtrise de l'air par la Luftwaffe. Le 26. celle-ci met hors de combat le porte-avions *Formidable*. Le lendemain, le général britannique Freyberg décide d'évacuer ce qui reste des 32 000 défenseurs de l'île par les petits ports d'Ierapetra et de Sphakia, avec les bâtiments de Cunningham. Le 30, Freyberg quitte la Crète, 12 970 Britanniques sont prisonniers dans l'île. Le bilan est sévère pour l'armée de terre britannique, qui a perdu 16 583 hommes, et la Royal Navy qui compte 1 828 morts. Mais la Luftwaffe a perdu 220 appareils, en majorité des Ju 52 et, sans la prise de Malémé, les parachutistes auraient été repoussés, ce qui pousse à la réflexion du côté allemand.

Les parachutistes allemands sont largués au-dessus de la Crète.

Les avions soviétiques détruits au sol

Un soldat allemand examine un chasseur soviétique Polikarpov I-16.

Union soviétique, 23 juin

L'aviation soviétique vient d'être fortement touchée. 1 136 appareils, la plupart au sol, ont été détruits par la Luftwaffe. L'effet surprise de l'attaque allemande, ou opération *Barbarossa*, préparée de longue date par Hitler, a joué à plein. Fin mai, les forces aériennes allemandes, réparties en trois groupes d'armées, sont concentrées à l'Est. Le 22 juin, les Allemands lancent une offensive aérienne brusque, pour surprendre les avions soviétiques au sol sans leur laisser la moindre chance de prendre leur envol. Les appareils de la Lufwaffe décollent de leur base dans la nuit, avant le début de l'assaut terrestre. Les pertes de l'aviation soviétique lors des premières heures sont considérables. Leurs défenses réagissant avec mollesse, les Soviétiques n'infligent que peu de pertes aux assaillants : 300 appareils. Dès lors, la Luftwaffe, maîtresse du ciel, peut mener ses missions d'appui de l'armée de terre.

La chasse française se bat au Levant

Le pilote de ce MS-406 se souviendra de cet atterrissage en Syrie.

Syrie, 8 juillet

En accord avec Vichy, le général Dentz a demandé un cessez-le-feu à la Grande-Bretagne. Ce sont les Anglais qui avaient engagé les hostilités le 15 mai pour s'emparer de la Syrie et du Liban en raison du soutien apporté par Vichy aux Allemands au Moyen-Orient. Face à l'aviation britannique, les formations françaises, supérieures en nombre mais de médiocre qualité, n'ont finalement pas fait le poids. Les premières semaines, les Anglais, appuyés par des unités de la France libre, se sont contentés de bombarder les terrains d'aviation pour préparer une attaque terrestre qui a débuté le 8 juin. Les opérations se sont ensuite intensifiées, tant sur terre que dans les airs. Complètement encerclées, les forces françaises ont dû céder. Mais certains combats qui ont opposé des Français à des Français ne sont pas allés sans drames de conscience.

Les avions sont équipés d'un radar

Un Bristol Beaufighter, équipé de radar pour les combats de nuit.

Etats-Unis, 18 juillet

Navigateur à pilote : « J'ai un écho à onze heures, distance 45 miles. » Pilote au navigateur : « Compris, je vire au cap 350. » Ce genre de dialogue va devenir de plus en plus fréquent dans les avions. Le radar britannique ASV Mk I vient d'être installé sur certains bimoteurs pour les aider à localiser les cibles ennemies. L'opérateur observe un écran sur lequel il voit apparaître l'écho d'un pulse transmis à très haute fréquence et réfléchi par la cible. Le pilote, informé, recherche alors un contact visuel. Ce travail de recherche est facilité sur les étendues maritimes. Ne présentant aucun obstacle naturel, elles n'occasionnent

pas de réflexions parasites. Le système de radars aériens pour localiser les objectifs a été adapté pour les chasseurs de nuit et les avions de surveillance des côtes. Le radar ASV Mk I, mis au point par des ingénieurs anglais, est devenu opérationnel au début de 1940. Le Mk III, plus perfectionné, devrait entrer en service prochainement. Mais les Alliés n'osent pas le placer à bord d'avions envoyés au-dessus de l'Allemagne, car il risquerait de tomber aux mains des ennemis. Alors que les Anglais travaillent sur des longueurs d'ondes centimétriques, les Allemands continuent leurs travaux en utilisant des ondes métriques. (→ 31.1.43)

Un nouveau système de radionavigation

Mönchengladbach, 12 août

Cette nuit, 24 bombardiers Wellington ont attaqué un objectif ferroviaire à Mönchengladbach, à la limite de la Ruhr. Malgré l'épaisse couche de nuages qui recouvrait la région, l'attaque a réussi et tous les appareils sont rentrés à la base. Deux d'entre eux étaient équipés d'un nouveau système de guidage qui a reçu le nom de code Gee. Jusqu'ici, les pilotes de bombardiers devaient se fier à leur instinct et à l'astronavigation pour repérer leur objectif la nuit. Près de 90% des bombes rataient leurs cibles. Robert Dippy, un savant du Telecommunications Research Establishment de Worth Matravers, dans le Dor-

set, a inventé un système de radionavigation baptisé TR 1335. Il fonctionne avec trois émetteurs radio, installés au sol sur une distance de 320 km, qui envoient des signaux destinés aux avions. Le navigateur repère ces signaux sur un tube cathodique et peut connaître sa position avec une précision de 1,6 km. Les premiers résultats sont encourageants, mais, malheureusement, ce système a une portée limitée à 1 000 km et peut être brouillé. Les Anglais ne disposent pour l'instant que de 12 appareils de réception qui vont donner lieu à d'autres essais. Le TR 1335 sera fabriqué en série afin d'en équiper toutes les escadrilles. (→ 9.3.42)

Juillet : la version bombardier du Lodestar de chez Lockheed sort de son hangar. Il va voler pour la première fois dans quelques jours à Burbank.

Succès des Eagle

France, 2 juillet

C'est au sein d'une escadrille de la RAF, l'American Eagle, que des pilotes américains viennent de remporter leurs premières victoires dans cette guerre. A bord de leurs Hurricane, ils ont lancé un raid sur un aérodrome allemand, près de Lille. Parvenus au-dessus de l'objectif, ils ont dû faire face à une soixantaine de Messerschmitt Bf 109. Dans la confusion du combat, deux chasseurs de la RAF, qui pourraient appartenir aux Eagle, sont entrés en collision. Mais les Alliés revendiquent la destruction de trois Messerschmitt. Deux d'entre eux ont été abattus par des pilotes américains, l'autre par le commandant anglais de l'escadrille.

Ce film de propagande, « Target for Tonight », produit par Harry Watt plaît au public. Les acteurs sont les pilotes de la base de Mildenhall, dans le Suffolk.

Missions sans retour pour les Hurricane

Le Hurricane est catapulté pour une mission qui se terminera dans l'océan.

Miss Cochran recrute des femmes pilotes

Une réunion d'information pour les futures aviatrices américaines de l'ATA.

Atlantique, 3 août

L'Angleterre a décidé de sacrifier ses chasseurs au profit des cargos qui la ravitaillent. Ils iront poursuivre la Luftwaffe au-dessus de l'Atlantique. Catapulté depuis le *Maplin*, un navire de commerce aménagé en conséquence, le lieutenant Everett, de la Royal Navy, a ainsi abattu un Fw 200. Cette première mission d'un genre nouveau est une réussite, même si elle implique la perte systématique du chasseur qui sait au départ qu'il n'aura pas assez de carburant pour atteindre les côtes et ne pourra pas faire autrement que d'amerrir le plus près possible d'un bateau. C'est la riposte aux agressions allemandes contre les convois. Churchill, alarmé par les pertes alliées, a décidé de passer à cet ultime sacrifice. En effet, les U-Boote, les Focke-Wulf et les Junkers opèrent au large, beaucoup trop loin pour les chasseurs basés à terre.

Etats-Unis, 31 août

Jacqueline Cochran les a toutes comptées, elles sont 650 femmes aux Etats-Unis à posséder le brevet de pilote. Elle veut convaincre les autorités d'enrôler des pilotes féminins et de leur confier la mission de convoyer les appareils depuis leur lieu de construction jusqu'aux unités auxquelles ils sont affectés. Elle se heurte depuis quelques mois à un refus systématique. Certains pensent que seules les femmes pilotes qui ont plus de 500 heures de vol sont compétentes, alors que Jacqueline Cochran veut les former toutes. Il y a un mois, le général Arnold a accepté de prendre à l'essai cinquante des aviatrices les plus expérimentées, pendant un trimestre. Elles sont versées au Air Corps Ferrying Command. Ce matin, Cochran a reçu un appel des Anglais afin de recruter aux Etats-Unis des femmes pilotes pour l'Air Transport Auxiliary. (→11.5.43)

Des escadrilles qui portent le nom des provinces de France

Grande-Bretagne, 15 novembre

Le colonel Martial Valin n'avait pas voulu servir le gouvernement de Vichy. En mission en Amérique du Sud au moment de l'invasion, il y était resté jusqu'au début de cette année. C'est en avril qu'il a rejoint à Londres le général de Gaulle. Ce dernier lui a remis ses deux étoiles de général il y a deux mois en le nommant à la tête des Forces aériennes françaises libres (FAFL). La conquête de la Syrie et du Liban a donné la possibilité de récupérer les bases et le matériel indispensables pour organiser des groupes de chasse et de bombardement. Au Levant, Martial Valin a formé le groupe de chasse Alsace et le groupe de bombardement Lorraine. Le 29 octobre dernier, en Angleterre, lors de sa visite au squadron 15, de Gaulle avait confirmé la formation d'un squadron français. Le même jour, tous les pilotes français du 615 sont transférés au 340.

Le capitaine de corvette Philippe de Scitivaux a pris la tête de l'escadrille Paris et l'escadrille Versailles est placée sous les ordres du capitaine Duperier. Toutes deux formeront le groupe Ile-de-France. Si les pilotes ne manquent pas, il reste à trouver des avions et surtout des mécaniciens. L'arrivée du personnel de l'aéronavale avec ses mécaniciens devrait permettre de renforcer le groupe. (→21.1.43)

En Libye, un équipage de bombardier Bristol Blenheim du groupe Lorraine.

Missions de nuit pour le Lysander

Londres, 1er septembre

Le Lysander de Westland équipe plusieurs escadrilles de la RAF et a déjà rendu de nombreux services comme avion de liaison ou encore de reconnaissance. Il est depuis peu d'humeur noctambule. Reconnaissable à ses ailes hautes en forme de losange, Lizzie, comme l'ont surnommé les Anglais, profite de ses caractéristiques Adac (avion à décollage et à atterrissage court) pour effectuer des vols clandestins pour le compte du Special Operation Executive. La dernière version du Lysander, le Mk II, équipé du Bristol Perseus XII de 905 ch, passe de la reconnaissance de jour à la mission de nuit. Il est utilisé pour récupérer des agents de la Résistance en France occupée, grâce à sa capacité de se poser sur n'importe quel terrain. Sa vitesse de décrochage est inférieure à 100 km/h.

L'aile volante portera la croix de Lorraine

Les Français libres ont acheté cette aile volante : le Clyde Clipper.

Douala, 13 septembre

Quand l'aile volante est arrivée à Bangui le 28 juin dernier, elle a fait sensation. Tout d'abord le pilote, qui l'a convoyée depuis l'Angleterre, n'est pas un inconnu, il s'agit de James Mollison. Ensuite, les caractéristiques de cet avion sont étonnantes puisqu'il peut emporter une charge égale à son poids de 4 350kg. Construite par la maison Cunliffe-Owen sous licence Burnelli, l'aile volante a une autonomie de 10 à 14 heures de vol. Elle a été mise en exploitation par les Forces aériennes de la France libre sur la ligne qui relie Libreville à Bangui. Le général Martial Valin vient de l'utiliser pour se rendre à Libreville.

Le tour du monde du « Pacific Clipper »

New York, 7 décembre

Ce sera le premier tour du monde pour un avion commercial. Le *Pacific Clipper* de la Pan Am effectuait son vol régulier de San Francisco vers l'Australie. Lorsqu'il se pose à Auckland, en Nouvelle-Zélande, les Japonais viennent d'attaquer Pearl Harbor. La compagnie le fait repartir immédiatement vers New York, par la route de l'ouest, la plus longue. Sa mission consiste à récupérer au passage, lors des escales, le personnel de Pan Am en Asie.

Ce Hudson, baptisé « Spirit of Lockheed-Vega employees », est le cadeau de Noël offert au roi d'Angleterre par le personnel de Lockheed.

Le sacrifice des pilotes de Shtourmovik

Un Il-2 détruit au cours de la guerre. Il est muni de lance-roquettes.

Moscou, 27 novembre

Parmi les appareils soviétiques qui tentent de freiner l'avance des blindés allemands, l'Il-2 Shtourmovik se distingue surtout par le courage de ses pilotes. Les pertes enregistrées par cet avion d'assaut, très mal adapté au combat auquel il est destiné, sont énormes. Alors que les Panzer ne sont plus qu'à trente kilomètres de la banlieue de Moscou, les Shtourmovik continuent à attaquer par vagues des blindés qu'ils ne peuvent détruire avec les mitrailleuses qui les équipent. De plus, très lents, ils sont à la merci des affûts quadruples de 20 mm de la Flak. Quant aux chasseurs de la Luftwaffe, ils profitent de leur manque de maniabilité pour les abattre comme à l'exercice. Cet appareil est construit en grande quantités par plusieurs usines d'Union soviétique à partir des plans de Sergueï Iliouchine. Sa référence est TsKB-57 et le premier avion de série a volé le 18 mars dernier. Sa conception de base est celle d'un avion d'assaut blindé, mais sa faible vitesse le pénalise. (→ 21.1.42)

Les Tigres volants passent à l'attaque

Chine, 23 décembre

Il y a trois jours, dix bombardiers japonais surgissent au-dessus de Kunming. Face à eux, douze gueules menaçantes de requins : les Tigres volants. Les Chinois ont ainsi baptisé les volontaires américains de Claire Chennault, qui pilotent des Curtiss P-40. Neuf des dix bombardiers ont été abattus. La troisième escadrille de l'AVG, les Hell's Angels, est basée sur un terrain de la RAF, à Mingaladon, en Birmanie, près de Rangoon. L'arrivée des Tigres volants, sortant dans une tenue débraillée de leurs chasseurs ornés à l'avant de la fameuse gueule de requin, a choqué les Anglais, peu enclins à oublier la discipline. Alors que six Tigres volants s'entraînent, 54 bombardiers japonais et 12 chasseurs arrivent sur Rangoon. Les six Américains poussent la manette des gaz à fond et, avant que les Anglais soient en mesure de décoller, ils abattent 6 appareils ennemis. Les 13 Brewster Buffalo anglais décolleront d'ailleurs bien après le reste des Tigres volants. (→ 4.7.42)

Des ouvriers chinois regardent un P-40 des Tigres volants manœuvrer au sol.

L'aéronavale japonaise agresse l'Amérique

Hawaii, 7 décembre

« Raid aérien sur Pearl Harbor. Ce n'est pas un exercice. » Il est 7 h 58 du matin à Hawaii. Tandis que le contre-amiral Bellinger, de la tour de contrôle de Ford Island, lance son message, les bombardiers japonais écrasent sous les bombes la flotte américaine du Pacifique. Les avions du capitaine de frégate Mitsuo Fuchida avaient bien été détectés par le radar d'Opana, mais le centre de contrôle les avaient confondus avec des Flying Fortress que l'on attendait ce matin-là. Aussi, quand à 7 h 49 les 183 appareils de la première vague arrivent au-dessus de la rade, le ciel est vide. L'effet de surprise est total et, avant même que les premières bombes tombent, Fuchida lance le signal « Tora, tora, tora ! » (Tigre, tigre, tigre !) à l'amiral Nagumo, le commandant de la force navale d'assaut. A 7 h 56, les bombardiers nippons déchaînent un feu d'enfer sur les navires de guerre. Les pilotes japonais connaissent par cœur le plan de la base. Tandis que les chasseurs Zero et les bombardiers en piqué Aichi D3A1 Val se dispersent en sections pour bombarder et mitrailler les aérodromes de Wheeler, Kaneohe, Ewa et Hickham, les avions torpilleurs Nakajima B5N2 Kate prennent leur cap d'approche, puis descendent pour se placer en position de tir par le travers des

cuirassés. En quelques minutes, cinq navires, l'*Oklahoma*, le *Nevada*, l'*Arizona*, le *West Virginia* et le *California*, sont éventrés par les torpilles de 800 kg des Kate. Touché à bâbord, l'*Oklahoma* se retourne, engloutissant 400 marins. Dans le quart d'heure qui suit, l'*Arizona* explose, ses machines et la soute à munitions ont été touchées. Amarré en tête de file, le *California* sera le dernier cuirassé à être atteint. Deux torpilles pénètrent sous la passerelle. L'équipage l'empêche de chavirer mais ne peut éviter qu'il s'enfonce lentement dans les eaux du port. A 8 h 40 une seconde vague de 86 Val, 54 Kate et 36 chasseurs Zero, aborde Oahu par l'est. Quelques rares Curtiss P-40 décollent de la piste de Wheeler. Ils vont détruire 11 avions ennemis. Le capitaine de corvette Shimazaki, qui dirige l'action, prend pour cible le cuirassé *Nevada*, lequel a finalement réussi à prendre la mer sous les acclamations de l'équipage de l'*Oklahoma*. A 10 h tout est fini : la puissance navale américaine est amoindrie pour de long mois. On comptera 2 403 morts et 1 178 blessés du côté américain ; 18 navires sont coulés ou gravement endommagés, dont 8 cuirassés. L'aviation a perdu 347 appareils. Les Japonais n'enregistrent quant à eux que des pertes dérisoires : 29 avions et 5 sous-marins de poche.

es Zero sur le pont d'un porte-avions, prêts à attaquer Pearl Harbor.

La base aéronavale américaine de Pearl Harbor après l'attaque japonaise.

Le Gotha Go 242 est un planeur de transport très utilisé.

Pas moins de 15 683 Republic P-47 Thunderbolt sont construits. Leur rayon d'action leur permet de protéger les bombardiers jusqu'en Allemagne.

Un Nakajima B6N2 capturé est testé en vol aux Etats-Unis.

Pour protéger les convois, un Hawker Hurricane est catapulté depuis le pont d'un navire. Le pilote est contraint de revenir à la nage...

Le Sukhoi Su-7, un intercepteur à haute altitude expérimental.

Le Brewster SB2A sert dans la RAF sous le nom de Bermuda.

Le prototype de l'Avro Lancaster est muni d'une troisième dérive, qui est abandonnée ensuite, et il ne possède aucun armement défensif.

Le Douglas XB-19 sera utilisé pour le transport.

Le Martin Baltimore sert principalement au sein de la RAF.

Le Vultee Vengeance est aussi commandé par la RAF, mais l'USAAF, déçue par ses performances, le relègue au remorquage de cibles.

Le Sea Wolf XTBU-1 n'est jamais entré en action.

Le Heinkel He-280 est le premier turbojet construit pour le combat.

Le Junkers Ju 288 est un dérivé amélioré du Ju 88.

Le planeur Messerschmitt Me 321 a une envergure de 55 m.

Poste d'observation volant, le Fane F.1/40 sert en petit nombre.

Le Kawanishi H8K est l'hydravion le plus performant de la guerre.

Le Gloster-Whittle E.28/39 est le premier avion à réaction britannique. Il vole le 15 mai 1941, mais restera au stade expérimental.

Le Junkers Ju 188 est un modèle amélioré du Ju 88, destiné principalement à la lutte aéronavale et à la reconnaissance stratégique.

Le prototype du Nakajima J1N1 de reconnaissance.

Premier chasseur japonais à moteur en ligne, le Kawasaki Ki.61.

Le plus grand bombardier torpilleur de la guerre, le Grumman TBF Avenger, fait ses débuts le 4 juin 1942 lors de la bataille de Midway.

Le Messerschmitt Me 163, propulsé par un moteur-fusée, est invulnérable face à la chasse alliée, mais très dangereux pour ses pilotes.

Le Ju 252 est le dernier trimoteur de transport construit par Junkers.

L'Airspeed AS.45 Cambridge se révèle être une piètre machine d'entraînement et les deux exemplaires construits finissent au pilon.

Le Curtiss XP-60, dérivé du P-40, n'est pas commandé en série.

1942

1 003 km/h
Allemagne
Heini Dittmar
Messerschmitt Me 163b Komet
2.10.41

12 935 km
Italie
Tondi-Dagasso-Vignoli
Savoia-Marchetti 79
1.8.39

17 083 m
Italie
Mario Pezzi
Caproni 161 bis
22.10.38

62 823 kg
Etats-Unis
Boeing X9-29
Superfortress

1 700 kgp
Allemagne
Walter HWK 109-509 A-1

Allemagne, 6 janvier
Hans Ulrich Rudel est nommé chef d'une escadrille de Stuka en récompense de ses exploits sur le front de l'Est.

Etats-Unis, 10 janvier
L'armée touche ses premiers planeurs de transport, notamment les Waco CG-4A produits par Cessna.

Allemagne, 28 janvier
Hitler remet à Adolf Galland crédité de 96 victoires, la croix de fer avec feuilles de chêne et glaives. Inspecteur de la chasse, Galland est le plus jeune général de toute l'armée allemande.

Pacifique, 13 février
Massacre de la Saint-Valentin au-dessus de la base japonaise de Kahili. Partis de Guadalcanal, des B-24 Liberator attaquent Bougainville. Deux Liberator, la totalité des P-38 Lightning de l'escorte et quatre Corsair, dont c'était la première sortie opérationnelle, sont abattus par les Zero.

Grande-Bretagne, 20 février
Arrivée à Londres du général Ira C. Eaker. Il est chargé par le chef d'état-major de l'armée de l'air américaine, le général Henry Hap Arnold, d'organiser la venue de la 8e Air Force qui doit être la plus grande unité de bombardement stratégique à opérer en Europe.

Grande-Bretagne, 22 février
L'*air marshal* Arthur Travers Harris prend le commandement du Bomber Command.

France, 3 mars
Dans la nuit, 235 avions du Bomber Command bombardent les usines Renault de Boulogne-Billancourt. Les dégâts matériels sont moyens, mais les pertes civiles élevées : 486 morts et plus de 600 blessés.

Pacifique, 3 mars
Deux hydravions de reconnaissance Kawanishi H8K Emily, partis de Wake, bombardent l'île d'Oahu et le chenal de Pearl Harbor, sans grand succès.

Allemagne, 9 mars
Harris lance sur Essen 211 bombardiers, dont 82 sont équipés du système de navigation électronique Gee (G première lettre du mot *grid*, quadrillage). C'est un échec. (→ 29)

France, 20 mars
Le prototype de l'hydravion hexamoteur Potez-Cams-160 fait un vol d'essai entre Sartrouville et les Mureaux.

Allemagne, 29 mars
Après avoir vérifié le système Gee au-dessus de Cologne, dans la nuit du 13 au 14, le Bomber Command lance 234 bombardiers sur Lübeck. Ils sont guidés par dix Wellington équipés du dispositif Gee. Le raid est un succès complet.

Grande-Bretagne, 31 mars
A Londres, Pierre Clostermann, un jeune homme tout juste arrivé des Etats-Unis, signe son acte d'engagement dans les FAFL. (→ 27.8.43)

Allemagne, 10 avril
La RAF utilise lors d'un raid sur Essen des bombes de huit mille livres (3 624 kg).

Pacifique, 18 avril
Repéré par les Japonais, alors qu'il est encore à 350 km du point de décollage des avions qui vont bombarder Tokyo, l'amiral William Halsey ordonne le repli de sa flotte et envoie au *Hornet* le message fatidique : «Lancez les avions. Au colonel Doolittle et à sa vaillante équipe, bonne chance et que Dieu vous garde !»→

Grande-Bretagne, 24 avril
Les raids de représailles de la Luftwaffe, connus sous le nom de raids *Baedeker*, les cibles étant choisies dans le célèbre guide touristique, débutent par le bombardement de la ville d'Exeter.

Union soviétique, 1er mai
Formation d'un régiment de bombardement de nuit. Le n° 588 est équipé de biplans Polikarpov Po-2 et sa particularité est que tous ses pilotes sont des femmes.

Japon, 6 mai
Vol inaugural à Naruo, du chasseur à flotteurs Kawanishi N1K1 Kyofu (vent puissant). (→ 24.7.43)

Pacifique, 7 juin
Déjà endommagé, le porte-avions *Yorktown* est coulé.

France, 12 juin
Le capitaine A.K. Gatward et le sergent Fern lancent un drapeau tricolore sur l'Arc de Triomphe.

Grande-Bretagne, 18 juin
Le général Carl Spaatz prend le commandement de la 8e Air Force. Eaker conserve le commandement des bombardiers. Les Britanniques bombarderont l'Allemagne et l'Europe la nuit tandis que les Américains sortiront de jour.

Etats-Unis, 26 juin
Premier vol d'essai du Grumman F6F Hellcat. Chasseur destiné à l'US Navy, il est reconnaissable à ses ailes en forme trapézoïdale. Il pèse près de 5 tonnes. (→ 19.6.44)

Chine, 4 juillet
Dissolution des Tigres volants de Chennault. Seuls 5 pilotes sur les 34 mercenaires de l'AVG acceptent d'intégrer l'US Army Air Force.

San Francisco, 7 juillet
Le sous-lieutenant Richard Bong effectue un looping autour de l'arche centrale du Golden Gate avec son P-38 et remonte Market Street en rase-mottes, en éparpillant au passage la lessive d'une ménagère. Le général Kenney le condamne à refaire la lessive de la dame.

Allemagne 18 juillet
Premier vol d'essai du Me 262, propulsé uniquement par ses deux réacteurs. (→ 22.4.43)

Grande-Bretagne, 31 juillet
Premier vol à Manchester du prototype de l'avion de transport Avro York 685. Conçu comme un avion intermédiaire, de nombreux éléments de la structure du Lancaster (les ailes et le moteur) ont été repris tels quels sur ce prototype.

Grande-Bretagne, 16 août
La RAF Pathfinder Force, confiée à l'*air commodore* D.C.T. Bennett, entre en service actif en balisant la base navale d'Emden lors d'un raid de nuit.

Etats-Unis, 2 septembre
Le sous-marin japonais *I-25*, qui croise au large des côtes de l'Oregon, catapulte un hydravion Yokosuka E14Y1. Celui-ci va larguer des bombes incendiaires et déclencher quelques feux de forêt.

Etats-Unis, 21 septembre
A Seattle, essai en vol d'un quadrimoteur de bombardement, le Boeing XB-29. A son retour au sol, le pilote d'essai Eddie Allen déclare au sujet du Superfortress : «Il vole !» (→ 18.2.43)

Grande-Bretagne, 26 septembre
Un communiqué militaire consacre officiellement les qualités des Mosquito de Havilland. La veille, quatre appareils des squadrons 105 et 139 ont détruit le quartier général de la Gestapo à Oslo.

Libye, 30 octobre
L'as allemand Hans Joachim Marseille se tue au retour d'une mission au-dessus d'El-Alamein. Obligé d'abandonner en vol son Bf 109, son parachute ne s'est pas ouvert.

Allemagne, 15 novembre
Essais à Vienne du He 219. Ce bimoteur Heinkel prévu pour l'interception à haute altitude est propulsé par deux moteurs de marque Daimler-Benz, DB-603A.

Pays-Bas, 20 décembre
Le système de radar Oboe est utilisé en opération pour la première fois par six Mosquito. A 8 500 m d'altitude, ils réussissent à bombarder sans visibilité et à détruire complètement la centrale électrique de Lutterade.

Une formation de bombardiers Avro Lancaster. Leur premier vol remonte au 9 janvier 1941, leur baptême du feu a lieu le 2 mars 1942.

Le DC-4 entame sa carrière dans l'armée

L'USAAF a demandé de transformer certains C-54 en avions-ambulances.

Santa Monica, 25 février
Le DC-4E, qui a volé à l'essai en juin 1939 sur les lignes de United Airlines, n'a pas donné satisfaction. Il fut repris par Douglas et vendu aux Japonais. Un accident lui fit terminer sa carrière au fond de la baie de Tokyo. Entre-temps, Douglas modifiait ses plans pour produire la version DC-4A, un peu plus petite. La queue à trois dérives fut abandonnée. Dès septembre 1939, 24 exemplaires étaient commandés par United et American. Ces 24 premiers DC-4A étaient sur les chaînes de montage au début des hostilités. Intéressée par leur autonomie, l'USAAF les a réquisitionnés comme avion de transport sous le nom de code C-54. (→ 1.10.43)

Churchill traverse l'Atlantique en Boeing

Le « Berwick » est un véritable palais volant, luxueux et très spacieux.

Plymouth, 17 janvier
La fiabilité et le confort sans égal des Clipper ont séduit Winston Churchill. Pour rentrer de la conférence des Bermudes, il a décidé de regagner l'Angleterre à bord du *Berwick*, un des Boeing B-314 rachetés à la Pan Am par la BOAC. La compagnie anglaise l'exploite sur les liaisons entre l'Amérique du Sud et le Royaume-Uni, *via* les Bermudes et les Etats-Unis. Sir Winston a décidé d'utiliser le Clipper plutôt que de rentrer avec la Royal Navy. L'hydravion de la BOAC a assuré ce vol transatlantique en 18 heures. Un peu avant Plymouth, le *Berwick* a failli être attaqué par des Hurricane qui l'ont pris pour un bombardier ennemi.

Il vole l'avion de celui qui l'a abattu !

Union soviétique, 21 janvier
Kuznetsov est lieutenant, il n'a que 23 ans. Il a décollé pour une mission en Shtourmovik et il vient de rentrer en Messerschmitt Bf 109 ! Alors qu'un combat acharné opposait ses équipiers aux chasseurs allemands, il a vu la majorité de ses amis tomber en flammes. Des chocs secouent son avion, une épaisse fumée remplit le cockpit, il est touché, l'avion brûle. Il a juste le temps de se poser et de fuir se cacher dans les taillis pour éviter l'explosion. Un bruit de moteur au-dessus de lui. Le Messerschmitt atterrit à son tour à quelques dizaines de mètres. Arme au poing, le pilote allemand se dirige vers la carcasse en feu du Shtourmovik sous l'œil médusé du jeune lieutenant. Alors que celui qui l'a abattu poursuit son inspection, il court, saute dans le Messerschmitt et s'envole vers sa base.

C'est dans un avion identique que Kuznetsov est rentré à sa base.

Des avions contre des aérodromes

Pointe-Noire, avril
Huit Lockheed contre l'usage de la base aérienne de Pointe-Noire au Congo. Tel est le marché que proposent les Etats-Unis aux forces de la France libre. Les négociations, menées à l'échelon local entre le chef de la base de Pointe-Noire, le représentant de la RAF et le délégué de Pan American Airways, se déroulent de manière officieuse, car les Etats-Unis n'ont pas reconnu officiellement le gouvernement de la France libre. D'ailleurs, le général de Gaulle n'en a pas encore été informé. En effet, dès le déclenchement du conflit, les Etats-Unis ont cherché à établir les bases nécessaires à leurs forces armées en Amérique du Sud et aux Antilles d'abord, puis en Afrique. La Pan American Airport Corporation est créée dans ce but. Dès 1941, la Pan Am est sollicitée par les Britanniques pour assurer le convoyage d'avions à travers l'Afrique en association avec la BOAC. Sa nouvelle filiale a déjà obtenu les droits d'exploitation à partir de Léopoldville pour une liaison avec Le Cap.

Les douaniers de Sa Majesté sont installés dans les bases où arrivent les vols de convoyage transatlantiques. Les pilotes aiment rapporter des bas Nylon, introuvables à un prix raisonnable en Angleterre. Celui-ci montre la qualité de ses acquisitions.

Les B-25 de Doolittle bombardent Tokyo

Malte âprement défendu par les Spitfire

Ils se sont entraînés pendant des semaines à décoller sur une si courte distance.

Ils ne mettaient que quarante minutes pour se ravitailler et repartir.

Océan Pacifique, 18 avril
Roosevelt a donné son accord pour bombarder Tokyo. Le succès d'un tel raid ne pouvait que rendre espoir aux Alliés, démoralisés par la maîtrise du ciel que les Japonais ont acquise. Le plan choisi consistait à faire décoller les appareils à partir de porte-avions amenés près du Japon pour bénéficier de l'effet de surprise. De tels décollages représentaient un exploit jamais réalisé. Les essais ont été bien menés. Sous les ordres du lieutenant-colonel J. Doolittle, l'opération a commencé très tôt le matin. A 1 000 km de Tokyo, seize B-25 Mitchell ont réussi à s'arracher du *Hornet* et à mettre le cap vers le Japon. Ils ont largué leurs bombes sur Tokyo à 400 m d'altitude sans intervention de la chasse nippone. Kobé, Yokohama et Nagoya ont aussi été bombardés. Les B-25 ont continué vers l'ouest pour se poser en Chine. Le mauvais temps a perturbé leur arrivée et des équipages ont dû abandonner leur appareil en vol.

Malte, 10 mai
La bataille pour le contrôle du ciel en Méditerranée est engagée. Le ballet aérien des Spitfire ne cesse autour de Malte. Depuis le 20 avril, 126 d'entre eux, lancés du porte-avions *Wasp* venu de Gibraltar, ont atteint l'aéroport de la petite île méditerranéenne. Cette journée du 20 avait été très mauvaise. Posés depuis vingt minutes, 47 Spitfire sont pris sous le feu d'une attaque de la Luftwaffe. Deux sont détruits au sol, 9 sont inutilisables et 6 sont endommagés mais réparables. Hier, le *Wasp* et l'*Eagle* ont à nouveau lancé 64 appareils vers l'île. Deux devront faire demi-tour et 62 arriveront à Malte pour y être tout de suite réapprovisionnés. Ils sont repartis ce matin pour attaquer les bombardiers italiens et autres Stuka allemands en route vers l'Afrique. Avant la fin de la journée, 7 avions ennemis étaient détruits et 6 autres endommagés. La neutralisation de Malte, annoncée par les Allemands, n'a pas eu lieu.

Le B-25 de James Doolittle est le premier à quitter le porte-avions « Hornet ».

Galop d'essai pour le Mustang de la RAF

Grande-Bretagne, 5 mai
Les premiers exemplaires du NA-73 Mustang Mk I de North American ont été livrés au squadron 26. Le premier appareil de série avait été terminé en avril 1941 et ses essais ont été positifs au point que les Britanniques en ont commandé 300 de plus. Son point le plus faible est le moteur américain Allison à carburateur. Même si l'avion a atteint 615 km/h à plein régime, il semble sous-motorisé. La RAF va envoyer quatre appareils chez Rolls-Royce en leur demandant d'étudier une nouvelle motorisation.

« Ici Maurice, je vais sauter ; à bientôt... »

Westhampnett, le 10 avril
Cette première mission d'une escadrille du groupe Ile-de-France ne peut pas être qualifiée de succès. Les douze appareils qui y ont pris part ont rencontré la chasse allemande en franchissant la côte française. Ils volaient à ce moment-là à 7 000 mètres d'altitude. Au cours des combats, deux pilotes français ont été tués et un autre, Maurice Choron, a pu sauter au-dessus de Saint-Omer, mais il a été capturé dès son arrivée au sol. Du nom de code *Sweep*, cette première mission consistait à patrouiller au-dessus de la France à la recherche de la chasse allemande afin d'engager le combat. Seuls neuf avions ont pu regagner leur base.

Le premier prototype AG345 du Mustang restera chez North American.

La RAF largue plus de 1 400 tonnes de bombes sur Cologne

Cologne, 31 mai

Cette nuit, plus de mille appareils ont déversé une pluie de plus de 1 400 t de bombes sur Cologne. La ville est complètement dévastée, et une épaisse fumée monte de ses ruines. L'opération *Millenium* a été planifiée par le général Harris, chef du Bomber Command. Il a rassemblé 1 046 bombardiers en puisant dans toutes les réserves disponibles, dont 338 bimoteurs Manchester en plus des 708 Wellington, Whitley ou encore Hampden. Le 30 mai, dès la tombée de la nuit, l'immense armada s'est engagée au-dessus de la mer du Nord, arrivant pratiquement intacte au-dessus de Cologne. Il était minuit. Les bombes incendiaires ont commencé à tomber sur la ville. Comme prévu, les défenses antiaériennes allemandes ont vite été submergées, cependant la Flak a réussi à abattre près de 40 appareils. Bientôt la ville entière est en flammes, des installations portuaires sur le Rhin au vieux quartier historique. L'opération est achevée en 90 minutes. Les pilotes ont vite regagné leur base, pour éviter d'être pris en plein jour par la chasse pendant le voyage de retour. Ils laissent derrière eux 300 ha ravagés, 18 000 maisons et 250 usines détruites, 44 000 sans-abri, 5 000 blessés et 500 morts.

La ville de Cologne transformée, après le bombardement, en champ de ruines.

Un pilote de P-38 invente le napalm

Pacifique, 1er juin

A bord de son P-38 Lightning, un pilote américain bombarde des unités japonaises au sol. Son appareil est doté de réservoirs auxiliaires qui contiennent encore un peu de carburant. Aussi, après avoir largué ses bombes, il juge bon de larguer ses réservoirs sur les Japonais avant d'entamer le vol de retour. L'explosion du carburant au sol est fulgurante, et le pilote constate qu'elle a fait beaucoup plus de dégâts que ses bombes ou ses mitrailleuses...

La Chine commande 800 Curtiss P-40K

Pékin, 15 mai

Les Britanniques l'ont nommé Kittyhawk. Pour l'USAAF, c'est le Warhawk. Les Anglais viennent encore d'en commander 1 300 dans sa version P-40F. C'est probablement le chasseur le plus demandé et aussi le plus modifié dans ses détails au cours de sa carrière. On le retrouve dans toutes les batailles aériennes. Le modèle P-40K commandé par la Chine est équipé d'un nouveau moteur Allison qui peut développer 1 325 ch au décollage.

Les Anglais percent le secret du Fw 190

Pembrey, le 23 juin

C'est le mauvais temps combiné à une grave erreur de navigation qui a amené Amer Faber à se poser sur une base anglaise avec son Focke-Wulf Fw 190. L'avion est intact et les Anglais ravis de pouvoir enfin percer le secret de ce chasseur extraordinaire. Avec sa vitesse de 654 km/h à 6 000 m, il est de loin le plus rapide de tous. Les Anglais découvrent un système de suralimentation par compresseur centrifuge qui permet au moteur de développer 1 200 ch à haute altitude au lieu de 800 ch.

Le Beaufort australien entre en action

Mareeba, le 25 juin

Les bombardiers Beaufort de la RAAF australienne sont passés à l'attaque. Cinq de ces bimoteurs se sont rendus près de Lae où un bâtiment japonais avait été signalé. Malgré la perte d'un Beaufort, le raid a été mené de main de maître. Deux appareils ont bombardé et mitraillé la région de l'isthme de Salamaua et les autres ont atteint le navire japonais qui a été mis hors de combat. L'un des Beaufort a eu des problèmes techniques, il a atterri sur le ventre à Port Moresby. Les trois autres sont rentrés à leur base.

Le Focke-Wulf Fw 190 est le chasseur le plus rapide du moment.

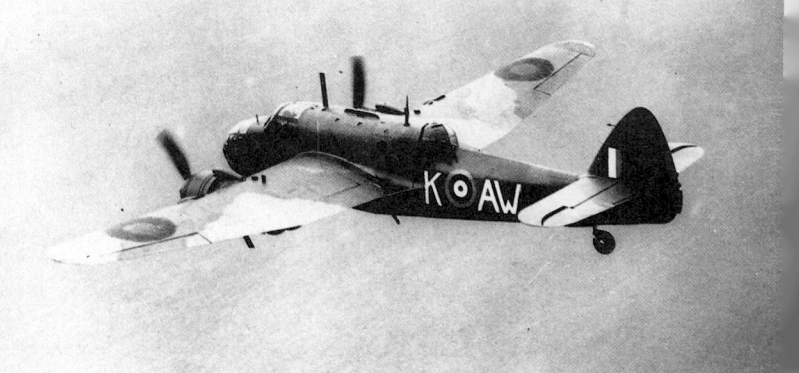

La Royal Australian Air Force est équipée du bimoteur Bristol Beaufort.

Duel de porte-avions dans la mer de Corail

L'aile arrachée par coup au but, l'avion japonais s'écrase en mer.

Pacifique, 8 mai

Peu de batailles auront, à l'instar de celle-ci, entièrement dépendu de l'aviation embarquée sur les porte-avions, la marine n'ayant pas établi de contact direct avec l'ennemi. Si du point de vue tactique la victoire appartient aux Japonais, du point de vue stratégique elle revient aux Américains qui ont réussi à empêcher le Japon d'atteindre son but, la prise de Port Moresby en Nouvelle-Guinée, qui lui aurait permis d'isoler l'Australie. Dans ce combat porte-avions contre porte-avions, unique dans les annales de la guerre, les Américains ont certes à déplorer la perte du *Lexington* et de 33 appareils, mais les Japonais aussi ont été durement atteints. Les Américains sont bien décidés à tirer la leçon de leur échec : dans les semaines qui viennent, ils vont augmenter la proportion de leurs chasseurs par rapport aux bombardiers et chercher à modifier la stratégie de leurs attaques aériennes et navales. (→ 6.6)

Les Dauntless vainqueurs à Midway

Un Dauntless va décoller pour une mission de bombardement au Japon.

Pacifique, 6 juin

La victoire des Etats-Unis sur le Japon est si écrasante que les forces aéronavales impériales ont définitivement perdu leur supériorité dans le Pacifique. Fin mai, les Américains, déchiffrant les codes des Japonais, apprirent que leur flotte était en route pour l'atoll de Midway, point stratégique d'une grande importance puisque son contrôle aurait permis au Japon de prévenir toute attaque. Aussitôt les porte-avions *Entreprise* et *Yorktown* se mettent en route avec leur escorte. Ils sont rejoints par le *Hornet* le 3 juin. Face aux avions de la Task Force 16, les Val, les Kate et surtout les Zero restent redoutables. Mais, dès le lendemain, 35 bombardiers Dauntless parviennent à détruire en cinq minutes la moitié des porte-avions japonais. La bataille est gagnée, mais elle a fait rage pendant encore deux jours. Il ne fait pas de doute que, seule équipée du radar, l'US Navy avait un avantage sur les forces japonaises. (→ 7)

Traversée de l'Atlantique par un Sikorsky

Atlantique, 20 juin

Premier vol sans escale de New York à Foynes, en Irlande, pour le Vought-Sikorsky VS-44A Excalibur. Cet hydravion civil, transportant seize passagers, assure la liaison transatlantique pour le compte de la compagnie American Export Air Lines. En janvier, cette dernière a obtenu de l'US Navy l'autorisation d'exploiter la ligne, sous contrat avec le Naval Air Transport Service. Dès 1939, visant le marché lucratif du transport aérien sur longue distance, elle avait commandé trois exemplaires du VS-44A. La guerre avait retardé ses projets. Mais l'attaque de Pearl Harbor et l'engagement des Etats-Unis ont permis leur réalisation.

L'Aeroflot ravitaille Sébastopol en C-47

Sébastopol, 1er juillet

En 60 jours, ils ont atterri 229 fois de nuit, transporté 218 tonnes de vivres et évacué 2 162 personnes. Jusqu'à ce matin, quelques heures avant la chute de la ville, les appareils d'Aeroflot ont assuré un formidable pont aérien, notamment avec des C-47 (DC-3 version militaire). Mais il y a eu beaucoup de pertes. L'Union soviétique en avait commandé 23. L'ingénieur Boris Lisunov a vécu deux ans à Santa Monica pour se familiariser aux méthodes de travail de Douglas. Ayant acquis la licence, Moscou construira dans son usine 84 de ces C-47 qui porteront le nom de Lisunov Li-2. Le premier doit sortir des ateliers dans trois mois.

Le Vought-Sikorsky VS-44A a fait son premier vol le 18 janvier.

Les Lisunov Li-2 sortent le 17 septembre. Celui-ci a reçu une tourelle dorsale. ▷

Les Pathfinder guident les bombardiers en mission de nuit

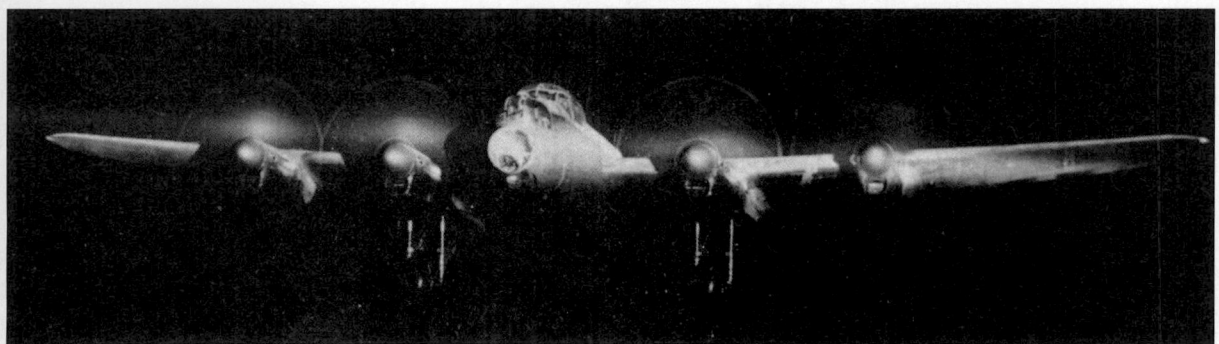

La Pathfinder Force de la RAF est sous le commandement d'un officier australien, l'« air commodore » Bennett.

Londres, 19 août

Après les échecs des bombardiers de la RAF, Churchill définit avec l'*air marshal* sir Arthur Harris une nouvelle stratégie offensive. La Pathfinder Force, groupe d'avions éclaireurs, vient d'être créée à cet effet. Dans l'attente de nouveaux progrès réalisés dans la radionavigation et le développement du radar embarqué, l'accent a été mis sur la tactique du marquage des cibles, qui devra être le plus précis possible pour le bombardement de nuit. Les méthodes de marquage dépendent de la nature de l'objectif et des conditions atmosphériques. Volant à très basse altitude, les formations de la Pathfinder larguent des fusées au magnésium, dont les éclats bleus ou verts se différencient des feux allumés par les Allemands. Un balisage minutieux, de plus en plus rapproché de la cible, permet une bonne précision de largage aux bombardiers. Depuis l'application de cette technique par la Pathfinder Force, sous les ordres de l'*air commodore* Bennett, les bombardiers enregistrent 75 % de réussite.

Rickenbacker retrouvé après 21 jours

Pacifique Sud, 12 novembre

Repérés par un hydravion, les capitaines Edward Rickenbacker et William Cherry ont été récupérés sains et saufs. Les recherches se poursuivent encore plus activement pour retrouver les 7 autres membres de l'équipage du B-17 disparus depuis le 21 octobre dernier. Parmi eux se trouvent le colonel Hans Adamson, commandant de bord du Flying Fortress qui a dû amerrir dans le Pacifique à la suite de problèmes techniques. (→ 3.5.43)

L'Amérique fait voler un avion à réaction

Muroc Dry Lake, 1er octobre

Un avion à réaction américain a volé. Le Bell XP-59A Airacomet est doté de deux turboréacteurs du type Whittle. Il vient d'effectuer son premier vol, piloté par Robert Stanley, de la Bell Aicraft Corporation. C'est en 1941 que fut lancé le programme de cet avion à la demande de l'US Army. Un accord fut passé avec les Britanniques pour utiliser les travaux de Whittle. Le 5 septembre, Bell fut choisi comme constructeur, le projet restant secret. La construction débuta au printemps de 1942. L'Allemagne, l'Italie et le Royaume-Uni ont déjà testé un avion à réaction. (→ 20.9.43)

Le Bell XP-59A Airacomet est le premier avion à réaction américain.

De Gaulle vole de Syrie au Tchad

Fort-Lamy, 14 septembre

Le Lockheed C-60 FL-AXM des Lignes aériennes militaires (LAM) vient de se poser. A son bord, deux passagers dont le général de Gaulle. Sa fierté lui a valu de faire un vol de 12 h 40 min pour relier d'une traite Damas au Tchad. Il ne voulait se poser sur aucun terrain qui ne serait pas contrôlé par ses unités. Mais il n'y en avait pas sur le trajet, aussi le colonel Lionel de Marnier n'a pas eu le choix. Chavade a monté un réservoir supplémentaire derrière le poste du radio. Des bidons de 18 litres furent aussi chargés à l'arrière, car le vol dépassait de loin l'autonomie du Lockheed. L'équipage, qui a réalisé cet exploit, se composait de Thomas, mécano, Perreau, navigateur, et Raymond Yavercovski, radio.

Hawker crée le Tempest après le Typhoon

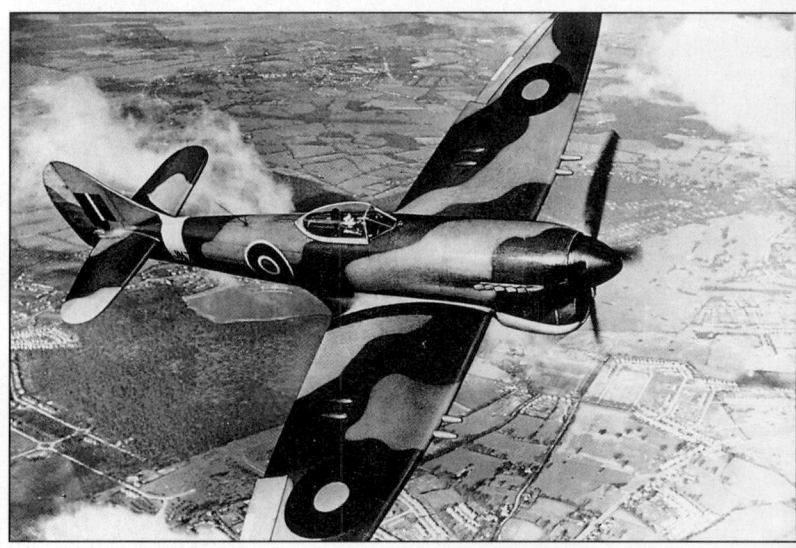

Le chasseur bombardier Hawker Tempest Mk V dépasse les 700 km/h.

Langley, 2 septembre

Le Spitfire souffrait de son manque de vitesse par rapport aux Messerschmitt Bf 109 et aux Focke-Wulf Fw 190. Conçu comme intercepteur, atteignant 650 km/h, le Typhoon de Hawker devait permettre à la RAF d'aligner un avion capable de faire face aux avions allemands. Il se distingua par ses capacités d'assaut, grâce à la puissance de ses quatre canons de 20 mm. En août 1941, de nouvelles versions furent étudiées avec différents moteurs. C'est le Napier Sabre II qui fut retenu et l'avion reçut le nom de Tempest Mk V. Ce moteur de vingt-quatre cylindres en ligne développe une puissance de 2 180 ch. Le cockpit a été redessiné pour améliorer la vision du pilote. Le profil de l'aile a aussi été revu, les bords d'attaque comportent les radiateurs du moteur. Avec son hélice quadripale, le Tempest Mk V dépasse les 700 km/h. Son armement est toujours de quatre canons. Il peut emporter aussi deux bombes de 450 kg. Le prototype a effectué son vol d'essai à Langley. (→ 30.4.44)

Les Alliés débarquent en Afrique du Nord

Des avions en route pour l'Afrique.

Afrique du Nord, 11 novembre
L'opération *Torch*, le débarquement allié en Afrique du Nord, est terminée. Un armistice a été signé cette nuit à 2 h 30 du matin. L'opé-

ration a débuté le 8 quand 100 000 soldats britanniques et américains ont débarqué sur les plages algériennes et marocaines. Le général Goislard de Montsabert, à la tête de la division de Vichy chargée de défendre l'aéroport de Blida, a joué un rôle déterminant en remettant ce terrain, situé à une trentaine de kilomètres au sud d'Alger, à un détachement américain qui s'y est posé en C-47. Blida est la base la plus moderne d'Afrique du Nord; elle a été tout de suite mise à profit par les Alliés. Le soir même, des Hurricane intervenaient en rade d'Alger contre les avions allemands. Ils abattaient un Ju 88. Au Maroc, les Dewoitine D.520 et les Curtiss H.75A de l'aviation de Vichy ont engagé le combat contre les Américains. Certains ont remporté des victoires avant que les Alliés n'enlèvent définitivement la décision.

Le pont aérien de Stalingrad est en péril

Stalingrad, 21 décembre
Les Allemands parviendront-ils à maintenir le pont aérien qui ravitaille leur 6e armée encerclée devant Stalingrad? Jamais les approvisionnements n'ont pu dépasser la moitié des quotas prévus. Leurs pilotes doivent opérer dans des conditions atmosphériques terribles, mais surtout affronter une aviation soviétique de plus en plus efficace et qui ne cesse de se renforcer en hommes et en matériel. Un de ces pilotes est devenu célèbre. Il s'agit d'une femme. Le lieutenant Yevdokia Berstanskaïa commande les Sorcières de la nuit, une unité féminine spécialisée dans les bombardements nocturnes.

Les Allemands larguent des colis.

L'escadrille Normandie arrive en URSS

Le Yak-7 est une version du Yak-1 avec une verrière plus panoramique.

Ivanovo, 29 novembre
Il y a deux mois qu'ils attendaient leur visa à Téhéran. De plus, Moscou refusait le survol à des appareils étrangers. C'est donc trois C-47 soviétiques qui ont amené les premiers volontaires français de l'escadrille Normandie. D'autres doivent venir les rejoindre dans deux jours. De Gaulle avait souhaité voir une unité de chasse française combattre sur le front germano-soviétique. Il a fallu surmonter l'hostilité britannique et même les réticences soviétiques à ce projet. L'obstination de De Gaulle a eu raison des obstacles. L'entraînement des pilotes va pouvoir commencer, d'abord sur des Polikarpov U-2, puis sur les Yak-1 biplaces qui portent la référence Yak-1U. Les Français vont se familiariser, dans un premier temps, à la navigation en hiver dans ces régions enneigées. (→ 5.4.43)

Tokyo devient l'objectif du QG américain

Etats-Unis, décembre
L'étau se resserre autour de l'empire du Soleil-Levant. Depuis Midway, les forces américaines gagnent du terrain dans le Pacifique. Mais l'objectif à terme de l'état-major est d'anéantir le Japon en le frappant en plein cœur, à Tokyo. Dans cette perspective, il disposera dans un proche avenir d'un atout majeur : le B-29 Superfortress. Deux prototypes ont effectué leur premier vol d'essai les 21 septembre et 28 décembre. Boeing a déjà enregistré 1 664 commandes. C'est de loin le plus gros bombardier jamais construit, capable d'emporter à plus de 5 000 km cinq tonnes de bombes. Il est aussi le plus perfectionné. Ses quatre moteurs Wright de 2 200 ch, équipés de turbocompresseurs, le propulsent à une vitesse de 575 km/h. Ses compartiments pressurisés permettent des vols à 10 000 m d'altitude. Enfin, son armement automatique est très performant. Plus rapide et plus destructeur que ses prédécesseurs, les B-17 et B-24, le B-29 est l'instrument idéal des futurs raids sur le Japon. (→ 18.2.43)

Allemagne, 15 décembre. Le planeur géant Me 321 pose des problèmes de remorquage. Les 6 000 ch des 6 moteurs Gnome & Rhône l'ont transformé en avion cargo Me 323, qui peut emporter 14 tonnes de fret.

Le VS-316A est un hélicoptère de Sikorsky. Il a décollé pour la première fois le 14 janvier 1942. Il a quitté Stratford le 18 mai pour la base de Wright Field où l'US Army le teste sous le nom de XR-4.

Les avions de l'année 1942

Le Lockheed XP-58, version expérimentale biplace du P-38.

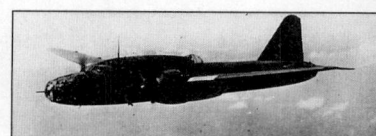

Le Mitsubishi Ki.67, le meilleur bombardier japonais de la guerre.

Le Grumman F6F Hellcat apporte à partir de septembre 1943 un atout majeur à l'US Navy pour reprendre la supériorité aérienne aux Japonais.

Le Lavochkin La-7, équipé d'un ASh-82FN de 1 775 ch, constitue la meilleure réponse de l'aviation soviétique aux puissants chasseurs allemands.

L'Aichi B7A, un bombardier embarqué japonais.

Le Heinkel He 219, un remarquable chasseur de nuit.

Le SAAB 18 est le plus rapide bimoteur du monde.

Le Stearman X-91 ne rencontre aucun écho favorable.

Environ 1 000 Messerschmitt Me 410 ont servi dans plusieurs rôles.

La production du Latécoère 631, interrompue en juin 1940, sera reprise après la guerre et trois exemplaires en seront construits.

Le Messerschmitt Me 262 (ici le troisième prototype) est le premier chasseur à réaction à entrer en service. Il causera quelques soucis aux alliés.

Le Bell P-63 Kingcobra succède au P-39 sur les chaînes de montage.

Le Northrop P-61 Black Widow est un chasseur de nuit dédié.

Le Messerschmitt Me 264 a été surnommé le New York Bomber.

Le Messerschmitt Me 309 ne dépasse pas le stade de prototype.

Le prototype du Boeing B-29 vole le 21 septembre 1942. Ce gros porteur ne sert que dans le Pacifique, où il écrase les villes japonaises sous ses bombes.

Le Boeing XPB-1 est le plus gros hydravion bimoteur américain.

L'Avro York marie les ailes du Lancaster à une nouvelle cellule.

Le Douglas C-54, premier quadrimoteur de transport de l'USAAF.

Le Grumman F5F Skyrocket reste un appareil expérimental.

Le Martin Mars servira d'hydravion de transport.

Le Commonwealth Boomerang est un appareil construit en Australie.

Le Fiat G.55 sert surtout dans l'aviation de la RSI fasciste.

Le Martin-Baker MB.3 n'intéressera pas la RAF.

Le Westland Welkin, intercepteur à haute altitude de la RAF.

Le Mitsubishi J2M est un chasseur terrestre de la marine japonaise.

Le premier avion à réaction américain est le Bell P-59 Airacomet, équipé de deux General Electric, dérivés des Whittle britanniques.

Le Blackburn Firebrand peut être armé d'une torpille, de roquettes ou de bombes. Son moteur Sabre sera remplacé par un Centaurus.

Le Sikorsky R-4 est le premier hélicoptère produit en série.

Le Macchi MC.205V est dérivé du MC.202 avec un Daimler-Benz DB.605. Il combat sous les couleurs italiennes dans les deux camps.

Le Douglas XA-26 Invader arrive un peu tard pour être employé en grand nombre pendant la guerre. Il combattra en Indochine et en Corée.

L'US Air Force recevra des Constellation

Sa cabine pressurisée était destinée aux civils plutôt qu'aux militaires.

Santa Monica, 9 janvier
C'est sous le nom de XC-69 que le Constellation de Lockheed a effectué son vol d'essai. Etudié depuis 1939, les premiers exemplaires devaient être fournis à TWA. La guerre en a décidé autrement. Eddie Allen a eu l'honneur d'être le premier aux commandes. La mise en route est fracassante. La puissance des 2 200 ch de chacun des moteurs Wright-Cyclone a requis des hélices Hamilton de très grand diamètre. Cela explique la hauteur de l'avion dont la queue a dû être relevée pour éviter qu'elle ne touche le sol à la rotation du décollage. Les moteurs démarrent dans un vacarme assourdissant tout en dégageant un nuage de fumée rabattu vers l'arrière par le souffle des hélices. Le Constellation dépasse les 500 km/h, offre une autonomie de 3 900 km et peut emporter selon la version 43 ou 65 passagers. Pressurisé, il évolue à une altitude de 5 000 m. Il sera utilisé comme transporteur de troupes. (→ 17.4.44)

Renaissance de l'escadrille Lafayette

Tunisie, 15 janvier
La première rencontre du groupe Lafayette avec la Luftwaffe a coûté, aux Français libres, un tué et un blessé pour deux appareils ennemis abattus. C'est le jour de Noël 1942 que le groupe GC-II/5 a repris le nom de cette glorieuse escadrille franco-américaine, qui s'était illustrée lors de la dernière guerre. Elle en a conservé la tradition et l'insigne. En novembre, un colonel américain de passage à Casablanca a découvert avec surprise la tête de Sioux peinte sur des chasseurs français. Ayant lui-même appartenu à l'escadrille Lafayette vingt-cinq ans plus tôt, il promit que les Etats-Unis la feraient revivre et lui fourniraient du matériel.

Les Curtiss P-40 de l'escadrille Lafayette, alignés à l'aéroport d'Alger.

Avec le H2S, les Halifax voient plus loin

Le quadrimoteur Handley Page Halifax, ici avec son camouflage de nuit.

Hambourg, 31 janvier
Le Bomber Command a lancé une première mission de bombardement avec des Halifax équipés du système de radar embarqué H2S. Le raid s'est déroulé de nuit, avec Hambourg pour objectif. La mission est qualifiée de succès. Maintenant une altitude élevée qui les protégeait de la Flak, les bombardiers se sont dirigés avec une grande précision vers leur cible. Les opérateurs radar distinguaient bien sur leur écran lumineux la différence entre les échos faibles, reçus de la mer, et ceux plus denses et brillants reçus de la côte et de l'agglomération de la grande ville. (→ 3.2)

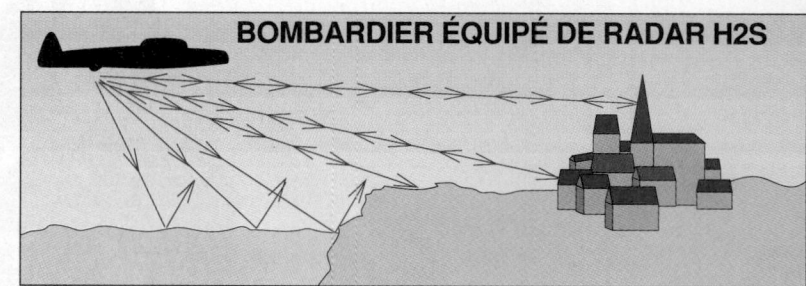

BOMBARDIER ÉQUIPÉ DE RADAR H2S

Des Lysander opèrent pour la Résistance

Rouen, 16 avril
Deux Lysander, pilotés par des officiers de la RAF, se sont posés sur un terrain proche de Lyons-la-Forêt. Leur objectif : débarquer Cavaillès et deux de ses camarades, et embarquer Passy (Dewavrin), Brossolette, Yeo Thomas (Lapin blanc) et le capitaine Ryan, un pilote de Flying Fortress. Mais que d'émotions pour arriver jusqu'au lieu de rendez-vous ! Ryan a été convoyé par le train depuis la gare Saint-Lazare, alors qu'il ne parle pas un mot de français. Brossolette, Thomas et Dewavrin étaient dans un autre compartiment. Arrivés au lieu de rencontre avec les avions, ils se sont immédiatement envolés vers la Grande-Bretagne.

La nuit, il se pose dans des champs à peine éclairés par trois torches.

Les Etats-Unis deviennent l'arsenal des Alliés

Boeing construit quinze Fortress par jour

Les usines tournent 24 heures sur 24

Chaînes de montage des Flying Fortress dans l'usine Boeing de Seattle.

Des mécaniciens posent les derniers équipements sur un B-24 Liberator.

Seattle, 31 janvier
C'est l'emballement de l'industrie aéronautique américaine. Depuis trois ans, la productivité grimpe pour atteindre des records inégalés. Alors qu'il fallait 50 000 heures de travail pour construire un B-17, 19 000 suffisent désormais. Sous l'impulsion de son président Phil Johnson, Boeing a construit de nouveaux complexes à Seattle et à Renton. Plus de 60 000 personnes y travaillent 60 heures par semaine. La nouvelle usine de Seattle couvre 16 hectares de bâtiments. Effrayés par la possibilité d'un raid aérien japonais, c'est une ville en carton qui a été reproduite sur les toits. Du ciel, on n'aperçoit que des rues avec des panneaux de signalisation, des automobiles (tirées sur des rails) et des prairies dans lesquelles de vraies vaches paissent. Sous ces leurres sont dissimulées les chaînes de montage des nouveaux B-29. Ce bombardier, qui fait partie d'un gigantesque plan de travail, est également assemblé à l'usine de Wichita dont le rythme de production mensuel est de 85 unités.

Etats-Unis, 31 janvier
Le général Henry Arnold devient membre à part entière du comité des chefs d'état-major. C'est l'indication de l'importance stratégique prise par l'aviation. Toute l'industrie américaine a été réquisitionnée. Ford, en plus du matériel roulant, construit des B-24 Liberator. Le spécialiste du pneumatique, Goodyear, a adapté ses usines pour produire des chasseurs Corsair. Le nombre d'ouvriers employés dans l'industrie aéronautique dépasse 2 millions de personnes sans compter ceux qui travaillent pour le millier de sociétés sous-traitantes. Un grand nombre d'hommes a dû rejoindre l'armée. Pour la première fois, des Noirs sont acceptés dans de nouveaux secteurs industriels comme l'aéronautique. Le rôle des femmes est devenu primordial. On les trouve à tous les postes de travail, certaines faisant même les premiers essais en vol. Quand les bâtiments ne sont pas construits assez vite, on assemble les avions à l'extérieur comme c'est le cas par exemple des P-38 à Burbank.

Un kit de survie pour les pilotes

Etats-Unis, 3 mai
Le capitaine Rickenbacker a fait un rapport sur les conditions dans lesquelles il a miraculeusement survécu avec son équipage, pendant les 21 jours qu'il a dérivé dans le Pacifique à bord d'un canot de sauvetage. L'USAAF a décidé d'étudier le matériel de survie qui équipera les embarcations de sauvetage. Chaque canot pneumatique sera doté d'un poste émetteur radio qui se déclenchera automatiquement à l'ouverture du canot. Cette radio-balise que les pilotes ont baptisée Gibson Girl transmettra un signal qui orientera les recherches.

Le Lightning P-38 est un chasseur tactique à long rayon d'action de Lockheed. Il est considéré comme l'avion le plus rapide actuellement.

Les pilotes de ligne font du convoyage

Karachi, 8 mai
Il arrive souvent que l'Air Transport Command manque de pilotes. Il en trouve alors parmi les pilotes de ligne. Le convoyage de 30 bimoteurs de transport Curtiss C-46 Commando vers Karachi en est un exemple. Cinq pilotes de l'USAAF ont embarqués 25 pilotes de ligne dans l'aventure. Il y en avait 10 de TWA et 15 de Northwest. Chargés de 90 tonnes de fret au total, ils sont partis de Miami pour un voyage de quatre jours et demi qui leur a fait survoler l'Himalaya. Le commandant Jerry Thompson a fêté ses vingt et un ans lors d'une étape.

Seules les femmes sont admises à la base-école d'Avenger

Leila Mather et Martha J. Thomas à bord d'un Vultee BT-15 à Avenger Field.

Doris Marland sur l'aile d'un AT-6.

Avenger, 11 mai

L'unité d'entraînement de Jackie Cochran a été transférée de Houston vers Avenger Field à Sweetwater, toujours au Texas. Avenger devient un camp d'entraînement réservé aux femmes, sous le contrôle de l'US Army Air Force. Le commandement de cette école expérimentale a été confié par le général Arnold à Jackie Cochran. Le centre dispose d'avions modernes comme les North American AT-6 et les Beech AT-17. Situé en plein désert, sous une température avoisinant en permanence les 38 °C, l'endroit est loin d'être confortable. Les aviatrices sont logées dans des baraquements en bois, à six par dortoir. Levées dès l'aube au son du clairon, c'est en rang qu'elles se rendent au réfectoire, dans les salles de cours et de culture physique. Leur journée dure seize heures, et c'est encore le son du clairon qui leur indique le couvre-feu. Leur entraînement est le même que celui des élèves masculins. Les premières stagiaires ont de 18 à 35 ans. Chacune devait totaliser à l'arrivée au moins 200 heures de vol. Ce chiffre vient d'être abaissé à 75. Cette mesure est tout ce que Jacqueline Cochran souhaitait. Elle veut toujours recruter toutes les femmes brevetées aux Etats-Unis.

Les Français et le Spitfire

Biggin Hill, 15 mai

Depuis quelques jours, il régnait à la base des chasseurs une anxiété nouvelle. Qui emporterait la 1 000e victoire ? Hier, Christian Martell, du groupe Alsace ou squadron 341 pour la RAF, en a porté le nombre à 997. Ce matin, les Canadiens du squadron 611 sont partis en même temps que les Français du squadron 341. Dans la région du Touquet, à 6 000 mètres d'altitude, le leader canadien a abattu 2 Fw 190. Cela faisait 999. Un peu plus tard, il tire au même moment que René Mouchotte sur un autre Fw 190 qui pique et s'écrase au sol. Les deux pilotes décident au retour de partager cette fameuse millième victoire. Comme les pilotes de l'Ile-de-France en repos en Ecosse, ceux du groupe Alsace volent sur des Spitfire Vb. Ils sont équipés de 2 canons de 20 mm et de 4 mitrailleuses. Le groupe Ile-de-France a laissé un très bon souvenir à Biggin Hill avec ses marins qui servaient comme mécaniciens. Il a quitté la base avec 31 avions ennemis abattus et 29 autres endommagés. Il a perdu 23 pilotes dont 3 chefs de groupe. (→ 27.8)

La RAF détruit deux barrages de la Ruhr

Un Lancaster vient de larguer sa bombe près du barrage de la Mohne.

Ruhr, 17 mai

Les 19 Lancaster du squadron 617, chargés de bombes conçues par Barnes Wallis chez Vickers-Armstrong, ont attaqué les barrages de la Ruhr sous les ordres du *wing commander* Guy Gibson. Larguées à une hauteur et une distance très précises, les bombes ont rebondi sur l'eau pour finir leur course au pied du mur de l'édifice. Les barrages de la Mohne et de l'Eder ont éclaté, celui de Sorpe est endommagé. La RAF déplore la perte de 8 bombardiers et de 54 aviateurs. Il y a eu au sol 1 200 victimes.

Hurel s'évade à la barbe des Italiens

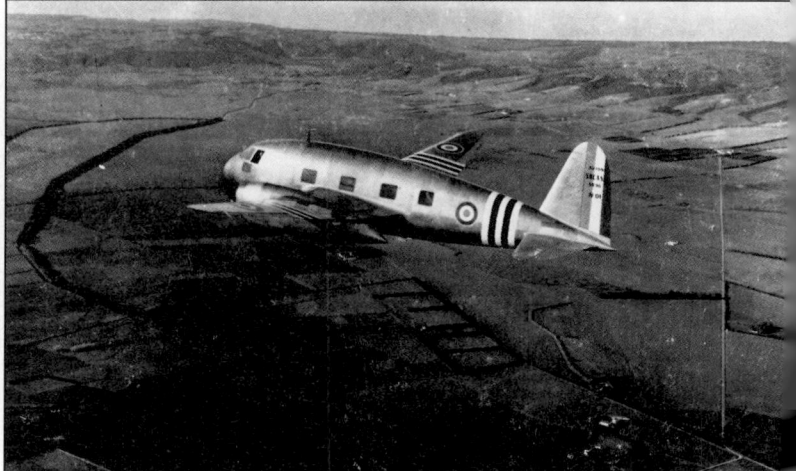

Le prototype SO-90 de la SNCASO à bord duquel Maurice Hurel va s'envoler.

Cannes, 16 août

C'est un coup de maître que vient de réaliser le commandant Hurel. Cet homme affable mais secret a réussi une opération remarquable sous les yeux incrédules des officiers de la commission d'armistice italienne. Parti, en tant que directeur technique de la SNCASO, pour un simple vol de contrôle à bord du SO-90, il est parvenu à soustraire aux autorités d'occupation le prototype français et les six passagers embarqués clandestinement ce matin même lors de la visite des hangars de la Bocca.

Les Anglais appellent Dakota le C-47

Dakota est la dénomination officielle de la Royal Air Force pour le C-47.

Grande-Bretagne, 1er juillet

Dans le cadre de la loi prêt-bail, la RAF a commandé 1 920 C-47 en différentes versions. Ils viendront s'ajouter aux 10 DC-3 qui n'avaient pu être livrés en 1941 qu'en utilisant les chaînes de montage des appareils commerciaux. La RAF les nomme officiellement Dakota. Le premier est arrivé en mars à Farnborough où il a subi les essais réglementaires. Il porte le nom de *Windsor Castle*. Le prix d'un Dakota est de l'ordre de 100 000 dollars. Le Dakota I est la version normale du C-47 ; le Dakota II est une version transport de troupes ; le Dakota III est un C-47 dont le circuit électrique est alimenté en 24 volts au lieu de 12 ; le Dakota IV est un C-47B équipé de moteurs avec deux compresseurs pour voler à haute altitude. L'autonomie du C-47B est de 5 000 km.

Echec du bombardement sur Ploiesti

Un B-24 Liberator a été frappé de plein fouet par la Flak. Il explose.

Roumanie, 1er août

« C'était l'enfer », disent ceux qui en sont revenus. Le raid américain sur le centre pétrolier de Ploiesti, en Roumanie, s'est transformé en drame. Sous les ordres des colonels Compton et Baker, deux groupes de Liberator survolent la plaine de Valachie. Soudain, l'avion de tête de Compton se détourne de sa route. Baker fait aussi virer à gauche les 34 Liberator de son Trave-ling Circus. Le groupe de Compton se rend jusqu'à Bucarest, puis revient sur ses pas. A l'arrivée sur Ploiesti, les escadrilles se séparent. Premier sur l'objectif, Baker est la cible des Allemands. Touché, son appareil s'écrase sur des raffineries qui explosent. Les autres font sauter quelques infrastructures pétro-lières. Le ciel est envahi par une fumée noire, mais plus de la moitié des appareils sont perdus.

L'US Air Force sanctionne Saint-Exupéry

Saint-Exupéry et son Lightning.

Tunisie, 11 août

C'en est fini pour Saint-Exupéry. Il vient d'être interdit de vol sur P-38 Lightning. Le 27 juillet, après sept semaines d'entraînement sur cet appareil, il accomplit avec brio sa première mission au-dessus de la France. C'est un vol épuisant, d'autant que de vieilles douleurs dues à ses nombreuses fractures se réveillent sous l'effet des brusques changements de pression atmosphérique. Néanmoins la mission s'achève sans encombre. Il en est autrement pour la seconde. Parti le 1er août, son Lightning a des ennuis dès le départ. Il doit regagner La Marsa. La piste d'atterrissage fait à peine 500 m, le pilote doit se présenter court et pousser très fort sur les freins pour stopper l'avion. Saint-Exupéry arrive un peu long et ne parvient pas à freiner, il dépasse le bout de la piste pour échouer dans une vigne. Le colonel américain Harold Willis est témoin de l'accident. Il est furieux : comment un homme de quarante-trois ans, qui a dépassé de treize ans la limite d'âge, peut-il encore piloter un P-38 ? Ses défenseurs les plus farouches sont à bout d'arguments. La décision tombe, elle est irréfutable : Antoine de Saint-Exupéry est interdit de vol. (→ 31.7.44)

Le de Havilland Mosquito B IV est entré en service en mai 1942. Il a été construit presque entièrement en bois. Non armé lorsqu'il effectue des missions de reconnaissance, il distance facilement ses ennemis.

Le groupe Normandie cité par de Gaulle

Un Yakovlev Yak-9 du groupe français Normandie basé à Toula.

Union soviétique, 11 octobre
La bravoure du groupe français de chasse Normandie lui vaut de recevoir la croix de la Libération. Le décret signé à Alger par le général de Gaulle est daté d'aujourd'hui. En quelques mois, les pilotes français, qui ont participé à de très nombreuses opérations soviétiques contre la Wehrmacht et la Luftwaffe, ont à leur actif 50 victoires homologuées. Magnifique palmarès, mais à quel prix ! Sur les 34 pilotes que comptait le groupe en mars dernier, 17 étaient déjà morts ou portés disparus dans le courant de l'été. Les Allemands ont par ailleurs décidé que tout pilote du groupe de chasse Normandie fait prisonnier serait fusillé. Les conditions de combat sont si pénibles que le groupe, dont le moral est pourtant intact, est au bord de l'épuisement. La courte période de repos, obtenue en juillet, n'aura guère été suffisante. Jean Tulasne, le commandant du groupe, a été abattu le 17 juillet dernier. (→ 21.7.44)

Le C-54 est fabriqué en série à Chicago

Vue de la chaîne d'assemblage des Douglas C-54 dans l'usine de Chicago.

Chicago, 1er octobre
Douglas commence aujourd'hui la livraison des 155 C-54 fabriqués dans sa nouvelle usine de Chicago. C'est le gouvernement américain qui, prévoyant l'expansion de la production aéronautique, a financé la construction de l'usine qu'il lui loue pour la durée de la guerre. Le C-54 existe déjà en plusieurs versions toujours plus perfectionnées. Dans les plus récentes, les C-54-DO et C-54-DC, la capacité en carburant est portée à 14 157 litres grâce à des réservoirs intégrés à la structure des ailes. Cette modification accroît considérablement l'autonomie. Pour le VC-54C-DO, la capacité en carburant est portée à 17 034 litres, mais il n'en a été construit qu'un seul exemplaire. Baptisé *Sacred Cow*, il est destiné au président des Etats-Unis. On a prévu dans son aménagement un ascenseur électrique sous le fuselage. Il permet de monter la chaise roulante du président qui se déplace difficilement. (→ 4.2.45)

Le brouillard anglais est enfin vaincu

Le réchauffement de l'air par les brûleurs empêche la formation du brouillard.

Grande-Bretagne, 20 novembre
Le brouillard anglais a perturbé de nombreuses missions aériennes. Des vols ont dû être annulés, d'autres se sont terminés sur des terrains de secours et, souvent, ce fut l'accident. Le Petroleum Warfare Department a trouvé une solution coûteuse mais parfois efficace. La formation du brouillard dépend du point de rosée, donc de la température. Le phénomène se déclenche subitement. En disposant une série de brûleurs à pétrole de chaque côté de la trajectoire d'approche et sur la piste, le réchauffement de l'air peut être suffisant pour éviter la formation du brouillard. (→ 30.11.48)

La Chine attend les B-29 Superfortress

Une formation de bombardiers B-29 Superfortress en vol d'entraînement.

Wichita, 15 décembre
Malgré la volonté et la motivation des 25 000 ouvriers de Wichita, le programme du B-29 a du retard. Le premier exemplaire de série a volé le 26 juin dernier, mais beaucoup de problèmes se posent dans l'approvisionnement des composants de l'avion. Le général Arnold a promis de livrer les premiers B-29 Superfortress dès mars prochain en Chine où des milliers d'hommes préparent les pistes d'atterrissage. L'avion lui-même pose peu de problèmes. Sa pressurisation fonctionne bien. Comme prévu, il vole à plus de 550 km/h et croise à 9 000 mètres. (→ 24.4.44)

L'avance technologique de la Luftwaffe

Depuis un mois, le Messerschmitt Me 262 V6 est entré en production.

Allemagne, décembre
Les Allemands prennent de vitesse les Alliés en matière de turboréacteurs et de fusées. Le premier bombardier de reconnaissance à réaction du monde, l'Arado Ar-234 V1, propulsé par deux réacteurs Junkers, a commencé ses vols d'essai le 15 juin. Sa vitesse de 700 km/h et son plafond de 10 000 mètres doivent lui permettre d'être engagé au-dessus de l'Angleterre sans risque d'interception. Les prototypes du chasseur à réaction Messerschmitt Me 262, le plus rapide du monde, se succèdent. L'état-major a enfin décidé en avril de remplacer les Bf 109 par des Me 262. Mais, la production va probablement être retardée suite au bombardement des usines de Regensbourg. Très inquiets de l'avance technologique de la Luftwaffe, les Alliés ont lancé un raid, en août, sur la base secrète expérimentale de Peenemünde, où les Allemands mettent au point leur avion-fusée Me 163 et leurs missiles balistiques. (→ 10.6.44)

L'Arado Ar-234A est un avion à réaction pressurisé. Il a volé le 25 août.

Le Grumman F-6F Hellcat est entré en service à l'US Navy en janvier 1943. Sa vitesse de 600 km/h lui permet de rivaliser avec les Zero.

Les Marauder ont fait plus de 500 sorties

Une formation de B-26 Marauder US en mission. La RAF en possède 52.

Londres, 20 décembre
Leur réputation de « faiseurs de veuves » serait peut-être démentie. Les Martin B-26 Marauder viennent d'effectuer leur 500e sortie et peuvent se vanter de n'avoir eu que 3% de pertes. L'impopularité de ces bombardiers était sans aucun doute due aux accidents des premiers vols (ils ont commencé le 25 novembre 1940), provoqués par des pilotes inexpérimentés et peu habitués à voler sur ces engins particulièrement lourds. Certaines modifications ont fait du Marauder un bombardier bien adapté aux missions qui lui ont été confiées. Il peut voler entre 3 000 et 4 000 m d'altitude, se trouvant ainsi hors de portée de la défense antiaérienne légère. De plus, son blindage, très efficace, le protège contre les tirs de la Flak lourde. Le général américain Frederick L. Anderson a déclaré que la réussite des missions, ces derniers mois, doit être attribuée aux qualités des Marauder et de leurs pilotes.

Walt Disney s'est inspiré de l'aviation

Etats-Unis, décembre
Ce serait comme une histoire de l'aviation racontée aux enfants. *Victory Through Air Power*, produit par Walt Disney, est un dessin animé de 65 minutes sur l'aventure aérienne, racontée par Alexandre de Seversky. Le film a été acclamé par la critique qui voit dans cette œuvre une manière irrésistible de répondre à toutes les questions qui peuvent se poser sur les combats aériens. Le premier film de guerre de Disney est encore une réussite.

Le bombardier anglais Lancaster, construit par Avro, l'est aussi par Austin Motors, ainsi que par Victory Aircraft dans l'Ontario, au Canada.

Les avions de l'année 1943

Le Lockheed Constellation, destiné à TWA, est rapidement réquisitionné par l'USAAF sous la dénomination de C-69.

Le Curtiss C-76 Caravan.

Le Lavochkin La-7 est piloté par les plus grands as soviétiques.

Le Hughes XF-11, avion de reconnaissance à long rayon d'action.

Le Junkers Ju 352, version évoluée du Ju 52/3m.

Le Junkers Ju 390 ne sera pas construit en série.

Le Hawker Tempest II à moteur Centaurus.

Le Dornier Do 335 push-pull est sans doute le chasseur le plus rapide de la guerre, mais il arrive trop tard pour prendre part aux combats.

Le Northrop XP-56 Black Bullet ne connaît pas de suite.

Le Fisher XP-75 utilise des éléments d'autres appareils.

Le Consolidated PB4Y Privateer est un dérivé de lutte aéronavale du B-24 Liberator. Son rayon d'action est apprécié dans le Pacifique.

Le Nakajima Ki.84 Frank est à la fois puissant et maniable. Il est produit à 3 577 exemplaires et devient le chasseur standard de l'armée.

Le Savoia-Marchetti SM.95, avion de transport italien.

Le Junkers Ju 388J, chasseur de nuit expérimental équipé d'un radar.

L'Arado Ar 234, premier bombardier à réaction opérationnel du monde.

Le Sikorsky R-5, baptisé H02S-1 par l'US Navy.

Le de Havilland DH.100 Vampire vole le 26 septembre 1943, mais le premier Vampire I de série ne sort que le 20 avril 1945, trois semaines avant la fin des hostilités. Il connaîtra une belle carrière dans les années cinquante.

Le Supermarine Spitfire Mk XII est la première version à moteur Griffon, destinée à l'interception à basse altitude.

Le Saab 21A, chasseur suédois produit à 299 exemplaires.

Le Curtiss XP-55 s'avère instable et même dangereux.

Le Gloster Meteor I entre en service dans la RAF en juillet 1944. Il servira essentiellement à contrer la menace des V-1.

Le Kawanishi NIK2, version terrestre modifiée du NIK1 George.

Le Focke-Wulf Ta 154A, chasseur de nuit en bois.

Le Curtiss XP-62, chasseur à hélices contrarotatives.

Le Junkers Ju 388K, bombardier à habitacle pressurisé.

Le Grumman F7F Tigercat, premier chasseur bimoteur embarqué, est destiné en priorité à l'US Marine Corps, mais arrive trop tard.

Le Miles M.39 Libellula, équipé de moteurs Gypsy, est utilisé par la RAF pour expérimenter le concept de l'aile en flèche.

1944

 **1 003 km/h** Allemagne Heini Dittmar Messerschmitt Me 163b Komet 2.10.41

 **12 935 km** Italie Tondi-Dagasso-Vignoli Savoia-Marchetti 79 1.8.39

 **17 083 m** Italie Mario Pezzi Caproni 161 bis 22.10.38

 **94 340 kg** Allemagne Blohm & Voss V238 V1

 1 700 kgp Allemagne Walter HWK 109-509 A-1

Etats-Unis, 6 janvier
Le général Carl Spaatz prend le commandement de l'United States Tactical Air Force (USTAF). Ce commandement regroupe la 8e Air Force en Grande-Bretagne et la 15e Air Force, dont les bases se trouvent en Italie.

Grande-Bretagne, 21 janvier
La Luftwaffe déclenche l'opération *Steinbock* avec 447 bombardiers qui frappent Londres et le sud de l'Angleterre. Cette attaque, appelée Baby Blitz, est la dernière opération d'envergure que pourra monter la Luftwaffe au-dessus de l'Angleterre. Elle occasionne des destructions importantes, sans pourtant compromettre la préparation de l'opération *Overlord*.

Allemagne, 25 février
En six jours, un millier de bombardiers américains et britanniques escortés par 900 chasseurs déversent 17 000 tonnes de bombes en 13 raids majeurs sur les usines d'aviation et d'armement du Reich, n'atteignant qu'une partie de leurs cibles. L'opération se termine par le bombardement d'Augsbourg par la RAF.

Allemagne, 6 mars
660 B-17 et B-24 accompagnés par 800 chasseurs P-47D Thunderbolt et P-38 Lightning attaquent Berlin en plein jour. La Luftwaffe perd 81 Focke-Wulf et Messerschmitt. 69 bombardiers et 11 chasseurs alliés sont abattus.

Trappes, 6 mars
Dans la nuit du 6 au 7, 263 bombardiers de la RAF larguent 1 257 tonnes de bombes sur la gare de triage et la rendent inutilisable.

Chine, 24 avril
Arrivée des deux premiers B-29 à Chengtu. 75 000 Chinois ont préparé la piste. (→ 5.6)

Iles Carolines, 29-30 avril
L'île de Truk est encore bombardée par les appareils B-24 Liberator de la 5e flotte du vice-amiral Richmond K. Turner, qui opèrent par vagues et rayent l'île de la carte.

Grande-Bretagne, 30 avril
Les squadrons 3 et 486 basés à Newchurch sont les premiers à recevoir des Hawker Tempest Mk V.

Grande-Bretagne, 9 mai
Basée à Scorton, la 422e escadrille de la 9e Air Force est la première unité en Europe à recevoir des chasseurs Northrop P-61A Black Widow (veuve noire). Peints en noir et équipés de radar, ils atteignent 590 km/h à 9 000 m d'altitude et serviront d'intercepteurs de nuit.

Bangkok, 5 juin
Première mission de bombardement des B-29. Les gares de triage de la ville sont les objectifs des 98 Superfortress. 14 ont dû rebrousser chemin pour raison technique. (→ 15)

France, 6 juin
L'usine de la SNCASE à Saint-Martin-du-Touch et l'usine Breguet à Montaudran sont bombardées par la RAF.

Grande-Bretagne, 9 juin
Vol initial à Ringway du bombardier Avro Lincoln. Dérivé du Lancaster, sa mise au point sera trop longue pour qu'il puisse être utilisé en opération.

Etats-Unis, 10 juin
Le second prototype du Lockheed Shooting Star vole à Muroc Dry Lake avec Tony Levier. Plus grand, plus lourd, son réacteur de 1 732 kg de poussée permet au pilote d'amener l'avion à 12 000 m d'altitude et de voler à 936,5 km/h. (→ 6.12)

Japon, 15 juin
Après avoir été testé en combat, le Kawanishi N1K2-J Shiden équipe les escadrilles de la 2e Koku Kantai (2e flotte aérienne).

Japon, 15 juin
55 B-29 Superfortress, du 20e Bomber Command, stationnés à Chengtu, en Chine, attaquent sans aucun succès les aciéries Yawata aux îles Kyushu, mais le choc psychologique pour les Japonais est énorme. Leur pays n'est plus un sanctuaire à l'abri des bombes.

Union soviétique, 21 juillet
Le groupe de chasse Normandie, qui vient de se distinguer dans la bataille du Niémen, est autorisé par Staline à s'appeler Normandie-Niémen. (→ 31)

Etats-Unis, 1er août
L'US Army Air Force a installé une base d'essai dans le désert du Mojave en Californie. L'endroit est un immense lac asséché. Elle choisit le nom de Muroc Dry Lake. Le premier mot est l'inversion de Corum, qui est le nom de la première famille qui s'est installée dans la région. L'utilisation du nom réel aurait créé une confusion avec une ville de Corum, qui se trouve à peu de distance. (→ 27.1.50)

France, 9 août
Victoire stratégique des Hawker Typhoon de la 123e escadre. Equipés de roquettes de trois pouces, ils interviennent en appui de la 1re armée américaine et détruisent cent sept Panzer le 7 août, tandis que les P-47 Thunderbolt et les P-38 Lightning américains anéantissent en deux jours plusieurs centaines de véhicules légers. La contre-offensive ordonnée par Hitler, dans le secteur d'Avranches et de Mortain, est brisée dans l'œuf.

Normandie, 14 août
A Falaise, tragique méprise de l'US Air Force qui bombarde par erreur la 1re division blindée polonaise et la 3e division d'infanterie canadienne. Les avions larguent 400 tonnes de bombes dont la moitié tombent sur les troupes alliées.

Japon, 20 août
Le pilote japonais Endo, aux commandes d'un chasseur de nuit, un bimoteur Nakajima type 2 J1N1-S Gekko, abat un B-29 Superfortress au-dessus du Japon. Performance remarquable, car les *Otsu san* (monsieur bombe), comme les surnomment familièrement les pilotes japonais, volent à 9 000 m.

Grande-Bretagne, 1er septembre
Livraison du dernier Hurricane ; c'est le 12 780e construit.

Allemagne, 18 septembre
Le Messerschmitt Me 262 est testé en opération. Walter Nowotny forme une unité de chasseurs à réaction, l'Erprobungskommando 262, basée à Achmer. (→ 8.11)

Espagne, 26 septembre
Réfugié à Madrid, Emile Dewoitine présente aux autorités espagnoles un avant-projet de bimoteur de transport léger inspiré du DC-3, le D.700 T2. (→ 28.5.46)

Philippines, 25 octobre
Lors de la bataille de Leyte, les premières unités de kamikaze, ou *Shimpu*, sont engagées et coulent le porte-avions *Saint Lô*.

Allemagne, 8 novembre
Le major Nowotny meurt à la suite de brûlures, après l'accident de son Messerschmitt Me 262A. Son escadrille, la JG7, portera son nom.

Pacifique, 17 novembre
Richard Bong et MacGuire, qui font partie du 475e Fighter Group, abattent chacun un appareil japonais au-dessus de San Jose. Bong est crédité de 34 victoires et MacGuire de 38. (→ 7.1.45)

Allemagne, 6 décembre
Vol inaugural du chasseur Heinkel 162 Salamandre. Conçu en 69 jours par les ingénieurs Schwarzler et Günter, le Volksjäger (chasseur du peuple) est un jet à voilure en bois avec un réacteur BMW-109.003.

France, 20 décembre
A Marignane, vol d'essai du Breguet 731 Bellatrix, hydravion de croisière dont la construction avait été arrêtée pendant l'Occupation.

Liège, 24 décembre
Première mission d'un bombardier à réaction. Un Arado 234B Blitz piloté par Dieter Lukesch largue ses bombes sur la ville.

Utilisé comme intercepteur ou avion de reconnaissance, le de Havilland Mosquito est parmi les plus rapides des avions alliés.

« Lulu Belle » peut devenir Shooting Star

« Lulu Belle » a été transportée de Burbank à Muroc Dry Lake pour les essais.

Muroc Dry Lake, 13 janvier
Cette fois, l'avion a parfaitement évolué ; sa vitesse ascensionnelle est remarquable, il va donc porter le nom de Shooting Star, que proposent les militaires présents à l'essai. Le 8, il y a cinq jours, le pilote d'essai Milo Bircham avait dû revenir se poser juste après le décollage, le train refusant de rentrer. Il s'était aussi aperçu que les volets ne parvenaient pas à rester sortis et il avait dû se poser à très grande vitesse.

Les techniciens ont constaté que les moteurs électriques qui commandent les volets ne résistent pas à la pression de l'air provoquée par la vitesse. Le prototype de Lockheed est classé secret. Ceux qui travaillent sur le chasseur à réaction expérimental l'ont baptisé *Lulu Belle*. L'appareil a été développé autour du turboréacteur de Havilland qui ne donne que 1 115 kg de poussée à 9 500 tours. General Electric met au point un autre réacteur. (→ 6.12)

Doolittle réduit les chasseurs d'escorte

Les vols à haute altitude provoquent des traînées de condensation.

Grande-Bretagne, 25 février
Doute et colère parmi les équipages des bombardiers américains. Sans leurs « petits amis » (surnom des chasseurs d'escorte), les « bandits » allemands vont les tailler en pièces. En effet, sur ordre du général Doolittle, chef de la 8ᵉ Air Force, seule une partie des chasseurs sera désormais chargée de la protection permanente des bombardiers. Le reste quittera l'escorte afin de poursuivre les appareils de la Luftwaffe.

La nouvelle tactique imposée par Doolittle est un coup de poker : il s'agit de terrasser l'adversaire avant que les pertes consécutives à cette méthode n'atteignent un niveau intolérable. Mais il faut aussi écraser la Luftwaffe à tout prix, avant le débarquement allié en Normandie. Les missions de bombardement de jour sur l'Allemagne, pendant la *Big Week* du 19 à aujourd'hui, n'ont donné que des résultats médiocres.

Le Sikorsky HNS-1 est un saint-bernard

L'hélicoptère biplace Sikorsky HNS-1 est utilisé par l'US Coast Guard.

Sandy Hook, 3 janvier
Un hélicoptère Sikorsky HNS-1 de l'US Coast Guard a pu réaliser ce qui était impossible en avion dans les mauvaises conditions météorologiques qui régnaient sur la région de New York aujourd'hui. Frank Erikson commande l'unité basée à Floyd Bennett. Il est parti vers le

sud de Manhattan où il a chargé deux bouteilles de plasma sanguin. Il les a directement transportées à Sandy Hook, dans le New Jersey, où étaient rassemblés les survivants de l'explosion du destroyer *USS Turner*. Selon les officiels de la Navy, c'est la première intervention de ce type exécutée par hélicoptère.

Un Do 217 sans pilote se pose en douceur

Doté de moteurs BMW-801, le Do 217 est surtout un bombardier de nuit.

Cambridge, 23 février
Alerte rouge cette nuit pour les Anglais. Les bombardiers allemands fondent sur la région de Londres. A Cambridge, les Riglesford courent rejoindre leur abri. Quelle n'est pas leur surprise lorsque, l'alarme terminée, ils découvrent un Dornier 217 qui s'est posé sans bruit dans leur jardin. La carlingue échouée dans la verdure est vide. Son équipage, qui a abandonné l'avion en vol, vient de se faire

arrêter par la police à 50 km de là. En revanche, le bombardier a conservé toute sa charge d'armement, soit deux tonnes de bombes incendiaires, dont la mise à feu est des plus sensibles. Il reste beaucoup d'essence dans ses réservoirs. On a donc frôlé la catastrophe. Mais plus surprenant est bien le fait que cet avion, livré à lui-même, ait pu en volant en ligne droite, traverser sans dommages les tirs de la défense aérienne anglaise et se poser seul.

Un Zero reconstitué par les Américains

Le Zero peut atteindre une altitude de 4 500 mètres en cinq minutes.

Wright Field, 12 février

Les Américains soulèvent le voile qui recouvre de mystère le Zero japonais. Ils viennent en effet de reconstruire intégralement un de ces célèbres chasseurs à partir des débris de cinq appareils abattus dans le Pacifique lors de la prise de l'aéroport de Buna. Les débris ont été amenés à la requête de l'état-major jusqu'aux laboratoires de Wright Field. L'avion reconstitué a révélé toutes ses qualités et ses défauts. Les experts ont pu constater combien la construction est fragile et la protection du pilote quasi nulle. En vol à grande vitesse, la surface des ailes doit se plisser, tellement elle semble fragile. Enfin, il semble bien que le moteur Nakajima KK1C Sakae radial de 12 cylindres de 950 ch soit la copie conforme d'un Pratt & Whitney. C'est en mai 1937 que la marine impériale japonaise s'est intéressée à un monoplace monomoteur à train rentrant, capable d'opérer à bord des porte-avions de la flotte japonaise. Cet avion, en outre, devait atteindre une vitesse de 500 km/h à 4 000 m d'altitude. Jusqu'à l'arrivée des Grumman F6F Hellcat, le Zero a surpassé tous les appareils de l'US Navy qui lui étaient opposés.

Plus de 1 800 avions dans le ciel de Berlin

Boeing construira 4 035 B-17, Douglas en produira 2 395 et Vega 2 250.

Berlin, 6 mars

La bataille qui s'est déroulée aujourd'hui dans le ciel de Berlin restera légendaire, mais elle aura coûté cher à la 8e Air Force : 69 de ses bombardiers ont été abattus sur les 658 lancés dans le combat. Pour obliger la Luftwaffe à s'engager massivement afin de mieux la décimer, le colonel Doolittle a décidé de lancer une offensive terrifiante : 658 B-17G Flying Fortress, accompagnés par une escorte de protection de 796 chasseurs à long rayon d'action, se sont rués à l'assaut de la capitale allemande. Près de 400 chasseurs allemands Focke-Wulf Fw 190 et Messerschmitt Me 109 se sont portés à leur rencontre. 81 ont été abattus par les chasseurs américains. Parmi les équipages se trouvait en observateur un commandant de B-29. Il est rentré convaincu que les Superfortress ne pourraient pas contrer une telle opposition.

Raid des Mustang de Clark sur la France

Le Mustang P-51B est équipé d'un moteur Rolls-Royce Merlin de 1 000 ch.

France, 21 mars

Pour les responsables américains, c'est devenu une évidence : les unités de la Luftwaffe basées en France sont à bout de souffle. Le peu de riposte qu'a rencontré aujourd'hui l'opération menée par le colonel Jim Clark et ses Mustang en est la preuve. Les 41 P-51B du 4e Fighter Group placés sous ses ordres ont pu, en effet, effectuer sans difficulté le plus grand raid à basse altitude jamais accompli par des chasseurs en Europe. Les avions américains sont partis d'Angleterre et ils ont piqué plein sud pour atteindre Bordeaux. Il ont viré à gauche pour remonter en passant par Paris. Au cours de ce périple, ils ont mitraillé tout ce qui se présentait devant eux, comme à l'exercice. Ils ont tiré sur de nombreux aérodromes, incendié des trains et des avions au sol et abattu une douzaine d'appareils allemands en vol. Seulement sept des Mustang du colonel Clark ont été détruits par des tirs au sol au cours de la mission.

La prison d'Amiens « libérée » par la RAF

Amiens, 18 février

Midi vient à peine de sonner. Soudain, deux escadrilles de Mosquito surgissent dans le ciel. L'une pique sur la prison en lâchant des bombes tandis que l'autre bombarde la voie ferrée. Les murs de la prison se lézardent, les portes et les fenêtres s'écroulent. Dans la fumée et les décombres, des centaines de prisonniers s'enfuient, aidés par les résistants du réseau Sosies venus les chercher. L'opération *Jéricho*, organisée par la RAF à la demande de Dominique Ponchardier, chef du réseau, a magnifiquement réussi. Le leader de la navigation de ce raid est le colonel Livry-Level, des FAFL. Cependant, le bilan est très lourd : une centaine de prisonniers tués et trois avions anglais abattus, dont celui du colonel Pickard, qui commandait la mission.

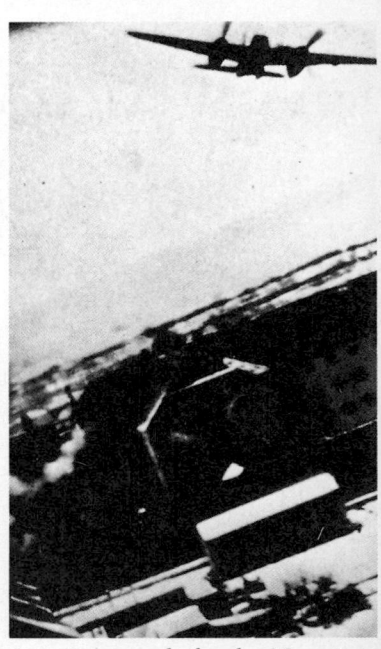

La prison sous le feu des Mosquito.

Howard Hughes pilote un Constellation

Les exemplaires destinés au marché commercial portent le nom de L-049.

Washington, 17 avril

Plus d'un an après le premier vol du prototype, le quadrimoteur Lockheed C-69 Constellation s'est posé à 13 h 54 à Washington, en provenance de Burbank. Aux commandes, Howard Hughes et Jack Frye, de TWA, l'ingénieur de vol Precter, le radio Glover, le navigateur Howard Bolton et douze passagers invités de Hughes, de Lockheed ou de l'USAAF. Parti la veille à 3 h 57 du matin, le Constellation a parcouru sans escale les 3 700 km séparant la côte californienne de la capitale en 6 h 57 min 51 s, soit une vitesse moyenne de 533,54 km/h. Howard Hughes est devenu actionnaire majoritaire de TWA en 1938. Il a voulu se qualifier sur tous les avions de la compagnie. Il a passé sa qualification sur Constellation, avec certaines difficultés, autour du terrain de Palm Spring.

La Suisse essaie de tromper l'Allemagne

Le bombardier bimoteur Bf 110G-4 était équipé des derniers systèmes radar.

Suisse, 20 mai

Epilogue d'une histoire cocasse. La Confédération helvétique vient de recevoir douze chasseurs Messerschmitt, gage de sa discrétion. Tout commence le 28 avril lorsqu'un Messerschmitt Bf 110G-4, au retour d'une mission d'interception d'un raid allié sur la Bavière, est contraint de se poser à Dübendorf après une panne de moteur. L'appareil, exceptionnel par son équipement radar, est également doté d'un dispositif de tir oblique très perfectionné. Les Allemands tentent alors une négociation pour éviter que les Alliés prennent connaissance du matériel. Ils offrent douze Messerschmitt Bf 109G-6 en échange de la destruction de l'appareil. La Suisse accepte le compromis mais prend le temps d'inspecter tout le matériel. Les Bf 109 livrés se révéleront incapables d'être opérationnels...

« Suzanne et Louise parties en vacances »

Créé par la SNCASE, le SE-200 peut décoller au poids total de 72 tonnes.

Lac de Constance, 17 avril

Le message reçu par Vernon, *alias* Henri Ziegler, chef d'état-major du général Kœnig à Londres, était clair : « Suzanne et Louise bien parties en vacances. » Traduction : les trois hydravions hexamoteurs français réalisés à Marignane sont arrivés à Friedrichshafen. Aussitôt, une patrouille de Mosquito s'est envolée de Grande-Bretagne. Parvenue au-dessus du lac de Constance, elle a mitraillé les hydravions, qui ont coulé rapidement. Les ingénieurs et les pilotes de Marignane ne voulaient pas se résigner à voir les trois précieux prototypes passer aux mains des Allemands. Après l'échec de plusieurs tentatives d'évasion, Georges Dumax et Jacques Lecarme, résistants de la base de Marignane, ont proposé à Vernon un plan très simple : la destruction pure et simple des appareils lorsqu'ils seraient parvenus à leur destination.

L'habitacle du Long Nez est pressurisé

Le Fw 190D-9 peut emporter un réservoir largable de trois cents litres.

Langenhagen, 31 mai

Pour monter le nouveau moteur, le fuselage du chasseur Focke-Wulf Fw 190 a été allongé. Appelé le Long Nez sous la dénomination Fw 190D, il est doté d'un moteur Jumo 213A, plus puissant à haute altitude que le BM-801. Son cockpit est pressurisé. Le nouveau modèle, surnommé Dora, arbore une verrière d'une seule pièce qui améliore la visibilité. L'avion se caractérise par une hélice à larges pales, un fuselage rallongé de plus d'un mètre et un empennage agrandi. Il s'est parfaitement bien comporté lors des essais. Mais Kurt Tank, le directeur technique de Focke-Wulf, considère ce nouveau modèle comme un avion de transition. Les ennuis rencontrés lors de la mise au point de ce nouvel habitacle pressurisé obligent Focke-Wulf à abandonner les plans qui prévoyaient d'utiliser une machine de cette série pour le combat à haute altitude.

Le Spitfire Mk XIV vole à 13 500 mètres

Plus de 6 500 exemplaires du Spitfire Mk V ont été construits.

Exeter, 31 mai
Pour contrer la chasse allemande, le Spitfire évolue sans cesse. Le Mk I de la bataille d'Angleterre ne ressemble pas au Mk XIV du squadron 610. Le Mk II a reçu, en 1940, un moteur Merlin de 1 240 ch et une hélice tripale Rotol à vitesse constante. Les 920 avions ont été construits aux usines de Castle Bromwich. Début 1942, le Mk V entra en service. Le Merlin passait à 1 585 ch et le recouvrement des ailerons était métallique. On fit plus de 6 500 appareils de ce modèle.

Toujours en 1942, les Mk VII puis Mk VIII stratosphériques furent les premiers pressurisés. Un double compresseur était monté sur le Merlin 67, l'aile redessinée et allongée. La roulette de queue devenait escamotable. Le Mk IX, construit à 5 700 exemplaires, est un Mk V sur lequel on a monté le Merlin 61. Au début de l'année, le Mk XIV, motorisé par un Rolls-Royce Griffon 65 de 2 035 ch, entre en service. Il a une hélice à 5 pales et vole à 730 km/h à 8 000 m. Il rivalise avec le Fw 190D-9. (→ 1.4.45)

Un Mustang bat le record de Hughes

Le P-51D a une verrière moulée en forme de bulle. Sa visibilité est parfaite.

Etats-Unis, 12 mai
Nouveau record de traversée transcontinentale. Parti d'Inglewood, en Californie, un chasseur Mustang P-51 s'est posé sur le terrain de La Guardia après une traversée de 6 h 31 min et 30 s. Son pilote, le colonel Clair Peterson, de l'Army Air Force, améliore ainsi de 49 min le record de vitesse établi en monomoteur sur un vol transcontinental,

qui était détenu par Howard Hughes. Sept minutes après Peterson se pose le Mustang P-51 de Jack Carter parti lui aussi d'Inglewood, mais une minute plus tard. Ces chasseurs sont équipés d'un moteur Merlin de 1 680 ch construit sous licence aux Etats-Unis par Packard. En outre, lors du vol, le poids de ces appareils égalait celui d'un avion qui part au combat.

Le C-47 peut aussi voler sans moteurs

Le planeur XCG-17 est un C-47 sans moteurs ni réservoirs.

Grande-Bretagne, juin
Sa popularité et ses qualités de vol ne pouvaient pas laisser les ingénieurs indifférents quand on leur a demandé de réaliser un nouveau planeur de transport. Un C-47 s'est envolé, dépourvu de ses moteurs. Remorqué par deux autres C-47 en tandem, on a pu voir décoller cet incroyable assemblage de trois appareils. Ce premier vol est un succès : le XCG-17 Skyglide est un planeur capable d'embarquer le plus gros tonnage des planeurs alliés. Il peut être remorqué à plus de 270 km/h. Lorsque son câble de remorquage a été largué, il a parfaitement plané et devenait ainsi le meilleur planeur de gros tonnage. En partant de l'altitude de 1 000 m, il peut planer 14 km. Mais sa structure est d'un prix élevé.

Les Anglais veulent un partage du ciel

Grande-Bretagne, 10 mai
Débats, négociations, refus... Les tentatives d'organisation de l'aviation civile d'après-guerre sont décidément très complexes. Lord Beaverbrook vient de réaffirmer le refus anglais d'une organisation internationale dotée de compétences propres, comme le préconise le Canada. La Grande-Bretagne aspire au contraire à voir chaque nation gérer son propre espace aérien. Son poids dans les négociations est d'autant plus important qu'elle contrôle un nombre considérable d'escales dans les pays membres du Commonwealth. Pour l'instant, les Britanniques respectent les cinq points définissant les libertés de l'air prônées par les Américains à la dernière conférence de Chicago. Ils doivent se revoir.

Ce DC-3 de la China National Aviation Corporation vole avec, à droite, une aile de DC-2. Il revient vers Hong Kong après avoir été pris, à Suifu, dans un bombardement au sol qui a détruit son aile droite. La compagnie n'a pu trouver qu'une aile de DC-2 disponible, qu'elle lui a expédiée, attachée par des cordes sous le fuselage d'un autre DC-3.

Le ciel de la Manche envahi par onze mille avions

Les Typhoon épargnent un seul radar

Le Typhoon pèse sept tonnes. Il est beaucoup plus bruyant que le Spitfire.

Cap de La Hague, 5 juin
Ving-cinq appareils de la RAF ont détruit à la bombe et à la roquette la station radar de la Luftwaffe. Désormais, de Cherbourg à Calais, il ne reste plus qu'un seul radar opérationnel, à Boulogne. Il a été épargné, afin d'enregistrer quelques heures avant le débarquement l'écho du rideau de bandelettes de papier d'aluminium qu'on larguera peu avant Boulogne. Les Typhoon 1-B se sont révélés parfaits pour ce type de mission. Sidney Camm, l'ingénieur en chef de Hawker, qui a aussi créé le Hurricane, en a fait un avion d'assaut solide et massif. Son cockpit est à 2,5 m du sol. Dès que les pilotes se sont familiarisés avec l'avion qui embarque très fort à droite au décollage, ils le trouvent bien armé, rapide et agréable, à condition de ne pas oublier d'ouvrir souvent les gaz à fond pour décrasser les bougies ; sinon, le moteur s'arrête.

Les 925 Dakota sont en première ligne

France, 6 juin
Jamais on n'avait vu un tel déploiement d'avions de transport ! Cette nuit, 925 Douglas C-47, Skytrain pour les Américains, Dakota pour les Britanniques, ont transporté 3 divisions aéroportées en France. Rien que du côté américain, la seule formation des C-47 de l'USAAF lancée sur le Cotentin, avec à bord les hommes des 82e et 101e division aéroportée, mesurait 425 km de long sur 300 à 400 m de large. Chaque C-47 embarquait 17 ou 19 paras et six charges externes parachutables. Certains tiraient des planeurs qu'ils devaient larguer au-dessus des zones qui avaient été repérées d'avance. Avant le départ de la première vague des groupes de transport, des C-47 ont décollé et largué des balises Eureka destinées à marquer les *dropping zones* ou zones de saut. Toutes ces précautions n'ont pas empêché une gigantesque pagaille. Une large bande de brume a gêné les C-47, des balises larguées trop loin des zones prévues et l'intensité du barrage de DCA ont fait le reste. Des formations ont été disloquées et certains paras sont arrivés loin de leurs objectifs.

Le C-47 peut emporter 31 paras.

Les avions sont repeints pour le jour J

Grande-Bretagne, 5 juin
Les préparatifs du débarquement s'accélèrent. Consignés à leurs bases depuis le 2 juin, parachutistes et aviateurs attendent. Les camps sont gardés par des soldats qui ont ordre de tirer sans sommation sur tout homme tentant de quitter sa base. L'état-major se souvenant qu'un an plus tôt, lors du débarquement en Sicile, les canons de l'US Navy avaient abattu par erreur 27 Douglas C-47, la flotte aérienne a été repeinte. Les appareils ont maintenant autour des ailes et du fuselage des bandes d'identification noires et blanches qui les font ressembler à des... zèbres.

Les bandes blanches sur des Havoc.

Le groupe Lorraine dissimule l'armada

France, 6 juin
Pour les pilotes du groupe de bombardement Lorraine et le squadron 342 de la RAF, c'est aussi le jour J ! Douze équipages du groupe ont été choisis pour remplir une mission spéciale : larguer des fumigènes depuis les îlots Saint-Marcouf jusqu'à la pointe de Barfleur. Les Boston ont été équipés de pots à fumée, énormes cylindres d'où pendent, sous le ventre des appareils, des tuyaux d'échappement qui ont la forme de saxophones. Après un briefing, tenu à 1 heure du matin, les premiers Boston du groupe Lorraine décollent de la base d'Hartford Bridge. Il est 5 h 13. Arrivés à proximité de leurs objectifs, les bombardiers descendent au ras des vagues. C'est le moment le plus périlleux de la mission : ils vont devoir passer entre les navires américains et les batteries allemandes. Au mépris du danger, les pilotes effectuent un passage, vidant leurs pots à fumée. En quelques minutes, un écran de couleur blanche recouvre le secteur, masquant aux yeux des Allemands les mouvements des navires alliés. Mission remplie pour le groupe Lorraine.

Un Douglas Boston du groupe Lorraine. (Aquarelle de Paul Lengellee)

Les Piper Cub sont armés de bazookas

Un seul pilote pour les 2 avions du Mistel

Un pilote américain entre deux vols au-dessus des lignes ennemies.

Avion porteur, le Ju 88, transformé en bombe géante, est lancé contre l'objectif.

Normandie, 10 juin
Les Sauterelle passent à l'attaque. Les Piper Cub sont ainsi surnommés par l'US Air Force. Ils sont venus prêter main forte à la percée alliée dans la zone de Saint-Lô. Aux commandes de l'un d'eux, le *major* Charles Carpenter, de la 4e division armée, vient de détruire cinq chars allemands. Il a lui-même accroché six bazookas sous les ailes de son avion. Une idée judicieuse, et un nouveau rôle pour le Piper Cub. Cet appareil léger et très maniable peut se poser partout. Il offre en outre une très grande visibilité au pilote et a été jusqu'à présent utilisé comme avion d'observation. Le 7 juin, des dizaines de Piper Cub, équipés de réservoirs supplémentaires, ont traversé la Manche. Leur mission était de guider le tir de la flotte sur les fortifications allemandes. Avec la progression alliée en territoire français, ils assistent maintenant l'artillerie au sol. Ils se posent de préférence dans les prairies où paissent des vaches, ce qui leur indique que le terrain n'est pas miné.

France, 25 juin
Un drôle d'engin a survolé la baie de la Seine. Composé de ceux appareils posés l'un sur l'autre, le Mistel est prêt à attaquer les navires alliés. Les ingénieurs allemands ont imaginé cet assemblage dont l'élément inférieur est un bombardier bimoteur Junkers Ju 88 et la partie supérieure un Bf 109 ou un Fw 190. C'est là que se trouve le seul et unique pilote des deux avions. Le Ju 88 modifié peut emporter une charge creuse de 3 800 kg et est doté d'une fusée extrêmement performante. Elle est capable de pénétrer une épaisseur de 8 m d'acier ou de 20 m de béton. La séparation des deux avions s'effectue très simplement grâce à une commande électrique qui actionne des boulons explosifs. Après une première opération vers les plages du débarquement allié, les Mistel ont été chargés de détruire les ports artificiels assemblés par les Alliés dans la baie de la Seine. Ils ont réussi à toucher quatre bâtiments, mais le succès de leur mission reste très relatif et leur vulnérabilité est très grande.

Un aérodrome pour avions en détresse

Woodbridge, 15 juillet
A sept miles de la côte sud-est de l'Angleterre, sur une piste presque aussi large que longue, l'aérodrome de Woodbridge a été construit pour accueillir les appareils endommagés. Bombardiers pour la plupart, ils y arrivent avec des moteurs en flammes, des ailes en feu et souvent des membres de l'équipage sont blessés. A Woodbridge, le système des brûleurs à gaz Fido permet d'atterrir par temps de brouillard. Il y a deux jours, un Junkers Ju 88G-6b s'y est présenté. A bout de carburant, le pilote était contraint à un atterrissage d'urgence. Les pilotes basés à Woodbridge ont reconnu le Ju 88 au vrombissement caractéristique des moteurs. L'appareil était doté de radars ultrasophistiqués qui intéressent la RAF.

Orville Wright a pris un instant les commandes d'un Constellation à Wright Field, Ohio.

Pour personnaliser le 5 000e exemplaire construit dans les usines de Burbank, ce Lightning P-38J a été peint en rouge. Le P-38J, baptisé « Yippee », a les prises d'air derrière les hélices et 12 h d'autonomie.

Les Mosquito barrent la route aux V1

Chasseur de nuit biplace, le Mosquito a un radar qui repère le V1.

Grande-Bretagne, 15 juin
Les bombes volantes V1 obsèdent la RAF. Le réseau Todt les a informés que plus de 200 rampes de lancement ont été installées. Leur nom de code à la RAF est Noballs. Les missions contre les Noballs ont entraîné des pertes énormes. Les Hurricane, envoyés pour mener des attaques au sol, se sont fait étriller par les batteries de la Flak. Lents, ils ne pouvaient rien contre les canons de 37 mm qui les ajustaient sans difficulté. Pierre Clostermann en a gardé un souvenir effroyable. Les Spitfire de son squadron 132 ont dû couvrir les Hurricane et ce fut à chaque fois un jeu de cache-cache avec la mort. Les V1 n'ont aucune défense mais ils vont vite. L'opérateur radar du Mosquito les repère et guide le pilote jusqu'à ce qu'il aperçoive la flamme du propulseur. Les 4 canons de 20 mm et les 4 mitrailleuses logées dans le nez doivent venir à bout du V1. Le lieutenant Musgrave, de la 605, en a abattu un cette nuit.

Les femmes pilotes russes au combat

Union soviétique, 30 juillet
Les pilotes allemands n'en croient pas leurs yeux quand ils s'aperçoivent que ce sont très souvent des femmes qu'ils affrontent en combat aérien. Dès l'été 1941, le commandement soviétique a demandé à l'aviatrice Marina Raskova d'organiser des régiments de femmes pilotes. Recrutant dans l'aviation civile ou dans les aéro-clubs, Marina Raskova a fondé trois régiments : le 586e régiment de chasse de jour, le 587e régiment de bombardement de jour et le 588e régiment de bombardement de nuit. En moyenne les aviatrices ont entre 18 et 22 ans. D'autres femmes sont pilotes ou même commandant dans des unités masculines. La plus célèbre reste Lilya Litvyak, l'as aux douze victoires. Morte au combat en 1943, elle a reçu des obsèques nationales.

Qantas rouvre la ligne Australie-Ceylan

Australie, 17 juin
En raison des patrouilles de l'aviation japonaise, c'est dans un silence radio total, en naviguant avec les étoiles et le soleil, que Qantas relie Perth, dans l'ouest de l'Australie, à l'île de Ceylan. Durant les 30 heures de vol, les passagers peuvent voir le soleil se lever deux fois. La compagnie australienne a inauguré cette ligne, longue de 5 600 km, le 10 juillet 1943, en association avec BOAC. Depuis, ses Catalina, baptisés de noms d'étoiles comme *Altair Star*, *Vega Star*, assurent la liaison hebdomadaire aller et retour. Ils vont accomplir bientôt leur centième traversée. A côté de ces hydravions, peu rapides mais d'une grande autonomie, Qantas vient de mettre en service des Consolidated Liberator. Il faut aussi dire que les appareils de la compagnie sont utilisés pour des missions de largage de matériel pour les troupes.

Le largage de matériel aux troupes isolées dans la jungle rend la compagnie aérienne très sympathique.

Le Hellcat pratique le tir aux pigeons

Pacifique : départ de chasseurs américains pour un raid contre les Japonais.

Guam, 19 juin
Les patrouilles de l'US Navy sur Hellcat ont détruit les trois quarts des avions japonais. Ce succès a été rapporté comme «le grand tir aux pigeons des Mariannes». La Task Force 58 a commencé les opérations à l'aube. Au premier raid japonais, 300 appareils de la Navy avaient abattu 42 des 69 avions de la première vague. Ils en ont intercepté plus de 100 sur les 128 de la deuxième vague. Vers midi, un autre coup fatal était porté à Ozawa : le *Shokaku* et le *Taiho* étaient torpillés. Le succès a continué à sourire aux Américains puisque, sur les 49 appareils japonais qui sont partis vers Guam, 30 encore ont été abattus par les Hellcat. Mis en service en janvier 1943, le Hellcat F6F de Grumman est une version améliorée du F4F Wildcat. Sur un P-38, Charles Lindbergh participait aussi à la bataille avec le 475e groupe basé en Nouvelle-Guinée, où il a appris aux jeunes pilotes de Lightning à gérer leur consommation d'essence.

Le Me 262 devient opérationnel

Allemagne, 30 juin
Sans l'entêtement de Hitler qui préfère les bombardiers aux chasseurs, le Messerschmitt Me 262 aurait été opérationnel depuis longtemps. De plus, il ne voulait pas croire à l'avenir des moteurs à réaction. Il a fallu qu'il soit enfin le témoin d'un vol le 23 novembre 1943 pour que la production de cet appareil soit lancée. Cette fois encore, la seule chose que Hitler ait retenue est qu'il pouvait emporter une bombe de 500 kg jusqu'à Londres. Le Me 262A biréacteur. Il atteint la vitesse de 868 km/h à 7 000 m d'altitude. Il peut dépasser les 1 000 km/h en piqué. Son cockpit est pressurisé et il est armé de 4 canons de 30 mm. Son nom de baptême est Sturmvogel. Ses réacteurs sont construits par Junkers, ils développent près de 500 kg de poussée chacun. (→ 18.

Le Liberator de Joe Kennedy explose

Grande-Bretagne, 12 août

Le jeune lieutenant de l'US Navy Joe Kennedy Jr., fils de l'ambassadeur des Etats-Unis à Londres, admire les exploits militaires de son frère cadet John Fitzgerald. Basé à Fersfield, sur la côte est de l'Angleterre, il espère que la mission ultra-secrète qu'il va entreprendre lui permettra de faire parler de lui. Il doit piloter son Liberator, bourré de douze tonnes d'explosifs, pour l'amener à s'écraser sur un site de lancement de bombes volantes V1 à Mimoyecques, près du cap Gris-Nez. Kennedy et son copilote Bud Willy doivent en fait sauter en parachute bien avant d'avoir atteint l'objectif. Le Liberator est alors pris en charge par une télécommande installée à bord d'un autre avion, un Ventura, qui vole à proximité. Mais, juste après que Kennedy a prononcé les mots de code *Spade Flush*, signifiant que le contrôle du Liberator est transféré au Ventura, le bombardier explosa en vol pour une raison inconnue. Les débris sont tombés sur le village anglais de Blythburgh. Cette catastrophe est des plus mystérieuses. Toute une série de précautions avaient été prises et les vérifications faites.

Les pilotes de chasse français se battent de la Corse au Niémen

Le Yak-9 du groupe Normandie.

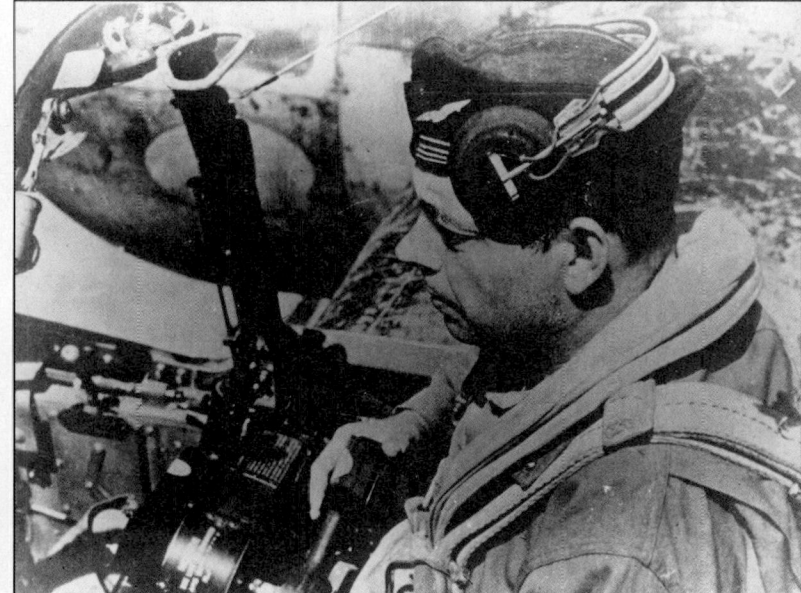

Le commandant Antoine de Saint-Exupéry au départ en mission sur P-38.

Grenoble, 31 juillet

Antoine de Saint-Exupéry a payé de sa vie son ardeur au combat. Ce matin, le commandant a décollé de la base de Bastia Borgo à bord d'un P-38 Lightning. C'est sa 10e mission de guerre ; elle doit se dérouler dans la région de Grenoble. Il n'est pas rentré. Le mystère de sa disparition n'est pas élucidé. A-t-il été détecté par les radars allemands, ou s'est-il montré trop imprudent en

voulant survoler à basse altitude le village de sa famille ? En fait, il semble que, victime d'une funeste coïncidence, il se soit abîmé au large d'Agay, pris sous les rafales de deux Fw 190 de reconnaissance. La veille, Bayssade et Monnier, pilotes du groupe de chasse Normandie, engagés dans la bataille pour la traversée du Niémen, sont abattus par la Lutfwaffe et faits prisonniers. Parmi les pilotes qui se

distinguent, le *wing commander* Jean Demozay (DFC, DSO : Distinguished Flying Cross, Distinguished Service Order) a plus de vingt victoires. Il doit prendre la semaine prochaine la tête du groupe Lorraine. L'aspirant Pierre Clostermann, au squadron 602, a reçu la DFC des mains de sir Archibald Sinclair, ministre de l'Air britannique. Sur Spitfire, il totalise huit victoires homologuées. (→ 4.5.45)

Le Gloster Meteor et les bombes volantes

Manche, 4 août

Dixie Dean est à portée du V1, il ajuste son tir et presse la détente. Les canons enrayés ne répondent pas et la bombe volante file vers Londres. La puissance de son Gloster Meteor lui permet de rejoindre le V1. Il se place juste à côté et règle la vitesse. Jouant du palonnier, il

glisse son aile sous son fuselage et, d'un mouvement progressif des ailerons, le fait dévier et plonger vers la mer. Dean est, au squadron 616, le premier de la RAF à avoir reçu des chasseurs à réaction, qui volent à 700 km/h et sont équipés de deux réacteurs Rolls-Royce de 800 kg de poussée chacun.

George Bush plonge avec son Avenger

Archipel des Bonins, 2 septembre

Pour la seconde fois, George Bush, enseigne de vaisseau de 1re classe, a été miraculeusement sauvé. Alors qu'il bombardait une station de radio japonaise de l'île Chi Chi Jima, son Avenger a été atteint par un obus. Il a eu juste le temps de gagner le large et de sauter en

parachute dans l'océan, où il a été recueilli par un sous-marin américain. Des trois membres de l'équipage de son avion torpilleur, il est le seul survivant. Déjà, au mois de juin, décollant du porte-avions *San Jacinto* sous le feu ennemi, il avait dû faire un amerrissage forcé qui aurait pu se terminer tragiquement.

Les premiers Gloster Meteor ont été livrés au squadron 616.

Décollage d'un Grumman TBF Avenger depuis un porte-avions américain.

Les dernières armes secrètes du IIIᵉ Reich sortent trop tard

Allemagne, 30 octobre
Les Arado Ar.234 Blitz sont les premiers bombardiers à réaction. Entrés au service du KG 76, il sont les armes de la dernière chance. De par leur vitesse ils risquent moins d'être interceptés et ils sont capables d'emporter une charge de bombes qui va jusqu'à 1 500 kg. Les intercepteurs Messerschmitt Me 163B Komet ont déjà affronté en août des bombardiers américains lors d'une attaque de jour sur le Reich. Ce tout petit intercepteur est un avion-fusée qui atteint les 960 km/h à 10 000 m d'altitude. Il a 2 canons de 30 mm, mais son autonomie est très faible : il ne peut voler plus de dix minutes à pleine puissance. Dans cet avion, tout a été étudié pour diminuer le poids, jusqu'au train d'atterrissage qui est largué après le décollage.

A pleine puissance, le Me 16 peut voler à 960 km/h pendant dix minutes.

L'Arado Ar.234 vole à 750 km/h et son plafond est de 10 000 mètres.

Les malheurs du Shooting Star

Muroc Dry Lake, 6 décembre
Pour la deuxième fois, le Shooting Star de Lockheed est au centre d'un drame. Alors qu'il effectuait un vol de nuit au-dessus de Muroc Dry Lake, l'avion YP-80A du pilote d'essai Perry Claypool est entré en collision avec un bimoteur B-25. On n'a retrouvé aucun survivant. Déjà, le 24 octobre, Milo Bircham, pilote du premier vol du troisième exemplaire du type YP-80A, a trouvé la mort dans un accident. A 90 mètres d'altitude, l'alimentation du réacteur est tombée en panne. L'avion, après avoir vacillé, a décroché sans que le pilote puisse évacuer l'appareil. Cette série d'accidents mortels va certainement entraîner de nombreuses modifications. (→ 6.8.45)

Les kamikaze se sacrifient pour le Japon

Atteint en vol, un pilote kamikaze s'abat sur un navire de la flotte américaine.

Pacifique, 25 octobre
Les pilotes kamikaze ont effectué leur premier raid. Ces raids de la mort, très particuliers, consistent à piquer droit sur l'objectif et à s'écraser dessus. Cinq missions-suicides ont été réalisées aujourd'hui par les *Shimpu* ou kamikaze. Le porte-avions américain *Saint Lô* a coulé, tandis que les porte-avions *Kalinin Bay*, *Kitkun Bay* et *White Plains* n'ont été qu'endom-

magés par les Mitsubishi Zero-Sen. Cette tactique a été imaginée par Takijiro Onishi, qui demande à ses pilotes de descendre en piqué sur les porte-avions américains. Comme prévu, tous les kamikaze nippons sont morts, mais tous les porte-avions n'ont pas été détruits. Cependant, la fierté des Japonais est sauve, puisque cette victoire aura peut-être des conséquences dans la guerre du Pacifique.

La charte de l'Opaci est signée à Chicago

Chicago, 7 décembre
L'aviation civile enfin réglementée. Un accord vient d'être signé par les représentants de 52 pays, donnant naissance à l'Organisation provisoire de l'aviation civile internationale (Opaci). Cette organisation devra instituer une législation qui assure la sécurité et facilite la régularité de la navigation aérienne. C'est en septembre que le gouvernement américain invite les pays concernés à une conférence internationale sur l'aviation civile pour en fixer les règles. Aussitôt, la Chine donne son accord au département d'Etat américain. En août, un pacte préliminaire est conclu entre l'URSS et les Etats-Unis pour l'établissement d'une autorité internationale dotée de fonctions consultatives et techniques. En septembre, les Soviétiques, prenant prétexte de la présence de pays comme le Portugal ou l'Espagne qui ont conduit des politiques profascistes, annoncent leur retrait de la conférence. Le présent accord institue une libre concurrence entre les compagnies. Certains pays riches peuvent se tailler la part du lion au détriment de nations de moindre importance.

Le profil du Northrop « Rocket Wing » MX-324, premier avion-fusée militaire américain, doit diminuer la résistance à l'air.

Les femmes pilotes rentrent au foyer

A Lockbourne, Michigan, quatre femmes pilotes sur la piste des B-17.

Etats-Unis, 20 décembre
Le programme des Wasp (Women Air Service Pilot) a pris fin et c'est sans cérémonie que les femmes aviatrices du Ferry Command ont été renvoyées dans leur foyer. Le gouvernement n'a pas voulu reconnaître leur contribution. Depuis le début de leur participation, les Wasp n'ont jamais eu droit au statut militaire. Un rapport rédigé récemment a conclu que la véritable contribution des Wafs (Women's Auxiliary Ferrying Squadron) à l'effort de guerre est difficile à apprécier. Il semble que les femmes pilotes soient arrivées à un moment où le besoin en hommes ne se faisait plus aussi cruellement sentir. Et pourtant, en 27 mois d'existence, les Wafs ont convoyé 12 650 avions de 77 types. Elles ont parcouru 14 840 000 km et ont perdu 38 des leurs : 12 se sont tuées à l'entraînement et 26 ont disparu en mission. Le nombre de Wasp de la Ferrying Division est passé de 120 en août à 303 en avril, puis il est resté stable jusqu'en juillet, quand 123 d'entre elles ont été mutées à l'Air Training Command. Depuis septembre, l'effectif de la Ferrying Division s'est stabilisée à 140. Il y eut 916 Wasp dans l'USAAF.

Memphis Belle star du film de Wyler

Etats-Unis, 30 avril
Il aura fallu trois ans à William Wyler pour mettre sur pied le documentaire le plus impressionnant jamais filmé sur la Seconde Guerre. *Memphis Belle* raconte l'aventure journalière des pilotes de B-17, depuis leurs premières instructions jusqu'à leur retour au pays. Des caméras, fixées sur l'avion, sont dans des coussins chauffants pour les protéger du froid qui peut atteindre 24 °C au dessous de zéro. Le spectateur assiste, comme s'il y était, au bombardement de la Rhur, survole Brest et Lorient, Brême et Kiel, en plein combat. Un véritable tour de force.

Un B-29 devient la proie d'un kamikaze

La première mission au Japon des B-29 Superfortress a été un cuisant échec.

Japon, 24 novembre
Cent onze B-29 Superfortress viennent d'effectuer un raid peu glorieux sur Tokyo. Le 21e Bomber Command a été formé aux îles Mariannes, après le transfert d'unités venues de Chine. Il effectuait sa première mission. Après 4 800 km de vol, 26 appareils sont tombés en panne, et seulement 24 ont pu larguer leurs bombes sur la capitale nipponne, sans d'ailleurs atteindre les cibles. Même l'usine de Musachino de la Nakashima Aircraft, définie comme objectif principal de la mission, n'a pas été touchée ! De plus, un kamikaze a pris en chasse un B-29 pour l'éperonner ensuite en plein vol. Un autre B-29 s'est posé en mer, en panne sèche. Tout porte à croire que le 73e Bomb Wing se souviendra de cette mission.

L'avion de Glenn Miller est porté disparu

Paris, 15 décembre
Le major Glenn Miller a disparu. Parti de Croydon pour Paris, le célèbre chef d'orchestre devait, à la demande du général Eisenhower, donner un concert dans la capitale française. Le petit monoplan monomoteur Noorduyn WC-64 Norseman, réputé robuste et sûr, a décollé sous une pluie battante alors que tous les autres vols prévus avaient été annulés. A l'heure actuelle, on ne sait pas ce qui est advenu de celui qui a donné, en Angleterre, 71 concerts en six mois. Quant aux membres de l'American Band qu'il dirige, ils ignorent encore la terrible nouvelle.

Des Lancaster coulent le Tirpitz

Norvège, 12 novembre
Les trente bombardiers Avro Lancaster retournent en Ecosse. Leur mission est terminée : ils ont coulé le *Tirpitz*, un cuirassé allemand ancré au sud de Tromso. En septembre déjà, le navire avait été mis hors d'état de nuire par vingt-sept Lancaster, munis de bombes spéciales baptisées Tall Boy et mises au point par l'ingénieur britannique Barnes Wallis. Cette fois, depuis une altitude de 4 000 m, ils ont percé la coque et fait sauter la soute à munitions avec une incroyable précision. Le *Tirpitz* a été laissé en flammes aux mains de ses hommes d'équipage.

Le Mosquito FB Mk-VI est le premier bimoteur à réaliser des essais d'appontage. Ici, sur le porte-avions de la Royal Navy «Indefatigable».

Bimoteur de transport, l'Iliouchine Il-12 a été utilisé à la fois par les forces aériennes soviétiques et par Aeroflot, CSA et LOT.

Le Kramme & Zeuthen KZ VII, avion de tourisme danois.

Boeing n'a pas reçu de commande pour son XF8B-1 embarqué.

Le Heinkel He 162 arrive trop tard pour participer aux combats. Sa construction fait appel à des matériaux non stratégiques.

Le Grumman F8F Bearcat arrive trop tard pour remplacer le F6F, mais il sera utilisé en Corée, ainsi qu'en Indochine par les Français.

Le Miles M.33 Monitor, remorqueur de cibles de la Royal Navy.

L'Avro Lincoln, successeur du Lancaster dans la RAF.

Le Boeing C-97 conserve les ailes et l'empennage du B-29 et reçoit une nouvelle cellule composée de deux parties superposées.

Le planeur aile volante Northrop MX-234.

Le Fairchild C-82 Packet vole le 10 septembre 1944.

Malgré sa silhouette racée et ses performances impressionnantes, le Martin-Baker MB.5 ne reçoit aucune commande de la RAF.

La guerre stoppe la production du Nakajima G8N Renzan.

L'Iliouchine Il-10 succède trop tardivement à l'Il-2, en 1945.

Le Martin Mauler, avion d'appui tactique embarqué.

Le Messerschmitt Me 328, avion d'appui à statoréacteur.

Le Morane-Saulnier MS.470 est produit à cinq cents exemplaires.

Le Ryan FR-1 est équipé d'un réacteur et d'un moteur à piston.

Le Bell XP-77, chasseur léger construit en bois, est abandonné.

Le Blohm und Voss Bv 155 en reste au stade expérimental.

Le Lockheed P-80 est le premier chasseur à réaction à entrer en service au sein de l'USAAF. Le prototype vole pour la première fois le 8 janvier.

Dernier modèle dérivé du Focke-Wulf Fw 190, le Ta 152 est un intercepteur à haute altitude. Peu d'exemplaires sont livrés en unité.

Le Bristol Brigand, avion d'appui tactique, servira au Proche-Orient et en Extrême-Orient après la guerre, ainsi qu'en Malaisie dans les années 50.

Le Junkers Ju 248, autre appareil à réaction expérimental allemand.

Le Blohm und Voss Bv 238, hydravion à long rayon d'action.

Le Curtiss SC Seahawk peut aussi recevoir un train classique.

L'unique Vultee XA-41 a volé le 11 février 1944.

...uadriréacteur aux ailes en flèche inversée, le Junkers Ju 287 ne dépasse ...as le stade de prototype en raison de la cessation des hostilités.

Le de Havilland DH.103 Hornet est l'avion conventionnel le plus rapide de la RAF. Il restera en service en Europe jusqu'en 1951.

1945

1 003 km/h
Allemagne
Heini Dittmar
Messerschmitt Me 163b Komet
2.10.41

12 935 km
Italie
Tondi-Dagasso-Vignoli
Savoia-Marchetti 79
1.8.39

17 083 m
Italie
Mario Pezzi
Caproni 161 bis
22.10.38

94 340 kg
Allemagne
Blohm & Voss
V238 V1

1 700 kgp
Allemagne
Walter HWK 109-509 A-1

Allemagne. 1er janvier
La Luftwaffe monte l'opération *Bodenplatte*. 900 chasseurs attaquent 15 bases en Belgique, aux Pays-Bas et dans le nord de la France. 144 avions britanniques et 50 américains sont détruits au sol et 400 sont endommagés. Les Allemands perdent 204 appareils.

Philippines, 7 janvier
Le major Thomas MacGuire est abattu en combat aérien. Il était crédité de 38 victoires et volait sur le P-38 Lightning. (→ 6.8)

Japon, 8 janvier
Premier vol du chasseur-fusée Mitsubishi J8M1.

Toulouse, 27 février
Premier vol du bimoteur civil Breguet 500 *Colmar*. Il a été volontairement retardé par les ingénieurs pour ne pas servir le Reich.

Congo, 1er mars
La Sabena met en service la ligne de Léopoldville vers Lagos, Gao et Alger. (→ 10.7)

Japon, 10 mars
279 B-29, partis de Saipan, Guam et Tinian, bombardent Tokyo à basse altitude avec des bombes incendiaires. La chaleur dégagée par les incendies est telle que plusieurs bombardiers s'écrasent dans le brasier. Ce raid, ordonné par le chef de la 21e US Air Force, le général Curtis E. LeMay, obtient des résultats terrifiants : l'agglomération de Tokyo, dont la majorité des habitations est en bois, est rasée à 25% ; il y a environ 90 000 morts et plus de 40 000 blessés.

Allemagne, 14 mars
Un bombardier Lancaster du squadron 617 détruit le viaduc de Bielefeld avec une seule bombe spéciale *Grand Slam* de 10 tonnes.

Allemagne, 18 mars
Bombardement de Berlin par la plus forte concentration aérienne jamais réunie : 1 330 B-24 et B-17, escortés par 632 Mustang, larguent 4 000 tonnes de bombes.

Grande-Bretagne, 28 mars
Le dernier des 9 200 V1 lancés par les Allemands atteint Sittingbourne, dans le Kent. Sur les 1 847 V1 détruits par la RAF, 638 sont à l'actif des Hawker Tempest. Le 27 mars, le dernier V2 est tombé sur le village d'Orpington.

Birmanie, 4 avril
Evacuation réussie par un hélicoptère Sikorsky YR-4 du Jungle Rescue d'un pilote tombé en zone ennemie, le capitaine J. Green.

Allemagne, 5 avril
Un Focke-Wulf du Sonderkommando Elbe éperonne un Flying Fortress près de Salzwedel. Cette tactique suicidaire est employée de plus en plus par les chasseurs des groupes d'assaut affectés à la défense du Reich.

Londres, 5 avril
Frank Whittle a reçu du Ministry of Aircraft Production un prix de 10 000 livres pour ses travaux de recherche concernant les moteurs à réaction.

Cuba, 19 avril
A La Havane, au cours d'une conférence de trois jours, les représentants de 41 compagnies et de 25 nations fondent l'Iata (International Air Transport Association). Le siège de l'organisation sera à Montréal. (→ 1.10.45)

Allemagne, 5 mai
Devant la destruction de tous les aéroports et l'insécurité des vols, la dernière liaison de la Lufthansa est celle qui, venant d'Oslo, arrive à Flensburg aujourd'hui. (→ 1.4.55)

Japon, 23 mai
Partis des îles Mariannes, 520 B-29 Superfortress bombardent des objectifs industriels de la banlieue de Tokyo. 17 B-29 sont abattus par les Japonais.

Pacifique, 29 mai
Arrivée à Tinian, dans les îles Mariannes, du 509e Composit Bomb Group. Cette unité dispose d'un squadron équipé de B-29. (→ 6.8.45)

France, 4 juin
Georges Detré décolle le prototype du Stampe SV.4, conçu avant guerre par l'ingénieur belge Jean Stampe et qui en avait cédé la licence à la SCAN. Equipé d'un moteur Renault de 140 ch, il se révèle un remarquable biplan d'entraînement et de voltige.

Surrey, 22 juin
A Wisley, Mutt Summers décolle le prototype de l'avion de ligne Vickers Armstrong Viking. Il dérive du bombardier Wellington. Il en prend les ailes, les nacelles moteurs et le train d'atterrissage.

Etats-Unis, 28 juin
Vol inaugural du Cessna 140, avion de tourisme muni d'un moteur Continental C-25 et d'un train d'atterrissage en lames d'acier.

Japon, 2 juillet
L'intensité des raids des B-29 de la 21e US Air Force décide le gouvernement impérial à faire évacuer la population civile de Tokyo.

France, 7 juillet
Premier vol à Villacoublay de l'Arsenal VB 10. Propulsé par deux Hispano-Suiza de 1 250 ch, il a été conçu par les ingénieurs Vernisse et Badre.

Nouveau-Mexique, 16 juillet
Dans le désert d'Alamogordo, les responsables du *Manhattan project* testent la bombe au plutonium Fat Man. (→ 9.8.45)

France, 23 juillet
Le Max Holste MH-52, un biplace de tourisme muni d'un moteur Renault de 140 ch, fait son vol d'essai.

France, 1er août
Ouverture du centre d'essai en vol de Brétigny. Le colonel Paul Badre vole sur un Messerschmitt Me 262.

Hiroshima, 6 août
Le B-29 piloté par le colonel Paul Tibbets largue la *superbomb* Little Boy sur la ville. Elle fait 70 000 victimes en quinze jours. (→ 9)

Japon, 15 août
L'amiral Matome Ugaki, commandant la 5e flotte aérienne, conduit lui-même la dernière attaque de kamikaze : 7 avions du détachement Oita, qui n'atteindront pas leurs cibles.

Etats-Unis, 2 septembre
Grumman reçoit l'ordre de surseoir à la fabrication de 4 000 chasseurs F8F Bearcat.

Etats-Unis, 10 septembre
Entrée en service de l'*USS Midway*. Ce porte-avions de 45 000 t, refondu plusieurs fois, est toujours en service dans la marine américaine.

France, 22 septembre
Au Bourget, Air France reprend le service de la ligne Paris-Londres.

Canada, 1er octobre
A Montréal, ouverture de la conférence de l'Opaci.

Singapour, 4 octobre
Qantas rouvre la ligne de Sydney vers Singapour en hydravion.

Paris, 24 octobre
Une ordonnance crée la Société des aéroports de Paris.

Seattle, 27 novembre
Les usines Boeing, qui ont occupé jusqu'à 78 000 personnes l'année dernière, ne comptent plus que 44 000 ouvriers.

Seattle, 28 novembre
Pan Am commande 20 Stratocruiser chez Boeing pour la somme de 24 500 000 dollars. C'est le plus gros contrat commercial. (→ 8.7.47)

Wichita, 22 décembre
Beechcraft fait voler pour la première fois le prototype de son Beech 35 Bonanza. C'est un monomoteur de 4 ou 5 places avec un empennage papillon. (→ 8.3.49)

Le B-29 a un fuselage pressurisé, des tourelles télécommandées et quatre moteurs Wright R-3 350-23 Duplex Cyclone en double étoile de 2 200 c...

436

Le Stratofreighter est le plus rapide

Commandé par l'US Army Air Force, le C-97 est plus rapide que le B-29.

Seattle, 9 janvier
Avec 9 tonnes de charge, l'avion de transport militaire Stratofreighter Model 367, profitant de vents favorables sur tout le trajet, vient de relier Seattle à Washington en 6 h 4 min de vol, à la vitesse moyenne de 616 km/h. Il est plus rapide que le B-29, dont il est dérivé. Il bat ainsi le record de vitesse de vol de côte à côte. Ce prototype, commandé par l'US Army Air Force et désigné C-97, emprunte à la Super- fortress les ailes, l'empennage, le train d'atterrissage et les 4 moteurs Pratt & Whitney. Mais son fuselage pressurisé a une forme particulière, circulaire comme celle du B-29, mais en huit inversé. Le pont inférieur, prévu pour la cargaison, est surmonté d'un pont plus large pour les passagers. Son autonomie est de plus de 7 000 km. Boeing prévoit une version adaptée pour les compagnies aériennes avec une capacité de 50 à 100 passagers. (→ 28.11)

Les Allemands explorent le vol vertical

Kircheim, 28 février
Les problèmes du réglage précis de la navigation des fusées et celui du temps que demande la construction des chasseurs ont amené les Allemands à envisager une solution intermédiaire. Dans le projet développé sous la direction d'Erich Bachem, la fusée est pilotée quelques instants par un pilote qui devra s'éjecter après avoir conduit l'engin vers son objectif. Disposées dans toutes les régions, ces fusées seraient tirées contre les bombardiers qui déferlent sur le Reich. Le Bachem Ba 349 Natter a fait son premier essai avec le pilote Lothar Siebert. Lors du lancement, la fusée s'est mise sur le dos et est retombée au sol, tuant le pilote.

Le Ba 349 n'a pas d'ailerons, ses gouvernes arrière sont indépendantes.

Le Vultee XP-81 est un avion laboratoire

Le cockpit de l'avion est pressurisé et le siège du pilote éjectable.

Muroc Dry Lake, 7 février
L'USAF avait demandé la mise au point d'un chasseur d'escorte pour les B-29. Bimoteur, il devait être capable d'atteindre 37 000 pieds, de voler à 500 km/h avec une autonomie de 2 000 km. En septembre dernier, la division Vultee de Convair (→ 31.12.43) a présenté un projet basé sur deux moteurs de General Electric. Un turbopropulseur à l'avant actionne une hélice tractive tandis qu'un autre est monté au milieu de l'avion avec les entrées d'air placées sur le dessus du fuselage. Deux prototypes ont été commandés le 11 février 1944, le premier a volé ce matin à l'Army Air Base de Muroc Dry Lake, en Californie. Charles Irvin, en charge du projet, a eu des problèmes de livraison avec le turbopropulseur. Il a fait monter à la place un moteur Merlin V construit par Packard. Avec Frank Davies, le XP-81 est monté à 9 000 m en 7 minutes.

Les Lancaster rayent Dresde de la carte

Allemagne, 14 février
Dresde n'est plus qu'une ville morte qui finit de se consumer. Cette nuit, un raid meurtrier de la RAF a mis la cité historique à feu et à sang. En l'espace de quatorze heures, 773 Avro Lancaster du Bomber Command, suivis par 450 B-17 Flying Fortress de l'US Army Air Force, ont largué près de 2 500 tonnes de bombes incendiaires à haute puissance explosive. Le premier passage de 244 Lancaster eut lieu à 22 h 15. Quand la deuxième vague de 529 est arrivée, trois heures plus tard, Dresde était déjà ravagé par une tempête de feu. Si bien qu'aujourd'hui la troisième vague de bombardiers américains a paru presque superflue.

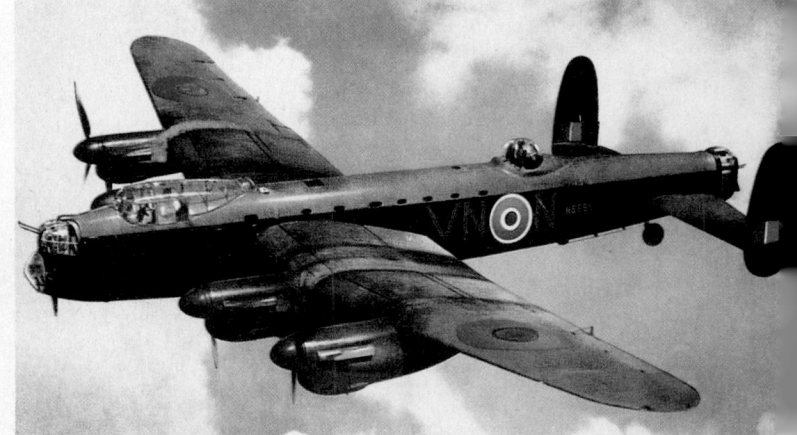

Le Lancaster peut emporter une charge de 6 500 kg de bombes sur 2 800 km.

Roosevelt se rend à Yalta en DC-4

Sur le fuselage, les pays visités.

Les prototypes d'avions français sortent de la clandestinité

Caché à Draguignan pendant la guerre puis remonté à Cannes, le Bellatrix a enfin effectué son premier vol.

Yalta, 4 février

Le président Franklin Roosevelt est arrivé à la conférence de Yalta à bord du C-54C présidentiel *Sacred Cow* (Vache sacrée). Paradoxalement, c'est une peinture représentant un grand voilier naviguant en plein océan qui décore sa cabine personnelle. L'arrangement intérieur de l'avion permet à six personnes de dormir dans des cabines équipées de petites salles de douche. Il y a six hommes d'équipage.

Cannes, 26 février

Le bimoteur Morane-Saulnier 470, avion d'entraînement à la chasse, a été caché durant la guerre dans la région de Draguignan, en pièces détachées. L'ingénieur Jean-Charles Parot qui a conçu l'avion a rassemblé son équipe à Cannes. Jean Girard a dirigé les essais. Le SO-30 Bellatrix a pu voler pour la première fois aujourd'hui avec les pilotes Daniel Rastel et Armand Raimbeau. Ils ont volé 25 minutes.

Toulouse, 27 février

Jean Gonord a 42 ans. Il est chef pilote chez Breguet et c'est lui qui a fait décoller pour la première fois le Breguet 500 *Colmar* qui doit devenir l'avion officiel du gouvernement. Cet avion est doté, comme le Bellatrix, de deux moteurs Gnome Rhône 14r de 1 600 ch. Son histoire est intéressante. Georges Ricard a commencé à travailler sur cet avion de transport civil en 1940 à Villacoublay pour le compte de la société des ateliers d'aviation Louis Breguet. La guerre obligea le personnel de la société à déplacer à Toulouse les composantes déjà achevées de cet avion. Les travaux se poursuivirent à une rapidité toute calculée de façon que les Allemands ne puissent pas se saisir d'un appareil achevé. Conçu pour transporter 23 passagers, l'appareil semble maintenant dépassé par les avions américains qui vont être adaptés au transport civil.

Un Spitfire avec 2 hélices contrarotatives

Grande-Bretagne, 1er mars

L'augmentation de la puissance des moteurs qui équipent les chasseurs pose un problème aux pilotes. Le couple du moteur, appliqué à l'hélice, fait embarquer l'avion dans une direction ou l'autre suivant le sens de rotation de l'hélice. Passer d'un avion à un autre pose de sérieux problèmes d'adaptation. Par exemple, le moteur Merlin tourne dans le sens des aiguilles d'une montre, alors que le Griffon, aussi conçu par Rolls-Royce, tourne en sens inverse. L'effet de couple, qui au sol a tendance à faire sortir l'avion de la piste, se corrige à l'aide du palonnier. Dès que l'avion décolle et prend de la vitesse, l'effort sur le palonnier diminue à mesure que la vitesse rend la gouverne plus active. La puissance du moteur du Spitfire Mk XXI, avion aux ailes redessinées et au fuselage allongé qui doit voler au squadron 91, a posé ce problème. Pour le résoudre monter encore plus en puissance, certains exemplaires ont été équipés de deux hélices contrarotatives. Les moteurs de 12 cylindres Griffon de la série 120 actionnent deux arbres coaxiaux qui portent chacun une hélice. L'effet de couple annulé, on est monté jusqu'à 2 050 ch.

Encore plus puissant et plus rapide.

Un avion suicide est produit en série

Okinawa, 6 avril

Quatre avions suicide japonais ont réussi à endommager sérieusement le cuirassé *West Virginia* et trois autres bâtiments. Amenés par des bombardiers porteurs, ces engins sont pratiquement impossibles à intercepter. Selon l'angle choisi par le pilote kamikaze, leur vitesse peut passer de 630 à plus de 900 km/h.

Ce sont des Yokosuka MXY 7 qui ont rempli cette mission. C'est une bombe volante construite par Dai-Ichi Kaigun Kokusho. Elle est propulsée par trois fusées qui donnent 800 kg de poussée chacune. L'engin emporte une charge explosive de 1 200 kg mais il n'a qu'une autonomie de 37 km, d'où le besoin de le faire porter par un bombardier.

Le pilote japonais de cette bombe volante a préféré se poser dans la jungle.

La BOAC reprend son exploitation commerciale vers l'Australie

D'abord hydravion de reconnaissance, le Short S-25 Sunderland a été transformé en hydravion de transport en 1943.

Australie, 2 juin

Un Lancastrian de la compagnie BOAC, dérivé d'un appareil qui a commencé sa carrière au sein de la Royal Air Force en tant que bombardier Lancaster, vient de se poser sur l'aéroport de Sydney. Il a effectué en soixante-trois heures un vol de quelque 19 000 km. Il s'agit du vol inaugural d'un service postal hebdomadaire entre la Grande-Bretagne et la lointaine Australie. Les liaisons entre ces deux pays membres du Commonwealth ont été sérieusement perturbées pendant la guerre. La BOAC et la Qantas ont donc lancé ce service afin de rouvrir les voies de communication entre Londres et Sydney. Chaque vol est conduit par un équipage anglais jusqu'à Karachi, en Inde, où il est pris en charge par un équipage australien. Pendant la guerre, la BOAC opérait un vol qui devait transiter par Lisbonne, puis suivre l'Afrique de l'Ouest jusqu'à Durban, en Afrique du Sud, avant de se diriger vers l'Australie. Dès janvier 1943, cette ligne utilisait des hydravions Short Sunderland.

La réorganisation de l'armée de l'air française après la victoire

France, 20 juin

Le groupe de chasse Normandie-Niémen est de retour. Les 37 Yak-3 ont atterri au Bourget. Symbole de la présence française auprès des Soviétiques, il n'est pas le seul à s'être distingué aux côtés des Alliés sur les théâtres d'opérations les plus divers. Les groupes de bombardement ont opéré dans le cadre de la Tactical Air Force en Allemagne, les groupes de chasse et de bombardement FAFL ont été engagés aux côtés de la RAF, les bombardiers lourds ont servi au sein du Bomber Command. Seules les unités de chasse et de reconnaissance qui ont appuyé la 1re armée française de De Lattre de Tassigny ont été intégrées au 1er corps aérien français, créé à la fin de 1944. Au sortir de la guerre, l'armée de l'air française doit donc se reformer. Pour l'état-major, il est urgent de séparer des commandements alliés toutes les unités aériennes éparpillées. La création, le 10 mai, du GMMTA va déjà donner à la nouvelle armée de l'air des premiers moyens organiques de transport.

Le groupe de chasse Normandie-Niémen au Bourget avec les Yak-3, cadeaux de Staline pour son efficacité au combat.

Air France est nationalisée

France, 26 juin

La compagnie Air France est née le 30 août 1933 de la fusion de quatre entreprises de transport aérien : Air Union, la Société générale de transport aérien, la Compagnie internationale de navigation aérienne et Air Orient. Cette société privée à 20 %, est, dès à présent, nationalisée. Elle avait été placée, depuis la Libération, sous régime de réquisition gouvernementale. La propriété de l'actif et du capital d'Air France transatlantique et d'Air Bleu devient donc propriété de l'Etat.

Le partage de l'Atlantique

Etats-Unis, 1er juin

La CAB (Civil Aviation Board) l'a décidé : les trois grandes compagnies américaines TWA, Pan American et American Overseas Airlines vont se partager le trafic sur l'Atlantique Nord. United est la seule grande compagnie à ne pas avoir demandé des droits sur les routes internationales. Son président, William Patterson, a pensé que 24 avions sur la ligne Etats-Unis - Europe étaient bien suffisants. Il faut attendre la réaction des Européens quant à cette monopolisation du trafic. (→ 24.10.45)

Clostermann, as des as français

Fassberg, 3 mai

Ce soir, à bord de son Tempest *Grand Charles*, Pierre Clostermann revient de ce qui sera sans doute son dernier combat. A la tête de 24 Tempest du 122e *wing*, il a fini la journée par une attaque sur la base aéronavale de Grossembrode au Danemark. 23 avions rentrent à la base. Sa chance insensée et sa prodigieuse habileté ont fait de lui le pilote le plus prestigieux de la France libre. On lui reconnaît 33 victoires officielles et 12 probables, sans compter les destructions au sol d'avions, de chars, de trains, etc. Ce palmarès lui a valu le nom de Premier Chasseur de France.

Bruxelles de nouveau relié à Léopoldville

Le Lockheed Lodestar est très entouré à son arrivée à Bruxelles-Haren.

Bruxelles, 10 juillet
Il est dix heures quand le Lockheed Lodestar de la Sabena se pose à l'aéroport de Haren. Jo Van Ackere est le commandant de bord qui vient de réaliser la première liaison d'après-guerre en deux jours. Tony Orta, administrateur-directeur de Sabena-Afrique, est parmi les passagers. Le prolongement depuis Alger n'a été possible qu'en obtenant des Français l'autorisation de survoler la Méditerranée, et des Alliés la possibilité de se poser à Bruxelles, ville toujours fermée au trafic aérien civil. L'appareil, immatriculé OO-CAV, est parti de Léopoldville le 8. Il a fait escale à Gao, Aoulef et Marseille. Il est prévu un service par semaine.

L'aile volante Northrop est en magnésium

Etats-Unis, 31 juillet
L'aile volante XP-79 de Northrop aura une manière particulière de remplir ses missions. Prototype original, il couronne près de vingt ans de recherches de la firme sur les avions sans fuselage. Ce chasseur aérodynamique est conçu pour l'attaque par collision des bombardiers adverses. Dans cette perspective, les ailes sont d'une solidité exceptionnelle. Elles ont un bord d'attaque épais en magnésium, capable, théoriquement, de couper les ailes de l'adversaire et de supporter le choc. La cabine abrite le pilote, allongé à plat ventre. Doté de deux turboréacteurs Westinghouse de 520 kg de poussée, l'appareil peut dépasser 800 km/h. (→4.5.50)

Propulsée par deux réacteurs, cette aile volante est très rapide. Sa plus grande particularité est de pouvoir détruire l'adversaire en le heurtant.

Avro sort un avion commercial, le Tudor

Le Tudor, un avion au rayon d'action exceptionnel : près de 6 500 km.

Grande-Bretagne, 24 juin
Peu de passagers, 32 au total, mais un long rayon d'action de plus de 6 000 km. Telles sont les deux caractéristiques principales du Tudor, qui vient d'effectuer son premier vol d'essai. Ce nouveau prototype de la firme Avro est conçu, dès 1943, comme un avion commercial transatlantique. Développé à la demande du ministère de l'Air, il est une version pressurisée du bombardier Avro Lincoln. S'il garde des éléments du Lincoln, le Tudor dispose d'un fuselage de configuration nouvelle. Il n'a plus qu'une dérive alors que le Lincoln en avait deux. Propulsé par 4 moteurs Rolls-Royce Merlin de 1 770 ch, il atteint en vol de croisière les 300 km/h.

Un as se tue avec le Shooting Star

Burbank, 6 août
Il a accompli tant de missions dangereuses qu'on l'avait cru invulnérable. La nouvelle de la mort du major Richard Bong laisse pantois. Il participait aux essais du Lockheed P-80 Shooting Star. Juste après un décollage, alors que l'appareil était toujours à faible altitude, le réacteur a faibli. L'avion a plongé vers le sol et s'est écrasé, tuant son pilote sur le coup. Le major Bong avait eu une carrière militaire exceptionnelle : engagé dans l'US Army Air Force en juin 1941, il s'était vite fait remarquer et détenait le record des victoires américaines. Il volait sur P-38 comme son ami MacGuire, mort le 7 janvier. (→26.1.46)

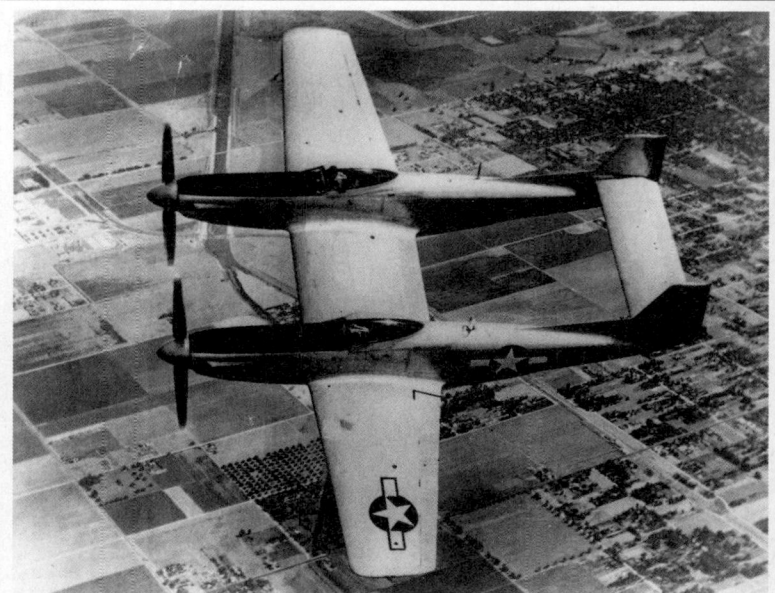

Le P-82 Twin Mustang est construit en accouplant deux fuselages de P-51 à l'aide d'un plan central. Un pilote se trouve dans une carlingue, un observateur mitrailleur ou opérateur radar dans l'autre.

Les raids de deux B-29 mettent fin au conflit

Le B-29 « Enola Gay » porte le nom de la mère de son pilote, Paul Tibbets. Ce n'est qu'après le décollage qu'il informe l'équipage de sa mission.

Nagasaki, 9 août

Le raid que viennent de mener deux B-29 restera marqué dans l'histoire de l'humanité. Le 6 août, piloté par le colonel Paul Tibbets, le B-29 baptisé *Enola Gay*, du 97e Bomber Group, décolle de l'île Tinian, dans les Marianes. Le temps est parfait. Ils sont douze membres d'équipage, photographiés avant le départ. Deux autres B-29 font partie du voyage. Le premier filmera l'explosion, le second fera des relevés scientifiques. A bord d'*Enola Gay* il n'y a qu'une bombe mais c'est une superbombe : Little Boy. Elle a été armée pendant le vol. A 8 h 15 min et 17 s, heure locale, le bombardier, à 9 600 m d'altitude au-dessus d'Hiroshima, largue le terrible engin. Il vire immédiatement à droite pour s'écarter. Après l'explosion, le bilan est dramatique : 80 000 morts et une destruction de la ville à 60%. Dans le monde, la stupéfaction fait place à la consternation. Le Japon ne semble pas pour autant prêt à céder. Le 9 août, c'est au tour du B-29 *Bock's Car* de faire son entrée dans l'histoire. Piloté par le *major* Sweeney, l'appareil porte la seconde bombe : Fat Man. Les nuages trop épais sauvent la ville de Kokura. Nagasaki est détruit à 70% et on relève 40 000 morts des décombres.

L'avancée fulgurante de la technologie aéronautique après six années de guerre

L'aviation avait déjà joué un rôle capital au moment des dernières offensives de la Première Guerre mondiale. Son importance dans la Seconde a été déterminante. De part et d'autre, les adversaires savaient que celui qui dominerait le ciel gagnerait la guerre. Hitler n'a pas pu débarquer en Angleterre parce qu'il a perdu la bataille aérienne. Il a aussi commis une erreur grave en ne laissant pas se développer les projets de ses ingénieurs sur les avions à réaction et en donnant la priorité aux programmes de bombardiers. L'aviation a été capitale dans cette guerre, à laquelle elle doit un développement qui n'aurait pas été possible autrement. Les moteurs sont à mettre au premier plan. Leur rapport puissance-poids est devenu phénoménal. Ils ont permis de voler à des altitudes et à des vitesses auxquelles personne ne pensait il y a six ans. Le réacteur est entré en application. Les métaux utilisés à la construction des cellules, les méthodes de rivetage rendent possible la construction d'appareils pressurisées. Les communications radio sont passées du morse à la phonie et le radar est installé au sol aussi bien qu'à bord des avions.

Après la fin du conflit en Europe, des centaines de Flying Fortress attendent dans la zone américaine de Munich pour rejoindre le Pacifique.

La chaîne de montage des Constellation dans les usines Lockheed. Après les versions militaires, ces appareils vont être adaptés pour les civils.

L'avion de ligne Languedoc 161 vole enfin

Le Bloch SE-161 a une autonomie de 2 500 km., sa vitesse est de 330 km/h.

Toulouse, 17 septembre

Le projet de cet avion commercial date du début de la guerre. Le prototype, construit à Bordeaux sous la désignation Bloch SE-161, a connu des aventures peu banales. Le 4 février 1942, il fut transféré vers Cannes avec l'accord des autorités allemandes. Jean Girard devait participer à la mise au point des essais, et Daniel Rastel fit plusieurs vols jusqu'au début novembre quand la menace de l'arrivée des Allemands se précisa. Rastel et Girard décidèrent de fuir avec l'avion. Alors que certaines mises au point avaient lieu à Marseille, un mécanicien fit une erreur dramatique, qui allait ruiner leurs espoirs. Vérifiant la roue arrière, il décida de tester son escamotage. Oubliant que les moteurs tournaient pour un point fixe, il actionna la commande du cockpit. Le train principal s'affaissa et l'appareil tomba sur le sol comme un animal blessé. Aujourd'hui, Pierre Nadot a fait le vol d'essai du premier appareil de série.

American Export inaugure l'Atlantique

Un DC-4, juste après son décollage de l'aéroport de LaGuardia.

Atlantique, 24 octobre

Un C-54 d'American Overseas Airlines a réalisé le premier vol transatlantique commercial depuis la fin de la guerre. La compagnie avait absorbé il y a peu de temps la société American Export Airlines, qui avait comme objectif l'exploitation des liaisons au-dessus de l'Atlantique. Pour la première fois, c'est un appareil terrestre, un Douglas C-54 Skymaster provenant des surplus de l'armée, qui a assuré la liaison. Parti de New York, le quadrimoteur a rejoint Hurn – l'aéroport de Londres n'étant pas encore ouvert –, en 14 h 5 min. Il a établi ainsi un nouveau record sur cette ligne et semble repousser le règne des hydravions. (→ 16.9.46)

Le « Lionel de Marmier » perd 2 moteurs

Amérique du Sud, 31 octobre

La tournée de prestige en Amérique latine du Laté 631 *Lionel de Marmier* s'avérait être un triomphe. Partout l'hydravion de luxe avait remporté le plus grand succès. Le voyage d'aujourd'hui entre Montevideo et Buenos Aires s'annonçait aussi agréable que d'habitude pour les 65 passagers qui venaient d'embarquer. Alors que le vol se déroule bien, c'est le drame : un bruit d'explosion, de très violentes vibrations secouent l'avion. Les mécaniciens constatent qu'un des moteurs a disparu et qu'un autre est sur le point de se détacher. La panique saisit les passagers. Deux d'entre eux ont été fauchés et mutilés par une des pales d'hélice qui a déchiré la carlingue et pénétré dans leur cabine. Le spectacle est terrifiant. Jean Mouligne s'efforce de diriger l'hydravion vers une lagune sur laquelle il espère se poser. La manœuvre est difficile, car il doit éviter toute secousse qui pourrait déséquilibrer encore plus l'avion et il reste 15 000 litres d'essence. Il réussira un amerrissage en douceur dans la lagune de Rocha.

Les hélices avaient des moyeux en Duralumin qui n'avaient pas été testés.

Le Gloster vole avec des turbopropulseurs

Church Broughton, 20 septembre

Le Gloster Meteor vole déjà avec un réacteur basé sur le principe mis au point par Whittle. Un essai intéressant vient d'avoir lieu en faisant voler le même appareil avec deux turbines à gaz qui entraînent des hélices. C'est la première application de la turbine sur un avion. Le principe de base du moteur est, au départ, semblable à celui du réacteur. De l'air comprimé et chauffé dans des étages de compresseurs radiaux est envoyé dans une chambre de combustion où le carburant est injecté. Dans le cas du turbopropulseur, toute l'énergie de la détente est récupérée dans des étages de turbine. Ces turbines sont montées sur le même axe que les étages des compresseurs, mais, au-devant de ces derniers, se trouve une hélice classique. Il n'y a pas de poussée, car l'énergie résiduelle à l'échappement est négligeable. L'effet de couple a nécessité une petite modification de l'empennage qui a reçu deux petites dérives supplémentaires. Le turbopropulseur semble intéressant en vol à basse altitude.

Les deux turbopropulseurs montés sur l'avion sont des Rolls-Royce Trent.

Vol de Guam à Washington sans escale

A Washington, la foule accueille le premier des B-29 à revenir du Japon.

Etats-Unis, 20 novembre
Ils ont largué des milliers de tonnes de bombes sur le Japon. La guerre finie, les B-29 Superfortress de l'US Army Air Force ont regagné progressivement les Etats-Unis en accomplissant des prouesses d'un autre genre. L'un d'eux, le *Pacusan Dreamboat*, vient de battre un nouveau record de distance en reliant sans escale l'île de Guam, dans l'archipel des Mariannes, à Washington, soit une distance de 12 739 km. Depuis la reddition du Japon en septembre dernier, les B-29 Superfortress étaient restés sur place pour secourir les centaines de prisonniers alliés. Ils leur larguaient vêtements et nourriture. Puis, le 1er novembre, le général Armstrong acheminait quatre B-29 depuis leur base d'Hokkaido jusqu'à la capitale fédérale, en 27 h 30 min de vol non-stop. Il battait déjà un premier record de distance avec la Superfortress.

Le DC-4 s'attaque au marché commercial

Le DC-4 survole Brooklyn avant son atterrissage à l'aéroport LaGuardia.

Etats-Unis, 15 décembre
L'Air Transport Command (ATC) de l'USAAF disposait à la fin de la guerre de 839 Douglas C-54 dans des versions C-54A et C-54B. De son côté, le groupe de transport de l'US Navy, l'Air Transport Service (ATS), en avait 192. Une grande partie fut mise en vente comme surplus et une autre fut mise en location. Washington considérait qu'il était nécessaire de pouvoir reprendre ces Skymaster en cas de besoin. Cinq cents appareils furent donc transformés pour donner une version civile qui pouvait emporter 44 passagers et 5 membres d'équipage. Douglas se trouve devant un problème de concurrence et l'usine de Santa Monica a des difficultés à enregistrer des commandes. En version commerciale, le DC-4 n'est toujours pas pressurisé. Son altitude de croisière reste aux environs de 8 000 pieds (2 600 m) et sa charge payante est de 5 190 kg.

Les femmes pilotes de l'ATA ont convoyé 308 567 avions

Angleterre, 30 novembre
Au plus fort de la Seconde Guerre mondiale, les pilotes de l'ATA convoyaient sans relâche et par n'importe quel temps. Mais, à la fin du conflit, la formation a été dissoute. En Angleterre, le souvenir des femmes pilotes de l'ATA restera dans les mémoires. Au départ, elles étaient huit Anglaises sous le commandement de Pauline Gower. Chacune d'entre elles totalisait au moins 600 heures de vol et aucun entraînement n'avait été nécessaire. Puis leurs rangs se sont vite grossis. De huit, leur nombre est passé à cent, dont 37 Anglaises, 4 Néo-Zélandaises, 2 Australiennes, 2 Polonaises, 1 Française, Durhalde Margot, des Forces françaises libres, et plus de 26 Américaines, dont Jacqueline Cochran en 1941. Les femmes les plus prestigieuses avaient rejoint l'ATA : Loïs Butler, femme du président de De Havilland Aircraft Company, et Jadwiga Pilsudska, fille du maréchal Pilsudski. Leurs missions étaient périlleuses, elles pilotaient dans des conditions difficiles, sans radio et à l'aide de cartes souvent incomplètes. Les accidents n'étaient pas rares et 15 femmes trouvèrent la mort en service commandé, comme Amy Johnson, en 1941, au retour d'une mission en France. Au total, 308 567 avions furent convoyés par les femmes pilotes de l'ATA.

Des pilotes de l'ATA vérifient les points de repère de leur navigation.

Le mystère des cinq Avenger

Bermudes, 5 décembre
« Nous ne voyons plus la terre... Nous sommes perdus... » Ce sont les derniers mots du lieutenant Taylor, de l'US Navy. Partis de Fort Lauderdale, en Floride, les cinq bombardiers Avenger et l'hydravion Mariner ne sont jamais revenus à leur base. Une opération de recherche est lancée au large des côtes des Bermudes, mais en vain ils se sont évanouis dans l'océan. On ne s'explique pas la raison de la disparition des avions. (→ 29.1.48)

Des Avenger en vol de formation.

La course à l'équipement des compagnies

L'avion le plus moderne du moment est le Lockheed Constellation 049.

La France pense aux avions de tourisme

Le Norécrin est un agréable biplace de tourisme équipé d'un train rentrant.

Londres, 15 décembre

Avec un total de 207 appareils, BOAC est la compagnie européenne qui dispose à l'heure actuelle de la plus grande flotte. Une partie de ces avions sont américains. Il y a dix types d'avions terrestres et sept classes d'hydravions. La traversée du DC-4 d'American Overseas Airlines, le 24 octobre, a obligé les responsables à reconsidérer l'exploitation des hydravions sur l'Atlantique. Aux Pays-Bas, la KLM a repris ses vols européens dès le 26 septembre. Elle avait continué à exploiter des lignes aux Antilles et dans le Pacifique sous le nom de KNILM. Swissair, pour sa part, a repris des liaisons dès le 30 juillet.

Bruxelles, 26 décembre

Dès le 22 novembre, la Sabena a demandé à l'administration de l'aéronautique belge l'immatriculation de trois DC-3. Ces appareils, provenant des surplus de l'USAAF, ont été confiés à Canadair qui se charge de leur révision et de leur aménagement pour les transformer en avions commerciaux. En même temps, trois autres DC-3 sont commandés directement chez Douglas. Le premier DC-3 livré ce matin sera mis en service dès le début du mois de janvier prochain sur les lignes de Londres et Paris. Il est prévu que l'avion qui vient d'être livré fera un essai sur la ligne du Congo *via* Marseille, Alger, El Golea, Lagos et Douala.

France, 15 décembre

Avec l'essai de son Nord 1200, la SNCAN entre à son tour dans la compétition des avions de tourisme. Ce biplace à train rentrant, doté d'un moteur de 140 ch, peut atteindre une vitesse de croisière de 240 km/h. Les résultats sont si encourageants que la firme songe déjà à poursuivre l'étude de la prochaine version 1201, Norécrin, qui sera quadriplace. Un très grand nombre d'avions légers ont vu le jour cette année. Parmi eux, il faut citer

le Stampe SV-4, dont l'étude avait été entreprise avant la guerre par l'ingénieur belge Jean Stampe, et qui a été réalisé également par la SNCAN. Parmi les avions de conception entièrement nouvelle figurent le SE-2100, aile volante à propulseur arrière, et le SE-2300, un avion de tourisme plus classique. Ces deux prototypes, étudiés dans la clandestinité par Pierre Satre, ingénieur de la SNCASO, ont effectué leurs premiers essais au mois d'octobre à Toulouse.

Le 26 décembre, le DC-3 (OO-CBA) venant de Montréal est à Bruxelles.

Au lendemain de la guerre, un B-17 Flying Fortress est exposé sous la tour Eiffel. Un exemplaire similaire est offert au général Koenig.

Les avions de l'année 1945

Le Sud-Ouest SO.30 Bretagne est construit à 45 exemplaires.

Le Bonanza Model 35, premier modèle d'après-guerre de Beech.

Le Sud-Est SE.161 Languedoc tire ses origines du Bloch 160 d'avant-guerre. Il est exploité par Air France sur ses principales lignes.

Premier avion de ligne britannique à entrer en service après la guerre, le Vickers Viking fait appel à des éléments du Wellington.

Le de Havilland DH.104 Dove offre 8 à 10 places en court-courrier.

Le Bristol 170 Freighter est équipé de deux larges portes à l'avant.

Sur son Model 120, Cessna introduit un fuselage métallique.

La cabine du Miles M.57 Aerovan peut contenir une automobile.

Northrop conçoit son XP-79 Flying Ram pour sectionner la queue des avions ennemis ! Sa structure fait appel au magnésium et à l'acier.

Le Bell Model 47 reçoit la première homologation des services américains pour un hélicoptère commercial. Il est produit jusqu'en 1974.

Le McDonnell XFD-1 Phantom entre en service en tant que FH-1.

L'unique prototype du Handley-Page Hermes 2 (50 places).

L'Avro Tudor 1, premier avion de ligne pressurisé britannique.

Seuls 5 Martin JRM-1 Mars sont construits sur les 20 prévus.

Le Nakajima Kikka a été inspiré par les plans du Me 262 allemand.

Le Pilatus P-2, avion d'entraînement de l'aviation helvétique.

Le Miles M.65 Gemini, bimoteur dérivé du M.38 Messenger.

Aux 14 Douglas C-74 Globemaster succède le C-124 amélioré.

Le Fairey Spearfish devait remplacer le Barracuda pour le torpillage.

Le Bachem Ba 349 Natter, missile piloté lancé verticalement.

Le Bell XP-83 expérimental est dérivé du chasseur P-59 Airacomet.

Plus de 320 SAAB 91 sont construits pour l'entraînement militaire.

Le 18e Gloster Meteor F.1 est transformé en Trent Meteor. Equipé de deux Rolls-Royce Trent, il est le premier avion à turbopropulseurs du monde.

Le dernier chasseur à moteur conventionnel de la Fleet Air Arm est le Hawker Sea Fury. L'appareil est utilisé pendant la guerre de Corée.

Le prototype du Short Sunderland Mk.IV est transformé en prototype du Seaford, qui donnera naissance au Solent civil utilisé par BOAC.

Le Douglas XBT2D-1 est le premier bombardier torpilleur monoplace de l'US Navy. Il emporte ses charges offensives sur 15 pylônes externes.

Le Yakovlev Yak-15, premier chasseur à réaction soviétique.

Le prototype du Lockheed P2V Neptune, utilisé dans le monde entier.

Le seul Heinkel He 274 a été construit et achevé en France.

Le Northrop F-15A Reporter, version de reconnaissance du P-61.

Le Nord 1201 Norecrin, triplace équipé d'un moteur Renault 4P01.

Le Morane-Saulnier MS.470 Vanneau, construit à 150 exemplaires.

Le Grumman XTB3F Guardian entre en service comme AF-2W.

Le Consolidated Vultee XF-81 avec son turbopropulseur TG-100.

1946

1 003,31 km/h
Grande-Bretagne
Capitaine Donaldson
Gloster Meteor F4
7.9.46

18 082 km
Etats-Unis
Thomas Davies
Lockheed P2V Neptune
1.10.46

17 083 m
Italie
Mario Pezzi
Caproni 161 bis
22.10.38

94 340 kg
Allemagne
Blohm & Voss V238 V1

2 720 kgp
Etats-Unis
Reaction Motors Inc.
XLR 11-RM-5

Grande-Bretagne, 1er janvier
Les vols civils sont désormais autorisés : Heathrow devient l'aéroport de Londres. (→ 31.5)

Santa Monica, 18 janvier
Western Airlines prend livraison du premier quadrimoteur DC-4 civil, aménagé pour 44 passagers.

New York, 26 janvier
Un Lockheed Shooting Star P-80, piloté par le colonel William Council, a relié Long Beach à New York en 4 h 13 min. (→ 22.6)

Indochine, 28 janvier
La 1re escadre de chasse de l'armée française, arrivée à Saigon le 26 novembre 1945, reçoit ses Sptifire Mk IX, livrés par l'Angleterre, dans le cadre des accords Harteman-Dickson. (→ 2.4.47)

Grande-Bretagne, 31 janvier
La BOAC reprend son service d'hydravions vers Singapour avec un Short Sunderland.

Orly, 6 février
TWA affrète un Lockheed Constellation pour son premier vol commercial transatlantique régulier, de New York à Paris. Mais, 3 jours plus tôt, Pan Am l'avait utilisé sur le trajet New York - Bermudes.

Santa Monica, 16 février
Baptême aux usines Douglas du premier DC-4 qui sera livré à Air France. La marraine est Dorothy Lamour.

Melsbroek, 18 février
Anselme Vernieuwe et Jo Van Ackere ramènent le DC-4 *Ville de Bruxelles* de Santa Monica. Ils sont passés par les Açores. (→ 24.2)

Los Angeles, 7 mars
Le DC-4 d'American Airlines parti de New York a réalisé la liaison de côte à côte en 13 h 15 min, soit trois heures de moins que le DC-3.

Buenos Aires, 15 mars
Un Avro Lancastrian inaugure la liaison de British South American Airways vers l'Amérique du Sud.

Paris, 27 mars
Signature d'un accord franco-américain concédant à Air France les droits d'escale à Boston, New York, Washington et Chicago.

Marignane, 2 avril
Jean Lecarme décolle le troisième et seul prototype restant de l'hydravion SE 200. (→ 21.7)

Tokyo, 2 avril
L'hydravion Short Sunderland III *Hythe* de la BOAC, parti de Poole le 17 février, termine son périple au Japon, après escales en Australie, en Nouvelle-Zélande et en Chine.

Toussus-le-Noble, 9 mai
Le vol d'essai du SUC 10 Courlis, avion de tourisme doté d'un moteur arrière propulsif Mathis et réalisé par la Secan, révèle des imperfections ; mais la production de série est déjà lancée. (→ 12.5.47)

New York, 9 mai
Le club de base-ball des Yankees, qui vient de signer un contrat avec United Airlines, est la première équipe sportive à choisir l'avion pour tous ses déplacements.

Singapour, 12 mai
La BOAC et Qantas se relaient pour assurer la liaison Angleterre-Australie *via* Singapour par hydravion.

Paris, 28 mai
Air France met en service sur Paris-Alger ses SE 161 Languedoc, quadrimoteurs pour 33 passagers, commandés à la SNCASE.

Rio de Janeiro, 23 juin
Air France rouvre sa ligne sur l'Atlantique Sud : un DC-4 piloté par Jean Dabry effectue la liaison Paris-Rio en 58 h de vol. (→ 28.6)

Santa Monica, 29 juin
Le Douglas DC-6, issu du prototype XC-112, effectue son vol initial. Il fait déjà l'objet d'une première commande de 50 exemplaires pour la compagnie American Airlines, 20 pour United Airlines, et 5 pour la Sabena. (→ 19.11.47)

Paris, 30 juin
La publication du rapport de la commission Guyot, concluant à la nécessité de forces aériennes tactiques d'appui à l'armée de terre, soulève un tollé général au sein de l'état-major aérien.

Bikini, 1er juillet
Premier test atomique américain sur l'atoll de Bikini : le B-29 *Dave's Dream* largue une bombe A, du type de celle de Nagasaki, depuis une altitude de 10 000 mètres sur des navires au mouillage.

Londres, 1er juillet
Parti de Paris, un Junkers Ju 52 assure le premier vol de la TAI (Transports Aériens Intercontinentaux). Cette compagnie française, créée le 3 juin, s'est donné pour sigle l'emblème d'Air Afrique : le griffon ailé. (→ 19.12)

Londres, 1er juillet
L'ouverture du service commercial de la BOAC entre Londres et New York avec un Lockheed Constellation met fin au système de convoyage par Liberator mis en place pendant la guerre.

Etats-Unis, 21 juillet
Un chasseur à réaction XFD de l'US Navy décolle du porte-avions *USS Franklin D. Roosevelt*. Le XFD Phantom I est un biréacteur construit par McDonell.

Grande-Bretagne, 24 juillet
Essai réussi de siège éjectable où l'homme remplace le mannequin : Bernard Lynch saute d'un Gloster Meteor volant à une vitesse de 500 km/h, à 2 500m d'altitude, avec un siège Martin-Baker.

Norvège, 7 août
Un DC-3 de la British European Airways en route pour Oslo percute une colline dans le brouillard. C'est le premier accident de BEA.

Yougoslavie, 19 août
Pour la seconde fois en un mois, un avion de transport non armé de l'USAAF est abattu par des chasseurs au-dessus de la Yougoslavie.

Grande-Bretagne, 27 septembre
A bord de l'avion expérimental DH.108, doté d'une aile en flèche, Geoffrey de Havilland Jr. tente de franchir le mur du son. Mais l'avion se désintègre en plein vol au-dessus de l'estuaire de la Tamise. (→ 9.9.48)

Belgique, 1er octobre
Formation de la force aérienne belge.

Le Caire, 6 octobre
Arrivée du B-29 *Pecusan Dreamboat*, piloté par le colonel Irvine, venu sans escale de Honolulu *via* le pôle Nord, soit 17 500 km.

Etats-Unis, 13 novembre
En projetant du dioxyde de carbone solidifié sur des nuages qu'il survole, l'ingénieur Shaefer, de la General Electric Company, provoque une averse de neige.

Toulouse-Blagnac, 16 novembre
Arrimé sur un SE 161 Languedoc transformé en avion porteur, le Leduc 0.10, qui a été équipé d'une tuyère thermopropulsive, débute aujourd'hui ses essais de vol composite. (→ 21.10.47)

Suède, 16 novembre
Le Saab 90 surnommé *Scandia* accomplit son premier vol. Propulsé par deux moteurs Pratt & Whitney construits sous licence, c'est un avion de transport commercial de la classe du DC-3. (→ 10.3.47)

Marietta, 22 novembre
Premier vol du bimoteur de transport Martin 2-0-2. D'une capacité de 42 passagers il doit remplacer le DC-3. (→ 1.9.50)

Melsbroek, 25 décembre
L'aérogare entre progressivement en service. Haren, à 4 km, reste le centre d'entretien. Les avions circulent entre les deux zones sur une route spéciale. (→ 5.4.47)

Le nom d'Air France est officiellement rétabli. La compagnie a reçu son premier Lockheed Constellation (F-BAZA) le 11 juillet.

AIR FRANCE
AMÉRIQUE DU NORD

Air France retrouve son activité et son hippocampe ailé

Paris, 2 janvier
Henri Desbruères, directeur général de la Compagnie nationale Air France, a communiqué au personnel le programme pour l'année 1946. Avec une subvention de un milliard de francs, il se donne pour objectif de faire passer le réseau actuel de 15 millions de kilomètres parcourus à 40 millions. Air France a récupéré en 1945 le Réseau des LAM (Lignes Aériennes Militaires) et celui des lignes de l'Empire. Il y régnait un bon esprit de ligne grâce au travail du général de Marmier. Le réseau des lignes aériennes françaises (RLAF) a été établi le 12 février 1945. Depuis le 3 mars, des représentants du personnel siégeaient en comité de direction. La structure juridique de la société est provisoire. En ce qui concerne la flotte, il était impératif de se placer au même niveau que la concurrence. Vingt-sept Douglas DC-3,

Il reste des Caudron C.449 Goéland, qui ne transportent que six passagers.

treize Locheed Constellation et quinze DC-4 ont été commandés. Le quadrimoteur SE 161 Languedoc entrera en service dans quelques semaines. Pour le personnel, le centre d'instruction de Vilgenis a été créé à Massy. Il peut recevoir deux cents personnes. Air France organise des stages de formation des hôtesses de l'air. (→ 1.9.48)

L'avion de M. Hilsz explose en vol

Bourg-en-Bresse, 30 janvier
La tempête qui faisait rage aujourd'hui dans l'est de la France a été fatale à Maryse Hilsz, dont le Siebel-204 a explosé en vol. L'accident n'a laissé aucun survivant. Celle qui avait accumulé au cours de sa carrière les raids et les records avait bien cru devoir renoncer à l'aviation après l'armistice. Mais son courage et sa passion du vol avaient eu raison de tous les obstacles. Elle s'était engagée dans la Résistance et, devenue capitaine des FFI, était entrée en octobre 1944 dans l'armée de l'air, où elle avait reçu le grade de sous-lieutenant pilote. Elle avait été ensuite affectée au groupe des liaisons aériennes ministérielles, à Villacoublay. Le nom de Maryse Hilsz restera parmi ceux des aviateurs les plus célèbres de l'avant-guerre.

Douglas veut supplanter le Constellation

Etats-Unis, 15 février
Construit par Douglas pour l'US Army Air Force, le XC-112 vient d'effectuer son premier vol. Mais, pour la firme de Santa Monica, cet avion militaire doit servir de prototype à un nouvel appareil de transport civil de grandes capacité et autonomie, le DC-6. Certes, le DC-4, qui en son temps a constitué une innovation majeure, a encore de beaux jours devant lui. Mais la mise en service d'un nouveau rival, le Lockheed Constellation, oblige Douglas à réagir. Dérivé du C-54 Skymaster, version militaire du DC-4, dont il conserve l'aile, le XC-112 a un fuselage plus long. Il pourra emporter jusqu'à 56 passagers. Ses quatre Pratt & Whitney de 2 100 ch sont plus puissants. Enfin, la pressurisation de la cabine, tout en offrant le confort aux passagers, permet le vol à haute altitude, donc à une vitesse supérieure pour une consommation réduite. (→ 19.11.47)

Republic s'attaque au chasseur à réaction

Muroc Dry Lake, 27 février
Le nouveau chasseur de Republic porte bien son nom : Thunderjet! L'appareil utilise la propulsion à réaction, qui remplace le moteur à pistons de son aîné, le P-47 Thunderbolt, célèbre chasseur de cette même firme pendant la Seconde Guerre mondiale. Les performances du XP-84 Thunderjet, observées aujourd'hui au cours de son premier vol d'essai à la base de l'USAAF de Muroc Dry Lake, ont été d'emblée remarquables. Sa vitesse ascensionnelle est surprenante pour les pilotes habitués aux avions traditionnels. Sa maniabilité est bonne compte tenu de sa vitesse. Ses caractéristiques modernes sont synthétisées dans un profil très lisse. Le turboréacteur de General Electric est à flux axial. Le carburant est logé dans les ailes courtes et très profilées. Cet intercepteur est produit par Republic et Air Material Command.

Un dérivé du célèbre DC-4 : le quadrimoteur pressurisé Douglas DC-6.

Le Thunderjet, chasseur subsonique à aile droite de l'armée américaine.

Le Rainbow est le plus beau des avions

Le Français Michel Wibault a participé au développement du XF-12.

Farmingdale, 4 février

C'est un contrat de 6 545 700 dollars que Republic Aviation avait emporté en 1943 quand l'USAAF demandait un avion de reconnaissance capable de voler assez haut et assez vite pour échapper aux intercepteurs ennemis. Republic l'emportait de peu sur Howard Hughes, qui présentait un projet en version bimoteur (→ 7.7). Alexander Kartveli, ingénieur en chef et vice-président, a pensé en faire ultérieurement un avion civil, et c'est sous le nom de Rainbow que le projet a avancé, aboutissant à un quadrimoteur extraordinaire. Le dessin du fuselage, des ailes et des capots moteurs a été dirigé par un souci de parfaite pénétration dans l'air. A bord se trouve un laboratoire photographique complet avec chambre noire. L'entrée d'air des moteurs est sur le bord d'attaque des ailes.

La BEA commence par Londres-Paris

Le DC-3 G-AHCW entrera en service à la BEA le 1er août de cette année.

Northolt, 4 février

Au moment de la constitution de la société, le 1er janvier dernier, il y avait une image évidente de pérennité de la RAF. Les avions avaient gardé leurs cocardes et, pour partie, étaient les DC-3 du Transport Command. Les équipages avaient conservé l'uniforme militaire. La British European Airways, BEA, a pour mission de reprendre au sein de la BOAC les activités européennes de cette dernière. Elle exploite les liaisons vers Paris, Bruxelles, Amsterdam, Helsinki, Lisbonne, Madrid, etc. Son premier aéroport est celui de Northolt, près de Londres. C'est mieux que BOAC qui opère depuis Hurn, près de Bournemouth. (→ 7.8)

Le Strategic Air Command, force de paix

Washington, 21 mars

« La Paix sera notre métier ! » Ainsi le Strategic Air Command, nouveau corps de l'US Army Air Force, définit-il sa mission. Une nouvelle force dont les directives de mise en place viennent d'être officiellement signées par le général Carl Spaatz, commandant en chef de l'USAAF. Alors que l'Union soviétique s'engage à son tour dans la recherche nucléaire et que les communistes sont près de s'emparer du pouvoir en Chine, les Etats-Unis veulent tout mettre en œuvre pour éviter que se renouvelle l'expérience difficile de la dernière guerre. La force militaire que va créer le SAC devra donc être dissuasive, ce qui est d'autant plus souhaitable, en cette période de fin d'hostilités, que l'énorme machine de guerre américaine est complètement démantelée. Aussi, rétablir une force de bombardiers stratégiques est l'objectif prioritaire.

Des hôtesses sur les DC-4 de la Sabena

Bruxelles, 24 février

Les passagers qui se sont dirigés vers le tout nouveau DC-4 de la Sabena ont eu l'agréable surprise d'être accueillis par une charmante jeune femme. Jeanne Bruyland est la première hôtesse de la compagnie. Elle a été engagée le 1er janvier et son dossier au service du personnel porte le numéro matricule 186. Pour l'habiller, la Sabena a opté pour une tenue de style militaire, très prisé actuellement. La veste est cintrée, la jupe plissée arrive au genou. Des bas blancs et des chaussures à talons plats complètent cette tenue, ainsi qu'un petit calot très sobre. Cet événement était réservé au premier des quatre quadrimoteurs DC-4 que la compagnie a commandés à Douglas. Cet appareil, livré lundi 18 février, et immatriculé 00-CBD, a fait aujourd'hui une remarquable démonstration. Il a relié Bruxelles à Léopoldville, en 21 heures de vol. (→ 5.4.47)

Un B-29 Superfortress, l'un des bombardiers de la force de dissuasion.

L'arrivée du « Ville de Bruxelles ».

Mlle Bruyland en tenue d'hôtesse.

La Pan Am renonce aux hydravions mais la BOAC persiste

San Francisco, 9 avril
Ultime tour d'honneur pour l'hydravion *American Clipper*, entre Honolulu et San Francisco. C'est la dernière fois que la Pan Am assure la liaison transpacifique avec ses hydravions. Parti en même temps, un Constellation est arrivé quatre heures plus tôt. Le prix du billet a aussi sérieusement baissé. De 278 dollars, il est passé à 195 pour un aller simple. C'est la fin de l'ère des Clipper, remplacés pour les longues distances par le DC-4 et le Constellation. Depuis le mois dernier, la BOAC a aussi remplacé ses trois Clipper entre Baltimore et les Bermudes par des Boeing. Ses hydravions Sunderland volent toujours vers l'Afrique du Sud et les Indes. La compagnie britannique qui possède une flotte très importante manque d'avions modernes. Elle a dû adapter des hydravions militaires au transport civil. Ainsi

Le Boeing 314 « Dixie Clipper », qui avait commencé sa carrière en 1939.

le Sunderland III et le Seaford donnent-ils naissance au Sandringham et au Solent. Enfin, elle étudie un projet d'hydravion géant, propulsé

par six turboréacteurs, le Saunders-Roe *Princess*, mélange de critères anciens et de technologie plus avancée.

Une école pour les pilotes d'essai

Brétigny, mai
La première pierre de l'Ecole du personnel navigant d'essais et de réception (Epner) a été posée à Brétigny. Chacun espère que cette ancienne base militaire transformée en véritable centre d'essai engrangera de grands succès. L'Epner doit se charger de former des nouveaux spécialistes pour faire face à l'évolution rapide des technologies de construction et d'utilisation des appareils : les pilotes doivent pouvoir se mettre aux commandes des nouveaux avions à réaction. Des services officiels sont chargés de la délivrance des certificats de navigabilité à l'issue des essais. On se souviendra des paroles que le capitaine Ferber prononçait en 1904 : « Concevoir une machine volante n'est rien, la construire est peu, l'essayer est tout. »

Heathrow, le nouvel aéroport de Londres

Londres, 31 mai
Heathrow, le nouvel aéroport de Londres, s'ouvre au trafic : un Constellation de la Pan Am et un autre d'American Overseas Airlines opèrent à partir d'un terrain qui ne comportait encore au début de l'année qu'une piste de 1 000 m

dans un champ de boue. Un budget de 25 millions de livres a été consacré à la construction de cet aéroport avec piste de 2 700 m. Avec le décollage de son premier Constellation pour New York, la BOAC confirmera la présence britannique sur le réseau transatlantique. (→ 1.7)

TWA transporte les stars en Constellation

New York, 15 février
Un véritable studio de cinéma volant ! D'Edward G. Robinson à Paulette Goddard, de Linda Darnell à William Powell et à Walter Pidgeon, trente-cinq vedettes de l'écran ont répondu favorablement à l'invitation de la TWA pour cette première traversée sans escale Los Angeles - New York. Le célèbre milliardaire texan Howard Hughes

pilote lui-même le Lockheed Constellation, un appareil qui a commencé sa carrière commerciale le 11 décembre 1945. Le long voyage, au dire des journalistes qui accompagnaient les artistes, s'est déroulé le plus merveilleusement du monde. Un service particulièrement soigné avait été réservé aux passagers, dans un confort total à plus de 8 000 mètres d'altitude.

L'aviation légère parade à Toussus

Toussus-le-Noble, 22 avril
Le meeting d'aujourd'hui fera date dans l'histoire de l'aviation légère, puisque toutes les nouveautés françaises de l'après-guerre y ont été présentées pour la première fois : vingt-cinq types d'appareils, proposés par seize constructeurs. A partir de 15 h 30 a commencé une présentation en vol à laquelle assistait le ministre de l'Air, Charles

Tillon. Son tout jeune fils a même eu le privilège d'être invité à voler à bord du Nord 1100 Noralpha. Marcel Doret, pilote d'essai de la SNCASE, a fait voler le SE 2300, conçu par Pierre Satre. On pouvait remarquer des noms connus, tels Morane-Saulnier et Mauboussin, mais aussi de nouveaux constructeurs, tels Stark, Paul Aubert et Guerchais-Roche.

Le prototype SE 2100, aile volante à propulseur arrière, est au meeting.

Le Tout-Hollywood embarque pour un vol direct de Los Angeles à New York.

Air France salue la statue de la Liberté

L'équipage du « Ciel Ile-de-France » commandé par Roger Loubry (au centre).

Orly, 28 juin

Le 24, d'Orly, le *Ciel Ile-de-France* s'envolait pour New York. Il vient de rentrer après deux voyages sans encombre. Le quadrimoteur DC-4, immatriculé F-BBDJ, emmenait deux commandants de bord, Roger Loubry et Robert Bonnet, un navigateur, deux mécaniciens, deux radio, une hôtesse et un commissaire de bord. Plus de 5 900 km séparent Paris de New York. Le vol aller s'est déroulé dans d'excellentes conditions. La première étape, jusqu'à Shannon, en Irlande, à 940 km d'Orly, est effectuée en 2 h 48 min. De Shannon, le DC-4 repart pour Gander, à Terre-Neuve : les 3 165 km sont parcourus en 10 h 40 min. La dernière étape jusqu'à LaGuardia Airport, à New York, est faite en 5 h 27 min. Au total, il aura fallu 19 h 25 min pour survoler l'Atlantique Nord. Avec un vent de face relativement faible de l'ordre de 35 km/h, la vitesse moyenne est de 305 km/h. Le vol retour, auquel ont pris part vingt-neuf passagers, s'est effectué à bord du DC-4 F-BBDN. Il s'est déroulé mieux encore. Grâce à un vent favorable, l'avion a pu rejoindre directement Paris depuis Gander. Le temps de vol total a été de 15 heures et 44 minutes et la vitesse moyenne de 377 km/h. Un des problèmes du DC-4 reste l'exiguïté de sa soute à bagages.

Air France est réputée pour offrir un des meilleurs services à bord.

Le « Belphégor » explorera la stratosphère

Le NC 3021, monomoteur de 10 000 kg, doté d'un moteur de 3 000 ch.

Toussus-le-Noble, 6 juin

Vol expérimental aujourd'hui pour le *Belphégor*. Johnny Burtin, le pilote d'essai de la Société nationale de constructions aéronautiques du Centre, anciennes usines Farman, a décollé ce matin de Toussus-le-Noble. Le NC 3021 est un monomoteur de 10 000 kg. Son énorme hélice quadripale est entraînée par un moteur Daimler-Benz DB 610, d'une puissance de 3 000 ch. L'appareil a été conçu pour servir de laboratoire d'exploration de la stratosphère. Il peut atteindre une altitude de 12 800 m et est doté d'une cabine pressurisée pour cinq personnes. Il est prévu pour un équipage de trois membres accompagnés de deux ingénieurs de recherche. Le *Belphégor* a pour mission d'analyser les problèmes posés par l'altitude : la pressurisation, ses variations ainsi que l'étanchéité de la cabine. Il doit aussi étudier les problèmes posés par l'alimentation des moteurs à explosion aux très hautes altitudes.

Beau doublé pour Mikoyan et Yakovlev

Union soviétique, 24 avril

L'Armée rouge a fait une ample moisson de technologie allemande. Elle avait notamment ramené en Union soviétique quelques réacteurs et aussi les plans pour en construire. Ce matin, à quelques minutes d'intervalle, elle a fait voler ses deux premiers monoplaces à réaction. Le Yak-15 a décollé en tête, puis le MiG-9. Le Yak-15 est un monoréacteur qui s'inspire directement du Yak-9, intercepteur à hélice utilisé pendant la guerre. Son réacteur est placé à l'avant avec la tuyère située en dessous du fuselage. La poussée du moteur, dérivé du Jumo 004B, est de 900 kg. Il vole à 800 km/h. Le Mikoyan-Gourevitch MiG-9 est un avion destiné à la chasse. Ses deux réacteurs, copies des BMW 003, sont côte à côte dans le fuselage et se partagent l'entrée d'air à l'avant, où la cloison de séparation porte un canon. Il atteint 910 km/h. (→ 30.12.47)

Le Yak-15, premier chasseur soviétique à réaction sorti en série.

Le Canada appelle North Star le DC-4

Un DC-4 de Trans-Canada Airlines, doté de moteurs Rolls-Royce Merlin.

Montréal, 23 août
Convaincue de l'augmentation de rentabilité du DC-4 dans une version qui serait pressurisée, la société Canadian Vickers à Cartierville, près de Montréal, travaille depuis quelque temps sur cette modification importante de la cellule et des moteurs. Elle a d'abord remplacé les Pratt & Whitney par des Rolls-Royce Merlin à refroidissement par eau. Plus puissants, ils consomment aussi moins de carburant. Les premiers exemplaires ainsi motorisés ont volé le 26 juillet et Trans-Canada les utilise sous le nom de North Star. La version pressurisée qui vient de voler en prototype, le DC-4M2 semble donner satisfaction. Trans-Canada en a commandé cinquante. Ces avions sont aussi équipés du Loran. Ce système de navigation, utilisé par la marine, est basé sur quatre balises au sol qui donnent la position de l'avion par recoupement des gisements.

Howard Hughes est entre la vie et la mort

Après avoir percuté une maison, le XF-11 perd ses deux ailes et prend feu.

Beverly Hills, 7 juillet
Va-t-il s'en sortir ? Les médecins sont pessimistes quant au sort de Howard Hughes, qui vient d'être victime d'un terrible d'accident. Il a voulu effectuer en personne les essais de son prototype XF-11, en concurrence avec le XF-12 de Republic Aircraft (→ 4.2). A 17 h 20, il décolle de Culver City. Chacun des deux moteurs développe 3 000 chevaux et reçoit deux hélices contra-rotatives. Trois quarts d'heure plus tard, le XF-11, à 1 560 m d'altitude, amorce sa descente. Hughes perd le contrôle de l'appareil. Il augmente la pression d'admission et pousse les hélices à 2 800 tr/min. En vain. L'avion continue à perdre de l'altitude et s'écrase sur le toit d'une villa à Beverly Hills. Hughes est sorti du XF-11, inconscient. Il est transporté à l'hôpital. On constate que le cœur est décroché, la cage thoracique enfoncée, un poumon percé, et une clavicule cassée.

Convair construit un avion de 148 tonnes

Fort Worth, 8 août
L'USAAF voulait disposer d'un bombardier au rayon d'action suffisant pour pouvoir aller détruire l'Allemagne depuis les côtes américaines et y revenir ensuite. Cela signifie une autonomie de plus de 16 000 km. Convair (Consolidated Vultee Aircraft) propose le XB-36, qui a fait son vol d'essai ce matin. Beryl A. Erickson et G.S. Gus Green étaient aux commandes, assistés de sept membres d'équipage. Le vol a duré 38 minutes. Les six moteurs propulsifs Pratt & Whitney de 3 500 ch chacun ont enlevé la masse sans difficulté. Il faut dire que le poids autorisé au décollage atteint 148 tonnes. Les ailes ont une épaisseur de 1,83 m à l'emplanture, ce qui permet aux techniciens de s'y déplacer pour intervenir sur les moteurs. Le XB-36 emporte 95 900 litres d'essence et sa vitesse à 10 000 mètres est de 400 km/h environ. Son autonomie est de 16 500 km.

Air France utilise les Languedoc en Europe

Le Bourget, 20 août
Air France a mis en exploitation les SE 161 Languedoc depuis le mois de mai. Le 28, l'avion a inauguré sa mise en service sur la ligne Paris-Alger. Le mois suivant, le F-BATA volait sur Paris-Oran-Casablanca et le mois dernier il assurait la liaison Paris-Marseille. Les premiers sont livrés avec des moteurs Gnome & Rhône de 1 100 ch. Une certification est actuellement en cours pour adapter au Languedoc des Pratt & Withney. L'avion de Marcel Bloch pose un problème sérieux quant au train d'atterrissage. Construit par Hispano, le moteur hydraulique qui commande les deux roues du train principal est relié à celles-ci par des tresses métalliques. L'usure latérale est rapide et le blocage n'est pas rare. Le système de dégivrage pneumatique sur les bords d'attaque des ailes est encore à réaliser. Le SE 161 emporte de 33 à 44 passagers.

A côté de l'énorme XB-36, le B-29 Superfortress semble minuscule.

Le SE 161 perfectionné suscite très vite l'intérêt de la compagnie française.

Les compagnies européennes à l'assaut des USA

Le DC-4 Skymaster « Dan Viking » de la SAS à New York.

Un DC-4 de la compagnie Air France en route pour l'Amérique du Nord.

New York, 16 septembre

Le *Dan Viking* se pose à LaGuardia. C'est le premier DC-4 de la toute jeune compagnie scandinave SAS à avoir traversé l'Atlantique. D'autres compagnies européennes ont déjà lancé leur flotte vers les Etats-Unis. Le 21 mai dernier, la KLM inaugurait son service régulier vers New York. Depuis la fin du conflit, elle a reconstitué sa flotte en important 18 Douglas DC-4 et près de 30 DC-3. Le 24 juin, Air France ouvrait également une ligne vers New York, avec un DC-4. Le 1er juillet, la BOAC faisait de même, avec un Lockheed Constellation. La Sabena a débuté l'installation de ses escales et ses vols de reconnaissance le 4 juin. Les grandes compagnies américaines, et en particulier Pan Am, doivent se rendre à l'évidence : leur monopole sur l'Atlantique Nord est fragile. La conférence de Chicago de 1944 a jeté les bases d'une régulation du transport aérien international. Mais les Européens, affaiblis par cinq années de guerre, ont encore fort à faire, d'autant que les Etats-Unis jouissent d'une suprématie de fait en construction de long-courriers civils. Les compagnies européennes partent à l'assaut des Etats-Unis, mais elles le font avec des avions américains. (→ 2.5 et 4.6.47)

Les Constellation suspendus de vol

Etats-Unis, 11 juillet

Les Constellation sont interdits de vol. L'accident du *Star of Lisbon* survenu pendant un vol d'entraînement à Reading (Pennsylvanie) doit être expliqué. C'est le troisième accident. Le 18 septembre 1945, un C-69 de l'USAAF, en feu, s'était écrasé à Topeka (Kansas). Il y a un mois, un Constellation de Pan Am prenait feu dans le Connecticut.

La BEA remplace le DC-3 par le Viking

Londres, 1er septembre

Le Vickers Viking est entré en service chez British European Airways en reliant Londres à Copenhague. Son équipage est de trois membres dans la cabine de pilotage et d'une hôtesse. Le Vickers Viking est la version civile qui a été obtenue d'après le bombardier Wellington. Vickers a gardé les ailes, et un nouveau fuselage y a été adapté. Le train est classique avec roulette de queue à l'arrière. Les moteurs sont des Hercule de 1 690 ch. Une série initiale de 19 Viking 1 précède la sortie du Viking 1A, qui a une voilure renforcée. L'appareil, qui pèse plus de 14 tonnes au décollage n'est pas pressurisé, il vole à plus de 340 km/h et emporte 21 passagers. Son premier vol d'essai avait eu lieu le 22 juin 1945 et il a reçu sa certification d'avion commercial le 24 avril dernier. (→ 16.7.48)

Les hélicoptères se vendent bien

Etats-Unis, 1er août

L'hélicoptère est désormais considéré comme un moyen de transport sûr. En février a eu lieu le vol du premier hélicopère civil, le Sikorsky S-51. Un mois plus tard, la société Bell Aircraft a obtenu la première licence pour construire un modèle commercial, le biplace Model 47. Le marché de l'hélicoptère s'est ouvert avec la vente du premier S-51.

Le SE 200 en visite au lac de Constance

Lac de Constance, 21 juillet

En choisissant comme but de son premier voyage le lieu même où le premier SE 200 avait été coulé par les Anglais, le n° 3 a voulu rendre un dernier hommage au prototype disparu. Découvert en pièces détachées dans les ruines des ateliers de Marignane, il est le seul exemplaire de ce bel hydravion dont la construction a pu être menée à bien.

La BEA a reçu les premiers Viking, qui emportent vingt et un passagers.

Le Shooting Star au service de la Poste

Etats-Unis, 22 juin

Avec un avion comme le Shooting Star, il est normal que les Américains cherchent à créer l'événement. Après les récents records de vitesse et de distance, deux P-80 viennent de réaliser le premier transport de courrier par des appareils à réaction. Partant de Shenectady, ils ont relié l'un Washington, l'autre Chicago. (→ 29.7.47)

Le Triton, premier avion à réaction français

Orléans-Bricy, 11 novembre

Le seuil de piste est maintenant visible à 3 kilomètres. Daniel Rastel laisse glisser le Triton, qui s'est conduit comme il le souhaitait. A sa droite, Armand Raimbeau est décontracté. Ils sont séparés par le tuyau d'entrée d'air du réacteur Jumo 004 qui traverse tout le cockpit. La vitesse est de 250 km/h, la pente est bonne. Ils franchissent le seuil de piste, et le Triton se pose en douceur, pour avaler ensuite les 2 000 mètres de la piste. Ravel le freine progressivement et revient à l'aire de stationnement où Lucien Servanty les attend. C'est réussi, le pari a été tenu. Même les conditions atmosphériques peu favorables – il

Le premier prototype du S0 6000 est lancé en fabrication en 1945, à Suresnes.

y avait un plafond de 300 mètres – n'ont pas pu empêcher ces trois entêtés de faire voler leur engin. Le salon qui va s'ouvrir à Paris le 15 novembre aura son avion à réaction français. Il faut dire que les conditions de travail étaient déplorables : l'atelier était un vieux hangar, le rapport poids/puissance de l'avion était au minimum. Avec ses 3,5 t de poids, 850 kg de poussée était la limite inférieure. En fait, le réacteur n'a jamais donné plus de 750 kg aux essais au sol. Si on le poussait un peu plus, la température de tuyère, l'EPT (Exhaust Pipe Temperature) arrivait à dépasser les normes autorisées pour les métaux. (→ 22.5.47)

Orly est rouvert au trafic civil

Paris, 7 novembre

Orly est rendu à la France. En effet, le gouvernement américain a remis à l'Etat français l'aéroport avec ses nouvelles installations. Le 22 août 1944, les premiers appareils américains se posaient à Orly. Dès le lendemain, l'USAAF en prenait possession. La piste orientée nord-sud a été réparée pour permettre l'atterrissage d'avions lourds et la piste est-ouest rallongée avec une couche de béton renforcée par du grillage. A présent, Orly possède une piste E-W en béton de 1 550 m, une piste N-S de 1 850 m et une piste E-W de 2 000 m équipée de l'ASV pour l'atterrissage sans visibilité.

Sobelair débute avec un Dakota

Bruxelles, 13 décembre

Le premier DC-3 de la Sobelair a reçu l'immatriculation OO-SBB. La Société belge d'études et de transport par air a acheté un C-47 qui provient des surplus de l'US Army Air Force. Elle l'a trouvé à la base de la RAF de Silloth. C'est le 30 juillet que trois ex-membres de la Sabena, Marcel Gillard, Gabriel Creteur et Robert Kegeleirs, ont décidé de créer leur compagnie. Le capital est de 3 500 000 francs belges. (→ 30.11.49)

La « Tortue truculente » fait un vol de 18 082 kilomètres

Les curieux cernent l'avion, dont les deux moteurs ont tourné plus de 55 h.

Columbus, 1er octobre

En volant d'une seule traite depuis Perth (Australie) jusqu'à Colombus (Ohio) sur un Lockheed XP-2V Neptune, le commandant Thomas Davies et son équipage battent le record du monde de distance. Ils ont parcouru 18 082 km en 55 h 17 min. Successeur logique du PV-2 Harpoon, le nouveau bimoteur de Lockheed de patrouille maritime offre deux fois plus d'autonomie que son prédécesseur. Il a un armement supérieur. Le Neptune de série a été désarmé et doté de réservoirs supplémentaires pour s'attaquer au record. A l'époque où la tension croît entre Moscou et Washington, le Neptune se révèle un atout majeur pour l'US Navy.

Les C-46 Curtiss Commando étaient les rivaux des DC-3. Concentrés par l'USAAF et l'US Navy dans le secteur du Pacifique, ils ont été moins connus en Europe. Il en a été construit 3 180 exemplaires.

Le Constitution transporte 200 passagers

Il a reçu des moteurs à explosion à la place des turbopropulseurs prévus.

Burbank, 9 novembre

C'est le plus gros avion de transport jamais construit. En effet, le Lockheed Constitution répond au besoin de transporter le plus grand nombre possible de passagers. Mais il ne semble pas que la version qui a volé aujourd'hui soit promise à un avenir quelconque si sa motorisation n'est pas changée. L'avion devait, au départ, recevoir quatre turbopropulseurs de chez Wright. Ces moteurs ont été abandonnés en cours de développement et Lockheed a dû monter des moteurs à explosion de 3 500 ch. Cela représente au total 2 000 ch de moins que ce qui était prévu. L'envergure du Constitution est immense, avec ses 57,63 m. La cabine pressurisée comporte deux ponts et, dans sa version militaire, l'avion a un équipage de douze hommes et peut emporter 168 personnes.

L'avion-fusée Bell XS-1 est largué en vol

C'est le pilote Chalmers Slick Goodlin qui va effectuer les premiers vols.

Muroc Dry Lake, 9 décembre

Le Bell XS-1 est l'avion-fusée de recherche de l'USAAF. Largué d'un B-29, il a accompli avec succès un second vol autonome motorisé au-dessus de la base d'essai de Californie. Le XS-1 est construit par Bell ; le projet est financé par l'USAAF et le gouvernement à travers le National Advisory Committee for Aeronautic (NACA). Conçu pour voler à très haute altitude, le XS-1 devait effectuer les tests de vitesse qui vont permettre de franchir le mur du son. En fonction de la température et de la pression atmosphérique, la vitesse du son, Mach 1, est d'environ 1 050 km/h. Le premier essai a été effectué le 19 janvier. Depuis, les surfaces des ailes et de la gouverne de profondeur ont été réduites. Le Bell XS-1 devrait bientôt être capable de réaliser le vol historique. (→ 14.10.47)

Air France est concurrencée par de nouvelles compagnies

Paris, 19 décembre

Air France n'est plus la seule compagnie française. Depuis le mois de mai, cinquante-deux autorisations d'exploitation de services aériens ont été délivrées. Certaines sociétés possèdent des lignes régulières : la Société Air Transport (avec des vols de Lille à Londres, de Lille à Manchester et de Paris à Lille) ; la Société des Transports Aériens du Midi (avec la ligne Bordeaux-Toulouse-Montpellier-Marseille et Nice) ; la Société Aigle Azur (avec les liaisons Nice-Calvi-Tunis) ; la Société des Transports Aériens de la Méditerrannée (de Marseille à Calvi et Nice) ; la Société des Rapides Côte d'Azur ; la Compagnie Générale Transsaharienne (avec deux lignes régulières) ; la Société Algérienne de Transports Aériens et la Compagnie Algérienne de Transports Aériens. Quatorze sociétés exploitent les transports à la demande pour passagers ou marchandises. Liste qui serait évidemment incomplète sans les quatre grands : Air France, TAI (Transports Aériens Intercontinentaux), UAT (Union Aéromaritime de Transport) et, enfin, Aigle Azur. Ces compagnies utilisent des Ju 52, des Bristol, des Halifax et des DC-3. Il semble difficile d'éviter la concurrence des prix. La différence se fera, à plus long terme, sur les moyens financiers qui permettront les investissements. (→ 23.9.47)

Devant un Bristol Type 170, un équipage et des représentants de TAI.

Le dernier Salon du Grand Palais

Paris, 15 novembre

Voici huit ans déjà que le dernier Salon international de l'aviation a refermé ses portes. La guerre a passé, et le Grand Palais s'ouvre à nouveau à l'aéronautique avec ce XVIIe Salon, qui va se dérouler jusqu'au 1er décembre. C'est toujours André Granet qui en est le commissaire général. Avec le même enthousiasme qu'avant la guerre, le public se presse déjà pour admirer les toutes dernières nouveautés. Malgré la grande variété des modèles exposés, ce salon marque surtout, avec des appareils comme le Triton, le Meteor ou le Shooting Star, l'entrée de l'industrie aéronautique dans l'ère de l'avion à réaction. Au stand de la SNCASO, on peut admirer le Triton devant la statue dédiée à Santos-Dumont. On a annoncé l'entrée de Constantin Rozanoff comme pilote d'essai chez Marcel Dassault. (→ 28.2.49)

Douglas a mis au point le XC-112A, modèle militaire dérivé du C-54 Skymaster à cabine pressurisée, qui deviendra le DC-6 civil.

Premier avion de ligne à voir le jour après la guerre, le Martin 2-0-2 a été construit à 31 exemplaires. Sa cabine n'est pas pressurisée.

L'un des premiers chasseurs à réaction soviétiques à entrer en service, le MiG-9 est propulsé par deux réacteurs RD-20.

Le monomoteur à aile haute Chrislea CH.3 Super As est muni de gouvernes très particulières et uniques en leur genre.

Le prototype du de Havilland Canada Chipmunk d'entraînement.

Le Lockheed R60 Constitution a deux ponts pour 167 passagers.

Le prototype du Convair 110 qui donnera naissance au CV 240.

Dix-huit SAAB 90 Scandia ont été construits en plus du prototype.

Le biplace de tourisme, en tandem, Aeronca 7AC Champion.

Le SAI KZ-VII est équipé d'un moteur Continental « flat four ».

Le NC 3021 Belphegor reste expérimental.

Le prototype de l'aile volante Northrop XB-35 à long rayon d'action.

Le Sud-Ouest SO 6000 Triton, premier avion à réaction français.

Le Grumman G-73 est le premier amphibie à train escamotable.

La RAF adopte le Percival Prentice pour l'entraînement.

Le premier prototype du Handley-Page Hastings, un quadrimoteur lourd de transport à long rayon d'action.

Le Republic P-84, dernier chasseur de l'USAF à aile droite.

Premier bimoteur conçu en Argentine, le I.Ae 24 Calquin.

Le Yakovlev Yak-12, quadriplace utilitaire léger.

Le Westland Wyvern, bombardier léger monoplace embarqué.

Le chasseur embarqué à réaction Supermarine Attacker.

Le Ryan XF2R-12 expérimental est équipé d'un turbopropulseur.

Le Short Sturgeon, bombardier polyvalent embarqué.

Le Douglas XB-43, premier bombardier à réaction de l'USAF.

Le North American FJ-1 Fury, chasseur embarqué de l'US Navy.

Le Yak-18, conçu pour l'entraînement et la voltige aérienne.

Le Vought F6v-1 Pirate a été construit à 30 exemplaires.

Le de Havilland DH.108 a été utilisé pour expérimenter le concept de l'aile en flèche, plus particulièrement pour le DH.106 Comet.

Le Tupolev Tu-4 est une copie pure et simple du Boeing B-29.

Le Martin XP4M Mercator fait appel à une propulsion mixte.

Le Chance-Vought XF5U-1 est pourvu d'une aile circulaire.

Le prototype du chasseur d'escorte FMA A.Ae 30 Namcu.

Le Commonwealth CA-16, conçu pour remplacer le Mustang.

Le Boeing EB-17G, banc d'essai volant du moteur Wright R-3350.

Premier prototype du Convair XB-36, bombardier équipé de six moteurs. Après une modification du cockpit, 90 exemplaires sont construits.

Le Bell X-1, construit pour explorer le domaine des vols supersoniques, est le premier à franchir le mur du son, le 14 octobre 1947.

L'odyssée d'un Constellation d'Air France

L'un des quatre Lockheed 049 effectuant la liaison Paris - New York.

Casablanca, 18 février

Le F-BAZC *Gascogne*, l'un des quatre nouveaux Lockheed Constellation d'Air France, quitte les Bermudes avec six passagers. Alors qu'il survole l'Atlantique à son altitude de croisière, une odeur de brûlé alarme l'équipage, mais rien d'anormal n'est décelé. Soudain, le moteur 4 s'emballe et prend feu. Le commandant Charles Lechevalier réduit la vitesse, mais c'est au tour du moteur 3 de s'enflammer. Le-

chevalier et Bétiaux ont de la peine à maintenir l'appareil qui vole au ras des flots. Alerté, un hydravion est parti à leur rencontre. Alors que tout semble perdu, l'appareil tient le coup et les feux de Casablanca sont en vue. Ils parviennent à se poser alors que les volets ne fonctionnent plus. Un pompier accourt pour arroser les roues. Lechevalier veut l'arrêter, l'autre continue à se préparer. Il le met K.-O. pour éviter l'explosion. (→ 28.4.48)

Dassault construit le bimoteur MD-303

Derniers préparatifs avant le vol effectué par Georges Brian et Jean Dillaire.

Bordeaux, 6 février

Le premier vol du prototype MD-303 est un succès. Ce bimoteur destiné aux liaisons militaires est le premier avion dessiné depuis la guerre par le bureau d'études de Dassault, à Talence. Sa construction, qui a débuté au mois de novembre dernier, a été dirigée par l'ingénieur Paul Deplante, assisté de Paul Chassagne. Ses essais ont été menés par le pilote Georges Brian, qui a été sélectionné par

Rozanoff. Entièrement métallique et bidérive, l'avion repose sur un train tricycle. Dans la conjoncture actuelle, une telle réalisation s'est avérée difficile. C'est dans des hangars en ruine et des bâtiments sommaires que les constructeurs de cet après-guerre doivent envisager la mise au point de nouveaux modèles. La tragique exiguïté des moyens actuels ne peut mieux se comprendre qu'en constatant que seuls des moteurs Béarn étaient disponibles.

Le Dakota chausse une paire de skis

Antarctique, 29 janvier

Un R-4D Skytrain de l'US Navy, version militaire du DC-3, vient de se poser à Little America, en bordure du continent Antarctique. Pour lui permettre de glisser sans encombre sur la neige, le train classique a été équipé de larges skis qui entourent le bas des roues. Le train peut se rétracter et l'avion utiliser tous les types de terrain. Avec le commandant William Hawkes en tant que pilote et l'amiral Richard Byrd comme passager, il s'est envolé du porte-avions *USS Philippine Sea*. Cinq autres avions de ce type et pareillement équipés le rejoignent bientôt sur la banquise. Ils ont pour mission d'assister l'expédition américaine pendant trois semaines, en assurant la couverture de la calotte antarctique, soit près de 4 millions de km². (→ 28.12.48)

La Sabena reçoit le dernier DC-3 construit

Santa Monica, 21 mars

Le dernier exemplaire du DC-3 fabriqué par Douglas est livré à la Sabena, qui lui réserve l'immatriculation OO-AWH. Depuis 1935, Douglas en a construit, dans les versions militaires et civiles, 10 655 exemplaires, dans les usines de San-

ta Monica (961), d'Oklahoma City (5 409) et de Long Beach (4 285). Si dans ce chiffre on ne relève que 609 commandes civiles pour 10 046 militaires, il faut retenir que beaucoup de C-47 et autres versions ont été transformés en avions commerciaux. Il y a 100 DC-3 en Belgique.

Sur la nouvelle aire de stationnement de Melsbroek, deux DC-3 de la Sabena.

L'« Ariel » refuse de décoller

Suresnes, 3 avril

Malgré les efforts du pilote Jacques Guignard, l'*Ariel* ne sera pas le premier hélicoptère d'après-guerre à décoller en France. Guignard a eu beau se déchausser et ne garder que le minimum de vêtements, et son mécanicien s'efforcer de pousser l'appareil de toutes ses forces, le prototype, trop lourd, n'a pu s'arracher du sol. Avant de commencer ces essais, Jacques Guignard a passé trois mois à Camden, aux Etats-Unis, pour effectuer un stage qui lui a permis de devenir le second Français pilote d'hélicoptère breveté. Il semble que l'échec de la tentative d'aujourd'hui soit dû au moteur Mathis-G-7 en étoile, qui se révèle nettement insuffisant. Il va donc falloir modifier le programme de l'appareil si l'on souhaite qu'il vole un jour.

L'aviation française intervient en Indochine

Cinquante-six Spitfire Mk IX français arrivent en Indochine dès janvier 1946.

On achemine des troupes à Na San afin de contrer les forces du Viêt-minh.

Indochine, 15 avril
Pour la première fois dans l'histoire de l'aviation française, des appareils français ont décollé d'un porte-avions français, le *Dixmude*. C'était le 2 avril dernier, ils allaient attaquer des positions du Viêt-minh. La France, dès 1945, a engagé son aviation dans le conflit. En novembre parvient à Saigon la 1re escadre de chasse. Ses Spitfire Mk IX n'arriveront qu'en janvier 1946, les pilotes volent sur des Nakajima Ki-43 Oscar. Le rayon d'action et la capacité de tir des Spitfire étant limités, le groupe 1/3 Corse intervient en octobre 1947 avec des Mosquito qui, faits en bois, résistent mal au climat. Le 18 octobre 1945, le groupe de transport 1/34 Béarn abandonne ses B-26 Marauder pour des Ju 52. Il débarque en février 1946 et s'installe à Bien Hoa. Des unités assurent l'observation sur Morane 500, et forment le GT III/15. L'armée de l'air dispose ainsi de 1 600 hommes à la fin de 1945, de 2 800 en mai 1946 et de 4 100 en mai 1947. La première grande opération aéroportée, *Dédale*, a lieu dans la nuit du 5 au 6 janvier 1947 sur Nam Dinh. Les interventions se succèdent : ce matin, les opérations *Papillon* sur Hoa Binh, Cho-Bo et Moc-Chan, et *Aphrodite* pour prendre Phu-Tho.

Le « Skystreak » est doté de 400 capteurs

Muroc Dry Lake, 28 mai
Un bolide écarlate fend le bleu de l'azur au-dessus de Muroc Dry Lake, en Californie. Le *Skystreak* effectue son premier vol. Cet avion expérimental conçu par Douglas, désigné D-558, est équipé de quatre cents capteurs sensibles, répartis sur les flancs et à l'avant de son fuselage. Ce dispositif va permettre de mesurer les variations de la pression de l'air sur l'avion au cours du vol. Le D-558 a été construit à la demande de l'US Navy et du Naca, en vue d'explorer les vols aux vitesses voisines de celle du son. Propulsé par un turboréacteur General Electric GE T6-180, l'appareil doit pouvoir, théoriquement, approcher Mach 1, et supporter une pression 18 fois supérieure à la force de gravité. Mais une perte de puissance au réacteur oblige le pilote Eugene F. May à interrompre le vol et à revenir en catastrophe à la base de l'USAAF. (→ 25.8)

Martine Carol reçoit son baptême de l'air

Toussus-le-Noble, 12 mai
Quelle belle marraine pour le Courlis ! Martine Carol, après avoir baptisé le premier numéro de série en lui cassant sur le nez la traditionnelle bouteille de champagne, a reçu elle-même à bord de son « filleul » un baptême de l'air qui l'a ravie. Cette cérémonie symbolique a lieu alors que la production de série est déjà très avancée. Cette précipitation n'est peut-être pas une très bonne chose, car il n'est plus temps d'effectuer sur cet avion les modifications et les réglages que les derniers essais ont indiqués comme souhaitables. L'avion serait sous-motorisé, il aurait des défauts aérodynamiques et le moteur aurait tendance à perdre de la puissance au décollage. Ces inconvénients font que les acheteurs ne se pressent pas pour passer leur commande. La promotion que constitue la cérémonie d'aujourd'hui avec une vedette suffira-t-elle pour les séduire ?

Avion à aile droite de Douglas, le D-558 doit approcher la vitesse du son.

L'actrice a volé sur le premier Courlis, qu'elle venait de baptiser.

Le Stratocruiser de Boeing a deux ponts

Retrouver le luxe des hydravions à 10 000 mètres et à 550 km/h.

Seattle, 8 juillet

C'est un véritable paquebot des airs. Dérivé civil du C-97, le Model 377 Stratocruiser de Boeing a effectué le premier de ses vols d'essai. Il est attendu par les grandes compagnies américaines pour assurer les vols transatlantiques sans escale. Son autonomie peut atteindre 7 000 km. La vitesse de croisière à 33 000 pieds (10 000 m) est de 550 km/h. Selon la version commandée par les compagnies, il emportera de 89 à 112 passagers. Ce qui retient l'intérêt, c'est le luxe qui sera obtenu par l'aménagement des deux ponts du fuselage. Un bar est prévu à l'étage inférieur, certains appareils auront des cabines avec couchettes. (→ 1.4.49)

Air France mise sur le confort du Laté 631

Dans de telles conditions de luxe, on peut affronter des vols de longue durée.

France, 27 juillet

Après avoir acquis trois hydravions Latécoère 631 hexamoteurs, Air-France les met en exploitation sur la ligne des Antilles. Ils assureront la liaison depuis Biscarosse avec Port-Etienne et Fort-de-France. Pendant la traversée, les 46 passagers de ce premier vol ont pu goûter un luxe qui devrait leur faire oublier que d'autres types d'appareils vont plus vite, mais n'offrent guère ce confort, qui s'inscrit dans la grande tradition française. Des repas chauds sont servis par le steward à la demande. Couchettes, cabines confortables, bar somptueux, tout est fait pour que le vol soit un véritable enchantement. L'équipage est de quatorze personnes. (→ 1.8.48)

La construction aéronautique soviétique travaille pour Aeroflot

L'Iliouchine Il-12 est un avion pressurisé d'une capacité de 21 passagers.

Union soviétique, 1er août

La construction aéronautique a repris ses projets d'avions civils. La fin du conflit et l'accroissement du transport aérien marquent la nécessité pour Aeroflot de réparer ses infrastructures endommagées par la guerre. Un programme d'urgence a été mis en place. Il prévoit une modernisation des appareils et la succession du Lisounov Li-2, toujours construit sous licence de Douglas. L'Iliouchine Il-12 est un bimoteur doté d'un train d'atterrissage tricycle et d'une cabine pressurisée qui peut accueillir 21 à 27 passagers. Il doit aussi être mis en exploitation sur les lignes tchécoslovaques. Le second long-courrier issu du programme d'urgence est le Il-18 produit aussi par Iliouchine. Propulsé par quatre moteurs à pistons Chvestov ASh-73 de 2 300 ch, cet appareil a effectué son premier vol il y a deux jours. Il est conçu pour être exploité avec sept membres d'équipage et 60 passagers. Une aide importante a été fournie par les Britanniques avec l'envoi de 35 turboréacteurs dont 15 Rolls-Royce Nene. L'Union soviétique pourra les étudier et développer ses propres réacteurs.

TAI s'octroie une part du ciel

France, 23 septembre

La flotte de TAI s'agrandit avec la mise en service de quatre nouveaux DC-4. Ils vont permettre d'effectuer les liaisons Paris - Le Caire-Karachi-Saigon. L'achat de ces quatre appareils a fait l'objet de controverses. Les pouvoirs publics avaient interdit à TAI d'acquérir les DC-4. Les actionnaires de la compagnie ont tourné la difficulté en créant une société marocaine, TAIM, qui achète les avions et les loue à TAI ! Grâce à ces nouveaux appareils, elle peut rendre à l'Etat les Ju 52 qu'elle lui louait. Mais la plus grosse part du trafic de TAI est le fret de fruits et légumes entre la France et l'Angleterre. Elle s'est aussi spécialisée dans le transport des chevaux de course vers ce pays, ce qui a pour avantage d'être régulier et bien payé. Ce fret représente un marché assez important pour permettre à TAI de commander deux Bristol 170. Son trafic évolue aussi en Afrique. Ses avions servent au rapatriement des personnes bloquées par la guerre, ou dans le transport des pèlerins musulmans vers La Mecque.

Les DC-4 de Sabena décollent de Melsbroek et sont entretenus à Haren.

Pour relier les deux aéroports, une route a été spécialement construite.

Cette route enjambe la ligne de chemin de fer de Bruxelles à Liège.

La barrière des 1 000 km/h est franchie

Muroc Dry Lake, 25 août
Nouveau record de vitesse en haute altitude à la base de l'US Air Force en Californie. Le *major* Marion Carl, du corps des marines, a atteint Mach 0.99 (1 047,356 km/h) à bord du D-558 Skystreak, surnommé le *Crimson Test Tube* à cause de sa carlingue écarlate. Propulsé par le réacteur General Electric, le Skystreak a des ailes classiques, ce qui s'avère peu adapté au vol transonique. Le Douglas 558 a été conçu pour voler autour de Mach 0.85 (900 km/h). Il doit résister à des pressions dix-huit fois supérieures à la force de gravité. Cinq jours auparavant, le même appareil, piloté par le commandant Turner Caldwell, avait atteint 1 031 km/h. Forts de l'analyse de ces vols d'essai, les ingénieurs de Douglas développent pour la Navy un modèle aux ailes en flèche, le D-558-2 Skyrocket. Il devrait ne plus donner ces vibrations qui sont ressenties par les pilotes et les risques de rupture du fuselage en seraient diminués. A l'issue de la Seconde Guerre mondiale, Douglas a signé un contrat avec l'US Navy pour construire un avion de recherche qui franchirait le mur du son. En multipliant les essais au-dessus du désert de Mojave, les héros de l'USAF flirtent déjà avec *Mach One*. (→14.10)

2,5 millions de dollars pour le P-80

Burbank, 29 juillet
Alors que le vent de la guerre froide souffle jusqu'en Alaska, la toute jeune US Air Force signe un contrat de 2,5 millions de dollars avec Lockheed pour la conversion de 31 exemplaires de ses P-80B-1-L0 en autant de P-80B-5-L0. Le premier type du Shooting Star vraiment opérationnel est donc modifié pour être affecté à la surveillance du territoire au sein des unités aériennes du cercle polaire et d'Alaska. L'emploi de lubrifiants spéciaux, le dégivrage du cockpit, un système de démarrage du réacteur au pétrole sont les caractéristiques du Shooting Star de l'Arctique.

Formation de P-80 en échelon refusé.

L'US Air Force naît dans un avion

Washington, 17 juillet
C'est à bord du DC-4 présidentiel que le président des Etats-Unis a signé l'acte de naissance de l'US Air Force. Au cours d'un vol à bord du *Sacred Cow*, Harry Truman a ratifié la nouvelle loi qui fait de l'US Air Force une unité indépendante des autres corps d'armée. Cette initiative s'incrit dans le cadre de la réorganisation de toutes le forces américaines. Le National Security Act doit être signé le 26 juillet prochain. L'amiral James Forrestal, ancien secrétaire à la Marine, doit être nommé premier secrétaire à la Défense. Un nouveau service de renseignements, la CIA, est créé.

Un avion aux mains de pirates de l'air

Roumanie, le 25 juillet
Un appareil roumain commercial a été détourné. Voilà seize ans qu'un tel fait ne s'était pas produit. Les pirates, trois officiers roumains et sept civils, n'ont pas hésité à user de violence, semant la terreur à bord. Tandis qu'une partie du commando surveillait les passagers, l'autre s'est occupée du poste de pilotage. Ils ont pris le contrôle de l'appareil de ligne, obligeant le pilote à les emmener jusqu'en Turquie. Au cours des accrochages entre l'équipage et les hommes du commando, le mécanicien a été abattu. Les autorités des deux pays restent discrètes sur cet événement.

Charles Yaeger passe le mur du son sur le X-1

Le pilote (à gauche) a consacré sa carrière aux avions hautement performants.

L'appareil a été construit par la Bell Aircraft Corporation de Buffalo.

Muroc Dry Lake, 14 octobre
Le mur du son ne l'a pas arrêté. Charles Yaeger a réussi ce qu'on croyait dangereux, voire impossible. A 10 h 30, en produisant un bang comme prévu, le X-1 a franchi la barrière mystérieuse d'un territoire jusque-là inviolé. Exploit remarquable que l'on doit à l'appareil comme à l'homme. A 10 heures, Yaeger s'installe aux commandes du Bell X-1 baptisé, en hommage à sa femme, *Glamorous Glennis*. Le ciel du désert, beau mais glacial, annonce une belle journée. Tout est parfait, hormis les deux côtes que Chuck s'est cassées cette nuit lors d'un vol clandestin !

Mais nul ne le sait. Lâché en douceur à 6 000 m par son avion porteur B-29, le X-1, propulsé par deux fusées, atteint l'altitude d'essai de 12 000 m. La dernière fusée s'allume. Quelques secondes plus tard, sans autre indication que celle que lui donne son cadran, Yaeger comprend qu'il entre dans la légende : l'aiguille s'est arrêtée à Mach 1.06 (1 127 km/h) ! Il n'y eut cette fois-ci ni choc ni modification du comportement des commandes. Le X-1 a franchi puis dépassé l'onde de choc créée par la compression des molécules d'air à cette vitesse. Le monde des vols supersoniques s'ouvre à l'humanité. (→ 5.1.49)

Le Me 262 a donné des ailes au XP-86

Muroc Dry Lake, 1er octobre
George Welch, pilote d'essai de North American fait depuis 50 min des tours de piste à bord d'un avion prodigieux. C'est le premier vol du chasseur XP-86 construit autour du réacteur General Electric J-35. La béquille du train avant refuse de sortir. Au moment où il touche la piste, maintenant le nez de l'avion vers le haut, le choc fait sortir la roue avant et tout se termine bien. Le nouvel avion de North American est une version d'un ancien projet jugé trop peu rapide. Larry Greene décide après ce vol d'appliquer le principe de l'aile en flèche du Messerschmitt Me 262. Cela donne un avion dont la vitesse est proche de celle du son. (→ 30.11.48)

Le Leduc 0.10 vole sans son avion porteur

Toulouse, 21 octobre
Le premier largage du Leduc 0.10, piloté par Jean Gonord, est une réussite. Pour réaliser ce vol plané sans allumage de la tuyère, on a utilisé le Languedoc 161. L'avion porteur piloté par Jean Perrin était surveillé par René Leduc, son créateur, depuis un bimoteur Martinet. Dès que le tandem a atteint les 4 000 m, Perrin a lancé : « Vitesse 410... Larguez ! » Le prototype a entamé son premier vol libre, qui a duré 10 min. Un véritable succès, même si le vent de travers a poussé l'avion hors de la piste à l'atterrissage, provoquant l'éclatement du pneu droit. En quittant l'avion, Gonord s'écrie : « Cet avion vole de façon formidable ! » (→ 6.4.48)

L'entrée d'air située à l'avant oblige à surélever le cockpit du XP-86.

L'instant où le 0.10 se détache des ergots qui le maintenaient au Languedoc.

Boeing honore les frères Wright

Seattle, 17 décembre
Il a fallu 5 000 heures de soufflerie pour mettre au point cet avion. Le bombardier multiréacteur XB-47 de Boeing, mené par un équipage de trois hommes seulement, effectue son premier vol de Seattle à Moses Lake, quarante-quatre ans jour pour jour après le premier vol des frères Wright. Son fuselage géant est doté d'ailes en flèche. Cette configuration aérodynamique permet d'atteindre une vitesse proche de celle du son. Il a reçu six réacteurs General Electric de 2 180 kg de poussée qui sont suspendus sous le bord d'attaque des ailes.

Le XB-47 possède six réacteurs.

Howard Hughes décolle son paquebot volant de 24 000 chevaux

Ce vol à 20 m de hauteur va éviter beaucoup d'ennuis à Howard Hughes. L'Etat a en partie financé le projet.

Long Beach, 2 novembre
« Ma réputation est en jeu... Si cela se soldait par un échec, je quitterais ce pays et n'y reviendrais jamais. » C'est en ces termes qu'Howard Hughes a répondu au sénateur qui ne croyait pas en sa dernière folie : le *Spruce Goose* (l'oie en sapin). L'impressionnant hydravion HK-1 est l'engin le plus lourd du monde. Cinq administrateurs de la firme Hughes et neuf particuliers se sont joints aux dix-huit membres de l'équipage. A côté d'Hughes, qui tient les commandes, l'ingénieur Dave, qui a imaginé le système hydraulique très complexe de l'appa-

reil. Des milliers de spectateurs se pressent pour voir si l'hydravion s'envolera jamais. Hughes pousse enfin les quatre manettes des gaz, reliées aux huit moteurs. Le *Spruce Goose* s'élance à près de 150 km/h. Au bout de très longues secondes, il hésite, s'appuie sur la crête des vagues et finit par décoller. Il ne restera qu'à 20 m de haut pendant 1 500 m pour ensuite venir retomber lentement sur l'eau. Le pari est quand même gagné. L'expérience a coûté vingt-cinq millions de dollars. L'Etat a contribué pour dix-huit millions et Howard Hughes, propriétaire de TWA, en a mis sept.

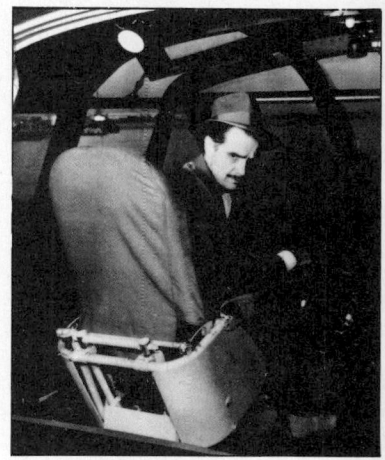

Aux commandes de son hydravion.

Une barque tombe du ciel à Orléans

France, 28 novembre
Sur la base d'Orléans-Bricy se déroule l'expérience Leduc. Son objectif est simple, audacieux et pour le moins très original. Il s'agit d'installer six hommes armés dans une nacelle en forme de barque qui, une fois suspendue à deux grands parachutes, descend en servant de poste de tir. Jusqu'à présent, et heureusement, ce programme auquel participent Jacques Guignard et Jean Lapeyre comme pilotes n'a jamais été tenté avec des hommes à bord. Le largage de la nacelle à partir d'un avion Languedoc s'est toujours bien passé. Mais, aujourd'hui, sans doute mal calculé en fonction du vent, l'endroit choisi pour lâcher la barque l'a fait tomber en plein centre de Bricy.

La Sabena introduit le DC-6 en Europe

Johannesburg, 19 novembre
Un DC-6 de la Sabena, en provenance de Bruxelles, est arrivé après un vol effectif de 20 h 40 min. C'est un record. Il y avait 48 passagers à bord. Première compagnie européenne à exploiter cet appareil, la

Sabena dispose déjà de 3 exemplaires. Le dernier est arrivé le 2 octobre. Ils sont immatriculés OO-AWA, -AWB et -AWC. La version pressurisée du DC-4 a le fuselage allongé de 2,06 m. Les 50 passagers sont répartis en 2 cabines.

Le premier DC-6 de la compagnie belge chez son constructeur à Santa Monica.

Mi de Mikoyan G de Gourevitch

Union soviétique, 30 décembre
Artem Ivanovitch Mikoyan est âgé de 42 ans, Mikhaïl Gourevitch de presque 56 ans. Ils travaillent ensemble depuis quelques années à l'OKB-155 et leur MiG-9 a été produit à neuf exemplaires à la demande de Staline, qui veut un intercepteur de bombardiers capable de voler à une vitesse proche de celle du son avec une autonomie d'une heure. Avec leur projet I-310, les deux ingénieurs gagnent le concours et leur MiG-15 vole aujourd'hui pour la première fois. C'est un réacteur Rolls-Royce Nene qui le propulse. Le MiG-15 est un monoplace d'une envergure de 10,08 m. L'entrée d'air du réacteur est à l'avant et les ailes sont en flèche. Son autonomie est de 1 900 km. (→ 13.1.50)

L'Iliouchine Il-18 équipé à l'origine de moteurs à pistons.

De Havilland Canada a produit 1 657 DHC.1 Beaver.

Le Percival P.48 Merganser, précurseur du P.50 Prince.

Le Hughes H-4 Hercules, le plus gros hydravion du monde.

Le Convair XC-99, version cargo du bombardier B-36.

Le Northrop YB-49 est propulsé par huit réacteurs Allison J-35...

Aile volante expérimentale, l'Armstrong-Whitworth AW.52.

L'Airspeed AS.57 Ambassador, prévu pour 47 passagers, n'est exploité que par British European Airways, qui en commande 20 exemplaires.

Le prototype Hawker P.1040, qui devient le Sea Hawk.

Le Fairchild C-119 Boxcar est dérivé du prototype XC-82B.

Le Convair L-13, avion d'évacuation sanitaire et de liaison.

Le Tupolev Tu-14T peut emporter un armement de deux torpilles.

Convair a extrapolé de son ancien Model 110 le Model 240, conçu pour le transport de 40 passagers. L'appareil connaît un succès mondial.

Le Sud-Ouest SO.95 Corse II est destiné à l'aéronavale française.

La production en série de l'Antonov AN-2 bat tous les records.

Le Boeing 377 Stratocruiser fait entrer le transport aérien de plain-pied dans l'ère moderne. Pan Am en exploite jusqu'à vingt-sept à la fois.

... mais six réacteurs J-35 seulement pour le Martin XB-48.

Le I.Ae 27 Pulqui I, premier jet de combat conçu en Amérique latine.

Le Vickers Varsity, version de transport militaire du Viking civil.

Le Fiat G.212 est dérivé du G.12 qui a volé pendant la guerre.

Le Boeing B-47, premier bombardier à aile en flèche de l'USAF.

Le Scottish Aviation A2/45, avion de coopération terrestre.

Le North American B-45.

Le prototype I-310 qui deviendra le redoutable MiG-15.

Le Saunders-Roe SR.A/1, premier hydravion à réaction du monde.

Le Dassault MD.315, virtuellement identique au MD.312, est utilisé pour les missions de servitude par l'armée de l'Air et l'Aéronavale.

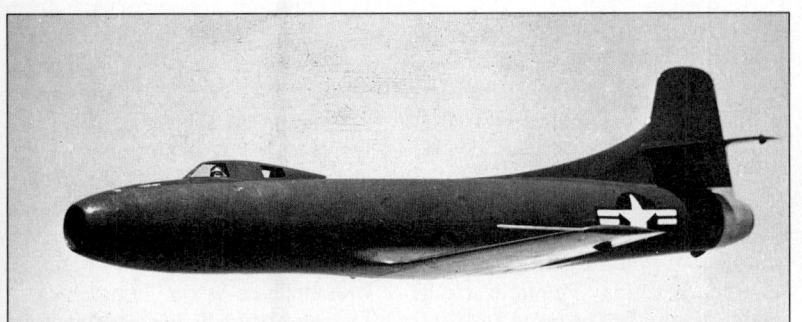

L'un des trois Douglas Skystreak expérimentaux construits a battu le record du monde de vitesse avec 1 030,95 km/h le 20 août 1947.

Le Grumman XJR2F-1 Albatross, prévu pour remplacer le Goose.

Le Boeing B-50 est un dérivé amélioré et plus puissant du B-29.

Le Sikorsky S-62 est équipé d'un rotor avec pales métalliques.

Premier bombardier à réaction soviétique, le Tupolev Tu-12.

Le prototype McDonnell XF2H-1 Banshee est doté d'un empennage à fort dièdre positif.

L'hélicoptère quadriplace civil Bristol Type 171 Mk.1.

Le Bratukhin Omega G-4, un hélicoptère soviétique expérimental.

Premier chasseur à réaction conçu par Grumman, le XF9F-2 Panther possède des réacteurs Pratt & Whitney J42, version US du Rolls-Royce Nene.

Le McDonnell XH-20 est pourvu de réacteurs en bout de pales.

Le Lavochkin La-15 reçoit une version soviétique du RR. Derwent.

Le prototype Nord 2100 Norazur est équipé de moteurs propulsifs.

Le SAAB 21R est une version à réacteur du 21A à moteur à piston.

L'unique exemplaire du bombardier stratégique Convair XB-46.

Le Boeing-Wichita XL-15, avion de coopération terrestre.

Quelque 300 Yak-23 sont utilisés par les forces du Pacte de Varsovie.

Le North American XP-86, prototype de la série F-86 Sabre, premier chasseur américain à aile en flèche et dépassant le mur du son (en piqué).

1948

 1 540 km/h
Etats-Unis
Charles Yeager
Bell X-1
26.3.48

 18 082 km
Etats-Unis
Thomas Davies
Lockheed P2V Neptune
1.10.46

 19 507 m
Etats-Unis
Charles Yeager
Bell X-1
26.5.48

 181 436 kg
Etats-Unis
Hughes Aircraft Co.
H-4 Hercules

 2 740 kgp
URSS
Klimov
VK-1

Kentucky, 7 janvier
L'avion de Thomas F. Mantell, garde national du Kentucky, lancé à la poursuite d'une «soucoupe volante», explose en plein vol.

France, 15 janvier
Les services officiels signent un marché d'études pour le premier Adac français : le Breguet 940.

Région des Bermudes, 29 janvier
Disparition de l'Avro Tudor IV *Star Tiger*, de la British South American Airways. (→9.11.56)

Ohio, 30 janvier
A 76 ans, Orville Wright meurt d'une crise cardiaque à l'hôpital Miami Valley de Dayton. (→17.12)

Muroc Dry Lake, 4 février
Le D-558-2 Skyrocket débute ses vols d'essai. Conçu pour explorer le vol supersonique, il est doté d'un fuselage en forme d'obus, d'une aile en flèche, et propulsé par l'association d'un réacteur Westinghouse de 1 360 kgp et d'un moteur-fusée Reaction Motors de 2 720 kgp.

Chicago, 6 février
La compagnie Northwest Airlines propose de rembourser 5 % du prix du billet aux passagers dont l'avion arriverait à destination avec une demi-heure de retard.

Villacoublay, 27 février
Daniel Rastel décolle le SO 7010 *Pégase*, destiné au transport léger ou au taxi aérien, doté d'un fuselage modulable selon les missions et de deux moteurs Mathis fonctionnant ensemble ou séparement.

Bordeaux-Mérignac, 23 mars
Piloté par Georges Brian, le prototype MD-312 prend son envol. Issu du bimoteur de liaison militaire MD-303, il est doté de deux Snecma 12-S. (→2.5.50)

Berlin, 5 avril
Un Yak soviétique entre en collision avec un avion de transport civil Viking de la BEA qui s'apprête à atterrir dans la zone britannique. Il n'y a aucun survivant.

New York, 28 avril
Parti d'Orly à bord d'un Constellation d'Air France, Roger Loubry rejoint LaGuardia en 16 h 23 min. C'est le premier vol direct en ce sens depuis l'exploit de Costes et Bellonte en 1930. (→27.10.49)

Brétigny, 5 mai
Le pilote Léon Bourrieau et son mécanicien Brecq échappent de peu à la mort lors d'un essai de survitesse du prototype de planeur militaire Fouga CM-10 qui se désintègre en plein vol. (→19.1.49)

Israël, 20 mai
Née de l'organisation clandestine Sherut Avir, la nouvelle force aérienne israélienne nommée Heyl Ha'Avir riposte à une attaque sur Tel-Aviv en lançant ses avions sur l'armée égyptienne à Samakh.

Etats-Unis, 1er juin
Le Convair 240 entre en service chez American Airlines. C'est le premier bimoteur pressurisé de l'après-guerre exploité commercialement aux Etats-Unis.

Muroc Dry Lake, 5 juin
Lors d'un essai de routine, le second prototype Northrop YB-49 se désintègre, tuant tous les membres d'équipage, dont le capitaine Glen Edwards. (→27.1.50)

Brétigny, 9 juin
Robert Cartier renouvelle son expérience de siège éjectable, parfaitement exécutée à partir d'un Météor le 27 février. Mais il est assommé par le séparateur métallique le reliant au siège et ne reprend connaissance qu'*in extremis* pour ouvrir son parachute. (→30.5.49)

Berlin, 26 juin
Début du pont aérien organisé par les Alliés pour ravitailler la ville, isolée par le blocus mis en place par l'URSS le 1er avril. (→12.2.49)

Grande-Bretagne, 28 juin
Combiné autogire-hélicoptère, le Fairey Gyrodyne atteint sur base 198,8 km/h. Il s'adjuge le record de vitesse pour voilures tournantes.

Etats-Unis, 30 juin
L'US Air Force a décidé de remplacer la lettre P pour désigner les chasseurs par la lettre F comme *Fighter*. (→30.11)

Paris, 4 juillet
Le pilote américain Youeli et le journaliste André Labarthe se posent sur le toit des Galeries Lafayette avec un hélicoptère Bell Model 47, renouvelant l'exploit de Védrines de 1919.

Chine, 7 juillet
Un passager tue le pilote d'un Catalina de la Cathay Pacific Consolidated allant de Macao à Hong Kong. L'avion s'écrase dans le delta de Canton. Sur les 23 passagers, 10 sont tués et 12 portés disparus.

Union soviétique, 8 juillet
Destiné aux unités d'aviation tactique, le nouveau bombardier biréacteur Iliouchine Il-28 se révèle intéressant dès son vol d'essai.

Goose Bay, 14 juillet
Arrivée de six Vampire du squadron 54 de la RAF, qui, partis de Stornoway, en Grande-Bretagne, sont les premiers chasseurs à réaction à avoir traversé l'Atlantique.

Villacoublay, 20 juillet
L'avion-cargo militaire NC-211 Cormoran s'écrase lors de son premier vol. Pour l'approche, les volets sont déployés au maximum. A 40°, ils ont provoqué un couple en piqué, que l'équipage n'a pu contrer. Cet accident met en évidence l'insuffisance des tests en soufflerie.

Paris, 24 juillet
Pour le 39e anniversaire de l'exploit de Louis Blériot, un Vickers Viking équipé de deux réacteurs Nene, premier avion commercial à réaction, relie Londres à Paris en 34 minutes avec 24 passagers.

Atlantique, 1er août
Au cours de sa traversée transatlantique, un Laté 631 d'Air France disparaît au large de Port-Etienne. La compagnie décide d'arrêter l'exploitation de ce type d'appareils.

France, 1er septembre
Les nouveaux statuts d'Air France entrent en vigueur. Son président est Max Hymans.

Suède, 1er septembre
Le chasseur monoréacteur Saab J 29, qui effectue son vol initial, est plus rapide que le Vampire.

Anchorage, 11 septembre
Un feu de circulation routière est installé à l'intersection de l'autoroute et de la piste de Merril Field. Les avions frôlaient les voitures.

Cormeilles-en-Vexin, 30 octobre
La toute jeune Société Aérienne de Transports Internationaux (Sati), créée par Roger Loubry et Jean Combard, anciens d'Air France, commande trois Liberator LB 30. (→13.7.1949)

Chicago, 4 novembre
Capital Airline crée la classe coach sur sa ligne vers Pittsburgh. Le billet en coach vaut 30 % de moins qu'en classe normale.

Orléans-Bricy, 12 novembre
Vol d'essai du chasseur SO 6020 Espadon. (→28.12.49)

Muroc Dry Lake, 30 novembre
Le premier exemplaire du F-86 est livré à l'USAF. (→4.3.49)

Grande-Bretagne, 30 novembre
A Blackbushe, l'utilisation commerciale du dispositif Fido (Fog Dispersal System) permet d'éliminer le brouillard sur une partie de la piste par ignition de pétrole vaporisé sous pression.

Union soviétique, 26 décembre
Fedorov passe le mur du son en piqué sur un Lavotchkine La-176. L'avion a un réacteur Nene construit sous licence et une aile en flèche à 45°. C'est le premier Soviétique à franchir le mur du son.

Air France devient une compagnie nationale. Sa flotte se compose de 112 avions. Elle utilise des Bloch 161 sur Londres et Barcelone.

Le Bébé Jodel a un moteur d'automobile

Un avion léger aussi facile à piloter qu'une voiture Volkswagen.

Beaune, 23 janvier
Le temps de ce début janvier est épouvantable. Il fait froid et une fine couche de neige recouvre le petit terrain près du cimetière. Edmond Joly a trop envie de faire des essais de roulage avec son petit avion, il décide de le sortir du hangar. Comme il est le plus âgé, c'est lui qui pilotera. Son gendre, Jean Delmontez, ne peut qu'accepter. La neige freine les roues, il pousse le moteur. A un endroit du champ plus dégagé, le Bébé prend de la vitesse et Joly se retrouve en l'air sans l'avoir voulu. Le plafond est très bas, le vol ne dure que quelques minutes. C'est assez pour se remplir du plaisir de manœuvrer ce petit appareil. C'est en 1946 que les deux hommes décident de fonder la société des Avions Jodel. Joly a déjà construit un Pou du ciel. Il lui reste un moteur Poinsard qu'il utilise pour son nouveau monoplace, qu'il a baptisé modèle D-9 Bébé.

Une voiture vole avec des ailes d'avion

Une création américaine : cette auto est propulsée par un moteur Lycoming.

Etats-Unis, 29 janvier
Avant la guerre, Theodore Hall, ingénieur chez Consolidated Vultee (Convair), réfléchissait déjà à la voiture volante. A partir de 1945, il développe son idée. Il dessine alors une voiture à deux sièges, équipée d'un moteur Crosley de 26 ch et munie d'une aile détachable. Puis apparaît un nouveau modèle équipé d'un moteur Franklin de 90 ch. Achevée en juin 1946, la voiture volante accomplit un premier vol d'essai le 12 juillet. Après quoi vient le modèle 118, plus sophistiqué. Son premier vol, le 15 novembre dernier, manque mal finir. A bout de carburant, l'appareil s'est posé en catastrophe, la voiture a été détruite et l'un des pilotes blessé. Le dernier modèle, que Hall a fait voler aujourd'hui, est le Convair 118. Le moteur est encore plus puissant. Il a choisi un Lycoming qui actionne une hélice tripale tractive Sensenich.

L'aéroport du Bourget s'agrandit et modernise ses installations

Le Bourget, 31 mars
Les travaux d'extension et de modernisation du Bourget s'achèvent. L'aéroport de Paris est maintenant équipé pour fonctionner dans les meilleures conditions. En 1945, Le Bourget retrouve sa vocation civile. Mais les bombardements ont sévèrement endommagé les installations. Les réparations provisoires effectuées par les Anglais et les Américains ne suffisent pas pour une exploitation commerciale de l'aéroport. On s'emploie à la reconstruction. La piste nord-sud, longue de 2 395 m est rétablie. Elle est doublée d'une piste parallèle de 1 168 m, en plaques métalliques. La piste est-ouest, grâce à un dallage en béton, passe à 1 960 m. Au sud du terrain, un réseau de taxis-ways et des aires de stationnement sont aménagés : 4 850 m² de surface sont en béton et 25 930 m² en plaques métalliques. Les hangars qui ont été détruits sont relevés, et deux nouveaux sont construits. L'aéro-gare, restaurée, est complétée par une gare de fret. On a aussi procédé à la modernisation des systèmes de guidage et de repérage des avions. Le balisage des pistes par des bornes lumineuses ne suffit pas. A la gonio MF (moyenne fréquence) ou VHF (très haute fréquence) s'ajoute le système SCS-51 pour le guidage en approche des appareils. Il fonctionne en direction et en plan de descente. Enfin, mise en service cet hiver, la tour de contrôle qui domine le terrain permet la surveillance des pistes et le guidage des avions au sol par radio.

Un Languedoc d'Air France devant l'aérogare restaurée et réaménagée.

Appontage du Fury réussi pour la Navy

Pacifique, 10 mars
North American avait imaginé dès 1945 la production d'un chasseur à réaction avec une prise d'air située à l'avant de l'appareil. Dans le cas d'un monoplace, cette conception exhausse la position du poste de pilotage et augmente d'autant la traînée. L'USAF ne s'est pas montrée intéressée, mais l'US Navy passait commande, en mai 1945, de trente exemplaires du projet NA-134, le désignant XFJ-1 Fury. Doté d'ailes droites, l'avion allait servir de base à la réalisation pour l'USAF du XP-86 (→ 1.10.47). Produire un appareil pour la Navy, c'est le concevoir à la fois rapide et capable de manœuvrer en approche à vitesse très basse pour se poser sur un porte-avions. Après de longues semaines d'entraînement au sol, Eva Aurand et Robert Elder ont réussi ce matin des appontages parfaits sur le USS Boxer.

Le Heinkel 274 porte un avion français

La maquette est arrimée aux mâts d'accrochage du bombardier He 274.

Orléans-Bricy, 6 avril

Le Heinkel He 274 développé par Farman à Suresnes pour les Allemands avait volé la première fois le 30 décembre 1945. Les Français voulaient achever pour eux ce bombardier pressurisé à long rayon d'action. La SNCASO l'utilise comme avion-porteur pour larguer à haute altitude des maquettes non motorisées d'avions à réaction. Le premier vol en composite a eu lieu aujourd'hui. au centre d'essai en vol de Bricy. Le He 274 vole à 15 000 m. Il a été doté de mâts d'accrochage sur lesquels la maquette est arrimée. Le dispositif mis au point par René Leduc à Toulouse sert à soutenir la maquette pendant l'ascension. A 9 000 m, le pilote du He 274 déverrouille le vérin arrière avant d'effectuer un piqué à 15 m/s. Il libère alors le vérin avant, laissant la maquette évoluer seule. Le vol plané se termine par un atterrissage sur patins. (→ 21.4.49)

La BOAC vole vers Tokyo en hydravion

Cérémonie à Southampton pour le baptême d'un Flying Boat.

Londres, 4 mai

Alors que le bilan de la BOAC enregistre un déficit de 8 millions de livres au début de l'année 1948, les partisans de l'hydravion reprennent le pouvoir au sein de la compagnie britannique. Au général Don Bennett succède Herbert Brackley, un des défenseurs farouches des Flying Boats. Un des douze Solent commandés en 1946 aux usines Short de Poole, transplantées depuis peu à Southampton, entre officiellement en service aujourd'hui sur la ligne de Southampton à Tokyo. Le plus puissant des hydravions de ligne peut transporter 44 passagers à la vitesse de croisière de 393 km/h, avec une autonomie de 3 240 km. Le Solent a quatre moteurs Bristol de 1 690 ch. Il offre un grand confort à ses passagers : bar, salon, cabines, et même une bibliothèque. BOAC et Air France continuent donc à exploiter ces hydravions lents mais confortables. (→ 1.8)

Le Vampire bat le record d'altitude

Hatfield, 23 mars

Le chef pilote d'essai John Cunningham établit un nouveau record d'altitude à 18 119 mètres, avec le cinquième exemplaire de série du Vampire F Mk 1 qui avait été gardé à l'usine. En fait, ce Vampire testait le réacteur de Havilland Ghost d'une poussée de 2 270 kg. Il fait partie du programme Comet. L'appareil a été modifié. Il a une voilure allongée de 2,44 m et sa cabine est renforcée. Le Vampire équipe les squadron 72 et 54 ; ce dernier formait, il y a un an, la première patrouille acrobatique sur jet.

Le Triton est équipé d'un réacteur anglais

Orléans-Bricy, 19 mars

Le Triton ne pouvait pas vraiment voler avec son réacteur Jumo 004, d'une puissance bien insuffisante. Le S0-6000-04 a été équipé d'un réacteur Rolls-Royce Nene qui a fait passer la poussée de 750 kg à 1 100 kg. Il a effectué aujourd'hui son premier vol dans cette version. Daniel Rastel était accompagné du mécanicien d'essai Michel Rétif. Le nouveau prototype, qui a toujours sa prise d'air sous le nez, a évolué de façon satisfaisante ; le problème du couple qui faisait piquer l'avion à la sortie des volets est résolu.

Le chef pilote d'essai de De Havilland : John Cunningham (de face).

L'évacuation de l'avion en vol reste un problème difficile à résoudre.

L'hélicoptère sait se rendre indispensable

Un des trois Westland-Sikorsky utilisés par le Royal Mail britannique.

Angleterre, 1er juin

Les habitants du centre et de l'est de l'Angleterre vont dorénavant pouvoir envoyer leurs lettres et colis par hélicoptère. La compagnie British European Airways a en effet inauguré aujourd'hui le premier service de desserte postale par hélicoptère au Royaume-Uni. Dans un premier temps, ce service sera limité à la région des Midlands et au comté d'East Anglia. Les agglo-mérations de Great Yarmouth, Kings Lynn et Norwich seront desservies. Trois hélicoptères Dragonfly ont été affectés à ces vols postaux. Ils se posent dans des prairies. Cet appareil est en fait un Sikorsky S-51, premier hélicoptère a être construit sous licence par la société britannique Westland Aircraft. Des Dragonfly, version civile du Sikorsky R-51, ont été commandés par la Royal Air Force. (→ 1.6.50)

Jean Boulet décolle l'hélicoptère SE 3101

Avec les 10 kg de plus que pesait Stakenburg, il ne voulait pas décoller.

Villacoublay, 15 juin

Ce mardi ne sera pas un jour semblable aux autres pour Jean Boulet. Mais celui-ci ne le sait pas encore. Ingénieur-pilote, il assiste au programme du SE 3101, un hélicoptère monoplace muni d'un moteur Mathis de 100 ch. Le pilote d'essai Henri Stakenburg, choisi pour son expérience sur autogire, a la charge de le faire décoller. Les essais préliminaires au sol se déroulent sans problème. Mais il s'avère impossible de faire décoller l'appareil. Jacques Lecarme, ingénieur et pilote d'essai, suggère alors à Jean Boulet de tenter l'expérience. Il pèse 10 kg de moins qu'Henri Stakenburg. Il accepte, s'habille très légèrement et réussit en effet à faire décoller le SE 3101 et à le maintenir en vol stationnaire à 50 cm du sol pendant quelques minutes. C'est ainsi que Jean Boulet devient pilote d'essai.

Air France adopte de nouvelles règles

Paris, 16 juin

Pour la compagnie Air France, c'est la fin du régime provisoire instauré en 1945. Dorénavant, la société, qui s'appelle Compagnie nationale Air France, se substitue aux anciennes sociétés anonymes : Air France, Air Bleu et Air France transatlantique. Cette toute nouvelle compagnie nationale constitue une personne morale, distincte de l'Etat. Les actions représentant le capital seront détenues : par l'Etat, à concurrence de 70 %, et par des actionnaires (collectivités publiques ou actionnaires privés) à concurrence de 30 %. En outre, Air France a la possibilité de prendre des participations dans d'autres entreprises. Pour l'instant, elle est associée au capital de la société chérifienne Air Atlas et de la société tunisienne Tunis Air, elle est actionnaire de la Trapas (Société Française de Transports Aériens du Pacifique-Sud). Elle possède également des parts de la Société hôtelière africaine et de la Sita (Société Internationale de Télécommunications Aéronautiques). D'ici à la fin de l'année, on compte sur une augmentation des effectifs de 33 % environ, soit un peu moins de 3 500 personnes. Cette augmentation est à mettre en regard du nombre de passagers, qui ne cesse de croître : on attend jusqu'à 42 % de passagers de plus qu'en 1947.

M. Hymans, président d'Air France.

Pendant le blocus de Berlin, des avions, volant jour et nuit, apportent à la population de la nourriture et même du charbon. (→ 18.2.49)

Un nouvel aéroport pour New York

Idlewild Airport, 31 juillet
Foule nombreuse aujourd'hui à Long Island, pour l'inauguration par le président Harry Truman du nouvel aéroport international de New York. Il couvre une surface de 2 000 hectares. Dans son discours, le Président a assuré la nation de sa détermination à faire d'Idlewild la tête de pont des Nations unies pour la paix. Le gouverneur Thomas E. Dewey a renchéri, souhaitant qu'un tel projet permette aux Américains de mieux connaître les citoyens du monde entier. Un grand meeting a suivi. Neuf cents avions de combat, les superbombardiers les plus rapides, ont évolué sous les yeux des membres du Congrès, du Sénat et des autorités de la Défense. L'événement de cette fête aérienne a été le vol New York - Los Angeles et retour de trois B-29 Superfortress. Ils ont fait le trajet de 8 050 km non-stop, volant deux fois plus vite qu'au cours des missions contre le Japon. C'était une première.

Le Bristol Freighter peut transporter voitures et passagers

Il emporte dans sa soute trois voitures dont les passagers sont en cabine.

Porte ouverte, la Jeep débarque.

Le Touquet, 13 juillet
Il a été spécialement conçu pour faire traverser la Manche à des voitures. Sa forme particulière découle de sa possibilité d'embarquer sa cargaison d'autos et de passagers par l'avant. Dans sa soute de 66 m³, le Bristol 170 Freighter peut transporter trois véhicules et une dizaine de voyageurs. Commandé à la fin de la guerre par l'état-major britannique pour servir en Birmanie, cet étrange appareil a été choisi par la Silver City Airways pour assurer un pont aérien entre Le Touquet et Lydd. Disposant de douze Freighter, elle inaugure aujourd'hui son premier service au-dessus de la Manche. Elle effectuera dans les deux sens une trentaine de vols par jour. Leur durée est de 20 minutes.

Le Vickers Viscount s'appellait Viceroy

Whisley, 16 juillet
Le premier nom du projet de cet avion était Viceroy. Il a été changé pour Viscount après que l'Inde fut devenue un Etat souverain au sein du Commonwealth. Dans sa forme actuelle, cet appareil commercial n'attire pas les compagnies. C'est un vieux projet du Brabazon Committee de 1943, qui voulait développer un avion civil sur la base de critères qui ont changé. Un avion de trente-deux sièges mû par turbopropulseurs n'intéresse plus les compagnies, qui désirent des appareils plus grands. Le Viscount modèle 630 qui vient de voler a des turbines Rolls-Royce. Le seul aspect remarqué de cet avion a été le silence de son vol. Des turbines plus puissantes devraient permettre d'en agrandir le fuselage. (→ 29.7.50)

Ses ailes ressemblent à un coupe-papier

Villacoublay, 25 août
Maurice Hurel, à travers la compagnie Hurel-Dubois, vient de mettre au point le HD-10. C'est un avion aux ailes très particulières. Leur largeur (40 cm) est si faible en comparaison de leur longueur (12 m) qu'elles ont l'allure d'un gigantesque coupe-papier. Hurel a toujours voulu tester les avantages de l'aile à grand allongement. En 1921 déjà, il avait effectué un travail de recherche qu'il avait présenté à l'Ecole supérieure de l'aéronautique. L'appareil a été monté dans un petit atelier du 15e arrondissement de Paris. Maurice Hurel a tenu à effectuer le premier vol lui-même. Le petit moteur Mathis de 45 ch a réussi à enlever la masse de 430 kg, effectuant même plusieurs tours de piste.

a une faible capacité mais il est le premier avion civil à turbopropulseurs.

Le Hurel HD-10 a un train escamotable dont la manœuvre est assez complexe.

Le biplace d'entraînement de Lockheed

Les pilotes s'habitueront au vol à 900 km/h, avec l'instructeur à bord.

Van Nuys, 1er août
Malgré la chaîne de montagnes qui se situe près de cet aéroport du nord de Los Angeles, Tony Le Vier a fait un passage à 900 km/h à bord du TF-80C, version d'écolage du F-80 pour l'USAF. L'appareil est biplace en tandem avec double commandes. La différence de comportement des avions à réaction par rapport à ceux équipés d'hélices tractives a justifié la création d'un avion école pour les jeunes pilotes. Il y avait eu trop d'accidents.

Un biréacteur est expérimenté en France

Toussus-le-Noble, 12 octobre
Ce n'est qu'un prototype d'étude et ses formes ne lui donneront jamais l'occasion de réaliser des performances. Ses deux dérives verticales sont montées sur la partie arrière des moteurs, la dérive horizontale relie le sommet des deux premières. Le fuselage est gros, avec un poste d'observation monté à l'arrière d'où un mécanicien peut voir les sorties de tuyère qui sont à sa hauteur, sous l'empennage. La SNCAC (Société Nationale de Construction Aéronautique du Centre, dite Aérocentre) avait construit 2 prototypes bimoteurs à pistons NC 1070.

Le premier fut cassé lors d'un atterrissage sur le ventre. Le second aura un avenir plus prestigieux. Il a reçu les premiers réacteurs Nene construits sous licence par Hispano-Suiza (2 270 kg de poussée chacun). Ainsi équipé, il pèse 11 tonnes et possède deux sièges éjectables, ce qui n'est pas le cas du Triton, autre avion à réaction français. Le pilote Fernand Lasnes était accompagné du mécanicien Marcel Blanchard. Sur ordre du colonel Bonte, il est allé se poser à Brétigny. Lasnes, n'ayant jamais piloté d'avion à réaction, a déclaré qu'il croyait voler sur un tapis volant.

Le prototype NC 1071 poursuivra sa carrière au centre d'essai en vol.

Un de Havilland a passé le mur du son

Angleterre, 9 septembre
« Même un deuil ne peut m'arrêter. » Une devise qui pourrait être celle du constructeur Geoffrey de Havilland dont le DH.108 vient de franchir pour la première fois le mur du son. Le 27 septembre 1946, son fils s'était attaqué à ce mur invisible dans le même modèle expérimental. Mais le prototype aux ailes en flèche s'était désintégré en approchant la vitesse du son ou même en la dépassant. G. de Havilland Jr. y avait laissé la vie. Son père aura su, en poursuivant malgré son deuil ses recherches sur le vol à grande vitesse, lui rendre ainsi un dernier hommage. La portée de la performance que vient de réaliser le pilote d'essai John Derry sur le DH.108 est considérable : c'est la première fois qu'un avion propulsé par un moteur à réaction franchit

Le DH.108 : il a franchi Mach 1.

Mach 1. La puissance du turbo-réacteur de Havilland Goblin 4 de 1 701 kg de poussée et l'aile delta qui retarde les effets des ondes de choc sont les deux grands atouts de cet appareil. Une brillante réussite, dont les Anglais peuvent être fiers.

La maladie des DC-6 est enfin identifiée

Washington, 22 décembre
La cause des accidents du DC-6 est connue. La mise en quarantaine de ces avions de Douglas, qui durait depuis le mois de novembre dernier, est levée. Sabena en exploite trois. Selon les conclusions de la commission chargée de l'enquête, le Civil Aeronautics Board, les incendies, responsables de deux catastrophes et de 52 morts, sont dus à des écoulements d'essence lors de la commutation des réservoirs 4 et 3. Une petite quantité de carburant peut alors entrer en contact avec le système de chauffage et provoquer un incendie. Le pilotage n'est donc pas à mettre en cause. Il semble que Douglas porte une responsabilité dans cette affaire. (→ 29.9.49)

Air France a 105 000 kilomètres de ligne

Paris, 26 septembre
Air France est citée à l'honneur. D'après un communiqué officiel de la Direction mondiale des transports aériens, Air France exploite un réseau de 105 000 km, soit deux fois et demie la circonférence de la Terre ! Chiffre surprenant quand on sait les difficultés qu'a connues Air France après la guerre. Le réseau, qui dessert plus de 75 pays, comprend des lignes long-courriers intercontinentales (pour New York, Rio, Calcutta...), des lignes européennes (pour les capitales occidentales ainsi que Prague et Istanbul), un réseau métropolitain, des réseaux locaux dans toute l'Union française (Afrique du Nord, Antilles...) et un centre d'exploitation postal (Afrique du Nord et France). Air France met décidemment tout en œuvre pour rester numéro un.

AFRIQUE OCCIDENTALE
AIR FRANCE
AFRIQUE EQUATORIALE

Un réseau qui s'étend de plus en plus.

Ils sont sauvés par un DC-3 surmotorisé

Les rescapés du Groenland à leur arrivée à LaGuardia Airport, à New York.

Groenland, 28 décembre

Ils sont 13 à avoir passé dix-neuf jours dans les étendues glacées du Groenland. Ils ont pu rejoindre les Etats-Unis à bord d'un Skymaster C-54. Déjà, le 14 décembre dernier, un DC-3 Dakota s'était écrasé à Fairbanks (Alaska). Ils étaient six et avaient pu être sauvés grâce à un planeur, remorqué par un C-54. Cette fois, la situation est inverse : c'est l'équipage d'un planeur qu'il faut sauver en plus des naufragés. L'opération *Ice Cap* a échoué, le planeur venu enlever les onze hom-mes n'a jamais pu repartir. Cela faisait deux personnes en plus iso-lées dans la neige. C'est encore un Dakota, piloté par le colonel Emile Beaudry, qui va les sauver. L'appa-reil, muni de skis, a réussi à se poser près des rescapés. Chargé du strict nécessaire en carburant, il était aussi équipé du dispositif Jato (Jet Assisted Take Off). Ce sont des fu-sées placées sous les ailes qui don-nent une puissance complémentaire pour permettre un décollage court. Transférés à Sonderström, les res-capés ont été repris par un C-54.

Boeing améliore le ravitaillement en vol

Le B-50 qui est ravitaillé est un B-29 avec 4 moteurs de 3 500 ch.

Muroc Dry Lake, 1er décembre

L'augmentation de l'autonomie par le ravitaillement en vol revient à la mode. L'Air Material Command a chargé Boeing de procéder à des tests afin de mesurer les possibilités d'adapter les C-97 Stratofreighter en une version de citerne volante. Boeing avait déjà fait des essais en 1929 quand un Model 95 a reçu du carburant en vol d'un Model 40B. Les ingénieurs firent des essais avec un KB-29, dont le fuselage fut aménagé pour recevoir des citernes. Au mois de mai dernier, le système de transfert entre deux B-29 par un tuyau flexible mis au point par les Anglais ne donna pas satisfaction. L'AMC pria Boeing de trouver une autre solution. La conduite flexible fut alors remplacée par une perche creuse, attachée à l'arrière du ravi-tailleur, et stabilisée par deux pe-tites ailes soudées aux deux tiers de sa longueur. Abaissée par l'opéra-teur du KB-29, situé dans le poste d'observation arrière, elle a l'avan-tage de pouvoir être dirigée avec précision vers l'embout de l'avion à alimenter. (→ 2.3.49)

Le Flyer revient en Amérique

Washington, 17 décembre

C'est un très grand jour pour John Moore. Quarante-cinq ans jour pour jour après le premier vol des frères Wright, dont il reste le seul témoin vivant, l'Amérique rend un hommage posthume aux pionniers de Kitty Hawk : leur Flyer histori-que est enfin de retour aux Etats-Unis. Il sera exposé, à Washington, dans un hall de la Smithsonian Ins-titution. En 1928, Orville Wright, ne parvenant pas à faire reconnaître la primeur de son exploit, expédiait le Flyer au Science Museum de Londres : «On se souviendra des raisons qui m'ont poussé à l'en-voyer.» L'Amérique fait amende honorable vingt ans plus tard, mais onze mois, hélas! après la mort d'Orville Wright.

Les pilotes ont fait grève neuf mois

Washington, 24 novembre

Soulagement pour National Air-line : le mot d'ordre de fin de grève des pilotes est donné. Selon un communiqué de la centrale syndi-cale AFL, les représentants de l'Association des pilotes de ligne et les dirigeants de la compagnie ont pu trouver un protocole d'accord réciproque. Il était temps. Après ces neuf mois de grève, c'est l'exis-tence même de la compagnie qui était en jeu. Le 3 février dernier, peu avant minuit, les 145 pilotes de la compagnie avaient suspendu leur travail. Principale raison invoquée : la sécurité en vol. Motif annexe : les salaires. La grève avait fait tache d'huile dans les autres compagnies. C'est l'ensemble de la profession qui est soulagée aujourd'hui.

Le bombardier B-36B de Consolidated est propulsé par six moteurs à pistons Wasp Major. Sur cet exemplaire, qui deviendra B-36D, les carros-series de quatre turboréacteurs J-47 sont logées sous les ailes. (→ 26.3.49)

Le Vickers Viscount, avec ses quatre Rolls-Royce Dart, est le premier avion de ligne équipé de turbopropulseurs. Il accueille 32 passagers.

Le Short Sealand, premier avion amphibie britannique après 1945.

Le PA-18 Suber Cub est un dérivé amélioré du Piper J-3.

La nouvelle firme Aero Design and Engineering Corporation a développé le prototype d'un avion d'affaires baptisé Aero Commander L-3085.

Le Percival P.50 Prince, avion de transport moyen-courrier.

Le quadriplace Cessna 170 est une version dérivée du Model 140.

Premier hélicoptère produit en série par Hiller, le Model 360.

Le Supermarine Seagull, successeur des Sea Otter et Walrus.

Le SNCASO met au point son chasseur à réaction SO.6020, qui devait être armé de deux canons de 30 mm et de quatre mitrailleuses de 12,7 mm.

Le second prototype du Boulton-Paul Balliol.

Le McDonnel XF-85 Goblin s'accroche sous le ventre du B-36.

Le North American XAJ-1 devait être armé d'une bombe nucléaire.

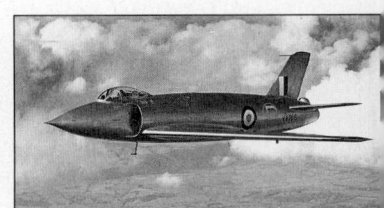

Le Supermarine S.10, version à aile en flèche de l'Attacker.

L'Iliouchine Il-28, biréacteur d'appui tactique, équipe de nombreuses force aériennes du bloc communiste, de l'Afrique à la Finlande (ici).

Le SAAB J-29 est le premier chasseur à réaction à aile en flèche constr en grande série (661 ex.) pour la Suède et l'Autriche.

Le McDonnel XF-88 dont sera dérivé le F-101 Voodoo.

Le Convair XF-92 donnera naissance au F-102 Delta Dagger.

Le Northrop X-4 Bantam est un appareil expérimental.

Le prototype du chasseur tout-temps Northrop F-89 Scorpion.

Le SNCAC NC.1071 possède un curieux empennage arrière. La firme cesse son activité en 1949.

Le Beech 45, version d'entraînement militaire du Bonanza.

Dérivé du chasseur F-80, le biplace d'entraînement T-33A a formé la quasi-totalité des pilotes du monde occidental pendant des décennies.

Le Douglas D-558-2 Skyrocket est un appareil de recherche dans le domaine de l'aile en flèche. Il possède un réacteur et un moteur-fusée.

Le Mil M-1, premier hélicoptère construit en série en Union soviétique, est également produit sous licence en Pologne par WSK-Swidnik.

Le Meteor a eu plus de succès que le Gloster E1/44.

L'Arsenal VG.70 fait appel à une construction mixte, bois et métal.

Le Martin PBM Marlin, dernier hydravion opérationnel américain.

Le Vought F7U Cutlass est muni d'élevons et une double dérive est montée sur la voilure. Sa carrière au sein de l'US Navy est brève.

Le Douglas F3D Skynight, biplace de chasse de nuit.

Le Curtiss XP-87 Nighthawk est équipé de quatre réacteurs J34.

1949

1 540 km/h
Etats-Unis
Charles Yeager
Bell X-1
26.3.48

37 189 km
Etats-Unis
James Gallagher
Boeing B-50
2.3.49

23 574 m
Etats-Unis
Frank Everest
Bell X-1
8.8.49

181 436 kg
Etats-Unis
Hughes Aircraft Co.
H-4 Hercules

2 950 kgp
Grande-Bretagne
Rolls-Royce
Avon 101

Muroc Dry Lake, 5 janvier
Yeager atteint la vitesse ascensionnelle de 4 260 m/min, sur l'avion expérimental Bell X-1. (→ 12.5.50)

Israël, 7 janvier
Des C-210, Messerschmitt Bf-109 de construction tchécoslovaque, de la chasse israélienne abattent quatre chasseurs Spitfire Mk-XVIII de la RAF, à la frontière égyptienne.

Oakland, 13 janvier
William Odom arrive d'Honolulu à bord d'un Beechcraft Bonanza. Il a franchi 3 873 km en 22 h. (→ 8.3)

France, 19 janvier
Léon Bourrieau décolle à Mont-de-Marsan le prototype d'avion de transport Fouga CM-100. C'est un planeur de transport CM-10, converti en bimoteur au moyen de deux Snecma de 600 ch. (→ 25.8.51)

Etats-Unis, 26 janvier
American Airlines équipe sa flotte d'un système d'informations aux passagers. Le commandant de bord peut ainsi transmettre les données du vol ou des consignes d'urgence.

Etats-Unis, 11 février
La firme Luscombe Manufacturing lance le Silvaire Sprayer sur le marché, avion spécialement étudié pour l'épandage sur les récoltes.

Berlin, 18 février
Le ravitaillement amené par pont aérien depuis le 26 juin 1948, pour nourrir les 2 100 000 habitants isolés par le blocus, atteint aujourd'hui le million de tonnes. (→ 12.5)

Etats-Unis, 4 mars
Le First Wing de l'USAF a été équipé de F-86. Un concours est organisé pour trouver un nom à ce chasseur monoplace à réaction. Sur les 78 propositions, celle de Sabre est retenue. Les 4e et 81e Wing reçoivent également le F-86 Sabre.

Villacoublay, 7 mars
Claude Dellys réussit un vol libre avec l'hélicoptère SO-1100 Ariel I à réaction, conçu par l'ingénieur Morain de la SNCASO. (→ 21.4.50)

San Diego, 26 mars
Le bombardier Convair B-36D décamoteur effectue son vol initial. La firme Consolidated-Vultee a ajouté quatre réacteurs Allison de 1 815 kgp aux six moteurs à pistons de 3 500 ch d'un B-36B. (→ 17.1.51)

Orléans-Bricy, 1er avril
Jacques Guignard décolle le prototype de l'avion d'assaut SO-8000 Narval, destiné à la marine. Son moteur Arsenal de 2 250 ch, entraînant deux hélices propulsives coaxiales, doit lui donner une vitesse de 735 km/h. Au cours de ce vol d'essai, il n'atteint pas 200 km/h.

Etats-Unis, 26 avril
Les pilotes Reidel et Harris posent leur Aeronca *Sunkist Lady*, après avoir tenu l'air durant six semaines. Les quatre ravitaillements quotidiens étaient assurés par une Jeep qui venait se placer sous l'avion.

France, 7 mai
Daniel Rastel refuse l'homologation du record de vitesse sur biplace à réaction, qu'il vient d'obtenir avec le SO-6000 *Triton*. Il affirme avoir dépassé 900 km/h et les commissaires de l'Aéro-Club ne lui accordent que 897,898 km/h. Ils ont obtenu ce résultat grâce à des chronographes précis au 1/10e de seconde.

Orly, 13 mai
Charles Goujon réalise un vol sur Bordeaux et retour, 1 000 km, avec un moteur coupé, sur un SO-30 P Bretagne à pleine charge. (→ 15.3.51)

Grande-Bretagne, 13 mai
Sur la base de la RAF de Warton, le colonel Beamont décolle le prototype du bombardier à réaction Canberra B Mk-1, d'English Electric. (→ 21.2.51)

New York, 18 mai
La ville est désormais équipée d'un héliport, inauguré au quai 41 sur l'Hudson River. (→ 8.7.52)

Paris, 31 mai
Air France ouvre la ligne Paris-Vienne, *via* Bâle, après l'ouverture de Paris-Varsovie le 22 mai. (→ 26.9)

Oklahoma, 29 juin
Les fermiers de l'Etat fondent un club des Paysans volants, afin de promouvoir l'usage de l'avion dans les fermes et les travaux agricoles.

France, 30 juin
La Commission de réorganisation de l'industrie aéronautique supprime la SNCAC, Société nationale de constructions aéronautiques du Centre, à cause du « peu d'intérêt de ses réalisations ». La SNCAN reprend les séries et essais en cours.

Les Mureaux, 11 juillet
Au cours d'un « rase-flotte » sur la Seine, un amphibie quadriplace SCAN-30 touche l'eau et se retourne brutalement. Les occupants sont sains et saufs mais parmi eux, Jacqueline Auriol, invitée à ce vol d'information, souffre de trois fractures du crâne. (→ 30.4.51)

Brétigny, 29 juillet
Fernand Lasnes a décollé de Villaroche avec le chasseur à réaction NC-1080, étudié par la SNCAC. Il découvre l'inefficacité totale des spoilers ce qui rend tout virage impossible. La piste du CEV de Brétigny est sur sa trajectoire, il réussit à s'y poser sans casse. (→ 7.4.50)

Londres, 30 juillet
La BOAC absorbe la compagnie British South American Airways.

Toronto, 10 août
Premier vol du Jetliner C-102 d'Avro Canada. Cet avion commercial est équipé de 4 réacteurs Rolls-Royce Derwent de 1 585 kgp.

Grande-Bretagne, 4 septembre
L'Avro 707, conçu par l'ingénieur Roy Chadwick, fait son vol initial. Avion de recherches à aile delta, il est destiné à tirer des enseignements sur les possibilités de cette voilure à faible vitesse. (→ 30.8.52)

Melun-Villaroche, 10 septembre
Claude Chautemps décolle en 17 s, sur 400 m, le prototype du Nord 2500 Noratlas. Cargo militaire bimoteur de plus de 20 t, c'est le plus gros appareil conçu par la SNCAN.

Santa Monica, 29 septembre
La firme Douglas fait voler le DC-6A version cargo du DC-6. Il peut emporter 12,8 t de fret.

Bordeaux-Mérignac, 1er octobre
Les ateliers de la société Dassault ayant récemment brûlé, la première pierre d'une nouvelle usine de production est posée. (→ 1.9.50)

Marseille-Marignane, 1er octobre
Henri Vanderpol procède à un essai du quadrimoteur SE-1010 pour étudier son défaut connu de mise en vrille à plat. L'incident se reproduit. L'avion s'écrase à Carces, entraînant la mort du pilote et des cinq techniciens de la SNCASE. L'appareil était destiné aux missions photographiques de l'IGN.

Etats-Unis, 17 octobre
La compagnie Northwest Airlines annonce son intention de servir des boissons alcoolisées à bord de ses appareils sur les lignes intérieures.

Les Açores, 27 octobre
Un Constellation d'Air France, en route pour New York, s'écrase dans l'archipel. Parmi les 48 victimes, se trouvent le boxeur Marcel Cerdan et la violoniste Ginette Neveu.

Washington, 1er novembre
Un DC-4 d'Eastern Air Lines et un chasseur P-38 entrent en collision au-dessus du Washington National Airport. Il y a 55 morts.

Bruxelles, 30 novembre
L'actionnaire principal de Sobelair amène ses actions dans l'augmentation du capital de la Sabena qui devient actionnaire de Sobelair.

Melun-Villaroche, 28 décembre
Jacques Guignard décolle une nouvelle version de l'Espadon, le SO 6025-01. Il doit servir à des essais de décollage accéléré et de vitesse ascensionnelle élevée. (→ 3.9.50)

---

13 octobre 1949 : les Chargeurs réunis créent une nouvelle compagnie aérienne : l'UAT ou Union aéromaritime de transport.

Le Tudor disparaît au large des Bermudes

Selon son dernier contact avec le sol, le « Star Ariel » volait à 5 500 m.

Bermudes, 17 janvier
C'est le second appareil du même type et de la même compagnie qui disparaît dans la même zone. Les sept membres d'équipage et les trente-trois passagers du Tudor IV de la British South American Airways sont portés disparus. L'avion de transport britannique était parti des Bermudes et avait mis le cap sur Kingston en Jamaïque. A 200 km au sud-ouest des Bermudes, il a confirmé sa position. Volant à 5 500 m d'altitude, tout se passait bien à bord. Ce message, émis à 13 h 52, devait être le dernier. A 19 h 15, alors que l'appareil aurait dû se poser depuis longtemps, les autorités ont lancé les recherches. On n'a rapporté aucun indice. Cette affaire porte à trois le nombre des avions civils qui ont mystérieusement disparu. Le premier était un DC-3 en 1947. (→9.11.56)

Breguet fait voler un avion à deux ponts

C'est par l'arrière du fuselage que les voitures montent dans le Breguet.

Villacoublay, 15 février
Le Breguet 761 Deux-Ponts a volé pour la première fois. Piloté par Yves Brunaud, le quadrimoteur à deux étages est propulsé par quatre moteurs Snecma d'une poussée unitaire de 1 580 ch. Pour la première fois en France, un avion est capable de transporter plus de 100 passagers. Ce sont 130 personnes qui sont réparties dans les deux étages. Il peut décoller avec une charge de 48 tonnes. Pour son vol d'essai, il n'était chargé que de 28 tonnes et 350 mètres lui ont suffi pour quitter le sol. Pendant 45 minutes, Yves Brunaud a piloté le dernier-né des usines Breguet. L'équipage a mis ce vol à profit pour étudier les réactions de l'appareil. Au terme du vol, Brunaud maîtrisait suffisamment le Breguet Deux-Ponts, pour se permettre de réaliser un atterrissage tout en douceur. (→26.3.53)

Dassault confie à Rozanoff son chasseur à réaction Ouragan

Melun-Villaroche, 28 février
Sa combinaison anti-G est arrivée il y a peu de temps des Etats-Unis. Hier, Rozanoff s'est familiarisé avec l'avion en procédant à des essais de roulage à grande vitesse. A 15 h 15 cet après midi, il a tiré sur le manche et les 5 t de l'Ouragan se sont soulevées, propulsées par les 2 270 kg de poussée du réacteur Nene. Rozanoff a fait faire à l'avion de chasse de Marcel Dassault un vol de 22 min. Il a testé les volets et le train a grimpé à 4 000 m avant d'augmenter la vitesse jusqu'à 500 km/h. Il est revenu se poser sans problème devant des témoins soulagés par ce succès. Constantin Rozanoff s'est extrait du cockpit comme s'il s'était agi d'un vol d'agrément. A 44 ans, il est devenu un grand professionnel des vols d'essai. Le prototype était arrivé, démonté, quelques semaines plus tôt des ateliers de Saint-Cloud. Lucien Martin et ses mécaniciens l'avaient assemblé et mis au point.

A l'arrière du fuselage, on remarque les aérofreins qui sont à moitié sortis.

Un Bonanza aux grandes jambes

Teterboro, 8 mars
Une nuée de photographes et de journalistes sont venus pour lui. William Odom a battu le record du monde de distance sans escale en avion léger. Il vient de parcourir, à bord de son Beechcraft Bonanza baptisé *Waikiki*, 8 484 km en 36 h et 2 min. Parti de Hawaii, il a eu fort à faire avec le mauvais temps, particulièrement pendant le survol de l'Idaho où il a dû grimper jusqu'à 4 800 m d'altitude et utiliser son masque à oxygène. Puis, il a survolé sans problème Twin Fall, Malad City et Rock Springs où, au crépuscule, il a rencontré de la neige. Le vol est alors devenu une véritable routine jusqu'à l'aéroport de Teterboro. Il a consommé 1 088 l d'essence, et il lui en restait assez pour 600 km de plus. Odom a prouvé la fiabilité et l'efficacité du Bonanza, monomoteur construit par Beechcraft à Wichita.

Le B-50 « Lucky Lady » fait le tour du monde sans escale

Fort Worth, 2 mars

Il était parti d'ici le 26 février et vient de rentrer après avoir accompli le tour du monde sans se poser. Equipé du système de ravitaillement en vol, il a repris du carburant au-dessus des Açores, à Dahran, au-dessus des Philippines et aux environs d'Hawaii. C'était à chaque fois un KB-29 qui était au rendez-vous avec le carburant nécessaire pour rallier l'étape suivante. Il a parcouru 37 189 km en 94 heures et 1 minute. Pour compléter l'exercice, il a largué à la moitié du chemin des bombes factices, leur tonnage n'a pas été communiqué. Par rapport au B-29, le B-50 vole 2 000 mètres plus haut et peut emporter quatre tonnes de plus.

Le ravitaillement en vol est devenu banal. Le B-50 est rentré à Carswell.

Un avion s'échappe sans pilote

Orléans-Bricy, 13 avril

Le SO-M-2 est fin prêt pour un point fixe, sans pilote à bord. Flambant neuf, il est doté de deux moyens de propulsion donnant cinq tonnes de poussée alors que l'avion n'en pèse que quatre. Pour le fixer, on l'a harnaché avec des élingues. Dans un vacarme apocalyptique, les propulseurs sont poussés à leur puissance maximale, mais rien ne se passe comme prévu ! Rompant ses harnais l'appareil prend de la vitesse. Du sol, jaillissent des plaques de béton que la fusée a découpées tel un chalumeau. Heureusement, elle n'a que trois secondes de combustion et l'escapade tourne court.

Une étape décisive pour Sud-Est Aviation

Toulouse, 2 avril

Cet après-midi, tous les ateliers de Sud-Est Aviation sont déserts. Le personnel assiste au premier vol du prototype SE-2010 Armagnac. Cet appareil de transport géant, dont l'étude a débuté pendant la guerre, marque un véritable tournant pour la firme. Long de 39,63 mètres et doté de 4 moteurs Pratt & Whitney de 3 500 ch, il peut emporter 84 passagers sur une distance de 4 900 km. Sa vitesse de croisière est de 450 km/h. Le projet Armagnac a mis en œuvre tous les moyens d'étude disponibles. Des maquettes motorisées de plus en plus grandes ont été testées en soufflerie. On a procédé à des essais de pare-brise, de train d'atterrissage et de pressurisation. L'Armagnac innove aussi par son équipement sophistiqué. Les indicateurs de paramètres des moteurs ont été centralisés. Un manche à balai semi-circulaire remplace le manche à volant. En décembre, l'avion sortait du hangar pour les points fixes. En janvier, il effectuait des essais de roulage. Aujourd'hui, Pierre Nadot était le pilote, Léopold Galy, le copilote, pour ce vol de 55 minutes. Cinq techniciens dont Jacques Lecarme les ont accompagnés. (→ 12.5.51)

Air France révise 1 100 moteurs d'avion

L'un des avions de la compagnie française : le Lockheed Constellation L.049.

Courbevoie, 30 avril

Air France n'utilise sur ses avions que des moteurs américains. A chaque type de moteur, le constructeur a fait correspondre un potentiel. C'est l'estimation du temps durant lequel le moteur peut tourner sans qu'on ait à remplacer ses pièces. Par exemple, le moteur Wright C-18BA de 2 200 ch doit être révisé toutes les 850 heures, alors que le C-18BD peut tourner 1 000 heures avant d'être révisé. Jusqu'à présent, les Pratt & Whitney R-2000 des DC-4 étaient entretenus par Hispano-Suiza. Les R-1830 des Languedoc et DC-3 furent confiés à d'autres ateliers et l'expérience fut désastreuse. En juillet 1948, Air France décidait de créer son propre atelier. Le centre de révision de Courbevoie (CRC) est en préparation. Ce sont les anciens ateliers Anzani qui ont été rachetés et que l'on modernise. Le processus mis au point est exemplaire. Les moteurs seront introduits par un sas afin d'éviter que les poussières extérieures pénètrent dans l'atelier. Ils seront d'abord lavés à la vapeur, fixés à un bâti monté sur un chariot, puis démontés sur trois chariots spécialement construits pour le CRC. Les 2 500 pièces de chaque moteur seront alors nettoyées grâce à un procédé chimique dans des cuves. Pour le décalaminage, il est prévu d'utiliser un jet de noyaux d'abricot concassés, procédé moins abrasif que le jet de sable. La cadence normale devrait être de quinze moteurs par mois. Le premier moteur révisé doit sortir en juillet.

Le SE-2010 Armagnac est le plus grand avion de transport français.

Le Super DC-3C vise une nouvelle carrière

Une version améliorée du célèbre appareil avec ses deux moteurs de 1 475 ch.

Santa Monica, 23 juin
En 1940, 90 % du trafic passagers aux Etats-Unis se faisait sur DC-3. L'arrivée sur le marché d'autres appareils plus puissants et de plus grande capacité lui fit perdre cette position privilégiée, mais il pouvait rester compétitif sur des lignes de courte distance avec une moyenne de 30 passagers. Douglas a décidé de rouvrir ses dossiers et d'améliorer le vieux Dakota. L'avion qui vient de voler, le Super DC-3C, a repris 60 % du vieux modèle. Les ailes sont plus grandes, le fuselage est allongé, la dérive est celle du DC-6 et les moteurs sont plus puissants. Il peut accueillir 38 passagers. Capital Airlines en a commandé un exemplaire. Rolls-Royce et Armstrong-Siddeley utilisent des DC-3 pour tester leurs turbopropulseurs. Plus légers que les moteurs classiques, ils sont montés plus à l'avant des ailes pour maintenir le centrage de l'avion.

Pierre Breguet revient au gyroplane

Le prototype du gyroplane G 11-E.

Les deux rotors tripales coaxiaux.

France, 21 mai
La société Breguet revient à ses premières passions : les voilures tournantes. Son prototype, le gyroplane G 11-E, vient de voler pour la première fois avec Fred Nicole aux commandes. Après les années sombres de la guerre, les usines de Villacoublay et de Montaudran ont été remises en état. C'est avec un gyroplane que Pierre Breguet reprend ses activités de constructeur. Le moteur Potez 9 E00 de 240 ch est enfermé dans un fuselage bien caréné. Il entraîne deux rotors tripales coaxiaux. Le G 11-E est en fait un lointain successeur du gyroplane laboratoire, construit en 1935 et qui avait passé avec succès toutes les épreuves d'homologation. Mais un regrettable accident, survenu en 1939, avait provoqué la suspension des essais de l'appareil, ainsi que l'arrêt de quelques autres projets de gyroplanes déjà bien avancés.

Le Fouga Cyclone, un planeur à réaction

Aire-sur-Adour, 14 juillet
Pierre Mauboussin n'aime vraiment pas la joaillerie, sa passion c'est l'avion. Depuis quelque temps, avec Robert Castello, il produit des planeurs à la société Fouga. Il a eu l'idée de demander à Joseph Szydlowski, de la firme Turboméca sise à Pau, de lui fabriquer un mini réacteur. Ils l'ont adapté au-dessus du fuselage de leur CM-8-13 en modifiant la dérive arrière pour laisser passer le souffle du moteur. Il vient de voler superbement. (→ 14.1.50)

La Sati ravitaille Paul-Emile Victor

Groenland, 13 juillet
Un des quadrimoteurs Liberator de la Sati a réussi à ravitailler l'expédition Paul-Emile Victor, bloquée sur la banquise par une température de 20 degrés au-dessous de zéro, à 2 600 m d'altitude. Depuis Cormeilles-en-Vexin, Roger Loubry et ses hommes ont établi un pont aérien avec le Pôle. Ils vont ainsi larguer 120 tonnes de matériel en 12 missions. C'est un véritable exploit car le Liberator n'est ni pressurisé ni chauffé. (→ 13.10)

Au vol d'essai, l'avion, piloté par Léon Bourrieau, n'avait pas ses capots.

Le Liberator, piloté par Roger Loubry, largue au-dessus de la banquise.

Le DH Comet ouvre l'ère du transport à réaction

Frank Whittle, gravement malade, a tenu à venir admirer l'aboutissement de ses travaux. Grâce au réacteur, le Comet vole plus vite et plus haut.

Hatfield, 27 juillet

L'industrie aéronautique britannique pavoise, les Américains sont sous le choc. L'avion de ligne à réaction Comet de De Havilland a effectué son premier vol d'essai avec brio. Partis à 6 heures du matin de Hatfield, John Cunningham et son équipage ont pris leur petit déjeuner à Tripoli ; ils étaient de retour à Londres vers 15 heures. Les deux vols furent bouclés à une vitesse de croisière de 725 km/h, à plus de 10 000 m d'altitude, dans un silence de vol quasi total. Toutes les données de l'aviation commerciale sont à revoir, une ère nouvelle a débuté et elle n'a pas été le fait de l'Amérique qui domine l'industrie aéronautique depuis des années. Ce Comet n'a rien de commun avec les deux autres avions à réaction développés par Vickers ou Avro Canada. Dans ces deux cas, il s'agit de cellules classiques sur lesquelles on a remplacé le moteur à pistons par un réacteur. Le Comet est d'une conception entièrement nouvelle. Les ailes, servant de réservoirs, sont étanches. Le fuselage est collé et non riveté. Les 4 réacteurs donnent 10 tonnes de poussée. (→ 2.4.51)

Air France sert des repas chauds

Orly, 30 septembre

Le service hôtelier d'Orly permet à Air France de proposer désormais sur ses lignes des repas chauds embarqués dans des containers. Ils sont réchauffés à bord par l'équipage dans de petites cuisines. Non seulement le menu change chaque jour, mais il est adapté en fonction des désirs ou des besoins particuliers de la clientèle. C'est ainsi que sont proposés aux passagers des menus classiques ou des repas qui tiennent compte de leur régime. Il y a des plats pour végétariens et des repas spéciaux pour les enfants. Des menus casher sont disponibles sur demande pour les passagers de confession juive. Le repas type se compose d'un hors-d'oeuvre, d'une entrée (poisson, langouste ou foie gras), d'un plat chaud (viande garnie de légumes), d'un fromage et d'un dessert, le tout arrosé de vin ou de champagne. L'art de la table est respecté et l'argenterie est à l'emblème de la compagnie.

Swissair agrandit et modernise sa flotte

Zurich, 19 septembre

Compagnie privée depuis février dernier, Swissair poursuit sa lente modernisation. Après le premier vol Zurich-New York sur DC-4 au printemps 1947, Swissair a subi une baisse considérable de ses recettes de trafic, à cause de la soudaine dévaluation de la monnaie suisse. Elle a donc fait appel à la Confédération qui a acheté sur les deniers de l'Etat deux Douglas DC-6B long-courriers. Cela représentait une économie de 15 millions de francs suisses. Pour son réseau continental, elle s'est dotée de moyen-courriers modernes, dont le Convair-Liner 240. Cet avion de ligne, à cabine pressurisée, peut emporter 40 passagers à la vitesse de 538 km/h. Ses deux moteurs sont des Pratt & Whitney en étoile. Il a été mis en service pour la première fois par American Airlines le 1er juin 1948.

Un nouveau moyen-courrier pour la compagnie suisse : le Convair-Liner 240.

Turbopropulseur ou réacteur ?

Londres, 30 octobre

Les constructeurs étudient les deux systèmes. Si l'un et l'autre de ces moyens de propulsion partent du même principe, les rendements sont différents et les deux systèmes se complètent plus qu'ils ne se concurrencent. Le turbopropulseur a une hélice montée sur l'arbre de la turbine. La mise en puissance se répercute immédiatement sur l'hélice qui entraîne l'appareil. Le réacteur se lance plus lentement, sa mise en puissance est progressive et augmente avec la vitesse. Les avions équipés de turbopropulseurs s'accommodent des terrains existants. Par contre, ils ont les inconvénients liés à l'hélice. Leur rendement baisse avec l'altitude et les pales sont limitées en vitesse qui devient critique quand elle approche celle du son. Le réacteur a un rendement idéal aux hautes altitudes. Le frottement de l'air sur l'avion y est beaucoup plus faible, ce qui contribue à augmenter la vitesse.

Francis Fabre crée l'Union aéromaritime de transport

Paris, 13 octobre
Roger Loubry et Jean Combard ne tardèrent pas à réaliser que l'équilibre financier de leur société était difficile à trouver. La limitation des droits d'exploitation en long-courriers imposée à la Sati ne laissait pas présager de florissantes perspectives d'avenir. Tandis que Loubry effectuait ses rotations vers le Groenland, (→ 13.7), Jean Combard recherchait des appuis financiers ou des possibilités d'association. A la fin du mois de juillet, il signait un accord de principe avec les Chargeurs réunis. Cette société avait toujours montré son intérêt pour le transport aérien. Il restait à obtenir l'aval d'Air France qui devait être consultée pour toute initiative des

Chargeurs réunis dans le domaine du transport aérien. La réponse de la compagnie nationale a donné lieu à la création de la Sarl Union aéromaritime de transport (UAT), qui rachète les actifs de la Sati. Les Chargeurs réunis et Air France ont chacun 40 % du capital, les 20 % restants sont la propriété de Combard et Loubry. Louis Vital est le gérant de la société. Le secrétariat général à l'Aviation civile a autorisé la jeune société à exploiter en Afrique des lignes complémentaires au réseau d'Air France. UAT profitera du réseau commercial des Chargeurs réunis. Elle s'est installée dans le hangar 5 du Bourget et ses bureaux sont au 19 du boulevard Malesherbes. (→ 23.1.50)

Air France ouvre Saigon-Nouméa

Un DC-4 effectue le premier voyage.

Saigon, 26 septembre
Une nouvelle route aérienne au départ de l'Indochine : celle qui relie Saigon à Nouméa. La mise en place de cette liaison coïncide avec la création d'une société vietnamienne de transports aériens qui associe les intérêts français à ceux du gouvernement vietnamien. Chargée des relations avec les pays voisins, Air Viêt-nam va prolonger les services exploités jusqu'alors par Air France, multipliés en raison de la croissance du trafic dans la région.

La France abandonne les hydravions

Marignane, 18 octobre
Pilote à l'Aéronavale, il souffrait d'hydrophobie caractérisée et ne l'avait pas dit. Le résultat est que le dernier des trois hydravions français est au fond de l'étang de Berre. Jacques Sarrail venait de le lâcher sur le SE-200. Se présentant mal, il rate son amerrissage et transforme un instant l'hydravion en sous-marin. Pris de panique, il remet les gaz, malgré les avaries. Pour éviter le pire, Sarrail les coupe mais il est trop tard. C'est du même coup la fin du programme d'essai des hydravions français.

Lindbergh est salué

New York, 17 décembre
L'Amérique rend honneur à l'un de ses plus glorieux héros : Charles Lindbergh. Le trophée Wright Brothers 1949 vient de lui être décerné en remerciement du prestige éclatant qu'il a apporté à l'aviation américaine, en tant que héros de guerre, aviateur intrépide et porte-parole des Etats-Unis auprès de l'Europe et de l'Amérique latine.

Le Bristol « Brabazon » pèse 131 tonnes

Filton, 4 septembre
Pour faire décoller ce grand avion de l'aéroport de Filton, il a fallu allonger la piste de l'aérodrome et la porter à 2 500 mètres, ce qui a conduit à l'expropriation de tout un village. C'est dire si cet avion a fait des heureux au départ. Baptisé *Brabazon*, du nom du président de la commission qui en a autorisé le projet en 1943, le Bristol 167 est un quadrimoteur de ligne. C'est Bill Pegg qui l'a fait voler pour la première fois. Son fuselage est très profilé et il doit emporter une centaine de passagers à 400 km/h. Il est propulsé par huit moteurs en étoile Bristol Centaurus de 2 500 ch et ses 28 réservoirs contiennent 62 000 litres de carburant.

La France lance ses P-63 en Indochine

Saigon, 15 novembre
La saison des pluies est terminée. Le groupe Normandie-Niémen est arrivé d'Afrique du Nord le 29 octobre à la base de Tan Son Nhut. Les P-63C Kingcobra, qui ont été amenés par le porte-avions *Dixmude* en septembre, les attendent. Les Etats-Unis ont cédé ces chasseurs à la France dans le cadre des accords de l'Otase et ont autorisé Paris à les utiliser en Indochine. Les groupes I/5 et II/5 passent du Spitfire Mk-IX vieilli au Kingcobra.

Présentant une envergure de 70 m, l'avion est prévu pour l'Atlantique Nord.

Bell Kingcobra de la 5e escadre de chasse basée en Indochine.

La BOAC commence à remplacer ses hydravions

Le Boeing Stratocruiser s'apprête à atterrir sur l'aéroport de Londres.

Canadair monte des moteurs Merlin sur le DC-4. BOAC l'appelle Argonaut.

Londres, 6 décembre

Seule solution pour le transport aérien au-dessus des océans dans les années trente, l'hydravion est en train de disparaître au profit des avions terrestres. Ainsi, BOAC vient de mettre en service, sur la ligne de Londres à Hong Kong, un Canadair C-4 Argonaut. C'est la première liaison assurée par un avion terrestre vers les métropoles d'Extrême-Orient. Il faut trois jours à l'Argonaut (DC-4 avec moteurs Merlin) pour couvrir une distance qui en demandait cinq à l'hydravion de la classe C Short Sandringham. Ce dernier est un Sunderland militaire transformé en version civile avec des carénages qui remplacent les tourelles. Par ailleurs, BOAC a acquis 10 quadrimoteurs Boeing 377 Stratocruiser. Ils vont être affectés aux vols de Londres vers New York et viendront s'ajouter à ceux de Pan Am sur cette ligne. Le Stratocruiser est considéré comme l'avion de ligne le plus moderne pour l'heure, en attendant la mise en service du Comet britannique dont l'avance technologique est très jalousée par les Américains (→ 4.10.58). La mise en service du Stratocruiser sonne la retraite des hydravions Short, vieux routiers des lignes impériales. Ils seront vendus à des sociétés comme Aquila Airways. Il est certain que BOAC, dans sa recherche du bon avion pour chaque ligne, privilégie maintenant les avions terrestres.

Air France fête sa 2 000e traversée

Idlewild, 9 novembre

Depuis le départ de Paris, ce vol vers les Etats-Unis a un air de réjouissance. Les repas ont été spécialement choisis pour faire de cette 2 000e traversée une grande fête à bord du Constellation d'Air France. Les traversées se succèdent et chacune apporte un peu plus d'expérience. Le premier problème pour le commandant est le choix de la route qu'il prendra. Elle est liée aux conditions atmosphériques. Par exemple, si un anticyclone se trouve au nord des Açores, la route la plus favorable pour aller vers New York sera celle du sud avec l'escale à Santa Maria où la piste fait ressembler l'approche à un appontage sur porte-avions.

Sveree, en venant au monde au-dessus de l'Atlantique, devient la plus jeune des passagères de Scandinavian Airlines.

Une pluie de noix larguée sur Bastogne

Bastogne, 22 décembre

Il y a cinq ans, le général de brigade Anthony MacAuliffe était retranché dans Bastogne, encerclé par les Panzers de von Rundstedt. Les hommes des 10e et 101e divisions aéroportées étaient pris au piège, la percée allemande les avait dépassés de plusieurs kilomètres. Le temps bouché avait empêché toute intervention aérienne, même les parachutages étaient impossibles. Cet hiver très enneigé rendait les combats pénibles. Aux Allemands qui proposaient à McAuliffe de se rendre, ce dernier a lancé le célèbre *«Nuts!»* (des noix). Le 26, les blindés de Patton venaient les libérer. La 101e a fêté l'événement en affrétant un avion qui est venu déverser des boîtes de noix sur la ville des Ardennes belges.

Une hôtesse procède au chargement.

Les avions de l'année 1949

Le SIPA 901 Minicab, un avion de tourisme économique et fiable.

Le Breguet 761 Deux-Ponts, un gros porteur avant l'heure.

Le coût d'exploitation du Sud-Est SE 2010 Armagnac se révèle trop lourd et TAI doit l'abandonner. SAGETA l'utilisera sur Saigon.

Le de Havilland Comet I, premier jet civil du monde, connaîtra plusieurs accidents mortels dus à une faiblesse de sa structure.

L'Avro Shackleton est utilisé par la RAF jusqu'en 1991.

Le Beechcraft Twin Bonanza est aussi utilisé par l'USAF (YL-23).

Le Saunders-Roe Skeeter sert également de poste de surveillance.

L'Aerocar, une autre tentative pour concilier avion et automobile.

L'Avro Canada Jetliner possède quatre réacteurs montés par paires dans des nacelles sous la voilure. Il ne sera pas construit en série.

Le Bristol Brabazon devait concurrencer les gros porteurs américains sur l'Atlantique Nord. L'avènement du jet tuera le projet dans l'œuf.

Le Fouga CM8R Sylphe, un planeur à réaction !

Le Nord 1402 Noroit, l'un des derniers hydravions militaires.

Le Morane-Saulnier MS.730, conçu pour l'entraînement primaire.

Le SO.6020.02 demeure au stade expérimental.

Le Fairey Gannet, un avion efficace de lutte aéronavale.

Le Martin XB-51 est abandonné par l'USAF en faveur du Canberra.

Le Fairchild C-123 Provider est un avion de transport militaire.

Le Vickers Viking forme les pilotes et les équipages de la RAF.

Le Canberra est aussi produit sous licence aux Etats-Unis par Martin.

Le Republic XF-91 est équipé d'une propulsion mixte.

L'Arsenal VG.90, prévu pour l'appui tactique, est abandonné.

Le de Havilland Venom, version d'attaque améliorée du Vampire.

Le Lockheed XF-90, conçu comme chasseur de pénétration.

Le Leduc 0.21 teste le principe de la tuyère thermopropulsive. Largué en vol, il ne dépasse pas Mach 0.85 en raison de son poids trop élevé.

Le Sikorsky S-55, premier hélicoptère de transport moderne.

Le prototype du Nord Noratlas, un avion de transport militaire.

Le Nord 2200, conçu comme chasseur embarqué pour l'Aéronavale.

Le prototype de l'Armstrong-Whitworth Apollo.

L'Ouragan, premier gros succès commercial de Dassault (350 ex.), équipe l'armée de l'Air française et est exporté en Inde et en Israël.

Le Douglas YC-124 Globemaster II est dérivé du C-74, dont il conserve la voilure et l'empennage arrière, mariés à une nouvelle cellule.

Le North American T-28 Trojan remplace le fameux T-6 Texan.

Le Convair T-29 d'entraînement militaire est dérivé du CV 340.

Le prototype du Lockheed F-94 Starfire, version spécialisée de chasse de nuit du F-80, reçoit le baptême du feu pendant la guerre de Corée.

Le Northrop Pioneer donne naissance au C-125 Raider.

Le CASA 201 Alacotan, premier bimoteur conçu en Espagne.

1950

 1 540 km/h
Etats-Unis
Charles Yeager
Bell X-1
26.3.48

 37 189 km
Etats-Unis
James Gallagher
Boeing B-50
2.3.49

 23 574 m
Etats-Unis
Frank Everest
Bell X-1
8.8.49

 181 436 kg
Etats-Unis
Hughes Aircraft Co.
H-4 Hercules

 3 970 kgp
Etats-Unis
Pratt & Whitney
J48-P-5

Chine, 1er janvier
Claire Chennault rachète les 20 % que détenait Pan Am dans la China National Aviation Corp.

URSS, 13 janvier
Ivachtchenko décolle le prototype du MiG-17. Son aile est en flèche avec des angles de 42° pour les plans externes et de 45° pour les plans internes. (→ 18.9.53)

Miami, 14 janvier
Fred Nicole remporte un triomphe dans un meeting aérien avec son Fouga Cyclone équipé d'un petit réacteur Turboméca. Les Américains ne connaissent pas les réacteurs de faible puissance. (→ 30.6)

Etats-Unis, 22 janvier
Paul Mantz effectue une traversée transcontinentale en 4 h 52 min, de Burbank à New York, sur son P-51.

Brazzaville, 23 janvier
Un DC-4 de l'UAT arrive de Paris, *via* Alger, Gao, Pointe-Noire et Libreville. La compagnie a acquis quatre DC-4 rachetés lors de la faillite de Peruvian Airlines.

Muroc Dry Lake, 27 janvier
En mémoire du capitaine Glen Edwards, l'US Air Force décide de changer le nom de sa base d'essai dans le désert californien. Elle sera désormais connue sous le nom de Edwards Air Force Base. (→ 12.5)

Paris, 20 février
Air France instaure une classe touriste. La cabine de 1re classe du DC-4 est aménagée pour 55 passagers à tarif réduit, au lieu des 44 sièges de 1re. (→ 30.11.51)

Pays de Galles, 12 mars
Un Avro Tudor V s'écrase près de Cardiff. Il ramenait d'Irlande les supporters d'une équipe de rugby : on compte 80 morts et 3 survivants.

Abidjan, 14 mars
Un hydravion Latécoère 631, aménagé en cargo de 180 m³ par la Semaf, arrive de Biscarosse sans escale en 14 h 25 min de vol, avec 13 t de fret à bord.

Dallas, 16 mars
L'US Air Force commande des systèmes de communication radio à très hautes fréquences à la société Collins Radio, pour 7 millions de dollars. Ils sont considérés comme plus fiables et efficaces que ceux en usage, à basses fréquences. (→ 8.6)

Cap Ferret, 28 mars
Au cours d'un vol destiné à mesurer les contraintes sur les pales d'hélices et à étudier les vibrations créées par les groupes moteurs, l'hydravion Latécoère 631 n° 3 explose. Les 12 navigants qui étaient à bord sont tués. (→ 31.10.51)

Brétigny, 7 avril
Pierre Gallay, pilote d'essai, prend en main le chasseur NC-1080, mais s'écrase après une vrille arrêtée trop près du sol. Il avait 33 ans.

Villacoublay, 21 avril
Claude Dellys décolle l'hélicoptère SO-1110 Ariel II. Le rotor tripale de l'Ariel I, actionné par un moteur à réaction, a été allongé de 1,05 m et le moteur d'origine est remplacé par un Turboméca. (→ 18.4.51)

Etats-Unis, 27 avril
La compagnie Transcontinental & Western Air de Howard Hughes devient Trans World Airlines. Elle gardera le sigle TWA.

Edwards AFB, 12 mai
Le Bell X-1 n° 1, premier appareil au monde à avoir franchi le mur du son, fait son dernier vol. Charles Yeager le pilote pour le tournage du film *Test Pilot*.

Argentine, 27 juin
Le chasseur à réaction Pulqui-II IAe-33 fait son premier vol. Il a été conçu par l'Allemand Kurt Tank, père du Focke-Wulf Fw 90, arrivé en 1945 avec 45 techniciens. Tank avait proposé aux Argentins son projet d'intercepteur Fw-Ta-183 à ailes en flèche, plus moderne que le D-720 d'Emile Dewoitine. Ce dernier a vu la production en série de son Pulqui-I abandonnée le 27 octobre 1948, au profit des travaux de Kurt Tank.

Aire-sur-Adour, 30 juin
La société Wright a menacé en mai d'intenter un procès à Fouga pour l'utilisation du nom Cyclone qui désigne son planeur à réaction qui connaît un vif succès. Wright invoque la confusion avec ses moteurs Cyclone. Pierre Mauboussin choisit le nom de Sylphe. (→ 16.6.51)

Brétigny, 20 juillet
Une maquette de cabine éjectable étanche est larguée d'un Halifax et récupérée à l'aide de trois parachutes. René Leduc cherche à remédier aux dangers d'essai à grande vitesse et à haute altitude. (→ 3.1.51)

Marseille-Marignane, 26 juillet
En réceptionnant le 10e Vampire de l'armée de l'air Charles Duchesnes se retrouve engagé dans une vrille. Il réussit de justesse à contrôler l'appareil. Pour étudier le défaut, il prend de l'altitude, provoque un décrochage qui entraîne à nouveau une vrille. Cette fois-ci, ne pouvant ni la contrôler ni sauter, il se tue.

Londres, 29 juillet
La BEA démarre un service expérimental avec le Vickers Viscount 630 à turbopropulseurs sur les lignes commerciales vers Edimbourg et Le Bourget. (→ 18.4.53)

Melsbroek, 21 août
La Sabena inaugure le premier service postal par hélicoptère, avec le Bell 47 D1 construit en Europe.

Marseille-Marignane, 31 août
Lors d'un vol de réception de Vampire au cours du mois, l'inhalateur d'oxygène de Pierre Maulandi se décroche. Il ne s'en aperçoit pas et perd conscience en montant jusqu'à 13 800 m d'altitude. L'avion effectue de lui-même deux piqués suivis de ressources. A l'écoute au sol, deux pilote arrivent à le réveiller par radio. Ils le dirigent vers la piste où il se pose. (→ 17.4.52)

Mérignac, 1er septembre
Georges Brian sort, au moteur, le premier MD-315 de série, du hall de la nouvelle usine de Dassault, construite et productive en 11 mois.

Orléans-Bricy, 3 septembre
Le SO-6021, dernier prototype de l'Espadon, décolle avec Jacques Guignard. Il possède des servocommandes Leduc-Jacottet, sur les trois axes. (→ 10.6.52)

Corée du Nord, 4 septembre
Un hélicoptère Sikorsky de l'USAF réussit à sauver un pilote tombé dans les lignes ennemies. (→ 7.11)

Paris, 9 septembre
Parti de Minneapolis, Max Conrad pose son monoplan Piper Pacer. Il a franchi l'Atlantique Nord, avec escales au Labrador, en Islande et en Ecosse. (→ 7.11.53)

France, 23 octobre
Une ligne de force électrique est inspectée avec un hélicoptère Bell 47 D, sur le trajet Paris-Toulon.

New York, 12 novembre
La Pan Am achève la mise en place d'un réseau mondial de communication par liaisons radio. Il couvre 31 500 km avec 32 stations-relais.

Wichita, 29 novembre
Walter Beech, fondateur de Beechcraft Corporation, s'éteint chez lui d'une crise cardiaque. (→ 30.5.51)

Paris, 8 décembre
La Commission internationale de police criminelle étudie les délits commis au cours des vols et établit des règles pour l'identification des victimes d'accidents d'avions.

Corée du Sud, 15 décembre
Des hélicoptères Bell 47, équipés pour l'évacuation médicale, sont livrés à l'unité chirurgicale Mash.

Melun-Villaroche, 19 décembre
Léon Gouel décolle un planeur Emouchet muni de pulsoréacteurs Snecma Escopette. Ce propulseur sans pièce mobile développe 10 kgp pour un poids unitaire de 4,5 kg.

Doté de réservoirs de carburant en bout d'aile, le Lockheed L-1049 Super Constellation va assurer des vols transcontinentaux sans escale.

Les porte-avions reçoivent des avions modernes

Le Neptune lance ses fusées...

... d'appoint. Puis, volets baissés,

il atteint au bout du pont d'envol

la vitesse minimale pour tenir le vol.

San Diego, 13 février

L'US Navy recevra dans quelques semaines un nouveau chasseur tout temps. Le premier exemplaire de série du Douglas F3D Skynight a volé pour la première fois. C'est un biréacteur qui a les deux prises d'air montées de part et d'autre du fuse- lage construit en aluminium. Les tuyères se trouvent juste après le bord de fuite des ailes, sous le fuse- lage. Le train est tricycle. L'avion est doté d'un système hydraulique de repliage des ailes qui facilite les déplacements et la descente dans les garages des porte-avions. Le Sky- night est biplace avec un pilote et un opérateur radar. L'évacuation d'urgence de l'équipage en cas de besoin se fait par une trappe qui le fait tomber sous l'appareil. Les deux réacteurs sont construits par Westinghouse, ils délivrent chacun 1 360 kgp. Le porte-avions *USS* Valley Forge a reçu ses chasseurs F9F Panther. Monoplace, son réac- teur prend l'air latéralement et la tuyère est en bout de fuselage. Il a deux réservoirs au bout des ailes. Prévu pour recevoir un réacteur Rolls-Royce Nene, il est équipé d'un Pratt & Whitney. (→ 3.7)

L'Amérique exporte ses Superfortress

Grande-Bretagne, 22 mars

Les accords de l'Otan prévoient une aide en matériel des Etats-Unis aux pays membres. C'est ainsi que le Royaume-Uni devait recevoir 88 Superfortress B-29. Ce que les Américains n'avaient pas prévu, c'est que la manie anglaise de bapti- ser tout appareil américain du nom de son lieu d'origine irait jus- qu'à changer celui donné au B-29, fût-il très populaire. Construit par les usines Boeing à Seattle, il est devenu, à la RAF, le Washington I, du nom de l'Etat du Nord-Ouest. Il aurait pu s'appeler Wichita ou Kansas, où plus de 1 500 exem- plaires ont été construits. Les Super- fortress sont en fait prêtées pour cinq ans et les soixante-dix pre- miers exemplaires sont arrivés en Angleterre avec les pièces de re- change et les moteurs de remplace- ment.

Une loi-programme pour l'armée de l'air

Paris, 2 mai

De nouveaux débouchés s'ouvrent à l'industrie aéronautique française aujourd'hui en plein marasme, et en particulier au constructeur Das- sault. En cette période de tension internationale croissante, le gouver- nement a décidé de s'engager dans un effort de réarmement. Il vient de déposer, devant l'Assemblée natio- nale, un projet de loi relatif à un programme de constructions aéro- nautiques, sous la forme d'un plan quinquennal d'armement qui pré- voit la construction de chasseurs chargés de la défense de la métro- pole (Dassault MD-450 et Vampire à réacteur Nene), d'appareils de transport et de liaison, enfin de bi- moteurs pour les opérations de po- lice dans les colonies (Dassault MD-315 Flamant). Ce plan repré- sente 2 816 appareils pour un mon- tant total de 302 millions de francs.

La RAF a décidé de changer leur nom pour en faire des Washington.

Le Dassault MD-450 Ouragan est un des avions intercepteurs sélectionnés.

Le « Grognard » a été imaginé par Pierre Satre

Ce biréacteur est la première réalisation de la SNCASE en matière d'avion de combat à réaction. Il est freiné au sol par un parachute.

Toulouse, 30 avril
Alors que l'Ouragan de Marcel Dassault poursuit ses vols au centre d'essai en vol de Brétigny, un gros avion ventru a volé pour la première fois à Toulouse. L'ingénieur Pierre Satre n'a pas dessiné un bel avion, mais il a le mérite d'avoir voulu innover. C'est Pierre Nadot qui a pris les commandes de ce monoplace dont le nom est *Grognard* et la référence SE-2410-01. Il sort des ateliers de la SNCASE. Cet appareil de combat est un biréacteurs, les deux moteurs étant logés, ainsi que tout l'armement dans le fuselage. Ceci explique la forme particulière de l'avion. La prise d'air est logée au-dessus du cockpit qui est lui intégré dans le profil de l'appareil. Les ailes en flèche sont très minces et la dérive horizontale arrière est située tout en bas du fuselage. Il aurait volé plus tôt sans les problèmes de pneumatiques rencontrés au cours des essais de roulage. Au retour du vol, Pierre Nadot a signalé de très sérieuses vibrations qui se sont produites à la vitesse de Mach 0.53 (prononciation « Mach point 53 »). Un nouveau retard pour cet avion.

Nouveaux moyens de navigation

Washington, 8 juin
L'administration américaine signe un contrat avec Bendix Aviation pour l'installation dans les principaux aéroports du GCA (Ground Control Approach). Ce système apporte une grande facilité aux pilotes qui se trouvent confrontés à des approches avec de mauvaises conditions de visibilité ou de plafond. Un opérateur au sol, disposant d'un radar de précision, est en communication avec le pilote à qui il donne des instructions précises en permanence. Ce dernier, qui ne répond pas aux messages, applique scrupuleusement les indications de cap et d'attitude. Il se trouve ainsi amené par une voix, souvent féminine, sur une piste qu'il découvre au dernier moment. Les routes Victor s'installent aux Etats-Unis à mesure que les VOR (VHF Omnidirectional Range) sont installés. Si les radio-compas en moyennes fréquences sont brouillés par les orages, ces balises fonctionnant sur très hautes fréquences ne le sont pas. Un signal fixe et un signal mobile émis par la balise donnent au récepteur dans l'avion la route et la déviation par rapport à la balise. (→ 24.10.53)

Northrop persiste avec les ailes volantes

Edwards AFB, 4 mai
Northrop n'a pas voulu abandonner ses projets d'ailes volantes. Pourtant, l'US Air Force avait rejeté le prototype de ce bombardier aux formes spéciales et lui a préféré le Convair B-36. Au premier essai le 12 septembre 1945, son aile volante s'est écrasée. Elle était construite avec des bords d'attaque en magnésium qui devaient permettre de détruire les bombardiers ennemis en les heurtant en plein vol. L'aile volante YB-49 n'a pas eu plus de chance. Le contrat de trente exemplaires a été annulé l'année dernière. Le second prototype s'était écrasé en tuant les cinq hommes d'équipage. Les exemplaires qui volent servent d'appareils de reconnaissance. Le YB-49 a six réacteurs Allison de 2 540 kgp chacun. Quatre sont logés à l'arrière de l'aile et deux sont supendus par des nacelles.

Le YRB-49, bombardier sans fuselage, devient avion de reconnaissance.

Le DC-3 échappe à la chasse d'Israël

Beyrouth, 24 juillet
Seul le sang-froid du pilote Corsin a permis d'éviter le pire. Alors qu'il s'apprêtait à se poser sur le terrain de Beyrouth, à bord d'un DC-3 de la société aérienne libanaise CGDT assurant la liaison Jérusalem-Beyrouth, son appareil a été intercepté par un avion de chasse israélien. Le chasseur a tiré plusieurs rafales de mitrailleuse, tuant le radio et blessant sept passagers. Mais l'appareil n'a pas été totalement détruit.

Un avion français vole à 1 000 km/h

Toulouse, 9 mai
Daniel Rastel a poussé le prototype du SO-M2 et atteint la vitesse de Mach 0.93. Cela correspond à 1 000 km/h et c'est un nouveau record de vitesse pour la France. Cette performance n'arrête pas les essais des maquettes planantes qui se poursuivent avec largage depuis le Heinkel 214 ou le Languedoc. Le SO-M2 a un train principal sous le fuselage et deux roues d'équilibre au bout des ailes. (→ 12.11.52)

Liverpool-Cardiff en hélicoptère de la BEA

Les chasseurs à hélice souffrent en Corée

Inauguration du premier service passagers avec un Sikorsky S-51.

Le célèbre F-4U Corsair de l'US Navy ne peut pas affronter les MiG-15.

Cardiff, 1er juin
British European Airways a inauguré la première ligne régulière en hélicoptère entre les aéroports de Liverpool et de Cardiff. L'appareil utilisé est un Sikorsky S-51. Son immatriculation est G-AJOV. Il y a exactement deux ans, un autre Sikorsky S-51 GAKCU avait été le premier hélicoptère à effectuer un service postal en Grande-Bretagne, toujours à l'initiative de la BEA. Basé à Peterborough, Northants, il desservait Norwich, Great Yarmouth et Kings Lynn. Le 14 février 1949, ce même hélicoptère a été utilisé pour la première expérience de vol de nuit avec ce moyen de transport. Du 17 octobre 1949 jusqu'en avril dernier, le service de Westwood vers Peterborough et Norwich a même été régulier. Exploité avec un seul pilote, l'hélicoptère semble suffisamment fiable pour devenir un moyen de transport. (→ 31.3.51)

Corée, 3 juillet
L'*USS Valley Forge* a lâché ses premiers chasseurs à réaction F9F Panther pour une mission dans le ciel de Corée. C'est le premier engagement de ce type d'avion en mission de guerre. Tout auréolés de la gloire qu'ils ont accumulée dans les batailles du Pacifique, les Corsair paraissent dépassés pour les combats qui se préparent. L'US Navy sait que les Chinois ont reçu des MiG-15 et qu'ils ne tarderont pas à les engager (→ 1.11.). Cet avion ennemi fait peur, car sa vitesse surclasse celle de tous les avions que les Alliés ont engagés dans ce conflit. La 5e Air Force a d'ailleurs réclamé l'envoi d'urgence de Sabre. Il est le seul avion américain qui pourra tenir tête au MiG-15. Il n'en reste pas moins que les Corsair poursuivent leurs missions. Le lieutenant Plog, parti du *Valley Forge* a abattu un Yak-9 au-dessus de la région de Pyongyang.

L'Hermès de la BOAC prend la relève sur les lignes d'Afrique

Londres, 6 août
Un des Hermès IV de la Handley Page, acquis par la BOAC, inaugure aujourd'hui le vol régulier de Londres à Accra. Le *Hengist* s'est envolé pour le Nigeria *via* Tripoli, Kano et Lagos. Ce nouveau transporteur long-courrier a une autonomie de 3 500 km. Il atteint en vitesse de croisière 440 km/h et peut emporter 56 passagers accompagnés de 7 membres d'équipage. La BOAC mise sur ce quadrimoteur, entraîné par quatre moteurs Bristol Hercules de 2 100 ch et doté d'un train à boogies, mieux adapté aux pistes africaines, pour développer son réseau dans les pays du Commonwealth. L'ouverture de la ligne Londres-Accra constitue un test pour ce nouvel avion qui est une adaptation du bombardier Hastings. Il avait volé la première fois le 5 septembre 1948.

Un ravitaillement en vol est manqué

New York, 22 septembre
Le colonel David Schiling est arrivé à bon port... mais il est seul. Partis de Londres, à bord de leurs Republic F-84E Thunderjet, ils étaient deux avions de chasse de l'US Air Force à avoir pour mission de rejoindre New York. Ils devaient être ravitaillés en vol trois fois. Un des avions a raté le deuxième ravitaillement et le pilote a dû sauter en parachute au-dessus de Terre-Neuve. Son réacteur venait de s'arrêter, et se poser dans la nature avec un tel avion était de la folie. Il a été retrouvé sain et sauf. Son collègue a donc terminé la traversée seul. Il est ainsi le premier pilote à accomplir ce trajet sur un appareil à réaction. Les Thunderjet étaient équipés du système britannique Probe and Drogue, mis au point par Flight Refuelling pour le ravitaillement en vol.

L'avion commandé par la BOAC est une version civile à train tricycle du quadrimoteur Hastings de la RAF.

Air France installe un hôtel en Afrique

Brazzaville, 10 novembre

La Société des relais aériens français, constituée avec le concours d'Air France et de la caisse centrale de la France d'outre-mer, ouvre son premier établissement à Brazzaville. Situé sur un promontoire, à 2 km de la ville et à 4 km de l'aéroport Maya-Maya, l'hôtel jouit d'une vue exceptionnelle sur le fleuve Congo. Il comprend un bâtiment de service avec la réception, une boutique, un restaurant, un bar, un salon de repos et une nurserie. Tout autour, sept bungalows, dont deux de luxe, sont aménagés en chambres pour la clientèle. Son équipement est résolument moderne, presque audacieux mais très confortable. Pour rappeler aux passagers la vocation de relais aérien de cet hôtel, les chambres sont éclairées par des fenêtres en forme de hublot. Les bungalows offrent un total de 52 chambres. L'hôtel prolonge cette atmosphère de luxe qui entoure le voyage aérien.

Après le Constellation, Lockheed sort le Super Constellation

L'US Navy est la première à s'intéresser à l'avion et commande onze exemplaires sous la désignation R70-1.

Burbank, 17 octobre

L'avion qui est présenté sur l'aire de stationnement des usines de Burbank est superbe. La marque Super Constellation est peinte sur le fuselage. A son côté, un Constellation tel qu'on le connaît. Il semble envier à son voisin les 5,56 mètres qui lui manquent pour être extérieurement son égal. En réalité, l'avion que Lockheed présente est le tout premier Constellation construit en 1943. Il a subi les modifications qui en font le Super Constellation. C'était le Model 049 ; il est devenu le Model 1049. Lockheed n'a pas cessé de faire évoluer son appareil. Le 649 avait réglé les problèmes de moteurs et de risques d'incendie qui en découlaient. Les 749 et 749A, dont Air France est équipée, sont plus lourds, ils pèsent 46 et 48,5 tonnes. Leur rayon d'action est plus long grâce à des réservoirs de 22 000 litres. Le Super Constellation, avec ses 4 moteurs de 3 250 ch, consomme près de 2 000 litres par heure de vol. Il en emporte près de 25 000 et son poids maximal au décollage est de 54 430 kg.

TWA met en service le Martin 2-0-2

Etats-Unis, 1er septembre

C'est peut-être une seconde chance pour le Martin 2-0-2, interdit de vol depuis son accident en 1948. TWA a décidé d'utiliser la version renforcée de cet avion, baptisée Martin 4-0-4, capable de transporter 36 passagers. Développé dès 1946 pour des lignes régionales, cet avion était exploité par la Northwest Airlines depuis 1947. Mais l'enquête menée sur les causes de son accident, avait révélé une défaillance structurelle des ailes et mis fin prématurément à sa carrière. Aujourd'hui le choix de TWA le remet en piste, pas pour tout de suite cependant, car, entre-temps, les compagnies aériennes se sont rabattues sur d'autres appareils, et en particulier sur son concurrent, le Convair Liner CV-240.

Le Shooting Star marque le premier point

Corée du Nord, 7 novembre

Le premier MiG-15 chinois a été vu le 1er novembre dans l'après-midi. Ce matin, un Shooting Star du 51e Fighter Group vient d'enregistrer la première victoire contre cet avion au-dessus du fleuve Yalou. Les F-80 étaient en patrouille dans la région, lorsque six MiG-15 chinois ont foncé sur eux. Au cours du combat, un MiG a plongé en piqué pour rompre le combat. Russel Brown s'est lancé à sa poursuite et a fait feu à une distance raisonnable. Touché, l'avion s'est mis en vrille avant de s'écraser au sol. Victoire américaine. pour ce premier combat entre avions à réaction, mais victoire surprenante. La supériorité du MiG-15 est certaine. Il est plus maniable et plus rapide que le Shooting Star. (→ 20.5.51)

L'appareil, qui avait subi un certain nombre d'accidents, a été restructuré.

Les F-80 Shooting Star avec ses réservoirs supplémentaires en bout d'aile.

Le Vickers Viscount 700 est la première version de série de cet appareil qui, avec 444 exemplaires, bat les records de vente de sa catégorie.

Le FMA I.Ae Pulqui II est conçu en Argentine par Kurt Tank.

Version expérimentale du F-86, le North American YF-93A.

Le MiG-17 Fresco se présente comme un dérivé amélioré du MiG-15, mais son puissant armement offensif en fait un avion d'appui redoutable.

L'Avro 707B est un appareil construit dans le cadre du programme du bombardier Vulcan pour tester la configuration de l'aile delta.

Le Nord 1601 est un autre appareil purement expérimental.

L'Avro 706 Ashton teste un système de bombardement en altitude.

Le PA-18 Super Cub est construit par Piper à plus de 10 000 exemplaires jusqu'en 1981, un record de tous les temps en la matière.

Le de Havilland 114 Heron accommode 14 passagers pour de petits parcours. Sur les quelque 150 construits, certains sont utilisés par la reine.

Le Blackburn YB-1, concurrent malheureux du Gannett.

Le Boulton-Paul 111, appareil expérimental sans empennage arrière.

Le Gloster Meteor NF.11, équipé d'un radar, constitue le principal chasseur de nuit de la RAF, mais aussi de l'armée de l'air française.

Le T.11, version d'entraînement du de Havilland Vampire.

L'Avro Canada CF-100, chasseur tout-temps de la RCAF.

La formule des deux réacteurs superposés du SE.2410 Grognard I est critiquée par les Britanniques, qui la reprennent sur le Lightning.

Le Fairchild XC-120 peut larguer un container de six tonnes.

Le Scottish Aviation Pioneer met l'accent sur ses possibilités Adac.

Le Hawker P.1081 se situe à mi-chemin entre le Seahawk et le Hunter. Dérivé du P.1052, il est équipé d'un Rolls-Royce Nene.

L'hydravion Convair R3Y-1 Tradewind est utilisé par l'US Navy pour les liaisons d'île à île et le ravitaillement en vol.

La RAF remplace ses Harvard par le Percival P.56 Provost. Le Cheetah du prototype est remplacé par un Leonides sur le T.Mk 1.

Le Douglas A2D-1 Skyshark, avion d'assaut embarqué, est équipé de deux turbopropulseurs côte à côte qui entraînent des hélices coaxiales.

Republic modifie son F-84 Thunderjet en lançant le F-84F Thunderstreak à aile en flèche. Il équipe les forces aériennes de l'Otan.

Dû à General Aircraft, le Beverley est construit par Blackburn.

Le Fouga CM 100 est un planeur motorisé militaire.

1951

1 981 km/h
Etats-Unis
William Bridgeman
Douglas D-558-II Skyrocket
15.8.51

37 189 km
Etats-Unis
James Gallagher
Boeing B-50
2.3.49

26 063 m
Etats-Unis
William Bridgeman
Douglas D-558-II Skyrocket
7.8.51

181 436 kg
Etats-Unis
Hughes Aircraft Co.
H4-Hercules

3 970 kgp
Etats-Unis
Pratt & Whitney
J48-P-5

Orléans-Bricy, 3 janvier
André Allemand teste le siège éjectable de la SNCASO. Une cartouche le projette à 10 m au-dessus d'un Bloch 175 volant à 300 km/h. Un parachute automatique stabilise le siège que le pilote quitte alors pour utiliser son propre parachute. (→ 12.3.52)

Etats-Unis, 17 janvier
Un bombardier Convair B-36D se pose après un vol de 51 heures et 20 minutes, sans ravitaillement en vol et sans escale. (→ 18.4.52)

Paris, 20 janvier
Air France décide de peindre en blanc le toit du fuselage de trois appareils de sa flotte, pour réduire la température en cabine lors des stationnements en pays chaud.

Atlantique Nord, 31 janvier
Charles Blair vole de New York à Londres en 7 h 48 min, sur un Mustang P-51. Il étudiait le *jet stream*, courant aérien très rapide au-dessus de 10 000 m d'altitude.

Saigon, 6 février
Le représentant d'Air France dans le quartier chinois de Cho Lon loue un DC-3 à la Représentation générale française en Extrême-Orient. Celle-ci offre, pour 125 piastres, des baptêmes de l'air aux populations chinoises et vietnamiennes à l'occasion de la fête du Têt.

Etats-Unis, 6 mars
La société Glenn Martin est autorisée à fabriquer sous licence, pour l'US Air Force, le bombardier à réaction britannique Canberra.

Grande-Bretagne, 12 mars
Gordon Slade décolle le FD1, avion expérimental à aile delta conçu par la firme Fairey. (→ 6.10.54)

Orléans-Bricy, 15 mars
Conçu avec tests de maquettes planantes le bombardier biréacteur à aile en flèche, SO-4000 de la SNCASO, vole 15 min avec Rastel. Avec ses réacteurs Hispano-Suiza Nene de 2 270 kgp, pour un poids de 22 t, il semble sous-motorisé.

Grande-Bretagne, 31 mars
La BEA arrête sa ligne régulière d'hélicoptère Liverpool-Cardiff. Il y a eu 819 passagers en 10 mois.

Grande-Bretagne, 2 avril
La BOAC reçoit son premier DH Comet à Hurn, pour un programme d'essai de 500 heures. (→ 1.8)

Brétigny, 30 avril
Jacqueline Auriol est de retour des Etats-Unis où elle a subi une série d'opérations à la suite de ses blessures de 1949. Elle y a obtenu son brevet de pilote d'hélicoptère. Avec deux semaines de formation sur Vampire, elle est la première femme au monde lâchée sur avion à réaction. (→ 13.11.52)

Corée du Nord, 1er mai
Ayant décollé du porte-avions *USS Princeton*, 8 Douglas Skyraider et 12 Vought Corsair attaquent à la torpille le barrage de Hwachon.

Corée du Nord, 20 mai
Le capitaine James Jabara, pilotant un F-86 Sabre, devient le premier as sur avion à réaction, en abattant ses 5e et 6e MiG-15. (→ 26.10)

Alaska, 29 mai
Charles Blair relie Bardufoss, en Norvège, à Fairbanks, en survolant le pôle Nord à bord de son Mustang P-51, en 10 h 29 min.

Aire-sur-Adour, 16 juin
Léon Bourrieau décolle le Fouga Gémeaux II, avion constitué de deux Sylphe accouplés. Il teste le réacteur Marboré de Turboméca. (→ 23.7.52)

Paris, 1er juillet
Le 19e Salon de l'aéronautique clôt ses portes au Grand Palais. Les démonstrations en vol se faisaient au Bourget. La firme américaine Continental a acquis la licence de fabrication de tous les types de moteurs de Turboméca. →

Grande-Bretagne, 20 juillet
Neville Duke décolle le prototype du chasseur Hawker Hunter. La RAF en a déjà commandé 200.

Japon, 1er août
Pour reprendre l'exploitation des lignes intérieures, la Japan Air Lines négocie la location d'avions et d'équipages avec la compagnie américaine Northwest Airlines. Le Japon n'a pas le droit de posséder d'appareils ou de pilotes lui appartenant en propre. (→ 23.11.53)

Toulouse-Blagnac, 4 août
Yves Brunaud décolle le prototype du biplace d'observation et d'attaque Breguet 960 Vultur, destiné à l'Aéronavale. Pour remplir les deux missions, il est doté d'une propulsion mixte : un turbopropulseur Armstrong-Siddeley Mamba de 1 000 ch et un réacteur Hispano-Suiza Nene de 2 270 kgp. (→ 6.10.56)

Aire-sur-Adour, 25 août
La société Fouga fait voler le CM-101-R, son 6e prototype depuis le début de l'année. Issu du bimoteur CM-100, ses fuseaux moteur profilés à l'arrière contiennent chacun un réacteur d'appoint Turboméca.

Corée du Nord, 11 octobre
Les Américains déclenchent l'opération *Bumblebee*, héliportage d'un bataillon par 12 Sikorsky S-55. En 6 h, ils transportent un millier de Marines en première ligne, à 25 km de leur base, grâce à 156 rotations.

Cameroun, 31 octobre
Louis Demouveaux vient de fonder ce mois-ci la compagnie France-Hydro. Il a racheté l'hydravion Latécoère 631 F-BDRE et l'utilise pour transporter du coton entre le lac Léré au Tchad et Douala, sur un vol de 800 km. (→ 1.9.55)

Etats-Unis, 2 novembre
La production du Douglas DC-6 est arrêtée. Le 175e et dernier appareil de série est livré à Santa Monica à la Braniff. (→ 16.8.52)

Aire-sur-Adour, 6 novembre
Léon Bourrieau décolle le Fouga Gémeaux IV. Ce banc d'essai volant est équipé du premier turbo-réacteur français à double flux et à circulation variable, le Turboméca Aspin I de 200 kgp.

Paris, 6 novembre
Le secrétariat général à l'Aviation civile fait connaître aux industriels les caractéristiques d'un moyen-courrier à réaction. (→ 15.10.52)

Paris, 16 novembre
Air France entame des négociations avec la société de Havilland en vue de l'achat de trois avions à réaction Comet. Le 1er de ce mois, la compagnie a accepté, sous une forte pression gouvernementale, de passer commande pour douze Breguet Deux-Ponts. (→ 26.3.53)

Istres, 27 novembre
Lors d'un vol d'essai du Leduc 0.10 n° 2, la pression du carburant baisse brutalement et provoque l'extinction de la tuyère à 800 km/h. Jean Sarrail réussit à planer sur 30 km mais, trop court pour atteindre la piste, il se pose sur la Crau. L'appareil est détruit et son pilote très sérieusement blessé. Il en était à son 13e type d'avion à réaction.

Nice, 30 novembre
Durant une conférence de l'IATA, les onze compagnies exploitant des lignes sur l'Atlantique Nord s'entendent pour offrir une classe touriste aux passagers. (→ 2.5.52)

Melun-Villaroche, 5 décembre
Le réacteur Atar 101-B (2 500 kgp) de la Snecma est testé en vol, monté sur un Ouragan. (→ 16.10.52)

Milan, 10 décembre
Le Fiat G-80, appareil de perfectionnement équipé d'un réacteur Rolls-Royce de 2 270 kgp, effectue son premier vol. (→ 9.8.56)

Londres, 12 décembre
Après avoir atterri, un Languedoc d'Air France est immobilisé par le brouillard. Le pilote appelle la tour afin d'être guidé vers le parking. Les véhicules mettent 1 h 30 min avant de le retrouver.

En 1951, Air France développe son réseau international et modernise sa flotte en commandant 37 avions, dont 10 Super Constellation.

Le Canberra traverse l'Atlantique Nord

Le Canberra, bombardier à réaction de la RAF, a 4 280 km d'autonomie.

Baltimore, 21 février
Teddy Peter était ingénieur chez Westland Aircraft. Il n'a pas abandonné l'aéronautique en quittant ce constructeur puisqu'il se mit à étudier pour son compte le projet d'un biréacteur bombardier comme le demandait un carnet de spécifications du ministère de la Production aéronautique. Son projet intéressa English Electric qui l'embaucha comme ingénieur en chef. Le 13 mai 1949, son prototype volait pour la première fois. Avec deux réacteurs Rolls-Royce Nene et des ailes qui s'inspirent de celles du Gloster Meteor, l'avion fit forte impression. Deux autres prototypes furent mis en production. Equipé de réacteurs Avon, toujours de Rolls-Royce, il vient de traverser l'Atlantique Nord d'une traite. (→ 31.7)

La France teste un biréacteur de transport

Le SO-30-R Bretagne de la SNCASO pourra transporter 43 passagers.

Villacoublay, 15 mars
Après le Comet anglais et l'Avro canadien, le SO-30-R Bretagne, modifié, est le troisième avion de transport à réaction à effectuer ses essais. Pour cette expérience, il a reçu, à la place de ses moteurs à pistons, deux réacteurs Rolls-Royce Nene montés en nacelle sous les ailes. D'autre part sa double dérive a été remplacée par une dérive simple, son train a été renforcé et ses réservoirs ont une plus grande capacité. Les essais d'aujourd'hui, réalisés par la SNCASO, se sont révélés encourageants. L'équipage était composé du pilote Charles Goujon, accompagné de deux ingénieurs d'essai, d'un mécanicien et d'un radio. Une série de vols est prévue avant de penser à une mise en exploitation.

Le Catalina relie l'Australie au Chili

Sydney, 26 mars,
Parti le 13 de Sydney, un hydravion Catalina, équipé de fusées auxiliaires pour le décollage, a atterri à Valparaiso aujourd'hui après un vol de 13.600 km. Il a fait plusieurs escales dont une à l'île de Pâques. C'est la première liaison aérienne directe entre l'Australie et la côte ouest de l'Amérique du Sud. Commanditée par le Commonwealth, la mission a été confiée à un équipage australien, celui du Cdt Taylor. L'hydravion Consolidated PBY avait été dessiné en 1933 par Isaac Laddon, à la demande de l'US Navy. Commandé à 50 exemplaires en 1939 par la RAF qui le rebaptisa Catalina pour servir de garde-côte, le modèle PBY-4, le dernier de la série, fut converti en amphibie à train tricycle rétractable, sous la désignation XPBY-5A. Largement utilisés pendant la seconde Guerre mondiale, beaucoup de Catalina sont encore en service pour le sauvetage en mer dans différents pays du Commonwealth, comme le Canada, et la Nouvelle-Zélande.

Avec le Mystère, Dassault trouve la formule du vrai chasseur

Istres, 23 février
C'est la troisième fois aujourd'hui que le réacteur fait entendre son sifflement. Le Mystère de Dassault s'éloigne de l'aire de stationnement et Constantin Rozanoff a décidé de le laisser voler plus longtemps. Le premier essai du matin n'a été en fait qu'un décollage bref suivi d'un freinage sur la longue piste d'Istres. Revenu au point de manœuvre, Rozanoff engage l'appareil sur la piste et tire franchement sur le manche à la vitesse de rotation pour le lancer vers le ciel. Il fait un vol de 40 minutes à moyenne altitude et revient ravi de l'expérience. Le dernier essai l'a amené à 5 000 m avec des tests plus poussés. Les ingénieurs vont analyser ses remarques et améliorer le prototype. Cet avion est venu par la route depuis Saint-Cloud. C'est dans ce bureau d'études qu'il fut mis au point par l'équipe d'Henri Deplante. Chez Dassault, un nouvel avion n'est jamais que le développement de celui qui l'a précédé. Le capital accumulé est ainsi conservé. Le Mystère est donc un Ouragan doté d'ailes en flèche qui a été perfectionné à tous les niveaux. Le réacteur est un Nene de 2 300 kgp.

Le MD-452.01 Mystère, dont l'étude remonte à 1949, est équipé du réacteur centrifuge Hispano-Suiza Nene.

Un hélicoptère a reçu une turbine

Villacoublay, 18 avril
Claude Dellys a fait voler un hélicoptère à turbine ce matin. Il a approuvé Paul Morain, ingénieur à la SNCASO. Ce dernier pense que si la détente des gaz d'une turbine donne une poussée résiduelle à un avion, la détente d'air comprimé peut faire tourner les pales d'un rotor si l'air en est projeté dans des directions tangentielles. C'est ce principe qu'il a appliqué à l'hélicoptère Ariel. Le moteur Mathis de 220 ch de l'Ariel II est remplacé par une turbine Artouste qui entraîne un groupe compresseur Arius I. La turbine est de Turboméca. C'est la première application dans le domaine de l'hélicoptère. Morain est allé au bout du raisonnement. Une partie des gaz de détente de la turbine est récupérée et dirigée vers l'extrémité de la poutre arrière où se trouve d'habitude une hélice verticale qui compense l'effet de couple du rotor. Sur l'Ariel III, une tuyère produit un effet semblable.

Le président de la République française traverse l'Atlantique

M. Vincent Auriol (au centre) remet la Légion d'honneur à Georges Libert.

Madame Auriol et le commandant.

Orly, 10 avril
L'avion s'arrête devant le comité d'accueil. Le président de la République, Vincent Auriol, descend du Lockheed Constellation immatriculé F-BAZJ. Il arrive de Dorval, l'aéroport de Montréal. Parti la veille au soir en compagnie de son épouse, il termine un important voyage à travers les Etats-Unis et le Canada. L'avion spécial est à la hauteur de son illustre invité : un aménagement particulier a été réalisé dans les ateliers du centre d'exploitation d'Orly. M. Auriol a eu la surprise de découvrir deux cabines avec lit, ainsi qu'un luxueux salon pour prendre ses repas. L'appareil a fait un détour pour passer au-dessus de Saint-Pierre-et-Miquelon. Ainsi, le président a pu adresser par radiophonie un message aux habitants de ces territoires français. A bord, en plus des personnalités politiques qui voyagent d'habitude avec le président, Max Hymans, président du conseil d'administration d'Air France, avait tenu à accueillir le président à bord du Constellation. Au cours du vol, M. Auriol a décoré Libert, qui pilotait l'appareil, de la croix d'officier de la Légion d'honneur.

Vol du Mistral à Marseille-Marignane

Marseille, 2 avril
Depuis peu de temps, la SNCASE construit, sous licence, les de Havilland Vampire pour l'armée de l'air. Ses ateliers ont étudié une version un peu modifiée de l'appareil et l'ont baptisée Mistral. Si extérieurement l'avion est le même, les modifications portent sur toute l'instrumentation qui est d'origine française ainsi que sur la propulsion. Le réacteur Nene, construit en France par les ateliers d'Hispano-Suiza, a été monté dans le Mistral qui a fait son premier vol aujourd'hui. Jean Lecarme était le pilote choisi pour ce test. Grimpant à 12 000 mètres, Lecarme a voulu tester la vitesse maximale en amorçant un piqué. A Mach 0.75, il ressentit des vibrations et revint se poser sur la piste de Marignane.

Air France améliore son réseau radio

France, 2 mars
La compagnie nationale se modernise de jour en jour. Air France fête l'ouverture d'une nouvelle station émission-réception TZP (central radio du réseau de commandement d'Air France). M. Max Hymans, président du conseil d'administration, a inauguré la station entrée en service en novembre 1950. Elle comprend deux centres. Le premier est installé à La Talle, le second au Perray, deux communes proches de Rambouillet et distantes l'une de l'autre de 16 km. La station de La Talle dispose des postes émetteurs radios et radiotélétypes ainsi que de leur source d'énergie. Celle du Perray assure la réception de tous les messages télétypes et radiotélétypes ainsi que des émissions radiotélégraphiques.

Version française du Vampire, l'avion n'est pas encore tout à fait au point.

En avril, le général MacArthur est relevé de ses fonctions en Corée par le président Truman. Il arrive à Washington à bord de son Constellation.

Le Bell X-5 possède des ailes à géométrie variable en vol

Olive Ann Beech, femme de l'année

Au fur et à mesure que l'avion prend de la vitesse, l'aile devient flèche.

Edwards AFB, 27 juillet
Cette fois, le feu vert est donné pour faire varier la géométrie de l'aile en vol. Les premiers essais, qui ont débuté le 20 juin, se sont bornés à des vols de contrôle, les ailes étant dans la position avancée, c'est-à-dire celle qui correspond aux basses vitesses. Ce prototype n'est pas une invention américaine. C'est une véritable prise de guerre puisqu'il est la reproduction du principe imaginé par les ingénieurs de Messerschmitt. En 1945, les Américains avaient découverts, à Oberamergau, le Messerschmitt P-1101 avec ailes à géométrie variable. Ils ont ramené l'avion aux Etats-Unis et ont confié à Robert Woods, ingénieur en chef de Bell, la poursuite des recherches. L'aile à angle variable peut résoudre les problèmes rencontrés actuellement par les techniciens. A angle droit, elle est limitée en vitesse à cause du phénomène de compression qui se crée à l'avant. En forme de flèche, elle n'est plus assez porteuse aux basses vitesses. C'est un mécanisme dans le fuselage qui en avançant ou reculant fait varier l'angle des ailes. Il y a trois positions possibles. L'avion est doté d'un réacteur Allison et il atteint 1 050 km/h.

Wichita, 30 mai
Une main de fer dans un gant de velours : Olive Ann Beech, la présidente de la compagnie Beech Aircraft vient d'être élue femme de l'année dans le domaine aéronautique. Un titre convoité que la Women's National Aeronautical Association a donc choisi de décerner à celle qui, depuis la disparition de son mari l'année dernière, a, de main de maître, dirigé seule la compagnie qu'ils ont fondée en 1931. Menant de front pendant ces années ses rôles de femme d'affaires, d'épouse et de mère de famille attentive, Olive Ann Beech ne cesse de mener sa vie comme un défi. Son ascension est prodigieuse : entrée en 1921 comme secrétaire et comptable à Travel Air Manufacturing Co. à Wichita, sa perspicacité et son sens aigu des affaires sont vite reconnus. Promue secrétaire et directrice du bureau de Walter H. Beech, elle l'épouse en 1930. Elle ne cessera alors de le seconder, poursuivant au-delà de leur séparation et avec une foi inébranlable le rêve de son mari : sortir de leurs usines les plus beaux et les meilleurs avions du monde.

L'Armagnac fait ses preuves en ligne

Toulouse, 12 mai
Les pouvoirs publics viennent de confier à TAI la mise au point du plus gros transporteur civil, le SE 2010 Armagnac. Pourvu de quatre moteurs Pratt & Whitney R-4260, le concurrent français du Constellation américain a une vitesse de croisière de 460 km/h et une autonomie de 5 450 km. Il peut embarquer 100 passagers et 12 tonnes de charge marchande. A la fin de ses essais, l'Armagnac, muni de son certificat de navigabilité, va être affecté à titre d'essai sur la ligne Casablanca-Tenerife. (→11.5.52)

Une partie de la cabine en classe touriste du grand quadrimoteur de la TAI.

Le Valiant est un bombardier stratégique

Grande-Bretagne, 18 mai
Sa mission est d'atteindre des objectifs situés en territoire soviétique. Le bombardier stratégique Vickers Valiant a effectué son premier vol sous la dénomination V-660. Une bonne démonstration qui le consacre premier vecteur de la dissuasion britannique. Pour atteindre cet objectif, Vickers a conçu une cellule classique pressurisée et dotée d'ailes en flèche qui abritent 4 réacteurs Rolls-Royce Avon. Le blocus de Berlin et la crise tchécoslovaque ont préoccupé l'état-major britannique qui a exigé que le prototype soit achevé cette année. Avion de transition en attendant la mise en service des bombardiers Vulcan et Victor plus puissants, il n'en est pas moins un quadriréacteur qui évolue à plus de 16 000 mètres à une vitesse de croisière de Mach 0.82. Il peut emporter une charge nucléaire ou classique de 4 500 kg sur un objectif situé à 7 000 km. (→24.12.52)

Le V-660 peut voler à Mach 0.82.

Les spectateurs enthousiastes à la fête aérienne du Bourget

Hurel présente son HD-10. La foule a aussi admiré le Breguet Deux-Ponts avec ses nouvelles dérives.

Le Bourget, 1er juillet
En marge du Salon, la manifestation du Bourget sera sans doute la plus grande parade aérienne internationale de l'après-guerre. Du côté français, les pilotes ont rivalisé de brio pour présenter des appareils qu'ils ont souvent mis au point. La participation étrangère, avec les évolutions du Comet, du Brabazon ou du bombardier Canberra, n'était pas moins brillante. Le programme offrait également des largages de parachutistes, des démonstrations d'hélicoptères et surtout une présentation de la patrouille acrobatique américaine, les *Skyblazers*. C'est à ce moment-là que la fête faillit tourner au drame. Un chevauchement d'horaire malencontreux fit se rencontrer les *Skyblazers* et des chasseurs français. Ils se sont frôlés, mais la catastrophe a pu être évitée de justesse.

Air France possède aussi un aérodrome

Tanger, 2 juillet
Aujourd'hui, Air France fête les nouvelles installations de son aéroport à Tanger. Pour la circonstance, de nombreuses personnalités se sont déplacées. Il y avait Max Hymans, le président du conseil d'administration de la compagnie, Henri Ziegler, directeur général, et le chef de cabinet du ministre des Travaux publics. Venus de Paris, de Casablanca et de Rabat, ils sont reçus par Paul Fabre, représentant régional à Tanger, et Bedrigans, commandant de l'aéroport. A l'origine, l'aérodrome était une simple prairie aménagée par Latécoère vers 1920. Il servit entre autre de relais à la ligne qui reliait la France à l'Amérique du Sud. Les installations étaient devenues vétustes, elles ne correspondaient plus aux besoins de l'aviation moderne. Les pistes étaient trop courtes et trop étroites. En 1946, un projet d'aménagement avait été mis sur pied.

Le DC-3 décolle avec un réacteur

Toulouse, 31 juillet
Une application intéressante des petits réacteurs de Turboméca a été réalisée sur un DC-3. C'est à la SNCASO que revient l'idée de ce qui semble plus original que commercialement exploitable. Ses ingénieurs ont adapté un réacteur de petite puissance à un DC-3 classique, afin de lui donner, au décollage, une poussée supplémentaire. Cette combinaison de deux types de propulsion vient d'être expérimentée à Toulouse. Le réacteur d'appoint utilisé est un modèle Pallas, de Turboméca. Avec la poussée additionnelle ainsi développée pour le décollage, l'appareil a pu emporter une charge très supérieure aux normes autorisées, tout en restant dans le cadre des mesures de sécurité fixées par l'OACI. Le DC-3 ainsi équipé a pu prendre une charge marchande accrue de 700 kg. Autre avantage de cet équipement supplémentaire, il peut résoudre les risques de panne d'un des moteurs principaux au décollage. Reste que le DC-3 n'est plus très rentable comparé aux avions modernes.

La RAF est équipée de chasseurs et de bombardiers à réaction

Royaume-Uni, 31 juillet
La RAF ne cesse de battre des records. Elle devient la première armée de l'air au monde à posséder une escadrille de chasseurs à réaction de nuit. Le squadron 25, basé à West Malling, a reçu les Vampire NF-10 qui vont remplacer les Mosquito pour les missions de nuit. Le premier chasseur bombardier à réaction à franchir l'Atlantique Nord sans ravitaillement fut un Canberra de la RAF (→ 21.2). Il est entré en escadrille il y a deux mois en remplacement des Avro Lincoln. Avec ces nouveaux appareils, le Squadron 101, basé à Binbrook (Lincolnshire), est devenu la première unité de la RAF opérationnelle sur bombardier tactique à réaction. Le Canberra B-2 est propulsé grâce à deux réacteurs Rolls-Royce Avon. En croisière, il atteint la vitesse de 870 km/h à 12 000 m. C'est un bombardier capable d'emporter 2 700 kg de bombes et son équipage est de trois hommes. La propulsion par réacteur a définitivement pris le pas sur les moteurs à pistons.

Le bombardier britannique English Electric Canberra B-2.

Le chasseur DH-115 Vampire.

Le Comet poursuit ses essais en ligne

Dernières vérifications par les techniciens de BOAC des réacteurs du Comet.

Londres, 1er août
Depuis quelques mois, les deux exemplaires du Comet parcourent le ciel d'Afrique et celui d'Asie. Ils sont soumis à toute une série de tests en vue d'obtenir le certificat de navigabilité qui permettra à cet appareil de devenir un avion de ligne. Le second exemplaire a été livré à BOAC pour que la compagnie puisse aussi se familiariser avec l'avion. Plusieurs équipages doivent être formés, on compte qu'il en faut sept ou huit par appareil exploité. On a ainsi vu le Comet se présenter à Khartoum pour effectuer des essais en climat tropical. Il est allé à Singapour, Delhi et Johannesburg. Le train principal, qui avait une jambe classique, a été remplacé par un train à boggies de quatre roues. Outre BOAC, plusieurs compagnies souhaitent acquérir l'avion de chez de Havilland. (→ 2.5.52)

L'Alouette I biplace prend son essor

René Mouille et Jean Boulet devant le SE-3120 avec sa structure tubulaire.

Marseille, 31 juillet
Henri Stakenburg a fait une belle démonstration en vol avec l'hélicoptère de la SNCASE baptisé Alouette I. Il y avait juste assez de carrosserie pour pouvoir inscrire l'immatriculation F-WGGD. Tout le reste n'est qu'un assemblage de tubulures légères avec un grand pare-brise qui recouvre tout l'avant de l'appareil. La propulsion du rotor tripale est assurée par un moteur à pistons Salmson de 203 ch. Au bout de la poutre, une hélice verticale contrecarre le couple du rotor et maintient le vol droit. L'Alouette I est un hélicoptère biplace, sa référence est SE-3120. Il se pose sur deux longs patins, les petites roues au-dessus des patins ne servant qu'à son déplacement à la main au sol. Sa légèreté et sa mobilité en font un hélicoptère qui intéresse l'armée. (→ 2.7.53)

La Sabena ouvre la ligne Bruxelles-Léopoldville, via Lisbonne

Léopoldville, 19 septembre
Nouvelle amélioration du réseau de la Sabena. Elle devient la première compagnie européenne à desservir Léopoldville en DC-6, *via* l'Espagne et le Portugal. L'arrêt à Lisbonne traduit l'espoir de la Sabena de compter pour cette ligne avec les passagers qui se dirigent vers la colonie portugaise de l'Angola dont la capitale ne se situe qu'à 400 km de Léopoldville. Dans une perspective d'expansion, les Belges ont commandé en 1949 deux nouveaux DC-6 qui leur ont été livrés à Melsbroek les 29 mai et 11 juin 1950. Ils furent modifiés avant leur mise en service. L'arrivée sur le réseau européen du Convair 240, plus rentable sur courte distance, est l'occasion de dégager certains DC-6 pour augmenter la fréquence et la régularité du réseau vers l'Afrique.

Le quadrimoteur DC-6 de la compagnie belge à son arrivée à Léopoldville.

Création d'Air Viêt-nam à Saigon

Viêt-nam, octobre
Le jeune Etat du Viêt-nam possède désormais sa propre société de transport aérien. Bien que le volume du trafic soit en extension en Asie, cette société ne va pas ouvrir de nouvelles lignes, mais se contenter de reprendre les services assurés jusqu'ici par Air France avec les pays voisins. Il n'est donc pas dans ses possibilités de proposer pour le moment des vols long-courriers qui restent l'apanage d'Air France. Air Viêt-nam dispose de trois Douglas DC-3 et de trois Bristol auxquels s'ajoutent des appareils long-courriers et gros porteurs qu'elle affrète auprès d'Air France. Cette dernière s'est d'ailleurs engagée à lui fournir assistance pour aider ses débuts.

Les exploits de chasseurs de l'USAF en Corée

Le chasseur F-86 Sabre est équipé de six mitrailleuses de 12,7 mm et de quatre canons de 20 mm.

Corée, 26 octobre

« J'avais l'impression d'avoir affaire à une horde. » C'est ainsi que le pilote d'un Sabre raconte le combat auquel il vient de prendre part. Les MiG-15 restent de loin les plus nombreux dans le ciel de Corée. Il y a trois jours, ils étaient une centaine à s'attaquer aux B-29 Superfortress qui n'étaient escortés que par 34 Sabre. Dans ces conditions, il n'était pas possible de protéger les bombardiers et plusieurs ont été abattus. Si les pilotes de MiG-15 avaient plus d'expérience des combats aériens, ils domineraient sans aucun doute la situation. Les F-80 ne peuvent rien contre le chasseur soviétique qui est souverain à partir de 10 000 m. Le haut commandement a décidé d'envoyer d'urgence au 51e Wing des Sabre F-86E en remplacement des Shooting Star.

Zouzou se pose sur le mont Blanc

Mont Blanc, 31 octobre

A 2 h de l'après-midi, le petit avion, équipé d'une hélice et d'une dérive neuves ainsi que d'une gouverne de direction réentoilée, est enfin prêt. Il y a une semaine, le journaliste-pilote suisse Georges-André Zehr, dit Zouzou, a réussi l'exploit dont il rêvait : se poser sur le dôme du Goûter. Trente ans après Durafour, personne n'avait encore osé tenter l'aventure. Malheureusement gêné dans son atterrissage par la présence de trois membres de son équipe, son Piper a basculé dans la neige. Pas facile de le réparer à une telle altitude, quand il faut transporter à dos d'homme 140 kg de matériel. Mais l'équipe de mécaniciens s'est acharnée, et l'appareil, comme neuf, peut affronter le décollage difficile sur sa courte piste de neige. Zouzou s'installe dans le cockpit, ses aides disposent le Sandow qui va l'aider à décoller. « Lâchez tout ! » L'avion s'arrache de la poudreuse et plonge dans la vallée. Après les dangers de la montagne, Zehr va affronter les tracasseries des hommes. Les autorités suisses, qui ne lui ont pas accordé les autorisations nécessaires pour ce vol jugé déraisonnable, l'attendent en bas de pied ferme.

STEWARDESSES IS YOUR HAT STRAIGHT

MAKE UP NEAT

HAIR LENGTH CORRECT

BLOUSE CLEAN

INSIGNIA ON COSTUME JEWELERY OFF

UNIFORM CLEANED & PRESSED

SLIP SHOWING

HOSE SEAMS STRAIGHT

SHOES SHINED

A LaGuardia, une hôtesse de United Airlines vérifie sa tenue. Elle arrive au bout de sa « check list ». Les coutures des bas doivent être droites.

Air France modifie ses Constellation

Paris, 19 décembre

Air France a connu tous les avantages, mais aussi tous les inconvénients des Constellation de la firme Lockheed. Elle a apporté progressivement les améliorations relatives aux moteurs. Leur fiabilité est devenue convenable. Le problème de l'exiguïté de la soute en cabine vient d'être réglé par l'adoption du système préconisé par le constructeur. L'installation de deux *speedpacks*, soutes extérieures amovibles fixées sous le ventre, augmente la valeur marchande transportable en fret. Détachables, ces conteneurs sont tirés au sol sur des roues. Chaque *speedback* coûte 45 000 dollars. Au mois de mai, la compagnie a étudié l'utilisation du Zero Reader qui fournit une aide au pilote dans les conditions de vol sans visibilité. Guidé par faisceau électromagnétique, le Zero Reader permet des atterrissages aux instruments dans de mauvaises conditions météorologiques. Air France a aussi repensé l'aménagement de la cabine de ses Constellation. La décoration a été entièrement refaite et les appareils exploités sur le réseau de l'Atlantique Nord ont reçu de nouveaux fauteuils qui peuvent se transformer en couchettes.

Les avions de l'année 1951

De Havilland Canada livre 465 avions de brousse DHC-3 Otter.

Le prototype du Sud-Est SE.3120 Alouette I à moteur Salmson.

Le bipoutre biréacteur expérimental Fouga CM.88R Gemeaux I.

Le Brochet MB.80, biplace léger à moteur Minie de 750 ch.

Le bombardier Sud-Ouest SO.4000 est propulsé par deux Nene.

TWA et Eastern sont les deux premiers clients du Martin 4-0-4, le troisième et dernier étant l'US Coast Guard, qui se répartissent les 103 exemplaires.

Seulement 24 Lockheed L.1049 Super Constellation sont construits pour TWA et Eastern Air Lines. L'appareil peut transporter 92 passagers.

Le SO.1120 Ariel III est un hélicoptère à turbine triplace.

Premier transport à réaction américain à voler, le Chase XC-123A.

Le Convair CV-340 intéresse dès l'origine United AirLines.

Le Sud-Est SE.3110 se caractérise par son empennage papillon.

Le prototype du Supermarine Swift à réacteur Avon.

Premier jet construit par Fiat, le G80, biplace d'entraînement.

Le North America XA2J-1, bombardier embarqué à turbopropulseurs.

Le Piaggio P.148, avion d'entraînement italien.

Le McDonnell F3H-1 Demon, chasseur embarqué de l'US Navy.

Le Supermarine 508, chasseur à empennage papillon.

Le Douglas AD-4 Skyraider, avion d'assaut embarqué et terrestre.

Le Fairey FD1 expérimente la formule de l'aile delta.

Le Max Holste MH.152, prédécesseur du MH.1521 Broussard.

Le prototype du Dassault MD.450A Ouragan à réacteur Atar 101.

Le Vickers Type 660 Valiant, premier bombardier britannique de la classe V. Ses 104 exemplaires sont aussi utilisés pour d'autres missions.

Le Douglas F4D-1 Skyray reprend la formule de l'aile delta inspirée des études du Dr. Alexander Lippisch. L'US Navy prend livraison de 420 exemplaires.

Vought construit 290 F7U-3 Cutlass pour l'US Navy.

Le Sud-Ouest SO6026 Espadon, doté d'un turboréacteur-fusée.

Le Gloster Javelin, chasseur tout-temps à voilure delta.

Le Handley Page HP.88, banc d'essai du bombardier Victor.

Le Fokker S.14 Mach-Trainer, premier jet hollandais.

Le Saab 210, un double delta expérimental.

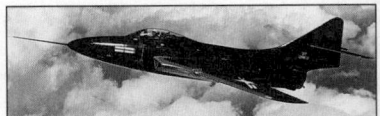

Le Grumman XF9F-6 Cougar est un Panther à aile en flèche.

Le Short SA.4 Sperrin teste la technologie des bombardiers à réaction.

L'Avro 707A, troisième des cinq avions delta expérimentaux.

Premier appareil construit en Inde, l'Hindustan HT-2 d'entraînement.

Le CA-22 Winjeel est l'avion d'entraînement de base de la RAF.

Deux Bell X-5 expérimentaux, basés sur le Messerschmitt P.1101, évaluent pour l'USAF la formule de la géométrie variable.

Le Hawker P.1067 est le prototype du Hunter dont plus de 2 000 exemplaires ont vendus dans le monde entier. L'appareil est équipé d'un Avon.

Le de Havilland 110 donne naissance au Sea Vixen embarqué.

Le Breguet 960 Vultur est propulsé par un système Mamba-Nene.

1952

1 981 km/h
Etats-Unis
William Bridgeman
Douglas D-558-II Skyrocket
15.8.51

37 189 km
Etats-Unis
James Gallagher
Boeing B-50
2.3.49

26 063 m
Etats-Unis
William Bridgeman
Douglas D-558-II Skyrocket
7.8.51

221 350 kg
Etats-Unis
Boeing
B-52 Stratofortress

4 530 kgp
Etats-Unis
Pratt & Whitney
J57-P-3

Etats-Unis, 1er janvier
L'Etat de Californie enregistre le plus grand nombre d'immatriculations d'avions civils du pays, avec 9 845. Le Texas est en deuxième position, avec 6 404. Le Vermont n'en compte que 168.

Atlantique Nord, 5 janvier
La Pan Am inaugure un service commercial transatlantique tout cargo, avec des Douglas DC-6.

Londres, 14 janvier
Le gouvernement attribue un prix de 50 000 livres à Robert Watson-Watt, pour l'invention du radar.

Suède, 21 janvier
Le SAAB 210 effectue son vol initial. Appareil expérimental muni d'un turboréacteur Armstrong Siddeley de 500 kgp, il est destiné à tester la voilure en forme de double delta. (→ 25.10.55)

Grande-Bretagne, 29 février
Le porte-avions *HMS Triumph* a entamé ce mois-ci une série d'essais équipé d'une piste d'appontage décalée de 10° par rapport à l'axe du navire. Le capitaine Campbell, de la Royal Navy, en a eu l'idée pour permettre les catapultages en même temps que les appontages.

Londres, 13 mars
Après sept mois d'essais et d'entraînement des équipages, BEA met en exploitation, sur la liaison avec Paris, le premier des 20 bimoteurs Airspeed Ambassador commandés à la firme de Havilland.

Neubiberg, 14 mars
Partis des Etats-Unis, deux chasseurs F-84 Thunderjet de l'US Air Force atterrissent après un vol de 4 h 48 min sans ravitaillement.

France, 1er avril
Les crédits de mise au point affectés au turbopropulseur TB-1000 de la Snecma sont supprimés, malgré des essais au banc très satisfaisants. Le moteur délivrait 1 800 ch au régime de décollage et montrait une faible consommation : 170 g de kérosène par cheval/heure.

Madagascar, 7 avril
Le transport du tabac des centres de production vers la côte est pris en charge par Air France. Effectué auparavant par pirogues, la moitié des cargaisons était perdue. Au retour, les avions remontent du riz destiné à la main d'œuvre.

Bordeaux-Mérignac, 17 avril
Deux Ouragan font des essais de fonctionnement d'armes. L'un des pilotes, René d'Oliveira provoque involontairement une fuite de son alimentation en oxygène et perd connaissance à 16 400 m d'altitude. L'incident de Maulandi en 1950 a servi de leçon. Les opérateurs suivant les essais au sol le réveillent et le dirigent vers la piste.

Seattle, 22 avril
La firme Boeing décide d'étudier un quadriréacteur commercial à partir d'éléments du B-52. (→ 15.7.54)

Shannon, 2 mai
Un avion de la Pan Am atterrit avec 95 passagers en classe touriste à bord, le plus grand nombre transporté sur l'Atlantique Nord.

Suisse, 10 mai
Herman Geiger met en pratique sa théorie d'atterrissage sur un plan incliné ascendant. Il pose le Piper Cub de l'aéro-club de Sion sur le glacier de la Kander. (→ 26.8.66)

Paris, 11 mai
Le SE-2010 Armagnac est mis en exploitation sur Casablanca par TAI. La rotation aller et retour est accomplie en 9 h de vol à 430 km/h.

Corée du Sud, 29 mai
Partie du Japon, toute une formation de F-84E Thunderjet de l'US Air Force est ravitaillée en vol par des KB-29, pour rentrer à sa base après l'attaque des objectifs fixés.

Melun-Villaroche, 10 juin
Jacques Guignard décolle le SO-6025 Espadon, équipé d'une fusée SEPR 251 de 1 500 kgp, en plus du réacteur de 2 200 kgp. Il utilise la fusée durant 15 s au décollage et durant 3 min en vol. (→ 15.12.53)

Mer Baltique, 16 juin
Un Catalina des Forces aériennes suédoises est abattu par un MiG-15 soviétique dans le golfe de Botnie. Il menait une opération de recherche d'un DC-3 disparu le 13 juin.

Paris, 23 juin
Le musée de l'Air offre une réplique de *La Demoiselle* de Santos-Dumont à une mission brésilienne.

New York, 8 juillet
Une liaison en hélicoptère entre les aéroports de la ville est inaugurée par la compagnie New York Airways, avec des Sikorsky S-55.

Melun-Villaroche, 26 juillet
Léon Gouel pose avec succès un Vampire muni du déviateur de jet conçu par l'ingénieur Jean Bertin. Le dispositif sert de frein à l'atterrissage en canalisant le souffle de l'air vers l'avant. (→ 24.1.58)

Brésil, 27 juillet
Durant un vol de Rio de Janeiro à Montevideo, la porte d'un B-377 de la Pan Am s'ouvre par accident à 7 000 m d'altitude. Un passager est aspiré et précipité dans le vide.

Corée, 9 août
Le capitaine Carmichael de la Fleet Air Arm britannique abat un MiG-15 nord-coréen à réaction avec son Sea Fury Mk-11 à moteur à pistons.

Dallas, 16 août
La Braniff devient la sixième compagnie nationale, en absorbant la Mid-Continent Airways.

Corée du Nord, 28 août
Un nouveau système d'attaque est testé par l'US Navy. Un Grumman F6F-5K radiocommandé et chargé d'explosifs décolle du porte-avions *USS Boxer*. Il est guidé en vol par deux Douglas Skyraider contre un pont situé près de Hungnam.

Etats-Unis, 17 septembre
Elton Smith, pilote d'essai chez Bell, effectue un vol record sans escale avec un hélicoptère 47 D-1. Il couvre 1 958 km en 12 h 57 min, de Fort Worth aux Niagara Falls.

Melun-Villaroche, 28 septembre
Constantin Rozanoff, chef pilote d'essai de Dassault, décolle le prototype n° 1 du chasseur Mystère IV, équipé d'un réacteur Hispano-Suiza Tay de 2 850 kgp. (→ 1.9.53)

Haut-Rhin, 2 octobre
La route reliant l'aéroport de Blotzheim à la Suisse a été inaugurée. Blotzheim devient l'aérodrome international de Bâle-Mulhouse.

Australie, 16 octobre
La Qantas décide de prolonger sa ligne du Caire jusqu'à Francfort *via* Beyrouth.

Etats-Unis, 23 octobre
Gale Moore décolle l'hélicoptère XH-17 de plus de 18 t. Il est à réaction avec éjection en bout de pales. Il vole 1 min. Howard Hughes a racheté le projet en 1949 pour 250 000 dollars à la société Kellett. Celle-ci l'avait développé à la demande de l'US Army comme grue volante capable de porter 9 t.

Corée du Nord, 3 novembre
Le commandant Stratton et le sergent Hoglind, radariste, à bord d'un Douglas F3D Skynight, ont abattu un Yak-15 nord-coréen la nuit dernière. C'est la première victoire dans un combat de nuit entre avions à réaction.

Washington, 13 novembre
Le Président Truman remet le Harmon Trophy à Jacqueline Auriol à la Maison Blanche. C'est la plus haute distinction aéronautique internationale. (→ 15.8.53)

Etats-Unis, 20 décembre
Un Douglas C-124 Globemaster de l'US Air Force s'écrase près de la base aérienne de Larsen, dans l'Etat de Washington. L'appareil ramenait des militaires chez eux pour la fête de Noël. Il y a 31 survivants, mais 84 morts.

L'année 1952 pour Air France est marquée par l'ouverture de deux grandes lignes : Paris-New York-Mexico et Paris-Tokyo.

510

Les Bananes volantes apparaissent

Le Bristol 173 Belvédère est équipé de moteurs Alvis-Leonides de 550 ch.

Farnborough, 3 janvier,
Rivale britannique de la société américaine Piasecki dans la fabrication d'hélicoptères de transport et de sauvetage, la firme Bristol présente aujourd'hui sa dernière réalisation en matière de Banane volante : le Bristol 173 Belvédère. Il s'agit d'un bimoteur, birotor en tandem, équipé de moteurs Alvis-Leonides de 550 ch et prévu pour le transport de 13 passagers.

Le diamètre des rotors fait 14,8 m. Les essais du Belvédère sont confiés au pilote C.T.D Hosegood, ancien officier de la Royal Navy. Il a été confirmé sur hélicoptère à Floyd Bennett Field aux Etats-Unis. Le précédent appareil de démonstration de la société Bristol, le monomoteur Bristol Sycamore 171, présenté il y a deux ans à Farnborough même, a été le premier hélicoptère européen opérationnel.

Le Minijet est vraiment le plus petit

Le prototype du biplace léger à réaction Sipa-200, piloté par Roger Launay.

Villacoublay, 14 janvier
Au sol, l'avion ressemble à un jouet. Le Sipa-200 Minijet est d'ailleurs le plus petit biplace à réaction du monde. L'ingénieur Yves Gardan, qui l'a conçu, et Roger Launay qui va le piloter pour son premier vol, ont pourtant foi en lui. L'heure de vérité est arrivée. Le minuscule avion s'élance sur la piste dans le hurlement de son Turboméca Pallas et décolle avec aisance. Alors

que les spectateurs le voient effectuer une courbe de plus au-dessus du terrain, le Minijet se met à faire des bonds désordonnés. Si le pilote ne parvient pas à le reprendre en main, il va se disloquer. Launay réduit la vitesse, se rapproche de la piste et profite d'un dernier bond pour plaquer l'avion au sol. Non seulement il est sauvé, mais le S-200 est intact. Il faut maintenant trouver le défaut.

Mort d'un grand pilote d'essai, C. Dellys

Marol, 21 février
Claude Dellys, qui avait contribué à la mise au point de l'Arsenal VG-90-02, connaissait l'appareil à fond. Pourtant un doute subsistait encore : ce monoplace à réaction, qui avait coûté la vie au pilote Decroo de façon inexplicable, n'aurait-il pas un défaut caché ? Le voyage d'aujourd'hui, pour mener l'avion de Melun à Istres, s'annonçait pourtant comme une promenade. Mais après la Loire, la tour de Melun perd le contact. Quelques instants plus tard, la nouvelle est connue. L'avion s'est écrasé près de Moulins. Un premier examen de l'épave a déjà permis de comprendre le drame : ayant atteint une vitesse critique, l'avion a dû subir un brutal phénomène de flutter. Dellys a tenté d'utiliser le siège éjectable qui n'a pas fonctionné. Ainsi a disparu un homme qui joignait à l'amour de son métier une grande valeur personnelle. Comme l'a dit un vieux chef d'équipe en apprenant sa mort : « Il était aimé. »

Un pilote d'essai très populaire.

La fiabilité d'un siège éjectable est vitale

Pour une meilleure sécurité du pilote.

Brétigny, 12 mars
La sécurité des pilotes serait-elle enfin assurée ? Les progrès accomplis en matière de siège éjectable permettent de l'espérer. En effet, après de nombreux tests concluants effectués avec des mannequins, André Allemand vient de réussir un saut à une vitesse de 500 km/h, à partir d'un Gloster Meteor. Installé pour la première fois sur le Mistral, le 25 février dernier, le siège éjectable SNCASO fait l'objet d'essais systématiques à grande vitesse. Sa fiabilité est vitale pour le pilote. C'est ce qu'a prouvé *a contrario* l'accident de l'Arsenal VG-90, qui coûté la vie à Claude Dellys (→ 21.2). On sait maintenant que ce dernier, jugeant la situation désespérée a tenté d'utiliser son siège éjectable, mais le détonateur n'a pas fonctionné. L'expertise a révélé que l'huile fluide employée sur le siège, liquéfiée au sol par le soleil, a envahi le logement du percuteur, puis s'est figée en vol avec le froid, rendant ainsi le percuteur inopérant.

Le Convair YB-60 se mesure au Boeing B-52

Des béquilles tiennent le bout des ailes du B-52 Stratofortress de Boeing.

Le YB-60 de Convair est le plus grand appareil opérationnel de l'Air Force.

Fort Worth, 18 avril
Trois jours après son vol inaugural, le Boeing B-52 Stratofortress aurait déjà rencontré un sérieux rival. Développé précisément en vue d'être confronté avec ce nouveau bombardier lourd, le YB-60 de Convair reçoit son baptême de l'air, à Fort Worth, au Texas, avec le pilote Beryl Erikson aux commandes. Construit en 8 mois, ce prototype est en fait un dérivé du B-36 équipé de réacteurs. Mais il diffère si radicalement du modèle d'origine qu'il a reçu une autre désignation, YB-60. Comme son rival, le B-52, il est doté de huit réacteurs de Pratt & Whitney J-57 qui donnent chacun 4 530 kg de poussée. Ils sont pendus sous les ailes en flèche. Le nez du fuselage a été affiné et la queue surélevée, afin d'améliorer son aérodynamisme. Long de 52,83 m, il affiche une masse de 135 900 kg. Au cours de ce premier vol d'essai, le YB-60 se révèle robuste et efficace. Mais il semble moins rapide que le B-52. Une prochaine série de tests doit déterminer s'il est véritablement en mesure d'égaler son concurrent de chez Boeing. (→ 15.11.55)

Un DC-4 d'Air France attaqué par des MiG

Berlin, 29 avril
Le DC-4 d'Air France immatriculé F-BELI, assurant la ligne régulière Francfort-Berlin, volait en toute tranquillité dans le couloir aérien qui passe au-dessus de la zone soviétique. Soudain, alors qu'il se trouvait à une altitude de 2 000 m, deux chasseurs soviétiques MiG-15 se sont portés à ses côtés, puis ont dégagé. Quelques secondes plus tard, les MiG lâchaient une première rafale, puis une seconde contre l'avion d'Air France, blessant trois personnes à bord. Le commandant Schvallinger n'a eu que le temps de plonger dans les nuages pour échapper à ses agresseurs. A l'arrivée à Berlin, l'examen de l'appareil a montré qu'il était très endommagé. Une protestation est adressée au gouvernement soviétique et une enquête est ouverte sur les conditions de l'incident.

Le Marlin pour chasser le sous-marin

Etats-Unis, 23 avril
Les premiers hydravions Martin en version Marlin ont été livrés quatre ans après le premier vol du prototype XPBM-1. Dénommée PBM Marlin, cette version de l'hydravion a bâti sa réputation sur ses qualités dans la lutte contre les sous-marins et la patrouille en haute mer. Il a une autonomie de plus de 3 000 km. Son empennage est différent de celui des Mariner, il est placé au-dessus de la dérive arrière. Un très important équipement radar a été installé à bord, justifiant une modification du nez de l'appareil. L'US Navy est consciente de la menace des sous-marins de la flotte soviétique. Guidés par des bouées acoustiques larguées en plein océan, les hydravions restent à l'écoute des signaux reçus. Le Marlin est un hydravion très lent qui évolue à une vitesse de l'ordre de 350 km/h.

Un autre DC-4 à l'aéroport de Tempelhof. Les nuages ont sauvé le F-BELI.

Le Marlin peut transporter, sous sa voilure, des mines et des torpilles.

Le Comet « Yoke Peter » ouvre l'ère des jets

Immatriculé G-ALYP, l'avion inaugure, sous les couleurs de BOAC, la liaison Londres-Johannesbourg. Il a déjà plus de cinq cents heures de vol.

Londres, 2 mai

Des dizaines de milliers de personnes sont venues assister au départ du premier vol régulier du Comet, à destination de Johannesbourg. A 12 h 30, l'avion à réaction s'est envolé par un temps magnifique. L'appareil de la BOAC, choisi pour ce premier vol historique, est le Comet immatriculé G-ALYP et surnommé *Yoke Peter*. Il doit faire escale à Beyrouth, Khartoum et Entebbe. L'enthousiasme suscité par cet événement est considérable, non seulement en Angleterre, mais aussi dans le monde entier. Avec ce vol, s'ouvre une ère nouvelle, celle du transport aérien véritablement rapide et confortable. L'avion de ligne à réaction apporte surtout un silence et une stabilité inconnus jusqu'alors. Toutes les places sur les vols en Comet de cette ligne sont réservées pour des mois. C'est un succès pour BOAC qui avait calculé que le Comet serait rentable avec un taux d'occupation de 72 %.

Les grandes compagnies l'ont compris et ont décidé de se doter d'avions de transport à réaction. Seul le Comet est disponible sur le marché. Air France, UAT, Canadian Pacific, British Commonwealth Pacific ont déjà passé commande. Pour l'instant, c'est BOAC qui dispose de l'avion de prestige. (→ 26.10)

Un autocar emmène les passagers privilégiés vers l'aéroport de Heathrow.

A Khartoum, la police soudanaise est venu admirer le nouvel avion de ligne.

Les compagnies échangent leurs hôtesses

Paris, 3 mai

Une Américaine à Paris ! Jane Crocco est une hôtesse de l'air de la compagnie Capital Airlines. Elle vient d'arriver à l'aéroport d'Orly par le premier vol en classe touriste d'Air France de New York à Paris. Mais il ne s'agit pas d'un voyage d'agrément. Miss Crocco doit étudier les méthodes de la compagnie française pour la formation des hôtesses de l'air et l'organisation du service de bord. Elle est d'ailleurs accompagnée d'une consœur d'Air France, Mlle Rivet qui rentre de la Nouvelle-Orléans où elle s'est livrée à une enquête analogue chez Capital Airlines.

Air France installe un réseau aux Antilles

Fort-de-France, 12 juin

Un DC-3 d'Air France un peu spécial a quitté la piste d'Orly. L'appareil, aménagé pour la traversée de l'Atlantique, doit atterrir aux Antilles. La compagnie française commence à exploiter un réseau local dans ces îles d'outre-mer. Depuis la construction de deux terrains à la Martinique et à la Guadeloupe, Air France va inaugurer, début juillet, les lignes depuis Fort-de-France vers Pointe-à-Pitre et de Pointe-à-Pitre vers Saint-Martin. Les distances sont faibles, toutefois le voyage en avion fait gagner un temps précieux. Le DC-3 est l'appareil idéal pour ces trajets.

Disparition accidentelle de Maryse Bastié

Ils traversent l'Atlantique en hélicoptère

Ses nombreux raids lui ont valu une réputation mondiale de pilote chevronné.

Il a fallu onze heures au Sikorsky S-55 pour parcourir 1 480 kilomètres.

Lyon-Bron, 6 juillet

Le meeting national de l'air, commencé comme une fête par cette superbe journée d'été, s'est terminé dans l'horreur. Comment l'équipe de pilotes et de techniciens aussi expérimentés qui formait l'équipage du Noratlas a-t-elle pu commettre tant d'imprudences ? La faute en revient peut-être à l'effet de l'excessive chaleur après un trop bon repas. Tandis que se déroulait une présentation de Vampire, le Noratlas piloté par Georges Penninckx s'est engagé sur la piste avant son tour, malgré les injonctions de la tour de contrôle. Puis il a décollé et s'est dirigé vers Lyon où il a exécuté un vol en rase-mottes au-dessus des toits. Il est revenu vers Bron avec une hélice en drapeau, a entamé une chandelle devant les tribunes et a basculé pour s'écraser au sol au terme d'une vrille. Il n'y a aucun survivant. Parmi les passagers figurait Maryse Bastié.

Prestwick, 31 juillet

Les utilisations faites par l'armée américaine de cet hélicoptère sont connues du public grâce aux films d'actualités. On ne compte plus les missions de sauvetage et d'évacuation. Il vient d'établir un record mondial de distance en hélicoptère. Deux Sikorsky H-19, ou S-55 dans la nomenclature de la firme, ont traversé une partie de l'Atlantique depuis l'Islande jusqu'en Ecosse, de Keflavik à Prestwick. En trois ans, le S-55 s'est forgé une excellente réputation. Les problèmes de centrage ont été éliminés grâce à une nouvelle disposition des éléments. Son moteur est placé à l'avant et ses réservoirs sous le plancher. Le poste de pilotage se situe au-dessus de la cabine à porte coulissante. Son moteur est un Pratt & Whitney R 1340. Son poids au décollage est de 3 625 kg. Onze heures lui ont suffi pour franchir les 1 480 km au-dessus de l'Atlantique.

Le Fouga Magister est très surprenant

Le Britannia remplacera les Argonaut

Mont-de-Marsan, 23 juillet

Les succès commerciaux remportés par l'équipe de Pierre Mauboussin devraient l'inciter à construire autre chose que des planeurs motorisés par un réacteur Turboméca. Un projet bien plus ambitieux a occupé Joseph Szydlowski et Joseph Castello. Le CM-170 (C pour Castello et M pour Mauboussin) est un biplace d'entraînement biréacteur. Ses formes extérieures, sa dérive en forme de V rappellent sans aucun doute l'origine de l'appareil. Cette fois, c'est un biréacteur propulsé par deux moteurs Marboré II toujours de Turboméca. Ils donnent 400 kg de poussée chacun. Impossible de faire décoller un tel avion à Aire-sur-Adour, aussi a-t-il été transporté à Mont-de-Marsan. C'est Léon Bourrieau qui l'a fait voler.

Londres, 16 août

Le Canadair Argonaut n'aura pas le temps de conquérir la Toison d'or. BOAC vient en effet de le retirer du service. Motif : les coûts d'exploitation ne sont couverts qu'à raison de 5 % par le prix des billets. L'Argonaut a pourtant eu son heure de gloire, notamment en février dernier lors du retour d'Afrique de la princesse Elizabeth, devenue reine à la mort de son père, le roi George VI, mort au cours d'un safari au Kenya. Le Bristol Type 175 a débuté ses essais aujourd'hui. Il est le premier avion à turbopropulseurs long-courrier qui entrera en service. Il devra être encore certifié pour 90 passagers. La vitesse de croisière est de 575 km/h. Il a 4 turbopropulseurs Bristol Proteus de 2 800 ch chacun. (→ 6.11.57)

Le CM-170 Fouga Magister vole à 650 km/h, l'autonomie est de 1 000 km.

Le Bristol Britannia sera le premier avion long-courrier à turbopropulseurs.

Le Princess a coûté une véritable fortune

Lancement de l'hydravion géant britannique à Cowes (île de Wight).

Cowes, 20 août

Le programme de construction du Saunders-Roe SR45 tournerait-il au désastre financier ? Alors que le prototype du Princess vient de faire son vol initial et qu'il est notoire que son prix dépasse les estimations de 1946, une question devient chaque jour plus pressante : à quoi va bien pouvoir servir ce gigantesque hydravion ? Sir Miles Thomas, président de BOAC, déclarant après les essais qu'il était très intéressé par l'appareil, laisse supposer que BOAC n'a toujours pas pris de décision à ce sujet. Le prix des turbines Proteus est passé des 407 000 livres prévues en 1946 à 4 920 000 livres. Le coût global des trois hydravions dépasse 10,8 millions de livres, pour 2,8 prévus en 1946. Selon certaines rumeurs, ils pourraient être en fin de compte achevés pour le compte de la RAF. Le comité Unit Princess, chargé de la promotion des appareils, a encore beaucoup à faire s'il veut leur offrir un ciel moins sombre.

Un de Havilland explose à Farnborough

Farnborough, 6 septembre

Du DH-110, il ne reste plus rien. Cet après-midi, au cours du spectacle bisannuel de Farnborough, un de Havilland expérimental s'est désintégré au-dessus de la piste principale. Un des réacteurs de l'appareil et de nombreux débris ont été projetés sur les spectateurs. Le bilan est lourd : vingt-huit personnes ont trouvé la mort et une soixantaine sont blessées, dont certaines grièvement. Le pilote et l'observateur ont également péri dans cet inexplicable accident. C'est le *squadron leader* John Derry qui tenait les commandes. Un nom que les Britanniques connaissent bien puisqu'il fut le premier de leurs compatriotes à franchir le mur du son, quatre ans auparavant. Grâce à un film d'amateur, pris pendant le drame, on comprendra peut-être ce qui s'est passé.

Le Vulcan doit porter la bombe atomique

Un avion muni d'une aile delta qui permet les performances les plus élevées.

Grande-Bretagne, 30 août

La firme Avro veut rester à la pointe de l'innovation technique. Avec le projet Vulcan, elle en train de révolutionner la construction aéronautique. Cet avion est le premier bombardier au monde doté d'une aile en forme de delta. Equipé de 4 réacteurs Rolls-Royce Avon, il vient de réussir son premier vol. Au lendemain de la guerre, le ministère de l'Air lançait une étude pour un bombardier à long rayon d'action qui devait être capable de transporter, à très haute altitude et à une vitesse proche de Mach 1, la bombe atomique dont l'Angleterre voulait se doter. Les performances requises, deux fois supérieures à celle du meilleur bombardier en service à l'époque, l'Avro Lincoln, étaient ambitieuses. Avro, qui a déjà à son actif de belles réussites, envisage d'adopter l'aile delta pour son prototype du Vulcan type 698. S'écartant des conceptions classiques, Roy Chadwick, le défenseur de cette option inédite, élabore les plans d'un appareil plus petit que ses prédécesseurs, pouvant relever le défi des exigences officielles. Cette voilure triangulaire se révèle des plus performantes. Après une série de tests, elle est retenue, car elle offre en plus une faible traînée. Epaisse de 2,14 m à la base, l'aile abrite dans son profil les moteurs et les réservoirs, ce qui réduit encore la résistance à l'air. L'accroissement de la surface alaire diminue le coefficient de charge et cette forme particulière donne une très bonne portance aux vitesses d'approche plus faibles.

Le Martin « Mars » entre en service dans l'US Navy. Le plus grand hydravion du monde est un quadrimoteur de 60 m d'envergure.

Guignard et Retif maîtrisent le bombardier biréacteur Vautour

Melun-Villaroche, 16 octobre
Si aucun avion de construction française n'a encore passé le mur du son, cet appareil pourrait bien être le premier (→ 12.11). Il a été mis au point en un temps record par le bureau d'études de la SNCASO sous la direction de l'ingénieur Jean-Charles Parot. En quatorze mois, ce bombardier de nuit, biplace et biréacteur, est passé des planches à dessin au stade du premier essai en vol. Ses ailes ainsi que son plan horizontal arrière sont en flèche. Ses deux réacteurs sont des Atar de la Snecma ; ils sont fixés sous les ailes. Ils donnent 2 500 kg de poussée chacun. Les deux membres de l'équipage sont assis l'un derrière l'autre, chacun disposant d'une verrière et d'un siège éjectable. Deux particularités distinguent encore cet avion. Le recouvrement

Le prototype militaire SO-4050-01 est un biplace de chasse de nuit.

des ailes et du fuselage est fait par collage et non plus par rivetage. Le prototype du SO-4050 Vautour, qu'a fait voler Jean Girard accompagné de Michel Retif, était équipé d'un matériel très sophistiqué pour l'enregistrement des paramètres de vol. Pas moins de 89 analyses sont faites en différents points de l'avion et de ses moteurs. (→ 30.6.53)

La SNCASE propose un triréacteur civil

France, 15 octobre
Les autorités ont finalement choisi le projet présenté par la SNCASE. Les spécifications publiées le 6 novembre 1951 exigeaient un avion qui emportât une charge marchande de 6 600 kg, d'une capacité de 55 à 65 passagers, atteignant la vitesse de 600 km/h avec une autonomie de 2 000 km et pouvant utiliser des pistes de 2 000 m. Pierre Satre et son équipe doivent encore choisir entre les formules à deux ou à trois réacteurs. Le prototype sera doté d'une aile en flèche et d'un train d'atterrissage court, un choix rendu possible grâce à la position des réacteurs à l'arrière du fuselage. Le troisième réacteur, placé dans la dérive verticale, est justifié par le besoin de puissance. (→ 30.9.53)

La 2 CV vole avec l'« Eléphant joyeux »

Marignane, 3 octobre
Premier vol du S-55 récemment livré par la firme américaine Sikorsky à la SNCASE. L'*Eléphant joyeux*, qui sert de modèle de référence, était piloté par Jacques Lecarme. Le S-55, appareil de moyen tonnage, répond bien aux besoins militaires en matière d'hélicoptère. La SNCASE a acheté une licence de fabrication pour mettre au point le premier appareil de série. Le S-55, équipé d'un moteur Pratt & Whitney à pistons, a déjà été adopté par la Sabena qui pense ouvrir un service avec passagers. Mais l'utilisation de ce type d'appareil dépend de son système de propulsion qui limite pour le moment sa vitesse et sa charge utile. Les ingénieurs français travaillent sur ce problème. Ce qu'ils étudient, c'est la possibilité d'adapter sur le S-55 une turbine qui permettrait d'envisager des opérations à pleine charge dans les pays à climat tropical.

Le Comet « Yoke Zebra » rate le décollage

Rome, 26 octobre
La catastrophe a été évitée de justesse. Le Comet *Yoke Zebra* a reçu l'autorisation de s'aligner et de décoller. Le commandant Foote pousse les manettes de gaz et affiche la puissance. L'appareil s'ébranle, avance et prend graduellement de la vitesse. A 150 km/h au badin, le pilote, comme il en avait l'habitude sur les avions à hélice, tire légèrement le manche pour soulager la roulette de nez. Il ne se rend pas compte qu'il vient de modifier légèrement l'angle d'incidence de l'appareil. La portance des ailes a changé et surtout l'angle de prise d'air des réacteurs est moins favorable. La poussée devient moins forte, même si la puissance est affichée. A 200 km/h, il tire le manche, l'avion se lève, dévie de sa trajectoire et retombe sur le sol. Foote coupe les réacteurs et l'avion finit sa course hors la piste. Il est détruit, mais il n'y a qu'un blessé. (→ 2.5.53)

Une démonstration qui n'a pas été sans éveiller l'intérêt des photographes.

Le 1er mai, Pan American a inauguré avec un DC-6B, le « Clipper Liberty Bell », une ligne réservée à la classe touriste entre New York et Londres. Elle a commandé 45 exemplaires de cet appareil dont plusieurs dans une version à forte densité de passagers.

Air France regroupe ses activités à Orly

Un des vingt-trois Constellation de la compagnie devant l'aérogare.

Orly, 28 novembre

Il y a plusieurs raisons qui justifient le départ d'Air France du Bourget et son installion à l'aéroport d'Orly. Les pistes de 1 500 mètres sont trop courtes et il n'y a pas de projet d'allongement. Les quadrimoteurs s'accommodent mieux de pistes plus longues. Par exemple, il faut 800 m à un Constellation pour sa mise en vitesse. Idéalement la vitesse de décollage doit être atteinte à un endroit de la piste où il reste encore de quoi s'arrêter si un problème technique survient avant ce moment critique. De plus la compagnie a tout intérêt à regrouper ses activités. Les services techniques sont déjà installés à Orly. Le commissariat en charge de la cuisine et de tous les documents imprimés y est aussi installé. Le Bourget ne devient pas un aéroport désert. Les compagnies étrangères, UAT et TAI restent ainsi que l'Aéropostale. Pour ceux qui viennent du Nord, Le Bourget est une destination facile qui, à chaque vol, fait gagner près de 10 minutes en évitant de contourner la ville.

Roger Carpentier passe le mur du son

Le Dassault Mystère II, premier avion français à avoir réussi l'exploit.

Brétigny, 12 novembre

Le premier bang supersonique français a été le fait d'un Américain. Marion Davis fait partie d'une commission venue des Etats-Unis. A Melun-Villaroche, avec deux collègues qui volaient à ses côtés sur des Sabre, il a fait passer le mur du son à un Mystère II de série qui lui avait été confié. Cet avion était prêt pour sa mise en escadrille, armé de ses quatre canons de 20 mm. C'était le 28 octobre dernier. Aujourd'hui, le même bang entendu au-dessus de la région parisienne a encore été provoqué par un Mystère II, mais il était piloté par le chef du personnel navigant du CEV, Roger Carpentier. Il avait décollé l'avion de Dassault de Brétigny. Le bang, provoqué par un avion qui passe le mur du son, arrive au sol 30 secondes environ après avoir été émis dans l'atmosphère. Le pilote attend le commentaire qui lui est donné par radio pour avoir la confirmation du succès de sa tentative. Les Français prouvent qu'ils ont les hommes et les machines pour passer de l'autre côté du fameux mur.

Du champagne pour le Broussard

Reims, 17 novembre

Moment d'euphorie teinté d'émotion : Max Holste lève sa coupe à la fin du premier envol de son avion : le monomoteur MH-1521 Broussard. Une réussite qui revêt pour lui un aspect tout particulier, car elle est aussi la concrétisation d'une vieille amitié. Celle qui le lie depuis des années à Pierre Clostermann. Sans son soutien toujours fidèle et les moyens qu'il a mis à la disposition de Holste, cet avion ne serait peut-être pas né. Le Broussard n'a rien de révolutionnaire, mais n'en répond pas moins aux besoins qu'évoque son nom. Il est robuste et solide. C'est avant tout un appareil de servitude, rustique de conception. Son moteur Pratt & Whitney de 450 ch lui permet d'emporter six personnes ou 750 kg de fret à 200 km/h, sur des étapes de 1 000 à 1 200 km. L'armée a d'ores et déjà manifesté son intérêt pour ce petit appareil. (→ 24.6.55)

Le « Stiletto » est construit avec du titane

Edwards AFB, 20 octobre

Le Douglas X-3 *Stiletto*, piloté par William Bridgeman, a effectué un vol de vingt minutes aujourd'hui au-dessus du lac Rodgers. Ce vol s'inscrit dans le programme d'essai pour les avions à réaction à fuselage profilé et à ailes courtes. Il permet de recueillir des données sur le comportement du X-3 face à l'échauffement de l'air dû au frottement à Mach 3 et plus. Au cours des premières phases de fabrication du prototype, les ingénieurs de Douglas se sont heurtés au problème du poids. Ils ont finalement remplacé l'acier inoxydable prévu pour construire le fuselage par le titane qui offre une grande résistance à la chaleur, plus de solidité et de légèreté. Ils ont ainsi pu réduire le poids de l'appareil de 180 kg. Par ailleurs, devant les difficultés des pilotes à contrôler l'appareil à Mach 3 et plus, le manche est remplacé à leur demande par un volant. Ce dernier leur assure une meilleure prise et une bonne tenue latérale.

Ses deux petites ailes, placées très en arrière du fuselage, suffisent à lui donner la portance nécessaire.

La SAS survole le pôle Nord

Santa Monica, 19 novembre

La route directe de la côte-ouest des Etats-Unis vers la Scandinavie passe par le pôle Nord. La SAS a introduit auprès de l'administration américaine une demande de trafic de Copenhague vers Los Angeles en passant par le nord du Groenland et le Canada. Bendix a étudié un gyroscope pour remplacer le compas, inutilisable dans ces régions à fortes déclinaisons magnétiques. Sept radiobalises ont été installées sur la route où les seules escales sont la base de l'USAF de Thulé et quelques villes du nord du Canada. Il y a aussi Sonderstroëm, plus au sud sur la côte ouest du Groenland mais l'aéroport est au fond d'un fjord avec un virage à droite serré en finale. Par mauvais temps, cet aéroport est dangereux. Un des nouveaux DC-6B de la SAS teste la route en partant de l'usine Douglas. L'*Arild Viking* doit faire escale à Edmonton et Thulé. (→ 24.5.53)

Le Comet F-BGSA de l'UAT relie Paris à Dakar

L'escale à Casablanca. L'appareil va effectuer le voyage en sept heures.

Dakar, 27 décembre

Francis Fabre, sur les conseils de Roger Loubry a pu obtenir du gouvernement l'autorisation d'acquérir trois Comet chez de Havilland. Il leur est réservé les immatriculations F-BGSA, BGSB et BGSC. Jean-Pierre Villacèque et ses collègues ont subi les vols de qualification en Angleterre. Le premier Comet est arrivé au Bourget le 18 au soir. Il effectue aujourd'hui son second vol expérimental en reliant Paris à Dakar. Avec une escale technique à l'aéroport de Nouasseur à Casablanca, le vol n'a duré que 7 h 7 min. Les horaires sont simplement divisés par deux. Déjà le 20, le Comet d'UAT avait relié Paris à Casablanca en 3 heures.

Il arrive au Bourget sous la neige.

Eastern reçoit ses Super Constellation

Burbank, 29 décembre

Le Super Constellation correspond à ce point aux besoins des militaires que les civils doivent se battre pour en obtenir. Eastern Air Lines a pu en acheter 14 et TWA 10. Le Model 1049 est remarquable. Le président Einsenhower, récemment élu, avait déjà un Constellation au titre de général en chef. Il a demandé un Super Constellation comme avion présidentiel. Ce sera le *Columbine II*. L'USAF et la Navy lui ont donné des références qui paraissent barbares. Pour eux, le C-121 ou R-70 pour la Navy reçoit une ou des lettres supplémentaires selon son aménagement et les missions qui lui sont destinées. R est pour *Regular*. V indique un transport de VIP *(Very Important Person)*. T est pour *Training* alors que D indique *Director*. Les passagers pensent à l'incendie des moteurs en voyant sortir des flammes des tuyaux de l'échappement. Il s'agit d'un système de récupération d'énergie monté sur les moteurs Wright. Une turbine est actionnée par les gaz d'échappement de 6 des 18 cylindres. Elle donne sur l'arbre auquel elle est reliée 550 ch de puissance. Elle renvoie aussi vers l'arrière les flammes qui sortent des cylindres.

'avion peut transporter 110 passagers. Derrière, l'ancien Constellation.

Le Victor est le dernier des trois "V"

Le bombardier est propulsé par 4 turboréacteurs Armstrong Siddely Sapphire.

Angleterre, 24 décembre

C'est le dernier des trois bombardiers dans le programme V. Cette lettre symbole avait été donnée par Winston Churchill au moment ou les études ont commencé, en 1947, pour doter la RAF de bombardiers capables d'emporter une charge nucléaire. Il arrive après le Valiant et le Vulcan. Ce quadriréacteur se reconnaît par son plan arrière en forme de T, placée au sommet de sa dérive. Les ailes sont en forme de flèche. Il offre en plus des autres bombardiers de la série V un train sur boogies à 8 roues, des aérofreins avec commande hydraulique et un parachute de freinage logé à l'arrière du fuselage. Il pèse 80 tonnes au décollage et vole à 1 000 km/h.

Un avion italien se croit arraisonné

France, 30 octobre

Un sérieux incident diplomatique avec l'Italie a failli éclater. Le responsable : Armand Jacquet, pilote du CEV à Marignane. La cause : un malheureux quiproquo. En mission sur un Meteor au-dessus de la Méditerranée, Jacquet aperçoit un petit point loin devant lui. Bientôt le point se précise et éveille sa curiosité. C'est un Savoia-Marchetti que Jacquet n'avait jamais vu de près. Il se rapproche alors de l'appareil, fait deux passages autour de lui, puis l'abandonne sur un battement des ailes en signe d'amitié. Mais c'est aussi le code international qui signifie suivez-moi. Disciplinés, les Italiens croient sérieusement à une interception militaire et viennent se poser à Marignane à la stupéfaction générale.

Les avions de l'année 1952

Le Hunting Pembroke est développé du Prince civil.

Le triplace Nardi FN.333 avec son moteur Continental de 145 ch.

Le Sipa 300 Minijet vole 347 jours après le lancement du projet.

Le premier Super Constellation de série vole en 1952.

Le Douglas X-3 Stiletto, avion expérimental à haute altitude.

Le Douglas XA3D-1 Skywarrior, bombardier embarqué.

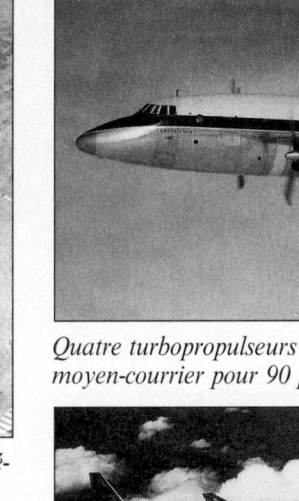

Le Convair YB-60 est un B-36 à réacteurs et à aile en flèche.

Quatre turbopropulseurs Bristol Proteus équipent le Bristol 175 Britannia 100, moyen-courrier pour 90 passagers, qui entre en service avec BOAC.

Le Saab 32 Lansen, biplace d'appui tactique tout-temps.

Le Grumman S-2 Tracker, avion de lutte anti-sous-marine embarqué.

Le prototype Tupolev Tu-88 devient le Tu-16 Badger, dont les nombreuses versions équipent également les pays du bloc communiste.

La Piasecki H-21 reçoit rapidement le surnom de Banane volante.

Le Mil Mi-4 Hound est un hélicoptère très répandu dans tous les pays de l'Est, où il est également construit sous licence.

Le Piper PA-23 Apache, un bimoteur de tourisme très prisé.

La Royal Navy achète 10 Sikorsky S.55 Whirlwind HAR.21.

Le Casa 202 Halcon espagnol peut transporter quatorze passagers.

Le Cessan XL-19B Bird Dog, équipé d'un turbopropulseur Boeing.

Le Lockheed P2V Nepture est un patrouilleur maritime et de lutte anti-sous-marine, qui est également utilisé par l'Aéronavale.

Le Northtop AJ-2P Savage, avion de reconnaissance de l'US Navy.

Le prototype du Sud-Ouest SO.4050 Vautour II, à l'origine biplace de chasse tout-temps. Les derniers Vautour IIN seront remplacés en 1973.

Le Max Holste MH.1521 Broussard, polyvalent, robuste et fiable.

Le Hughes XH-17 ne connaîtra pas le succès escompté.

L'Avro 698 Vulcan, deuxième bombardier de la catégorie "V", entre en service en février 1957 et le dernier exemplaire est livré en janvier 1965.

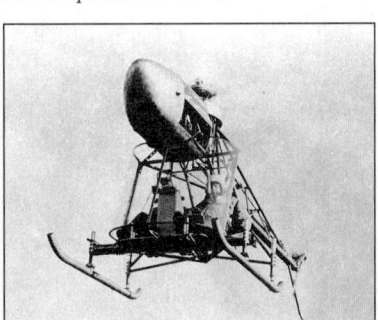

Le Cantinieau MC.101 ne dépasse pas le stade expérimental.

Le Bristol 173 devient le Belvedere au sein de la RAF.

Le Macchi MB.323 remplace le T-6 dans l'aviation italienne.

Le prototype Boeing XB-52 Stratofortress vole en fait après le premier YB-52 de présérie. Ce gros porteur sera intensivement utilisé au Viêt-nam.

La RAF achète 28 Handley Page Marathon T.11.

Le prototype du Caproni Trento F.5, avion d'entraînement à réaction.

Du Fouga Cyclone sera extrapolé le célèbre Magister.

Le Saro SR.45 Princess, construit à dix exemplaires.

Le Dassault MD.453 Mystère de nuit sera abandonné.

Le Boulton Paul BP.120, appareil delta expérimental.

Le Mystère IVA est construit à 225 exemplaires et équipe les escadres d'interception jusqu'en 1973. Il est également exporté en Israël.

521

1953

 **2 655 km/h**
Etats-Unis
Charles Yeager
Bell X-1A
12.12.53

 **37 189 km**
Etats-Unis
James Gallagher
Boeing B-50
2.3.49

 **26 063 m**
Etats-Unis
William Bridgeman
Douglas D-558-II Skyrocket
7.8.51

 **221 350 kg**
Etats-Unis
Boeing
B-52 Stratofortress

 8 700 kgp
URSS
Mikouline
AM-3D

Villacoublay, 2 janvier
Jean Dabos décolle l'hélicoptère expérimental SO-1220 *Djinn*. Son rotor, du type Ariel III, est mû par un générateur d'air comprimé Turboméca Palouste, qui éjecte en bout de pales. (→ 29.12)

Istres, 17 janvier
Le SFECMAS-1301 réalise un vol de 8 min, piloté par Adrien Valette. Planeur expérimental à aile delta, équipé d'une centrale de mesures, il a été conçu pour compléter l'étude d'un avion de combat à aile delta en construction, le Gerfaut. (→ 3.8.54)

Détroit de Formose, 18 janvier
Un Lockheed P2V Neptune de l'US Navy en patrouille est abattu par l'artillerie antiaérienne chinoise.

Villacoublay, 27 janvier
Max Fischl décolle le HD-31 sur moins de 300 m. Cargo bimoteur de 11 t à vide, construit par l'ingénieur Hurel, il est doté d'une aile à grand allongement de 45 m d'envergure, pour une profondeur de seulement 2,4 m. Après 20 min de vol, il se pose, toujours sur 300 m. (→ 16.2.55)

Etats-Unis, 31 janvier
Eastern Air Lines, qui a utilisé jusqu'à 63 DC-3 à la fois, effectue son dernier vol régulier au départ de Miami avec cet appareil.

Paris, 13 février
Le président d'Air France Max Hymans annonce que sa compagnie a transporté 1 740 707 passagers en 1952, contre 982 553 en 1951.

Melun-Villaroche, 2 mars
Jacques Guignard entame les vols d'essai du SO-9000 Trident, muni de ses deux réacteurs Marboré, de 400 kgp chacun, placés en bout d'aile. Appareil révolutionnaire conçu par Lucien Servanty, il sera doté d'une propulsion mixte, avec trois fusées SEPR de 1 500 kgp chacune. Avec des ailes dépourvues d'ailerons, sa conduite est assurée par un empennage à trois éléments entièrement mobiles. Il est muni de servocommandes Leduc-Jacottet et d'une cabine éjectable. (→ 4.9.54)

Istres, 3 mars
Au cours d'essais de largage de réservoirs à basse altitude et à haute vitesse, l'un d'eux brise les gouvernes du Mystère II piloté par Charles Monnier. Il en perd le contrôle et s'écrase. Popoff avait 33 ans.

Danemark, 5 mars
Un pilote polonais se pose avec son MiG-15 sur l'île de Bornholm et demande l'asile politique à l'Ouest.

Allemagne, 12 mars
Un Avro Lincoln de la RAF, volant en dehors du couloir Hambourg-Berlin, est abattu par un MiG-15.

Francfort, 24 mars
Un DC-3 tchécoslovaque, en route de Prague à Brno, est détourné sur la RFA par quatre pirates de l'air.

Lac Ontario, 2 mai
L'avion expérimental Bell X-2-02 explose en vol, fixé au ventre de son avion porteur B-50. Le pilote Jean Ziegler, qui vient d'achever le chargement d'oxygène liquide, est tué. Le B-50 a pu se poser. (→ 27.9.56)

Santa Monica, 18 mai
Le Douglas DC-7, équipé de 4 moteurs turbocompressés de 3 250 ch, fait son vol initial. American Airlines l'a choisi en réponse aux Super Constellation commandés à Lockheed par TWA. (→ 29.3.54)

Grande-Bretagne, 21 mai
Fondation de Dan-Air. C'est une compagnie de vol à la demande.

Tokyo, 24 mai
Parti d'Oslo, le DC-6B *Hjalmar Viking* de la SAS atterrit, en ayant accompli la liaison en 52 h 58 min. Il a survolé l'Arctique et fait escale à Anchorage et Shemya. (→ 16.11.54)

Edwards AFB, 25 mai
George Welch, chef pilote d'essai de North American, décolle le prototype YF-100A du Super Sabre. A l'altitude de 11 000 m et en 2 min d'accélération il atteint Mach 1.05. C'est le premier avion qui franchit le mur du son dès son premier vol d'essai. (→ 17.12.54)

Les Mureaux, 10 juin
Henry Potez a repris son activité de constructeur aéronautique. Il a autofinancé l'étude du Potez 75 qui décolle piloté par Georges Detre. Avion d'intervention armé, c'est un monomoteur propulsif. (→ 16.5.56)

Paris, 26 juin
L'Office d'exportation de matériel aéronautique annonce l'achat de 71 chasseurs Dassault Ouragan par l'Inde. Le 20e Salon international de l'aéronautique ouvre ses portes au Bourget, son cadre exclusif.→

France, 2 juillet
Les services officiels, qui ont choisi le projet SE-210 en version biréacteur comme moyen-courrier, commandent deux prototypes. (→ 30.9.)

Inde, 1er août
Indian Airlines est créée par la fusion de huit compagnies privées.

Brétigny, 7 août
Largué à 4 800 m, Yvan Littolff débute les essais en vol du Leduc 0.21 n° 1, en utilisant la tuyère thermopropulsive. (→ 26.12.56)

Atlantique Nord, 27 août
Marion Hart, âgée de 61 ans, fait un vol sans escale de Terre-Neuve en Irlande sur un Beechcraft Bonanza.

Pékin, 15 septembre
Un accord de transfert de technologie est signé avec l'URSS, qui commence à remplacer les 1 912 avions perdus dans la guerre de Corée.

URSS, 18 septembre
Le prototype I-350M du chasseur supersonique MiG-19 effectue son premier vol. (→ 30.11.55)

Brazzaville, 24 septembre
Air France prolonge la ligne Paris-Douala ouverte avec des Constellation. Il y a 4 jours, la compagnie remplaçait les Ju 52 par des DC-3 sur les ligne d'AEF. (→ 31.10)

Paris, 30 septembre
Le projet de biréacteur moyen-courrier français de la SNCASE portera le nom de Caravelle. (→ 27.5.55)

Nouvelle-Zélande, 10 octobre
Le commandant Burton et le capitaine Gannon remportent l'épreuve de vitesse de la course Londres-Christchurch, à bord d'un English Electric Canberra, en 23 h 50 min.

New York, 20 octobre
Un Super Constellation de la TWA arrive de Los Angeles, après un vol transcontinental sans escale de 8 h 17 min. (→ 29.3.54)

France, 24 octobre
La chaîne Decca du service aéronautique, aide-radio à la navigation aérienne, est inaugurée. Une balise radio du système concurrent VOR est mise en service à Orgeval et émet sur 114,7 MHz. (→ 1.11.57)

France, 5 novembre
L'armée de l'air a préféré le Fouga 170 Magister au MS-755 Fleuret. Elle en commande 100. (→ 22.7.54)

Villacoublay, 2 décembre
Ayant débuté les vols d'essai le 24 avril dernier dans sa configuration hélicoptère, Jean Dabos réalise une conversion en vol avion du SO-1310 Farfadet. Equipé d'ailes de 6,3 m d'envergure, une turbine Artouste II entraîne une hélice à l'avant et un compresseur Arius I alimente le rotor, doté de tuyères.

Melun-Villaroche, 15 décembre
Charles Goujon est le premier en Europe à passer le mur du son en vol horizontal, sur le SO-6025 Espadon. Il a utilisé le moteur-fusée. (→ 24.2.54)

Etats-Unis, 18 décembre
L'hélicoptère Sikorsky S-56 effectue son premier vol. Pesant 14 t à vide, il peut embarquer 36 soldats équipés. (→ 11.11.56)

La Haye, 31 décembre
Albert Plesman, fondateur de la KLM, meurt à l'âge de 64 ans.

Un Nord-2501 Noratlas a décollé d'Orly le 24 février. Après 204 h de vol réalisées au Brésil et en Argentine, l'appareil est rentré le 19 mai.

Cessna construit le bimoteur Model 310

Le 310, rapide pour sa catégorie, a des moteurs Continental de 240 ch.

Wichita, 3 janvier

Cessna se lance dans la production du Model 310, un bimoteur léger pour l'aviation d'affaires. Le prototype a effectué son premier vol. Il ressemble à un gros moustique, ses réservoirs principaux, logés dans des bidons en bout d'aile, lui donnent une forme séduisante. Mais ce choix entraîne un inconvénient majeur : l'accès à bord. On entre dans la cabine par une porte unique située au-dessus de l'aile, du côté droit ; trois marches encastrées dans le fuselage permettent d'y accéder. Il emporte six passagers dont deux tassés à l'arrière. Equipé de deux moteurs de 240 ch, il évolue, à 3 000 mètres, à 320 km/h. Sa consommation est de 120 litres à l'heure et son autonomie, sans réservoirs supplémentaires, est de cinq heures. Le train d'atterrissage s'escamote dans les ailes. Cessna doit sa notoriété au L-19, avion de reconnaissance de l'USAF.

L'US Navy a reçu 12 571 Vought Corsair

Dallas, 26 janvier

Alors que le dernier Corsair sortait de la chaîne de fabrication des usines Vought, dans sa version F4U-7, le célèbre chasseur, dont beaucoup pouvaient plier les ailes, terminait sa carrière sur un record. Il a été vendu à 12 571 exemplaires. Le chasseur conçu en 1940 bat du même coup un record de longévité, en étant le dernier intercepteur à pistons construit aux Etats-Unis, quand s'ouvrait l'ère des chasseurs à réaction. Il a fait la plus belle partie de sa carrière sur les porte-avions de l'US Navy. Il s'est illustré en Europe lors de l'attaque du cuirassé allemand *Tirpitz* par la British Fleet Air Arm en avril 1944. Il a surtout été engagé dans le Pacifique. Puis on l'a vu opérer sur le théâtre des conflits mondiaux. Il fut engagé en Corée et en Indochine au titre de l'aide américaine à l'aéronavale française. Le plus rapide est le F4U-5N, qui grimpe à 13 700 m d'altitude et sa vitesse en vol horizontal est de 756 km/h.

Il était redouté il y a peu de temps.

Le nouvel avion-école de Morane-Saulnier

France, 29 janvier

Première incursion de Morane-Saulnier dans la propulsion à réaction. Doté de 2 réacteurs Marboré de 4 00 kgp, le MS-755 Fleuret, destiné à l'entraînement des pilotes, vient d'effectuer son premier vol à Melun-Villaroche, avec Jean Cliquet aux commandes. La formule biplace côte à côte rend la tâche de l'instructeur, qui peut communiquer avec l'élève, plus facile. Morane-Saulnier a lancé l'étude de cet avion-école, domaine qui est depuis longtemps sa spécialité, pour concurrencer le biplace en tandem Fouga Magister. Mais le Fleuret part avec un léger handicap puisque son rival a volé six mois plus tôt. C'est pourquoi le bureau d'études dirigé par René Gauthier a mis tout en œuvre pour assurer de bonnes qualités de vol à l'appareil, tout en songeant à une utilisation économique et aisée en école. Ainsi, pour faciliter le montage et le démontage des deux réacteurs et pour gagner un temps précieux à l'entretien, il suffit de retirer la partie arrière du fuselage. (→ 22.7.54)

Le biplace à réaction Fleuret dépasse, en léger piqué, les 800 km/h.

L'UAT développe ses activités en Afrique

Dakar, 28 février

Depuis janvier, UAT exploite sur ses lignes d'Afrique le Héron, construit par de Havilland tout comme le Comet. UAT a trouvé cet appareil au cours des voyages de ses techniciens chez le constructeur anglais. C'est un petit quadrimoteur à train fixe qui se pose sur les terrains les plus courts et les plus mauvais. Il est en exploitation notamment sur la ligne de Tamanrasset. Il peut emporter de 14 à 17 passagers. Les trois exemplaires du Comet ont été livrés en décembre (→ 27.12.52). Le 4 janvier, Roger Loubry pilotait le premier de ces Comet pour un vol de présentation qui l'a emmené jusqu'à Alger. La foule a porté en triomphe ce pilote, Algérois de naissance. UAT devient la première compagnie au monde, après la BOAC, à utiliser cet avion qui met Casablanca à 3 h de Paris, Dakar à 7 h 15 et Abidjan, *via* Dakar, à 8 h 35. Les pouvoirs publics, face à la concurrence qui se développe, ont décidé qu'une ligne serait créée par Air France parallèlement à cette ligne privée.

Le DH-114 Héron est un quadrimoteur adapté aux terrains de brousse.

Le Breguet Deux-Ponts débute sa carrière en Afrique du Nord

Vivre à l'escale de Gander en hiver

Le Bourget, 26 mars

Baptême en grande pompe pour le Breguet 763. Comme le veut la tradition, une bouteille de champagne a été brisée sur la jambe du train avant de l'appareil, appelé dès à présent *Provence*. La marraine de l'appareil est la femme du gouverneur général d'Algérie, pays vers lequel il a décollé. Pour inaugurer cette ligne, l'appareil a emmené des personnalités qui ont découvert l'aménagement et les avantages du système des Deux-Ponts. Il y a 59 sièges en classe touriste à l'étage supérieur et 42 sièges de deuxième classe au pont inférieur. Ces derniers peuvent être repliés pour permettre le transport du fret. Déjà, Air France avait commandé douze quadrimoteurs Breguet Deux-Ponts pour faire face à son trafic vers l'Afrique.

Le « Provence » de la compagnie Air France à son départ vers Alger.

Gander, 17 février

Cette petite ville de Terre-Neuve, avec ses 11 000 habitants, ne pouvait imaginer qu'elle allait devenir le point de passage obligé de tous les avions de ligne qui relient l'Europe au continent américain. En hiver la température dépasse 40 degrés Celsius au-dessous de zéro. C'est dire si les passagers ont envie de descendre pendant les deux heures d'escale, qui sont consacrées à faire les pleins. De toute manière, c'est généralement la nuit que les avions se présentent à Gander. Chaque compagnie dispose d'un chef d'escale et de deux mécaniciens. En cas de panne d'un moteur, on répartit les passagers sur les lignes concurrentes et l'équipage ramène l'avion à New York avec trois moteurs.

BEA inaugure le Viscount sur Nicosie

Jean Boulet doit sa vie au siège éjectable

Londres, 18 avril

Il y a près de trois ans que le Viscount n'a pas volé commercialement. Des problèmes de volets et de puissance ont obligé les ingénieurs de Vickers à remodifier l'appareil. Hier, le certificat de navigabilité du Vickers Viscount type 701 était délivré par les autorités britanniques. Par rapport au Model 630 qui était venu au Bourget en juillet 1950, l'avion a encore grandi. Un surcroît de puissance de 40 % a permis d'allonger le fuselage et de loger 53 passagers. L'envergure est plus grande de 2,24 mètres. Dès le lendemain, BEA, qui en a commandé 20, a mis l'avion en exploitation sur la ligne Londres-Nicosie. Il y a huit ans que le Brabazon Committee a publié les spécifications de cet avion. Il a fait escale à Rome, Athènes et Chypre. De l'avis des passagers, c'est une réussite. Le sifflement des turbines et des hélices est moins désagréable que le bruit sourd des moteurs à pistons. Les grands hublots, placés très bas, offre une vue inhabituelle du sol sur un avion de ligne.

France, 30 mars

La mort du commandant Sarrabayrouse, au cours d'un vol d'essai, ne remettra pas en question l'intérêt du siège éjectable. Il semble que ce drame soit dû moins au manque de fiabilité de cette technique qu'à l'absence d'expérience du pilote. Selon une version officieuse, Sarrabayrouse a simplement confondu la manette de largage de la verrière avec celle du phare d'atterrissage. Son siège éjectable n'a pas révélé d'anomalies. Dans le cas de Jean Boulet, à qui le même siège éjectable a sauvé la vie le 23 janvier, le pilote avait eu la chance d'assister peu avant à une réunion d'information où la manœuvre avait été soigneusement répétée. Aussi, c'est avec une parfaite assurance que Jean Boulet, voyant que son avion était entraîné dans une vrille qu'il ne pouvait plus contrôler, a exécuté les gestes qui l'ont sauvé. Il est le premier pilote en France à devoir la vie à cet équipement. Cela devrait rassurer les nombreux pilotes qui se méfient encore de ce système de la dernière chance.

[U]ne diligence, un Vickers et un hélicoptère, trois âges du transport.

Boulet s'est éjecté d'un Mistral. Il est le premier à utiliser le siège SNCASO.

Troisième catastrophe au décollage pour le de Havilland Comet

Après Rome et Karachi, le Comet s'écrase à Calcutta, faisant 43 victimes. Cet exemplaire doit aller au Canada.

Calcutta, 2 mai
La fatalité s'acharne sur le Comet. Le jour même du premier anniversaire du vol inaugural de l'avion de ligne à réaction, en direction de Johannesburg (→2.5.52), un troisième accident est survenu, plus grave que les précédents. Le premier, qui eut lieu à Rome le 26 octobre dernier, s'était produit au décollage et avait fait un blessé (→26.10.52). La BOAC en avait

attribué la cause à une erreur de pilotage. Cinq mois plus tard, le 3 mars, un autre Comet s'est écrasé à Karachi dans des conditions identiques, tuant les onze personnes à bord. Mais la catastrophe d'aujourd'hui est bien plus dramatique, car les quarante-trois personnes que transportait l'appareil ont péri. Cette fois, il ne semble pas que l'on puisse l'imputer au facteur humain. Le Comet, pris dans un violent

orage juste après le décollage, s'est désintégré en plein ciel. Cette série noire démontre que cet avion recèle un défaut caché, alors même qu'il a la réputation d'être en avance sur son temps. Il y a plusieurs hypothèses émises sur cette catastrophe. La pressurisation de la cabine fonctionne bien, mais il peut y avoir fatigue des matériaux. Le problème de la décompression rapide est lui aussi évoqué.

Le Convair Sea Dart est équipé d'un ski pour décoller sur l'eau

Etats-Unis, 9 avril
L'hydravion supersonique fait son apparition. Désigné XF2Y-1, l'appareil créé par Convair a effectué son premier vol, piloté par Sam Shannon. Le choix des hydroskis permet à l'avion d'amerrir et de décoller sur l'eau. Son aile delta

assure des performances en haute altitude comparables à celles des chasseurs les plus performants. C'est en 1948 que le Bureau of Aeronautics de l'US Navy soumet aux constructeurs américains des projets d'hydravions de chasse pouvant atteindre des vitesses transsoniques.

Sous l'influence d'Ernest Stout, Convair étudie le problème et présente le Y2-2. En août 1952, le constructeur reçoit un contrat pour 2 prototypes de série. Le Sea Dart était né. Les essais ont été réalisés sur des lacs dans des conditions d'eaux calmes. (→3.8.54)

L'hydravion supersonique XF2Y-1 a 2 réacteurs Westinghouse. Il peut venir s'échouer sur un plan incliné.

La TAI s'envole vers les records

Paris, 29 mai
Le Douglas Super DC-6B se bat contre le Super Constellation. Il vient de réussir la liaison Los Angeles-PParis sans escale, soit un vol de 9 200 km en 20 h 28 min, à la vitesse de 450 km/h. La TAI ne peut que se féliciter d'avoir investi dans ce quadrimoteur, qui détient ainsi le record du monde de distance pour avions commerciaux. Cependant la partie n'était pas gagnée, tant les conditions atmosphériques ont été défavorables tout au long du voyage. La TAI utilise ce même appareil pour relier les grandes capitales africaines et pense en commander d'autres.

Visite des châteaux de la Loire en DC-3

Paris, 26 juin
A l'occasion du 20e Salon de l'aéronautique, Air France a organisé des croisières nocturnes au-dessus de cette région, riche du plus prestigieux des patrimoines. Les passagers du DC-3 peuvent survoler les châteaux de Langeais, Azay-le-Rideau, Ussé, Chenonceau, Amboise et Chambord. Air France a aussi organisé un voyage miniature entre le Bourget et Orly afin de faire visiter les installations de ces deux aéroports. Elle n'est pas la seule compagnie à utiliser les DC-3 pour les baptêmes de l'air. Sabena y consacre aussi un appareil.

Air France vend son dernier hydravion

Paris, 24 juin
Air France a finalement vendu son Catalina. Le dernier hydravion de la compagnie a été racheté par la Pacific Overseas Airways of Siam. L'appareil qui était à Nouméa est parti pour Bangkok, où il finira ses jours. Air France ne voit plus en effet l'utilité de le conserver. Il avait servi surtout au réseau local des Antilles mais à la Martinique et à la Guadeloupe des pistes d'atterrissage ont été aménagées. C'est un adieu aux hydravions qui, de 1940 à 1950, ont relié ces îles.

Jacqueline Cochran devient supersonique

L'aviatrice descend du F-86 Sabre.

Californie, 18 mai
Le premier bang sonique féminin a retenti au sol. Jacqueline Cochran a passé le mur du son. Le F-86 Sabre canadien qu'elle a emmené à 1 049 km/h s'en souviendra longtemps. Elle a parfumé à chaque séance d'entraînement le cockpit afin de ne pas être gênée par les odeurs de kérosène brûlé. Jacqueline Cochran fait tomber un record qui était jusque-là la chasse gardée de la gent masculine et rejoint ainsi le clan des pilotes supersoniques. Un exploit d'autant plus remarquable que ses activités de femme d'affaires dans le domaine des cosmétiques l'ont éloignée des pistes. Sa compagnie d'assurance ne l'a pas oubliée en exigeant une prime de 10 000 dollars par heure de vol. Entraînée par Chuck Yeager à la base d'Edwards de l'US Air Force, elle a réalisé son rêve : piloter un jet. Seule ombre au tableau : son record n'a pu être homologué.

Un service de classe à bord du Viscount

Paris, 26 juin
Cette année, Air France aura fait de belles acquisitions. Deux Vickers Viscount ont été livrés, prêts à être exploités. La compagnie a choisi ces appareils pour moderniser l'ensemble de son réseau européen. Les Viscount sont particulièrement bien adaptés à ce type de liaison. Ils peuvent embarquer 40 à 59 passagers. Air France va les mettre en service sur les lignes d'Istanbul,

Rome et Athènes. Leur vitesse est élevée : 550 km/h. Nostalgie oblige, pour renouer avec la grande tradition du Rayon d'or sur la ligne de Paris à Londres, un service très raffiné a été mis au point : l'Epicurien. Les passagers dégustent une cuisine de qualité qui leur est servie pendant ce voyage de moins d'une heure. Les équipages apprécient cet avion, qu'ils disent moins fatigant. (→ 25.1.58)

Nouveau domaine de vol pour Rétif

Le Vautour est le premier biréacteur français à passer Mach 1.

L'instrument en haut à gauche indique au pilote le nombre de Mach.

Melun-Villaroche, 30 juin
Jacques Guignard et le mécanicien d'essai Michel Rétif ont fait décoller le SO-4050-01 Vautour avec l'intention de franchir le mur du son. Depuis plusieurs jours, ils approchaient le fatidique Mach 1 au cours de leurs piqués. Ils ont dû attendre d'être revenus au sol pour obtenir une confirmation qui, au

départ, ne fut pas formelle. Certains avaient entendu un léger bruit sur le terrain, mais d'autres, au beau milieu des pistes, n'avaient rien remarqué. Heureusement, l'épicier de Bois-le-Roi fut tellement surpris par le bang dans cette région d'ordinaire si tranquille qu'il est sorti dans la rue. Il a pu ainsi confirmer que le Vautour avait réussi.

A la base américaine d'Edwards (Californie), le Republic « Thunderjet » F-84 est lancé d'une plate-forme montée sur remorque. La propulsion initiale est obtenue par la fusée fixée sous le fuselage.

Derrière le DC-4 F-BELP, on reconnaît deux Vickers Viscount d'Air France.

L'Alouette pulvérise le record de distance

Jean Boulet à bord du SE-3120 propulsé par un moteur Mathis de 203 ch.

Buc, 2 juillet
Malgré le front orageux menaçant, l'Alouette a poursuivi sa ronde régulière autour du terrain de Buc pendant 13 h 56 min 54 s. A son atterrissage, le pilote Jean Boulet savait déjà qu'il avait dépassé de 20 % le record du monde de distance en hélicopère, détenu par un Sikorsky-R-5-A depuis le 14 novembre 1946. La distance parcourue a été de 1 252,572 km, à la vitesse moyenne de 108 km/h. Ce qu'il ignorait, c'est qu'il avait également remporté sept autres records internationaux. C'est un magnifique succès pour la SNCASE et pour l'hélicopère SE-3120 qui a apporté ainsi une belle preuve de ses capacités. La tentative se voulait au départ secrète, mais au bout de quelques heures, la nouvelle de cet exploit a commencé à se répandre et très nombreux furent les spectateurs qui assistèrent à la victoire. (→ 12.3.55)

Il décolle d'un chariot, se pose sur patin

Le SE-5000-01 Baroudeur remorqué sur son chariot après avoir volé.

Istres, 1er août
Ce qui le différencie des autres avions, c'est la manière dont il quitte le sol et vient s'y poser. A la mise en puissance, il avance fixé au chariot sur lequel il est tracté. A une vitesse de 220 km/h, le pilote se libère du chariot et évolue comme n'importe quel avion. Un système de freinage hydraulique, assisté d'un parachute, freine le chariot. Pour se poser, le pilote fait sortir un patin du dessous du fuselage et l'appareil vient glisser sur le sol. L'avantage réside dans la possibilité de décoller des avions à réaction à partir de simples terrains plats, sans aménagement de piste. C'est l'ingénieur John Jakimiuk qui a mis au point le Baroudeur pour le compte de la SNCASE. Le prototype a été réalisé dans les ateliers de La Courneuve sous la référence SE-5000, puis fut transféré à Istres, où Pierre Malandi l'a fait voler aujourd'hui pour la première fois.

Le Comet d'Air France se pose à Beyrouth

Beyrouth, 26 août
Beaucoup de monde à l'aéroport de Beyrouth pour accueillir ce vol inaugural. Il y avait à bord de nombreux journalistes, des officiels de la compagnie et quelques passagers payants. C'est la première ligne régulière exploitée par Air France en Comet. A partir d'aujourd'hui et une fois par semaine, l'appareil va effectuer, au tarif de première classe seulement, le parcours Paris-Rome-Beyrouth. Le gain de temps par rapport aux vols qui se faisaient en Constellation n'est que de 50 minutes. Alors que les quadrimoteurs à hélices réalisaient un vol d'une traite, le Comet doit faire une escale technique à Rome. Le voyage par Comet dure 7 h 50 min dont 6 heures de vol, contre les 7 heures du Constellation. A Paris, le commandant Tournade avait eu le privilège d'accueillir à bord Max Hymans, président d'Air France. Ce dernier est descendu à l'escale de Rome. Un service bihebdomadaire est prévu vers Casablanca.

Le DH-106 d'Air France relie Paris à la capitale du Liban en sept heures.

Une ligne internationale en hélicoptère

Bruxelles, 1er septembre
Le trajet en train de Bruxelles à Liège dure une heure. Par la route, il faut compter 45 minutes de plus. Depuis ce matin, la Sabena propose une liaison en hélicoptère qui ne dure que 40 minutes. Un Sikorsky S-55 dépose les passagers en plein centre de la ville, sur un terre-plein aménagé le long de la Meuse. Le S-55 emporte sept passagers à la vitesse de 150 km/h. Les villes de Lille, Anvers, Rotterdam et Maastricht sont aussi desservies. Une extension vers Aix-la-Chapelle et Cologne est prévue. (→ 7.7.54)

Le Sikorsky S-55 utilisé par la Sabena a une capacité de sept passagers.

Terry fait un amerrissage forcé de nuit avec son Constellation

L'équipage de l'avion d'Air France accidenté à son retour en France.

Le commandant de bord et sa mère.

Turquie, 3 août

C'est une belle nuit, il est 2 h 10 du matin en temps GMT. Le Constellation d'Air France a survolé Rhodes, il arrive au sud de Castelrosso, en Turquie. Soudain, une violente secousse ébranle l'avion, le moteur intérieur droit, le 3, est arraché. Raymond Terry sent aux commandes que l'arrière du fuselage est endommagé. Les vibrations sont fortes. Il met l'hélice du 4 en drapeau, le moteur a pu subir un choc. Rien ne change au niveau des vibrations ; il décide alors d'amerrir immédiatement. L'avion se pose à 2 h 27 en douceur sur une mer calme, à environ 3 km du phare de Féthiyé. L'équipage prend les choses en main. Le calme règne parmi les passagers et l'évacuation s'effectue sans mal. Plusieurs personnes rejoignent la côte à la nage, d'autres restent sur les ailes de l'appareil qui flottera pendant une heure et demie, avant de couler lentement. Dix minutes plus tard, une barque de sauvetage et des bateaux viennent les sauver. Il y aura cependant quatre victimes, mortes noyées.

Il vole de New York à Toussus-le-Noble

Toussus-le-Noble, 7 novembre

Emoi à l'aéroport de Toussus-le-Noble, où Max Conrad vient de poser son Piper Apache après avoir franchi l'Atlantique. Parti de New York, il a fait la traversée en 22 h et 23 min de vol. C'est à la faveur d'une opération publicitaire commanditée par le constructeur Piper que Max Conrad a réalisé cet exploit. Dans l'accord figure le cumul des 25 % de la commission de vente avec une prime de 25 % de la valeur de l'avion si celui-ci arrive en Europe. Il y a aussi 25 % supplémentaires s'il réussit le vol retour, ce qui est beaucoup plus difficile à cause des vents contraires. L'appareil est un Piper Apache sur lequel on a adapté des hélices à pas variable. Ce bimoteur de série a des moteurs d'une puissance de 150 ch. Consommant 56,7 litres à l'heure, l'avion était pourvu de réservoirs supplémentaires. L'équipement radio était offert par William Lear.

Le Mystère construit autour d'un moteur

France, 1er septembre

Nouveau départ pour le Mystère. Le colonel Razanoff vient d'effectuer le premier vol de la nouvelle version du Mystère IV de Dassault, sur le terrain de Melun-Villaroche. Propulsé à l'origine par un réacteur HS Tay 250 A de 2 850 kg de poussée, le Mystère IV a été équipé du HS Verdon qui donne 3 500 kgp, soit un gain de puissance de 25 %. Le Mystère IV emprunte son fuselage à son illustre aîné, l'Ouragan. Il a une aile en flèche et sa faible charge alaire lui confère une maniabilité supérieure à celles de l'Ouragan et du Mystère II. En janvier dernier, le Mystère IV, avec le premier réacteur moins puissant, avait passé le mur du son. (→ 24.2.54)

Au centre d'essai de Villaroche, installation d'un turboréacteur Atar.

Jacqueline Auriol franchit Mach 1

Brétigny, 15 août

La femme la plus rapide du monde est devenue la première femme pilote supersonique en Europe. Avec son Mystère II, elle vient de passer le mur du son, ce qui lui permet d'entrer dans le club très fermé des Mach 1. Cette femme hors pair, à la volonté bien trempée, a su forger son destin. L'accident d'avion de juillet 1949, où elle aurait pu trouver la mort et qui a failli la défigurer, bien loin de la détourner du vol, a servi de tremplin à sa vocation. A peine remise, elle s'était juré qu'elle deviendrait pilote, mieux pilote d'essai. Pour cela, il fallait d'abord qu'elle batte un quelconque record. C'était chose faite le 11 mai 1951, date à laquelle elle s'est adjugé celui de vitesse féminin en circuit fermé en atteignant 818,181 km/h. A la suite de cette performance, elle a été admise au centre d'essai en vol de Brétigny, puis elle s'est présentée et a été reçue au concours d'admission à l'école des pilotes d'essai. Elle est désormais pilote d'essai au centre de Brétigny. (→ 13.7.55)

La patrouille de France est née

France, 14 septembre

Un nom est né dans le feu de l'action. Le 17 mai dernier, un meeting aérien a réuni 50 000 spectateurs à Alger-Maison-Blanche. La 3e escadre de chasse de Reims, dirigée par le commandant Delachenal, fait toute la preuve de son talent. Le commentateur, Jacques Noettinger, fasciné par ce spectacle, parle alors de la patrouille de France. Bientôt, l'appellation devient un patronyme. Le précurseur de la voltige est Adolphe Pégoud, dès 1913. En 1931, la voltige est interdite pour des raisons de sécurité. Puis naît l'école de perfectionnement d'Etampes qui, dissoute en 1937, est transférée à Salon-de-Provence où elle devient la patrouille de l'Ecole de l'air. En 1946, c'est la patrouille de Tours, dissoute en août 1947. Enfin, trois patrouilles de trois avions sont constituées, elles regroupent d'anciens pilotes de chasse de la dernière guerre. ▷

Les équipages d'Air France pénètrent au cœur de l'Afrique

Un DC-4 est en place à Kaélé pour le premier vol de la campagne du coton.

Scène d'escale à N'Gaoundéré.

Orly, 31 octobre

Un DC-4 d'Air France quitte Orly. Sa destination est Brazzaville, où il sera basé pour grossir l'exploitation des lignes d'Afrique équatoriale française. La compagnie a en effet décidé de rééquiper le réseau intérieur de l'AEF qui est le deuxième réseau régional d'Air France. Il est indispensable pour alimenter les lignes long-courriers que la compagnie exploite de Paris vers le Congo, l'Oubangui, le Cameroun et le Tchad. Des DC-3 pour le petit fret et les passagers, ainsi que quelques DC-4 pour le transport de fret, en particulier le coton, sont en place. Le terrain de Fort-Lamy, qui a été inauguré voici deux ans, permet un service régulier hebdomadaire pour les DC-4 entre les villes de Douala, Yaoundé, N'Gaoundéré et Garoua. Les pilotes travaillent dans des conditions plus que difficiles car les terrains n'ont ni signalisation ni moyen de navigation. Les communications ne sont assurées que par radiotélégraphie. Air France se pose par exemple à Lambaréné, où le docteur Schweitzer a créé son hôpital pour lépreux. Les équipages de la compagnie ne bénéficient d'aucun moyen de dépannage en plusieurs endroits. Les pilotes se sont familiarisés avec la technique et aident les mécaniciens.

Scott Crossfield enregistre Mach 2 sur Douglas Skyrocket

Edwards AFB, 20 novembre

Voler à 2 078 km/h, c'est l'ivresse que connaît désormais Scott Crossfield. Ce matin, au-dessus de la base d'Edwards en Californie, le Douglas D-558-2 Skyrocket et son pilote ont fait franchir à l'humanité un nouveau pas dans la conquête de l'espace en volant deux fois plus vite que le son. Quelques secondes plus tard, les réserves de carburant, un mélange d'oxygène liquide et d'éthanol, complètement épuisées, le Skyrocket descendait en planant jusqu'à l'étendue désertique de Muroc Dry Lake. Le Skyrocket fait partie des avions expérimentaux demandés par l'US Navy à la compagnie Douglas. Largué d'un avion porteur B-29, il est propulsé par des fusées Reaction Motors XLR-8 qui s'ajoutent à son réacteur. C'est une réussite pour la Navy dans sa compétition avec l'Air Force, et pour Douglas, qui renforce son image dans le domaine de la recherche aéronautique.

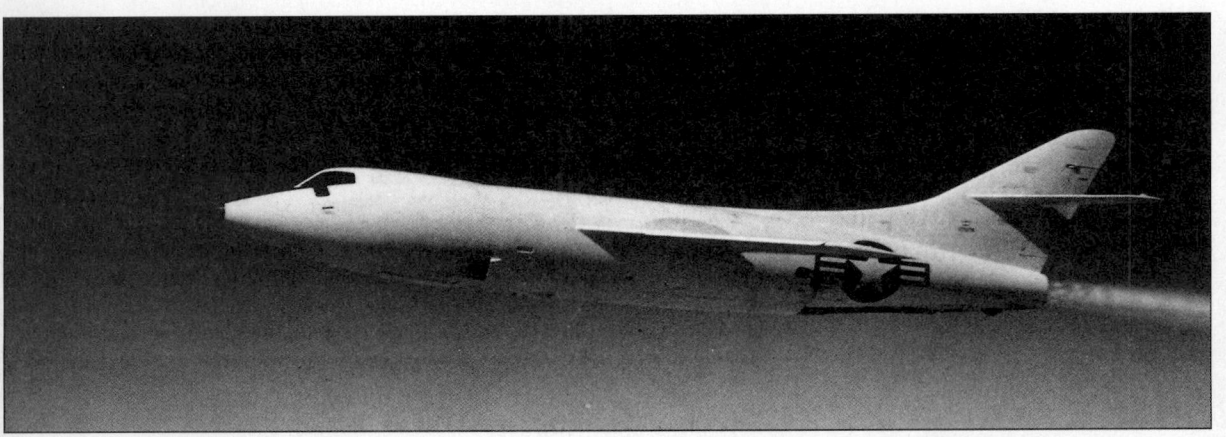

Le D-558-2, un avion en avance sur son temps avec son aile en flèche et son fuselage en forme d'obus.

La Postale joue au saint-bernard

France, 15 décembre

L'équipage du DC-3 du centre d'exploitation postale d'Air France n'a pas perdu son temps et il vient d'être récompensé pour son sang-froid. Décollant du Bourget le 11 décembre, le pilote Lefèvre, le radio Oury et le mécanicien Kieffer ont la surprise d'entendre à la radio un appareil Fairchild-Packet perdu dans la région de Paris. Ses réserves d'essence sont presque épuisées. A l'accent, c'est un Américain qui parle. Le brouillard est si dense qu'il dit être dans l'incapacité d'atterrir. Il faut trente minutes d'efforts au DC-3 d'Air France pour réussir à guider le Fairchild jusqu'à la piste. Les Américains se poseront sans encombre tandis que l'avion postal s'en retourne vers Lyon, sa destination. A leur retour, à deux heures du matin, une surprise les attend. Lefèvre, Oury et Kieffer sont accueillis par les représentants du ministre de la Poste, de la direction d'Air France et du secrétariat d'Etat à l'Aviation civile. Après de chaleureuses félicitations, on leur annonce qu'ils recevront bientôt la médaille de l'aéronautique.

Renaissance de Japan Air Lines

Tokyo, 23 novembre

San Francisco - Tokyo : un vol de reconnaissance de ligne très particulier puisqu'il marque la renaissance de Japan Air Lines. La compagnie japonaise redémarre ses vols internationaux, après la suspension d'activité qui la frappait depuis la fin de la guerre. La reprise s'était amorcée le 25 octobre 1951 avec l'ouverture d'une ligne intérieure Osaka-Tokyo. Mais l'appareil, un Martin 202, et les équipages étaient loués à Northwest Orient Airlines. Un an après, la compagnie achetait son premier DC-4 et formait des pilotes japonais. Cependant, l'étape essentielle restait encore à venir. Le 1er octobre dernier, Japan Air Lines était légalement recréée avec le soutien financier du gouvernement. Les Japonais sont occupés à ouvrir les escales à travers le monde. (→ 2.2.54)

L'hélicoptère biplace Djinn poursuit sa brillante carrière

Villacoublay, 29 décembre

La SNCASO peut être fière de son Djinn. En atteignant 4 789 m à bord du prototype SO-1220, Jean Dabos a remporté le record international d'altitude pour sa catégorie, celle des hélicopères de moins de 500 kg. De plus, il a battu le record de France toutes catégories. Le Djinn est un biplace ultraléger dont la petite taille lui permet même de décoller d'un camion. Il s'élève avec un poids total supérieur au double de son poids à vide. Il succède à l'Ariel qui est définitivement abandonné, les essais ayant révélé certains problèmes liés à l'éjection en bout de pales. La structure du Djinn doit sa légèreté au fait qu'elle est entièrement constituée de tubes soudés. Un nouveau système à éjection d'air comprimé placé au bout des deux pales, mis au point par l'ingénieur Paul Morain, lui permet d'être dirigé par un simple gouvernail arrière. Cet appareil, étonnamment silencieux, est d'une grande simplicité de manipulation. (→ 4.3.55)

Un record d'altitude international pour le SO-1220, piloté par Jean Dabos.

Lufthansa entraîne ses équipages

Cologne, 20 décembre

La Lufthansa dispense dans l'ancienne université de Cologne un entraînement de choc à ses pilotes. Son objectif : leur permettre d'acquérir les réflexes qui en feront des pilotes de premier ordre. Aux commandes d'appareils qui recréent en laboratoire les conditions réelles du vol, ces hommes s'entraînent chaque jour sous l'œil exigeant des instructeurs. La pratique fait suite à la théorie. Avec son aviation complètement gelée depuis la fin de la guerre, l'Allemagne a décidé de se redoter de l'outil sans lequel elle ne peut raisonnablement reconstruire son économie. Avec l'accord des Alliés, une compagnie intérimaire, la Luftag, a été fondée le 6 janvier, jour anniversaire de la Lufthansa. Elle a déjà conclu un contrat avec Lockheed pour l'achat de 4 Super Constellation. Sa politique de recrutement donne l'avantage aux pilotes de la Luftwaffe dont la valeur n'a pas été oubliée. (→ 1.4.55)

Air France inaugure le Parisien Spécial sur Paris - New York

Le Lockheed Super Constellation peut emporter 71 passagers en 1ʳᵉ classe.

Le nuit, les confortables cabines se transforment en chambres à coucher.

New York, 20 novembre

Dormir près des étoiles. C'est ce que propose le Super Constellation d'Air France sur la ligne de Paris vers New York. Hier, le commandant Dupont a assuré au départ d'Orly le premier service Parisien Spécial. Il a atterri à New York, et les invités de ce vol inaugural ont pu profiter du nouvel aménagement. Huit cabines particulières, transformées pour la nuit par les stewards en lits doubles, ont été aménagées, ainsi que deux salons avec seize fauteuils-couchettes. Cette installation est sans doute la plus luxueuse qui ait jamais été réalisée dans les services aériens. Le personnel navigant a été spécialement formé pour ces lignes de prestige. Le même appareil, piloté cette fois par le commandant Hennequin, a inauguré le service dans le sens New York - Paris. Il porte le nom américanisé de Golden Parisian. A bord, se trouvaient de nombreuses personnalités de la presse, de la radio et de la télévision, invitées par la compagnie. Un voyage en Comet depuis Paris vers Alger leur sera offert dans deux jours.

Yeager à bord du Bell-X-1A, dans lequel il a atteint Mach 2.43.

Le Comet « Yoke Peter » s'abîme au large de l'île d'Elbe

Le DH. Comet est suspendu de vol

L'appareil de BOAC, immatriculé G-ALYP, avait inauguré en mai 1952 la liaison Londres-Johannesbourg.

Ile d'Elbe, 10 janvier
Après la série d'accidents survenus ces derniers mois, la belle aventure du Comet 1 tourne franchement au cauchemar. En fin de matinée, des pêcheurs italiens qui naviguaient au large de l'île d'Elbe entendirent trois explosions dans le ciel. En même temps un objet argenté en-

touré de fumée surgit des nuages et s'abîma dans la mer. C'était le *Yoke Peter* qui avait décollé de l'aéroport de Ciampino à Rome, une vingtaine de minutes plus tôt. Le dernier message du pilote adressé à son collègue, qui le précédait sur la route avec un Argonaut, a été : « George *Yoke Peter* à George *How Jig*,

avez-vous... » Puis plus rien. Que s'est-il passé à 10 000 m, altitude où il volait sans problème apparent ? La nouvelle provoque la consternation à Londres. On reparle de problèmes de pressurisation qui apparaîtraient avec l'usure due à l'exploitation, la fatigue de l'assemblage entraînant la rupture. (→ 11)

Londres, 11 janvier
Avant même que ne soit entamée la collecte des débris du *Yoke Peter* qui permettra peut-être de comprendre les causes du drame d'hier, la BOAC a décidé de prendre des mesures de prudence immédiates. Son président, sir Miles Thomas, a fait suspendre de vol les sept Comet de la compagnie. Trois des appareils sont à Londres. Les autres vont être ramenés en Angleterre sans passager à bord. C'est un véritable choc qui a frappé la BOAC depuis l'annonce de la catastrophe. Deux enquêtes vont être menées de front. L'une par les techniciens du ministère de l'Aviation, l'autre par des représentants du constructeur. Il est important pour BOAC et de Havilland que l'origine de l'accident soit déterminée le plus rapidement possible. Les commandes, qui ne cessent d'affluer, font du Comet un immense succès commercial. Il y va du prestige de De Havilland qui a fait voler le prototype du Comet 3 avec des réacteurs deux fois plus puissants le 19 juillet dernier. (→ 12.4)

Le Vier décolle le XF-104 Starfighter

Le Japon construira des avions Lockheed

Edwards AFB, 4 mars
Il ressemble plus à un missile qu'à un avion. C'est ainsi que le personnel a jugé le chasseur dessiné par Lockheed lorsqu'il a franchi le portail de la base il y a un mois. Il venait par camion de Burbank. Il y a une semaine, Anthony Le Vier l'a fait décoller de quelques mètres pour le tester à grande vitesse au

sol. Il est toujours équipé du réacteur fabriqué en urgence par Buick, Wright ne pouvant pas livrer pour l'instant. La postcombustion n'est pas encore montée. Dès l'envol aujourd'hui, Tony Le Vier a eu des problèmes pour remonter le train qui fonctionne comme la plupart des commandes avec un système hydraulique.

Japon, 1er mars
C'est un nouveau départ pour l'industrie aéronautique japonaise. L'interdiction de produire des appareils militaires, imposée après la guerre, est levée et un contrat vient d'être signé entre Lockheed et Kawasaki. Aux termes de cet accord, la firme japonaise est autorisée à construire sous licence deux chas-

seurs à réaction, extrapolés du F-80C Shooting Star : le F-94C Starfire et le T-33A qui est un avion à réaction pour l'entraînement des pilotes. Le Starfire est certes un chasseur peu performant. Sa production a cessé aux Etats-Unis en février. Mais l'occasion est à saisir et elle permet aux Japonais de se familiariser avec le jet.

Le chasseur possède une voilure extrêmement réduite, avec 6,55 m d'envergure.

Le Lockheed F-80 Shooting Star est ici équipé de réservoirs en bout d'aile.

Suite et fin des mésaventures du DH. Comet 1

Londres, 12 avril
Cette fois, ce n'est plus possible de continuer. Alors que l'enquête sur l'accident du *Yoke Peter* se poursuit, la catastrophe qui a frappé un autre Comet, le 8 avril dans la baie de Naples, ne peut plus laisser de doute sur le fait que l'appareil cache un défaut grave. L'Air Registration Board a retiré ce matin au Comet 1 son certificat de navigabilité. Comme la fois précédente, l'accident s'est produit dans des conditions aussi soudaines que mystérieuses. Il a eu lieu la nuit, alors que l'avion, le G-ALYY, en phonie *Yoke-Yoke*, venait de quitter Rome. Il se dirigeait vers Le Caire. Là encore, le drame n'a fait aucun survivant. Pourtant, après l'arrêt des Comet survenu en janvier, leur service avait repris normalement dès le 23 mars. A ce moment, il était encore possible de croire à la malchance dans la série de catastrophes qui s'était produite depuis six mois. Non seulement le Comet 1 ne volera plus, mais le Premier ministre, Winston Churchill, a déclaré que la Grande-Bretagne n'hésitera pas à tout mettre en œuvre pour découvrir la cause de ces terribles accidents. Ils présentent entre eux tant de similitudes que leur origine doit être la même. Le gouvernement a confié cette responsabilité au directeur du Royal Aircraft Establishment, sir Arnold Hall. La première chose à faire est de continuer à remonter à la surface les débris du *Yoke Peter*. Le *Yoke-Yoke* est à plus de 900 mètres de fond, il ne sera pas renfloué. Le *Yoke Peter* s'est brisé en milliers de morceaux éparpillés au fond de la mer. (→ 11.2.55)

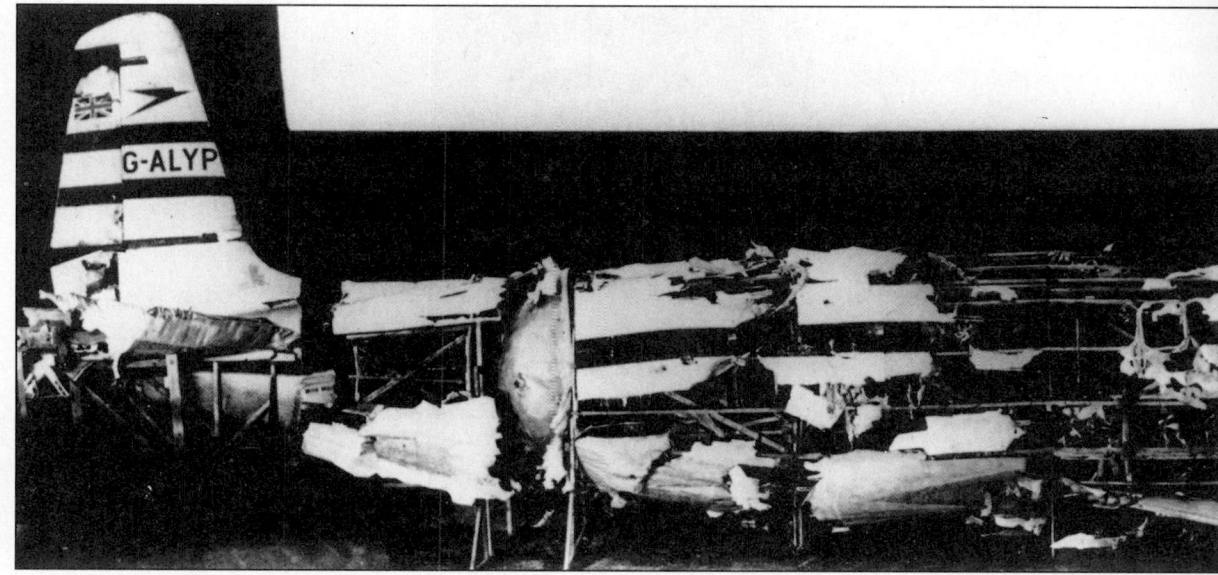

L'épave du « Yoke Peter » est reconstituée afin de découvrir les causes des deux derniers accidents du Comet 1.

Air France obtient la cinquième liberté

Mexico, 22 mars
Washington a accordé à Air France la cinquième liberté. Ses Super Constellation peuvent embarquer des passagers à New York pour les débarquer à Mexico et *vice versa*. Les vols quotidiens d'Orly vers Idlewild sont prolongés vers Mexico avec une liaison sans escale, alors qu'American Airlines fait deux arrêts sur la ligne. Pour l'OACI, la première liberté est celle de passer au-dessus d'un pays pour en rejoindre un autre. La seconde autorise l'escale technique sans commerce de passagers. La troisième autorise à débarquer des passagers dans le pays visité sans en embarquer au départ. La quatrième autorise le retour avec passagers.

LES CINQ LIBERTÉS

① Paris - Le Cap
② Paris - New York avec escale de ravitaillement à Shannon
③ Paris - Moscou avec escale à Varsovie
④ Paris - Santiago avec escale commerciale à Natal
⑤ Paris - New York - Mexico

La dernière sortie de Constantin Rozanoff

Melun-Villaroche, 3 avril
« Il faut sortir le grand jeu pour montrer aux Anglais ce que nous sommes capables de faire. » On n'a jamais vu autant de personnalités. René Pleven, ministre de la Défense nationale, accueille Dunkan Sandys, le ministre britannique de l'Armement, ainsi que le responsable des achats de la RAF, John Becker. Décidé à les éblouir, Constantin Rozanoff veut effectuer un passage à très basse altitude à la vitesse du son. Il décolle, s'éloigne en montant et revient vers le terrain en piqué. Il allume la postcombustion au moment où il se retrouve parallèle au sol et règle l'assiette de l'avion avec la commande électrique du trim. Quand il veut tirer sur le manche pour contrecarrer une tendance à piquer, la commande se bloque. Juste devant la tribune du public, le Mystère IV descend, touche le sol et explose. C'est la fin d'un pilote que l'on croyait invulnérable.

Le Dassault Mystère IVB peut grimper à 12 000 mètres en 4 min 30 s.

Le pont aérien n'a pas pu sauver Diên Biên Phu

Viêt-nam, 7 mai

Stupeur et tristesse : Diên Biên Phu est tombé. Assiégée par les troupes viêt-minh depuis 56 jours et ravitaillée par voie aérienne, la garnison française n'a pu résister à l'assaut des hommes du général Vô Nguyên Giap. C'est l'effondrement de la France au Viêt-nam, là même où ses stratèges pensaient écraser l'ennemi. Le 23 novembre 1953, afin de renforcer la position française avant les négociations de paix, le général Navarre déclenchait l'opération *Castor* dans cette cuvette stratégique située près de la frontière du Laos. Les parachutistes, largués par 65 Dakotas, s'en emparaient aisément. La piste d'aviation, remise en état, permit d'organiser un pont aérien vers le camp retranché. Mais les troupes du Viêt-minh acheminèrent vers Diên Biên Phu une impressionnante artillerie antiaérienne. Le 13 mars, elles déclenchaient l'offensive contre la

Les pilotes sur l'« Arromanches ».

Tir de l'artillerie du Viêt-minh sur des Dakota du camp retranché français.

base française, enlevant le point d'appui Béatrice. Le 15, le centre de résistance Gabrielle cédait à son tour, plaçant la piste sous le feu de la DCA viêt-minh. Commencèrent

alors les opérations de parachutage du ravitaillement. Mais la DCA viêt-minh, très efficace, rendait ces missions aléatoires : les colis, largués à des altitudes bien trop

élevées, tombaient souvent dans le camp adverse. Dès lors, les jours étaient comptés pour les 8 000 hommes encore valides de la garnison française.

Turcat franchit Mach 1 en vol horizontal

Istres, 3 août

Le Gerfaut I a réussi à son tour à franchir la barrière sonique en vol horizontal. C'est donc le troisième prototype français titulaire de cette performance, après le Trident I et le Mystère IVA. André Turcat, pilote d'essai de la SFECMAS, était aux commandes. Grâce à cet exploit du Gerfaut, avion à réaction muni d'aile delta, mais volant sans postcombustion et sans puissance additive, un nouveau pas est franchi

dans la recherche en vol des supersoniques français. On doit les plans de ce prototype à Jean Galtier, ingénieur de Sup Aéro. De nouveaux développements du programme sont à l'étude. La carrière d'André Turcat, polytechnicien de 33 ans, entré au CEV en 1950, s'annonce sous les meilleurs auspices. Quand la technicité s'allie à la rigueur et au savoir-faire, on peut s'attendre à de nouvelles performances des hommes comme des machines.

Le Fouga Magister se mesure au Fleuret

Villacoublay, 22 juillet

C'est une véritable confrontation au sommet. Afin de standardiser les matériels d'entraînement militaire existants et de limiter la prolifération des programmes dans ce domaine, l'Otan a organisé la présentation des vingt-quatre appareils militaires susceptibles d'offrir les

qualités requises. Une première série de tests fut proposée afin de sélectionner l'avion le mieux adapté à l'entraînement des pilotes. Il s'agit de les former jusqu'au stade où ils pourront être intégrés aux escadrilles. Le vainqueur est le Fouga CM-170 Magister. Il a été talonné de près par le Fleuret. (→ 29)

Le Fleuret est un biplace doté de deux réacteurs Marboré de 400 kgp.

André Turcat et le Gerfaut I propulsé par un réacteur Snecma Atar.

Le Fouga Magister, choisi par l'Otan comme avion d'entraînement.

Le Dash 80, prototype du Boeing 707, vole

Renton, 15 juillet

Baptême de l'air réussi pour le nouveau-né de Boeing, le Dash 80. Ce prototype sert de banc d'essai au Model 707, premier avion de ligne à réaction de la firme de Seattle. Sa mise au point fut des plus difficiles. Dès la fin de la guerre, de nombreux constructeurs ont eu l'idée d'appliquer à l'aviation commerciale les progrès réalisés sur les turboréacteurs. Précédée par de Havilland, qui sort le Comet dès 1949, Boeing s'intéresse à ce nouveau développement au début des années 50. Fort de leur expérience en matière de bombardiers à réaction, ses ingénieurs entreprennent une série d'études fondées sur un quadrimoteur conventionnel, Model 367. Travaillant sur le papier ou en tunnel aérodynamique, faute de moyens financiers, ils proposent des modifications de l'appareil au niveau du fuselage et des moteurs. Le projet sera mené à

Le personnel attaché aux vols d'essai.

Le prototype s'envole avec le chef pilote de Boeing, A.M. Tex Johnston.

terme, non sans obstacles. Des turboréacteurs et des turbopropulseurs sont testés alternativement, posant des problèmes de voilure et de train d'atterrissage. Après 80 études différentes, le prototype 367-80 voit enfin le jour. Il répond pleinement à l'attente des dirigeants de Boeing. Assurés de sa supériorité sur les avions à réaction existants, ils décident en avril 1942 d'allouer seize millions de dollars à sa mise au point. En mai, le 367-80 Dash 80, quasi achevé, sortait de l'usine de Renton. (→ 16.10.55)

Le QGO n'existe plus en France

France, 17 août

Un arrêté précise les conditions d'utilisation des aérodromes français par mauvais temps. Avec cette décision disparaît le QGO, l'interdiction d'atterrir prononcée par les services de contrôle quand la visibilité tombait au-dessous de certaines valeurs. Dorénavant, pour chaque catégorie d'appareils et en fonction de l'équipement d'approche de la piste, des conditions sont fixées en dessous desquelles un avion ne peut entamer les manœuvres d'approche. Deux critères sont pris en compte. D'abord la visibilité sur la piste : les balises lumineuses de part et d'autre de la piste sont éloignées de 50 m. A 800 mètres de visibilité correspondent 16 balises. Ensuite, la hauteur de la base des nuages au-dessus de la piste est mesurée en pieds. Ces données sont transmises aux pilotes qui les comparent avec leurs minima pour décider d'entreprendre l'approche ou se dérouter. A cela s'ajoute une hauteur critique, la hauteur de décision. C'est l'altitude où le pilote doit avoir la piste en vue. Si ce n'est pas le cas, il doit remettre les gaz.

Vichy-Charmeil est inauguré

Vichy, 21 août

Vichy-Charmeil est un nouvel aérodrome. Situé à 6 km du centre ville, il a été construit en 100 jours, ce qui est exceptionnel. Plusieurs personnalités assistent à l'inauguration, telles que Coulon, le député maire de Vichy, Morice, le député de l'Allier. Max Hymans, P-DG d'Air France, était aussi venu assister à la cérémonie. De nouveaux aménagements sont déjà prévus.

La Postale s'arrête à Clermont-Ferrand

Clermont-Ferrand, 7 septembre

Pour la première fois, un DC-3 du centre d'exploitation postale, piloté par le commandant de bord Georges Clément, fait escale ce matin sur le terrain de Clermont-Ferrand situé à Aulnat. Air France accède enfin à la demande du ministère des PTT en étendant son réseau postal aérien. L'escale de Clermont-Ferrand est désormais ouverte sur la ligne Paris-Clermont-Lyon-Montpellier-Toulouse.

La taxe d'aéroport pour les passagers

France, 17 octobre

Désormais, les usagers des transports aériens devront s'acquitter d'une taxe d'aéroport. Un arrêté vient d'en réglementer les conditions d'établissement et de perception. Une décision qui comble une lacune car, jusqu'ici, il n'existait pas de système uniforme de redevance de ce type, et la légalité de celles exigées par certains aéroports était fortement contestée. En réalité, la taxe prévue est due par le transporteur, mais celui-ci peut se faire rembourser le montant soit par le passager, soit par l'expéditeur ou le destinataire de la marchandise. Des réductions peuvent toutefois être accordées par les exploitants des aéroports, si les conditions du transport le justifient. Par ailleurs, un arrêté du 12 octobre a fixé le taux de base des redevances que paient les passagers aux aérodromes gérés par Aéroports de Paris. Les voyageurs à destination de la France métropolitaine, de l'Europe et de l'Afrique du Nord française paieront 400 F. Le montant passant à 1 200 F en ce qui concerne les autres continents.

A Hucknall (Grande-Bretagne), premier vol libre du « Lit-cage volant » conçu par Rolls-Royce, propulsé par 2 réacteurs Nene.

539

...our parler, le contrôleur presse une pédale qui met le micro en émission.

Les Breguet 763 Deux-Ponts d'Air France poursuivent leur carrière sur les lignes à destination de l'Afrique du Nord. Après le départ d'Orly, une ligne passe par Lyon et Marseille d'où elle se poursuit vers Alger.

Les avions de l'année 1954

Le Brochet 120, un avion de tourisme à aile haute.

Le prototype du Sikorsjy S-58, père d'une prodigieuse descendance.

Le Morane-Saulnier MS.760 Paris sert surtout au transport des VIP.

Le Convair R3Y Tradewind, dernier hydravion de l'US Navy.

Le Nord 3201 se caractérise par son train d'atterrissage cantilever.

Le Convair C-131, version militaire du célèbre CV-240.

Le Boeing Model 80 sert de prototype au fameux 707, un appareil qui révolutionne le domaine du transport aérien long-courrier.

Les rotors du jet Fairey Gyrodyne sont entraînés par une turbine.

Le Payen PA.49, autre avion delta expérimental.

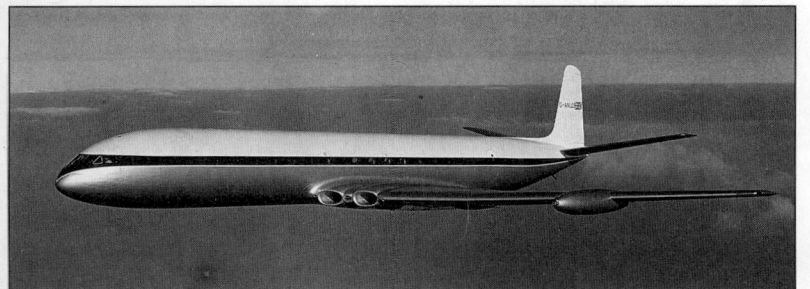

Le prototype du de Havilland Comet 3. Sur ce modèle, les graves défauts des versions précédentes ont été corrigés, mais le 707 arrive...

Le Taylorcraft Auster AOP 9 est pourvu d'un nouvel empennage.

Le Sipa 300, avion d'entraînement léger à réaction.

Le Nord 1402 Gerfaut, appareil expérimental à aile delta.

Le prototype du Lockheed YC-130 Hercules. L'appareil a de nombreuses fonctions autres que le transport et sous différentes cocardes.

Le McDonnel F-101A Voodoo est un chasseur d'escorte à long rayon d'action, mais il est aussi utilisé pour des missions de reconnaissance.

Le Grumman F11F Tiger remplace le Cougar.

Le SE.5000 Baroudeur décolle sur un chariot et amerrit sur ski.

La version spéciale du Meteor qui teste l'endurance au g.

L'English Electric Canberra B(I)8, version de pénétration de nuit.

Le Supermarine 525, prototype du Scimitar, avion de pénétration.

Le jet Provost T.1, avion à réaction d'entraînement de base.

Le North American FJ-3 Fury est l'équivalent naval du F-86 Sabre.

Le Douglas B-66 Destroyer, bombardier moyen de tactique.

L'English Electric P.1A est une version du Lightning, l'un des meilleurs intercepteurs Mach 2 construits en Europe.

Le MiG-19, intercepteur et avion d'appui tactique, est aussi livré aux pays arabes du bloc soviétique. Il est ici armé du AA-1 « Alkali » air-air.

Le Short SB.5 avec une aile et un empennage à position variable.

Le Fairey Delta 2, un temps détenteur du record de vitesse.

Le prototype du Douglas A4D-1 Skyhawk, chasseur bombardier léger, conçu par Ed Heinemann comme appareil embarqué à capacité nucléaire.

Le prototype Lockheed XF-104. Le premier modèle de série diffère par la forme des prises d'air et la longueur du fuselage.

Le Folland Midge, précursseur du chasseur léger Gnat.

Le Cessna T-37, retenu par l'USAF pour l'entraînement primaire.

1955

 2 655 km/h
Etats-Unis
Charles Yeager
Bell X-1A
12.12.53

 37 189 km
Etats-Unis
James Gallagher
Boeing B-50
2.3.49

 29 652 m
Etats-Unis
Arthur Murray
Bell X-1A
26.8.54

 221 350 kg
Etats-Unis
Boeing
B-52 Stratofortress

 9 700 kgp
URSS
Mikouline
AM-3M-500

Paris, 1er janvier

Air France a décidé de remplacer les hôtesses françaises par deux hôtesses japonaises sur le tronçon Saigon-Tokyo, de la ligne vers le Japon. Elles suivent actuellement un stage de formation.

Karachi, 10 janvier

Pakistan International Airlines, créée grâce à la nationalisation des transports aériens, fait un vol de reconnaissance vers Londres, *via* Le Caire. La compagnie veut établir une ligne régulière.

Los Angeles, 14 janvier

Hans Quenzer, chef du bureau d'études de la firme allemande Focke-Wulf durant la dernière guerre, est engagé à la division des recherches militaires de Lockheed.

Etats-Unis, 27 janvier

Phil Johnston décolle la plate-forme volante conçue par Stanley Hiller. Une hélice entraînée par deux moteurs de 45 ch est carénée dans une plate-forme sur laquelle le pilote se tient debout. (→ 30.11.56)

Londres, 11 février

La commission d'enquête sur les accidents des Comet en Méditerranée l'année dernière rend son rapport. Elle en attribue la cause à la rupture de la cabine pressurisée. Les mises sous pression en montée et les décompressions en descente ont usé certaines sections.

Paris, 19 février

Le *Journal officiel* publie un arrêté créant le manuel d'exploitation. En usage à Air France, il est obligatoire pour les transporteurs aériens.

Orly, 25 février

Aéroports de Paris met en service deux hangars géants se caractérisant par l'ouverture totale des façades. L'un d'eux sera utilisé par TAI et TWA, l'autre par Air France.

Los Angeles, 26 février

Le pilote d'essai George Smith réussit à s'éjecter en vol supersonique, à Mach 1.05. Son chasseur F-100 Super Sabre était en difficulté.

Suisse, 4 mars

Jean Dabos quitte le pays après un incident diplomatique. Hier, lors d'une démonstration du Djinn, il s'est posé sur le Mönch à 4 090 m, mais les officiels ont mis en doute la réalité de l'atterrissage. Il est retourné s'y poser et y a planté un drapeau français que les Suisses ont fait mitrailler par des Vampire.

Etats-Unis, 10 mars

Après des essais réussis, l'USAF forme un groupe de chasseurs parasites, des Republic F-84F, logés dans les soutes de 12 bombardiers Convair GRB-36F modifiés. Ils sont largués près de l'objectif à photographier et sont récupérés en plein vol pour le retour.

Paris, 1er avril

Par la ratification du traité de Paris, l'Allemagne est autorisée à former une force aérienne de défense. (→ 24.9.56)

Paris, 1er mai

En prenant le contrôle d'Aigle Azur, l'UAT devient la principale compagnie privée française, devant la TAI. Elle s'ouvre des routes vers Saigon et Madagascar. (→ 1.1.56)

Australie, 3 mai

Qantas met en service des Super Constellation sur sa ligne Sidney-Tokyo, *via* Darwin et Manille.

Ottawa, 5 mai

Le Canada et les Etats-Unis signent un accord pour construire la chaîne de détection radar DEW, couvrant le nord de l'Amérique.

Londres, 16 mai

La première du film *The Dambusters* obtient un énorme succès. Il relate l'exploit des Lancaster contre les barrages de la Ruhr en 1943.

France, 6 juin

En réponse aux récents succès du Djinn, Jean Moine se pose au sommet du mont Blanc (4 807 m) avec l'hélicoptère Bell 47 G2. Ce même jour à Buc, Jean Boulet porte le record mondial d'altitude à 8 209 m à bord d'un Alouette II. (→ 22.3.57)

Chicago, 9 juin

American Airlines commande pour 65 millions de dollars 35 Lockheed Electra L-188 quadriturbopropulseurs en phase de conception. Ils doivent freiner le succès du Viscount. (→ 28.1.57)

Moscou, 17 juin

Le prototype du Tupolev 104 fait son vol initial. Premier biréacteur de transport civil soviétique, il peut emmener 70 passagers. (→ 22.3.56)

Atlantique Nord, 28 juin

Un DC-7 accomplit la 50 000e traversée de la Pan Am.

Moscou, 10 juillet

Le Tupolev 20 est présenté en vol au meeting de Tushino, devant des observateurs étrangers. Bombardier à ailes en flèche, il est muni de 4 turbopropulseurs entraînant chacun 2 hélices contrarotatives.

Paris, 10 juillet

Air France commande à la firme Curtiss Wright un simulateur de vol destiné à l'entraînement des pilotes et des mécaniciens navigants affectés à la conduite des L-1049 G Super Constellation. (→ 15.8)

Etats-Unis, 26 juillet

Capital Airlines met en service le Vickers Viscount sur sa ligne Washington-Chicago. Le 4 avril, Trans Canada Air Lines l'a introduit sur Montréal - New York.

Nevada, 6 août

Tony Le Vier décolle le Lockheed U-2, destiné à la surveillance à haute altitude. Oubliant les qualités de finesse de l'avion, le pilote l'endommage à l'atterrissage. (→ 4.7.56)

Edwards AFB, 20 août

Le colonel Hanes bat le record du monde de vitesse à 1 323 km/h sur Super Sabre F-100, avion décollant par ses propres moyens. (→ 10.3.56)

Etats-Unis, 22 août

Un chasseur FJ-3 Fury apponte au miroir sur le *USS Bennington*. Cette nouvelle technique élimine les erreurs de l'apponteur. (→ 12.8.57)

Toulouse, 1er septembre

Marcel Doret, ancien pilote d'essai de la société Dewoitine, s'éteint chez lui à l'âge de 59 ans.

Grande-Bretagne, 3 septembre

Le commandant John Fifield réussit une éjection à l'altitude zéro, d'un Gloster Meteor roulant à la vitesse critique de décollage sur la piste de Chalgrove Airfield.

Melun-Villaroche, 20 septembre

André Turcat décolle le Nord-1500 Griffon I, avion expérimental à aile delta. Conçu pour les hautes vitesses, il est propulsé par un combiné réacteur-statoréacteur. (→ 23.1.57)

Mexique, 10 octobre

Les hélicoptères du porte-avions *USS Saipan* achèvent une mission à Tampico, dévasté par les pluies tropicales. Ils ont sauvé 5 439 personnes réfugiées sur les toits.

Denver, 1er novembre

Un DC-6B de United Airlines explose peu après son décollage. Les 44 occupants sont tués. Une bombe a été placée dans l'appareil par JG Graham. A l'aéroport, il a pris une assurance-vie juste avant le départ pour sa mère, l'une des passagères.

Paris, 16 novembre

Air France commande 12 SE-210 Caravelle à la SNCASE. Elle prend une option sur 12 autres, laissant entendre que ce chiffre serait éventuellement porté à 24. (→ 3.2.56)

Union soviétique, 30 novembre

Le prototype Ye-5 à aile delta du chasseur MiG-21 a effectué au cours du mois son vol initial.

Etats-Unis, 31 décembre

TWA rencontre des difficultés du fait du comportement de son propriétaire, Howard Hughes. Il traite ses affaires par téléphone, refusant de dire où il se trouve. (→ 31.12.60)

Le prototype de la Caravelle est entré en phase d'assemblage en avril 1954 et sorti de son hangar à Toulouse en avril. Le 27 mai la Caravelle volait.

Les compagnies françaises se partagent le trafic aérien

Paris, 16 février

Après discussion devant le Conseil supérieur de l'aviation marchande, la direction des Transports aériens a fait connaître aux différentes compagnies l'affectation des lignes desservant la France et ses territoires d'outre-mer. Entre la métropole et l'Algérie, Air France assure désormais 60 % de la capacité des 408 000 sièges, les 40 % restants reviennent à la compagnie générale de transports aériens Air Algérie, soit 163 200 sièges. Même pourcentage sur la Tunisie avec 59 000 sièges pour Air France et 39 400 pour Tunis Air. 55 % sur le Maroc avec 79 000 sièges et 50 % sur l'ensemble des lignes long-courriers de l'Union française. Cette mesure vise à permettre aux compagnies de ne pas disparaître face au géant Air France. La proportion de 50 % est également retenue sur les lignes

La flotte d'UAT se compose de DC-6, de DC-4, de Noratlas et de Héron.

d'Indochine et de Madagascar, où les fréquences sont cependant supérieures à celles des compagnies privées françaises en raison des allotements réservés à Air France. TAI, UAT et Aigle Azur bénéficient de cette réglementation puisqu'elles se voient concéder plusieurs lignes qui étaient traditionnellement le monopole d'Air France. La compagnie nationale doit se plier aux lois de la concurrence.

Une passerelle sert à l'embarquement

Idlewild, 25 mars

L'embarquement et le débarquement des passagers s'effectuent désormais à l'aéroport de New York International, au moyen d'une passerelle appelée Loadair. Il s'agit d'une sorte de quai élevé à poste fixe le long duquel l'avion roule grâce à un treuil électrique et à un système de rails installés sur le tarmac. Ce quai est constitué d'une plate-forme située au niveau de la cabine permettant l'accès à l'escalier de l'avion à l'abri des intempéries. Cette plate-forme munie de tapis roulants facilite le chargement du fret dans les soutes ventrales et latérales de l'appareil. La société américaine Whiting Corporation, qui a conçu le Loadair, espère le voir adopter prochainement par les aéroports étrangers.

Un radar à bord pour le mauvais temps

Etats-Unis, 23 février

Après United Airlines qui avait utilisé le radar de bord construit par RCA sur l'un de ses DC-3, Pan American Airways vient d'installer un appareil similaire, fabriqué par Bendix, sur l'un de ses DC-6B. Pan Am l'utilisera trois mois en différents points du globe. Ce radar de bord n'est pas d'une interprétation simple. Il rend sur l'écran aussi bien les effets de sol avec ses contours et les gros reliefs montagneux que les masses d'eau que forment parfois les orages. Ce sont ces derniers qui sont les plus intéressants à identifier. Dans le cas d'un vol par nuit noire, il est impossible de détecter les orages qui sont pourtant facile à éviter si on en connaît le contour.

Le MS.733 sert à la formation des pilotes

Guyancourt, 3 janvier

Le stage en vol qui s'ouvre à Guyancourt s'accomplit pour la 1re fois sur des Morane 733. Cinq de ces appareils ont été loués à cet effet par l'Etat à Air France. Les officiers navigateurs et radionavigants de la compagnie nationale abandonnent donc le vieux biplan Stampe pour effectuer leur stage de formation de base de copilotes. Doté d'un moteur Potez de 240 ch qui lui permet d'atteindre une vitesse de croisière de 220 km/h, le Morane 733 possède un train rentrant, une hélice à pas variable, des volets, un radiocompas et un émetteur-récepteur VHF. Ces équipements sont modernes, seuls les bimoteurs d'école en étaient pourvus jusqu'à présent. Avec l'arrivée du Morane 733, la formation va devenir plus homogène et générer, par l'abaissement du nombre d'heures effectuées sur bimoteur, une économie substantielle.

Elizabeth Boselli enlève deux records

Creil, 1er mars

Une des rares femmes pilotes françaises à avoir été lâchée sur avion à réaction, la dynamique Elisabeth Boselli, vient d'établir un nouveau record féminin en circuit fermé. Partie ce matin de la base de Creil, aux commandes de son Mistral à réacteur Hispano-Suiza Nene, elle s'est posée à Agadir après avoir couvert la distance de 2 300 km en 3 h 30 min, soit une vitesse de croisière de 660 km/h. Les calculs de régime économique, réalisés par les mécaniciens de l'armée de l'air, sont pour beaucoup dans les succès de l'aviatrice amie des Muses. Le 26 janvier dernier, Elisabeth, dont on connaît les talents artistiques, avait remporté aux commandes du même type d'appareils, le record féminin de vitesse sur 1 000 km en circuit fermé. Courageuse et tenace, l'aviatrice avait dû à cette occasion affronter une météo défavorable sur un appareil alourdi par des réservoirs supplémentaires.

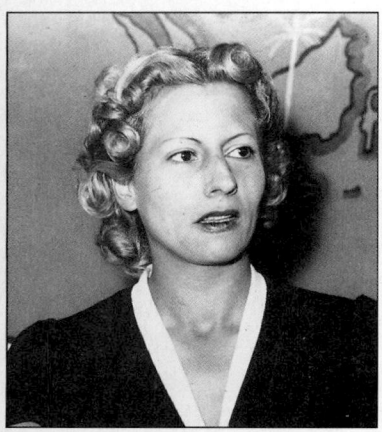

3 h 30 de vol à bord du Mistral.

Ce Morane-Saulnier Alcyon est équipé d'un moteur Potez de 240 ch.

Le Hurel-Dubois 31 revient d'une tournée d'essais tropicaux

Le bimoteur a parcouru 13 600 km en Afrique noire sans le moindre incident, prouvant ainsi son efficacité.

Issy-les-Moulineaux, 16 février
Au retour d'une tournée africaine de 13 600 km pour essais tropicaux, le bimoteur Hurel Dubois HD-31 s'est posé aujourd'hui sur le terrain d'Issy. Le but de ce voyage expérimental était de vérifier le comportement de l'appareil confronté à des conditions météo tropicales : pluies torrentielles, écarts de température et turbulences violentes. Durant l'expédition, le HD-31 était piloté par le commandant Ponthus, détaché par le CEV, accompagné du radionavigant A. Guignard. A bord se trouvaient également les chefs pilotes d'Air France Guibert, Debrie, Mespoulhès qui ont participé à tous les vols dans ces régions qu'ils connaissent bien. Nul doute que le compte rendu de ce vol expérimental permettra la mise au point de l'appareil de série HD-32 que l'Institut géographique national souhaite utiliser pour effectuer ses missions photographiques au-dessus des territoires d'outre-mer.

Dernier hommage à Louis Breguet

Saint-Germain-en-Laye, 4 mai
Terrassé par une attaque cardiaque, Louis Breguet vient de mourir à Paris, à l'âge de 75 ans. C'est l'un des plus célèbres constructeurs de l'industrie aéronautique qui disparaît. Attiré très tôt par l'aviation, il avait créé en 1919 les Messageries aériennes qui devinrent Air Union, l'une des compagnies qui servit à constituer Air France en 1933. De 1933 à 1939, il fut vice-président du conseil d'administration d'Air France. Ses obsèques, célébrées avec faste et par le survol d'un Breguet aux couleurs d'Air France, sont à la mesure de ce que fut ce grand homme connu dans le monde entier. Partout son nom évoquait le prestige de l'aviation française. MM. Hymans, Lemoine et Montarnal représentaient Air France. Tout le personnel de la société Breguet a rendu hommage à l'aviateur-constructeur.

L'Alouette II est propulsé par une turbine

Paris, 12 mars
Charles Marchetti, l'homme qui dirige l'équipe des techniciens des hélicoptères à la SNCASE, l'a réalisé en cachette. Seul son directeur technique, André Vautier, savait que l'Alouette II n'aurait pas les caractéristiques qui avaient été demandées. Le marché d'Etat prévoyait un Alouette I motorisé par un réacteur Turboméca Artouste I de 250 kgp. Quand Marchetti a vu que l'Artouste II donnait 400 kgp, les choses ont changé. Il a revu tout le concept et, aujourd'hui, il fait voler avec Jean Boulet un magnifique hélicoptère sur le terrain de Buc. La mécanique a été testée cent heures sans qu'une seule anomalie soit détectée.

La Lufthansa est de nouveau en ligne

Hambourg, 1er avril
Le drapeau bleu et jaune de la Lufthansa flotte à nouveau sur l'aéroport de Hamburg-Fuhlsbüttel. En effet, avec l'accord des autorités alliées et du ministère des Transports, la nouvelle Lutfhansa, qui fait suite à l'éphémère Luftag du 6 août 1954, inaugure son service régulier sur les lignes intérieures. Même Pan Am salue cette renaissance par un *« Hello, Lufthansa ! »* amical, paru dans les colonnes de la presse américaine. Depuis début mars, ses pilotes s'entraînaient, avec des confrères britanniques, sur les quatre Convair 340 acquis par la compagnie. A 7 h 43 ce matin, un Convair 340 a quitté Hambourg pour sa première liaison à destination de Munich, *via* Düsseldorf, Cologne, et Francfort. Une minute plus tôt, un appareil du même type a pris les airs au départ de Munich pour Hambourg. Lufthansa n'a pas l'intention de se contenter d'exploiter des lignes intérieures, elle se prépare à lancer les Constellation qu'elle a commandés sur les lignes internationales. (→ 8.6.56)

L'Alouette II dispose d'une grande puissance très facilement modulable.

La première promotion du personnel de cabine de la nouvelle Lufthansa.

La Caravelle prend l'air dans le ciel de Toulouse

Devant le hangar du centre d'essai de la SNCASE à Toulouse-Blagnac, tout le personnel s'est réuni avec Georges Hereil devant le prototype de la Caravelle.

Toulouse-Blagnac, 27 mai

C'est un vendredi, il est 19 h 30 quand Pierre Nadot pousse les réacteurs de la Caravelle à pleine puissance. Il a toujours les pieds sur les freins, immobilisant l'appareil qui ne demande qu'à bondir. Un regard vers André Moynet, son co-pilote : tous les paramètres sont bons. Il lâche la pression sur les pédales et la piste commence à défi-

ler. Le badin grimpe et Moynet égrène les vitesses à haute voix. A 120 nœuds (223 km/h) Pierre Nadot tire sur le manche. Le nez se lève et la Caravelle s'élance vers le ciel de Toulouse, cap au sud. A bord, c'est un sentiment de grande fierté. Il y a Jean Avril, mécanicien navigant ; André Préneron est l'opérateur radio tandis que Roger Beteille les accompagne comme in-

génieur responsable des essais. De-puis le matin, on sentait que quelque chose se passerait aujourd'hui. Les tests au sol se sont succédé pendant deux semaines, le personnel de l'aéroport s'était habitué à voir sortir ce magnifique avion du hangar du centre d'essai en vol de la SNCASE. Au sol, l'angoisse a fait place au soulagement. Georges Hereil admire le résultat du travail

de toute son équipe. Ce bel avion qui évolue est le quatrième appareil civil à réaction au monde. C'est la première fois que les réacteurs sont positionnés à l'arrière du fuselage. Le vol durera 41 minutes, le train et les volets resteront sortis comme prévu. La prise de piste a été par-faite, l'avion revient vers le hangar. Il est 20 h 15 et le champagne va couler à flots. (→ 24.4.56)

La partie avant du fuselage est identique à celle du Comet de De Havilland.

La partie centrale rassemble les instruments de contrôle des réacteurs.

Le Mirage, un vrai chasseur supersonique

Glavany, après la mort de Rozanoff, est devenu le pilote d'essai de Dassault.

Melun-Villaroche, 25 juin
L'état-major voulait un avion capable de voler à Mach 2 et de grimper à 18 000 mètres en 4 minutes pour intercepter les bombardiers. La SNCASO proposait le Trident équipé de 2 petits réacteurs et d'une puissante fusée. La SNCASE, elle, fait l'inverse avec le Durandal (→ 20.4.56), qui a un réacteur puissant assisté par une petite fusée. La réponse de Dassault, c'est le MD-550 qui vient de décoller de Melun, piloté par Roland Glavany. L'avion s'appelle Mirage, car Marcel Dassault pense que l'ennemi le verra sans jamais l'entendre. Il est équipé d'une fusée de moyenne puissance (1 500 kgp) et de deux réacteurs Viper de 800 kgp. Ces réacteurs d'Armstrong Siddeley sont construits sous licence par Dassault. Le Mirage étonnera les Américains comme ce fut déjà le cas avec les Mystère. Chez Dassault, la priorité c'est le rapport poids/puissance. Aux Etats-Unis, même le confort est pris en considération, et le cockpit des chasseurs est climatisé. (→ 17.11.56)

Un Breguet décolle d'un champ

Vienne, 8 juillet
L'oiseau blessé a repris les airs. Et peu nombreux sont ceux qui auront assisté à un tel décollage : 32 tonnes d'une machine accidentée, le Breguet Deux-Ponts d'Air France, s'envolant dans le ciel après avoir roulé 350 m au milieu des blés mûrs. Un exploit tout à l'honneur du prince du pilotage qu'est Yves Brunaud, chef pilote d'essai de la société Breguet. Sans cet homme calme et réfléchi, les 800 millions de francs de l'appareil ne seraient actuellement pas en route pour l'aérodrome de Villacoublay. Appelé peu après le 10 mai, jour de l'atterrissage forcé du Breguet pour cause d'avarie, l'examen minutieux des tôles froissées, des hélices en forme de chou-fleur et des accidents du terrain avait abouti à ce défi : redécoller de ce champ de 750 m de long. Il s'était accordé 500 m pour réussir. La moitié de la piste lui a suffi.

Compétition entre Cochran et Auriol

France, 13 juillet
Bataille de reines et victoire finale de la Française, Jacqueline Auriol. A la moyenne de 1 151 km/h, elle a battu, le 31 mai dernier, à bord d'un Dassault Mystère IVN, le record de vitesse que détenait une autre Jacqueline, l'Américaine Cochran. Un record féminin mondial tombe, mais aussi un record national toutes catégories. A cela deux raisons : son obstination et la complicité de l'ingénieur Bonte et de son équipe. L'orgueil national était en jeu ! L'Américaine, vice-présidente de la Fédération aéronautique internationale, avait en effet annoncé qu'à partir du 1er juin les records féminins seraient abolis. Elle devenait ainsi détentrice du dernier record homologué le 18 mai 1953, à 1 031,911 km/h sur un Sabre. Idée insupportable à Jacqueline Auriol qui, malgré un temps peu propice, a tenté il y a quelques jours le tout pour le tout.

Le Broussard est un avion tout terrain

La facilité avec laquelle il se pilote est une autre de ses qualités.

Reims, 24 juin
Le premier exemplaire du Max Holste-1521 Broussard de série pour l'armée, a effectué son vol de présentation aujourd'hui, quelques jours après le vol de la version civile. Doté d'un moteur Pratt & Whitney de 450 ch, il peut transporter 6 personnes ou 750 kg de fret à la vitesse de 200 km/h. Il a une autonomie de 1 000 à 1 200 km. Son train robuste et son aile haute facilitent l'utilisation de terrains non aménagés. Le pilote dispose d'une visibilité totale vers le bas. Il est adopté par onze armées à travers le monde. Avion de liaison idéal, il est très attendu en France et dans les territoires d'outre-mer. Une partie de la série construite pour l'armée est en version de rapatriement sanitaire. Sa cabine est alors aménagée pour accueillir deux civières et deux passagers assis.

Le tour des plages de France du Super G

France, 15 août
Le long des côtes françaises, des Flandres à la Côte d'Azur, la vedette de l'été est le premier des dix Super Constellation 1049 G d'Air France. Il est arrivé à Paris il y a un mois et fait le tour des plages en donnant une belle démonstration de vol à basse altitude. Cette présentation au public, avant sa mise en service, avait été annoncée par la presse, ainsi que l'horaire qui a été scrupuleusement respecté. Deux autres appareils ont été livrés le 31 juillet et le 13 août. Sept autres le seront dans les mois à venir. Air France a décidé de s'équiper de ce modèle, très voisin du 1049 C, à cause de la capacité supérieure des réservoirs qui permet d'augmenter le nombre de traversées de l'Atlantique sans escale.

Le Super Constellation d'Air France à proximité de la ville de Marseille.

Beechcraft investit dans le « Paris »

Le MS-760, quadriplace à réaction.

Wichita, 24 octobre
Le Fleuret II a fait mouche ! Rebaptisé *Paris,* ce prototype MS-760 de Morane-Saulnier, premier avion à réaction d'affaires et de liaisons au monde, vient d'achever sous le patronage de Beechcraft une brillante tournée de démonstration aux Etats-Unis. Les deux firmes ont conclu un accord, aux termes duquel Beechcraft s'est engagé à fabriquer sous licence le *Paris* à l'issue de cette campagne de promotion. Au vu de son succès, un vent d'optimisme souffle au sein de la société Morane. Il ne fait pas de doute que le milliard de francs investi par Beechcraft dans cette opération sera suivi d'un marché

Le SAAB Draken suédois vole à Mach 2

Suède, 25 octobre
Premier vol du chasseur SAAB Draken J-35 construit pour atteindre Mach 2. Le pilote Bengt Olow était aux commandes du nouvel intercepteur suédois, doté d'un réacteur Rolls-Royce Avon série 200 produit sous licence par Svensk Flygmotor. Le Draken (Dragon) bénéficie des acquis aérodynamiques du petit avion SAAB 210 à voilure en double delta. On le reconnaît à sa derrive dessinée en oblique et qui laisse apparaître la tuyère du réacteur. Il a été commandé par l'armée de l'air suédoise pour effectuer des missions d'interception à des vitesses transsoniques et des reconnaissances en altitude. (→ 26.1.56)

Le chasseur piloté par Bengt Olow.

L'Aero Commander pour Eisenhower

Washington, 4 août
Le président Dwight Eisenhower n'aime pas se sentir trop éloigné d'un bon terrain de golf. Il y a, certes, plusieurs terrains à quelques kilomètres de la Maison Blanche, en Virginie ou dans le Maryland. Mais Ike préfère souvent se rendre jusqu'à Augusta, dans la lointaine Georgie, pour pratiquer son sport favori. Il a donc acheté un avion de tourisme bimoteur Aero Commander construit par Rockwell. Cet avion a une capacité de cinq à sept passagers.

Le dernier Laté disparaît

Cameroun, 1er septembre
L'hydravion Laté 631 no 8, exploité par la société France Hydro, a disparu dans la région de Banyo, au Cameroun. L'appareil, qui avait décollé de Douala à destination de Léré avec un chargement de fret, devait continuer sa route vers Biscarosse pour y subir une révision. Le commandant de bord Louis Demouveaux, farouche défenseur du grand hexamoteur, a péri dans la catastrophe, ainsi que les 7 autres membres d'équipage. Ce drame met fin à l'existence des Laté.

Pan Am commande 20 Boeing 707

Etats-Unis, 13 octobre
Le conseil d'administration de la Pan American Airways a approuvé l'achat de 45 appareils de ligne à réaction pour une somme totale de 296 millions de dollars. Aux termes de cette commande, 20 Boeing 707 doivent être livrés avant fin 1958. Le prototype du quadriréacteur de Boeing a effectué un vol d'essai de Seattle à Washington et retour en 6 h 8 min. Douglas, qui a annoncé le projet du DC-8, relativement semblable, a reçu la commande de 25 exemplaires. (→ 20.12.57)

Jean Dabry a fait 500 traversées

Paris, 13 novembre
Figure glorieuse de l'Aéropostale, le commandant Jean Dabry fête aujourd'hui ses 15 000 heures de vol, après 25 ans d'activité sur les lignes de l'Atlantique. Entré chez Latécoère en 1929, Jean Dabry est actuellement le chef pilote d'Air France sur Super Constellation. Il totalise 470 traversées de l'Atlantique Nord et 30 de l'Atlantique Sud. Il y a 25 ans, avec Mermoz et Gimié, il avait accompli le 1er vol de Toulouse à Saint-Louis-du-Sénégal puis Natal sur un Laté 28.

A la fête du Bourget, la patrouille de France sur Ouragan fait un passage en vol de formation.

Sur la passerelle de chargement du fret du Breguet Deux-Ponts, deux vedettes du cinéma. Martine Carol, qui vient de tourner « Lola Montez », et Françoise Arnoul, héroïne de « French Cancan ».

Le Super Sabre de North American est lancé par la fusée d'appoint Rocketdyne M-34.

Les B-52 veillent sur les Etats-Unis

Le Stratofortress, fer de lance de la force de dissuasion américaine.

Wichita, 15 novembre
Boeing a transféré la chaîne de montage des B-52D de Seattle vers ses usines de Wichita. Le Stratofortress est devenu l'équipement de base du Strategic Air Command et les B-52 volent sans relâche depuis les bases disséminées aux Etats-Unis et au Groenland. L'appareil a évolué depuis que son prototype a effectué son vol d'essai en 1952. Plusieurs exemplaires du B-52B ont été transformés en avion de reconnaissance. La version B-52C a été munie d'une couche de peinture pour protéger l'avion des radiations. Trente-cinq exemplaires furent livrés. Le modèle construit à Wichita doit être réalisé à 170 exemplaires. Le système d'armement et de contrôle de tir est revu. Le message du SAC à l'Amérique se veut rassurant en pleine guerre froide : « Tant que vous entendrez nos avions au-dessus de vos têtes, vous ne verrez pas l'ennemi. »

Un successeur pour le Douglas DC-7

Le « Seven Seas » est caractérisé par une envergure augmentée de trois mètres.

San Diego, 20 décembre
Alors que le projet d'un quadriréacteur civil DC-8 avance sur les planches à dessin et que déjà des commandes sont acceptées (→ 28), le prototype du DC-7C de Douglas, surnommé *Seven Seas*, vient d'effectuer son premier vol. Ultime développement du DC-7 construit à la demande la Pan Am, cet appareil commercial est le premier dont le rayon d'action permet d'assurer la traversée de l'Atlantique Nord sans escale dans les deux sens. Il a reçu quatre moteurs de 3 400 ch Wright R-3350. Le DC-7C surpasse en tous points ses prédécesseurs de chez Douglas. Son fuselage, plus long, peut contenir quatre fois plus de passagers que le DC-3 et 30 % de plus que le DC-4. Les ailes sont allongées. Elles permettent d'emporter 29 620 litres de carburant. Les moteurs sont plus éloignés du fuselage, ce qui réduit le bruit et les vibrations en cabine.

Skyways détourne la réglementation

Londres, 30 septembre
La concurrence sur les lignes aériennes entre la Grande-Bretagne et la France est acharnée. De plus en plus d'Anglais profitent des diverses formules offertes par les compagnies pour passer un week-end à Paris. La compagnie anglaise Skyways espère avoir trouvé un créneau rentable. Inauguré ce vendredi, le service Coach Air utilise des avions Douglas DC-3. Les passagers de Skyways sont pris en autocar dans le centre de Londres pour être acheminés vers l'aéroport de Lympne, dans le Kent. Là, ils montent à bord du DC-3 qui les transporte jusqu'à l'aéroport de Beauvais. Ensuite, c'est en train qu'ils arrivent à leur destination finale, la gare du Nord à Paris. Cette formule est très astucieuse, car elle permet à Skyways de respecter la réglementation sur la concurrence. En effet, Skyways peut arguer du fait que la plupart du trajet est par voie terrestre et donc que son Coach Air fait concurrence non pas à la BEA, mais plutôt aux sociétés ferroviaires ou de transport routier.

Le Lockheed Hercules, une idée géniale

Etats-Unis, 24 novembre
Certes, il manque de grâce, mais quelle puissance ! Destiné à l'US Air Force, le Lockheed Hercules est un avion de transport tactique étonnant. Depuis le premier vol du prototype YC-130 en août 1954, il a montré, au cours de tests intensifs, des performances supérieures aux spécifications requises. Doté d'une section ovale élargie, il peut emporter une charge de 18 150 kg, 64 parachutistes ou 92 hommes de troupe. Une longue rampe d'accès située à l'arrière permet le chargement direct. Muni d'un train d'atterrissage spécial, il peut opérer sur tous les terrains. Enfin, grâce à ses quatre turbopropulseurs Allison de 3 250 ch chacun, il atteint une vitesse de croisière de 600 km/h. Séduit par de telles caractéristiques, l'état-major l'a déjà surnommé le Long Bras de l'Amérique.

Ce conteneur de 40 pieds, qui peut peser 18 t, entre dans la soute du Hercules.

Pluie de dollars pour l'achat de jets

Paris, 28 décembre
C'est la ruée sur les jets. Air France et Sabena annoncent des commandes respectivement pour 10 et 5 Boeing 707. C'est la Pan Am qui a mis le feu aux poudres le 16 octobre en commandant ses premiers avions de transport à réaction : 20 Boeing 707 et 25 DC-8, pour un montant de 296 millions de dollars ; suivie le 25 novembre par United Airlines qui donne sa préférence à Douglas pour 30 DC-8. Le pari est risqué, d'autant que, si le prototype du 707 a déjà volé en juillet 1954, le DC-8 est encore sur plans, et il faut la solide réputation de la firme de San Diego pour convaincre ainsi à l'avance ses commanditaires. Si ces compagnies n'hésitent pas à investir de pareilles sommes, c'est que ces deux appareils, forts semblables, constituent une véritable révolution. Avec leur rayon d'action transatlantique, une capacité et une vitesse deux fois supérieures à celles des avions existants, ils assureront une productivité, calculée au coût du siège au kilomètre, quatre fois supérieure.

Les 280 exemplaires (toutes versions confondues) du Sud-Est SE.210 Caravelle sont exploités par 35 compagnies.

Le Scottish Aviation Twin Pioneer, un bimoteur aux qualités Adac.

Le Hurel-Dubois HD.32 n'est pas construit en série.

Le Cessna 172, record du monde de production : 35 000 unités. L'avion-école par excellence.

Le Convair CV-440 Metropolitan est une version améliorée du Concair CV-240.

Le Handely Page HPR-3 Herald vole à l'origine avec quatre Leonides conventionnels, remplacés ensuite par deux turbopropulseurs Dart.

Le Westland Widgeon est une version du S-51.

Le Tupolev Tu-104, premier avion de ligne à réaction soviétique.

Le Sud-Est SE.313 Alouette II est construit à 1 300 exemplaires livrés à 126 clients civils et militaires dans 46 pays du monde.

Plus de 600 Fokker F.27 Friendship sont vendus dans le monde entier. L'appareil est équipé de deux turbopropulseurs RR. Dart de 2 100 ch.

Le Flug & Fahrzeugwerke FFA P-16 suisse, équipé d'un réacteur Sapphire, n'est honoré d'aucune commande en raison de son prix prohibitif.

Le Nord 1500 Griffon I est construit dans le cadre d'un programme français portant sur un intercepteur léger. Il ne connaît pas de suite.

Le Yakovlev Yak-24 (Horse pour l'Otan) est le premier hélicoptère à deux rotors construit en Union soviétique.

Le prototype Republic YF-105 Thunderchief ne possède pas la aérodynamique du F-105B de série représenté ici.

Le Folland Gnat, un étonnant chasseur léger très maniable.

L'Hispano HA-200 Saeta peut être transformé pour l'appui tactique.

Le Ryan X-13 Vertijet, avion Adav expérimental.

Le jet Beech Model 73 Mentor, une tentative infructueuse.

Le Saab J35 Draken, avec son double delta, est un produit de la haute technologie suédoise. Il est construit en plusieurs versions.

Le Martin XP6M SeaMaster, hydravion à réaction, est conçu à une époque où le concept même de l'hydravion n'intéresse plus personne.

Le Myasischev M-4 « Bison », handicapé par sa faible autonomie.

Le Bell X-2, avion de recherche dans le domaine hypersonique.

Le Chance-Vought F8U Crusader sera utilisé par l'USAF et l'US Navy dans le sud-est asiatique. L'Aéronavale en achète 42 exemplaires.

L'existence de l'avion-espion Lockheed U-2 n'est révélée qu'en 1960, avec l'affaire Gary Powers.

1956

3 369 km/h
Etats-Unis
Milburn Apt
Bell X-2
27.9.56

37 189 km
Etats-Unis
James Gallagher
Boeing B-50
2.3.49

37 772 m
Etats-Unis
Iven Kincheloe
Bell X-2
7.9.56

221 350 kg
Etats-Unis
Boeing
B-52 Stratofortress

10 000 kgp
URSS
Lyulka
AL-7F TRD-31

Paris, 1er janvier
Un DC-6B décolle pour Nouméa, *via* Saigon et Port Darwin. Il inaugure la ligne des Antipodes de la TAI, la plus longue du monde avec 22 000 km. Elle doit être couverte en 50 h de vol. La direction d'UAT décide de se retirer d'Indochine et de Madagascar pour centrer son activité sur l'Afrique.

Suède, 26 janvier
Le prototype du SAAB Draken J-35 franchit Mach 1 en montée et sans postcombustion. (→ 15.2.58)

Paris, 6 février
William Judd pose son Cessna 180. Il a traversé l'Atlantique Nord en solitaire, en 25 h 15 min.

Cardington, 7 mars
La firme Auster Aircraft présente à l'armée un avion gonflable. Pesant 75,65 kg, il est transportable à dos d'homme et équipé d'un moteur de 6 ch. Il est gonflé avec un compresseur. Le pilote Dan Perkins effectue quelques bonds à son bord devant des invités perplexes.

Londres, 22 mars
Krouchtchev arrive en mission diplomatique à bord du prototype du Tupolev 104. Les Occidentaux découvrent l'avion à réaction de transport soviétique. (→ 15.9)

Istres, 17 avril
Michel Chalard décolle le Gerfaut II. Avion expérimental à aile delta, il est issu du Gerfaut I, modifié à 80 % pour être adapté à une vocation d'intercepteur. (→ 16.2.57)

Santa Monica, 20 avril
La société Link Aviation obtient un contrat de Douglas pour réaliser un simulateur de vol de DC-8. Il devra être capable de former un équipage sans utiliser l'avion en vol.

Paris, 24 avril
Jean Lanvario effectue aux commandes de la Caravelle un aller et retour Brétigny-Alger-Paris dans la journée, avec une trentaine de personnalités. 2 h 08 min ont suffi pour le vol retour. (→ 2.10)

Melun-Villaroche, 15 mai
Le Dassault Super Mystère B-2 de présérie, équipé d'un réacteur Snecma Atar 101-G, effectue son vol initial avec Gérard Muselli. Il franchit le mur du son dès ce vol sans devoir allumer sa postcombustion. (→ 26.2.57)

Paris, 16 mai
Le ministère de la Défense annonce la commande de 115 Potez 75. Le prototype compte plus de 500 h de vol et un millier d'atterrissages.

Océan Pacifique, 21 mai
Un B-52B de l'US Air Force largue à 16 400 m d'altitude la première bombe à hydrogène aéroportée, au-dessus de l'atoll de Bikini.

New York, 1er juin
Après cinq années de bataille avec National Airlines, Eastern Air Lines absorbe la compagnie Colonial Airlines qui clôt 25 années d'exploitation sans un seul accident.

Valence, 3 juin
Jacques Noetinger présente le Sipa 1000 Coccinelle aux 30 000 spectateurs du meeting. Yves Gardan a conçu ce biplace, considéré comme la 2 CV de l'air, construit avec des pièces de voiture et des roues de Vespa. Au dernier virage d'approche, contact coupé, l'hélice continue à tourner. A 50 m l'avion ne réagit plus et plonge vers le sol. Le pilote est sérieusement blessé.

Atlantique Nord, 8 juin
Lufthansa a ouvert une ligne en Super Constellation. Le vol aller Francfort-New York dure 17 h, le retour 12 h. (→ 15.8)

Arizona, 30 juin
Un Super Constellation de TWA entre en collision avec un DC-7 de United Airlines au-dessus du Grand Canyon : 128 morts.

Melun-Villaroche, 13 juillet
La Snecma commence les essais en vol captif, sous un portique de 35 m de haut, de l'Atar volant. Télécommandé du sol, ce réacteur travaille sur un axe vertical. (→ 14.5.57)

Etang de Berre, 17 juillet
Un parachutiste saute d'un hélicoptère Bell à 1 200 m d'altitude, pour un essai de sauvetage. Juste après le saut, l'appareil se cabre et part en piqué. Le pilote Armand Jacquet réussit à le freiner et sort indemne d'un... sous-marin. Les experts du CEV s'aperçoivent que personne n'a lu la notice d'utilisation sur le centrage à respecter avec un appareil muni de flotteurs.

Bordeaux, 24 juillet
Georges Brian effectue le premier vol du monoréacteur Etendard IV de Dassault, après celui du biréacteur Etendard II, hier à Melun, par Paul Boudier. (→ 21.5.58)

Orly, 27 juillet
L'aérogare Sud est ouverte au trafic alors que les équipements ont seulement été installés la nuit dernière.

Milan, 9 août
Conçu dans le cadre d'un programme de l'Otan pour un chasseur d'appui tactique, le prototype du Fiat G-91 effectue son vol initial.

Etats-Unis, 23 août
Un hélicoptère Vertol H-21, du type Banane volante, réalise une traversée transcontinentale, reliant en 31 h 40 min de vol sans escale San Diego à Washington.

France, 8 septembre
Henri Mignet, créateur du Pou du ciel, couvre 1 200 km sur un Pou modernisé HM-350, à 170 km/h.

Bonn, 24 septembre
La Luftwaffe est officiellement rétablie en Allemagne fédérale. Elle est placée sous le commandement du général Kammhuber, responsable de la défense antiaérienne du Reich pendant la dernière guerre.

Toulouse-Blagnac, 6 octobre
Issu des recherches accomplies avec les Vultur, l'appareil de lutte anti-sous-marine Breguet 1050 Alizé décolle aux mains d'Yves Brunaud. Déjà commandé par l'aéronavale, il est muni d'un turbopropulseur Rolls-Royce Dart de 2 000 ch.

Etats-Unis, 24 octobre
Boeing livre à l'USAF le dernier des 1 390 bombardiers B-47 construit à Wichita. Sur un total de 2 040, les autres ont été assemblés dans les usines de Douglas à Tulsa et de Lockheed à Marietta.

Canal de Suez, 5 novembre
Une escadre française de F-84F, basée en Israël, détruit au sol 18 Iliouchine 28 égyptiens sur le terrain de Louxor. Deux vagues de parachutistes britanniques et français sautent sur l'aérodrome de Gamil et sur Port-Saïd. (→ 30.11)

Etats-Unis, 11 novembre
Le record de vitesse d'hélicoptère est porté à 261,910 km/h par un Sikorsky HR-2S-1, le S-56 des US Marines. (→ 17.5.61)

Texas, 11 novembre
Le bombardier supersonique à aile delta B-58 Hustler effectue son vol initial, sur le terrain d'essai de Convair à Fort Worth. (→ 10.5.61)

Etats-Unis, 30 novembre
Les essais en vol de l'hélicoptère individuel Hiller Rotorcycle ont été menés ce mois-ci. Equipé d'un moteur de 45 ch, il est repliable dans un container de 70 cm de diamètre et peut être monté en 10 min par un seul homme.

Paris, 5 décembre
A Orly et au Bourget, des consignes automatiques sont mises à la disposition des passagers, pour 50 F.

France, 9 décembre
L'ingénieur René Couzinet, père de l'*Arc-en-ciel*, se suicide. Il entraîne dans la mort sa femme, veuve de Jean Mermoz.

Etats-Unis, 13 décembre
Le commandant Beck, de l'USAF, atteint 65 170 m en caisson et bat le record d'altitude en chambre.

Réalisé à l'iniatiative de Marcel Dassault, le Mirage III a su profiter du réacteur Atar 09 mis au point par l'équipe d'Hermann Oestrich.

Le Fairey Delta 2 supersonique est muni d'un nez basculant

Chichester, 10 mars

Quatrième avion britannique à voilure delta, le Fairey Delta 2 a volé aujourd'hui à la vitesse moyenne de 1 822 km/h au-dessus de la côte du Sussex entre Ford et Chichester, à l'altitude de 12 000 mètres (38 000 pieds). Piloté par Peter Twiss, il a effectué une pointe à 1 846 km/h et a ainsi battu le précédent record du monde des transsoniques de près de 500 km/h. Ce nouveau record international a été enregistré par la FAI à la virgule près soit 1 821,39 km/h.

Propulsé par un réacteur Rolls-Royce Avon à postcombustion, le FD.2 a une voilure en flèche à 60°. Son nez est mobile pour assurer une meilleure visibilité au décollage et à l'atterrissage. Les essais du Fairey Delta 2, construit à l'origine pour faire des recherches sur le passage du vol subsonique au régime supersonique, sont très riches d'enseignement. Ils devraient donner naissance à d'autres projets, dont celui de réaliser un avion de ligne supersonique.

Record du monde pour l'appareil anglais avec une vitesse de 1 821,39 km/h.

Le pilote Twiss après son exploit.

Air France investit cinquante milliards

Paris, 3 février

Le président d'Air France, Max Hymans, met la compagnie française à l'heure des avions à réaction. Air France ne peut risquer d'être un jour dépassée par les concurrents étrangers. Elle a signé le contrat du progrès en commandant dix Boeing 707, avion quadriréacteur de 120 à 150 places, capable de traverser l'Atlantique sans escale, à la vitesse de 900 km/h. Ce remarquable appareil coûte 5 200 000 dollars. Douze Caravelle, biréacteurs pour les vols moyen-courriers, vont aussi être livrées. Le prototype a déjà totalisé quatre-vingts sorties, ce qui représente 165 heures de vol. Les Caravelle sont l'aboutissement d'un programme lancé voici quelques années, auquel, c'est une première, Air France était associé depuis le début. Ces achats s'inscrivent dans le programme d'investissement de cinquante milliards, qui doit, au cours des cinq années à venir, confirmer la place de la compagnie parmi les premières.

La tragédie du DC-6 de la TAI au Caire

Le Caire, 20 février

A quelques kilomètres du seuil de la piste, nombreux furent ceux qui ont vu l'avion piquer du nez. La commission d'enquête, dirigée par Maurice Bellonte, va tenter de comprendre les causes de la catastrophe. Un DC-6B, immatriculé F-BGOD, de la Compagnie des transports aériens intercontinentaux, s'est écrasé sans raison apparente, sur une dune très proche de l'axe de la piste. L'appareil, qui avait décollé de Saigon, devait normalement faire escale au Caire et poursuivre sa route vers Paris. Parmi les 55 passagers, on compte déjà 46 morts. Trois membres de l'équipage ont péri, seuls le commandant Charles Billert et son copilote Robert Rolland ont survécu à la catastrophe. (→ 11.7.64)

La carrière éclair du Durandal de P. Satre

Istres, 20 avril

Quand les surprises finiront-elles ? S'il est vrai qu'enfin, aujourd'hui, le prototype SE-212 Durandal de la SNCASE a décollé, il aurait été trop beau que tout se déroulât parfaitement jusqu'au bout. Au cours du dernier vol, la roue avant ne s'est pas déverrouillée et Roger Carpentier, au terme d'essais pourtant réussis, a dû se poser sur le nez. Le Durandal, penché à la manière d'un chien qui flaire le sol, fait bien triste figure. Un incident de plus à ajouter à une liste déjà longue. Le système de freinage inadapté a presque fait éclater le train : atterrissage de travers sur la piste, position d'équilibre impossible à trouver en raison de commandes trop molles. L'avenir de l'intercepteur supersonique de Pierre Satre semble compromis.

La TAI utilise aussi des DC-7 (au 1er plan). Au 2e plan, on aperçoit un DC-6.

Le SE-212 est le troisième avion à aile delta réalisé en France.

Le Piper Comanche, avion de tourisme

Un petit avion de tourisme à quatre places qui possède un moteur de 260 ch.

Floride, 7 juin

Depuis quelques jours, un petit avion de tourisme se promène dans le ciel de Vero Beach. C'est le Piper Comanche, monomoteur de tourisme. Son prix de base est de 12 000 dollars, il devrait attirer nombre d'amateurs. Ces derniers devront payer en plus les équipements de radio et de radio-navigation qu'ils souhaiteront faire installer. C'est un avion de quatre places auquel on accède par une porte située au-dessus de l'aile droite. Son moteur Lycoming le fait voler à 390 km/h. Son plafond est de de 7 500 mètres, mais, à cette altitude, le pilote et les passagers devront mettre des masques à oxygène, obligatoires et nécessaires à partir de 4 000 mètres. Par beau temps, son altitude idéale est de 2 500 mètres. Il a un train tricycle rentrant et se pilote facilement.

Comment attirer les passagers ?

Cannes, 25 juin

Un billet moins cher, c'est sûrement le moyen le plus radical pour séduire un éventuel client. Les compagnies américaines l'ont bien compris. Face à la surcapacité de leurs appareils, ils ont fait plusieurs propositions à la conférence annuelle du trafic qui s'est déroulée à Cannes. La baisse des tarifs a donc été le sujet principal des discussions. Pour l'Atlantique, une 3e classe va être créée dès avril 1958 avec des prix étudiés sur la base d'une réduction minimum de 232 dollars, soit 20 % de moins qu'en classe touriste. Le 1er octobre, des billets aller-retour pourront être délivrés, utilisables dans les quinze jours et valables un an, au prix de 425 dollars, sur la base du trajet New York - Londres - New York. Mais séduire le passager, c'est aussi lui offrir un confort plus grand : des fauteuils-couchettes seront proposés par de nombreuses compagnies, ainsi qu'une séance de cinéma sur les longs trajets.

Le Fouga Magister est produit en série

La chaîne de fabrication des Zéphyr à Marignane, près de Marseille.

Marseille, 25 juillet

Les premiers essais du CM-170-M Magister de Fouga sont prévus dans six jours à Toulouse. Pour la marine qui en a fait la commande, l'appareil est connu sous l'appellation Zéphyr. Le nom d'origine, Esquif, a été abandonné. la connotation était quelque peu malheureuse pour un appareil destiné aux porte-avions. Car le Zéphyr est la version marine du Fouga Magister qui opérera sur l'*Arromanches* et le *Lafayette*. L'avion de base a subi plusieurs modifications. Renforcement du train pour les appontages, adjonction d'une crosse pour le freinage et d'un système de catapultage. Les verrières sont devenues coulissantes. Pour procéder aux essais, Jacques Grangette a dû apprendre à apponter, ce qui est une manœuvre très particulière. Il s'en est fort bien tiré.

Le U-2 commence sa carrière d'espion au-dessus de l'URSS

Wiesbaden, 4 juillet

Nom de code des appareils : Aquatone. Mission : survoler l'URSS, en cette période de guerre froide, afin de photographier tout ce qui paraîtra utile aux militaires américains et à la CIA. C'est ainsi que les tout premiers U-2 ont effectué leur première mission d'espionnage, baptisée *Overflight*. Partis de Wiesbaden, où une base secrète a été installée, les pilotes de l'US Air Force ont accompli leur rôle avec brio. Les U-2 ont été construits par Lockheed. L'appareil se présente sous la forme d'un fuselage long de 15 m avec une envergure des ailes de 24,38 m. Ses ailes lui permettent donc de planer longtemps, réacteurs arrêtés pour annuler toute signature thermique de ses tuyères. Il peut atteindre l'altitude de 21 000 m. La cabine est située en position avancée. La verrière d'habitacle est munie d'un écran en forme de casquette pour protéger le pilote des rayons ultraviolets. Dans la soute, les ingénieurs ont logé les caméras et les enregistreurs à haute sensibilité. (→ 1.5.60)

L'U-2 est un monoplace conçu pour aller photographier les bases militaires ennemies. Il vole à 21 000 mètres.

Aeroflot met en service le Tupolev 104 sur Moscou-Irkoutsk

La version civile du Tu-16 possède les mêmes turboréacteurs Mikouline AM-3 d'une poussée totale de 13,5 tonnes.

Union soviétique, 15 septembre
Tupolev provoque la surprise. Le deuxième avion commercial équipé de moteurs à réaction est soviétique : c'est le Tupolev Tu-104 exploité par la compagnie Aeroflot. Il vient d'entrer officiellement en service sur la ligne régulière Moscou-Irkoutsk. Le projet, conçu en 1953 par l'équipe de Andreï Tupolev, a été mené tambour battant : il s'agissait d'apporter une réponse rapide au volume croissant de passagers et de marchandises transitant au-dessus du territoire. Aeroflot ne disposait depuis la fin de la guerre que d'avions techniquement dépassés, au rayon d'action et à la capacité restreints. Les ingénieurs sont donc partis d'un modèle militaire en service, le bombardier Tu-16, dont ils ont conservé les ailes, le nez vitré, le train d'atterrissage et les empennages. L'ensemble a été intégré dans un fuselage nouveau qui comporte une cabine pressurisée. L'idée s'est révélée payante. Le Tu-104 a créé la surprise à l'occasion de sa présentation en Occident.

Le KC-135, citerne volante de Boeing

Seattle, 31 août
Le KC-135 chargé de 118 100 litres de carburant est prêt à entamer sa carrière. Lors des premiers essais en vol aujourd'hui, l'appareil a impressionné par ses performances et satisfait l'US Air Force qui a confirmé la commande de plusieurs exemplaires. Il est vrai que ses caractéristiques, longtemps tenues secrètes par Boeing, sont étonnantes. Il peut opérer à 12 000 m d'altitude et à 562 km/h, vitesse acceptable pour les chasseurs qu'il ravitaille. Le contenu des réservoirs, situé dans la partie inférieure du fuselage et dans les ailes, est transbordé par une perche télescopique, et la position de vol entre les deux appareils peut être conservée sans risque pendant de longues minutes. C'est enfin un appareil puissant grâce à ses quatre turboréacteurs Pratt & Whitney. Pour Boeing, la difficulté avec le KC-135 résidera non pas dans la recherche de pilotes, mais dans la sélection des candidats. (→ 18.1.57)

L'appareil, destiné au ravitaillement en vol et au Transport des carburants, est la version militaire du B-707. Il a été conçu pour l'armée de l'air américaine.

Les compagnies font les comptes

Edimbourg, 18 septembre
Les responsables des compagnies aériennes lancent un cri d'alarme : ils n'arrivent pas à joindre les deux bouts. Tel est le message des membres de l'Association Internationale du Transport aérien réunis à Edimbourg pour leur assemblée annuelle. Certes, le transport aérien est en pleine expansion : la croissance du trafic passagers et du fret s'accélère et le chiffre d'affaires global augmente (celui de l'exercice de l'année 1955 dépasse les trois milliards de dollars). Malgré ces résultats apparemment satisfaisants, les compagnies n'en éprouvent pas moins de sérieuses difficultés pour atteindre un équilibre financier durable. Les lignes internationales sont d'ailleurs en déficit à peu près permanent. Bref, l'étroitesse de ses marges bénéficiaires fait du transport aérien une activité peu rémunératrice. Cette situation précaire n'est évidemment pas améliorée par l'augmentation des taxes gouvernementales sur l'aviation commerciale et la politique des bas tarifs actuellement préconisée.

Le tour de France aérien des jeunes

Lognes-Emerainville, 28 juillet
Le jeune Alain Rousselot a remporté la palme. Il a été le plus fort dans ce 4e tour de France aérien des jeunes. A Lyon, 40 avions ont décollé pour Nîmes, puis Salon-de-Provence. Le lendemain, après Perpignan, les appareils repartent pour Limoges. Le 23, ils sont à Saintes et Ancenis, puis à Quiberon. Les concurrents visitent Quimper, Caen et Compiègnes. Enfin, ils se posent à Lognes-Emerainville. Un tour de France qui remporte, encore une fois, un vif succès.

La Lufthansa opère sur l'Atlantique Sud

Hambourg, le 15 août
C'est le retour des vols long-courriers de la Lufthansa. La compagnie a remis en service sa ligne vers l'Amérique du Sud, deux mois après celle de l'Atlantique Nord. De nouveau, elle utilise un Super Constellation 1049G. L'appareil a quitté Hambourg à 11 h ce matin pour Buenos Aires, *via* Düsseldorf, Francfort, Paris, Dakar et Rio. Parmi l'équipage se trouvent des pionniers de la route de l'Atlantique Sud, inaugurée en 1934 avec un hydravion Dornier Wal. Lufhansa a annoncé l'ouverture de sa ligne vers Téhéran dès le 12 septembre prochain. Si, au début de l'année, le commandant était encore britannique ou américain, les pilotes sont maintenant tous allemands.

Le départ du Super Constellation.

Le Bell X-2 pulvérise deux records mais explose en vol

Edwards AFB, 27 septembre
C'était la treizième mission du pro-gramme X-2. Elle aura été fatale au capitaine Apt. Le prototype expéri-mental Bell X-2 s'est écrasé près de la base d'Edwards. Le corps du pilote a été retrouvé à côté du cock-pit : sans doute n'a-t-il pas eu le temps d'actionner son siège éjec-table. Apt effectuait là son premier vol sur un appareil du type X après un entraînement au sol sur ordina-teur. Il n'en aura pas moins battu au cours de ce vol un record mon-dial de vitesse : Mach 3.196 soit 3 369 km/h! Il détenait déjà le record d'altitude avec 37 772 m. Conçu pour l'étude des effets asso-ciés aux vitesses hautement super-soniques, le X-2 semble avoir échap-pé aux commandes du pilote.

Milburn G. Apt devant l'appareil au moteur-fusée réglable Curtiss-Wright.

Détournement du DC-3 de Ben Bella

Alger, 22 octobre
Les chefs du FLN ont bel et bien été pris au piège. Le DC-3 affrété par la compagnie chérifienne, qui emme-nait Ahmed Ben Bella et d'autres dirigeants de la rébellion algérienne de Rabat à Tunis, vient d'être dé-tourné sur Alger par les militaires français. Le gouvernement français avait donné son feu vert. Ils ont suivi le DC-3 au radar, dès son décollage. Ce dernier, afin d'éviter le survol de l'Algérie, fait escale à Palma de Majorque. A l'escale, les pilotes français ont reçu l'ordre par téléphone d'aller se poser sur l'aé-roport algérois de Maison-Blanche. Les passagers ne se sont rendu compte de rien.

Réduction des taxes d'aéroport envisagée

France, 26 octobre
Pour les transporteurs, la situation n'est plus supportable : il devient impératif que les redevances per-çues sur les aéroports internatio-naux soient réduites. Les chiffres parlent d'eux-mêmes : 671 millions de francs acquittés par Air France pour le premier semestre de cette année, 1 320 millions l'année der-nière! Une délégation française, à laquelle est associée Air France, est actuellement réunie afin de prépa-rer la conférence sur les redevances d'aéroport qui doit se tenir le mois prochain à Montréal. Il s'agira d'obtenir des gouvernements, si ce n'est une réduction, au moins une unification des réglementations et des calculs de taux de perception. Les discussions seront âpres : les gouvernements ne sont guère dis-posés à assurer seuls la lourde ges-tion des aéroports modernes.

Jacqueline Auriol échappe à la mort

Brétigny, 13 octobre
En plein ciel, alors qu'elle effectue son troisième essai de la journée pour franchir le mur du son, Jac-queline Auriol comprend qu'elle va mourir. Une panne de la com-mande de profondeur a entraîné son Mystère IV dans une spirale folle. Au bord de la syncope, il lui reste assez de conscience pour faire une ultime tentative. Dans un sur-saut, elle coupe le disjoncteur de servocommande. Premier miracle, le manche se débloque. Alors, cou-rageusement, elle entame une ma-nœuvre désespérée qui consiste à accélérer sa rotation en vrille. Et le second miracle se produit : le vol se régularise. Il faut encore qu'elle re-dresse l'avion qui pique droit vers le sol. Elle tire sur le manche de toute ses forces. Elle est sauvée. Demain elle fera, comme prévu, sa séance de voltige à Munich.

AIR FRANCE

Air France a demandé aux dix plus grands noms de l'école de graphisme de s'inspirer des thè-mes l'invitation au voyage et le plus long réseau du monde.

Etude du transport supersonique

Grande-Bretagne, 5 novembre
Les autorités britanniques ont créé un comité spécialisé pour analyser les perspectives des appareils de transport supersoniques. Ils ont mis en place un comité de dévelop-pement : le Supersonic Transport Aircraft Committee ou Stac. Il est chargé d'effectuer régulièrement des bilans concernant la techno-logie, les différentes conceptions proposées, la motorisation et, enfin, les nouveaux types de construction. En fonction des résultats analysés sur les prototypes militaires, il dressera une étude complète de tout ce qui a été conçu dans le domaine supersonique pour répondre aux conditions d'une adaptation au domaine civil. Des contacts en France et aux USA sont en cours.

A l'aéroport de Toulouse-Blagnac, un Fouga Magister CM-170 est chargé à bord d'un Noratlas. Les ailes ont été repliées et les deux dérives arrière sont démontées pour entrer dans le fuselage.

Sabena met en service le Sikorsky S-58

Un Sikorsky S-55 de la Sabena va décoller de l'héliport de l'Allée-Verte.

Bruxelles, 4 octobre

Le transport de passagers par hélicoptère, mis en place par la Sabena, semble trouver un écho favorable. Le 6 mai dernier, une flotille de quatre S-55 inaugurait la ligne vers Dortmund. Les fréquences vers Liège et Anvers donnent de bons résultats, mais la limitation à sept passagers pose des problèmes de rentabilité alors que la clientèle existe. C'est la raison qui justifie l'achat de huit S-58 qui offrent une capacité de 12 places en plus des pilotes. Les deux premiers exemplaires sont arrivés à l'héliport de l'Allée-Verte, situé près du centre de Bruxelles. Ils sont partis vers Paris et ont établi un record de vitesse pour ce type d'engins. Ils ont mis 1 heure et 16 minutes pour atteindre Issy-les-Moulineaux. La vitesse de croisière du S-58 est de 172 km/h contre 150 km/h au S-55. Une liaison avec Paris est prévue pour le 3 mars 1957.

Caravelle poursuit ses vols d'endurance

Le prototype 01 à l'atterrissage après 500 heures de vol en 290 jours.

France, 2 octobre

La Caravelle mise à dure épreuve. Elle vient d'accomplir en 290 jours 500 h de vol d'endurance. Mais l'appareil n'est pas au bout de ses peines. Cette expérimentation en conditions réelles doit être prolongée jusqu'à 1 000 h. Le 28 février dernier, après des essais chez le constructeur menés tambour battant, elle entrait au CEV pour une analyse tout aussi méthodique. Le 30 avril, elle achevait ses vols d'évaluation. Le 23 mai, tandis que le 2e prototype débutait ses premiers essais, elle était remise aux équipages d'Air France pour des vols d'endurance. Ainsi, le 4 juin, elle effectuait un vol de 5 h, Paris-Alger-Paris, sur un seul réacteur, puis une liaison Paris-Casablanca et retour en 11 h 37 min. Aux termes de ces vols, l'appareil est jugé en parfait état. La partie arrière du fuselage porte quelques traces des tuyères des réacteurs. (→25.6.57)

Choix difficile pour les hôtesses

Paris, 12 décembre

Air France considère que le service aux passagers est l'image de marque de la compagnie. Pour les jeunes femmes qui deviendront hôtesses, l'âge, la présentation et le soin apporté à leur personne sont des critères déterminants. Il ne leur est pas permis de se marier, le rôle de mère de famille cadrant mal avec le travail qui leur est demandé. (→15.6.61)

Nouvelles disparitions aux Bermudes

Mer des Sargasses, 9 novembre

Encore un appareil qui disparaît dans le Triangle des Bermudes. Il s'agit cette fois d'un Martin Marlin P5M de l'US Navy qui patrouillait dans la région. L'appareil et ses dix membres d'équipage se sont évaporés sans laisser de traces. Un mystère de plus à ajouter à la liste déjà longue des disparitions constatées dans ce secteur : un DC-3 en 1947, deux Tudor IV en 1948 et 1949, un C-74 Globemaster en 1950 et cette année, le 5 avril, un B-25 converti en avion-cargo civil s'est abîmé dans des circonstances mystérieuses à l'est des Bahamas. Ironie du sort : le Marlin disparu aujourd'hui, l'un des meilleurs hydravions actuels, avait pour mission la recherche et le sauvetage des appareils perdus ! Une autre question se pose. Que faisait-il dans ce secteur ? Autant d'interrogations auxquelles on tente de trouver des réponses logiques. (→15.2.64)

Dernière retouche pour Air Inter

Paris, 25 octobre

La compagnie Air Inter est définitivement constituée. Elle n'existait jusqu'à présent que sous la forme d'une société d'études. On connaît donc les noms des actionnaires : Air France, SNCF, des compagnies aériennes privées et des banques d'affaires auxquelles vont sans doute se joindre la Caisse des dépôts et consignations. (→17.3.58)

Conçu en 1954 pour répondre à un cahier des charges de l'Otan, le prototype du Fiat/Aeritalia G.91, surnommé « Gina », a volé le 9 août. Il est en compétition avec les avions français Taon et Etendard.

Alignement de North American Super Sabre. Ces chasseurs ont inauguré les vols rapides intercontinentaux, rendus possibles grâce au ravitaillement en vol. Certains ont ainsi traversé l'Atlantique sans escale.

Un avion de combat supersonique, le Mirage III

Un vol de quarante minutes a permis de constater les qualités indiscutables du monoplace de combat à aile delta conçu par la société Dassault.

Melun-Villaroche, 17 novembre
Il est 16 h et il fait froid quand Lucien Martin fait sortir le prototype du Mirage III de son hangar. L'avion est superbe avec sa taille de guêpe et son aile delta. Dassault l'a construit sans aucun subside gouvernemental. C'est son avion, et il sait qu'il deviendra un chasseur adopté par plusieurs armées de l'air. Toute l'équipe, animée d'un même désir de réussite, a travaillé sans relâche. Chez Dassault, il y a peu de congés. L'avion est construit autour du réacteur Atar 101G qui a une poussée de 4 500 kg. Ce fameux moteur Atar (Ateliers aéronautiques de Rickenbach) est aussi une histoire. Juste après la guerre, les Français ont pu convaincre Hermann Oestrich de travailler pour eux. Cet expert venait tout droit du département des recherches de BMW. Pour le soustraire aux Allemands, il l'ont installé, avec son équipe, d'abord à Rickenbach puis à Decize, aux environs de Nevers. La Snecma a absorbé cette équipe. Glavany lance le réacteur, le Mirage fonce et à 295 km/h il le fait décoller. Il rentre le train et laisse l'avion filer jusqu'à 700 km/h. L'essai des aérofreins est parfait. Avisé que la trappe de train n'est pas complètement fermée, Glavany revient se poser.

Pénurie suite à la crise de Suez

France, 30 novembre
Français et Anglais quittent la zone du canal de Suez. Mais, en Europe, première conséquence de leur intervention, le pétrole commence à manquer : les livraisons en provenance du Proche-Orient sont interrompues par la destruction des pipelines et l'obstruction du canal. Cependant, à Air France, on reste serein : cette pénurie ne devrait occasionner aucune perturbation dans ses services. En effet, l'essence utilisée par les compagnies aériennes, est un carburant spécialement raffiné, fourni dans sa quasi-totalité par les Etats-Unis et le Venezuela. Les quantités, livrées jusque-là par Abadan (Iran), pourront être, pense-t-on, prises en charge par les fournisseurs américains. Mais suffiront-elles à la demande ?

Le Leduc 0.22 décolle enfin sans porteur

Istres, 26 décembre
Le Leduc 0.22 roule et décolle seul. Une indépendance très attendue par son créateur, l'ingénieur René Leduc. Ce prototype diffère du O.21 par son train tricycle qui, selon R. Leduc, «doit satisfaire à une aisance d'évolution au sol dont le précédent prototype se dispensait». Equipé d'un turboréacteur et d'un statoréacteur, il a quitté le sol par ses propres moyens. Jean Sarrail se trouvait aux commandes de l'appareil futuriste. Durant cet essai, il n'a utilisé que le réacteur Atar 101-D-3 de 3 500 kg. Une initiative sans conséquence pour ce vol couronné de succès. (→ 15.2.58)

Le Leduc à réacteur Atar est prévu pour une vitesse de Mach 2.5.

La Luftwaffe reçoit le Fouga Magister

France, 16 novembre
La Luftwaffe achète le Fouga : elle vient de signer le contrat d'achat de licence du biréacteur français. Après avoir manifesté officiellement son désir de voir le Fouga servir d'avion d'entraînement aux pilotes allemands, le gouvernement de Bonn proposa que sa fabrication soit confiée à la firme Flugzeug Sud Union, société formée par Messerschmitt et Heinkel. Aujourd'hui, c'est chose faite. En attendant que Heinkel fabrique les Fouga Magister sous licence, Air Fouga a livré 40 appareils complets et leurs pièces de rechange ainsi que 22 autres avions prêts à l'assemblage. Le choix de la Luftwaffe va contribuer sans nul doute à la renommée de l'un des plus manœuvrables avions d'entraînement.

Les avions de l'année 1956

Le Cessna 620, avion d'affaires à 6/10 places.

Le Piper PA-24 Commanche offre quatre places.

Ultime développement d'un des plus célèbres avions de ligne, le Lockheed L.1649A Starliner se heurte à la concurrence du jet.

L'Omega BS-12, disponible en version cargo ou passagers.

Le Tempest, conçu par Marcel Jurca comme monoplace de sport.

Le prototype du Pasotti Sparviero est équipé d'un Hirth en étoile.

Développé parallèlement au Tu-114, le Tupolev Tu-116 est une adaptation commercial du bombardier Tu-95. Il est construit en petite série.

Le Sud-Est SE.212 Durandal, un intercepteur expérimental.

Le Temco 51 Pinto livré à l'US Navy sous la dénomination TT-1.

Le Kingsford-Smith PL-7, avion agricole australien.

La forme définitive du MiG-21 donne lieu à quelques hésitations.

Le Vertol H-21 donne naissance au Model 44 civil.

Précurseur d'un des plus célèbres hélicoptères, le UH-1 Huey, le Bell XH-40 Iroquois commence à être livré à l'US Army en avril 1960.

Conçu aux normes de l'Otan, le Fiat G-91 n'est vendu qu'à l'Italie et à la RFA. Il est produit en plusieurs variantes.

Le Nord 2500 est une version expérimentale sans suite.

Le Douglas C-133A Cargomaster plus sophistiqué que le C-124.

Le Beech 95 Travelair est connu à l'origine sous le nom de Badger.

Le Kaman HH-43B Husky est une version à turbine du HH-43A.

Le Mirage III-001, surnommé Balzac, modèle d'une prodigieuse lignée, est conçu autour du réacteur Atar 09 comme intercepteur pur.

Le Convair B-58 Hustler est conçu comme vecteur stratégique de la bombe atomique. Capable de Mach 2, il connaît des problèmes techniques.

Le Convair F-106 Delta Dart demeure en première ligne pendant près de trente années au sein de l'Air Defence Command et de la garde nationale.

Le North American FJ-4B Fury est un avion de pénétration.

Le Hughes Model 269, destiné aux marchés civil et militaire.

Le North American YF-107 est une amélioration du F-100.

Le Supermarine Scimitar est un avion de pénétration à capacité nucléaire, embarqué sur les porte-avions britanniques.

Le Nord Gerfaut II est équipé d'un Atar 101G à postcombustion.

Dérivé du Breguet 950 Vultur, le 1050 Alizé est un triplace de lutte anti-sous-marine, destiné à l'Aéronavale française.

Le Boeing KC-135, dérivé du 707 civil, est utilisé pour le ravitaillement en vol. Cette version sera adoptée par l'armée de l'Air pour le Mirage IV.

1957

 3 369 km/h
Etats-Unis
Milburn Apt
Bell X-2
27.9.56

 39 147 km
Etats-Unis
Archie Old Jr.
Boeing B-52
18.1.57

 37 772 m
Etats-Unis
Iven Kincheloe
Bell X-2
7.9.56

 221 350 kg
Etats-Unis
Boeing
B-52 Stratofortress

 11 790 kgp
URSS
Modèle inconnu
Equipe le Tupolev 28

New York, 8 janvier
La célèbre équipe de base-ball des Brooklyn Dodgers innove en achetant un Convair 440 pour ses déplacements aux Etats-Unis.

France, 30 janvier
En réponse à la performance du Trident-II, qui, le 8 janvier, avait atteint Mach 1.96, Dassault révèle que le prototype du Mirage III, à réacteur Snecma Atar-G, a atteint la vitesse de Mach 1.5, à 11 000 m d'altitude.

Seattle, 4 février
L'US Air Force prend livraison de son premier Boeing KC-135 Stratotanker. Ces appareils, qui emportent 118 100 litres de kérosène, vont former l'épine dorsale de sa flotte d'appareils ravitailleurs.

Océan Arctique, 24 février
Deux quadrimoteurs DC-7C des Scandinavian Airlines, ayant décollé respectivement de Tokyo et de Copenhague, se croisent au-dessus du pôle Nord lors d'une liaison entre l'Europe et l'Extrême-Orient par la voie polaire.

France, 26 février
Gérard Muselli décolle le premier chasseur bombardier Dassault Super Mystère B-2 de série, à Bordeaux-Mérignac.

France, 28 février
Au centre d'essai de Melun-Villaroche, le pilote d'essai Fernand Richard se tue aux commandes d'un Meteor lors d'un essai de largage de bombes spéciales à parachute.

Paris, 1er mars
Inauguration de l'héliport international à Issy-les-Moulineaux. (→ 3.3)

Union soviétique, 7 mars
Vol inaugural de l'Antonov AN-10 Ukraine. Conçu pour Aeroflot, l'AN-10 est prévu pour emporter 84 passagers et recevoir une salle de jeux pour les enfants. Il est motorisé avec quatre turbopropulseurs Kuznetsov NK-4 de 4 000 ch.

Etats-Unis, 11 mars
Le prototype du Boeing 707 effectue un vol transcontinental de Seattle à Baltimore sur la côte Est et franchit près de 4 000 km en 3 heures et 48 minutes.

Boston, 12 mars
Décès de l'amiral Richard Byrd. Pionnier de l'exploration aérienne, il avait été le premier à survoler en avion le pôle Nord en 1926, puis le pôle Sud en 1928.

Melun, 22 mars
A Villaroche, Jean Dabos porte le record d'altitude en hélicoptère à 8 482 m, à bord d'un SO-1221 Djinn équipé d'une turbine Turboméca Palouste. Une performance qui, malheureusement, ne sera pas officiellement homologuée.

Istres, 31 mars
Yves Brunaud, pilote d'essai de la société Breguet, décolle le monoplace d'appui tactique Breguet-1100. Il est construit en matériaux sandwich avec nids d'abeille collés qui lui assurent rigidité et légèreté. (→ 26.7.57)

France, 10 avril
Le San-DR 1050 Ambassadeur, un avion de tourisme triplace produit par la société aéronautique normande, fait son vol initial.

Etats-Unis, 2 mai
A l'occasion d'une tournée en Amérique du Nord et en Amérique du Sud, l'exemplaire de présérie de la Caravelle est présenté au public new-yorkais.

Melun-Villaroche, 20 mai
Alors qu'il s'entraîne pour ses vols de démonstration du prochain Salon du Bourget, Charles Goujon se tue à l'issue d'un long piqué sur son Trident II. L'avion s'est disloqué en plein vol.

Etats-Unis, 6 juin
A Pittsburgh, la firme Helio Aircraft Corp. annonce la sortie de son dernier-né, un avion léger, l'Helio Stratocourrier. Il décolle en 70 m et monte jusqu'à 10 000 m.

Belgique, 15 juin
A Bruxelles, la Sabena fête le cent millième passager de son réseau de liaisons par hélicoptères. A cette occasion, la poste belge émet un timbre spécial.

Canada, 30 juin
La couverture photographique aérienne du territoire canadien, commencée en 1920, s'achève.

Union soviétique, 4 juillet
Vladimir Kokkinaki, pilote d'essai, décolle le prototype de l'avion de transport Iliouchine Il-18. C'est le second appareil de ligne soviétique à être équipé de turbopropulseurs.

Côte-d'Ivoire, 12 juillet
Denise Coulibaly, élève du lycée d'Abidjan, est la première femme africaine à passer les épreuves de brevet de pilote.

Pays-Bas, 30 juillet
Présentation à Amsterdam du film *De Vliegende Hollander* (le Hollandais volant) qui retrace la vie du constructeur Anthony Fokker.

Etats-Unis, 1er août
Création du Norad (North American Air Defense Command) qui est chargé d'organiser la défense du continent nord-américain.

Grande-Bretagne, 28 août
A bord d'un Canberra, A. Lutton, M. Randrup et W. Shirley portent le record d'altitude à 21 430 m.

Etats-Unis, 4 septembre
Arrivée à New York d'un Tupolev 104 d'Aeroflot avec à bord la délégation soviétique à l'ONU. Cette première se termine par le déroutement de l'avion vers une base militaire, le TU-104 n'ayant pas satisfait à la réglementation américaine sur le bruit.

Pérou, 12 septembre
A l'occasion d'une exposition française, un Nord-2501 Noratlas rapatrie à Lima la dépouille mortelle du pilote péruvien Geo Chavez. Il s'était tué en 1910, à l'issue de sa traversée des Alpes.

Union soviétique, 30 octobre
Vol d'essai du quatrième hélicoptère de Mikhaïl Mil, le Mi-6. Cet hélicoptère géant possède un rotor de 35 m de diamètre à 5 pales et deux turbines Soloviev D-25V de 5 500 ch. En cas de panne de l'une des turbines, la seconde délivre automatiquement la surpuissance nécessaire au maintien en vol.

France, 31 octobre
Ce mois, près de Dijon à Darois, Pierre Robin crée la société Centre Est Aéronautique. Il s'assure de la collaboration technique de Jean Delemontez qui travaillait auparavant chez Jodel. (→ 14.7.58)

Belgique, 2 décembre
Vol inaugural d'un petit avion de tourisme, le Tipsy Nipper MK I, propulsé par un moteur Pollman de 40 ch.

Italie, 10 décembre
Sur le terrain de Venegono près de Varèse, le commandant Guido de Carestiato décolle le prototype du Macchi MB-326. Monoplan biplace d'entraînement, il est équipé d'un réacteur Armstrong-Siddeley Viper MK-8 de 784 kgp.

Bonn, 14 décembre
Le ministre de la Défense de la RFA annonce que, dans le cadre de l'Otan, la nouvelle Luftwaffe mettra en œuvre 9 unités de chasseurs bombardiers.

Belgique, 20 décembre
Mise en service, à la 1re escadre de chasse basée à Beauchevain, des Canadair CF.100 MK 4 Cannuck. Construits sous licence en Belgique, ils remplacent les Hawker Hunter F 6 déclassés.

Etats-Unis, 28 décembre
Sur Cessna YH-41, le capitaine J. Bowman porte le record d'altitude en hélicoptère à 9 076 m.

Dans la lignée des Constellation, le Super Starliner est mis en service par Air France en août. Il a dix-sept heures d'autonomie de vol. (→ 25.8)

Le Constellation n'aura pas de turbines

Air France a fini par préférer le Super Starliner avec moteurs à pistons.

Burbank, 28 janvier
Air France a failli se laisser tenter par l'expérience et commander l'Elation. Ce prototype du Super Constellation équipé de turbines a traversé le continent américain d'est en ouest en 4 h et 41 min. Testé sous le nom de R7V-2 par la Navy, ce modèle L-1249 a été modifié par Lockheed et reçoit des turbopropulseurs Pratt & Whitney. La Navy ne fut pas vraiment satisfaite du résultat. Un de ces appareils reçut alors des turbines Allison 501 D-3, moteurs qui doivent équiper le futur Electra. Le niveau de consommation de ces turbines est très élevé, la structure de l'avion a été revue et le train à nouveau renforcé. Les réservoirs ont atteint la capacité de 33 000 litres et l'habitacle de la cabine ne reçoit plus que 97 passagers. Un des exemplaires, équipé de Pratt & Whitney et livré à l'US Air Force, fut poussé à la vitesse de 790 km/h.

Les B-52 montrent leur rayon d'action

Etats-Unis, 18 janvier
Le tour du monde en 45 h 19 min. C'est le temps qu'il a fallu à trois B-52 pour couvrir la distance de 39 147 km. Ces trois appareils du 93e Bomb Wing de l'US Air Force, placés sous le commandement du *major general* Archie Old Jr., réalisent ainsi le premier tour du monde sans escale avec des avions à réaction. Cette mission prouve aux Soviétiques la capacité américaine à déclencher des attaques nucléaires dans n'importe quelle partie du monde. La politique de dissuasion nucléaire des Etats-Unis repose en grande partie sur les bombardiers stratégiques. Déjà, le 1er janvier, une expédition similaire était commandée par Chuck Fink. Les B-52, répartis dans plusieurs aéroports des Etats-Unis, jusqu'en Alaska, sont une menace permanente pour l'Union soviétique.

Au sol, ses ailes reposent sur des béquilles; elles se redressent en vol.

Le Pentagone achète des avions Cessna

Biplace d'entraînement, le T-37 se pilote facilement et vole à 630 km/h.

Wichita, 1er janvier
Quand Cessna apprit par un télégramme, en décembre 1953, que le Model 318 avait gagné la compétition de l'USAF, toute la vie de la société a basculé. Cessna entrait dans l'ère des jets et commençait par fabriquer l'avion d'entraînement de l'armée de l'air. Un an plus tard, en octobre 1954, le premier prototype du Model 318, devenu pour l'USAF XT-37, faisait son vol d'essai. Trois exemplaires entamaient alors les vols de réception. Tout se présentait bien pour ce petit appareil poussé par deux réacteurs Continental de 400 kg de poussée chacun. Il s'avéra difficile de récupérer le vol normal après avoir engagé une vrille. Ce fut corrigé en allongeant le fuselage et en redessinant la dérive. Dès septembre 1955, l'USAF faisait disparaître la lettre X et commandait une première série de T-37. Une nouvelle usine y est consacrée à Wichita.

Le Griffon II vole avec un statoréacteur

Istres, 23 janvier
Parti du terrain d'Istres, le Griffon II, équipé d'un turboréacteur de Snecma, l'Atar-E, et d'un stato, vient de voler pour la première fois, piloté par Michel Chalard. Le stato est en fait la dénomination de la SNCAN pour ce que René Leduc appelle la tuyère thermopropulsive. Le nom stato convient mieux puisqu'avec ce sytème de propulsion rien ne bouge. C'est un large conduit en forme de venturi dont le diamètre diminue puis augmente. A grande vitesse, l'air s'y engouffre et crée au col une surpression accompagnée d'échauffement. Juste après le col du venturi, il y a injection du carburant qui s'enflamme instantanément. La détente dans la tuyère donne la poussée. Dès que le réacteur propulse l'avion à la vitesse requise, le stato ajoute sa puissance à celle du réacteur. (→ 27.10.58)

Le Griffon I n'avait que le réacteur. Le Griffon II a reçu le stato.

Inauguration de l'héliport d'Issy-les-Moulineaux

Depuis 1948, Aéroports de Paris a repris les terrains aux militaires.

L'héliport de Paris a une station-service d'hélicopères créée par Fenwick.

Issy-les-Moulineaux, 3 mars
L'héliport international d'Issy-les-Moulineaux est ouvert. Il a été inauguré en même temps que la Sabena mettait en service sa ligne Paris-Bruxelles par hélicoptère. Les Sikorsky S-58 de la compagnie belge assurent la liaison entre les deux capitales en 1 h 45. Il y a deux services par jour. Il était à peu près 18 heures quand les huit S-58 de la Sabena se sont présentés au-dessus de Paris. Ils sont arrivés en véritable vol de formation, passant au-dessus du pont de Saint-Cloud avec cinq minutes d'avance sur l'horaire.

Plus de 80 personnalités belges se trouvaient à bord. Elles ont été accueillies par le directeur général d'Aéroports de Paris. Un des appareils s'est exceptionnellement posé aux Invalides, couvrant de poussière les nombreux spectateurs attirés par le bruit. Issy-les-Moulineaux reprend donc sa vocation de terrain d'aviation. Les projets d'urbanisme ont fait place à celui qui met en exploitation un héliport à quelques pas du centre de la ville. Le terrain où les frères Farman et les autres pionniers testaient leurs avions restera à l'aviation. (→ 1.6.91)

De Havilland verse des indemnités

Paris, 14 février
1 300 000 livres : c'est la somme que la société de Havilland a dû verser à la compagnie Air France en réparation du préjudice subi depuis l'interdiction de vol des Comet 1. En effet, le certificat de navigabilité de cet avion a été retiré en avril 1954. Or, la compagnie française possède trois de ces appareils inutilisables.

Sud-Aviation naît d'une fusion

France, 1er mars,
C'est officiel et effectif à dater d'aujourd'hui : la SNCASO a fusionné avec la SNCASE pour donner naissance à Sud-Aviation. Le président Georges Hereil a notamment demandé au bureau d'études Parot de travailler à la conception d'un moyen-courrier supersonique. Les deux sociétés ont dû abandonner certains projets pour travailler en commun sur d'autres.

Le HD-34 va établir la carte de France

Villacoublay, 26 février
L'appareil spécialement conçu pour l'Institut géographique national (IGN) a effectué son premier vol. Le HD-34, de la firme Hurel Dubois, est équipé d'un poste d'observation entièrement vitré à l'avant et son aménagement a été conçu de sorte qu'il puisse recevoir un imposant matériel photographique. De plus, il est équipé d'un train avant rétractable et de roues principales en diabolo qui restent fixes. Pour son premier vol, l'équipage était composé de cinq personnes : les pilotes André Moynet et Georges Marchandeau, l'ingénieur navigant Edouard Vidal, le mécanicien d'essai André Bouthonnet et le radio-navigant Pierre Beuvin. Pendant quarante minutes, ils ont fait voler ce fantastique appareil capable de raconter, tout en images, la France vue du ciel. L'IGN, très satisfait de l'appareil, fait passer la commande de quatre à huit exemplaires.

Les ailes à grand allongement de Maurice Hurel appliquées au HD-34.

Turcat bat trois records sur Gerfaut

France, 16 février
A Istres, André Turcat vient, aux commandes du Gerfaut II, de battre plusieurs records internationaux de vitesse ascensionnelle. Il a successivement atteint 6 000 m en 1 min et 22 s, 9 000 m en 1 min et 41 s et enfin 12 000 m en 2 min et 18 s. A cela, il a ajouté un nouveau record en atteignant pour la première fois 15 000 m en 3 min et 35 s. Cela représente un taux de montée de plus de 14 000 pieds à la minute. Pour réaliser cet exploit, André Turcat a freiné l'avion en début de piste à la limite des possibilités de freinage, compte tenu de la poussée du réacteur à son régime maximal. Dès le décollage, il rentre le train pour effacer toute traînée et laisse l'avion filer à quelques mètres au-dessus du niveau du sol jusqu'à ce qu'il atteigne la vitesse de 1 000 km/h. A ce moment, profitant de l'énergie emmagasinée par l'appareil, il a cabré l'avion et l'a fait grimper avec un angle très élevé, encaissant du même coup une accélération importante.

Le turboréacteur, solution au décollage vertical

Morel est assis au-dessus de l'engin.

Le X-14 de Bell décolle verticalement pour passer ensuite en vol horizontal.

Melun-Villaroche, 14 mai
Auguste Morel était assis au-dessus de l'Atar volant C-400 P-2 quand le réacteur fut mis à feu. Devant plusieurs personnalités l'engin s'est élevé de quelques mètres en restant stable. Il s'est reposé sur ses quatre jambes. L'ingénieur von Zborowski a mis au point depuis 1952 la théorie de l'aile annulaire qui contient un réacteur. Les premiers essais ont été effectués en 1954 avec une maquette équipée d'un petit réacteur Snecma de 45 kg de poussée. Un banc d'essai vertical fut ensuite mis au point pour tester un modèle plus puissant et des tests sous portique ont donné satisfaction. L'Atar volant sera au Salon du Bourget.

Edwards AFB, 12 avril
Pete Girard a quitté sa plate-forme avec le Vertijet X-13 de Ryan. L'USAF a choisi ce sytème de départ et de retour pour éviter de devoir diminuer à un moment donné la poussée et venir heurter le sol brutalement comme le font les prototypes de la Navy. En plus, celui de Ryan dispose d'un réacteur Nene, bien plus léger à puissance égale que les réacteurs construits aux Etats-Unis. Pour éviter que l'appareil ne parte en mouvement de rotation sur un axe vertical, une partie des gaz de la tuyère peut être dirigée vers les extrémités des ailes. Le prototype vient de réussir un cycle complet. (→ 6.5.59)

Le X-13 sur sa plate-forme.

Un passager aspiré en plein vol

France, 21 avril
Un passager du Super Constellation d'Air France du vol de Téhéran vers Paris a été happé à l'extérieur de la cabine à la suite de la rupture d'un hublot. Monsieur Nash, de nationalité américaine, a subi les effets de la décompression brutale qui a suivi la disparition du hublot. L'infortuné passager a été arraché à son siège, sans que personne ne puisse le retenir. L'accident s'est d'ailleurs passé à une vitesse incroyable. A ce moment, l'appareil survolait le désert turco-irakien à 5 700 m d'altitude. Le système de pressurisation maintenait en cabine une pression adaptée à l'organisme humain, c'est-à-dire celle qui règne en-dessous de 2 000 mètres d'altitude. Pour éviter que d'autres passagers ne subissent une pareille mésaventure, le commandant a fait plonger immédiatement l'appareil et s'est posé sans encombre à Istanbul.

Risner honore Lindbergh à sa manière

Le Bourget, 21 juin
C'est le trentième anniversaire de la traversée de l'Atlantique. Pour fêter cet événement, le commandant Robinson Risner a marqué le coup à sa manière. Parti de New York aux commandes d'un F-100 Super Sabre, il a atterri à l'aéroport du Bourget à 19 h 16, après 5 h 37 min de vol. Lindbergh, lui, avait mis 33 h 30 avec le *Spirit of Saint Louis*. Autres temps, autres technologies. L'avion de la North American peut voler à 1 565 km/h. Une vitesse qui justifie son titre d'avion de combat supersonique. A l'arrivée, le pilote a été salué par l'ancien commandant du Bourget, le même homme qui avait accueilli Charles Lindbergh en 1927.

L'ancien commandant du Bourget, Renvoisé, accueille Robinson Risner.

Deux moteurs sur quatre suffisent

Gander, 18 mai
Le Super Constellation en provenance d'Orly et à destination de New York s'est posé avec deux de ses quatre hélices en drapeau. Il volait ainsi depuis quelques heures et, si une telle situation n'est pas recommandable, elle n'est pas pour autant dramatique pour un tel appareil civil. Pour recevoir son certificat de navigabilité, l'avion doit être en mesure de voler sur de longues distances avec deux moteurs arrêtés. Avant le départ, le pilote vérifie qu'en n'importe quel point de sa route il aura la possibilité de rejoindre un terrain de secours si une urgence vient à se présenter. Il détermine un point à partir duquel il peut, en cas de panne d'un ou de plusieurs moteurs, poursuivre sa route ou revenir en arrière. La perte de deux moteurs sur un quadrimoteur affecte surtout l'altitude de vol, la consommation et aussi la vitesse de l'appareil.

Les Américains découvrent la Caravelle

Sur le fuselage de la Caravelle apparaît maintenant le nom de Sud-Aviation.

Orly, 25 juin
Revenant du Nouveau Monde, la Caravelle d'Air France est de retour après un vaste périple promotionnel de 120 000 kilomètres. Pilotée par les commandants Lionel Casse et André Lesieur, elle avait quitté Orly il y a 68 jours pour l'Amérique du Sud, *via* Dakar et le Natal, avec à son bord deux hôtesses, Geneviève Salzani et Françoise Durandet. Avant son départ, la Caravelle avait reçu un aménagement luxueux : lumières tamisées pour la nuit, moquette gris-vert et fauteuils à parties métalliques dorées. L'appareil sorti des usines de Sud-Aviation a été présenté au Brésil, en Uruguay, en Argentine et au Venezuela. Le biréacteur français a été accueilli favorablement par les milieux sud-américains. La Caravelle a ensuite entamé une tournée de seize grandes villes aux Etats-Unis et au Canada. Les experts américains ont apprécié la stabilité de l'avion et le silence en cabine dû à la position des réacteurs. Georges Hereil, président de Sud-Aviation, espère que ce voyage sera suivi d'un flot de commandes de la part des compagnies américaines.

Le Breguet Taon a une taille de guêpe

Le Taon est prêt pour participer le 16 septembre au concours de l'Otan.

Melun-Villaroche, 26 juillet
L'avion existe, il reste maintenant à convaincre l'Otan. La deuxième version de l'appareil à réaction construit par la firme Breguet, le Bre.1101 Taon, vient d'effectuer son premier vol sur le terrain de Melun-Villaroche. Il était piloté par Bernard Witt. Construit à Villacoublay dans les usines de Breguet, le 1101 Taon a été transporté jusqu'au terrain par la route, sans avoir subi de démontage. Après de nombreux essais de point fixe, l'appareil a enfin pu prendre son envol. C'est une spécification de l'Otan pour un chasseur tactique léger qui pousse Breguet à réaliser cet avion. Taon est d'ailleurs l'anagramme d'Otan. Le 31 mars le vol inaugural du premier avion à réaction construit par la société Breguet avait eu lieu. Il s'agissait d'un biréacteur propulsé par des réacteurs Turboméca d'une poussée de 1 200 kg chacun. Vient ensuite l'idée d'un monoréacteur en montant un réacteur Bristol de 2 000 kg de poussée. Ce dernier moteur pesait cependant 400 kg de moins, ce qui donnait un rapport poids/puissance nettement plus avantageux. (→ 25.4.58)

Le simulateur pour former les pilotes

France, 21 juin
L'illusion est parfaite : le simulateur de vol Super Constellation 1049 G reproduit exactement la cabine de pilotage de l'avion du même nom. Air France présente, dans les nouveaux bâtiments de la section de formation et de perfectionnement du personnel navigant à Orly, sa nouvelle acquisition d'origine américaine. Désormais les pilotes pourront apprendre et s'entraîner dans de meilleures conditions, sans risque et sans immobiliser un appareil avec les frais que cela représente. Le simulateur reproduit au sol les plus subtiles conditions de vol, permettant aux pilotes d'effectuer dans un poste d'équipage toutes les manœuvres qu'ils peuvent être amenés à accomplir au cours d'un vol, aussi complexe fût-il. Le simulateur dispose également d'un poste pour l'instructeur qui peut programmer les conditions de vol et les pannes éventuelles.

Appontage automatique du Navy F3D-2

Etats-Unis, 12 août
Ce nouveau système d'appontage devrait permettre de sauver bien des vies. Procédé entièrement automatique, il pourra assister les pilotes blessés et exténués au retour des missions et permettre des appontages par tous les temps. La Navy n'a pas oublié les drames de la guerre de Corée. Développé par la Bell Aircraft avec des chasseurs Douglas F3D-2 Skynight, ce système combine radar et radio. Localisé par le radar, l'avion est pris en charge par un ordinateur qui tient compte des mouvements du porte-avions. Sa ligne de vol est alors corrigée afin qu'il se présente selon la configuration optimale. En cas d'échec, la remise des gaz est automatiquement commandée et l'avion renvoyé pour une autre approche. Les essais débutent sur le porte-avions *USS Antietam*.

Le pilote n'a plus qu'à observer le bon déroulement des paramètres.

Il survit 52 jours dans la montagne

Hamilton AFB, 30 juin
C'était la nouvelle du jour au quartier général. David Steeves, le pilote porté disparu depuis le crash de son T-33 au-dessus des cimes enneigées de la sierra californienne, a été retrouvé vivant par des campeurs. Les 52 jours qui ont suivi l'explosion en vol de son T-Bird ont été une véritable odyssée. A la base, le dispositif de recherche venait d'être suspendu. On avait retrouvé l'épave du T-33 éparpillée sur les reliefs de la sierra. S'il y avait eu crash, Steeves avait eu cependant le temps de s'éjecter. Les chevilles brisées sur un rebord rocheux, il avait néanmoins réussi à marcher jusqu'à une cabane de trappeurs. Là, faute de matériel de survie, il avait dû trouver la force de chasser et de pêcher pour se nourrir. En se traînant pendant 30 km vers la vallée, le pilote porté disparu a gagné son pari. Après 52 jours de survie, il a rejoint la civilisation.

Le Lockheed 1649 Starliner est mis en service à Air France

Le Super Starliner, ici à Orly, est équipé d'un système de synchronisation des hélices qui réduit les vibrations.

Orly, 25 août

Au décollage à Burbank, le Super Starliner d'Air France, immatriculé F-BHBO, emportait plus de 36 000 litres d'essence dans ses réservoirs. Il avait l'intention de rallier directement Orly, sans escale, soit un vol de 9 343 km. Il a réussi en 16 h 21 min, à la vitesse de croisière de 574 km/h. A l'arrivée sur la piste d'Orly, il lui restait encore un potentiel d'une heure de vol. Dès qu'il fut au sol, le commandant renversa le pas des hélices Hamilton et les quelque 42 tonnes de l'avion furent freinées par la puissance des moteurs, utilisée cette fois afin de réduire la vitesse. Pour le dernier modèle de la série des Constellation, le L-1649, Lockheed est revenu à des moteurs à pistons qui donnent une puissance de 3 400 ch chacun alors que le modèle 1049 avait des moteurs de 2 800 ch. La tentative pour équiper le Constellation de turbopropulseurs a échoué. Les clients considéraient d'ailleurs cette expérience comme douteuse, la mise au point de ce type de propulsion ne les a pas convaincus.

Le Jetstar, biréacteur pour 14 passagers

Burbank, 4 septembre

Lockheed pense équilibrer ses finances en lançant un biréacteur qui pourrait être retenu par l'USAF comme avion de liaison rapide. Toutefois, rien n'est moins certain en cette période de restriction des crédits. Le premier exemplaire du prototype, qui vient de décoller, a été construit avec les fonds de l'entreprise, sans aucune aide financière du gouvernement. Comme il n'existe pas de petits réacteurs américains, Lockheed s'est tourné vers le Bristol Orpheus de 2 200 kgp. La voilure basse a entraîné le positionnement des réacteurs à l'arrière du fuselage, comme la Caravelle. Sa vitesse est de 800 km/h et son équipage se compose de deux hommes.

Le Jetstar espère séduire l'USAF et le marché des avions d'affaires.

Plus de 90 millions de passagers

New York, 16 septembre

Il y a 36 fois plus de personnes qui prennent l'avion qu'il y a vingt ans. Ce sont les conclusions du bilan qui comptabilise le nombre de passagers transportés dans l'année, toutes compagnies confondues. La première place revient à Eastern Air Lines avec 8 145 000 passagers. Dans un domaine plus spécialisé, la Sabena a fêté son 100 000ᵉ passager en hélicoptère. Sans compter la Chine et l'Union soviétique, le total s'élève à 90 millions de passagers.

Un VOR est installé à Orly

Orly, 1ᵉʳ novembre

Après Orgeval (114,7), Coulommiers (113,8) et Bray-sur-Seine (114,1), c'est au tour de l'aéroport d'Orly d'être équipé d'une station VOR. Sa fréquence est 111,2. Cette balise radio va contribuer à déterminer avec plus de précision les routes d'accès et de départ de la région parisienne. Emettant à très haute fréquence, sa portée est fonction de l'altitude des appareils qui veulent capter le signal. A 3 000 m d'altitude, il est reçu convenablement à plus de 100 km.

L'Alouette II de Sud-Aviation effectue un voyage promotionnel aux Etats-Unis. L'hélicoptère monoturbine survole ici Manhattan. Il est équipé dans cette version de quatre roues qui remplacent les patins.

Le rêve de Boeing devient réalité, le 707-120 de série vole

Par rapport au prototype Dash 80, le 707-120 a reçu des réacteurs plus puissants. Le fuselage est un peu plus long.

Seattle, 20 décembre

Le premier exemplaire du Boeing modèle 707-120, destiné à la compagnie de Juan Trippe, vient de décoller de la piste de Seattle. Equipé de quatre réacteurs Pratt & Whitney JT3C-6, il peut transporter jusqu'à 181 passagers à 960 km/h. L'enjeu est de taille, aussi bien pour

Boeing, qui a financé la réalisation du prototype sur ses fonds propres, que pour Pan Am, qui a soutenu la première ce projet ambitieux. Elle en tirera le bénéfice d'être la compagnie de lancement. Elle ne paie le Boeing 707 qu'au prix de 5,5 millions de dollars et le prix de base sera maintenu pour tous les exem-

plaires qui seront commandés ultérieurement. Pan Am va profiter d'une assistance technique du constructeur de tout premier ordre. Il est capital pour Boeing que dès la mise en service du 707 Pan Am devienne le symbole de la réussite. L'exploitation du Boeing 707 sera déterminante. (→ 26.10.58)

Le pionnier Esnault-Pelterie disparaît

Paris, 6 décembre.

Robert Esnault-Pelterie, pionnier de l'aviation française et membre de l'Institut, est mort aujourd'hui à Nice, à l'âge de 76 ans. Cet inventeur de génie construisit en 1904 un planeur biplan, puis en 1907 un monoplan métallique à groupe motopropulseur avant, sur lequel l'équilibre était assuré au moyen du fameux levier de commande appelé manche à balai. Dès 1908, Esnault-Pelterie édifia à Billancourt une des premières usines aéronautiques au monde. La même année, il fut le président fondateur de l'Union syndicale des industries aéronautiques. Ingénieur et bricoleur de génie, il était tout aussi passionné de recherches en aérodynamique que de pure technique des moteurs. Féru d'astronautique, il organisa dès 1912 un cycle de conférences sur l'avenir des fusées et des satellites. Avant de mourir, il a pu voir ses pronostics se réaliser. Le premier Spoutnik soviétique était en effet lancé dans l'espace il y a tout juste deux mois.

Le Rotodyne combine hélicoptère et avion

Angleterre, 6 novembre

C'est un bien étrange appareil qui a pris l'air du terrain de Harlington, où est situé le centre d'essai de la société Fairey Aviation. Il s'agit d'un combiné, un appareil hybride à mi-chemin entre l'hélicoptère et l'avion classique. Le prototype du Fairey Rotodyne Y est un Adav (décollage vertical). Il possède une voilure tournante d'hélicoptère qui lui sert pour le vol vertical ou sta-

tionnaire ainsi qu'un embryon de voilure horizontale et un propulseur d'avion classique réservé au vol en translation. Son grand rotor quadripale est actionné par des buses montées aux extrémités des pales. Les deux hélices tractives sont entraînées par des turbopropulseurs Napier Eland montés sur les ailes. Ils développent chacun 3 000 ch. Le Rotodyne Y dispose de quarante places. (→ 5.1.59)

BOAC traverse l'Atlantique en Britannia

Londres, 6 novembre

La compagnie nationale britannique BOAC parviendra-t-elle à imposer le long-courrier Britannia en dépit de la rude concurrence des constructeurs américains ? En tout cas, elle ne ménage pas ses efforts en ce sens. Elle vient d'inaugurer le vol régulier Londres - New York sans escale. Elle est cependant battue de quelques jours par El Al dont un Britannia avait déjà parcouru les

9 800 km séparant New York de Tel-Aviv à la vitessse moyenne de 640 km/h. L'entrée en service du Britannia sonne le glas du Douglas DC-7C, dont les turbocompounds Wright R-3350 sont jugés trop bruyants. De plus, les quatre turbopropulseurs Bristol Proteus provoquent moins de vibrations. BOAC a éliminé les DC-7C au profit du Britannia tout en attendant un avion à réaction intercontinental.

l'appareil décolle d'un héliport aménagé à Londres le long de la Tamise.

Le développement des turbopropulseurs de Bristol a pris plus de dix ans.

Les avions de l'année 1957

Le Boeing Model 707-120 vole le 20 décembre 1957, et le premier appareil est livré à Pan Am en août pour servir sur sa ligne vers Londres.

La production du Lockheed 188 Electra s'arrête brutalement au 170ᵉ exemplaire lorsque deux machines explosent en plein vol.

Le Cessna 150, le premier d'une série de best-sellers.

Le Tupolev Tu-114 à turbopropulseurs, dérivé du Tu-20.

Le Hurel-Dubois HD.34, un modèle réservé à l'IGN.

Le jet Lockheed 1329 Star répond à l'origine à une demande de l'USAF. Il connaît un vaste débouché dans le domaine de l'aviation d'affaires.

Le quadrimoteur Ilyushin Il-18, offrant jusqu'à 100 places, est produit à quelque 700 exemplaires vendus dans le monde entier.

Le DINFIA IA.45, un bimoteur d'affaires à moteurs propulsifs.

Le Miles Student, avion d'entraînement à réaction.

Le Hollandair HA-001, un avion agricole classique.

Le Tipsy Nipper, vendu en kit aux bricoleurs de génie.

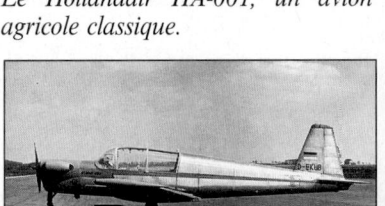

Le Blume Bl-500, quadriplace de tourisme allemand.

Un biturbopropulseur malheureux, l'Aviation Traders Accountant.

Le Vickers Viscount Serie 806-810 est équipé de moteurs Rolls-Royce Dart du 810.

Le Fairey Rotodyne, malgré ses records (307,2 km/h sur circuit fermé) souffrira du retrait financier du gouvernement britannique.

Le *Sud-Est Gouverneur*, version d'affaires de l'*Alouette II*.

Le *Mil Mi-6*, le plus gros hélicoptère du monde à cette époque.

Le *Dassault Etendard IV* intéresse l'Aéronavale, qui éprouvera bien des difficultés à lui trouver un remplaçant trente ans plus tard.

Le *Saunders Roe SR.53* est un intercepteur à propulsion mixte, avec un moteur-fusée augmentant la poussée de son réacteur RR. Viper.

L'*English Electric P.1B* sert de prototype au *Lightning*. Le premier exemplaire de série est livré en décembre 1959.

Le *McDonnel XHJD-1 (XHJH-1)*, hélicoptère expérimental.

Le *Thruxton Jackaroo*, quadriplace dérivé du *Tiger Moth*.

Le *Macchi MB.326*, avion d'entraînement armé.

Le *Short SC.1*, avion expérimental à décollage vertical.

Le *Bell X-14*, Adav expérimental d'une autre conception.

Le *Breguet Taon* est conçu pour le même programme que le *G.91*.

Le *Vertol 76*, biturbine Adav à voilure basculante.

Le *Westland Wessex* est un *S-58* construit sous licence.

Le *Saab J-32B Lansen* est à l'origine un chasseur biplace tous temps, armé de quatre canons de 30 mm et de missiles *Sidewinder*.

Le *Canadair CL-28 Argus*, avion de patrouille maritime, est construit avec les ailes du *Britannia*, une cellule originale et des moteurs américains.

1958

 **3 369 km/h**
Etats-Unis
Milburn Apt
Bell X-2
27.9.56

 **39 147 km**
Etats-Unis
Archie Old Jr.
Boeing B-52
18.1.57

 **37 772 m**
Etats-Unis
Iven Kincheloe
Bell X-2
7.9.56

 **221 350 kg**
Etats-Unis
Boeing
B-52 Stratofortress

 11 790 kgp
URSS
Modèle inconnu
Equipe le Tupolev 28

Grande-Bretagne, 1er janvier
A Cowes, décès du fondateur de la firme Avro, Alliot Verdon-Roe. Son nom reste attaché à des avions de qualité comme le bombardier Avro Lancaster.

Australie, 14 janvier
Quantas inaugure avec des Super Constellation une ligne régulière qui permet de boucler le tour du monde en cinq jours *via* l'Inde, le Caire, Londres, les Etats-Unis et le Pacifique.

France, 24 janvier
Le bruit émis par les avions à réaction sensibilise le public. La société Bertin fait homologuer un silencieux de vol conçu par les ingénieurs Kadosh et Duthion. Il permet une réduction du niveau sonore des réacteurs de 12 ou 13 décibels.

Stuttgart, 30 janvier
Ernst Heinkel s'éteint à l'âge de 70 ans. Lors de la dernière guerre, il avait conçu le premier avion à réaction, le Heinkel He-178.

Suède, 15 février
Le premier intercepteur de série du Saab J-35 Draken (Dragon) effectue son vol initial. Seuls les réacteurs Rolls-Royce Avon et l'armement de cet avion, qui va équiper la Force aérienne suédoise, ne sont pas de conception nationale.

Paris, 15 février
Le sous-secrétaire d'Etat à l'Air signifie à René Leduc que des compressions budgétaires obligent d'abandonner les essais du Leduc 0.22. L'aventure du statoréacteur s'achève ainsi par un verdict sans appel. Les deux Leduc 0.21 seront ferraillés ainsi que le 0.22.

Union soviétique, 26 février
A la suite du voyage à Moscou de lord Douglas, président de la British European Airways, un accord est signé entre l'Union soviétique et la Grande-Bretagne. Une liaison aérienne directe sera prochainement mise en place entre les deux pays. Elle sera assurée à la fois par Aeroflot et par BEA.

Tokyo, 1er avril
La firme aéronautique japonaise Kawasaki achète à la société Lockheed la licence de fabrication de l'avion de surveillance maritime Lockheed P2 V7 Neptune.

Paris, 1er avril
Air France décide d'introduire une classe économique sur son réseau.

France, 6 avril
Alors que 39 commandes supplémentaires sont enregistrées, la première Caravelle de série, immatriculée F-BHRA, sort des ateliers de Sud-Aviation. Elle doit commencer en mai ses vols pour la certification. (→ 4.6)

Etats-Unis, 7 mai
Le major H.C. Johnson, sur un Lockheed F-104A Starfighter, ravit au Trident le record mondial d'altitude en grimpant jusqu'à 27 811 mètres (84 767 pieds).

Toulouse, 9 mai
Le président de la société Sud-Aviation signale dans un communiqué officiel que, faute de crédits suffisants, le programme du chasseur Trident ne sera pas mené à son terme.

Melun, 21 mai
Au centre d'essai de Villaroche, Jean-Marie Saget décolle le prototype de l'Etendard IV-M. Conçu pour les besoins de la Marine nationale, cet appareil signé Marcel Dassault est propulsé par un réacteur Atar-6 de 4 400 kgp.

Etats-Unis, 26 mai
Les premiers Republic F-105B Thunderchief entrent en service au 335th fighter squadron de l'US Air Force, basé à Eglin Field en Floride. Ce chasseur bombardier est le plus grand appareil (19,58 mètres de long) jamais construit pour les besoins du Tactical Air Command.

Wichita, 30 mai
Cessna finit de livrer à l'US Army 10 hélicoptères YH-41. Cessna avait acheté la firme de Charles Seibel en 1952. (→ 13.6)

Algérie, 4 juin
Le général de Gaulle effectue son premier voyage officiel à Alger et à Oran en Caravelle. (→ 24.3.59)

Londres, 9 juin
Inauguration par la reine de la nouvelle aérogare de l'aéroport de Gatwick.

Zaventem, 5 juillet
Edouard Anseele, le ministre des Communications, inaugure la nouvelle aérogare passagers.

France, 14 juillet
Le CEA DR-100 Ambassadeur, le premier avion de Pierre Robin, effectue son vol initial à Dijon.

Paris, 3 août
Air France et Aeroflot inaugurent la ligne Paris-Moscou. Les Lockheed L-1049 Super Constellation et les Tupolev Tu-104 assurent un service bihebdomadaire.

Paris, 5 août
Le gouvernement vient d'annoncer une première commande de cent Mirage III, qui équiperont les escadres de chasse de l'armée de l'air. La fabrication de cet intercepteur à aile delta est répartie entre Dassault et plusieurs sociétés parmi lesquelles Sud-Aviation, Nord-Aviation, Messier et la SEPR.

New York, 14 août
Vol initial à Long Island du Grumman Gulfstream G.159. Propulsé par des turbines Rolls-Royce Dart, cet avion peut emporter de dix à vingt passagers.

Washington DC, 15 août
Le Congrès décide de transformer l'organisation de l'aéronautique marchande et crée la Federal Aviation Agency (FAA) qui chapeautera toutes les activités de l'aviation commerciale et contrôler la circulation aérienne. (→ 31.10)

Grande-Bretagne, 31 août
A Coventry, c'est le Français Léon Biancotto qui remporte, sur un Stampe SV.4, le championnat mondial de voltige aérienne. (→ 29.8.60)

Grande-Bretagne, 1er septembre
Le meeting aéronautique de Farnborough, qui est pour les Anglais l'équivalent du Salon du Bourget, est marqué par la présentation de plusieurs hélicoptères de conception révolutionnaire.

Union soviétique, 2 septembre
Un Hercules RC130 de surveillance électronique est abattu par des chasseurs MiG le long de la frontière soviéto-turque, près d'Erevan, en Arménie soviétique. Six des membres de l'équipage sont tués, les onze autres portés disparus.

Chine, 24 septembre
Le Beijing n° 1, un bimoteur de transport de dix places, est le premier avion de conception entièrement chinoise à prendre l'air.

Bora-Bora, 24 septembre
Arrivée du DC-6 B de la TAI qui relie Paris à la Polynésie, *via* Saigon, Darwin et Nouméa.

Stanleyville, 15 octobre
Sobelair poursuit l'exploitation de trois Cessna C-310 pour des petites liaisons intérieures au Congo.

Miami, 10 décembre
National Airlines loue 2 Boeing 707 à la Pan Am. Compagnie de vols intérieurs, elle les met en exploitation sur sa ligne de New York à Miami.

Eire, 15 décembre
La compagnie Aer Lingus met en service son premier Fokker F-27 Friendship sur la ligne de Dublin à Glasgow. (→ 13.10.67)

Suisse, 31 décembre
Balair (une filiale de Swissair) organise en Suisse un vol charter à destination de Nairobi en DC-6B avec escale à Tripoli, Maroua, Entebbe et au retour à Addis Abeba, Khartoum et Le Caire.

Au terminal TWA à l'aéroport J. Kennedy de New-York, les Boeing 707 et Douglas DC-8 doivent souvent attendre pour accéder à une porte.

Fenwick forme les pilotes d'hélicoptère

Un des hélicoptères Bell de Fenwick à l'héliport d'Issy-les-Moulineaux.

France, 1er janvier
En l'espace de trois ans, Robert Fenwick a réussi à faire de son établissement à Toussus-le-Noble, à quelques kilomètres au sud-ouest de Paris, la plus importante école de pilotage d'hélicoptères d'Europe. Avec 17 instructeurs et 15 hélicoptères Bell 47, l'école Fenwick a formé 750 pilotes militaires depuis 1955. En tout, les élèves ont effectué 57 000 heures de vol d'instruc-tion, dont 17 000 heures pour la seule année 1957. Parallèlement à cette formation, Fenwick vend le Bell 47 dont ses mécaniciens assurent le montage et la maintenance. Fenwick a compris que l'hélicoptère est destiné à devenir un outil irremplaçable. Cet appareil peut effectuer des missions aussi diverses que le sauvetage, l'épandage de produits agricoles et la surveillance des lignes à haute tension.

Drame pour l'équipe Manchester United

Le bimoteur, en escale de ravitaillement à Munich, avait été loué à BEA.

Munich, 6 février
Le football britannique est en deuil. L'équipe du Manchester United, qui a accédé aux demi-finales de la coupe d'Europe en Yougoslavie, ne participera pas à la finale. L'avion qui ramenait les joueurs de Belgrade, un Airspeed Ambassador de 47 places, s'est écrasé à Munich après un décollage manqué. Il y a 23 morts et 21 blessés graves. On compte parmi les victimes sept joueurs, dont le célèbre Duncan Edwards, et plusieurs autres personnalités. La piste était recouverte de neige fraîche et l'avion était revenu au parking après un décollage arrêté pour manque de puissance à un moteur. Des témoins ont vu l'avion se relancer sur la piste qu'il n'aurait pas réussi à quitter. Il s'est écrasé en bout de terrain. Les enquêteurs dépêchés sur les lieux évoquent le givrage. (→9.3.59)

Le Vickers Viscount est cloué au sol

Londres, 25 janvier
Les compagnies aériennes, qui utilisent les avions Viscount 701, ont reçu une bien mauvaise nouvelle ce matin. Air France, qui a acquis onze appareils de ce type, ainsi que la compagnie irlandaise Aer Lingus et la firme britannique BEA ont été informées par Vickers Aviation, le constructeur du Viscount, que tous les appareils de type 701, construits aux environs de 1952, étaient provisoirement retirés du service. Cette mesure fait suite à la découverte, lors de la révision récente d'un Viscount 701 de la BEA, d'une fatigue anormale du principal longeron de l'aile de ce court et moyen-courrier d'une capacité de 47 à 53 passagers. La société Vickers avait initialement prévu le remplacement de la semelle inférieure du longeron de voiture après 10 000 atterrissages, puis après 6 000 et enfin après 4 000 seulement. (→20.1.59)

Le survol du pôle Nord devient plus facile

Orly, 1er février
L'itinéraire Paris-Tokyo est raccourci de 1 670 km. Parti en vol d'exploration le 26 janvier de Paris, le Super Starliner *Jacques Marquette* d'Air France a franchi les 7 675 km pour atteindre Anchorage en 15 h et 47 min. Cette étape est la plus délicate de l'itinéraire. Dans le Nord Canada, la proximité du pôle magnétique rend folle l'aiguille du compas. Le pilote utilise un compas gyroscopique polaire qui indique toujours le cap à suivre, quelle que soit la convergence des méridiens. L'arrivée sur Anchorage est difficile, à cause des montagnes avoisinantes et du climat parfois épouvantable. De là, il reste 5 890 km pour atteindre Tokyo. (→10.4)

Par temps clair, le survol du nord du Groenland est un très beau spectacle.

Air Inter inaugure une ligne intérieure

Paris, 17 mars
C'est une première qu'Air Inter attendait avec impatience : l'ouverture d'une liaison métropolitaine. Les villes à l'honneur, Paris et Strasbourg, sont désormais reliées quotidiennement et dans les deux sens, sauf le dimanche, en 1 h et 45 min. Dans la foulée, la compagnie a décidé d'exploiter Marseille-Paris-Marseille à partir du 25 mars et Nantes-Marseille-Nice avec escales à Bordeaux et Toulouse, à partir du 31 mars. Air Inter entre enfin en activité. Sa naissance et sa mise au point auront été longues et difficiles. Le dernier obstacle qui vient d'être levé concernait la détaxation du carburant accordée jusque-là aux seuls vols internationaux. Air Inter, ayant obtenu du gouvernement, le 21 février, un accord de principe pour une détaxe totale, a donc décidé de passer à l'exploitation de ces lignes

Mayday, mayday...

Texas, 28 avril

C'est un vol de routine pour l'équipage du Boeing TB-47B Stratojet du Strategic Air Command. Mais, vers 22 h, un des réacteurs prend feu. Les extincteurs se révèlent inefficaces, la seule solution est de s'éjecter avant que l'avion explose. Maxwell, instructeur à bord, a ôté son parachute. A peine eut-il le temps de l'enfiler qu'il fut assommé par le souffle de la dépression créée au moment de l'éjection du navigateur. Alors que le copilote James Obenauf s'apprêtait à sauter, il vit que l'instructeur avait perdu connaissance. Il prit aussitôt la résolution de ne pas sauter et de ramener l'appareil. Il lance à la radio : « *USAF Stratojet 2278 , mayday, mayday, mayday.* » Au bord de l'évanouissement, aveuglé par l'air qui envahit la carlingue, il réussit l'impossible. Après deux heures d'un vol insensé, il réussit à atterrir à Abilene. Le *major* Obenauf a tout juste 23 ans.

Les réservoirs sont vides à l'arrivée

Cazaux, 25 avril

Le Breguet Taon, piloté par Bernard Witt, a établi un record de vitesse sur base de 1 000 km entre Istres et Cazaux avec une moyenne de 1 045,650 km/h. Il améliore la performance de l'Etendard-IV. Des modifications ont dû être apportées à l'appareil. Des carènes latérales profilées ont été ajoutées pour diminuer la traînée en vol transsonique. Mach 1 pouvait ainsi être atteint à 8 200 m soit un gain de 1 000 m à puissance égale. La consommation de carburant a été calculée à quelques litres près, et les carènes ont reçu des nourrices de carburant au centre de gravité du Taon. Remorqué jusqu'en début de piste pour ne pas perdre un litre de kérosène, l'appareil a décollé à 8 h 30. Il est monté à 7 700 m pour passer la ligne de départ. Witt a reçu par radio les indications qui fixaient le régime moteur compatible avec la réserve de carburant. Sur la ligne d'arrivée, il ne restait plus que 50 litres de carburant sur les 2 500 l que contenaient les réservoirs. Une quantité qui ne lui permit pas de regagner le parking.

Le KC-135 est un ravitailleur stratégique

Un KC-135 de l'USAF ravitaille un B-52 du Strategic Air Command.

Açores, 8 avril

Un KC-135 Stratotanker, version militaire dont découle le Boeing 707, vient de relier Tokyo à sa base de Lajes en 18 h 48 min. C'est un record de durée de vol sans ravitaillement pour l'avion de l'USAF. Intégré au Strategic Air Command, il est destiné à ravitailler en vol les bombardiers stratégiques américains, porteurs de bombes atomiques. Le but du vol n'est pas seulement de battre un record de distance et de durée. Il est aussi destiné à tester les différents systèmes de transfert de carburant d'un réservoir vers l'autre en cours de vol. Le KC-135 consomme en moyenne 8 tonnes de kérosène à l'heure. Pour maintenir l'appareil en équilibre de vol, des tranferts de carburant sont nécessaires en cours de vol. Pour décoller, il lui a fallu plus de 4 000 mètres de piste.

Le Demon accouche du Phantom F4H-1

Saint Louis, 27 mai

Premier vol du Phantom, le successeur du monoréacteur Demon. S'il manque de visibilité à cause de sa verrière surbaissée, ce prototype de la firme McDonnell est puissant et rapide. Il est doté de deux réacteurs J79-GE-2 et se révèle être d'ores et déjà un chasseur d'exception. Pourtant, le Demon, auquel il emprunte beaucoup d'éléments, a souffert d'une réputation désastreuse. C'est un véritable fer à repasser, disaient ses premiers pilotes. En fait, ce monoréacteur subsonique était sous-motorisé. En 1954, Barkey et son équipe décide de perfectionner le Demon et de l'adapter au vol supersonique, en le dotant notamment d'un fuselage plus effilé. Cette option suscite aussitôt maintes polémiques au sein même de McDonnell et les plus grandes réserves de la part de la Navy quant à sa réalisation effective. La genèse du Demon allait être longue et chaotique. Après d'innombrables tests, la version définitive du prototype, adopté par la Navy pour la défense de la flotte sous la désignation F4H-1, quittait l'usine de Saint Louis le 8 mai dernier.

Avion d'attaque en projet, le F4H-1 est devenu chasseur d'interception.

Le Trident atteint 24 217 m d'altitude

Istres, 2 mai

Pour démontrer les qualités du Trident II, l'équipe de Sud-Aviation a fait le maximum. Objectif principal : remporter le record d'altitude. Toutes les phases du vol ont été minutieusement préparées. C'est donc avec confiance que Roger Carpentier a décollé aux commandes du SO-9050, sur les seuls réacteurs Turboméca. Son vol doit obéir à trois impératifs : rester dans une zone permettant le contrôle du radar Cotal, se tenir en-dessous du nombre de Mach maximum et conserver le badin au minimum. A 11 000 m, Carpentier a allumé les deux éléments de son moteur-fusée SEPR, puis, quand il s'est éteint, il a gagné encore sur sa lancée un millier de mètres. A 24 217 m, il a entamé sa descente. Le record du monde est atteint. La France peut être fière : jusqu'au radar, tous les éléments du vol sont français.

Colette Duval bat un record à Rio

Rio de Janeiro, 23 mai

Impossible de connaître l'altitude exacte de l'avion, en tout cas plus de 10 000 m, puisque l'altimètre s'est affolé. Par la trappe qui vient de s'ouvrir, la parachutiste Colette Duval jette un coup d'œil dans le vide, puis, sans hésiter, elle saute. A 8 000 m : l'impression de vol est si exaltante qu'elle hurle de joie. A 5 000 m, il lui semble que sa tête va exploser. Son tympan a dû éclater. Elle lutte contre la syncope. Elle continue à crier, mais cette fois de douleur. Il faut pourtant qu'elle tienne avant d'ouvrir son parachute si elle veut remporter ce record tant désiré. Elle fixe le Pain de sucre de la baie de Rio : quand elle sera parvenue à sa hauteur, 317 m, elle actionnera la poignée. Encore une seconde : ça y est, le parachute se déploie. Elle tire sur les ficelles du gilet de sauvetage, avant de tomber dans la mer. Elle n'aura pas longtemps à attendre. Déjà, un bateau vient la chercher. A terre, encore ruisselante d'eau, elle apprend les chiffres de son exploit : elle a sauté à 12 420 m et n'a ouvert son parachute qu'à 250 m.

Le DC-8 de Douglas concurrence le Boeing 707

Le prototype du DC-8 série 10 a quatre réacteurs Pratt & Whitney JT3C-6 de 13 500 livres de poussée. Cette version n'est pas intercontinentale.

Santa Monica, 30 mai
Il y a un an que Donald Douglas a confié la présidence de la société à son fils Donald Douglas Jr. Le style a changé, beaucoup ont des difficultés à s'adapter. Mais, pour la circonstance, ils sont tous deux à bord du DC-8 qui relie Long Beach à la base d'Edwards en 2 h 7 min. Le DC-8 est très semblable au Boeing 707. Il est, comme lui, propulsé par quatre Pratt & Whitney JT3C-6. Son fuselage est plus long et plus étroit, il a une aile en flèche légèrement inférieure. Dans la course de vitesse qui oppose ces géants, la firme de Seattle a une longueur d'avance. En 1952, Douglas avait mis à l'étude un premier projet, mais l'avait abandonné au profit d'une version à turbopropulseurs du DC-7. Relancé le 7 juin 1955 sous le nom DC-8, le projet refaisait surface, mais il y avait déjà un an que le Dash 80 de Boeing volait. Les commandes de KC-135 arrangeaient les finances de Boeing alors que Douglas souffrait des efforts financiers dus au DC-8. La commande de 25 exemplaires signée par Boeing fut encourageante. United a aussi marqué sa confiance. Pour gagner du temps, trois prototypes ont été construits en vue d'obtenir la certification et de permettre sa mise en exploitation. (→ 16.3.60)

Le Br-940 apporte des solutions inédites

Villacoublay, 21 mai
Le premier vol du Breguet-940 a démontré les étonnantes possibilités de ce prototype. La conception révolutionnaire de cet avion à décollage et à atterrissage courts (dit Stol, pour short take off and landing) est due à Louis Breguet qui l'avait mise au point, à l'aide de maquettes qu'il avait testées en soufflerie. Ses caractéristiques sont inédites. L'aile est munie de volets et d'ailerons à fort braquage qui permettent aux hélices de créer un effet de souffle vertical. Deux des quatre moteurs Turboméca entraînent les hélices en sens inverse pour les moteurs intérieurs. Ce qui annule les effets de couple. Enfin la puissance des moteurs est répartie sur les hélices de façon égale, ceci grâce à un système de transmission unique mis au point par la firme Hispano-Suiza. (→ 1.6.61)

Jean Boulet reprend le record à Cessna

France, 13 juin
Par un temps beau et sec, le pilote Jean Boulet tente de reprendre le record du Cessna YH-41 à bord de l'Alouette II sur le terrain de Brétigny. Pour ce vol record, tout a été prévu. Le pilote s'est entraîné, en caisson, aux vols en altitude jusqu'à 12 000 m et des modifications ont été effectuées sur la machine. Le poids est allégé, le démarreur supprimé, les pales allongées et élargies et le taux de compression de la turbine Turboméca augmenté. Dès le décollage, Boulet adopte une vitesse de translation de 100 km/h, jusqu'à 9 000 m. Puis la vitesse diminue jusqu'au point culminant : 11 000 m. Le record du monde d'altitude en hélicoptère, toutes catégories confondues, est battu, et l'Alouette II s'attribue le record de vitesse ascensionnelle jusqu'à 3 000 mètres en 5 min et 31 s. (→ 28.2.59)

L'aile, séparée du fuselage, subit les essais de souffle, volets sortis.

Charles Marchetti, de Sud-Aviation, félicite le pilote Jean Boulet (à droite).

Henri Farman disparaît à l'âge de 84 ans

Farman invité à un annniversaire.

Paris, 17 juillet
L'aîné des frères Farman n'est plus. Avec son frère Maurice, il avait fait partie de ces pionniers qui ont profondément marqué l'histoire de l'aviation. Pilote, il avait accumulé les records de distance et de durée. C'est lui qui, le 13 janvier 1908, a remporté le Grand Prix créé par Henry Deutsch de la Meurthe, en accomplissant le premier vol en circuit fermé de 1 km. Le 30 octobre de la même année, il réalisait un autre record avec la première liaison de ville à ville entre Mourmelon et Reims. Devenu constructeur, il n'avait cessé d'apporter des améliorations aux avions qu'il construisait dans son hangar d'Issy-les-Moulineaux, et, plus tard, dans son usine de Billancourt. Ses usines ayant été nationalisées en 1936, il se consacra, depuis cette date, à la peinture qui fut, toute sa vie durant, son autre passion.

L'Ecole de l'air fête le Fouga Magister

Il est aussi devenu l'avion d'entraînement des Belges et des Allemands.

Salon-de-Provence, 1er septembre
Grande cérémonie aujourd'hui à l'Ecole de l'air pour fêter les deux années d'exploitation du CM-170 Fouga Magister. Parmi les invités d'honneur, on notait la présence de Pierre Mauboussin et de Robert Castello, les pères du biréacteur français qui a mis en valeur la turbine de Turboméca et qui fut commandé par l'Otan. Durant ces deux années, la flotte des Fouga de Salon a comptabilisé 56 600 atterrissages et 34 750 heures de vol, soit une activité moyenne de 2 000 heures de vol par mois.

On mesure le bruit du B-707 au Bourget

Le Bourget, 12 septembre
Le vol de reconnaissance du premier Boeing 707 de la Pan Am l'a amené, après avoir franchi l'océan Atlantique, à Londres puis au Bourget où il devra subir une série de tests de nuisance. Après les nombreuses plaintes déposées par des riverains incommodés par le décollage des Caravelle, cette question fait l'objet d'une attention particulière de la part des autorités. Si les procédures antibruit mises au point par Air France demeurent suffisantes pour les Caravelle, le B-707 risque de provoquer une refonte des solutions adoptées. Cet appareil est propulsé par quatre moteurs Pratt & Whitney JT3C-6 de 5 900 kg de poussée chacun. Il est beaucoup plus bruyant. C'est la raison pour laquelle les responsables du contrôle devront établir des routes pour le départ et l'arrivée qui éviteront le survol des zones sensibles. (→ 26.10)

Fairchild fabrique des Fokker Friendship

Etats-Unis, 28 septembre
C'est un avion fiable et solide, qui a tout pour être adopté. Son nom est Friendship. Conçu par Fokker aux Pays-Bas et fabriqué sous licence par la firme américaine Fairchild, il entre en service sur les lignes de la West Coast Airlines. En 1950, Fokker mettait à l'étude un avion de transport régional dans le but de remplacer le DC-3. Ainsi naît le Fokker F-27 doté d'un fuselage pressurisé et de deux turboréacteurs Rolls-Royce Dart. Il peut emporter 40 passagers dans un rayon de 1 500 km. Confiant, l'Etat néerlandais finance la construction de deux prototypes. Une campagne de promotion est menée tambour battant et, dès 1956, Fokker passe un accord avec Fairchild pour la fabrication du F-27 aux Etats-Unis. Baptisé Friendship, l'avion a été mis aux normes de la FAA. Le modèle avec fuselage plus long porte le nom de F-227. (→ 15.12)

...ancés à pleine puissance au décollage, ces réacteurs font un bruit terrible.

Le Fokker F-27 s'accommode de pistes courtes. Sa vitesse est de 460 km/h.

Mirage et Griffon au-delà de Mach 2

Réorganisation de l'aéronautique US

L'équipe de Dassault, avec Glavany au centre, pose devant le Mirage III-A.

André Turcat, à gauche, et Jacquet.

Istres, 27 octobre

Trois jours après le Mirage III-A avec Roland Glavany, le Griffon II a franchi Mach 2 avec André Turcat. La performance du Mirage a été obtenue en utilisant uniquement le réacteur Atar à postcombustion, ce qui est une grande première en France. L'exploit du Mirage a été rendu possible grâce aux essais poursuivis ces derniers mois chez Dassault sur le Mirage I, puis sur le Mirage III. Le Griffon a eu recours à une propulsion mixte, Atar plus stato, pour atteindre la plus grande vitesse jamais obtenue en Europe. Le programme d'essai du Griffon n'a pas été moins étudié. André Turcat a décollé avec Armand Jacquet en se servant uniquement de son Atar. Puis il a entrepris sa montée en utilisant le stato. Pour passer le mur du son, il a exécuté un tonneau barriqué, puis a poursuivi sa montée avec un Mach croissant provoqué par la poussée du stato. Il grimpait à 100 mètres/seconde et le machmètre indiquait Mach 2.05 quand le stato eut épuisé son combustible. (→ 5.10.59)

Etats-Unis, 31 octobre

Changements de taille dans le milieu aéronautique américain. Le gouvernement a créé un nouvel organisme de tutelle. La Federal Aviation Agency remplace la Civil Aeronautics Administration. A sa tête, un homme énergique, Elwood Quesada, général de l'armée de l'air en retraite. L'homme est redoutable. Dès son arrivée, les constructeurs, les compagnies aériennes, les pilotes (professionnels et privés), intouchables jusqu'alors, sont pénalisés pour chaque violation des règlements. Ainsi, l'un des deux pilotes ne peut abandonner son poste, sauf pour satisfaire des besoins naturels. Et encore, on ne lui autorise que six minutes d'absence. La croisade de Quesada est motivée par la sécurité des passagers qui empruntent les avions et les lignes des Etats-Unis. Quant au National Advisory Comitee for Aeronautics (Naca), il se transforme en National Aeronautics and Space Administration (Nasa). La conquête de l'espace peut ainsi prendre son essor.

Le Comet 4 se mesure au Boeing 707

Londres, 4 octobre

Alors que le Boeing 707 fait la une des journaux, le vol inaugural du Comet 4 de la BOAC passe inaperçu. Il a pourtant relié Londres à New York avec une escale technique à Gander (Terre-Neuve). Il est arrivé à New York avec 81 passagers quelques minutes avant le Boeing 707 de Pan Am qui revenait de son vol de reconnaissance. Après de nombreux mois de préparation, deux Comet 4 assurent la première liaison transatlantique hebdomadaire par jet, l'un depuis Heathrow, l'autre depuis Idlewild. La traversée vers les Etats-Unis dure dix heures et quinze minutes, escale comprise. Après la mise en service du Britannia de Bristol, la BOAC compte sur le Comet 4 de De Havilland dont elle a passé commande pour dix-neuf exemplaires. Pour sa part, British European Airways en attend quatorze dans la version 4B, qui peut accueillir quatre-vingt-dix-neuf passagers. Une version 4C moyen-courrier combine la voiture du 4 avec le fuselage allongé du 4B. Le Comet 4 a reçu quatre réacteurs Avon RA.29 munis d'inverseurs de poussée pour freiner l'appareil à l'atterrissage. (→ 19.5.59)

Le Comet 4 est l'exemple de la réalisation parfaite de l'avion de ligne à réaction par son élégance.

Le parachutiste reste accroché à l'avion

Blida, 15 octobre

L'un après l'autre, les parachutistes ont sauté du Noratlas 2501 de l'escadron 2/62 Anjou. Quand vient le tour de Daniel Minné, un jeune appelé de 21 ans, une forte secousse ébranle l'appareil. Son parachute est resté accroché au guignol de la gouverne de profondeur. Tout va être tenté pour le sauver. D'abord, un hélicopère va essayer vainement de lui larguer une échelle de corde. Ensuite, l'équipage tentera sans y parvenir de le remonter avec une corde munie d'un crochet. Mais le carburant baisse. L'avion doit absolument atterrir. Il n'y a plus d'espoir de sauver le jeune soldat. Le Noratlas se pose et freine à faire exploser les pneus. Le garçon rebondit sur la piste, puis se relève en titubant. Il est vivant.

Le Noratlas est beaucoup utilisé pour l'entraînement des parachutistes.

La Pan Am lance le B-707 sur l'Atlantique Nord

Avant le départ du vol vers Paris, Pan Am fait poser devant un autre de ses 707, livré le 29 septembre, les hôtesses entraînées sur ce type d'avion.

New York, 26 octobre

Il est immatriculé N711PA. Pour la compagnie, son nom est Clipper *Mayflower*. Il lance le premier service quotidien entre les Etats-Unis et l'Europe en jet, fait chuter les temps de vol en les divisant par deux et propose un degré de confort rarement atteint. Les bureaux de la Pan Am sont submergés de réservations. C'est Paris qui a eu l'honneur d'être la destination de ce vol qui fait date dans l'histoire du voyage aérien. Dans sa version actuelle, le 707 de la Pan Am proposait 44 sièges de première classe, situés à l'avant de l'appareil et 65 sièges en classe économique. Si en première, les rangées comptent quatre fauteuils, il y en a six répartis en deux rangées de trois en économique. Pour permettre à l'avion de gagner de l'altitude avec une telle charge, il a fallu réduire la masse au décollage et la ramener à 105 tonnes. Le carburant a été réduit de 45 tonnes, d'où la nécessité d'escales techniques à Gander et Shannon. Chaque escale dure une heure. Pan Am a déjà reçu de Boeing trois 707-120. Elle en attend cinq autres avant la fin de l'année. Boeing teste actuellement des réacteurs plus puissants, toujours de la firme Pratt & Whitney. Avec une poussée accrue de 40 %, le 707 devrait voir sa masse au décollage augmentée de 33 tonnes et son autonomie passer à plus de 5 500 km. La version 320 est attendue pour 1959.

Un Cessna 172 vole pendant 64 jours

Las Vegas, 4 décembre

Avec 64 jours, 22 heures, 19 minutes et 5 secondes, les pilotes américains Timm et Cook ont établi un fantastique record d'endurance à bord d'un Cessna 172. Ce Model 172 a été développé en 1955 et produit dès 1956. Il est identique au Model 170 à ceci près qu'il possède un train d'atterrissage tricycle. Il emporte un tel succès que l'on en fabrique jusqu'à sept par jour. En 1953, Cessna avait créé le Model 305, un biplace de liaison et d'observation, qui utilisait déjà les ailes et l'empennage arrière du Model 170 associés à un nouveau fuselage muni d'une cabine largement vitrée et d'un moteur de 213 ch. Depuis 1956, plus de 3 750 exemplaires ont été construits dans les ateliers de Wichita, dont 788 cette année.

La Caravelle testée dans une éprouvette

France, 1er décembre

La Caravelle est mise à l'eau. En effet, après les essais en vol, une nouvelle série de tests aquatiques en cuve commence pour l'avion de Sud-Aviation. Dans un gigantesque bassin d'une capacité de mille mètres cubes, le fuselage, avec les fuseaux réacteurs, les attaches d'atterrisseurs et la voilure représentée par un caisson central faisant saillie à l'extérieur, est prêt à subir les tests de fatigue. Par ce procédé, la Caravelle, immergée, est soumise à des cycles successifs de charges, dont chacun représente un vol type de 3 h. A un rythme de 20 cycles par heure (chacun durant trois minutes), répétés pendant douze heures et demie, on arrive à reproduire les efforts auxquels est soumis l'avion pendant 750 heures de vol.

Cessna 172 est quadriplace. Il peut voler à 200 km/h pendant 1 000 km.

De Havilland a prêté le caisson utilisé lors des essais du Comet 1.

1959

3 369 km/h
Etats-Unis
Milburn Apt
Bell X-2
27.9.56

39 147 km
Etats-Unis
Archie Old Jr.
Boeing B-52
18.1.57

37 772 m
Etats-Unis
Iven Kincheloe
Bell X-2
7.9.56

221 350 kg
Etats-Unis
Boeing
B-52 Stratofortress

12 020 kgp
Etats-Unis
Pratt & Whitney
J75-P-19W

Etats-Unis, 1er janvier
Les chaînes de télévision présentent un feuilleton sur l'aviation, *The Flying Doctor* (le Médecin volant), 39 épisodes de trente minutes, basés sur la vie des médecins du désert australien de l'Outback, qui ne se déplacent qu'en avion.

Grande-Bretagne, 5 janvier
A Hungerford, dans le Berkshire, le Fairey Rotodyne XE-521 établit le record de vitesse en circuit fermé pour cette catégorie d'appareils, en volant à la vitesse de 307 km/h.

Grande-Bretagne, 8 janvier
Piloté par E. Franklin, le turbopropulseur de transport Armstrong Whitworth Argosy effectue son vol d'essai.

Le Bourget, 6 février
Premiers essais entre cordes (entravés) du prototype de l'hélicoptère SE-3200 Frelon.

Allemagne fédérale, 6 février
La Luftwaffe passe commande de 296 chasseurs à réaction américains Lockheed F-104 Starfighter.

Marseille-Marignane, 28 février
Vol inaugural du prototype de l'hélicoptère Alouette III. Jean Boulet est aux commandes. Conçu pour emporter 7 personnes, il est propulsé par une turbine Turboméca Artouste III, plus puissante que celle de l'Alouette II.

Etats-Unis, 25 mars
A Stratford, dans le Connecticut, l'hélicoptère Sikorsky S-60 Skycrane est essayé en vol. Cet appareil peut soulever une charge de dix tonnes.

Toussus-le-Noble, 28 mars
A bord d'un Stampe de l'aéroclub d'Air France, Jean Falloux porte le record du monde de vol sur le dos à 2 h 44 s.

Tchécoslovaquie, 5 avril
A Prague, vol de présentation du premier jet de construction nationale, l'avion biplace d'entraînement Aero L-29 Dauphin.

Toulouse, 8 avril
La FAA accorde le certificat de navigabilité à la Caravelle. La certification française a été accordée le 2 avril. Varig passe commande de plusieurs exemplaires pour sa ligne Rio - New York. (→ 14)

Moscou, 20 avril
Aeroflot met en service le quadriturbopropulseur Iliouchine Il-18V *Moskva* (84 à 110 passagers) sur la ligne Moscou - Alma-Ata.

Union soviétique, 26 avril
Volant à bord de l'avion de recherches Mikoyan Ye-66A, propulsé par un réacteur Toumansky de 3 000 kgp, le colonel Georgui Mossolov atteint l'altitude record de 34 715 m. (→ 31.10)

Argentine, 19 mai
La compagnie Aerolinas Argentinas inaugure, avec un de Havilland Comet 4, le premier service de passagers en appareil commercial à réaction entre la Grande-Bretagne et l'Amérique du Sud.

France, 20 mai
A Reims, André Moynet pilote le dernier-né de la firme Max Holste, le MH-250 Super Broussard.

France, 1er juin
La flotte d'Air France comprend 133 appareils, dont 60 Douglas DC-3 et DC-4. La compagnie a commandé vingt Caravelle et dix-sept Boeing 707-320. (→ 6.11)

France, 4 juin
Henri Desbruères, président de la Snecma, et William P. Gwinn pour United Aircraft Corporation annoncent la signature d'un accord de licence et de collaboration technique entre leurs sociétés. Pratt & Whitney (contrôlée par UAC) entre dans le capital de la Snecma qui obtient la licence de fabrication et de vente de tous les moteurs civils et militaires de Pratt & Whitney.

France, 8 juin
A Issoire, Raymond Cormerais effectue le vol d'essai du quadriplace de tourisme Wassmer W-40.

Villacoublay, 10 juin
La société Morane-Saulnier lance la gamme des Rallye. Jean Cliquet décolle le prototype du MS-880 Rallye, un avion de tourisme léger entièrement métallique.

France, 17 juin
Roland Glavany décolle le prototype du Mirage IVA. Ce biplace de bombardement stratégique supersonique va former l'ossature de la force de dissuasion française, voulue par le général de Gaulle.

Grande-Bretagne, 23 juillet
Le *squadron leader* de la RAF Charles Maughan gagne la course Paris-Londres en 40 min 44 s. Le *Daily Mail* l'a organisée pour fêter le cinquantième anniversaire de la traversée de la Manche par Louis Blériot. Elle s'est déroulée du 13 au 23, entre la place de l'Etoile et Marble Arch à Londres. Le vainqueur a tour à tour utilisé un Hawker Hunter, un hélicoptère Bristol Sycamore et deux motocyclettes.

Etats-Unis, 30 juillet
En Californie, le pilote Lew Wilson fait voler le chasseur supersonique Northrop F-165 (Freedom Fighter) développé à partir de l'avion d'entraînement Northrop T-38 Talon. Ce dernier avait fait son vol d'essai le 10 avril dernier.

France, 19 août
Décès à Nice du pionnier britannique Claude Graham White. Breveté pilote en 1910, il avait fondé l'aéroport d'Hendon.

France, 26 août
Jacqueline Auriol, sur Mirage III, atteint la vitesse de Mach 2, une performance qu'aucune aviatrice n'avait auparavant pu réaliser.

Congo, 15 septembre
Le nouveau chef du gouvernement congolais, l'abbé Fulbert Youlou, offre l'éléphanteau Zimbo au président des Etats-Unis, Dwight D. Eisenhower. Pour la première étape du transport, Zimbo fait le voyage de Brazzaville à Paris à bord d'un Constellation d'Air France.

Istres, 5 octobre
André Turcat, pilotant le Nord-1500 Griffon II, vole à l'altitude de 15 000 m et atteint la vitesse de Mach 2.19, soit 2 330 km/h.

Melun, 20 octobre
A Villaroche, René Bigand décolle le prototype du Mirage III version biplace, le Mirage III B 01.

Union soviétique, 31 octobre
Toujours sur Mikoyan Ye-66A, le colonel Mossolov bat un nouveau record du monde de vitesse en atteignant 2 387,48 km/h, à Sidorovo Tyumenkaya.

Paris, 6 novembre
Arrivée après un vol direct Seattle-Paris de 8 600 km, du premier des dix-sept Boeing 707-320 commandés par Air France, piloté par J. Courtade. Lors de la cérémonie de remise, il a été baptisé *Château de Versailles* par la femme du gouverneur de l'Etat de Washington.

Bordeaux, 8 novembre
Le nouveau bâtiment de l'aérogare Bordeaux-Mérignac, construit par la chambre de commerce de Bordeaux, est inauguré.

France, 24 novembre
Le nouveau porte-avions de la Marine nationale, le *Clemenceau*, entame une campagne d'essai en mer (→ 28.7.60).

Washington, D.C., 11 décembre
Le vice-président Richard Nixon remet le Harmon Trophy à André Turcat, le chef pilote d'essai de Nord-Aviation, pour avoir volé à Mach 2 sur un appareil propulsé par un statoréacteur. C'est la plus haute distinction américaine.

Grande-Bretagne, 17 décembre
Après les revers du Comet et du Trident, Hawker Siddeley absorbe la firme de Havilland.

Le premier jet d'Air France s'appelle Caravelle. L'avion, qui a été baptisé par Mme de Gaulle, se lance dans le ciel d'Europe.

Convair entre dans la compétition des avions à réaction

San Diego, 27 janvier
Convair vient de présenter aux essais son nouvel appareil, le Convair 880. Son objectif est de se mesurer à ses deux grands rivaux, le Boeing 707 et le DC-8 de Douglas. L'enjeu est de taille. Il s'agit de conquérir la suprématie sur les vols commerciaux à grande vitesse. L'avion a été conçu dans ce sens, plus rapide que ses concurrents, mais aussi plus petit. Sa vitesse maximale est de 990 km/h et sa vitesse de croisière de 895 km/h. Les turboréacteurs sont de General Electric et son autonomie est de 8 690 km pour une capacité de 124 passagers disposés à cinq par rangée. Le Convair 880 doit sa réalisation à Howard Hughes. En 1954, il avait contacté Convair et demandé un quadriréacteur long-courrier pour TWA. Dessiné par l'équipe de Sebold et Baylass, peu d'appareils auront eu, avant le début de leur carrière, autant d'appellations : Skylark, Golden Arrow (il devait avoir un revê-

Intéressés par sa vitesse annoncée, American Airlines en achète 25 en 1958.

tement anodisé doré) et Convair 660. Après ses premiers essais, on l'annonce déjà comme le jet le plus rapide du moment. Il est indispensable pour Convair que l'avion soit un succès commercial, car il a coûté une fortune en développement. TWA a passé sa commande en 1955, Delta Air Lines en 1956 et American en 1958. (→ 24.1.61)

Les hélicoptères servent en Algérie

Algérie, 1er avril
En l'espace de quatre ans, l'hélicoptère est devenu l'un des moyens français les plus efficaces de lutte contre les forces du FLN. Alors qu'au début du conflit algérien les forces françaises ne disposaient que de quelques dizaines d'hélicoptères, elles en possédaient près de 250 à la fin de 1957 : 139 pour l'armée de terre (Alouette II, Bell 47, Djinn, Sikorsky H-19, H-34 et H-21), 99 pour l'armée de l'air (Bell 47, Alouette II, H-19 et H-34) et 18 pour la marine (H-19 et H-21). La vulnérabilité aux tirs venus du sol a longtemps été le principal problème posé par ces appareils et les pertes enregistrées ont été assez importantes. L'état-major vient de mettre en service des hélicoptères Sikorsky H-34 avec un armement plus puissant. Ils sont équipés d'un canon de 20 mm et de deux mitrailleuses de 12,7 mm.

Eastern Air Lines reçoit le Lockheed Electra

Burbank, 12 janvier
La grève des pilotes d'American Airlines permet à Eastern Air Lines d'inaugurer le premier service régulier en Lockheed L-188 Electra. American avait été la première à en commander 35 exemplaires dès le 10 juin 1955. Eastern avait suivi avec un ordre pour 40 L-188 Electra le 27 septembre de la même année. A cette époque, BEA volait sur des Viscount et les Américains voulaient un avion de ce type. Lockheed, qui n'était pas engagée dans

la course aux quadriréacteurs, développa le projet L-188, un avion, équipé de 4 turbopropulseurs Allison, qui devait embarquer 90 passagers. Eastern insistait pour avoir des moteurs américains. Le vol d'essai eu lieu le 6 décembre 1957 et American recevait son premier exemplaire de série le 5 décembre dernier. Si l'avion séduit ses acheteurs, il semble que la puissance des turbines amène les hélices en limite de vitesse, ce qui entraîne de sérieuses vibrations dans les ailes.

L'accident était dû à la neige mouillée

Munich, 9 mars
Les conclusions de l'enquête menée par les Allemands sur l'accident qui a coûté la vie à plusieurs membres de l'équipe de Manchester United (→ 6.2.58) ont été publiées. James Thain, le commandant, qui a survécu au drame, est effondré. Sa licence lui a été retirée en août et ses explications ne sont pas retenues. Les Allemands estiment que la présence de glace sur les ailes est une des causes principales du décollage manqué. Thain prétend que cette

glace s'est formée après l'accident, alors que les enquêteurs n'étaient pas encore arrivés. Des témoins abondent dans son sens. De toute manière, il semble que la glace n'aurait pas pu à elle seule empêcher le décollage. La présence sur la seconde partie de la piste de neige mouillée est probablement à l'origine du drame. Elle a freiné l'avion. Mais il n'existe à ce sujet aucune réglementation qui oblige l'aéroport à enlever la neige ou les pilotes à ne pas décoller.

L'effet de souffle des grandes hélices a permis de réduire la voilure.

Entre le 9 et le 13 mars, deux Breguet Alizé ont effectué une série de tests d'appontage et de catapultage au départ du porte-avions « Eagle », au large de la baie de Toulon. Ils doivent être affectés à la marine.

Le Vickers-Vanguard succède au Viscount

Le Cessna 150, vedette des aéro-clubs

Le Vanguard semble très bien convenir aux liaisons par moyen-courriers.

Il complète la gamme avec les Cessna 172 et 182, tous deux plus puissants.

Grande-Bretagne, 20 janvier

Pour le constructeur britannique Vickers-Armstrong, aucun doute n'est permis : l'avenir des moyen-courriers est au turbopropulseur. Un parti qui l'a amené à donner au Viscount un successeur, plus grand et plus rapide : le V-950 Vanguard. Il démontre dès son premier vol d'indéniables qualités : une accélé-ration rapide au décollage, une ma-niabilité en vol et à l'atterrissage, une grande capacité ainsi que la vi-tesse de croisière la plus élevée pour un appareil de cette catégorie avec 680 km/h. Mais il est surtout éco-nomique grâce aux quatre turbo-propulseurs Tyne 512 de 5 545 ch. Cet avion de 139 places intéresse la BEA et les Canadiens. (→ 1.3.61)

Wichita, 31 janvier

Un coup de cœur qui gagne tous les aéro-clubs : le Cessna 150 est en passe de devenir une star. Présenté comme modèle de l'année, ce petit avion de tourisme permet à Cessna de garder le marché des biplaces légers. Le Model 150 doit rempla-cer le Model 140A, utilisé depuis 1950 comme avion d'entraînement, mais qui se faisait vieux. Le petit 150 possède un moteur de 100 ch qui lui confère une vitesse de croi-sière de 180 km/h à 2 135 m. Il est produit en trois versions : standard, d'entraînement avec double com-mande et de voyage. Les acheteurs semblent nombreux puisque 719 Cessna 150 doivent être livrés cette année.

Dépressurisation et sécurité des vols

American Airlines vole en Boeing 707

Des supersoniques civils en projet

France, 31 janvier

L'heure est aux jets qui grimpent à 35 000 pieds. A 11 000 mètres, les avions sont équipés de cabines pressurisées. Les ingénieurs, les médecins et les physiologistes ont étudié les effets sur l'organisme de telles conditions de vol et ont évalué les risques encourus par le passager dans le cas d'une dépres-surisation, autrement dit d'une dé-compression accidentelle. Lorsqu'il s'en produit une, c'est à cause d'une défaillance technique, d'un défaut dans la structure ou, cas plus rare, de la rupture d'un hublot. Une telle avarie met la vie des passagers et de l'équipage en jeu. A 35 000 pieds, la privation d'oxygène aboutit à la perte de connaissance en 32 secon-des et peut entraîner la mort. Le pilote doit réduire toute la puis-sance, casser la vitesse et sortir les traînées (train et aérofreins). Il engage ensuite un virage tout en dé-butant la descente rapide. Le but de ce virage est d'éviter aux passagers d'être projetés vers l'avant au début du piqué qui atteint 6 000 pieds par minute. L'avion est redressé à 12 000 pieds.

Idlewild, 25 janvier

Le Boeing 707 d'American Airlines en provenance de Los Angeles ar-rive sur le piste de l'aéroport inter-national de New York. Il vient de réaliser la première liaison conti-nentale régulière en jet. American avait commandé trente exemplaires du B-707-120 à la firme de Seattle. A sa demande, le fuselage a été ral-longé de 38 cm par rapport à celui du prototype. Aujourd'hui, deux mois à peine après le premier vol transtlantique du 707 de Pan Am, c'est avec l'un d'eux qu'elle vient d'inaugurer sa ligne intérieure. L'appareil a relié les deux côtes dans le temps record de 4 h 3 min. Pan Am concentre ses vols en 707 sur le secteur international. En moins de trois mois, elle a trans-porté plus de 12 000 passagers au-dessus de l'Atlantique. Les autres compagnies attendent leurs avions. Continental annonce ses vols en 707 à partir du 20 mars avec une liaison entre New York et San Francisco.

Grande-Bretagne, 9 mars

L'aéronautique britannique parie sur de l'avenir. Un rapport du Comité du transport aérien super-sonique propose l'étude de deux appareils de ce type. Un long-cour-rier, capable d'emporter 50 person-nes à Mach 2, et un second pouvant acheminer une centaine de passa-gers à Mach 1.2 (1 300 km/h) sur de courtes distances. C'est au mois de novembre 1956 qu'est formé, sous l'égide du gouvernement bri-tannique et de la BOAC, un comité consultatif sur ce type de transport. Il faut d'abord entreprendre des re-cherches sur l'aérodynamisme et la structure à donner au nouvel avion. Simultanément, en France, les ser-vices officiels s'intéressent à des programmes d'avion de transport supersonique. Aussi des sociétés telles Sud-Aviation, Nord-Avia-tion et Marcel Dassault se sont vu confier la mission de plancher sur un projet d'appareil civil moyen-courrier pouvant voler à Mach 2 (soit 2 117 km/h). Depuis, les bu-reaux d'études rivalisent d'ingénio-sité pour voir leur avant-projet re-tenu par le gouvernement français.

Le premier des Boeing 707 d'American Airlines sort des ateliers de Seattle.

La Caravelle déploie ses ailes sur l'Europe

C'est la seconde des deux Caravelle d'Air France qui est baptisée par Mme de Gaulle à Orly. Elle est immatriculée F-BHRB, la première F-BHRA.

Pierre Satre montre la Caravelle.

Madame de Gaulle la baptise « Lorraine »

France, 24 mars
Une marraine de choix pour l'avion vedette de l'aéronautique française. A Orly, Mme de Gaulle vient de baptiser *Lorraine* la seconde des Caravelle destinée à Air France. Il est vrai que le chef de l'Etat s'était déjà rendu à Alger à bord d'une Caravelle, le 4 juin 1958, pour son premier voyage officiel. Il s'était déclaré très impressionné par l'appareil. C'est un grand moment pour

Georges Hereil, président de Sud-Aviation, entouré pour cette cérémonie de Max Hymans, président d'Air France, de Robert Buron, ministre des Transports, ainsi que d'autres personnalités officielles. Devant une assistance nombreuse, il souligne avec fierté que, non seulement les délais de livraison ont été respectés, mais que quelques jours ont été gagnés sur le programme qui était prévu.

Mme de Gaulle arrive à Orly.

Un vol plané de Paris à Dijon

Dijon, 15 avril
La démonstration est éclatante : la Caravelle peut voler sans réacteur. Elle vient de relier Paris à Dijon en vol plané, selon un scénario préparé par les pilotes Guibbert et Duguet. La Caravelle *Lorraine* a décollé à 13 h 42 min, avec un seul réacteur. A son bord, des journalistes et des représentants d'Air France. Puis, le second réacteur mis en route, elle prend de l'altitude et à 16 h 46 min se trouve à 13 200 m au-dessus de Paris. Les réacteurs sont alors réduits à fond afin de ne plus donner aucune poussée. Tel un planeur, l'appareil entame sa descente vers Dijon. A 15 h 32 min, il est à sa verticale. Il a couvert 265 km en 46 min, et cela sans réacteur.

Sa première destination sera Istanbul

France, 1er mai
La Caravelle vole vers la Corne d'or. A son bord, les hauts dirigeants d'Air France, Max Hymans et Louis Lesieux, et des invités de marque, représentants des grands corps de l'Etat, parlementaires, industriels et patrons de presse. En effet, quinze jours avant sa mise en service régulier effective, la pre-

mière Caravelle d'Air France, qui a obtenu son certificat de navigabilité le 2 avril dernier, effectue aujourd'hui son vol inaugural, de Paris à Istanbul. L'appareil, conduit par Lionel Casse, Pierre Dudal et René Duguet, effectue deux escales, à Rome et à Athènes, avant d'atteindre la capitale turque avec une ponctualité qui l'honore.

Le premier vol régulier en Caravelle vers Istanbul est prévu pour le 6 mai.

La Caravelle de SAS arrive à Stockholm

Suède, 14 avril
Il est 16 h 17 min. Le *Finn Viking* de la Scandinavian Airlines System se pose sur la base de Bromma Airport, près de Stokholm. Il arrive de Toulouse. Le *Finn Viking* est une Caravelle, la première de la série destinée à la compagnie scandinave. Elle a été livrée et baptisée en grande pompe ce matin à Toulouse devant les hangars de Saint-Martin-du-Touch, en présence du directeur de la SAS, Acke Rusck et du président de Sud-Aviation Georges Hereil. La SAS, deuxième compagnie à avoir passé commande du biréacteur commercial français compte le mettre en service dès le 26 avril sur sa ligne vers le Moyen-Orient.

Le « Coléoptère » a une aile circulaire

Le « Coléoptère » est mis en place.

Melun-Villaroche, 25 juillet
Auguste Morel sait quand il monte à bord du *Coléoptère* qu'il aura besoin des informations données par les deux Alouette qui viennent de décoller. Trop préoccupé par ses instruments de bord, il est difficile, en position verticale, de prendre des références par rapport à l'horizon. Dès qu'il quitte le sol, le *Coléoptère* prend une direction opposée à celle qui était prévue. Morel a des difficultés à le contrôler. Il décide de redescendre, craignant que le carburant s'épuise, ce qui amènerait l'engin à s'écraser. Le *Coléoptère* échappe à son contrôle, il se place en vol horizontal mais perd de l'altitude. Le sol n'est plus qu'à 15 m quand il actionne son siège éjectable. Il s'en tire avec des lésions internes, mais ne volera plus.

Le Frelon est plus gros que l'Alouette

Le Frelon est un hélicoptère équipé de trois turbines Turboméca.

Le Bourget, 10 juin
Les hélicoptères deviennent de plus en plus impressionnants. Le Frelon, avec ses trois turbines Turboméca Turbo-III qui entraînent un seul rotor principal, devient le plus gros hélicoptère construit en France. Il dépasse ainsi largement l'Alouette. Après les essais entre cordes, les essais des vols libres du prototype du Frelon SE-3 200 ont eu lieu à deux jours de l'ouverture du Salon du Bourget. Ils sont placés sous la responsabilité de Jean Boulet et Roland Coffignot, ainsi que de l'ingénieur navigant d'essai Jean-Marie Besse et du mécanicien navigant Joseph Turchini.

Tout le monde peut piloter le Rallye

Sa grande verrière se glisse vers l'arrière pour donner accès aux sièges.

Villacoublay, 10 juin
Le Rallye doit faire ses preuves. Il devrait être un nouvel avion pour tous. C'est en tout cas ainsi que l'a conçu l'ingénieur Joseph Rostaing et son bureau d'études. Le prototype de l'avion de tourisme triplace MS-880 Rallye, avec son moteur Continental de 90 ch, a été fortement inspiré des méthodes de fabrication de l'industrie automobile puisque l'on envisage de le construire en grande série. L'appareil est entièrement métallique, à aile basse avec becs de bord d'attaque automatiques. Son ambition est d'être maniable, même à très basse vitesse. L'appareil n'a certes pas été conçu pour atteindre des vitesses élevées. Le premier vol a eu lieu avec le pilote d'essai Jean Cliquet. A l'atterrissage, il avoue sa déception. Il considère la puissance du Rallye très insuffisante et les ailerons pas assez efficaces. Pour le second vol, qui doit avoir lieu demain, les constructeurs ont décidé de changer l'hélice. Ils n'ont pas le temps de changer le moteur qui semble être son point faible. Avec 90 ch, il est difficile d'envisager de le considérer comme un triplace. Il faut au minimum 45 ch par personne transportée. Chacun espère que cet avion intéressant sera bientôt remotorisé.

Longue traversée pour Max Conrad

Los Angeles, 4 juin
Max Conrad, pilote de chez Piper et père de dix enfants, vient de battre le nouveau record de distance des biplaces légers sur un Comanche de série, doté de réservoirs supplémentaires. Parti de Casablanca, il y a 58 h et 6 min, il a atterri à Los Angeles, après avoir parcouru 12 365 km sans escale. Le vol initial était prévu jusqu'à El Paso (Texas) mais, après un vol à basse altitude pour saluer le comité d'accueil, Conrad a continué jusqu'à Los Angeles, sous escorte de quelques Apache de chez Piper transportant la presse locale.

Le record d'altitude part pour l'URSS

Union soviétique, 14 juillet
Avantage à l'Union soviétique : le record mondial d'altitude vient de changer de camp. L'exploit en revient au *major* Iliouchine, fils du célèbre ingénieur. Son appareil, le Sukhoi T-431, a crevé le plafond du précédent record avec 28 850 m. Il s'agit d'un prototype du chasseur Sukhoi Su-9, lequel est entré depuis peu en service dans la PVO Strany, la force de défense aérienne. Le record appartenait jusque-là au Lockheed Starfighter du *major* Johnson, qui l'avait lui-même ravi aux Français le 7 mai 1958 en atteignant 27 811 m.

Le Rotodyne de Fairey poursuit ses vols de démonstration à travers la Grande-Bretagne. Les compagnies ne semblent pas être intéressées.

Le prototype du Boeing 707-320 long-courrier intercontinental. Prévu aussi pour les lignes intérieures, le 120 est déjà utilisé dans ce rôle.

Le prototype du Convair 880, au sort malheureux.

Le Sikorsky S-61N, version civile allongée du HSS-2 Sea King.

Le Sud-Aviation SE.3160 Alouette III : 1 382 exemplaires vendus entre 1960 et 1978 à 190 utilisateurs civils et militaires dans 92 pays du monde.

Le Beech 33 Debonaire, quadriplace monomoteur d'affaires.

Le Sipavia 261 Anjou se heurte à une trop vive concurrence.

Le Dassault MD.415 Communauté, rapidement abandonné.

Le Procaer F15 Picchio, un avion de voltige italien très réussi.

Le Dornier Do 28 connaît un gros succès commercial.

Le Max Holste 250 Super Broussard à la fois civil et militaire.

Le Morane-Saulnier MS.880 Rallye Club, premier de la famille.

L'UTVA 56 yougoslave, un quadriplace utilitaire.

L'Aero Boero 95, un avion de tourisme argentin.

Le Victa Airtourer 100, transféré ensuite en Nouvelle-Zélande.

Le Lake LA-4 Buccaneer, un amphibie bon marché.

Le Westland Westminster, une Grue volante de type Sikorsky.

Le prototype Vickers Vanguard. L'appareil est équipé de quatre Rolls-Royce Tyne et d'un fuselage à double bulbe pressurisé.

Le Handley Page Victor B.2, le meilleur des trois V.

Le Wassmer WA.40 Super IV est vendu en plusieurs versions.

Le prototype du Boeing 720, version moyen-courrier du 707.

Le Hal Krishak, un avion de coopération, d'origine indienne.

Le Dassault Mirage IVA, bombardier stratégique nucléaire.

Le Canadair CL-44, avion de transport à long rayon d'action.

L'English Electric T.4, version biplace d'entraînement côte à côte, produit à 21 exemplaires. L'Arabie Saoudite reçoit le T.54 identique.

La version civile de l'Armstrong Whitworth AW.650 Argosy à moteurs Dart ne dispose pas des trappes arrières de la variante militaire.

Le Northrop N.156F deviendra le F-5 Freedom Fighter.

Le Folland Gnat T.1 remplace le Vampire T.11 dans la RAF.

Le Lockheed P-3A Orion remplace le Neptune dans le rôle de patrouilleur maritime. Il est utilisé par six pays en plus de l'US Navy.

Le Hiller X-18 est conçu pour les recherches Adav.

L'Aero L-29 Dolphin tchèque, avion d'entraînement utilisé à l'Est.

Le Grumman OV-1 Mohawk, avion performant d'observation.

Le Mirage IIIB, biplace d'entraînement du Mirage IIIC.

Le célèbre North American X-15 expérimental hypersonique.

Le T-38 Talon, version d'entraînement du N.156F.

Le premier Sikorsky HSS-2 Sea King, hélicoptère de lutte anti-sous-marine, donnera naissance à une longue et prolifique lignée.

Le prototype de l'hélicoptère Kaman YHU2K-1 Seasprite.

Le Westland Whirlwind 3, équipé d'une turbine.

1960

 **3 534 km/h**
Etats-Unis
Joseph Walker
North American X-15
4.8.60

 **39 147 km**
Etats-Unis
Archie Old Jr.
Boeing B-52
18.1.57

 **41 605 m**
Etats-Unis
Robert White
North American X-15
12.8.60

 **221 350 kg**
Etats-Unis
Boeing
B-52 Stratofortress

 12 020 kgp
Etats-Unis
Pratt & Whitney
J75-P-19W

Ankara, 19 janvier
Une Caravelle des SAS qui assurait la liaison Copenhague - Le Caire, s'écrase sur une colline alors qu'elle amorçait sa procédure d'atterrissage. La catastrophe fait 42 morts.

Paris, 22 janvier
L'Otan arrête son choix pour un patrouilleur de haute mer sur le programme en cours du Breguet Atlantic. Il l'emporte contre 17 autres projets, soumis par 25 sociétés.

Atlantique Nord, 31 janvier
Un Boeing 707 relie Paris à New York en 7 h 39 min, avec 140 passagers à bord.

New York, 10 février
Journée des dupes entre Sud-Aviation et la Douglas. Les présidents des deux sociétés signent un accord aux termes duquel Douglas devient le représentant de Sud-Aviation et acquiert le droit de construire la Caravelle aux Etats-Unis. L'accord va en fait servir à Douglas pour verrouiller les marchés qu'elle contrôle. (→ 29.12)

France, 15 février
Cessna acquiert 49 % du capital de la société rémoise Max Holste. Celle-ci va construire sous licence la plupart des modèles de Cessna. (→ 30.1.62)

Dallas, 16 février
Le premier exemplaire du Vought F8U-2N Crusader vole aux mains du pilote d'essai John Konrad. Devant le succès technique de cette version destinée à l'interception tout-temps, l'US Navy commande 38 de ces appareils.

Etats-Unis, 26 février
Nouveau succès américain pour Sud-Aviation. La compagnie United Airlines passe une commande ferme de 20 Caravelle et prend une option sur vingt autres.

Grande-Bretagne, 8 mars
Westland Aircraft, après avoir absorbé Fairey Aviation, prend le contrôle de la division hélicoptères de Bristol Aircraft.

Amsterdam, 16 mars
La KLM inaugure ses services intercontinentaux en jet en mettant son premier DC-8 en exploitation sur la ligne vers New York.

Moscou, 1er avril
Un Tupolev Tu-114, piloté par Soukhomline et Kharitonov, améliore huit records de vitesse sur la distance de 2 000 km, avec charges allant de 1 à 27 tonnes, en volant à la vitesse moyenne de 857,3 km/h.

Etats-Unis, 19 avril
Le premier prototype du Grumman A-6A Intruder, un avion d'attaque tout-temps, effectue son vol initial, piloté par Robert Smythe.

Maroc, 27 avril
Le sultan du Maroc, Muhammad V, abolit la charte royale qui faisait de Tanger une ville internationale, mais l'aéroport reste la propriété d'Air France. (→ 16.12.61)

Etats-Unis, 1er mai
Braniff International fait peindre ses DC-8 avec une couleur différente par appareil. La compagnie attend de cette publicité d'excellentes retombées commerciales.

Hongrie, 2 mai
A Budapest, les représentants des gouvernements français et hongrois signent un accord pour l'exploitation de deux routes aériennes : Paris-Budapest *via* Prague et Budapest-Paris *via* Francfort.

Cannes, 30 mai
Charles Fauvel décolle le prototype du RF-1, avion-planeur monoplace, muni d'un moteur Volkswagen de 25 ch. Conçu par René Fournier, un céramiste de formation, le RF-1 est en bois, doté d'une aile de 11 m d'envergure. Il repose sur un train monotrace.

Congo belge, 9 juin
A trois semaines de l'indépendance de la colonie, l'armée belge, qui prévoit des troubles graves, met en place l'opération *Camoens*. Réquisitionnés, les Boeing 707 de la Sabena serviront à évacuer les colons.

Etats-Unis, 5 juillet
United Airlines met en service le Boeing 720 sur la ligne Chicago-Denver - Los Angeles. Dérivé du 707, le modèle 720 a un fuselage légèrement raccourci.

France, 28 juillet
Lancement à Saint-Nazaire du porte-avions *Foch*, sistership du *Clemenceau*. (→ 19.9)

Washington D.C., 30 juillet
Après de graves revers d'exploitation lui ayant coûté 5 millions de dollars au premier trimestre, Capital Airlines, dans l'impossibilité de payer les Vickers Viscount commandés, tente un rapprochement avec United Airlines. (→ 1.6.61)

Etats-Unis, 16 août
A Tularosa au Nouveau-Mexique, le capitaine Joseph Kittinger de l'US Air Force saute en parachute d'un ballon, à 31 150 m d'altitude (température - 70 °C). Il fait une chute libre de 25 816 m au cours de laquelle il atteint l'impressionnante vitesse de 300 km/h avant d'ouvrir son parachute à 5 334 m.

Union soviétique 17 août
Le pilote de l'U-2 abattu au mois de mai, Gary Powers, est condamné à dix ans de camp de travail pour espionnage contre l'Union soviétique. (→ 10.2.62)

Etats-Unis, 20 août
Pan Am vend à un ferrailleur les 14 derniers Boeing Stratocruiser en sa possession, pour la modique somme de 105 000 dollars.

Tchécoslovaquie, 29 août
A Brastislava, au cours des championnats internationaux de voltige aérienne, le champion français Léon Biancotto se tue à l'issue d'une vrille et d'un vol sur le dos à bord d'un Nord 3202.

Tahiti, 15 septembre
Tasman Empire Airways retire du service le dernier de ses hydravions Short Solent. L'*Aranui* effectue son dernier voyage en vol régulier vers Auckland, en Nouvelle-Zélande.

Espagne, 6 octobre
Dans les salons de l'hôtel de ville de Barcelone, l'aviatrice Jacqueline Cochran, présidente de la Fédération aéronautique internationale, remet la médaille d'or de la FAI à Pierre Satre, concepteur de Caravelle.

France, 8 octobre
A Bordeaux, Jean Coureau décolle le premier Mirage IIIC de série.

France, 12 octobre
Max Fischl, pilotant un bombardier Vautour équipé du système d'entonnoir américain utilisé par l'US Air Force, réussit à ravitailler en vol un second Vautour que pilote Jean Dabos.

Grande-Bretagne, 21 octobre
Le Hawker P-1127, avion à décollage et atterrissage verticaux, commence ses essais à Dunsfold. Pour ce vol initial, l'appareil est attaché à un câble. (→ 19.11)

Australie, 6 décembre
Inauguration à Melbourne du premier héliport construit sur le continent australien.

Berne, 29 décembre
Le gouvernement suisse fait connaître sa décision d'acquérir des Mirage III de Dassault. Ils seront construits en Suisse sous licence. Le 15, les Australiens avaient confirmé l'achat de Mirage III-O (O pour Ostralie) afin d'équiper leur force aérienne.

Etats-Unis, 31 décembre
A l'issue d'une longue bataille avec l'Equitable Life Insurance Company, détentrice de créances d'une valeur de 40 millions de dollars sur TWA, Howard Hughes, qui possède 87 % du capital de la compagnie, en perd le contrôle absolu. TWA est placée sous la tutelle d'un trust d'institutions financières.

L'Alouette III se révèle remarquable pour le secours en montagne. La Sécurité civile fait un exercice de treuillage d'un skieur blessé.

Le Draken de Saab vole à Mach 2

Le dernier chasseur de Saab donne à la Suède un intercepteur remarquable.

Suède, 14 janvier

Le nouveau modèle du Draken suédois passe Mach 2. La mise au point du réacteur RM6C, d'une poussée plus importante, a permis la réalisation du modèle J-35D, dont les entrées d'air ont été agrandies. La performance du nouveau Draken est le résultat de ces améliorations. Les capacités du J-35D ont été accrues par l'adoption d'un système de conduite de tir sophistiqué, le SAAB S.7A, et par la mise en place de points d'attache supplémentaires sous la voilure, auxquels peuvent être fixées des roquettes à empennage repliable. Le J-35D est aussi équipé d'un siège éjectable ayant la particularité de pouvoir être utilisé au sol et même à des vitesses aussi basses que 100 km/h. Il dispose d'un radar Ericsson PS-3 et peut atteindre Mach 2. Le J-35D est le plus puissant des Draken mis en service au sein de la force aérienne suédoise.

Un C-130 Hercules ravitaille l'Antarctique

Les fusées d'appoint lui permettent d'atteindre rapidement la phase de vol.

Antarctique, 23 janvier

Grâce à leurs immenses skis revêtus de Téflon, ce produit antiadhésif utilisé notamment pour les poêles et les casseroles, les gros Lockheed C-130 Hercules peuvent désormais se poser presque n'importe où en Antarctique, même au pôle Sud. C'est là une fort bonne nouvelle pour les scientifiques américains qui travaillent dans les stations avancées de l'US Navy, à des milliers de kilomètres de leur base arrière, à McMurdo, sur la côte du continent blanc. Jusqu'à présent, le ravitaillement de ces stations en vivres et en matériel était une opération complexe et coûteuse. Des avions de transport Globemaster venus des Etats-Unis devaient se poser à McMurdo avant de repartir vers le Pôle pour procéder au parachutage de leur cargaison. Les C-130 éliminent l'usage de parachutes, ce qui représente une économie d'un million de dollars.

Le Short SC-1 passe du vol vertical au vol horizontal

Mise en route des cinq réacteurs,

4 donnent une poussée vers le sol,

en l'air, le cinquième fait avancer.

Grande-Bretagne, 6 avril

On se souviendra longtemps du Short SC-1. L'avion britannique vient en effet d'effectuer la première véritable transition entre le vol vertical et le vol horizontal. Pour arriver à un tel résultat, de longues études furent nécessaires. Il possède une aile delta et sa propulsion est assurée par cinq moteurs RB.108, dont quatre sont dirigés vers le bas pour la portance et un vers l'arrière pour le vol horizontal. Les quatre premiers réacteurs peuvent être inclinés en avant et en arrière. Ils peuvent ainsi fournir une poussée supplémentaire ou, au contraire, freiner l'avion pendant les translations lors du vol horizontal. Pour faciliter le contrôle de l'avion, des buses sont situées dans le nez et aux extrémités des ailes. Le pilote, installé dans un cockpit pourvu d'une instrumentation de vol complète, dispose d'un siège éjectable. Enfin, le train d'atterrissage est spécial. Chaque jambe du train tricycle fixe est équipé d'un diabolo. Les atterrisseurs principaux peuvent pivoter en avant et en arrière. Ainsi, ils permettent de décaler les roues par rapport au centre de gravité lors des atterrissages verticaux. Le Short SC-1 dispose de volets internes, d'ailerons externes et d'une dérive arrière pour le vol horizontal.

Un avion toutes les 72 secondes

Chicago, 14 mars

Les chiffres parlent d'eux-mêmes : 431 000 mouvements de vol par an, soit 1 183 atterrissages et décollages par jour. Toutes les 72 secondes, un avion apparaît ou disparaît. Tel est le record enregistré par l'aéroport de Chicago-Midway. Il est communiqué par l'Agence fédérale de l'aviation civile. A titre de comparaison, Orly enregistre une activité cinq fois moindre. A Chicago, l'aérodrome, bâti en carré et en pleine ville, est quadrillé de huit pistes et les avions s'y posent deux par deux en parallèle. La fréquentation de l'aéroport le plus important des Etats-Unis est liée à un trafic international considérable du fait des 3,5 millions d'habitants de Chicago la plupart de souche étrangère, et au trafic riverain qui achemine quantité de passagers vers Detroit centre industriel proche.

Air France et Japan Air Lines se partagent la route Paris-Tokyo

Orly, 1er avril

L'accord prend effet à dater d'aujourd'hui et consacre une collaboration étroite entre Japan Air Lines et Air France. Dans un futur proche, cela signifie pour les deux compagnies le partage du trafic entre le Japon et l'Europe. Dans un premier temps, les services assurés par les avions d'Air France sur la route polaire (Paris-Tokyo *via* Anchorage) sont exploités par les deux partenaires conjointement. Le sigle de la JAL est peint sur les carlingues des jets français et des hôtesses nippones embarqueront à leur bord, servant aux passagers qui le désirent thon cru, soja et autres *sushis*. Cette union fait suite au premier vol commercial à réaction effectué le 16 février par un 707 Intercontinental d'Air France sur cette même route. La durée du voyage avait été

Le premier des Boeing 707-320 d'Air France, sorti d'usine le 30 juillet 1959.

réduite à 19 heures et 10 minutes, dont seulement 17 heures et 40 minutes de vol. Pour célébrer l'événement, les PTT avaient apposé un cachet commémoratif sur chaque

pli destiné au Japon. D'autres dispositions, qui entreront en vigueur l'an prochain, concernent l'exploitation de la route sud, *via* Bangkok et Hong Kong.

Un Soviétique teste la Caravelle

France, 1er avril

Nicolaï Tsibine n'a pas perdu son temps. Ce général de l'armée de l'air soviétique, pilote du numéro un soviétique, M. Khrouchtchev, a participé à un vol d'entraînement d'une Caravelle d'Air France. Venu de Moscou à l'occasion d'un voyage officiel de l'homme d'Etat soviétique, il a pu apprécier, en compagnie de huit membres de l'équipage de l'Iliouchine présidentiel, toutes les capacités de l'avion français. Le commandant Maurice Bernard les a accueillis à bord de l'appareil pour effectuer un circuit Paris-Genève-Lyon-Paris. A son arrivée, le pilote soviétique s'est déclaré très impressionné par la Caravelle, et, en particulier, par sa parfaite maniabilité.

Un vol de Paris à Paris, via Bora-Bora

Paris, 8 mai

Le Boeing 707 Intercontinental de la compagnie Air France vient de se poser à Orly. Son atterrissage a été très attendu, car l'appareil vient d'achever le premier tour du monde aérien français. C'est le résultat d'un accord passé entre Air France et la TAI. Un DC-7C Seven Seas de la TAI est effectivement parti de Paris le 1er mai pour atteindre par la route sud Los Angeles, *via* Bora-Bora, en Polynésie. Quelques heures plus tard, l'avion d'Air France prenait le relais. Il décollait de Los

Angeles pour Montréal et ensuite se dirigeait vers Paris. Ainsi, les deux compagnies françaises, en joignant leurs efforts, assurent deux fois par semaine, dans les deux sens, un parcours autour du monde, soit 45 000 kilomètres, en quatre-vingts heures de vol. Ce n'est que le prélude à d'autres longs voyages puisqu'un second projet est en cours : un service hebdomadaire de Paris vers Los Angeles, avec retour à bord de DC-8 de la TAI. Le tour du monde pour tous n'est plus un rêve.

BOAC utilise aussi des Boeing 707

Londres, 29 avril

BOAC réceptionne son premier Boeing 707-420 propulsé par des réacteurs Rolls-Royce Conway Mk 50B turbofan. Ces moteurs émettent, à pleine puissance lors du décollage, d'épaisses fumées noires, ce qui a entraîné de vives protestations de la part des riverains d'Heathrow. Parti de Seattle, l'appareil a rallié Londres sans escale, couvrant une distance de 7 450 km en moins de dix heures. C'est la version britannique du Boeing, puisque BOAC est tenue d'acheter au moins des

moteurs anglais. Plus léger que le 707-320 Intercontinental propulsé par des réacteurs Pratt & Whitney JT4A, le 420 offre plus de puissance, chacun des réacteurs donne 17 500 livres de poussée (7 938 kg). Il consomme davantage de carburant. Son fuselage est plus court que celui du 707-120 et, entre le fuselage et le premier moteur, le bord d'attaque de chacune de ses ailes, en forme de double trapèze, est plus grand. D'une bonne tenue aérodynamique, le Boeing 707-420 peut décoller sur des pistes courtes.

Le DC-7C de la TAI reçoit à Bora-Bora l'accueil traditionnel du pays.

Un Starliner est mis à la disposition de Charles de Gaulle en Amérique.

L'avion-espion U-2 de Gary Powers est abattu

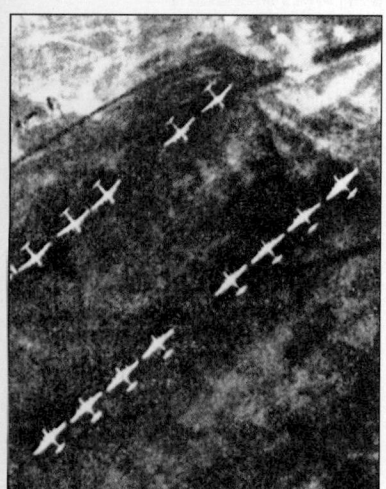

Une photographie prise par un U-2.

Union soviétique, 1er mai
Depuis deux ans, les Américains survolent l'Union soviétique en toute impunité. Jamais les Soviétiques ne sont parvenus à les intercepter. Aussi, c'est avec confiance que le pilote Francis Gary Powers, fonctionnaire de la CIA, décolle de Peshawar, au Pakistan, aux commandes de son Lockheed U-2B pour effectuer la mission immatriculée 4154. Son avion ne porte évidemment aucun numéro ni signe distinctif. Il doit survoler l'Union soviétique de bout en bout à très haute altitude en prenant des photos de certains objectifs. Au-dessus de l'Oural, un premier incident se produit : le pilote automatique le lâche. Il va devoir rester aux commandes jusqu'au bout de sa mission. Mais, tandis qu'il survole un aérodrome au sud-est de Sverdlosk, une explosion secoue l'avion. Un missile SA-2, tiré du sol, vient de l'atteindre. Les commandes ne répondent plus. Des morceaux d'aile se détachent et l'appareil se met en vrille. Powers déclenche le dispositif d'autodestruction de l'avion avant de s'éjecter. Puis c'est le saut en chute libre jusqu'à ce que son parachute s'ouvre automatiquement. Au sol, il n'a plus qu'à attendre l'arrivée des Soviétiques qui vont le capturer. (→ 10.2.62)

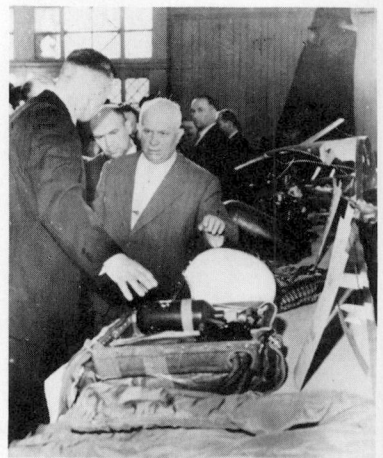

Nikita Khrouchtchev examine des débris de l'U-2 abattu.

Un Stampe arrache le toit d'une Caravelle au-dessus d'Orly

Avec un seul moteur et plusieurs circuits électriques détruits, le pilote de la Caravelle d'Air Algérie a réussi à se poser.

France, 19 mai
Il s'en est fallu d'un réflexe pour que l'accident devienne une véritable catastrophe. Alors qu'elle était en finale d'approche ILS, la Caravelle d'Air Algérie, immatriculée F-OBNI, s'est trouvée sur la route d'un avion de tourisme Stampe. Ce dernier volait à une altitude bien supérieure à ce qui est autorisé dans cette zone pour effectuer son passage en transit sud de Paris. Grâce à un réflexe inouï, le copilote a fait plonger la Caravelle, ce qui explique que l'impact s'est produit au-dessus du fuselage. Une partie de son toit arrachée et un réacteur en moins, le pilote d'Air Algérie a pu poser l'appareil. On déplore un mort dans l'appareil de ligne et quelques blessés. Le pilote du Stampe a été tué. Une commission d'étude a été constituée par le ministre des Travaux publics et des Transports. Il est évident que le Stampe n'a pas respecté les règles en vigueur dans ce secteur.

Snecma s'installe à Billancourt

Boulogne-Billancourt, 12 juin
La Snecma face à son destin. Sa nouvelle usine le long de la Seine vient d'être inaugurée et, notamment, les ateliers de révision et de réparation des réacteurs. Conformément aux accords passés avec Air France, les réacteurs JT-4 qui équipent les 17 premiers Boeing 707-320 de la compagnie y seront révisés et remis en état à bout de potentiel. Un autre accord a été conclu avec la division Pratt & Whitney de United Aircraft Corporation. Il fait suite à l'abandon des réacteurs américains pour le Mirage IV, au profit des réacteurs Atar. Le contrat prévoit aussi une participation de United Aircraft, de 10,9 %, dans le capital de la Snecma. Quant à Pratt & Whitney, il apporte à la Snecma la licence de fabrication, de vente et d'entretien de plusieurs de ses turboréacteurs modernes.

Un silencieux pour les essais de réacteurs

Orly, 31 mai
Pour tenter de satisfaire au confort des riverains comme du personnel au sol, la direction du matériel fait mettre en service, au centre de révision d'Orly, deux silencieux visant à atténuer un peu le vacarme des turboréacteurs. Construits par la firme française Bertin, ceux-ci réduisent de trente décibels le bruit des moteurs Avon qui équipent la Caravelle, sans que le fonctionnement des réacteurs soit affecté par ce dispositif. Ainsi les moteurs de la Caravelle ne produisent plus, à pleine puissance, que quatre-vingt-cinq décibels, soit l'équivalent, en nuisance sonore, du bruit d'une rue de la capitale à trafic automobile moyen.

Boeing construira des hélicoptères Vertol

Seatle, 13 juin
Boeing vient d'acquérir Vertol, la société d'hélicoptères Piasecki. Pour pouvoir accueillir la division Vertol, Boeing agrandit ses usines, situées sur une aire de 120 hectares dans le comté de Delaware, à la sortie de Philadelphie, à 5 km de l'aéroport international. Le complexe de 18 600 m² comprend les unités de fabrication et d'assemblage, ainsi que les bureaux de conception. Le centre d'essai en vol se trouve sur l'aéroport Wilmington, à 40 km de là. Premier hélicoptère de chez Boeing, le Vertol 107, entraîné par des turbines, est apparu sur le marché il y a deux ans. Il fait déjà l'objet de commandes venues du monde entier.

Le Tu-114 vole de Moscou à New York en 11 heures et 6 minutes

Shannon et Gander, escales délaissées

New York, 20 juin

Le Tupolev Tu-114 est de loin le plus grand des avions de ligne soviétiques. Il vient d'établir un nouveau record en reliant Moscou à New York en 11 h et 6 min de vol. C'est en 1953 que la compagnie soviétique Aeroflot lançait un programme pour la construction d'un tel avion de ligne. Ainsi naquit le Tupolev Tu-114, baptisé Rossiya pour le quarantième anniversaire de la Révolution. Il effectuait son vol inaugural le 3 novembre 1957. Dérivé du bombardier stratégique Tu-20, ce quadrimoteur est équipé de turbopropulseurs Kuznetsov d'une puissance de 12 500 ch. Les ailes en flèche portent chacune deux moteurs actionnant chacun deux hélices quadripales. Le Tu-114 peut ainsi atteindre une vitesse de croisière de 750 km/h à 9 000 m. Agencé en trois cabines principales et quatre plus petites, luxueusement

Les énormes hélices sont contrarotatives pour annuler l'effet de couple.

décorées, cet appareil a une capacité d'accueil de 170 passagers pour les vols continentaux, et de 100 à 120 sièges pour les vols intercontinentaux. Dans chaque cabine se trouvent deux divans et six sièges, des lampes en cuivre et des porte-bagages. Des ascenseurs électriques ont été installés pour faciliter la distribution des repas.

Gander, 1er juillet

Le progrès ne va pas toujours sans dommages. Ainsi, l'augmentation du rayon d'action des appareils rend-il inutile l'escale technique sur certains aérodromes. C'est le cas pour les terrains de Shannon (Irlande), sur la route Paris-New York, et de Gander (Terre-Neuve), pour le retour. Délaissés désormais par l'ensemble des compagnies internationales lors des vols transatlantiques, l'un et l'autre accueillaient il y a deux ans, à l'époque de leur apogée, cinq cent mille passagers en transit. Relais techniques, pour le ravitaillement en carburant surtout, ils hébergeaient les chefs d'escale, les mécaniciens et leurs familles. Le seul aéroport du même type à bénéficier d'un sursis est Santa-Maria, aux Açores, sur la route des Antilles.

Un Beechcraft équipé de turbines Bastan

Pont aérien de Léopoldville à Bruxelles

France, 12 juillet

En Europe comme aux Etats-Unis, le marché des avions d'affaires est en plein essor. L'un des principaux constructeurs de ce type d'avions, l'Américain Beechcraft, sait qu'il devra rapidement être en mesure de proposer à ses clients un avion d'affaires plus performant et moins bruyant. Beech a donc dépêché à Bordeaux le vice-président de la société, Frank Hedrick, afin qu'il assistât à Mérignac au premier vol d'un Beech Travelair équipé de deux turbopropulseurs Turboméca Bastan, de 875 ch chacun. C'est ainsi que l'appareil, modifié par les ingénieurs de la Société française d'entretien et de réparation de matériel aéronautique, a effectué aujourd'hui son premier vol en présence de Joseph Szydlowski, président de Turboméca. Actuellement, seuls certains avions d'affaires de haut de gamme, coûtant au moins un million de dollars, sont dotés de turbopropulseurs, et Beech souhaite être fin prêt pour l'avenir.

Bruxelles, 29 juillet

C'est la mobilisation des compagnies aériennes internationales. Air France, UTA et la Sabena ont organisé un pont aérien entre Léopoldville et Bruxelles pour évacuer les ressortissants européens. Les appareils des réseaux locaux transportent vers Niamey, Fort-Lamy, Pointe-Noire, Douala, Abidjan et Dakar de nombreuses familles. Les cinq Boeing 707 de la Sabena réalisent un véritable pont aérien. Ils transportent jusqu'à 300 passagers par vol. Depuis le 9 juillet, ils ont évacué plus de 15 000 personnes. Le 30 juin dernier, l'indépendance du Congo était proclamée après que la rébellion fut parvenue à renverser le pouvoir belge dans le pays. Au fur et à mesure que les jours passaient, la situation devenait de plus en plus critique et faisait peser un réel danger sur les Européens installés dans le pays. La réaction immédiate des gouvernements a été de favoriser le rapatriement de tous les étrangers.

Il reste encore à pressuriser la cabine afin de voler plus haut.

A vide, le Mirage IV pèse 14 tonnes. Il emporte dans ses dix-sept réservoirs 17 tonnes de carburant. Son rayon d'action est de 1 600 km.

L'Etendard apponte sur le « Clemenceau »

Un Etendard a été lancé, un autre vient prendre position sur la catapulte.

France, 19 septembre

C'est un officier de l'aéronautique navale, Jean-Pierre Murge, qui vient d'exécuter le premier appontage d'un Etendard sur le *Clemenceau*, porte-avions moderne à pont oblique. Le commandant Lorrain, qui suit les essais d'appontage et de catapultage, est de toute évidence satisfait. Quand Jean-Pierre Murge est venu lui faire son rapport dans le poste de commandement, il lui a dit : «Ma table n'est pas si bonne. Vous pouvez prendre l'hélicoptère pour aller faire un bon repas à Lorient.» Dernier venu des avions embarqués (son premier vol a eu lieu en mai 1958), l'Etendard a déjà démontré ses qualités de puissant chasseur lors des essais assurés par Jean-Marie Saget et Jacques Jesberger. Propulsé par un réacteur Atar 08-C de 4 400 kgp, doté d'un radar de tir Aïda et d'un fuselage en taille de guêpe favorisant le vol transsonique, il se distingue au sol par une allure cabrée due à la longueur du train avant. (→ 18.1.62)

L'armée de l'air reçoit 9 Mirage par mois

L'un à côté de l'autre, le Mirage III, à gauche, et le biréacteur Mirage IV.

Bordeaux, 15 octobre

Les usines Dassault fonctionnent à plein rendement ; les Mirage IIIC sortent des chaînes de montage. Afin de maintenir la cadence, le marché de l'exportation est capital pour Dassault. Son avion est un des meilleur chasseurs, mais la décision des gouvernements est tributaire de considérations politiques. Pour imposer le Starfighter 104, les Américains se battent avec tous les arguments possibles. En octobre 1958, l'Allemagne a opté pour le chasseur américain. Elle attend son F-104G (G pour Germany). Les modifications qu'elle a demandées lui vaudront de peser neuf tonnes au lieu de six. Bernard Waquet, directeur des ventes de Dassault, est confiant dans la décision des Australiens et des Sud-Africains, qui devrait intervenir dans les prochaines semaines. Le gouvernement Suisse s'intéresse également au Mirage III. Les autres concurrents s'appellent Starfighter et Saab Draken 35. (→ 29.12)

Une ligne intérieure pour la Polynésie

Tahiti, 23 octobre

Le réseau aérien interinsulaire est créé. La gestion en a été confiée conjointement à la TAI et aux Messageries maritimes. Ce nouveau service assure plusieurs fois par semaine la liaison avec les îles Sous-le-Vent. Bien que desservies moins fréquemment, les îles Tuamotu, Gambier et Australes n'ont pas été oubliées. Les passagers embarquent dans le lagon de Papeete à bord d'hydravions Catalina et Bermuda. De plus, la TAI, en association avec Air France, a obtenu les droits d'exploitation entre Papeete, Honolulu et Los Angeles. Tahiti devient ainsi une plaque tournante des liaisons pacifiques et un centre touristique international.

Le Hawker décolle comme un hélicoptère

Angleterre, 19 novembre

Cet extraordinaire appareil s'est élevé lentement sous la poussée verticale de son puissant réacteur Rolls-Royce Pegasus. Bill Bedford, pilote d'essai du Hawker Siddeley, manie habilement le levier qui contrôle les quatre tuyères orientables du Kestrel P-1127. L'avion plane à vitesse nulle à quelques mètres au-dessus de la piste de la base de Dunsfold. Bedford, qui effectue le premier vol stationnaire libre du P-1127, avion à décollage court ou vertical, est ravi : l'appareil est plus facile à piloter qu'un hélicoptère. Il suffit de modifier l'orientation des tuyères d'éjection des gaz pour passer de la position stationnaire au vol conventionnel. (→ 22.9.61)

Un hydravion Bermuda de la TAI, amarré dans le lagon de Papeete.

Le prototype du Hawker Siddeley P-1127 sur la base de Dunsfold.

Jean Boulet pose une Alouette III à 6 004 mètres sur l'Himalaya

Eurocontrol est mise en place

Inde, 5 novembre
Une alouette sur le Toit du monde ! A bord de l'hélicoptère Alouette III construit par Sud-Aviation, Jean Boulet vient de se poser sur le Deo Tibaa, sommet de l'Himalaya culminant à 6 004 m. C'est une performance inédite. Le 12 juin dernier, l'Alouette III enlevait un premier record en atterrissant sur le mont Blanc. Destiné aux vols à haute altitude, l'hélicoptère est équipé d'une turbine Artouste III de 880 ch fortement bridée, c'est-à-dire employée en-dessous de sa puissance, à 550 ch. Avec une cabine très bien adaptée aux opérations de sauvetage, l'Alouette III est un véritable saint-bernard volant.

Pour cet exploit, Jean Boulet était accompagné du mécanicien Robert Malus.

Bruxelles, 13 décembre
Eurocontrol est l'agence chargée d'assurer la circulation aérienne en Europe. Les signataires de la convention internationale de coopération pour la sécurité aérienne sont les ministres des Transports de France, d'Allemagne fédérale, du Luxembourg, de Belgique, des Pays-Bas et de Grande-Bretagne. Le rôle d'Eurocontrol est de diviser l'espace aérien supérieur des pays contractants en régions de contrôle et de coordonner la circulation aérienne générale et celle de l'aviation militaire. Elle facturera ces services à ceux qui les utilisent.

Limitation du travail pour les navigants

France, 29 octobre
Un décret vole au secours des navigants. Le ministère des Transports vient de fixer les conditions de travail du personnel affecté aux appareils à réaction. Il vise à limiter la durée de leur temps de vol. Dès le 21 juin 1936, le gouvernement du Front populaire avait voté une loi sur la durée du travail dans les entreprises de transport aérien. Le 23 mars 1951, un premier décret en fixait les modalités d'application. Il est aujourd'hui modifié en ce qui concerne les avions à réaction. Le cumul moyen mensuel des temps de vol est fixé à 75 h. La durée des vols effectués dans un mois pris isolément ne peut excéder 95 h. Les limitations des temps de vol consécutifs et les temps d'arrêt sont également précisés. (→31)

Les pilotes français coupent les gaz

Paris, 31 décembre
La grève du zèle des pilotes d'Air France volant sur des Boeing dure depuis un mois. Motif : ce n'est pas parce que l'aviation d'aujourd'hui a changé que les hommes doivent être pris pour des robots. Plus concrètement, l'amélioration des performances, qui permet de multiplier les vols, fait aussi travailler ceux qui sont aux commandes à un rythme effréné, difficile à tenir. Sans parler de la fréquence des décalages horaires et des nouvelles contraintes qui pèsent sur leur vie privée. Les grévistes demandent donc une augmentation des effectifs et des salaires. Des revendications bien mal accueillies par la direction, par la presse et l'opinion publique, mais soutenues par leurs collègues à l'étranger.

La « Santa Maria » vole aux Etats-Unis

Edwards AFB, 29 décembre
Un avion de ligne français élevé au rang de star aux Etats-Unis. Sur la base d'Edwards en Californie, la Caravelle n° 42, commandée par General Electric en janvier dernier et baptisée *Santa Maria* vient d'effectuer son premier vol. Le 25 juillet, elle s'envolait pour les Etats-Unis, avec à son bord Georges Hereil et Neil Burgess, président de General Electric. En août, l'appareil, propulsé par ses deux réacteurs d'origine, partait pour une tournée de démonstration en Amérique du Nord. General Electric, avec le concours de Douglas, adaptait ensuite ses réacteurs double flux avec inverseur de poussée. Ils développent chacun 7 300 kgp. (→14.7.61)

Le Super Constellation converti en cargo

France, 31 décembre
L'appareil est excellent mais cela ne suffit plus. Après dix ans de bons et loyaux services dans le transport des passagers, les quadrimoteurs Constellation Super G de Lockheed seront progressivement retirés des lignes françaises pour être affectés au trafic du fret. La décision d'Air France tient à plusieurs raisons. Le Boeing 707 a changé les données du transport. Le Super G est difficile à céder sur le marché de l'occasion parce que toutes les compagnies s'en séparent. Enfin, le développement du transport de fret par voie aérienne constitue une garantie pour l'avenir. Les Constellation deviennent donc chez Air France des avions-cargos.

La Caravelle avec les moteurs GE munis du système d'inversion de poussée.

Les Constellation ont eu leur heure de gloire. Le Boeing 707 les a déclassés.

Le Cessna 185, version à structure renforcée du Model 180.

Le Victa Airtourer remporte le prix du Royal Aero Club.

Hawker Siddeley lance sur ses fonds propres le Model 748, hérité d'Avro. Skyways en commande aussitôt trois pour sa navette Lympne-Beauvais.

L'Enström Model F.28, hélicoptère léger biplace.

Le Dassault MD.410 Spirale n'inspire pas la clientèle potentielle.

Le Partenavia P.59 Jolly n'est construit qu'à un seul exemplaire.

Le Bowers Flybaby, conçu pour les amateurs de « Do-it-yourself ».

Un planeur motorisé sans empennage arrière, le Fauvel Av.45.

Le Canadair CL-44 est conçu à l'origine avec des portes de chargement latérales, mais la version D4 introduit un fuselage arrière articulé.

Le DINFIA IA 45 Querandi, avion d'affaires à moteur Lycoming.

Conçu par Y. Gardan, le GY-80 est produit par Sud-Aviation.

Le Cobra 400 de Procaer est équipé d'un Turboméca Marboré II.

Los Angeles Airways est le premier exploitant du Sikorsky S-61L, version plus large et non amphibie du S-61A.

Le prototype du Tupolev Tu-124 est prévu pour 44 passagers, mais les modèles de série exploités par Aeroflot peuvent en accomoder jusqu'à 56.

Le Yeoman YA-1 Cropmaster, un avion agricole.

Le Canadair CL-66 Model 540 est équipé de Napier Eland.

Le gigantesque radome caractérise la silhouette du Grumman E-2 Hawkeye, appareil embarqué de veille et de détection avancée.

Les « Snowbirds », patrouille acrobatique des forces armées canadiennes, utilise des Canadair CL-41 Tutor, dénommés CT-114 par les FAC.

Les deux hommes d'équipage du Grumann A-6 Intruder sont assis côte à côte pour optimiser l'emploi du système intégré de navigation et d'attaque.

Le Gloster Meteor U.16, avion-cible sans pilote.

L'hydravion amphibie Beriev Be-12 est développé pour remplacer le Be-6. Il est équipé d'une poutre de détection des anomalies magnétiques.

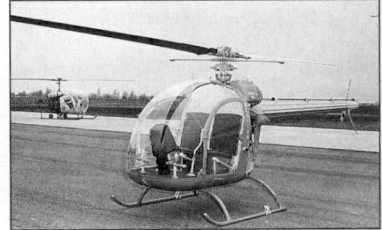

L'unique prototype de l'Agusta A.104 Helicar.

Le Ye-152A expérimental est dérivé du chasseur MiG-21.

Le Hawker P.1127, pionnier de la poussée verticale à flux orienté.

Premier avion à réaction de conception entièrement japonaise, le Fuji T1F1 est construit à 20 exemplaires pour les forces aériennes.

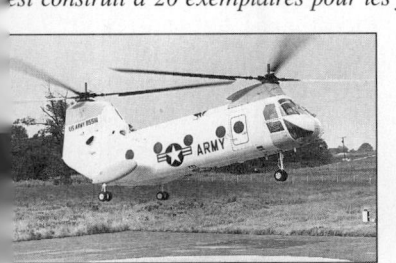

Le Boeing-Vertol 107 est dérivé du CH-47A Chinook.

Le G.91T est la version biplace d'entraînement du Fiat G.91R.

L'OKL TS-11 Iskra, biplace d'entraînement à réaction, remplace le TS-8 à moteur conventionnel au sein des forces aériennes polonaises.

1961

6 587 km/h
Etats-Unis
Robert White
North American X-15
9.11.61

39 147 km
Etats-Unis
Archie Old Jr.
Boeing B-52
18.1.57

66 142 m
Etats-Unis
Robert White
North American X-15
11.10.61

221 350 kg
Etats-Unis
Boeing
B-52 Stratofortress

12 020 kgp
Etats-Unis
Pratt & Whitney
J75-P-19W

Canada, 1er janvier
Selon l'OACI, les compagnies aériennes ont transporté en 1960 108 millions de personnes; les prévisions pour 1961 portent sur environ 118 millions de passagers.

Etats-Unis, 1er janvier
Un père et son fils voulant gagner Cuba tentent de prendre le contrôle d'un Boeing de Continental Airways. Son pilote, Byron Rickards, avait eu droit au premier détournement d'avion, en 1931. (→ 24.7)

Etats-Unis, 14 janvier
Un bombardier Convair B-58A Hustler porte le record de vitesse sur 1 000 km avec charges de 1 t et 2 t en volant à 2 067,58 km/h.

Toulouse, 23 janvier
Sortie d'usine du Breguet cargo universel, destiné au transport simultané de fret et de passagers.

Etats-Unis, 25 janvier
La firme Kaman innove en utilisant sur l'hélicoptère Kaman H-43 un rotor entièrement en fibres de verre.

Belgique, 19 février
Les deux Caravelle, livrées à la Sabena le 8, sont mises en service sur la ligne de Bruxelles à Nice.

Prague, 28 février
La compagnie Cubana ouvre une liaison directe entre Prague et La Havane avec des Bristol Britannia.

Wichita, 28 février
Premier vol du prototype 336 Skymaster de Cessna. Avion d'affaires économique, il est doté de deux moteurs, l'un dans le nez, l'autre à l'arrière de la cabine. C'est la formule *push-pull*.

Londres, 1er mars
La BEA introduit sur sa ligne Londres-Paris le Vickers Vanguard, qui réduit la durée du trajet de quinze minutes.

Paris, 7 mars
Peu après avoir quitté la direction d'Air France, Max Hymans meurt à 61 ans d'une longue maladie.

Canada, 18 mars
Le premier Lockheed Starfighter CF-104, fabriqué sous licence par Canadair, sort de l'usine de Cartierville.

Etats-Unis, 21 mars
En raison du nombre d'accidents causés par le Convair B-58, l'US Air Force teste un modèle de capsule éjectable individuelle. C'est un ours qui sert de cobaye et est éjecté en plein vol.

Etats-Unis, 25 mars
Le premier Phantom F4-B de série effectue son vol initial. Cette version améliorée pour l'US Navy est dotée de réacteurs à postcombustion plus puissants, permettant des décollages courts, et d'une crosse d'appontage.

Istres, 5 avril
Premier vol de la version du Mirage III-E destiné à l'attaque au sol. Son réacteur Atar-C a une poussée supérieure grâce à une surcharge enclenchée à Mach 1.4. Doté d'une autocommande et d'un radar Doppler, il peut voler par tous les temps à basse altitude.

Etats-Unis, 1er mai
Le DC-8-50 reçoit son certificat de navigabilité. Ce long-courrier de Douglas a le même fuselage que le DC-8-10 initial. Il est propulsé par quatre turbofans Pratt & Whitney de 7 711 kgp.

Toulouse, 9 mai
Le Potez-840, premier quadriturbopropulseur français, est présenté à la presse par Jacques Grangette, chef pilote de la firme. Construit sur les fonds personnels d'Henri Potez, il vise un créneau inoccupé en Europe. L'*executive,* à savoir le transport d'un petit nombre de passagers sur de moyennes distances, est un nouveau marché.

Etats-Unis, 10 mai
Un Convair B-58A atteint la vitesse de croisière de 2 095 km/h et remporte le trophée Blériot, créé 30 ans plus tôt par le constructeur français pour récompenser l'équipage qui, le premier, se maintiendrait à la vitesse de 2 000 km/h pendant plus de trente minutes sur un circuit fermé. (→3.6)

Etats-Unis, 17 mai
Piloté par le commandant Sullivan, le Sikorsky HHS-2 porte le record de vitesse pour hélicoptère à 310,45 km/h.

Etats-Unis, 19 mai
Destiné au MATS de l'US Air Force et développé à partir du Boeing KC-135A, l'avion de transport militaire à long rayon d'action C-135A Stratolifter débute ses vols d'essai.

Grande-Bretagne, 27 mai
Piloté par A. Roberts, l'appareil expérimental à décollage vertical Short SC-1 traverse la Manche, pour être exposé au Salon aéronautique du Bourget.

Etats-Unis, 1er juin
United Airlines absorbe Capital Airlines. Elle devient la plus importante compagnie aérienne du monde occidental.

France, 9 juin
Robert Buron, le ministre des Travaux publics et des Transports, inaugure la nouvelle piste en dur du Centre national de Saint-Yan. Elle servira à l'entraînement sur biréacteur des futurs pilotes de ligne.

Paris, 15 juin
Licenciée pour cause de mariage, une hôtesse de l'air d'Air France est déboutée de son action. Le tribunal confirme que le mariage d'une hôtesse est assimilé à une rupture de contrat de son fait. (→5.7.63)

Inde, 17 juin
Vol initial du chasseur supersonique HF-24 Marut, conçu par le créateur du Focke-Wulf Fw 190, l'ingénieur allemand Kurt Tank, engagé par la firme Hindustan Aircraft. De son côté, Willy Messerschmitt a offert ses services à la République arabe unie pour le compte de laquelle il met au point un avion de combat.

Londres, 21 juin
L'Air Transport Licensing Board retire à BOAC le monopole des vols sur l'Atlantique Nord. Il autorise la compagnie Cunard Eagle à exploiter concurremment un vol quotidien vers New York. (→1.12)

Koweït, 1er juillet
L'indépendance du Koweït est menacée par l'Irak qui considère ce territoire comme une de ses provinces. La Grande-Bretagne déploie dans la région des Hawker Hunter et des troupes au sol.

Etats-Unis, 16 août
Vol inaugural de l'hélicoptère Bell Model 205, construit à la demande de l'US Army qui cherche un hélicoptère d'assaut capable de transporter une section de combat.

Chamonix, 30 août
Un Mirage III sectionne le câble des télécabines qui, à 3 842 m d'altitude, emmenaient des touristes au-dessus de la vallée Blanche. La catastrophe fait six morts.

France, 9 septembre
A 14 h 37, sur un vol à destination des Etats-Unis, Air France fait état d'un accouchement à 10 000 mètres d'altitude.

Rhodésie du Nord, 18 septembre
Le DC-6 transportant le secrétaire général des Nations unies, le Suédois Dag Hammarskjöld, et treize autres passagers, s'écrase près de l'aéroport de N'Dola (Zambie). Il n'y a pas de survivants. Hammarskjöld devait rencontrer le leader sécessionniste du Katanga (l'actuelle province zaïroise du Shaba), Moïse Tschombé.

Etats-Unis, 4 décembre
Le C-54 *Vache sacrée,* l'appareil qui a été celui des présidents Franklin Roosevelt et Harry Truman, entre au musée.

A Papeete, la TAI utilise toujours un DC-7C en attendant l'ouverture aux jets en mars 1961 de la nouvelle piste de l'aéroport de Faaa.

Un nouveau venu dans la famille Convair

C'est à la demande d'American Airlines que Convair a modifié le CV-880.

San Diego, 24 janvier
La dernière version du Convair 880 s'appelle Coronado. Ses constructeurs espèrent que son arrivée marquera la fin d'une série noire qui menace la survie même de la compagnie. En effet, le Convair 990 Coronado, qui vient d'effectuer son premier vol, est destiné à remplacer le Convair 880, dont les 65 exemplaires construits ont entraîné des pertes de quelque 425 millions de dollars pour la compagnie. Le problème du 880 par rapport à ses deux principaux concurrents, le Boeing 707 et le DC-8, était sa rentabilité. Ces deux avions pouvaient transporter des passagers plus loin et pour un coût d'exploitation inférieur. La société a donc décidé de pallier ces carences en dotant le Coronado de 4 réacteurs turbofans de General Electric et en augmentant sa capacité. Malgré ces améliorations, les clients n'affluent pas : 37 appareils seulement ont été commandés, dont 25 par American Airlines et 7 par Swissair. (→ 2.5.62)

Un Boeing 707 de la Sabena s'écrase

Le OO-SJM, appareil identique, sera livré à la Sabena en mai 1965.

Berg, 15 février
Un Boeing 707 de la Sabena, en provenance de New York, s'est écrasé peu avant son atterrissage à l'aéroport de Zaventem. Soixante-douze personnes, dont onze membres d'équipage, ont trouvé la mort, ainsi qu'un fermier qui labourait son champ. Le OO-SJB avait effectué plusieurs circuits au-dessus de la balise de l'aéroport. Les conditions de visibilité imposaient une attente pour chaque appareil à l'arrivée. A 10 h 5 exactement, l'avion a débuté son approche et, à l'altitude de 100 mètres environ, il a remis les gaz et rentré son train. C'est alors qu'il a effectué une ressource incontrôlée suivie d'une abattée qui s'est terminée en catastrophe. Depuis leur mise en service à la Sabena en janvier 1960, les Boeing 707 de la compagnie belge n'avaient jamais connu le moindre incident. Il semble que le pilote ait placé l'appareil dans une position d'assiette exagérée, ce qui a provoqué une perte de vitesse et la chute de l'avion.

L'Angleterre ouvre ses frontières

Grande-Bretagne, 15 mars
Les Britanniques se sont depuis toujours sentis fiers du particularisme géographique qui les sépare du reste du Vieux Continent. Mais voilà que le Royaume-Uni se rapproche peu à peu des autres pays d'Europe. Le gouvernement conservateur d'Harold Macmillan est loin d'être un fervent partisan du Marché commun, mais il vient de faire un pas vers l'Europe. Londres a en effet décidé que Français, Belges, Allemands de l'Ouest, Luxembourgeois, Néerlandais et Suisses pourront désormais séjourner en Grande-Bretagne pour un voyage touristique n'excédant pas quatre-vingt-dix jours. Pour ce faire, leur suffira d'être en possession d'une carte nationale d'identité et de la carte de visiteur qui leur sera remise gratuitement par le transporteur lors de l'achat du billet d'avion, de train ou de bateau.

Malade, Max Hymans quitte Air France

Paris, 18 janvier
On n'imaginait pas un autre président pour Air France, mais Max Hymans a préféré ne plus être à la tête de la compagnie française. Il a

Il dirige Air France depuis 13 ans.

annoncé au cours de la séance du conseil d'administration que son état de santé ne lui permettait plus d'assumer ses fonctions. Max Hymans est devenu président d'Air France à l'institution de la compagnie nationale en 1948. Il avait été député de l'Indre jusqu'en 1940, membre de la commission des Finances, rapporteur du Budget de l'air, secrétaire d'Etat au Commerce et à l'Industrie, puis aux Finances. La décision de Max Hymans a surpris les membres du conseil qui ont manifesté leurs regrets. Ils ont rappelé tout ce qu'a accompli le président pour la compagnie et l'en ont remercié. Il est vrai que Max Hymans a tenu un rôle capital dans le développement et la modernisation d'Air France. Le conseil lui a demandé de conserver son activité en qualité de président d'honneur de la compagnie, une proposition qui a été acceptée avec plaisir par Max Hymans. (→ 7.3)

Plan de vol IFR pour le trafic civil

Paris, 1er avril
L'Association du transport aérien international (Iata) a décidé d'améliorer la sécurité des vols. De nouvelles règles pour le trafic aérien en Europe et sur le bassin méditerranéen ont été définies. Tous les avions des compagnies membres devront circuler selon les règles de vol aux instruments (IFR), quelles que soient les conditions météorologiques. Ils doivent être sous contrôle permanent. Leur altitude, ou niveau de croisière, est fixée selon la route de l'avion. Route nord-sud : niveau impair, par exemple niveau 190 pour l'altitude de 19 000 pieds, et niveau pair pour la route sud-nord. Pour rendre ces mesures efficaces, l'Iata demande que les autres utilisateurs, avions d'affaires et militaires, suivent ces règles dans tout l'espace aérien contrôlé. Les règles de vol à vue VFR s'appliquent aux avions légers.

L'aérogare d'Orly se modernise et s'agrandit

Le trafic actuel impose de consacrer de très grandes surfaces aux parkings.

L'aérogare est construite au-dessus de la N 7, qui passe sous les pistes.

Orly, 15 mars

Inaugurée le 24 février dernier par le président de la République, le général de Gaulle, la nouvelle aérogare d'Orly s'ouvre aujourd'hui aux différentes compagnies aériennes. C'est ainsi qu'elles vont trouver regroupées toutes les opérations d'enregistrement des passagers et des bagages qui sont maintenant supprimées à la station des Invalides. Des services de car assurent la navette avec Paris. A 14 km de Notre-Dame par l'auroroute du Sud, l'aéroport d'Orly occupe une superficie de 765 ha, soit la surface du bois de Boulogne. Un effort a été fait aussi pour aménager les abords, construire des pistes plus longues et des aires de trafic plus vastes, nécessitées par l'augmentation du trafic et la mise en service d'appareils à réaction. La tour de contrôle a été dotée des derniers perfectionnements techniques pour une plus grande sécurité de la navigation. Quant à la nouvelle aérogare elle-même, destinée à abriter dans ses cinq étages tous les services administratifs et techniques, elle étale au-dessus de la route N 7 sa forme rectiligne. Orly est, comme l'a souligné le général de Gaulle dans son discours, une des plus frappantes réalisations françaises, «à la rencontre du ciel et de la terre».

Un B-52 abattu par erreur par un missile

Etats-Unis, 9 avril

Les enquêteurs de l'US Air Force ont enfin compris pourquoi un B-52 du Strategic Air Command a été abattu il y a deux jours par un missile Sidewinder, tuant trois des huit membres d'équipage du bombardier géant. Il s'agissait de comprendre comment le missile a pu être tiré par un chasseur F-100 alors que le pilote du Super Sabre n'avait jamais fait feu. L'accident, survenu lors d'un entraînement au Nouveau-Mexique, était d'autant plus étrange que ce missile ne pouvait, en principe, partir avant la mise à feu d'un premier Sidewinder. En fait, une banale goutte d'eau, due à la condensation, a court-circuité le système de sécurité.

Gagarine premier pilote dans l'espace

Union soviétique, 12 avril

La stupéfiante nouvelle venue de Moscou a fait le tour du monde en quelques secondes : un Soviétique est devenu le premier homme à être placé en orbite. Aux Etats-Unis, c'est la consternation, alors que dans l'URSS tout entière éclate le chant de triomphe en l'honneur du nouveau héros, Youri Alexéievitch Gagarine. Installé à bord de son énorme capsule spatiale *Vostok*, qui pèse 4 725 kilos, le cosmonaute a été propulsé dans le ciel à une altitude de 280 km par une fusée à trois étages. Evoluant à une vitesse de 28 000 km/h, Gagarine a fait une orbite en 108 minutes avant de revenir sain et sauf, dans sa cabine suspendue à un parachute.

e missile n'a laissé aucune chance au B-52 qui s'est écrasé en flammes.

Gagarine est né en mars 1934; il est marié et père de deux enfants.

La TAI ouvre la ligne Paris-Tahiti en DC-8

Les DC-8, ici à Orly, peuvent maintenant utiliser la longue piste de Papeete.

Paris, 3 mai

TAI vient d'ouvrir la liaison de Paris vers Tahiti dans le sens est-ouest. Une grande première que le général de Gaulle a tenu à saluer. Dans son message, le président de la République a exprimé sa satisfaction qu'ainsi se « multiplient et se resserrent les liens si chers et si forts qui unissent la France à la Polynésie ». Ce vol qui dessert Los Angeles par la route des Indes inaugure le nouvel aéroport international de Papeete Faaa, accessible aux jets long-courriers. C'est une très longue bande de béton tout au long d'une grande plage. Des couronnes de fleurs y attendaient le DC-8 de la TAI immatriculé F-BIUY. Il faut savoir que le parcours Paris - Montréal - Los Angeles restera au nom d'Air France, titulaire des droits de trafic sur ce secteur.

La firme Pilatus perfectionne le Porter

Stans, 2 mai

Le Pilatus PC-6A Turbo-Porter fait son premier vol avec un équipage composé du pilote Rolf Böhm et du technicien Duberger. Après le succès du PC-6 Porter, la firme suisse Pilatus Constructions Aéronautiques SA a décidé de perfectionner son avion universel. Ainsi, une série a été lancée avec la turbine Astazou de Turboméca de 530 ch, qui fait du Turbo-Porter un véritable avion à décollage très court. Avec ses performances en vitesse ascensionnelle et en vol en montagne, le Pilatus peut s'adapter à des utilisations très différentes, telles que le service postal dans l'Antarctique, le travail agricole avec une rampe d'épandage de 17 m ou le sauvetage en mer, possible avec une installation de flotteurs.

Joseph Szydlowski, président de Turboméca, a voulu voler dans le prototype.

Le Cessna Skyknight est très performant

Cet exemplaire est déjà équipé des nouveaux réservoirs, plus profilés.

Wichita, 9 mai

Cessna a dû revoir l'utilisation de ses espaces d'ateliers disponibles. D'une part, la Military Aircraft Division enregistre moins de travail depuis que les militaires investissent plus dans les missiles que dans les avions. Par ailleurs, la division qui développe des avions légers était à l'étroit. Le programme des bimoteurs 310 a donc été transféré l'année dernière dans les ateliers de la Military Aircraft Division. Le Model 310 F vient d'y être produit. Comme les modèles 172, 175 et 182, il a reçu une nouvelle dérive arrière. L'US Air Force a commandé 35 appareils qui doivent être livrés cette année. Le Model Skyknight est la version du 310 avec moteurs équipés de turbocompresseurs. Il peut atteindre 27 200 pieds et vole à la vitesse de 400 km/h. Sa cabine est plus haute et plus longue.

Fin dramatique d'un B-58 au Bourget

Le Bourget, 3 juin

Le public est venu nombreux au 24e Salon de l'aéronautique. Beaucoup sont venus voir le bombardier supersonique à aile delta Convair B-58A Hustler. Il y a une semaine, ce même quadriréacteur avait réalisé une belle performance en effectuant la traversée New York - Le Bourget à 1 775 km/h de moyenne, en 3 h 30 min. A 17 h 5, le B-58A effectue un passage au-dessus de la piste, alors que de gros nuages défilent dans le ciel. Le Hustler entame un tonneau en grimpant et disparaît dans la couche nuageuse. Lorsqu'il réapparaît, il est sur la tranche en piqué, trop bas pour redresser. L'avion s'écrase dans une zone inhabitée au nord du Bourget. Les trois membres de l'équipage sont tués.

L'accident du B-58 est le premier qui survient à un des Salons du Bourget.

Freddie Laker conçoit lui-même le Carvair

United fait voler sa Caravelle le 14 juillet

Le Carvair tient un peu du DC-4, un peu du DC-6 et un peu du DC-7.

Sud-Aviation, premier étranger à vendre à une des 4 grandes compagnies US.

Grande-Bretagne, 21 juin
Ancien mécanicien de la Royal Air Force ayant fait fortune en participant au pont aérien vers Berlin en 1949, Freddie Laker a toujours été un homme astucieux. Sa dernière trouvaille, le Carvair ATL 98, qui vient d'effectuer son premier vol, le prouve. Brillant ingénieur, Laker a conçu un étrange appareil capable de transporter vingt-trois passagers et cinq voitures. L'ATL 98,

destiné surtout à assurer des vols trans-Manche, est en fait composé d'une carlingue, de moteurs et d'ailes de DC-4, d'une queue de DC-7 et de freins de DC-6. Le tout acheté à fort bon prix. Son nez bulbeux s'ouvre pour accueillir les voitures, qui sont placées dans une soute située sous le poste de pilotage. Ce car-ferry volant doit entrer en service sur la ligne Southend-Rotterdam dans les prochains mois.

New York, 14 juillet
United Airlines a choisi le jour de la fête nationale française pour mettre en service la Caravelle *Ville de Toulouse* sur sa ligne de New York vers Chicago. Le constructeur français Sud-Aviation a vendu 20 de ces avions à United l'année dernière, faisant de la Caravelle le premier appareil français utilisé par une compagnie américaine. Cette série 6R a été quelque peu modifiée.

Elle possède des moteurs Rolls-Royce Avon équipés d'inverseurs de poussée, ainsi qu'un train d'atterrissage renforcé. L'inverseur de poussée permet d'utiliser des terrains plus courts. La visibilité du pilote a été améliorée avec un nouveau pare-brise. L'intérêt que porte Douglas à la Caravelle est significatif. Sud-Aviation est le premier constructeur étranger à vendre à une grande compagnie américaine.

Macaigne, radio de l'Aéropostale

Paris, 20 avril
Jean Macaigne, ancien chef radionavigant d'Air France en Afrique de l'Ouest, vient d'être nommé délégué général, chargé de mission de l'Asecna, l'Agence pour la sécurité de la navigation aérienne, en Afrique et à Madagascar. Il est chargé d'établir un lien permanent entre les compagnies aériennes, leur personnel navigant et l'Asecna. Entré dans l'aviation militaire en 1924, Jean Macaigne s'engage dans la grande aventure de l'Aéropostale en 1927. Il compte parmi les initiateurs de l'équipement des avions en émetteurs et récepteurs. Véritable élément de liaison entre ciel et terre, le radionavigant représente un élément fondamental dans la conduite du vol et sa sécurité. Compagnon de Mermoz et des pionniers de l'aviation, il contribua à la réussite de la traversée de l'*Arc-en-ciel* à travers l'Atlantique Sud, de Saint-Louis-du-Sénégal à Natal, en 1933.

Breguet, promoteur de la formule Adac

Toulouse, 1er juin
Après le prototype Breguet 940, présenté en 1958, le pilote Bernard Witt a fait décoller une version de série, le Breguet 941. Joseph Czinczenheim a conçu la dynamique des ailes soufflées : de grandes hélices soufflent toute l'envergure de l'air en créant une portance additionnelle. Des arbres de transmission souples relient les moteurs. Cet

appareil, muni de 4 turbopropulseurs Turboméca Turmo-III-D de 1 250 ch, possède un train Messier escamotable. Sa soute de 53 m² permet le chargement d'un camion GMC. Au poids total de 22 t, il décolle en 200 m. Le 941 est en effet destiné à se poser sur les terrains au cœur des villes, comme à Issy-les-Moulineaux ou à l'Allée verte, à Bruxelles. (→ 29.10.63)

Si un des moteurs tombe en panne, les autres font tourner son hélice.

58e détournement depuis 1931

Miami, 24 juillet
Un Lockheed Electra de la compagnie américaine Eastern Air Lines vient d'être détourné entre Miami et Tampa. Le pirate de l'air a ordonné au pilote de voler vers La Havane, à Cuba. Un fait divers qui devient presque une banalité, car c'est le 58e détournement d'avion en trente ans. En effet, la première prise d'otages s'est déroulée en 1931, à l'époque de la prohibition. L'appareil transportait une cargaison illégale d'alcool. Depuis, ces actes de piraterie se sont multipliés. A la fin de la guerre, beaucoup de ceux qui voulaient fuir les pays de l'Est ont eu recours à cette pratique. Puis ce furent les ressortissants cubains opposés au régime de Castro qui détournèrent des avions civils. Bientôt, les castristes eux-mêmes utilisèrent ces méthodes. Et, comme aujourd'hui, ces pirates ne firent que créer chez les passagers un climat de psychose et d'insécurité.

Le HP-115 teste l'aile d'un supersonique

Au cours d'une fête aérienne, le HP-115 vole à côté d'un Gloster Gladiator.

Grande-Bretagne, 17 août
Depuis le début des recherches sur la faisabilité d'un avion de transport supersonique, les experts savaient qu'il leur faudrait concevoir un appareil de forme entièrement nouvelle. Les ingénieurs du Royal Aircraft Establishment croient enfin avoir trouvé la forme de l'aile donnant le meilleur rendement tant à la vitesse de Mach 2.2 qu'à bas régime, lorsqu'un supersonique aura à opérer à grand angle d'incidence. Leurs essais en soufflerie ont montré que la solution est une aile delta néogothique. Afin de vérifier ces calculs, ils ont demandé à la firme Handley Page de construire un avion, le HP-115, doté d'une aile en flèche de 75° dont les bords d'attaque sont en bois. Cet appareil vient d'effectuer son vol initial et son pilote, Jack Henderson, l'a trouvé facile à manier. Son comportement est bon dans trois domaines importants : vol à grande incidence, atterrissage par vent de travers et lors d'oscillations de roulis. (→ 19.1.62)

Le Hawker P.1127 est facile à piloter

Stable en position stationnaire, le Hawker P.1127 va passer en vol horizontal.

Angleterre, 22 septembre
Bill Bedford, chef pilote d'essai de Hawker, est très satisfait du comportement du P.1127. Ce nouvel avion à décollage court ou vertical vient d'effectuer sa première translation complète entre le vol vertical et le vol horizontal. Bedford est surtout frappé par la simplicité du pilotage de cet avion révolutionnaire. Contrairement à ses prévisions, le P.1127 est bien plus facile à piloter qu'un hélicoptère. Le système de jets permettant de contrôler l'avion en vol vertical est peu complexe. Pour passer en vol conventionnel, le pilote dispose d'une commande située à côté de la manette des gaz. C'est d'ailleurs la seule commande que l'on ne trouve pas sur les appareils de conception classique. Il s'agit d'un levier qui, poussé vers l'avant, fait pivoter les quatre tuyères orientables et qui, ramené en arrière, dirige les jets vers le bas. Sur place, le P.1127 est équilibré par des déviateurs d'air à haute pression. (→ 7.3.64)

Onze pays créent Air Afrique

Paris, 16 octobre
Il ne s'agit pas simplement de l'ouverture d'une nouvelle ligne aérienne : la première liaison commerciale régulière Paris-Douala, inaugurée aujourd'hui, marque surtout l'entrée des Etats africains dans le monde aérien international. Air Afrique, constituée officiellement le 28 mars à Yaoundé, démarre donc ses activités. Choisie comme instrument commun de onze Etats africains d'expression française, cette nouvelle multinationale a repris à son compte le nom de la filiale d'Air France et d'UAT, Air Afrique. En contrepartie, Air Afrique a pu souscrire pour 34 % du capital de la nouvelle société. Le service sera assuré chaque semaine, avec vol retour. C'est un Super Constellation qui portait aujourd'hui les couleurs d'Air Afrique.

L'hélicoptère pour dépister les bouchons

Deux fois par jour, aux heures de pointe, il survole le trafic de Washington.

Washington, 20 octobre
Comme tous les jours depuis un mois, le sergent Clint Humphries, de la police de Washington, survole la ville à bord de l'hélicoptère de la station de radio WMAL. Il a pour mission d'informer les automobilistes sur l'état de la circulation. Ce matin, la police a annoncé par radio qu'un gangster armé venait de commettre un hold-up dans une banque à Arlington, une ville voisine, dérobant 12 730 dollars. A 8 h 55, le sergent Humphries a aperçu une voiture semblable à celle du voleur. Il a alerté ses collègues au sol qui ont arrêté le conducteur. Ce n'était pas le voleur !

Air France cède Tanger au Maroc

Maroc, 16 décembre
Propriété d'Air France depuis le milieu de l'année 1933, l'aéroport de Tanger-Boulhaf est depuis ce matin sous contrôle marocain. Aux termes de longues négociations, le directeur général d'Air France, Louis Lesieux, et le ministre marocain des Travaux publics, M. Benhima, ont signé un accord par lequel Air France cède ses droits de propriété sur cet aéroport civil à l'Etat marocain, qui devient, à compter du 1er janvier prochain, seul responsable de sa garde, de son entretien et de son fonctionnement. Neuf techniciens d'Air France seront laissés pendant un an à la disposition des autorités marocaines pour servir sur l'aéroport de Tanger, dont la restitution au Maroc survient neuf mois après l'accession au trône du roi Hassan II.

BEA et BOAC sévèrement concurrencées

Un Vickers Vanguard que la BEA utilise sur ses liaisons européennes.

Grande-Bretagne, 1er décembre

Paradoxalement, ce sont des compagnies aériennes anglaises plutôt que leurs concurrentes étrangères, qui sont perçues comme une menace par les deux sociétés aériennes d'Etat britanniques, la BOAC et la BEA. Ces dernières ont d'ailleurs récemment conclu des accords de coopération avec des firmes européennes telles Olympic (Grèce) et TAP (Portugal). En fait, le bras de fer se déroule en Grande-Bretagne entre la BEA et la BOAC d'une part et, de l'autre, de nombreuses compagnies indépendantes, dont British United Airways et Cunard Eagle Airways. Celles-ci n'acceptent pas que les deux firmes nationalisées gardent un monopole quasi total sur certaines destinations. L'arrivée au pouvoir d'un gouvernement conservateur, il y a deux ans, a permis aux petites compagnies d'obtenir une part un peu plus importante du gâteau. Elles sont loin d'être satisfaites et réclament un partage équitable. (→ 6.6.62)

Le Breguet Atlantic réalisé en coopération

Le Breguet Atlantic a une très grande autonomie et peut voler lentement.

Toulouse, 21 octobre

Le Breguet 1150 Atlantic a effectué aujourd'hui un premier vol de 42 minutes avec à son bord le chef pilote Bernard Witt, l'ingénieur navigant René Perineau et le mécanicien navigant Romeo Zinzoni. Bien que les Ateliers d'aviation Louis Breguet en aient été le maître d'œuvre, ce prototype a été réalisé par un consortium regroupant la France, la Belgique, les Pays-bas et l'Allemagne de l'Ouest. Il est en effet le résultat d'un projet qui avait gagné, en 1958, le concours de l'Otan pour un avion destiné à remplacer le Lockheed Neptune. C'est un biturbopropulseur de 41 tonnes, pouvant atteindre une vitesse maximale de 615 km/h et une vitesse de patrouille de 320 km/h. Il pourra prendre en charge un équipage de douze hommes et trois tonnes d'appareils électroniques les plus sophistiqués, sa tâche devant être de détecter et d'attaquer les sous-marins et les bâtiments ennemis au large des côtes.

La Belgique construit le F-104 Starfighter

Gosselies, 4 décembre

La Sabca a signé le contrat le plus important de son histoire. Elle va construire des Lockheed F-104G Starfighter pour l'Europe. Les forces aériennes belges ont, de leur côté, commandé cent exemplaires. La Sabca appartient avec Fairey au groupe Ouest des usines européennes du programme F-104. Elle est chargée de l'assemblage de 189 appareils, dont 89 sont destinés à l'exportation. En outre, elle se voit confier la construction de 385 voilures et de 380 systèmes hydrauliques. Le bureau d'études de Burbank a enregistré les spécifications européennes afin de présenter un intercepteur aussi proche que possible des besoins exprimés. L'appareil a une structure renforcée, un réacteur qui développe 7 075 kgp avec postcombustion, et les équipements électroniques sont beaucoup plus complets. Il possède aussi un plus grand armement.

Les spécifications allemandes ont donné le F-104G (G pour Germany).

La compétition est engagée sur la qualité du service à bord. La «first class» d'American Airlines propose un choix entre plusieurs menus. Les passagers sont invités à donner leur avis et à faire des critiques.

Le Beagle A.109 Airedale, digne successeur des Auster.

Le Morane-Saulnier MS.885 Super Rallye à moteur Continental.

Le premier prototype du Potez 840, avion de troisième niveau pour 24 passagers, n'est suivi que par six exemplaires de série.

Le Sud-Aviation Caravelle VIR ne se distingue du VIN que par son pare-brise modifié et ses réacteurs Rolls-Royce Avon 523R plus puissants.

Le Fiat 7002 propulsé par flux d'air comprimé en bout de pales.

Le girodyne Model 2 est muni de deux rotors contrarotatifs.

Le Cessna 337 est conçu selon la formule push-pull.

Le Lockheed 60 est construit sous licence par Aermacchi à Varese.

Le Pilatus PC-6A Turbo-porter est équipé d'un Astazou IIE.

Le Beech Musketeer, quadriplace léger de tourisme économique.

Le Kamov Ka-22 Vintokryl est en fait un girodyne.

Le prototype du Vickers Vanguard, suivi par 43 machines de série.

Le prototype du Mil Mi-8 combine les rotors et la transmission du Mi-4 à une nouvelle cellule. Il sera ultérieurement équipé de deux turbines.

Le Ryan Flexiwing, précurseur des ULM.

Le Carvair est un Douglas DC-4 modifié par Aviation Traders, avec un nouveau nez muni de deux portes pour le chargement des voitures.

Le Bell Model 205 UH-1D Iroquois possède un fuselage plus long, un nouveau rotor et un moteur Lycoming T-53-L-11 plus puissant.

Le Breguet Type 1150 Atlantic a été conçu dans le cadre d'un programme de l'Otan pour un patrouilleur maritime. L'aéronavale en achète 40.

Le Breguet 941 est un avion de transport Adac qui reste expérimental.

Le Lockheed C-130E, version à long rayon d'action du C-130B.

Le girodyne DSN-3, engin lance-torpilles téléguidé.

Le Yakovlev Yak-28, successeur supersonique de l'Il-28.

L'aile volante Avro VZ-9V Avrocar est un Adav expérimental.

Le Neiva U-42 Regente construit au Brésil à 80 exemplaires.

Premier chasseur supersonique conçu en Asie, l'Hindustan HF-24 Marut est utilisé par les forces aériennes indiennes pour l'appui tactique.

Au Japon, le F-104J est produit sous licence par Mitsubishi.

Le Mirage IIIE, version de pénétration à basse altitude du M.IIIC.

Le Soko Galeb, biplace d'entraînement armé yougoslave.

Le Bell HUL-1H est équipé d'une turbine Allison YT-63-A-3.

L'Argosy est développé par Armstrong Whitworth comme avion de transport tactique. La RAF prend livraison de 56 machines.

Le Military Air Transport Service de l'USAF prend en compte 18 Boeing C-135, version de transport du ravitailleur KC-135A.

Premier client du moyen-courrier Convair Model 990, American Airlines signe un contrat pour 20 exemplaires équipés du GE CJ805 double flux.

Le Mil Mi-10, équipé d'une TV en circuit fermé pour l'atterrissage.

Canadair construit sous licence Lockheed le CF-104G.

1962

 **6 605 km/h**
Etats-Unis
Joseph Walker
North American X-15
27.6.62

 **39 147 km**
Etats-Unis
Archie Old Jr.
Boeing B-52
18.1.57

 **95 936 m**
Etats-Unis
Robert White
North American X-15
17.7.62

 **221 350 kg**
Etats-Unis
Boeing
B-52 Stratofortress

 12 020 kgp
Etats-Unis
Pratt & Whitney
J75-P-19W

Union soviétique, 7 janvier
Une Caravelle de la Sabena effectuant le trajet Téhéran-Bruxelles dérive de sa route. Elle est obligée par des chasseurs MiG à atterrir à Erevan, en Arménie.

Buc, 7 janvier
Jacques Lecarme pilote le véhicule à coussin d'air Terraplane BC-4 de la société Bertin.

Madrid, 11 janvier
Arrivée d'un Boeing B-52H piloté par le *major* Clyde Eveley. Il a franchi sans ravitaillement en vol les 20 168,78 km qui séparent Okinawa de l'Espagne.

Chicago, 16 janvier
Un Vickers Valiant apporte pour l'église épiscopale de St. Edmunds une pierre provenant de l'abbaye anglaise du même nom.

Mérignac, 18 janvier
L'aéronavale reçoit son second Etendard IV-M. L'avion de Marcel Dassault est commandé à 90 unités, dont 21 du type P, pour la reconnaissance et le ravitaillement en vol.

Suresnes, 19 janvier
Au terme d'une âpre discussion entre dirigeants de Sud-Aviation et de BAC, le projet de l'aile française ogivale est retenu pour le projet Concorde, de préférence à l'aile anglaise delta. (→ 25.10)

Grande-Bretagne, 1er février
Entrée en service à Little Rissington des premiers Hawker Siddeley Gnat. Ce sont des avions d'entraînement avancés, qui se révéleront aussi à l'usage d'excellents appareils antiguérillas.

Berlin, 10 février
Libération discrète du pilote de l'US Air Force Francis Gary Powers, échangé contre un agent soviétique arrêté aux Etats-Unis, le colonel Rudolf Abel.

Reims, 15 février
La société des Avions Max Holste change de raison sociale et prend le nom de Reims-Aviation. Paul

Mazer reste président. Pierre Clostermann est le directeur adjoint et commercial. (→ 4.4.63)

Hyères, 19 février
La patrouille de voltige formée par l'escadrille 59S de l'aéronautique navale fait une présentation publique, sur des Fouga CM 175 Zephyr. C'est la version navalisée du Fouga Magister.

Paris, 19 février
Création du Cotam, le Commandement du transport aérien militaire.

Etats-Unis, 28 février
A 7 000 m d'altitude, le pilote de l'US Air Force E.J. Murray quitte son Convair B-58 avec une capsule individuelle éjectable, et touche le sol après une descente de 8 min.

France, 18 mars
Les accords d'Evian concluent la la guerre d'Algérie. L'armée française est défaite politiquement, mais sur le terrain elle a réalisé un quadrillage sans précédent grâce aux détachements d'intervention héliportés, équipés d'hélicoptères birotors Vertol-Piasecki H-21C, les Bananes, et de Sikorsky H-34.

France, 2 avril
Vol inaugural à Bernay du D-150 Mascaret produit par la Société aéronautique normande.

Grande-Bretagne, 21 avril
Décès à l'âge de soixante-seize ans de Frederick Handley Page.

Grande-Bretagne, 2 mai
Premier vol de plus de 800 m d'un appareil mû par la force musculaire, le Puffin de John Wimpenny.

France, 8 juin
Création d'un commandement aérien stratégique, chargé de la mise en œuvre des Mirage IV de la force de frappe nucléaire.

Grande-Bretagne, 16 juin
Vol inaugural de l'English Electric Lightning F.3, version définitive de l'intercepteur destiné à la RAF.

France, 21 juin
Turboméca cède à l'Inde la licence de fabrication de la turbine Artouste III-B. Le 4, la firme indienne Hal avait déjà acquis la licence de l'hélicoptère Alouette III, choisi par l'armée de l'air indienne.

Seattle, 22 juin
Sortie des chaînes de production du 744e et dernier Boeing B-52 destiné à l'US Air force.

Istres, 22 juin
Sur Mirage III-C, Jacqueline Auriol améliore de 597 km/h le record du monde de vitesse de Jacqueline Cochran, en volant à 1 850,2 km/h. (→ 14.6.63)

Hanovre, 22 juin
Arrivée, en provenance de la Nouvelle-Orléans, du jet Lockheed Star *Scarlett O'Hara* de Jacqueline Cochran. C'est la première femme traversant l'Atlantique comme pilote d'un avion à réaction.

Japon, 25 juillet
L'US Army constitue sa première compagnie d'hélicoptères armés à Okinawa, avec des Bell UH-1.

Japon, 30 août
Vol initial du biturbopropulseur YS-11A, moyen-courrier pouvant transporter 64 passagers. Fabriqué par le consortium aéronautique Nihon Aeroplane Manufacturing Co., c'est le premier avion commercial japonais de l'après-guerre.

Budapest, 31 août
Le Hongrois Joseph Toth remporte le championnat international de voltige aérienne qui se déroulait cette année en Hongrie.

Japon, 4 octobre
La Japan Air Lines inaugure son service baptisé Route de la soie entre le Japon et l'Europe, *via* l'Asie du Sud-Est et le Moyen-Orient, avec un Convair 880.

Cuba, 14 octobre
Un UB-2 piloté par le *major* Richard Stephen Heyser photographie les lanceurs de missiles inter-

continentaux IRBM soviétiques. Les sites avaient été identifiés par un Crusader au mois de septembre.

France, 17 octobre
Le journaliste Gil Delamare traverse la Manche de Calais à Douvres à l'aide d'un parachute ascensionnel en 1 h 35.

France, 25 octobre
Sud-Aviation et BAC présentent aux gouvernements français et britannique un document commun sur le programme de l'avion supersonique Concorde. (→ 29.11)

Cuba, 25 octobre
Le Lockheed U2 du *major* Rudolph Anderson, obligé pour des raisons inconnues de descendre à une altitude de 9 000 m, est abattu par un missile sol-air soviétique. (→ 28.10)

Washington, 19 novembre
Ouverture de l'aéroport international Dulles. Les dimensions des espaces réservés aux avions sont telles que des cars spéciaux y emmènent les passagers.

Seattle, 27 novembre
Sortie du Boeing 727, triréacteur moyen-courrier pour 131 passagers. C'est le premier appareil à embarquer un groupe auxiliaire de puissance, pour fournir lors des escales l'énergie nécessaire à la climatisation et au démarrage. (→ 9.2.63)

Congo belge, 10 décembre
Suite à la tentative de sécession du Katanga de Moïse Tschombé, les Nations unies envoient une force aérienne de maintien de l'ordre, composée d'appareils canadiens, indiens, éthiopiens et suédois.

Melun, 24 décembre
Vol inaugural du Nord-262 Frégate, une version pressurisée et plus puissante du Nord-260 Super Broussard. (→ 24.7.64)

Le Sikorsky S-64 peut soulever neuf tonnes. Son train peut être allongé hydrauliquement par le pilote pour chevaucher certaines charges au sol.

La BEA a sous-estimé la capacité du triréacteur Trident 1

Ce Trident 1, qui fait son vol d'essai à Hatfield, est le premier d'une série de 20 exemplaires commandés par BEA.

Londres, 9 janvier

Initialement, la compagnie britannique BEA avait demandé un avion court-courrier capable de transporter cent onze passagers sur une distance de 3 000 km. Puis, alors que Airco, société formée par de Havilland, Fairey et Hunter, était sur le point de mener à bien le projet, la BEA a changé brusquement d'avis. Elle a demandé que la capacité de l'appareil soit réduite de manière importante, si bien que Airco perdit une année à effectuer les modifications demandées par le transporteur. En dépit de ces aléas, le DH-121, baptisé Trident 1, a effectué son vol initial aujourd'hui. Caractérisé par un empennage en T, cet appareil est propulsé par trois réacteurs Rolls-Royce Spey RB-163 montés à l'arrière. Seulement 97 passagers peuvent prendre place dans sa cabine et il n'a plus qu'une distance franchissable de 1 300 km. La BEA aurait dû s'en tenir à la première version, plus rentable, et elle envisage déjà une version allongée du Trident 1 capable d'accueillir jusqu'à 140 passagers. (→ 2.11.64)

Plisson piégé dans l'œil d'un cyclone

Tananarive, 28 février

Champagne pour tous les passagers du Super Starliner ! A l'île Maurice, le chef pilote du réseau Air Madagascar, Pierre Plisson, apprend l'arrivée d'un cyclone. Il réussit à atterrir et embarque les passagers qui vont à Tananarive. Les rafales sont de moins en moins espacées, le toit de l'aérogare s'envole. Plisson doit éloigner l'avion à tout prix. Il décide la mise en route et les quatre moteurs de 3 400 ch sont lancés. Le vent n'est pas dans l'axe de la piste et, s'il est impossible à l'avion de décoller, il ne peut pas non plus rester au sol. Plisson oriente l'appareil vers le vent, en travers de l'axe de piste. Il se met à jouer des moteurs. Pendant une heure, il lutte contre les tourbillons. Soudain, le Super Starliner, pris dans une rafale énorme, quitte le sol, en lévitation. Plisson réussit à rétablir la situation et l'avion tombe lourdement sur la piste. Il repartira quelques heures plus tard pour Tananarive !

William Piper fête ses quatre-vingts ans

Floride, 8 janvier

Nul n'aurait jamais pu prédire que William Piper, fils d'un fermier de l'Etat de New York, deviendrait un jour l'un des grands noms de l'aviation. Né le 8 janvier 1881, Piper a d'abord créé, après la Première Guerre mondiale, une petite affaire d'exploitation pétrolière en Pennsylvanie. Entré dans l'industrie aéronautique à l'âge de quarante-huit ans grâce à un investissement de 400 dollars, il lança son premier modèle en 1930. Aujourd'hui multimillionnaire, Piper, que les Américains ont surnommé le Henry Ford de l'aviation en raison de son génie commercial, ne se doutait pas que sa jeune firme allait un jour détenir un record unique dans les annales de l'aviation : elle produit toujours un avion, le célèbre Piper Cub, qui vola pour la première fois il y a trente et un ans.

William Lear quitte la Suisse pour Wichita

Wichita, 31 janvier

Une nouvelle société est née à Wichita. William Lear a fondé la Lear Jet Corporation, où il continue ses recherches, commencées dès 1959 en Suisse à la Saac (Swiss American Aviation Corporation), sur les avions d'affaires à réaction. C'est en se souvenant de la formule « Dans une Jaguar, vous ne voyagez pas debout », que Lear met au point le Learjet 23. Un avion petit, dans lequel les hommes d'affaires seraient peut-être un peu à l'étroit, mais un appareil très léger et donc très rapide. Le Learjet ne doit pas dépasser 5 670 kg pour pouvoir, comme le veut le règlement, être manœuvré par un seul pilote. Pour concevoir cet appareil, Lear utilise les ailes de l'avion d'attaque suisse FFA P-16. Il prend aussi le train d'atterrissage et les réservoirs placés au bout des ailes. (→ 7.10.63)

Le Piper Cherokee 140 est un quadriplace monomoteur à train fixe.

Pierre Satre, l'ingénieur qui a conçu la Caravelle, photographié au milieu de l'équipage de l'avion qui porte le nom de « Grenoble », sa ville natale.

Le Bristol 188 est un avion expérimental

Le fuselage est en acier soudé. L'appareil a coûté 20,5 millions de livres.

Grande-Bretagne, 14 avril

La réaction des métaux à très haute température est un des problèmes étudiés par les chercheurs européens et américains qui travaillent sur le projet d'avion de transport supersonique. Des vols supersoniques réalisés par des appareils militaires ont démontré que le titane supporte fort bien de fortes températures. Mais il est trop coûteux pour un avion civil, plus grand qu'un appareil militaire. Les chercheurs ont décidé de tester un avion de recherche en acier inoxydable, le Bristol 188, pendant des vols à Mach 3. Ces essais démontrent qu'au-delà de la vitesse Mach 2.2, l'échauffement du revêtement et sa dilatation deviennent des problèmes réels. Si la vitesse est limitée à Mach 2.2, la température oscille entre 120 et 130 °C, et elle est supportable pendant un vol prolongé.

La grue géante peut enlever 90 passagers

Un troisième pilote, assis vers l'arrière, dirige les opérations de chargement.

New York, 9 mai

Avec son gros nez, son mince fuselage et ses trois longues pattes, la nouvelle invention qui vient de sortir des ateliers de Sikorsky ressemble à un crabe. Il s'agit du S-64 Skycrane, une énorme grue volante capable de soulever des charges diverses pouvant aller jusqu'à neuf tonnes. Le S-64 est doté de deux puissantes turbines Pratt & Whitney et d'un rotor à six pales d'un diamètre de près de vingt-deux mètres. Conçu pour des missions militaires ou civiles, cet hélicoptère est destiné à transporter des charges bien trop encombrantes pour un appareil à fuselage conventionnel, des blindés par exemple. Une nacelle à personnes peut même être accrochée sous son ventre afin de transporter jusqu'à 90 soldats en armes, un QG volant ou une antenne médicale.

La Swissair dessert l'Afrique en Coronado

Genève, 2 mai

Au programme de la Swissair, deux nouvelles destinations : Accra, au Ghana, et Lagos, au Nigeria. La compagnie suisse élargit ainsi son réseau d'activités à la région de l'Afrique occidentale. L'inauguration de cette ligne s'est faite avec un appareil dont on se demandait, il y a encore quelques mois, s'il serait un jour livré. Il s'agit de l'un des sept Convair 990A Coronado commandés par le conseil d'administration... le 30 septembre 1959 ! Par suite de l'énorme retard apporté dans leur livraison, la compagnie a dû louer jusqu'à présent deux CV 990A et deux CV 880-M à SAS et à General Dynamics. Le premier Coronado a été livré le 12 janvier. Swissair en attend encore un dans les prochains jours.

La position de la gouverne de profondeur est particulière sur le Convair 990.

Un oiseau noir apparaît dans le ciel

Nevada, 26 avril

« Top secret » : la consigne du Pentagone est formelle. Le secret le plus absolu a couvert le premier vol de l'étonnant avion de reconnaissance stratégique américain, le Lockheed A-12. A tel point que c'est de nuit que l'appareil a été transporté par la route jusqu'à un terrain d'aviation quasiment désaffecté à Indian Springs, dans le Nevada. Là, Louis Schalk a pris les commandes de cet appareil trisonique, construit presque entièrement en alliage de titanium Beta B-120. Lockheed a calculé qu'à Mach 3 le coefficient d'échauffement serait d'au moins 565 °C au niveau des tuyères. L'A-12 ou *Blackbird* est destiné à être un remplaçant invulnérable de l'avion-espion U-2. (→ 1.5.65)

L'A-12 a été réalisé en secret sous la direction de Clarence Johnson.

Le VC-10 est testé par Bryce et Trubshaw

Le VC-10 coûte à peu près 2 millions de livres sterling.

Grande-Bretagne, 29 juin

Effervescence au centre d'essai de Vickers, à Wisley : le prototype du Vickers VC-10 Type 1100 doit décoller pour être testé en vol. Il a été conçu à la demande expresse de la BOAC. Celle-ci avait déclaré il y a quelques années qu'elle se trouvait obligée de commander des Boeing puisqu'il n'existait pas d'appareils comparables de construction britannique. Dès l'envol de l'appareil, la première appréciation des témoins est de le trouver très beau. Ses ailes en flèche libèrent une grande partie de l'avant de l'appareil. Ses quatre réacteurs Rolls-Royce Conway sont placés à l'arrière du fuselage. Ils sont équipés d'inverseurs de poussée. La cabine, très bien insonorisée, peut recevoir, dans la formule demandée par la BOAC pour les vols transatlantiques, 16 passagers en première classe et 93 en classe touriste. Avec plus de 80 000 l de carburant, sa masse totale est de 142 t. BOAC en a commandé 35 exemplaires et demande un modèle un peu plus allongé, le Super VC-10. (→ 29.4.64)

Il n'a jamais piloté, mais vole un DC-3

Okinawa, 11 mai

Posément, Eddie Webber, un jeune soldat mécanicien de dix-huit ans, s'est installé aux commandes d'un C-47 garé sur le parking, et, son manuel de pilotage ouvert sur les genoux, a entrepris de décoller. Refusé par l'US Air Force comme pilote, il a décidé de réaliser son rêve et de piloter un avion. Sur le terrain, c'est l'effarement. Tandis que plusieurs appareils décollent pour le rattraper, la tour de contrôle entre en contact radio avec lui pour le convaincre de revenir. Mais, s'il a réussi à décoller, atterrir le terrifie. Encouragé par contact radio, il parviendra à se poser sans casse à la cinquième tentative. En état de choc, il a été transporté à l'hôpital. Il risque la cour martiale.

Boeing maître du ciel avec ses 707

Seattle, 26 octobre

Il a déjà quatre ans et se porte à merveille. Le 26 octobre 1958, le Boeing 707 effectuait sous les couleurs de Pan Am sa première liaison transatlantique, un vol de New York à Londres. A l'occasion de cet anniversaire, la société de Seattle a révélé une série de statistiques qui feront rêver les concurrents du 707. Ainsi, la firme annonce que, depuis son lancement, le 707 est utilisé par 26 compagnies. Les 707 ont parcouru 1,2 milliard de km, transportant 30 millions de passagers. Les trois cents 707 en service desservent 175 villes dans 83 pays. Ce soir, à 23 h GMT, il y avait 167 Boeing 707 qui volaient en même temps, avec 10 210 passagers à bord.

Association entre la BOAC et Cunard

Londres, 6 juin

Deux fleurons du secteur du transport britannique, la compagnie aérienne BOAC et la Cunard Steam Ship, spécialistes des croisières de luxe, viennent de s'associer. Elles ont créé la BOAC-Cunard Ltd., une société qui proposera à partir du 26 juin prochain des vols vers la côte est des Etats-Unis, l'Amérique latine et les Caraïbes. Venus d'Europe par avion, les passagers pourront alors embarquer sur les paquebots de la Cunard pour faire des croisières dans la région. La nouvelle société dispose d'un capital de 390 millions de francs, dont 70 % ont été fournis par la BOAC et le reste par la Cunard.

Un Boeing s'écrase à Pointe-à-Pitre

Pointe-à-Pitre, 21 juin

L'accident du Boeing 707 immatriculé F-BHST, *Château de Chantilly*, n'a laissé aucun survivant. L'appareil, qui assurait la ligne Paris - Santiago du Chili, s'est écrasé sur une colline à 28 km de son escale de Pointe-à-Pitre. On ignore les causes du drame, mais les conditions météorologiques étaient très mauvaises. Outre les dix membres de l'équipage, le Boeing transportait 103 passagers. Une commission d'enquête officielle et une mission d'investigation, composée de cadres du personnel navigant, quittent Paris aujourd'hui même pour tenter de reconstituer sur place les circonstances de l'accident.

Le X-15 atteint 96 000 mètres d'altitude

Le moment précis où le X-15 vient d'être largué de son avion porteur B-52.

Californie, 17 juillet

La limite entre l'avion et la fusée devient de plus en plus mince. Le North American X-15 vient d'en faire la démonstration en atteignant l'altitude record de 96 000 m. Car il ne s'agit plus maintenant d'un simple vol stratosphérique : le domaine des vols spaciaux a été pratiquement atteint. Un exploit qui vaut à son pilote, le commandant Robert White, de recevoir les « ailes » des astronautes, pour s'être aventuré dans un domaine qui n'était pas le sien. Ainsi donc, ce programme de recherches qui a eu tant de mal à démarrer, puisque beaucoup ne voyaient pas, il y a dix ans, l'utilité de vols hypersoniques et à hautes altitudes, est-il en train de devenir l'un des plus spectaculaires et des plus prometteurs jamais entrepris par la Naca et la Nasa. Depuis août 1960, les records d'altitude et de vitesse sont pratiquement tombés à chaque mission. Les connaissances qui vont en résulter sont inestimables.

Nouvelles règles d'emploi des avions

Paris, 5 septembre

Confronté à l'explosion du trafic aérien et à la prolifération des petites compagnies charters, l'Etat français vient de lancer un rappel à l'ordre aux opérateurs d'avions immatriculés en France. Le *Journal officiel* a publié une série de règles pour les avions de transport public dont le maître mot est la sécurité. Les nouvelles règles visent trois catégories d'appareils. En premier lieu, les avions lourds, d'un tonnage supérieur à 5,7 tonnes, se voient imposer des consignes de sécurité maximales, notamment en ce qui concerne la maintenance, le nombre de pilotes à bord, et le chargement des appareils. Ensuite, les avions de moins de 5,7 tonnes autorisés pour le vol en IFR. Il s'agit surtout de vols *commuter*, secteur en expansion sauvage en France. Sont enfin visés les parents pauvres du trafic aérien, ces pilotes qui font du cabotage en vol à vue, secteur jusqu'à présent non contrôlé par l'Etat. Ils devront eux aussi respecter des consignes de sécurité.

Plus d'un millier de policiers mobilisés pour le vol du Guppy

Le chargement se fait en déboîtant la partie qui se décroche entièrement à l'arrière du fuselage et au niveau des ailes.

Van Nuys, 19 septembre

A sa descente d'avion, un reporter a demandé à John Conroy comment s'était comporté le Pregnant Guppy durant son premier vol : « Eh bien, a-t-il répondu, nous savions qu'il volerait. C'est surtout le suivant, dont les dimensions sont incomparablement supérieures, qui nous donne du souci. » Que feront donc les autorités de Van Nuys pour ce prochain vol, alors que celui-ci leur a déjà causé de vives inquiétudes ? A l'annonce que Conroy allait procéder à un vol d'essai, elles ont mis sur le pied de guerre tous les pompiers et tous les policiers de la ville. Les écoles et les hôpitaux ont été avertis, et toutes les routes sur l'axe de décollage ont été bloquées. Déjà célèbre pour les nombreuses modifications du DC-3 qu'il a effectuées, Conroy a réalisé la transformation d'un Boeing 337 Stratocruiser et procédé à ses essais. Avec son associé Lee Mansdorf, il a fondé une société privée du nom d'Aero Spacelines Inc., destinée à transporter des éléments de fusée pour le compte de la Nasa. Conroy s'équipe d'anciens Stratocruiser des années 50, qu'il modifie. (→ 24.8.70)

Mitsuyo Kawabe est une des hôtesses du DC-8 de la Japan Air Lines qui sont arrivées à Londres ce matin par la route polaire.

Les U-2 sauvent la paix à Cuba

Etats-Unis, 28 octobre

Le monde a eu très peur, mais la crise semble écartée : Moscou vient d'annoncer que les sites des missiles balistiques soviétiques installés à Cuba allaient être démantelés. Les missiles devraient être ensuite rapatriés en Union soviétique. Un soulagement, alors que la crise avait atteint hier son paroxysme : un appareil de reconnaissance Lockheed U-2 avait été abattu par un missile sol-air en survolant Cuba. Dans cette guerre des nerfs que se sont livrée les deux grandes puissances mondiales, la carte maîtresse du côté américain fut certainement l'emploi des U-2. Par leur caractère non offensif, puisqu'ils ne sont pas armés, les U-2 ont permis de découvrir les installations défensives, puis offensives, que l'armée cubaine mettait en place. Ils l'ont fait sans donner à leur mission un caractère provocateur. La crise de Cuba vient de mettre l'accent sur l'importance de la reconnaissance aérienne.

Le HS-125 a été dessiné par de Havilland

Angleterre, 13 août

L'équipe d'ingénieurs et d'experts de la compagnie de Havilland, dirigée par J. Goodwin, avait commencé à travailler sur le projet il y a plus d'un an. Geoffrey de Havilland, grand pionnier de l'aviation britannique, leur avait demandé de créer un avion d'affaires moderne, équipé de deux turboréacteurs et capable de transporter entre six et huit passagers en plus des deux membres d'équipage. C'est chose faite. Le premier HS-125, immatriculé G-ARYA, a effectué son vol inaugural ce matin. D'allure assez aérodynamique, l'appareil est propulsé par deux turboréacteurs Viper 20 de Bristol Siddeley montés sur la partie arrière du fuselage. Ils développent chacun 1 361 kg de poussée. L'avion est capable d'atteindre une vitesse de plus de 700 km/h et vole à 39 000 pieds. De Havilland est persuadé que son biréacteur d'affaires se vendra particulièrement bien aux Etats-Unis et en Australie.

De Havilland a corrigé les problèmes de roulis rencontrés sur le prototype.

Air Inter se développe et baisse les prix

Les passagers embarquent à Paris à bord d'un Vickers Viscount d'Air Inter.

France, 1er octobre
Voyager en avion n'est plus un luxe. Air Inter a mis en service des cartes d'abonnement : ainsi, grâce à ce nouveau système, les titulaires vont bénéficier d'une réduction de 30 % sur le tarif normal d'un aller simple en classe touriste. Une formule alléchante pour les voyageurs réguliers comme les hommes d'affaires. Pour tous les voyages combinant transport par air et transport par fer, un arrangement a été négocié avec la SNCF. Une réduction de 20 % sur les billets de train en première classe est accordée aux voyageurs. Ces cartes ne sont valables que sur une liaison ou un faisceau de liaisons. L'adoption du système des cartes s'est accompagnée de la suppression de la réduction antérieure de 10 % sur les allers-retours. De plus, Air Inter ne cesse de se développer puisqu'elle vient d'inaugurer sa ligne Paris-Nantes avec le Nord 262.

Dassault explore le domaine des Adav

« Balzac 001 ». Dassault fait allusion au fameux numéro de téléphone.

Melun-Villaroche, 18 octobre
Le prototype expérimental de Dassault, *Balzac V 001*, a effectué son premier décollage libre. Réalisé en collaboration avec Sud-Aviation, le *Balzac* est inspiré du Mirage III. Ses essais avec amarres du 12 octobre se sont révélés satisfaisants et René Bigand a décidé de passer au décollage libre. L'Adav est propulsé par un réacteur léger Siddeley Orpheus pour le vol horizontal et par huit réacteurs de sustentation Rolls-Royce RB.108 pour le vol vertical. Ils sont répartis en deux ensembles de quatre. Les entrées d'air des réacteurs de sustentation sont situées sur le dessus du fuselage et sont recouvertes par des trappes qui s'ouvrent pour le vol vertical. Des gaz prélevés sur les moteurs de sustentation alimentent des buses de tangage, placées sous le nez et la queue. Le *Balzac* devrait résoudre le problème des grands terrains d'aviation. (→ 18.3.63)

Le Tu-124 a des moteurs révolutionnaires

Union soviétique, 10 novembre
Le Tupolev Tu-124, qui est mis en exploitation aujourd'hui sur la ligne Moscou-Oulianosk, est propulsé par des réacteurs d'un nouveau type. Les deux moteurs construits par Soloviev sont des turbofans. Ils permettent de réaliser une économie de carburant de l'ordre de 20 % et ils sont aussi beaucoup moins bruyants. Le réacteur à double flux est un moteur avec deux étages de compresseurs où tout l'air comprimé passe dans les chambres de combustion. Dans le turbofan, une partie de l'air comprimé est brûlé, le reste se détend en donnant presque les trois quarts de la poussée. Les températures sont moins élevées et le bruit est réduit.

Dérivé du Tu-104, le Tupolev 124 peut se poser sur des terrains courts.

Le Bell Huey fait la guerre au Viêt-nam

Viêt-nam, 1er décembre
La Bell Helicopter Company a mis en service dès 1955 une machine très simple, dont le but initial était l'évacuation sanitaire et l'entraînement des pilotes au vol aux instruments. L'US Army lui a attribué le nom de HU-1 (Hélicoptère Utilité-1). Mais, pour les pilotes, il s'appelle tout simplement le Huey, son nom officiel d'Iroquois étant peu utilisé. Les premiers exemplaires ont été affectés au Viêt-nam aux unités chirurgicales du Mash. Ils sont destinés aux évacuations sanitaires. Très vite, il s'avère que cet hélicoptère est sûr et maniable. Il peut transporter trois blessés étendus sur une civière et un médecin. Il franchit 340 km à 220 km/h.

Le Bell Huey de l'US Army est équipé d'une turbine Avco Lycoming T53.

Contrat pour l'avion de transport supersonique

Londres, 29 novembre

L'avion de transport supersonique est désormais une réalité. Après de longues tractations, les gouvernements français et britannique ont enfin décidé de se lancer dans l'une des plus grandes aventures aéronautiques de tous les temps. Les deux gouvernements, représentés par Jouffroy de Courcel, ambassadeur de France, et Julian Amery, ministre de l'Aviation, ont signé un protocole d'accord historique portant sur la construction en commun d'un avion de transport supersonique. Jamais deux Etats ne s'étaient engagés dans un accord de coopération aussi étroite. L'accord stipule que la France et la Grande-Bretagne «doivent apporter sous tous les aspects du programme une contribution égale aux dépenses à engager comme au travail à exécuter, et partager à égalité le produit des ventes». Quatre firmes sont chargées de la réalisation du projet : la British Aircraft Corporation et Sud-Aviation doivent construire la cellule de l'appareil. Les quatre réacteurs Olympus 593 du TSS seront produits par Bristol Siddeley et la Snecma. (→ 13.1.63)

Cette maquette, testée en soufflerie, s'inspire d'un avion que Sud-Aviation et Dassault avaient baptisé Super Caravelle.

Le Super Frelon arrache plus de 11 tonnes

Marignane, 7 décembre

Dérivé du triturbine SE-3200 Frelon, le plus gros hélicoptère jamais construit en France a décollé avec Jean Boulet et Raymond Coffignot. Le transport de troupes SA-3210 n° 01 Super Frelon a été réalisé par Sud-Aviation, avec la collaboration des équipes de Sikorsky et de Fiat pour la mise au point de la boîte de transmission. Les six pales du rotor, issu des recherches de Sikorsky, ont un diamètre de 18,9 m. Les trois turbines Turboméca Turmo-III-C de 1 320 ch propulsent cet hélicoptère d'un poids total de 11,5 t. Sa vitesse peut atteindre 275 km/h. Le Super Frelon est destiné autant à l'utilisation militaire que civile, avec son fuselage spécial et son fond étanche construit comme celui d'un hydravion, qui permet les opérations amphibies. L'hélicoptère peut transporter trente hommes de troupe ou quinze civières accompagnées de deux médecins. L'appareil pourra donc être d'une grande utilité dans les opérations de sauvetage. Une porte rabattable, située à l'arrière du fuselage, facilite le chargement et le déchargement du matériel, qui peut peser jusqu'à cinq tonnes. En plus des deux ou trois membres de l'équipage, selon le type de mission, le Super Frelon, dans sa version civile, est prêt à accueillir 28 passagers. (→ 25.7.63)

...coque lui permet d'amerrir.

La Caravelle se pose automatiquement

Paris, 18 décembre

Le premier système d'atterrissage entièrement automatique semble fonctionner. La Caravelle, équipée du système américain Lear Siegler amélioré, s'est posée sur la piste d'Orly sans autre intervention des pilotes que la surveillance des paramètres de l'avion. André Turcat, directeur adjoint des essais en vol, a fait une démonstration qui marque le point final d'un long travail d'expérimentation sur le terrain de Toulouse-Blagnac. Jacques Lepers, polytechnicien du bureau d'études de Toulouse, a mis au point ce système en perfectionnant le pilote automatique classique américain Lear. Ainsi modifié, le pilote automatique maintient et contrôle la vitesse de l'avion. Il prend et suit les deux faisceaux ILS (Instrument Landing System). En arrivant au début de la pente finale vers la piste, le pilote sort le train et les volets. L'avion règle automatiquement sa vitesse et son assiette. Arrivé à 50 pieds, en franchissant le seuil de piste, le pilote automatique réduit progressivement les gaz, fait l'arrondi et laisse l'avion se poser sur la ligne centrale de la piste. Il reste au pilote à freiner l'avion. Jacques Lepers, André Turcat et Max Fisch ont créé là un système en circuit unique, relativement simple, précis et fiable. (→ 5.3.63)

A gauche, Turcat tient son micro.

Les avions de l'année 1962

Le Douglas DC-8 Series 54 est directement dérivé du DC-8F.

Le NAMC YS-11, court-courrier pour 52 à 60 passagers.

Le Merville D.63 est un Druine D.62 Condor à train tricycle.

Le Model 377-PG Pregnant Guppy a été développé par On Mark Engineering à partir d'un Boeing 377 Stratocruiser pour Aero Space Lines.

Le Piaggio P.166, version terrestre à moteurs propulsifs du P.136.

Le Nord 262, variante pressurisée du Nord 260 Super Broussard.

Le Fuji KM-2 est un développement du Beech Mentor.

BAC a construit le VC-10 pour British Overseas Airways Corporation, Ghana Airways, British United Airways et pour la RAF qui en achète 14.

Le Hawker Siddeley DH.121 Trident 1 est conçu à la demande de British European Airways qui recherche un moyen-courrier de 103 places.

Le PZL 104 Wilga 35, avion de tourisme et de remorquage.

Le Cessna 411, avion d'affaires, offre six à huit places.

Le Piper PA-30 Twin Comanche, version bimoteur du PA-24.

Le Scintex CP.1310-C3 Super Emeraude à verrière modifiée.

Le Dinfia IA 50 Guarani, court-courrier pour quinze passagers.

Le Jurca MJ.5 Sirocco, modèle biplace dérivé du MJ.2 Tempête.

Le Hawker Siddeley HS.125 n'est pas seulement un avion d'affaires rapide, il sert également à l'entraînement et aux liaisons militaires.

Le Beagle 206Y, version à moteurs RR. Continental plus puissants.

L'Aero Commander 680FL, avion d'affaires à cinq ou sept places.

La cellule du Beagle M.128 fait appel en partie aux matières plastiques.

Le Sipa S-251 Antilope est équipé d'un Turboméca Astazou IIC.

Le Wing Derringer, version bimoteur du John Thorpe T-17.

Le Sikorsky CH-54A Skycrane peut soulever de lourdes charges.

Le « Balzac » est le prototype du Mirage III-001 transformé en avion Adav destiné à expérimenter la formule retenue pour le Mirage III-V.

Le prototype du Sud-Aviation SA.321 Super Frelon, équipé de trois Turboméca Turmo III, est conçu pour le transport de troupes.

Le Lockheed VZ-10 Hummingbird, prototype Adav à poussée directe.

Le LTV TF-8A, version biplace d'entraînement du Vought F-8E.

Trois des quatre prototypes Lockheed A-11 commandés par l'USAF sont ensuite modifiés en intercepteurs YF-12A.

Sud-Aviation transforme un H-34 standard en H-34 Bi-Bastan en l'équipant de deux Turboméca Bastan IV couplés au même rotor.

Le Lockheed XH-51A, hélicoptère hybride à réacteur P&W J-60.

Le Potez-Heinkel CM.191, développement du Fouga Magister.

Le Bell Model 206 OH-4A, qui deviendra le JetRanger.

Le Westland Wsp, hélicoptère anti-sous-marins de la Royal Navy.

Le Type 188, construit par Bristol pour tester les effets prolongés de la chaleur sur les cellules, fait appel à l'acier inoxydable.

1963

6 605 km/h
Etats-Unis
Joseph Walker
North American X-15
27.6.62

39 147 km
Etats-Unis
Archie Old Jr.
Boeing B-52
18.1.57

107 960 m
Etats-Unis
Joseph Walker
North American X-15
22.8.63

221 350 kg
Etats-Unis
Boeing
B-52 Stratofortress

12 020 kgp
Etats-Unis
Pratt & Whitney
J75-P-19W

France, 8 janvier
La firme Morane-Saulnier est reprise par Henri Potez et adopte le nom de SEEMS (Société d'exploitation des établissements Morane-Saulnier). (→ 28.2.64)

Islande, 10 janvier
La société islandaise Loftleidir, utilisant des avions à hélices, applique sur l'Atlantique Nord des tarifs inférieurs à ceux de l'Iata. Face à cette concurrence, les compagnies membres de l'Iata décident de pratiquer des tarifs réduits.

Paris, 13 janvier
Au cours d'un discours, le général de Gaulle utilise le mot Concorde pour désigner le projet de supersonique franco-britannique. Les Anglais reprennent le nom sous la forme Concord. (→ 24.10)

Paris, 23 janvier
Mort, à l'âge de 65 ans, du constructeur Michel Wibault, l'un des premiers en France à avoir réalisé des avions tout en métal. Plus récemment, il s'était intéressé au décollage vertical : le Hawker P.1127 utilise un procédé de son invention.

Melun-Villaroche, 23 janvier
Premier vol du Mirage IV-04 de série. C'est l'avion de série du vecteur de la force de frappe. Le bombardier supersonique transporte sa charge nucléaire à demi encastrée sous le ventre. (→ 11.5)

Courbevoie, 3 mars
Le 9 000e moteur de grande puissance, traité, depuis sa création, par le centre de révision de moteurs et de propulseurs, sort des ateliers.

Toulouse, 5 mars
Une Caravelle réussit trois atterrissages automatiques dans des conditions météorologiques « zéro-zéro », c'est-à-dire par visibilité nulle et plafond au sol.

France, 10 mars
Le pilote d'essai Jean Dabos décolle le *D'Artagnan*, bimoteur de tourisme léger qu'il a lui-même conçu.

France, 12 mars
Une Caravelle d'Air France embarque son cinq millionième passager.

France, 18 mars
Le prototype à décollage vertical *Balzac V-001* réussit sa première transition du vol horizontal au vol vertical. (→ 8.9.65)

Santa Monica, 8 avril
Douglas Aircraft, ayant renoncé à développer la Caravelle, annonce le début de son propre programme de moyen-courrier, le DC-9.

Etats-Unis, 12 avril
A bord d'un Lockheed F-104G, Jacqueline Cochran porte le record de vitesse sur base de 15 à 25 km à 2 048,9 km/h. (→ 14.6)

Marseille, 23 avril
La piste de l'aéroport de Marignane est portée à 3 000 m, grâce au remblaiement d'une partie de l'étang de Berre. Il devient le 3e aéroport français en capacité.

Istres, 15 mai
A bord d'un Mirage III-A-03 doté de réacteurs Atar 9-C, le pilote René Farsy bat le record, officieux, d'altitude en atteignant 25 500 m.

Paris, 4 juin
Début des chantiers des hôtels Hilton, à Orly et avenue de Suffren. Ils doivent favoriser la venue des voyageurs anglo-saxons.

Paris, 6 juin
A bord d'un Lockheed F-104G, le pilote belge Bernard Neef relie Paris à Bruxelles en 10 min 3 s, soit une vitesse de 1 576,4 km/h. Il participe au Salon du Bourget où il fait des vols de démonstration.

France, 7 juin
Air France ouvre un service direct Paris-Los Angeles en B-707-320. C'est le plus long trajet au monde : 9 110 km en 12 h de vol.

Belgique, 12 juin
La Sabena ouvre sa ligne vers Entebbe, en Ouganda, avec un B-707.

Istres, 14 juin
Aux commandes d'un Mirage III de reconnaissance, muni d'un guidage radar amélioré, Jacqueline Auriol ravit le record féminin de vitesse à Jacqueline Cochran, en couvrant un circuit de 100 km à 2 030 km/h.

Suède, 29 juin
Piloté par Karl-Erik Fernberg, le prototype du biréacteur Saab-105 effectue son vol initial. Construit sur les fonds privés de la firme suédoise, il doit servir d'entraînement aux pilotes militaires et civils.

Canada, 20 juillet
Une éclipse solaire est filmée depuis un DC-8-63 piloté par l'astronaute Malcolm Scott Carpenter. Il volait à 12 800 m d'altitude.

Istres, 25 juillet
L'hélicoptère lourd triturbine Super Frelon emporte deux records de vitesse, avec 351,2 km/h sur base de 15 à 25 km, et 334 km/h en circuit fermé de 100 km.

Italie, 31 juillet
Première victoire française au rallye aérien de Sicile depuis dix ans : Pierre Robin, l'emporte à bord d'un Robin DR-1051, équipé d'un moteur Potez de 105 ch, baptisé *Sicile*. Sept des dix premières places sont occupées par le *Sicile*. (→ 30.6.64)

France, 2 août
Pan Am commande à Dassault 40 Mystère 20, et prend option pour 120 unités. Selon le contrat de 160 millions de dollars, les avions seront livrés en vol, sans peinture, et équipés sur place par Pan Am.

Pologne, 3 août
J. Dankowska remporte le record féminin de vitesse sur parcours triangulaire de 300 km en planant à la vitesse moyenne de 82,8 km/h.

Antarctique, 1er octobre
Deux Lockheed C-130 Hercules de l'US Navy atterrissent sur la base de McMurdo après avoir franchi plus de 9 000 km en 14 h 11 min de vol sans escale.

Israël, 20 août
Premier engagement au combat des Mirage III israéliens. Au-dessus du lac de Tibériade, deux Mirage abattent deux des huit MiG-17 syriens repérés par les radar israéliens. Les autres prennent la fuite.

Hurn, 22 octobre
Le prototype du BAC 111 s'écrase au cours d'un vol d'essai. L'avion a pris une assiette à cabrer qui a provoqué le décrochage. (→ 5.4.65)

Grande-Bretagne, 24 octobre
Présentation à la presse anglaise et française de la maquette d'étude du Concorde dans les usines de la British Aircraft Corporation à Bristol-Filton. Elle a les dimensions de l'avion supersonique. (→ 1.3.64)

Issy-les-Moulineaux, 29 octobre
Piloté par Bernard Witt, le quadrimoteur à décollage et atterrissage court Breguet 941 revient d'une brillante tournée de 6 500 km, effectuée à travers l'Europe depuis le 4 octobre.

Boston, 30 octobre
Au large de Boston, un ravitailleur en vol Lockheed C-130 Hercules se pose pour la première fois sur un porte-avions, l'*USS Forrestal*, sans utilisation de filins de freinage et de barrières d'arrêt.

New York, 24 décembre
A la suite de l'assassinat du président Kennedy, le 22 novembre dernier au Texas, l'aéroport d'Idlewild est rebaptisé. Il portera désormais le nom de John F. Kennedy Airport.

Mexique, 31 décembre
Un hélicoptère Alouette III, avec aux commandes le pilote mexicain Javier et Claude Aubé de Sud Aviation, réussit à se poser sur les deux plus hauts sommets du Mexique, l'Ixtacihuatl (5 276 m) et le Popocatépetl (5 400 m).

L'étude de marché qui a été faite pour le Boeing 727-100 a montré que plus de trois cents exemplaires de cet avion pouvaient être vendus.

Les moteurs de l'Il-62 sont disposés comme sur le VC-10

Photographié en juin au Salon du Bourget, l'Iliouchine 62 fera très forte impression à ses nombreux visiteurs.

Union soviétique, 1er janvier
La compagnie Aeroflot a décidé de se moderniser et de satisfaire ses besoins à la manière occidentale. Pour développer ses lignes internationales et intercontinentales, il lui fallait un avion à réaction qui remplaçât le Tu-114. Iliouchine a étudié un appareil qui ressemble fort au BAC VC-10 britannique.

C'est l'Il-62, dont le prototype a effectué son premier vol. Ses quatre turboréacteurs Kouznetsov NK-84 de 10 500 kgp chacun sont montés en couple à l'arrière du fuselage, exactement comme pour le Vickers. Doté d'une voilure importante avec une flèche très prononcée, il vole à 900 km/h sur des étapes de 8 000 km. Sa masse au décollage est

de 165 t, ce qui lui permet d'emmener 186 passagers (72 places à l'avant et 114 à l'arrière). Comme la plupart des appareils long-courriers, l'Il-62 combine les techniques les plus avancées. Il est équipé d'un pilote automatique complet, d'une centrale de commandes hydrauliques, d'un ordinateur de navigation et d'un radar météorologique.

Un cadeau pour la fusion UAT-TAI

Paris, 23 février
Les compagnies privées UAT et TAI ne font plus qu'une : UTA est née. Mais, dans leur corbeille de mariage, le gouvernement a déposé un cadeau qui rend les époux chagrins et son concurrent Air France morose. La mesure, qui prendra effet à compter du 1er novembre, concerne l'exercice des droits aériens en Afrique. Elle redistribue les rôles entre la nouvelle compagnie et Air France. Concrètement, l'exploitation se fera par secteurs géographiques : à Air France, la totalité du trafic France-Madagascar et France-Sénégal ; à UTA, les liaisons avec l'Afrique centrale, l'Afrique équatoriale et l'Afrique occidentale, exception faite du Sénégal. Mais pour UTA cela signifie l'abandon de lignes très rentables, jusqu'alors assurées par TAI. Dakar est un exemple de ce qu'UTA aurait voulu garder. Air France, déjà en difficulté, se voit, elle, presque entièrement exclue du continent africain. (→ 1.10)

Une formule économique avec le Skyvan

Sydenham, 17 janvier
Le prototype du Short SC.7 Skyvan (G-ASCN) a pris son vol, piloté par Denis Tayler. L'étude de cet avion de transport léger a débuté dès 1959 sur les fonds propres de la firme britannique, dont le but était de concevoir un appareil fonctionnel et économique. Le petit Skyvan (wagon volant) possède des ailes hautes contreventées à grand

allongement. Elles supportent les deux moteurs à pistons Continental de 390 ch. Le pilote est à l'avant du fuselage de section rectangulaire. Le chargement, qui peut atteindre 2 100 kg, est facilité par une grande porte arrière. Elle peut être ouverte en vol et permet le largage de charges ou de parachutistes. En vitesse de croisière économique à 3 000 m, le Skyvan atteint 275 km/h.

Dès mai, le prototype est équipé de deux turbines Turboméca Astazou II.

Un bilan pour la sécurité aérienne

Londres, 10 janvier
Un bilan, publié par la revue britannique *The Aeroplane and Commercial Aviation News*, ne va pas manquer de susciter un grand intérêt dans les milieux de l'aviation. Il s'agit en effet des résultats d'une étude entreprise sur la sécurité en 1962. Selon les informations communiquées, 18 avions à réaction ont été détruits lors d'accidents depuis leur mise en service, dont huit l'année dernière. Cela correspond à onze Boeing détruits, dont quatre au cours de vols d'entraînement, et sept DC-8. Ces chiffres sont relativement faibles, car leur résultat final est de porter le taux de mortalité du Boeing à 0,88 et celui du DC-8 à 0,78 par cent millions de passagers-miles sur les lignes commerciales. Cela représente un avion à réaction détruit par 160 000 heures de vol. Il faut ajouter que l'ensemble des appareils commerciaux à réaction dans le monde totalisait l'année dernière 4 240 000 heures de vol.

Début d'activité de Reims-Aviation

Reims, 4 avril
C'est le premier avion Cessna assemblé en France. Et tout le mérite de voir décoller aujourd'hui le F-172 revient à une jeune firme : la société Reims-Aviation. A sa tête, le célèbre as de guerre Pierre Clostermann. C'est lui qui a acquis, pour sa société, l'exclusivité de la production sous licence des avions Cessna pour l'Europe et les pays d'Afrique situés au nord de l'Equateur. La société a donc mis tous les atouts de son côté : la réputation de qualité des produits Cessna n'est en effet plus à faire. Les rapports privilégiés avec le constructeur américain remontent à quelques années. En 1961, la Cessna Aircraft avait acquis 49 % du capital social des Avions Max Holste, société devenue l'année dernière Reims-Aviation. Mais la firme voit plus loin et veut élargir la gamme de mono et bimoteurs proposés, afin de toucher une clientèle plus étendue, civile et militaire. C'est en ce sens qu'elle va orienter sa politique

Boeing s'attaque au marché du moyen-courrier

L'exemplaire du 727 de démonstration de Boeing est le second qui ait pris l'air. Celui d'United Airlines, qui en a commandé 40, était le premier à voler.

Seattle, 9 février

C'est l'avion d'aujourd'hui et c'est sans doute celui de demain. Son coût de production est faible, il est adapté au marché du moment et idéal comme moyen-courrier. Le dernier-né de chez Boeing s'appelle le 727-100. Il aura fallu sept ans de réflexion, trois années pour la mise au point et soixante-dix ébauches

pour que le modèle devienne réalité. Il vient d'accomplir son vol initial sous les couleurs de United et les autres compagnies américaines s'y intéressent de très près. Eastern Air Lines en a commandé 20. Les dimensions de ce triréacteur sont parfaites et, mieux encore, il est possible de le rallonger. L'appareil est motorisé avec les nouveaux

réacteurs turbofans qui ont l'avantage d'être moins bruyants. Son aile, très complexe, est une merveille de technologie qui répond à la nécessité de faire face à des terrains courts et de voler à grande vitesse en croisière et lentement en approche. Elle a des becs de bord d'attaque, des volets Fowler à grande courbure et des destructeurs

de portance pour freiner au sol. Le 727, destiné à utiliser des terrains non équipés, peut opérer sans assistance au sol. Une porte ventrale, à l'arrière, fonctionne hydrauliquement. Le troisième réacteur, au ralenti, fait fonction d'APU (Auxiliary Power Unit). Il fournit au sol l'électricité et l'air comprimé nécessaires au conditionnement d'air.

Bombardements simulés en Mirage

Cazeaux, 11 mai

C'est Max Rastel qui effectuait aujourd'hui les essais de largage de bombes avec le Mirage IV-O2. C'est d'ailleurs lui qui est plus spécialement chargé de cette campagne d'essai destinée à étudier la trajectoire des bombes au cours de leur chute. Depuis que le prototype du Mirage IV a remporté le marché de l'armée de l'air pour un bombardier capable de transporter la bombe A française, ce n'est que cette année que vont être livrés les premiers appareils de série. Baptisés Mirage IV-A, ils sont dotés d'Atar 9K ou D de 6 800 kgp avec postcombustion. Leur système de navigation les rend pratiquement autonomes et leur permet de bombarder en aveugle entre 4 000 et 8 000 m. Des essais continuent à être menés chez Dassault comme au centre d'essai en vol pour améliorer les techniques de largage des bombes. Réalisés en conditions difficiles, les tests montrent les qualités du Mirage. (→ 3.2.64)

La France et l'Allemagne construisent le Transall en commun

Melun-Villaroche, 25 février

Malgré l'épaisse couche de neige qui recouvrait le terrain, la décision a été prise de ne pas modifier le programme prévu. Le premier vol du premier prototype C-160 Transall V-1 aura donc bien lieu aujourd'hui. Il est vrai que de nombreuses personnalités françaises et allemandes sont présentes sur le terrain pour assister à cet événement de

la coopération franco-germanique. Bien que destiné à l'Allemagne, ce prototype a été assemblé à Villaroche par la société Nord-Aviation, qui en avait conçu le projet. Par ailleurs, à la chaîne de production de Bourges se sont ajoutées des chaînes identiques à Hambourg et à Brême. Le pilote chargé d'effectuer ce premier vol est Jean Lanvario, à qui, dès le début, le pro-

gramme d'essai a été confié. Malgré la neige, le décollage s'est passé sans difficulté. Après 55 minutes d'évolution au-dessus des officiels, l'appareil est revenu au sol, ayant donné la preuve de ses capacités. Un seul problème : au moment de rentrer les 10° de volets, le contrôle de symétrie ajusté de manière trop sensible a provoqué un blocage de la manœuvre.

Pendant ce vol d'essai, une des deux turbines Hawker-Siddeley a été arrêtée et l'hélice est mise en drapeau.

Le Mystère 20 a enthousiasmé Charles Lindbergh

Mérignac, 4 mai

C'est avec une grande émotion que les ateliers Dassault ont accueilli la délégation de Pan Am venue pour analyser le projet du supersonique et le prototype du Mystère 20. Elle était menée par le héros de l'Atlantique, Charles Lindbergh, envoyé par la compagnie américaine pour chercher un avion d'affaires qui puisse être exploité par la division Pan Am Business Jet. C'est Bernard Wacquet, chef du service exportation, qui a convaincu Marcel Dassault de tenter une percée aux Etats-Unis. Ce dernier était devenu méfiant devant l'attitude de Douglas vis-à-vis de la Caravelle. Emerveillé par le Mystère 20, Lindbergh a télégraphié à Pan Am : *«I got your bird!»* (J'ai trouvé votre oiseau!). Malheureusement, après s'être fait

Peu après la visite de Charles Lindbergh, Pan Am envoyait à Dassault une commande portant sur 160 exemplaires.

photographier devant le prototype avec toute la délégation, il a dû repartir sans pouvoir attendre le premier vol du Mystère 20, qui a eu lieu quelques instants plus tard et

qui a duré 1 h 5 min avec à bord le pilote René Bigand et le mécanicien Jean Dillaire. Ce premier vol aurait d'ailleurs dû avoir lieu il y a trois jours déjà, si un problème de mise

au point n'avait retardé le programme à la dernière minute. Le prototype est équipé de deux réacteurs Pratt & Whitney turbojets. (→ 10.7.64)

Un Phantom se cache derrière le F-110A

Saint Louis, 27 mai

Destiné à l'US Air Force, le chasseur tactique biplace F-110A vient de voler pour la première fois. Le nouveau Phantom II de la firme américaine MacDonnell présente de grandes similitudes avec le F-4B du Marine Corps. Son nez est muni d'un radar APQ-100. Il est équipé d'une centrale aérodynamique et d'un système de navigation inertiel. Son armement est constitué de quatre missiles air-air AIM-7 Sparrow à guidage radar semi-actif fixés sous le fuselage, ainsi que de quatre missiles air-air AIM-9

Sidewinder attachés sous la voilure. Le F-110A, rebaptisé F-4C, dispose de réservoirs de carburant largables et d'un canon de 20 mm en nacelle. Il diffère de son prédécesseur principalement par ses réacteurs General Electric à postcombustion de 7 710 kgp, qui lui confèrent une vitesse de Mach 2 en altitude, par son démarreur à cartouche situé près du train d'atterrissage, et par ses pneus plus larges. Il est doté d'une perche dorsale compatible avec le système Flying Boom pour le ravitaillement en vol. Son envergure est de 11,71 m.

Le président Kennedy répond à Pan Am

Colorado Springs, 5 juin

La riposte du président John Kennedy à la compagnie Pan Am ne s'est guère fait attendre. Il n'y a que vingt-quatre heures que Juan Trippe, patron de Pan Am, créait la surprise en annonçant que sa société, fleuron de l'aéronautique américaine, avait pris des options sur six avions supersoniques franco-britanniques. Piqué au vif et soumis à d'intenses pressions de la

part des grands constructeurs américains, Kennedy a annoncé, au cours d'un discours à l'académie de l'US Air Force, le lancement du programme de transport supersonique américain, dont il a évalué le coût, étalé sur six ans, à un milliard de dollars. Les Etats-Unis, a-t-il dit, «doivent maintenir l'avance dont ils jouissent depuis la fin de la Seconde Guerre mondiale» dans le domaine de l'aéronautique.

L'altiport de Méribel a été inauguré par Maurice Herzog, haut-commissaire à la Jeunesse et aux Sports. Lyon est à quelques minutes de vol.

Le Phantom II pèse 26 tonnes au décollage. Il a un équipage de 2 hommes.

Le BAC 111 prend une place convoitée parmi les court-courriers

On l'appelle aussi le « One Eleven ».

Hurn, 20 août

Avant même le premier vol du BAC 111, la British Aircraft Corporation a déjà reçu quarante-cinq commandes fermes, dont dix provenant de British United et douze de Braniff International Airways. Un succès qui s'explique par le fait que le BAC 111, piloté aujourd'hui par George Bryce, est un appareil court-courrier à réaction. Il est construit à partir des projets du H-107 de Hunting Parcival. Plus tard, Vickers, Hunting, Bristol et English Electric sont venues se joindre au projet lorsqu'elles se sont associées pour former cette nou-

velle société. Cet appareil est équipé de réacteurs Rolls-Royce Spey de 4 722 kgp chacun. La cabine, de section circulaire préssurisée, peut accueillir 79 passagers à raison de cinq passagers sur un rang. Ses ailes, légèrement en flèche, sont équipées de volets à grande courbure. L'avion possède des spoilers sur la surface supérieure de l'aile. La gouverne de profondeur est en forme de T ; elle a permis l'installation d'une porte ventrale arrière, munie d'un escalier. L'ouverture de la porte avant permet de faire descendre un autre escalier qui réduit le besoin d'assistance au sol. (→ 22.10)

Oui au mariage des hôtesses, mais...

Paris, 5 juillet

Il aura fallu qu'une autre hôtesse fasse un procès pour modifier l'une des réglementations d'Air France. Le mariage des hôtesses de l'air n'entraînera plus la cessation de leur contrat. Toute hôtesse qui se marie sera maintenue en service de vol. Il y a cependant une condition : elle devra démissionner si elle n'accepte pas une affectation qui peut la tenir éloignée deux semaines. Certaines hôtesses pensent cependant que les critères de sélection sont discriminatoires.

Enfin le succès pour l'avionneur Antonov

Le pilote peut, en vol, adapter la pression des pneus à la qualité de la piste.

Union soviétique, 1er septembre

Antonov a réussi son pari : l'An-24 est la concrétisation des exigences d'Aeroflot. La compagnie soviétique désirait en effet remplacer ses transporteurs à moteur à pistons, de type Iliouchine Il-14, par un appareil turbopropulsé. Autre souhait : que ce soit un avion de transport civil à court rayon d'action. Le bureau d'études d'Antonov a fait mieux que cela. L'An-24 peut opé-

rer à partir de terrains courts et peu aménagés. Les ailes ont des volets Fowler à grande courbure pour les atterrissages courts. La pression des pneus peut être modifiée en vol ou au sol par le pilote. Les performances de ses turbines Ivchenko AI-24A sont adaptées aux variations d'altitude et de température rencontrées en Union soviétique. Ce court-courrier de 50 places a ouvert la ligne Moscou-Saratov.

Formule originale pour un supersonique

Dès que le vol devient normal, les réacteurs placés à l'avant sont éteints.

Allemagne fédérale, 20 septembre

Les ingénieurs de la société Entwicklungsring Süd GmbH ont mis au point un intercepteur Adav capable d'atteindre Mach 2 : le VJ 101C. Ce supersonique, équipé de six réacteurs Rolls-Royce RB 145, a réussi sa première translation en vol horizontal. Deux des réacteurs sont placés à l'avant du fuselage pour assurer une partie de la portance. Les quatre autres, situés

en paire en bout d'aile, sont orientables. Ils sont utilisés pour la montée initiale et le vol horizontal. Au décollage, l'avion doit s'éloigner vite de son point d'envol pour éviter que les gaz d'échappement ne provoquent l'éclatement des pneus, la détérioration de la piste et l'étouffement des moteurs. Le pilote bascule les nacelles de voilure sous un angle de 75° et fait avancer l'avion en vol horizontal.

Le X-15 passe 100 kilomètres d'altitude

Edwards AFB, 22 août

C'est le 91e vol du programme des X-15. Et c'est un record de plus, même s'il n'est pas officiel. Le troisième North American X-15, numéro de série 56-6672, vient en effet d'atteindre l'altitude inimaginable pour un avion de 106,26 km. Il a volé à Mach 5.58, c'est-à-dire 6 104,54 km/h. Voilà qui va intéresser les industries aérospatiales. Le X-15 apparaît en effet comme l'appareil idéal pour tester le stato-

réacteur, système de propulsion qui est hautement dépendant du taux d'oxygène à haute altitude pour son processus de combustion. L'accident du deuxième X-15, le 9 novembre, a obligé à reprendre le modèle de base pour l'améliorer et l'amener à ces performances jamais atteintes. La Nasa entame des discussions à ce sujet avec North American. Les deux autres X-15 termineraient alors seuls le programme initialement prévu.

Air France modernise les DC-3 à Toulouse

Toulouse, 2 septembre

Il suffit de voir le vétéran : le NR-18 totalise 81 535 heures de vol, soit l'équivalent de 10 ans en l'air 24 h sur 24 h et, après avoir épuisé le potentiel de 136 moteurs qui ont rongé quelque 25 000 bougies, il est toujours en service. Bref, le DC-3 est irremplaçable, selon l'avis unanime des pilotes. La machine a 25 ans et elle vole si bien qu'il est hors de question de la remiser au hangar. Dans cet esprit,

les ateliers de Toulouse, avec le visa de l'administration américaine, ont fait subir à l'avion une petite cure de jouvence. Il dispose maintenant de capots-moteurs plus aérodynamiques qui englobent mieux le train quand il est rentré. Cela permet une réduction de la consommation par diminution de la traînée. Les ingénieurs ont aussi amélioré la vitesse de rentrée du train, surtout celui de la jambe gauche, depuis toujours la plus paresseuse.

L'aviation d'affaires en pleine expansion

Le Lear 23 a une autonomie de 2 500 km. Son poids est de 5 670 kg.

Le Mitsubishi MU-2 exige des pilotes très expérimentés et bien entraînés.

Aero Commander a fait voler son jet Commander le 27 janvier dernier.

Wichita, 7 octobre
Le constructeur américain Bill Lear lance une nouveauté dans l'aviation d'affaires. Henry Beaird a fait bondir vers le ciel du Kansas le prototype du Lear Jet 23. La cabine est pressurisée. Elle offre, dans un espace très réduit, un bon confort. Les deux réacteurs General Electric donnent 2 582 kgp. La montée se fait à un angle impressionnant et le vol se déroule à 10 000 mètres à la vitesse de 800 km/h. Cet appareil n'est pas unique sur le marché des avions d'affaires. En janvier, Aero Commander faisait voler son jet Commander : équipé d'une cabine confortable, il peut transporter jusqu'à huit passagers ; deux réacteurs de 2 582 kgp lui confèrent une puissance comparable à celle du Lear Jet. Sa vitesse est inférieure, mais son fuselage plus large est plus spacieux. Le 23 septembre, Mitsubishi faisait voler son avion d'affaires, le MU-2. Il est prévu pour sept personnes et équipé de deux turbines Turboméca Astazou. C'est un appareil très pointu qui atteint la vitesse de 550 km/h. Le Lear Jet va devoir compter avec la concurrence de ces avions, comme avec celles du Mystère 20 de Dassault, qui a volé en mai, et du Sabreliner de Rockwell qui date de 1958 et qui a été construit pour l'US Navy. Ces derniers sont de plus gros avions, mais de coût différent. (→ 13.10.64)

La Sabena réorganise son réseau africain

Bruxelles, 15 septembre
L'indépendance du Congo belge en 1960 a mis fin au long monopole de la compagnie Sabena sur ce vaste réseau intérieur. Les lignes intérieures africaines sont desservies, depuis 1961, par la nouvelle société Air Congo. Il arrive assez régulièrement que la Sabena loue un ou plusieurs appareils avec équipage à Air Congo. Dans ce cas, un autocollant « Air Congo » est appliqué au-dessus du logo de Sabena sur les deux côtés du fuselage. La queue de l'appareil continue à arborer le sigle de la compagnie belge. Le service d'entretien d'Air Congo est surveillé et mis au point par les techniciens belges. Le 12 juin, la Sabena inaugure la ligne long-courrier en Boeing 707 Bruxelles-Athènes-Entebbe-Elisabethville. À partir de Bruxelles toujours, la Sabena dessert Bujumbura, au Burundi, avec une escale à Kigali, au Rwanda, et un vol vers Léopoldville, *via* Madrid et Kano, au Nigeria.

Peindre les avions améliore la sécurité

Etats-Unis, 1er octobre
Les couleurs fluorescentes allant du rouge à l'orangé sont les plus efficaces. La peinture blanche ou claire mais réfléchissante doit être appliquée au moins sur la partie supérieure du fuselage et la peinture noire ou sombre sur la moitié inférieure. Tels sont les principales conclusions des tests effectués par un laboratoire au profit de la FAA. La brillance et l'éclat : deux qualités indispensables pour le revêtement des avions à une époque où le ciel de plus en plus encombré est le lieu de multiples collisions.

Du propane dissipe le brouillard d'Orly

Orly, 1er décembre
Les pilotes, au cours de leur atterrissage, ont été les témoins d'un curieux phénomène : il neigeait sur les pistes d'Orly, mais ce n'était pas de la neige naturelle. En fait, pour améliorer la visibilité qu'un brouillard dense avait rendue mauvaise, les techniciens de l'aéroport avaient pulvérisé du propane liquide dans la couche brumeuse, à partir d'installations fixes au sol. Ils ont ensemencé le brouillard de germes de glace. Cette première expérience est suffisamment probante pour être poursuivie.

Naissance officielle de la compagnie UTA

France, 1er octobre
UAT et TAI ont fusionné pour donner naissance à UTA, l'Union des transports aériens. La nouvelle compagnie dispose d'une importante flotte de vingt-neuf appareils comprenant : six DC-8, deux DC-7C, treize DC-6A et B, six DC-4 et deux Héron. Le réseau couvert est de 190 000 kilomètres. Ainsi, UTA dessert la presque totalité des pays du continent africain ainsi que le Moyen-Orient, l'Extrême-Orient, l'Indonésie, la Nouvelle-Calédonie, la Nouvelle-Zélande, les Fidji, la Polynésie française, Hawaii, l'Australie et la côte ouest des Etats-Unis. La compagnie UTA est aussi une grande entreprise. 4 900 personnes y sont employées, dont 630 navigants. Francis Fabre a demandé au général Fayet d'assumer la présidence de la nouvelle compagnie.

La première affiche d'UTA publié par la compagnie de Francis Fabre

Le transport aérien est en déficit

Londres, 31 décembre

Le ciel est bien sombre pour les compagnies aériennes en cette fin d'année, tant pour le bilan que pour les perspectives. Ainsi, la KLM néerlandaise a perdu en un an plus qu'elle n'avait gagné en trois. La BOAC britannique accuse un déficit global équivalent à 900 millions de francs, dont 140 perdus au cours de 1962. Ce dernier chiffre figure aussi au passif de la SAS scandinave dont la capacité de transport a augmenté de 28 % alors que son trafic passagers ne s'est accru que de 9 %. Quant à Air France, ses pertes s'élèvent à 100 millions de francs et l'avenir se profile avec des menaces de compression de personnel et de resserrement du champ d'activités. Pour chacune de ses compagnies – et l'on pourrait multiplier les exemples – la nécessaire modernisation de la flotte explique en partie les trous financiers : des avions deux fois plus rapides et trois fois plus grands coûtent huit fois plus cher.

Les constructeurs d'avions font recette avec le tourisme

A Fresno, en Californie, les maisons ont un abri pour les voitures et un autre pour l'avion. On décolle de chez soi.

Etats-Unis, 6 décembre

De plus en plus, à la grande joie des constructeurs aéronautiques, tourisme rime avec avion. Surtout aux Etats-Unis et au Canada, où les ventes d'avions de tourisme sont en plein essor. Les Piper, Mooney et autres Cessna se vendent presque comme des voitures de grand luxe. Ce type d'appareils, dociles et agréables à piloter, est idéal pour parcourir en tout confort les immenses étendues d'Amérique du Nord. Le Piper PA-32 Cherokee SIX, qui a effectué aujourd'hui son premier vol, est venu enrichir la gamme des avions de tourisme. Il s'agit d'un successeur au Piper PA-28 Cherokee mis sur le marché en février 1961. Comme son nom l'indique, le Cherokee SIX peut transporter six passagers et a un rayon d'action de plus de 1 800 kilomètres. L'appareil est doté d'un moteur six cylindres Avco Lycoming de 300 ch qui lui permet d'atteindre une vitesse maximale de 304 km/h. Piper a aussi lancé son bimoteur Twin Comanche PA-30, qui vole depuis le 7 novembre 1962.

Configuration inhabituelle sur le Jupiter

France, 17 décembre

De face, sa configuration est étonnante : le Moynet 36 Jupiter apparaît comme un monomoteur affublé d'un curieux empennage. Lorsque l'on contourne l'appareil, l'explication apparaît, mais n'en est pas moins étonnante : il s'agit en fait d'un bimoteur dont l'un des moteurs est situé tout à l'arrière du fuselage. C'est la formule *push-pull* : un moteur tractif à l'avant, un moteur propulsif à l'arrière. Avantage de cette conception : un contrôle de l'avion plus facile en vol et en cas de panne d'un moteur, puisque les deux travaillent sur un même axe. A 328 km/h en croisière avec une autonomie de 1 400 km, le Jupiter devrait faire le bonheur de plus d'un homme d'affaires. Les frais d'exploitation sont réduits de 15 à 20 % par rapport à un bimoteur de performances équivalentes.

Une division blindée traverse l'Atlantique

Allemagne fédérale, 25 octobre

« Prouver la mobilité des forces américaines de réserve appelées à renforcer rapidement les troupes de l'OTAN » : c'est en ces termes que Robert McNamara, secrétaire à la Défense, a expliqué l'opération *Big Lift* qui vient de s'achever. L'US Air Force a transporté du Texas jusqu'en Allemagne fédérale 14 500 hommes de la 2e division blindée, en cinq jours. 500 tonnes de fret ont été transportées par 204 appareils de la Mats (Military Air Transport Service). Ces derniers étaient escortés par 321 chasseurs et avions de reconnaissance, le plus rapide ayant mis 10 h, malgré une météo médiocre, et le plus lent 32 h. Un exploit qui a été possible grâce au ravitailleur Boeing KC-135 du Strategic Air Command. Au total, cette opération *Big Lift* aura duré 63 h 20 min.

'avion a été imaginé par Charles Moynet, un ancien pilote de chasse.

Les C-130 Hercules ont été mis à contribution pour l'opération « Big Lift ».

Les avions de l'année 1963

Le Boeing 727, court et moyen-courrier, connaît un début de carrière assez mitigé. Il n'en sera pas moins l'avion de ligne le plus vendu au monde.

Le Socata MS.881 Rallye Club, un avion de tourisme très prisé.

Le Piper PA-32 Cherokee Six est un PA-28 rallongé de 0,90 m.

Le Dinfia 5O Guarani II, avion de transport de 10 à 15 places.

Le Riley Dove Executive 400, un DH-104 à turbopropulseurs.

Le Dassault Falcon 20, connu d'abord sous le nom de Mystère XX, est la réponse française aux besoins du marché de l'aviation d'affaires.

Autre avion léger conçu par Dinfia, le IA 51 Tehuelche.

Le Matra 360-4 Jupiter, un push-pull pour 6 ou 7 passagers.

Le Mark III Turbo Beaver, version à turbopropulseur du DHC-2.

Le Short SC-7 Skyvan, un avion de transport passe-partout.

L'Iliouchine Il-62, le long-courrier soviétique le plus répandu à l'Est.

Le HAL Kiran II, premier jet d'entraînement conçu en Inde.

Le BAC One-Eleven Series 200 est l'un des premiers court-courriers à réaction. Son succès ne se démentira pas.

Le Gates Lear Jet 23, inspiré du FFA P-16 suisse, marque la naissance d'une nouvelle race d'avions d'affaires. Il est produit à cent exemplaires.

Le Jet Commander donne naissance au IAI Westwind israélien.

Le Tupolev Tu-134, un biréacteur moyen-courrier.

Le Navion Rangemaster ne connaît pas un gros succès commercial.

Le Cessna Super Skywagon est encore très répandu dans le monde.

Le Saab 105 est un avion d'entraînement armé.

Le Mitsubishi MU-2A accueille neuf passagers.

Le modèle le plus répandu du Douglas Phantom dans l'USAF est le F-4C, équipé d'un J79-GE-15 de 7 711 kgp.

Les performances et le rayon d'action du Blackburn Buccaneer ont été nettement améliorés sur le S.2, équipé du Rolls-Royce Spey.

Version de reconnaissance tactique du Phantom, le RF-4C.

Le Hawker Siddeley Andover est équipé d'une rampe arrière.

Fruit de la coopération franco-allemande, le C.160 Transall est construit en Allemagne fédérale (110 exemplaires) et en France (50 exemplaires).

Premier avion de transport stratégique à réaction de l'USAF, le Lockheed C-141A Starlifter franchit 4 750 km à pleine charge.

Le Sikorsky S-61R est baptisé CH-3C par l'US Army.

Le EWR-Sud VJ 101C X-1, un Adav à réacteurs pivotants.

Le Northrop F-5A vise surtout le marché du tiers monde.

Le OH-6A est la version militaire du Hughes 500.

Le Hunting H.126, avion expérimental à volets soufflés.

Le Curtiss-Wright X-19A, un autre avion Adav expérimental.

Le On Mark B-26K Counter Invader, version moderne du B-26.

Le Hiller OH-5A de l'US Army est un dérivé du FH-1100 civil.

1964

 **6 605 km/h**
Etats-Unis
Joseph Walker
North American X-15
27.6.62

 **39 147 km**
Etats-Unis
Archie Old Jr.
Boeing B-52
18.1.57

 **107 960 m**
Etats-Unis
Joseph Walker
North American X-15
22.8.63

 **240 400 kg**
Etats-Unis
North American
XB-70A Valkyrie

 14 740 kgp
Etats-Unis
Pratt & Whitney
JT11D-20 B

Etats-Unis, 1er janvier
L'opération *Bongo Mark 2* est lancée par la Federal Aviation Administration. Pendant cinq mois, des Convair B-58 vont passer le mur du son à haute et à basse altitude au-dessus d'Oklahoma City pour en tester les effets sur la population.

Amman, 4 janvier
Le pape Paul VI, en visite en Terre sainte, débarque d'un DC-8 spécial d'Alitalia. C'est la première fois qu'un pape utilise l'avion pour une visite officielle.

Paris, 13 janvier
Le Conseil des ministres décide d'implanter le futur aéroport Paris-Nord sur le plateau de Roissy.

Avalon, 29 janvier
Remise officielle à la Royal Australian Air Force des deux premiers Mirage III fabriqués sous licence.

Wichita, 1er février
Premier vol du Beech King Air 90. Il est motorisé par deux turbines PT6A de Pratt & Whitney Canada.

Paris, 3 février
La direction du personnel d'Air France lance à titre expérimental un bulletin d'information pour ses cadres, *Idées dans l'air*.

Paris, 5 février
Deux Breguet d'Air France apportent de Londres les réacteurs Olympus mis à l'étude pour le projet du supersonique.

Paris, 25 février
Décès à l'âge de 87 ans de l'aviateur et constructeur Maurice Farman.

Tarbes, 28 février
Vol initial du prototype 760-C Paris III de la SEEMS. Equipé de deux Turboméca Marboré-VI, il peut accueillir six passagers.

Paris, 2 mars
Décès à l'âge de 83 ans de l'ingénieur Raymond Saulnier. Après avoir collaboré avec Blériot, il avait créé en 1911, avec Robert Morane, la société Morane-Saulnier.

Mexique, 16 mars
La Caravelle présidentielle est convoyée au Mexique pour assurer le transport du général de Gaulle dans sa tournée officielle. Elle a été spécialement aménagée : téléphone, sièges en cuir, cabine avec des compartiments. La hauteur de la porte d'accès a aussi été modifiée en fonction de la taille du général.

Shanghai, 25 mars
La compagnie de la République populaire de Chine CAAC ouvre sa ligne directe Pékin-Shanghai avec un Vickers Viscount XT-402.

Australie, 26 mars
Qantas commande quatre unités du supersonique, qui totalise déjà 41 commandes de huit compagnies, dont la BOAC et Air France.

Colombus, Ohio, 17 avril
Aux commandes d'un Cessna 180, l'Américaine Geraldine Mock vient d'achever le premier tour du monde en solitaire réalisé par une femme.

Grande-Bretagne, 2 mai
La BEA Helicopters Ltd., créée le 1er janvier dernier, relie la pointe de Land's End aux îles Sorlingues avec des Sikorsky S-61N. (→ 6.10)

San Francisco, 7 mai
Un Fairchild F-27 s'écrase après avoir envoyé à la tour de contrôle le message : «On nous tire dessus.» Les 44 passagers sont tués. Un revolver et six douilles sont retrouvés dans l'épave.

Washington, 21 mai
Les firmes Boeing et Lockheed d'une part, General Electric et Pratt & Whitney d'autre part sont chargées par le gouvernement de préparer respectivement la construction de la cellule et des moteurs de l'avion supersonique commercial américain SST.

Orly, 21 mai
L'acteur britannique Roger Moore, se rendant de Londres à Nice *via* Orly, est le huit millionième passager transporté par Air France sur le réseau Caravelle.

Etats-Unis, 1er juin
A bord de son Lockheed F-104G, Jacqueline Cochran enlève le record de vitesse sur circuit fermé de 100 km à Jacqueline Auriol en volant à 2 097,266 km/h.

Italie, 3 juin
L'ATI (Aero Trasporti Italiani) débute ses activités avec deux Fokker F-27. Elle est chargée des lignes intérieures italiennes, en particulier dans le Mezzogiorno.

Istres, 4 juin
Jean Coureau décolle le Mirage III-T, premier avion bisonique à être équipé d'un turboréacteur à double flux avec réchauffe.

Southend, 6 juin
La Silver City Airways, devenue la British United Air Ferries, fête sa millionième automobile transportée au-dessus de la Manche.

Istres, 19 juin
Aux commandes du Marquis, biturbopropulseur de la Sferma, Jean Coureau porte à 446,45 km/h, le record de vitesse sur circuit fermé de 2 000 km.

Bruxelles, 1er juillet
Inauguration de la nouvelle agence d'Air France. Elle répond au développement des ventes constaté depuis l'ouverture de la ligne Bruxelles-Nice en avril dernier.

Paris, 24 juillet
Air Inter met en service sur la ligne Paris-Quimper le Nord-262, biturbopropulseur pour 26 passagers.

Finlande, 24 juillet
La Caravelle Super B est livrée à la Finnair. Dotée de deux réacteurs Pratt & Whitney à double flux, elle a effectué son premier vol le 3 mars.

Golfe du Tonkin, 2 août
Trois vedettes lance-torpilles nord-vietnamiennes attaquent le destroyer *USS Maddox*. Cette offensive implique directement dans le conflit les Etats-Unis qui ne jouaient à ce moment qu'un rôle de conseil militaire. (→ 10.8)

France, 29 septembre
Deux Boeing spéciaux d'Air France emportent vers Tokyo les athlètes français qui participent aux jeux Olympiques.

Wichita, 13 octobre
Le premier Lear Jet 23 est livré à la Chemical & Industrial Corporation de Cincinnati. (→ 14.12.65)

Stratford, 14 octobre
Vol inaugural de l'hélicoptère Sikorsky CH-53A (S-65 dans sa version civile). Ce biturbine peut embarquer 38 soldats. (→ 1.6.72)

Paris, 31 octobre
La compagnie Fraissinet rachète le groupe Transair suisse. Elle prend le nom de Transairco et loue le hangar K-1 à l'aéroport du Bourget. Transair dispose de la représentation Beechcraft pour la Suisse, l'Italie et la France. (→ 25.2.67)

Grande-Bretagne, 2 novembre
Vol initial du Trident 1E. Cette version est prévue pour embarquer 115 passagers. Les capacités des réservoirs ont été accrues afin d'augmenter son rayon d'action.

Congo belge, 26 novembre
Depuis des appareils américains partis de la base de Kamina, des parachutistes belges sautent sur Stanleyville, où des otages européens sont retenus par des rebelles.

Moscou, 12 décembre
Signature d'un accord de coopération entre Air France et Aeroflot. Il fixe le niveau des prix minima applicables pour les charters entre la France et l'URSS.

Martinique, 16 décembre
Inauguration des nouvelles installations de l'aéroport de Fort-de-France-Lamentin. La piste a été rallongée jusqu'à 2 300 m pour les long-courriers à réaction.

Un Boeing KC-135F de l'armée de l'air ravitaille une escadrille de Mirage III. Il délivre six tonnes de carburant en six minutes.

L'énigme du Triangle des Bermudes

La force de frappe française en place

Océan Atlantique, 15 février

Sans le journaliste Vincent Gaddis, personne n'aurait jamais entendu parler du Triangle des Bermudes. Il est le premier à utiliser ce terme pour situer ce secteur mystérieux, entre la côte de Floride, les Bahamas et Haïti. Un endroit peut-être surnaturel, en tout cas dangereux, où d'étranges disparitions ont été signalées depuis 1945 jusqu'à aujourd'hui. Il existe pourtant des explications plus concrètes que toutes celles imaginées par beaucoup. Par exemple, ce secteur est réputé pour ses fréquents changements de temps, qui peuvent surprendre le meilleur des pilotes. De plus, la mer est parcourue par des courants assez rapides pour faire disparaître très vite les épaves. On sait aussi que l'activité gravitationnelle et magnétique de l'endroit est inhabituelle. Sans parler des orages tropicaux d'une grande violence et des interférences électriques qui perturbent les instruments et, par conséquent, le pilote.

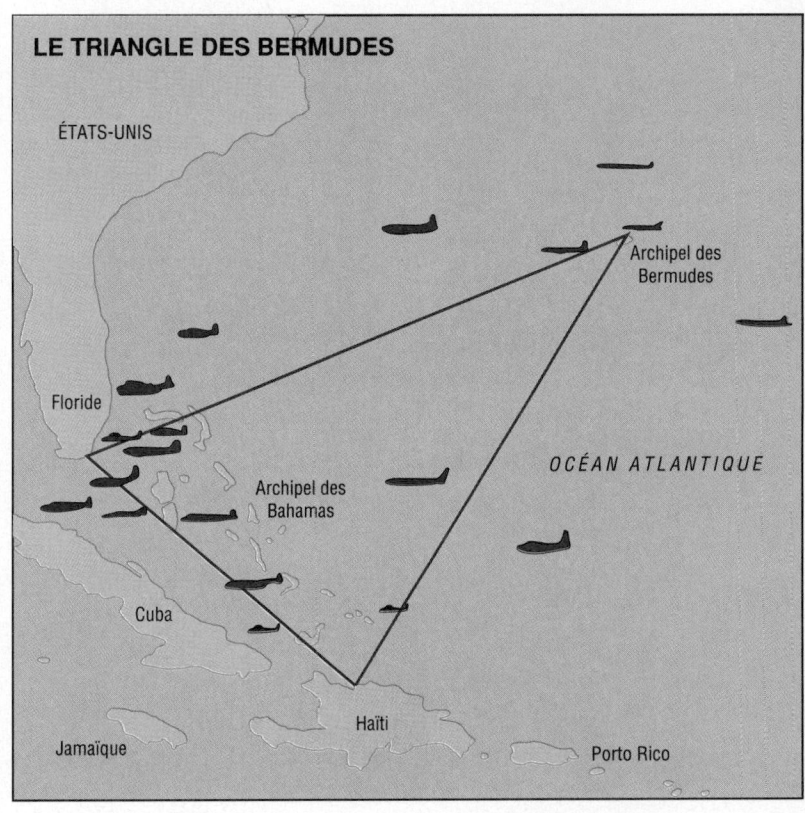

LE TRIANGLE DES BERMUDES

ÉTATS-UNIS

Archipel des Bermudes

Floride

OCÉAN ATLANTIQUE

Archipel des Bahamas

Cuba

Haïti

Jamaïque

Porto Rico

France, 14 janvier

Un commandement des forces aériennes stratégiques a été créé dans l'armée de l'air. Celui-ci fait suite au commandement aérien stratégique de 1962. Il est chargé de maintenir au plus haut niveau la préparation du matériel et du personnel. De plus, il doit être prêt à l'action à tout moment selon les directives du président de la République, le général de Gaulle. Le poste de commandement central a été établi dans un abri protégé à Taverny (Val-d'Oise) ; la force de Mirage IV des FAS sera répartie sur neuf grandes bases aériennes en France : Istres, Mont-de-Marsan, Avord, Cazaux, Creil, Luxeuil, Cambrai, Saint-Dizier et Orange, avec quatre appareils sur chaque terrain. Quant au centre d'instruction des FAS, il sera implanté à Mérignac. C'est également à Bordeaux que sera édifié le centre de maintenance commun à l'ensemble de la force des Mirage IV-A.

Hrissa Pélissier livre un Wassmer à Rio

Natal, 5 février

En apercevant la terre après 12 h 40 de traversée, Hrissa Pélissier a poussé un cri de joie : « J'ai réussi, c'est magnifique ! » Elle sera donc la troisième aviatrice, après Joan Batten et Maryse Bastié, à avoir franchi l'Atlantique Sud. L'idée de ce voyage est née quand les établissements Wassmer ont appris que leur Super IV *Sancy*, un avion de tourisme de luxe, devait être prêté au gouvernement brésilien désireux d'en acquérir la licence de fabrication. « L'idéal serait de le piloter jusqu'à Rio plutôt que de le livrer par bateau », affirme Hrissa Pélissier, femme pilote brevetée depuis l'âge de seize ans. Elle est donc partie d'Issoire en direction de Dakar, d'où elle a entrepris la traversée de l'océan. A part la rencontre avec le fameux pot-au-noir où elle a affronté un véritable déluge, tout s'est bien passé. Le Wassmer est décidément un avion hors pair.

Les KC-135 ravitaillent les Mirage en vol

Orly, 3 février

Pour que la force aérienne stratégique française puisse être efficace, il faut que ses Mirage IV, porteurs de la charge nucléaire, soient capables d'atteindre, en cas de besoin, les centres vitaux de l'URSS. Etant donné la quantité de carburant consommée pendant le décollage et la montée vers le niveau de croisière, le ravitaillement en vol est indispensable. La France a ainsi acheté 12 KC-135F, le premier étant arrivé ce matin à Orly. Il a été convoyé directement depuis Seattle. Les KC-135F seront entretenus par les services techniques d'Air France. Le KC-135F a une capacité totale de 90 tonnes de kérozène. Par ailleurs, les 50 Mirage IV sont en cours de livraison par Dassault. Ils vont équiper les 91e, 93e et 94e escadres de la force aérienne stratégique. Certains vont être transformés pour être équipés du missile air-sol à moyenne portée.

Avec quatre personnes à bord, le Super IV Wassmer survole les Alpes.

Pendant le ravitaillement, le Mirage IV et le KC-135F parcourent 100 km.

Mise en service du Trident pour BEA et du B-727 pour United

Grande-Bretagne, 7 avril
De part et d'autre de l'Atlantique, la concurrence dans le secteur des avions civils court-moyen-courriers a rarement été aussi rude. Le 1er février dernier, Eastern Air Lines mettait le Boeing 727-100 en service sur la ligne Philadelphie-Miami *via* Washington. Le 6 du même mois, United mettait ses 727 en exploitation sur la liaison de San Francisco à Denver. American Airlines annonce ses vols en 727 pour le 12 avril et TWA pour juin. Boeing a réussi l'exploit de lancer son nouvel avion avec les quatre grandes compagnies américaines dans un délai de quatre mois. De l'autre côté de l'Atlantique, Le Trident 1 britannique vient d'inaugurer sa carrière avec BEA. Cet appareil aurait dû être opérationnel plus tôt pour s'imposer face à l'avion de Boeing. Ce retard risque de coûter cher au constructeur du Trident. Il est surtout imputable à la décision de BEA, en cours de projet, de réduire la capacité de l'appareil de 111 à 97 passagers.

Seule la British European Airways a, pour l'instant, commandé le Trident.

En moins de quatre mois, les quatre grands américains ont lancé le 727.

Concorde mobilise 600 entreprises

France 1er mars
Concorde fait vivre les industries aéronautiques françaises et britanniques. Tous les domaines de l'industrie sont concernés : de l'électrique à l'électronique en passant par l'hydraulique, la métallurgie, la chimie des carburants, des lubrifiants, des peintures, des isolants, des revêtements, des pneumatiques, des plastiques, du verre... De part et d'autre de la Manche, ils sont plus de 200 000 spécialistes à avoir été mobilisés. Ils travaillent dans les 350 entreprises françaises et les 250 firmes anglaises qui participent au programme. En ce qui concerne la France et Sud-Aviation, onze usines sont touchées par la construction du supersonique. La British Aircraft Corporation fait travailler neuf usines et cinq centres d'essai. Les Etats-Unis ne sont pas en reste puisque des sociétés américaines devront assurer environ dix pour cent de la construction des Concorde de présérie. (→ 1.5)

Le Kestrel testé par trois pays de l'Otan

Dunsfold, 7 mars
Initialement fort peu intéressés par la mise au point d'un avion d'attaque à décollage court ou vertical, les responsables de la Royal Air Force ont finalement compris tout l'intérêt de ce projet. Ils ne sont pas les seuls, car voici que l'état-major de la Luftwaffe, ceux de l'US Air Force et de l'US Navy sont en train d'évaluer le Kestrel. Directement issu des Hawker P.1127 de présérie, le premier Kestrel de série a effec-tué aujourd'hui son vol inaugural à Dunsfold. Afin de connaître toutes les capacités de cet appareil révolutionnaire, les trois pays de l'Otan ont décidé de former un squadron tripartite d'évaluation, composé de pilotes allemands, américains et britanniques, qui opérera à partir de la base de la RAF de West Raynham. L'alliance Atlantique a bien besoin d'un avion qui peut se passer de pistes longues et, en conséquence, vulnérables. (→ 13.5.69)

Short passe du tourisme à l'avion-cargo

Grande-Bretagne, 5 janvier
Constructeur aéronautique depuis 1909, spécialisé notamment dans les avions de tourisme et les hydravions, la société Short Brothers a changé de cap. Elle vient de présenter son premier avion-cargo gros porteur, le Shorts Belfast. Cet appareil, destiné en priorité à la Royal Air Force, qui en a déjà commandé dix exemplaires, et à l'armée de terre britannique, dispose d'une vaste soute pressurisée d'un volume utile de plus de 311 m³. Celle-ci peut accueillir les plus gros canons, véhicules blindés ou missiles de l'armée britannique. Elle peut aussi être modifiée afin de transporter entre 150 et 250 soldats avec leur matériel. Pour pouvoir opérer avec des charges importantes, le Belfast a été doté d'un train à 18 roues et de quatre turbopropulseurs Rolls-Royce Tyne développant chacun 5 730 ch. A pleine charge, son rayon d'action est de 1 609 km.

Le Kestrel peut décoller de nuit sans aucun éclairage sur le terrain.

L'énorme Short Belfast stationné à côté du petit avion-cargo Short Skyvan.

Après le Beaver et l'Otter, voici le Buffalo

Sa désignation officielle chez de Havilland est DHC-5. Il vole à 350 km/h.

Canada, 9 avril

Décidément, les noms de la faune canadienne semblent réussir à la société de Havilland of Canada. Après le Beaver, puis la série des Otter et le Caribou, elle vient de lancer le Buffalo. Cet appareil est une version améliorée du Caribou, construit en collaboration avec le ministère canadien de la Défense et qui devint en juillet 1958 le premier avion bimoteur de la de Havilland of Canada. Comme son prédécesseur, dont l'US Army a acheté des dizaines d'exemplaires, le Buffalo est destiné au marché des trans-ports militaires, particulièrement au Canada et aux Etats-Unis. Le nouvel appareil est cependant bien plus gros que le Caribou, pouvant transporter des charges de plus de huit tonnes contre quatre tonnes seulement pour ce dernier avion. Le Buffalo dispose d'une large rampe à l'arrière pour faciliter l'accès de véhicules tels que des Jeeps. Le Buffalo a également hérité d'un autre point fort de son prédécesseur : la capacité d'atterrir et de décoller de terrains courts, y compris de terrains sablonneux et de pistes rocailleuses ou boueuses.

Le Hansa HFB 320 a une flèche inversée

Allemagne, 21 avril

Les constructeurs aéronautiques ouest-allemands ne veulent pas être absents du marché en pleine expansion des avions d'affaires. Une de ces sociétés, la Hamburger Flugzeugbau, basée à Hambourg, vient donc de lancer son premier appareil de ce type. Il s'agit du HFB 320 *Hansa*, un biréacteur d'affaires propulsé par des turboréacteurs General Electric CJ610-1. La principale caractéristique du *Hansa* est son aile à flèche inverse montée à mi-hauteur du fuselage, juste devant les réacteurs.

Cet avion de 9,2 t a été commandé par la Luftwaffe pour entraîner ses pilotes.

Le BAC 221 expérimente l'aile du Concord

Les essais permettent de tester les qualités de l'aile à grande incidence.

Bristol, 1er mai

Les ingénieurs, qui travaillent sur le programme Concord (sans e pour les Anglais), avaient retenu la formule de l'aile delta dès l'origine du projet. Ils savent que ce type d'aile, relativement facile à construire, est le mieux adapté au vol à grande vitesse et permet en outre de recevoir un volume important de carburant. Il reste toutefois beaucoup à faire avant d'arrêter une décision définitive quant à la forme exacte de la voilure du futur supersonique. Le ministère britannique de l'Aviation a demandé que soit construit un appareil expérimental. Il s'agit du BAC 221, qui vient d'effectuer son vol initial au terrain de Filton. Cet appareil est une extrapolation du Fairey Delta 2, qui avait remporté un record de vitesse en volant à 1 822 kh/h en mars 1956. La voilure en delta ogival du BAC 221 est comparable à celle du futur supersonique et, comme pour le Concord, son nez est basculant. Les ingénieurs britanniques ont prévu une campagne intensive d'essai à grande vitesse, jusqu'à Mach 1.6, pour tester l'aérodynamique de cette aile. (→ 19.11)

La BAC a retenu le réacteur Avon de Rolls-Royce pour équipé le BAC 221.

Les passagers en transit visitent Paris

Paris, 15 avril

Minitours est le nom du nouveau service mis en place par Air France à Orly. Ce service est destiné aux voyageurs en transit pour plusieurs heures. Pour trente francs, ils pourront visiter Paris à bord d'un petit bus. Un interprète trilingue se tiendra à leur disposition et les guidera dans leur visite. Les voyageurs pourront ainsi découvrir les monuments de la Ville lumière au lieu de perdre leur temps dans des salles d'attente de l'aéroport. La compagnie espère de cette façon attirer de plus en plus de passagers sur les lignes long-courriers en provenance ou à destination des principales villes d'Europe desservies par le réseau Caravelle. L'expérience avait déjà été tentée avec succès en 1963 dans un cadre limité.

La BOAC critique les coûts d'exploitation du Vickers VC-10

Les milieux aéronautiques internationaux se demandent pourquoi les Britanniques détruisent l'avenir de si bons avions.

Grande-Bretagne, 29 avril
Il y a des choix que l'on ne cesse de regretter, et la politique de l'hésitation à répétition n'est certainement pas la meilleure. Ainsi est la stratégie de la BOAC avec ses VC-10 et ses Super VC-10. Aujourd'hui, lors de l'inauguration de son premier vol commercial sur VC-10, à destination de l'Afrique occidentale, la BOAC a clairement indiqué que ces Vickers coûtaient trop cher. Elle réclame au gouvernement une compensation financière sous forme d'une subvention spéciale pour les frais d'exploitation, sous le prétexte qu'elle avait été poussée, pour des raisons de haute politique, à acheter cet appareil de fabrication britannique. Après sept ans de négociation entre le constructeur et l'acheteur et depuis près de deux ans que le premier de ces avions a été livré, il ne parvient toujours pas à évoluer dans des cieux plus sereins. Il possède pourtant des qualités certaines aux yeux de l'aviation civile : confort, silence et luxe, comme le proclament tous les slogans publicitaires de la BOAC. (→ 1.4.65)

La Pan Am va modifier ses Mystère 20

Melun-Villaroche, 10 juillet
Les pilotes René Bigand et Max Rastel sont les premiers à essayer le Mystère 20 modifié. Voici un an que Pan Am a signé un contrat avec Dassault pour l'achat de cet appareil. Une dizaine de pilotes d'entreprises américaines sont venus étudier l'avion et en ont conclu deux choses : il faut modifier la plupart des circuits et substituer aux moteurs Pratt & Whitney des General Electric CF-700. Le bureau d'études français a donc étudié cette transformation. Bernard Leroudier, spécialiste de la motorisation, a bien accompli son travail puisque le 01, muni de ses nouveaux moteurs a été apprécié par les représentants de Pan Am. (→ 3.6.65)

Condamnation du commandant Billet

Versailles, 11 juillet
Il a été établi que le commandant Charles Billet avait décidé de parfaire l'entraînement de son copilote Robert Rolland en lui faisant exécuter une approche ILS sur l'aéroport du Caire avec le pare-brise rendu opaque. Le DC-6 de la TAI s'est écrasé dans une dune, le 20 février 1956 (→ 20.2.56) à quelques kilomètres du seuil de piste de l'aéroport du Caire. On a déploré 52 victimes sur 64 passagers. Le verdict vient d'être rendu : reconnu coupable de délits d'homicides et de blessures involontaires, le commandant Billet est condamné à verser 5 000 F. Le procès se termine après 8 ans d'enquêtes et de procédures en tout genre. Les familles des victimes avaient intenté un procès au commandant de bord dès son retour du Caire. Maîtres Gorse et Beauvillain défendaient Charles Billet, qui a pris une initiative étonnante au terme d'un long vol depuis Saigon.

L'équipage Robin gagne le rallye de Sicile

France, 30 juin
Pierre Robin et sa femme Thérèse viennent pour la seconde fois de remporter le rallye de Sicile, à bord du Sicile *Record*, équipé d'un moteur Potez 4-20. L'appareil est la nouvelle version du Sicile qui avait remporté ce même rallye en juillet 1963. Pierre Robin, à la fois ingénieur, pilote d'essai et de compétition, industriel et commerçant, est le créateur de la société Centre-Est-Aéronautique qui, grâce aux résultats performants de l'équipage, connaît une solide réputation à travers toute l'Europe. Rappelons que l'équipage Robin a gagné la course Paris-Cannes à bord d'un CEA Sicile le 6 juin dernier, en couvrant 752 km en 3 h 05.

Le prototype du Mystère 20 de Pan Am équipé des moteurs General Electric.

Les King Air 90 sortent des chaînes de production des usines de Beechcraft à Wichita. En plus de l'équipage de deux personnes, l'avion d'affaires biturbine peut emporter six passagers à 400 km/h.

Le XB-70 est un monstre de 240 tonnes qui vole à Mach 3.00

Sa vitesse d'approche est élevée, trois parachutes aident à freiner les 200 tonnes lancées à plus de 400 km/h.

Edwards AFB
Le pilote Alan White a fait voler le XB-70A *Walkyrie*. C'est la firme North American qui a conçu cet appareil, capable de voler en croisière à Mach 3, à plus de 20 000 m. Le XB-70A est l'avion le plus lourd du monde avec ses 240 t, mais aussi le plus rapide (avec le Lockheed YF-12A) et le plus cher : il aura coûté dix fois son poids en or. Long de 63 mètres pour une envergure de 32 m et une hauteur de 9,14 m, sa configuration générale est unique. Il possède une aile delta à empennage canard, dont l'extrémité se replie à grande vitesse. Un bouclier de protection thermique ajustable est monté devant le poste de pilotage. Ses 6 turboréacteurs General Electric YG-93 GE.3, qui développent 13 600 kgp chacun, sont placés près du centre de gravité afin de limiter les effets de panne en vol. Quant au contrôle de l'avion, il est assuré hydrauliquement par douze élevons placés sous la voilure, deux volets montés sur l'empennage et deux gouvernes de direction situées à l'arrière des dérives. (→ 8.6.66)

Les Anglais veulent lâcher Concord

Londres, 19 novembre
La nouvelle qui a été annoncée ce matin à Londres et à Paris a eu l'effet d'une bombe. Un peu plus d'un mois après son arrivée au pouvoir, le gouvernement travailliste, dirigé par Harold Wilson, a décidé unilatéralement d'abandonner le projet de Concord. Voilà que tout est remis en cause, deux ans seulement après la signature de l'accord historique entre les deux pays, ouvrant la voie à la réalisation du projet. Le communiqué laconique du 10, Downing Street indique que le gouvernement Wilson, élu à une faible majorité et qui doit faire face à une grave crise économique, « n'envisage pas de poursuivre la construction et le financement de l'opération Concord qui est trop incertaine et ruineuse pour l'économie du pays ». Wilson, résolu à ne pas revenir sur sa décision, considère le projet comme une opération de prestige. Il estime que le budget s'enfle démesurément. (→ 20.1.65)

L'US Navy affrontera les MiG au Viêt-nam

Washington, 10 août
Le gouvernement des Etats-Unis a annoncé la livraison par la Chine de MiG-15 et de MiG-17 à Hanoi. Des pilotes chinois sont également arrivés à Hanoi afin d'entraîner les Vietnamiens aux combats. Côté américain, des F-4B se sont embarqués voici cinq jours, à bord du porte-avions *USS Constellation* (CVA-64) et se sont déployés au-dessus du golfe du Tonkin. Leur mission est de couvrir les attaques conduites contre les ports abritant des vedettes lance-torpilles nord-vietnamiennes. Le F-4B fut conçu à l'origine pour l'attaque, et aurait été un excellent chasseur s'il avait été armé d'un canon. Le Viêt-nam dispose de MiG-17. C'est un avion moins lourd que les avions américains : il pèse 6 680 kg. Le MiG possède un rayon de virage qui représente le tiers de celui du F-4B. Les affrontements promettent d'être sans merci.

Le radar du TSR-2 voit sur les côtés

Angleterre, 27 septembre
Même les spécialistes de l'aviation militaire n'avaient jusqu'à présent rien vu de pareil. Destiné à la Royal Air Force, le nouvel avion d'attaque supersonique à capacité nucléaire ressemble presque à une fusée. Cet appareil futuriste est le TSR-2 (Tactical Strike and Reconnaissance) construit par Vickers et la English Electric. Lorsqu'il a posé son appareil sur la piste de la base militaire de Boscombe Down à l'issue du premier vol du TSR-2, le commandant Bee Beamont de la RAF s'est exclamé : « Quelle sensation merveilleuse ! » Il venait en effet de déchaîner les deux réacteurs les plus puissants jamais construits en Grande-Bretagne, des Bristol Siddeley Olympus 22R. Le TSR-2 est aussi un avion de reconnaissance et il est équipé du nouveau système Slar, un radar qui voit de côté, monté de part et d'autre du cockpit. (→ 6.4.65)

Le nom de code Otan du MiG-17 est Fresco. Il vole à Mach 0.96.

Le biréacteur TRS-2 aura coûté aux Britanniques 50 millions de livres.

Le Sikorsky S.61N est certifié tout temps

Une commande hydraulique permet de remonter le train principal du S.61N.

Etats-Unis, 6 octobre

Igor Sikorsky, le pionnier de l'hélicoptère, a de quoi être fier. Pour la première fois dans son histoire, la Federal Aviation Administration vient d'accorder un certificat de vol par tout temps à un hélicoptère de transport, le Sikorsky S-61N. Dérivé des diverses versions militaires du S-61 en service aux Etats-Unis

depuis l'année dernière, le S-61N peut transporter, outre les deux membres d'équipage et une hôtesse, une trentaine de passagers. L'appareil est même doté de toilettes et d'un office. Il peut également, en cas d'urgence, se poser sur l'eau grace à sa coque étanche et les deux flotteurs qui abritent, en vol, le train d'atterrissage.

Les Chinois copient un MiG-21

Chine, 1ᵉʳ décembre

Malgré la très nette dégradation des relations entre les deux géants du monde communiste au cours des dernières années, les responsables de l'armée de l'air chinoise ne s'inquiètaient pas outre mesure. L'URSS n'avait-elle pas promis de livrer les plans de son chasseur MiG-21 Fishbed pour permettre à la Chine de le construire sous licence ? Mais ils avaient sous-estimé la gravité des tensions entre les deux pays. Les plans ne sont jamais arrivés et Pékin doit remplacer au plus vite ses vieux MiG-19. Heureusement, les ingénieurs de l'usine aéronautique de Xian ne manquent pas d'ingéniosité : ils ont tout simplement démonté pièce par pièce l'unique exemplaire du Fishbed dont ils disposaient pour tout savoir sur ce monoplace capable d'atteindre Mach 2. Il ne restait plus alors qu'à lancer la production d'une copie exacte de l'appareil. Rebaptisé Jianjiji 6, le nouveau chasseur chinois vient de réaliser son premier vol.

Le B-58 fait un test de bang sonique

Etats-Unis, 31 décembre

Depuis que le président Kennedy a annoncé le lancement du programme américain d'avions de transport supersoniques en juin 1963, les experts ont intensifié leurs recherches sur le fameux bang sonique, ce phénomène de détonation balistique. Outre les caractéristiques du vol à des vitesses supérieures à Mach 1, ils veulent étudier les effets physiologiques et psychologiques de ce bang sur les zones survolées par le futur SST. Il ont donc choisi d'utiliser le Convair B-58 Hustler, devenu en septembre 1959 le premier bombardier supersonique au monde. Cet appareil est capable de croiser à Mach 2 (2 118 km/h) et d'atteindre Mach 2.04 (2 500 km/h). Il y a plusieurs semaines, un Hustler a effectué une série de vols à vitesse supersonique au-dessus d'Oklahoma City. Malgré de nombreuses plaintes au début de l'expérience, une accoutumance s'est peu à peu manifestée chez les habitants. Résultat encourageant pour les partisans du SST.

Le F-111 est l'avion le plus controversé

Pesant 45 tonnes au décollage, le F-111 a un rayon d'action de 2 000 km.

Etats-Unis, 21 décembre

Pour le secrétaire américain à la Défense, Robert McNamara, le nouvel avion d'attaque tactique tout temps de General Dynamics, le F-111A *Aardvark*, est un appareil qui peut tout faire. Faux, rétorquent nombre de spécialistes qui considèrent le F-111, dont le vol initial vient d'avoir lieu, comme étant avant tout un coûteux rossignol. Malgré cette controverse, il n'empêche que l'*Aardvark*, destiné à l'US Air Force et à l'US Navy, est remarquable sous de nombreux aspects. C'est le premier avion tactique au monde à avoir été doté d'une voilure à flèche variable, volant à basse vitesse avec une flèche à 16° et à vitesse supersonique avec une flèche maximale de 72,5°. C'est aussi le premier avion de ce type à être équipé de réacteurs à double flux, des Pratt & Whitney TF-30. Mais ses détracteurs lui reprochent son poids (plus de 21 tonnes à vide) et ses dimensions impressionnantes (22,86 m de long, 5,18 m de haut et 19,20 m d'envergure). (→ 6.1.65)

Roger Moore, le héros des séries télévisées « Le Saint » et « Ivanhoe », est le 8 000 000ᵉ passager à utiliser une des Caravelle d'Air France.

Les avions de l'année 1964

Le Beech Model 90 King Air est un développement à turbopropulseur de son célèbre avion d'affaires Queen Air.

Le Piper PA-31 Navajo, avion d'affaires à six places.

L'Agusta A.105 est équipé d'une turbine Turboméca-Agusta TAA 230.

Le SIAI-Marchetti S.205, prévu pour des moteurs de 180/300 ch.

Le Piper PA-32-260 Cherokee Six, avion de tourisme à six places.

Le Hamburger Flugzeugbau HFB 320 Hansa est un avion d'affaires et de troisième niveau pour douze passagers, à aile en flèche inversée.

Le Super Caravelle à fuselage allongé reçoit des P&W JT8D.

Pour réponde à un programme de l'US Army portant sur un avion de transport tactique, de Havilland Canada développe la version DHC-5 Buffalo.

Le Champion Model 7ECA Citabria, avion de voltige à ailes rognées.

Le Morane-Saulnier MS.992 Rallye Commodore, un vrai quadriplace.

Le Vickers Super VC-10 allongé accomode 174 passagers.

L'Agusta A.101G est équipé de trois turbines Bristol Siddeley Gnome.

Le Piaggio PD-808, avion de transport léger de 6 à 10 places, reçoit une commande de 20 exemplaires du ministère de la Défense italien.

L'Aviamilano F.260 est construit en série par SIAI-Marchetti.

Le Hawker Siddeley 121 Trtident 1E est équipé de Spey plus puissants.

Le Miles M.100 Student Mk.2, avion d'entraînement et de liaison.

Le LTV-Hiller-Ryan XC-142A, transport Adav expérimental.

L'Alon Model A-2 Aircoupe est dérivé de l'Erco 415C Ercoupe.

Le Beagle B.242, développement du bimoteur léger B.218.

Le Helio Model HST-550 Stallion, transport léger à turbopropulseur.

Le Convair 48 Charger, concurren malheureux du N.A. Bronco.

Quarante-deux Vought F-8E(FN) Crusader ont été construits pour l'aéronavale française avec des dispositifs hypersustentateurs spéciaux.

Le prototype du Helwan Ha 300, un chasseur supersonique.

L'un des deux Ryan XV-5A, avions Adav expérimentaux.

Dix Short SC.5 Belfast de transport sont construits.

L'Hindustan HJT-16 MK II Kiran, avion d'entraînement indien.

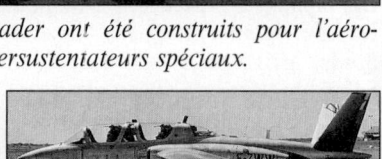

Le Potez CM.173, développement amélioré du Magister.

Le Northrop F-5B, version d'entraînement dépourvue de canon.

Le Bolkow Bo 46 avec son système de rotor Derschmidt.

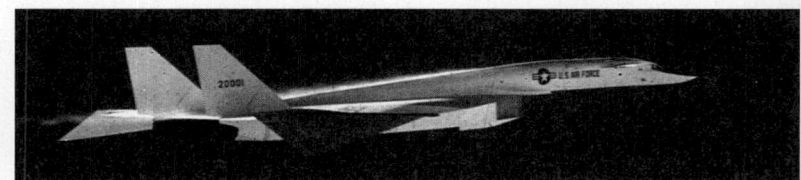

Le North American XB-70A Valkyrie, bombardier stratégique capable de Mach 3, sera l'un des cauchemars des contribuables américains.

Lockheed développe le SR-71, avion de reconnaissance stratégique à haute altitude, pour remplacer le U-2, jugé trop lent et vulnérable.

Le Sikorsky CH-53A Sea Stallion, hélicoptère lourd d'assaut.

Le Hawker Kestrel, construit pour une évaluation tripartite.

Le BAC 221 teste la forme de la voilure du Concorde.

Le General Dynamics F-111 à géométrie variable se révèle trop lourd, trop coûteux et trop fragile. Vingt-quatre sont cédés à l'Australie.

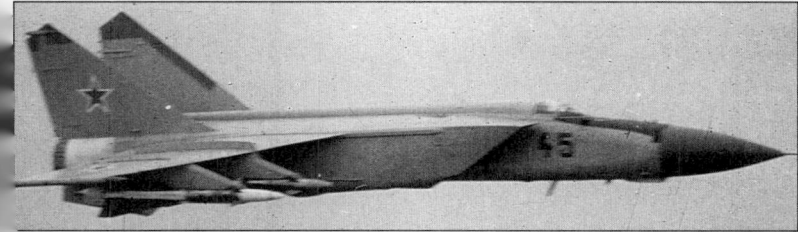

Conçu à l'origine pour contrer la menace du B-70 Valkyrie américain, le MiG-25 connaît un important développement.

Le Grumman C-2A Greyhound, version cargo du E-2A.

Le Hughes XV-9A, hélicoptère de recherche.

Prévu pour remplacer le Canberra, le BAC TSR-2 est abandonné pour de sombres raisons politico-financières en avril 1965.

Le DC-9 est à la recherche du succès de son ancêtre le DC-3

Le DC-9 et le DC-3 face à face devant les usines de Douglas en Californie.

Il s'inspire aussi de la Caravelle.

Santa Monica, 25 février
Trouver un successeur à un avion légendaire, tel est le difficile pari qu'a tenté Donald Douglas Jr. Près de trente ans après le vol initial du Douglas DC-3, vendu à des milliers d'exemplaires dans le monde entier, le constructeur de Long Beach vient de lancer le DC-9. Ce court-moyen-courrier est d'une conception originale. Bien que la firme Douglas ait initialement envisagé une version réduite du DC-8, elle a renoncé à ce projet devant le succès de la formule Caravelle, optant alors pour un appareil d'une capacité maximale de quatre-vingt-dix passagers, équipé de deux turbofan Pratt & Whitney JT8D-5 montés à l'arrière et développant une poussée de 5 443 kg chacun. Donald Douglas Jr. est optimiste, car il dispose de cinquante-huit commandes. La première compagnie à se montrer intéressée a été Delta, en avril 1963. TWA a suivi en 1964 et Eastern vient aussi de signer.

Retour des Anglais au projet Concord

Londres, 20 janvier
Des deux côtés de la Manche, les défenseurs du projet Concord ont poussé un soupir d'aise : le supersonique franco-britannique est sauvé ! Après de longues semaines de suspense, le ministre de l'Aviation, Roy Jenkins, a annoncé à la Chambre des communes que la Grande-Bretagne respecterait l'accord signé le 29 novembre 1962 par les gouvernements français et anglais. Le ministre a toutefois souligné que son gouvernement restait préoccupé par certains aspects financiers et économiques du projet. Le revirement des Anglais, intervenu quatre mois après leur abandon du programme Concord, est dû à la fermeté des Français. Dès le début de la crise, Paris avait fait savoir que la France n'hésiterait pas à traîner la partie anglaise devant les tribunaux internationaux en cas de dénonciation unilatérale de l'accord par Londres. (→ 11.9)

Trans-Canada devient enfin Air Canada

Tous les véhicules au sol de la compagnie arborent le sigle Air Canada.

Canada, 1ᵉʳ janvier
La saga de la raison sociale de la compagnie aérienne nationale du Canada a pris fin aujourd'hui, après une polémique qui aura duré treize ans. Tout a commencé en 1952, lorsque, à la faveur de l'amendement d'une loi fiscale, le gouvernement accorda à Trans-Canada Airlines le droit d'utiliser le nom d'Air Canada. Les partisans de ce changement faisaient valoir que la nouvelle raison sociale était bilingue, courte, facile à mémoriser et respectait une tradition internationale (Air France, Air India). En 1953, cette appellation commença à être utilisée en Europe. Mais la direction de la société n'avait pas prévu l'ampleur de l'hostilité que pouvait soulever un choix à ce point français. La presse anglophone s'empara de l'affaire et ce n'est qu'après de longs et houleux débats au Parlement que le changement de nom a pu devenir effectif.

Un décollage à la verticale pour Dassault

Sur le fuselage, les entrées d'air des réacteurs de sustentation sont ouvertes.

France, 12 février
Il fait très froid et la neige recouvre encore beaucoup d'endroits quand Henri Deplante se présente pour les essais du Mirage III V-01, prototype opérationnel du *Balzac*. C'est René Bigand qui pilotera, son collègue Jean-Marie Saguet s'étant cassé une jambe lors d'une promenade. Bigand a réussi un vol stationnaire très satisfaisant. Cet avion de douze tonnes est propulsé par un réacteur Snecma TF-104, dérivé du Pratt & Whitney JTF-10, et huit Rolls-Royce RB-162/1 en assurent la sustentation. Dans le cadre de la guerre froide, il est devenu important pour une force aérienne de disposer d'appareils qui puissent décoller depuis des terrains facilement dissimulables, donc le plus petits possible. En effet, les experts militaires sont d'accord pour estimer que les pistes de 2 000 mètres seront les objectifs prioritaires de toute attaque ennemie. (→ 28.11.66)

L'Antonov 22 est à la taille de l'URSS

Cet avion gargo géant d'Antonov pourrait embarquer jusqu'à 724 passagers.

Union soviétique, 27 février
L'URSS est un vaste pays où les réseaux routier et ferroviaire font souvent défaut. Oleg Antonov a donc fait construire un monstre volant capable de transporter plus de quarante-cinq tonnes de fret, civil ou militaire, sur près de onze mille kilomètres. L'Antonov An-22, qui a volé pour la première fois aujourd'hui, est un véritable poids lourd des airs. Baptisé Cock par l'Otan, l'An-22 est, de loin, le plus gros avion au monde. Outre sa taille, son principal avantage est sa capacité de faire du hors-piste, c'est-à-dire décoller et d'atterrir sur des terrains de fortune. Ses quatorze roues, équipés de pneus dont la pression peut être modifiée en vol en fonction de sa destination, lui permettent de poser ses 250 tonnes sur des terrains rudimentaires. Antonov envisage de proposer à la compagnie Aeroflot une version de l'An-22 qui serait capable de transporter pas moins de 724 passagers. Le nouvel avion est équipé de quatre puissants turbopropulseurs à hélices contrarotatives.

Qantas traverse le Pacifique sans escale

Un Boeing 707 à réacteurs Rolls-Royce Conway de Quantas.

Australie, 7 mars
Lorsque Qantas a reçu son premier Boeing 707-138A à la fin de juillet 1959, elle devenait ainsi la première firme non américaine au monde à utiliser cet appareil. La compagnie australienne se préparait à livrer une rude bataille à ses principaux concurrents internationaux, l'enjeu n'étant rien moins que le contrôle des principales liaisons aériennes dans la région Asie-Pacifique. A l'époque, il fallait au Boeing 707-120 plus de seize heures pour relier Sydney à la côte californienne. Aujourd'hui, près de six ans plus tard, un Boeing 707-338B de la Qantas, propulsé par quatre turbofan, a effectué le premier vol commercial sans escale Sydney-San Francisco en quatorze heures et trente-trois minutes. La grande compagnie australienne a la particularité de n'avoir que des stewards à bord, placés sous les ordres d'une dame chef de cabine. Le service est parfait. Qantas espère que ce nouvel appareil, plus rapide et moins gourmand que le 707-138A, lui apportera une bonne part du marché.

Les Britanniques sacrifient le BAC TSR-2

Le 22 février, il volait à Mach 1.4.

Londres, 6 avril
Lorsqu'il s'agit de pratiquer des coupes claires dans les dépenses militaires, le gouvernement travailliste d'Harold Wilson n'y va pas de main morte. Depuis que le *Labour* est arrivé au pouvoir, en octobre, le chancelier de l'Echiquier James Callaghan cherche désespérément à réduire le déficit budgétaire. Ce matin, il a désigné sa principale victime : le nouveau bombardier tactique à capacité nucléaire de la British Aircraft Corporation, le TSR-2. Dans son discours à la Chambre des communes il a expliqué que cet appareil était bien trop coûteux et moins performant que le F-111 américain, que Londres souhaite acheter. C'est un coup très dur pour l'industrie aéronautique britannique, d'autant plus que la BAC a déjà investi plus de 2,5 milliards de francs dans le projet.

Ce montage photographique illustre parfaitement les différentes phases du décollage vertical et du vol horizontal du prototype XC-142A de Ling-Temco-Vought. Un des avantages des turbines est qu'il n'y a pas de souffle brûlant chassé vers le sol. L'essai se déroule au Texas.

La Chine se dote d'une industrie aéronautique

Pen Shou-ken, un pilote chevronné, explique sa tactique aux jeunes recrues.

Des avions du gouvernement amènent du bétail dans des régions inaccessibles.

Chine, 6 juin

Malgré l'important effort entrepris depuis l'arrivée au pouvoir des communistes, en octobre 1949, l'industrie aéronautique chinoise n'en est encore qu'à ses premiers balbutiements. Le Kremlin, qui a vu d'un bon œil la prise du pouvoir par Mao Tsé-tong, s'est empressé de fournir une importante aide industrielle à Pékin. Le nouveau régime chinois a défini dès le début des années 1950 les trois étapes du développement de son secteur aéronautique : acquérir des avions à l'étranger tout en construisant des usines, produire sous licence ces mêmes appareils et, enfin, concevoir et construire des avions à cent pour cent chinois. Ce scénario s'est déroulé comme prévu jusqu'en juillet 1960, date de la rupture entre les deux géants du monde communiste. Moscou avait alors rappelé ses experts qui participaient à la construction économique et militaire du pays. Il ne restait qu'une option au régime chinois s'il voulait continuer à équiper son armée de l'air : copier pièce par pièce les avions livrés par l'URSS, tels les chasseurs MiG-19 et MiG-21, le bombardier Iliouchine Il-28 ou le cargo Antonov An-12. Les ingénieurs de l'usine de Nanchang ont assisté aujourd'hui au vol inaugural du premier MiG-19 *made in China*. Baptisé Qiangjiji 5, cet appareil n'est pas une copie car il comporte plusieurs modifications par rapport au MiG-19.

Le Lockheed YF-12A enlève deux records

Edwards AFB, 1er mai

Le F-104 de Lockheed a donné une version secrète, le A-12. Celle-ci a été aussi modifiée suivant des crédits spéciaux pour donner trois prototypes YF-12A. Le premier a reçu le numéro 60-6934, il a volé le 7 août 1963 pour la première fois. La journée a mal commencé : ce matin, le moteur ne fonctionnait pas. Les deux derniers exemplaires ont décollé ne laissant derrière eux que deux immenses langues de feu. Ils sont partis décrocher tous les records. Record d'altitude absolue avec 24 465 m, record de vitesse absolue en circuit fermé de 25 km avec 3 331,51 km/h. (→ 7.1.66)

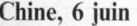

Le modèle de série du « Blackbird » deviendra pour l'US Air Force le SR-71.

Liaison radio par satellite sur un Boeing

Atlantique, 9 juin

Un 707 à l'écoute du cosmos. Un appareil de la Pan American Airways reliant Londres à New York a réussi à établir des liaisons téléphoniques grâce à *Early Bird*. *Early Bird* est le nom du premier satellite équipé pour les communications. S'il reste encore des problèmes techniques à résoudre, ce nouveau mode de liaison est appelé à supplanter l'actuel système de radiocommunications à hautes fréquences sur l'Atlantique et sur le Pacifique. La Nasa et le DOD (*Department of Defense*) ont permis de réaliser cet essai concluant. Le gouvernement américain envisage sa rapide mise en service. Les compagnies aériennes d'Europe redoutent quant à elles que la redevance pour la location de ce service les empêchent de profiter dès maintenant de ce progrès.

Atterrissage automatique avec passagers

Angleterre, 10 juin

L'atterrissage qui vient d'avoir lieu sur l'une des pistes de l'aéroport d'Heathrow a marqué le début d'une nouvelle ère pour l'aviation civile. Arrivant de Paris, le vol BE 393, un Trident 1 de BEA immatriculé G-ARPG, avec quatre-vingts passagers à bord est devenu le premier avion de ligne à effectuer un atterrissage automatique. Le commandant Poole a posé son appareil grâce à son système Smiths Autoland. L'appareil a démontré qu'il peut effectuer des atterrissages de catégorie II, avec une hauteur de décision de 60 mètres et une visibilité de 400 à 600 mètres. Pour les passagers, la seule gêne provient des variations du bruit, les réacteurs montant et descendant en puissance tout au long de l'approche.

L'aviation américaine se heurte à des difficultés au Viêt-nam

Le pont de l'« USS Enterprise ».

Les bombardiers B-52 ont commencé à pilonner les positions ennemies.

Nord Viêt-nam, 18 juin
Une sortie qui s'achève mal. Basés à Guam, vingt-sept B-52F ont bombardé des positions Viêt-cong, à 50 km de Saigon. Au retour, deux des appareils se sont heurtés en vol et ont explosé. L'utilisation de B-52 montre la volonté des Américains d'employer tous les moyens possibles pour mener les combats, même si l'efficacité tactique de cet appareil est parfois mise en doute. En effet, depuis 1964, les offensives Viêt-cong, de plus en plus violentes, ont donné au conflit une nouvelle tournure. Cette attitude amène les Américains à augmenter leurs effectifs au Sud Viêt-nam : 3 500 marines arrivent à Da Nang le 7 mars 1965. Au même moment, l'USAF et l'US Navy bombardent la zone démilitarisée dans le cadre de l'opération *Rolling Thunder*. Le 5 avril dernier, la preuve est faite de l'existence de sites de missiles sol-air du type SAM. Enfin, le 17 juin, deux F-4 opposés à quatre MiG-17 nord-vietnamiens enregistrent les premières victoires de l'USAF lors d'un raid contre Gen Phy.

Le pilote a sauvé ses 152 passagers

Californie, 28 juin
Le sang-froid est maître des comportements d'exception. Le capitaine Charles Kimes a stoppé les réacteurs de son 707 sur la base militaire de Trevis, et respire. Son avion de la Pan American World Airways a effectué un atterrissage d'urgence et les 152 personnes à son bord viennent d'échapper à la mort. A peine le jet avait-il décollé de l'aéroport de San Francisco que, à 800 pieds au-dessus du sol, une violente secousse fut ressentie, immédiatement suivie d'un bruit d'explosion. Le réacteur 4 (l'extérieur droit) a pris feu et s'est brutalement détaché, entraînant avec lui une section de 8 mètres de l'aile. Le tout s'est joué en 45 secondes. Le pilote ignore tout d'abord que le réacteur s'est décroché. Mais il sent que le Boeing ne va pas cesser de vibrer, qu'il faut à tout prix le maintenir en l'air. Le copilote l'informe de la situation exacte. Avec ce qui reste, il doit être possible de voler, mais il faut éviter de survoler des zones habitées. Il le pourra grâce à sa grande expérience et à son calme. Le vol aura duré 24 minutes.

Gagarine rejoint Toulouse en Caravelle

Toulouse, 26 juin
Parmi les passagers de la Caravelle en provenance de Paris, un invité de marque : Youri Gagarine. Le premier homme à avoir effectué un vol spatial vient rejoindre à Toulouse ses compatriotes. Depuis le 21 juin en effet, une importante mission constituée de personnalités de l'industrie soviétique, visite les installations aéronautiques de la France. Après Turboméca et Dassault, les visites de l'EAT et de Sud-Aviation vont clore ce périple. (→ 27.3.68)

Mantz fait son dernier vol avec le Phœnix

Arizona, 8 juillet
Hollywood a perdu son plus grand pilote de haute voltige : Mantz est mort devant les caméras de la Century Fox, lors du tournage de *The Flight of the Phoenix*. Il était âgé de 62 ans. Après un premier passage impeccable au ras des dunes, on lui demande de renouveler la figure pour être certain que la prise sera parfaite. Mais, en piquant vers le sable, le moteur droit de son C-82 heurte un monticule, le fuselage se fend en deux et c'est le crash.

Youri Gagarine, Jacques Guignard, Léopold Galy et Michel Rétif.

Dans ce film, les rescapés reconstruisent un avion à partir de débris.

Air France appelle Pélican le B-707 cargo

Les palettes entrent dans le fuselage pour ensuite glisser vers l'arrière.

Paris, 3 septembre

L'oiseau palmipède à l'impressionnante envergure et au long bec pourvu d'une large poche s'est transformé en avion gros porteur. Par la volonté de la direction du fret d'Air France. Le 707-320C dans sa version tout cargo empruntera désormais le nom du pélican, dont la silhouette ornera sa carlingue. Ce pélican-là est idéal pour le transport des marchandises. Pourvu notamment d'un plancher renforcé, il peut supporter une charge de 40 tonnes et les envois volumineux sont facilement chargés dans le fuselage grâce à une porte basculante de 3,40 m sur 2,31 m. L'avion est entré en service sur l'Atlantique Nord. (→4.11.66)

Le « tsuru » devient le symbole de la JAL

Un DC-8-61 de Japan Air Lines (1967) peint au nouvel emblème de la JAL.

Tokyo, 1er octobre

Le soleil levant a disparu du fuselage des avions de la compagnie Japan Air Lines. A sa place, il y aura desormais le *tsuru*, la grue japonaise, symbole de longue vie, de courage et de bon augure. Le nouvel emblème montre un *tsuru* en plein vol, dont les ailes forment un cerle au centre duquel se trouve la tête élancée de l'oiseau. Les uniformes des hôtesses ont été modifiés et tous les appareils de la compagnie, fondée le 1er août 1951 et nationalisée à 50 % deux ans plus tard, ont été repeints. La JAL, dont les avions sont pour la quasi-totalité de fabrication américaine, a inauguré son premier service international en 1954.

Concorde ou Concord : une aventure industrielle bien partagée

Londres, 11 septembre

Fifty-fifty : le roi Salomon aura fait des émules parmi les avionneurs européens ! Le principe d'une répartition parfaitement équitable des tâches est au cœur même de l'accord franco-britannique sur le projet Concord signé en novembre 1962. Quatre grandes entreprises aéronautiques, deux françaises et deux britanniques, ont été chargées de l'exécution du projet. Aux termes d'accords conclus dès 1961 entre ces sociétés et confirmés par les deux gouvernements, la mise au point du futur supersonique a en fait été scindée en deux : la cellule et le groupe propulsion. En gros, cela signifie que les parties avant (dont le poste de pilotage) et arrière du fuselage, les nacelles et entrées d'air des réacteurs et les dérives et gouvernes ont été confiées à British Aircraft Corporation. Sud-Aviation réalisera la partie centrale du fuselage, les ailes et le train d'atterrissage. Quant aux réacteurs Olympus 593, la Snecma est chargée du système très complexe de tuyère d'éjection des gaz alors que les compresseurs et les turbines ont été confiés à Bristol Siddeley. La direction proprement dite du programme Concord est assurée par un comité responsable dont la direction est confiée alternativement, pour une période de deux ans, à la France et à la Grande-Bretagne. Le principe de partage égal a même été appliqué aux plans d'étude et de fabrication, cotés en mesures métriques et en mesures anglo-saxonnes. Ce qui ne semble pas gêner les ingénieurs. (→31.12.66)

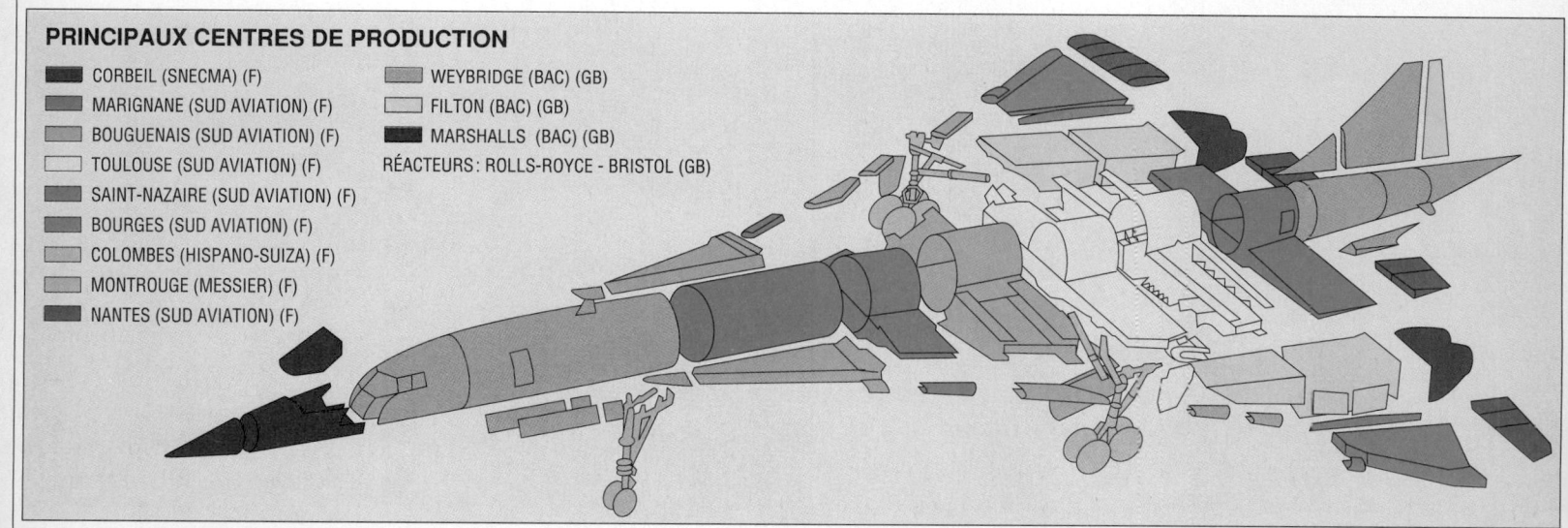

PRINCIPAUX CENTRES DE PRODUCTION

- CORBEIL (SNECMA) (F)
- MARIGNANE (SUD AVIATION) (F)
- BOUGUENAIS (SUD AVIATION) (F)
- TOULOUSE (SUD AVIATION) (F)
- SAINT-NAZAIRE (SUD AVIATION) (F)
- BOURGES (SUD AVIATION) (F)
- COLOMBES (HISPANO-SUIZA) (F)
- MONTROUGE (MESSIER) (F)
- NANTES (SUD AVIATION) (F)
- WEYBRIDGE (BAC) (GB)
- FILTON (BAC) (GB)
- MARSHALLS (BAC) (GB)

RÉACTEURS: ROLLS-ROYCE - BRISTOL (GB)

Une compagnie dynamique, la Braniff

Braniff a une importante flotte de 727. Celui-ci est peint en bleu pâle.

Etats-Unis, 1er novembre
La compagnie Braniff vous en fait voir de toutes les couleurs! Bleu pâle, ocre, jaune citron, turquoise, voilà quelques-unes des nouvelles livrées qu'elle a choisies pour ses appareils. Dallas est la première à voir ce que donne ce nouveau *look*. Un Bac-111 au fuselage orange et un Boeing 720-027 au fuselage lavande y étaient présentés aujourd'hui. Peint sur leur queue, le nouveau logo *BI* conçu par l'agence new-yorkaise de J. Tinker. Quant aux équipages, ils arboraient eux aussi de nouveaux uniformes, créés à la demande de la compagnie par le couturier italien Emilio Pucci.

L'Atlantic réunit la France et l'Allemagne

Les essais statiques de la cellule. Des vérins poussent jusqu'à la rupture.

Nîmes-Garons, 10 décembre
La cérémonie qui s'est déroulée sur la base aéronavale de Nîmes-Garons, marquait la consécration du programme *Atlantic* réalisé par la France, l'Allemagne et d'autres pays européens. Le ministre des Armées, Pierre Messmer, et le ministre de la Défense de la République fédérale d'Allemagne, Kai-Uwe von Hassel, ont officiellement remis les deux premiers Breguet-1150 Atlantic aux aéronautiques française et allemande. Avion européen réalisé sous le patronage de l'Otan, l'Atlantic devient en quelque sorte le symbole de la coopération internationale.

Ils frôlent la catastrophe pour un fusible

Le Tréport, 17 décembre
Une panne totale de communication et de radionavigation peut avoir les conséquences les plus graves, surtout si les conditions météorologiques sont mauvaises. Quand le commandant du DC-3 qui effectuait de nuit un vol régulier Beauvais-Gatwick s'est rendu compte qu'il ne pouvait pas changer le fusible responsable de l'incident, il a décidé de rebrousser chemin. Après avoir tourné au-dessus du Tréport qu'il ne parvenait pas à identifier, il a décidé de se poser sur la plage éclairée par les lumières du boulevard. Les 32 occupants de l'avion sont indemnes.

Le Learjet monte à 1 640 mètres/minute

Wichita, 14 décembre
Bill Lear a annoncé il y a deux mois la mise en chantier du Learjet 24. Il volera en croisière à 15 000 mètres. Plus lourd, il ne sera plus autorisé à être piloté par une seule personne. Il est apparu que très peu de sociétés utilisaient l'avion pour cette particularité, qui oblige à sacrifier certains équipements. De toute manière, la place disponible dans le cockpit n'incitera jamais un passager à s'y asseoir si ce n'est un passionné d'aviation. Le Lear 23 continue à impressionner par son taux de montée qui permet d'atteindre l'altitude de 13 200 m en 7 min et 21 s. (→26.5.66)

Le réalisateur Ken Annakin a fait reconstruire 25 anciens avions pour son film « Ces merveilleux fous volants dans leurs drôles de machines ».

Les avions de l'année 1965

Le Fuji FA-200 Aero Subaru, quadriplace léger de tourisme japonais.

Le Champion 7GCAA Citabria est équipé d'un Lycoming de 150 ch.

L'Agwagon, premier modèle Cessna destiné au travail agricole.

L'Aero Spacelines B-377SG Super Guppy, un Boeing C-97 modifié.

Canada a rallongé le fuselage de son cargo CL-44 (le premier au monde à queue pivotante) sur la version CL-44J pour accueillir 214 passagers.

Le Transavia PL-12 Airtruk, un avion à usage général.

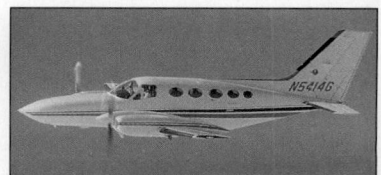

Le Cessna 421 Golden Eagle, un six places pour hommes d'affaires.

Le Convair Model 600 n'est autre qu'un Model 240D équipé de turbopropulseurs RR. Dart 542.

La version Merlin 2 de Swearingen est équipée de turbopropulseurs.

Le prototype du Douglas DC-9, premier d'une série de 976 machines livrées dans le monde entier aux militaires, entre 1965 et 1982.

Le Britten-Norman Islander, avion de transport mixte (10 places).

Kamov développe le Ka-25 pour le travail agricole, mais il servira également pour la cartographie aérienne, le transport et l'évacuation sanitaire.

Le Mitsubishi MU-2B est équipé de turbopropulseurs Garrett TPE331.

Le Lockheed 286, hélicoptère expérimental à rotor rigide.

Le Distributor Wing DW-1, un appareil agricole.

Le de Havilland Canada DHC-6 Twin Otter, transport Adac.

Le Helio H-295, version du Super Courier à cabine rallongée.

Quatorze Vickers VC-10C Mk 1 sont commandés par la RAF.

Le North American OV-10A Bronco est un avion antiguérilla.

Le CL-84 Dynavert à aile pivotante est mis au point par Canadair pour évaluer le potentiel d'un avion de transport léger Adac/Adav.

La version F-4D du Phantom II est produite à 825 exemplaires.

Le RF-4B est une version de reconnaissance destinée aux Marines.

L'Aérospatiale SA 330 Puma, hélicoptère lourd de transport, est produit en différentes versions exportées dans de nombreux pays du monde.

L'Antonov An-22 Antée, transport stratégique à long rayon d'action, est le plus gros avion du monde au moment de son premier vol.

Le F-111B, version de défense aérienne destinée à l'US Navy.

L'Agusta A 106, hélicoptère anti-sous-marin de la marine italienne.

Le Sikorsky S-61F, hélicoptère expérimental à hautes performances.

L'hélicoptère d'appui tactique Bell 209 Huey Cobra combine des éléments du UH-1C à un nouveau fuselage accueillant deux hommes d'équipage.

Le Douglas TA-4E, biplace d'entraînement de l'US Navy.

Ling Temco Vought remporte avec son A-7A Corsair II le concours organisé par l'US Navy pour le remplacement du Douglas A-4E Skyhawk.

Le Dassault Mirage III-V, chasseur Adav, est équipé d'un Snecma TF-104 pour la propulsion et de huit RB.162 pour la sustentation.

1966

6 812 km/h
Etats-Unis
William Knight
North American X-15
18.11.66

39 147 km
Etats-Unis
Archie Old Jr.
Boeing B-52
18.1.57

107 960 m
Etats-Unis
Joseph Walker
North American X-15
22.8.63

250 000 kg
URSS
Antonov
An-22 Anteus

14 740 kgp
Etats-Unis
Pratt & Whitney
JT11D-20 B

Beale, 7 janvier
Le Strategic Air Command reçoit ses Lockheed SR-71, avions de reconnaissance trisoniques.

Espagne, 17 janvier
Collision entre un B-52 portant une bombe nucléaire et un KC-135 de ravitaillement en vol, au-dessus de Palomares. La bombe est retrouvée, intacte, à 8 km du rivage.

Sud Viêt-nam, 22 janvier
Fin de l'opération *Blue Light*, débutée le 27 décembre dernier : 3 000 soldats et leur équipement ont été acheminés par avion depuis Hawaii à la base de Pleiku.

Aix-en-Provence, 17 février
Conclusion du procès opposant les riverains de l'aéroport de Nice à Air France, par suite du bruit dû aux décollages : l'arrêt de la cour d'appel donne tort aux plaignants, et fait jurisprudence. (→ 22.6.67)

Toulouse, 4 mars
Une éprouvette de Concorde, comprenant un tronçon de fuselage et deux moignons d'aile, arrive à l'EAT pour ses essais statiques.

France, 7 mars
De Gaulle annonce le retrait de la France de l'Otan, et réclame la disparition des bases de l'alliance atlantique sur le territoire français. Les Etats-Unis demandent le retour des avions fournis à la France.

Viêt-nam, 10 mars
Dans la vallée de l'A Shau, investie par les Nord-Vietnamiens, le major Fisher parvient à récupérer le pilote Meyrs, qui a fait un atterrissage forcé avec son Douglas Skyraider.

Orly, 10 mars
Inauguration de la nouvelle tour de contrôle et de la piste n° 4, réalisées pour 73 millions de francs.

Long Beach, 14 mars
Le DC-8-61, prototype de la nouvelle série des Super 60, effectue son vol initial. Version rallongée du DC-8 pour 251 passagers, il surclasse le Boeing 707.

Bruxelles, 15 mars
Après vingt ans d'exploitation, la Sabena retire son dernier DC-4.

Issoire, 22 mars
Gérard Tahon décolle le quadriplace Wassmer WA-50, premier avion tout en plastique.

Seattle, 13 avril
La Pan Am commande 25 exemplaires du Boeing 747 Jumbo Jet. Elle payera chaque B-747 21 millions de dollars. (→ 30.9.68)

Californie, 3 mai
Récupération d'un homme au sol par un Lockheed C-130 Hercules doté d'un Fulton Recovery System.

Nord Viêt-nam, 11 mai
Des B-52, dont la soute a été modifiée pour recevoir 27 215 kg de bombes, effectuent leur premier pilonnage au Nord Viêt-nam.

Etats-Unis, 19 mai
Le North American XB-70 Walkyrie réussit à tenir la vitesse de Mach 3 pendant 32 min. (→ 8.6)

Etats-Unis, 25 mai
Eastern Air Lines commande deux unités du Concorde.

Wichita, 26 mai
Le Learjet 24 a effectué le tour du monde en 50 h 20 min de vol, améliorant ainsi 18 records internationaux. (→ 10.4.67)

Etats-Unis, 27 mai
Le Phantom F-4J effectue son premier vol. Destiné à l'US Navy et au Marine Corps, il est doté de réacteurs plus puissants, d'un système radar et de stabilisateurs pour les basses vitesses.

Nord Viêt-nam, 29 juin
Des Republic F-105 Thunderchief de l'USAF attaquent Hanoi.

Nord Viêt-nam, 1er juillet
Depuis les porte-avions *USS Constellation* et *USS Hancock*, mouillés dans le golfe du Tonkin, les Américains repoussent une attaque de vedettes lance-torpilles.

France, 4 juillet
La Royal Australian Air Force signe pour 20 unités du biréacteur de liaison Mystère 20. Son carnet de commandes totalise 170 contrats fermes, plus 52 options.

Etats-Unis, 1er août
Vol initial du DC-9 série 30, rallongé pour 115 sièges. (→ 28.11.67)

Moscou, 11 août
Départ d'un Tupolev-114 à destination de Tokyo, en vue de l'exploitation de la ligne en pool par Aeroflot et Japan Air Lines.

Tahiti, 31 août
Expérimentation nucléaire française dans la zone pacifique : un Mirage IV a largué la bombe A. Le 1er juin, il arrivait de France en 8 h de vol avec ravitaillement en vol.

Grande-Bretagne, 31 août
Le Siddeley Hawker Harrier débute ses essais de décollage vertical. Avion d'appui tactique au sol, il opère à partir de tout terrain.

Haarlem, 12 septembre
Fondation de la compagnie intérieure néerlandaise NLM City Hopper, opérant avec deux Fokker F-27 Friendship.

Paris, 18 septembre
Au cours du IIIe Congrès de médecine psychosomatique, des médecins d'Air France ont exposé les problèmes du personnel navigant dus aux décalages horaires.

France, 19 septembre
Seule compagnie occidentale à desservir la République populaire de Chine, Air France ouvre sa ligne directe entre Paris et Shanghai.

Grande-Bretagne, 1er octobre
Concentration chez les motoristes anglais : Rolls-Royce achète Bristol Siddeley Engine, son principal rival, pour 64 millions de livres.

Moscou, 21 octobre
Le prototype du Yakovlev Yak-40 effectue son vol initial. Court-courrier doté de trois réacteurs à double flux, il doit remplacer le Lisunov Li-2, version soviétique du DC-3 construite sous licence.

Bruxelles, 1er novembre
La Sabena supprime ses liaisons par hélicoptères. Bilan : 77 000 h de vol, 11 373 000 km, et 400 000 passagers en treize ans.

Paris, 4 novembre
Le Pélican, Boeing cargo d'Air France, emporte 31 chevaux de course à Londres. Un record permis par l'aménagement de l'avion : stalles et système de ventilation.

Etats-Unis, 18 novembre
A bord du North American X-15, le pilote William Knight dépasse Mach 6.33 (6 812 km/h). (→ 3.10.67)

Istres, 28 novembre
Le Mirage III-V, avion supersonique à décollage vertical, s'écrase au sol. Le 24 mars, il a réussi ses vols de transition, et le 12 septembre, il a atteint Mach 2.04.

Chili, 2 décembre
Manifestations à la mémoire d'Antoine de Saint-Exupéry, qui donne son nom au lycée de l'Alliance française à Santiago.

France, 23 décembre
L'Aérotrain à coussins d'air de la société Bertin atteint 303 km/h sur son monorail en ciment. Vitesse qui dépasse largement les prévisions de ses constructeurs.

Melun-Villaroche, 23 décembre
René Bigand décolle le chasseur polyvalent bisonique à aile en flèche Mirage F-1. (→ 19.5.67)

Istres, 29 décembre
A bord du Mirage F-2, équipé du réacteur TF-306 de 9 000 kgp, le pilote Jean Coureau, qui le décollait pour la première fois le 12 juin, dépasse Mach 2. (→ 19.5.67)

Le cinéma à bord des long-courriers est la grande nouveauté de l'année. Le film est projeté après le repas. Il est différent pour le vol retour.

Les charters bouleversent le transport aérien

Le Congrès américain a autorisé les compagnies de vols charters en 1962.

Freedie Laker a lancé sa société avec deux Briannia rachetés à BOAC.

Londres, 8 février

Freddie Laker à toujours eu le sens des affaires et ce n'est pas par hasard qu'il vient de lancer Laker Airways, que les initiés ont déjà baptisé *Fredair*. Au grand dam des principales compagnies aériennes, il propose des réductions de 30 % sur ses vols vers les plages ensoleillées de la Méditerranée. Laker a étudié de près le succès que se sont taillé aux Etats-Unis les compagnies de vols charters. Là, ces sociétés appelées *Supplementals* proposent des réductions de l'ordre de 50 % sur la plupart des trajets. L'apparition de dizaines de ces firmes en l'espace de quelques années, à peine ralentie par une série de démêlés avec les autorités de l'aviation civile, a incité des millions d'Américains peu fortunés à voyager par avion. Freddie Laker a compris les trois principes qui permettent à ces firmes de proposer des tarifs si alléchants tout en utilisant les mêmes appareils que les grandes compagnies. D'abord, les avions charters volent plus souvent, opérant parfois jusqu'à 15 heures par jour. Les coûts d'opération sont moins élevés. Leurs frais généraux sont faibles, ils n'y a pas de frais d'agences de représentation et la publicité est assurée par les agences de voyages. Ces compagnies obtiennent un taux de remplissage de 95 %, contre 55 % seulement pour les compagnies régulières. Les charters n'ont pas encore obtenu le droit de trafic sur l'Atlantique.

Les hélicoptères de Mil sont gigantesques

Marseille, 1er avril

Ce n'est pas un gros poisson d'avril qui s'est posé ce matin sur l'aéroport de Marignane, mais un monstre volant venu d'au-delà du rideau de fer. Dans le cadre d'une tournée de démonstrations en Europe occidentale, le Mil Mi-6, le plus gros hélicoptère du monde, est venu à Marseille avant de procéder dans le Midi à des exercices de lutte contre les incendies de forêt. Les pilotes soviétiques Kolochenko et Garnaiev sont arrivés en compagnie du pilote d'essai Roland Coffignot de la société Sud-Aviation, détaché pour faciliter la tâche de l'équipage lors des procédures de radionavigation. Cela a permis au pilote français de se faire une idée des particularités de cette étonnante machine, capable de décoller au poids de 45,5 tonnes et qui, de surcroît, est devenue en 1961 le premier hélicoptère à dépasser la vitesse de 300 km/h.

Le Mirage III utilisé comme simulateur

Toulouse, 25 juin

Les hommes qui prendront les commandes du futur supersonique Concorde doivent tout savoir sur le comportement de l'appareil, même avant de l'avoir piloté. Tout aussi important : l'administration n'accordera pas de certification à un avion si ses commandes de vol ne répondent pas de façon identique à celles des avions subsoniques en service. Les responsables du projet ont fait appel à un Mirage IIIB dit à stabilité variable, dont on peut déplacer le centre de gravité et qui donne à son pilote les mêmes sensations que s'il était aux commandes du Concorde. Un ordinateur de bord modifie les ordres transmis aux gouvernes et renvoie au pilote la sensation d'un effort artificiel, lui donnant l'impression de conduire un avion plus lourd à vitesse supersonique. Au sol, le centre d'essai de Toulouse dispose d'un simulateur d'études LMT.

Les experts français considèrent que le Frelon est techniquement plus avancé.

Utilisé comme simulateur, le pilote est à l'arrière, le contrôleur devant.

Le cinéma à bord des avions sera payant

Chaque passager reçoit le son par des écouteurs branchés sur l'accoudoir.

Paris, 24 mai
Pour ou contre, gratuit ou payant, il y a plus d'un an que l'idée cheminait et la voici enfin arrêtée. Oui, il y aura des films dans les avions effectuant de longs trajets et le prix de la séance sera inclus dans celui du voyage. Air France, qui va équiper vingt Boeing, et les autres compagnies en Europe ont suivi l'initiative américaine. Les cabines seront pourvues de deux appareils de projection de 16 mm logés dans le plafond, l'un à l'avant, l'autre à l'arrière. Des écrans sont roulés et logés dans des boîtiers. S'agissant des bandes sonores, les passagers munis d'écouteurs auront le choix entre une version française ou une anglaise. Cette idée de distraction à bord, qui remonte d'ailleurs au début du transport aérien, est loin de faire l'unanimité : 51 % des gens considèrent que le cinéma peut les gêner dans leur travail et 41 % qu'il s'agit d'un service peu important.

La dernière chevauchée du Walkyrie

Le XB-70 n'a été produit qu'à trois exemplaires. Il est long de 63 mètres.

Californie, 8 juin
Le XB-70A Walkyrie, le plus beau bombardier américain, dont le programme avait demandé dix ans d'étude, s'était envolé pour un film publicitaire avec deux avions mentor, un T-38 et un F-104. Avec quatre autres jets de combat, il devait exécuter une formation en flèche pour les besoins de General Electric. Soudain, pour une raison restée inconnue, le F-104 effleure le XB-70, puis le percute. Sous le choc, le F-104 explose, tuant le pilote Joe Walker. Le XB-70 entame à son tour un piqué brutal. Les deux pilotes, Al White et Carl Cross, tentent de s'éjecter, mais la force centrifuge du prototype empêche tout mouvement. A force d'efforts, White parvient à s'éjecter à la dernière minute. On retrouvera dans l'épave du bombardier géant le corps de Cross toujours attaché à son siège. C'est un accident stupide pour une simple publicité.

Une perte de contrôle fatale au Trident

Hatfield, 3 juin
Un vol de réception qui a mal tourné. Le British Aerospace Trident G-ARPY, le 23ᵉ de série s'est écrasé lors d'un vol d'essai destiné à tester le réglage de l'avertisseur de décrochage. Ce dernier est activé par des sondes d'incidence placées sur le nez de l'avion. Il provoque le retentissement d'un Klaxon et des vibrations dans le manche quelque peu avant le décrochage réel de l'appareil. Piloté par George Herrington, chef pilote d'Airspeed, remplaçant le commandant Fawks de la BEA arrivé en retard, l'appareil s'est écrasé. En position très cabrée, le flux d'air des ailes masque à la fois les moteurs et la gouverne de profondeur.

Sheila Scott sur les traces d'Amélia

Londres, 20 juin
Elle n'avait pourtant pas choisi la facilité : le tour du monde par l'Equateur est la voie la plus longue. Pourtant, Sheila Scott a réussi là où avait échoué Amélia Earhart : trente-trois jours de vol en solitaire et 46 670 km ont fait d'elle une célébrité internationale et la première anglaise à voler autour du monde. Encouragée tout au long du vol par la presse, les messages radio et les présents des autochtones, orchidées, jasmin ou colliers de coquillages, elle a offert à la firme Piper une extraordinaire publicité : son exploit a été réussi dans un Piper Comanche 260, le *Myth Too*. Sheila Scott et son appareil sont attendus à Heathrow. (→ 4.8.72)

Cet exemplaire du Trident 1 est sorti un peu avant des chaînes de montage.

Partie de Lisbonne, Sheila Scott arrive à l'aéroport de Londres.

Le Canadien DHC-6 Twin Otter est une vedette internationale

Montréal, 1ᵉʳ août

Certains pilotes trouvent que ce n'est pas un bel appareil, avec son train d'atterrissage fixe et ses ailes hautes. Ils sont cependant tous d'accord sur un point : le de Havilland Canada DHC-6 Twin Otter est un avion robuste, polyvalent et fort agréable à piloter. Comme ses prédécesseurs, les DHC-2 Beaver, DHC-3 Otter, DHC-4 Caribou et DHC-5 Buffalo, le Twin Otter est doté d'une remarquable capacité STOL (décollage et atterrissage courts). Équipé de deux turbopropulseurs de 578 ch, le premier Twin Otter de série a été livré le mois dernier au Service des eaux et forêts de l'Ontario. Les commandes, tant civiles que militaires, affluent, car cet appareil canadien à court rayon d'action, puissant et spacieux, promet de s'imposer auprès des petites compagnies comme d'un des meilleurs avions de transport léger de sa catégorie.

La vitesse du Twin Otter est de 350 km/h. L'autonomie varie selon la charge.

Hermann Geiger percute un planeur

Sion, 26 août

Un accident aussi banal que stupide aura mis fin à la carrière d'un homme qui avait consacré sa vie à sauver les autres. Hermann Geiger, le célèbre pilote des glaciers, est mort à la suite d'une collision de son avion-école avec un planeur. Depuis plus de vingt ans, Geiger avait mis au point une technique d'atterrissage en montagne, inspirée du vol des rapaces qu'il avait longuement observé. Avant 1960, époque où l'hélicoptère n'était pas assez au point pour pouvoir être utilisé en altitude, l'avion était le seul moyen permettant d'atteindre des alpinistes en difficulté ou de ravitailler des villages bloqués par les neiges. Ce pionnier de l'aviation de montagne avait même fondé une école pour enseigner sa technique d'atterrissage qui a permis de sauver des milliers de personnes.

L'US Army lance les Huey au Viêt-nam

Viêt-nam, 15 novembre

Nouvelle phase du conflit au Viêt-nam. L'US Army a décidé de renforcer les unités équipées d'hélicoptères d'assaut. Malgré les pertes importantes enregistrées au cours des missions, l'hélicoptère est une arme très bien adaptée à la nature des combats. Le Bell UH-1B Huey, déjà utilisé pour l'évacuation sanitaire, a été puissamment armé de mitrailleuses et de lance-roquettes. Dans sa version la plus courante, le UH-1B est équipé de 4 mitrailleuses M60, calibre 7,62 mm, tirant vers l'avant, et de 7 tubes lance-roquettes fixés sur les côtés du fuselage. Une autre mitrailleuse est placée à la portière pour le tir latéral. Un autre hélicoptère Bell, le AH-1G Huey Cobra, vient d'entrer en action avec l'USAF. Monoturbine, il a volé le 7 septembre 1965 pour la première fois. D'un concept différent, le pilote est assis en surélévation par rapport au copilote-tireur placé devant lui. Cette machine est exclusivement biplace et dispose d'un armement puissant pour les attaques au sol.

Le moteur Olympus est testé sur le Vulcan

Farnborough, 9 septembre

Accroché sous le ventre d'un bombardier Vulcan de la RAF transformé en banc d'essai volant, le réacteur qui propulsera un jour le Concord. Il s'agit de l'Olympus 593, la version la plus puissante de la gamme Olympus. La soute du quadriréacteur Vulcan a été modifiée afin de pouvoir loger le réacteur à double flux lors de ces vols, limités à Mach 0.98 alors que le Concord devra pouvoir croiser à plus de Mach 2. Les essais en vol du réacteur se déroulent près de Farnborough parallèlement aux tests du réacteur sur banc d'essai au sol. Les essais en vol sont ensuite comparés avec les essais au sol. Grâce au Vulcan, les experts peuvent établir de manière rigoureuse les conditions de réallumage en altitude. En utilisant une grille de pulvérisation d'eau fixée sous le nez du bombardier, devant le réacteur, ils peuvent réaliser des essais de dégivrage. L'Olympus 101, lancé en 1953, fournissait une poussée de 5 t environ. La version destinée au Concord devra en fournir près de 15 !

Un Bell UH-1B Huey de l'US Army qui veut aussi utiliser les Huey Cobra.

Le réacteur Olympus a été fixé sous le fuselage du bombardier Vulcan.

Les Starfighter allemands interdits de vol

L'avion est mis en cause, mais les pilotes ne volent que douze heures par mois.

Allemagne fédérale, 6 décembre
Ce sont 700 avions qui sont interdits de vol à partir d'aujourd'hui par une décision de la Luftwaffe, 700 Starfighter américains acquis par l'armée fédérale allemande. L'affaire a éclaté en août dernier, quand des révélations de l'inspecteur général de l'armée de l'air, Werner Panitzki, avaient fait état de 60 accidents survenus sur ces avions depuis leur mise en service. L'émotion soulevée en Allemagne a été telle qu'elle a provoqué cet été une crise ministérielle. Les F-104G devront subir d'importantes modifications avant de pouvoir être remis en service.

Le Flying Tiger, une réussite exemplaire

Pour les vols charters vers Tel-Aviv, un autocollant El Al est collé à l'avant.

Los Angeles, 31 décembre
Un zeste de perspicacité, un soupçon de chance et une forte dose d'esprit aventureux : voilà le cocktail qui, en 21 ans, a fait de Flying Tiger l'une des premières compagnies aériennes de fret au monde. On est bien loin de ce 25 juin 1945 où Prescott et ses amis, tous d'anciennes têtes brûlées de la Seconde Guerre mondiale, achetaient pour 90 000 dollars d'acompte quatorze pittoresques Budd Conestoga sans trop savoir comment les utiliser ! Mais leur esprit novateur et leur efficacité ont fait merveille : la firme annonce cette année un bénéfice de 20 millions de dollars.

Retraite pour quatre pionniers

Etats-Unis, 31 décembre
Le monde de l'aviation civile ne sera probablement plus jamais ce qu'il était, surtout aux Etats-Unis. En l'espace de trois ans, ce milieu a perdu ses quatre grands seigneurs, des hommes qui pendant de longues années ont présidé aux destinées des quatre plus grandes compagnies aériennes du monde occidental. A l'exception d'Howard Hughes, le plus connu du grand public, aucun d'entre eux n'a investi sa fortune personnelle dans la compagnie qu'il dirigeait. Hughes avait acheté 87 % des actions de TWA en 1937. Le 3 mai dernier, au terme d'une bataille juridique qui a duré près de huit ans, il a vendu ses actions pour plus de 566 millions de dollars. Bill Patterson, lui, a été le président de United Airlines de 1933 jusqu'à son départ à la retraite le 28 avril dernier. Juan Trippe, issu d'une riche famille de la Nouvelle-Angleterre, avait pris les commandes de la Pan Am dès sa création en 1927. Il est à la retraite depuis 1964. Enfin, Eddie Rickenbacker, président d'Eastern Air Lines de 1938 au 31 décembre 1963, a réussi à hisser cette compagnie au rang des géants.

Le B-2707 est préféré au Lockheed 2000

Washington, 31 décembre
Aux Etats-Unis la course au transport supersonique a déjà fait une victime : la firme Lockheed. Ce géant de l'industrie aéronautique vient en effet de se faire coiffer au poteau par Boeing. La Federal Aviation Administration a désigné le gagnant de cette course engagée dès juin 1964. C'est l'audacieux projet de Boeing qui a été choisi pour devenir le concurrent du Concorde. Lockheed a présenté un projet relativement simple, celui du L-2000, avion en titane à géométrie fixe et équipé de réacteurs Pratt & Whitney. De conception vraiment nouvelle, le projet soumis par Boeing, le B-2707, est un avion en titane à géométrie variable doté de quatre réacteurs General Electric fournissant chacun une poussée de 30 tonnes, le double de l'Olympus 593 du Concorde. Le B-2707 emportera 280 passagers à Mach 2.7, contre 130 passagers et Mach 2.2 pour le projet du supersonique franco-britannique. (→ 23.9.69)

Le Lockheed 2000 en soufflerie.

Une maquette du Boeing 2707 SST.

Concord se révèle un projet coûteux

Londres, 31 décembre
Le vol supersonique va coûter cher, très cher, aux contribuables anglais et français. Le Concord n'en est encore qu'à sa phase préliminaire, mais les deux gouvernements ont déjà approuvé les estimations des dépenses de développement de l'appareil. Ces chiffres avaient été examinés par le ministre français de l'Equipement, Edgard Pisani, et le ministre britannique de l'Aviation, Fred Mulley, lors d'une rencontre à Londres en septembre dernier. En 1964, Paris et Londres avaient évalué le coût du projet à 3 088 millions de francs. Il est désormais chiffré à 7 milliards, et ce jusqu'à la certification du Concord, prévue pour 1971. Cette augmentation est attribuée à l'augmentation des salaires et à la décision, annoncée en 1966, d'allonger le fuselage de l'avion pour accroître sa capacité en passagers. Ce chiffre global comprend 5,2 milliards de francs pour le développement et 1,8 milliard pour les dépenses supplémentaires prévisibles dans un projet aussi ambitieux. Au total, les deux pays ont dépensé jusqu'à présent environ 1,3 milliard de francs. (→ 10.9.67)

Le Gates Lear Jet Model 25 Transporter a un fuselage allongé de 1,20 m par rapport au Model 25 et peut transporter huit passagers au lieu de six.

Le prototype du Neiva IPD-6201 Universal d'entraînement.

Le Beech C 99 avec ses 19 sièges vise le marché des avions-taxis.

Le Douglas DC-8 Super 61 possède un fuselage rallongé pour accueillir 251 passagers, mais il garde les ailes du Series 50.

Le Bac One-Eleven Series 300.

Le Dinfia IA.53, un avion agricole pour la pampa argentine.

Un Chipmunk à turbopropulseur, modifié par Hants & Sussex.

Le Wassmer WA.50, un quadriplace à cellule entièrement en plastique.

L'Alon A-4, essai infructueux d'amélioration de l'ancien A-2.

Le McDonnell Douglas DC-9-30, premier des séries allongées.

Le Beech 60 Duke, avion d'affaires pressurisé à hautes performances.

L'Imco Callair 81, version améliorée de l'ancien A-9.

Le Yakovlev Yak-40 Codling, triréacteur pour 31 passagers, est utilisé à l'Est tant par les compagnies civiles que par les forces aériennes.

L'Andreasson BA-4B est construit par les apprentis de MFI.

Le Dornier Skyservant est basé sur la formule du Do 28.

Le Cessna 177 Cardinal, connu à l'origine sous le nom de 172J.

Le Fiat G.91Y, version biréacteur du Fiat G.91R.

Le Bell 206A JetRanger, avec ses nombreuses versions, devient en quelques années l'un des hélicoptères légers les plus vendus au monde.

Le Gurmman Gulfstream II est le premier modèle à réaction de la famille des appareils d'affaires à porter ce nom. Il est équipé de deux Spey.

Le Fairchild-Hiller FH-227 est une version sous licence légèrement rallongée du Fokker F-27 Friendship destinée au marché intérieur américain.

Le Carstedt Jetliner, dérivé du de Havilland Heron.

Le Pilatus PC-7 Turbo Trainer, version à turbopropulseur du P-3.

La version KA-6D de ravitaillement en vol du Grumman A-6 Intruder fait son apparition en 1966. Elle dispose d'une seule perche centrale.

Le premier Hawker Siddeley Harrier porte la dénomination de P.1127.

Le Soko Kraguj, avion léger armé pour la lutte antiguérilla.

La version du Lockheed Neptune construite sous licence au Japon porte la dénomination de Kawasaki P2V-Kaï, transformée ensuite en P-2J.

L'appareil Northrop-Nasa M2F2 est un « corps sustenté » sans aile.

Le Bell X-22A à quatre hélices carénées pivotantes.

Le Mirage F1 est financé sur les fonds propres de Dassault, et après l'échec des F2 et G, l'armée de l'air en fera le successeur du Mirage III.

1967

Singapour, 1er janvier
Malaysia-Singapour Airlines, devenue Singapour Airlines, affiche ses ambitions transcontinentales en louant un Boeing 707-320B.

Paris, 24 janvier
Air France annonce une réduction de 25 % du prix des billets aller et retour pour les jeunes de 12 à 22 ans, sur ses lignes européennes et vers le Maghreb.

Suède, 8 février
Vol initial du Saab-37 Viggen bisonique. Avec sa voilure en canard, il peut opérer à partir de pistes courtes ou de tronçons d'autoroute.

France, 22 février
Westland et Sud-Aviation, principaux constructeurs européens de voilures tournantes, signent un accord de coopération pour le SA-330 Puma, le SA-341 Gazelle, et le futur WG-13 Lynx. (→ 7.4)

Nord Viêt-nam, 26 février
Des Grumman Intruder de l'US Navy mènent la première mission de minage de rivières. Le 6 février était lancée une série d'opérations de largage de défoliants.

Filton, 27 février
Les ingénieurs des 15 compagnies ayant commandé le Concord, visitent la maquette grandeur nature réalisée par la British Aircraft Corporation, pour étudier l'aménagement intérieur du supersonique.

Union soviétique, 3 mars
Premier vol du Beriev-30. Avion turbopropulsé à décollage et atterrissage courts, il doit remplacer les Antonov 2 d'Aeroflot.

Japon, 6 mars
Japan Air Lines inaugure sa ligne autour du monde, Tokyo - Honolulu - San Fransisco - New York - Londres et retour.

Union soviétique, 10 mars
L'Iliouchine Il-62, qui a reçu ses réacteurs à double flux Kouznetsov, ouvre la ligne Moscou-Khabarovsk. (→ 13.11)

Viêt-nam, 10 mars
A bord d'un Thunderchief F-105, le pilote de l'US Air Force Max Brestel abat deux MiG-17 au cours d'une même mission. (→ 11.8)

Grande-Bretagne, 18 mars
Pour éviter la pollution, la RAF tente de couler le pétrolier *Torrey Canyon*, échoué près des côtes.

Bangalore, 29 mars
Vol inaugural du chasseur biréacteur Marut, construit par la firme indienne Hindustan Aeronautics.

France, 3 avril
Henri Potez cède à Sud-Aviation ses usines et bureaux de Toulouse, ainsi que ses productions en cours.

Etats-Unis, 6 avril
TWA est la première compagnie uniquement équipée de jets.

Wichita, 10 avril
La société Gates Rubber de Denver prend le contrôle de Lear Jet.

Moscou, 18 avril
Aeroflot et Japan Airlines ouvrent leur service Moscou-Tokyo.

Long Beach, 28 avril
Fusion de Douglas Aircraft avec McDonnell. Les retards de livraison du DC-9 et ses coûts de développement ont mis Douglas en difficulté financière. (→ 26.10.72)

France, 28 avril
Eastern Air Lines prend une option sur deux autres Concorde. Le total des options prises par les 14 compagnies commanditaires, auxquelles s'est ajoutée Air Canada le 2 mars, atteint 74.

France, 3 mai
La Caravelle reçoit son homologation d'atterrissage automatique en phase III, c'est-à-dire avec visibilité verticale nulle et horizontale réduite à 200 m. (→ 6.1.69)

Amsterdam, 9 mai
Premier vol du Fokker F-28 Fellowship. Biréacteur à double flux, il peut accueillir 65 passagers.

Istres, 19 mai
René Bigand, s'écrase avec le Mirage F-1-01. Le 7 janvier, il dépassait Mach 2 avec cet avion équipé du réacteur Atar 9K. (→ 20.3.69)

Etats-Unis, 24 mai
Baptisé *Spirit of Santa Barbara*, le Mini Guppy d'Aero Spacelines effectue son premier vol.

Orly, 22 juin
Dix communes riveraines d'Orly attaquent en justice Air France, TWA et la Pan Am, pour qu'elles paient l'insonorisation de leurs bâtiments publics. (→ 15.4.68)

Hong Kong, 23 juin
Inauguration d'une agence d'Air France dans la ville carrefour de l'Extrême-Orient.

France, 28 juin
Avec la fusion de Breguet au sein de Dassault disparaît l'une des plus anciennes firmes de construction aéronautique française.

Baléares, 1er juillet
Parti d'Ibiza pour Palma, l'avion privé affrété par Moïse Tschombé, l'ex-ministre zaïrois condamné à mort par contumace par Kinshasa, est détourné vers Alger.

Moyen-Orient, 11 juillet
Réouverture de la ligne Air France vers la Syrie, interrompue à cause de la guerre des Six-Jours. Le service vers Israël et le Liban reprend aussitôt après le conflit et la liaison vers l'Egypte est rétablie le 21 juin.

France, 1er août
Trois agriculteurs trouvent la mort dans l'effondrement d'une grange dû au bang sonique.

Madrid, 7 août
Les compagnies Aerolinas Argentinas et Iberia inaugurent ensemble le plus long parcours sans escale, entre Buenos Aires et Madrid.

Toulouse, 10 septembre
Le prototype 001 du Concorde a subi depuis le 10 août ses essais de vibration. (→ 11.12)

France, 2 octobre
Création de *Nouvelles Frontières*. Son nom vient du célèbre discours de John F. Kennedy.

Etats-Unis, 3 octobre
A bord du North American X-15, doté d'une capacité de carburant accrue, William Knight atteint la vitesse de Mach 6.72. (7 297 km/h)

Marignane, 5 octobre
Arrivée, à bord de 3 Breguet-941, des 104 athlètes français du centre préolympique de Font-Romeu. Pour garder le bénéfice de leur entraînement en altitude, ils embarquent aussitôt sur un Boeing d'Air France en partance pour Mexico.

Japon, 5 octobre
Le Shinmeiwa PX-S, hydravion de surveillance et de lutte anti-sous-marine, débute ses essais en vol.

Union soviétique, 5 octobre
Sur un Mikoyan E-266 (MiG-17), Komarov porte le record de vitesse en circuit fermé à 2 981 km/h.

Aden, 8 novembre
Pour rapatrier ses troupes, la RAF organise le plus grand pont aérien depuis celui de Berlin.

Melun, 21 novembre
Premier vol du biréacteur Vautour à pressurisation spéciale, chargé de pénétrer dans le champignon atomique pour des prélèvements, lors des essais de la bombe H française.

Etats-Unis, 28 novembree
McDonnell Douglas fait voler le premier exemplaire du DC-9 Serie 40. (→ 17.6.68)

France, 4 décembre
Coopérant avec Handley Page, la CGTM, filiale de Turboméca, reçoit pour sa mise au point le prototype du Jetstream, équipé de deux turbopropulseurs Astazou XVI.

Le Mirage V, version simplifiée du Mirage III, pose derrière l'éventail de l'armement qu'il peut emporter selon le type de mission.

Le Do 31E, Adav pour le transport aérien

Chaque nacelle en bout d'aile comporte deux réacteurs pour la sustentation.

Allemagne fédérale, 10 février

Après de longs mois de recherches, les ingénieurs de la société allemande Dornier, basés à Friedrichshafen, ont assisté ce matin au vol inaugural de leur premier avion à décollage et atterrissage vertical (Adav). Leur objectif est de construire un appareil de transport capable d'opérer directement entre les centres des principales villes du monde et se passant d'aéroports.

Baptisé Do-31E, le prototype qui vient de voler pour la première fois est un monoplan à aile haute. Cet appareil futuriste comporte huit petits réacteurs verticaux montés dans deux nacelles en bouts d'aile. Outre ces réacteurs de sustentation délivrant une poussée totale de 16 000 kg, le Do-31E est équipé de deux réacteurs Rolls-Royce Pegasus à double flux développant plus de 10 000 kg de poussée vectorielle.

Air Inter ouvre Paris-Nice en Caravelle

Avec la Caravelle, Air Inter met Nice à 1 h 20 de la capitale.

Paris, 10 février

La Caravelle F-BNKB sort de son hangar pour être livrée à Air Inter, après avoir été achetée par Air France. Elle est actuellement l'appareil idéal pour les lignes moyen-courriers. La liaison Paris-Nice est effectuée en 1 h 20 avec un avion qui ravit tous les passagers qui l'empruntent. Si certaines personnes redoutaient encore aujourd'hui de prendre l'avion, la Caravelle les fait se réjouir du voyage. Côté équipage, c'est aussi un plaisir. Les pilotes se sont familiarisés au maniement des réacteurs. Ne trouvant pas de défaut majeur à l'avion, on critique certaines conceptions un peu compliquées. Par exemple, l'essuie-glace du pare-brise fonctionne avec un moteur hydraulique qui est lui-même actionné par un moteur électrique. Les ingénieurs ont parfois leurs secrets !

Sud-Aviation a construit un hélicoptère

France, 7 avril

Sud-Aviation est à l'honneur. Son premier hélicoptère, le SA 340/001 Gazelle, a effectué son vol inaugural. Pouvant accueillir 5 personnes, cet hélicoptère, doté d'un réacteur Astazou II, est surtout conçu pour répondre à des besoins militaires. Les pales métalliques ont été remplacées par des pales en fibre de verre très résistantes aux chocs. Le fenestron inclu dans la dérive supprime les accidents causés par le contact des pales du rotor avec des obstacles. Un premier accord de principe a été signé avec les Britanniques au sujet d'une production commune avec Westland. Le premier vol confirme l'intérêt des militaires pour cet engin d'observation.

Le prototype n'a pas encore reçu la protection pour l'hélice arrière.

Produit par Grumman, le Gulfstream II est un très luxueux biréacteur d'affaires. Il est équipé de deux réacteurs Rolls-Royce Spey. Sa vitesse de croisière est de Mach 0.85. Il emporte huit passagers en plus de son équipage. Il a fait son premier vol d'essai le 2 octobre. (→ 5.5.68)

Le Boeing 737 est plébiscité par les compagnies aériennes

Complément du Boeing 727, le 737 est la réponse de Boeing au BAC-111 et au DC-9 de Douglas.

Seattle, 9 avril
Le bébé de la famille Boeing, immatriculé N-73700, est sorti des ateliers pour la première fois ce matin. Il s'agit du 737-100, le plus petit des avions de ligne du constructeur de Seattle. En gestation depuis le 16 février 1965, le nouveau-né semble voué à un bel avenir. En effet, le jour même où le 737-100 est entré en production, la compagnie allemande Lufthansa signait un contrat pour l'achat de vingt et un exemplaires du biréacteur. C'était la première fois qu'une compagnie aérienne étrangère allait permettre le lancement d'un avion commercial aux Etats-Unis. Le choix de la Lufthansa a été un coup très dur pour le BAC-111, produit par la British Aircraft Corporation. Après la firme allemande, c'est United Airlines qui a commandé quarante 737. Pour répondre aux impératifs de cette société, Boeing est déjà en train de mettre au point le 737-200, version allongée de 1,82 m. Celle-ci aura une capacité de 119 passagers, contre 107 seulement pour le 737-100. (→ 4.2.68)

Le 1 000ᵉ Boeing pour Pan Am

Seattle, 6 juin
American Airlines vient prendre livraison d'un nouvel avion, un Boeing 707-323. Quoi de plus normal pour une compagnie aérienne, d'autant plus qu'American utilise ce type d'appareils depuis janvier 1959 ? Mais cela n'a rien de banal, car il s'agit du millième avion de ligne à réaction sorti des usines du grand constructeur de Seattle. Les responsables de Boeing et d'American ont d'ailleurs dignement fêté l'événement. En revanche, le champagne n'a pas été sablé chez United Airlines. Cette compagnie a perdu la « guerre du 1 000ᵉ Boeing ». Il s'en est fallu de peu, quelques minutes à peine. En effet, peu après qu'American ait reçu le 707, United prenait livraison d'un Boeing 727. Cet appareil, qui avait quitté l'usine de Renton à Seattle le 20 avril dernier, était censé être le millième Boeing livré. United a été coiffée au poteau. (→ 31.12.68)

Dassault construit un avion pour Israël

Melun-Villaroche, 19 mai
Piloté par Hervé Leprince-Ringuet, le Mirage V a effectué son premier vol au centre de Melun-Villaroche. Cet avion, offrant de hautes performances à un prix de base inférieur, est un Mirage III E simplifié sur le plan des équipements électroniques évolués. Constitué d'un fuselage plus long que celui de son aîné, le Mirage V a une capacité en charge et en volume accrue de 30 % par la réduction de poids en avionique. Il embarque 500 l de kérosène de plus dans les réservoirs externes et son autonomie est supérieure de 35 %. Il peut aussi supporter jusqu'à 4 tonnes de charge sous sept points d'attache. Cet appareil performant a déjà fait l'objet d'une commande, de la part d'Israël, de 500 exemplaires. Le prix unitaire est inférieur à 1 million de dollars. (→ 20.11.71)

Deux hélicoptères traversent l'Atlantique

Le Bourget, 1ᵉʳ juin
Partis le 31 mai de New York, deux Sikorsky HH-3E sont arrivés au Salon du Bourget. C'est la première fois que des hélicoptères traversent l'Atlantique Nord sans escale. Ravitaillés à neuf reprises grâce à leur perche de ravitaillement escamotable en vol, ils ont parcouru 6 873 km en 30 heures et 46 minutes. Le HH-3E, destiné à l'USAF, est une machine de sauvetage, dérivée du CH-3E, appareil utilisé par l'Aerospace Rescue and Recovery Service. Ils sont dotés de deux turboréacteurs General Electric de 1 500 ch chacun. La vitesse maximale au niveau de la mer est de 260 km/h et le plafond pratique de 3 400 m. Ils sont munis d'un treuil de sauvetage rapide et de réservoirs de carburant auto-étanches. Son train rentrant lui permet d'effectuer des missions marines.

Israël peut se passer d'une électronique sophistiquée pour son Mirage V.

La perche de ravitaillement est télescopique pour tenir l'avion-cargo éloigné.

Victoire éclair des avions israéliens

Le déroutement est imposé aux civils

Les Mirage IIICJ d'Israël sont arrivés en volant au ras des flots. Les radars de l'US Navy n'ont rien détecté.

Tel-Aviv, 5 juin

L'Egypte a perdu sa force aérienne en une matinée. L'aviation israélienne a attaqué ses voisins arabes qui ne s'attendaient pas à une action aussi rapide et efficace. Le bilan est très lourd. L'Egypte a perdu 240 appareils dont la grande majorité a été détruite au sol, et le raid mené contre la Jordanie, la Syrie et l'Irak a causé la destruction de 68 avions. L'armée de l'air égyptienne, avec ses 450 appareils, a été l'objectif principal. L'état-major israélien a fixé les premières offensives à 7 h 45 min. C'est l'heure à laquelle les officiers supérieurs égyptiens sont dans leur voiture, prisonnier du trafic pour se rendre à leur bureau. A ce moment, aucun ordre important ne peut partir du Caire. Les Vautour et Mirage IIICJ (J pour Juif) sont arrivés, volant au ras des flots au-dessus de la Médi-terranée, dans les couloirs aériens civils. Un peu plus tôt, des vieux Spitfire israéliens ont coupé les fils téléphoniques de liaison dans le désert du Sinaï. Volant à dix mètres au-dessus du sol, ils laissaient pendre des câbles munis de crochets pour arracher les fils, quand ils ne les coupaient pas carrément avec leur hélice. Ce n'est que vers 2 heures que Nasser a appris la vérité sur son aviation. (→ 21)

Egypte, 21 juin

Ce n'est qu'aujourd'hui que les appareils d'Air France ont pu reprendre leurs liaisons vers l'Egypte. Depuis le 6 juin, les compagnies aériennes étaient bloquées par l'interdiction de survol du pays. La veille, les forces aériennes israéliennes étaient entrées par surprise en Egypte. Elles ne sont pas passées par le plus court chemin, mais par les couloirs utilisés par le trafic civil, sur la route aérienne Sidi Barrani - Louxor. L'exploitation des lignes d'Air France sur les réseaux France - Extrême-Orient par l'Asie méridionale et France-Madagascar devenait également impossible puisqu'on ne pouvait survoler aucun des pays en guerre. Les avions devaient passer par la Lybie et le Soudan, et rejoindre Djibouti pour les vols à destination de l'Extrême-Orient. Pour le trafic vers Madagascar et l'océan Indien, l'escale était effectuée à Nairobi. L'activité des vols vers Israël et le Liban a également repris. Quant aux agences et locaux d'escale d'Air France, ils n'ont subi aucun dégât.

Eastern engage une hôtesse noire

Miami, 1er juillet

Son obstination a eu raison des dernières réticences d'Eastern Air Lines : Joanne Fletcher vient d'être engagée. Or, Joanne est noire. Et force est de reconnaître que, trois ans après le vote par le Congrès de la loi pour l'égalité des races, des sexes et des religions, les mentalités ont encore bien peu changé. Joanne, Joni pour ses amis, en était à sa troisième entrevue avec Lorraine Roxie, chez Eastern Air Lines. Car ces huit derniers mois n'ont été pour elle qu'une longue série de refus de la part des plus grandes compagnies. Motif à chaque fois invoqué : une couleur de peau trop sombre. Et cela, malgré des compétences qui la faisaient invariablement sélectionner à l'écrit. Mais Joanne est une battante : elle a déjà été la première femme noire engagée par l'Agriculture Credit Union à Washington. Elle connaît les difficultés de son rôle.

Les Occidentaux présents à l'exposition de Domodedovo

Union soviétique, 9 juillet

A l'Est, l'aéronautique se dévoile. La première grande exposition consacrée à la construction des avions a ouvert ses portes à Domodedvo, en Union soviétique. L'occasion pour les visiteurs venus de l'Ouest de découvrir la technologie et les dernières créations soviétiques, et de se livrer à des comparaisons. Parmi les Occidentaux, le Britannique sir George Edwards, le patron du programme Concord, qui, découvrant le prototype du Tu-144, fait part de ses impressions à Aleksei Andrevitch Tupolev : « Vous aurez à modifier certaines choses. D'abord, vos entrées d'air et les moteurs sont disposés à la mauvaise place. D'autre part, le dessin de l'aile n'est pas bon. Quant au moteur à double flux, il vous aidera pour la limitation du bruit aux alentours des aéroports. Mais nous savons combien ces considérations sont, pour vous autres Soviétiques, d'un intérêt très limité... En revanche, ce choix impliquera pour votre appareil une grande perte d'efficacité lors des vols de croisière. »

C'est le 14e vol du MiG-23S-11, chasseur à flèche variable. Il a volé pour la première fois le 10 juin dernier.

Un accord est signé pour Airbus à Bonn

Bonn, 26 septembre

« Renforcer la coopération technologique et économique au sein de l'Europe », tels ont été les propos tenus le 9 mai dernier par les ministres britannique, allemand et français. Ainsi est née la grande idée : la création d'un Airbus européen, court et moyen-courrier, d'une capacité de 260 à 300 passagers, qui devrait entrer en service en 1973. Sud-Aviation, Hawker-Siddeley et Deutsche Airbus seront chargés de la construction tandis que la maîtrise d'œuvre de la cellule revient à Sud-Aviation. L'accord a été signé à Bonn entre les trois gouvernements. (→ 11.12.68)

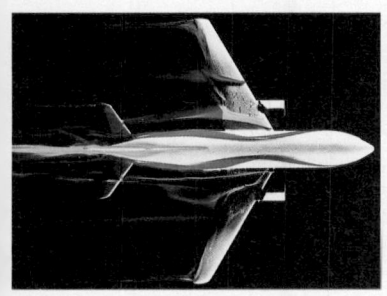

L'essai en soufflerie de la maquette.

L'US Air Force s'enlise au Viêt-nam

Haiphong après un raid des B-52.

Un C-141 décolle de la base de l'US Air Force installée à Tan Son Nhut.

Viêt-nam, 11 août

Durcissement des bombardements américains au Viêt-nam. Des Republic F-105, conduits par le colonel White du 335e Tactical Fighter Wing de l'US Air Force, ont mené la première attaque du pont Paul-Doumer, sur le fleuve Rouge, à Hanoi. Cet ouvrage permet aux Nord-Vietnamiens de recevoir par chemin de fer du matériel en provenance de la Chine. En janvier dernier, déjà, les Américains lançaient l'opération *Bolo* pour faire décoller les MiG nord-vietnamiens et les détruire. Parmi les appareils utilisés, les Phantom II du 8e Tactical Fighter Wing de l'US Air Force, dirigés par le colonel Robin Olds. Au cours des combats, sept avions ennemis ont été détruits tandis que les Américains n'ont subi aucune perte. Le 22 février dernier, 845 parachutistes et 14 Lockheed C-130 Hercules de transport prenaient part à la première grande action aéroportée menée par les Américains au Viêt-nam. Le 3 août, le président Lyndon Johnson annonçait une augmentation du contingent, ainsi porté à 525 000 hommes, et un effort de guerre supplémentaire de 24 milliards de dollars alloués par le Sénat au ministère de la Défense. Le 9, les bombardements sur Hanoi reprenaient.

La Poste s'équipe en matériel moderne

France, 13 octobre

Le premier des Fokker Frienship F-27-400, immatriculé F-BOOC, a été livré au centre d'exploitation postal. De tous les appareils de la société néerlandaise, le Friendship est sans doute celui qui a obtenu le plus de succès. Propulsé par des turbines Rolls-Royce, l'avion a subi quelques modifications et il peut passer de la version cargo à la version passagers. Il semble être à présent l'appareil idéal pour le fret postal. L'entraînement des équipages d'Air France sur le Fokker Friendship se poursuit à Orly. Les instructeurs français qui donneront la qualification de type aux pilotes ont été formés à Amsterdam, directement chez Fokker.

Canadair construit un bombardier d'eau

Canada, 23 octobre

Le premier bombardier d'eau Canadair CL-215 a pris son envol. La décision de construire un avion pour remplacer les vieux Catalina a été prise lors d'un congrès sur la lutte contre les incendies de forêt à Ottawa en décembre 1963. Le résultat est un bombardier amphibie de 12 000 kg à vide capable de transporter jusqu'à 5 450 litres d'eau. Pour remplir ses deux citernes, il amerrit à vitesse réduite sur un lac, un fleuve ou la mer et il se remplit d'eau grâce à des écopes rétractables. Le Canadair peut ainsi faire le plein d'eau en une douzaine de secondes, puis repartir vers le foyer d'incendie. Cet avion devrait sauver des millions d'arbres.

En version passagers, le Fokker F-27 Friendship peut emporter 44 passagers.

Le Canadair, à pleine puissance, effleure la surface et s'alourdit d'eau.

Cathay Pacific monopolise Hong Kong

Une partie de la piste de l'aéroport de Hong Kong est en surplomb sur la mer.

Hong Kong, 17 novembre
Seule l'opération *Eagle Thrust* aura réussi à arrêter momentanément les activités de Cathay Pacific. Tout a été dégagé sur l'aéroport pour favoriser l'arrivée du gigantesque pont aérien que les Etats-Unis lancent vers le Viêt-nam : 5 118 tonnes de matériel, 10 356 parachutistes aéroportés en un temps record vers le théâtre des opérations. La compagnie a dû, aujourd'hui, renoncer à ses liaisons vers Saigon. Elle n'en demeure pas moins l'une des so-

ciétés aériennes les mieux organi-sées de ce secteur dans le Sud-Est asiatique. Comment s'en étonner de la part de ceux que l'on surnomme ici les Pirates de Syd ? Réunis dès 1945 autour de Roy Farrell et de Sydney de Kantzow, ses pilotes aux airs de flibustiers s'étaient fait con-naître vers 1949 par cette devise : Transporter tout et partout ! Assa-gie depuis, la compagnie, basée à Hong Kong, a su développer au-dessus de l'Asie un impressionnant réseau de voies aériennes.

Mireille Mathieu est la marraine d'un groupe d'hôtesses de l'air japo-naises engagées par Air France pour servir sur les lignes vers Tokyo.

Un avion supersonique à flèche variable

Les Mirage G4 et G8 sont les versions biréacteurs et biplaces du Mirage G.

Istres, 30 novembre
Dassault a déjà eu l'honneur d'être le premier constructeur à concevoir un avion à décollage vertical qui réussisse la performance de décol-ler sur place pour ensuite voler à plus de Mach 2. Il devient aussi le premier constructeur européen à développer un avion à géométrie variable qui, en moins de deux se-maines, réussit ses essais de varia-tion de géométrie de l'aile en vol pour atteindre la vitesse de Mach 2.1. Ce n'était que le 11e vol du

Mirage G. Le premier avait eu lieu le 18 novembre avec Jean Coureau aux commandes. Restant avec les ailes déployées à 25o, il avait sim-plement fait grimper la machine à 10 000 pieds pour revenir se poser à Istres. Avec ses 18 tonnes, le Mi-rage G a une vitesse d'approche en seuil de piste de 350 km/h. Depuis, les vols se sont succédé sans pro-blème avec variation de la flèche. Une quille sous la queue a été ajou-tée pour rendre l'avion stable aux vitesses transsoniques.

Le Mirage G8 peut maintenir une vitesse de Mach 2.34 à 49 000 pieds.

On manque de pilotes de ligne en France

Paris, 16 octobre
La pénurie touche déjà les Etats-Unis et la menace pèse maintenant sur la France : d'ici à deux ans, Air France manquera de pilotes et son essor est compromis. Cette pénurie a trois causes. L'Ecole nationale de l'aviation civile, L'Enac, ne fournit plus assez de candidats à l'aviation ; les vocations piétinent et une ré-cente loi, en date du 23 juin dernier, impose la condition de la nationa-

lité française pour figurer sur les registres du personnel navigant professionnel. Face à cette situa-tion, Air France vient de mettre en place deux mesures. Un nouveau type de recrutement, le stage F, s'adresse à de jeunes pilotes d'aé-ro-clubs auxquels sera dispensée une formation de 22 mois, et une campagne de sensibilisation à la profession est assurée auprès des lycéens par des pilotes confirmés.

Le Concorde 001 est présenté à 1 200 invités

Le prototype qui quitte le hangar n'a pas encore de moteurs. Les essais au sol seront longs, les freins doivent arrêter 130 tonnes lancées à 350 km/h.

Toulouse, 11 décembre
To e or not to e? Cette question fondamentale divise les gouvernements français et britannique depuis cinq ans. Tout avait pourtant très bien commencé, car le choix du nom du futur avion supersonique franco-britannique n'avait donné lieu à aucune controverse, les deux parties estimant que le mot *Concorde*, avec ou sans la cinquième lettre de l'alphabet, symbolisait parfaitement la coopération entre Paris et Londres. Mais les choses se sont vite gâtées : dès le début du projet, Concorde s'écrivait avec un *e* en France et sans en Angleterre. De chaque côté de la Manche on campait résolument sur sa position. Loin d'être un banal duel orthographique, l'affaire avait pris des proportions alarmantes et menaçait de dégénérer. Puis, ce matin, la crise a été désamorcée, à la surprise générale. Venu à l'aéroport de Toulouse-Blagnac, par un temps glacial, pour assister avec des milliers d'autres personnes à la toute première sortie officielle du Concorde 001, le ministre britannique de la Technologie, sir Anthony Wedgwood Benn, a enfin jeté l'éponge. «Cette situation étant devenue insupportable, j'ai décidé de la régler moi-même : le Concord britannique s'écrira avec un *e* car cette petite lettre représente pour nous beaucoup de choses. Elle signifie : excellence, England, Europe et entente», a dit, bon prince, le ministre, sous les applaudissements de la foule et avant que ne retentissent *la Marseillaise* et *God Save the Queen*. (→ 4.2.68)

Air France affrète un Il-62 d'Aeroflot

Union soviétique, 13 novembre
Encore un pas dans le rapprochement de la France et de l'Union soviétique : M. Galichon, président d'Air France et M. Froheim, représentant général en Europe de l'Est, se sont rendus en URSS, invités par le maréchal Loginov, ministre de l'Aviation. Au cours de la visite, un accord a été signé aux termes duquel Air France affrétera un appareil Iliouchine-62 d'Aeroflot. Celui-ci viendra s'ajouter aux Boeing et aux Caravelle d'Air France sur la ligne Paris-Moscou. Cet accord prendra effet à partir du mois de mai 1968. L'utilisation de cet avion permettra de faire face à l'augmentation de trafic prévu sur cet axe l'an prochain.

Les Américains font des recherches sur le vol stratosphèrique

Etats-Unis, décembre
La conquête de l'espace a effectué ces dernières années un prodigieux bond en avant. Avant de pouvoir placer des vaisseaux en orbite terrestre, il fallait mettre au point un appareil capable de revenir dans l'atmosphère et de se poser comme un appareil classique. Pour réaliser cette navette spatiale, plusieurs machines ont été étudiées. l'Ames Research Center et le Langley Research Center ont conçu deux projets : le MF-2F et le HL-10, qui ont été testés de manière intensive. L'US Air Force travaille sur le X-24A de la firme Martin Marietta. (→ 14.10.70)

Un B-52 décolle avec le HL-10 sous son aile. Sans moteur, le HL-10 doit pouvoir manœuvrer pour revenir se poser.

Les avions de l'année 1967

Le Pilatus P-8 Twin Porter est un bimoteur dérivé du Porter.

Le Found Centennial 100, un six places utilitaire.

Le Fokker F.29 Fellowship est un biréacteur destiné à remplacer le F.28. Il vole le 9 mai 1967 et entre en service deux ans plus tard.

Lufthansa est à l'origine du développement du Boeing 737, qui fait l'objet de ses premières commandes avant même son premier vol.

Le Beriev Be-30 n'est pas construit en série.

Le Ted Smith Aerostar est offert en trois variantes différentes.

La production du Siat 223 est assurée par MBB puis par Casa.

Le Socata ST.10 Provence est rebaptisé Diplomate.

Le BAC One-Eleven Series 500 est une version allongée du modèle de base qui peut accueillir 119 passagers.

Le Volpar Turboliner donne un second souffle au Beech 18.

Le Dornier Do 31E, équipé de quatre réacteurs à chaque saumon d'aile.

La production du Jetstream est reprise par Scottish Aviation, puis par BAC, après la disparition de son constructeur d'origine, Handley Page.

Le Zlin 42, biplace tchécoslovaque de tourisme et d'entraînement.

Le Rollason Beta, monoplace pour la voltige aérienne.

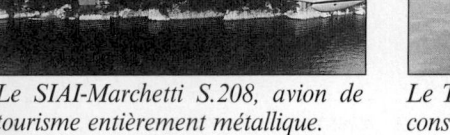

Le SIAI-Marchetti S.208, avion de tourisme entièrement métallique.

Le Taylor JT.1 est vendu en kit aux constructeurs amateurs.

Lorsque Scottish Aviation relance les chaînes du Beagle Pup, le constructeur en dérive le Buldog, qui entre en service dans la Royal Air Force.

Deux prototypes du Dassault Mirage G8 à géométrie variable sont proposés à l'armée de l'air, qui ne donne pas suite au programme.

Le Jim Bade BD-2 à hélice propulsive sombre dans l'oubli.

Le McDonnell Douglas DC-9-40 est spécialement conçu pour SAS.

Le Robin DR.253 Regent est vite remplacé par le DR.400/180.

Le McDonnell Douglas DC-8-60, une version conçue pour le fret.

Hughes 500 est également utilisé par plusieurs polices du monde.

Le MiG-23, chasseur bombardier à géométrie variable.

Extérieurement, le Lockheed TR-1A ressemble beaucoup au U-2R, mais il s'en différencie par son avionique et par de meilleures performances.

Les F-4M Phantom de la RAF sont équipés de réacteurs Spey.

Le Canadair CL.25, célèbre avion de lutte contre l'incendie.

Le Westland Sea King conserve la cellule et le rotor du SH-3D.

Le Sikorsky HH-53B Super Jolly sera très utilisé au Viêt-nam.

L'Aérospatiale SA 341 Gazelle connaît un important succès.

Le BAC Jet Provost T.5, l'appareil d'entraînement standard de la RAF.

Le Boeing-Vertol CH-47C, une version plus puissante.

Le Hughes 500 trouve de multiples débouchés dans le civil.

Le Grumman TC-4C sert à former les équipages du A-6A Intruder.

Le FMA IA.58 Pucara connaîtra le baptême du feu aux Malouines.

Le Saab 37 Viggen, comme tous les appareils de combat suédois, est également développé en versions de reconnaissance, d'appui et d'entraînement.

L'Aeritalia AM.3C, appareil de coopération terrestre.

Dix Lockheed YAH-56 Cheyenne d'appui-feu furent construits.

1968

7 297 km/h
Etats-Unis
William Knight
North American X-15
3.10.67

39 147 km
Etats-Unis
Archie Old Jr.
Boeing B-52
18.1.57

107 960 m
Etats-Unis
Joseph Walker
North American X-15
22.8.63

348 810 kg
Etats-Unis
Lockheed
C-5A Galaxy

20 000 kgp
URSS
Kouznetsov
NK-144

Grande-Bretagne, 5 janvier
Le Handley Page Hastings, en service depuis vingt ans dans la RAF, est retiré des formations.

France, 8 janvier
Air France embauche cinq hôtesses brésiliennes chargées des contacts avec les clients de langue portugaise sur son réseau de l'Atlantique Sud.

Groenland, 21 janvier
Un B-52 du Strategic Air Command, transportant quatre bombes nucléaires, manque son atterrissage sur la base de Thulé et s'écrase. Les bombes sont détruites par le feu.

Sud Viêt-nam, 21 janvier
Les avions de transport de l'US Air Force commencent à ravitailler les marines encerclés à Khe Sanh par le Viêt-cong.

Toulouse, 4 février
Le moteur Olympus, monté sur le Concorde 001, effectue son premier point fixe. (→ 20.8)

Miami, 21 février
Un avion de Delta Air Lines est détourné vers La Havane.

Washington, 22 février
Le gouvernement et Boeing annoncent un retard d'un an pour l'avion commercial SST. (→ 20.5.70)

Sud Viêt-nam, 3 mars
Une patrouille de Gunship Spooky repousse une attaque nocturne du Viêt-cong. Depuis l'offensive du Têt, lancée le 31 janvier, les Gunships assurent en permanence la sécurité des bases américaines.

Guadeloupe, 5 mars
Lors de son premier trajet commercial sur ce secteur, le Boeing 707 d'Air France *Château de la Voûte de Polignac*, venant de Caracas, s'écrase sur la Soufrière.

Melun-Villaroche, 8 mars
Jacques Cartier débute les vols entravés du Ludion, siège monté sur patins et propulsé par deux moteurs-fusées. Il est destiné aux déplacements des fantassins.

Istres, 9 mars
Mort, à 70 ans, de René Leduc, le père de la tuyère thermopropulsive.

Union soviétique, 27 mars
Près de Moscou, Youri Gagarine se tue avec un instructeur, Vladimir Serioguine, lors d'un vol d'entraînement sur un MiG-15.

Paris, 15 avril
Air France met en service sur la ligne Paris-Londres son premier Boeing 727-228, livré le 26 mars.

Grande-Bretagne, 17 avril
BEA réceptionne son Trident 2E *Lady Milward*, immatriculé G-AVFD. C'est une version améliorée avec atterrissage automatique. BEA dessert maintenant Orly en plus du Bourget.

Grande-Bretagne, 29 avril
Premier client étranger de McDonnell Douglas pour le Phantom, la Royal Navy reçoit des F4-K. Ils auront des moteurs Rolls-Royce.

Londres, 5 mai
Avec réservoirs supplémentaires en bouts d'aile, le Gulfstream II de Grumman, qui vole depuis le 2 octobre 1967, relie Teterboro (New Jersey) à Londres. C'est le premier jet d'affaires qui traverse l'Atlantique sans escale.

Orly, 13 mai
En raison de la grève du Centre de contrôle régional, l'exploitation du trafic aérien en France est gravement perturbée. (→ 19.5)

Danemark, 16 mai
Le Fokker F-27 Mk 500, doté d'un fuselage rallongé pour 52 passagers, est livré à la compagnie Sterling Airlines.

Long Beach, 17 juin
Sortie d'une version dérivée du DC-9, aménagée pour les missions d'évacuation sanitaire de l'armée.

Grande-Bretagne, 28 juin
Vol initial du prototype du Hawker Siddeley *Nimrod*, avion de reconnaissance maritime à réaction.

Paris, 11 juillet
Les compagnies Air France, Alitalia, DHL, Lufthansa et Sabena forment le groupe ATLAS, chargé d'organiser leur coopération dans l'exploitation et l'entretien des futurs Boeing 747. (→ 14.3.69)

Lagos, 13 juillet
La Sabena perd un Boeing 707-329, victime de la guerre entre le Nigeria et le Biafra. (→6.9)

Athènes, 15 juillet
Le Super Frelon loué à Sud-Aviation par Olympic Airways commence ses liaisons estivales entre Athènes et les îles grecques.

Etats-Unis, 28 juillet
Pris dans une horde de mouettes, un Falcon-20 prend un bain forcé dans le lac Michigan, ses réacteurs étant bloqués par les nombreux cadavres d'oiseaux. L'équipage parvient à sortir de la cabine, avant que l'appareil coule.

Costa Rica, 1er août
Avec deux hélicoptères, l'US Air Force évacue la population de San José, menacée par l'irruption du volcan Arenal.

New York, 14 août
Le problème de la congestion des aéroports, notamment JF Kennedy, est au centre des discussions entre les compagnies de la région réunies à l'initiative de TWA.

Nicaragua, 19 août
Sur les milliers d'habitants isolés par les inondations, 200 personnes environ ont pu être sauvées par des hélicoptères UH-1F de l'US Air Force, qui ont apporté également plus de 20 tonnes de vivres.

Toulouse, 20 août
Le Concorde 001 commence ses essais de roulement à basse vitesse, sur une piste de 3 500 m spécialement construite pour lui. (→ 2.3.69)

Paris, 28 août
Décès, à l'âge de 82 ans, de Robert Morane, pionnier de la construction aéronautique.

Antibes, 11 septembre
Une Caravelle d'Air France reliant Ajaccio à Nice disparaît mystérieusement, avec ses 95 passagers, au large d'Antibes.

France, 27 septembre
Le Mirage-VJ n°2 effectue son vol initial. Cet avion expérimental de Dassault doit permettre d'étudier la formule des moustaches éclipsables à l'avant, d'où il a reçu son surnom d'Astérix.

Grande-Bretagne, 31 octobre
Sur les 1 080 membres de l'association britannique des pilotes de ligne, 780 refusent d'avoir plus de 10 h 30 d'astreinte par jour et déclenchent une grève sauvage.

Washington, 1er novembre
Le président Johnson donne l'ordre de suspendre les bombardements sur le Nord Viêt-nam.

France, 11 décembre
Henri Ziegler, président de Sud-Aviation depuis juillet, présente le nouveau projet d'Airbus européen A-300-B, qui retire à Rolls-Royce le monopole pour les moteurs. Le budget est ramené à 4,5 milliards de francs. (→ 1.3.69)

Beyrouth, 28 décembre
En représailles à l'attaque, le 26 décembre, d'un Boeing d'El Al sur l'aéroport d'Athènes par deux jeunes Palestiniens, un commando israélien détruit sur l'aéroport de Beyrouth 8 avions de la compagnie MEA, 3 de la LIA, et 2 de TMA.

Cuba, 31 décembre
Sur les 35 détournements dénombrés cette année, 29 ont eu lieu à Cuba.

Seattle, 31 décembre
Record pour Boeing, qui a livré cette année 378 avions : 111 B-707, 160 B-727, et 107 B-737.

Tupolev a déployé tous les efforts possibles pour que son avion de transport supersonique, le Tu-144, vole avant le Concorde. C'est réussi.

La tactique du Gunship a été inventée par des missionnaires

Des Lockheed AC-130 ont aussi été équipés de mitrailleuses latérales.

Viêt-nam, 27 février
Comme son nom de code l'indique, le Spooky (revenant) est une arme terrifiante. Pourtant, ce système de combat, utilisé de plus en plus par les Special Forces américaines contre le Viêt-cong, a des origines bien plus pacifiques. En effet, l'idée de réaliser des avions dotés d'un armement latéral a été empruntée à une méthode mise au point dans les années vingt par des missionnaires américains en Amérique du Sud. Afin de se faire livrer leur courrier en pleine jungle, ceux-ci avaient pensé à demander aux pilotes d'orbiter autour de leur mission en laissant descendre un panier lesté qu'il leur était alors facile d'attaper. C'est la tactique adoptée par les

Les C-47 reprennent du service.

AC-47 Spooky, en fait de vieux Douglas C-47 Dakota équipés de trois Minigun General Electric de 7,62 mm, des mitrailleuses automatiques à tubes multiples d'une cadence de tir de 6 000 coups/min. Une fois la cible repérée, le pilote se place en orbite circulaire et déclenche ses Minigun qui déversent un feu meurtrier sur l'objectif.

Los Angeles, 1er janvier
On se croirait à un défilé de mode : toge romaine, robe de cocktail au chic très parisien ou toilette de *miss* britannique, les hôtesses de TWA ont décidé de surprendre à chaque vol. Mais le plus étonnant est la matière dans laquelle ces ravissants uniformes sont taillés : ils ne sont faits que de papier ! Cette innovation est le support de la nouvelle campagne publicitaire de TWA. La compagnie a en effet décidé de promouvoir ses lignes internationales et son service vers l'Europe : les uniformes sont ainsi chargés de représenter la cuisine des capitales desservies par les différents vols : Rome, Londres ou Paris. Créés par Eliza Daggs, ils ont l'avantage de s'adapter en quelques coups de ciseaux à chaque hôtesse et d'être jetables. Malheureusement ils se déchirent aussi très facilement et constituent surtout un grave risque d'incendie. Pour ces raisons cette campagne très originale semble donc bien compromise.

La fidélité de Lufthansa est récompensée

Hambourg, 4 février
Le Boeing 737 qui vient de se poser sur l'aéroport d'Hambourg est le premier des vingt et un exemplaires de cet appareil commandés par Lufthansa. C'est aussi le premier 737 à être livré à une compagnie aérienne par le constructeur de Seattle. Depuis qu'elle à pris livraison en mars 1960 de son premier Boeing 707, la Lufthansa fait preuve d'une totale fidélité à la firme américaine. D'ailleurs, c'est grâce à la commande de Lufthansa que Boeing a pu établir le cahier de charges du 737. La compagnie allemande va maintenant bénéficier d'une assistance technique particulièrement soignée de la part de Boeing.

Le F-111 se révèle inadapté au Viêt-nam

Nord Viêt-nam, 31 mars
Première perte officielle pour l'armée de l'air américaine depuis son entrée en guerre. Un chasseur bombardier F-111 vient de disparaître au combat. Arrivé de Nellis une semaine plus tôt, cet avion muni d'une voilure à géométrie variable a été dépêché à Takhli, en Thaïlande, lorsqu'il fut décidé de le mettre en opération. Cet appareil est utilisé pour des missions d'attaque au sol en terrain escarpé. Les difficultés de contrôle en profondeur et en roulis contraignent alors le pilote à amener l'avion au-delà de ses limites. Les trois premiers F-111 engagés dans les combats se sont désintégrés en vol et ce, sans intervention nord-vietnamienne.

Le Boeing 737 est court et ventru mais sa rentabilité est remarquable.

Interdit de vol, le F-111 va être modifié et les pilotes sont réentraînés.

Les riverains font fermer Orly la nuit

Orly, 15 avril

A la suite du succès obtenu par la ville de Nice, treize des communes riveraines d'Orly ont décidé à leur tour d'attaquer en justice les principales compagnies aériennes à cause du préjudice que leur cause le bruit des avions. Le 26 février, elles ont donc assigné Air France, Pan Am et TWA a comparaître devant le tribunal de grande instance de la Seine. Elles demandent que ces compagnies soient condamnées à supporter les frais des travaux d'insonorisation et si nécessaire de réparation ou de consolidation de leurs bâtiments communaux. Après avoir chargé un groupe d'étude d'examiner ce problème pour définir une ligne d'action, l'aéroport d'Orly a pris des dispositions pour réduire les nuisances nocturnes. Désormais, plus aucun mouvement d'avion à réaction ne sera autorisé entre 23 h 30 et 6 h du matin.

Le Lockheed C-5A Galaxy peut transporter 345 soldats

Avec le Galaxy, les Etats-Unis se dotent d'un avion qui leur permet d'envoyer des troupes n'importe où dans le monde.

Marietta, 30 juin

Le plus gros porteur américain jamais construit a perdu, sans conséquences, une de ses vingt-huit roues à l'atterrissage. Le C-5A Galaxy venait d'effectuer son premier vol d'essai, propulsé par quatre moteurs General Electric de dix-huit tonnes de poussée chacun, les plus puissants du monde. Ce géant de soixante-quinze mètres de long est destiné à transporter les armements les plus lourds de l'armée (blindés, camions, hélicoptères) ou 345 hommes de troupe. On remplit la soute de 985 m³ soit par l'avant (le nez se relève), soit par une rampe arrière. Le chargement peut atteindre cent vingt tonnes. Fabriqué par la firme Lockheed, le Galaxy vaut vingt millions de dollars pièce. L'US Air Force en prend 115 exemplaires. Capable de couvrir des distances intercontinentales, il doit devenir un instrument majeur de la force américaine d'intervention. (→ 1.6.70)

Un Boeing de la BOAC se pose en flammes

Heathrow, 8 avril

Quelques secondes après le décollage du Boeing 707 de la BOAC, le moteur numéro deux tombe en panne. Son compresseur basse pression, à l'avant du réacteur, se détache, coupant du même coup les tuyauteries d'alimentation en kérosène. Dans le cockpit, l'équipage réagit immédiatement mais oublie de couper les pompes d'alimentation en carburant de ce moteur. Le kérosène envahit le capotage du moteur et s'enflamme immédiatement. Maintenant l'appareil en vol, le commandant informe la tour de sa décision de venir se reposer sur la piste la plus proche que l'on met tout de suite à sa disposition. Les services de sécurité sont mis en place. A bord, le personnel de cabine prépare les 126 passagers pour un atterrissage de précaution alors que l'incendie continue à ronger l'aile de l'appareil. Le vent est plein travers en approche. Au moment où il touche le sol, l'aile se casse et le carburant en flammes attaque le fuselage. L'équipage évacuera 110 passagers. C'est le deuxième accident de désintégration d'un moteur avec un Boeing 707.

La Sabena accueille Air France à Bruxelles

Zaventem, 19 mai

Paris est en ébullition, la province a peur et les grèves se succèdent. Air France, qui se trouve à son tour dans la tourmente, a pris les devants en repliant un certain nombre de ses appareils, 707 et Caravelle notamment, vers la Belgique, dans les hangars de la Sabena plus précisément. C'est la première fois de son histoire que la compagnie française a recours à une telle mesure. Mais les locaux d'Orly sont occupés, la direction a pris la décision de fermer les immeubles de Paris et informé ses employés qu'ils sont dispensés jusqu'à nouvel ordre de se rendre sur les lieux de travail de la région parisienne. En revanche, les pilotes et les techniciens navigants continuent de travailler et l'entraînement du personnel technique navigant marche aussi. Dans ces conditions, des vols peuvent encore être assurés. Les Français qui veulent les emprunter sont acheminés par autocars depuis Paris ou Lille jusqu'à Bruxelles.

épave du Boeing en feu d'où plus de 120 personnes ont pu sortir vivantes.

Equipé de deux turbines, le Nord 500 est un prototype expérimental.

Le Boeing 747 pourra transporter 368 passagers

La ligne d'assemblage des Boeing 747 Jumbo dans les ateliers d'Everett.

Le 747 de Boeing a été décoré des insignes des compagnies qui l'attendent.

Seattle, 30 septembre

Même des pilotes chevronnés ont ressenti un pincement au cœur lorsqu'ils ont vu le Boeing 747 sortir du hangar pour la première fois ce matin. Comment un avion aussi immense pourra-t-il s'élever dans le ciel ? Tout est en effet démesuré chez le dernier-né de la famille des Boeing, qui vient de sortir des ate-liers de Paine Field, au nord de Seattle. Il va débuter ses essais au sol. Certains l'ont déjà baptisé Jumbo, mot qui signifie éléphant en anglais familier. Le projet du 747 était d'ailleurs d'une telle envergure que le constructeur a dû implanter à Everett, près de Paine Field, une usine entièrement consacrée à cet appareil. Dans sa version initiale, le 747 a une capacité de 368 passagers, mais Boeing envisage une version capable d'accueillir 500 passagers. Sa longueur totale est de 70,1 m. La cabine a une longueur totale de 57 m, une largeur de 6,13 m et une hauteur de 2,54 m. Derrière le poste de pilotage, situé au-dessus du pont principal, un salon luxueux est prévu pour les passagers de pre-mière classe. En raison de son poids élevé, 308 tonnes pour l'instant, le train du Jumbo est équipé de 18 roues. Le 747, qui doit effectuer son vol initial dans les prochaines semaines, est propulsé par quatre nouveaux réacteurs turbofan Pratt & Whitney JT-9D, mais il peut aussi être doté de moteurs General Electric ou Rolls-Royce. (→9.2.69)

Un B-707 d'El Al est détourné

Alger, 23 Juillet

L'OLP entre en scène en plein mi-lieu des vacances. Elle frappe et n'hésite plus sur les moyens pour obtenir ce qu'elle veut. Trois com-mandos du FPLP (Front populaire pour la libération de la Palestine), dirigés par Georges Habache, dé-tournent un B-707 de la compagnie nationale israélienne El Al. Le Boeing qui devait assurer la liaison Tel-Aviv - Rome atterrit à Alger. Là, les preneurs d'otages exigent la libération de 1 200 prisonniers pa-lestiniens. Par ce détournement, le FPLP cherche à nouveau à impres-sionner l'État d'Israël, qui se mon-tre de plus en plus ferme vis-à-vis des terroristes. Avec des mobiles politiques, mais pas toujours, les détournements d'avions deviennent le moyen privilégié des organisa-tions terroristes. A ce jour, El Al semble être la principale cible des terroristes palestiniens. (→18.2.69)

Le Jaguar est le fruit d'une coopération

Istres, 8 septembre

Sans une étroite coopération entre la France et le Royaume-Uni, l'ap-pareil qui vient d'effectuer son vol initial à Istres n'aurait jamais vu le jour. Le prototype du Jaguar découle d'un accord de mai 1965 entre Paris et Londres, qui prévoyait la mise sur pied de la Société euro-péenne de l'avion-école de combat et d'appui tactique (Sepecat). Le projet a évolué d'un avion-école à une redoutable machine de combat. Capable d'emporter une lourde charge offensive, ce biréacteur peut opérer à partir de pistes sommaires et frapper ses cibles avec une grande précision. (→14.11.69)

Le Jaguar est un avion d'attaque à basse altitude et de support tactique.

Mission particulière destination Biafra

France, 6 septembre

Au Gabon, l'aide humanitaire pour le Biafra, en guerre contre le Nige-ria, s'organise. Le besoin de vivres devient urgent. La Croix-Rouge française, installée à Libreville, a recueilli 300 tonnes de lait en pou-dre, de viande et de poisson séchés. Ne trouvant pas d'avion sur place pour les acheminer, Air Fret pro-pose son Super Constellation 1049 démodé. Ce sont deux pilotes vo-lontaires d'Air France qui vont le piloter : J. M Chauve et A. Greard. C'est donc avec l'accord de leur compagnie et le feu vert officiel du gouvernement français qu'ils s'envolent pour le Gabon, avec l'of-ficier mécanicien Dioux et M. de Farcy, de l'ordre de Malte. Arrivés au Gabon, ils sont reçus à bras ou-verts par la Croix-Rouge. Leur mission de convoyage pour le Bia-fra peut commencer. Elle devra durer 25 jours si tout se passe bien

Le premier transport supersonique est soviétique

Le Tupolev Tu-144 s'est envolé d'un aéroport de la banlieue de Moscou.

Edouard Elyan est un pilote d'essai chevronné de Tupolev. Il a 42 ans.

Union soviétique, 31 décembre

Les Soviétiques ont de quoi être fiers. Le Tupolev Tu-144, baptisé Concordski à l'Ouest, est devenu le premier avion de transport supersonique à décoller, pour un vol de 38 minutes à vitesse subsonique. L'URSS a ainsi battu de vitesse le Concorde européen. Les dirigeants du Kremlin savaient que le vol initial du Concorde était prévu pour la fin février prochain et ils tenaient absolument à être les premiers. En dépit des réserves émises par le responsable du projet, Alekseï Tupolev, les deux pilotes d'essai, Edouard Elyan et Mikhaïl Kozlov, ont pris les commandes du Tu-144 ce matin. La météo était mauvaise et des avions ont dû ensemencer les nuages d'iodure d'argent pour les précipiter. A première vue, le Tu-144, équipé de quatre turboréacteurs Kouznetsov NK-144, et le Concorde se ressemblent beaucoup. Ils ont les mêmes ailes ogivales, le même fuselage effilé et la même pointe nasale abaissable. Le KGB s'est en effet intéressé de près, dès 1961, au projet Concorde. Malgré cette ressemblance, le Tu-144, dont les performances annoncées sont proches de celles du Concorde, est de dimensions supérieures bien que sa charge marchande soit légèrement inférieure (120 passagers, soit 10 de moins que le Concorde). Contrairement au Concorde, son revêtement comporte environ vingt pour cent de titane. (→ 5.6.69)

A 31 685 heures de vol, il se retire

Orly, 4 décembre

C'est son dernier vol. L'AF 022, qui revient de New York, était piloté par le commandant de bord Louis Fulachier. Ce dernier prend sa retraite après une carrière exceptionnelle. Il peut, en effet, se vanter d'avoir effectué 31 685 heures de vol. Un événement de taille auquel de très nombreuses personnalités, tels Jacqueline Auriol et des journalistes de la presse écrite et de la radio-télévision, ont tenu à prendre part. Ils étaient accompagnés par le président et le directeur général d'Air France. Le président Galichon lui a remis, en guise d'hommage, un insigne de 30 000 heures de vol, tout en se demandant si un autre pilote pourrait un jour parvenir à un tel score. Les escales des quatre coins du monde du réseau d'Air France ont participé à l'événement en envoyant à Louis Fulachier des messages de sympathie.

L'US Air Force a des difficultés à maîtriser le vol à Mach 3

Un des problèmes des grandes vitesses est l'échauffement du fuselage.

Etats-Unis, 31 décembre

Il faut avoir des nerfs d'acier et une grande expérience pour réaliser un vol trisonique, soit à des vitesses supérieures à 3 600 km/h et à plus de 26 000 m d'altitude. Une fausse manœuvre, un moment d'inattention et c'est la catastrophe. Depuis janvier 1966, l'US Air Force a perdu au moins cinq avions Lockheed A-12, YF-12 ou SR-71 Blackbird au cours d'essais à très grande vitesse et haute altitude. Parmi les problèmes posés lors de tels vols, il y a l'échauffement : à Mach 3, la température frôle les 400 °C au niveau du recouvrement du fuselage, ce qui peut dilater même le titane. Le vol à de telles vitesses dans les hautes couches de l'atmosphère soumet aussi l'avion à des phénomènes tels que l'amorçage d'ondes de choc, l'accroissement du coefficient de traînée et la réduction du coefficient de portance. A Mach 3, il n'est pas question de piloter en manuel

1969

7 297 km/h
Etats-Unis
William Knight
North American X-15
3.10.67

39 147 km
Etats-Unis
Archie Old Jr.
Boeing B-52
18.1.57

107 960 m
Etats-Unis
Joseph Walker
North American X-15
22.8.63

348 810 kg
Etats-Unis
Lockheed
C-5A Galaxy

21 319 kgp
Etats-Unis
Pratt & Whitney
JT9D-7/3a

France, 6 janvier
Air France met en service une vaisselle de bord jetable, pour les passagers en classe économique et touriste. (→ 1.4.72)

Stockholm, 24 janvier
La SAS met en service le DC-9-20. Conçu à la demande de la compagnie scandinave pour opérer sur les pistes courtes de son réseau, il combine un fuselage court et des ailes de plus grande envergure.

France, 1er février
La Snecma et Rolls-Royce créent la Ceso (Concorde Engine Support Organisation), société chargée de la vente des moteurs et des pièces de rechange pour Concorde.

Zurich, 18 février
Un Boeing 707 israélien de la compagnie El Al est attaqué au moment du décollage sur l'aéroport de Zurich-Kloten par un commando du FPLP. (→ 5.12)

Paris, 14 mars
Signature du protocole ratifiant les accords Atlas entre Air France, Alitalia, Lufthansa et la Sabena. UTA s'est retirée. (→ 26.11.70)

Marignane, 17 mars
Roland Coffignot et Gérard Boutin décollent l'hélicoptère SA-315B Lama, doté d'une turbine Turboméca Artouste III-B de 870 ch et destiné à l'Inde. (→ 21.6.72)

Bordeaux, 20 mars
Lors de son premier vol, le Mirage F-1 de présérie piloté par Jean-Marie Saget dépasse Mach 1.

Japon, 30 mars
La Japan Air Lines retire du service ses derniers avions à moteurs à pistons, des DC-6B.

Dijon, 3 avril
Vol initial du HR-100/200, premier avion métallique produit chez Pierre Robin. (→ 1.9.72)

Belgique, 4 avril
La Sabena inaugure ses vols polaires vers Tokyo via Anchorage.

Japon, 4 avril
La JAL crée la JCT (Japan Creative Tours), une filiale chargée de la promotion des voyages en groupe.

Wittering, 18 avril
Le squadron 1 de la RAF met en service le nouveau chasseur à décollage vertical Hawker Siddeley Harrier. (→ 13.5)

Grande-Bretagne, 30 avril
Le Fighter Command et le Bomber Command sont réunis au sein du Strike Command de la RAF.

Londres, 5 mai
Délaissant sa ligne par l'Inde, la BOAC inaugure ses liaisons polaires de Londres à Tokyo via Anchorage.

Sud Viêt-nam, 18 mai
Un Hercules KC-130, ravitaillant deux F-4B Phantom des marines, entre en collision frontale avec un troisième Phantom au-dessus de Phu Bai.

Italie, 24 mai
Premier vol du monomoteur d'observation et de liaison SIAI Marchetti SM-1019, dérivé du Cessna L-19 Bird Dog.

Paris, 29 mai
Attendu au Salon du Bourget, le prototype 001 du Concorde survole la capitale à basse altitude. (→ 1.10)

Le Bourget, 29 mai
A bord de la maquette grandeur nature d'un tronçon du fuselage de l'Airbus A-300, les représentants français et allemands signent l'accord de coopération pour la construction du biréacteur. L'Allemagne prend à sa charge la part dévolue à la Grande-Bretagne, qui s'est retirée du projet. (→ 31.11)

Paris, 1er juin
Un Boeing 707 d'Air France effectue son premier vol Paris - New York en utilisant la navigation autonome par inertie. A bord, des accéléromètres indiquent en permanence la position et la vitesse de l'avion, ainsi que l'itinéraire.

Union soviétique, 5 juin
L'avion de transport supersonique Tupolev T-144 dépasse pour la première fois Mach 1. (→ 26.5.70)

Europe, 26 juin
Les compagnies UTA, KLM, Swissair et SAS commandent le triréacteur gros porteur DC-10. (→ 18.2.70)

Paris, 30 juin
Dernier vol d'un DC-3 sur le réseau aérien postal métropolitain entre Pau et Paris. Les DC-3 sont remplacés par des Fokker F-27, dont douze ont déjà été livrés.

Dallas, 14 juillet
Le squadron VA-122 de l'US Navy réceptionne son premier chasseur Vought A-7E Corsair II. Il est doté d'un système de navigation perfectionné relié à un calculateur digital.

Suède, 22 juillet
Retrait d'exploitation du Saab-90 Scandia. Conçu pour remplacer le DC-3, il n'avait pas remporté le succès escompté.

Union soviétique, 6 août
L'hélicoptère géant soviétique, le Mi-12, bat son propre record en soulevant une charge de 40,2 t à 2 255 m d'altitude.

Grande-Bretagne, 8 août
La firme Handley Page est mise volontairement en liquidation judiciaire.

Etats-Unis, 16 août
Aux commandes d'un Grumman Bearcat modifié, le pilote Darryl Greenamyer porte le record de vitesse pour avions à moteur à pistons à 776,449 km/h. Ce record était détenu depuis 1939 par le Messerschmitt Me-209.

Etats-Unis, 31 août
Le champion du monde poids lourd Rocky Marciano trouve la mort dans un accident d'avion.

France, 15 septembre
Air Inter commande 10 Mercure biréacteurs courts de Dassault, prévus pour 143 passagers. (→ 28.5.71)

Finlande, 20 octobre
La Finnair introduit le système de navigation inertielle sur les lignes régulières.

Etats-Unis, 31 octobre
Pour fêter ses vingt ans, le marine Raffaelle Minichiello détourne sur Rome un Boeing 707 de la TWA reliant Los Angeles à New York.

Toulouse-Blagnac, 12 novembre
Premier atterrissage de nuit du Concorde. Du 8 au 10, des pilotes d'Air France, Pan Am, BOAC et TWA ont pris les commandes du supersonique. (→ 13.9.70)

Melun-Villaroche, 14 novembre
Jacques Jesberger décolle la version marine du Jaguar de la Sepecat. Il est muni d'une crosse d'appontage et d'un train à amortisseur.

France, 31 novembre
Le consortium franco-allemand a décidé d'équiper l'Airbus A-300 avec le réacteur à double flux General Electric CF-6, déjà choisi par Douglas pour le DC-10. (→ 3.9.70)

Wichita, 2 décembre
Lear Jet Industries devient la Gates Lear Jet Corporation.

Toulouse, 2 décembre
Didier Daurat, une des figures de l'Aéropostale connue pour son intransigeance, s'éteint à 78 ans.

Venezuela, 3 décembre
Le Boeing 707 d'Air France Château de Kerjean, reliant Santiago du Chili à Paris, s'écrase en mer peu après son décollage de l'aéroport de Caracas-Maïquetia. Il n'y a pas de survivant.

Israël, 5 décembre
13 prisonniers syriens sont échangés contre les 2 derniers passagers du Boeing de la TWA détourné en août vers Damas par le FPLP.

Le prototype français du Concorde a été le premier à voler le 2 mars. Le 1er octobre, André Turcat lui faisait passer le mur du son.

Des ultralégers pour l'USAF au Viêt-nam

Le X-26B de Lockheed est un planeur équipé d'un petit moteur silencieux.

Viêt-nam, 1er janvier
Deux problèmes en particulier préoccupent l'état-major américain à Saigon : les aviateurs abattus loin derrière les lignes ennemies et la difficulté d'obtenir des informations sur les mouvements nocturnes du Viêt-cong. Pour tenter de résoudre le premier problème, l'US Air Force a entrepris une campagne d'essai du véhicule de descente discrétionnaire (DDV), un hélicoptère mini qui s'éjecte de l'avion avec le pilote. Baptisé X-25A, cet étrange prototype a un rayon d'action d'environ 500 km, ce qui permet au pilote de sortir de la zone ennemie. Depuis juin 1968, l'US Air Force et l'US Navy testent aussi le Lockheed X-26B, appareil de surveillance et de reconnaissance ultrasilencieux. Le X-26B est en fait un planeur biplace Schweitzer équipé d'un petit moteur et bourré d'électronique. Grâce à sa couche de peinture absorbant les ondes radar, le X-26B dispose en outre d'une certaine furtivité. Il est aussi capable de voler à très basse vitesse sans se faire entendre.

Ces petits hélicoptères volent à 100 km/h et ont une autonomie de 100 km.

Le brouillard n'arrête plus Air Inter

Orly, 6 janvier
Air Inter exploite la Caravelle III, équipée du système d'approche automatique Sud-Lear. André Turcat avait réalisé le premier atterrissage automatique, l'avion vide. C'est au tour d'Albert Dubreuil d'effectuer à Orly l'atterrissage avec un vol régulier. La certification de l'approche automatique avait été obtenue le 28 décembre 1968. L'atterrissage en condition catégorie III-A correspond à une masse de nuages au sol et à une visibilité horizontale de 200 m. La distance est franchie en 2 secondes par un avion en approche. Air Inter a réalisé un programme de formation pour ses équipages en insistant sur la procédure de remise des gaz à 15 m si, à cette altitude, le pilote ne voit pas la piste.

Le Mi-12 soviétique enlève 31 tonnes

L'utilisation de deux rotors élimine l'effet de couple et donc l'hélice arrière.

Podmoskovnoie, 12 février
Nouveau record pour un hélicoptère soviétique. Le Mil Mi-12 de Mikhaïl Mil, piloté par Vassily Kolochenko, a enlevé 31 t à 2 950 m. Muni de rotors latéraux, la soute mesure 28,15 m de long et 4,40 m de large. Au plafond, des rails pour une grue capable de soulever 10 t. A l'arrière, une double porte en forme de coquille pour le chargement. Les trains principaux, dotés de diabolos, sont placés au tiers de chaque aile munie à son extrémité d'un groupe biturbine équipé de Soloviev D-25 VF de 6 500 ch. Si le Mi-12 peut emporter 25 tonnes en décollage vertical, il peut aussi soulever 30 tonnes en décollage court.

Fokker a toujours du succès en Allemagne

Allemagne, 24 février
Le Fokker F-28 Mk 1 000 Fellowship va pouvoir entrer en service. Les autorités néerlandaises viennent en effet de lui accorder sa certification. Les premières machines ont été livrées à la compagnie allemande Lufttransport Unternehmen. C'est en 1960 que la firme Fokker a étudié la réalisation d'un avion de ligne court et moyencourrier, complément du F-27. Baptisé F-28 Fellowship, ce biréacteur est capable d'accueillir de 55 à 65 personnes. Il est propulsé par deux turbofans Rolls-Royce Spey de 4 468 kgp. Le premier des trois prototypes a effectué son vol inaugural le 9 mai 1967. Une version allongée est à l'étude.

Le Fokker F-28 compte sur l'évolution du trafic sur des petites distances.

Boeing fait voler le plus gros avion civil

Quand Lockheed a remporté le concours de l'US Air Force pour le projet du transporteur Galaxy, Boeing a décidé d'adapter ses plans à un avion civil.

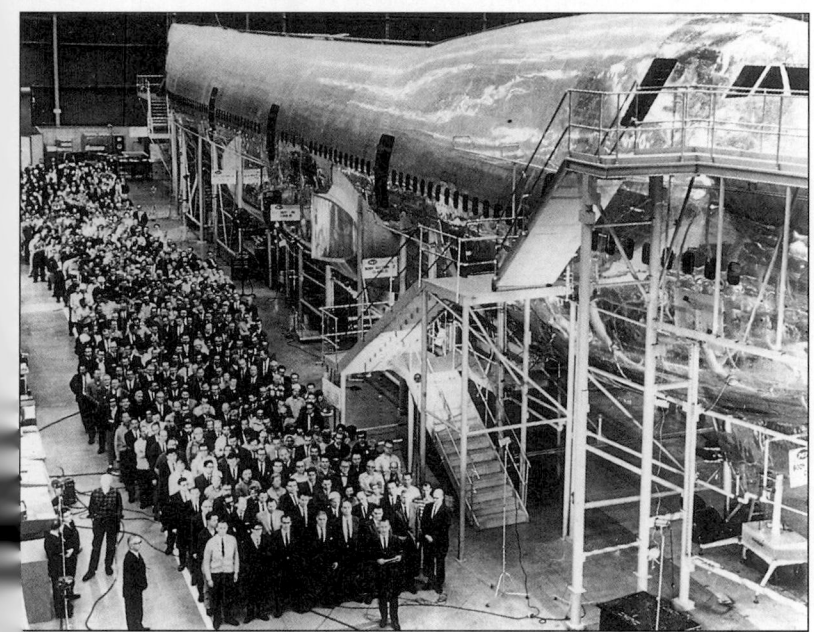

Les employés écoutent le discours de leur président à côté du prototype 2.

Seattle, 9 février

L'aviation commerciale vient d'entrer dans une nouvelle ère, celle du transport de masse. Fini les avions exigus capables d'emporter cent ou deux cents passagers au maximum. Le monde occidentale semble avoir la bougeotte : tout le monde veut voyager par avion. Une seule façon de satisfaire cette demande : construire le plus gigantesque appareil civil jamais mis au point. Dix ans après le lancement du célèbre 707, Boeing a inauguré le 747, un appareil tellement énorme qu'il peut presque être qualifié de paquebot volant. Le premier 747, ou Jumbo Jet, piloté par Jack Waddell, a décollé ce matin pour la première fois du terrain de Paine, près de Seattle, après avoir roulé seulement sur 1 370 m. A son bord, les ingénieurs ont placé plus de vingt-cinq tonnes d'instruments de mesure et d'enregistrement. Au sol, les spectateurs n'en croient pas leurs yeux ; chez le Jumbo, tout est à décliner au superlatif : son poids (plus de 315 t), sa capacité (environ 400 passagers ou 50 t de fret), son coût (près de 20 millions de dollars dans sa version initiale) et sa capacité en carburant (178 t, soit à peu près autant que la masse d'un Boeing 707 à pleine charge). En croisière, il consomme 12 t de carburant à l'heure. Destiné à entrer en service avec Pan Am à la fin de l'année, le Jumbo promet de révolutionner le transport aérien. Il va aussi obliger les responsables des aéroports à réorganiser leurs infrastructures pour éviter un engorgement lors de l'arrivée simultanée de plusieurs 747, chacun transportant ses 400 passagers. (→ 22.1.70)

Top Gun, une école pour les tueurs de MiG

San Diego, 1er mars

Appellation officielle : US Navy Postgraduate Course in Fighter Weapons, Tactics and Doctrine. Autre dénomination : Top Gun, autrement dit le *nec plus ultra* dans le combat aérien. Localisation : base de Miramar, au nord-ouest de San Diego. Caractéristiques : école aéronavale dispensant aux pilotes de chasse un entraînement dans des conditions aussi proches que possible de la réalité. Spécialités : création d'une flotte d'appareils capables de simuler l'adversaire, tout particulièrement les MiG soviétiques, ennemis potentiels n° 1. Objectifs : redorer le blason de la chasse américaine terni au Viêt-nam et devenir l'école la plus performante au monde. Frank W. Ault est chargé de cette tâche.

Les Anglais abandonnent le projet Airbus

Londres, 1er mars

L'aventure d'Airbus coûte trop cher, elle est trop hasardeuse et elle ne donne pas aux industries britanniques concernées par le projet la garantie de tirer les marrons du feu. Pour ces raisons, Londres se retire du jeu, et cette décision prise au niveau politique confirme la rumeur qui courait depuis quelque temps. Ce « non » laisse Paris et Bonn désormais seuls partenaires à la veille de conclure l'accord de collaboration industrielle pour la construction de l'avion européen. Il reste que Hawker Siddeley Aviation, déjà partie prenante dans l'affaire, pourra, si elle le souhaite mais dès lors à titre privé, y rester impliquée en siégeant aux conseils d'administration, ceci en qualité de sous-traitant privilégié. (→ 29.5)

A Toulouse et à Filton, Concorde prend son envol

Michel Rétif et André Turcat (à dr.).

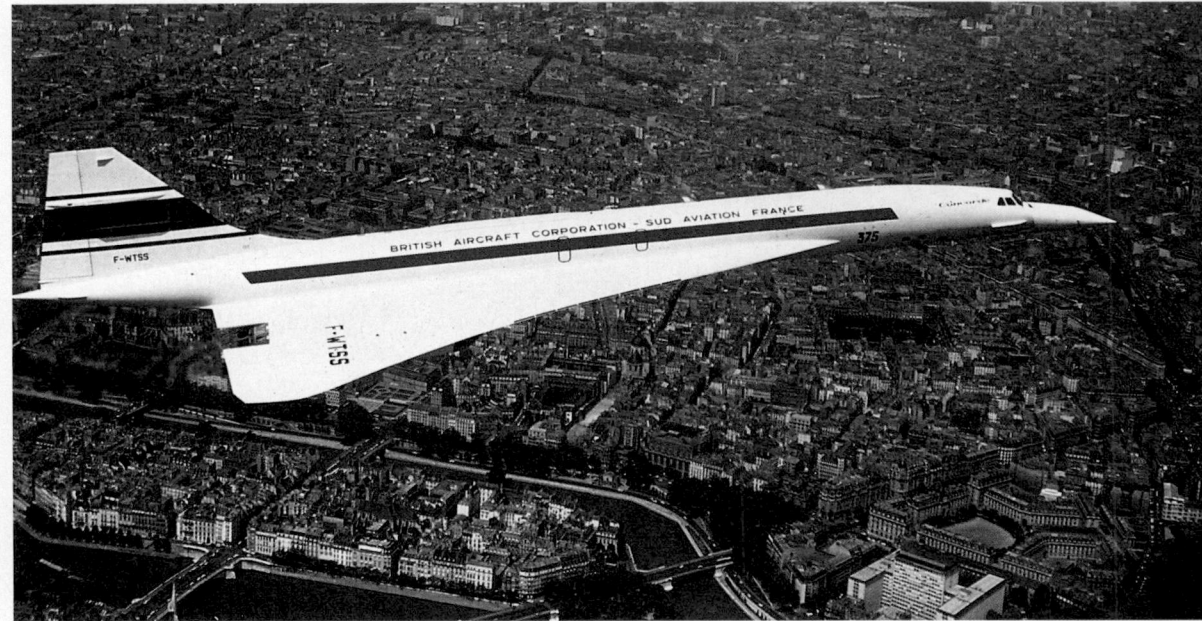

Quelques jours plus tard, le prototype de Concorde survole la capitale à basse altitude pour aller se poser au Bourget.

Toulouse, 2 mars

Les yeux du monde entier sont tournés sur l'aérodrome de Toulouse-Blagnac. Après un retard de plusieurs jours dû au mauvais temps, le Concorde 001 s'apprête à voler pour la première fois. Des centaines de journalistes et des milliers de curieux ont applaudi l'équipage : André Turcat, commandant de bord, Jacques Guignard, copilote, Michel Rétif, mécanicien, et Henri Perrier, ingénieur. Turcat met en route les réacteurs, mais le compte à rebours est interrompu à la suite d'un incident mineur. Alors que l'on changeait la pièce défectueuse, deux biréacteurs décollent : l'un filmera le vol du supersonique, l'autre contrôlera les vitesses indiquées à bord du Concorde. A 15 h 40 min 11 s, Turcat lâche les freins et Concorde, toutes réchauffes allumées, décolle. L'avion, suivi en direct par la télévision, effectue un large circuit à basse altitude et à faible vitesse. Le train d'atterrissage reste sorti. L'équipage signale quelques pannes d'instruments sans gravité. Turcat pose d'appareil devant les spectateurs enthousiastes, à 16 h 8 min. A sa descente d'avion, il déclare avec un large sourire : « Le gros oiseau vole... » (→ 9)

Filton, 9 avril

Cinq semaines après son aîné français, le Concorde 002, immatriculé G-BSST, a enfin pris son envol. Le prototype britannique est aux mains de Brian Trubshaw, chef pilote d'essai de la British Aircraft Corporation. Il est secondé par John Cochrane, le copilote, et par Brian Watts, l'ingénieur navigant. Comme le mois dernier à Toulouse, des milliers de personnes sont venues assister au vol historique. Le moment venu, Trubshaw pousse à fond les manettes et toute la puissance des quatre réacteurs est libérée. Le lourd appareil s'élance sur la piste et son nez commence à se cabrer. Lorsque l'angle d'attaque atteint dix degrés, avec une vitesse relative de 205 nœuds, les roues quittent le sol. Une longue ovation salue le décollage. L'avion se dirige alors vers l'aérodrome militaire de Fairford, à 80 km de Filton, où se dérouleront de nouveaux essais. Soudain, l'équipage signale que les deux radioaltimètres du 002 sont en panne. C'est inquiétant, car lorsque le train principal touchera la piste, le cockpit sera toujours à 11 m au-dessus du sol. Malgré cet incident, Trubshaw réussit à poser le Concorde. (→ 29.5)

Le chef pilote Brian Trubshaw.

Le Concorde britannique se pose impeccablement sur la piste de l'aéroport de Fairford a la fin de son premier vol.

Les Super Constellation espions sont des proies faciles

Les avions de ligne à réaction ont orienté les Constellation vers de nouvelles missions où la vitesse ne compte pas.

Corée du Nord, 14 avril

Les 31 membres de l'équipage sont portés disparus. Un Lockheed Super Constellation de l'US Air Force a été abattu au-dessus de la Corée du Nord par des chasseurs MiG ou par un missile. Cet avion n'avait rien de banal, c'était un appareil espion dont la plus grande partie de l'équipage gardait l'œil fixé sur des écrans radar pour détecter tout mouvement aérien dans la zone qu'il survolait. De puissantes caméras et appareils de prise de vue prennent aussi des clichés des bases militaires et autres points stratégiques survolés. Le Super Constellation faisait partie de toute une flotte du même type d'appareils convertis par l'USAF et l'US Navy pour les missions de détection et d'observation. Ils ne sont jamais armés. Leur référence militaire est EC-121, plus une lettre qui indique le type de mission auquel l'appareil est destiné. Celui qui a été abattu est un EC-121K Warning Star. Il était équipé de réservoirs supplémentaires en bouts d'aile. L'US Air Force en a plus de 200 exemplaires.

Le BN-2 Islander est un avion de liaison

Grande-Bretagne, 25 juin

Le vent du succès le porte toujours, et jamais avion civil britannique n'a été produit en plus grand nombre que ce BN-2 Islander. Aussi Britten-Norman vient-il de mettre au point une version améliorée de ce petit porteur, lancé dans les airs pour la première fois le 24 avril 1967. Le BN-2A est plus aérodynamique et plus confortable, et il continuera d'être utilisé sur de courtes distances pour acheminer les passagers habitant dans des villes dépourvues d'aéroports internationaux, et qui souhaitent s'y rendre. Ce minibus volant évolue à une vitesse de 260 km/h et peut transporter jusqu'à douze personnes, équipage compris. (→ 11.9.70)

Les aéroports sont devenus trop petits

New York, 1er juin

Pour garer un Boeing 747 et lui permettre d'évoluer, il faut une surface d'un hectare au moins. L'avion est annoncé pour le début de l'année prochaine et les aéroports ont commencé à penser aux infrastructures qui seront nécessaires pour recevoir ces géants et permettre les rotations rapides de ces appareils. Si, d'une part les pistes doivent être allongées, les taxiways, chemins de dégagement des pistes qui conduisent aux aires de stationnement, doivent être aussi revus. L'envergure du B 747 est de 60 m, sa hauteur de plus de 19 m. Des aéroports comme JF Kennedy, Heathrow ou encore Orly doivent s'attendre à recevoir plusieurs dizaines de 747 en quelques heures. L'écoulement de plus de trois cents passagers par appareil pose aussi un problème au niveau de l'organisation de l'aérogare et de son environnement direct.

Le Harrier gagne le prix du « Daily Mail »

Manhattan, 13 mai

Le chef d'escadrille Tom Lecky-Thomson pose son jump jet au pied des tours de Manhattan : il gagne en 6 h 11 min la course Londres-New York, organisée par le quotidien anglais *Daily Mail* pour le cinquantenaire de la traversée de l'Atlantique par Alcock et Brown. Mais la performance est ailleurs : pour la première fois au monde, un pilote a arraché à la verticale un avion à réaction depuis une plate-forme d'acier, en plein centre d'une ville, comme s'il s'agissait d'un simple hélicoptère. Dans le quartier de Saint Pancras, les Londoniens ont assisté au décollage éclair du Harrier GRI, le nouvel avion de la RAF. (→ 6.1.71)

C'est par exemple l'avion idéal pour le transport d'une île à l'autre.

En 1960, c'était le P-1127; en 1964, le Kestrel; en 1969, le Harrier.

Citation, fruit du dynamisme de Cessna

Il peut atteindre 13 000 mètres et vole à la vitesse de 700 km/h.

Wichita, 15 septembre
Juste après le premier vol d'essai du Cessna Model 500 Fanjet, Jim Taylor, directeur des ventes chez Cessna, reproposa le nom de Citation pour commercialiser ce beau petit biréacteur d'affaires, confortable, facile à piloter et très docile. Ce nom, il l'avait déjà suggéré pour le Mystère 20 de Dassault. A l'époque, Jim était le directeur de Pan Am Business Jet. Il faut croire que

chez Cessna, on aime les chevaux de course car Citation est le nom de ce cheval prestigieux qui gagne sur tous les champs de course. Le Model 500 est équipé de deux réacteurs turbofan de Pratt & Whitney JT-15A. Ses circuits électriques et hydrauliques sont très simples, la maniabilité de l'appareil étonnante. Le Citation est moins rapide que le Lear Jet. Il emporte huit personnes, équipage compris. (→ 29.2.72)

Les pilotes redoutent le gradient de vent

Le vitesse au badin est celle de l'avion par rapport à l'air qui se déplace.

Marignane, 9 septembre
La Caravelle d'Air France immatriculée F-BHRY aurait dû renoncer à se lancer vers Ajaccio. Puissance au décollage affichée, elle a atteint la vitesse de 100 kt au bout de 20 s. A 126 kt, le pilote a effectué la rotation. La Caravelle s'élève et atteint 135 kt. Le train est rentré. Soudain, le badin chute et n'indique plus que 105 kt. L'avion pique du nez et se pose sur le ventre, para-

chute déployé. Les 93 personnes à bord sont indemnes. Ce sont des noyaux de condensation qui ont créé ces conditions athmosphériques particulières. En début de piste, le vent est passé de 120°/32 kt à 180°/32 kt. En bout de piste, il était à 350°/14 kt, de direction opposée. Ces valeurs donnent un gradient de 65 km/h en quelques mètres. Dans ces conditions, le vol était impossible.

Le supersonique US est lancé

Washington, 23 septembre
Après des mois d'hésitation, le président Richard Nixon a tranché : le SST américain volera. La Maison Blanche a enfin donné son feu vert au projet de transport supersonique soumis par Boeing, le 2707-300. Il s'agit d'une version revue et corrigée du 2707-200, Boeing ayant renoncé aux ailes à géométrie variable. Les performances seront plus modestes : l'avion volera à Mach 2.7 mais n'emportera que 280 passagers au lieu de 300. Son rayon d'action d'environ 6 500 km sera semblable à celui du Concorde. Si le 2707 a perdu ses ailes à géométrie variable, sa peau sera en titane. C'est là son gros avantage car, contrairement au Concorde dont la vitesse sera toujours limitée à Mach 2.2, le SST pourra augmenter sa vitesse sans que cela pose des problèmes techniques majeurs.

Le 14 mai, le groupe Messerschmitt allemand s'est agrandi avec l'achat de diverses sociétés pour former la MBB, Messerschmitt-Bölkow-Blohm. Cet hélicoptère Bö-105 avait été dessiné par le bureau Ludwig Bölkow.

Concorde passe le mur du son

Toulouse, 1er octobre
Une nouvelle étape décisive du programme Concorde a été franchie ce matin. Le Concorde 001 qui avait fait sensation au Salon du Bourget en juin dernier vient de franchir le mur du son pour la première fois, c'est-à-dire 1 062 km/h. Une fois de plus, André Turcat était aux commandes pour ce vol historique, le quarante-cinquième de ce prototype. Depuis le 21 septembre, l'appareil a subi des essais de sollicitation de gouvernes (des charges de poudre sont placées sur les gouvernes et mises à feu afin d'enregistrer les vibrations produites par l'explosion). Parti de l'aérodrome de Toulouse-Blagnac, le Concorde 001, dont la campagne d'essai a repris il y a dix jours, a atteint la vitesse de Mach 1.05. L'équipage n'a signalé aucune anomalie au cours du vol supersonique. (→ 12.11.70)

Bede améliore le rendement de l'hélice

Jim Bede, diplômé de l'université de Wichita, réalise aussi des avions en kit.

Etats-Unis, 10 novembre
Neuf ans après avoir fondé sa propre compagnie, Bede Aircraft Inc., le jeune ingénieur Jim Bede vient d'inscrire son nom dans les annales de l'aviation. Cet Américain, spécialisé dans la réalisation d'avions de sport d'une grande originalité, a battu le record de distance en circuit fermé pour avions à moteur à pistons, sans escale et sans ravitaillement. A bord de son BD-2, baptisé *Love One*, et avec 2 140 l de carburant seulement, il a réussi en trois jours à accomplir un circuit de 14 400 km. Fabriqué à partir de la cellule de base du planeur Schweizer, le BD-2 est doté d'un moteur Continental de 30 ch spécialement modifié. Mais c'est surtout grâce à son hélice propulsive à trois pales très performante, montée à l'arrière, que l'ingénieur a pu réaliser son exploit. (→ 12.9.71)

Le Nimrod de la RAF chasse le sous-marin

L'avant et le dessous du fuselage ont été modifiés pour loger des antennes.

Grande-Bretagne, 2 octobre
Avec son gros nez bourré d'électronique et sa longue perche de détection à l'arrière, le Nimrod ressemble un peu à un gros bourdon. Il n'empêche que le nouvel avion de surveillance maritime de la RAF, dont le premier exemplaire vient d'être livré, est diablement efficace. Destiné à remplacer les vieux Avro Shackleton, le Nimrod, dont la soute contient des armements anti-navires et anti-sous-marins, va dans d'abord être affecté à des missions au-dessus de la mer du Nord et de l'Atlantique. L'appareil est en fait basé sur la cellule du Comet 4C. Les principales modifications apportées sont le montage d'une perche à l'arrière contenant un magnétomètre de fabrication américaine capable de détecter les sous-marins en plongée et l'installation d'une dérive plus grande.

Limitation du bruit au décollage

Etats-Unis, 1er décembre
Au début de l'aviation à réaction, le bruit de ce type d'appareil était considéré comme une curiosité et non pas comme une nuisance. Ce n'est plus le cas. Aux Etats-Unis, la Federal Aviation Administration (FAA) vient de publier une directive réglementant le bruit autour des aéroports. Baptisé FAR 36, ce texte ne s'applique qu'aux avions subsoniques. Pour ce qui est des supersoniques, ce sont les autorités de chaque aéroport qui décident des limitations qui leur sont propres. Les niveaux de bruit autorisés, exprimés en bruit équivalent perçu (EPN dB, dB pour décibel), sont calculés en fonction de la masse de chaque appareil. Ainsi, au décollage, un avion pesant 150 t comme le BAC VC-10 ne peut dépasser 106 dB, alors qu'en réalité cet avion produit 114 dB.

En juin 1962, McDonnel avait acheté la licence du Breguet 941. Le McDonnel Model 188 vole en démonstration avec American Airlines.

Un voyage aérien en hibernation

Madrid Barajas, 4 juin
Un DC-8 d'Iberia arrive de Cuba. Soudain, un jeune homme tombe du logement droit du train d'atterrissage. Son visage porte des traces de givre. Il tombe dans le coma. Passager clandestin, il a traversé l'Atlantique en hibernation ! Armando Socarras, après avoir repris connaissance, a raconté son aventure. Décidé à fuir Cuba avec un ami, il a sauté dans le logement du train du DC-8, juste avant le décollage à La Havane. Il a perdu connaissance un quart d'heure plus tard, voyageant en hibernation par - 35 °C pendant 8 h. A l'arrivée, la tour de contrôle a mis le DC-8 en attente à basse altitude : la déshibernation s'est faite ainsi comme en salle d'opération. Armando n'a pas revu son complice. Caché dans le logement du train principal gauche, il doit en être tombé.

Le Boeing 747 Jumbo Jet, premier vrai gros-porteur long-courrier, démarre sa carrière avec une commande de vingt-cinq exemplaires de Pan Am.

Le Mitsubishi MU-2J, utilitaire à turbopropulseurs.

Le Cessna 207 Skywagon, version agrandie du Model 206.

Le Wassmer WA-51 Pacific, entièrement construit en plastique.

Le Bolkow Bo 209 Monsun, dérivé du Mylius MHK-101.

Le Cessna Citation 500 (à l'immatriculation appropriée) est un avion d'affaires à huit places, lancé sous le nom de Fanjet 500.

Le prototype du Britten Norman BN.3 Nymph, quadriplace léger.

Le prototype du Saab Safari, biplace d'entraînement.

Le Murdy CAP 20, version monoplace de voltige du CAP 10.

L'Antonov An-28, version agrandie à turbopropulseurs de l'An-14.

L'Aérospatiale-BAC Concorde n'est construit qu'à seize exemplaires, tué par le choc pétrolier de 1976 et un marché orienté vers les gros-porteurs.

Un Hawker Siddeley Trident 3B aux couleurs de BEA, qui en commande vingt-six. Deux Super 3B sont achetés par le gouvernement chinois.

La version cargo du Vanguard développée par Aviation Traders.

Le prototype du Let L-410 est équipé de turbopropulseurs PT6A-27.

Le Fairchild (Fairchild-Swearingen) Metro est un avion de troisième niveau à turbopropulseurs, dérivé de l'avion d'affaires Merlin.

Le prototype du Gazuit Valladeau GV-103L de tourisme.

Le Conroy CL-44-0, conversion de l'avion-cargo conçu par Canadair.

Le SA 330 Puma est le fruit de la coopération entre l'Aérospatiale et Westland. L'Alat et l'armée de l'air commandent 130 SA 330B.

Le Reims-Cessna FA.150 Aerobat est un dérivé de voltige du Cessna 150 construit sous licence en France, équipé d'un Continental de 100 ch.

Le prototype du Jaguar M évalué par l'Aéronavale, qui lui préférera finalement le Super Etendard.

La version d'entraînement armée du Hawker Siddeley Harrier T.Mk 2.

Le FMA IA.58 Pucara, avion léger d'appui tactique argentin.

Le SIAI-Marchetti SM.1019 équipé d'un Allison 250-B156.

Le CH-5AB est une version améliorée du Sikorsky Skycrane.

Le biplace d'entraînement Beagle Bulldog est construit en série par Scottish Aviation dans son usine de Prestwick, en Ecosse.

Le Grumman E-2B Hawkeye est une version de guerre électronique et de veille équipée d'un ordinateur de bord Litton Industries.

Conçu selon les mêmes critères que le TriStar, le McDonnell Douglas DC-10, gros-porteur long-courrier, est équipé à l'origine de réacteurs CF-6.

Le SN.600 Corvette, un avion d'affaires qui ne connaît pas de suite.

Ipanema est le surnom de l'Embraer EMB-200 agricole.

Avec des turbopropulseurs PT-6, le Sikorsky S-58 devient S-58T.

Le Lockheed L-1011 TriStar, avec ses 400 sièges, est l'un des premiers à pouvoir répondre à la demande croissante pour des gros-porteurs.

Le BAe 125 Series 600, nettement plus gros que les anciennes versions.

SIAI-Marchetti SM.1019, biplace Stol des forces aériennes italiennes.

Le Rockwell 112 Commander connaît un énorme succès.

Avec un troisième moteur, le BN-2 devient le BN-2A-III Trislander.

L'Aeritalia G.222, un avion de transport tactique.

Le Martin X-24 est utilisé à des fins expérimentales par la Nasa.

En raison du vif succès du Falcon 20, Dassault lance le Falcon 10, une version plus petite pour sept à neuf passagers.

La nouvelle version du Commodore, le IAI 1123 Westwind.

Toujours solide au poste, l'Aerospace Guppy 201 est utilisé par Airbus Industrie pour livrer les éléments construits à Toulouse.

Un Robin DR.300/140 Petit Prince, à verrière coulissante.

Le Dassault Milan teste la formule des empennages canard.

Le Grumman F-14A Tomcat est le plus puissant chasseur embarqué. Son aile à géométrie variable lui permet de remplir différentes missions.

Le Saab SK-37 sert à la formation des pilotes de Viggen.

Le Soko Galeb 3, un avion d'entraînement primaire yougoslave.

Le Mil Mi-24 Hind est un redoutable hélicoptère de combat qui, de plus, peut transporter douze hommes d'infanterie équipés.

Le premier Sikorsky Blackhawk est le S-69 d'assaut.

Le Bell 214 est équipé d'une unique turbine T-55.

Le Saab 105ö est une version spéciale pour l'aviation autrichienne.

Le Boeing-Vertol 347 expérimental est dérivé du CH-47A.

L'IAI Arava, un bimoteur bipoutre de transport « made in Israel ».

Le Mirage 5BA utilisé par la Force aérienne belge pour l'appui-feu.

L'Aermacchi MB.626K, un avion d'entraînement puissamment armé.

Le Saab 35X, version danoise et suisse du Drakken.

Le McDonnell Douglas A-4M reçoit un réacteur J-52, un parachute de queue, une verrière plus grande et davantage de munitions internes.

Le Kawasaki C-1, avion de transport tactique, est commandé par les forces aériennes d'autodéfense japonaises pour remplacer le Curtiss C-46.

697

1971

 7 297 km/h
Etats-Unis
William Knight
North American X-15
3.10.67

 39 147 km
Etats-Unis
Archie Old Jr.
Boeing B-52
18.1.57

 107 960 m
Etats-Unis
Joseph Walker
North American X-15
22.8.63

 348 810 kg
Etats-Unis
Lockheed
C-5A Galaxy

 21 319 kgp
Etats-Unis
Pratt & Whitney
JT9D-7/3a

Grande-Bretagne, 6 janvier
A Dunsfold, l'US Marine Corps reçoit l'Hawker Siddeley Harrier Mk-50, désigné AV-8A.

Bruxelles, 8 janvier
La Sabena met en service le 747 sur la ligne Bruxelles - New York.

Maryland, 21 janvier
Un Lockheed P-3C Orion de l'US Navy bat le record de distance pour avions turbopropulsés en reliant Atsugi, au Japon, à Patuxent River, soit 11 280 km en 15 h 21 min.

Phnom Penh, 22 janvier
Attaqué par un commando, l'aéroport de Phnom Penh est fermé ; ce qui perturbe le service d'Air France entre Tokyo et Paris.

Yeovil, 22 janvier
La RAF reçoit l'hélicoptère Westland-Aérospatiale SA-330 Puma.

Toulouse, 26 janvier
Lors du 122e vol du Concorde 001, la rampe de régulation de l'entrée du moteur 4 est arrachée. (→ 13.5)

Massy-Palaiseau, 8 février
Le simulateur de vol B-707, fabriqué par la firme américaine Link, est mis en service pour un stage de qualification au centre d'instruction du personnel navigant technique d'Air France.

Orly, 1er mars
Le Hawker Siddeley Trident 3B assure son premier service commercial pour la BEA entre Londres et Paris. Ce moyen-courrier est doté de trois turbofans Rolls-Royce et d'un réacteur pour le décollage placé sous l'empennage.

Yeovil, 22 mars
Le Westland WG-13 Lynx, fabriqué dans le cadre de la coopération franco-britannique, effectue son vol initial.

Orly, 31 mars
Dernier vol Londres-Paris pour le Breguet Deux-Ponts d'Air France, retiré sur Paris-Lyon et Paris-Marseille depuis le 1er janvier.

Paris, 14 avril
Air France reçoit 1,2 million de dollars à titre de remboursement des acomptes versés pour le super-sonique américain. (→ 25.5)

Bordeaux-Mérignac, 8 mai
Jean-Marie Saget décolle le Dassault Mirage G-8 à aile en flèche variable et équipé de deux réacteurs Snecma Atar 9K-50.

Dakar, 25 mai
Premier vol intercontinental pour le Concorde 001, qui arrive de Toulouse et doit repartir pour le Bourget. Le 14 mai, il a débuté ses atterrissages automatiques. (→ 20.9)

Nagoya, 20 juillet
Vol initial du biplace d'entraînement Mitsubishi XT-2. Surnommé le Jaguar japonais, c'est le premier avion supersonique entièrement construit au Japon. Seuls ses deux réacteurs Adour ont été fournis par Rolls-Royce et Turboméca.

Benghazi, 26 juillet
Un Vickers VC-10 de BOAC volant de Londres à Khartoum est détourné sur Benghazi par des agents du gouvernement libyen.

Japon, 30 juillet
Un Boeing 727 japonais, entré en collision avec un chasseur, s'écrase. Il n'y a pas de survivant. C'est la plus grande catastrophe aérienne à ce jour (162 victimes).

Los Angeles, 5 août
Le DC-10 est mis en service par American Airlines sur la ligne Los Angeles - Chicago. (→ 11.6.72)

Montréal, 12 août
Création d'un tarif promotionnel individuel sur l'Atlantique Nord, dit Apex (Advanced Purchase Excursion), applicable pour un séjour de 22 à 45 jours avec paiement 3 mois à l'avance.

Brésil, 3 septembre
L'Embraer EMB-326GB Xavante effectue son vol initial. Version construite sous licence de l'Aermacchi MB-326GB et destinée à l'entraînement de l'armée, c'est le premier avion à réaction brésilien.

Etats-Unis, 12 septembre
James Bede décolle à bord de son BD-5 Micro. Ce monoplace à hélice, doté d'un train escamotable manuellement et d'un moteur propulsif de 40 ch, doit être vendu sur plans ou en kit aux amateurs.

Filton, 20 septembre
Le Concorde de présérie 01 sort des ateliers de la BAC. Par rapport au prototype, le fuselage est allongé, la puissance des réacteurs et la capacité de carburant accrues.

Aarsele, 2 octobre
Un Vickers Vanguard de la BEA, reliant Londres à Salzbourg, perd la partie arrière de l'empennage hori-

zontal. Le pilote annonce le piqué mortel qui va durer 54 secondes, avant que l'avion ne s'écrase au sol en s'enfonçant à 6 m de profondeur. Il n'y a pas de survivant.

France, 25 octobre
Air France, Air Inter et UTA constituent le CTAF (Comité des transporteurs aériens français), chargé de leur représentation auprès des pouvoirs publics et des organisations internationales.

Douala, 2 novembre
Cameroon Airlines, née le 26 juillet avec l'aide d'Air France, assure son premier vol Paris-Marseille-Douala avec un Boeing 707 loué à la compagnie nationale.

Paris, 9 novembre
Air France confirme sa commande de six Airbus A-300 et prend option pour dix autres. (→ 3.2.72)

Paris, 9 novembre
Air France crée la Servair (Compagnie d'exploitation des services auxiliaires aériens). Elle sera chargée de l'approvisionnement et du nettoyage des avions à Roissy.

Montréal, 19 novembre
La République populaire de Chine est admise à l'OACI.

France, 29 novembre
Le centre d'exploitation postale débute ses essais de vols de nuit avec une Caravelle 12 équipée de silencieux.

Seattle, 30 novembre
Le Boeing 747-200F, version cargo du 747 commandée par la Lufthansa, effectue son vol initial.

Paris, 12 décembre
Le président Pompidou embarque sur le Concorde 001 pour les Açores où l'attend son homologue américain Richard Nixon. (→ 1.7.72)

Poste de pilotage du Concorde : les indicateurs de contrôle des quatre réacteurs sont les cadrans situés au centre de la planche de bord.

Quelques chiffres...

Trafic passagers mondial (services réguliers) : 411 millions
Trafic passagers sur l'Atlantique Nord (toutes lignes) : 11,3 millions
Trafic passagers à Paris : 14,4 millions
Trafic passagers à Londres (Heathrow et Gatwick) : 21,3 millions
Prix d'un billet Paris-Nice (avril) : 245 F
Prix d'un billet Paris - New York (juillet) : 1 985 FF
Transport de fret mondial (en milliards de tonnes) : 5
Salaire moyen d'un commandant de bord long-courrier : 18 200 F
Salaire moyen d'une hôtesse : 2 423 F ; chef de cabine : 5 160 F
Prix d'un Beech 100 : 695 000 dollars
Prix d'un Cessna 414 : 197 430 dollars
Prix d'un Gulfstream II : 3,95 millions de dollars
Prix de 1 000 litres de carburant Jet A1 (juillet) : 25,60 dollars
Taux de change du dollar (moyenne de juillet) : 5,5133 F

Le Super Guppy défie l'aérodynamique

Le vent de travers à l'atterrissage ou au décollage est son pire ennemi.

Toulouse, 29 septembre
L'avion qui vient d'être livré à la société Airbus Industrie ressemble surtout à une grosse baleine volante. Baptisé Super Guppy 201, cet énorme appareil de transport, venu des Etats-Unis, permettra au constructeur de l'Airbus d'acheminer vers son usine d'assemblage à Toulouse toutes les parties de l'Airbus fabriquées à Nantes, en Allemagne, en Angleterre et en Espagne. Le Super Guppy, seul avion à être capable d'effectuer ce type de transport, peut amener à Toulouse tous les éléments constitutifs d'un Airbus en 42 heures de vol seulement. Dans sa soute, dont le volume utile est de 1 100 m³, il transporte la voilure, l'empennage ou le fuselage d'un Airbus. La société Airbus a acheté deux exemplaires de cet appareil qui défie les lois de l'aérodynamique. C'est la firme Aéromaritime, filiale d'UTA, qui opérera les Super Guppy.

La Nasa utilise une invention française

Sur ce prototype au sol, les volets sont en position de sortie maximum.

Etats-Unis, 6 novembre
L'OV-10A, dont les essais en vol ont commencé au centre de recherche d'Ames de la Nasa, à Mountain View, est équipé d'un système d'hypersustentation à cylindre tournant, inventé en France au début du siècle. Dès 1910, le colonel Lafay avait étudié ce principe qui est fort simple : par viscosité, le cylindre met en mouvement le fluide qui le contourne, ce qui évite le décollement du côté où l'air et le cylindre se déplacent dans le même sens. Dès 1938, le professeur Favre, directeur de l'institut de mécanique statistique à Marseille, avait appliqué ce système à l'aviation. Reprenant ce principe, les ailes du *Bronco* sont munies de cylindres rotatifs au niveau du bord d'attaque des volets de portance. La Nasa compte obtenir ainsi des coefficients de portance plus élevés afin d'améliorer la tenue des appareils volant à très basse vitesse.

Vingt mariages à bord d'un vol Lufthansa

Pacifique, 5 novembre
Quarante amoureux japonais ont dit «oui» au moine en plein ciel, à plus de 10 000 m d'altitude. C'est au cours d'une cérémonie dans la plus pure tradition shintoïste qu'ils se sont unis en présence de leurs proches, du commandant de bord de l'appareil, un Boeing 747 de la Lufthansa, et d'hôtesses de l'air japonaises en kimono, nombreuses à bord pour la circonstance. La cabine a été spécialement modifiée pour l'occasion. Quelques rangées de sièges supprimées ont permis au moine, en tenue traditionnelle, d'officier devant un petit autel pour célébrer ces mariages inhabituels.

Tournée de Concorde en Amérique du Sud

Toulouse, 18 septembre
Le grand oiseau blanc est de retour à sa base après une tournée triomphale en Amérique du Sud. Parti le 4 septembre dernier pour son premier voyage transatlantique, avec André Turcat et Jean Pinet aux commandes, le Concorde 001 a volé pendant 29 h 52 min, dont 13 h 30 min en supersonique, comprenant 9 h 21 min à Mach 2. Le supersonique s'est d'abord rendu à Rio *via* Sal, aux îles du Cap Vert, et à Cayenne. De là, il est allé à Sao Paulo, où l'appareil a été le clou de l'exposition industrielle France 71. Avant le retour, Concorde a fait des vols de démonstration.

La cérémonie a eu lieu dans la première section de la classe économique.

Concorde fait un passage à basse altitude dans la baie de Rio de Janeiro.

Un pirate de l'air saute en parachute avec 200 000 dollars

Pour sauter du DC-8 d'Air Canada en plein vol, le pirate devait agir avant que la pressurisation ne bloque les portes.

La France devra indemniser Israël

Israël, 20 novembre

Depuis 1967, l'affaire de l'embargo des cinquante Mirage V, commandés et payés par Israël et non livrés par la France en raison de l'embargo imposé par le général de Gaulle, a pesé lourd dans les relations entre les deux pays. La nouvelle selon laquelle Tel-Aviv aurait accepté le principe d'un remboursement des appareils est donc importante. Israël a sans doute fini par donner son accord, comprenant d'une part que les Mirage V ne lui seraient jamais livrés, et souhaitant d'autre part acquérir du matériel américain plus moderne et plus conforme à ses besoins actuels. Pourtant, outre la perte de ce marché, c'est une mauvaise affaire pour la France qui ne sait pas quoi faire des appareils stockés sur la base de Châteaudun. Ces avions, ayant été construits spécialement pour les besoins de l'armée israélienne, ne pourraient être repris par l'armée française qu'après des transformations qui reviendraient fort cher. Il est donc probable que les négociations vont se poursuivre et durer un certain temps.

Etats-Unis, 25 novembre

Un Boeing 727, reliant Portland à Seattle, a été victime d'un pirate de l'air. Au cours du vol, un homme prétendant s'appeler Cooper, a appelé l'hôtesse et lui a tranquillement montré deux cylindres rouges reliés par des fils. A partir de là, tout s'est déroulé dans un tel calme que les passagers ne se sont aperçus de rien. Le pirate a exigé que l'appareil, après avoir débarqué les passagers à Seattle, reparte à destination de Mexico avec un équipage réduit au minimum et une rançon de 200 000 dollars. Sa demande a été suivie à la lettre, mais dès que l'avion a redécollé, Cooper a enfermé l'équipage dans l'habitacle, a ouvert la porte d'accès arrière et a sauté dans le vide en parachute. Depuis, malgré les recherches du FBI, l'homme est resté introuvable. L'idée de cette prise d'otages est peut-être venue à Cooper après l'échec de Paul Cini qui, il y a treize jours, a tenté de détourner un DC-8 d'Air Canada en utilisant le même procédé. Le scénario a commencé de façon identique : le pirate, se déclarant membre de l'IRA, a exigé 1,5 million de dollars. Après un atterrissage à Great Falls où les passagers ont été débarqués, il a voulu également sauter en parachute en utilisant la porte arrière, mais il a été ceinturé par des membres de l'équipage au moment où il essayait de revêtir son parachute.

L'Alouette a gardé son record 13 ans

Stratford, 3 novembre

Depuis le 13 juin 1958, personne n'avait pu arracher à Jean Boulet son record international d'altitude en hélicoptère remporté sur l'Alouette. Le Sikorsky CH-54 B a fini par le vaincre, mais de peu : en montant à 11 189 m, il ne l'a surpassé que de 205 m. L'équipage de cette victoire était composé de quatre pilotes de l'US Army : Delbert Hunt, James Church, Brendan Blackwel et Eugene Price. Ce vol couronne d'ailleurs toute une série de tentatives qui ont permis au CH-54 B de battre quatre autres records internationaux d'altitude, dont deux étaient détenus par des Soviétiques, et trois records de montée. Le CH-54 B est la version militaire du S-64 F, mais il dispose de deux turbines plus puissantes entraînant un rotor à six pales élargies, ce qui lui permet de décoller avec une masse de 21,3 t. (→ 26.6.72)

La Middle East Airlines (MEA) est basée à Beyrouth. Elle aura transporté pendant l'année 1971 plus de 20 000 passagers. Sa flotte se compose de plusieurs Boeing 707-720 et de quelques 720 pour le vols intercontinentaux. Elle dessert trente-six villes sur trois continents.

Une famille s'évade à bord d'un Zlin

Prague, 19 décembre

Ladislaw Bezak, un pilote de la Czechoslovak Airlines, avait décidé de passer à l'Ouest en 1968, lorsque les chars soviétiques ont envahi Prague. Ce matin, il s'est rendu à l'aéroport de Kladno, près de Prague, où il a indiqué qu'il allait faire un tour à bord d'un petit avion Zlin. Dès qu'il décolle, il fonce vers une clairière où l'attendent sa femme Marie et ses quatre enfants. Une fois sa famille installée tant bien que mal derrière lui, Bezak tente en vain de décoller. Il regagne seul l'aéroport, où il annonce qu'il repartira plus tard. Entretemps, sa famille a réussi a se cacher en bout de piste. Maria et les enfants montent à bord du Zlin qui fonce vers l'Allemagne. Soudain, un MiG-17 tchèque les aperçoit et ouvre le feu, mais le Zlin pénètre dans un nuage. A la sortie de la couche, c'est la Bavière et la liberté.

Le VFW-Fokker VFW 614 se distingue par ses nacelles montées sur les extrados. Il est exploité par Touraine Air Transport et par Air Alsace.

Le Dassault Mercure, court-courrier pour 124 à 150 passagers, n'est vendu qu'à dix exemplaires à Air Inter.

L'Italair F.20 Pegaso, bimoteur léger pour cinq ou six passagers.

Le Boeing 747-200F est une version spécialisée de transport de fret, avec un système de chargement par l'avant. Lufthansa commande le premier.

Le deuxième avion tout métal de Robin est le biplace Hr.200.

L'Agusta A 109 Hirundo, équipé de deux turbines Allison 250-C20, est utilisé comme hélicoptère d'affaires et pour des missions militaires.

Le prototype du Bede BD-5 Micro, monoplace de sport, est équipé d'origine d'un moteur trois cylindres Kiekhaefer Aeromarine de 40 ch.

L'Iliouchine Il-76, quadriréacteur de transport, a été conçu pour un emploi dans des conditions difficiles, comme en Sibérie.

Le Maule M-5 Lunar Rocket, développé du M-4 Strata Rocket, est équipé de volets et de gouvernes plus larges pour améliorer ses performances.

Le Casa C.212 Aviocar, biturbopropulseur, a été mis au point pour remplacer les Junkers 52/3m et les Casa C.207 des forces aériennes espagnoles.

Le Bell 309 King Cobra se différencie du Model 209 par son fuselage allongé et renforcé, ainsi que par la présence d'un collimateur à multicapteurs.

Le Piper PA-48 Enforcer est un avion de lutte antiguérilla dont la cellule est dérivée de celle du P-51 Mustang.

Le Government Aircraft Factories Nomad australien est un biturbopropulseur de transport qui peut emporter 1 950 kg de fret ou douze personnes.

Le VFW-Fokker H.3 Sprinter à turbines en bout de pales.

Le Cerva CE.43 Guepard, une version du Wassmer WA.421.

Le Mitsubishi XT-2, conçu pour l'entraînement avancé et l'appui tactique, est équipé de deux réacteurs Rolls-Royce - Turboméca Adour.

Le prototype du biplace Mirage G-8 à géométrie variable atteint Mach 2.03 avec ses deux Atar 9K-50, mais le programme sera abandonné.

Retenu par les forces aériennes d'autodéfense japonaises, le McDonnell F-4EJ est construit sous licence à 138 exemplaires par Mitsubishi.

Le prototype du Westland WS.13 à turbines Rolls-Royce vole avec les patins retenus par l'armée britannique pour la version du Lynx AH.1.

Douze cellules d'Avro Shackleton MR.2 ont été transformées par Hawker Siddeley en Shackleton AEW.2 de détection radar lointaine.

Le Kaman SH-2D porte un radar dans la pointe avant dans le cadre du programme Lamps (système léger polyvalent aéroporté).

1972

 **7 297 km/h**
Etats-Unis
William Knight
North American X-15
3.10.67

 **39 147 km**
Etats-Unis
Archie Old Jr.
Boeing B-52
18.1.57

 **107 960 m**
Etats-Unis
Joseph Walker
North American X-15
22.8.63

 **348 810 kg**
Etats-Unis
Lockheed
C-5A Galaxy

 **22 230 kgp**
Etats-Unis
General Electric
CF6-50 A

Wichita, 6 janvier
Flight Safety International installe dans les locaux de la firme Gates Lear Jet une école de pilotage et d'entraînement au sol.

Etats-Unis, 7 janvier
La firme Vought Helicopter présente la Gazelle et le Puma, qui effectuent leur premier vol sous immatriculation américaine.

France, 29 janvier
Air Inter commande dix exemplaires du Mercure. (→ 4.6.74)

Espagne, 3 février
Iberia commande 3 Airbus A-300, avec une option pour 6 autres. C'est le second acheteur du biréacteur européen après Air France. (→ 28.10)

Paris, 16 février
Le ministre de la Défense Michel Debré et son homologue allemand Helmut Schmidt signent le protocole de lancement de l'Alpha Jet.

New York, 13 mars
Jugé devant la cour de New York, Clifford Irving avoue avoir fabriqué de toutes pièces la prétendue autobiographie d'Howard Hughes qu'il a vendue à l'éditeur McGraw-Hill. Il a été dénoncé par Hughes lui-même, qui vit pourtant reclus depuis plusieurs dizaines d'années.

France, 1er avril
Pour accélérer le service à bord des moyen-courriers, Air France remplace le plateau traditionnel par des coffrets-repas.

Etats-Unis, 26 avril
Eastern Air lines met en service sur la ligne Miami - New York, le Lockheed L-1011 TriStar. Malgré les problèmes de Rolls-Royce qui lui fournit ses réacteurs, l'avion a été certifié le 14 avril dernier.

Orly, 9 mai
Air France met en service un système d'enregistrement automatique des passagers et de leurs bagages nommé Gaëtan (Gestion automatique de l'enregistrement à traitement alpha-numérique).

Bagdad, 5 juin
Air France ouvre une escale à Bagdad. 35 entreprises intéressées par le marché irakien sont invitées au vol inaugural.

International, 19 juin
La Fédération internationale des associations des pilotes de ligne, l'Ifalpa, lance un ordre de grève de 24 h pour sensibiliser les gouvernements sur le problème de la piraterie aérienne.

Istres, 21 juin
Un SA-315B Lama piloté par Jean Boulet porte le record international d'altitude pour toute catégorie d'hélicoptère à 12 442 m.

Londres, 1er juillet
Retour du Concorde 002 après une tournée de 30 jours en Australie et en Asie. Il a parcouru 74 000 km en 62 h de vol. (→ 26.10)

Etas-Unis, 10 août
Frank Lorenzo prend le contrôle de Texas International Airlines.

Grande-Bretagne, 1er septembre
La BOAC, la BEA et leurs compagnies associés fusionnent au sein du British Airways Group.

Nord Viêt-nam, 11 septembre
Première victoire aérienne de l'US Marine Corps sur un MiG-21 qui est abattu aux environs d'Hanoi par un Phantom F4-J.

Paris, 14 septembre
Les gouvernements français et anglais autorisent la construction de 6 nouveaux Concorde, qui s'ajouteront aux 16 premiers exemplaires.

Le Bourget, 25 septembre
A bord d'un Super Guppy 201, le simulateur de vol DC-10-30, destiné à UTA, arrive de Montréal.

Washington, 28 septembre
Le Civil Aeronautics Board (CAB) décide, à titre d'essai, de libéraliser la réglementation des vols à la demande : à partir du 31 décembre, pour bénéficier de tarifs réduits, il ne sera plus nécessaire de faire partie d'un groupe ; il suffira de réserver 90 jours à l'avance en payant un acompte non remboursable.

France, 20 octobre
Air Inter reçoit la Caravelle 12, équipée du dispositif d'atterrissage automatique Sud-Lear.

Aulnat, 27 octobre
Un Vickers Viscount d'Air Inter, assurant la ligne Lyon - Clermont-Ferrand, s'écrase peu avant son atterrissage. Les conditions météo de la région étaient très défavorables. Il y a 68 morts et 9 rescapés.

Turquie, 29 octobre
Un commando du mouvement *Septembre noir* détourne un Boeing 727 de la Lutfhansa faisant route de Beyrouth à Ankara. Il exige la libération des trois Palestiniens responsables du massacre des jeux Olympiques de Munich. Les autorités allemandes cèdent.

Bucarest, 25 novembre
Décès à l'âge de 86 ans de l'ingénieur Henri Coanda, qui a découvert l'effet aérodynamique portant son nom. Gustave Eiffel lui aurait dit : « Jeune homme, vous êtes né trente ans trop tôt ! »

Toulouse, 6 décembre
Au cours du 17e vol de l'Airbus A-300-B1, le pilote Jacques Grangette stoppe ses essais de braquage de gouvernes, voyant les efforts sur l'empennage croître dangereusement. Les vols du prototype sont suspendus. Le démontage de la queue révèle que la rupture a été évitée de justesse. L'incident reste confidentiel. (→ 18.1.73)

France, 14 décembre
La commission d'enquête sur l'accident de la Caravelle, survenu le 11 septembre 1968 au large de Nice, conclut à un incendie déclenché dans la cabine, mais elle ne peut déterminer l'origine.

Moscou, 23 décembre
Décès à l'âge de 84 ans du constructeur Andrei Tupolev.

Montevideo, 29 décembre
Les seize rescapés de l'avion uruguayen, qui s'était écrasé le 13 octobre dans la cordillère des Andes, ont survécu en se nourrissant des cadavres des passagers tués dans l'accident.

Washington, 30 décembre
Le président Nixon ordonne l'arrêt des bombardements massifs effectués depuis onze jours par les B-52 de l'USAF contre Hanoi, dans le cadre de l'opération *Linebacker II* pour contraindre le Nord Viêt-nam à entamer des négociations de paix.

Quelques chiffres...

Trafic passagers mondial (services réguliers) : 450 millions
Trafic passagers sur l'Atlantique Nord (toutes lignes) : 13,5 millions
Trafic passagers à Paris : 16,1 millions
Trafic passagers à Londres (Heathrow et Gatwick) : 23,7 millions
Prix d'un billet Paris-Nice (avril) : 260 F
Prix d'un billet Paris - New York (avril) : 1 306 F
Transport de fret mondial (en milliards tonnes) : 5,6
Salaire moyen d'un commandant de bord long-courrier : 19 570 F
Salaire moyen d'une hôtesse : 2 600 F ; chef de cabine : 5 570 F
Prix d'un Falcon 20 : 1,9 million de dollars
Prix d'un HS 125 : 1,25 million de dollars
Prix d'un Lear Jet 25 B : 957 000 dollars
Prix de 1 000 litres de carburant Jet A1 (juillet) : 30,80 dollars
Taux de change du dollar (moyenne de juillet) : 5,0022 F

Le prototype de l'Airbus A300-B1 est immatriculé F-WAUB. Belairbus, à Gosselies, participe à la construction des bords d'attaque des ailes.

Le Cessna Citation, déjà vendu en Europe

Le Citation Model 500 est vendu au prix de 695 000 dollars.

France, 29 février
Effectuant une tournée de démonstration en Europe, le Cessna Fan Jet Citation était aujourd'hui pour une visite éclair en France. Déjà, les ventes qu'il réalise sur le vieux continent correspondraient aux prévisions du constructeur, et les livraisons devraient commencer dès le mois d'avril. Cessna fait le tour de tous ses agents pour leur présenter le C-500 qui devrait séduire bon nombre de propriétaires de bimoteurs. Les utilisateurs de Cessna 310, 421, 401 et 414 ne devraient pas rester insensibles aux avantages du C-500. Si certains de ces avions à hélices sont déjà pressurisés, la différence avec le C-500 est complète. Le niveau de vol, supérieur à 10 000 mètres, change toutes les données du problèmes et ce, sans tenir compte de la vitesse qui passe de 350 km/h à 650. Le prix est aussi attractif, c'est le moins cher des jets d'affaires. Il reste aux pilotes à faire l'effort de passer une nouvelle qualification. (→ 15.9.76)

Le 747 cargo transporte son propre poids

Seattle, 9 mars
Le Boeing 747-200F (F pour fret), qui vient de décoller aux couleurs de Lufthansa, avait une masse de 371 946 kg. Il emportait une charge payante de plus de 90 tonnes et ses réservoirs contenaient plus de 120 tonnes de carburant. Ces performances, bien supérieures à celles du 747-100, sont dues à l'utilisation de réacteurs qui donnent maintenant jusqu'à 23 tonnes de poussée. C'est donc une poussée totale de 92 tonnes qui permet à ce cargo des airs de grimper à 10 000 m et de couvrir en plus 7 000 km sans escale à la vitesse moyenne de 900 km/h.

Deux hommes suffisent pour manipuler les charges qui entrent par l'avant.

Le sauvetage des pilotes au Viêt-nam

Jusqu'à présent, plus de 350 exemplaires du modèle de base ont été livrés.

Viêt-nam, 1er juin
C'est une chance pour le *captain* Roger Locher de l'US Army que les Sikorsky HH-53 du 3e ARRG soient équipés d'un nouveau dispositif de localisation électronique ELF, car son appel radio a pu être capté. Il y a trois semaines, son avion avait été abattu dans la région de Yen Bai, et, depuis, il essayait vainement d'entrer en liaison avec des avions américains, survivant dans la jungle en se nourrissant de racines et de fruits. Depuis le mois de janvier 1962, une organisation de sauvetage a été mise en place par l'armée américaine pour retrouver les équipages tombés dans la jungle. L'hélicoptère s'est vite imposé comme le type d'appareil le mieux adapté à ce travail, et en particulier le Sikorsy HH-53, dont le 3E Jolly Green Giant a été le premier à rendre de grands services grâce à son treuil, son blindage efficace, sa possibilité d'être ravitaillé en vol et sa capacité qui peut aller jusqu'à 38 hommes.

L'IGN améliore la photographie aérienne

France, 21 avril
Le service des activités aériennes de l'Institut géographique national vient de recevoir un nouvel instrument de photographie aérienne : le Mystère 20 sorti des ateliers Marcel Dassault. Actuellement, cet appareil est unique au monde par ses perfectionnements. Il est équipé d'une trappe pour intervallomètre, d'un viseur de navigation Wild NF2, de deux trappes de prise de vues, protégées par des glaces optiques spéciales, d'un emplacement pour le scanner infrarouge SAT Cyclone de l'IGN. Une trappe est aussi prévue pour l'installation d'un télescope.

Le premier Mystère 20 de l'IGN, basé à Creil, était immatriculé F-BMSS.

Tel-Aviv devient la plaque tournante des actions terroristes

Le 8 mai, c'était un Boeing 707 de la Sabena qui avait été pris par des pirates juste après l'escale de Vienne.

Tel-Aviv, 30 mai

Vingt-cinq personnes sont mortes et soixante-douze autres ont été blessées. Le carnage a eu lieu à Lod, l'un des aéroports internationaux de la capitale israélienne : cette nuit, trois Japonais ont jeté des grenades et tiré à l'arme automatique sur quelque trois cents personnes qui venaient de débarquer d'un appareil d'Air France assurant la liaison Paris-PTel-Aviv. Les auteurs de cette tuerie, qui se réclament d'un mouvement proche d'une fraction de l'OLP, étaient montés à bord de l'avion lors de l'escale à Rome. Accusée de négligences, la direction d'Air France a affirmé avoir respecté les consignes de sécurité, d'autant plus strictes ces temps-ci que la peur des pirates de l'air et des terroristes s'accroît. Ces mesures de sécurité sont assurées au départ par la police de l'air et des frontières ; ensuite, par l'équipage de cabine qui vérifie à bord sièges, toilettes et compartiments à bagages. La surveillance lors des escales s'avère plus délicate et un contrôle complet est presque impossible, surtout dans les salles de transit avant l'embarquement, où d'autres passagers s'apprêtent à voyager.

Un décrochage fatal pour le Trident

Staines, 18 juin

Un Trident de la BEA, qui assurait le vol Londres-Bruxelles, vient de s'écraser : les 118 personnes à bord ont toutes péri. Le commandant Stanley Key a été victime d'une crise cardiaque. C'est la première fois qu'un accident est provoqué par la mort en plein vol d'un commandant de bord. Il est 16 h 09 ; l'avion décolle et est autorisé à monter à l'altitude de 1 800 m. Parvenu à 500 m, la tour de contrôle constate que la vitesse de l'avion diminue dangereusement. Elle est tombée à 290 km/h. Or, quelques secondes plus tard, des témoins voient le Trident chuter à la verticale et s'écraser dans une zone fort heureusement inhabitée. Parmi les membres de l'équipage, on ne compte aucun survivant. C'est la catastrophe la plus meurtrière de toute l'histoire de l'aviation civile britannique.

Le DC-10-30 transporte fret et passagers

Long Beach, 21 juin

Les compagnies aériennes sont des clients exigeants. Elles apprécient des appareils capables d'assurer plus d'un rôle. Deux ans environ après le vol inaugural du DC-10, McDonnell Douglas vient donc de lancer le DC-10-30CF. Ce triréacteur, équipé de turbofans General Electric, plus puissants que ceux du DC-10, est un appareil convertible. Grâce à son plancher renforcé et à sa grande porte latérale (2,59 m sur 3,56 m), il peut être transformé d'avion de transport de passagers en avion-cargo. Cela permet aux opérateurs du DC-10-30CF de mieux exploiter le nouvel appareil.

La Sabena commande des DC-10-30. La section fret est à l'avant de l'avion.

Une porte de soute est arrachée en vol

Canada, 11 juin

Pour les 56 passagers et 11 membres d'équipage du vol 96 d'American Airlines, reliant Los Angeles à New York, *via* Detroit et Buffalo, tout paraissait normal à 19 h 19, lorsque le DC-10 a quitté Detroit. Certes, le vol avait pris du retard en raison notamment d'un problème avec la porte de la soute arrière. Un mécanicien avait réussi à la fermer en appuyant sur la manivelle et un ingénieur de la compagnie avait confirmé que la porte était bien verrouillée. Mais, lorsque l'avion volait à 3 500 m au-dessus de la ville de Windsor, dans l'Ontario, ce fut le drame. Le commandant Bryce McCormick a ressenti une terrible secousse à l'arrière de l'appareil avant de constater que les principales commandes ne fonctionnaient plus. Ensuite, une violente rafale de vent s'est engouffrée dans le poste de pilotage. La porte de la soute avait cédé, créant un trou béant dans le plancher de l'avion et arrachant des câbles de contrôle. Le pilote a réussi, en agissant sur la poussée des réacteurs, à revenir à Detroit. (→ 3.3.74)

Cunningham, as des as au Viêt-nam

Viêt-nam, 10 mai

«Showtime, fais gaffe, tu as des Blue Bandits (nom de code du MiG-21) à sept heures !» A bord de son Phantom F-4J, le lieutenant Randy Cunningham et son coéquipier Willie Driscoll lancent leur appareil dans un renversement brutal vers la gauche. Partis il y a une heure du porte-avions *USS Constellation*, opérant dans le golfe du Tonkin, les six Phantom du Squadron VF-96 de la Navy se trouvent au-dessus du nœud ferroviaire de Haiphong. Autour d'eux, le ciel est rempli d'appareils ennemis, des MiG-21, mais aussi des MiG-17 et MiG-19. En l'espace de quelques minutes, le F-4 de Cunningham, baptisé Showtime-100, abat trois MiG avec ses missiles Sidewinder. Cet exploit porte à cinq le nombre d'avions ennemis abattus par Cunningham depuis le 28 janvier. Un record pour la Navy.

Le F-15 Eagle affirme sa supériorité

Pour la première fois, la poussée est supérieure au poids de l'avion.

Edwards AFB, 27 juillet
Lorsqu'il a posé le prototype du F-15 Eagle sur la piste de la base aérienne d'Edwards, en Californie, Irving Burrows, le pilote d'essai, avait le sourire. En cinquante minutes de vol, aux commandes du nouvel avion de supériorité aérienne de McDonnell Douglas, Borrows a compris qu'il avait à faire à un pur-sang des airs. Le F-15, destiné à remplacer progressivement le F-4 Phantom au sein de l'US Air Force, est un monoplace à géométrie fixe équipé de deux réacteurs à double flux et à postcombustion Pratt & Whitney. Malgré son poids relativement élevé (18 tonnes), cet appareil, capable d'une vitesse maximale de Mach 2.5, est le premier chasseur à disposer d'un rapport poussée/poids supérieur à 1, ce qui lui permet d'accélérer plus rapidement que tout autre chasseur.

Un Puma transporte... une maison en kit

Le Puma est construit par l'Aérospatiale et Westland en Grande-Bretagne.

Nancy, 12 juin
Pour le compte de la Société industrielle de recherche et de réalisation de l'habitat, la société Héli-Union a réalisé une opération spectaculaire. Il s'agissait de venir chercher par hélicoptère quatre éléments de la maison préfabriquée Option 75, exposée à la foire de Nancy, et de les transporter cinq kilomètres plus loin, en bordure de forêt. L'opération, qui aurait nécessité deux jours par la route, n'a demandé que 3 h 45. Son succès pourrait bien être le point de départ d'une collaboration entre la SIRH et Héli-Union. L'hélicoptère utilisé, un SA-330 Puma, était piloté par M. Petit, de l'Aérospatiale, assisté de M. Schmitt, de la société Héli-Union. Le poids de chaque élément transporté, conçu pour le transport par hélicopère, était de 2,3 tonnes. (→ 15.1.73)

Des hauts et des bas pour Concorde

Etats-Unis, 26 octobre
Coup dur pour les perspectives commerciales de Concorde : la société United Airlines, qui avait pris des options sur six supersoniques franco-britanniques, a décidé de ne pas les transformer en commande ferme. La compagnie américaine a expliqué que l'avion ne correspond pas aux besoins d'United, celle-ci exploitant essentiellement des lignes intérieures. Après cette décision, le nombre total d'options prises sur le Concorde est de cinquante-trois. Il convient d'ajouter à ce chiffre les commandes fermes placées par BOAC (cinq appareils), Air France (quatre appareils) et Iran Air (deux appareils), ainsi que les contrats d'achat préliminaires de la Chine populaire pour trois avions. Plusieurs des compagnies ayant pris des options sur l'avion, Iran Air par exemple, ont indiqué qu'elles n'achèteront le supersonique que s'il obtient le droit d'atterrir aux Etats-Unis. (→ 26.9.73)

Robin produit un avion par jour ouvrable

Dijon, 1er septembre
L'incendie du 18 avril n'aura en rien affecté l'expansion de la société des Avions Pierre Robin. Malgré la destruction des ateliers de peinture et de montage où se trouvaient vingt-six appareils en cours de fabrication, le travail a repris normalement dans des installations de fortune. La cadence de production prévue à partir de 1973, soit un avion par jour ouvrable, est dès à présent adoptée. Les surfaces et les outillages mis en place après le sinistre sont suffisants pour poursuivre l'expansion de la société jusqu'en 1976. Et, avec le dernier prototype, le HR 200/285, un quadriplace dont le premier vol est prévu pour ce mois-ci, le constructeur de Dijon se prepare à faire face à la concurrence américaine.

Le HR 100/210 Safari a une autonomie de 12 heures en régime de croisière.

Nouvelle menace, l'alerte à la bombe

Canada, 8 septembre
Une bombe à bord, l'idée n'avait jamais jusqu'alors été exploitée par des terroristes. Une voix anonyme a annoncé qu'un engin explosif avait été déposé sur le vol Air France 031 Paris-Montréal-Chicago. L'appareil a été aussitôt dérouté sur Gander, où les artificiers canadiens ont heureusement constaté que l'objet était inoffensif. Le jet est alors reparti pour Montréal. En ce moment plus que jamais, toute menace est prise en compte, car il en va non seulement de la sécurité des passagers mais aussi du crédit des compagnies. Lorsque l'avion est encore au sol, le pilote l'amène à l'écart de l'aéroport, fait évacuer les passagers et procède à l'inventaire minutieux de chaque bagage. En vol, la trajectoire est maintenue tandis qu'un membre de l'équipage recherche le colis suspect, l'entoure de couvertures et le dépose près d'une porte. L'avion alors se déroute.

Avec l'Airbus, l'espoir européen prend l'air

Toulouse, 28 octobre

Les Européens n'entendent pas laisser l'énorme marché mondial de l'aviation civile aux seuls grands constructeurs américains. Avec l'envol pour la première fois aujourd'hui de l'Airbus A300-B1, le vieux continent a démontré avec éclat sa volonté de s'attaquer au monopole de Boeing, Lockheed et McDonnell Douglas. Le vol initial du nouvel avion marque le point culminant d'un projet sur lequel les constructeurs européens se penchent depuis avril 1966, date à laquelle Boeing a lancé son projet de gros-porteur, le 747. L'Europe, dont le ciel est chaque jour plus encombré, avait besoin d'un avion capable d'emporter de nombreux passagers pour un coût peu élevé. Après de longs mois d'études et de négociations, et malgré la décision des Britanniques de ne pas participer au projet, les gouvernements français et allemand ont donné, le 29 mai 1969, leur feu vert à la construction du nouvel avion, baptisé Airbus A300. La construction du premier exemplaire, le A300-B1,

En cas de panne des deux moteurs, l'Airbus dispose d'une petite turbine de secours actionnée par le vent effectif.

a commencé en septembre 1969, alors que le consortium Airbus Industrie, dont le siège est à Toulouse, est né le 18 décembre 1970. L'Aérospatiale était chargée de l'avant de l'appareil, de la partie centrale inférieure du fuselage, des supports des deux réacteurs et de l'assemblage final. Deutsche Airbus (RFA) était chargé d'une grande partie du fuselage et de l'empennage, alors que l'Anglais Hawker Siddeley fabriquait la voilure avec le Néerlandais Fokker. Quant à la motorisation de l'A300, d'une capacité actuelle de 250 sièges, Airbus Industrie a opté pour le turbofan CF6, peu gourmand et silencieux, de la General Electric, produit sous licence par la Snecam. Malgré un carnet de commandes vide, les constructeurs de l'Airbus demeurent confiants dans son avenir. (→ 6.12)

Igor Sikorsky meurt à l'âge de 83 ans

Easton, Connecticut, 26 octobre

L'aéronautique est en deuil après le décès d'Igor Sikorsky. C'est après la découverte du récit du vol des Wright qu'il avait réalisé son premier hélicoptère, qui ne volera jamais. Puis, c'est un aéroplane, le S-1, qui, à son tour, reste au sol. Son S-2 passe 12 s dans les airs, le S-3 effectue 13 vols et le S-5 tient l'air 4 puis 30 minutes. Son *Bolchoï Baltiski* est le premier quadrimoteur au monde. Il vole 10 min à 240 m, à près de 100 km/h. Puis apparaît l'*Ilia Mourometz*, pour le transport de passagers. Le 5 mars 1923, Sikorsky fonde la Sikorsky Aero Engineering Corporation. Les appareils se succèdent : le S-29, le biplan biplace S-31, et le S-36 et le S-38 loués par la Pan Am. Le 3 octobre 1928 est créée la Sikorsky Aviation Corporation. Durant les années 30, il développe les hydravions. Certains effectuent des liaisons commerciales pour la Pan Am. Ses ateliers ont, à ce jour, produit 5 144 hélicoptères et 1 453 ont été construits sous licence.

Sikorsky est né le 25 mai 1889. Il a construit le premier quadrimoteur.

Le Viking S-3A, chasseur de sous-marins

Palmdale, 31 décembre

L'US Navy et l'US Marine Corps ont enfin trouvé l'avion de lutte anti-sous-marine appelé à remplacer leurs Grumman S-2 Tracker vieillissants. Il s'agit du Lockheed S-3A Viking, dont la seule Navy a déjà commandé 179 exemplaires pour embarquer sur ses porte-avions. Ce biréacteur bourré d'électronique est non seulement un bon détecteur de sous-marins, grâce notamment à son détecteur magnétique AN/ASQ-81 et son ordinateur Univac 1832A, mais il est aussi un redoutable tueur de submersibles. En effet, le Viking est capable d'emporter une variété quasi infinie de combinaisons d'armements : roquettes, mines, bombes, charges de profondeur, torpilles, fusées éclairantes et bombes en grappes.

Venu par la route de Burbank, le prototype fit son premier vol le 21 janvier.

Les avions de l'année 1972

Le Sabreliner 75A est équipé de deux double flux CF-700.

Le Beech 100 King Airways, développement du Model 90.

Le Sikorsky XH-59A expérimental à deux rotors superposés.

Le court-courrier Fokker F-28 Fellowship.

D'une capacité supérieure à trois cents passagers, l'Airbus Industries A-300B1 est le fruit d'une coopération entre cinq nations européennes.

L'Aero Boero AG-250, un avion agricole d'origine argentine.

La dernière variante du Boeing 707 est le Series 200, un modèle avancé équipé de réacteurs JT-8D et disposant d'un plus long rayon d'action.

Le Saab MFI-17 Supporter, version militaire du Safari.

L'Hindustan HA-31 Basant, avion calqué sur le Piper PA-36.

Le Ted Smith Super Star 700 à fuselage rallongé.

Le DC-10-20, première variante optimisée pour le long-courrier.

L'AESL Airtrainer, biplace de voltige et d'entraînement australien.

La version du McDonnell Douglas DC-10 la plus vendue est le Series 30 à double flux CF-6-50A, avec 161 unités (sous-versions incluses).

Le premier des biturbines Aérospatiale Dauphin, le SA 360 bat trois records du monde dans sa catégorie en mai 1973.

Le Beech 200 Super Kingair possède une cabine pressurisée.

Un MiG-27 d'appui tactique de forces aériennes soviétiques.

Le McDonnell Douglas YF-15A Eagle semble le seul à s'opposer au MiG-25 soviétique, et on ne tarde pas à le surnommer le Tueur de Foxbat.

Le Northrop F-5E Tiger II vise, à l'inverse du F-14, le marché des pays aux ressources financières limitées, où il réussit une belle percée.

Le Lockheed S-3A Viking reçoit à son bord tout l'équipement nécessaire pour détecter et couler les sous-marins ennemis.

Le Vought YA-7H Corsair II-2, version d'entraînement navale.

Le prototype du Northrop YA-9A d'attaque au sol.

Le Sukhoï T-100, bombardier supersonique expérimental à l'allure redoutable, incorpore les premières commandes de vol électriques.

Véritable tueur de chars, le Fairchild A-10A emporte un puissant canon General Electric GAU-8/A rotatif de 30 mm dans le nez.

1973

 7 297 km/h
Etats-Unis
William Knight
North American X-15
3.10.67

 39 147 km
Etats-Unis
Archie Old Jr.
Boeing B-52
18.1.57

 107 960 m
Etats-Unis
Joseph Walker
North American X-15
22.8.63

 348 810 kg
Etats-Unis
Lockheed
C-5A Galaxy

 22 230 kgp
Etats-Unis
General Electric
CF6-50 A

Lyon, 2 janvier
Air France ouvre trois lignes régulières à destination de Bruxelles, Dusseldorf et Madrid, avec des Mystère 20 affrétés à Europe Falcon Service, filiale de Dassault-Breguet au Bourget. (→ 11.5)

Kuala Lumpur, 15 janvier
Jean Boulet livre un hélicoptère Puma SA-330 en Malaisie. Il a parcouru les 11 700 km en 48 h 10 min de vol, dont 7 h de nuit.

Orly, 18 janvier
Max Fischl arrive de Toulouse avec l'Airbus A-300-B. Il vient le présenter officiellement, mais surtout faire la preuve que l'avion ne dérange pas les riverains en procédant à des mesures de bruit.

France, 19 janvier
Bernard Chauvreau décolle l'avion planeur RF-8 à Argenton-sur-Creuse. René Fournier a conçu ce biplace en tandem équipé d'un moteur Lycoming de 115 ch. (→ 12.3.74)

Nigeria, 22 janvier
Un Boeing 707 affrété pour un pèlerinage s'écrase à Kano. Les 176 occupants sont tués.

Paris, 13 février
Une taxe est instituée en vue d'atténuer les nuisances subies par les riverains des aérodromes d'Orly et de Roissy-en-France. Ce dernier est en construction. (→ 13.3.74)

Hambourg, 15 février
Lufthansa prend livraison de son 100e Boeing avec l'arrivée d'un 727.

Tanzanie, 18 février
Daniel Bauchart et Didier Potelle se posent au sommet du Kilimandjaro (5 964 m), avec un hélicoptère SA-319-B Alouette III.

Bordeaux-Mérignac, 22 février
Sur demande du ministère des PTT, quatre Transall de l'armée de l'air ont été transférés à Air France pour la Postale de nuit. Transformé aux normes de navigabilité civile, pour charger 13,5 t de courrier, le premier effectue son vol de réception.

Toulouse, 16 mars
La dernière Caravelle de type 12 est livrée à Air Inter. Sud-Aviation a assemblé 280 appareils de série sur ses chaînes de montage.

Paris, 1er avril
Air France inaugure sa ligne Tour du monde, *via* Tokyo, Papeete et Lima, d'une fréquence bihebdomadaire en Boeing 707. Elle couvre de 38 000 à 40 000 km selon le trajet choisi sur Paris-Tokyo.

Etats-Unis, 10 avril
Conçu à partir du Boeing 737-200 pour l'USAF, l'avion d'entraînement à la navigation T-43A fait son vol initial. Il peut accueillir 3 instructeurs et 16 élèves en cabine.

France, 4 mai
Le système Utamatique (traitement des passagers) de la compagnie UTA est relié à celui d'Air France, Alpha 3. Depuis le 15 janvier, les réservations de la Sabena, d'Air Alpes et de Rousseau-Aviation sont traitées par Alpha 3. (→ 18.1.74)

Paris, 18 mai
Dieudonné Costes, vainqueur de l'Atlantique Nord d'est en ouest en septembre 1930, avec Maurice Bellonte, s'éteint à l'âge de 80 ans.

Suède, 21 mai
Le SF.37, version biplace de reconnaissance photographique du Saab Viggen, effectue son vol initial.

Le Bourget, 24 mai
Le 30e Salon international de l'aéronautique et de l'espace accueille 616 exposants. (→ 3.6)

Londres-Heathrow, 26 juin
Un Boeing 747 de la Pan Am se pose en atterrissage automatique sans incident, alors que les pilotes sont totalement aveugles. Le pare-brise a été rendu opaque en traversant un violent orage au-dessus de l'Atlantique.

Istres, 13 juillet
Jean-Marie Saget, aux commandes du monoplace à géométrie variable Dassault Mirage G8-02, atteint la plus haute vitesse jamais réalisée en Europe : Mach 2.34 à 15 000 m.

Union soviétique, 25 juillet
Alexandre Fedotov atteint l'altitude record de 36 240 m, à bord d'un chasseur de série MiG-25.

Cambodge, 15 août
L'USAF accomplit son ultime mission en Asie du Sud-Est. En huit ans de guerre, les KC-135 de l'Air Refuelling ont transféré 5,3 billions de litres de carburant au cours de 813 900 ravitaillements en vol.

Wichita, 22 août
Le prototype du biréacteur d'affaires Lear Jet Model 35 (huit places) effectue son vol initial. Il est muni de réacteurs à double flux Garrett TFE731-2. (→ 5.4.75)

Belgique, 13 septembre
Le gouvernement décide d'acquérir 33 Alpha Jet, biplace d'entraînement et d'appui tactique. (→ 26.10)

Paris, 20 septembre
Dassault vient de recevoir la certification de la FAA pour le Falcon 10. Le certificat de navigabilité français avait été accordé le 11. Le prix de lancement de l'appareil est de 1 475 000 dollars. (→ 7.11.76)

Atlantique Nord, 26 septembre
Le Concorde 02 relie Washington à Paris en 3 h 33 min de vol, dont 2 h 16 min à Mach 2. Avec 32 passagers et les équipements d'essai à bord, il réalise la traversée à la charge marchande maximale.

Toulouse, 7 octobre
Lucien Servanty, père du Triton, de l'Espadon et du Trident, directeur du bureau d'études français pour le Concorde, s'éteint à l'âge de 64 ans.

Japon, 7 octobre
Japan Air Lines met en service le Boeing 747SR sur sa ligne Tokyo-Okinawa. Ce court-courrier peut emporter 498 passagers.

Toulouse, 18 octobre
L'Airbus A-300-B revient d'une tournée de promotion en Amérique du Sud et du Nord. En 32 jours, il a couvert 40 000 km, en 53 h 35 min de vol et 23 étapes. (→ 15.3.74)

Etats-Unis, 29 novembre
Le 1 000e Boeing 727 sort des chaînes de l'usine de Renton.

Toulouse, 6 décembre
André Turcat décolle le Concorde de série n° 1. Il atteint Mach 1.57 à 12 800 m dès ce vol. (→ 13.2.74)

Ozenay, 25 décembre
Gabriel Voisin meurt à l'âge de 93 ans. Il vient de publier ses mémoires : *Mes 10 000 cerfs-volants.*

Quelques chiffres...

Trafic passagers mondial (services réguliers) : 489 millions
Trafic passagers sur l'Atlantique Nord (toutes lignes) : 14,6 millions
Trafic passagers à Paris : 16,4 millions
Trafic passagers à Londres (Heathrow et Gatwick) : 26,1 millions
Prix d'un billet Paris-Nice (avril) : 275 F
Prix d'un billet Paris - New York (avril) : 1 306 F
Transport de fret mondial (en milliards de tonnes) : 6,4
Salaire moyen d'un commandant de bord long-courrier : 21 160 F
Salaire moyen d'une hôtesse : 2 810 F ; chef de cabine : 6 020 F
Prix d'un Beech 100 : 744 500 dollars
Prix d'un Falcon 10 : 1,48 million de dollars
Prix d'un Gulfstream II : 4,1 millions de dollars
Prix de 1 000 litres de carburant Jet A1 (juillet) : 39,60 dollars
Taux de change du dollar (moyenne de juillet) : 4,0546 F

L'Alpha Jet est le résultat de l coopération franco-allemande. est construit par Dassault-Bregue et Dornier en Allemagne.

716

Le croiseur Moskva accueille le Forger

Le premier exemplaire avait volé en démonstration à Domededovo, en 1967.

Union soviétique, 1er janvier
Baptisé Forger par l'état-major de l'Otan, le Yak-36 est un avion expérimental soviétique à décollage vertical. Il réalise ses tests sur le croiseur de lutte anti-sous-marine *Moskva*. Il est propulsé par un réacteur principal à double flux situé à l'arrière du fuselage. S'y ajoutent deux moteurs de sustentation auxiliaires placés derrière le poste de pilotage et disposant d'une entrée d'air sur le dessus du fuselage. La sustentation est complétée par deux turbines Koliesnov montées derrière l'habitacle et délivrant leur poussée vers le bas. La voilure, fixée à mi-hauteur du fuselage, est dotée de plans externes relevables pour opérer sur des unités de la marine. Le Yak-36 a un rayon d'action limité. Le prototype donnera naissance au Yak-38 qui est aussi prévu en biplace d'entraînement. Le rôle de ces avions est essentiellement la protection de la flotte.

Le « Jardin céleste » de JAL survole le Pôle

Paris, 24 janvier
Performant et raffiné, le *Jardin céleste* est un réel ambassadeur de charme. Ce Boeing 747 de la Japan Air Lines, arrivé à 15 heures à l'aéroport d'Orly, vient d'effectuer un vol de reconnaissance de la route polaire sur la liaison Tokyo-Paris. Si cette ligne est ouverte depuis plus de dix ans par JAL, c'est la première fois qu'elle est effectuée par un 747 et, de plus, sans aucun navigateur à bord puisque l'équipage se compose de trois personnes. La JAL a pu ainsi évaluer les problè-mes posés par une telle navigation et constater qu'un gain de temps de vol de 30 à 45 min pouvait être envisagé par rapport aux horaires actuellement en vigueur sur les DC-8. Mais ce n'est pas le seul avantage du 747. L'aménagement intérieur a été pensé avec soin : bar-fumoir avec sofas et tables basses sur fond peint de soleil levant, première classe aux quatre jardins *Pin*, *Glycines*, *Erable* et *Oranger sauvage*, chacun dans sa dominante de tons. Le 747 transpolaire est une très belle invitation au voyage.

Le vol de Paris vers Anchorage dure 10 heures. Il en faut 7 de plus pour Tokyo.

Un 727 est descendu par des Phantom

L'équipage est français. Georges Bourges avait parlé aux Israéliens sur 119.7.

Sinaï, 21 février
« Nous avons fait une erreur de jugement. » C'est par ces mots que le ministre israélien de la Défense, Moshe Dayan, a admis la responsabilité de son pays dans la catastrophe du 727 des Lybian Arab Airlines. Le Boeing, qui assurait un vol Tripoli - Le Caire, a été abattu par des chasseurs Phantom, au-dessus du désert du Sinaï occupé par Israël et à quelques kilomètres de son point de destination. Sur les cent treize personnes à bord, il n'y a que neuf survivants. L'équipage a péri. Ils étaient tous français à l'exception d'un pilote lybien en formation. Il semble que le jet visé ait eu des problèmes de radionavigation au cours de son approche de l'aéroport égyptien. Il y avait aussi un vent de 110 nœuds qui ne facilitait pas les choses. La Lybie a qualifié cette action d'acte criminel. Chez Air France, le personnel navigant est consterné.

Fouille obligatoire pour les passagers

Washington, 5 janvier
La sécurité des passagers est primordiale et celle des Etats l'est tout autant. Pour limiter les risques d'action terroriste et de piratage aérien, le gouvernement américain a décidé de systématiser la fouille et le passage aux rayons X des bagages à main dans les aéroports. Toute personne empruntant un vol commercial devra s'y soumettre. Cette décision prise au niveau politique et non pas au niveau des responsables de l'aviation civile est unanimement approuvée par l'ensemble des pays du monde. Ces mesures préventives vont donc être étendues et renforcées. Mais, les faits l'ont prouvé l'an passé avec pas moins de 72 détournements dont plusieurs tragiques, elles sont loin d'être efficaces à 100 %. Le problème des bagages enregistrés, où une bombe peut sommeiller, reste entier.

La grève provoque une collision aérienne

Nantes, 5 mars
La grève des aiguilleurs du ciel, qui paralyse le trafic sur les aéroports français depuis le 20 février dernier, aura provoqué un accident grave. Deux avions espagnols, un DC-9 d'Iberia et un Coronado de Spantax, sont entrés en collision dans la région de Nantes. Il y a probablement eu une mauvaise compréhension des messages. Le contrôle aérien était assuré depuis le 26 février par l'ar-mée de l'air, avec la mise en place du plan *Clément Marot*. Cet accident ayant alarmé nombre de compagnies aériennes étrangères, la plupart de leurs vols sont désormais suspendus sur la France. Le syndicat national des pilotes de ligne a lui-même conseillé à ses adhérents de ne plus voler sous contrôle militaire. Une commission d'enquête est ouverte pour déterminer les circonstances de cet accident.

L'UTA inaugure son DC-10 sur la ligne Paris-Johannesburg

Le supersonique interdit aux USA

Le DC-10 arrivé au Bourget avait comme équipage Paul Vierling, Henri Norloff, Maurice Barbier et Michel Costes.

Paris, 17 mars

L'événement traduit le dynamisme d'UTA : la compagnie inaugure son premier gros-porteur. Ce DC-10, arrivé au Bourget le 4 mars dernier, vient de décoller pour effectuer sa première liaison sur la ligne Paris-Nice-Brazzaville-Johannesburg. Il inaugure aussi les couleurs bleue et blanche de la décoration extérieure de la flotte d'UTA. Cet appareil est équipé de trois réacteurs General Electric. Il transporte 271 passagers à 960 km/h, avec une autonomie de 8 700 km. La capacité de ses soutes de fret est de 120 m³. Son achat s'intègre parfaitement à la politique suivie par la compagnie depuis trois ans. Elle veut moderniser sa flotte en se tournant vers des appareils plus économiques en carburant. Le trafic aérien d'UTA a en effet progressé d'un peu plus de 15 % par an depuis 1963. Le choix d'un gros-porteur devenait donc capital, même s'il risquait d'engendrer des problèmes de remplissage en raison même de cet excès de capacité. C'est une des raisons pour lesquelles UTA axe son activité sur la desserte de contrées qui incitent au rêve et à l'évasion. Autre secteur modernisé par UTA : le traitement automatique des passagers, qui sera mis en service le 4 mai. Ce système de réservation électronique, relié à l'ordinateur Alpha III d'Air France, permet d'interconnecter toutes les agences UTA.

Washington, 27 avril

A compter de ce jour, le survol du territoire américain à vitesse supersonique par les avions civils est interdit. Cette mesure draconienne fait suite à une décision prise le 29 mars dernier par la Federal Aviation Administration. Seule dérogation à cette directive : la Nasa est autorisée à effectuer des vols au-delà de la vitesse du son dans le cadre de recherches tant sur la future navette spatiale que sur l'avion de transport supersonique. La décision de la FAA est une nouvelle dont les gouvernements français et britannique auraient bien pu se passer. Elle intervient en effet après une série de revers pour le Concorde. Fin mars, Continental Airlines a renoncé à ses trois options sur Concorde, devenant ainsi la sixième compagnie aérienne nord-américaine à ne pas donner suite à ses options sur Concorde, après Air Canada, American Airlines, TWA, United et Pan Am. Les seules sociétés américaines à détenir encore des options sont Eastern (six) et Braniff (trois). (→ 13.2.74)

Le Bandeirante est un succès commercial

Brésil, 16 avril

Le Bandeirante, conçu par la société Embraer, entre en service sur les lignes de la compagnie intérieure Transbrasil, qui en a commandé six unités. Premier d'un grand programme brésilien, cet appareil de transport léger multirôle a été commandé à 80 exemplaires par l'Etat. Créée en 1969 sous l'égide du gouvernement, qui détient 51 % du capital, Embraer, basée à Sao Jose dos Campos, est le premier constructeur du pays. Le succès du Bandeirante repose en partie sur l'obligation d'achat pour tous les organismes d'Etat. Balbutiante, la construction aéronautique brésilienne a besoin du soutien de l'Etat, mais aussi de l'expérience de pays étrangers. Le Français Max Holste a dessiné le Bandeirante dont les turbopropulseurs Pratt & Whitney sont fabriqués au Canada.

Le Mystère 30 se prépare pour le Salon

Bordeaux, 11 mai

Ce sont les pilotes Jean Coureau et Jérôme Résal qui ont réalisé le premier vol du Falcon 30 L. Sorti des usines de Mérignac le 24 mars, ce prototype a été mis au point par Dassault dans le dessein de transporter des charges marchandes de moins de 7 500 livres, ce qui représente une trentaine de passagers. Il est par ailleurs dérivé du Mystère 20, dont il a conservé la voilure standard, prolongée par un plan central, les empennages, la partie supérieure de la dérive et divers équipements. Le programme d'essai de cet avion a été un peu accéléré afin qu'il puisse être présenté au prochain Salon. Tandis que les essais en vol du Falcon 10 se poursuivent parallèlement, Dassault-Breguet envisage l'étude d'une version triréacteur de cet appareil, le Falcon 20-3. (→ 7.11.76)

Embraer est le diminutif d'Empresa Brasileira de Aeronautica SA.

Le Falcon 30 sera présenté au Salon du Bourget ainsi que le Falcon 40.

Le pilote perd le contrôle du TU-144

Au Salon du Bourget, le commentateur Jacques Noetinger a suivi l'accident.

Le Bourget, 3 juin
Ce dernier jour du Salon a été endeuillé par un terrible accident. Le TU-144 soviétique venait de terminer sa présentation et se préparait à l'atterrissage. Comme il s'alignait par erreur face à la piste 07, la tour de contrôle le prévint qu'il devait se poser en 25. L'avion amorça alors un virage et une remontée. Saura-t-on jamais ce qui s'est passé à bord du supersonique Tu-144 ? On l'a vu prolonger anormalement sa montée, puis décrocher et partir en piqué. Quelques instants plus tard, il s'écrasait sur la commune de Goussainville. Le bilan du drame est lourd : les six membres de l'équipage, sept morts et de nombreux blessés parmi la population de Goussainville, ainsi que d'importants dégâts matériels. C'est peut-être la fin d'un avion qui faisait l'orgueil des Soviétiques et prétendait rivaliser avec Concorde. (→ 26.12.75)

La grande visite du VA a duré 34 jours

Au cours d'une grande visite, l'avion est entièrement mis à nu et vérifié.

Orly, 30 mai
Son immatriculation complète est F-BPVA, mais on l'appelle VA, Victor Alpha en téléphonie. Ce Boeing 747 ressort des ateliers flambant neuf. Comme les trente-deux autres surveillés techniquement par le groupement Atlas, il vient de subir, au département grand entretien de la direction du matériel d'Air France à Orly, un examen minutieux qui aura duré 34 jours. Cette auscultation approfondie s'effectue pour chaque appareil après 16 000 heures de vol et requiert plus de 30 000 heures de travail. Complétée par un toilettage, elle va du simple déplacement d'un cendrier jusqu'au changement des fixations de voilure en passant par le décapage et la peinture. Dans le hangar où s'activent 300 personnes, mécaniciens, électriciens, selliers ou mastiqueurs, qui se relaient 24 h sur 24, un avion est à peine sorti que déjà un autre y entre.

Le Jaguar montre ses dents en escadrille

Mont-de-Marsan, 30 mai
Tandis que les essais du Jaguar se poursuivent, 19 exemplaires ont déjà été réalisés et livrés. Ils totalisent 2 100 heures de vol. C'est en 1965 que l'armée de l'air a fait entreprendre l'étude d'un avion polyvalent simple et peu coûteux. Les Britanniques ayant exprimé des besoins semblables, une politique de coopération fut mise en œuvre entre les deux pays et c'est ainsi qu'est née la Sepecat (Société européenne de production de l'avion école de combat et d'appui tactique), qui réunit la BAC britannique et Dassault-Breguet. L'appareil a été réalisé en deux versions, une d'entraînement et l'autre d'appui tactique. Le Jaguar se présente comme un biréacteur supersonique équipé de réacteurs Adour à double flux. Il est spécialement conçu pour le vol à très basse altitude et pour le décollage sur de courtes distances. Il est également capable de voler lentement grâce à la forme de sa voilure équipée de becs de bord d'attaque et de volets de bords de fuite sur toute l'envergure. (→ 1.1.75)

Un Jaguar E biplace français.

Concorde devient un observatoire volant

Fort-Lamy, 30 juin
Il faut pouvoir voler très vite si l'on veut suivre le soleil. Les astronomes avaient prévu un événement historique pour le 30 juin : la plus longue éclipse solaire depuis mille ans. Le problème est que, du sol, leur temps d'observation maximal aurait été limité à sept minutes. On a donc pensé à Concorde, seul capable de donner aux astronomes la possibilité de prolonger le temps d'observation. Avec André Turcat aux commandes, le supersonique a décollé de Las Palmas à 10 h 12. L'avion, volant à plein régime et à 17 000 m d'altitude, pénètre dans la zone d'ombre 35 minutes plus tard, au-dessus de la Mauritanie. Les sept scientifiques américains, anglais et français qui sont du voyage ont les yeux rivés sur leurs instruments. En effet, Concorde a été transformé en véritable laboratoire volant : quatre hublots spéciaux ont été percés pour permettre aux télescopes de suivre l'éclipse. Avant d'arriver à Fort-Lamy, les chercheurs ont pu suivre l'éclipse pendant 74 minutes.

Vue de l'éclipse depuis Concorde.

Un Boeing 707 se pose en feu près d'Orly

Obligés de contourner l'autoroute du Sud, les pompiers ont perdu du temps.

Orly, 11 juillet

A 13 h 58, un Boeing 707 en provenance de Rio se préparant à atterrir à Orly a demandé par radio une descente d'urgence en raison d'un problème de feu à bord. L'accusé de réception de l'autorisation fut le dernier message de l'avion qui a été obligé de se poser à Saulx-les-Chartreux à 5 km du seuil de la piste 08. Durement touché par le choc avec le sol, l'appareil a perdu ses atterrisseurs, ses réacteurs et une partie de son aile gauche. Quand les pompiers sont arrivés sur les lieux, l'évacuation des passagers était en cours. Cet accident aura pourtant causé la mort de 123 personnes asphyxiées par les fumées toxiques dégagées par l'incendie. Il semble que le feu se soit déclaré dans les toilettes, à l'arrière de la cabine. Doit-on attribuer son origine à un mégot mal éteint ou à un court-circuit électrique ? Le rapport d'enquête le déterminera peut-être.

Le Cri-Cri, le plus petit avion du monde

Le Cri-Cri, qui pèse à vide 70 kg, se démonte en moins de deux minutes.

Versailles, 19 juillet

L'idée de Michel Colomban n'est pas seulement de créer le plus petit bimoteur au monde, mais aussi de permettre à tous les bricoleurs astucieux de le construire à partir des quarante-deux plans qu'il vendra en liasse. Ce système est de plus en plus populaire aux Etats-Unis, où beaucoup de régions offrent le climat idéal et des étendues suffisantes pour jouer avec ce petit appareil. C'est Robert Buisson, un ancien pilote d'essai chevronné, qui a fait décoller le Cri-Cri du terrain de Guyancourt. Il n'a roulé au sol que cent mètres avant de s'élever. Le prototype était équipé de deux moteurs de tronçonneuse Stihl-Rowenta de 9 ch. Pour la certification, Michel Colomban va installer deux moteurs de 15 chevaux dont la consommation totale ne dépassera pas 15 litres aux 100 km ; sa vitesse de croisière sera de 200 km/h. Le poids maximal est de 170 kg.

Le Sikorsky 69 vole sans rotor de queue

New York, 26 juillet

L'hélicoptère biplace de recherche S-69 a effectué son vol initial. Sikorsky le destine à l'US Army, qui lui a attribué le nom de code XH-59A. Le pilote a testé en vol l'Advancing Blade Concept (ABC). Ce système permet l'utilisation de deux rotors coaxiaux contrarotatifs rigides. Le S-69 peut atteindre des vitesses allant jusqu'à 482 km/h. Ce nouveau genre de rotors permet non seulement de fournir la portance nécessaire, mais il élimine l'utilisation d'un rotor anticouple. La puissance est fournie par un turbo Pratt & Whitney Canada de 1 825 ch et par deux réacteurs Pratt & Whitney de 1 825 ch, montés de chaque côté du fuselage.

Les réacteurs sur les côtés du fuselage donnent la force de propulsion.

La Nasa teste le Martin-Marietta X-24B

Edwards AFB, 15 novembre

Premier vol propulsé pour le Martin-Marietta X-24B aux mains de John Manke. C'est le seizième vol de l'appareil, doté d'une nouvelle structure externe et équipé d'un moteur-fusée Thiokol de 4 410 kg de poussée. Il a atteint 966 km/h. Il est le dérivé du X-24A avec lequel la Nasa a déjà testé des futurs avions hypersoniques et transatmosphériques. La base du fuselage remplace les ailes et accueille le train d'atterrissage tricycle. Cet appareil est prévu pour atteindre Mach 2 et l'altitude de 22 500 m. Le pilotage s'effectue avec des commandes de vol électriques, alimentées comme les autres systèmes par une batterie de 100 ampères/heure.

C'est la forme plate de la base de son fuselage qui donne un peu de portance. ▷

La Sabena fête ses cinquante ans avec un nouveau logo

L'Oaci traite de la piraterie aérienne

Le premier DC-10, immatriculé OO-SLA, sera mis en exploitation dès que le différend avec les pilotes sera réglé.

Zaventem, 12 septembre

La Sabena profite du cinquantième anniversaire de sa fondation, le 23 mai 1923, pour moderniser son image de marque en renouvelant les couleurs de sa flotte. Un nouveau logo ornera désormais l'empennage de tous les appareils de la compagnie : un cercle blanc avec un S stylisé. L'uniforme du personnel féminin de la compagnie change lui aussi. C'est au couturier français Louis Féraud que revient la tâche de créer ces nouveaux modèles, et à la firme de haute couture Butch de les réaliser. Pour les hôtesses de l'air, les couleurs rouge et bleu marine sont retenues. Le marron garni d'orange ou de vert est destiné au personnel au sol. La garde-robe se compose d'une robe classique et d'un blazer cintré. Elles pourront également porter un pantalon avec le bas des jambes évasé, ainsi qu'une chemise blanche dont le col forme une cravate à nouer. Une nouvelle tenue sobre et élégante.

Rome, 21 septembre

Chaque pays restera souverain de son ciel. Et ce n'est pas dans l'immédiat que la piraterie aérienne et la sécurité des passagers trouveront des solutions au plan mondial. Les responsables de l'Organisation de l'aviation civile internationale auront discuté pendant trois semaines sans avancer, confirmant leur impuissance. Ce n'est pas la fouille ou la confiscation provisoire d'objets divers, de la paire de ciseau à la bombe de laque, qui permettront de régler le problème. Parmi les urgences, il faut réfléchir aux sanctions à appliquer aux pirates. Le détournement est, parmi les délits en rapport avec l'aviation, le plus récent et le moins contrôlé juridiquement. En revanche, il est le seul crime à mobiliser dans les aéroports autant de fonctionnaires. Ces derniers détiennent actuellement plus de pouvoir que n'importe quelle administration en temps de paix.

Le Texas inaugure Dallas-Fort Worth

Coopération Dassault-Breguet et Dornier

Dallas, 20 septembre

Le Concorde a fait une présentation fracassante à l'inauguration de l'aéroport de Dallas-Fort Worth, au Texas. Parti de Paris il y a deux jours avec 32 passagers, le Concorde 02 a commencé par se poser à Caracas, ayant survolé 8 464 km en 6 h 23, escale de ravitaillement à Las Palmas incluse, soit mieux que 3 h 30 de moins que le Boeing. Aujourd'hui, il a rejoint Dallas où il a commencé par effectuer un survol de la ville pendant une demi-heure avant de se poser. Invité par le gouverneur du Texas, lors du Salon de l'aéronautique organisé par le Brésil, à participer à l'inauguration du nouvel aéroport, Henri Ziegler, le P-DG de Sud-Aviation, avait décidé de profiter de cette occasion inespérée pour présenter le Concorde aux Etats-Unis. Il lui est interdit de se poser à New York, Boston et dans la plupart des autres villes américaines. (→ 26.9)

Istres, 26 octobre

Le premier vol du Dassault-Breguet-Dornier Alpha Jet 01 marque l'aboutissement de longues années de coopération franco-allemande. C'est le pilote Jean-Marie Saget, spécialiste des essais sur avions militaires, qui était aux commandes de l'appareil. Par plaisanterie, il se présenta au parking avec un casque à pointe et des fausses moustaches tandis que le chef pilote de Dornier, Dieter Thomas, arborait une tête de Gaulois. Selon les accords passés entre Dassault-Breguet et Dornier, les prototypes 01 et 03 de l'avion ont été assemblés en France et les 02 et 04 en Allemagne. Mais les essais ont eu lieu à Istres. Pour la fabrication, la France s'est chargée de la partie avant du fuselage jusqu'à l'entrée des réacteurs, le reste étant construit en Allemagne fédérale. Le programme prévoit que les avions de série seront livrés en 1974. (→ 17.1.74)

C'est le plus grand aéroport du monde avec un service de navettes internes.

L'Alpha Jet, biréacteur pesant cinq tonnes, a une vitesse de Mach 0.82.

Israël gagne la guerre du Kippour au prix de lourdes pertes

Le kérosène est rare et cher

Dans le ciel, un MiG-21 syrien.

Un passage des Skyhawk israéliens sur une position tenue par les Egyptiens.

Paris, 22 décembre
La crise pétrolière oblige les compagnies, en particulier Air France, à réviser leurs programmes et à limiter leur consommation de carburant. C'est pourquoi le comité central d'entreprise s'est réuni en session plénière, sous la présidence de Pierre Cot, afin de faire le point sur les mesures à envisager pour faire face à la situation. Certains vols ont déjà été supprimés, d'autres le seront pour aboutir à une réduction de 25 000 heures de vol. Ces mesures toucheront surtout les avions gros consommateurs de carburant comme les B-707 et les Caravelle. Mais d'autres moyens efficaces pourraient réduire de 2 à 5 % la consommation. La diminution de la vitesse, l'amélioration de la précision de navigation, la réduction des distances parcourues au sol, de meilleures techniques de décollage compléteront ces mesures d'économie. (→ 18.1.74)

Israël, 24 octobre
Les Israéliens ont perdu 115 appareils sur les 490 qu'ils possédaient. Le 6 octobre, Syriens et Egyptiens, disposant de 940 avions (MiG-17, 19 et 21), attaquent Israël pour reprendre les territoires occupés depuis 1967. Ils prennent le mont Hermon et percent sur la ligne Bar Lev. La défense antiaérienne oblige les appareils israéliens à voler bas. Ils ne peuvent cependant pas éviter la zone des missiles SAM-6 à guidage radar semi-actif, et des missiles SAM-7 à guidage à infrarouge. Le premier jour, Israël perd trente avions. Les hélicoptères servent aux raids de commandos à l'arrière des lignes. A partir du 10 octobre, les pertes arabes s'accumulent. Durant la nuit du 15, les Israéliens franchissent le canal de Suez près du Déversoir et détruisent des sites de missiles. Les avions d'Aeroflot organisent un pont aérien. Le 14, l'aide américaine permettra la victoire de l'aviation israélienne.

Terminal privé à New York pour Pan Am

JF Kennedy Airport, 12 décembre
C'est le plus grand terminal privé au monde. Situé à John F. Kennedy Airport, il a coûté deux millions de dollars. Sa réalisation était devenue une nécessité pour Pan Am. En 1970, la compagnie avait fêté son millionnième passager et, au cours de la même année, elle avait vu son trafic multiplié par dix en raison de l'attrait exercé par les Jumbo 747 nouvellement acquis. L'investissement dans ce terminal a été considérable : construit sur quatre niveaux, il comprend des hangars géants pour l'entretien général et celui des moteurs, une voie d'accès et un parking particuliers. Il peut accueillir six Boeing 747 en position « nose in » (soit quelque 2 400 passagers à l'arrivée ou au départ) et six Boeing 707. Achevé en 1970, il n'était ouvert jusqu'à présent qu'au seul trafic domestique. La douane et les services de l'immigration y sont installés.

est juste à droite du lieu d'arrivée des vols Air France et Sabena.

Les cinq appareils supersoniques français de chasse, de bombardement ou d'interception sont rassemblés sur ce parking. Du bas vers le haut, on reconnaît : le Mirage G8, le Mirage F1, le Jaguar, le Mirage IIIB et enfin, en haut, le plus gros, le Mirage IV.

Réalisation franco-allemande, le C-160 Transall est surtout un avion de transport militaire même si certaines machines font une carrière civile.

Des Boeing 747-200B complètement transformés sont livrés à l'USAF en tant que E-4A pour servir de postes de commandement nucléaire aériens.

Malgré le succès du Model 26, le Gates Lear Jet 26 à réacteurs TFE-731 ne sera pas construit en série.

Devant la réussite du Mentor, Beech lance le YT-34 Turbo Mentor équipé d'un turbopropulseur Pratt & Whitney PT-6.

Equipé d'un moteur rotatif Wankel, le RFB/Grumman American Fanliner tente une percée sur le marché des avions légers de tourisme.

Véritable sentinelle du ciel, le Boeing E-4A Sentry se compose d'une cellule de Boeing 707 munie d'un énorme radar Westinghouse.

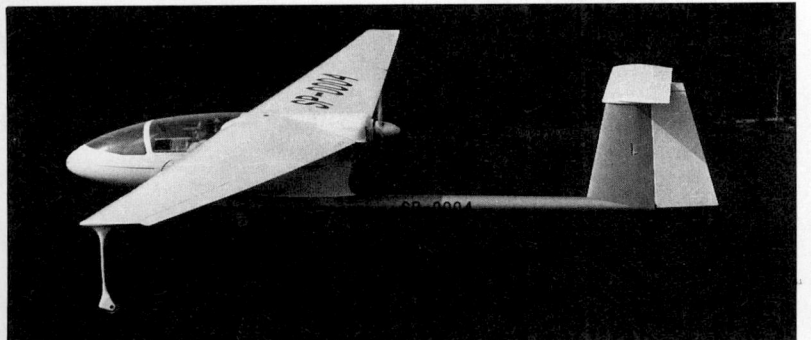

Le SZD-45A Ogar est un petit biplace d'entraînement d'origine polonaise qui est très prisé par les pilotes d'aéro-clubs locaux.

Le Saab SH-37, avec sa pointe avant en biseau dépourvue de radar, est la version de reconnaissance photographique du Viggen.

Le Boeing T-43A avion-école de l'USAF.

Scottish Aviation assemble des éléments de Jetstream construits par Handley Page, les équipe de turbopropulseurs Astazou et vend huit T.1 à la RAF pour l'entraînement de ses pilotes et douze T.2 à la Royal Navy.

L'AIDC XT-CH-1A est un appareil d'entraînement conçu et construit à Taiwan pour les besoins des forces aériennes indigènes.

Malgré sa petite taille, le McDonnell Douglas A-4S Skyhawk peut emporter 4 000 kg de charges externes, deux fois plus que le B-17 en 1945.

Le McDonnell Douglas TF-15A sert à la formation des futurs pilotes d'Eagle, mais il n'en conserve pas moins d'importantes capacités de combat.

Le Westland Commando est une version à train fixe du Sea King qui est également exportée au Qatar et en Egypte.

La version du Canberra équipée d'un radar Blue Parrot pour l'entraînement des équipages de Buccaneer est dénommée T.22.

Dassault-Breguet Aviation et Dornier ont conçu l'Alpha Jet, biréacteur léger d'entraînement et d'appui tactique, qui connaît un beau succès.

Grumman fait plusieurs tentatives infructueuses pour améliorer son F-14 Tomcat, notamment avec le YF-14B à réacteurs F401.

Développé pour la marine soviétique à partir du Mi-8, le Mil Mi-14 Haze est un hélicoptère côtier anti-sous-marin à coque d'hydravion.

1974

7 297 km/h
Etats-Unis
William Knight
North American X-15
3.10.67

39 147 km
Etats-Unis
Archie Old Jr.
Boeing B-52
18.1.57

107 960 m
Etats-Unis
Joseph Walker
North American X-15
22.8.63

348 810 kg
Etats-Unis
Lockheed
C-5A Galaxy

23 130 kgp
Etats-Unis
General Electric
CF6-50 C

Istres, 17 janvier
Dieter Thomas pose le prototype n° 02 de l'Alpha Jet après 80 min de vol depuis Munich. Assemblé chez Dornier, il a effectué son vol initial le 10 janvier. (→ 28.10.75)

Grande-Bretagne, 12 février
Le dernier Comet de Havilland en service est retiré de l'exploitation.

Grande-Bretagne, 13 février
Brian Trubshaw décolle à Filton le deuxième Concorde de série. Il atteint Mach 1.4 à 14 000 m.

Orly, 6 mars
Le Mercure n° 02 réalise un vol de démonstration sur Casablanca.

Nitray, 12 mars
Bernard Chauvreau décolle le nouvel avion planeur RF-6-B, biplace d'école, conçu par René Fournier. Celui-ci a fondé la société Avions Fournier au début de l'année, en s'installant près de Tours.

Etats-Unis, 13 mars
L'hélicoptère Bell Model 214A, commandé à 287 exemplaires par l'Iran, commence ses essais en vol.

France, 15 mars
L'Airbus A-300-B2 reçoit les certificats de navigabilité français et allemand. La procédure pour l'obtention du certificat britannique est en cours. (→ 23.5)

Zaventem, 31 mars
Le second 747 de la Sabena est rentré de Seattle. Il a aussi subi des modifications de cellule, avec l'installation d'une porte cargo et l'allongement du pont supérieur, qui a maintenant dix hublots.

Roissy-CdG, 2 avril
Des danseuses tahitiennes accompagnent les passagers du premier vol (UTA) au départ de CdG, le UT 562 à destination d'Athènes, Karachi, Bangkok, Singapour, Djakarta, Sydney, Nouméa, Papeete et Los Angeles. Hier, Maurice Bellonte conduisait les passagers au pied de la passerelle pour le dernier vol UTA en partance du Bourget.

Grande-Bretagne, 14 avril
Les Britanniques atteignent la plus haute vitesse à ce jour avec le Concorde de présérie n° 01 : Mach 2.23.

Tokyo, 16 avril
Un B-707 d'Air France atterrit avec... la *Joconde*. Le tableau est destiné à une exposition.

Koweit, 16 avril
Le gouvernement koweïtien commande 20 Mirage F-1 à la France.

Paris, 4 juin
Air Inter met en ligne le Mercure de série n° 1 sur Lyon. (→ 19.12.75)

Edwards AFB, 9 juin
Le chasseur Northrop YF-17, prototype concurrent du General Dynamics YF-16, fait son vol initial.

Atlantique Nord, 17 juin
A 8 h 22, le Concorde de présérie n° 02 décolle de Boston pour Roissy à l'heure précise où un B-747 d'Air France s'envole de Roissy pour Boston. Après une escale de 50 min à Paris, le Concorde redécolle pour Boston où il se pose 5 min avant le B-747. (→ 21.6.75)

Marseille-Marignane, 24 juin
Daniel Bauchart décolle le prototype de l'hélicoptère Ecureuil SA-350 de l'Aérospatiale. Cette version C, destinée au marché américain, est équipée d'une turbine Lycoming pour ce premier vol. (→ 14.2.75)

Chypre, 26 juillet
Les avions de transport de la RAF ont évacué 7 500 touristes de l'île, après l'invasion des parachutistes turcs, voilà six jours. Le 22 juillet, les appareils du porte-hélicoptères *USS Inchon* évacuaient 466 personnes en 5 heures de navette.

Grande-Bretagne, 17 août
British Airways, Dan-Air, Laker Airways et British Caledonian Airways démarrent un pont aérien afin de rapatrier 49 000 touristes abandonnés à leur sort après la mise en liquidation judiciaire de Court Line le 15 juillet. C'était la plus importante compagnie britannique spécialisée dans les vols de vacances.

Belfast, 22 août
Le Short SD3-30 effectue son vol initial. Avion de transport régional pour 30 passagers, il est doté de deux turbopropulseurs. (→ 24.8.76)

Viêt-nam, 15 septembre
Un pirate déroute un B-727 d'Air Viêt-nam. L'atterrissage est tenté à Phan Rang, mais l'avion dépasse la piste et explose au contact du sol. Les 76 occupants sont tués.

France, 16 septembre
Le second Corvette SN.601 d'Aérospatiale destiné à Air Alpes entre en service sur Lyon-Bruxelles sous les couleurs d'Air France. Air Alpes avait ouvert Chambéry-Paris avec le premier. (→ 11.9.75)

France, 30 septembre
Le SGAC délivre la certification pour l'atterrissage automatique en catégorie III A à l'Airbus A-300. Elle permet de se poser avec des visibilités verticale nulle et horizontale de 200 m. (→ 22.12.76)

Japon, 16 octobre
L'amphibie Shinmeiwa US-1 de sauvetage en mer effectue son vol initial. Quadriturbopropulseur, il est dérivé de l'hydravion PS-1.

Bangkok, 17 octobre
Air Siam reçoit le huitième Airbus A-300-B2 assemblé à Toulouse.

Istres, 28 octobre
Jacques Jesberger décolle le prototype Super Etendard 01, développé par Dassault à partir de l'Etendard IVM, muni du réacteur Atar 8 K-50 sans postcombustion. (→ 28.3.75)

Paris, 8 novembre
Le secrétaire d'Etat aux Transports reconduit l'agrément d'exploitation accordé à UTA, qui vient de signer un accord avec Air France donnant à UTA l'accès au Japon depuis Nouméa et à Air France la possibilité d'ouvrir la ligne Tokyo-Amérique du Sud, *via* Papeete.

Toulouse, 27 novembre
Un Airbus A-300, avec 323 sièges pour les vols charters, est livré à la compagnie belge TEA. Par contrat de location, il est aux couleurs d'Air Algérie, et assurera la liaison Alger-Djedda pour les pèlerinages.

Istres, 22 décembre
Guy Mitaux-Maurouard attein Mach 1.32 à bord du Mirage F-1E dès son vol initial, avec le nouveau réacteur Snecma M-53. (→ 9.4.76)

Toulouse, 26 décembre
L'Airbus A-300-B4 commence se essais en vol. Il emporte 11 t de plu de carburant que le B-2. (→ 1.6.75)

Au 30 septembre, l'Airbus A-300-B a reçu son certificat de navigabilité Depuis le 20 mai, les passagers d'Ai France le connaissent.

Quelques chiffres...

Trafic passagers mondial (services réguliers) : 515 millions
Trafic passagers sur l'Atlantique Nord (toutes lignes) : 13 millions
Trafic passagers à Paris : 16,7 millions
Trafic passagers à Londres (Heathrow et Gatwick) : 25,2 millions
Prix d'un billet Paris-Nice (avril) : 346 F
Prix d'un billet Paris-New York (avril) : 1 649 F
Transport de fret mondial (en milliards de tonnes) : 6,7
Salaire moyen d'un commandant de bord long-courrier : 23 400 F
Salaire moyen d'une hôtesse : 3 110 F ; chef de cabine : 6 650 F
Prix d'un Lear Jet 25 B : 1,071 million de dollars
Prix d'un HS 125 : 1,68 million de dollars
Prix d'un Falcon 20 : 2,55 millions de dollars
Prix de 1 000 litres de carburant Jet A1 (juillet) : 88,60 dollars
Taux de change du dollar (moyenne de juillet) : 4,7689 F

Le YF-16 est un concurrent du Mirage F-1 et du Saab Viggen

Equipé d'un réacteur à double flux Pratt & Whitney, le F-16 vole à Mach 2 à haute altitude. Il surpasse le MiG-21.

Fort Worth, 2 février
Le premier vol du F-16, le *Fighting Falcon* de General Dynamics, a duré 90 minutes, il s'est déroulé sans problème. Il aura fallu moins de deux ans pour concevoir cet appareil, qui entre dans la compétition du nouveau chasseur léger demandé par l'US Air Force. La guerre du Viêt-nam a complètement modifié la stratégie américaine. Fini les avions lourds et peu maniables qui ne parviennent pas à venir à bout des MiG. Les derniers accrochages en Israël ont confirmé la valeur des nouvelles théories. Le F-16 devra se mesurer au YF-17 de Northrop, qui devrait voler bientôt.

Le F-16 est un monoréacteur monoplace de 16 tonnes de masse maximale au décollage. Il ne pèse que 7 tonnes à vide. Il a une forme toute particulière avec une grande entrée d'air ventrale et un carénage au raccord de l'aile avec le fuselage. Le siège du pilote est incliné vers l'arrière à 30°. (→ 15.1.75)

Alpha 3 au service de la médecine

France, 18 janvier
Le système de réservation informatisée, dit Alpha III et mis en service par Air France en mai 1973, n'aura pas que des applications commerciales. Ce procédé électronique, qui permet à n'importe quelle agence du bout du monde de savoir en quelques secondes les horaires de tel ou tel vol, le nombre de places disponibles, les formalités à accomplir pour entrer dans les pays concernés ou les possibilités locales d'hébergement, servira désormais également pour les recherches dans les domaines médical ou chirugical. Air France met bénévolement ses ordinateurs au service des patients souffrant d'insuffisance rénale. Le but est de trouver rapidement, pour les transplantations d'organes, un donneur compatible avec le receveur. Pour ce faire, la compagnie aérienne travaillera avec France-Transplant, avec Régie informatique pour les programmes et avec Univac pour la réception des télex.

L'Opep fait flamber le prix des billets

Paris, 1er janvier
L'organisation des pays exportateurs de pétrole a dicté sa loi. En décidant d'augmenter brutalement le prix du baril de brut, elle sème la perturbation sur les places boursières et déclenche une crise sans précédent. Le carburant le plus utilisé devient aussi le plus cher. Pour se limiter aux seules compagnies aériennes, le prix du billet monte d'environ 6 % au plan international et pour tout type de vol, sauf pour les trajets sur l'Atlantique Nord où la hausse n'est que de 4 %. S'agissant de la France, cette décision fait suite à celle prise le 21 décembre dernier et qui concerne la réduction des heures de vol. Il y en aura 25 000 en moins cette année. La restriction affecte surtout les B 707 et les Caravelle, les plus gros consommateurs de carburant. Mais les répercussions touchent aussi le personnel. L'embauche des employés au sol est suspendue, sauf pour Roissy, et les navigants techniques actuellement en stage n'ont aucune garantie d'être intégrés.

Le bilan du plus grand désastre de l'aviation civile : 346 morts

Ermenonville, 3 mars
L'horreur : des lambeaux de chair accrochés aux arbres, des dizaines de cadavres déchiquetés gisant dans les broussailles, des bagages éventrés et des débris encore fumants éparpillés sur des centaines de mètres en pleine forêt d'Ermenonville. Cette scène dantesque est tout ce qui reste du vol 981 de la compagnie turque THY, ayant quitté la piste 08 de l'aéroport d'Orly pour Londres il y a environ dix minutes. A bord, il y avait 346 personnes, dont plus de 200 supporters anglais qui ont assisté, hier, au match de rugby France-Angleterre. Ceux-ci n'avaient pu quitter Paris plus tôt en raison d'une grève des employés au sol de la BEA à Heathrow et se sont embarqués au dernier moment sur le vol 981. A 11 h 39 min 56 s, alors que le DC-10 se trouvait, à 3 500 mètres au-dessus du village de Saint-Pathus, la porte de la soute arrière, mal verrouillée par le personnel au sol à Orly, a lâché, provoquant une décompression explosive de l'avion. Une partie du plancher s'est effondrée, six passagers furent aspirés dans le vide et tous les câbles de contrôle sectionnés. Le commandant Nejat Berkoz n'a rien pu faire et le DC-10 en perdition est allé s'écraser au sol à 11 h 41 min 8 s, tuant tous ceux qu'il transportait. Cette catastrophe, la plus meurtrière de toute l'histoire de l'aviation, est d'autant plus tragique qu'elle aurait pu être évitée. McDonnell Douglas, constructeur de l'avion, savait depuis 1972 que le système de fermeture de la porte de la soute arrière du DC-10 posait des problèmes. Les portes de certains appareils avaient, certes, été modifiées par la firme mais, hélas ! pas celle de l'avion vendu à la THY. (→ 7.3)

Il ne reste que des débris du DC-10 de Turkish Airlines.

Architecture futuriste à Roissy-Charles-de-Gaulle

La seule piste ouverte pour l'instant, orientée 09-27, est longue de 3 600 m.

L'arrivée et le départ des passagers sont au premier étage du bâtiment central.

Roissy-CdG, 13 mars

L'inauguration de Roissy-Charles-de-Gaulle ouvre à l'exploitation l'aéroport le plus moderne d'Europe. Son style d'architecture, qui semble inviter au voyage intersidéral plutôt qu'au vol à l'échelle planétaire, a surpris un public qui devra s'habituer au futurisme de l'aérogare 1, la seule qui soit déjà sortie de terre. « Le béton, affirment ses réalisateurs, satisfait l'œil et la raison » : le béton nu s'expose donc partout, dépouillé, fonctionnel, mais surtout moderne, puisqu'il est par excellence le matériau qui stigmatise notre temps. Au centre de l'aérogare 1, circulaire, des tubes vitrés traversent l'espace intérieur pour permettre aux passagers de passer d'un niveau à l'autre. Tout autour de ce bâtiment central de deux cents mètres de diamètre, soit les dimensions du Colisée de Rome, sont disposés les satellites d'embarquement reliés à l'aérogare par des tunnels en étoile. L'aménagement de l'aéroport a été conçu pour faire gagner le maximum de temps au voyageur. Il ne dispose pour l'instant que d'une seule piste, la deuxième ne devant être ouverte que dans trois ans. La compagnie UTA sera la première à y transférer ses activités. Air France ne devrait opérer son transfert que progressivement. A leur suite, dix-huit autres compagnies vont quitter Orly ou Le Bourget pour s'y installer à leur tour. (→ 2.4)

Le CH-53 sauve Sikorsky de la faillite

Stratford, 1er mars

Sikorsky vient de réaliser le plus lourd des hélicoptères américains : le Sikorsky CH-53E, dérivé triturbine du CH-53D biturbine. Le rotor à six pales a été remplacé par un rotor à sept pales. Son diamètre est de 26 mètres. Le fuselage et le train d'atterrissage ont été renforcés. Redessiné, le pylône principal a reçu la troisième turbine, placée en arrière et à gauche. Les trois turbines d'une puissance de 4 390 ch sur l'arbre sont de General Electric. La puissance installée passe ainsi à 13 170 ch contre 5 700 pour le modèle CH-53. Ce moteur supplémentaire a conduit à revoir entièrement la boîte de vitesse et toute la transmission. Le CH-53 est l'hélicoptère lourd le plus utilisé par les unités américaines.

Deux CH-53E Sea Stallion sont ravitaillés par un KC-130 Hercules.

Le Mercure met la Sabca en difficulté

Bruxelles-Haren, 1er avril

Malgré le redressement qu'elle est en train d'opérer, la situation n'en reste pas moins difficile pour la Sabca. L'annulation des programmes du Mercure et du Hawk lui a posé de graves problèmes. Pourtant à Haren et à Gossellies, la société belge poursuit de nombreuses activités, comme l'entretien de M-5B et de F-104G, la chaîne des dérives de F-1, la réalisation de servocommandes pour Boeing, la fabrication de réservoirs et d'éléments de fuselage pour Mirage III et V, etc. Le secteur de l'électronique est par ailleurs en expansion. Grâce à sa politique de spécialisation des hommes et des moyens techniques, la Sabca espère bientôt sortir de la crise et remplir à nouveau ses carnets de commande. (→ 19.12.75)

La FAA est mise en cause par les Anglais

Angleterre, 7 mars

L'Angleterre tout entière veut savoir comment la catastrophe d'Ermenonville, qui a fait 346 morts dont plus de 200 Britanniques il y a quatre jours, a pu se produire. Pourquoi la Federal Aviation Administration n'a-t-elle pas contraint le constructeur du DC-10, McDonnell Douglas, à modifier le système de fermeture de la porte de soute arrière dès que celui-ci s'est avéré défaillant en 1972 ? Pourquoi la FAA a-t-elle accepté de vagues promesses de McDonnell Douglas, qui, voulant éviter d'être sanctionné, s'était engagé en 1972 à effectuer lui-même les modifications nécessaires ? Pourquoi, enfin, la porte cargo du DC-10 de la compagnie turque, livré à la fin 1972, n'avait-elle pas été modifiée alors que l'appareil était apparemment sorti d'usine avec une documentation indiquant que les modifications nécessaires avaient été faites ?

Air France met en service l'Airbus A-300 sur Paris-Londres

British Airways reçoit BEA et BOAC

Ce cliché a été pris quelques instants avant l'atterrissage de l'Airbus sur la piste de l'aéroport de Londres.

Roissy-CdG, 23 mai
Il est 11 h 22 et l'Airbus A-300 aux couleurs d'Air France décolle de Roissy. Quarante et une minutes plus tard, il se pose à Heathrow. Il y a 53 ans jour pour jour, Joseph Portal effectuait ce même parcours, Paris-Londres, à bord de son Breguet XIV, en trois heures et cinquante minutes. Le pilote vété-

ran figurait parmi les 250 invités à bord. Pour son premier vol commercial, l'avion européen, qui est aussi le premier gros-porteur bimoteur, a accompli des débuts remarqués sur courte distance. Le commandant Jean Massoti, responsable du Centre de vol moyen-courriers et de la division Airbus, a déclaré que le jet ne posait aucun problème

de pilotage et qu'il avait de quoi séduire ses futurs clients : un bas niveau sonore, des sièges confortables, des porte-bagages spacieux, un bon éclairage et une ponctualité très appréciable, surtout pour effectuer de petits trajets. Mais le défilé de mode en plein ciel n'était, lui, réservé qu'aux passagers privilégiés de cet A-300. (→ 30.9)

Londres, 1er avril
BEA et BOAC, les deux principales compagnies britanniques, ne sont plus ; British Airways naît de leurs cendres. Cette restructuration de l'aviation civile britannique est la conséquence du rapport d'enquête demandé en juillet 1967 par le gouvernement. La présidence du comité d'études en avait été confiée à sir Ronald Edwards. Remis deux ans plus tard, ce rapport avait conclu à la nécessité de rapprocher BEA et BOAC, et de créer en outre une compagnie aérienne dite Seconde Force. La fusion administrative des deux compagnies fait suite à leur dissolution officielle, hier, en accord avec l'Air Corporations Dissolution Order de 1973. Elles garderont leur identité, mais sous le contrôle financier du National Air Holdings Board qui sera seul juge du bien-fondé des options prises par les deux groupes. La Seconde Force, quant à elle, est formée depuis 1970 par la fusion de BUA et de British Caledonian.

Le Panavia Tornado, espoir des Européens, prend son envol

Lindbergh s'éteint à l'âge de 72 ans

Allemagne fédérale, 14 août
Fruit d'une remarquable coopération entre trois pays européens, l'avion de combat multirôle Tornado, qui vient d'effectuer son vol inaugural, est un défi à la supériorité technologique américaine. Il est aussi la preuve qu'en coopérant, les Européens sont capables de produire un avion aussi efficace que ceux réalisés aux USA. Construit par la RFA, le Royaume-Uni et

l'Italie pour répondre aux besoins de leurs forces aériennes, le Tornado, avion très polyvalent, est doté de deux réacteurs Rolls-Royce et d'ailes à géométrie variable procurant une excellente maniabilité. Avion de combat équipé de commandes de vol électriques (comme le F-16 américain), le Tornado pourra emporter les charges air-sol en service dans la RAF, la Luftwaffe et les forces aériennes ita-

liennes. Il est destiné à remplacer les Phantom et Starfighter vieillissants de ces trois pays. L'apparition du Tornado laisse entier le problème de la modernisation des forces aériennes des pays européens ayant renoncé à participer au projet Tornado. La Belgique, les Pays-Bas, la Norvège et le Danemark devront choisir entre le Mirage F1, le Viggen suédois, le F-16 et le Jaguar franco-britannique.

Maui, Hawaii, 26 août
Charles Lindbergh est mort d'un cancer de la moelle épinière dans sa maison, au pied d'un volcan et au bord d'une falaise battue par les lames du Pacifique. Il connaissait son mal et n'en redoutait pas l'issue. Mais il avait écrit : « N'importe quel poltron assis chez lui peut critiquer un pilote qui fait grimper son avion sur les sommets pleins de brume d'une montagne. Moi, je préférerais mourir là-haut que dans mon lit ». Le ciel ne l'a pas exaucé.

Le Tornado est particulièrement bien adapté aux missions à basse altitude.

Le prototype du F-17 de Northrop.

Il est enterré à côté de sa villa.

Les Canadair s'imposent contre le feu

Marignane, 31 août
Tandis que, comme tous les étés, les incendies ravagent les forêts, surtout en Provence, la flottille de Canadair de la Protection civile continue à donner des preuves de son efficacité. C'est en 1963 qu'a été créée à Marignane la base d'hydravions bombardiers d'eau. Pour s'équiper, elle s'est tout naturellement tournée vers les Canso et les Catalina de la firme Canadair, modifiés sous licence au Canada pour transporter des charges d'eau pour combattre les foyers d'incendie. Depuis, le Canadair CL-215 a remplacé le Canso et s'est révélé être l'un des meilleurs hydravions jamais construit sur le plan hydrodynamique. La France, qui a commandé une dizaine de ces appareils, a demandé que certaines modifications leur soient apportées, et, en particulier, qu'ils soient pourvus d'un système de remplissage à partir du sol. L'équipage est de deux hommes. Quand le mistral interdit l'écopage en mer, le ravitaillement en eau peut être fait sur n'importe quel terrain à partir de citernes. Si

Le Canadair libère sa charge d'eau.

le temps le permet, l'écopage est toutefois la solution la plus rapide. En 30 secondes, le CL-215 est capable d'amerrir et de redéjauger en ayant pris en charge plus de 5,5 tonnes d'eau. Grâce à ces bombardiers d'eau, la France dispose d'un système antifeu performant.

Air France met en service le Super Pélican

Il vole plus qu'il ne se repose.

Orly, 17 octobre
A Pélican, Super Pélican. Economie de manutention et tarifs plus avantageux, l'essor du transport des marchandises par avion et les exigences du marché du fret ont convaincu Air France, deux ans après la Lufthansa, de remplacer ses

Boeing 707 cargo Pélican par des 747F Super Pélican. Cet appareil arrache ses 372 tonnes au décollage, son pont principal correspond à la totalité de la cabine passagers du 747 et il triple les capacités de son prédécesseur. Il peut contenir jusqu'à 100 tonnes, embarquant dans ses soutes une gamme illimitée de produits de toutes tailles et de toutes formes. Y compris, et c'est un fait nouveau, des hélicoptères, des voitures et du bétail. Les chevaux voyagent aussi, dans leurs stalles avec leurs lads près d'eux, une seringue à portée de main au cas où l'animal s'agiterait trop. Le chargement, minutieusement réparti, se fait automatiquement et deux hommes suffisent pour l'effectuer en un peu plus d'une demi-heure seulement. A l'intérieur de ce super cargo, des palettes glissant sur des rails acheminent les marchandises de l'avant jusqu'à la queue. Maintenues par des pitons d'amarrage, elles seront débarquées en douceur quels que soient leur poids et leur volume. Pas de casse : l'argument sera à coup sûr payant.

Campagne d'essai au Moyen-Orient

Singapour, 14 septembre
Le Concorde ne craint ni le froid ni le chaud. En février dernier, le supersonique avait supporté sans problème des températures de l'ordre de moins 40 °C lors d'une campagne d'essai par temps froid en Alaska ; il vient d'achever une série de tests par temps chaud. Parti il y a quarante jours de sa base de Fairford, le second Concorde de série, piloté par Brian Trubshaw et son équipe, s'est d'abord rendu à Téhéran. De là, il a rejoint Bahreïn, le Qatar, Oman, Abu Dhabi, Dubaï et enfin le Koweït avant de quitter le Golfe pour Singapour. Tout au long de ce périple au Moyen-Orient, il a subi des essais intensifs au sol et en vol par des températures ambiantes allant jusqu'à 47 °C. Ces essais ont consisté à refroidir l'appareil après exposition à la température ambiante, au moyen de divers systèmes de climatisation. Ces tests ont confirmé le bon fonctionnement du système de conditionnement de l'air de l'avion. (→ 5.12.75)

Le bombardier stratégique B-1 a une faible signature radar

Etats-Unis, 23 décembre
Sa mission : être un obus invisible. Le premier vol du prototype Rockwell B-1, bombardier stratégique américain, annonce un redoutable successeur des B-52. Son efficacité réside dans son caractère de furtivité : ses signatures infrarouge et radar sont très faibles (cette dernière équivaut à 1 % de celle d'un Boeing B-52). En effet, face à des missiles sol-air capables d'atteindre des altitudes de 30 000 m et des vitesses de Mach 6, la seule solution envisageable pour les bombardiers est de les rendre indétectables.

Mais le B-1 possède d'autres cartes maîtresses : géométrie variable, possibilité de lancer une attaque à moins de 60 m d'altitude et à plus de 950 km/h. Son armement (jusqu'à 57 000 kg de bombes) classique ou nucléaire en fait un bombardier polyvalent. (→ 30.6.77)

Ses 4 réacteurs lui donnent une poussée supérieure à 50 tonnes. A vide, il pèse 87 tonnes. Il ne dépasse pas Mach 1.25.

Le gros-porteur A300 développé par Airbus Industrie connaît un succès immédiat qui concurrence directement les constructeurs américains.

Le Fournier RF-6B est équipé d'un moteur de 100 ch.

L'hélicoptère Technik Sky-trac 3, un birotor léger allemand.

Le Short 330, avec ses deux turbopropulseurs PT6, peut transporter trente passagers. Il s'agit d'un dérivé amélioré du SC-7 Skyvan.

Le Bell 206L LongRanger, développement du JetRanger pour sept passagers, peut être équipé de skis, de flotteurs ou de patins (comme ici).

Le Piper PA-32R-300 Cherokee Lance combine le fuselage de l'ancien Cherokee Six et le train escamotable du Seneca.

Depuis son apparition, l'Aérospatiale SA.350 Ecureuil a été vendu à plus de 1 500 exemplaires dans le monde entier.

La firme Saunders, fondée au Canada en 1968, construit le ST-27, une version biturbopropulseur du quadrimoteur DH.114 Héron.

Le Sikorsky YUH-60A Blackhawk remporte le concours Uttas organisé par l'US Army pour remplacer le UH-1.

Alors en concurrence directe avec le YF-17, le General Dynamics YF-16 donn naissance à la famille des Fighting Falcon.

Le programme du bombardier supersonique stratégique Rockwell B-1A est abandonné, puis ressuscité dans le B-1B Lancer.

Le Boeing YUH-61A, concurrent malheureux du Sikorsky Blackhawk du programme Uttas de l'Us Army.

Le Northrop F-5F Tiger II connaît un énorme succès à l'exportation.

Le FFV AS-202/18A Bravo, un appareil d'entraînement de qualité.

e triturbine Sikorsky CH-53E Super Stallion, un hélicoptère gros porteur tilisé par l'US Navy et l'US Marine Corps.

Le Northrop YF-17 Cobra, ultérieurement développé en F/A-18 Hornet, un appareil de combat qui a dépassé les 1 000 exemplaires de série.

Produit en Allemagne, en Italie et au Royaume-Uni, le Panavia MRCA devient le Tornado. Il sera intensivement utilisé pour la guerre du Golfe.

Le Dassault-Breguet Super Etendard, développement de l'Etendard IVM, est équipé pour le tir du missile air-mer AM.39 Exocet.

Le Hawker Siddeley (BAe) P.1182 Hawk est propulsé par un réacteur Rolls-Royce-Turboméca Ardour sans postcombustion.

1975

 7 297 km/h
Etats-Unis
William Knight
North American X-15
3.10.67

 39 147 km
Etats-Unis
Archie Old Jr.
Boeing B-52
18.1.57

 107 960 m
Etats-Unis
Joseph Walker
North American X-15
22.8.63

 348 810 kg
Etats-Unis
Lockheed
C-5A Galaxy

 23 130 kgp
Etats-Unis
General Electric
CF6-50 C

Texas, 7 janvier
Fred Frakes décolle le Mohawk 298 à Cleburne. Mohawk Air Service (filiale de Allegheny Airlines) a motorisé un Nord-262 avec des turbopropulseurs Pratt & Whitney.

Etats-Unis, 9 janvier
Une campagne de mesure du niveau sonore à basse altitude, au décollage et en approche, débute avec un DC-9. Il est doté des réacteurs silencieux Pratt & Whitney JT8D-109.

Washington, 9 janvier
La FAA délivre pour la première fois la qualification IFR (catégorie I) à un hélicoptère monopilote, le Gazelle de l'Aérospatiale. (→ 24.1)

Londres, 12 janvier
British Airways met un TriStar en ligne sur Malaga. Ce même jour, la compagnie ouvre aussi un vol navette Londres-Glasgow. (→ 1.4.76)

Washington, 15 janvier
Le F-16 l'emporte sur le F-17 de Northrop. (→ 3.7.82)

Marseille-Marignane, 14 février
La version SA-350-B, 100 % française, de l'hélicoptère Ecureuil de l'Aérospatiale fait son vol initial avec Daniel Bauchart. Il est équipé de la nouvelle turbine Turboméca Arriel IA. (→ 24.1)

France, 18 mars
Adrienne Bolland, premier pilote à avoir vaincu la cordillère des Andes en 1921, meurt à l'âge de 90 ans.

Istres, 28 mars
Le prototype Super Etendard 02 débute les essais en vol du système d'armes avec une centrale à inertie. Le 03 (l'Hyper Etendard) vole depuis le 9 pour tester les dispositifs hypersustentateurs. Ils permettent de gagner 10 nœuds en vitesse d'approche et 1 t au catapultage.

Ontario, 31 mars
La firme de Havilland Canada fait voler l'avion de recherche XC-8A. Son train est constitué d'un coussin d'air lui permettant de décoller ou d'atterrir sur tout type de terrain.

Wichita, 5 avril
Un biréacteur Lear Jet 36 de série arrive de Hawaii (6 178 km), en 7 h 15 min. C'est la plus longue distance couverte sans escale par un avion d'affaires. (→ 19.5.76)

Saigon, 29 avril
L'US Navy déclenche l'opération *Frequent Wind*. Par pont aérien, ses hélicoptères évacuent 6 900 Américains et Vietnamiens sur des porte-avions croisant en mer de Chine.

Dallas, 6 mai
Le pilote d'essai Jim Read décolle le premier des 60 Vought Corsair A-7H commandés par le gouvernement grec pour son armée de l'air.

Los Angeles, 7 mai
Les compagnies British Airways et Air New Zealand ouvrent une ligne qu'ils exploiteront en pool : Londres - Los Angeles - Auckland.

Roissy-CdG, 15 mai
Sur les 500 chariots mis à la disposition des passagers depuis un an, 250 ont disparu. (→ 30.5.76)

Allemagne, 1er juin
La compagnie Charter Germanair met en service le premier Airbus long-courrier A-300-B4. (→ 1.4.76)

Bruxelles, 7 juin
Le gouvernement préfère le chasseur américain F-16 au Mirage F-1E. Il en achète 102.

Grande-Bretagne, 15 juin
La Royal Navy décide de s'équiper avec l'avion à décollage vertical Hawker Siddeley Harrier. Une version navale (FRS.1 Sea Harrier) est commandée à 34 exemplaires.

Caracas, 21 juin
Au cours d'un vol d'endurance, le Concorde n° 3 atterrit sans problème. Mais, en s'engageant sur les bretelles de circulation, l'appareil s'immobilise brutalement sans que l'ingénieur d'essai à bord ne comprenne la panne. Le pilote Jacques Schwartz annonce à ses passagers : « Ayant vu sur la piste un chien jaune, nous avons préféré arrêter l'avion plutôt que de l'écraser. »

Le Bourget, 16 juillet
Le dernier Constellation français encore en service, le F-ZVMV (ex-F-BAZR), effectue son dernier vol. Il rejoint le musée de l'Air.

Wisconsin, 4 août
Le 23e rassemblement de l'Experimental Aircraft Association, les constructeurs amateurs américains, s'achève à Oshkosh. En plus des 1 200 appareils présentés, la manifestation a attiré 6 800 avions de visiteurs. En six jours, 18 contrôleurs ont réglé 65 000 mouvements.

Tokyo, 9 août
La JAL crée une filiale, Japan Asia Airways, pour exploiter une ligne du Japon à Taiwan. (→ 17.3.76)

Chartres, 28 octobre
Les constructeurs de l'Alpha Jet ont organisé une démonstration de maniabilité. Jean-Marie Saget se pose et redécolle sur un tronçon de l'autoroute Paris - Le Mans, aux commandes du prototype 02.

Bruxelles, 1er novembre
La Sabena aborde la région du golfe Persique, en inaugurant le vol vers Singapour *via* Vienne, Abu Dhabi et Bangkok. La compagnie a aussi ouvert l'escale de Libreville en mai, sur la ligne vers Kinshasa. (→ 1.4.76)

Cognac, 28 novembre
Une cérémonie a lieu à l'occasion de la millionième heure de vol sur Fouga Magister. En service depuis vingt ans, 916 exemplaires ont été construits. L'avion d'entraînement est utilisé dans 15 pays. (→ 20.8.78)

Grande-Bretagne, 29 novembre
Le champion automobile Graham Hill, aux commandes de son avion personnel, se tue avec cinq passagers près de l'aéroport d'Elstree.

Londres, 5 décembre
Le Concorde reçoit le certificat de navigabilité britannique, deux jours après le passage des 2 000 h de vol en supersonique par l'ensemble des appareils aux essais. Le certificat français a été délivré le 9 octobre.

Istres, 19 décembre
Le dernier des 10 Mercure fabriqué, destiné à Air Inter, quitte le terrain où il a effectué ses vols de réception. Cet échec commercial de Dassault-Breguet a été contrebalancé hier par le choix du Conseil de défense pour le projet Mirage 2000 comme futur avion d'arme. (→ 10.3.78)

Toulouse, 19 décembre
Le Concorde de série n° 5 est remis à Air France. Le F-BVFA est le premier avion supersonique livré à une compagnie aérienne. (→ 21.1.76)

Quelques chiffres...

Trafic passagers mondial (services réguliers) : 534 millions
Trafic passagers sur l'Atlantique Nord (toutes lignes) : 12,8 millions
Trafic passagers à Paris : 18,6 millions
Trafic passagers à Londres (Heathrow et Gatwick) : 26,7 millions
Prix d'un billet Paris-Nice (avril) : 346 F
Prix d'un billet Paris - New York (avril) : 1 710 F
Transport de fret mondial (en milliards de tonnes) : 6,6
Salaire moyen d'un commandant de bord long-courrier : 26 900 F
Salaire moyen d'une hôtesse : 3 580 F ; chef de cabine : 7 660 F
Prix d'un Beech 100 : 845 000 dollars
Prix d'un Falcon 10 : 1,850 million de dollars
Prix d'un Gulfstream II : 4,8 millions de dollars
Prix de 1 000 litres de carburant Jet A1 (juillet) : 113,30 dollars
Taux de change du dollar (moyenne de juillet) : 4,2249 F

Le SA-365 Dauphin 2 est la version biturbine de l'hélicoptère SA-360 d'Aérospatiale. F-WVKE est le prototype qui vole le 25 janvier.→

734

Aérospatiale sort le biréacteur Dauphin

Le dessus du fuselage a été redessiné pour loger la seconde turbine.

France, 24 janvier
Avec le premier vol de l'hélicoptère SA-365 Dauphin Arriel, une nouvelle famille d'hélicoptères légers biturbine arrive sur le marché mondial. Ce premier vol, d'une durée de 40 min, a montré la parfaite harmonie qui existe entre la cellule ayant reçu le moteur Turboméca Astazou XVIII et le couplage des deux moteurs Turboméca Arriel. Du côté commercial, c'est encore vers l'utilisation militaire qu'Aérospatiale devra concentrer ses efforts. Les possibilités d'armement sont des éléments importants. Le SA-365 pourra emporter plusieurs missiles ou une torpille dans la version de chasse sous-marine. Côté civil, si la formule biturbine donne une sécurité accrue, le marché pour un hélicoptère, qui peut emporter douze personnes, semble encore très étroit. (→ 9.3.76)

Le Jaguar affecté à la septième escadre

Le Jaguar ne demande plus que 10 heures 30 d'entretien par heure de vol.

Saint-Dizier, 1er janvier
Les premiers Jaguar équipent la 7e escadre de la force aérienne tactique de l'armée de l'air (Fatac). Cette force compte 330 avions de combat répartis en escadres subdivisées en deux ou trois escadrons. Le Jaguar a une capacité d'emport de bombes comparable à celle d'un bombardier lourd de la Seconde Guerre mondiale. Il peut atteindre Mach 1.5. Il sera bientôt doté d'une conduite de tir et de désignation d'objectifs par faisceau laser. Seuls quelques appareils seront équipés de ce système, qui consiste à envoyer un rayon laser vers une cible pour la marquer. Le missile qui est lancé se dirigera vers le point de réflexion du rayon, quelle que soit la position de l'avion. De plus, une caméra vidéo donne dans le cockpit l'image de l'objectif jusqu'au moment de l'impact du missile.

Prise d'otages à l'aéroport d'Orly

Orly, 20 janvier
Tout a commencé hier après-midi : un commando de trois hommes ouvre le feu sur la foule avant de prendre en otage une dizaine de personnes. Après dix-huit heures de négociations, Air-France accepte de faire décoller un Boeing 707 avec à son bord le commando. L'équipage se compose de volontaires : Jean Vignau, Robert Durin et Marcel Gauthier. Commence alors une longue errance d'un pays arabe à l'autre : Beyrouth, Damas, Djeddah, Aden, Le Caire, tous les aéroports du Proche-Orient s'entendent pour refuser l'autorisation d'atterrir. Seul Bagdad, après que le commandant de bord eut annoncé un atterrissage forcé, permettra *in extremis* à l'avion d'Air France de se poser. Ce sera la fin d'une course insensée qui aurait pu coûter la vie à tous les occupants de l'avion.

Le Yak-42 est équipé de vrais turbofans

Union soviétique, 7 mars
Point fort du Yak-42 : ses moteurs. Les trois turboréacteurs à double flux Lotarev D-36 sont de vrais turbofans. Ils ont été spécialement étudiés pour réduire au maximum la consommation en carburant ainsi que les nuisances et le bruit au décollage, selon les normes de l'Oaci. Le premier prototype vient d'être testé, avec une flèche alaire de 11° (une flèche de 23° sera testée prochainement). Conçu pour remplacer les An-24, Il-18 et Tu-134 d'Aeroflot, il est proche extérieurement de la configuration Yakovlev Yak-40, mais en version très agrandie. Sa vocation de court-courrier commercial lui confère une capacité de transport de 120 passagers pour une autonomie de 1 000 à 2 450 km.

Son équipage se compose de deux hommes ; les essais ont lieu à Moscou.

Hara-Kiri pour une omelette avariée

Anchorage, 10 février
L'affaire de l'empoisonnement sur le 747 de la JAL a connu un dénouement tragique. S'estimant responsable, un directeur du service de restauration qui avait préparé le repas pris sur l'avion s'est suicidé d'un coup de revolver. Cet empoisonnement n'avait pourtant fait aucune victime grave. Le 3 février, sur un vol reliant Tokyo à Paris *via* Anchorage et Copenhague, 145 personnes ont en effet été intoxiquées après avoir mangé du jambon avarié. L'incident est survenu quelques heures après le décollage d'Anchorage, alors que l'avion survolait le pôle Nord. Les malades ont dû être hospitalisés à Copenhague. L'enquête effectuée par le service de santé américain a établi que les tranches de jambon avaient été préparées par un homme souffrant d'une tumeur au doigt.

Le Dash 7 est un Adac pour 50 passagers

Le freinage par inversion du sens de poussée des 4 hélices est spectaculaire.

Downsview, Ontario, 27 mars
Angle d'approche du Dash 7 : 7,5°. Le triple de l'ordinaire. Ce quadri-turbopropulseur de Havilland Canada équipé de volets Fowler peut décoller et atterrir sur des distances ne dépassant pas 610 m (qualités Adac). Il pourra ainsi utiliser des aéroports situés au centre des villes. Pour ses premiers essais en vol aujourd'hui, il a atteint 204 km/h à 2 900 m d'altitude, mais est prévu pour une vitesse de croisière de 428 km/h à 2 400 m. Polyvalent, il peut facilement passer du transport de 50 passagers à l'avion-cargo ou à la version mixte. Moins polluant qu'une voiture, il a des niveaux de bruit très en dessous des appareils classés en catégorie transport. Cela l'autorise à voler la nuit au-dessus des agglomérations. C'est une très belle réalisation de De Havilland Canada. (→ 31.3)

Le Kfir C1, étape importante pour Israël

Le Kfir devrait être en mesure de rivaliser avec les chasseurs soviétiques.

Tel Aviv, 14 avril
Les autorités israéliennes présentent leur nouveau chasseur bombardier, le Kfir (lionceau), qui a effectué son premier vol en 1973. Réalisé par Israël Aircraft Industries sous le nom de *Nesher*, cet appareil est une copie du Mirage III. Pourvu de systèmes embarqués américains, le Kfir a été équipé d'un réacteur General Electric J79, plus fiable et plus économique que le réacteur Snecma Atar 9C qui propulsait le Mirage IIIC. Les ingénieurs israéliens ont donc dû agrandir les entrées d'air et protéger l'arrière du fuselage contre la chaleur provenant de ce réacteur. Une autre entrée d'air a été installée sur le dessous du fuselage pour refroidir le système de postcombustion. Sa masse étant plus élevée, l'avion a été équipé d'un train d'atterrissage plus robuste.

Lyon ouvre un nouvel aéroport à Satolas

Lyon-Satolas, 20 avril
Inauguré le 12 avril par le président de la République, Valéry Giscard d'Estaing, le nouvel aéroport de Lyon-Satolas a été mis en service aujourd'hui. Une seule aérogare a été construite, d'une capacité de 6 millions de passagers par an. Elle est formée de trois corps de bâtiment : un édifice carré central destiné aux différents services, une aile sud réservée à l'embarquement Paris et international et une aile nord, à l'embarquement pour les courtes distances. Grâce à son fonctionnement nuit et jour, fait assez rare, et à son aménagement ultramoderne, Satolas va ouvrir Lyon et la région Rhône-Alpes à l'Europe de demain.

Le nouvel aéroport Lyon-Satolas se trouve 10 km à l'est de Lyon-Bron.

« T'as vu le pilote, c'est une femme ! »

France, 7 avril
Danièle Décuré fait une entrée remarquée à Air France, devenant la première femme pilote de ligne sur Airbus. Jusqu'à ce jour la compagnie était plutôt réfractaire à l'idée qu'un pilote de ligne puisse être une femme. La confiance qui lui est témoignée en l'autorisant à piloter un long-courrier a été chèrement acquise, et le parcours de l'aviatrice en apporte la démonstration. Son baptême de l'air à 16 ans lui donne envie de devenir pilote. L'entrée à l'Enac (Ecole nationale de l'aviation civile) lui est refusée. Au moment où elle cherchait à obtenir son brevet, l'école était interdite aux femmes. Ce n'est qu'en 1972 que cette prestigieuse institution leur ouvre ses portes. En 1966, Danièle passe sa licence de pilote professionnel, devient instructeur en 1967 et pilote professionnel 1re classe en 1968. La chance lui sourit en 1973 : Air France organise un concours de recrutement ouvert aux femmes. Danièle fait partie des 7 reçus. Après un stage de formation, elle touche au but aujourd'hui en décollant de Villegénis.

Danielle Décuré et Pierre Balmain.

Un pont aérien vers Kano pour Peugeot

Lyon, 1er mai

Aspect souvent méconnu du transport aérien, le fret représente depuis de longues années une part importante du chiffre d'affaires et du trafic de la compagnie UTA. Depuis 1963, ce secteur des activités de la société française se développe à un rythme très soutenu. Il lui a permis de passer des caps difficiles, notamment dans des périodes de forte hausse des carburants et de stagnation des trafics passagers. UTA vient ainsi de lancer une ambitieuse opération de fret : un pont aérien, utilisant en particulier des Boeing 747, entre l'aéroport de Lyon-Satolas et Kano, ville du nord du Nigeria. Ce pont aérien est destiné à alimenter en pièces détachées la grande usine de montage de véhicules Peugeot installée à Kaduna, à la jonction des voies ferrées de Lagos et Port Harcourt. A chaque rotation, les 747 emportent l'équivalent de 120 voitures.

Le B-747 SP transporte 200 passagers sur 10 000 kilomètres

Avec le 747SP, la SAA peut relier Johannesburg à Londres en vol direct en évitant l'Afrique par l'Atlantique.

Washington, 4 juillet

Le célèbre Jumbo a rétréci. En effet, le dernier modèle sorti de l'usine d'Everett, près de Seattle, est un Boeing 747 dont le fuselage a été raccourci de 14,35 m et l'envergure de l'empennage de près de 3 m, d'où une importante réduction du poids à vide. Les autres modifications, dont bénéficie le 747SP (Special Performance), sont l'adoption de volets à double fente, la mise en place d'un revêtement de voilure plus épais et un train d'atterrissage plus léger. Cela permet au nouvel avion de transporter entre 288 et 331 passagers sur une distance de 10 847 km. Le 747SP a été réalisé en vue d'opérer depuis des pistes courtes situées en environnement chaud et élevé, et de franchir de longues distances. Il a déjà été commandé par plusieurs compagnies américaines, dont la Pan American Airways qui envisage de l'exploiter sur la ligne New York - Tokyo sans escale. (→ 1.4.76)

Le YC-15 prévu pour succéder au C-130

Etats-Unis, 5 août

L'avion surnommé le Long Bras de l'Amérique par les stratèges du Pentagone bat de l'aile. En service depuis octobre 1956 au sein du Tactical Air Command, le Hercules C-130 de Lockheed doit être remplacé. Deux candidats sont en lice pour lui succéder : le YC-14 de Boeing et le YC-15 de McDonnell Douglas, ce dernier étant bien placé. Doté de commandes de vol électriques, le YC-15, dont le premier prototype vient de sortir des usines de Long Beach, est un avion de transport tactique à aile haute, empennage en T, propulsé par quatre réacteurs JT8D-17 de Pratt & Whitney de 7 236 kg de poussée. Sa soute est capable de transporter des canons Howitzer automouvants, et il peut décoller à partir d'une piste de 610 m seulement avec une charge de 12,25 t ou d'enlever 23,6 t à partir de pistes de 1 067 m. Toujours en construction, le Boeing YC-14 sera confronté au YC-15 et les résultats de cette évaluation concurrentielle ne seront connus que dans deux ans environ.

La Corvette a volé plus de 10 000 heures

France, 11 septembre

Les dix-neuf avions Corvette sortis d'usine à ce jour viennent de totaliser 10 000 h de vol, dont 7 600 sur le réseau commercial. En moins d'un an d'exploitation, cela représente 40 000 passagers transportés. Des tournées de démonstration ont été organisées sur les cinq continents. Particulièrement dans tout l'Extrême-Orient, où la Corvette a effectué des vols de présentation en Indonésie, en Malaisie, en Thaïlande et à Singapour, puis en Australie, en Jordanie et en Egypte. Partout, l'avion a séduit par la capacité de sa cabine, sa maniabilité et son adaptation aux terrains courts. Récemment l'avion n° 9 a été remis à l'Aerospatiale Aircraft Corporation, chargée de la vente de l'appareil aux Etats-Unis. Elle l'utilisera comme avion de démonstration, tandis que quatre autres Corvette sont en cours d'aménagement à Oklahoma City. En effet, la clientèle américaine demande des équipements spéciaux en ce qui concerne l'aménagement intérieur et les systèmes de navigation.

Le YC-15 de McDonnell Douglas descend jusqu'à 170 km/h en approche.

Cinq ans après son vol inaugural, on ne peut pas parler de succès commercial.

Le AH-64 est un hélicoptère d'attaque

Etats-Unis, 30 septembre
On l'appelle déjà le tueur de chars. Son nom : Apache. C'est le nouvel hélicoptère de la firme Hughes Aircraft. La construction du YAH-64 a été demandée par l'US Army : celle-ci veut obtenir un hélicoptère d'attaque avancé, capable d'évoluer en formule antichar, de jour comme de nuit, mais aussi par mauvais temps. Hughes Aircraft a adopté un fuselage capable de résister à des impacts de 12,7 et 23 mm. Le blindage des parois et des sièges devrait offrir à l'équipage 95 % de chances de survie en cas d'impact au sol à 12,80 m/s. Les turbines (deux General Electric de 1 696 ch) sont montées de part et d'autre du fuselage. Mais ce sont ses capacités d'armement qui sont impressionnantes : un canon M230 Chain Gun de 30 mm installé sous le fuselage, et 4 pylônes pour l'emport de 16

L'équipage est de deux hommes.

missiles antichars Hellfire ou de roquettes de 69,85 mm. La partie n'est cependant pas encore gagnée car l'Apache possède un concurrent : le YAH-63 de Bell.

Un 747 victime d'une plaque de verglas

Anchorage, 17 décembre
Incroyable : 15 blessés seulement dans cet accident d'avion. L'appareil, un Boeing B-747-200 de la Japan Air Lines, après son escale à Anchorage, se dirige vers le point d'attente de la piste d'envol. A son bord, 101 passagers et 20 membres d'équipage en route pour Tokyo. Soudain, l'avion dérape sur le taxiway glacé. Le pilote coupe les moteurs. Poussé par un vent violent de plus de 65 km/h, l'appareil recule et glisse dans un fossé de 10 m. Sa queue heurte le sol et le train avant, passant au travers du fuselage, soulève le plancher de la cabine des passagers de première classe. Dans sa soute, l'appareil transporte 120 kg de matières radioactives. Aucune radiation ne sera détectée, mais l'avion est cassé.

Le Tu-144 est inauguré sur Alma Ata

Le TU-144 et son équipage devant les bâtiments de l'aéroport de Moscou.

Union soviétique, 26 décembre
Aeroflot, la grande compagnie nationale soviétique, vient d'ouvrir une ligne supersonique entre l'aéroport moscovite de Domodedovo et Alma Ata, capitale du lointain Khazakhstan. Mais le public n'a pas été invité à goûter aux sensations du vol au-delà du mur du son. Il ne s'agit en effet que de vols de reconnaissance de ligne et ils sont réservés au courrier et à certaines marchandises. Cette nouvelle liaison est assurée par quatre Tupolev Tu-144 qui transitent par Tioumen, en Sibérie occidentale. Au total, il s'agit d'un vol d'un peu plus de trois mille kilomètres, que le Tu-144, doté désormais de ses fameuses moustaches rétractables, effectue en deux heures environ. Les autorités aéronautiques soviétiques ont jusqu'à présent refusé de révéler quelle portion du parcours était effectué en vol supersonique. On sait toutefois que le Tu-144, contrairement au Concorde, ne peut voler à Mach 2 qu'avec la postcombustion allumée, ce qui entraîne une consommation très élevée de carburant. L'appareil est aussi réputé inconfortable et souffrir de problèmes de bruit, de vibration et de pressurisation. (→ 1.1.77)

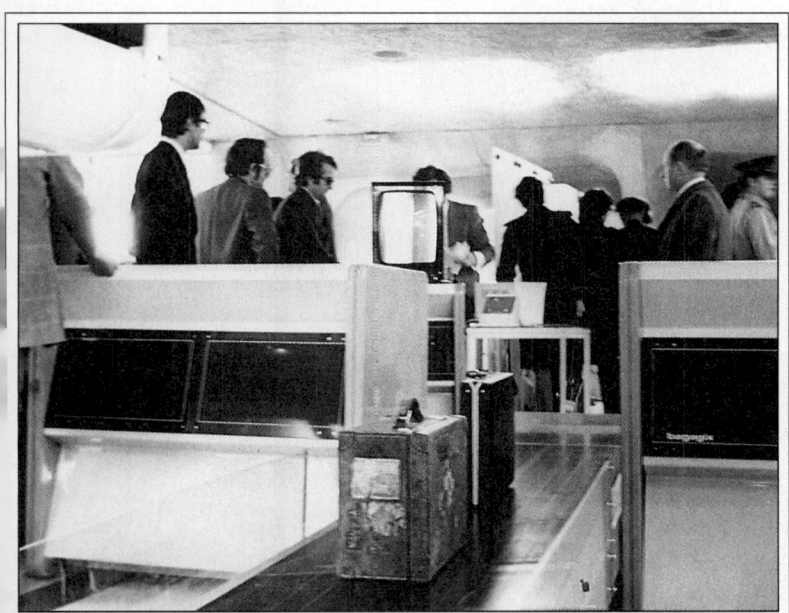

Un système de contrôle des bagages par rayon X a été mis en service dans les aéroports français. Les objets métalliques sont ainsi détectés.

Robert Redford est la vedette du film de George Roy Hill la « Kermesse des aigles ». Un pilote cascadeur des années 20 retrouve un as allemand.

Conçu pour remplacer le Tu-134 au sein de l'Aeroflot, le Yakovlev Yak-42 emporte 120 passagers sur une distance de 2 000 km.

Photographié à sa sortie d'usine, le Boeing 747SP, version allégée et raccourcie, transporte 331 passagers sur près de 10 900 km.

Le Beech B.58TC Baron, un bimoteur non pressurisé.

Le Commander 700, construit conjointement par Fuji et Rockwell.

Lointain dérivé du Jet Commander, l'Israeli Aircraft Industries IAI-1124 Westwind est un avion d'affaires plus moderne et plus performant.

Le Cessna 441, avion d'affaires pour dix passagers.

Le Robinson R.22, un biplace léger pour les bourses modestes.

Le Beechcraft B.77 Skipper, un avion d'entraînement léger.

Le Pitts S-1T Special à moteur Lycoming de 200 ch est à l'époque le meilleur avion de voltige aérienne du monde.

Le BAe Super Trident 3B, plus de sièges et une plus grande allonge.

Le de Havilland Canada DHC-7 Dash-7, l'un des meilleurs avions de transport moyens à vraie capacité Adac.

Version allongée du Model 402, le Cessna 404 Titan à moteurs Continental GTSIO-520 réussit une belle percée commerciale.

Développé à partir du F-111, le General Dynamics EF-111 est un appareil de guerre électronique bien équipé, rapide et endurant.

Conçu pour opérer en Europe du Nord, le Hughes YAH-64 Apache est un hélicoptère antichar redoutable armé de 8 missiles Heilfire.

L'Atlas C-4M Kudu, un petit avion de transport pour pistes difficiles.

Le de Havilland Canada DHC-5 avec son empennage en T et son aile haute est un appareil idéal pour les programmes de recherche de la Nasa, qui le fait notamment voler avec des réacteurs double flux sous la dénomination XC-8A.

Le biquadriplace Valmet L.70 Vinka-Miltrainer est construit pour remplacer le Saab Safir des forces aériennes finlandaises.

Ce n'est qu'au Salon du Bourget de 1991 que le MiG-31 Foxhound est révélé pour la première fois au public.

Le McDonnell Douglas DC-10-40, connu à l'origine en tant que DC-20, est construit pour Northwest Orient Airlines avec des réacteurs CF6.

Dérivé du Yak-50 de voltige, le Yakovlev Yak-52 remplace progressivement le Yak-18 dans les aéro-clubs d'Union soviétique.

Conçu dans le cadre du programme de l'USAF portant sur un transport Adac avancé, le McDonnell Douglas YC-15 est muni de volets soufflés.

Second concurrent du même programme, le Boeing YC-14 ne sera pas plus chanceux que le YC-15 et pas davantage construit en série.

1976

| | 39 147 km
Etats-Unis
Archie Old Jr.
Boeing B-52
18.1.57 | | 107 960 m
Etats-Unis
Joseph Walker
North American X-15
22.8.63 | | 348 810 kg
Etats-Unis
Lockheed
C-5A Galaxy | | 23 130 kgp
Etats-Unis
General Electric
CF6-50 C |

...i, 8 janvier
Un avion à réaction commercial se pose pour la première fois sur la piste de La Garenne. Un Bac-111, arrivant de Manchester, transporte une équipe de rugby et ses supporters pour un match France-Ecosse.

Bernay, 15 janvier
Louis Pena décolle le CAP-20-L de la société Mudry, avion conçu pour le vol acrobatique.

Grande-Bretagne, 1er février
British Airways met en service le nouveau système BABS de réservation. Il est informatisé.

Marseille-Marignane, 9 mars
François Legrand, directeur de la division hélicoptères d'Aérospatiale, a convoqué la presse. Il révèle l'existence du SA-350 Ecureuil. Les vols d'essai étaient restés secrets depuis 1974, par tactique commerciale. (→31.3.79)

New York, 17 mars
Un Boeing 747SP de Japan Air Lines arrive de Tokyo par un vol sans escale. Il a couvert 10 140 km en 11 h 30 min. (→26.4)

Bordeaux, 18 mars
Bernard Monnier, chef pilote de Europe Falcon Service, et Olivier Dassault achèvent un voyage de démonstration du Mystère 10 en Extrême-Orient et en Australie. Ils ont parcouru 88 896 km en 33 jours sans incident. (→7.11)

Bruxelles, 1er avril
La Sabena met un DC-10 en ligne vers l'Asie du Sud-Est. Le service est prolongé jusqu'à Djakarta *via* Dubaï, Bombay et Singapour.

Etats-Unis, 1er avril
Le 100 000e Piper, un Cheyenne II PA-31T biturbopropulseur, sort de l'usine de Lock Haven. (→13.8.80)

Caracas, 9 avril
Air France ouvre une seconde ligne supersonique. Le Concorde couvre les 7 167 km en 6 h, avec escale aux Açores. Il fallait 11 h 35 min sur un quadriréacteur. (→21.1)

Base de Tullen, 9 avril
Guy Mitaux-Maurouard et Michel Porta présentent deux Mirage F-1 à des parlementaires autrichiens. A leur demande, ils franchissent le mur du son... à 500 pieds d'altitude (152 m). Cet exercice est partout interdit depuis près de 20 ans.

Zamboanga, 24 mai
L'armée donne l'assaut à un DC-9 de Philippines Airlines, dont les passagers ont été pris en otages par six pirates de l'air avant-hier. Trois des pirates et dix personnes sont tués ; les trois autres sont capturés.

Roissy-CdG, 30 mai
La liaison Roissy-rail est inaugurée entre l'aéroport et la gare du Nord.

Le Mans, 12 juin
Grâce à la vitesse élevée, au faible niveau vibratoire et à l'excellente stabilité de l'hélicoptère SA-360 Dauphin, des prises de vues aériennes des 24 heures du Mans sont retransmises en Eurovision. (→8.2.80)

Gossoncourt, 13 juin
L'Aéro-Club royal de Belgique fête son 75e anniversaire. Un rallye aérien, se déroulant depuis hier avec 30 avions, se termine par une épreuve de précision d'atterrissage.

Washington, 30 juin
La FAA délivre le certificat de navigabilité américain aux versions B-4 et B-2-K de l'Airbus A-300.

Italie, 3 juillet
Le P.166-DL3, dernière version du bimoteur de transport de la Piaggio, effectue son vol initial. Il est doté de turbopropulseurs Lycoming entraînant des hélices propulsives.

Roissy-CdG, 10 juillet
Pierre Dudal, pilotant un Concorde avec 56 passagers, relie Caracas à Paris en 4 h 12 min. Air France a voulu refaire le vol d'André Duchange, qui a couvert le 29 mai le même parcours en 4 h 19 min. (→21.11.77)

Istres, 22 juillet
L'Ecole du personnel navigant d'essai et de réception, l'une des quatre existant au monde, fête son 30e anniversaire. Elle a formé 976 spécialistes, dont 173 étrangers.

Méditerranée, 31 juillet
Le porte-avions *Kiev* a été observé au cours d'essai à la mer. Il embarque 12 chasseurs Yak-36MP à décollage et atterrissage vertical, et 22 hélicoptères.

Canada, 24 août
L'avion de transport régional Short SD3-30 est mis en service par la compagnie Time Air.

Wichita, 15 septembre
Equipé de réacteurs Pratt & Whitney JT15D-1A, le Model 500 Citation est devenu le Citation I. Cessna annonce le Citation II. (→31.3.78)

Inde, 30 septembre
Hindustan Aeronautics fait voler le premier Ajeet de série, chasseur d'attaque conçu à partir du Hawker Siddeley Gnat. Le 30 juillet dernier, le prototype du Kiran Mk II, version de lutte antiguérilla du Mk I d'entraînement, prenait son envol.

Sao Paulo, 10 octobre
Luiz Fernando Cabral décolle le prototype de l'EMB-121 Xingu d'Embraer, avion biturbine prévu pour six passagers.

Etats-Unis, 12 octobre
L'hélicoptère Sikorsky S-72, mis au point à la demande de l'US Army, effectue son vol initial. Muni d'ailes courtes, de turbines et de réacteurs, il teste de nouvelles pales.

Iles Orcades, 11 novembre
L'épave d'un chasseur ultra-secret F-14A Tomcat de l'US Navy est repêchée au large des îles, après deux mois de tentatives infructueuses. Le 14 septembre, il s'était abîmé en mer en décollant de l'*USS John F. Kennedy*. L'équipage avait pu s'éjecter mais l'avion avait coulé par 570 m de fond. L'opération est suivie de bout en bout par des chalutiers soviétiques.

Etats-Unis, 16 décembre
Le Boeing 747SCA, un ancien 747 d'American Airlines spécialement transformé pour porter la navette spatiale au-dessus de son fuselage, effectue son vol initial. (→12.8.77)

Zaventem, 23 décembre
La Sobelair est devenue la compagnie charter de la Sabena.

Lyon, 22 décembre
Dans de très mauvaises conditions atmosphériques, un Airbus A-300 d'Air Inter, avec passagers à bord, réussit un atterrissage entièrement automatique en catégorie IIIA avec le système Sfena. (→18.11.77)

Quelques chiffres...

Trafic passagers mondial (services réguliers) : 576 millions
Trafic passagers sur l'Atlantique Nord (toutes lignes) : 15 millions
Trafic passagers à Paris : 20,5 millions
Trafic passagers à Londres (Heathrow et Gatwick) : 29,1 millions
Prix d'un billet Paris-Nice (avril) : 430 F
Prix d'un billet Paris - New York (juillet) : 2 260 F
Transport de fret mondial (en milliards de tonnes) : 7,2
Salaire moyen d'un commandant de bord long-courrier : 29 610 F
Salaire moyen d'une hôtesse : 3 940 F ; chef de cabine : 8 430 F
Prix d'un Lear Jet 25 B : 1,3 million de dollars
Prix d'un HS 125 : 2 millions de dollards
Prix d'un Falcon 20 : 2,99 millions de dollars
Prix de 1 000 litres de carburant Jet A1 (juillet) : 118,20 dollars
Taux de change du dollar (moyenne de juillet) : 4,8448 F

Pour le premier vol d'Air France en Concorde, vers Rio de Janeiro, les commandants de bord étaient Pierre Dudal et Pierre Chanoine.

Collision de deux Jumbo à Tenerife : 575 morts

Ces touristes terminaient leurs vacances, aucun ne se sentait en danger.

Un seul contrôleur à la tour parlait anglais, les messages étaient confus.

Tenerife, 27 avril

« Le voilà... Regarde ce con, cette espèce de con, il arrive ! Dégage, dégage, dégage ! » Ce sont les dernières paroles prononcées dans le cockpit du 747 de la Pan Am, 4 secondes avant que l'appareil soit heurté de plein fouet par un Jumbo de la KLM lancé à 270 km/h. 575 personnes, sur les 637 qui se

trouvaient à bord des deux avions, ont été tuées, ce qui fait de cet accident la catastrophe la plus meurtrière de l'histoire de l'aviation. Les deux Jumbo n'auraient pas dû se trouver sur le petit aéroport Los Rodeos, à Tenerife, sur lequel ils avaient été déroutés après un attentat à l'aéroport de Las Palmas, sur l'île voisine de Gran Canaria. Une

certaine pagaille régnait à Los Rodeos en raison d'un épais brouillard et de l'intensité inhabituelle du trafic. Vers 17 h 40, la tour de contrôle demande au vol KLM 4805 et au vol Pan Am 1736 de remonter la piste principale. Arrivé à mi-piste, l'appareil de la Pan Am devait emprunter la bretelle C3 afin de dégager la piste de décollage. Pour une

raison inconnue, le Jumbo américain poursuit son élan, se dirigeant vers la bretelle C4 plus lointaine. Entre-temps, malgré des interférences radio, le pilote néerlandais pense avoir l'autorisation de décoller. Il pousse les gaz à fond... et se jette droit sur l'avion de Pan Am qu'il heurte avec toute l'énergie de ses 300 tonnes.

Les compagnies quittent le Bourget

Le Bourget, 1er mars

Déclassé par celui d'Orly, l'aéroport international du Bourget se voit maintenant évincé par le développement rapide de Roissy-Charles-de-Gaulle. Suivant l'exemple d'UTA, la première à avoir transféré son centre d'exploitation et d'entretien à Roissy, les grandes compagnies ont choisi de le déserter. Dix iront à Orly et la BEA rejoint Roissy, entraînant des sociétés basées dans le nord de l'Europe qui vont ainsi gagner dix minutes sur la durée du trajet aérien. Leur décision vient surtout du fait que l'ouverture de Roissy a compliqué les trajectoires d'approche des pistes du Bourget. Le vieil aéroport servira à l'aviation générale et aux compagnies régionales exploitant des avions à hélices. Il sera aussi le siège du musée de l'Air pour l'exposition permanente de ses collections, auparavant entreposées à Saint-Cyr et Chalais-Meudon.

American Airlines anticipe la dérégulation

Etats-Unis, 31 janvier

En offrant une réduction de tarif de 35 à 45 %, applicable à partir du 24 avril, la compagnie American Airlines s'engagerait-elle déjà dans la voie que se propose d'ouvrir la dérégulation ? En tout cas, son initiative ne peut que peser d'un grand poids dans les débats qui vont avoir lieu prochainement autour du projet des sénateurs démocrates Edward Kennedy et Howard Cannon. Bien accueillie par certains, qui y voient une libéralisation des contraintes qui pèsent sur l'aviation de

transport, honnie par d'autres, qui redoutent qu'elle n'engendre le chaos, la dérégulation suscite les passions. Pour les sénateurs Kennedy et Cannon, appuyés par le président Carter, il s'agit de revitaliser l'industrie américaine de transport aérien, en la dotant d'une structure plus souple qui favorise la concurrence, pour le plus grand bien des passagers. Le débat qui s'ouvrira au printemps à Washington montrera si les compagnies américaines sont prêtes ou non à les suivre dans cette voie. (→ 15.11)

Les passagers sont les seuls gagnants de cette guerre des tarifs aériens.

Création de British Aerospace

Grande-Bretagne 29 avril

La British Aerospace Corporation, née aujourd'hui de la fusion de quatre firmes britanniques, se hisse immédiatement à la première place parmi les entreprises européennes. La nouvelle société regroupe British Aircraft Corporation, Hawker Siddeley Aviation, Hawker Siddeley Dynamics et Scottish Aviation, qui ont été nationalisées et intégrées au sein d'une même entité. Toutes ces firmes étant bénéficiaires, c'est l'Etat actionnaire qui fait une affaire. Cependant, leur fusion ne pourra s'effectuer que progressivement. Elles vont donc continuer un certain temps à fonctionner comme par le passé. L'activité de la nouvelle société va se scinder en deux groupes distincts : Aircraft Group et Dynamics Group. Ses effectifs se montent à 67 000 personnes, et son chiffre d'affaires devrait atteindre les 800 millions de livres. (→ 29.11.78)

La sentinelle du ciel s'appelle l'Awacs

Pouvant être ravitaillé en vol, l'Awacs assure une surveillance permanente.

Etats-Unis, 24 mars
Le principe est aussi simple qu'il est ancien : plus on est haut, mieux on voit. Le Boeing E-3A *Sentry*, dont un premier exemplaire vient d'être livré à l'US Air Force, est un Awacs (Airborne Warning and Control System), véritable station radar volante capable de repérer un avion faisant du rase-mottes à 400 km de distance. Construit à partir d'une cellule renforcée de Boeing 707-320B, le *Sentry* est caractérisé par une énorme coupole dorsale de 9,14 m de diamètre, le radôme, qui abrite un système radar ultraperfectionné de type Pulse Doppler, capable de différencier les échos parasites des échos utiles. Le radôme tourne et fait une rotation complète en six secondes. En plus des quatre membres d'équipage,

Rien dans le ciel ne leur échappe.

l'avion emporte treize spécialistes qui veillent sur les instruments destinés à diriger bombardiers et intercepteurs vers leurs cibles ou à identifier tout missile, ami ou ennemi.

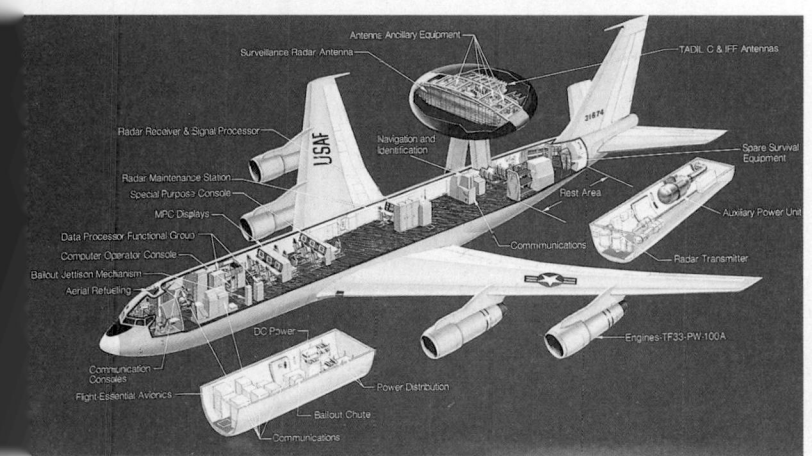

Une salle de repos avec couchettes est aménagée à l'arrière de la cabine.

Les canons du A-10 sont meurtriers

L'A-10 est un avion lent, mais sa puissance de feu est extraordinaire.

Bicycle Dry Lake, 1er mai
L'A-10 Thunderbolt II ressemble à un étui : celui du canon GAU-8 Avenger. Long de 6,80 m, ce monstre dépasse presque de moitié sous le fuselage et pèse près de 1 800 kg. Composé de 7 tubes rotatifs, il tire des obus de 30 mm et de 1,5 kg à la cadence de 70 par seconde. Dans les missions d'attaque, ces obus peuvent être incendiaires ou perforants. Ils sont emmagasinés dans l'énorme tambour à munitions, en arrière du poste de pilotage. Son ar-mement ne s'arrête pas là : il peut emporter en plus jusqu'à 7 258 kg de charges extérieures (bombes à guidage laser, missiles air-sol Maverick ou bombes en grappes Rockeye qui forment en éclatant une pluie de métal). Ce tueur de chars a aussi été conçu pour sauvegarder son pilote qui, assis dans une baignoire en titane, est protégé des impacts de canon jusqu'à un calibre de 23 mm. Des Fairchild A-10 participaient aujourd'hui à l'exercice Red Flag 77-76.

Un quart de siècle d'effort pour le XV-15

Fort Worth, 3 mai
Bel exemple de ténacité : le premier vol libre du XV-15 consacre un programme démarré en 1951. Bell a atteint son but : mettre au point un appareil convertible à rotors pivotants. Pendant les trois heures d'essai, l'appareil a volé en régime stationnaire à une trentaine de mètres du sol avec quelques évolutions, les rotors basculés à 85° vers l'avant. Les vitesses d'évolution à la manière d'un hélicoptère ont été de 75 km/h vers l'avant, 18 km/h en arrière et 45 km/h latéralement. Les essais de transition vers le vol horizontal se feront en janvier. Ce modèle fait l'objet d'un contrat de 40 millions de dollars avec l'US Army et la Nasa.

Les volets sont en position basse pour ne pas être dans le souffle des rotors.

Un B-747 porte 67,5 tonnes sur son dos

Les boulons de fixation ont explosé, la navette est libérée du Boeing 747.

Edwards AFB, 12 août
C'est le premier vol en configuration de retour de l'espace. Il est 8 heures quand le couple B-747-navette décolle de la base d'Edwards. Le Jumbo monte la navette à 6 700 m au-dessus de la base, selon une trajectoire parallèle à la piste d'atterrissage. 45 minutes après, les boulons explosent, libérant la navette de 67,5 t, tandis que le Boeing plonge selon un angle de six degrés. En 5 secondes, la navette, qui n'a pas de moteurs, vole complètement seule. Elle effectue deux manœuvres, virages à angle droit, pour se placer sur la trajectoire d'approche finale. Le gros planeur vole grâce à l'énergie potentielle de son altitude et en régressant lentement sa vitesse. Il passe de 540 km/h à 333 km/h en approche finale. A 900 pieds, les roues sortent. La navette se pose à 180 km/h. Elle est prête à affronter la prochaine mission spatiale.

Un exploit avec la tête et les jambes

Shafter, 23 août
Le vol d'Icare fascine encore l'imagination humaine. En 1959, Henry Kremer, un industriel britannique, avait offert un prix de 5 000 livres pour un vol sur une machine ne fonctionnant que par la seule force musculaire. De surcroît, le vol devait boucler un huit autour de deux pylônes distants de 804,50 m, à une hauteur minimale de 3,05 m. Personne n'ayant remporté ce prix malgré de nombreuses tentatives, il avait été porté à 50 000 livres en 1973. C'est finalement un jeune sportif, Brian Allen, qui a réussi cet exploit sur le *Gossamer Condor*, une machine volante créée par Paul MacCready, une ancienne gloire du vol à voile mondial. (→ 13.6.79)

Brian Allen a volé pendant 7 min 27,5 s sur un avion de 87 kg.

Un commandant de bord est abattu

Mogadiscio, 17 octobre
Au cours d'une attaque difficile, les hommes du GSG-9 ont finalement eu raison des terroristes. Depuis que ce Boeing 737 de la Lufthansa a été détourné par quatre personnes réclamant la libération de militants de la Fraction armée rouge détenus dans des prisons ouest-allemandes, il s'est déjà posé sur plusieurs aéroports du Moyen-Orient. L'unité spéciale d'intervention, qui devait tenter de neutraliser les pirates, a échoué à Dubaï, l'avion ayant redécollé avant que l'attaque ait pu être mise au point. Enfin, à Mogadiscio, le GSG-9 a pu passer à l'action, secondé par des unités d'assaut somaliennes et britanniques. Tandis que les Somaliens effectuaient des tirs de diversion et que des membres du SAS britannique lançaient des grenades paralysantes, l'unité d'intervention allemande s'est ruée dans l'avion par les issues de secours. Au cours de l'échange de coups de feu qui a suivi, trois terroristes ont trouvé la mort, et cinq personnes ont été blessées. Malheureusement, le commandant de bord avait déjà été exécuté par les preneurs d'otages.

L'image insoutenable d'un membre d'équipage tenu en joue par un terroriste.

Polémiques autour de la libéralisation

Washington, 15 novembre
Le président Carter lui-même est intervenu en faveur de la dérégulation, c'est-à-dire de la libéralisation des réglementations en matière de transport aérien aux Etats-Unis. Depuis l'ouverture des débats sur cette question, en mars dernier, partisans et détracteurs de ce projet continuent à s'affronter. Les compagnies qui lui sont favorables, essentiellement des compagnies de charters, estiment très souhaitable que davantage de liberté d'action leur soit donnée et que la concurrence puisse s'exercer, entraînant une meilleure compétitivité et une baisse des tarifs. Les compagnies régulières, qui dans leur ensemble se montrent hostiles à la dérégulation, redoutent qu'elle provoque une déstabilisation et une baisse de leur rentabilité. Ne craignant pas de crier au loup, elles brandissent la menace de la banqueroute, du chômage ou de la diminution de la sécurité. Quant au public, évidemment séduit par ce projet, il s'étonne qu'au pays de la libre entreprise un secteur comme celui de l'aviation commerciale reste aussi protégé. (→ 1.6.80)

Freddie Laker donne le départ du Sky Train

Londres, 26 septembre

La formule du Sky Train est évidemment très séduisante : tarifs les plus bas possibles, classe unique, service à bord simplifié. Le premier DC-10 de Freddie Laker a pris le départ de Gatwick pour New York avec deux cents passagers à bord. S'il n'affichait pas complet, c'est sans doute parce que, mal informés, les voyageurs ont craint de ne pas trouver de places disponibles sur ce vol, car la Laker Airways connaît déjà un grand succès auprès du public. Mais vendre 345 places par jour dans chaque sens n'en constitue pas moins une gageure que Freddie Laker devra tenir s'il veut que son idée s'impose. Il lui faudra créer de nouvelles habitudes de

Freddie Laker donne aux jeunes la possibilité de voyager pour pas très cher.

voyage. La clientèle visée : les jeunes, les retraités, tous ceux qui, à cause de leurs moyens limités, trouvent trop cher un billet sur une ligne régulière. Les autres compagnies redoutent la concurrence de celui qui ne joue pas le jeu de l'aviation de transport avec les mêmes règles qu'elles. Six d'entre elles, membres de l'Iata, ont signé un accord sur les tarifs Londres - New York. Mais Freddie Laker a fait front, demandant un assouplissement des conditions qui lui sont imposées en matière de capacité, de fréquence, etc. Il se montre d'ailleurs tellement optimiste pour son *Sky Train* qu'il envisage déjà la commande de deux autres DC-10 pour d'autres lignes. (→ 3.6.78)

L'Airbus a percé le marché américain

New York, 18 novembre

La bataille a été âpre, mais Airbus l'a presque gagnée. Presque, parce que l'A-300 européen, qui a inauguré son premier vol régulier entre Newark et Miami, doit encore faire ses preuves. Le premier des quatre appareils loués par Eastern Air Lines, la deuxième compagnie mondiale pour le nombre de ses passagers, est entré sur le territoire des Etats-Unis pour une expérimentation commerciale de six mois. Cette

épreuve de vérité n'a d'égal que son enjeu : un accord qui porte sur la commande ferme de dix-neuf appareils se profile et il pourrait y en avoir cinquante d'ici à cinq ans. La compagnie s'intéresse à ce jet pour sa faible consommation par rapport à ceux qui, comme lui, sont de capacité moyenne, pour son niveau sonore compatible avec les normes restrictives et pour son nombre de sièges qui correspond à la demande de sa clientèle. (→ 6.4.78)

Concorde gagne la bataille de New York

New York, 22 novembre

A deux minutes d'intervalle, les deux Concorde se sont posés à l'aéroport Kennedy. Il est 8 h 47 à New York et les deux appareils, l'un venu de Roissy et l'autre d'Heathrow, viennent d'effectuer leur premier vol commercial vers Kennedy. Concorde a enfin remporté la bataille de New York, plus de deux ans après avoir reçu l'autorisation de se poser à Washington. A la différence de l'aéroport de Dulles, propriété du gouvernement fédéral, Kennedy est propriété du Port Authority de New York, organisa-

tion autonome contrôlée par les Etats de New York et du New Jersey. Sous la pression de riverains et de mouvements d'écologistes, le Port avait interdit le Concorde en mars 1976. Air France et British Airways ont alors engagé une action judiciaire pour faire annuler cette décision. Le 17 octobre dernier, la Cour suprême a jugé illégale la décision du Port de New York, ouvrant ainsi la voie aux vols Concorde. Maintenant que la ligne est enfin ouverte, Air France et British Airways annoncent un vol quotidien vers Kennedy. (→ 24.10.78)

L'Airbus européen vole aux couleurs d'Eastern Air Lines. C'est une révolution.

Château Margaux est resté français parce que les USA refusaient Concorde.

La navette spatiale Orbiter a été lancée à partir d'un Boeing 747 modifié par Dryden Research Facility sur la base d'Edwards, en Californie.

Le Quickie Enterprises Q.2, destiné aux adeptes du système D.

Le Socata Rallye 235A est équipé d'un système d'épandage complet.

Un seul exemplaire du Britten Norman BN-2 Islander a volé avec des réacteurs double flux Dowty Rotol à grand taux de dilution.

Le Rockwell Sabre 65 à réacteurs Garrett TFE-731 reçoit une nouvelle voilure et un empennage agrandi, qui lui offrent un très long rayon d'action.

Des centaines d'exemplaires de l'Embraer EMB-110 Bandeirante volent à travers le monde. Il est aussi offert en version militaire.

Premier avion de tourisme léger de la gamme Socata, le TB-9 Tampico obtient un grand succès auprès des pilotes d'aéro-clubs.

Le Cessna 550 Citation II est une version améliorée du Citation I.

Conçu autour d'une cellule en tubes d'acier entretoisés, le Pitts Special est choisi par les plus grandes équipes de voltige du monde.

Le Procaer F-15F, quadriplace léger de tourisme italien.

Le Ball-Bartoe Jet Wing, monoplace expérimental à aile soufflée.

Le Sukhoï Su-27 Flanker, appareil d'appui tactique dérivé du Sukhoï T-10, n'entre en service qu'en 1984.

Dans sa version 20G, le Dassault Falcon est utilisé par l'US Coast Guard qui lui a réservé la dénomination de HU-25A Guardian.

Le biplace d'entraînement General Dynamics F-16B conserve le réacteur J79-GE-119 et la capacité opérationnelle du monoplace F-16A.

L'Antonov An-72 Coaler, avion de transport Adac.

Le RFB AWI-2 Fantrainer, avion d'entraînement militaire allemand.

Le Bell 301 est un concurrent malheureux du Hughes YAH-64 Apache, qui emporte le contrat du programme AAH (hélicoptère avancé d'assaut).

La Casa C-101 Aviojet, appareil d'entraînement primaire de la force aérienne espagnole, peut également recevoir un armement ou des caméras.

L'Hindustan HPT-32, un avion d'entraînement indien.

Le NDN-1 Firecracker est rejeté par la Royal Air Force.

La nouvelle génération des chasseurs soviétiques est représentée par le MiG-29 Fulcrum, très proche par sa conception du F-15 américain.

Le Bell XV-15 est un hélicoptère hybride muni d'ailes. Il est testé conjointement par la Nasa et l'US Army.

Sperry transforme des F-102 déclassés en avions-cibles PQM-102, qui sont les premiers avions modifiés sans pilote utilisés par l'USAF.

1978

 **7 297 km/h**
Etats-Unis
William Knight
North American X-15
3.10.67

 39 147 km
Etats-Unis
Archie Old Jr.
Boeing B-52
18.1.57

 **107 960 m**
Etats-Unis
Joseph Walker
North American X-15
22.8.63

 **348 810 kg**
Etats-Unis
Lockheed
C-5A Galaxy

 23 130 kgp
Etats-Unis
General Electric
CF6-50 C

Bombay, 1er janvier
Un Boeing 747 d'Air India explose en plein ciel, faisant 213 victimes.

Etats-Unis, 1er janvier
Marion Hart accomplit sa première traversée de l'Atlantique en solo, à l'âge de 74 ans. Surnommée la Grand-Mère volante, elle fut en 1915 la première femme diplômée ingénieur chimiste du MIT, et elle obtint son brevet de pilote à 54 ans.

Japon, 15 janvier
La Japan Air Lines ouvre un service DC-8-62-F cargo vers Londres, en pool avec British Airways, et remplace le DC-8-62-F assurant la liaison hebdomadaire vers l'Allemagne par un Boeing 747-F.

New York, 18 janvier
Le succès du Concorde vaut à Air France et à British Airways le Trophée de la compagnie de l'année remis à l'hôtel Plazza par la revue *Air Transport World*. (→ 1.3)

Miami, 6 avril
Satisfaite de l'exploitation de l'Airbus A-300B, United Airlines commande 23 A-300B4. (→ 29.11.78)

Lyon, 31 avril
La liaison entre Lyon-Satolas et Lisbonne est assurée une fois par semaine par Air France en exploitation conjointe avec la TAP.

Reno, 14 mai
William Powell Lear meurt à la suite d'une longue maladie. Le fondateur de la firme Lear Jet Corporation, à Wichita, a aussi inventé les cassettes à 8 bandes et perfectionné l'autoradio.

Zaïre, 20 mai
Les parachutistes belges sautent sur Kolwesi, investi par les ex-Gendarmes katangais. Réagissant plus vite à l'appel du président Mobutu, la France a largué hier le 2e régiment parachutiste étranger. L'évacuation des ressortissants européens vivant dans la région commence aussitôt. Mais une centaine de personnes ont déjà été massacrées par les rebelles.

Union soviétique, 1er juin
Le Tu-144 en service pour Aeroflot depuis le 1er novembre 1977 voit sa carrière interrompue après 102 vols, à la suite d'un accident survenu sur un vol non commercial.

Grande-Bretagne, 3 juin
Freddie Laker est annobli, pour services rendus à l'aviation.

Bordeaux-Mérignac, 28 juin
L'aéronavale reçoit le premier des 71 Dassault-Breguet Super Etendard qui lui sont destinés et qui doivent être embarqués à bord des porte-avions *Foch* et *Clemenceau*.

Munich, 6 juillet
Le programme de l'Airbus A-310 est lancé, sous la direction de Jean Plenier, de l'Aérospatiale. L'aérodynamique de l'aile et l'utilisation de matériaux composites en feront un avion économique. (→ 2.4.79)

Etats-Unis, 14 juillet
United Airlines lance la production du Boeing 767, en commandant trente exemplaires de ce nouveau gros porteur à la firme de Seattle.

Londres, 10 août
La British Airways transporte son 100 000e passager sur Concorde.

France, 1er septembre
Les Concorde d'Air France et de British Airways sont autorisés pour la phase d'atterrissage automatique catégorie III, c'est-à-dire avec une visibilité horizontale de 250 m et verticale de 15 pieds (4,5 m).

Rhodésie, 3 septembre
Un Viscount d'Air Rhodesia avec 56 passagers à bord est abattu près du lac Kariba par un missile soviétique SAM-7 du Front patriotique de Joshua Nkomo. Sur les 18 survivants, 10 sont tués par les rebelles, qui déclarent que l'avion transportait des troupes armées.

Marignane, 13 septembre
Vol initial de l'hélicoptère SA-332 Super Puma conçu par l'Aérospatiale. Dérivé du Puma, il est équipé de turbines Turboméca Makila, plus puissantes et consommant moins que les Turmo, et bénéficie d'une meilleure aérodynamique.

Munich, 15 septembre
Décès de Willy Messerschmitt, à 80 ans. Il a construit toute une série d'avions pour la Luftwaffe. Après la Seconde Guerre mondiale, il poursuit ses activités en Espagne chez Hispano Aviacion. De retour en Allemagne, il fabrique sous licence le Fouga Magister et le Fiat G-91, avant de fusionner avec la firme Bölkow en 1968.

Paris, 20 septembre
Air France a reçu son 5e Concorde le 18. Elle ouvre la ligne supersonique Paris-Washington-Mexico. (→ 12.1.79)

Washington, 24 octobre
Le président Carter signe l'acte de dérégulation de l'aviation commerciale américaine, voté à une écrasante majorité par le Congrès. Il permet aux compagnies de fixer librement leurs tarifs et de créer ou d'abandonner des lignes avec un minimum de contraintes. Avec la floraison de tarifs promotionnels, approuvée par le Civil Aeronautics Board, la dérégulation existe dans les faits depuis plusieurs mois.

Londres, 29 octobre
Pour lutter contre la concurrence du Sky Train de Freddie Laker, la British Airways institue sur son réseau de l'Atlantique Nord une 3e classe d'affaires, la *Club Class*.

Paris, 1er novembre
Sur la ligne Paris-New York, Air France crée la classe affaires pour répondre aux besoins de la clientèle qui voyage pour raisons professionnelles. Les prestations offertes visent à la rapidité de l'enregistrement et au plaisir du vol dans des sièges confortables.

Bonn, 1er novembre
Les représentants américains et allemands qui négocient depuis la mi-septembre un accord bilatéral de droit aérien parviennent à un compromis : en échange de la libéralisation du trafic prônée par les Américains, la Lufthansa obtient de nouvelles escales, dont Miami.

Londres, 27 novembre
Nouveau succès pour Freddie Laker, dont le Sky Train vers New York affiche depuis septembre 1977 un taux de remplissage moyen de plus de 80 % : avec l'accord du gouvernement britannique, il ouvre une ligne Londres-Los Angeles avec un DC-10, à des tarifs toujours aussi bas, et aux dépens de British Caledonian, qui vise aussi le marché de la Californie. (→ 10.4.79)

Avec le Mirage 2000, Dassault applique pour la première fois l'utilisation de composites à base de fibres de carbone dans la structure de l'appareil.

Quelques chiffres...

Trafic passagers mondial (services réguliers) : 679 millions
Trafic passagers sur l'Atlantique Nord (toutes lignes) : 17,2 millions
Trafic passagers à Paris : 23,7 millions
Trafic passagers à Londres : 34 millions
Prix d'un billet Paris-Nice (avril) : 484 F
Prix d'un billet Paris-New York (juillet) : 1 830 F
Transport de fret mondial (en milliards de tonnes) : 10,6
Salaire moyen d'un commandant de bord long-courrier : 35 630 F
Salaire moyen d'une hôtesse : 4 745 F ; chef de cabine : 10 105 F
Prix d'un B-747 100 : 46 millions de dollars
Prix d'un A-300 B4 : 27 millions de dollars
Prix d'un B-727 : 12 millions de dollars
Prix de 1 000 litres de carburant Jet A1 (juillet) : 127,6 dollars
Taux de change du dollar (moyenne de juillet) : 4,4390 F

Cessna agrandit la famille des Citation

Le carnet de commandes totalise plus de 300 Citation 500, 501 et 550.

Wichita, 31 mars
Le Citation II, dernier-né de la gamme Cessna, a obtenu sa certification. Son premier vol avait eu lieu, il y a plus d'un an, en janvier 1977. Par rapport au Citation I, le II a subi plusieurs modifications. En particulier, le fuselage a été allongé, ce qui lui permet de recevoir deux passagers de plus. Son envergure est également augmentée de 1,35 m, ce qui accroît la surface de ses ailes et la capacité de ses réservoirs. Le Model 550 a une vitesse de croisière de 675 km/h, il peut voler à 13 105 mètres. Tout comme pour le Model 501, Cessna a fait certifier ses Citation pour un seul pilote dans leur version SP (Single Pilot). Leur masse au décollage peut en effet ne pas dépasser le seuil des 5,7 tonnes. Avec un prix inférieur à 1 000 000 de dollars, le Citation II est un biréacteur d'affaires pas cher, très simple dans sa conception et confortable.

La formation des équipages sur Concorde

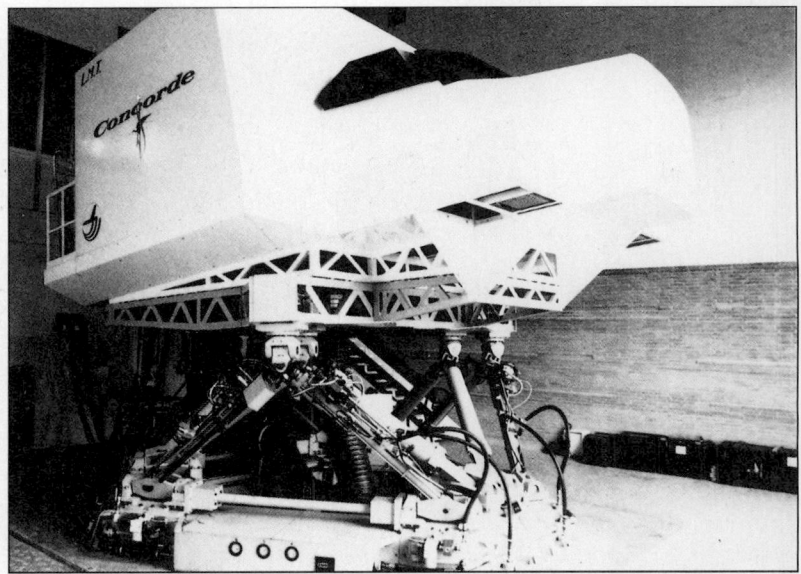

Dans le simulateur, le pilote voit la piste approcher sur l'écran pare-brise.

Toulouse-Blagnac, 1er mars
La formation des équipages techniques sur Concorde, à l'aéroformation, s'étend sur 12 semaines. La première semaine est consacrée à la connaissance générale du vol en supersonique. En dix semaines, à raison de 8 h de cours par jour, les élèves étudient les procédures normales, puis les procédures en cas de panne et celles d'urgence. On utilise les *Learning carrel* (machines à enseigner) basées sur l'audiovisuel. Les procédures de vol sont exécutées dans le simulateur à raison de 15 séances de quatre heures, tandis que deux semaines sont consacrées à l'étude des différentes pannes possibles. Les vols ne débutent qu'au bout de onze semaines : cinq vols d'une durée totale de 13 h 30 doivent être effectués pour qualifier un équipage. En tout, cette formation coûte 1 310 000 francs, plus les trois mois de salaire des pilotes, copilotes et mécaniciens.

L'US Coast Guard a définitivement opté pour le Falcon 20

Etats-Unis, 1er avril
Le prototype du Falcon 20G est livré à l'US Coast Guard qui avait fait, en 1976, un appel d'offres pour un appareil de surveillance maritime. C'est Dassault qui a remporté le marché par l'intermédiaire de sa filiale américaine, la Falcon Jet de Little Rock. Cette société occupe près de 1 000 personnes dans des ateliers modernes de 30 000 m². Les Américains ont commandé 41 Falcon 20G. Pour en faire l'avion idéal voulu par l'US Coast Guard, certains aménagements et des transformations ont été apportés. Ainsi, des hublots ont été remplacés par des baies d'observation. Le pilote automatique est modifié ainsi que l'avionique. Le radar est un Thomson-CSF Varan et c'est le système de navigation Omega qui a été choisi. Comme les spécifications le stipulaient, les réacteurs sont des Garrett à double flux. (→ 15.4.81)

Les Falcon 20G seront assemblés dans l'usine de Dassault à Little Rock.

Un B-707 coréen forcé d'atterrir

Mourmansk, 20 avril
Un Boeing 707 de Korean Airlines a été attaqué par un chasseur soviétique. L'appareil, non équipé de système de navigation inertiel, a dévié de sa route normale, entre Paris et Anchorage. Le chasseur Sukhoï 15-S n'a pas hésité à tirer et l'a contraint à se poser sur un lac gelé au sud de Mourmansk. Parmi les 110 personnes à bord, 2 ont trouvé la mort au cours de l'attaque et 13 autres ont été blessées. Le B-707 avait fait une erreur de route de 24° (650 km) et survolé sans le savoir la région où stationnent chasseurs, bombardiers et missiles soviétiques. A l'atterrissage, la police a arrêté le commandant de bord et son copilote. Ils pourraient passer en jugement pour violation de l'espace aérien soviétique. (→ 9.7.91)

Le Mirage 2000 possède un cerveau électronique

Istres, 10 mars

Le Mirage 2000, dernier-né de Dassault, vient d'effectuer son premier vol à Istres. Ce monoréacteur à aile delta, déjà qualifié de meilleur avion de combat de sa génération, est le premier appareil français à être doté de commandes électriques. Le pilote n'est plus mécaniquement lié aux gouvernes : si elles sont toujours actionnées par des servocommandes hydrauliques, les muscles de l'appareil ; ses nerfs sont des câbles électriques issus de l'ordinateur auquel le pilote donne ses ordres par l'intermédiaire du manche. Tout avion à aile delta souffre d'instabilité en vol, mais les commandes électriques réduisent le temps de réponse aux ordres tout en augmentant la maniabilité. Autre avantage : la suppression des commandes mécaniques allège le poids de l'appareil. Le pilote d'essai Jean Coureau a apprécié : « C'est un avion hyperstable : vous pouvez tout lâcher, il ne quitte pas sa ligne de vol. »

Le Mirage 2000 atteint, depuis le sol, l'altitude de 15 000 mètres en quatre minutes. Il y arrive à la vitesse de Mach 2.

Vent de violence à l'ouverture de Narita

Tokyo, 21 mai

Le plus grand aéroport endormi du monde, c'est Narita à Tokyo. Depuis le choix du terrain en 1966, il n'a cessé d'être en butte aux opposants de toutes sortes : les fermiers des environs d'abord, très vite relayés par des étudiants extrémistes qui, durant 44 mois, à partir de février 1968, se sont affrontés avec la police lors de heurts baptisés Guerres de l'aéroport. C'est ensuite la construction du système de pipe-lines, qui doit ravitailler l'aéroport en carburant, qui déclenche les hostilités avec la population. Enfin, douze ans après le début des travaux, l'aéroport se réveille.

les bagarres n'ont pas cessé. Narita est à plus de deux heures de Tokyo.

Une compagnie charter naît aux Antilles

Fort-de-France, 12 juin

Marie-Claude Valide est une jeune femme charmante et dynamique. Elle est aussi pilote, avec quelques centaines d'heures de vol sur 707, et elle sait ce qu'elle veut. Avec Jean Vigneau, ancien chef pilote à Air France, et Pierre Schneider, elle a créé la Satt (Société Antillaise de transport touristique). Ils ont ouvert le 6 juillet une liaison vers Pointe-à-Pitre et Lima en Boeing 707. Désormais, la compagnie effectue deux allers-retours par semaine depuis Bâle-Mulhouse ou Genève, une compagnie française n'ayant pas le droit de débarquer des passagers aux Antilles s'ils ont été embarqués en métropole. Charleroi sert aussi de point de chute. Cinq mois après le début de son exploitation, malgré les difficultés qu'elle rencontre, la Satt a déjà 1 200 heures de vol et a transporté 35 000 personnes. A Fort-de-France, Marie-Claude est une star.

Les syndicats refusent le pilotage à deux

Paris, 2 mai

C'est non et c'est un non unanime : les pilotes et les officiers mécaniens d'Air France sont décidés à se battre pour empêcher que la direction ne limite à deux pilotes la conduite des Boeing 737, jusqu'à présent assurée par trois navigants, dont un mécanicien. Le problème de la composition des équipages et de l'éventuelle réduction du personnel navigant technique survient à un moment où Air France vient de renoncer à l'acquisition de treize Boeing de ce type. Pour les syndicats, il en va donc du maintien des postes, mais aussi de la sécurité des passagers. La partie adverse leur a objecté que toutes les compagnies avaient pris cette disposition et qu'il n'était pas question de faire exception. Par ailleurs, les Etats-Unis qui, les premiers, ont réglé chez eux un semblable conflit pourraient avoir avantage à ce qu'il se développe en Europe : un moyen-courrier européen qui serait encore piloté à trois deviendrait invendable.

La Sabena se bat sur tous les fronts

Chaque jour les deux 747 partent vers New York à midi et quinze heures.

Bruxelles, 30 juin

La guerre des tarifs entre les compagnies aériennes sur l'Atlantique Nord, et en particulier sur New York, a contribué aux difficultés de la Sabena. Discutant avec les Américains depuis plusieurs années pour obtenir une ou deux destinations supplémentaires aux USA, les derniers marchandages ont abouti. Sabena ouvre une nouvelle escale vers Atlanta, en Georgie. Les vols sont assurés par les Boeing 707, les 747 au nombre de deux, étant ex-

ploités sur New York et parfois Kinshasa. Néanmoins, la Sabena doit faire face à de très sérieuses difficultés financières. L'existence légale de la société arrive à terme en juin 1979. Le directeur général, Gaston Dieu, et le président du conseil, Gaston Coppée, partant à la retraite, les nouveaux dirigeants seront chargés d'assainir les finances. Le gouvernement a décidé d'apurer les dettes. Aussi, le capital de la société sera porté de 750 millions de francs belges à 5 milliards.

Le Fouga 90 est destiné à l'entraînement

Le Fouga 90 a gardé la queue en papillon du Fouga Magister.

Saint-Nazaire, 20 août

Le Fouga 90 est le digne successeur du Magister : mais, si l'air de famille est évident, cette nouvelle version développée par l'Aérospatiale présente de réelles améliorations par rapport à son ancêtre. Le fuselage a été redessiné : cockpit biplace en tandem plus spacieux, tableau de bord plus complet pour permettre les missions d'entraînement, verrière offrant une excellente visibilité. Autre point très spécifique : ses moteurs double flux

Turboméca Astafan. Offrant une poussée accrue et une consommation réduite, ils confèrent au Fouga 90 des performances intéressantes : facilité de conduite, faible niveau de bruit, faible signature infrarouge, autonomie double de celle du Magister et décollage 200 à 300 m plus court. Piloté par Robert Briot, l'avion effectuait aujourd'hui son premier vol. Ses qualités le destinent, outre la mission d'école pour laquelle il a été conçu, à l'appui et à l'observation.

Le Sea Harrier décolle d'un tremplin

Farnborough, 20 août

Le Hawker Siddeley Harrier n'a décidément pas fini de faire parler de lui. Sa version marine, le Sea Harrier, destinée à l'armement de croiseurs porte-engins, vient de faire la démonstration d'une procédure de décollage originale : l'envol à partir d'une piste-tremplin. Cette rampe inclinée fait monter l'avion en fin de roulement et le lance en l'air selon une trajectoire balistique. En très peu de temps (8 secondes) et sur une très courte distance (400 m), l'avion atteint sa vitesse de sustentation aérodynamique. Cette invention, utilisable uniquement par des avions Adac/V du type du Harrier, a un double avantage : accroître notablement, par rapport à un décollage Stol classique, les capacités d'emport et le rayon d'action de l'appareil. Ainsi, avec un poids au décollage de 9 965 kg et un vent de face sur le pont de 37 km/h, le Sea Harrier se satisfait d'un vent

relatif complémentaire de 27 km/h et il voit sa distance de roulement réduite de 60 mètres. La décision de lancer cette version du Harrier a été prise par le gouvernement le 15 mai 1975. Chaque croiseur du type de l'*Invincible* devrait en recevoir, dès l'année prochaine, cinq exemplaires.

Il peut ainsi décoller plus lourd.

A la demande de la Nasa, un DHC-8A Buffalo a été modifié par l'apport de réacteurs qui éjectent leurs gaz au-dessus des ailes et des volets.

Un manque de rigueur fait 144 morts

British Aerospace rejoint GIE Airbus

Les débris du Boeing 727.

Un photographe amateur a eu le réflexe de prendre ce cliché du Boeing 727.

San Diego, 25 septembre

Il est 9 h 1 min, et c'est l'explosion au nord de l'aérodrome de San Diego. Un Boeing 727 de Pacific Southwest Airlines, qui assurait la liaison Sacramento-San Diego, a percuté un Cessna 172. Le Boeing 727 avait été autorisé pour une approche à vue sur la piste 27 de Lindbergh Field. Le contrôle informe alors le pilote de la présence d'un avion de tourisme sur sa tra-

jectoire et lui demande de le maintenir en vue. L'équipage du 727 confirme «visuel sur le trafic». Il prépare la machine pour l'atterrissage, sort les volets et le copilote demande la sortie du train. Le Cessna 172 est informé, sur une autre fréquence, de la présence du B-727. L'équipage du Boeing, absorbé par ses tâches, pense avoir doublé le Cessna, et c'est le choc. L'avion de tourisme a explosé,

tuant les deux pilotes. Des morceaux d'aile et d'empennage se sont détachés du B-727 qui a entamé une légère descente. Un feu orange vif s'est déclaré à l'emplanture de son aile droite et son intensité augmente au cours de la descente. Le Boeing termine sa course en s'écrasant sur une zone résidentielle : les 135 passagers ont été tués, ainsi que 7 personnes au sol. Il y a 22 maisons très endommagées ou détruites.

Grande-Bretagne, 29 novembre

Après bien des hésitations, les Britanniques ont donc décidé à la dernière minute de venir rejoindre le programme Airbus. Si Paris et Bonn se félicitent de ce pas accompli vers le continent, tous les problèmes ne sont pas résolus pour autant. La politique de British Airways, hostile au A-310, déplaît beaucoup, surtout en France. Les conditions d'un accord ont donc été très fermement posées par les Français et les Allemands. Pour entrer dans Airbus Industrie, les Anglais ont dû satisfaire à quatre exigences : participer pour 20 % au développement d'Airbus Industrie ; s'engager à ne pas acheter d'avions concurrents de l'A-310, c'est-à-dire notamment de Boeing B-767 ; ne pas coopérer avec un partenaire étranger à la construction d'un appareil concurrent de l'A-310 ; se contenter d'un droit de veto pour l'opération A-310, et non pour les autres. Il est plus difficile d'obliger British Airways à acheter l'avion européen si cela se traduit pour elle par une perte. (→ 1.1.79)

Challenger, un nouveau succès du Canada

Montréal, 8 novembre

C'est sur l'aéroport de Cartierville, près de Montréal, que le Canadair Challenger a effectué son premier vol d'une durée de 50 min. Ce vol aurait dû avoir lieu dans le courant de l'été, le prototype étant sorti des ateliers au printemps, mais le programme a pris du retard pendant les essais au sol. Pour l'instant, avec deux réacteurs Lycoming d'une poussée de 3 924 kgp, le Challenger

ne dispose que d'un rayon d'action de 5 100 km et sa vitesse est de Mach 0.80. En fait, cet avion aurait dû être un Lear Jet, les plans de l'appareil ont été dessinés à Wichita, qui a vendu les droits exclusifs de production à Canadair en 1976. C'est un gros biréacteur d'affaires dans lequel on peut circuler debout. Le volume disponible en cabine permet les aménagements les plus variés.

Un chasseur d'attaque pour Northrop

Saint Louis, 18 novembre

Le chef pilote de McDonnell Douglas, Jack E. Krings, a fait décoller le premier prototype du YF-18 de la piste de l'aéroport de Lambert-Saint Louis. Escorté par un F-4 Phantom et un F-15 Eagle, le vol dure cinquante minutes, pendant lesquelles le chasseur bombardier effectue le trajet Saint Louis-Springfield et retour, à l'altitude de 7 300 m et à la vitesse de 555 km/h.

C'est le 2 mai 1975 que la Navy, qui veut remplacer ses F-4 Phantom, choisit le YF-18, baptisé Hornet en hommage aux porte-avions ayant porté ce nom. McDonnell Douglas et Northrop ont conçu ce projet en commun. Le premier obtient la maîtrise d'œuvre du programme. Northrop n'est donc plus qu'un sous-traitant et produit l'arrière du fuselage. La Navy a commandé onze prototypes.

Canadair pense offrir un prix de lancement de 4 000 000 de dollars.

Le YF-18 Hornet est un biréacteur monoplace de 22 tonnes au décollage.

Avec ses trois réacteurs double flux RB.211 et son fuselage court, le Lockheed L-1011-500 TriStar peut franchir 10 000 km en pleine charge.

Le QSRA (avion expérimental silencieux) de la Nasa n'est autre qu'un DHC-5 Buffalo modifié et équipé de quatre réacteurs double flux.

Le Rockwell Sabreliner 80A, bien que dérivé du Model 75, possède une aile supercritique Raisbeck.

Le Zlin 142, biplace de tourisme et d'entraînement tchécoslovaque, est une version plus puissante du célèbre Zlin 42.

Le Cessna 303 Crusader, à l'origine seulement quadriplace, fait son apparition pour remplacer le populaire Cessna 310.

Développement civil du Peregrine militaire, l'American Jet Industries Model 400 Hustler n'entre pas davantage en production.

Conçu par William P. Lear, le Canadair CL-600 Challenger sert de modèle de base à une gamme d'avions d'affaires performants.

Equipé de deux Lycoming TIO-540 conventionnels et d'un train tricycle fixe, le Generalavia F.600 Canguro accueille dix passagers.

Le Mitsubishi MU-300 Diamond I ne brille pas par ses performances, ce qu contraint le constructeur à de nombreux essais de motorisation.

Le McDonnell Douglas F/A-18 Hornet est développé à partir du Northrop YF-17 comme intercepteur et chasseur bombardier.

Le Fouga 90 a été conçu pour remplacer le Magister, mais il ne fera l'objet d'aucune commande de série.

Le Pilatus PC-7 Turbo Trainer à moteur PT-6 est homologué pour la voltige, mais il peut aussi recevoir 1 000 kg de charges offensives.

Le BAe Sea Harrier FRS.1 fait l'objet d'une première commande de trente-quatre exemplaires par la Royal Navy, qui en équipe trois squadrons.

Le Mirage 2000 est initialement commandé à 78 exemplaires par l'armée de l'air en trois versions. Il entre en service en juillet 1984.

Le Soko G-4 Super Galeb, ce qui veut dire en yougoslave mouette, est un avion d'entraînement monomoteur.

Le McDonnell Douglas YAV-8B Harrier II, prototype de la deuxième génération d'avion Adac/Adav d'assaut de l'US Marine Corps.

La version AS.332 de l'Aérospatiale Super Puma est équipée de deux turbines Makila plus puissantes, qui améliorent ses performances générales.

1979

 **7 297 km/h**
Etats-Unis
William Knight
North American X-15
3.10.67

 **39 147 km**
Etats-Unis
Archie Old Jr.
Boeing B-52
18.1.57

 **107 960 m**
Etats-Unis
Joseph Walker
North American X-15
22.8.63

 **348 810 kg**
Etats-Unis
Lockheed
C-5A Galaxy

 24 040 kgp
Etats-Unis
Pratt & Whitney
JT9D-59A

Grande-Bretagne, 1er janvier
Entrée effective de British Aerospace dans le consortium Airbus.

France, 1er janvier
La firme Dassault-Breguet cède à l'Etat 21 % de ses actions.

Dallas - Fort Worth, 12 janvier
Le Concorde, a été certifié par la FAA le 9 janvier, la liaison entre Paris, Londres et Washington est prolongée jusqu'à Dallas, à vitesse subsonique. Ce tronçon est exploité par Braniff International. (→1.6.80)

Singapour, 24 janvier
Réouverture de la ligne Concorde vers Singapour. (→30.10.80)

Kitty Hawk, 21 février
Près du berceau de l'aviation américaine, l'ex-astronaute Neil Armstrong grimpe à 15 240 m d'altitude en un peu plus de 12 min, à bord d'un Gates Lear Jet Longhorn 28, battant cinq records du monde pour jets d'affaires.

France, 8 mars
Double consécration pour le tri-réacteur Falcon 50 de Dassault-Breguet, qui a reçu son certificat de navigabilité français et américain.

Sydney, 25 mars
La Qantas retire de l'exploitation ses Boeing 707 et devient la seule compagnie au monde dont la flotte est équipée uniquement de 747.

Marignane, 31 mars
Envol de l'hélicoptère Aérospatiale SA-365N Dauphin 2, doté d'un train tricycle rentrant, de capacités de carburant accrues et de turbines Arriel-1-C. (→8.2.80)

Allemagne fédérale, 2 avril
la Lufthansa commande 25 Airbus A-310 et prend option pour 25 autres, qui s'ajouteront à ses Boeing 727 ou les remplaceront.

Istres, 7 avril
Au cours d'un vol d'essai sur Mirage 2000, le chef pilote de Dassault, Jean Coureau, est victime d'un spasme de la carotide. A moi-

tié paralysé, il parvient à regagner le sol, mais sa carrière est finie.

Grande-Bretagne, 10 avril
Freddie Laker signe un contrat d'achat pour dix Airbus A-300.

Bruxelles, 17 avril
Des terroristes palestininens font exploser une bombe dans le hall de transit de l'aéroport de Bruxelles-National. Bilan : 12 blessés.

Filton, 19 avril
Bryan Trubshaw fait prendre l'air au 16e et dernier Concorde de série.

Reims-Prunay, 21 avril
Sortie du 5 000e avion Cessna (un F-152) fabriqué sous licence dans les usines de Reims-Aviation.

Toulouse, 28 avril
Un Airbus A-300 doté de réacteurs Pratt & Whitney de 24 040 kgp réussit son premier vol, d'une durée de 3 h 50 min. Cette version est déjà retenue par les compagnies SAS, Iberia, Garuda et Swissair.

Charleroi, 2 mai
Le groupe industriel belge Belairbus s'associe au programme A-310 d'Airbus Industrie.

Gatwick, 5 mai
La compagnie charter Air Europe inaugure ses voyages de groupe vers Las Palmas, dans les Canaries, avec un Boeing 737-200.

Grande-Bretagne, 7 mai
British Airways met en service le gros porteur Lockheed L1011-500 TriStar. Par rapport à la version précédente, le fuselage est raccourci, les moteurs plus puissants et plus économiques et l'aérodynamique améliorée.

Melun-Villaroche, 15 mai
Patrick Experton décolle le Dassault-Breguet Mirage 50. Destiné à l'exportation, il est doté d'un réacteur Atar 9K-50 et d'équipements de pointe.

France, 15 mai
Un B-747 d'Air France décolle vers Fort-de-France et Pointe-à-Pitre, pour le premier vol vacances. Le tarif est économique, il y a quelques contraintes et un service simplifié. (→1.4.80)

Teovilton, 18 juin
Le premier British Aerospace Sea Harrier est livré à la Royal Navy.

Tokyo, 27 juin
Le Concorde fait la liaison Paris-Tokyo, *via* Novosibirsk, en 7 h et 54 min de vol contre 14 h 20 min en Boeing 707 régulier. (→21.9)

Portugal, 28 juin
Philippe Cousteau trouve la mort à bord du *Calypso volant*, son hydravion Catalina de recherche scientifique, qui s'écrase lors d'une tentative d'amerrissage.

Rio de Janeiro, 17 juillet
Le Boeing 707 cargo *Essen* de la Lufthansa s'écrase au décollage, suite à une erreur des contrôleurs aériens de l'aéroport de Rio.

Grande-Bretagne, 21 juillet
John Nott, ministre du Commerce du gouvernement conservateur de Margaret Thatcher, annonce la privatisation de British Airways.

Union soviétique, 15 août
Une collision entre deux avions d'Aeroflot au-dessus de l'Ukraine fait 150 morts.

Marignane, 27 septembre
Equipé de deux turbines Allison de 425 ch, l'hélicoptère Aérospatiale Ecureuil 2, ou Twinstar pour l'exportation aux Etats-Unis, effectue son vol initial.

Santa Monica, 18 octobre
Vol initial du McDonnell Douglas DC-9 Super 80. Il a un fuselage rallongé, une voilure plus large, une capacité de carburant accrue, deux réacteurs Pratt & Whitney plus puissants et un système de navigation à tubes cathodiques. (→26.8.80)

Etats-Unis, 27 novembre
Premier vol du Boeing 707 équipé de quatre réacteurs Snecma-General Electric CFM-56.

France, 8 décembre
A bord de l'Airbus A-300 n° 3, toujours en essais, le pilote Georges Clerc et un équipage d'Airbus Industrie, commandé par Bernard Ziegler lui-même, partent pour une mission humanitaire dans le Sahel à Ouagadougou. (→15.12)

Londres, 16 décembre
Un Concorde de British Airways traverse l'Atlantique Nord depuis New York, en moins de trois heures (2 h 58 min), à la vitesse moyenne de 1 886,15 km/h. (→1.6.80)

Quelques chiffres...

Trafic passagers mondial (services réguliers) : 754 millions
Trafic passagers sur l'Atlantique Nord (toutes lignes) : 18,5 millions
Trafic passagers à Paris : 25,4 millions
Trafic passagers à Londres : 36,9 millions
Prix d'un billet Paris-Nice (avril) : 513 F
Prix d'un billet Paris - New York (juillet) : 1 960 F
Transport de fret mondial (en milliards de tonnes) : 11
Salaire moyen d'un commandant de bord long-courrier : 39 800 F
Salaire moyen d'une hôtesse : 5 785 F ; chef de cabine : 12 070 F
Prix d'un B-747 100 : 47,4 millions de dollars
Prix d'un A-300 B4 : 27,5 millions de dollars
Prix d'un B-727 : 12,5 millions de dollars
Prix de 1 000 litres de carburant Jet A1 (juillet) : 188,2 dollars
Taux de change du dollar (moyenne de juillet) : 4,2446 F

Les contrôleurs d'Athis-Mons ont amené les avions dans la région parisienne. Le contrôle d'approche à la tour d'Orly va prendre le relais.

Dassault s'adapte au marché mondial

Le Mirage 4000 à un rapport poids/puissance qui peut être supérieur à un.

Istres, 9 mars
Développé afin de concurrencer à l'exportation les F-15 et F-18 américains, le Mirage 4000 vient de voler pour la première fois aux mains de Jean-Marie Saget. Ce biréacteur, de même formule aérodynamique que le Mirage 2000, devrait permettre à la France d'entrer dans le marché international des biréacteurs à hautes performances. Le Mirage 4000 est un avion de combat polyvalent, capable de missions de défenses aériennes et de supériorité aérienne. Il peut également effectuer des missions air-sol et d'attaque à très long rayon d'action. Pour le bureau d'étude des Avions Marcel Dassault, il est non seulement meilleur en supériorité aérienne que le F-15, mais possède en plus un rayon d'action supérieur à celui du Mirage IV. Il surpasserait donc, dans deux types de missions, les deux avions américains.

Performances accrues du Longhorn 50

Les winglets réduisent la traînée due aux tourbillons en bout d'aile.

Tucson, 19 avril
La société Gates Lear Jet, spécialisée dans les avions d'affaires à réaction, avait annoncé son nouveau projet au Salon du Bourget dès juin 1977. Construit dans les ateliers de Wichita, en face de ceux de Cessna et de Boeing, le prototype de la future série 50 du Lear Jet a décollé pour la première fois. Par rapport aux précédents modèles, cet appareil se caractérise par des dimensions plus grandes, des réacteurs plus puissants et l'installation en bout d'aile de winglets verticaux mis au point par la Nasa. Ceux-ci réduisent la traînée, améliorant les performances de l'avion. Propulsé par deux turbofans Garrett, le Longhorn 50, qui sera commercialisé dans trois versions (Longhorn 54, 55 et 56), est capable de voler à 859 km/h et de transporter onze passagers sur une distance de plus de 4 000 km. Il sera produit dans la nouvelle usine de Tucson.

Le vol vacances, enjeu sur l'Atlantique

Paris, 1er avril
Il faut démocratiser le transport aérien, et, à l'approche des vacances, attirer le client par des prix records. C'est le challenge que doivent relever toutes les compagnies, américaines et européennes. Elles se battent surtout sur le terrain de l'Atlantique Nord où le marché potentiel est énorme et où les risques financiers le sont tout autant. La guerre des tarifs se joue sur trois destinations surtout, New York, Los Angeles et Montréal. Elle se manifeste sur deux fronts : sur les vols charters qui se multiplient sur ces lignes, et sur les vols réguliers aux prix bradés. Cette concurrence, c'est par exemple le Sky Train de Freddie Laker qui vend l'aller-retour Londres - New York pour 1 150 F, et Capitol Airways qui offre un billet Bruxelles - New York et retour pour 1 366 F.

Remplir à tout prix les avions en se battant sur les tarifs qui dégringolent.

Un DC-10 perd un réacteur au décollage

Chicago, 25 mai
Tout s'est passé très vite et, du DC-10 d'American Airlines immatriculé N110AA qui assurait la liaison Chicago - Los Angeles, il ne reste plus que des débris calcinés disséminés dans un champ. 31 secondes après le décollage de l'aéroport O'Hare, le moteur se détache, l'avion se cabre d'abord puis fait une abattée et l'extrémité de son aile gauche heurte le sol. Aussitôt, l'appareil se transforme en une boule de feu. Les 271 passagers et membres d'équipage sont morts carbonisés ainsi que deux personnes qui se trouvaient au sol. L'enquête s'oriente vers une défaillance technique : l'avarie du réacteur gauche et, plus précisément, la rupture de son pylône. Dès l'annonce de la tragédie, les 270 DC-10 actuellement en service dans le monde ont été interdits de vol. (→13.7)

L'instant où le DC-10, qui a perdu un moteur, s'abat sur l'aile gauche.

Début des vols pour Abelag Airways

Bruxelles, 3 mai

Une nouvelle compagnie charter belge voit le jour. Abelag Airways a été créée par trois grands noms de l'aviation et du tourisme de Belgique : Sun International (Sunair), un important tour operator, Abelag Aviation, leader de l'aviation générale belge, et Belgavia, spécialiste de l'assistance au sol et du commissariat de bord. C'est la première fois qu'un tour operator prend une participation dans le capital d'une compagnie charter, et, qui plus est, une participation majoritaire. La compagnie va donc bénéficier de compétences complémentaires, du point de vue technique et commercial, ainsi que d'importants moyens financiers. Des voyages à forfait seront offerts aux centaines de milliers de Belges qui descendent vers le soleil à bord d'avions affrétés. Le premier appareil d'Abelag Airways, le OO-ABA, est un B-707-320C. Il sera probablement suivi de B-737. Abelag Airways prend le chemin des compagnies charters qui ont connu un grand succès, comme Trans European Airways (TEA) qui fut la première à introduire l'Airbus A-300 en Belgique.

En pédalant, Bryan Allen renouvelle l'exploit de Louis Blériot

Pendant tout le vol, qui s'est déroulé sans vent, il est suivi par un canot.

Bryan Allen, l'Icare du XXᵉ siècle.

Cap Gris-Nez, 13 juin

Il a franchi la Manche ! Parti à sept heures du matin des côtes anglaises, le Gossamer *Albatros* a atterri trois heures plus tard en France, au cap Gris-Nez. Soixante ans plus tôt, Blériot n'avait mis que trente-sept minutes en sens inverse. Mais lui était motorisé. Alors que Bryan Allen, le pilote de l'*Albatros*, a dû pédaler tout au long du trajet pour faire tourner l'hélice de l'appareil, afin de maintenir une altitude moyenne de cinq mètres. Au bout de l'effort : les cent mille livres du prix Henry Kremer, un industriel britannique passionné par le vol musculaire. Le succès du Gossamer *Albatros* tient au fait qu'il ne pèse que 32 kg à vide pour 29 mètres d'envergure. Il a été imaginé par Paul McCready, ancien champion du monde de vol à voile. Un assemblage de tubes et de câbles constitue la structure de l'avion, l'entoilage étant réalisé en Mylar, un matériau de un demi-dixième de millimètre d'épaisseur. McCready avait éprouvé sa technique sur le Gossamer *Condor*, vainqueur en août 1977 d'un autre prix Kremer : boucler un huit entre 2 pylônes distants de 800 mètres. (→ 7.8.80)

Le Dornier TNT teste une voilure nouvelle

Oberpfaffenhofen, 1ᵉʳ août

Dieter Thomas a effectué un premier vol de 50 min à bord du Dornier TNT, un Skyservant modifié. Il a ainsi testé une voilure nouvelle, offrant une portance et une finesse supérieures à celles actuellement obtenues. Les saumons de l'aile sont obliques pour réduire la traînée induite. Des volets Fowler, à simple fente, complètent la configuration Adac. Cette voilure permettra d'accroître le confort des passagers. Elle est faite de trois éléments principaux : des grands panneaux de revêtement, quelques nervures et les longerons fermant le caisson de la partie rectangulaire qui constituent, de chaque côté du fuselage, un réservoir structural.

Oberpfaffenhofen est un village avec un aérodrome, situé à 30 km de Munich.

Reprise des vols sur DC-10 autorisée

Oklahoma, 13 juillet

L'affaire a pris fin aujourd'hui : à l'issue de ses travaux et cédant aux diverses pressions exercées à son encontre, tant aux Etats-Unis qu'en Europe, la FAA a accepté de rendre le certificat de navigabilité aux DC-10, retiré le 6 juin après la catastrophe de Chicago. Sur les 280 appareils actuellement en exploitation, 58 appartiennent à des compagnies européennes. Ces dernières avaient vite réagi : le 12 juin à Strasbourg, elles décidaient la révision des programmes d'entretien et, le 18 à Zurich, la reprise des vols, malgré l'avis de la FAA. Mais le problème des avions immatriculés aux Etats-Unis et celui des restrictions de survol du territoire américain restaient entiers. C'est maintenant réglé.

L'hommage des Vieilles Tiges à Frantz

Paris, 15 septembre

Le pilote qui remporta le premier combat aérien de l'histoire est mort. Joseph Frantz a reçu sur le parvis de Saint-Louis-des-Invalides les hommages des Vieilles Tiges. Il avait fondé cette association avec quelques amis en 1920 pour maintenir le souvenir de l'aviation des pionniers, celle dont la France fut le berceau dans les premières décennies du siècle. Le 5 octobre 1914, Frantz et son mécanicien Quenault, dotés d'une mitrailleuse qui marchait au coup par coup, abattaient un Aviatik allemand. Pilote à vingt ans (en 1910), détenteur de plusieurs records du monde, ingénieur chez Voisin, chef d'entreprise, Joseph Frantz prit en 1962 la tête des Vieilles Tiges dont il fut, plus que tout autre, le président.

Trois Concorde pour un franc symbolique

André Turcat, à gauche, remet les clés au commandant Guillaume Tardieu.

Carrière internationale pour le Tornado

TORNADO PRODUCTION
B.T. 001 ROLL OUT
5TH JUNE 1979

Le secrétaire à la Défense, Francis Pymm, assistait à la cérémonie à Warton.

France, 21 septembre

C'est fini. La formidable aventure qu'aura été le programme Concorde, ce miracle de la haute technologie et le symbole de l'Europe aéronautique, touche à sa fin. Les gouvernements français et britannique viennent de décider d'un commun accord de stopper la production du supersonique. A Toulouse comme à Filton, les chaînes de montage vont s'arrêter, près de douze ans après la sortie du premier prototype. Le couperet est tombé

cinq mois après le vol initial du dernier Concorde de série, le 216. En tout, 16 appareils et 88 réacteurs auront été construits. Les cinq Concorde invendus vont être attribués aux opérateurs des deux pays : British Airways, qui possède actuellement cinq supersoniques, obtiendra ainsi deux Concorde alors qu'Air France, dont la flotte comprend quatre Concorde, s'est engagée à verser un franc symbolique pour chacun des trois avions qui va lui être attribué.

Warton, 5 juin

La version ADV du Tornado vient de sortir de l'usine de Warton. La RAF en a déjà commandé 165 qui devraient être livrés en 1980, sous la désignation de F-2. Cet appareil est plus spécialement destiné à opérer à basse altitude et quel que soit le temps. Le Tornado ADV est un chasseur bombardier équipé d'un radar qui peut détecter ses objectifs à 9 150 mètres et détruire un avion évoluant au ras du sol à une distance de 40 km. Ses quatre missiles

Sky Flash à moyenne portée peuvent être tirés à toutes les altitudes. De plus, le Tornado emporte deux missiles air-air Sidewinder de défense rapprochée, ainsi qu'un canon Mauser de 27 mm à tir rapide. Il est aussi équipé d'un interrogateur IFF qui lui permet de détecter l'ennemi. Muni de deux turboréacteurs à double flux et à postcombustion Turbo-Union de 7 675 kg de poussée chacun, ce biplace pourra opérer à une distance de 500 à 650 km de sa base.

La dernière lutte d'Emile Dewoitine

Toulouse, 5 juillet

La nouvelle est passée presque inaperçue. Un homme de quatre-vingt-sept ans est décédé à l'hospice Saint-Joseph-de-la-Grave des suites d'une opération de la prostate. Cet homme s'appelait Emile Dewoitine. Un nom célèbre pendant trente ans, avant d'être sali sous Vichy et de tomber dans l'oubli. Exil et portes fermées, la carrière de cet ingénieur avionneur au caractère bien trempé et au talent incontestable méritait une tout autre fin. Du monoplace de chasse à l'hydravion de course, du trimoteur commercial à l'avion-école, de ses bureaux d'étude à la production en très grande série, Dewoitine doit figurer parmi les grands au palmarès du ciel.

Le Nimrod AEW.3 (Airborne Early Warning) est un Comet modifié. Il loge ses radars dans son nez et à l'arrière de son fuselage.

Air Canada convoie du beaujolais

Montréal, 15 novembre

Que le beaujolais nouveau arrive au jour dit en France, c'est une tradition. Qu'il soit dégusté le même jour sur le continent nord-américain, c'est une première. Grâce à Air Canada, et le décalage horaire aidant, quelque 70 000 bouteilles de ce vin fruité, qui a la réputation de mal supporter les longs voyages, ont emprunté les soutes d'un 747 Cargo pour parvenir dans la Belle Province. Une façon originale pour la compagnie canadienne de souligner l'accroissement considérable de son transport de fret, qu'elle a doublé en une décennie. Dans l'ensemble, 1979 est un excellent cru pour elle puisque ses bénéfices atteignent la somme record de 55,4 millions de dollars canadiens

Un DC-10 percute le mont Erebus

Pôle Sud, 28 novembre

Le vol 901 s'est soudain interrompu à 12 h 49 et le voyage d'agrément a viré au cauchemar. Zoulou Papa, le DC-10 d'Air New Zealand parti d'Auckland en emportant 257 personnes, équipage compris, au-dessus des étendues gelées de l'Antarctique, a percuté les flancs du mont Erebus. Il a explosé sous le choc, laissant dans la neige un sillon de 600 m. Il n'y a pas de survivant. Cette catastrophe, la plus grande de l'histoire de l'aviation néo-zélandaise, est due à une erreur humaine. Les coordonnées de destination du triréacteur introduites dans le calculateur de vol avaient été modifiées sans que le commandant de bord, Jim Collins, en ait été averti. Le pilote, qui croyait se diriger vers le détroit de McMurdo, fonçait en fait droit sur l'Erebus. De plus, le mont pris dans un voile blanc – un phénomène atmosphérique qui fait se confondre la neige et le ciel –, était devenu invisible. (→ 1.5.81)

L'Union soviétique déploie son arsenal sur l'Afghanistan

Le avions gros porteurs soviétiques établissent un véritable pont aérien.

Afghanistan, 27 décembre

L'armée Rouge a déjà pris Kaboul et investi les points stratégiques du territoire afghan. Il reste maintenant le plus difficile : s'emparer du bastion naturel que constitue ce pays. L'utilisation des avions d'attaque, tels les Sukhoï Su-17, Su-24 et Su-25, risque d'être entravée par un relief taillé en montagnes, en vallées profondes, en maquis et en chemins sinueux. Il en va de même pour l'atterrissage des appareils qui, tel l'Antonov An-22, transportent toute la logistique. Les hélicoptères, de type Mil Mi-8, Mi-17 et Mi-24, sont les mieux adaptés à ce terrain. Mais l'URSS qui, en dix ans, a consacré à son armement trois fois plus que les Etats-Unis, n'hésitera pas à utiliser sa puissance aérienne et son arsenal stratégique considérable. Par exemple en bombardant les récoltes pour affamer les moujahidins qui tenteraient de résister et en larguant des engins à effet de souffle renforcé pour neutraliser les combattants les plus acharnés.

Aviation sans frontières en Afrique

Afrique, 15 décembre

L'avion de l'espoir est né de la volonté de trois pilotes français : en créant Aviation sans frontières, André Gréard, Gérald Similowski et Alain Yout offrent aux associations humanitaires d'intervenir sur le terrain en action d'urgence, et à moindre prix. Dans un premier temps, leur entreprise bénévole vise l'Afrique. Leur but : acheminer médicaments, matériel médical et équipes de secours, et effectuer des évacuations sanitaires. Pour cela, les deux commandants de bord et l'officier pilote de ligne ont effectué un sondage auprès de plusieurs compagnies françaises, établi les disponibilités d'appareils et recruté des navigants bénévoles.

Les routes du ciel sont hors de prix

Paris, 31 décembre

Non seulement la voie des airs n'est pas gratuite, mais elle est de plus en plus cher. Chaque pays survolé exige le paiement d'une taxe, les frais de vol s'en trouvent considérablement alourdis, d'autant plus que ces redevances de route ne cessent d'augmenter. Pour effectuer, par exemple, la liaison Paris-Santiago dans un sens, il en coûte 14 000 F à un Boeing 747. Sans compter qu'il doit encore régler une redevance d'atterrissage qui n'est pas moins onéreuse. Ces taxes couvrent les services rendus par l'aéroport visité : renseignements météo, assistance au sol, et maintien des équipes et du matériel de secours en cas d'accident.

L'Optica est un avion de tourisme britannique construit par Edgley.

Alain Delon dans le film « Airport 80 : Concorde », de David Lowell.

Les avions de l'année 1979

La firme polonaise WSK-PZL qui construit l'Antonov An-2 sous licence a sorti une version améliorée équipée d'un turbopropulseur.

Premier modèle intercontinental de la gamme Citation, le Cessna 650 Citation III peut faire traverser l'Atlantique à dix passagers.

Roi de l'aviation d'affaires à l'époque de sa gloire, le Gulfstream III allie la vitesse et le nombre de places à une grande autonomie.

Le Westland WG.30 est un un dérivé du Lynx offrant des performances et une capacité supérieures à la clientèle civile et militaire.

Unissant leur expérience des voilures tournantes, Kawasaki et MBB ont développé le BK 117, un biturbine destiné au marché civil.

Le Gossamer Albatros, piloté et propulsé par Brian Allen, est la première aviette à avoir traversé la Manche.

Dérivée de l'Aérospatiale AS.355 Ecureuil, la version AS.355F est équipée de deux turbines Allison 250.

La version Aérospatiale AS.365 Dauphin 2 se distingue par son train tricycle escamotable et ses deux turbomoteurs Turboméca Arriel de 650 ch.

Le Dornier TNT, avion expérimental à voilure de nouvelle technologie.

Le McDonnel Douglas MD-80 est un DC-9 modifié et allongé.

Bien qu'ayant connu de graves problèmes de mise au point, l'Edgeley Optic est un poste de commandement aérien sans équivalent.

L'Aérospatiale TB.30 Epsilon, avion d'entraînement primaire de l'armée de l'air, peut aussi recevoir un armement offensif.

Le Sikorsky SH-60B Seahawk, vainqueur du concours Lamps organisé par l'US Navy pour un hélicoptère léger polyvalent.

Mis au point conjointement par Allison et PZL-Swidnik, le Kania ou Kitty Hawk est un Mi-2 équipé d'une turbine.

e Bell 412 est une version du 212 rotor quadripale.

Le Mirage 50 est un Mirage 5 à réacteur Atar 9K-50.

Produit parallèlement au programme international du Tornado, le BAe Tornado Air Defence Variante est conçu pour remplacer le Lightining.

Le Mirage 4000, financé sur les fonds propres de Dassault, est un biréacteur de combat lourd équipé de commandes de vol électriques.

Le Lockheed CP-140 Aurora est un P-3 Orion spécialement équipé pour l'emploi exclusif des forces armées canadiennes.

Le Boeing-Vertol YCH-47D Chinook offre une capacité interne et des performances deux fois supérieures à celles du CH-47A.

773

Trois records mondiaux pour le Dauphin

Les performances du Dauphin N justifient l'intérêt des Américains.

Issy-les-Moulineaux, 8 février
Le Dauphin N bat trois records internationaux en deux jours. Le 6 février, l'hélicoptère conçu par Aérospatiale a atteint la vitesse de 294,26 km/h sur le parcours Issy-les-Moulineaux - Londres-Battersea et retour, sans escale. A bord, dix passagers et deux pilotes, Bernard Pasquet et Max Jot, assistés de Michel Sudre, mécanicien navi-

gant. Aujourd'hui, le SA-365N, avec le même équipage et six personnes à bord, effectue une liaison Paris-Londres à 321,91 km/h et le voyage retour à 281,05 km/h, soit une vitesse de 302,7 km/h en moyenne. Il bat le record détenu depuis le 8 janvier par un Sikorski S-76. Le Dauphin N est doté de deux turbines Turboméca Arriel de 486 kw chacune. (→ 22.2.82)

British Aerospace développe le Jetstream

Le Jetstream 31 est une version du Jetstream 200 de Handley Page.

Prestwick, 28 mars
Scottish Aviation Ltd., filiale de British Aerospace, a fait voler pour la première fois le biturbopropulseur Jetstream 31. L'appareil possède deux turbines à hélices Garrett qui développent 900 ch chacune et entraînent des hélices Hartzell quadripales. Le Jetstream peut être livré en trois versions différentes : une pour ligne d'apport avec 18 ou

19 places sur 160 km avec bagages, une autre de 8 à 10 passagers sur 1 600 km pour vols d'affaires, enfin, une version de calibration électronique. Dix-huit Jetstream ont déjà été commandés. L'avion est étudié par la RAF pour ses escadrilles de transport léger, et mis en concurrence avec le Beech Super King Air 200, un avion américain beaucoup moins cher.

La guerre des tarifs touche à sa fin

Etats-Unis, 1er juin
Déclenché aux Etats-Unis à la fin 1978, le conflit que la presse a baptisé la seconde guerre des tarifs aériens semble être sur le point de s'achever. Pendant plus d'un an, des compagnies comme Texas Air, Eastern Air Lines, United Airlines, Pan Am et American Airlines ont rivalisé d'ingéniosité pour proposer des prix toujours plus bas à leurs clients. Dès que l'une d'entre elles annonçait, par exemple, des vols Miami-New York à soixante dollars, une rivale proposait le même vol à cinquante dollars. De tels ta-

rifs, bien que fort alléchants pour les passagers, commençaient à entraîner de sérieuses pertes pour les transporteurs, d'autant plus que le prix du carburant ne cesse d'augmenter. La guerre des prix, semblable à celle qui avait eu lieu en 1977, a été provoquée par l'entrée en vigueur, le 24 octobre 1978, de la loi sur la dérégulation des tarifs aériens. Le conflit s'est toutefois révélé trop coûteux et de plus en plus de compagnies demandent maintenant à être autorisées par le Civil Aeronautics Board à augmenter leurs tarifs sur les vols intérieurs.

Le Beechcraft C99 arrive sur le marché

Wichita, 20 juin
Beech Aircraft avait abandonné en 1975 le marché des lignes régionales. La présentation, aujourd'hui, du C99 traduit la volonté de la compagnie d'y reconquérir une place. Le vol de la nouvelle version du Model 99 a duré 45 min. A son issue, Jim Dolbee, qui procédait aux essais, a déclaré : «Tout s'est passé comme prévu, il n'y a pas eu de surprise.» C'est rassurant pour le département Troisième Niveau de Beech Aircraft, même s'il ne fait que démarrer la période des 17 semaines de tests précédant la certifi-

cation. Le C99 reprend la cellule de base du Beechcraft 99, avion de ligne de la même catégorie sorti le 2 mai 1968 : nombre de places (15) et configuration biturbopropulsée identiques, mais incorporation définitive des options du B99 et adaptation des turbines PT6A de Pratt & Whitney. Sa vitesse de croisière à 2 440 m est de 461 km/h. Il par[t] ainsi assuré de la solide expérience et du succès du B99 dans le mond[e] entier. En février 1969, il y avai[t] soixante-dix Model B99 en servic[e] dans trente compagnies régionales et le marché est en expansion.

Si les avions se remplissaient, les trésoreries des compagnies fondaient.

La cellule est celle du Model B99, mais les moteurs sont des PT6-A.

Les performances étonnantes du Microjet

L'empennage en papillon doit être construit en matériau composite.

Toulouse-Blagnac, 24 juin

Jean-Gabriel Bayard est le président de la société Microturbo, spécialisée dans la fabrication des réacteurs de faible puissance. Il a confié au bureau d'étude de Jacques Grangette le soin de concevoir autour de ses moteurs un petit avion d'entraînement destiné à l'armée. Tout le projet est basé sur des fonds propres, sans aucun concours financier d'une administration officielle. Jacques Grangette a piloté lui-même le prototype pour le vol d'essai qui vient d'avoir lieu. Ce petit avion qui a une masse au décollage de 1 000 kg est propulsé par deux réacteurs qui donnent chacun une poussée de 110 kg. Le *Microjet* peut ainsi atteindre une vitesse de croisière de 463 km/h. Il a un plafond de 9 000 mètres, et sa construction permet d'effectuer des figures de voltige. Microturbo, qui n'a pas d'atelier aéronautique, va confier la construction de cet avion à Marmande-Aéronautique. La concurrence s'annonce difficile.

Piper a livré 500 bimoteurs Cheyenne

Comme beaucoup d'avions d'affaires de ce type, le Cheyenne III a des PT6A.

Etats-Unis, 13 août

La vente du 500e Cheyenne est un signe qui ne trompe pas : la firme Piper se porte bien. Il est vrai que, depuis trois ans, Piper n'a de cesse d'améliorer la gamme des modèles proposés, tant pour leurs performances de confort que de sécurité. La famille des bimoteurs Cheyenne comprend ainsi, depuis 1978, trois modèles, les Cheyenne I, II et III. Le Cheyenne I, sept places, a été dès sa sortie reconnu comme l'un des biturbopropulseurs les moins coûteux au monde. Destiné à une clientèle d'hommes d'affaires, sa cabine est meublée de sièges en vis-à-vis séparés par des tablettes de travail. Large de 127 cm et haute de 131 cm, elle est décorée d'un placage en merisier et comporte à l'arrière un petit bar. Chaque siège a son éclairage, sa ventilation et un repose-bras. Le dernier-né, le Cheyenne III, plus grand (dix places) et plus performant (550 km/h en vitesse de croisière à 6 000 m), est surtout le plus silencieux.

Janice Brown vole avec un rayon de soleil

Edwards AFB, 7 août

Le *Gossamer Penguin* a décollé, soulevé par la seule énergie du soleil levant. Quatorze minutes plus tard, trois kilomètres plus loin, Janice Brown, 32 ans, avait concrétisé un rêve d'écologiste : piloter le premier avion entièrement solaire. Le *Gossamer Penguin* est le troisième avion ultraléger construit par l'aérodynamicien de Californie Paul MacCready. A la différence du *Condor* et de l'*Albatros* qui étaient des avions-bicyclettes, celui-ci a été construit pour être mû par un moteur dépendant de cellules photo-électriques. Le *Penguin* en possède 3 640, disposées en batterie sur la face supérieure de la voilure, qui alimentent un moteur de 450 watts. Cependant les contraintes de cet avion solaire sont encore nombreuses : l'appareil et l'équipage ne doivent pas dépasser 69 kg. Janice a dû, malgré ses 44 kg, suivre un régime draconien, et le seul autre pilote a été Marshall, 13 ans, le fils de MacCready. La hauteur de sécurité de vol ne doit pas dépasser 4 m, et, pour des raisons de turbulences, les essais se font au petit jour. MacCready travaille sur un avion plus performant. (→ 15.5.81)

Janice a dû surveiller son poids pour permettre à l'avion de décoller.

Tour du monde record de Judith Chisholm

Heathrow, 3 décembre

Ce tour du monde, Judith l'a tenté pour le plaisir. Mais si, au moment de décoller de Port Hedland en Australie, le 23 novembre dernier, elle estimait avoir quelque chance d'en réchapper, elle n'aurait jamais cru possible alors de battre un record. Pourtant elle vient de faire tomber l'un des plus prestigieux : celui du tour du monde féminin en solitaire, détenu depuis 44 ans par Joan Batten. Son périple de près de 43 500 km s'est achevé cet après-midi à Heathrow, après un vol de 15 jours, 22 minutes et 30 secondes. Certains diront que la technologie de son Cessna Turbo Centurion y est pour beaucoup. Il est vrai que Joan n'avait pas bénéficié, comme elle, de systèmes de navigation ou de détection d'orage. Son exploit n'en demeure pas moins réel. Cette jeune femme blonde est le premier pilote à effectuer ce vol dans un avion de classe 210. De plus, deux jours avant son départ, elle battait le record féminin en solitaire pour son vol Angleterre-Australie. A son arrivée aujourd'hui, Judith n'avait qu'une envie : dormir. Son vol ne lui a autorisé qu'une quarantaine d'heures de sommeil.

Elle fait penser à Joan Batten qui, comme elle, volait par plaisir.

Les avions de l'année 1980

Le Nash Petrel est un avion de tourisme léger dérivé du Procter Kittiwake, destiné à l'origine au remorquage de planeurs.

Dornier a basé son bimoteur Do 228 sur l'étude du monomoteur Do 128, mais il lui a adapté une aile nouvelle de conception plus avancée.

Le premier Scottish Aviation Jetstream souffrant des faibles performances de ses Astazou, le Jetstream 31 reçoit des Garrett plus puissants.

Le Gulfstream II-B marie les ailes du Gulfstream III à la cellule du Gufstream II.

Le Dassault Falcon 200 (ex-20H) se différencie par un nouveau raccord d'aile, des réacteurs double flux Garrett et d'autres améliorations.

Ressemblant étrangement au Boeing 707, le Shangai Y-10 est le premier avion de ligne à réaction construit en Chine populaire.

Le McDonnell Douglas MD-81 est un DC-9 allongé et modernisé. Commandé au départ par Swissair, il est construit à 275 exemplaires.

Conçu comme avion d'entraînement militaire léger et économique, le Microjet 200 souffre des compromis de sa conception.

Le McDonnell Douglas DC-10 Serie 15 est plus lourd et reçoit des réacteurs GE CF6-50C2F. Cette version n'est produite qu'à sept exemplaires.

Le Mudry CAP.21 est un monoplace de sport et de voltige qui remporte un grand nombre de concours internationaux.

Version biplace d'entraînement, le Dassault Mirage 2000B est commandé à dix-sept exemplaires par l'armée de l'air.

Le HH-65A Dolphin est la variante de l'Aérospatiale SA.366G-1 Dauphin commandée par l'US Coast Guard.

Le Fournier RF6B sera construit ultérieurement sous licence en Grande-Bretagne sous la dénomination Slingsby T-67 et T-67M Firefly.

Le Socata MS.892 se situe dans la gamme des avions de tourisme légers destinés aux aéro-clubs.

Le Grob 109, biplace de tourisme léger allemand.

Le Boeing Vertol 234, version civile du Chinook militaire.

Le McDonnel Douglas KC-10A Extender est la version militaire de ravitaillement en vol dérivée du DC-10 qui a été retenue par l'USAF.

La Grande-Bretagne a tenté sans succès de se doter d'un avion de guet avancé avec la version du Nimrod AEW Mk.3.

L'AIDC AT-3 est entièrement conçu et construit à Taiwan pour l'entraînement des pilotes militaires formosans.

L'Embraer EMB-312 Tucano est probablement l'avion d'entraînement à hélice le plus performant du monde.

L'Aermacchi MB.339K Veltro 2, version monoplace d'attaque au sol et d'entraînement du MB.339, équipée de canons intégrés.

1981

7 297 km/h
Etats-Unis
William Knight
North American X-15
3.10.67

39 147 km
Etats-Unis
Archie Old Jr.
Boeing B-52
18.1.57

107 960 m
Etats-Unis
Joseph Walker
North American X-15
22.8.63

348 810 kg
Etats-Unis
Lockheed
C-5A Galaxy

24 040 kgp
Etats-Unis
Pratt & Whitney
JT9D-59A

Toulouse, 6 janvier
Laker Airways reçoit son premier Airbus A-300, le G-BIMA. (→ 1.4)

Etats-Unis, 18 janvier
La firme Bell livre son 25 000e hélicoptère, un Model 222. La livraison du Model 412 débute aujourd'hui.

Heathrow, 30 janvier
Les appareils de British Airways ont effectué un record de 96 atterrissages automatiques en une seule journée. Le brouillard avait réduit la visibilité sur la piste à 125 m.

Paris, 1er février
Le Quai d'Orsay confirme la livraison de Mirage F-1 à l'Irak. Hier sur l'aérodrome de Larnaca à Chypre, des pilotes français en ont remis six, sur les soixante commandés, à des pilotes de l'armée de l'air irakienne.

Californie, 1er février
Donald W. Douglas, fondateur de la Douglas Aircraft Company, décède à l'âge de 88 ans, à Palm Springs. Il avait conçu le DC-3, construit à 11 000 exemplaires.

Etats-Unis, 6 février
L'hélicoptère Sikorsky YEH-60B commence ses essais en vol. Il est destiné à la détection de cibles au sol, équipé du système informatique Sotas de l'US Army.

Japon, 2 mars
Japan Air Lines met en service le nouveau simulateur de vol américain Redifon, pour l'entraînement sur B-747. C'est le premier au monde à utiliser un ordinateur générant des images synthétiques.

Roissy-CdG, 28 mars
Le commandant Michel Breton assure le dernier vol Air France en Caravelle, le vol AF 916/917 Paris-Amsterdam-Paris. La F-BHRY *Touraine* achève sa carrière avec 43 855 heures de vol.

Paris, 29 mars
Air France supprime la ligne directe en Concorde sur Washington, désormais desservi *via* New York, ainsi que Mexico. (→ 1.4.82)

Etats-Unis, 3 avril
Juan Trippe, fondateur de la Pan American World Airways, meurt à l'âge de 81 ans. Face aux difficultés financières de Pan Am, après la fusion avec National Airlines, il avait dû vendre le 5 janvier le bail du Pan Am Building à New York, pour 400 millions de dollars. (→ 22.4.85)

Bordeaux-Mérignac, 15 avril
Le premier des cinq Dassault-Breguet Gardian, commandés par l'aéronavale, effectue son vol initial. Dérivé de la version civile du Mystère-Falcon 20 série H, il est destiné à la surveillance maritime.

Paris, 7 mai
Air France équipe toute sa flotte de B-747 de fauteuils-couchettes en première classe. Le bar du 1er étage devient une section première.

Toulouse-Blagnac, 8 mai
Le prototype du Dassault-Breguet Atlantic ANG (nouvelle génération), avion de patrouille maritime, commence ses essais en vol.

Californie, 15 mai
L'avion solaire de Paul McCready, le *Solar Challenger*, accomplit un vol de 6 h 35 min à Shafter. (→ 7.7)

Nice, 1er juin
La compagnie Air Littoral démarre une liaison quotidienne sur Milan, avec un Bandeirante du constructeur brésilien Embraer. (→ 16.3.82)

Irak, 7 juin
Huit chasseurs israéliens F-16A, escortés par des F-15A, détruisent la centrale nucléaire d'Osirak.

Moscou, 3 juillet
La compagnie Aeroflot met en service le gros-porteur Iliouchine Il-86 (350 passagers) sur sa ligne internationale vers Berlin-Est. (→ 28.2.83)

France, 9 juillet
Marcel Riffard, créateur des Caudron Rafale et Simoun, décède à l'âge de 95 ans. Le Rafale a donné à la France de nombreux records de vitesse. Il y a six jours, Charles Dollfus, premier conservateur du musée de l'Air, s'éteignait à 88 ans.

Etats-Unis, 5 août
Le trafic aérien est bloqué aux Etats-Unis. Ronald Reagan licencie les 15 000 contrôleurs aériens en grève depuis le 3. Ils demandaient une augmentation de salaire.

Golfe de Syrte, 19 août
Deux Grumman F-14A Tomcat de l'US Navy, embarqués à bord du porte-avions *USS Nimitz*, abattent deux Sukhoï Su-22 libyens avec des missiles Sidewinder.

France, 27 septembre
La SNCF, actionnaire d'Air Inter, met en service le TGV Sud-Est. Lyon est désormais à 2 h 40 min de Paris, sérieuse concurrence pour Air Inter. (→ 1.8.84)

Etats-Unis, 2 octobre
Le président Reagan annonce la construction de 100 bombardiers stratégiques Rockwell B-1B SAL, développés à partir du B-1, et destinés à l'US Air Force. (→ 18.10.84)

Tokyo, 25 octobre
Japan Air Lines fête le 30e anniversaire de sa fondation. La compagnie est au 3e rang mondial pour le trafic international et au 1er rang pour le trafic fret. JAL annonce avoir présenté plus de 200 millions de serviettes chaudes à ses passagers.

Roissy-CdG, 1er novembre
Air France ouvre la mise en service de l'aérogare CdG 2, avec le vol AF 910 pour Amsterdam. (→ 24.3.82)

Etats-Unis, 5 novembre
L'avion d'attaque à décollage vertical de seconde génération AV-8B Harrier II, développé par McDonnell Douglas et British Aerospace à partir du Harrier, effectue son vol initial à Saint Louis. (→ 31.1.85)

Paris, 15 novembre
Air France a retenu le système de radionavigation Omega de Canadian Marconi pour ses B-727. Le premier devient opérationnel et permet un gain de 1 % sur la consommation en carburant, grâce à une navigation plus précise.

Etats-Unis, 1er décembre
Texas Instrument lance le Ti-9100. Ce calculateur permet d'obtenir la route directe par l'intégration dans sa mémoire du système de navigation Loran C.

Etats-Unis, 17 décembre
La firme Hughes Helicopters fait prendre l'air à l'appareil expérimental Notar, un OH-6A modifié. Le rotor anticouple de queue est remplacé par un système d'éjection d'air pressurisé à travers des fentes réglables.

Utilisant du matériel Thompson, l'Airbus A-310 est le premier avion de ligne à offrir une instrumentation numérisée sur écran cathodique.

Quelques chiffres...

Trafic passagers mondial (services réguliers) : 752 millions
Trafic passagers sur l'Atlantique Nord (toutes lignes) : 19 millions
Trafic passagers à Paris : 28,1 millions
Trafic passagers à Londres : 37,8 millions
Prix d'un billet Paris-Nice (avril) : 563 F
Prix d'un billet Paris - New York (avril) : 2 900 F
Transport de fret mondial (en milliards de tonnes) : 10,9
Salaire moyen d'un commandant de bord long-courrier : 51 650 F
Salaire moyen d'une hôtesse : 7 560 F ; chef de cabine : 15 700 F
Prix d'un B-747 Combi : 71 millions de dollars
Prix d'un A-300 B4 : 44,3 millions de dollars
Prix d'un B-737 : 14,2 millions de dollars
Prix de 1 000 litres de carburant Jet A1 (juillet) : 330,8 dollars
Taux de change du dollar (moyenne de juillet) : 5,7994 F

Bill Lear laisse son Lear Fan en héritage

Dans l'immatriculation, M L pour Maya Lear, et B L pour Bill Lear.

Reno, 1er janvier
Lorsqu'elle a vu le nouvel avion issu de l'usine Lear Avia, à Reno dans le Nevada, décoller pour la première fois ce matin, Maya Lear a eu du mal à retenir ses larmes. Son mari Bill, mort de leucémie il y a trois ans, aurait tant aimé assister au vol initial de l'appareil qu'il avait conçu en 1976, à l'âge de 73 ans. Exécutant les dernières volontés de son époux, Maya a pu achever le projet grâce aux cent millions de dollars de la succession. Le Lear Fan 2100 est un avion d'affaires révolutionnaire : c'est le premier appareil de ce type à être presque entièrement construit en matériaux composites, notamment en fibres renforcées par du Kevlar. Equipé de deux turbines entraînant une hélice propulsive de 2,28, montée à l'arrière, le Lear Fan ne pèse que 1 815 kg. D'une capacité de six passagers, il a un rayon d'action de 3 200 km et consomme 950 litres.

Dornier au service de l'aviation régionale

Dornier a reçu plusieurs commandes de compagnies basées aux Antilles.

Allemagne fédérale, 28 mars
Dix-sept mètres d'envergure, deux turbopropulseurs de 715 chevaux chacun, quinze ou dix-neuf passagers, voici le Dornier 228 dont le prototype vient d'effectuer son premier vol. Le constructeur allemand a fait de ce 228 son cheval de bataille sur le marché des avions destinés aux compagnies de transport régionales. Quinze commandes fermes et près de quarante options ont déjà été enregistrées, la livraison du premier avion (à un transporteur norvégien) étant prévue pour la fin décembre. Selon Dornier, l'aile dite « nouvelle technologie », développée pour cet appareil, permettrait d'accroître de 25 % les performances, en améliorant la portance et en réduisant la traînée, ce qui limite la consommation de carburant ; argument clef pour les compagnies régionales, aux moyens souvent modestes, toujours à l'affût des économies d'exploitation.

La technique du ravitaillement en vol sur le KC-10 Extender

Louisiane, 17 mars
Le Strategic Air Command a enfin reçu son nouvel avion-citerne polyvalent, le triréacteur McDonnell Douglas KC-10A Extender, destiné à succéder au Boeing KC-135 Stratotanker. Initialement stationné sur la base de Barksdale, en Louisiane, le KC-10A est un dérivé du DC-10, équipé d'un poste de ravitaillement en vol ultramoderne dit AARB (Advanced Aerial Refuelling Boom), installé sous l'arrière du fuselage. Confortablement assis devant ses ordinateurs, écrans et commandes électriques, l'opérateur guide la perche de ravitaillement, longue de 17,78 m. Celle-ci peut débiter 5 680 l/min lorsqu'il s'agit de ravitailler un gros avion tel qu'un C-5A Galaxy. Les réservoirs même de l'avion servent aussi de réserve à distribuer. Mais l'Extender peut ravitailler des appareils aussi divers que le F-4 Phantom, le B-52 Stratofortress ou le A-10 Thunderbolt.

Le KC-10A Extender utilise la perche de ravitaillement ou un tuyau flexible.

Les tests totalisent déjà 300 heures.

L'eau coûte une fortune sur B-747

Roissy-CdG, 1er avril
Air France a décidé d'ajuster la quantité d'eau potable embarquée à bord de ses Boeing 747. Dans le cadre de la réduction de la consommation de carburant, les compagnies s'attaquent donc aux petites économies. Ainsi, pour transporter une tonne sur Paris - New York, un B-747 consomme 400 kg de carburant. D'où l'idée de réduire les masses inutiles. Sur le Boeing 747 cargo, le réservoir d'eau ne sera plus rempli qu'au quart, ce qui permettra un gain de poids de 285 kg. Sur le B-747 combi, l'un des trois réservoirs sera retiré : on économisera ainsi 395 kg. Quant au Boeing 747 version passagers, un des réservoirs sera mis hors circuit pour un gain de poids de 380 kg. Ces modifications vont entraîner une économie de deux millions de francs par an, sur la flotte des B-747.

Après le Sky Train, Laker inaugure le Metro sur l'Europe

Londres, 1er avril

Sir Freddie Laker n'a peur de rien : ni du gouvernement britannique, ni de ceux des neuf autres pays de la CEE, ni de la Commission européenne. Il est persuadé qu'aucun gouvernement de la CEE ne peut l'empêcher de desservir trente-cinq villes européennes, arguant que l'article 85 du traité de Rome interdit tout accord anticoncurrentiel. Pour lui, la faible croissance des transports aériens français s'explique par l'absence d'une réelle concurrence en France. Sir Freddie croit dur comme fer que l'avion est un moyen de transport qui doit être ouvert à tous, et il est prêt à traîner ses adversaires devant les tribunaux. Depuis deux ans, il fait campagne en faveur de la dérégulation des tarifs aériens en Europe. Selon lui, le vieux continent doit suivre l'exemple américain, car, dit-il, la dérégulation y a contribué à un essor du trafic aérien. Afin de concré-

Le Sky Train de Laker a transporté plus de 900 000 personnes en 1980.

tiser ses propos, sir Freddie vient d'inaugurer, avec un Airbus A-300B4, le service Metro : des vols bon marché entre Manchester et la Suisse. Le créateur du célèbre Sky Train espère ainsi convaincre le public et surtout les gouvernements européens qu'il est dans leur intérêt de pouvoir enfin voyager par avion comme on prend le métro.

Le crash de l'Erebus

Nouvelle-Zélande, 1er mai

La conclusion de la commission d'enquête est sans appel : ce n'est pas l'équipage, mais bien la compagnie Air New Zealand qui porte la responsabilité des 257 morts du crash de l'Erebus. Le rapport aurait mis en évidence un certain nombre d'incohérences dans le comportement des responsables, peu après l'accident : destruction des documents relatifs aux vols au-dessus de l'Antarctique, refus d'admettre les modifications apportées au plan de vol en-dehors de la connaissance du commandant de bord. Des pressions directoriales auraient même été exercées sur les témoins. Selon Justice Mahon, le président de la commission d'enquête, on aurait fabriqué un tissu de mensonges afin d'éviter que soient mises à jour ces erreurs. Le président d'Air New Zealand n'est pas de cet avis, il entend porter ce rapport devant la Haute Cour de justice.

La British Airways adopte le Chinook

Ecosse, 1er juillet

Un hélicoptère Chinook de British Airways Helicopters a inauguré la liaison entre Aberdeen et le complexe pétrolier off shore de Brent, en mer du Nord, avec quarante-quatre passagers à bord. La compagnie aérienne britannique a choisi le Chinook (une version commerciale de l'hélicoptère militaire de Boeing Vertol) pour son grand rayon d'action. Il franchit directement les 600 kilomètres jusqu'à Brent, cinq heures aller-retour, alors que le système précédent (avion jusqu'aux îles Shetland puis hélicoptère) prenait de deux à six heures de plus. La Shell, qui exploite le gisement de Brent, a conclu un accord sur sept ans avec British Airways, comprenant une liaison dès l'année prochaine avec le nouveau champ pétrolifère de Fulmar. Estimation du contrat : 70 millions de livres.

Dan Air relève le défi de Freddie Laker

Londres, 16 mai

Le compagnie anglaise Dan Air n'a pas l'intention de se laisser faire. Elle vient de contester formellement la décision de la Civil Aviation Authority britannique d'attribuer à Laker Airways la liaison Gatwick-Zurich. Cette décision, annoncée en mars dernier, découle de l'abandon par British Airways de ses vols à destination de Zurich, jugés non rentables par ce transporteur. Outre Laker Airways et Dan Air, une autre compagnie, British Caledonian, était en lice pour la desserte de Zurich à partir de l'aéroport de Gatwick. Mais la CAA, qui semble être favorable à une politique de tarifs bas en Europe, a donné gain de cause à sir Freddie Laker. Décision que Dan Air n'hésite pas à qualifier de perverse et dont cette compagnie demande l'annulation pure et simple.

British Airways Helicopters utilise le Model 234LR certifié depuis juin.

Chaque année, Jimmy Doolittle réunit les équipages de son ancien groupe de bombardement à Columbus. Ils ont signé le fuselage de ce B-25.

Boeing attaque le marché des biréacteurs moyen-courriers

Des Alpha Jet pour les pilotes belges

United Airlines a commandé 30 Boeing 767 dès le mois de septembre 1978. Cet avion pèse 136 tonnes au décollage.

Seattle, 26 septembre
Fuel saver : économe en pétrole. Telle est l'image que Boeing veut donner de son dernier-né, le 767, un biréacteur moyen-courrier de 210 places qui vient d'entamer ses essais en vol. Un argument de vente décisif auprès des compagnies aériennes, pour lesquelles le kérosène représente 50 % des coûts d'opérations directes. Le 767 devrait faire de 2 à 8 % de mieux que l'Airbus A-310 en matière de consommation, affirme Boeing, grâce à une aérodynamique plus sophistiquée. Sur le 767, les classiques cadrans du tableau de bord sont remplacés par six écrans cathodiques sur lesquels s'inscrivent les paramètres de vol. Ce poste de pilotage d'une nouvelle technologie est commun à 90 % avec celui du 757, appareil court-courrier que Boeing a développé simultanément au 767. La conception assistée par ordinateur (CAO), autre nouveauté, a été utilisée pour 35 à 40 % des éléments constitutifs du nouvel appareil, alors que seuls 20 % étaient envisagés au début du projet. (→ 8.9.82)

Bruxelles, 1er septembre
Dix mille heures de vol. C'est le total des heures d'entraînement que totaliseront bientôt les 33 Alpha Jets de la force aérienne belge. Depuis leur arrivée à l'école de formation et de perfectionnement des pilotes militaires, à Brustem-Saint-Trond, il y a un peu plus d'un an, ces avions ont contribué à la formation de quatre promotions. Les deux premières, entraînées successivement sur SF.260, Fouga Magister et Alpha Jet, sont maintenant opérationnelles, notamment sur Mirage VB. L'expérience a montré que l'Alpha Jet était beaucoup plus facile à piloter que le Lockheed T-33 qu'il remplace, avec des caractéristiques de vol très proches de celles d'un avion de combat. Il a permis ainsi de diminuer les heures des premiers stades d'école et d'augmenter les heures de vol aux instruments. Le programme d'entraînement actuel comporte 125 h sur SF.269 et 155 h sur Alpha Jet, dont 42 h sur simulateur.

Le BAe 146, un avion discret et économe

« Challenger » réussit où Icare a échoué

Hatfield, 3 septembre
Au lieu du fracas habituel des moteurs d'avions, un murmure au-dessus des usines de British Aerospace : c'est le BAe 146 qui effectue son premier vol d'essai. Il prouve qu'il peut survoler sans nuisance de bruit les zones urbaines proches des aéroports. C'est un gros atout pour ce court-courrier de quatre-vingt à cent places, destiné aux lignes régionales. Notamment celles desservant des pistes courtes ou difficiles d'accès, car le BAe 146 dispose d'une forte réserve de puissance grâce à quatre réacteurs totalisant treize tonnes de poussée. L'appareil peut décoller sur trois moteurs. Le constructeur, qui souligne la simplicité et le faible coût d'utilisation du 146, pense surtout au marché des petites liaisons aux Etats-Unis.

Manston, 7 juillet
Paul McCready récidive. Deux ans après le Gossamer *Albatros,* c'est au tour du *Solar Challenger* de traverser la Manche. Cette fois-ci, l'appareil conçu par l'ingénieur américain est propulsé par la seule lumière du soleil. Quinze mille cellules photovoltaïques réparties sur toute la voilure alimentent directement le moteur électrique de 3,3 ch actionnant l'hélice. La masse totale de l'avion est de 150 kg, y compris le pilote, Steve Ptacek. *Challenger* arrive de Cormeilles-en-Vexin après un vol de 255 km qu'il a réalisé en 5 heures 23 min. C'est le second engin solaire à avoir volé (→ 7.8.80), mais c'est le premier à disposer d'assez de puissance pour égaler les performances d'un avion équipé d'un moteur à explosion.

Le BAe 146 est l'aboutissement du projet HS 146 qui date du 23 août 1973.

La réception du rayonnement solaire est meilleure sur une aile concave.

Il n'y a plus de mécanicien sur l'Airbus de Garuda

Les informations disponibles sur écran diminuent la charge de travail.

Le pilote peut visualiser le tracé de sa route en combinaison avec la météo.

Toulouse, 6 octobre
Y a-t-il un pilote dans l'avion? Oui, mais y aura-t-il encore longtemps un mécanicien à bord? Voilà la question qui agite le monde de l'aviation commerciale. Le débat continue d'opposer constructeurs, opérateurs et syndicats du personnel navigant. Une compagnie aérienne, Garuda, a déjà tranché.

Deux pilotes du transporteur national indonésien viennent d'effectuer le premier vol à deux à bord d'un gros-porteur. Partis de Toulouse, ils ont volé pendant près de quatre heures sans mécanicien navigant lors d'un vol de certification d'un Airbus A-300. Garuda a décidé du pilotage à deux pour les neuf A-300 qu'elle a commandés et

qui lui seront livrés à partir de janvier prochain. Le président de Garuda a estimé que les systèmes de l'avion sont tels que la charge de travail ne justifie pas la présence du mécanicien. Airbus, pour que l'A-300 puisse être piloté à deux, a ramené à l'avant toutes les commandes dont disposait naguère le mécanicien. Sur la planche la-

térale qui lui était réservée, il ne reste que les systèmes nécessaires à la maintenance au sol. Les compagnies qui le désirent pourront toutefois facilement rétablir le *statu quo ante*. Le concept du pilotage tout à l'avant (FFCC) a été rendu possible par les progrès technologiques de l'informatique appliquée aux avions.

Lockheed redessine un avion démodé

Etats-Unis, 1er août
Le premier vol de l'avion Lockheed TR-1A de série en rappelle un autre : celui du prototype du célèbre avion espion U-2, le 6 août 1955, dont le TR-1A n'est autre qu'une énième version. C'est onze ans après l'arrêt de fabrication de cet U-2 que l'US Air Force a décidé, en 1979, de relancer la production. Il ne s'agit plus de survoler les pays

communistes, bardé de caméras, comme Gary Power lorsqu'il fut abattu au-dessus de l'URSS et capturé, en mai 1960, mais de surveiller l'adversaire sans violer son espace aérien. Cela grâce à des détecteurs à vision latérale (notamment un radar). Mission type du TR-1A : longer le rideau de fer à très haute altitude, pour détecter les mouvements de blindés à l'Est.

Crise mondiale du transport aérien

Londres, 31 décembre
Une année placée sous le signe de l'austérité : tel est le bilan dressé par le rapport annuel 1981 de l'Organisation de l'aviation civile internationale. Si certains points ont été positifs (amélioration sensible de la sécurité des vols), ils ne reflètent malheureusement pas l'ensemble des performances des compagnies aériennes. Le taux de croissance sur

les services réguliers intérieurs et internationaux, passagers, fret et poste compris, a été de plus 2,5 %. C'est le plus faible jamais enregistré par l'OACI. La crise a touché les commandes de nouveaux appareils qui ont chuté de 30 % par rapport à 1980. Les difficultés rencontrées par certaines compagnies les forcent à s'unir ou à fusionner afin de réduire les coûts d'exploitation.

Le TR-1A opèrera sans devoir s'engager au-dessus des territoires adverses.

Depuis le 1er novembre, Air France dispose du terminal 2 de l'aéroport Charles-de-Gaulle à Roissy. Les autres compagnies vont au terminal 1.

Le prototype du Boeing 767, biréacteur gros porteur moyen-long-courrier, peut transporter 230 passagers.

Développé du SD-330, le Shorts 360 est un biturbomoteur de 36 places qui abandonne le principe de la double dérive de son prédécesseur.

Le NDN-6 Fieldmaster, mis au point par Desmond Norman, est un avion de travail agricole qui peut servir dans la lutte contre les incendies.

Le «Old Man's Airplace Company» Omac-1 est un avion d'affaires à empennage canard.

Le Fairchild Metro 111A est un avion d'affaires et de troisième niveau à cabine pressurisée héritée des études des modèles Swearingen.

Le McDonnel Douglas DC-8 Super 71 est équipé de réacteurs CFM-56.

Le LET Turbo Cmelak, un avion agricole tchèque.

Le PZL 106 Kruk, autre avion agricole, polonais celui-là.

Le Harbin Y-12 Turbo-Panda est un avion de transport Adac entièrement conçu et réalisé en Chine populaire.

L'étude du quadriréacteur «silencieux» court-courrier Hawker Siddeley HS 146 date de 1973 et sera reprise par British Aerospace.

Le Lear Fan Model 2100, avion d'affaires à turbomoteur propulsif, ne connaîtra pas beaucoup de succès.

Conçu à l'origine par Grumman, l'American Jet Industries Peregrine est un avion d'entraînement militaire dérivé du Hustler 500.

L'Enaer T-35 Pilan, d'origine chilienne, est un biplace d'entraînement à moteur conventionnel dérivé du Piper Cherokee.

Hughes s'est intéressé au concept Notar (pas de rotor de queue) avec ce modèle expérimental dérivé du 500.

Sperry a transformé un certain nombre de North American F-100 en avions-cibles sans pilote sous la dénomination QF-100.

Le Dassault Breguet Atlantic 2 est un patrouilleur maritime moderne.

Le Lockheed F-117, le fameux avion furtif, ne sera véritablement dévoilé au grand public que pendant la guerre du Golfe.

Le Lockheed TR-1A est un modèle à très haute altitude et long rayon d'action développé à partir du célèbre avion-espion U-2.

Un McDonnel Douglas AV-8B Harrier II de série. Cette version possède un nouveau fuselage avant et de nombreux dispositifs hypersustentateurs.

1982

7 297 km/h
Etats-Unis
William Knight
North American X-15
3.10.67

39 147 km
Etats-Unis
Archie Old Jr.
Boeing B-52
18.1.57

107 960 m
Etats-Unis
Joseph Walker
North American X-15
22.8.63

348 810 kg
Etats-Unis
Lockheed
C-5A Galaxy

24 270 kgp
Etats-Unis
General Electric
CF6-50 C2/E2

Abou Dabi, 2 janvier
Ouverture officielle de l'aéroport.

New York, 10 janvier
Parti de Teterboro, le Gulfstream III *Spirit of America* établit un vol record autour du monde pour un biréacteur d'affaires en 47 h 39 min.

Tokyo, 11 janvier
L'ingénieur Jiro Horikoshi, créateur du Mitsubishi A6M Zero de 1939, décède de pneumonie à l'âge de 78 ans. Ce chasseur avait été construit à 10 499 exemplaires.

Wichita, 27 janvier
Cessna livre son millième avion d'affaires Citation. En dix ans, les ventes ont été de 349 Citation, 293 Citation I et 358 Citation II.

Union soviétique, 3 février
L'hélicoptère géant Mil Mi-26, piloté par G. Alfeurov et L. Indeev, établit un record mondial en atteignant 2 000 m d'altitude à la masse totale de 56 769 kg.

Bruxelles, 6 février
Nouvelles Frontières démarre son vol charter hebdomadaire pour Pointe-à-Pitre. Pour protéger le monopole d'Air France, le ministère des Transports français a décrété que les Antilles ne pouvaient être desservies qu'au départ de Bruxelles ou de Bâle. (→ 11.6.85)

France, 22 février
L'hélicoptère SA-365F Dauphin II de l'Aérospatiale de série effectue son vol initial. Deux versions sont prévues : une équipée de missiles, pour la lutte antinavire ; l'autre pour le sauvetage en mer.

Londres, 26 février
British Airways envisage d'installer des machines à sous sur ses vols long-courriers, pour la distraction de ses passagers.

France, 16 mars
La firme brésilienne Embraer livre à l'armée de l'air les premiers des 41 EMB-112 Xingu. Ils seront utilisés pour les vols de liaison et l'entraînement. (→ 27.6.83)

Paris, 1er avril
Air France ferme les lignes exploitées en Concorde, à destination de Rio de Janeiro et de Caracas.

Portsmouth, 5 avril
Les porte-avions *HMS Hermes* et *HMS Invincible* appareillent pour les îles Malouines, après l'invasion des forces armées argentines il y a trois jours. Au même moment, la RAF établit un pont aérien vers l'île de l'Ascension avec des Lockheed Hercules C Mk 1 et 3. (→ 30.4)

Iles Malouines, 1er mai
Un appareil à décollage vertical montre pour la première fois en opération l'efficacité de ce type d'avion. Un Sea Harrier britannique abat un Mirage III argentin avec un missile Sidewinder.

Iles Malouines, 4 mai
Le destroyer *HMS Sheffield* est abandonné par son équipage. Il a été touché par un missile Exocet tiré d'un Super Etendard argentin.

Londres-Heathrow, 24 mai
Le dernier Boeing 707 de British Airways en service est retiré d'exploitation. Il vient d'atterrir en provenance du Caire.

Tokyo, 31 mai
Les résultats de Japan Air Lines pour l'année fiscale 1981 donnent à la compagnie un profit net de 23,9 millions de dollars. (→ 27.1.83)

Iles Malouines, 14 juin
Les forces argentines capitulent. Elles ont perdu 109 avions, y compris les appareils capturés. Les Britanniques en ont perdu 10, mais aucun en combat aérien.

Wichita, 14 juin
Beech Aircraft démarre les vols d'essai du Model 38P Lightning pressurisé (4/6 passagers). Il reprend le fuselage et la voilure du Model 58P Baron, mais est équipé d'un seul turbopropulseur.

La Nouvelle-Orléans, 9 juillet
Un B-727 de la Pan Am, avec 137 passagers à bord dont 127 sont des joueurs qui partent passer le week-end à Las Vegas, s'écrase sur les maisons de la banlieue de Kenner. Le vent cisaillant est invoqué, mais il pourrait aussi y avoir eu une erreur de l'équipage. (→ 30.6.84)

Atlantique Nord, 14 juillet
Quatre Jaguar de la Force aérienne tactique française franchissent l'Atlantique, avec ravitaillements en vol, afin de participer à un exercice *Red Flag* aux Etats-Unis.

Roissy-CdG, 5 août
Un B-747 d'Air France à destination de Pékin accueille à son bord deux ligrons. Hybrides nés à Thoiry du croisement d'un lion et d'une tigresse en captivité, ils sont transportés pour être offerts au parc zoologique de Pékin. (→ 3.8.83)

Chicago, 8 septembre
United Airlines, premier client de Boeing pour son dernier modèle, le B-767, en démarre l'exploitation commerciale sur Denver.

Roumanie, 18 septembre
L'Intreprinderea de Avioane Bucuresti fait prendre l'air au premier Rombac 1-11 Series 560. C'est un BAe One Eleven Series 500, fabriqué sous licence britannique.

Dallas, 30 septembre
H. Ross Perot Jr. et J.W. Coburn achèvent le premier vol autour du monde en hélicoptère, en 29 jours et 3 h à bord du Bell Long Ranger II *The Spirit of Texas*. (→ 22.7.83)

Seattle, 5 octobre
Boeing commence les essais en vol du B-747-300, nouvelle version du Jumbo qui permet d'ajouter 69 sièges sur le pont supérieur. (→ 28.3.83)

Londres-Heathrow, 25 octobre
British Midland Airways inaugure sa ligne vers Glasgow, en concurrence avec les navettes de British Airways. Cette dernière compagnie annonçait il y a une semaine un déficit de 544 millions de livres, depuis le début de l'année.

Paris, 28 octobre
Le vol 2702 en provenance de Tunis est le dernier effectué par Air France en Boeing 707. Mis en ligne en 1960, ils ont transporté plus de 20 millions de passagers. (→ 31.1.82)

Los Angeles, 4 novembre
Pan Am ouvre la plus longue ligne commerciale sans escale au monde. Les 12 049 km jusqu'à Sydney sont couverts par des Boeing 747SP.

France, 18 novembre
L'embargo sur les armes destinées à l'Argentine est levé. La livraison des quatre derniers Dassault Super Etendard commandés est reprise.

Quelques chiffres...

Trafic passagers mondial (services réguliers) : 766 millions
Trafic passagers sur l'Atlantique Nord (toutes lignes) : 18,5 millions
Trafic passagers à Paris : 29,6 millions
Trafic passagers à Londres : 37,5 millions
Prix d'un billet Paris-Nice (avril) : 626 F
Prix d'un billet Paris - New York (juillet) : 3 245 F
Transport de fret mondial (en milliards de tonnes) : 11,6
Salaire moyen d'un commandant de bord long-courrier : 55 900 F
Salaire moyen d'une hôtesse : 8 200 F ; chef de cabine : 17 000 F
Prix d'un B-747 Combi : 81 millions de dollars
Prix d'un A-300 B4 : 47,1 millions de dollars
Prix d'un B-737 : 15,5 millions de dollars
Prix de 1 000 litres de carburant Jet A1 (juillet) : 318,3 dollars
Taux de change du dollar (moyenne de juillet) : 6,8452 F

L'Airbus A-310 a un fuselage un peu plus court que l'A-300. Il dispose surtout d'un nouveau profil d'aile qui donne une très bonne portance.

Un Boeing 737 s'écrase dans le Potomac

Alourdi par la couche de glace sur les ailes, le 727 ne pouvait s'élever.

Washington, 13 janvier
Immobilisée au milieux du pont de la 14e Rue, à deux pas du Pentagone, une voiture a le toit arraché. Au volant, il y a le corps d'un homme décapité : c'est l'une des quatre victimes au sol de la pire catastrophe aérienne qu'ait jamais connue la capitale fédérale. Le B-737 d'Air Florida assurant la liaison Washington - Fort Lauderdale, avec 79 personnes à bord, a heurté le pont avant de s'abîmer dans les eaux glacées du Potomac devant des centaines de témoins. Vers 16 h, l'appareil a décollé du National Airport, à 1 500 m du pont. Ses ailes et gouvernes avaient été dégivrées, car une tempête de neige sévit sur la ville. Le spécialiste chargé de cette opération s'est trompé : il a prévu un mélange pour une température de – 2 ºC, alors qu'il fait – 4 ºC. L'avion a attendu 30 min avant de s'aligner. Les ailes étaient si chargées de glace que le 737 ne pouvait voler. Cinq personnes ont survécu.

Roissy 2 recevra 60 millions de passagers

Le président Mitterrand est arrivé à l'inauguration en utilisant Roissy-Rail.

Roissy-CdG, 24 mars
L'aérogare 2 de l'aéroport Charles-de-Gaulle (CdG 2) a été officiellement inaugurée par le président de la République. Le nouvel emplacement, qui pourra accueillir 60 millions de passagers, est composé de quatre anneaux ovales, formés chacun de deux modules, dont le premier sera mis en service le 28. Tous les vols d'Air France et d'Air Inter fonctionnant à Roissy seront assurés à partir de l'aérogare qui aura coûté environ un milliard de francs d'investissement à Aéroports de Paris. La conception du CdG 2 est originale à plusieurs titres : c'est la première fois que les problèmes de sécurité sont pris en compte dès la conception d'une aérogare. En outre, chaque famille de trafic (domestique, long-courriers, moyen-courriers, charters...) est traitée dans des installations spécifiques. Enfin, tout a été conçu pour une plus grande rapidité : entre le trottoir et l'avion, le passager ne parcourra que 170 mètres.

Il n'y aura pas de deuxième chance pour sir Freddie Laker

Londres, 5 février
La grande aventure dans laquelle s'était lancé sir Freddie Laker à l'automne 1977, en inaugurant son ambitieux Sky Train, a pris fin ce matin à dix heures. Laker Airways, la société qu'il avait fondée il y a exactement six ans dans le dessein de rendre le transport par avion accessible à tout le monde, vient de déposer son bilan. Les dettes de la compagnie aérienne privée s'élèvent à quelque 2,5 milliards de francs. Sa flotte de DC-10 et d'Airbus est clouée au sol. Plus de six mille passagers de Laker Airways sont bloqués à l'étranger. Le couperet est tombé de façon si brutale qu'un DC-10 rempli de passagers de Laker Airways a reçu en plein vol l'ordre de faire demi-tour et de revenir à son point de départ. La fin du rêve de sir Freddie était pourtant prévisible. Il était en effet inévitable que les grandes compagnies aériennes ripostassent à l'offensive lancée par ce casseur de prix : elles ont proposé des tarifs presque aussi bas que ceux offerts par sir Freddie. A cette contre-attaque s'ajoutent le refus de sir Freddie d'accepter toute aide de l'Etat et la baisse du sterling par rapport au dollar. Le trouble-fête de l'aviation civile a dû jeter l'éponge ce matin.

Le personnel navigant de Freddie Laker manifeste pour poursuivre l'activité.

Roland Fraissinet fête le 500e secours

Savoie, 9 avril
Un enfant de 15 ans est retrouvé sur une route au-dessus de Longuefoy avec une fracture du crâne. En une heure, il entre à l'hôpital grâce à un hélicoptère. C'est le 500e sauvetage du Secours aérien français, une association fondée en 1979 par Roland Fraissinet. Celle-ci est installée en Tarentaise, une région à risque puisqu'elle accueille deux millions de skieurs chaque année. Le SAF dispose de différents hélicoptères, du Lama au Puma. Il s'est associé à Air Provence qui dispose de King, pour les vols ambulance, et à la société suisse Avijet qui possède des Lear 35. Les pilotes sont rigoureusement sélectionnés : ils suivent un entraînement avec des atterrissages à haute altitude en poudreuse et dans de mauvaises conditions de visibilité.

L'A-310 assure la confiance d'Airbus Industrie

Toulouse, 3 avril

Il est 8 h 30 du matin. L'espace aérien situé à l'intérieur du triangle Toulouse-Bayonne-Quimper vient d'être déclaré interdit à toute navigation aérienne. Trois stations de radars épient la région : l'A-310 va quitter le sol pour la première fois. Pour Airbus Industrie, c'est une nouvelle aventure qui commence et avec laquelle elle compte affronter son concurrent direct, le 767 de Boeing, dans la perspective d'une reprise du marché. Actuellement tous les espoirs sont permis puisque le carnet de commandes de l'A-310 comprend 88 commandes fermes et 90 options, soit 178 appareils pour un total de 44 compagnies. Comme

Sur son flanc droit, l'Airbus A-310 est peint aux couleurs de Lufthansa.

l'A-300, l'A-310 est le fruit d'une active coopération européenne qui diffère peu de celle de son aîné, bien que les Pays-Bas n'aient pas participé à l'opération, permettant de faire place à l'industrie belge. Ce biréacteur est un gros-porteur court et moyen-courrier de 200 à 250 passagers. Plus court que son aîné, il en diffère peu, si ce n'est par sa voilure optimisée pour les étapes courtes, sa motorisation (Pratt & Whitney ou General Electric au choix des clients) et son poste de pilotage tout à l'avant hautement performant. Il est surtout annoncé comme plus économique que les B-707 et B-727. Sa mise en service est prévue pour avril 1983.

Braniff international est mis en faillite

Etats-Unis, 13 mai

Les efforts des uns et des autres auront été vains : Braniff arrête ses opérations. La compagnie dépose son bilan devant la Cour fédérale, selon les dispositions du chapitre 11. Il y a 3 mois, les pilotes avaient accepté, pour contribuer au sauvetage de leur compagnie, de bloquer jusqu'en 1983 leurs salaires déjà réduits de 10 % et d'aug-

menter leur temps de travail de 75 à 85 heures, les cinq dernières étant gratuites. Par ailleurs, une campagne de solidarité était née à Dallas afin d'exhorter les résidents à voler sur Braniff. Mais rien n'y a fait : le déficit avait atteint 370 millions de dollars en septembre dernier. La compagnie a suspendu l'exploitation de ses 30 B-727 et remis six avions en location.

American Airlines est en meilleure santé

Etats-Unis, 19 mai

Malgré un bilan qui s'annonce aussi déficitaire pour American Airlines, l'heure est à l'euphorie. Hier, la compagnie a fait monter à bord son cinq cent millionième passager. Aujourd'hui, après une absence de 32 ans, elle renoue avec l'Europe en reprenant à son compte le service non-stop Dallas-Londres précédemment exploité par la Braniff.

Cinq vols hebdomadaires sur 747 sont prévus dans un premier temps. La fréquence devrait devenir journalière dès le 1er juin. Cette réussite tranche sur le contexte général de crise du transport aérien. Mais American Airlines a, depuis longtemps, misé sur les jets. En s'engageant dès 1960 dans la modernisation de sa flotte, elle est devenue un des premiers transporteurs.

Le Boeing 757 est un B-727 bimoteur

Seattle, 19 février

« Compagnie cherche avion de cent quatre-vingt places, performant sur des étapes réclamant moins de deux heures de vol. » Sur ce marché considérable, Boeing s'était taillé la part du lion avec son 727. Il compte faire la même chose avec le 757, qui a volé pour la première fois aujourd'hui. Crise du pétrole oblige, ce

757 est sobre en carburant. Boeing a calculé que les turbofans modernes permettent une économie de 20 % sur la consommation de kérosène, tout en offrant plus de puissance. Le 727 était triréacteur, deux moteurs suffisent au 757. Seuil de rentabilité du nouvel avion : trois cents appareils à vendre au cours des cinq prochaines années.

British Airways et Eastern Air Lines ont été les premiers clients du projet.

Raid de la Royal Air Force aux Malouines

Malouines, 30 avril

Les Argentins se sont emparés le 2 avril des Malouines, un archipel de l'Atlantique Sud appartenant à la Grande-Bretagne. C'est à la Royal Air Force que revient la mission de neutraliser l'aérodrome de Port Stanley, où est basée l'aviation argentine. A 22 h 50, heure locale, onze citernes volantes Victor et deux Avro Vulcan, seuls bombardiers capables de couvrir une très longue distance, décollent de Wideawake, sur l'île de l'Ascension, à 6 250 km de Port Stanley. La RAF va entreprendre l'attaque la plus lointaine jamais menée dans l'histoire de la guerre aérienne : l'opération *Black Buck* commence. Les appareils britanniques traversent une longue zone de turbulence qui complique les opérations de ravitaillement. Arrivés au-dessus de l'aérodrome, les Vulcan larguent leurs 21 bombes à intervalle d'un

quart de seconde. Port Stanley est éclairé comme une torche. La mission est réussie grâce à des bombardiers dont le système de navigation et d'attaque remonte aux années 50.

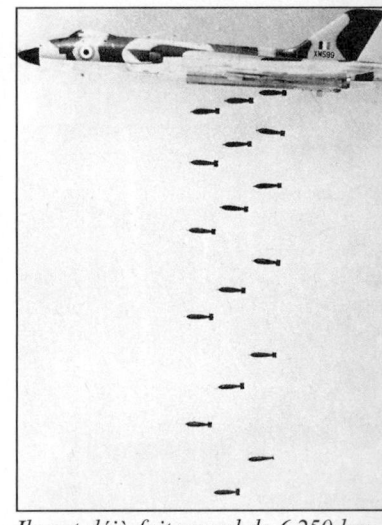

Ils ont déjà fait un vol de 6 250 km.

L'aile du F-16XL est en matière composite

Le F-16 a entraîné beaucoup de variantes. Le F-16XL a une aile différente.

Fort Worth, 3 juillet
General Dynamics développe son propre programme de recherches sur le chasseur F-16. Après avoir loué à l'US Air Force deux cellules de F-16, un turbofan Pratt & Whitney et un cockpit biplace, elle s'est lancée dans la construction de deux prototypes au profil aérodynamique nouveau, les F-16XL. La différence essentielle par rapport au modèle de base porte sur l'aile : la voilure en flèche devenue géante va jusqu'à la queue, augmentant la surface alaire de plus du double. Son revêtement, fait de composites à base de graphite, renforce sa rigidité et sa robustesse. Le F-16XL acquiert ainsi des performances étonnantes : réduction d'un tiers des distances de décollage et d'atterrissage, doublement de la charge d'armement et augmentation de 82 % de la charge de carburant. Le prototype présenté aujourd'hui est la version monoplace du F-16XL.

Le Su-27 Flanker, fierté des Soviétiques

Le Su-27 est destiné à remplacer le Su-21 à la base de la péninsule de Kola.

Union soviétique, 22 août
Nom de code Otan du Su-27 : *Flanker*. Mais ses pilotes l'appellent *la Grue*. Un qualificatif disgracieux pour ce chasseur qui est sans doute l'intercepteur le plus puissant au monde. Son développement répond au besoin impérieux de la défense aérienne soviétique de posséder un appareil pouvant contrer les tactiques d'attaque à basse altitude des bombardiers de l'Ouest. Le Su-27, dont c'est le premier vol, dispose des équipements les plus sophistiqués, notamment d'un radar d'une portée de 240 km pour la recherche et de 185 km pour la poursuite. Son armement de base est fait de six missiles air-air à moyenne portée, qu'il peut emporter à 2 495 km/h maximum et sur 1 450 km. Mais il ne ressemble plus que de très loin au Sukhoi T-10, le premier prototype découvert par l'Ouest dès 1977 mais dont la stabilité supersonique était insuffisante.

Chez Robin, les ailes sont toujours cousues à la main

Dijon - Val-Suzon, 30 septembre
Les établissements Robin restent attachés à la tradition pour la construction de leurs avions. Le Delemontez-Robin DR-400, réalisé depuis vingt-cinq ans en bois et en toile, existe en six versions différentes. Son succès est tel que 40 % de la production est exportée à l'étranger. Pour construire le DR-400, il faut environ 1 000 h de travail. Les longerons d'aile ainsi que les pièces du fuselage sont en pin d'Oregon. Les bords d'attaque et la structure des ailes sont réalisés en contre-plaqué d'okoumé, d'une épaisseur de 1,6 à 5 mm. Toutes les pièces sont prédécoupées d'après un plan d'assemblage. Puis, elles sont collées avec de la pénacolite et agrafées pendant le temps de séchage. L'entoilage est réalisé en polyester Dacron, cousu à la main, collé sur les nervures avec un fer à repasser puis tendu avec un enduit cellulosique. Depuis 1957, aucun changement important n'est intervenu dans la construction du DR-400, sinon que la toile n'est plus en lin mais en polyester.

Pratt & Whitney impose ses moteurs

Etats-Unis, 1er octobre
Lorsqu'une société cherche à vendre des réacteurs un peu plus gourmands que ceux proposés par la concurrence, quoi de plus logique que de proposer de dédommager les clients ? C'est du moins ce que semble avoir conclu le motoriste américain Pratt & Whitney, au grand dam de Rolls-Royce. La firme britannique accuse en effet son rival américain d'avoir offert 40 millions de dollars à American Airlines si cette compagnie équipe ses Boeing 757 de son réacteur PW-2037 plutôt que du Rolls-Royce RB-211. Cette somme est censée représenter l'économie de carburant qu'aurait réalisée l'opérateur en deux ans s'il avait acheté le RB-211 au lieu du réacteur de Pratt & Whitney. Pour lord McFadzean, président de Rolls-Royce, il s'agit là d'une démarche sans prédédent.

La structure de l'aile est en bois.

La toile de recouvrement est cousue.

Elle se rétracte à la chaleur.

Les pilotes s'entraînent sur le Trinidad

Le marché américain devrait réserver au TB-20 un bel avenir commercial.

France, novembre

Le service de la formation aéronautique et du contrôle technique a choisi le Trinidad pour remplacer ses Robin HR-100 Tiara. Les pilotes vont s'entraîner sur ce quadriplace tout métallique à train rentrant, muni d'un moteur Lycoming de 253 ch, entraînant une hélice bipale à vitesse constante. Ils disposent ainsi des équipements nécessaires pour obtenir une première qualification de type monomoteur. Le TB-20 est l'évolution attendue du TB-10 qui souffrait d'un train fixe et d'un moteur moins puissant. C'est aussi un avion de voyage idéal pour les pilotes privés qui peuvent l'obtenir avec un équipement IFR. Son prix avoisine alors le million de francs. L'aménagement de la cabine fait penser à une voiture moderne. La visibilité est parfaite, les deux portes s'ouvrent verticalement vers le haut pour permettre un accès très facile. Il vole à 280 km/h et son altitude idéale, chargé de quatre personnes, est de 3 000 mètres.

Rassemblés en un vol de formation, de bas en haut : le Mirage 2000-03, le Super Mirage 4000, le Mirage 2000-01 et le Mirage 2000-02.

Le radar de bord détecte les orages

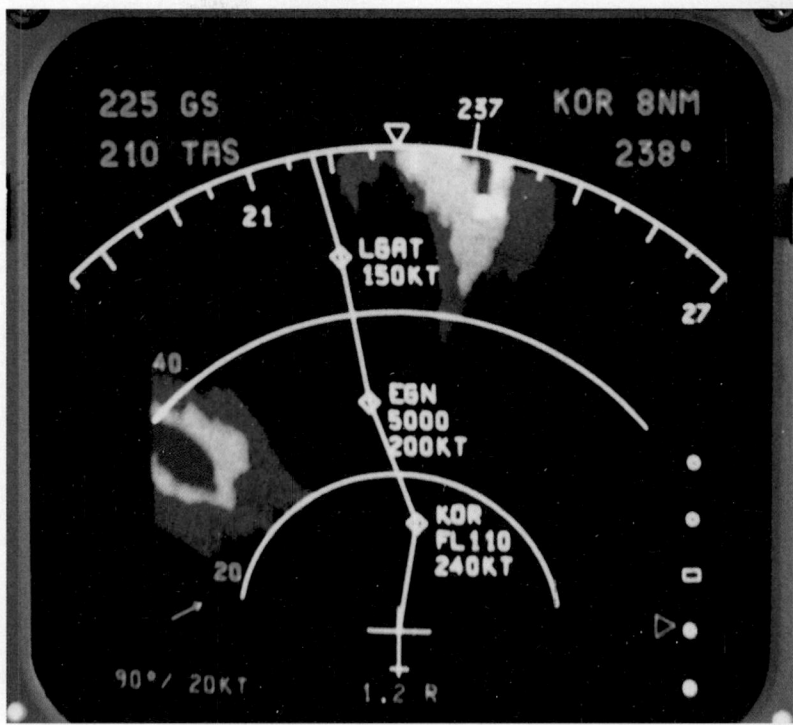

Ce radar est couplé avec le tracé de la route qui évite 2 zones orageuses.

France, 31 décembre

Grâce aux progrès de l'électronique, le radar de bord est devenu un instrument de sécurité indispensable. Le radar numérique a permis l'introduction de la couleur sur les écrans. Celle-ci restitue une image réelle en relief des orages. Selon la couleur, le pilote saura qu'il va rencontrer une zone de pluie avec turbulence légère (en jaune) ou bien une zone de pluie intense avec turbulence très forte (en rouge). D'autres signes, tels les échos en forme de doigts ou de sabot de cheval, permettent de détecter la présence de grêle. Des échelles indiquent quelle route choisir, en fonction du rapprochement des orages, et permettent d'éviter le plus gros de la turbulence. Grâce au système d'inclinaison de l'antenne, il saura s'il vole au-dessus de la perturbation. La numérisation des signaux permet aussi d'afficher l'image des orages sur l'indicateur cathodique de route, donnant une lecture plus intuitive mais plus rapide.

Un chasseur bombardier F-18 Hornet s'avance vers la rampe de catapultage à bord du porte-avions « USS Constellation ».

Le Hughes 500E a reçu un nouveau nez allongé et mieux profilé et a bénéficié d'un certain nombre d'améliorations.

Le Cessna 208 perpétue la tradition des avions à aile haute de la marque, mais dispose d'un volume intérieur plus important.

L'Airbus Industrie A310 possède un fuselage plus court que le A300 et une aile de technologie plus avancée conçue par British Aerospace.

Le constructeur de planeurs allemand Grob Werke GmbH a lancé le Grob 110, un biplace de tourisme en matériaux composites.

Grâce à sa technologie avancée, le Boeing 757 offre une réduction de 45% de la consommation de carburant à conditions d'emploi égales.

Le Canadair CL-601 Challenger est équipé de dérives en bout d'aile et de réacteurs General Electric à la place des Avco Lycoming.

Le Valmet PIK-23 Towmaster, anciennement Suhinu, est un biplace de tourisme, d'entraînement et de remorquage de planeurs.

Le Beech 1900 est un biturbopropulseur de transport régional pouvant accueillir 19 passagers.

Le premier Sequoia Falco F.8L de construction amateur (basé sur le Falco F.8 de 1955) fait son premier vol en juin 1982.

Basé sur la cellule du Model 58P Baron pressurisé, le Beech 38P Lightning est équipé à l'origine d'un turbopropulseur PT-6.

Le Northrop F-20, lancé sur les fonds propres de la firme, est un développement du F-5 aux capacités très nettement améliorées.

Développé du Piel Emeraude, le Mudry CAP 10B est un avion d'entraînement et de voltige utilisé par trois forces aériennes, dont l'armée de l'air.

Connu par l'Otan sous le nom de Condor et par Antonov sous celui de Ruslan, l'An-124 est en 1982 le plus gros avion du monde.

L'ICA IAR-825TP Triumpf, biplace d'entraînement militaire, doit beaucoup à l'IAR-823, mais est en fait un modèle original.

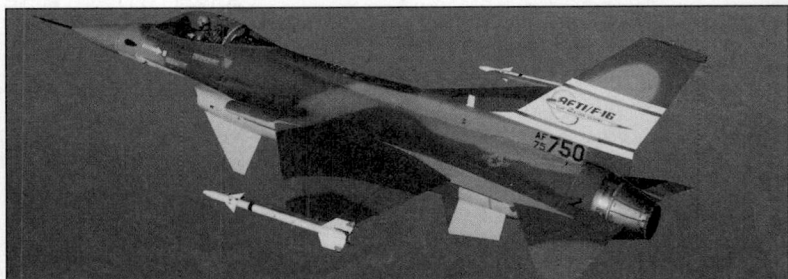

Le programme Advanced Fighter Technology Integration de General Dynamics utilise une cellule de F-16 à commandes de vol électriques.

Le déploiement de la RAF pendant l'affaire des Malouines a nécessité une transformation rapide de Vulcan Mk.I en avions-citernes.

Shorts a finalement été retenu par l'USAF pour fournir un avion de transport tactique, le C-23 Sherpa, qui est en fait un dérivé du SD-330.

Autre version expérimentale du F-16, le F-16XL à aile en harpon est un biplace à fuselage allongé.

Remotorisés avec des réacteurs double flux CFM-56, les ravitailleurs KC-135 de l'USAF deviennent KC-135E.

1983

 **7 297 km/h**
Etats-Unis
William Knight
North American X-15
3.10.67

 **39 147 km**
Etats-Unis
Archie Old Jr.
Boeing B-52
18.1.57

 **107 960 m**
Etats-Unis
Joseph Walker
North American X-15
22.8.63

 **348 810 kg**
Etats-Unis
Lockheed
C-5A Galaxy

 24 270 kgp
Etats-Unis
General Electric
CF6-50 C2/E2

France, 3 janvier
Le cap des 100 000 heures de vol sur Jaguar est franchi par la 7e escadre de chasse de Saint-Dizier.

Californie, 7 janvier
Le squadron de l'US Marine Corps d'El Toro est le premier équipé du McDonnell Douglas F-18 Hornet.

Etats-Unis, 25 janvier
Le Saab-Fairchild 340 effectue son vol initial. Développé par les firmes suédoise et américaine, c'est la première collaboration des industries aéronautiques européenne et américaine. (→ 15.6.84)

Tokyo, 27 janvier
JAL envisage d'utiliser des robots pour laver l'extérieur de ses avions. Deux robots laveraient un B-747 en 45 min, contre 4 h avec 20 employés.

Paris, 31 janvier
Air France met en ligne ses deux premiers B-737-200, l'un sur Barcelone, l'autre sur Vienne.

France, 1er février
Alpha 3, le système de réservation d'Air France, gère 42 000 numéros de vol sur 580 compagnies.

Seattle, 3 février
Boeing annonce l'arrêt de la production du B-727, après l'assemblage du 1 832e appareil de ce type.

France, 3 février
Le Dassault Mirage 2000N, version d'attaque nucléaire tout temps du Mirage 2000, fait son vol initial.

Italie, 17 février
Un pilote italien doit s'éjecter de son Starfighter. Il est le 5 000e sauvé par un siège Martin-Baker.

Union soviétique, 18 février
Le supersonique Tu-144 est définitivement retiré du service régulier.

Union soviétique, 28 février
Aeroflot a inauguré un service première classe sur des lignes intérieures desservies en Iliouchine Il-86. Ses clients ne font plus la queue et ont droit à un repas chaud à bord.

Seattle, 16 mars
Un B-767 établit un record de distance pour biréacteur commercial. En provenance de Lisbonne, il a couvert les 8 850 km sans escale.

France, 14 avril
Dassault révèle le programme ACX d'avion de combat expérimental. Il doit démontrer les technologies développées par la firme : utilisation de matériaux composites et de systèmes numériques. (→ 14.12.85)

Clermont-Ferrand, 20 mai
Devant 8 000 Clermontois, Pierre Plisson pose un Concorde sur la piste d'Aulnat. Il y fait escale durant un vol spécial Paris-Casablanca et retour, effectué au profit d'Aviation sans frontières et de Médecins sans frontières. (→ 1.10.84)

Le Bourget, 26 mai
Un Lear Jet 55LR établit un record de vitesse sur la route Los Angeles - Paris : 12 h 37 min 40s, avec escale de ravitaillement de 19 min.

Sao Paulo, 27 juin
Le prototype de l'avion de transport régional EMB-120 Brasilia (30 passagers), du constructeur Embraer, effectue son vol initial.

Tarbes, 29 juin
Le premier Aérospatiale Epsilon de série, biplace d'entraînement pour l'armée de l'air, démarre ses essais en vol à Ossun-Lourdes. (→ 7.6.84)

Toulouse, 8 juillet
L'Airbus A-300-600, version d'une capacité passager-fret accrue (285 sièges) du B4-200, effectue son vol initial durant 4 h 30 min.

Etats-Unis, 11 juillet
Par un accord avec la chaîne de télévision CBS, American Airlines offre à ses passagers la retransmission d'un programme de 30 min, où sont annoncés les nouvelles du jour.

Bâle-Mulhouse, 13 juillet
Le premier vol charter bimensuel de Point Air décolle à destination de La Réunion, avec une autorisation donnée à titre expérimental.

Fort Worth, 22 juillet
L'Australien Dick Smith achève le premier vol solo en hélicoptère autour du monde. Parti le 5 août 1982 à bord d'un Bell Jet Ranger III, il a couvert 56 742 km.

Bordeaux-Mérignac, 3 août
Un avion-cargo d'Air France décolle pour New York avec 5 t de plumes d'oie et de canard des Landes, destinées au remplissage d'édredons aux Etats-Unis. De ce même aéroport, depuis janvier, la compagnie a acheminé 77 t d'espadrilles vers le Japon.

Pékin, 26 août
La compagnie CAAC interdit de fumer à bord de ses vols assurant les liaisons intérieures en Chine.

Singapour, 23 septembre
Après la livraison à Singapore Airlines de son septième Airbus A-300 Superbus il y a dix jours, son huitième appareil arrive de Toulouse.

Tokyo, 29 septembre
Japan Air Lines devient le principal client pour le Boeing 767-300, capable d'accueillir 290 passagers. La compagnie en commande neuf pour 560 millions de dollars.

Le Bourget, 7 octobre
Air France fête son cinquantième anniversaire. A cette occasion, la compagnie annonce que le cinéma, la musique et toutes les boissons, champagne compris, seront offerts gracieusement sur les vols long-courriers en classe économique.

Etats-Unis, 18 octobre
Les compagnies Pan Am et American Airlines négocient l'échange de quinze DC-10 contre huit B-747. Cet échange serait le premier du genre dans l'histoire de l'aviation commerciale. Il leur permettrait de disposer d'une flotte mieux adaptée à leurs réseaux, à moindre frais.

Baalbeck, 17 novembre
En représailles à l'attentat contre le PC français à Beyrouth le 23 octobre, huit Super Etendard, partis du porte-avions *Clemenceau*, bombardent une caserne des milices chiites. (→ 19.1.84)

Liban, 4 décembre
Vingt-huit Grumman Intruder de l'US Navy font un raid dévastateur contre des repaires terroristes, en représailles à l'attentat contre le PC américain à Beyrouth le 24 octobre.

Paris, 23 décembre
L'affaire des avions renifleurs, un appareil révolutionnaire permettant la détection des nappes pétrolifères, est révélée au public par le rapport de la Cour des comptes.

Quelques chiffres...

Trafic passagers mondial (services réguliers) : 798 millions
Trafic passagers sur l'Atlantique Nord (toutes lignes) : 19,7 millions
Trafic passagers à Paris : 30,7 millions
Trafic passagers à Londres : 40,7 millions
Prix d'un billet Paris-Nice (avril) : 675 F
Prix d'un billet Paris - New York (avril) : 3 550 F
Transport de fret mondial (en milliards de tonnes) : 12,1
Salaire moyen d'un commandant de bord long-courrier : 60 780 F
Salaire moyen d'une hôtesse : 8 980 F ; chef de cabine : 18 750 F
Prix d'un B-747 Combi : 85,2 millions de dollars
Prix d'un A-310 300 : 48,3 millions de dollars
Prix d'un B-737 : 16,9 millions de dollars
Prix de 1 000 litres de carburant Jet A1 (juillet) : 279,8 dollars
Taux de change du dollar (moyenne de juillet) : 7,7796 F

Il y a 200 ans, le 19 septembre 1783, les frères Montgolfier s'élevaient en ballon dans le ciel de Versailles. Ce bicentenaire est largement célébré.

L'aviation sert à la lutte antidrogue

Il arrive que des avions d'escorte accompagnent les Ayres Turbo Thrush.

Belize, 31 janvier
Des services douaniers américains disposent d'appareils qui permettent d'intercepter des bateaux ou des avions transportant de la drogue. Mais, la meilleure solution est de détruire le mal à la source, c'est-à-dire les champs où elle est cultivée. L'International Narcotics Matters Bureau, qui mène dans le monde entier des opérations dites d'éradication des drogues, utilise des Ayres Turbo Thrush Commander équipés d'une turbine Pratt & Whitney PT6. Ces derniers répandent de l'herbicide, le Roundup, sur les champs. Ils se présentent sur l'objectif à la vitesse de 160 nœuds, puis ils réduisent leur vitesse pour effectuer l'approche la plus discrète possible et pour commencer l'épandage. Les cultivateurs n'hésiteront pas, en effet, à tirer sur les appareils. Aussi, le capot moteur, l'habitacle et le réservoir de carburant sont blindés.

Les oiseaux sont chassés des aéroports

Paris, 1er avril
Un punch de 2 tonnes et demie. C'est le coup porté par une mouette adulte de 2 kg sur un avion volant à 240 km/h. A 480 km/h, le choc passera à 9 tonnes. On comprend

Le faucon pour chasser les oiseaux.

alors que le corps d'un oiseau, aussi petit et léger soit-il, puisse trouer un fuselage métallique, détériorer un moteur ou bien faire éclater un pare-brise. Le risque est loin d'être négligeable, et l'OACI estime à environ 10 000 le taux mondial annuel d'impacts d'oiseaux, dont 80 % dans les enceintes des aéroports. Cette prédilection des oiseaux pour l'aéroport a plusieurs explications : ce sont de vastes étendues planes, sans présence humaine, souvent à proximité de décharges, et dont les pistes cimentées réchauffent l'oiseau en hiver. Pour les en écarter, l'European Bird Strike Committee, opérationnel depuis 1966, préconise l'effarouchement ou la dissuasion. Que ce soit des épouvantails ou de nouvelles cultures, la capacité d'adaptation des oiseaux fait l'admiration des observateurs. Des méthodes de manipulation de l'habitat et de la nourriture sont tentées aux Etats-Unis dans les zones d'aérodrome ; certains experts songent à s'en prendre aux vers de terre.

La Swissair exploite le Boeing 747-300

L'escalier en colimaçon est remplacé par un escalier droit à l'arrière du pont.

Genève, 28 mars
Une livraison un peu particulière pour Swissair : celle du 570e Boeing 747 de la firme américaine, qui se trouve être aussi le premier d'un nouveau modèle : le 747-300, encore appelé 747 SUD. Cette dénomination décrit l'essentiel des modifications apportées au modèle de base : SUD (pour *stretched upper deck*) signifie cabine supérieure allongée. Le pont supérieur a en effet été augmenté de 7 m, permettant à Boeing d'y placer un compartiment de première classe à 26 places ou une cabine économique de 85 places. Extérieurement, on le distingue du 747 standard par les 21 hublots supérieurs et sa porte supplémentaire. Sa capacité est ainsi accrue de 10 % alors que la consommation au kilomètre par siège offert est diminuée de 5 %. Quatre autres 747-300 doivent être livrés à Swissair. La Sabena envisage de commander un exemplaire.

Dornier relance la formule des amphibies

Oberpfaffenhofen, 25 avril
Le Do-24TT de Dornier est un nouveau modèle d'hydravion aux lignes très fines et très pures. Cet amphibie allie la coque du Do-24T, utilisé pendant la Seconde Guerre mondiale et construit en France sous le nom de CAMS 70, à la configuration très particulière des ailes développées sur le Do-228. La partie principale de l'aile est rectangulaire tandis que l'extrémité est triangulaire, entraînant une diminution de la traînée et une très forte augmentation de la portance. Les ailes sont réalisées en composites, qui, entre autres avantages, résistent à la corrosion. Ce triturbopropulsé, dont c'était le premier vol, peut opérer par tous les temps.

L'amphibie Do-24TT est équipé de trois turbines Pratt & Whitney PT6A.

L'Enforcer est un Mustang remotorisé

Le Mustang a reçu une turbine et des réservoirs de bout d'aile.

Etats-Unis, 9 avril

Le « tueur de chars » de Piper Aircraft commence aujourd'hui ses essais en vol. Baptisé Enforcer, c'est un dérivé de l'inépuisable chasseur P-51 Mustang de la Seconde Guerre mondiale, dont le Rolls-Royce Merlin à pistons a fait place à un turbopropulseur moderne. L'Enforcer emporte sous ses ailes deux canons antichars Gepod de 30 mm. Le Gepod tire les mêmes munitions que le GAU-8A du Thunderbolt A-10, dont l'US Air Force a pu tester les effets dévastateurs sur les blindages soviétiques. Selon Piper Aircraft, l'Enforcer est un complément léger et économique au surpuissant camion à bombes que constitue l'A-10.

Un Robin vole avec un moteur deux temps

Il décolle à 105 km/h, vole en croisière à 150 et consomme 12 litres à l'heure.

Dijon, 17 juin

Faire rimer avion avec économie, c'est le pari que compte tenir le constructeur Pierre Robin avec son ATL (avion très léger). Ce petit biplace monomoteur, dont le prototype vient d'effectuer son premier vol, ne pèse que 320 kilos de masse à vide. Robin s'est inspiré des techniques employées sur les planeurs modernes pour pousser au maximum la légèreté et la finesse aérodynamique de son ATL, afin de pouvoir y associer un moteur de faible puissance, donc peu coûteux à l'achat et sobre en carburant. Le moteurs deux temps actuel, un peu faible en puissance, doit être remplacé prochainement par un JPX de 65 ch Volkswagen.

Suspense dans le ciel de Miami

Miami, 5 mai

Un Lockheed L-1011 TriStar, aux couleurs d'Eastern Air Lines décolle pour les Bahamas. A bord du géant de 195 t, 162 passagers. A l'approche de Nassau, le voyant d'alarme de la pression d'huile du réacteur n° 2 s'allume et le commandant Richard Boddy décide de couper le moteur. La météo se dégrade, la solution la plus raisonnable est de faire demi-tour. Le voyant d'alarme du réacteur n° 1 s'allume à son tour. Il n'y a plus qu'un seul moteur en état de marche. Il faut se résoudre à l'amerrissage. D'autant que le 3e réacteur ne répond plus. Le TriStar devient planeur. Soudain, lors d'une dernière tentative de redémarrage, le réacteur n° 2 repart. Enfin, après 50 min de suspense, l'avion se pose sur la piste de Miami. Une enquête a montré que les trois bouchons de sondes magnétiques ne disposaient pas de joints d'étanchéité.

Le Dash 8, un court-courrier économique

Canada, 20 juin

En présentant le Dash 8, la firme de Havilland Canada vise un très gros marché : celui des court-courriers catégorie 30 à 40 places. Pour répondre à la demande grandissante, le constructeur a repris la configuration générale du Dash 7, mais en se détachant des exigences trop rigoureuses de la qualification Adac. Le DHC-8 fait le même travail mais de manière plus économique que son aîné, alors qu'il est plus petit et ne possède que deux moteurs au lieu de quatre. Le modèle de série sera équipé à l'avant d'une porte cargo. Il pourra aussi accueillir 32 passagers.

Le Dash 8 a besoin d'un minimum de 900 mètres pour se poser et décoller.

Le Vienne-Paris est détourné à Téhéran

Paris, 1er septembre

Le Boeing 727 d'Air France survole la France, le commandant de bord, René Levacher, son équipage et dix passagers sont sauvés. Cinq jours plus tôt, le vol AF 781 quittait Vienne pour Paris. Quatre terroristes prennent très vite possession de l'appareil. A court de carburant, le B-727 doit se poser à Genève. En échange des pleins, la police genevoise obtient la libération de 37 passagers. Après Athènes, le 727 se pose alors à Catane, en Sicile : les terroristes lancent un ultimatum. Si l'on ne fait pas le plein de kérosène, un passager sera tué. Après des heures de négociations, 60 personnes sont libérées. Il ne reste plus que 10 passagers et 8 membres d'équipage dans l'avion qui décolle pour Damas, où il est ravitaillé, puis vers Téhéran. Après 3 jours, les pirates de l'air acceptent enfin de se rendre, non sans avoir obtenu des Iraniens l'asile politique.

Le vol Korean 007 est abattu par les Soviétiques

Mer du Japon, 1er septembre

« Je me rapproche de l'objectif. Objectif vérouillé... missiles lancés. L'objectif est détruit, je rentre à la base. » Il est 3 h 26, heure locale, et le commandant Vassili Kasmin, de l'armée de l'air soviétique, à bord de son Sukhoï Su-21 Flagon, vient de lancer deux missiles air-air AA-3 Anab sur un Boeing 747 de la compagnie nationale coréenne Korean Air Lines. Frappé de plein fouet, le Jumbo, avec 269 personnes à bord, a mis 13 interminables minutes avant de s'abîmer en mer à une cinquantaine de kilomètres de la côte sud-ouest de l'île soviétique de Sakhaline. Il n'y a aucun survivant. Parti de New York, le vol KE-007 avait fait une escale technique à Anchorage, en Alaska. De là, il devait se rendre à Séoul en évitant soigneusement de survoler la péninsule du Kamtchatka et Sakhaline, deux zones hautement sensibles. D'ailleurs, ces secteurs sont signalés sur les cartes par la mention : « Danger : tout avion survolant un territoire interdit peut être abattu sans sommation. » En

Le chef d'état-major soviétique, Nicolaï Ogarkov, explique à la presse les circonstances du tir sur le Boeing 747.

raison des fréquents passages d'appareils de reconnaissance américains RC-135, la défense soviétique surveille de près tout avion s'écartant du couloir aérien Romeo 20, prévu pour le vol KE-007. Or, pour une raison inconnue, le Jumbo se trouvait à 500 km à l'intérieur de l'espace aérien soviétique lorsqu'il a été abattu. A ce moment-là, l'avion aurait dû être à quelque 900 km plus au sud, au-dessus de la ville japonaise de Nigata. Comment le pilote a-t-il pu commettre une telle erreur de navigation ? (→ 14.2.84)

Scenic Airlines, spécialiste du vol touristique dans le Colorado

Las Vegas, 20 juillet

A sa descente d'avion, le touriste reçoit un certificat. Il lui rappellera qu'il fait désormais partie des heureux élus qui, en s'envolant avec Scenic Airlines, ont eu le privilège de voir l'un des plus beaux spectacles au monde : l'œuvre théâtrale du Grand Canyon vue du ciel. Basée à l'aéroport McCarran de Las Vegas où elle possède ses propres hangars, la compagnie Scenic Airlines est l'un des plus fameux opérateurs de ce genre d'excursions. La plus courue emmène les touristes à Grand Canyon Airport, après un vol d'une heure et demie au-dessus des gorges du Colorado, et les ramène le soir après que des autocars les ont amenés déjeuner. Soucieuse d'améliorer ses prestations, elle vient de mettre en service un de Havilland Canada Twin Otter modifié. Ce 19 places a été équipé de hublots beaucoup plus grands qui descendent jusqu'au plancher de la cabine. De cette manière, les touristes peuvent photographier à plaisir les profondeurs du Canyon.

Edouard Chemel, rédacteur de ce livre, a piloté le « Tin Goose » de Scenic.

ACI est la filiale charter d'Air France

Paris, 31 août

Propriété d'Air France, Air Charter International possède en propre une flotte de quatre B-727 200, cinq Caravelle 10-B3, appartenant à la compagnie Europe Aéro Service, ainsi que trois B-737 de la compagnie Euralair. ACI affrète également les avions d'Air France, Air Inter et Touraine Air Transport. Si la compagnie charter n'a pas de personnel navigant, les équipages techniques et commerciaux d'Air France assurent ses vols sur B-727 tandis qu'EAS et Euralair mettent à sa disposition leur propre personnel navigant. Air Charter connaît chaque année un fort développement de son trafic. Ainsi, est passée de 839 000 passagers en 1979 à 963 000 cette année. Son activité est tournée en particulier vers les pays méditerranéens. Dès 1983, elle a ouvert une ligne sur l'Amérique du Nord, avec des vols Jet Am vers New York. En tout, Air Charter dessert 110 escales.

Le StarShip, une innovation signée Rutan

Le StarShip est prévu avec une masse au décollage inférieure à 5,7 tonnes.

Wichita, 29 août
Silhouette futuriste pour un avion d'affaires très sophistiqué : le Beech StarShip 1 fait partie des biturbopropulseurs qui vont bouleverser la physionomie des parkings d'aviation de demain. Avec sa configuration aérodynamique en canard, sa motorisation propulsive et sa structure en matériaux composites à base de fibres de carbone, il s'oppose aux biréacteurs d'affaires de bas de gamme et est un avion très rapide (500 à 650 km/h), intermédiaire entre celui à hélices et le biréacteur classique, et surtout moins cher. Dessiné par Burt Rutan, il vient d'être présenté sous forme d'une maquette aux 85/100. Il coûtera 3,8 millions de dollars.

Le Piper Malibu, monomoteur performant

Le Piper Malibu a une aile particulièrement fine ; il monte à 7 000 mètres.

Etats-Unis, 1ᵉʳ novembre
La Piper Aircraft Corporation présente le monomoteur PA 46-310 P Malibu. Muni d'un moteur turbocompressé Continental de 310 ch, il peut accueillir, dans sa cabine pressurisée, six passagers. L'avion devient le concurrent direct du Cessna Centurion, seul monomoteur pressurisé disponible sur le marché.

Mais le Malibu est plus performant dans tous les domaines : sa charge utile est de 722 kg (26 kg de plus que le Cessna), sa vitesse de croisière, de 385 km/h, est plus élevée (de 30 km/h) et sa vitesse ascensionnelle est supérieure de 1 m/s. Le Malibu possède de plus un rayon d'action deux fois plus important que son concurrent.

Agusta construit un hélicoptère d'attaque

Italie, 15 septembre
L'envie de construire ses propres hélicoptères reste toujours vivace chez Agusta. Après le brillant succès de l'Hirundo vendu à plus de 400 exemplaires depuis 1971, il sort le A-129 Mangusta, un hélicoptère de lutte antichar. Le A-129 présente l'agencement classique des hélicoptères de combat, avec le pilote installé en position arrière surélevée et l'opérateur d'armement à l'avant. Tous deux bénéficient de sièges blindés. L'armement peut aller jusqu'à 8 missiles antichars TOW. L'armée italienne, séduite par ses aptitudes au vol de nuit, en a commandé soixante-six.

Alitalia remplace les DC-9 par des MD-82

Italie, 9 décembre
Après vingt ans de bons et loyaux services, les DC-9 d'Alitalia vont être réformés. Pour remplacer ces appareils qui furent les piliers de sa flotte, la compagnie italienne a voulu des McDonnell Douglas MD-82. Trente exemplaires ont été commandés le 3 novembre 1982.

Elle vient de recevoir les deux premiers. L'achat de ce long-courrier de 150 places traduit la volonté d'expansion d'Alitalia, qu'un démarrage tardif (à la fin de la Seconde Guerre mondiale) n'a donc pas pénalisée. Ses 13 millions de passagers annuels la font figurer parmi les plus grandes compagnies.

Avec le Mangusta, les Italiens entrent en concurrence avec les Américains.

Le DC-9 Super 82 a un fuselage long de 31 mètres. Swissair en a aussi reçu.

L'Airbus A300-600 devient, à partir de 1984, la version la plus commercialisée du moyen-courrier qui est alors exploité par plus de 30 compagnies.

Exploitant la percée de son Bandeirante, EMBRAER lance le Brasilia, un biturbopropulseur légèrement plus gros pour 30 passagers.

Un ancien Dornier Do 24T espagnol, retiré du service en 1971, est modifié en hydravion expérimental ATT avec des ailes et des moteurs nouveaux.

Le révolutionnaire Beech Starship a été conçu par Bert Rutan. Un prototype incorporant de nombreuses innovations vole en 1983.

Deux prototypes du CASA-Nurtnio CN-235 sont construits simultanément en Espagne et en Indonésie, mais le modèle espagnol vole le premier.

Le Reims-Cessna 406-5 Caravan II est conçu conjointement par les deux firmes, mais il est uniquement produit en France.

Le Saab-Fairchild 340 est assemblé en Suède à partir d'éléments (voilure, queue, nacelles) construits par Fairchild.

Le de Havilland Canada DHC-8 est un court-courrier silencieux qui conserve les qualités Adac de l'ancien Dash 7.

Le Piper Cheyenne IV reprend la cellule de base du Cheyenne III, mais reçoit de nouveaux moteurs et diverses améliorations.

Le dragage de mines est la mission principale du Sikorsky MH-53E Super Stallion. Ses larges ailettes contiennent du carburant.

Le premier BAE 125-800 vole en 1983. Il s'agit en fait du Jet Dragon dont l'étude avait été lancée dix ans plus tôt par de Havilland.

Le NDN 1T Turbo Firecracker est un dérivé à turbopropulseur de l'ancien Firecracker qui n'avait pas été retenu par la RAF.

Le Robin ATL (Avion Très Léger) est le prototype d'un biplace d'entraînement économique dans la tradition du Jodel D.112.

Le Trago Mills SAH.1, financé par un riche mécène, est un biplace d'entraînement à la voltige à la maniabilité remarquable.

La version biplace Mirage 2000B est destinée à l'entraînement, mais la formule est reprise sur le 2000N de pénétration à basse altitude.

Le Skyfox est un développement du Lockheed T-33 dont il conserve une grande partie de la cellule mariée à de nouveaux réacteurs double-flux.

Un Mitsubishi T-2 est équipé à titre expérimental d'empennages canard et d'un système triplex de commandes de vol numériques.

L'Agusta A129 Mangusta est un hélicoptère biplace de combat dont la conception a été fortement influencée par le AH-4 Apache.

1984

Arizona, 9 janvier
Le premier hélicoptère d'attaque de série Hughes AH-64A Apache commence ses essais. L'US Army en a commandé 515. (→ 1.10.86)

Paris, 14 janvier
Maurice Bellonte décède à l'âge de 88 ans. Avec Dieudonné Costes, il avait réalisé la première traversée est-ouest de l'Atlantique Nord en septembre 1930, à bord du *Point d'interrogation*.

Beyrouth, 19 janvier
Partis du sud de la France, des Jaguar de la force aérienne tactique effectuent un vol de reconnaissance en 6 h 40 min pour l'aller-retour. En relève des appareils de l'aéronavale, l'armée de l'air assure désormais la couverture des militaires français au Liban.

Etats-Unis, 4 février
Le prototype de l'hélicoptère de combat et de sauvetage tout temps Sikorsky HH-60A Night Hawk effectue son vol initial.

Montréal, 14 février
Le rapport d'enquête de l'OACI retient un manque de vigilance de l'équipage du B-747 de Korean Airlines abattu en septembre 1983.

Paris, 21 février
Henri Pescarolo, coureur automobile, et Patrick Fourticq, pilote à Air France, arrivent de New York à bord d'un Piper Malibu. Ils ont battu le record de traversée de l'Atlantique Nord pour monomoteur, en 14 h 2 min. (→ 27.3)

Etats-Unis, 29 février
American Airlines conclut le plus important marché de l'histoire de l'aviation commerciale. La compagnie commande 67 MD Super 80 à McDonnell Douglas.

Egypte, 10 mars
Un seul appareil, l'Airbus d'Air France, a réussi à atterrir au Caire la nuit dernière, malgré la tempête de sable qui soufflait sur la ville. Les autres vols ont été détournés sur les aéroports de Haute-Egypte.

Bruxelles, 23 mars
Après 25 années consécutives de déficit, Sabena sort du rouge. La compagnie affiche pour 1983 un bénéfice net de 22 millions de FB.

Londres, 26 mars
British Airways a reçu de la part de victimes d'intoxication alimentaire des dizaines de demandes de dommages et intérêts. Des hors-d'œuvre avariés ont été servis les 13 et 14 mars dernier à 180 passagers et membres d'équipage sur 14 lignes.

Bâle-Mulhouse, 9 avril
Une société suisse implantée sur l'aéroport propose de transformer n'importe quel avion de ligne en palace volant, avec bois précieux, cuirs rares, or et marbres.

Canada, 9 avril
Air Canada offre à la clientèle du 3e âge des réductions de 65 % sur toutes ses lignes intérieures.

Washington, 19 avril
Le département du Transport envisage la mise aux enchères, auprès des compagnies, des plages horaires de décollage et d'atterrissage dans les aéroports où le trafic est saturé.

Pékin, 20 avril
Le premier Lear Jet à être livré à la République populaire de Chine est un Model 36A. Il est équipé de matériels sophistiqués destinés à des missions d'études géologiques.

Suisse, 7 mai
Le biplace d'entraînement Pilatus PC-9 effectue son vol initial. Il est muni d'un turbopropulseur Pratt & Whitney et de sièges éjectables.

Grande-Bretagne, 14 juin
Le prototype d'hélicoptère de lutte antichar Westland Lynx 3 effectue son vol initial à Yeovil. (→ 11.8.86)

Californie, 22 juin
Voyager, un appareil spécialement conçu par Burt Rutan pour réaliser un tour du monde sans escale et sans aucun ravitaillement, commence ses essais en vol. (→ 24.1.86)

France, 29 juin
Henri Fabre, inventeur de l'hydravion qui a déjaugé son hydroaéroplane *Canard* le 28 mars 1910 à Martigues, décède âgé de 102 ans.

La Nouvelle-Orléans, 30 juin
Un tribunal condamne la Pan Am à verser 11 millions de dollars de dommages et intérêts à un couple dont la fillette a été tuée dans l'accident du 9 juillet 1982. C'est la plus grosse indemnisation jamais payée par une compagnie aérienne.

Téhéran, 2 août
Les 46 derniers otages du B-737 d'Air France sont libérés. Le vol AF747 Francfort-Paris a été détourné le 31 juillet par trois pirates de l'air et l'appareil a fait escale à Genève, Beyrouth et Larnaca.

Farnborough, 4 septembre
La firme de Havilland Canada présente trois de ses appareils au Salon : le DHC-5 Buffalo, le Dash 7 et le Dash 8. Le Buffalo s'écrase à l'atterrissage, en sortie de virage. L'équipage en sort indemne.

France, 11 septembre
Des tables à langer et des berceaux sont mis à la disposition des parents voyageant avec leur bébé, sur tous les Airbus et B-747 d'Air France.

New York, 13 septembre
Ed Acker, président de Pan Am qui a choisi Airbus face à Boeing, signe un fabuleux bon de commande : 16 A-320 plus 34 options et 12 A-310-300 plus 13 options, un total de 3 milliards de dollars.

Berlin, 1er octobre
Affrété par le plus grand magasin du continent européen, le *Kadewe*, un Concorde atterrit sur la piste de Tegel. Il transporte 100 personnalités de la gastronomie française.

Etats-Unis, 14 octobre
Le premier système de téléphone, permettant aux passagers d'appeler à terre en plein vol, est mis en service par six compagnies sur vingt de leurs gros-porteurs.

Californie, 18 octobre
Le bombardier stratégique à géométrie variable Rockwell B-1B fait son vol initial. Il dure 3 h 9 min.

Grande-Bretagne, 25 octobre
Le gouvernement britannique ordonne aux compagnies aériennes de cesser la vente de billets transatlantiques à bas prix. Il déclare nuls 130 000 billets déjà émis.

Etats-Unis, 17 décembre
Un Lockheed Galaxy C-5 de l'US Air Force établit un record national en décollant à la masse totale de 417 684 kg. (→ 10.9.85)

Quelques chiffres...

Trafic passagers mondial (services réguliers) : 848 millions
Trafic passagers sur l'Atlantique Nord (toutes lignes) : 22,1 millions
Trafic passagers à Paris : 31,6 millions
Trafic passagers à Londres : 44 millions
Prix d'un billet Paris-Nice (avril) : 715 F
Prix d'un billet Paris - New York (avril) : 3 900 F
Transport de fret mondial (en milliards de tonnes) : 13,8
Salaire moyen d'un commandant de bord long-courrier : 63 720 F
Salaire moyen d'une hôtesse : 9 415 F ; chef de cabine : 19 440 F
Prix d'un B-747 Combi : 89,5 millions de dollars
Prix d'un A-310 300 : 51,5 millions de dollars
Prix d'un B-737 : 18,3 millions de dollars
Prix de 1 000 litres de carburant Jet A1 (juillet) : 256,6 dollars
Taux de change du dollar (moyenne de juillet) : 8,7396 F

Le Falcon 900 est au sommet de la liste des avions d'affaires de Dassault. Ses ailes ont été dessinées en trois dimensions par ordinateur.

Des moteurs franco-américains pour le nouveau Boeing 737

Seattle, 24 février

Le dernier-né de la famille 737 a volé ce matin. Sous le label 300, il va prendre la relève du 737-200, le Boeing qui s'est le mieux vendu au cours des récentes années de crise. L'objectif du constructeur américain est d'offrir, sur le nouveau marché des court-courriers de 150 places, un appareil disponible plus vite et moins cher que ceux de ses concurrents, Airbus et McDonnell Douglas. Et ce à un coût de développement bien inférieur à celui d'un avion entièrement nouveau (70 % des pièces du 300 sont reprises de la série précédente). L'avion abandonne ses deux moteurs Pratt & Withney au profit de deux CFM 56 construits par General Electric et la Snecma. Avantage de cette remotorisation : la consommation de carburant par siège-passager est réduite de 20 % par rapport au 737-200, et le niveau sonore des réacteurs descend bien en-dessous des normes antibruit de plus en plus

Le nouveau Boeing 737-300 est un peu plus long. Il transporte 128 passagers.

sévères aux Etats-Unis. Les techniques développées pour les nouveaux Boeing 757 et 767 ont été appliquées au 737-300. L'usage de fibres de carbone est intervenu pour le gouvernail, les ailerons, le carénage des moteurs, et de nouveaux alliages d'aluminium pour les revêtements. Boeing prévoit les premières livraisons pour la fin de 1984.

Feu vert pour le programme A-320

Londres, 2 mars

L'incertitude qui pesait sur le sort du projet de l'Airbus A-320 a été levée. La construction du petit biréacteur européen est finalement assurée. Après la France, la RFA et l'Espagne, la Grande-Bretagne a en effet accepté de participer au projet et Airbus Industrie va maintenant pouvoir mettre l'appareil en chantier. L'A-320, d'une capacité de 150 passagers et à un seul couloir, doit voler en 1988. Son coût de lancement devrait dépasser 1,7 milliard de dollars et son financement sera assuré à 35 % par la France, 35 % par la RFA, 26 % par le Royaume-Uni et 4 % par l'Espagne. L'appareil, dont le prix unitaire sera de 24 millions de dollars, a déjà été commandé à 96 exemplaires, dont 51 fermes, par cinq compagnies : Air France, Air Inter, British Caledonian, Cyprus Airways et Inex Adria (Yougoslavie).

La Transafricaine est une course folle

Libreville, 18 mars

L'équipage Patrick Fourticq-Henri Pescarolo remporte, à bord de son Piper Malibu J & B, la Transafricaine aérienne, un raid sur les traces de l'Aéropostale. Le 15 mars, à Toussus-le-Noble, soixante-cinq monomoteurs et bimoteurs à pistons ont pris le départ. Les équipages, qui se composent de deux pilotes par avion, vont amplement découvrir le continent africain avec un trajet de 7 000 km : Paris-Libreville, *via* Nouadhibou (Mauritanie) et Cotonou (Bénin). Les quatrevingts concurrents, dont quatre pilotes d'Air France, étaient d'autant plus motivés que le prix offert aux vainqueurs est un Robin Dauphin. Le HR 100/210 de l'équipage Bertrand de Courville-Philippe Huchez monte sur la deuxième marche du podium, grâce à une escale ultrarapide (moins de 5 min) à Bamako et à l'assistance de Francis Gaigeot.

L'industrie aéronautique italienne renaît

Italie, 15 mai

Elle est la plus jeune de toutes les industries aérospatiales européennes de l'après-guerre. Elle est aussi la plus dynamique. En choisissant de multiplier sa participation aux programmes étrangers, l'industrie aéronautique italienne amorce un remarquable redressement qui lui permet également de tirer profit de cette coopération. La présentation en vol du premier prototype de l'AMX en est un exemple : cet avion d'attaque au sol a été conçu pour remplacer les Tornado, trop lourds et trop chers de l'Aeronautica Militare Italiana. Il est le fruit d'un programme de développement et de production mené conjointement par l'Italie (avec Aeritalia et Aermacchi) et le Brésil (Embraer). La participation brésilienne y est de 29,7 %, contre 46,7 % pour Aeritalia et de 23,6 % pour Aermacchi. Le prototype brésilien devrait voler dans un an.

Avec son moteur Rolls-Royce, ce HR 100/210, qui finit second, est unique.

L'AMX sera le résultat d'une collaboration entre l'Italie et le Brésil.

L'A-310 commence sa carrière commerciale sur Paris-Milan

Roissy-CdG, 12 mai

Le premier A-310 d'Air France décolle pour Milan. L'appareil livré par Airbus Industrie le 4 mai dernier, et qui a effectué un tour de France de présentation, est équipé de deux réacteurs de 22 800 kg de poussée. Il peut parcourir 3 780 km avec 246 passagers, trois palettes de fret et 17,3 m³ d'expédition en vrac. Avion d'abord économique, sa consommation de carburant par siège pour des étapes de 1 000 km est inférieure de près de 30 % à celle du B-727. L'expérience de son prédécesseur, l'A-300, a permis de réaliser ce qui se fait de mieux en construction aéronautique. Ainsi, le cockpit est équipé de six écrans à tubes cathodiques sur lesquels les pilotes peuvent faire apparaître les paramètres de navigation, les informations techniques de la machine et encore la check list pour chaque configuration de vol. L'A-310 a été conçu en relation avec les compagnies qui l'ont commandé. Dix-sept volent déjà chez Lufthansa, Swissair, KLM et Kuwait Airways.

L'A-310 a un rayon d'action de 8 000 km; il pourrait franchir l'Atlantique.

Un B-767 plane pour Air Canada

Gimli, 23 juillet

Un Boeing 767 d'Air Canada quitte Montréal pour Ottawa *via* Edmonton. A bord, 61 passagers et 8 membres d'équipage commandés par Robert Pearson. Alors qu'il survole la région de Red Lake (Ontario), l'appareil tombe en panne de carburant. Le B-767 devient le plus gros planeur du monde. Pearson est un amateur de vol à voile. Pour perdre de l'altitude, il fait quelques tours et se pose sur la piste de Gimli, longue de 2 200 m. Le copilote avait réussi à actionner manuellement le train d'atterrissage. L'appareil, considéré comme le plus moderne du monde, a été victime d'erreurs commises par le personnel au sol. Ces derniers ont converti les litres de carburant en livres et non en kilogrammes comme le veut le système métrique, et le B-767 a décollé avec seulement la moitié du carburant dans ses réservoirs. Il est par ailleurs évident que les pilotes n'ont pas contrôlé les jauges...

L'Epsilon est affecté à l'école de Cognac

Cognac, 7 juin

Après le Lockheed T-33, le Mystère IV et le MD 315 Flamant, c'est au tour du Fouga Magister de céder sa place. La formation initiale des pilotes militaires français passera désormais par l'Epsilon d'Aérospatiale. Cette ère nouvelle, inaugurée en 1979, répond à des impératifs précis de l'armée de l'air : adopter des moyens de formation dernier cri, mais limiter les coûts d'exploitation. L'Epsilon répond parfaitement à ces exigences : économique (consommation réduite de 90 % par rapport au Fouga), il n'en possède pas moins les caractéristiques de pilotage d'un jet : plafond de 5 000 m et vitesse de 380 km/h. Cette relève vient de commencer à l'école de Cognac, base de formation des élèves pilotes officiers.

Crossair exploite le Saab Fairchild SF340

Bâle, 15 juin

Crossair a inauguré la mise en service d'un Saab Fairchild SF340 sur ses lignes vers Francfort et Paris. Il s'agit là du premier des dix appareils attendus par la société suisse de taxis aériens. Cette commande fait suite à l'accord de rationalisation passé entre Swissair et Crossair, pour la desserte des liaisons régionales et la restructuration du réseau. La flotte de Crossair comprenait jusqu'à présent 9 Swearingen Metro III et un Cessna 310R. Avec le SF340, elle se dote d'un avion international : suédois pour le fuselage, américain pour les ailes, l'empennage et les nacelles de moteurs. Assemblé et testé en Suède, ce biturbopropulseur de 34 places entame là son premier service commercial.

L'Epsilon TB-30 de l'Aérospatiale est un monomoteur biplace en tandem.

Crossair, fondée le 14 février 1975, comptait en 1983 plus de 80 personnes.

Les bimoteurs autorisés sur l'Atlantique

Depuis mars, El Al volait sans escale de Tel-Aviv à Montréal en Boeing 767.

Etats-Unis, 1er juillet

L'Atlantique, longtemps interdit aux bimoteurs commerciaux, va désormais être accessible aux Airbus A310-300, comme aux Boeing 757 et 767. Jusqu'en 1970, la puissance et la fiabilité des moteurs à pistons puis des moteurs à réaction de la première génération étaient en effet insuffisantes pour traverser l'océan en bimoteur. Mais aujourd'hui les réacteurs à double flux, à faible consommation et forte poussée, ont atteint une fiabilité incomparablement supérieure. Airbus Industrie et Boeing ont donc demandé, il y a deux ans, à la Federal Aviation Administration d'adapter les réglementations applicables aux vols dits Etops *(extended range twin engine operations)*. La FAA vient de proposer à l'OACI d'autoriser la traversée transatlantique aux biréacteurs, sous réserve qu'ils puissent atteindre un aéroport de dégagement moins de 120 minutes après une panne sur un réacteur. Jusqu'à présent, la FAA avait fixé ce délai à 60 minutes, ce qui obligeait les avions à passer par le Groenland et l'Islande. Ce trajet allongeait le temps de vol et ne permettait pas de choisir la meilleure route en fonction des vents.

Le TGV Sud-Est concurrence Air Inter

Le temps d'enregistement et l'attente des bagages s'ajoutent au temps de vol.

Orly, 1er août

Après une expansion continue du trafic d'Air Inter de 1974 jusqu'à aujourd'hui, le nombre de passagers passant de 4,1 à 10,2 millions, l'année 1984 a vu le trafic Paris-Lyon baisser en six mois de 34 %, soit une perte quotidienne de 760 voyageurs environ. Un chiffre alarmant, qui paraît s'accentuer et qui est dû au succès sans cesse grandissant du TGV Sud-Est. Celui-ci devient le concurrent direct de la compagnie intérieure pour une raison principale : la rapidité du voyage. Pour le trajet Paris-Lyon, par exemple, le TGV Sud-Est met deux heures. Si les appareils d'Air Inter effectuent ce même voyage en une heure, ils doivent atterrir à l'aéroport de Satolas, très éloigné du centre-ville. De plus, les voyageurs perdent un temps précieux lors de l'embarquement et du débarquement. Pour l'année prochaine, Air Inter s'est fixé comme objectif une croissance de 6,9 %, soit 700 000 passagers, et a investi 650 millions pour tenter d'améliorer sa productivité. Diverses mesures vont être prises pour le réaménagement des horaires sur Paris-Lyon, et les Airbus A-300 seront remplacés par une Caravelle Super 12 et un Mercure.

Lynn Rippelmeyer, "captain" de Jumbo

A 33 ans, elle a les quatre galons.

Londres, 19 juillet

D'aucuns regretteront que tombe un nouveau bastion de la suprématie masculine. Lynn Rippelmeyer est devenue aujourd'hui la première femme commandant de bord d'un Jumbo jet. Cette première a eu lieu sur le vol Newark-Gatwick de la compagnie People Express. Elle s'était fait connaître quand elle était devenue en 1980, en temps que copilote, la première femme à voler sur 747. D'hôtesse de l'air pendant six ans chez TWA à mécanicien navigant puis à pilote pour People Express, elle aura gravi tous les échelons de ce métier. Elle vient d'être déclarée Femme de l'année au cours d'un bal de charité donné à Londres sous l'égide de la famille royale. (→ 15.1.86)

Le Mirage 2000 est présenté à Dijon

Charles Hernu était à Dijon.

Dijon, 2 juillet

Pour célébrer le 50e anniversaire de la loi d'organisation de l'armée de l'air du 2 juillet 1934, Dijon accueille les Mirage 2000C pour leur premier jour de mise en service opérationnel. Les pilotes des appareils de l'escadron de chasse 1/2 Cigognes, venus de Mont-de-Marsan, ont été, un par un, félicités par le ministre de la Défense, Charles Hernu. Les avions de combat venaient d'effectuer un passage lent à 30° d'incidence et avaient exécuté des figures de voltige, sous le commandement du lieutenant-colonel Laporte. Jean Coureau, qui a effectué le premier vol du prototype Mirage 2000C le 10 mars 1978, a été promu officier de la Légion d'honneur.

L'ATR 42, un avion de transport régional conçu par ordinateur

Veuve en plein vol, elle ramène l'avion

L'ATR, avion de transport régional, coûtait au moment de son lancement, en 1981, cinq millions de dollars.

Floride, 4 octobre

Le Cherokee Warrior II se pose brutalement, rebondit et quitte la piste avant de s'immobiliser dans l'herbe. A bord, deux femmes qui n'ont jamais piloté un avion : Mirabel Vicente et Elaine Yadwin. Cette dernière a dû prendre les commandes de l'appareil. Son époux, foudroyé par une crise cardiaque, meurt après quelques minutes de vol. Elaine lance un appel radio et son message est immédiatement intercepté. Il n'existe pas d'alternative : la veuve, âgée de 61 ans, doit atterrir seule. Premières mesures d'urgence : dégager l'espace aérien et libérer la fréquence. Un dialogue est établi avec un instructeur sur Cherokee, qui lui explique en détail ce qu'elle doit faire. On dirige l'appareil vers l'aérodrome de Dade-Collier. Elaine doit à présent entamer sa descente en pilote automatique. Puis il faut aligner l'appareil. L'altitude est de 300 m. Elaine réduit encore les gaz. Le sol n'est plus qu'à 10 m. C'est gagné. Les deux femmes sortent du Piper, un peu secouées, mais saines et sauves.

Toulouse, 16 août

C'est un biturbopropulseur à aile haute et il consomme peu. Fait pour couvrir les courtes et moyennes distances, il est le fruit des recherches menées conjointement par Aérospatiale et par Aeritalia. L'ATR 42 franco-italien accueille à son bord entre quarante-deux et quarante-neuf personnes et sa vocation est d'assurer le transport régional, en couvrant à la vitesse de 520 km/h des trajets n'exédant pas 1 450 km. L'appareil sera exporté principalement vers l'Amérique du Nord, là où la demande est de loin la plus forte, et son carnet de commandes prévoit la vente de 1 100 avions de ce type d'ici à l'an 2000. Avion de la nouvelle génération, comme le désignent les spécialistes, il l'est d'abord par la manière dont il a été conçu. Il n'a pas été dessiné sur plans, mais sur l'écran d'un ordinateur. Les ingénieurs ont entré dans la machine tous les paramètres de construction, de la masse maximale au décollage à la sensibilité aux rafales de vent, pour obtenir l'ATR-42.

Le Falcon 900 franchit 7 845 kilomètres

Mérignac, 21 septembre

Le Mystère-Falcon 900 est le plus grand des avions d'affaires Dassault-Breguet. Il peut emmener jusqu'à 19 passagers dans une cabine très spacieuse (de 11,9 m de longueur). Il est capable de franchir 7 845 km, ce qui le fait figurer parmi les avions d'affaires au plus long rayon d'action. L'appareil, qui vient d'effectuer son premier vol, est propulsé par trois turboréacteurs Garrett, d'une consommation raisonnable, qui lui donnent une vitesse maximale de Mach 0.87. A la pointe du progrès, la firme a conçu ses ailes et son fuselage par ordinateur. Le poste de pilotage est doté d'instruments à tubes cathodiques. (→ 13.3.86)

Le Grumman X-29 sert à tester des ailes

Edwards AFB, 14 décembre

La configuration du X-29 est tout à fait unique : ses ailes sont dirigées vers l'avant. La Nasa entame là un nouveau programme de recherches pour étudier ce type de flèche qui entraîne, pendant les manœuvres transsoniques, une traînée plus faible que celle de la configuration classique. Ses ailes sont en fibres de carbone mais, pour le reste, le X-29 n'a rien de révolutionnaire : il est construit à partir du fuselage du Northrop F-5 et des moteurs du F-18. Son instabilité a été voulue, afin de vérifier si elle était contrôlable, ce qui lui conférerait une remarquable manœuvrabilité. Chuck Sewell pilotait le X-29 pour son premier vol.

Les chaînes de montage de Mérignac devraient sortir quatre avions par mois.

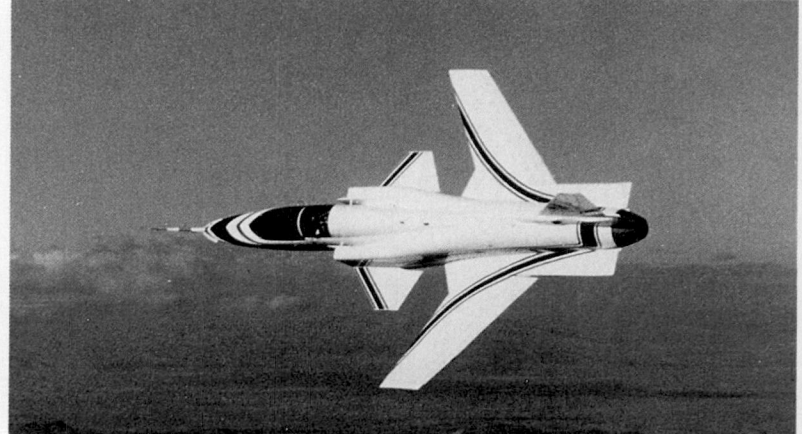

Les premiers essais sont consacrés à tester les ailes à grande incidence.

Le Boeing 737-300 vole le 24 février. Il se caractérise par un fuselage allongé, de nouveaux double-flux économiques et de meilleures performances.

Le programme ATR franco-italien pour un biturbomoteur régional de technologie avancée a été lancé en 1981 et le prototype vole le 16 août.

L'Airbus A300-600C est une version convertible (passagers/fret) avec un plancher de cabine renforcé et une large porte de chargement.

Le Schweizer Model 300C, hélicoptère léger civil.

Le NAC-1 Freelance est dérivé du BN-3 Nymph.

Le Seastar ressemble aux hydravions Dornier d'avant guerre, mais il incorpore les technologies les plus avancées, notamment en matière de propulsion.

Le Dassault-Breguet Falcon 900 ressemble au Falcon 50, mais son fuselage est plus spacieux et fait appel aux matériaux composites.

Le Rutan Voyager est conçu pour un tour du monde sans escale.

Le Fournier RF-10 possède un longeron en fibre de carbone.

Avec son Pratt & Whitney Canada JT1SD-5, le Mitsubishi Diamond II offre des performances, une charge utile et une autonomie supérieures.

Le VC-10 Mk.3 de la RAF est un Super VC-10 anciennement utilisé par East African Airlines modifié pour le ravitaillement en vol.

Le Rockwell B-1B est optimisé pour la pénétration à basse altitude et met en œuvre un important équipement de contre-mesures électroniques.

Le FMA IA.63 Pampa, avion d'entraînement conçu en Argentine, présente une similitude frappante avec l'Alpha Jet franco-allemand.

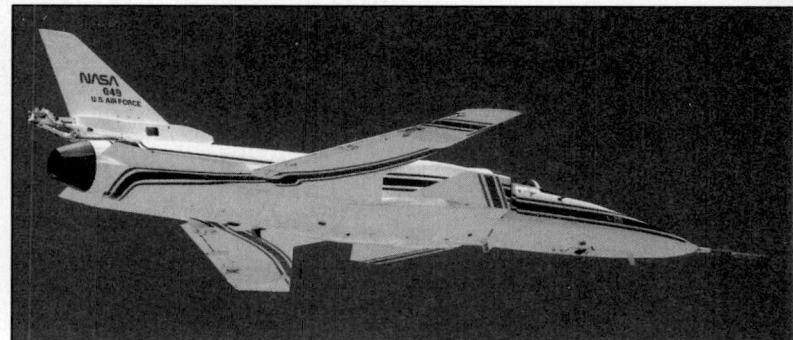

Le X-29 utilise une cellule de F-5 pour expérimenter l'enveloppe de vol de la configuration de l'aile en flèche inversée.

Le Westland Lynx 3 possède une puissance de feu et une avionique largement supérieures à celles du modèle de base.

Le Pilatus PC-9 est un dérivé remotorisé et amélioré du PC-7, avec notamment un siège éjectable et un frein aérodynamique ventral.

Le Fuji KM-2D, version à turbo-propulseur du KM-2B.

Le RF-18 reçoit une nouvelle pointe avant avec des caméras.

Le Lockheed S-3B Viking reçoit de nombreuses améliorations par rapport au S-3A, notamment la possibilité de tirer des missiles Harpoon.

Le Lockheed HTTB, un C-130H Adac expérimental.

Le Cessna T-47A, version d'entraînement militaire du Citation.

Le SIAI-Marchetti S.211 est un jet léger et économique conçu à la fois pour l'entraînement primaire et avancé.

Lockheed a installé le radar AN/APS-138 d'un Hawkeye sur un ancien P-3B de la RAAF pour lancer le prototype de la version P-3 (AEW&C).

1985

 7 297 km/h
Etats-Unis
William Knight
North American X-15
3.10.67

 39 147 km
Etats-Unis
Archie Old Jr.
Boeing B-52
18.1.57

 107 960 m
Etats-Unis
Joseph Walker
North American X-15
22.8.63

 405 000 kg
URSS
Antonov
An-124 Condor

 27 910 kgp
Etats-Unis
General Electric
CF6-80 C2

Genève, 3 janvier
L'Iata annonce que les bagages égarés coûtent chaque année, rien qu'en frais directs, 180 millions de dollars aux compagnies membres de l'organisation.

Etats-Unis, 14 janvier
Une douzaine de compagnies poursuivies par Laker Airways, pour entente illicite l'ayant conduite à la faillite, lui offrent jusqu'à 50 millions de dollars pour mettre un terme à ce procès entamé fin 1982.

Bourges, 30 janvier
Isabelle Boussaert est la première femme à recevoir son brevet de pilote de transport au sein de l'armée de l'air, à la base d'Avord.

Nîmes, 8 février
L'équipage du Mercure d'Air Inter, qui se pose en provenance de Paris, est totalement composé de femmes : Anne-Marie Peltier, commandant de bord, son copilote, l'officier mécanicien et trois hôtesses. A l'atterrissage, la présentation des membres de l'équipage provoque les applaudissements des passagers, surtout des hommes d'affaires.

Bilbao, 19 février
Un Boeing 727 d'Iberia heurte une antenne de télévision. L'appareil plonge dans un ravin : 148 morts.

Grande-Bretagne, 21 mars
Le secrétariat à la Défense choisit l'Embraer EMB-312 Tucano comme nouvel avion d'entraînement de la RAF. (→ 20.1.87)

Suisse, 1er avril
La Swissair célèbre le 50e anniversaire de son premier vol Zurich-Bâle-Londres, effectué en DC-2.

Bruxelles, 1er avril
Un groupe interne à la Sabena, Profil 85, crée un nouvel uniforme. Le personnel féminin au sol portera désormais le même uniforme que les hôtesses de l'air.

Paris, 22 avril
Air France achète 25 Airbus A-320 avec une option sur 25 de plus.

Etats-Unis, 22 avril
Edward Acker annonce la vente de la totalité des lignes du Pacifique de Pan Am (23 % du réseau). La transaction inclut la flotte complète des B-747SP, la moitié des Lockheed TriStar et un DC-10. (→ 11.2.86)

Varsovie, 24 avril
La compagnie nationale LOT inaugure sa ligne vers New York, avec un Iliouchine Il-62. (→ 9.5.87)

Istres, 21 mai
Le Falcon V 10F, réalisé en coopération par Dassault-Breguet et Aérospatiale, effectue son vol initial. C'est le premier avion civil à avoir une structure entièrement fabriquée en matériaux composites : fibres de carbone et résine epoxy.

Autriche, 21 mai
Le gouvernement décide l'achat auprès de la Suède de 24 Saab J35 Draken et d'un simulateur de vol.

Paris, 11 juin
Nouvelles Frontières gagne auprès du tribunal administratif dans l'affaire qui l'oppose à Air France et à l'aviation civile. Des vols supplémentaires vers les Antilles, mis en place au départ de Bruxelles en août 1983, avaient été supprimés sans préavis dès le même mois.

Salon-de-Provence, 5 juillet
François Mitterrand préside le 50e anniversaire de l'Ecole de l'air.

Japon, 29 juillet
Le prototype du Kawasaki XT-4, biplace d'entraînement et appareil de liaison, effectue son vol initial à Gifu. La force aérienne d'autodéfense nippone doit en acquérir 200.

Dallas, 2 août
Un TriStar de Delta Air Lines est pris dans une turbulence descendante en approche d'atterrissage. Il explose en plein vol, provoquant la mort de 133 personnes. (→ 13.8)

Oman, 14 août
Le sultanat commande 8 Tornado au consortium européen Panavia. L'Arabie Saoudite a récemment fait part de son intention d'acheter 48 exemplaires de cet appareil.

Manchester, 22 août
Le réacteur gauche d'un B-737 de British Airtours explose durant le décollage. Le pilote réussit à arrêter l'avion en bout de piste, juste avant une seconde explosion. On dénombre 54 morts et 80 blessés.

Millau, 23 août
Le premier championnat du monde d'ULM est endeuillé par la mort d'un concurrent allemand. Le FK6 de Joachim Krenz s'est mis en vrille à 150 m d'altitude.

Istres, 26 août
La 93e escadre de ravitaillement en vol de l'armée de l'air réceptionne son premier Boeing C-135 FR.

Bruxelles, 9 septembre
La compagnie américaine People Express offre la liaison sur New York pour 99 dollars. Il n'y a pas de repas chaud à bord et les services sont en supplément. (→ 15.1.86)

Munich, 18 septembre
Aérospatiale et Messerschmitt-Bölkow-Blöhm créent la société Eurocopter. Elle est chargée de développer le nouvel hélicoptère de combat franco-allemand.

Tunis, 1er octobre
L'aviation israélienne réalise un raid à 2 500 km de ses bases. Elle détruit le quartier général de l'OLP.

Malte, 24 novembre
Un Boeing d'Egypt Air, détourné hier par cinq pirates de l'air lors de son décollage à Athènes, est pris d'assaut par des commandos égyptiens. Les portes étant verrouillées, ces derniers font sauter les soutes pour investir l'appareil : 60 morts.

France, 26 novembre
Air Inter signe un contrat d'achat portant sur 10 Airbus A-320, avec une option sur 10 autres appareils.

France, 2 décembre
Le premier exemplaire de série de l'ATR 42 est livré à la compagnie Air Littoral. Le certificat de navigabilité français a été délivré à cet appareil le 24 septembre dernier.

Terre-Neuve, 12 décembre
Un DC-8 avec 258 militaires à bord, rentrant aux Etats-Unis pour les fêtes de Noël, s'écrase peu après le décollage, à Gander : 256 morts.

Saint-Cloud, 14 décembre
Dassault-Breguet présente le nouvel avion de combat expérimental Rafale, démonstrateur de la firme pour les nouvelles technologies. Ce nom a été donné au projet ACX en avril dernier. (→ 4.7.86)

Le Harrier, créé par Hawker Siddeley, a été amélioré par McDonnell Douglas pour devenir un avion apprécié par l'US Marine Corps.

Quelques chiffres...

Trafic passagers mondial (services réguliers) : 899 millions
Trafic passagers sur l'Atlantique Nord (toutes lignes) : 23,2 millions
Trafic passagers à Paris : 32,8 millions
Trafic passagers à Londres : 47,2 millions
Prix d'un billet Paris-Nice (avril) : 740 F
Prix d'un billet Paris - New York (avril) : 4 470 F
Transport de fret mondial (en milliards de tonnes) : 13,2
Salaire moyen d'un commandant de bord long-courrier : 66 600 F
Salaire moyen d'une hôtesse : 9 880 F ; chef de cabine : 20 360 F
Prix d'un B-747 Combi : 93,3 millions de dollars
Prix d'un A-310 300 : 54,7 millions de dollars
Prix d'un A-320 : 30,1 millions de dollars
Prix de 1 000 litres de carburant Jet A1 (juillet) : 228,90 dollars
Taux de change du dollar (moyenne de juillet) : 8,8776 F

L'US Marine Corps a reçu ses premiers AV-8B Harrier II

Caroline du Nord, 31 janvier
Les Marines ont enfin pris livraison de leurs premiers avions d'attaque à décollage vertical de seconde génération, Harrier II. Ils ont ainsi pu former leur premier squadron opérationnel sur AV-8B, le VMA-331, stationné à Cherry Point (Caroline du Nord). Considéré comme le *nec plus ultra* des monoplaces d'attaque, cet appareil a été mis au point par McDonnell Douglas et British Aerospace pour combler les carences du Harrier de première génération. Le Harrier d'origine affichait un rayon d'action insuffisant et disposait d'un système de navigation primitif. Le Harrier II reprend ce qu'il y avait de meilleur chez son prédécesseur tout en alliant de nouvelles techniques de construction et une aérodynamique affinée avec une avionique ultramoderne et un armement plus efficace. La différence principale de l'AV8-B, ou Harrier GR Mk 5 pour la Royal Air Force, porte sur les ailes, d'en-

Dès septembre 1968, l'US Marine Corps s'est intéressé au Harrier anglais.

vergure bien supérieure (20 %) et de surface accrue, ce qui permet à l'avion d'être doté de réservoirs supplémentaires. La nouvelle voilure comporte de grands volets à fente et des ailerons en matériaux composites qui augmentent la portance. La nouvelle capacité d'emport maximale est près du double de celle du Harrier d'origine.

Panne des moteurs d'un 747 en vol

Pacifique, 20 février
Ce fut une plongée vertigineuse en chute libre : selon le témoignage de l'un d'eux, les passagers du Boeing 747 de la China Airlines se sont mis à sauter comme du pop-corn. L'appareil survole le Pacifique et se dirige vers Los Angeles à une altitude de 14 000 mètres lorsque la température extérieure descend brusquement. Le 747 oscille, sa vitesse chute et le pilote automatique réajuste le régime des réacteurs pour maintenir l'altitude. Mais le moteur 4, celui de l'aile droite, s'éteint. Puis les trois autres s'arrêtent eux aussi. L'appareil décroche et, sur le dos, traverse une couche de nuages cendreux d'origine volcanique, responsable de la panne. Le pilote ne parviendra à rallumer ses réacteurs et à reprendre le contrôle de l'avion qu'après une chute de 10 000 mètres. Le pire est évité, il n'y a que des blessés.

Un B-747 d'Air India explose en vol

Shannon, 23 juin
Les contrôleurs de Shannon, en Irlande, chargés de suivre le vol 182 d'Air India, ont vu sur l'écran un bip à 7 h 14 min 1 s, puis plus rien. L'écho radar du Boeing 747, parti de Toronto pour l'Inde *via* Londres, a disparu des écrans. Les 307 passagers et 21 membres d'équipage ont tous été tués par la déflagration qui a détruit le Jumbo indien, baptisé *Kanishka*, alors qu'il survolait l'Atlantique à l'ouest des côtes irlandaises. L'hypothèse d'un attentat est prise au sérieux, car l'Inde est depuis l'an dernier en proie à une guerre civile entre extrémistes sikhs et hindous. Or le Canada est l'un des pays qui accueillent le plus grand nombre d'exilés sikhs. Avant son départ, le vol 182 avait pourtant subi une fouille minutieuse de la part des autorités canadiennes. (→ 31.1.86)

Le C-5B est la dernière version du Galaxy

Georgie, 10 septembre
La nouvelle version de Fat Albert a commencé ses essais en vol. Le Gros Albert, c'est l'avion de transport géant C-5 Galaxy, dont les services logistiques de l'US Air Force ont demandé à Lockheed de reprendre la production. Les besoins américains en matière de déploiement militaire rapide se sont accrus dans de telles proportions (notamment dans le cas d'une crise menaçant les champs pétrolifères du Golfe) que les quatre-vingt-un exemplaires de la première version, le C-5 A, n'y suffisent plus. Cinquante C-5 B vont donc rejoindre ceux livrés entre 1969 et 1973. La version B est dotée de moteurs plus puissants, d'une électronique moderne, et surtout d'une voilure beaucoup plus robuste que celle du A, dont les ailes, trop fragiles à l'usage, sont en cours de remplacement.

L'épave a pu être localisée et les plongeurs remontent les débris du 747.

Même un hélicoptère avec son rotor peut entrer dans la soute du Galaxy.

Tragédie pour les 524 occupants du B-747 de JAL

Japon, 13 août

L'endroit est très difficile d'accès.

Ce n'est que ce matin, soit plus de douze heures après la plus grande catastrophe aérienne de tous les temps, que les sauveteurs ont retrouvé des survivants. Seulement 4, sur les 524 personnes à bord du vol 123 de la JAL, parti hier soir de l'aéroport de Tokyo-Haneda. Le vol tragique avait pourtant commencé dans la joie pour les 509 passagers du Boeing 747SR. Ils quittaient la chaleur humide de Tokyo pour aller célébrer en famille, à Osaka, la grande fête japonaise du Bon. Le Jumbo, avec le commandant Takahama aux commandes, a décollé à 18 h 12. Douze minutes plus tard, alors que l'avion atteignait son altitude de croisière, une explosion a secoué l'appareil. Pris de panique, les vacanciers ont assisté impuissants à la dépressurisation brutale de la cabine. Au même mo-

ment, le pilote constatait que le manche et les palonniers ne répondaient plus à la suite de la perte de toute pression hydraulique. Un mécanicien annonce que la soute arrière s'est effondrée et que la porte n° 5 est ouverte. Tant bien que mal, le pilote réussit pendant quelques minutes à contrôler l'avion en jonglant en douceur avec les quatre manettes des gaz. Durant ce temps, certains passagers, sentant la mort toute proche, griffonnent des messages d'adieu à leurs familles. Faisant preuve d'un sang-froid exceptionnel, le pilote réussit à éviter une, puis deux montagnes. A 18 h 53, alors que le 747 n'est plus qu'à 3 300 m d'altitude, l'avion entame sa chute finale vers les pentes du mont Otsuka, à 110 km au nord-ouest de Tokyo. Le choc est si brutal que c'est un miracle qu'il y ait eu quatre survivants.

Quatre survivants parmi les débris.

Dix-sept jours d'enfer pour les passagers du vol TWA 847

Beyrouth, 1er juillet

La libération ce matin des derniers otages et de l'équipage du Boeing 727 de la TWA a mis fin à l'un des plus longs détournements de l'histoire de l'aviation. Sur les 145 passagers, pour la plupart Américains, qui étaient montés à bord du vol 847 le 14 juin dernier, un seul ne regagnera pas son foyer. Robert Stethem, plongeur de l'US Navy, a été abattu d'une balle dans la tête le 15 juin par les pirates de l'air, deux

chiites libanais. Pour les passagers comme pour le commandant Trestrake et son équipage, l'enfer a commencé dix minutes après le décollage du Boeing d'Athènes. Les pirates obligent l'avion, qui devait se rendre à Rome, à se poser sur l'aéroport de Beyrouth, sous contrôle des milices chiites du groupe Amal. Les terroristes réclament l'arrêt des ventes de pétrole arabe à l'Occident et la libération de miliciens chiites capturés par Israël au

Sud-Liban. Après la libération de 19 otages, l'avion repart pour Alger où d'autres otages sont libérés. Puis, bref retour à Beyrouth avant un nouveau départ pour Alger, où les pirates libèrent 49 passagers et 5 hôtesses. De retour une dernière fois à Beyrouth, les otages restants sont dispersés dans des quartiers sous contrôle chiite. Les derniers otages et l'équipage n'ont pu être libérés qu'après 14 jours de négociations des plus pénibles.

Résigné et fatigué, le commandant John Trestrake attend la fin du cauchemar.

L'impuissance devant la piraterie.

Accord européen pour un chasseur

Bonn, 8 novembre

François Mitterrand a tranché : à l'issue du 46e sommet franco-allemand, qui vient de s'achever à Bonn, le chef de l'Etat a annoncé que la France est disposée à participer au projet d'avion de combat européen. Paris s'associe ainsi aux trois autres pays qui se sont déjà engagés dans ce projet. Le 2 août dernier, les sociétés MBB (Allemagne), Aeritalia (Italie) et British Aerospace (Royaume-Uni) ont signé un accord en vue de la production au cours des années 90 de 650 exemplaires de l'avion de combat européen (ACE). Les négociations qui viennent d'aboutir ont été particulièrement longues, s'étalant sur plus de deux ans. Elles se sont notamment heurtées à une différence de conception, Paris se prononçant pour un avion tactique léger, alors que Londres préconisait un appareil de combat plus lourd. Le futur ACE sera en fait un biréacteur à aile delta très performant. En attendant, les Britanniques ont entrepris la construction d'un avion de recherches et de démonstration, baptisé EAP et destiné à tester les technologies qui seront utilisées pour l'ACE. (→ 8.8.86)

L'Airbus A310, à capacité réduite et fuselage court, est le première modèle possédant un poste de pilotage avancé pour deux navigants.

Le Fokker 50 est une variante avancée du Friendship, équipée de nouveaux turbopropulseurs et de systèmes plus performants.

Le Gufstream IV, à réacteurs Tay, dispose également d'un pare-brise en matériau avancé, d'un aile nouvelle et d'un fuselage allongé.

Le Sikorsky expérimental du programme Shadow est un S-76E modifié, avec un habitacle avancé pour un seul pilote greffé à l'avant.

La NAL Asuka est un appareil expérimental Adac basé sur le Kawasaki C-1 et équipé d'une aile nouvelle soufflée par quatre double-flux.

Le Mudry CAPR 230, dérivé du CAP 21, est un excellent appareil de voltige, mais la suprématie des avions soviétiques est encore incontestée.

L'ARV Super 2 possède un moteur deux-temps révolutionnaire, mais qui malheureusement se révèle aussi être son talon d'Achille.

Comme le C-18A de transport, le Boeing EC-18B ARIA (Advanced Range Instrumentation Aircraft) est dérivé du Boeing 707-320C.

Le Lockheed C-5B Galaxy est virtuellement identique à la version précédente, mais il incorpore un grand nombre d'améliorations internes.

L'Aeritalia-EMBRAER AMX italo-brésilien est un chasseur bombardier léger qui a reçu le sobriquet de Tornado de poche.

Une avionique modernisée, des réservoirs plus larges et une gamme d'armement plus étendue rendent l'Aermacchi MB.339C plus performant.

Le Changhe Z-8 est la version de l'Aerospatiale Super Frelon produite sous licence en Chine, avec une première tranche de dix machines.

Le Lockheed TriStar K.Mk 1 de la RAF possède deux points de ravitaillement sous le fuselage et deux sous les ailes, ainsi qu'une perche à l'avant.

Le Bell D292 a été conçu dans le cadre du programme Acap de l'US Army destiné à la mise en œuvre d'hélicoptères légers et économiques.

Le Fairchild T-46A, avion d'entraînement nouvelle génération, est abandonné pour des raisons budgétaires, sans que ses qualités soient en cause.

Le General Dynamics F-111 a reçu une voilure nouvelle, dite Mission Adaptive Wing, dont la cambrure peut varier en vol.

Pour remplacer le Fuji T-1 d'entraînement militaire, Kawasaki a développé son XT-4 à technologie avancée.

1986

 **7 297 km/h**
Etats-Unis
William Knight
North American X-15
3.10.67

 **40 245 km**
Etats-Unis
Jeana Jeager et Dick Rutan
Voyager
23.12.86

 **107 960 m**
Etats-Unis
Joseph Walker
North American X-15
22.8.63

 **405 000 kg**
URSS
Antonov
An-124 Condor

 27 910 kgp
Etats-Unis
General Electric
CF6-80 C2

Inde, 11 janvier
Le premier chasseur MiG-27M, fabriqué par Hindustrian Aeronautics Ltd., est livré à l'armée.

Seattle, 14 janvier
Le Boeing 767-300 sort d'usine. Il doit faire économiser 12 % de carburant par rapport au 767-200.

Mali, 14 janvier
Le rallye Paris-Dakar endeuillé. Son organisateur Thierry Sabine et Daniel Balavoine se tuent en hélicoptère aux environs de Ghourma.

France, 21 janvier
Dixième anniversaire de l'exploitation de Concorde par Air France et British Airways. Au total leur flotte Concorde a effectué 71 000 h de vol supersonique. (→ 2.12)

Santa Monica, 23 janvier
Lancement du McDonnell Douglas MD-88, dérivé du MD-80, après une commande de Delta Air Lines pour 30 unités (et 50 en option).

Grande-Bretagne, 24 janvier
L'avenir de Westland Helicopter divise le gouvernement britannique. Le 8 janvier, le ministre de la Défense, Micheal Heseltine, favorable à son intégration dans un consortium européen, a démissionné. Son adversaire, le ministre du Commerce Leon Brittan, qui prône une participation américaine, vient à son tour de quitter ses fonctions.

Japon, 3 février
Mise en place d'une billetterie automatique dans les aéroports d'Haneda et Osaka pour les destinations intérieures. (→ 2.2.87)

Etats-Unis, 11 février
Rachat du réseau Pacifique de la Pan Am par United Airlines, pour 715 millions de dollars. (→ 12.8.91)

Méditerranée, 12 février
Les porte-avions de la VIᵉ flotte américaine, ont embarqué 240 F-14 Tomcat et F-18 Hornet et procèdent à des exercices aéronavals dans le golfe de Syrte, au large de la Libye. (→ 15.4)

Iran, 20 février
La chasse irakienne abat un avion civil iranien Fokker 28 reliant Téhéran à Ahwaz. Il n'y a pas de survivant. Il transportait des membres du parlement iranien et le représentant personnel de Khomeiny.

Francfort, 6 mars
Seize sièges ont été enlevés pour embarquer un Autrichien de 400 kg, à bord d'un appareil de la JAL.

France, 13 mars
Le jet d'affaires Dassault-Breguet Mystère-Falcon 900 a obtenu sa certification.

France, 19 mars
Présentation officielle de la version d'appui-feu de l'hélicoptère Aérospatiale AS-350L Ecureuil.

Bangui, 27 mars
Un Jaguar français s'écrase après son décollage sur une école coranique, tuant de nombreux enfants. Le pilote Michel Etcheberry a réussi à s'éjecter. (→ 7.1.87)

Koweit, 1er avril
Un Boeing 767-200ER établit un record de distance pour biréacteur civil, en reliant Seattle au Koweit, soit 12 698 km. (→ 13.6.90)

RFA, 6 avril
Envol d'un exemplaire d'un Junkers JU-52 restauré aux Etats-Unis et acheté par Lufthansa.

JF Kennedy, 28 avril
Pan Am reprend son service vers l'Union soviétique avec un Boeing 747-200 partant pour Leningrad, *via* Francfort et Moscou.

Etats-Unis, 25 avril
Premier vol de l'avion agricole Air Tractor AT-503, chargé de détruire les cultures de coca.

Colombo, 3 mai
Des rebelles tamouls font sauter un avion d'Air Lanka en partance pour Madras, faisant 22 morts.

Dunsfold, 19 mai
Vol initial du monoplace de combat British Aerospace Hawk-200.

Paris, 25 mai
Nadine Vaujour, pilotant un hélicoptère Alouette 2, fait évader son mari emprisonné à la Santé.

Belgique, 13 juin
La Sabena ajoute à ses deux Boeing 747-229 le Boeing 747-329, immatriculé OO-SGC. Les deux derniers chiffres indiquent le numéro de client de la compagnie belge. Air France a le n° 28 et la Lufthansa le n° 30. (→ 14.12.90)

France, 19 juillet
Au cours d'une mission, un DC-6 bombardier d'eau du centre interrégional de coordination de la sécurité civile de Marignane s'écrase contre le massif des Albères.

Tripoli, 24 août
Malgré l'embargo, Kadhafi réussit à se procurer deux Airbus A-310 en utilisant des sociétés paravent.

France, 14 octobre
Le gouvernement expulse 101 Maliens vers Bamako, sur un vol nolisé de la compagnie Minerve.

France, 29 octobre
Serge Dassault est élu P-DG de la société des Avions Marcel Dassault-Breguet. (→ 19.1.87)

Akaba, 3 novembre
Un pilote français aux commandes d'un Boeing 707 d'Air Charter International se pose à Akaba, en Jordanie, au lieu d'Elath, en Israël.

Iles Shetland, 6 novembre
Un Boeing 234 Chinook s'abîme au large des îles Shetland. Il n'y a que deux survivants sur les 47 passagers. C'est l'accident d'hélicoptère le plus meurtrier à ce jour.

Japon, 17 novembre
Deux Boeing 747F de la JAL livrent 200 tonnes de caisses de beaujolais nouveau. (→ 20.7.87)

Grande-Bretagne, 22 novembre
Le programme EAP de British Aerospace est suspendu jusqu'à nouvel ordre, faute d'appui financier.

Moscou, 31 novembre
Un Boeing 747-200 de la KLM a transporté 450 kg de pizzas fabriquées par Atlanta Pizza Hut pour les équipes de télévision américaine couvrant une rencontre sportive.

Saint-Louis, 2 décembre
Lockheed livre son 1 800ᵉ C-130 Hercules. Depuis 32 ans, il a été exporté vers 56 pays.

Hollywood, 31 décembre
Tom Cruise est la révélation du film *Top Gun* réalisé par Tony Scott.

Le Rafale de Dassault est un véritable avion d'arme. D'une grande souplesse d'utilisation, il peut être armé pour des missions les plus variées.

Quelques chiffres...

Trafic passagers mondial (services réguliers) : 960 millions
Trafic passagers sur l'Atlantique Nord (toutes lignes) : 19,7 millions
Trafic passagers à Paris : 33,5 millions
Trafic passagers à Londres : 48 millions
Trafic passagers à New York : 78,4 millions
Prix d'un billet Paris-Nice (avril) : 795 F
Prix d'un billet Paris - New York (avril) : 4 290 F
Salaire moyen d'un commandant de bord long-courrier : 66 640 F
Salaire moyen d'une hôtesse : 9 900 F ; chef de cabine : 20 392 F
Prix d'un B-747 Combi : 97 millions de dollars
Prix d'un A-310 300 : 58 millions de dollars
Prix d'un B-757 : 50 millions de dollars
Prix de 1 000 litres de carburant Jet A1 (juillet) : 149 dollars
Taux de change du dollar (moyenne de juillet) : 6,9268 F

Les deux boîtes noires sont orange

Elles enregistrent les paramètres.

Elles supportent une force de 20 t.

Les Jaguar barrent la route aux Libyens

Cette action était la première mission d'attaque des Jaguar français.

Paris, 1er janvier
Pour certains pilotes, ce sont des mouchards qui enregistrent leurs moindres gestes et paroles. Mais pour la plupart d'entre eux, les boîtes noires sont de précieux témoins qui surveillent avec une précision parfois cruelle tout ce qui se passe à bord des vols commerciaux. Situées à l'arrière de l'appareil, endroit généralement le moins exposé, ces supercassettes n'ont jamais été noires, mais orange, couleur retenue dans un souci de repérage. Le cockpit voice recorder (CVR),

rendu obligatoire le 6 septembre 1971, enregistre les communications dans le poste de pilotage, les échanges radio et les alarmes sonores. Le flight data recorder (FDR), obligatoire depuis le 15 octobre 1958, enregistre les paramètres de vol (vitesse, cap, altitude, accélération, temps). Elles peuvent résister à une chaleur de 1 100 °C pendant 30 minutes, à une immersion de 30 jours en eau de mer et à une pression de 20,5 t. Chaque boîte noire coûte le prix d'une petite résidence secondaire.

Bangui, 16 février
Mission accomplie. Partis à l'aube, les huit Jaguar des 7e et 11e escadres de chasse de la Force aérienne tactique ont tous regagné leur base à Bangui, après avoir déversé un déluge de bombes sur l'aérodrome construit par les sapeurs libyens à Ouadi Doum, perdu dans le désert tchadien. Les 1 500 km, qui séparent Bangui de l'objectif, ont obligé les Jaguar et les Mirage F1 d'escorte à se ravitailler en vol à l'aller comme au retour. C'est peu avant 8 h que les avions d'attaque ont

atteint la cible, à la grande surprise des défenseurs libyens. Les Jaguar, surgissant par le sud, sont descendus à 65 m d'altitude. Disposés en échelon refusé et volant à près de 700 km/h, les avions ont largué leurs bombes antipistes BAP-100 sans être inquiétés par les missiles sol-air SA-6 ou les canons de 23 mm ZSU-23/4. Freinées par un parachute, les bombes ont traversé le revêtement de la piste longue de 3 800 m avant d'exploser, chacune détruisant le revêtement de piste sur une surface de 40 m².

Le 747 d'Air India avait été saboté

Montréal, 31 janvier
Pour les autorités canadiennes, il n'y a plus de doute : c'est bien une bombe qui a détruit en vol le Boeing 747 d'Air India, le 23 juin dernier au large des côtes de l'Irlande, tuant les 328 personnes à bord. Le rapport que vient de publier la commission de sécurité aéronautique canadienne indique que le Jumbo a été victime d'une explosion dans la soute à bagages. La police a prouvé que la bombe a été posée à bord du vol 182 par un terroriste sikh. En effet, des réservations avaient été faites au nom de Singh, nom qui apparaissait aussi sur des enregistrements de bagages du vol. Un passager inscrit sur les listes de réservation correspondait au signalement de Lal Singh, recherché pour avoir tenté d'assassiner le Premier ministre indien, Rajiv Gandhi. En réservant des places sur le vol 182, il a réussi à leurrer le système de contrôle et à placer la bombe dans l'avion.

People Express dessert 104 escales

Newark, 15 janvier
A moindre coût d'exploitation, billet d'avion moins cher. Et à participation des employés à la gestion de l'entreprise, chances accrues de bon fonctionnement. Ces deux principes ont forgé la réussite de People Express. En 1981, année de sa création, cette compagnie américaine desservait, avec ses trois 727, dix

villes. Aujourd'hui, son rayon d'action en couvre en tout cent quatre, aux Etats-Unis et en Europe. Elle est à ce jour, outre-Atlantique, la société qui a prospéré le plus vite, avec un milliard de dollars de bénéfice en cinq ans. Les passagers y trouvent aussi leur compte et ne paient que pour les services qu'ils ont demandés. (→ 31.1.87)

En 1984, People Express offrait le vol Newark-Londres pour 149 dollars.

Le sac de sable devient pilote

Grenoble - Saint-Geoirs, 1er mars
Un sac de sable, dans le jargon de pilotes, désigne un passager qui s'interroge devant un tableau de bord comme devant le plus mystérieux des objets et se demande si les manettes au plancher se tirent, se poussent ou s'ignorent... Bref quelqu'un qui en aucun cas, et a fortiori en cas d'urgence, ne serait capable de remplacer le pilote défaillant et de ramener l'appareil à bon port, sans trop de dommages. Pour que ledit sac de sable se transforme en pilote, l'Association de pilotes propriétaires d'avion organise, à l'exemple des Etats-Unis, des stages d'initiation. En quatre heures de cours théoriques et quatre heures de vol, l'élève (conjoint, ami ou enfant), assisté d'un instructeur et guidé grâce au contrôle au sol, apprend le strict nécessaire sur les équipements radio et radionavigation. La méthode du *Pinch hitter* a juste dix ans et 500 néophytes en ont déjà bénéficié en France.

Le Brésil construit le Tucano pour la RAF

Le Tucano sera aussi construit à Belfast dans la nouvelle division Shorlac.

Brésil, 14 février

Le futur avion d'entraînement de la Royal Air Force sera brésilien, bien qu'essentiellement construit à Belfast, en Irlande du Nord. Le gouvernement britannique a en effet décidé de remplacer les jet Provost de la RAF par le Short Tucano, version améliorée et renforcée du Embraer EMB-312 Tucano. Signé l'année dernière, le contrat, d'une valeur de 1,25 milliard de francs, prévoit l'achat de 130 Tucano, dont les dix premiers seront construits au Brésil. Les autres avions seront réalisés par la société nationalisée Short de Belfast. Le nouvel appareil sera équipé d'un turbopropulseur Garrett TPE331 et aura une vitesse maximale de 270 nœuds.

Le Caravan volera pour Federal Express

Le Caravan peut emporter 1 tonne de fret, soit 50 % de sa masse maximale.

Wichita, 3 mars

Cessna a conçu le Caravan I qui remplacera les avions de brousse Beaver et Otter. Cet appareil est d'abord économique, un avantage qui a décidé la compagnie Federal Express à l'utiliser en très grande quantité. Il bénéficie d'une capacité d'emport de charge de une tonne et requiert une maintenance très légère. Doté d'un turbopropulseur Pratt & Whitney Canada PT6A de 600 ch, il a été modifié pour Federal Express. Le fuselage a été rallongé de 1,22 m et il ne possède plus de hublot. Plusieurs versions de ce Cessna Model 208 ont été réalisées, destinées à des utilisateurs civils ou militaires. Il peut recevoir un train à roues, à ski ou des flotteurs.

Marcel Dassault meurt à 94 ans

Neuilly, 18 avril

Le plus célèbre des constructeurs d'avions français, Marcel Dassault, de son vrai nom Marcel Bloch, s'est éteint, à l'âge de quatre-vingt-quatorze ans, à l'hôpital américain de Neuilly. Déporté à Buchenwald au cours de la Seconde Guerre, il reprend dès 1945 ses activités, forge un important holding industriel et devient en 1958 député de l'Oise.

Quatre passagers projetés dans le vide

Athènes, 2 avril

Une bombe a explosé à bord d'un Boeing 727 de la TWA, peu après son décollage d'Athènes. A bord, quatre passagers ont été aspirés à l'extérieur et littéralement déchiquetés. Neuf autres personnes sont blessées. Le pilote a réussi, malgré un trou énorme dans la carlingue, à faire demi-tour et a atterrir sur l'aéroport de la capitale grecque. L'attentat a été revendiqué à Beyrouth par une organisation palestinienne, les Cellules révolutionnaires arabes (cellules d'Al Kassam), en riposte à l'impérialisme américain. La bombe aurait été posée, dans cet avion qui assurait la liaison Le Caire-Rome, par un passager descendu à l'escale d'Athènes.

Chuck Yeager écrit ses mémoires

Etats-Unis, 31 mai

Il n'a pas été seulement le premier homme au monde à avoir franchi le mur du son. Chuck Yeager, pilote de guerre depuis 1943, a aussi effectué 64 missions. Les mémoires, qu'il vient de publier, prouvent que ce grand professionnel, qui totalise 10 000 h de vol sur 180 types d'appareils, est avant tout un homme resté très modeste.

n'aimait pas prendre l'avion.

La bombe a déchiré le fuselage et provoqué une décompression de la cabine.

Il s'est battu dans le ciel de France.

L'aviation américaine attaque le QG de Kadhafi

Londres, 15 avril

La mission décidée par le président Reagan, après un récent attentat terroriste libyen contre des GI à Berlin, a été un succès presque total. Sur les 41 avions de l'US Air Force partis hier vers 18 h de leurs bases en Angleterre, seul un F-111F *Aardvark* n'est pas rentré. C'est l'unique perte subie par l'USAF au cours d'une mission rendue complexe par le refus de Paris et de Madrid d'autoriser le survol de leur territoire par les avions américains. Afin de mener à bien leur raid contre des objectifs en Libye, les avions partis d'Angleterre, 18 F-111F dotés du système de bombardement par laser *Pave Tack*, 3 appareils de guerre électronique EF-111A Raven et 20 citernes volantes KC-135 Strato-tanker et KC-10A Extender ont dû emprunter le golfe de Gascogne, longer la côte ibérique, puis obliquer par Gibraltar avant de pouvoir

Ils ont dû se ravitailler quatre fois.

mettre le cap sur la côte libyenne. Les avions d'attaque ont dû se ravitailler en vol quatre fois avant de pouvoir lancer leurs bombes sur Tripoli. Pour l'US Navy, la tâche a

Avant l'attaque, un SR-71 avait fait un vol de reconnaissance en Libye.

été moins complexe. Partis des porte-avions *USS America* et *USS Coral Sea*, croisant au large de la Libye, 8 A-6E Intruder et 12 F-18A Hornet ont pilonné l'aéroport mili-

taire de Benghazi, détruisant au sol au moins 4 MiG-23, 2 hélicoptères Mil Mi-8 et 1 Fokker F-27 de transport. Tous les appareils de la Navy ont apponté sans incident.

Heathrow s'agrandit avec le terminal 4

Heathrow, 12 avril

L'homme d'affaires, qui a débarqué peu avant 6 h du Jumbo Jet venu du Bangladesh, est encore à moitié endormi. Il ne comprend pas ce qui lui arrive : des dizaines de caméras sont braquées sur lui et on l'applaudit. Le hasard a voulu qu'il soit le premier passager à arriver au tout nouveau terminal 4 de l'aéroport londonien d'Heathrow. Pendant 24 ans, les opérations d'Heathrow étaient concentrées dans les trois

terminaux de la zone centrale. Ces installations étaient devenues insuffisantes pour accueillir un trafic en plein essor. D'un coût de deux milliards de francs, le terminal 4, situé à plusieurs kilomètres de la zone centrale, est réservé aux vols d'Air Malta, de KLM et à ceux de British Airways vers Paris, Amsterdam et hors Europe, dont ceux du Concorde. Le nouveau terminal ultramoderne a été inauguré par le prince Charles le 1er avril dernier.

Pour la première fois, la patrouille de France a été invitée au Etats-Unis. Elle fait un vol de démonstration pour le centenaire de « Miss Liberty »

Pour le passager en transit, se perdre dans Heathrow est encore plus facile.

L'aéroport de Lydd est en faillite

Angleterre, 30 août

Le petit aéroport de Lydd, dans le Kent, est menacé de mort. Les autorités aéronautiques britanniques viennent de suspendre sa licence à la suite du dépôt de bilan de la société qui le gérait, Drakecoate. Lydd, base du plus ancien aéroclub du Royaume-Uni, le Cinque Ports Flying Club, est fermé aux vols commerciaux, mais a été autorisé à rester ouvert entre 9 h et 17 h pour les avions d'affaires. Avant la faillite de la société Hards Travel, propriétaire de Drakecoate, l'aéroport avait été mis en vente pour la somme de 17,5 millions de francs, mais en vain. Les défenseurs de Lydd, situé près de la Manche, ne désespèrent pas : plusieurs entreprises se sont montrées intéressées par le rachat des installations, estimant que Lydd occupera un carrefour stratégique après l'ouverture du futur tunnel sous la Manche.

Le 92ᵉ prototype de Dassault vole bien parce qu'il est beau

En chandelle avec 15 t de poussée.

Le Rafale est un biréacteur destiné à l'aviation de combat tactique.

Istres, 4 juillet

« Il volera bien parce qu'il est beau. » Cette petite phrase prononcée par Marcel Dassault, avant sa mort le 18 avril dernier, s'est avérée juste. Le Rafale A, dernier-né du savoir-faire militaire de la société Dassault, vole bien, très bien. Guy Mitaux-Maurouard, le pilote d'essai qui vient de réaliser le vol initial du Rafale, un démonstrateur de technologies, est satisfait du comportement de l'appareil. Ce véritable cocktail de techniques de pointe, capable de voler à Mach 2 et de se poser comme une plume en moins de 300 m, est doté de commandes électriques entièrement numérisées. Un quart de sa structure est composée de matériaux nouveaux, plus légers et plus résistants. Pour mieux encaisser les accélérations, le pilote occupe une position semi-allongée et dispose d'un affichage tête haute holographique. Ultime raffinement, le pilote peut dialoguer avec l'avion : il lui suffit d'interroger l'ordinateur de bord qui lui fournit à voix haute les renseignements requis.

L'EAP teste les nouvelles technologies

Grande-Bretagne, 8 août

« L'EAP est tout simplement le meilleur avion que j'ai jamais eu entre les mains. » Le pilote d'essai Pete Orme a été tellement impressionné par les performances de l'Experimental Aircraft Programme, nouvel appareil de recherche et de démonstration mis au point par British Aerospace, qu'il en a perdu son flegme britannique. Lors de son premier vol, l'EAP, construit pour tester les technologies destinées au futur avion de combat européen (ACE), a atteint Mach 1.1 à une altitude de 9 145 m. Propulsé par deux turboréacteurs Turbo-Union RB.199, les mêmes que ceux du Panavia Tornado, l'EAP s'avère très maniable, tant à haute qu'à faible vitesse, en raison de ses commandes par ordinateur et des ailes avant en moustaches de chaque côté du cockpit. L'EAP utilise massivement la fibre de carbone, notamment pour son aile delta.

Ils construisent leur avion eux-mêmes

Le Bourget, 30 juin

Ils étaient eux aussi présents au Salon du Bourget. Ils, ce sont ceux qui fabriquent, en amateurs, leurs propres avions. En ce domaine, les Français ne sont pas en reste : leur passion les place au deuxième rang mondial, loin cependant derrière les Américains. Fidèles à leur père spirituel, Henri Mignet, qui s'illustra aux commandes de son Pou du ciel, ils partent du principe que puisqu'ils savent clouer une planche d'emballage, ils peuvent construire un avion ! A partir de plans le plus souvent dessinés par un professionnel de l'aéronautique ou d'un modèle en kit, ils ont réalisé, sur une moyenne de deux à trois mille heures de travail, l'un des trois cents appareils prototypes recensés. De l'hydravion Sybille de Patrick Lendepergt à un certain Cri-cri imaginé par Michel Colomban, en passant par le monoplace de sport ou le quadriplace de voyage.

Pour freiner l'EAP, un grand aérofrein est situé en prolongement du cockpit.

Le premier Cri-Cri avait été équipé de deux moteurs de tronçonneuse.

Le 727 vole avec une hélice transsonique

Les deux hélices, montées à la périphérie des turbines, sont contrarotatives.

Californie, 31 octobre
La crise du pétrole n'est peut-être qu'un mauvais souvenir, mais cela n'empêche pas les constructeurs de moteurs d'avion de chercher à produire des réacteurs toujours moins gourmands. Depuis le 12 février dernier, General Electric mène une campagne d'essai du démonstrateur UDF (Unducted Fan), doté de deux hélices transsoniques à huit grandes pales non carénées, montées à la périphérie de deux turbines contrarotatives à cinq étages. Les premiers essais, réalisés sur un Boeing 727-100 à partir de la base d'Edwards, en Californie, sont plus qu'encourageants pour le motoriste américain. Il note un gain de consommation de 49 % par rapport à un réacteur classique. Le démonstrateur a parfaitement fonctionné jusqu'à Mach 0.84, à 12 000 mètres. De plus, les tests ont prouvé qu'un avion propulsé par des UDF ne sera pas plus bruyant qu'un appareil équipé de turboréacteurs à double flux modernes.

Piaggio innove encore avec l'Avanti

Un second prototype de l'Avanti doit sortir des ateliers de Finale Ligure.

Gênes, 23 septembre
Novateur, mais avec des risques calculés, l'Avanti du Génois Piaggio possède d'indéniables qualités. Ses innovations tiennent en deux points : la motorisation arrière avec hélices propulsives et le concept aérodynamique des trois surfaces portantes (plan avant fixe, ailes, stabilisateur arrière). Huit années et 150 millions de dollars ont été nécessaires pour réaliser ce court-moyen-courrier de la classe huit passagers, dont c'était aujourd'hui le premier vol. Conçu pour s'attaquer au marché des jets d'affaires, il n'en appartient pas moins, comme le Starship de Beechcraft, à la catégorie des biturbopropulseurs d'affaires apparus en pleine crise économique et pétrolière. En lui assurant une grande économie d'exploitation (grâce aux deux Pratt & Whitney de 800 ch) alliée à une vitesse de pointe élevée (730 km/h), Piaggio lui donne des chances raisonnables de réussir sur ce marché difficile.

L'Apache entre en service dans l'US Army

Fort Bragg, 1er octobre
Les *boys* ont meilleur moral. Si l'US Army se trouve engagée dans un conflit européen, les chars des forces adverses rencontreront en face d'eux un adversaire redoutable :

Il attaque hors de portée des chars.

l'Apache AH-64 de Hughes, dont la mise en service dans l'armée américaine a débuté. Plus gros et plus puissant que le Cobra utilisé au Viêt-nam, ce tueur de chars est extrêmement maniable, qualité indispensable à l'attaque des chars. Les pilotes effectueront un minimum de 140 heures de vol annuelles sur l'Apache, en plus de l'entraînement sur simulateur à système laser (le simulateur assure un entraînement de qualité à moindre coût, tout en reconstituant parfaitement les conditions des missions). La tactique de vol de l'Apache est particulière. Il combat en volant au ras du sol pour arriver par surprise sur le théâtre des opérations. Cela nécessite une coopération étroite avec les éclaireurs OH-58C Kiowa qui sont les « yeux » de l'Apache. L'entraînement des pilotes à ces tactiques de vol et aux tirs des différents missiles de l'Apache ont lieu à Fort Bragg, en Caroline du Nord.

Amélioré sans cesse depuis son premier vol en 1971, l'hélicoptère Lynx de Westland vient d'établir un nouveau record du monde de vitesse en atteignant sur une distance de 25 km la vitesse de 398 km/h.

Le tour du monde de Voyager restera un exploit

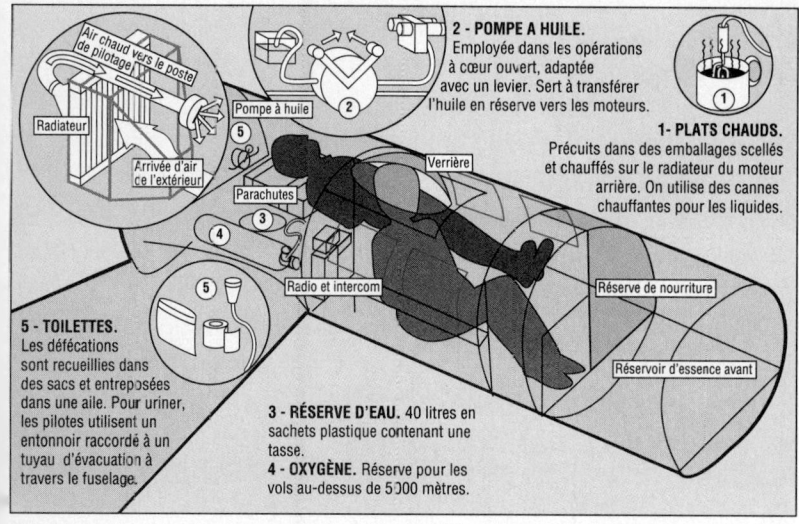

C'était une gymnastique incroyable pour se relayer aux commandes.

Edwards AFB, 23 décembre

« Et si c'était à refaire ? » « Il n'en est pas question, répond la jeune femme aux journalistes, puisque notre objectif était de réaliser une première. » C'est fait. Il était 8 h en Californie lorsque Jeana Jeager (43 ans) et Dick Rutan (46 ans) ont débarqué, épuisés, d'un curieux albatros à l'envergure de 727, sur la base d'Edwards. Ses ailes étaient endommagées. L'engin léger, en matériaux composites, a pour nom *Voyager*, et c'est le prototype mis au point par Burt, le frère de Rick, au bout de 22 000 heures de travail et après pas moins de 69 essais. A son bord, les deux Américains viennent de battre simultanément le record de distance, celui de distance en circuit fermé, et celui de temps de vol. Partis avec 5 500 litres de carburant répartis dans 17 réservoirs et avec 40 litres d'eau dans des sacs en plastique grands comme des tasses, ils ont suivi une route un peu plus au nord que celle de l'équateur pour accomplir leur tour du monde. Près de 41 000 km en 9 jours, à la vitesse moyenne de 150 km/h, sans escale et sans ravitaillement en vol. Ce vol est un exploit à plus d'un titre. Dans leur baignoire volante de 2 m³, les pilotes auront passé 216 heures en l'air, ne dormant que deux heures par jour et se relayant aux commandes toutes les cinq heures, dans un habitacle si incommode que le moindre mouvement pour détendre leurs muscles leur était interdit. Ils ont dû aussi affronter de très mauvaises conditions météo, surtout au-dessus de l'Afrique où les turbulences les ont obligés à voler à plus de 6 000 m et à porter des masques à oxygène. Sans parler du bruit insupportable et des insectes qui se collaient sur le bord d'attaque des ailes, en diminuant la finesse du profil, ce qui augmentait la consommation de carburant. Jusqu'au dernier moment, ils ont craint d'en manquer. Ils se trompaient et se sont même offert le luxe d'atterrir un jour plus tôt que prévu avec un peu de réserve.

Le tour du monde pour 20 800 dollars

Roissy-CdG, 2 décembre

Jules Verne offrit à son héros, Philéas Fogg, un tour du monde en 80 jours où l'aventure consistait à se jouer de la distance et du temps. L'idée est encore plus belle quand on se retrouve à bord du plus prestigieux des supersoniques à survoler la Terre si haut que plus aucun avion ne fréquente le ciel. Concorde vient d'achever à Roissy son premier tour du monde. Les commandants Michel Ferry et Gérard Legales ont entraîné leurs 94 passagers, à la vitesse moyenne de 1 500 km/h et avec une ponctualité proche de 100 %, dans un fantastique périple. Ils sont passés par New York, Oackland, Honolulu, Papeete, Sydney, Jakarta, Bangkok, Colombo, Bahreïn et retour à Paris. Ils ont mis 18 jours pour l'effectuer, chaque étape étant le prétexte à de fastueuses réjouissances, pour un temps de vol de 31 h et 51 min dont 17 h et 58 min en supersonique. Pour 20 800 dollars, soient 130 000 francs, ce billet extraordinaire comprenait une bonne part de rêve et un dépaysement que seul Concorde peut créer.

Trente-deux heures en Concorde.

Les touristes sont sauvés par hélicoptère

Porto Rico, 31 décembre

En quelques minutes, le Dupont-Plaza de San Juan s'est transformé en tour infernale. L'incendie d'origine criminelle s'est propagé à travers les 21 étages de l'hôtel de luxe, brûlant vives quarante personnes au moins, sur les huit cents, en majorité des Américains, qui s'apprêtaient à fêter la Saint-Sylvestre au bord de la mer des Caraïbes. C'est dans ces circonstances tragiques que les Dolphin HH-65A ont essuyé leur baptême du feu. Ces hélicoptères de fabrication française ont participé activement à l'évacuation des touristes restés bloqués dans leurs chambres. L'un d'entre eux a réussi à lui seul le sauvetage de 13 victimes. Ces appareils, qui tiennent en vol stationnaire, ont une particularité qui est aussi une innovation : leur rotor de queue est protégé par un carénage appelé fenestron. Haut de 2 m et d'un diamètre de 1,10 m, il est, tout comme la superdérive, entièrement en carbone moulé et offre une grande sécurité pour les sauveteurs autant que pour les gens accrochés au filin et que l'on remonte à bord.

L'hôtel est situé en bord de mer.

Le Fokker 100 se présente comme un F.28 Fellowship amélioré et au fuselage allongé.

Conçu par Scaled Composites Inc. de Bert Rutan, le Model 2000 Starship I est construit en série par Beech.

Le Canadair CL-601-3A Challenger est équipé d'une nouvelle verrière et de réacteurs plus puissants.

Le BAe ATP est un biturbopropulseur régional de technologie avancée, dérivé du BAe 748, mais avec un fuselage allongé de 4,75 m.

Le Boeing 767-3000 avec son fuselage légèrement allongé et renforcé peut recevoir 269 passagers en classe économique.

Le Piaggio Avanti, équipé de deux turbomoteurs propulsifs, est un avion d'affaires de 6 à 10 places développé conjointement avec Gates.

Le McDonnel Douglas MD-87 est une version à fuselage court pour 130 passagers, dont l'aérodynamique a été particulièrement soignée.

Le Mil Mi-34 Hermit, un quadri-place léger.

L'Aviolight P.86 Mosquito a été conçu par Partenavia.

Le PZL Orlik a été développé pour le remorquage de cibles, la reconnaissanc et l'appui tactique, mais aussi pour l'entraînement.

Version destinée à l'appui tactique, le Mc Donnell Douglas F-15E Eagle a commencé sa carrière sous le nom de Strike Eagle, abandonné depuis.

Le Rafale, chasseur de nouvelle génération conçu par Dassault, dont la carrière risque d'être contrariée par des problèmes budgétaires.

Le EAP a été construit en Grande-Bretagne comme avion de démonstration du futur Eurofighter anglo-germano-italo-espagnol.

Le Kamov Hormone, un hélicoptère pratiquement inconnu.

Le programme du IAI Lavi, chasseur israélien destiné à remplacer le F-16, a été abandonné pour des raisons financières.

Le BAe Hawk 200 est un dérivé du Hawk Trainer.

Le PZL I-22 Iryd est un biplace d'entraînement avancé, pouvant aussi servir à la reconnaissance et à l'attaque au sol, en remplacement du TS-11.

Le Valmet Redigo, un avion d'entraînement finlandais de qualité.

Le Cessna Caravan, polyvalent, robuste et fiable.

L'Astra Hawk a été modifié par le Cranfield Institute of Technology dans le cadre d'un programme de recherches expérimentales.

1987

 **7 297 km/h**
Etats-Unis
William Knight
North American X-15
3.10.67

 **40 245 km**
Etats-Unis
Jeana Jeager et Dick Rutan
Voyager
23.12.86

 **107 960 m**
Etats-Unis
Joseph Walker
North American X-15
22.8.63

 **405 000 kg**
URSS
Antonov
An-124 Condor

 **27 910 kgp**
Etats-Unis
General Electric
CF6-80 C2

Tchad, 7 janvier
En riposte au raid libyen du 4 janvier contre Arada, des Jaguar français du dispositif *Epervier* détruisent les installations radar de la base libyenne de Ouadi Doum. Ils sont escortés par des Mirage F1 et soutenus par un ravitailleur Boeing C-135F et un Breguet Atlantic d'écoute électronique.

Beyrouth, 8 janvier
L'aéroport international de Beyrouth est fermé au trafic, suite à un bombardement d'origine encore inconnue. Sur la piste d'atterrissage très endommagée, un Boeing 707 de la Middle East Airlines en cours d'entretien a été détruit, mais le terminal aérien a été épargné.

Suisse, 14 janvier
La Suisse choisit de remplacer ses Vampire par des British Aerospace Hawk, livrables d'ici à 1990.

France, 19 janvier
Difficultés pour la firme Dassault, qui a supprimé 833 emplois en 1986 et affiche un déficit de 2,4 milliards de francs.

Belfast, 20 janvier
Le premier exemplaire du Shorts Tucano fabriqué à Belfast sort d'usine.

Newark, 2 février
Dernier vol de la compagnie People Express, qui vient d'être absorbée par Continental Air.

Cameroun, 4 février
Michel Barouin, P-DG de la Fnac, trouve la mort dans un Lear Jet 55 qui s'écrase au nord de Douala.

Londres, 11 février
Les actions de British Airways privatisée sont cotées en Bourse.

Mont-de-Marsan, 19 février
Le premier avion de pénétration Mirage-2 000N est livré par l'usine Dassault-Breguet de Mérignac au centre d'expériences aériennes militaires. Il doit remplacer le Mirage-IIIE, puis le Jaguar, au sein des escadrons de la Force aérienne tactique (Fatac). (→30.3.88)

France, 26 février
Le ministère de la Défense commande à la Boeing Military Airplane trois avions de détection aéroportée Awacs, de type E-3 Sentry. (→ 10.10.90)

Varsovie, 9 mai
Avec deux moteurs en feu sur quatre, un Iliouchine Il-62 de la compagnie polonaise LOT, partant pour New York, s'écrase, peu après son décollage, aux environs de Varsovie. Il n'y a aucun survivant.

Liban, 1er juin
L'hélicoptère Puma transportant Rachid Karamé, Premier ministre démissionnaire du Liban, est éventré en plein vol par une bombe placée sous le siège.

Paris, 20 juin
Sous l'impulsion d'Air France, Iberia, Lufthansa et SAS signent un accord pour développer en commun un système informatique mondial de réservation et de distribution nommé *Amadeus*. (→15.5.89)

Le Bourget, 21 juin
Aux commandes du Lockheed 18 *Spirit of J and B*, sponsorisé par une célèbre marque de whisky, le pilote d'Air France Patrick Fourticq et le coureur automobile Henri Pescarolo ont fait le tour du monde en 88 h 91 min. Ils battent ainsi le record d'Howard Hughes établi en 1938 sur le même type d'avion.

France, 1er juillet
Air France introduit des écrans vidéo à bord de tous ses Airbus A-300 long-courriers. (→ 15.4.90)

Japon, 20 juillet
Le célèbre tableau de Vincent Van Gogh, *les Tournesols*, acheté par la compagnie d'assurance Yasuda Fire and Marine, arrive en parfait état à bord d'un avion cargo de la JAL.

Detroit, 16 août
Un de ses réacteurs en feu, un McDonnell Douglas MD-80 de la Northwest Airlines s'écrase peu après son décollage sur une autoroute, faisant 154 morts. Cette catastrophe relance le débat sur la sécurité aérienne mise en danger par la déréglementation qui pousse le trafic à saturation.

France, 21 août
Série noire pour l'aviation privée. Un Robin devant faire le tour du mont Blanc s'écrase en Haute-Savoie près de Saint-Jean-de-Tholomé, tuant le pilote et deux passagers. C'est le huitième accident d'avions de tourisme depuis le début du mois.

France, 1er septembre
Air France lance de nouveaux tarifs Jeunes sur l'Europe, inférieurs de 30 % aux vols Vacances. Ce tarif est réfusé par les autorités britanniques sur Paris-Londres.

Grande-Bretagne, 31 octobre
Les 2 000 pilotes de British Airways accueillent pour la première fois trois femmes dans leurs rangs.

Denver, 15 novembre
Pris dans une tempête de neige, un DC-9 de Continental Airlines se retourne sur le dos avant d'avoir décollé. L'accident fait 26 morts et 56 blessés. Certains passagers sont restés coincés six heures dans le fuselage disloqué, la tête en bas.

Japon, 18 novembre
La JAL devient une compagnie entièrement privée.

France, 23 novembre
Le préavis de grève déposé par deux organisations syndicales du personnel navigant d'Air Inter est jugé abusif par le tribunal de Bobigny. Leur revendication porte sur la présence d'un troisième pilote à bord de l'Airbus A-320.

France, 1er décembre
Après plus de trente ans de bons et loyaux services, le célèbre Max Holste 1521 Broussard est retiré des unités de l'armée de l'air.

Orléans, 7 décembre
Arrivée au sein de la flotte du Transport aérien militaire du premier Lockheed C-130H Hercules.

France, 9 décembre
Le projet Orlyval de Matra est retenu pour le métro automatique qui doit relier en 1991 le centre de Paris aux aérogares d'Orly. (→15.5.91)

France, 11 décembre
La compagnie charter Minerve me en service sur les Antilles son pre mier Boeing 747. (→ 12.10.90)

Villacoublay, 30 décembre
Arrivée du premier Super Puma destiné au groupe de liaisons aé riennes ministérielles.

L'arrivée de l'Airbus A-320 et de s nouvelle technologie signifie pour le services techniques et d'entretien a longs stages de formation.

Quelques chiffres...

Trafic passagers mondial (services réguliers) : 1,027 milliards
Trafic passagers sur l'Atlantique Nord (toutes lignes) : 24 millions
Trafic passagers à Paris : 37 millions
Trafic passagers à Londres : 48,7 millions
Trafic passagers à New York : 78,8 millions
Prix d'un billet Paris-Nice (avril) : 798 F
Prix d'un billet Paris - New York (juillet) : 4 120 F
Salaire moyen d'un commandant de bord long-courrier : 67 800 F
Salaire moyen d'une hôtesse : 10 900 F ; chef de cabine : 20 756 F
Prix d'un B-747 Combi : 100,7 millions de dollars
Prix d'un A-340 : 85,5 millions de dollars
Prix d'un A-320 : 31,2 millions de dollars
Prix de 1 000 litres de carburant Jet A1 (juillet) : 167,6 dollars
Taux de change du dollar (moyenne de juillet) : 6,1513 F

L'Airbus 320 est entièrement géré par ordinateur

Toulouse, 22 février

L'Airbus A-320 est un enfant de l'informatique à part entière. Sans elle, le dernier-né d'Airbus Industrie, qui vient d'effectuer son vol initial, n'aurait jamais vu le jour. L'A-320 est le premier avion au monde à avoir été conçu à 100 % en CAO (conception assistée par ordinateur) et réalisé à 80 % en FAO (fabrication assistée par ordinateur). Lorsqu'il entrera en service au printemps prochain, l'A-320 sera aussi le premier avion commercial à être équipé de commandes de vol exclusivement électriques (CDVE). Finis les lourds et encombrants systèmes de timonerie et de câblage. Avant même de sortir de l'usine, l'A-320 a appris les limites qu'il ne doit jamais dépasser. C'est un appareil qui ne devra voler ni trop vite ni trop lentement, et ne jamais décrocher. Une des caractéristiques principales de l'avion est

L'A-320 n'a pas de manche à balai.

Sur le fuselage du prototype, les insignes des compagnies qui l'ont commandé.

son cockpit, conçu pour un équipage à deux. Il comporte six écrans à tube cathodique couleur : deux devant chaque pilote pour les instruments de vol primaire et de navigation qui, ensemble, constituent l'Efis ou système électronique de vol et de navigation, et deux écrans pour le système de surveillance électronique de l'avion (Ecam).

Les deux manches de contrôle latéraux, reliés entre eux électroniquement, remplacent les traditionnels manches à balai situés en face des sièges des pilotes.

Sabena modernise sa flotte long-courrier

Bruxelles, 29 mars

Modernisation technique et rationalisation de la gestion vont de pair pour Sabena. La compagnie belge vient de mettre en exploitation son 3e Airbus, un A-310-300. Il va assurer dans un premier temps la desserte des trois nouvelles destinations africaines de Cotonou, Lomé et Niamey, et certains vols à très forte densité vers Londres. Choisi pour des raisons techniques, rayon d'action de 8 520 km, capacité de carburant et poids au décollage supérieurs à ceux des A-310-200 déjà

détenus par la compagnie, il pourrait même être prochainement mis en exploitation vers New York. Une étude est prévue à ce sujet. Par ailleurs, Sabena inaugure sa nouvelle destination canadienne en proposant trois fois par semaine un vol de Bruxelles vers Toronto. La liaison se fait en DC-10 combi. La modernisation de la flotte long-courrier devrait toucher dans les mois qui viennent les DC-10. On parle beaucoup de la commande d'un Boeing 747-300 et aussi de l'Airbus A-340-300.

Le Gripen fête le 50e anniversaire de Saab

Linköping, 26 avril

Un jour à marquer d'une pierre blanche pour Saab : la firme suédoise fête à la fois son jubilé et la sortie d'usine du premier prototype d'un nouveau chasseur, le Gripen. Cinquante ans après sa création, elle confirme ainsi la place de choix qu'elle occupe parmi les constructeurs aéronautiques internationaux. Le Gripen, dont une maquette grandeur réelle avait été présentée au ministre de la Défense le 11 février 1986, fait partie de ces avions multirôles capables d'effectuer des mis-

sions d'interception, d'attaque ou de reconnaissance, et que Saab construit pour la force aérienne suédoise. Conçu pour remplacer le Viggen, cet avion ultrasophistiqué bénéficie de commandes de vol électriques, d'un radar multimode Doppler capable de fonctionner en environnement de guerre électronique et d'une voilure en fibres de carbone et à surface canard pour une meilleure maniabilité. Il ne revient surtout qu'à 60 % du prix du Viggen. Son premier vol est prévu pour décembre 1988.

Deux des Airbus de la Sabena en entretien dans les ateliers de Zaventem.

Saab poursuit son programme de constructions aéronautiques militaires.

Paris-Pékin, course de 16 000 kilomètres

Le Cessna 310R « Manpower » de Jean-Claude de Lassée et Delio Iglesias.

Nice-Côte d'Azur, 2ᵉ aéroport français

La chambre de commerce et d'indusrie a financé 80 % des travaux.

Pékin, 6 mars

Il est 22 heures et le froid est glacial : - 15 °C. Pourtant, l'accueil des concurrents du premier raid Paris-Pékin-Paris aura égalé celui des temps héroïques de l'aviation : quelque cinq cents badauds, emmitouflées dans de longs manteaux verts, ont pris d'assaut les avions, manifestant leur enthousiasme, demandant des autographes et obligeant les pilotes à stopper en catastrophe les hélices des moteurs. C'était la troisième étape de ce raid. Elle menait les 17 avions engagés de

Dacca, au Bangladesh, à Pékin et confirme, pour la première partie de la course, la victoire de Raymond Michel et de son Wassmer 421. Mais, si tous les équipages sont arrivés sains et saufs, les émotions n'ont pas manqué : givrage des ailes dans les vents sibériens glacés, dérive d'un équipage vers la Mongolie, sans oublier une traversée de nuit de la mer de Chine digne du Paris-Alger de nuit et sans balise ! Cinq étapes attendent maintenant les concurrents : Hong Kong, Singapour, Bombay, Amman et Rome.

Nice, 22 mai

Pour célébrer l'inauguration de la nouvelle aérogare de Nice, la délégation régionale avait eu l'idée d'affréter un Concorde depuis Paris et de ne vendre les billets qu'à des clients réguliers sur la ligne. Le résultat ne s'est pas fait attendre : tous les sièges ont été vendus pour les vols aller et retour. Avec une fréquentation annuelle qui a dépassé l'année dernière les deux millions de passagers, la construction de cette nouvelle aérogare était devenue une nécessité absolue. Réser-

vée, dans un premier temps, au seul trafic Paris-Nice, elle recevra ultérieurement l'ensemble du trafic intérieur. L'aérogare 1 conservera seule le trafic international. Avec ses deux longues pistes dont une a été gagnée sur la mer, Nice, deuxième aéroport français après Paris, est reliée à 78 métropoles et à plus de 40 pays. En 1986, elle a accueilli 4,4 millions de passagers. Mais les responsables locaux tablent pour l'horizon 2 000 sur une fréquentation de huit à dix millions de voyageurs.

Il pilote le Mirage avec sa voix

Bretigny-sur-Orge, 31 mars

Les pilotes parlent aux avions. A bord du chasseur Mirage III, qui vient de décoller de Brétigny-sur-Orge, une petite boîte noire pas plus grande qu'une boîte à chaussures. Conçu par la société Crouzet, cet instrument permet au pilote, malgré le bruit de la cabine, de gérer toutes les fonctions simples de l'avion en les demandant oralement à l'ordinateur. Ces commandes vocales ne sont pas un simple gadget. Ce sera un système précieux pour les pilotes militaires : lors d'un combat sans merci, il suffira de demander à l'avion d'armer un missile ou de savoir s'il reste assez de carburant, cela sans quitter le ciel des yeux. Bientôt, tous les avions pourront répondre à la voix de leur maître.

Mathias Rust se pose sur la place Rouge

Moscou, 29 mai

L'exploit risque d'être mal pris. Le domaine aérien soviétique vient d'être violé sur mille kilomètres sans qu'aucun système de surveillance n'ait déclenché d'alerte. L'auteur de cette performance s'appelle Mathias Rust, il a 19 ans. Parti de Hambourg il y a trois semaines pour un circuit dans le nord de l'Eu-

rope, il vient de se poser sans encombre sur la place Rouge, devant les yeux incrédules de la police moscovite. Son appareil, un Cessna Skyhawk 172B de 160 ch, a été très vite entouré d'une foule curieuse. L'Allemand de l'Ouest, quant à lui, a été emmené pour être interrogé après avoir eu le temps de signer quelques autographes.

S'il a voulu réaliser un exploit dont le monde entier parle, il a réussi.

Les aiguilleurs font 100 jours de grève

France, 31 juillet

Commencée le 21 avril, la grève des contrôleurs de la circulation aérienne s'achève. Pendant cent jours, des arrêts de travail quotidiens, entre 6 h 30 et 9 h, ont été observés, perturbant considérablement le trafic. Les aiguilleurs voulaient avant tout obtenir la reconnaissance de leurs responsabilités et de leurs qualifications professionnelles et rester membres de la fonction publique. Après 21 réunions entre représentants de l'administration et du personnel, les grévistes ont enfin obtenu gain de cause. Ils ne sortiront pas de la fonction publique et ils se sont vu accorder la création de 40 nouveaux postes de contrôleurs. Enfin, un nouvel échelon dans le système d'ancienneté sera mis en place.

La Chine expose pour la première fois au Salon du Bourget

A 10 ans il traverse les Etats-Unis

Le Y-12 est un avion entièrement conçu en Chine et propulsé par des PT6A.

La Chine a ses propres missiles.

Son instructeur n'est pas intervenu.

Le Bourget, 11 juin
Elle ne présente que quatre de ses réalisations, mais, pour la première fois, la République populaire de Chine figure parmi les pays exposant au Salon du Bourget. Surprenant ? Oui et non car, depuis cinq ans, sa politique en matière d'aéronautique bouge tous azimuts : achat d'appareils neufs aux constructeurs étrangers, extension du réseau aérien intérieur et augmentation du nombre des aéroports. Ici, au Salon, les visiteurs verront, outre un petit avion sans pilote, le RPV D4-RD, deux appareils de combat et un bimoteur de transport. Celui-ci, le Y-12, a été sorti en douze exemplaires des chaînes de la société de construction d'avions située à Harbin. Il peut transporter 17 passagers ou du fret, et a l'avantage de décoller sur 600 ou 700 mètres de piste. Côté militaire, le A-5M est un supersonique conçu en collaboration avec Aeritalia, construit en 600 exemplaires et destiné pour partie à l'exportation. Il est armé de missiles, de bombes de 250 kg et de deux canons de 23 mm. Le FT-7, un monomoteur biplace équivalent du MiG-21 soviétique, sert, quant à lui, à l'entraînement.

Fort Lauderdale, 23 juillet
A l'âge où d'autres jouent encore avec des maquettes d'avions, le petit Christopher Marshall, dix ans, a traversé les Etats-Unis aux commandes d'un Piper Warrior monomoteur. Parti de sa ville natale Oceano, il a atterri, sans l'aide de l'instructeur qui l'accompagnait, à Fort Lauderdale. Il a fait un vol de cinq jours avec escales.

Les passagers capturent le pirate de l'air

Genève, 24 juillet
Le pirate de l'air libanais, Hussein Ali Mohamed Hariri, a été maîtrisé par ses propres otages. Le terroriste avait détourné un DC-10 d'Air Afrique qui assure la liaison Brazzaville-Paris *via* Rome. Sur l'aéroport de Genève où s'était posé le DC-10 transportant 163 passagers, le pirate de l'air a isolé les 64 Français et a abattu l'un d'eux, Xavier Beaulieu. C'est alors que l'un des passagers a actionné le mécanisme de verrouillage de la porte arrière. Dans la confusion générale, Hariri a été désarmé.

Air Charter International a 130 escales

France, 1er mai
De nouvelles destinations à des prix toujours plus compétitifs : Air Charter propose cette année cent trente escales, dont trois nouvelles en Grèce et une en Yougoslavie. De nouvelles lignes vont être ouvertes au départ de Lyon, Marseille, Strasbourg, Mulhouse et Lille, ce qui élève à trente-cinq le nombre des villes de la métropole desservies par Air Charter. Cette politique de développement, associée à la campagne publicitaire qui est menée depuis le printemps, devrait permettre à cette filiale d'Air France et d'Air Inter d'atteindre cette année une fréquentation de 1 800 000 passagers et 62 310 heures de vol. La fidélisation de la clientèle par des prix attractifs est une étape indispensable.

Nouvel uniforme pour les femmes pilotes

Paris, 1er août
Ligne haut de gamme pour le nouvel uniforme des officiers pilotes de ligne féminins d'Air France. Blousons d'été et d'hiver en popeline de laine marine, chemisiers d'hiver et d'été blancs, jupe portefeuille et manteau forment la base de cette nouvelle collection qui allie confort et élégance. Dessinée par le jeune couturier hollandais Robert Nelissen, elle a été créée pour les dix jeunes femmes navigantes techniques des moyen et long-courriers de la compagnie. Plusieurs astuces en font une garde-robe pratique : doublures amovibles, soufflets d'aisance n'entravant pas la gestuelle du pilotage. Cet uniforme est porté depuis le 1er mars.

Elles sont 10 officiers pilotes de ligne.

Air Charter a mis l'Airbus, plus économique que le 727, en exploitation.

London City Airport est au centre ville

A 15 minutes du centre en taxi, s'il n'y a vraiment pas de circulation...

Londres, 5 novembre

Nouveau visage pour les anciens docks de Londres : cette zone d'entrepôts abandonnés à 10 km du centre de la ville est maintenant le nouvel aéroport d'affaires. Il pourrait devenir véritablement l'aéroport de Londres tant il offre des avantages par rapport à Heathrow et Gatwick : pas d'engorgement, donc pas d'attente ni de retard, desserte facilitée vers le centre de Londres (15 min en taxi, 30 min par vedette fluviale sur la Tamise). Inauguré par le prince Charles, cet aéroport privé a hélas un handicap, celui de n'être accessible qu'à des avions Adac : la piste utilisable fait 762 m de long. Air France et la Brymon Airways le relient quotidiennement à Paris en Dash 7, à 46 places affaires.

La garde-robe des hôtesses d'Air France

Air France compte à ce jour 2 567 hôtesses navigantes.

France, 30 décembre

Air France a choisi pour le trousseau de ses hôtesses de prestigieux noms de la haute couture. Les passagers ont découvert peu à peu les dernières nouveautés de la nouvelle collection : manteau Nina Ricci et tailleur hiver Carven, tous deux de coloris marine. La garde-robe de demi-saison par Carven et d'été par Louis Feraud est portée depuis le 9 juin. Ce renouvellement des uniformes, qui dataient de 1978, correspond à la volonté d'Air France d'apporter sur ses lignes une touche d'élégance française, tout en tenant compte des impératifs d'entretien et de confort retenus par les hôtesses. Contrairement aux lignes américaines où les hôtesses achètent leur garde-robe, Air France se charge d'habiller ses hôtesses.

Le 737 est l'avion le plus vendu au monde

Seattle, 1er août

On a sablé le champagne aujourd'hui chez Boeing. Le constructeur de Seattle a de quoi se réjouir : le Boeing 737, toutes versions confondues, détient désormais le titre de champion du monde toutes catégories des ventes de courriers à réaction, avec un total de 1 869 appareils commandés. Le 737, dont le premier exemplaire est entré en service chez Lufthansa en février 1968, détrône ainsi son cousin, le Boeing 727, dont 1 831 exemplaires ont été vendus avant l'arrêt de la production en août 1984.

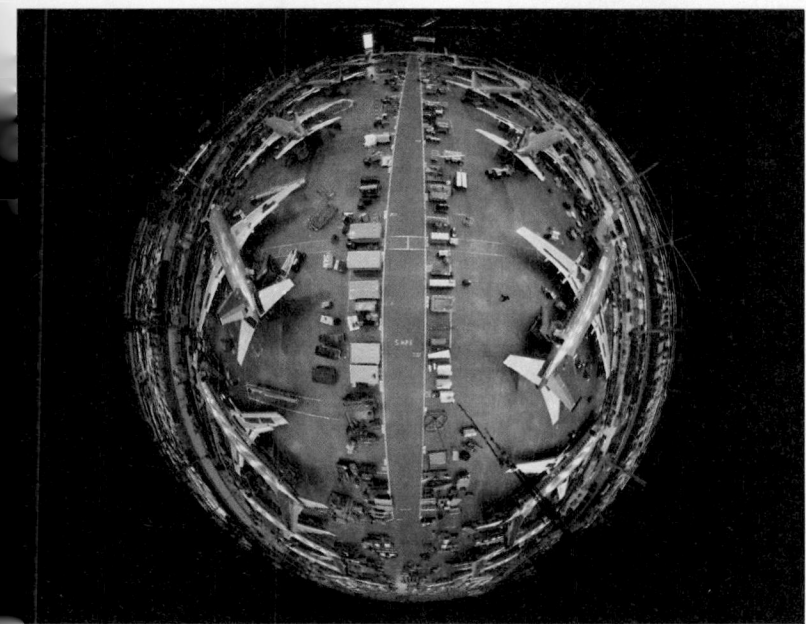

Pour satisfaire le programme, cet atelier produit chaque jour un Boeing 737.

Les voyages Prado, à Marseille, ont organisé un tour du monde en Concorde. L'appareil se prépare à se poser à l'île de Pâques.

Le court-moyen-courrier Airbus A320 est équipé de commandes de vol numériques avec manches latéraux et utilise de nombreux éléments en composite.

L'Airbus A300-600R est une version long-courrier améliorée du A300-600 équipée d'un réservoir d'équilibrage à l'arrière.

Le McDonnel Douglas MD-88 est équipé d'un système d'instrumentation électronique et de gestion de vol. Il accueille 142 passagers.

Un BAe 748 modifié par MacAvia pour la lutte contre l'incendie largue sa charge de retardants. Les pompiers volants ont boudé cet appareil.

Le Dash Eight est le dernier modèle produit par de Havilland Canada avant que la firme ne soit absorbée par Boeing.

Le fuselage allongé du BAe 146-300 a permis d'installer 100 sièges en rangées de cinq et d'améliorer le confort des passagers.

Ce McDonnell Douglas MD-80 a servi de banc d'essais au propfan ou réacteur à très haut taux de dilution.

Le Boeing Model 360, prototype d'un hélicoptère de haute technologie comparable au CH-46, a été lancé sur les fonds du constructeur.

Le premier Egrett expérimental a été suivi par des versions de présérie plus avancées technologiquement.

Avec la version F-14A (Plus), le Grumman Tomcat dispose enfin d'un propulseur fiable qui était jusqu'alors son talon d'Achille.

Le Promavia Jet Squalus a été conçu pour la formation des pilotes de A à Z et se pose en concurrent du T-46.

La version de pénétration de nuit du AV-8B Harrier II dispose d'un système à infrarouge compatible avec le casque de visualisation du pilote.

Une version du Beechcraft 400 a été développée selon le programme TTBTS de l'USAF pour l'entraînement des équipages d'avions-citernes.

Le programme Phantom 2000 (Kurnas) d'IAI est une remise à niveau avec diverses améliorations apportées à la structure et au système hydraulique.

Le Grumman A-6F Intruder II est une version avancée du A-6E, avec une nouvelle avionique, un habitacle révisé et des réacteurs F404 sans PC.

Le Boeing E-6A est conçu pour remplacer les EC-130Q comme relais entre les silos de missiles nucléaires et les postes de commandement.

Le Sikorsky SH-60F est un hélicoptère spécialisé de lutte anti-sous-marine approchée destiné à remplacer le SH-3H Sea King.

Le EH-101 anglo-italien est un hélicoptère de lutte anti-sous-marine destiné aux marines britanniques et italiennes.

1988

7 297 km/h
Etats-Unis
William Knight
North American X-15
3.10.67

40 245 km
Etats-Unis
Jeana Jeager et Dick Rutan
Voyager
23.12.86

107 960 m
Etats-Unis
Joseph Walker
North American X-15
22.8.63

405 000 kg
URSS
Antonov
An-124 Condor

27 910 kgp
Etats-Unis
General Electric
CF6-80 C2

Paris, 26 janvier
Le Dassault-Breguet Rafale est choisi pour équiper l'armée de l'air et l'aéronavale. (→ 16.7.91)

Seattle, 30 janvier
Performance pour le Boeing 747SP *Friendship One*, qui a fait le tour du monde en 36 h 54 min 54 s, avec deux escales à Athènes et T'ai-pei.

France, 6 mars
Tanguy et Laverdure, version 1988, sont de retour sur TF1. L'armée de l'air est coproductrice. La première série des *Chevaliers du ciel* a été exportée vers 47 pays.

Paris, 9 mars
Organisé par l'agence Kuoni, pour 120 000 francs par passager, le tour du monde en Concorde s'est déroulé avec une ponctualité suisse. Partis le 20 février, le commandant de bord Edouard Chemel et son copilote Pierre Grange sont de retour après 31 h 45 min de vol, soit 40 min seulement de plus que le temps initialement prévu.

Kurdistan, 18 mars
Téhéran dénonce l'usage d'arme chimique par l'aviation irakienne au Kurdistan. Les Mirage irakiens, munis de bombes à fragmentation renfermant du cyanide et de l'ypérite, ont bombardé les villages kurdes, faisant des milliers de morts.

Roissy-CdG, 28 mars
Pour son arrivée à Air France, l'Airbus A-320 effectue un vol de 30 min au départ de Roissy, marqué par une remontée des Champs-Elysées à 500 m d'altitude, avec à son bord le Premier ministre Jacques Chirac. Il doit entrer en service commercial le 18 avril sur la ligne Paris-Düsseldorf-Berlin.

Luxeuil, 30 mars
L'escadre de chasse Dauphiné est la première formation à recevoir le Mirage 2 000N.

Wichita, 4 avril
La Gates Lear Jet Corporation devient la Lear Jet Corporation. Elle regroupe ses activités à Wichita.

Salon-de-Provence, 18 avril
Pour la première fois en 35 ans, la Patrouille de France a un parrain, en la personne d'Alain Delon.

Alger, 20 avril
Les otages restant du Boeing 747 koweïtien détourné le 5 avril sur Larnaca par un commando du Jihad islamique sont libérés.

Roissy-CdG, 20 avril
Aéroports de Paris et la SNCF signent un accord pour construire pour 1994 une gare TGV sous l'aérogare de Roissy.

Hawaii, 28 avril
En plein vol, une explosion décapite le fuselage d'un Boeing 737-200 d'Aloha Airlines, éjectant un passager de son siège et faisant 61 blessés. Le pilote réussit néanmoins à atterrir sur l'aéroport de Maui.

France, 15 mai
Air France et Air Inter lancent un nouveau tarif entre Paris et la Corse. L'aller et retour coûtera 750 francs, soit 60 % de moins que la classe économique.

France, 24 juin
Dernier vol opérationnel du Mirage IIIC après 30 ans de service.

Golfe Persique, 3 juillet
Près du détroit d'Ormuz, le croiseur *USS Vincennes* abat un Airbus A-300 iranien avec 290 passagers.

Le Bourget, 13 juillet
Parti le 8 de San Diego aux commandes d'un Mooney, Chris Marschall, 11 ans, a renouvelé l'exploit de Lindbergh.

Farnborough, 11 septembre
Durant le Salon de Farnborough, Tony Powell, responsable des ventes chez British Airways, a vendu 450 maquettes du Concorde aux couleurs de la compagnie.

France, 14 septembre
Michel Asseline, le pilote de l'Airbus A-320 qui s'est écrasé près d'Habsheim le 26 juin, est licencié. D'après l'étude des boîtes noires, l'avion volait trop bas.

France, 15 septembre
Air France crée avec la Poste et le groupe TAT la Société pour le développement du fret express international. La Sodexi offrira deux produits, Chronopost pour les envois de moins de 3 kg, Mach Plus au-delà.

Etats-Unis, 4 octobre
SAS acquiert 10 % du capital de la compagnie américaine Texas Air.

Pennsylvanie, 12 octobre
Les passagers d'un ATR-42, de Bar Harbor Airlines, ont pu voir tous les détails du Boeing présidentiel *Air Force One*, volant à moins de 300 m. Dans le jargon aéronautique, cela s'appelle un *close call*.

Saint-Cyr-l'Ecole, 13 octobre
Le Baron noir est arrêté à son atterrissage par la police de l'air. Albert Maitret, 53 ans, est accusé d'avoir survolé illégalement Paris cet été avec un monomoteur blanc.

Grande-Bretagne, 20 octobre
Décès de l'aviatrice Sheila Scott.

Chine, 21 octobre
La firme Grumman signe un contrat avec la Chine pour développer en commun le chasseur Super 7, version avancée du F-7, déjà extrapôlé du MiG-21. C'est le premier véritable programme de coopération entre la Chine et l'Occident.

Londres, 26 octobre
Un Boeing 747 de British Airways arrive de Tokyo avec une seule passagère. Suite à un retard technique au départ, tous les autres passagers se sont reportés sur d'autres vols.

Toulouse, 27 octobre
Vol initial de l'avion de transport régional ATR 72, d'une capacité de 64 à 74 passagers. C'est le premier avion de transport civil au monde équipé en série d'une extrémité de voilure en fibre de carbone.

France, 2 décembre
Dans le cadre de l'opération *Téléthon*, un C-160 d'Orléans et une Caravelle du Cotam, équipés en studio TV avec une antenne satellite, effectuent un tour d'Europe.

Japon, 14 décembre
La Japan Air Lines annonce l'installation d'écrans vidéo personnels en première classe et classe affaires sur ses futurs Boeing 747-400.

Ecosse, 28 décembre
L'analyse des débris du Boeing 747 qui s'est écrasé le 21 décembre sur Lockerbie révèle qu'une bombe a été placée dans la soute, avec les bagages.

Quelques chiffres...

Trafic passagers mondial (services réguliers) : 1,079 milliards
Trafic passagers sur l'Atlantique Nord (toutes lignes) : 26,2 millions
Trafic passagers à Paris : 40,8 millions
Trafic passagers à Londres : 60 millions
Trafic passagers à New York : 77,8 millions
Prix d'un billet Paris-Nice (avril) : 798 F
Prix d'un billet Paris - New York (juillet) : 4 340 F
Salaire moyen d'un commandant de bord long-courrier : 70 250 F
Salaire moyen d'une hôtesse : 10 390 F ; chef de cabine : 21 270 F
Prix d'un B-747 Combi : 103,6 millions de dollars
Prix d'un A-340 : 94,3 millions de dollars
Prix d'un ATR 42 : 14,5 millions de dollars
Prix de 1 000 litres de carburant Jet A1 (juillet) : 162,2 dollars
Taux de change du dollar (moyenne de juillet) : 6,2152 F

Le public découvre l'avion secret, le F-117A de Lockheed appelé Furtif. Il aurait volé en juin 1981 et serait en opération depuis octobre 1983.

Federal Express livre un million de colis par jour dans cent pays

La flotte des avions de Federal Express va du Cessna Caravan, dont elle a des centaines d'exemplaires, au DC-10.

Memphis, 1er avril
Quinze ans exactement après sa création, le nom de la société Federal Express est si connu que les Américains en ont fait un verbe, *fedexer*. A l'époque de son premier jour d'activité, la compagnie, basée à Memphis, dans le Tennessee, n'avait transporté que dix-huit colis. Maintenant, elle en livre plus

d'un million par jour dans cent pays, grâce à sa flotte de plus de 380 appareils, dont notamment 20 Boeing 747, 124 Boeing 727 et 26 Douglas DC-10. Cette flotte, plus importante que celles de la plupart des compagnies aériennes, ne vole que la nuit afin de ne pas encombrer des aéroports déjà surchargés. La firme, en plein essor,

promet à ses clients qu'un colis, dont le poids est limité à 33 kg, ou une lettre, sera livré n'importe où dans le pays avant le lendemain midi au plus tard. Jerry Wolfe, chef pilote et directeur des opérations, est l'un des premiers à avoir eu l'idée de créer une firme capable de concurrencer les services postaux américains. Le pari est gagné.

British Caledonian a été absorbée

Londres, 24 mai
British Airways tient à devenir la première compagnie aérienne d'Europe. Le transporteur britannique vient de faire un grand pas vers cet objectif en rachetant la compagnie British Caledonian, en dépit d'une forte concurrence de SAS. L'opération a coûté cher mais va rapporter gros à British Airways. Elle a payé 2,46 milliards de francs pour British Caledonian, mais prévoit des revenus annuels supplémentaires de 4 milliards de francs. British Airways dispose désormais d'une flotte de plus de 200 avions, dont des Airbus A320 et des DC-10-30, capables de transporter 23 millions de passagers par an vers 166 destinations dans 81 pays. La fusion des deux compagnies offre un autre avantage : British Airways va pouvoir accéder au nouveau terminal de l'aéroport de Gatwick. Le seul inconvénient est que British Caledonian utilise des réacteurs General Electric pour ses DC-10-30 et ses Boeing 747, tandis que les gros-porteurs de British Airways sont propulsés par des moteurs Rolls-Royce et Pratt & Whitney.

Le vol Nancy-Paris s'écrase près d'Orly

Seine-et-Marne, 4 mars
A 7 h 37 ce matin, l'EDF enregistre en Seine-et-Marne, dans les environs de Machault, une coupure de ligne à haute tension. Au même moment, le Fairchild-227 du vol TAT Nancy-Paris disparaît sur les écrans des radars de contrôle d'Orly. A son bord se trouvaient vingt-quatre passagers et membres d'équipage. L'avion, dont plusieurs personnes ont entendu les moteurs lancés à plein régime, a littéralement explosé au sol. Des débris sont enterrés à plus de quatre mètres. Le vol, parti une heure plus tôt, s'était jusque-là déroulé sans histoire, aucune anomalie ou difficulté technique n'ayant été signalée par l'équipage. Ce qui ne fait pas de doute, c'est que les conditions météorologiques étaient particulièrement mauvaises à l'altitude de 2 000 mètres, où le givrage était donné pour très important.

Le Boeing 747-400 décolle à la masse de 404 806 kg

Seattle, 29 avril
C'est un poids lourd, ce qui ne l'a pas empêché de décoller magnifiquement, pour son premier vol d'essai. Le 747-400, dernier-né de chez Boeing, a été testé sur le terrain de Paine Field à Everett, au nord de Seattle, là où la firme construit tous ses 747. Celui-ci a pour principale caractéristique d'être le premier avion de transport civil au

monde à dépasser une masse de 400 tonnes : 404,806 tonnes exactement. Cependant, l'utilisation de matériaux composites a permis de l'alléger. Ce super Jumbo, qui peut atteindre 2 000 m en moins de 5 minutes, a un rayon d'action de 13 150 km, alors que le vétéran de la gamme ne parcourait que 8 520 km. Il consomme 25 % de carburant de moins que son ancêtre, et

son poste de pilotage, équipé de systèmes digitaux, ne comporte que 365 voyants alors que ses prédécesseurs en étaient pourvus de 991. L'appareil est équipé d'une voilure allongée dont les extrémités sont redressées. Ce sont les winglets qui diminuent les effets de tourbillons en bout d'aile. Ils réduisent la traînée et diminuent la consommation. (→18.8.89)

Les quatre avions, qui font les essais, sont équipés de réacteurs Pratt & Whitney, General Electric ou Rolls-Royce.

Le drame d'Habsheim fait quatre victimes

Le TBM 700, un monoturbine de Socata

De telles démonstrations avec un avion de ligne sont dangereuses.

Avec le TBM 700, la Socata s'engage sur le marché des avions d'affaires.

Habsheim, 26 juin
Une immense tranchée jonchée de débris calcinés coupe la forêt du Hardt et un empennage se dresse, intact, à 200 m d'une route. C'est ce qu'il reste du *Ville d'Amsterdam*, un Airbus A-320 tout neuf de la filiale d'Air France, Air Charter International. Parti de Roissy avec 130 passagers pour un vol au-dessus du mont Blanc, le biréacteur avait modifié sa route pour participer au meeting aérien de Mulhouse-Habsheim et effectuer deux démonstrations à basse altitude. A 12 h 41, il décolle de Bâle-Mul-

house. Quatre minutes plus tard, il est au-dessus du terrain d'Habsheim, train et volets sortis à 30 m du sol, mais, au moment où il remonte, il heurte les arbres en bout de piste et plonge dans le bois, l'aile droite brisée et les réservoirs éventrés. Il s'embrase aussitôt. Les sauveteurs retireront quatre corps et trente blessés graves. Le pilote, Michel Asseline, chef du département instruction sur A-320, et son copilote, Pierre Mazières, responsable du secteur technique A-320, sont indemnes. Il semble qu'il y ait eu une improvisation grave. (→ 14.9)

Tarbes, 14 juillet
Un sérieux concurrent va bientôt arriver sur le marché des avions d'affaires : le TBM 700, qui vient d'entamer ses vols d'essai à Tarbes. Cet appareil a été mis au point conjointement par la Socata, une filiale de l'Aérospatiale dirigée par Pierre Gautier, et par la firme Mooney Aircraft, basée au Texas. Depuis 1984, cette dernière est passée sous contrôle du groupe français Euralair, basé au Bourget et présidé par Alexandre Couvelaire. Deux chaînes d'assemblage, l'une à Toulouse et l'autre au Texas, vont produire

ce monoturbopropulseur pressurisé d'une capacité de six à huit places. Denis Legrand, directeur technique de la Socata, est satisfait du comportement du TBM 700 : sa turbine Pratt & Whitney PT6A développant 700 ch lui donne une vitesse de 555 km/h à 25 000 pieds. Il a un rayon d'action de 2 130 km et peut embarquer six personnes à bord. Il sera exploitable avec un seul pilote. Le marché est estimé, à un prix de vente de 1,095 million de dollars, à environ 600 exemplaires. Les premières livraisons sont prévues dès la fin 1989.

Les Français, grands maîtres de la voltige

Un mini hélicoptère pour l'entraînement

Red Deer, Alberta, 11 août
L'équipe de France a triomphé lors du quatorzième championnat du monde de voltige aérienne, organisé au Canada. Les pilotes, entraînés par Jean Eyquem, ont remporté neuf médailles, dont quatre en or. Première place en libre intégral pour Patrick Paris, pour Claude Bessière en libre, et première marche du podium dans cette même

épreuve pour Catherine Maunoury qui décroche aussi la victoire au classement général. L'hôtesse chef de cabine à Air France a enchaîné sur son TR-260 Sirius boucles inversées et tonneaux à facettes. En dix ans de compétition, elle a acquis le titre de Maîtresse de la troisième dimension. Exploit d'autant plus méritoire qu'il lui a fallu, comme toujours, vaincre sa peur.

Etats-Unis, 14 juin
Il est la référence en matière d'entraînement : plus de 60 000 aviateurs de l'US Army ont appris à piloter sur ce petit hélicoptère. Léger, d'une très grande stabilité et extrêmement sensible aux commandes, le 300C de Hughes est l'appareil idéal pour la formation de base des jeunes pilotes. Le large éventail d'options qu'il propose lui réserve

d'autres rôles. Il peut être utilisé pour la surveillance ou les patrouilles aériennes, l'épandage agricole et le transport privé d'affaires. A ses qualités de vol s'ajoutent celles d'un confort étudié pour séduire les hommes d'affaires : douceur de l'atterrissage, confort des sièges, niveau de bruit très bas. La firme Schweizer a obtenu depuis 1983 la licence de ce mini hélicoptère de 3 places.

Catherine Maunoury est mère de deux garçons et chef de cabine à Air France.

Le 300C a un moteur à pistons. Sa consommation est de 45 litres à l'heure.

Collision dans le cœur percé à Ramstein

Les deux avions se transforment en boules de feu qui foncent vers le sol.

Allemagne fédérale, 28 août
Il est 15 h 35 quand la patrouille italienne acrobatique Frecce Tricolori entame la figure dite du cœur percé. Les 10 Aermacchi remontent pleins gaz à la verticale, puis éclatent en trois groupes. Ils doivent théoriquement revenir se croiser à grande vitesse et basse altitude au-dessus de la piste, après avoir effectué chacun un tonneau. Mais il n'en sera pas ainsi. L'avion solo, piloté par Ivo Nutarelli, un lieutenant-colonel de 38 ans, revient trop tôt et trop bas. Malgré tous ses efforts, il heurte la dérive et l'aile gauche de l'avion leader qui arrive sur sa droite et, l'avant de son fuselage détruit, s'écrase sur la foule en se pulvérisant. Une enquête va être ouverte pour déterminer les responsabilités. Il s'agit là du quatrième accident mortel subi par la formation italienne depuis 1978.

Air France et Lufthansa créent Euroberlin

Depuis 1946, Pan Am, British Airways et Air France volaient vers Berlin.

Berlin-Ouest, 7 novembre
En attendant Cologne, Stuttgart et Munich, Francfort est la première ville desservie au départ de Berlin-Ouest par Euroberlin France. Cette nouvelle filiale d'Air France a été fondée voici deux mois avec la participation financière de la Lufthansa. Deux cents vols hebdomadaires sont assurés par des Boeing 737-300 affrétés à la compagnie britannique Monarch avec ses équipages techniques. Ils sont équipés en version biclasse : une classe affaires de 30 sièges et une classe économique de 96 sièges. Cette compagnie a été créée pour contrer les Etats-Unis dans leur expansion en Europe, à la veille de 1992. Air France est donc actionnaire majoritaire avec 51 % des parts, Lufthansa en possédant 49 %. Le premier des objectifs d'Euroberlin est de devenir la compagnie préférée des Berlinois.

Une cigarette coûte 3 000 dollars

Etats-Unis, 10 juin
Les fumeurs ne feront pas la loi dans le ciel. Le tribunal de l'Etat de Washington a fait payer très cher à Derryl Seigel son envie soudaine d'aller savourer une cigarette dans les toilettes du jet qui le menait en 90 minutes de Seattle à Reno. Cette première infraction lui a coûté 1 000 dollars. La seconde, qui vaut 2 000 dollars cette fois, est pour le fumeur clandestin qui n'avait pas hésité à mettre hors service le détecteur de fumée pour ne pas devoir jeter son mégot trop vite. Il y a deux mois, la Northwest Airlines était la première compagnie américaine à interdire de fumer sur ses vols intérieurs de moins de deux heures. Elle a appliqué également cette mesure sur les trajets vers le Mexique, le Canada, la Jamaïque et les îles Cayman. 89 % des passagers lui donnent raison. Ils disent être incommodés par l'odeur du tabac.

Le F-15 Eagle, un adversaire redoutable

St. Louis, 7 septembre
Un premier résultat pour le programme de recherches Adac entrepris par McDonnell Douglas : le F-15S/MTD, version modifiée du biplace F-15 Eagle, vient d'être lancé en vol. Conçu pour opérer dans des conditions extrêmes (pistes d'envol de 15 m de large, 305 m de long, décollages par tous les temps et sans assistance au sol), il a été équipé de tuyères arrières orientables : en vol de croisière, le jet de gaz est émis en ligne droite, mais au décollage, son inclinaison au sol permet de diminuer la distance de décollage. Inverseurs déployés, elles servent au freinage. Ce programme, intitulé S/MTD pour Stol (équivalent d'Adac) Maneuver Technology Demonstration est financé par l'US Air Force.

Le F-15 a reçu deux petites ailes à l'avant et des tuyères orientables.

La glace cède sous les roues de l'avion

Arctique, 30 septembre
Les skis ont effleuré la surface gelée, le monomoteur file en glissant et le pilote freine sa course. Mais le train a raclé quelque chose, un bruit d'explosion et le nez plonge ; il fait noir dans la cabine, l'avion s'enfonce. La glace a cédé. Impossible de sortir. Enfin, la porte s'entrouvre, l'eau gicle, le pilote et sa coéquipière s'extraient et avancent dans l'eau glacée jusqu'à des cabanes sur la rive. Dans le campement, des vivres et surtout, enfoui dans la neige, un fût d'essence. Nus près du feu, ils attendront une nuit et un jour qu'un Indien les repère. Le pilote du Grand Nord, Dominique Prinet, et son épouse avaient quitté la station de Yellowknife à bord d'un Cessna, avec pour mission de rouvrir pour l'hiver le camp du petit lac, près du grand lac des Esclaves. Ce camp qui, par -30 °C, leur a servi de refuge providentiel.

Le chasseur furtif est enfin dévoilé par l'USAF

Washington, 10 novembre

L'US Air Force a enfin levé un coin de voile sur son avion le plus secret. Pour la première fois, une photo de l'avion d'attaque furtif Lockheed F-117A Nighthawk, délibérément surexposée et déformée par le recours à un grand-angle, a été publiée. On y voit un avion étonnant, taillé comme un diamant. Il évoque la science fiction, avec sa couleur noirâtre et sa forme étrange. Pas le moindre arrondi, toutes ses lignes se terminent par des angles, jusqu'aux bordures du cockpit, réalisées en petites lignes brisées pour casser les rayons du faisceau radar. Le F-117A éparpille ainsi les ondes dans tous les sens au lieu de les renvoyer vers l'émetteur comme le fait un avion normal. Le recours aux matériaux composites, à base de carbone, de silice et de résines, lui permet d'être non-conducteur électrique. Sa structure revêtue d'un

Pour encore réduire la signature thermique du F-117A, de l'air froid peut être introduit dans la sortie des tuyères.

matériau à base de résines, absorbe une partie des ondes électromagnétiques. L'avion, qui coûte 650 millions de francs, est presque invisible aux détecteurs infrarouges : son re-

vêtement absorbe un maximum de calories et ses réacteurs General Electric F404-400 sans postcombustion ne dégagent qu'une très faible signature thermique. Selon le

Pentagone, 52 F-117A sont déjà opérationnels au sein du 4450e Tactical Group basé à Tonopah, dans le Nevada. Le secret étant levé, ils pourront désormais voler le jour...

Les routes du ciel sont embouteillées

Europe, décembre

Attention, bouchons ! Au train où vont les choses, l'espace aérien sera bientôt saturé et les cieux d'Europe ressembleront à ceux d'Amérique. Un seul exemple pour l'année qui s'achève : selon les statistiques de l'Association of European Airlines et au cours des seuls ponts de l'Ascension et de la Pentecôte, les avions ont en moyenne décollé avec six ou sept heures de retard quand leur vol n'a pas été annulé, et certains passagers ont même été forcés de passer la nuit dans leur appareil immobilisé au sol. En Grande-Bretagne, où le trafic est le plus chargé, les jets se frôlent parfois à dix mètres à peine et les catastrophes évitées de justesse ne se comptent plus. En France, le nombre des mouvements de vol par an a presque doublé en dix ans et dépasse actuellement 1,6 million. Pour l'ensemble de l'Europe, la progression est de 13 % en 1988. Le ciel, déjà encombré par les gros-porteurs, se voit en plus sillonné par les avions d'affaires qui pullulent à toute heure et par les avions militaires qui, au dire des compagnies, ont tendance à le coloniser un peu trop.

Un Boeing 747 de la Pan Am s'écrase sur un village d'Ecosse

Lockerbie, 22 décembre

Le vol 103 de la Pan Am qui effectuait la liaison Paris - New York s'est écrasé sur un village de deux mille habitants, Lockerbie, près de Dumfries, dans le sud-ouest de l'Ecosse. Il n'y a aucun survivant parmi les deux cent quarante-quatre personnes à bord du Boeing 747, dont quinze membres d'équipage. L'appareil de la compagnie américaine avait décollé de l'aéro-

port d'Heathrow à 19 h 25. Moins d'une heure plus tard, à 20 h 19, il a percuté une route et a poursuivi sa course sur près d'un kilomètre pour finalement exploser. Ses réservoirs contenaient encore 110 t de kérosène, qui se sont répandues dans le village. De nombreuses maisons ont été incendiées. Puis ce fut au tour d'une station-service de prendre feu. Le village est en ruine et personne ne peut encore

dire le nombre exact de victimes parmi les habitants de Lockerbie. On ignore les causes de l'accident. Le Boeing 747 a disparu des écrans radar alors qu'il se trouvait à plus de 10 000 m d'altitude. Si une défaillance technique est toujours possible, l'hypothèse d'un attentat n'est pas écartée. Certains évoquent l'âge de l'avion. Le Jumbo, qui assurait ce vol, était le 15e exemplaire construit ; il avait 19 ans. (→ 28)

La partie avant du fuselage était à cinq kilomètres des autres débris.

Les habitants sont en état de choc.

L'ATR 72 est une version allongée de l'ATR 42 de base, pouvant accueillir entre 66 et 74 passagers selon la configuration.

L'Iliouchine Il-96-300, surnommé l'Airbus russe, est un développement de l'Il-86 dont il se distingue par ses dérives auxiliaires en bout d'aile.

Le fuselage du Boeing 737-400 a été rallongé par l'insertion de deux sections et peut accueillir 170 passagers. Il bénéficie aussi d'autres améliorations.

Le LET 610 a été conçu pour des transports courts de l'ordre de 400 à 600 km selon les critères de navigabilité soviétiques.

La navette spatiale soviétique Buran a réalisé son premier vol sans pilote, entièrement téléguidée du sol.

Le Boeing 757-200M convertible a gardé les hublots et les portes d'embarquement, mais a reçu une trappe de chargement pour le frêt.

L'Extra 300 est une version biplace de l'Extra 230, un appareil de voltige aérienne.

Le TBM 700 a été développé conjointement par Socata et Mooney comme avion d'affaires pressurisé pour 6 à 8 passagers.

Le MBB Bo 108 est équipé d'un rotor principal sans rotule et d'un nouveau rotor anticouple qui le différencient du Bo 105.

Dernière version du Jumbo Jet, le Boeing 747-400 est équipé d'ailes allongées avec dérives auxiliaires et d'un poste de pilotage pour deux hommes.

Le Hawk britannique a été adopté par l'US Navy sous la dénomination T-45. Il est construit par McDonnell Douglas.

Le Chichester Miles Leopard, un avion d'affaires bon marché.

Le FFV Aerotech BA-14 Startling, biplace léger polyvalent.

Le LoPresti Piper Swift Fire, version à turbomoteur du Globe Swift.

Le Teledyne Ryan 410, développé pour les missions d'endurance.

Le Saab Gripen, dont le développement a été retardé par l'accident de son prototype, devrait remplacer le Viggen des forces aériennes suédoises.

L'Antonov An-225 Mriya est un dérivé du An-124 Ruslan équipé d'un fuselage allongé, de deux autres réacteurs et d'une double dérive.

Le prototype du BAe 146 STA, avion de transport tactique militaire à porte de chargement latérale, est un développement du Quiet Trader civil.

Le Sikorsky HH-60H, version de l'US Navy du Skyhawk spécialisée dans l'appui aux forces spéciales et les missions de sauvetage.

Les Sea Harrier FRS Mk 1 de la Royal Navy sont remis à niveau aux standards du Mk 2 avec un nouveau radar permettant le tir de missiles air-mer.

Le Tornado ECR, version de reconnaissance et de suppression des défenses, sans canon mais pouvant emporter des missiles antiradar.

1989

 **7 297 km/h**
Etats-Unis
William Knight
North American X-15
3.10.67

 **40 245 km**
Etats-Unis
Jeana Jeager et Dick Rutan
Voyager
23.12.86

 **107 960 m**
Etats-Unis
Joseph Walker
North American X-15
22.8.63

 **600 000 kg**
URSS
Antonov
An-225 Mriya

 **27 910 kgp**
Etats-Unis
General Electric
CF6-80 C2

Libye, 4 janvier
Deux chasseurs F-14 de l'US Navy abattent deux MiG-23 libyens près de Tobrouk. Les Américains plaident la légitime défense.

Leicester, 8 janvier
Un Boeing 737 de British Midlands Airways, reliant Londres à Belfast, s'écrase le long de l'autoroute M1.

Washington, 24 janvier
Les pilotes de l'US Air Force sont à nouveau autorisés à afficher des photos de machos dans la carlingue de leurs appareils. Ce qui provoque un tollé général parmi les organisations féministes du pays.

Açores, 8 février
Un Boeing 707 explose en heurtant la colline du Pico Alto. Il était en service depuis 21 ans et avait subi déjà sept réparations.

Hong Kong, 20 février
Arrivant à bord d'un Concorde d'Air France depuis Mombasa, *via* Madras, le maréchal Mobutu embarque sur son Boeing 707 vers Tokyo pour assister à l'enterrement de l'empereur Hirohito. (→ 1.9.90)

Hawaii, 24 février
Un Boeing 747 d'United Airlines perd une partie de son fuselage avant au-dessus d'Hawaii. Onze passagers voyageant en classe affaires sont aspirés dans le vide.

Athènes, 28 février
Douze passagers trop corpulents sont priés de descendre de l'avion surchargé d'Olympic Airways.

Roissy-CdG, 26 mars
Ouverture du nouveau terminal 2D de l'aérogare 2 de Roissy.

Paris, 26 mars
Air France lance à titre expérimental un vol fumeur sur les destinations Genève, Londres et Milan.

Chicago, 31 mars
Midway Airlines a installé au dos des sièges de 31 de ses appareils un combiné téléphonique utilisable en vol avec une carte de crédit.

Sydney, 12 avril
Arrivée d'un Concorde de British Airways en provenance de Christburg, en Nouvelle-Zélande. Il a perdu une partie de son empennage au cours du vol. A Mach 1.8, le pilote a entendu un léger bruit, mais en l'absence de signal d'alarme il a poursuivi le vol sans en tenir compte.

Washington, 18 avril
Un Concorde d'Air France apporte de Paris la plaque de bronze de la Déclaration des droits de l'homme et du citoyen prêtée par la France au Smithsonian Institution Museum.

Paris, 24 avril
Heli Union met en service l'hélicoptère Sikorsky S-76 AF Gift, destiné aux hommes d'affaires.

Dallas, 15 mai
American Airlines est connectée au système de réservation informatisé Amadeus, qui regroupe à ce jour 19 compagnies dans le monde.

Japon, 17 mai
Les lettres JAL sont l'élément central du nouveau logo de la compagnie nipponne, qui de Japan Air Lines devient Japan Airlines. Le *tsuru* est conservé sur l'empennage de queue de ses appareils.

Washington, 21 mai
Le Pentagone décide la construction d'un énorme dirigeable. Doté de puissants radars, il sera chargé de surveiller les mouvements des trafiquants de drogue en Amérique du Sud.

Paris, 22 mai
Air France signe un contrat d'achat de douze Boeing 737-500, livrables à partir de 1991. Ils seront dotés de réacteurs CFM 56-3, voisins de ceux équipant les Airbus A-320.

France, 31 mai
La réservation des places sur les vols d'Air France est accessible sur Minitel 24 heures sur 24.

France, 1er juin
Yves Roland-Billecart, nouveau P-DG d'Air Afrique, a prévu un plan de restructuration drastique pour sauver la compagnie.

France, 29 juin
Un oiseau happé par le moteur était à l'origine de l'accident du MiG-29 Fulcrum au Bourget, le 8 juin.

Belgique, 4 juillet
Un MiG-23, sans personne aux commandes, s'écrase près de Courtrai, tuant un jeune homme de 18 ans. Suite à un problème technique, son pilote s'est éjecté au-dessus de la Pologne. L'avion a continué sa route au-dessus des deux Allemagnes, puis il a été escorté par deux F-15 américains. Ils n'avaient ordre de l'abattre que s'il menaçait de s'écraser sur une ville.

France, 12 juillet
Air France se régionalise. Elle acquiert 35 % du capital de TAT.

Paris, 17 juillet
Succès de l'opération *Propylée* assurée par l'armée de l'air, chargée de la protection aérienne de Paris durant le sommet des chefs d'Etat.

Calais, 25 juillet
Pour le 80e anniversaire de la traversée de la Manche par Louis Blériot, son petit-fils voulait renouveler cet exploit sur le même avion. Il a déclaré forfait. La jeune Anglaise le remplaçant fait un amerrissage forcé à 9 km des côtes britanniques.

Moscou, 22 août
Décès du constructeur Alexandre Yakovlev, à l'âge de 83 ans.

Brésil, 3 septembre
A cours de carburant, un Boeing 737 de la Varig, reliant Sao Paulo à Belem, atterrit en catastrophe en pleine forêt amazonienne. Il y a 41 survivants sur les 53 passagers. Occupé à suivre la transmission radio d'un match de football, l'équipage avait mis le pilote automatique. Mais, suite à une avarie technique, l'avion a dévié de 180° par rapport à la route prévue.

Israël, 11 octobre
Malgré la défense anti-aérienne, un MiG-23 syrien a atterri en Israël, à cause d'une panne.

Paris, 16 novembre
Nouvelles Frontières, qui a renoncé à s'allier avec le Club Med, décide de s'associer, sous l'égide de la GMF au groupe A (Aquarius, Go Voyages, Fnac, Air Liberté).

Lyon-Satolas, 23 novembre
Un Airbus A-310-300 à long rayon d'action d'Air France inaugure la ligne directe Lyon - New York.

Quelques chiffres...

Trafic passagers mondial (services réguliers) : 1,117 milliards
Trafic passagers sur l'Atlantique Nord (toutes lignes) : 28,3 millions
Trafic passagers à Paris : 44,9 millions
Trafic passagers à Londres : 62,8 millions
Trafic passagers à New York : 74,4 millions
Prix d'un billet Paris-Nice (avril) : 798 F
Prix d'un billet Paris - New York (avril) : 4 150 F
Salaire moyen d'un commandant de bord long-courrier : 72 500 F
Salaire moyen d'une hôtesse : 10 780 F ; chef de cabine : 21 950 F
Prix d'un B-747 400 : 118,4 millions de dollars
Prix d'un A-310 : 65,2 millions de dollars
Prix d'un A-320 : 38,9 millions de dollars
Prix de 1 000 litres de carburant Jet A1 (juillet) : 168,9 dollars
Taux de change du dollar (moyenne de juillet) : 6,4237 F

Le nouveau bombardier de l'US Air Force est construit par Northrop. Le B-2 a une envergure de 52 mètres et il emporte 22,7 tonnes d'armement.

844

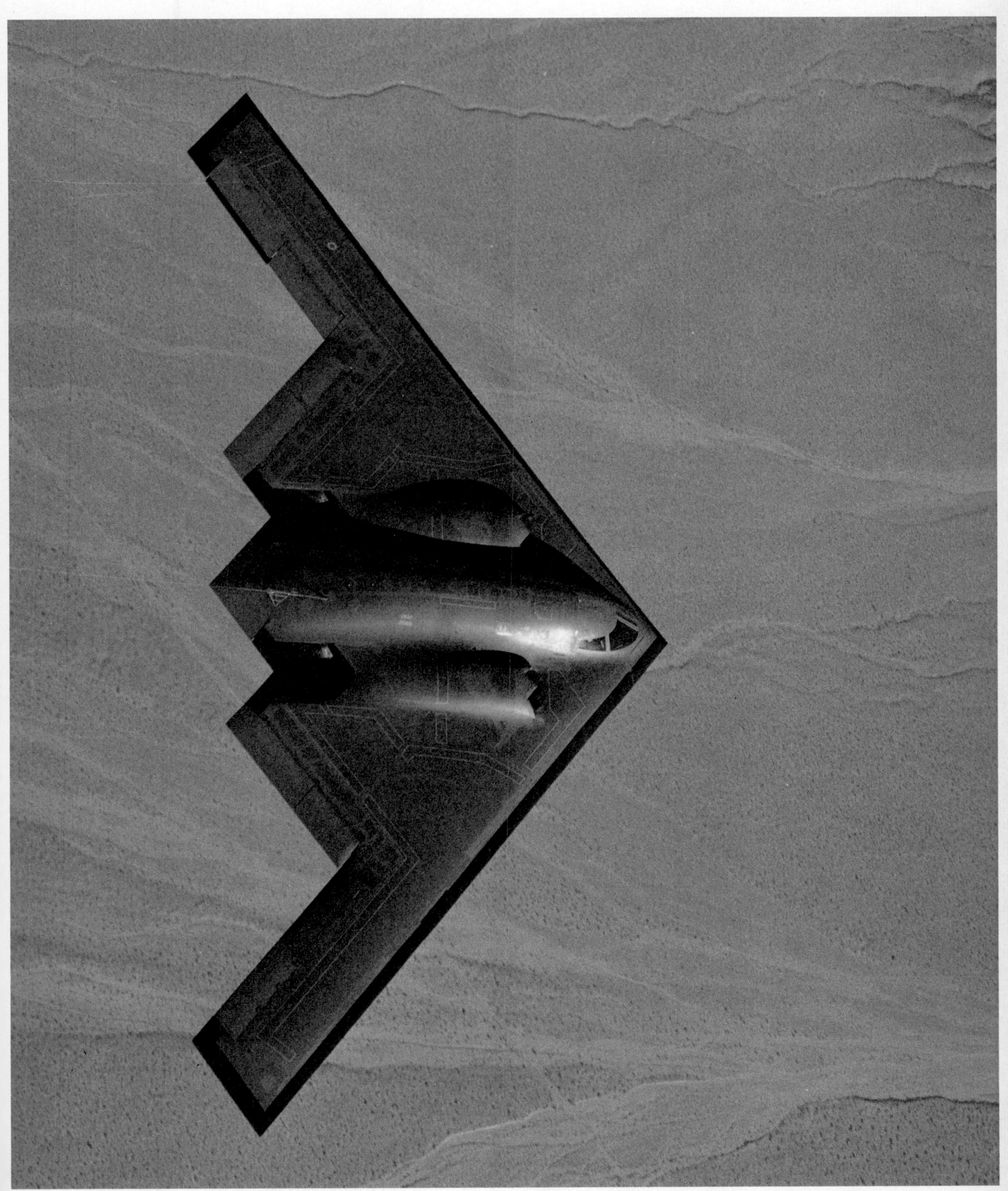

Réduction du bruit autour des aéroports

Le choix des réacteurs par le constructeur détermine le niveau de bruit.

Paris, 1er janvier

Les règles concernant le bruit des appareils civils sont devenues de plus en plus contraignantes mais, à ce jour, près de 60 % des avions dans le monde ne répondent pas aux plus récentes réglementations. Les autorités aéronautiques ont défini trois niveaux de bruit. Le premier est applicable aux avions qui sont incapables de répondre aux exigences des anciens règlements (Boeing 707, DC-8, VC-10 etc). Le niveau 2 est l'étiquette donnée aux avions qui répondent aux premières spécifications, mais pas à celles émises en 1977 (Boeing 727 et 737, DC-9, BAC 1-11, Fokker F-28, etc). Seuls des avions comme l'Airbus A-300, A-310, DC-10, Boeing 747, 757, 767 et Lockheed L-1011 répondent aux spécifications les plus récentes (niveau 3). En Europe et aux Etats-Unis, le retrait des avions de niveau 1 est presque accompli. Ce n'est donc que lorsque les appareils du niveau 2 auront été remplacés ou modernisés que diminueront réellement les nuisances sonores autour des aéroports.

L'hiver est la bête noire des compagnies

Dans le cas du dégivrage, l'avion passe sous le portique avant de décoller.

Paris, 3 février

De mémoire de navigant, jamais brouillard n'avait perturbé autant le trafic aérien. Ce caprice, somme toute banal, de la météo a entraîné l'annulation de deux cents vols pour cette seule journée, justifiant l'adage selon lequel une petite cause peut avoir de grands effets. Avions empêchés de partir ou déroutés vers un autre aéroport pour l'atterrissage, un ciel d'hiver peut tout bouleverser du jour au lendemain. La brume, la neige et le verglas obligent les compagnies à prendre quantité de mesures, tant pour la sécurité que pour limiter les pertes financières quand tout se paralyse. Tapis bagages, tracteurs et élévateurs sont entreposés dans des abris et la prise de service des manutentionnaires est avancée le matin pour leur permettre de réchauffer le matériel. Les dégivreuses sont révisées dès l'été et, lorsque surviennent les intempéries, tous les avions passent en file sous le jet puissant des dégivrants : 17 000 litres cette saison à Orly où il faut par ailleurs 30 minutes pour dégager une piste.

Le Su-27 a une voix féminine enregistrée

Le Bourget, 1er juillet

Les avions soviétiques auront été la révélation du Salon. Le chasseur d'appui tactique Sukoï-27, avec deux versions présentées, un monoplace et un biplace d'entraînement, a impressionné. Parmi ses figures inédites, celle baptisée Cobra : évoluant à 450 km/h, il est brusquement stoppé dans son vol horizontal, quand le pilote, tirant à fond sur le manche, le cabre, offrant toute la surface de son ventre au freinage, avant de le faire repartir en basculant en avant. Surprenant aussi ce biréacteur, au chapitre des innovations. Il dispose notamment d'un système de désignation des cibles intégré au casque du pilote qui, d'un simple mouvement de tête vers elles, fait foncer son avion dessus. Et, plus insolite dans un appareil de combat, une douce voix féminine lui signale les pannes...

L'An-225 porte 250 tonnes sur son toit

Le Bourget, 7 juin

Avec *Bourane* sur son dos, *Mrya* a fait sensation. Et les Soviétiques ont ravi la vedette aux autres exposants du Salon. *Bourane* est une navette spatiale qui pèse 250 tonnes et *Mrya* (le rêve) est le nouvel Antonov, modèle An-225. C'est aussi à ce jour le plus gros avion du monde. Fait significatif en URSS, il est sorti de son hangar en présence de milliers de spectateurs. Le vol inaugural a eu lieu à Kiev le 21 décembre dernier et la presse occidentale en a été aussitôt informée. Pourvu de six réacteurs, sa caractéristique tient à son énorme empennage (bidérive) qui lui permet de transporter sur le dos de son fuselage des charges très lourdes, amarrées par des ferrures d'accrochage bien visibles. Sa vitesse de croisière est de 850 km/h sur une distance de 4 500 km .

Les démonstrations du Sukoï Su-27 au Bourget ont été très remarquées.

L'empennage bidérive de l'Ant-225 fait place à des charges volumineuses.

Le pilote s'éjecte à 119 mètres du sol

Le Bourget, 8 juin
Seul le sang-froid du pilote Anatoli Kvotchour a permis d'éviter que le premier jour du Salon du Bourget ne soit marqué par un drame. Tout avait bien commencé pour Kvotchour et son MiG-29 Fulcrum-A, dont la foule avait admiré les manœuvres à basse altitude. Puis, alors qu'il poussait les gaz à fond après un passage à haute incidence, son réacteur tribord s'est éteint. Le pilote, craignant que son avion tombe sur le public, ne s'est éjecté qu'au dernier moment, 2,1 secondes avant l'impact, alors que le MiG était à 119 m du sol.

A 120 mètres d'altitude, le pilote du MiG-29 s'éjecte horizontalement...

Toujours en piqué droit, l'avion s'écrase au sol...

Il explose immédiatement à quelques mètres des stands du Salon.

Le bombardier furtif de l'US Air Force est une aile volante

Pour l'atterrissage, les volets qui se trouvent en bouts d'aile se dédoublent vers le haut et le bas pour freiner l'avion.

Californie, 17 juillet
Son fuselage dépourvu d'empennage est à peine plus long que celui d'un F-15 Eagle alors que son envergure est aussi importante que celle d'un B-52 Stratofortress. Contrairement à son cousin, le chasseur furtif F-117A, les formes du futur bombardier stratégique furtif, le B-2 de Northrop dont l'USAF a commandé 132 exemplaires, sont tout en rondeurs. A 500 millions de dollars, le B-2 coûte vingt fois plus cher qu'un F-15. Il a décollé pour la première fois du terrain de Palmdale à 6 h 37 pour un vol d'essai de deux heures au-dessus du désert californien. La mission de cette aile volante, capable d'emporter 22,7 t d'armement, dont des bombes nucléaires, est la pénétration à haute altitude (15 000 m) et à basse altitude. Propulsé par quatre réacteurs General Electric F118-100, le B-2, d'un rayon d'action bien supérieur au B-52, fait largement appel aux matériaux composites.

La force aérienne belge recrute

Bruxelles, 1er août
Cinq cents pilotes servent dans l'armée de l'air belge. Mais qui prendra la relève et comment l'assurer ? Car le problème est bien là, en Belgique comme dans d'autres pays d'ailleurs, qu'ils soient ou non placés sous le contrôle de l'Otan : les effectifs de pilotes militaires diminuent. Selon le lieutenant-général Aleksander Moriau, chef d'état-major de la force aérienne belge, il se pose en termes de recrutement et de fidélisation. Les besoins de son pays sont de 30 à 33 pilotes pour 1990 et de 21 pour 1991. Or, la promotion qui vient d'être incorporée ne compte que 21 candidats déclarés aptes après tests. Et sur les 650 jeunes qui se présentent chaque année, à peine 30 sortiront de l'école de pilotage de Gossoncourt, leur diplôme en poche. A cela s'ajoute le fait que ceux en activité veulent une révision de leur statut et de leurs primes. Pour les satisfaire, l'effort à consentir est de l'ordre de 105 millions de francs belges (18 millions de francs français).

Londres-Sydney sans escale pour Qantas

Sydney, 18 août
A 5 h 23 min, heure de Londres, le *Spirit of Australia* de Qantas se pose à Sydney. Il a parcouru 17 840 km en 20 h 10 min, remportant ainsi le record de la plus grande distance parcourue par un quadriréacteur. Hier, à 9 h 13 du matin, ce Boeing 747-400 quittait, avec 23 personnes à son bord, l'aéroport d'Heathrow. Son objectif : réaliser le premier vol direct Europe-Australie, les liaisons actuelles exigeant plus de 24 heures. Bien qu'il ait, semble-t-il, bénéficié de vents favorables, ce vol record n'en préfigure pas moins ce que seront les grands vols commerciaux de demain.

Les quatre commandants de Qantas vont quitter Heathrow avec le 747-400.

Le V-22 Osprey démontre sa docilité

L'indicateur d'angle d'attaque donne l'information la plus précieuse à bord.

Etats-Unis, 14 septembre

Mis au point conjointement par Bell et Boeing Vertol, le V-22 Osprey est à la fois un avion et un hélicoptère. Cet étrange appareil, dont le Pentagone souhaite acquérir plus de 1 200 exemplaires (552 pour les Marines, 350 pour la Navy, 231 pour l'armée et 80 pour l'USAF), est en fait un appareil à rotors basculants. Au bout de chaque aile se trouve une turbine Allison T56, identique à celles des C-130 Hercules. Capables de basculer de l'horizontal à la verticale, ces moteurs propulsent d'énormes hélices d'un diamètre de 11,6 mètres. Cela permet à l'Osprey de décoller à la verticale, puis, une fois que le pilote a fait basculer les nacelles des moteurs, d'avancer horizontalement comme un avion à une vitesse maximale de 500 km/h. Une autre caractéristique de cet appareil, dont le prix sera de seize millions de dollars est l'usage massif de matériaux composites. Son fuselage ne comporte que 450 kg de métaux divers, ce qui lui permet de flotter en cas d'amerrissage forcé. (→11.1.90)

Il pilote 12 avions différents dans le mois

Istres, 1er août

Il s'appelle Pierre Grange, mais on le connaît à la base sous le nom d'Azur 114, son indicatif de stagiaire pilote. Officier pilote de ligne sur Concorde, il est le premier copilote d'Air France à suivre une formation de pilote d'essai. Celle-ci a été mise au point conjointement par Air France et par le Centre d'essai en vol (CEV) dont l'une des trois bases se trouve à Istres. Elle doit permettre aux pilotes de ligne de participer au développement des programmes civils pour les années à venir. Dix mois de cours intensifs et des vols à un rythme soutenu, pour se mettre dans la peau des avions. Mystère 20, Alpha Jet, Mirage III B, Cessna 411, Airbus A-320, Mirage 2 000, Speed Canard, Canadair et même une Caravelle, ce sont douze appareils qui vont passer dans les mains du pilote. Pour ses vols sur Mirage il était assisté de Georges Magnier et du mécanicien Didier Kientz. Grange sera affecté à Brétigny.

Grange, Kientz et, à droite, Magnier.

Un DC-10 de l'UTA a explosé en plein vol

Le commandant Raveneau n'avait signalé aucune anomalie pendant le vol.

Ténéré, 20 septembre

L'information a été donnée hier au journal de 20 heures : «pas de nouvelles du vol UT 772». Le DC-10 avait décollé de N'Djamena à 12 h 13 GMT. Derniers contacts 12 h 35. Elle vient d'être hélas confirmée par la découverte des débris de l'appareil dans les sables du désert du Ténéré, près du massif nigérian de Termit. Le commandant de bord, Georges Raveneau, n'a pas adressé de message radio. L'avion d'UTA, qui assurait la ligne Brazzaville-N'Djamena-Paris, a été pulvérisé en plein vol. Parmi les 171 passagers, pour la plupart de nationalité française et parmi lesquelles figuraient les 15 membres d'équipage, il n'y a aucun survivant. La cause de cette catastrophe serait criminelle : les enquêteurs n'ont pas encore procédé à l'analyse des deux boîtes noires, mais, selon toute vraisemblance, une bombe a été placée dans la soute à bagages avant. L'attentat n'a pas été revendiqué. La piste qui mène aux terroristes chiites n'est, semble-t-il, pas à exclure.

Un satellite signale un cyclone aux avions

Miami, 15 septembre

La Guadeloupe est dans l'œil du cyclone, mais le cyclone est, lui, dans l'œil du satellite. Grâce à ce super radar, le centre météo de Miami suit de très près l'évolution d'Hugo qui, à 20 h, a attaqué l'île par le nord-est. Avec sa très faible pression de 923 millibars, il est le plus puissant jamais enregistré depuis 1928. Minute par minute, chacun de ses mouvements et chaque changement dans sa direction ou dans sa forme sont détectés et l'information aussitôt communiquée, notamment aux pilotes dans les parages. Ils savent alors s'il leur faut ou non se dérouter et si l'aéroport d'atterrissage n'a pas été détruit. Mais si ce phénomène passe désormais sous le contrôle du satellite, les méthodes pour l'étudier physiquement restent les mêmes : décollant par exemple de Paramaribo, au Surinam, des avions pénétrent à l'intérieur de la dépression en formation et s'y déplacent pour effectuer leurs relevés.

Il culmine à plus de 39 000 pieds.

Le sol bonjour, AF 001 prêt pour la mise en route

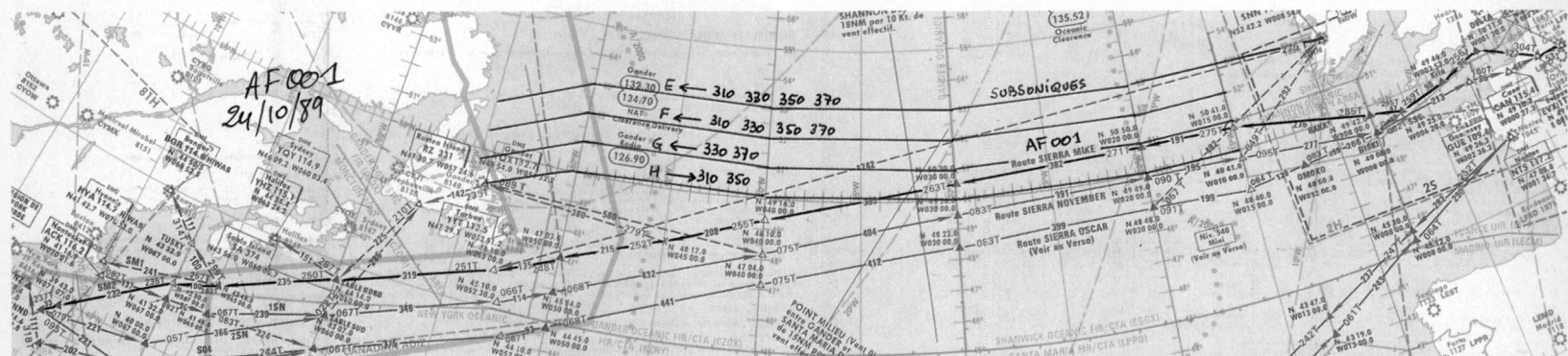

Sur L'Atlantique Nord, trois routes ont été spécialement réservées pour Concorde. La route aller s'appelle Sierra Mike, le retour Sierra Oscar. Une route de délestage est prévue. Alors que pour les appareils classiques, les vents déterminent le tracé, Concorde n'a pas à en tenir compte.

Quatre vertes : OK

Roissy-CdG, 24 octobre

« AF 001, autorisation alignement et décollage piste 27, vent calme. » Edouard Chemel fait claquer à fond de butée les quatre manettes des gaz. Les 83 tonnes de poussée font bondir Concorde. Eric Celerier, co-pilote, annonce le passage des cent nœuds, et le mécanicien Michel Suaud confirme que les 4 lampes vertes sont allumées. A 195 nœuds, Concorde fonce vers le ciel.

M 1.00 en montée

Evreux, 10 min de vol

« AF 001, autorisé niveau 590 sur JFK. » Stable au niveau 280, le commandant Chemel annonce aux passagers qu'il va passer en accélération transsonique. Après avoir rallumé la postcombustion, un léger choc et, deux minutes plus tard, l'indicateur de Mach passe le chiffre 1 magique. Durant quinze minutes, Concorde brûle soixante-dix tonnes à l'heure.

Température 130 °C

20 degré ouest, 64 minutes de vol

« *Shanwick good morning, this is AF 001 passing Sierra Mike 20.* » Eric transmet au contrôle de Shanwick le passage du méridien 20° ouest sur la route directe. Concorde est au niveau 550, il monte au fur et à mesure qu'il se déleste. La vitesse est de Mach 2.02, soit 2 200 km/h. Le frottement de l'air a fait passer la température du nez de l'avion à 130 °C.

AVANT DECOLLAGE		M
Take Off Monitor .... **ARME**	**Ts**	
Paramètres décollage .... **CONFIRMES**	**Ts**	
Paramètres antibruit (si nécessaire) **CONFIRMES**	**Ts**	
Voyant Engine Rating .... **T/O**	**C/M**	
N1 Limiter réacteur 4 .... **88 %**	**M**	
Ralenti réacteur .... **HI**	**M**	
Système central d'alarmes ...... **RECALL/INHIBIT**	**C**	

CROISIERE SUPERSONIQUE		M
M = 1,70		
Réchauffe .... **OFF**	**M**	
Voyants Lois E .... **4 HI**	**M**	
M = 1,95		
Voyant Engine Rating .... **CRS**	**M**	
Carburant/Centrage .... **COMME NEC.**	**M**	

APPROCHE FINALE		M
Cde Train/Voyants .... **DOWN/4 VERTES**	**P**	
Cde Nez/Visière .... **DOWN**	**P**	
Freins/Antipatinage **EMERG VERIFIE/NORMAL**	**C/P**	
Brakes Fans .... **ON**	**M**	
Batteries .... **ON**	**M**	
Phares .... **COMME NEC.**	**P**	
Altimètres .... **– mb & COMPARES**	**C/P**	

Une partie des seize pages de la check list de Concorde.

Régime subsonique

Nantucket, 3 h de vol

« *Concorde 001, clear to descend to 12 000 feet, QNH 1014.* » Michel Suaud, concentré sur ses pompes de carburant depuis le départ, transfère vers l'avant de l'avion onze tonnes de kérosène. Le centre de gravité ainsi déplacé permet à Concorde de repasser en vol subsonique. Dans la cabine, Pierrette Cathala et Martine Gayon terminent de distribuer les cadeaux.

C'est une Canarsie

Long Island, 3 h 15 de vol

« Merde, avec cette approche, on va perdre 4 min. » Edouard Chemel aime les performances. Eric baisse le nez à 270 nœuds et le train sort à 180. Concorde pèse encore 110 tonnes. Michel égrène la check list d'approche. La pluie n'arrange pas les choses et les trois hommes cherchent les lampes flash, qui confirment la position et indiquent le début du dernier virage.

40 pieds à la sonde

JF Kennedy Airport, 3 h 20 de vol

« *Concorde 001, clear to land runway 13 left.* » Le virage à droite est négocié à la bonne altitude, la piste est devant, la vitesse descend à 170 nœuds. Edouard se fait plaisir : pilote automatique débranché, il rectifie la trajectoire en fonction du vent de travers. Michel annonce 40 pieds, l'arrondi débute et, à 15 pieds, les gaz sont coupés. Nez en l'air, Concorde effleure la piste.

Le Boeing 737-500 combine la technologie avancée du 737-400 à un fuselage court accueillant entre 108 et 132 passagers.

Le CL-215T n'est autre qu'une version à turbopropulseurs du Canadair CL-215, avec quelques améliorations mineures supplémentaires.

Le Tupolev Tu-204 est considéré comme l'équivalent soviétique du Boeing 757 sur bien des points.

Le Beechjet 400A dispose d'une avionique améliorée, d'une cabine mieux insonorisée et peut emporter une charge utilise supérieure.

Le NAMC N-5A est un avion de travail agricole spécialisé, conçu et construit en Chine, dont le marché potentiel est évalué à 300 machines.

Le MAC Namba australien est équipé de points d'accrochage de charges offensives pour des missions militaires et d'un moteur de 180 ch.

Le Bell-Boeing V-22 a été conçu pour le programme Adav avancé inter-armes, dont le budget a été récemment affecté à un autre emploi.

Le Socata Omega est essentiellement un Epsilon à turbopropulseur, mais il possède une enveloppe plus large et une plus grande robustesse.

Le McDonnell Douglas F-15 S/MTD est une version du F-15B à commandes intégrées pour son empennage canard et buses orientables.

Le Westland Lynx AH.Mk 9 (Battlefield Lynx) est équipé d'un train à roues et de proéminents atténuateurs de bruit d'échappement.

Le Jaffe-Swearingen SA-32T Turbo Trainer est un dérivé d'entraînement militaire et d'observation du Swearingen SX300.

Le concept de l'aile volante a fait son retour en force avec le Northrop B-2, le nouveau bombardier furtif de technologie très avancée.

L'AIDC Ching Kuo, un chasseur de Taïwan financé par les USA.

Le Yak-141 Freestyle, futur successeur du Yak-38 Forger.

Deux LTV YA-7F servent de prototypes à un programme de remise à niveau majeure du Corsair sous l'égide de l'USAF.

L'Aero L-59, ex-L-39MS, est une version remotorisée du L-39 Albatros, l'avion d'entraînement de base des pays du Pacte de Varsovie.

Un AH-1W, rebaptisé AH-1 4BW, a testé un rotor quadripale qui pourrait faire partie du programme de remise à niveau du AH-1W de l'USMC.

1990

7 297 km/h
Etats-Unis
William Knight
North American X-15
3.10.67

40 245 km
Etats-Unis
Jeana Jeager et Dick Rutan
Voyager
23.12.86

107 960 m
Etats-Unis
Joseph Walker
North American X-15
22.8.63

600 000 kg
URSS
Antonov
An-225 Mriya

27 910 kgp
Etats-Unis
General Electric
CF6-80 C2

Bruxelles, 1er janvier
Sabena World Airlines devient opérationnelle. Cette nouvelle compagnie est une filiale commune de la Sabena qui détient 60 % du capital. KLM et British Airways en détiennent chacune 20 %.

Washington, 11 janvier
Le département de la Défense attribue un contrat de 123 millions de dollars aux firmes Boeing et Bell pour le développement du V-22, un appareil à rotor basculant.

New York, 26 janvier
Un B-707 de la compagnie colombienne Avianca s'écrase dans le brouillard à Long Island : 72 morts.

Inde, 18 février
Après l'accident du 14, le gouvernement interdit de vol les Airbus A-320 d'Indian Airlines. (→ 28.3)

Grande-Bretagne, 2 mars
Une grève de dix-huit semaines se termine à British Aerospace. Elle paralysait la construction des ailes destinées aux Airbus.

Etats-Unis, 6 mars
Pour son dernier vol, l'avion-espion Lockheed SR-71 Blackbird pulvérise le record de traversée transcontinentale, 4 000 km en 68 min 17 s.

Toulouse, 28 mars
Jean Pierson, directeur d'Airbus, s'en prend aux pilotes qui ont mis en doute l'A-320. Il réaffirme que l'accident survenu en Inde est dû à une erreur de pilotage.

France, 15 avril
Air France diffuse une vidéo intitulée *Réveil en douceur* à bord de tous les vols long-courriers comportant le service petit déjeuner. Les passagers de première classe sont réveillés individuellement.

Italie, 21 avril
Aeritalia participe au programme Airbus. Le constructeur fournira des sections du fuselage de l'A-321. Il a été décidé le 26 janvier que ce nouveau modèle serait assemblé en RFA et non plus à Toulouse.

Allemagne fédérale, 3 mai
La Luftwaffe réceptionne le premier des 35 Tornado ECR commandés, version de reconnaissance et de combat électronique.

Houston, 12 mai
Mickey Leland, le nouveau terminal international de l'aéroport, est inauguré. Il accueillera Continental Airlines, mais aussi KLM, British Airways, Lufthansa, JAL et Air France. Cette dernière est la seule compagnie à relier Paris sans escale au départ de Houston.

Vélizy-Villacoublay, 29 mai
La gendarmerie nationale réforme le dernier hélicoptère Alouette II de sa flotte. Les 39 mis en service depuis 1957 ont effectué près de 212 000 heures de vol et 150 000 missions. Ils sont remplacés par 30 AS-350 Ecureuil. (→ 30.6)

Bruxelles-Zaventem, 30 mai
Des démineurs font exploser une bombe de 250 kg ensevelie sous les pistes de l'aéroport depuis la Seconde Guerre mondiale. L'engin a été découvert par des ouvriers au cours de travaux de terrassement.

Etats-Unis, 1er juin
La version MH-47E du Chinook, destinée aux opérations spéciales de l'US Army, effectue son premier vol de l'usine Boeing de Ridley Township au centre d'essai en vol de la firme à Wilmington.

Nairobi, 13 juin
Un Boeing 767 bat le record mondial de distance pour biréacteur commercial. Arrivant de Seattle, il a couvert 15 013 km.

Orly, 3 juillet
Pour concurrencer les compagnies américaines basées à Orly-Sud, Air France ouvre un vol quotidien sur Newark. Il permet d'assurer la correspondance de la clientèle de province transitant par Orly-Ouest.

Etats-Unis, 25 juillet
Trois pilotes de Northwest Airlines passent en jugement pour pilotage en état d'ébriété.

Toulon, 13 août
Le *Clemenceau* appareille pour la mer Rouge, à la suite de l'invasion du Koweït le 2 août dernier par les troupes de Saddam Hussein. (→ 1.11)

Etats-Unis, 24 août
Air Force One, un Boeing 747-200, devient le nouvel avion présidentiel de George Bush, en remplacement du vieux B-707. Son équipement comporte une salle de conférence, une suite avec salle de bains, un hôpital miniature, 85 téléphones, 19 téléviseurs et 4 ordinateurs.

Nagasaki, 1er septembre
Quinze mille personnes assistent à l'atterrissage du premier vol charter du Concorde au Japon, sur l'aéroport off shore d'Omura.

Canton, 2 octobre
Un Boeing 737, détourné sur un vol intérieur chinois, explose en percutant un appareil en attente de décollage pour Shanghai : 127 morts.

Canada, 9 octobre
Air Canada licencie 2 900 employés et ferme 3 lignes internationales.

Bordeaux, 27 octobre
Affrétée par le voyagiste Fram, la Caravelle F-GELP *Lima Papa*, en provenance de Tenerife, effectue le dernier vol de ce type d'avion aux couleurs d'Air Charter. (→ 8.1.91)

Marseille-Marignane, 31 octobre
Aérospatiale livre le 500e hélicoptère Dauphin sorti de ses chaînes, un AS-365 N2, à la firme britannique Bond Helicopters spécialisée dans l'off shore en mer du Nord.

Nice, 21 novembre
L'aéroport est paralysé par une grève depuis une semaine. Le personnel d'Air France proteste contre la suppression de sept lignes internationales jugées non rentables par la direction.

Bruxelles, 14 décembre
Sabena vend le deuxième Boeing 747-229 acquis par la compagnie, le OO-SGB. L'appareil totalise 84 014 h de vol et 16 016 atterrissages. (→ 26.8.91)

Wichita, 15 décembre
Les deux Citation V commandés par Euralair sont prêts à être livrés dans les ateliers de finition de Cessna. (→ 2.2.91)

Paris, 21 décembre
Un accord de coopération est signé entre Dassault Aviation (la firme Dassault-Breguet a changé de nom au mois de mai dernier) et l'usine de construction mécanique de Moscou Mikoyan (MIG). Celle-ci réalisera l'empennage horizontal du Falcon.

Quelques chiffres...

Trafic passagers mondial (services réguliers) : 1,159 milliard
Trafic passagers sur l'Atlantique Nord (toutes lignes) : 30 millions
Trafic passagers à Paris : 46,6 millions
Trafic passagers à Londres : 65,5 millions
Trafic passagers à New York : 74,8 millions
Prix d'un billet Paris-Nice (avril) : 798 F
Prix d'un billet Paris - New York (avril) : 3 890 F
Salaire moyen d'un commandant de bord long-courrier : 74 050 F
Salaire moyen d'une hôtesse : 11 040 F ; chef de cabine : 22 475 F
Prix d'un B-747 400 : 123 millions de dollars
Prix d'un A-340 : 104,5 millions de dollars
Prix d'un ATR 42 : 16,2 millions de dollars
Prix de 1 000 litres de carburant Jet A1 (juillet) : 168,4 dollars
Taux de change du dollar (moyenne de juillet) : 5,5005 F

Le nouvel atelier de l'Aérospatiale porte de nom de Clément Ader. Il abritera sur 6 hectares, la chaîne de montage de l'Airbus A-340.

Le MD-11 coûte 90 millions de dollars

Le premier Douglas MD-11 dans les ateliers de Long Beach en Californie.

Los Angeles, 11 janvier
Le Douglas DC-10 et le Lockheed L-1011 ont vingt ans : il était temps de concevoir un autre triréacteur. C'est ce que vient de faire le constructeur McDonnell Douglas : le fruit de ses recherches s'appelle le MD-11. Il s'agit d'un DC-10 amélioré, dont la capacité est légèrement accrue. Il se pose ainsi comme concurrent direct des A-330 et A-340 d'Airbus. La comparaison entre ces long-courriers de même capacité montrent que si les Airbus sont plus grands et plus légers, le MD-11 possède une meilleure motorisation. La plus grande distance franchissable revient cependant à l'Airbus A-330-300 (elle est de 8 500 km). La partie n'est donc pas gagnée pour le MD-11 qui devrait coûter 90 millions de dollars. McDonnell Douglas a enregistré pour l'instant 118 commandes fermes et 194 options pour la version 350 passagers du MD-11.

L'A-320 en exploitation à British Airways

Les Airbus de British Caledonian volent aux couleurs de British Airways.

Grande-Bretagne, 15 janvier
Devenue, sans le vouloir, propriétaire d'une flotte d'A-320 à la suite de l'absorption de British Caledonian, British Airways affiche haut et fort sa satisfaction : soixante-six escales sont actuellement desservies par l'Airbus qui vole au rythme élevé de plus de huit heures et demie par jour. Sa technologie avancée et son grand volume de cabine sont des atouts qu'apprécient pilotes, ingénieurs et passagers. Des essais ont été effectués pour étudier sa résistance aux éclairs et aux interférences électromagnétiques : aucun système n'a été affecté. Son approche aux instruments admet une portée visuelle de piste de 75 m (distance franchie en une seconde par l'Airbus en vitesse d'approche), qualité appréciable parmi les brouillards anglais. L'avenir de l'A-320, longtemps boudé par British Airways au bénéfice de Boeing, semble maintenant assuré.

Les bimoteurs ont fait leurs preuves

Etats-Unis, 1er février
En l'espace de cinq ans environ, les vols commerciaux transocéaniques ou transdésertiques en bimoteurs se sont imposés comme une nouvelle forme d'exploitation techniquement sûre et économiquement efficace. A l'origine, seuls Airbus Industrie et Boeing étaient favorables aux vols ETOPS (Extended Range Twin Engine Operations). Les deux constructeurs y voyaient le moyen de mieux vendre leurs A-310, 757 et 767. Sur 125 000 vols recensés depuis 1985, 5 avions seulement ont subi l'arrêt d'un des moteurs en vol. Désormais, les doutes sont levés et les autorités de tutelle nationales emboîtent le pas à l'OACI. Celle-ci a progressivement étendu de 60 à 180 minutes le temps de vol maximal qui doit séparer la trajectoire d'un bimoteur volant sur un seul moteur de l'aéroport de dégagement le plus proche.

Air France absorbe UTA et Air Inter

Paris, 12 janvier
Air France se taille des ailes de géant, mais le coup est rude, en particulier pour Air Inter. La compagnie nationale acquiert 70 % du capital de sa filiale, Air Inter, pourtant bénéficiaire et en plein essor, et 54,38 % de celui d'UTA, la plus importante société aérienne privée de l'Hexagone. Grâce à cette transaction, Air France va disposer d'un chiffre d'affaires global de 45 milliards de francs, d'une flotte de 193 appareils et d'un effectif de 50 000 salariés. Le ministre des Transports, Michel Delebarre, et le P-DG d'Air France, Bernard Attali, veulent ainsi accroître la puissance de l'aviation commerciale française au niveau européen. Surtout dans le domaine des vols charters où la France accuse un retard certain par rapport à la Grande-Bretagne et à l'Allemagne.

Le groupe Air France compte 50 000 employés et dispose de 193 appareils.

Comment se calcule le prix d'un avion

Paris, 1er mars
Le prix d'un Airbus A-340-300 varie de 90 à 100 millions de dollars. Sur ce total, le prix de la cellule représente 67 % et celui des quatre réacteurs de l'A-340 plus un moteur de rechange 25 %. Ces deux postes sont de loin les plus onéreux. Mais les autres coûts sont loin d'être insignifiants. Comme pour une voiture, il faut tenir compte des options standard non incluses dans la version de base, ainsi que des équipements demandés par le client et installés par l'avionneur (Buyer Furnished Equipment). Les options et les BFE contribuent à élever la facture de 5 %. Il faut enfin tenir compte des modifications, telles que les aménagements de cabine, demandées par les compagnies, qui font grimper la facture de 3 %. Ce pourcentage peut paraître dérisoire, mais entraîne parfois un surcoût de plusieurs millions de dollars.

Un Airbus 320 d'Indian Airlines s'écrase

Sans raison apparente, par beau temps, l'Airbus a raté la fin de son approche.

Bangalore, 14 février

Le vol Bombay-Bangalore s'est achevé dans l'horreur. L'appareil, un Airbus A-320 de la compagnie Indian Airlines, s'est écrasé sur l'aéroport de Bangalore et a pris feu. On compte au moins 89 morts, parmi lesquels les pilotes. L'Airbus transportait 146 passagers, dont 7 membres d'équipage. Son vol s'était déroulé jusque-là sans encombre, bénéficiant d'excellentes conditions météo. Les problèmes sont apparus au moment de l'atterrissage : après avoir touché le sol sur un terrain de golf proche de l'aéroport, l'Airbus a repris de l'altitude pour finir par s'écraser un peu plus loin avant le seuil de la piste. Les boîtes noires, placées dans la queue de l'appareil, ont été récupérées. L'analyse de leurs enregistrements déterminera s'il s'agit d'une catastrophe due à une défaillance technique ou à une erreur de pilotage. (→ 18)

Le BAe 125-1000 mise sur l'autonomie

Angleterre, 16 juin

Le tout nouveau biréacteur d'affaires britannique, British Aerospace BAe 125-1000, est né. Le constructeur de l'avion, dont un premier prototype vient d'effectuer son vol initial à Woodford, a misé sur le rayon d'action de cet appareil destiné avant tout à des vols de longue durée : 6 736 km à Mach 0.77 avec six passagers, soit 21 % de plus que le BAe 125-800. Propulsé par deux Pratt & Whitney Canada PW305, le nouvel avion offre une capacité supérieure au 125-800 grâce à un fuselage allongé de 84 cm. Autre atout : à 12 millions de dollars, son prix sera inférieur de 20 % à celui de l'un de ses futurs concurrents, le Falcon 2000 français. De plus, le BAe 125-100 sera disponible en série à partir de l'automne 1991, c'est-à-dire de longs mois avant le Falcon.

Le BAe 125-1000 veut entrer en concurrence directe avec le Falcon 10.

Le X-31 explore le vol à basse vitesse

Les panneaux du système inverseur de poussée sont en position horizontale.

Californie, 11 octobre

Les combats aériens de l'an 2000 ne seront pas remportés par les avions les plus rapides, mais par les plus maniables, ceux qui pourront virer le plus serré et encaisser le plus de facteurs de charge. Un chasseur capable de passer en quelques secondes de 500 à 100 nœuds ou moins dominera les pur-sang du Mach. L'avion expérimental X-31 mis au point par l'Américain Rockwell et l'Allemand MBB vient d'entamer à Palmdale ses essais de vol très lent avec des angles d'incidence prononcés. Ces essais sont destinés à étudier les limites de l'évolution d'un avion de combat en vol décroché, c'est-à-dire en dessous du seuil de portance. Le réacteur à poussée vectorielle du X-31 joue un rôle primordial dans le contrôle du tangage et des lacets aux incidences très élevées. Un système numérique intégré permet au pilote d'orienter le flux de poussée.

Le SR-71 Blackbird vient de se poser sur un terrain près de Washington après avoir effectué son dernier vol. Il est freiné par son parachute.

Le Lockheed YF-22 et le McDonnell Douglas YF-23 se mesurent

Edwards AFB, 27 août

La bataille pour un nouveau contrat du siècle est bel et bien engagée. Le vainqueur sera appelé, dès la fin des années 90, à remplacer les F-15 Eagle et F-14 Tomcat de la Navy et de l'USAF. L'enjeu est de taille puisqu'à elle seule la Navy envisage d'acquérir pas moins de 750 ATF (Advanced Tactical Fighter). Le coût total du programme pourrait avoisiner les 140 milliards de dollars, avec un coût unitaire espéré d'environ 40 millions de dollars. Le premier des deux concurrents, le YF-23 de Northrop et McDonnell-Douglas, a effectué aujourd'hui un premier vol d'une heure depuis la base d'Edwards, dans le désert du Mojave, devançant de quelques semaines la présentation de son rival, le YF-22 développé conjointement par Boeing, General Dynamics et Lockheed. Le YF-23, de dimen-

Le YF-23 de McDonnell Douglas.

Le YF-22 de Lockheed.

sions proches de celles du F-15, a été conçu en fonction de contraintes liées à la furtivité : formes arrondies, nacelles moteurs intégrées à la voilure, dérives crantées en V et en-

trées d'air sous la voilure. Comme le YF-22, le YF-23 est un monoplace biréacteur d'une masse d'environ 22 t et d'une vitesse maximale de l'ordre de Mach 1.5.

Les AS-350 Ecureuil sauvent les tortues

Les Hattes, 30 juin

Mission originale pour l'AS 350 d'Héli Inter Guyane. L'hélicoptère va porter secours à des tortues géantes de 350 kg, les luths. Lors de la ponte, les reptiles sortent de la mer pour enfouir leurs œufs dans le sable. A force de creuser, les luths s'enlisent et ont peu de chance de s'en sortir. C'est là qu'interviennent les sauveteurs dirigés par Alain Bougrain-Dubourg. Trois hommes sautent dans la boue pour sangler les animaux. Puis, le pilote de l'Ecureuil se place avec précision au-dessus de la tortue. Une fois l'élingue fixée, l'hélicoptère effectue une douce translation qui dégage la tortue de la boue. A 200 m, elle retrouve son élément naturel. Les sauveteurs n'ont plus qu'à observer son départ vers la pleine mer.

Le pilote aspiré en vol échappe à la mort

Southampton, 10 juin

Le Bac 111, reliant Birmingham à Malaga, a réussi un bel atterrissage à Southampton. Il revient pourtant de loin. L'avion de la British Airways vole depuis une vingtaine de minutes, lorsqu'une détonation terrible fait sursauter les 81 passagers. Le hublot frontal gauche du cockpit, remplacé la veille, a sauté. Haut de 50 cm et large d'un mètre, il laisse l'air s'échapper en une trentaine de secondes. Le commandant de bord, Timothy Lancaster est litté-

ralement happé dans le vide, à 7 000 m d'altitude. Alors qu'il est sur le point de disparaître, le copilote et le steward s'aggripent de toutes leurs forces à ses jambes. La température extérieure est de - 30 ºC et le commandant de bord, coudes, poignets et doigts brisés, vêtements arrachés, se tient plié à angle droit sur le fuselage. Il reste ainsi jusqu'à ce que le copilote réussisse à amener l'appareil à basse altitude et atterrisse. Les passagers et l'équipage sont sauvés.

Le Brésil garde sa position avec le C-123

Brésil, 18 juillet

Le Brésil vit toujours à l'heure des bouleversements économiques et de l'hyperinflation, mais cela n'empêche pas la société d'Etat Embraer d'afficher un bilan de santé positif. Signe de son dynamisme, le nouvel avion CBA-123 (CBA pour coopération Brésil-Argentine) vient d'effectuer son vol initial à San José dos Campos. Mis au point par Embraer et la firme argentine Fama, le CBA-123 est équipé de deux moteurs propulsifs Garrett TPF-351

de 1 300 ch chacun, montés en nacelles à l'arrière du fuselage. Ce biturbopropulseur atteint une vitesse de croisière de 650 km/h, à une altitude de 9 144 m. Sa construction, pour l'essentiel métallique, fait aussi appel aux matériaux composites. Le choix d'une cabine de 19 places positionne le nouvel appareil tout autant sur le créneau régional que sur celui de l'aviation d'affaires. Embraer peut ainsi envisager à la fois la succession du Bandeirante et celle du Xingu.

Les membres de l'équipage ont réussi à l'empêcher de tomber dans le vide.

Les employés d'Embraer autour de l'avion, après son premier vol d'essai.

Les compagnies charters concurrencent Air France

Le 9 avril, un Airbus d'Air Liberté, venant d'Orly, se posait à La Réunion.

Gilbert Trigano et le Club Med sont des actionnaires importants de Minerve.

France, 12 octobre

Le ministre des Transports, Michel Delebarre, a autorisé trois compagnies françaises de charters à exercer leurs activités dans le monde entier. Elles ne seront donc plus obligées de demander une autorisation particulière, à chaque fois qu'elles souhaitent desservir une nouvelle destination. Le choix s'est porté sur Air Liberté, Euralair et Minerve qui auront presque les mêmes avantages qu'Air Charter (une filiale d'Air France) et qu'Aéromaritime (filiale d'UTA, rachetée en janvier dernier par la compagnie nationale). Seule limitation, elles ne pourront pas créer des lignes régulières et n'entreront donc pas réellement en concurrence avec Air Charter et Aéromaritime. Minerve, Air Liberté et Euralair ont eu malgré tout plus de chance que TEA-France et Jet Alsace (filiale de Minerve) qui se sont vu refuser, pour leur part, ces droits mondiaux. Michel Delebarre est donc passé outre les recommandations du Conseil supérieur de l'aviation qui souhaitait maintenir cette contraignante procédure afin de protéger la santé financière des autres compagnies de charters. Quant aux vols intérieurs, en particulier vers Nice, Bastia et Ajaccio, une nouvelle législation est déjà à l'étude. (→ 7.5.91)

Année record pour Airbus Industrie

Toulouse, 1er octobre

Airbus Industrie a de quoi être fière : non seulement 1989 aura été une bonne année, mais les perspectives pour 1990 sont excellentes. En 1989, Airbus a vendu 421 gros-porteurs pour un montant de 28,2 milliards de dollars. Au 8 juin, le consortium européen, né le 29 mai 1969, avait vendu ferme 1 442 appareils à 91 clients, en avait livré 602, dont 500 A-300-310, et avait passé le cap des 7 millions d'heures de vols commerciaux. Les A-300 occupent désormais une place prépondérante dans le secteur des avions de 210 à 250 places, avec 56 % du marché face aux Boeing 767-200 et 300. Cette domination est très nette au Proche-Orient, où les appareils d'Airbus s'imposent à 80 %, en Afrique (à 71 %), en Europe (à 66 %), en Extrême-Orient et en Australasie (à 63 %). Boeing l'attribue dans cette catégorie 60 % du marché nord-américain et 53 % de celui de l'Amérique du Sud.

La grande visite du Concorde a nécessité 40 000 heures de travail

Roissy-CdG, 1er août

Le patriarche a très bien vieilli et il est prêt pour une nouvelle vie. Le Concorde de série n°5, immatriculé F-BVFA, vient de sortir d'un hangar grand comme une cathédrale où, pendant un an, les responsables du chantier grande visite l'ont soumis à une super révision. Mis en service le 21 janvier 1976, après 11 650 heures de vol et 20 millions de km parcourus, il est le premier des six supersoniques français à en bénéficier. Ce travail de titan qui a demandé 40 000 heures de main-d'œuvre a commencé à Orly où l'appareil a été totalement décapé. Ensuite, il a été repeint en kaki à Roissy, pour éviter la corrosion. Installé sur vérins il a été démonté pièce par pièce pour ne laisser que la structure primaire, son squelette. Tout a été radiographié (au propre comme au figuré) au centimètre carré près, des 94 hublots aux 200 portes de visite, ainsi que les 13 réservoirs. Tout, pour déceler la moindre crique. Crique, autrement dit faiblesse.

Le fuselage du Concorde F-BVFA a été entièrement décapé et vérifié.

L'usine Clément Ader est inaugurée

Le président Mitterrand a lancé la chaîne de montage de l'Airbus A-340.

Colomiers, 10 octobre

Une immense charpente métallique, baptisée Clément Ader, a été inaugurée par le président de la République. C'est la nouvelle usine d'Airbus, construite par Aérospatiale sur 51 ha, qui aura coûté un milliard de francs et demandé trois ans de travaux. Avec une longueur de 500 m, une largeur de 300 m et une hauteur de 46 m, le hall d'assemblage se compose en plus du hall de déchargement des tronçons, de deux halls de peinture, d'un centre technique, d'un vaste restaurant et de différents bâtiments de service. Près de 650 compagnons y assembleront les appareils long-courriers. Le défi à relever : préparer la production en série et une montée en cadence rapide. En 1995, on devrait construire sept A-330/A-340 par mois. En 1975, un seul Airbus sortait chaque mois.

La France reçoit son premier Awacs

L'Awacs français recevra une partie de ses équipements au Bourget.

Le Bourget, 10 octobre

Rarement un avion aura été autant attendu par l'armée de l'air. Venu de Seattle, le premier des quatre E3-F Awacs, commandés par la France, s'est posé ce matin au Bourget. Là, une partie de ses équipements français seront intégrés, puis l'avion-radar, mis au point par Boeing, rejoindra la base d'Avord (Cher) où seront stationnés les Awacs de la future 36e escadre de détection aéroportée, placée sous le commandement du colonel Marcel Prigent. Lorsqu'elle sera au complet, fin 1991, l'unité, rattachée au Commandement de Taverny (Val-d'Oise), comptera 450 hommes, dont 150 techniciens et huit équipages de 17 hommes par avion. Au total, le coût du programme devrait atteindre environ 7,35 milliards de francs, dont 3,8 milliards ont déjà été déboursés.

L'aéroport d'Osaka est construit en mer

Kansai, 5 novembre

Pour la première fois au Japon, un aéroport va être ouvert 24 h sur 24. L'aéroport international de Kansai se construit dans la baie d'Osaka, un site choisi en fonction de critères calculés à l'avance. L'aéroport est suffisamment éloigné de la côte pour que le bruit latéral des avions soit acceptable. Ils pourront tourner à l'intérieur de la baie avant de prendre leur route définitive. L'aéroport, une île artificielle de 511 ha, comportera une piste de 3 500 m de long avec trois aérogares, pour le trafic international et intérieur, ainsi que deux aérogares de fret. L'île sera reliée à la côte par un pont de 3,75 km, qui servira à la circulation ferroviaire et routière.

Un pont aérien contre Saddam Hussein

Golfe, 1er novembre

Si ce n'est pas déjà la guerre, les préparatifs en cours en font pressentir la menace. Devant le refus obstiné du maître de Bagdad à évacuer le Koweït, les pays ligués contre lui accentuent leur pression. Par dizaines, les avions se posent chaque jour dans le désert. D'ici à la fin du mois, on estime à plus de 1 400 les appareils de combat prêts à s'opposer aux 450 dont dispose Saddam. Les premiers équipages de l'armée de l'air française ont décollé d'Istres, d'Orange, de Strasbourg et de Toul. Ils s'entraînent depuis un mois sur la base d'al-Asha en Arabie Saoudite. 8 Mirage 2 000 RDI, 8 Mirage F-1CR, 2 C-135FR et 8 Jaguar sont en état d'alerte.

Construit loin en mer pour éviter les nuisances et faciliter le trafic.

Une formation de 15 C-130 Hercules du pont aérien vers l'Arabie Saoudite.

Saint-Nazaire fête l'Airbus 340

Saint-Nazaire, 21 novembre

L'espace d'une journée, Saint-Nazaire a vécu à l'heure de la coopération aéronautique internationale. De nombreuses personnalités et des employés d'Airbus Industrie sont venus de Yougoslavie, d'Allemagne, d'Espagne, mais aussi d'Australie, du Canada et de Corée du Sud, pour assister à la présentation des trente-sept premiers mètres de la partie avant de l'A340-300 numéro un. Avant le départ de ce tronçon pour Toulouse à bord de deux avions-cargo Super Guppy, les invités ont assisté à un show très hollywoodien dans le bâtiment Comète de l'Aérospatiale Saint-Nazaire. Inauguré il y a un an, ce bâtiment de 17 000 m² a mis en place le principe d'une chaîne modulaire, véritable confluent des seize sites de production qui l'approvisionnent. Les ensembles sont installés dans un box et ne bougent plus. C'est là que des équipes pluridisciplinaires réalisent les aménagements intérieurs et la finition jusqu'au chargement dans le Super Guppy. La cadence actuelle de production est d'un avion par mois.

L'image numérique du simulateur de vol dépasse la réalité

Le simulateur du Boeing 747. Il reproduit son, images et sensations de vol.

San Francisco, mais en simulateur.

Vilgénis, 1er novembre

L'avion descend vers l'aéroport LaGuardia, la houle de l'Atlantique est perceptible. Sous un ciel de petit matin, le pilote, en approche finale, voit au loin les gratte-ciel de la ville et les feux de signalisation des voitures qui se croisent sur les autoroutes. Le bruit des réacteurs réagissant aux commandes du pilote et le mouvement de la cabine complètent l'impression d'être à bord du Boeing 747-400 d'Air France. Mais le pilote ne vole pas dans cet appareil, car Air France ne prendra livraison de son premier 747-400 qu'en février prochain. Il est dans l'un des nouveaux simulateurs du Centre d'instruction de Vilgénis, environné à 180° par les images produites grâce au SP-X 500 Wide de la société anglaise Rediffusion. Dans la mémoire de cet énorme ordinateur sont stockées plus de trente scènes aéroportuaires d'une fidélité de reproduction remarquable. L'innovation technique principale vient de la formation de l'image. Celle-ci est projetée par trois générateurs, disposés sur le dessus du simulateur, vers un miroir concave qui renvoie l'image vers le pilote. Avec ce visuel à champ élargi, la fiction dépasse la réalité dans le dessein fort louable d'être mieux préparé à l'affronter...

Servair prépare 23 500 plateaux repas par jour à Roissy-CdG

La plus grande cuisine de France.

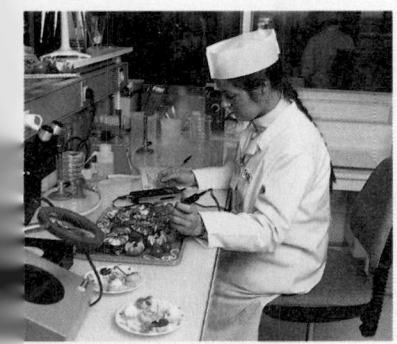

Le laboratoire de contrôle.

Roissy, 15 décembre

Avec dix millions de repas servis en un an et plus de 150 menus différents préparés chaque jour, la Servair est le premier restaurateur de voyage en France. Créée par Air France en 1971, son principal établissement (la plus grande cuisine d'Europe) est situé à Roissy. Parmi les 1 800 employés, 350 préparent une moyenne de 23 500 plateaux par jour. En une année, 52 500 appareils (dont le Concorde) sont traités par Servair. Mais quantité rime avec qualité. Aussi, cent recettes différentes sont composées selon que l'on volera sur Varig, Air France ou American Airlines. Pour les compagnies arabes, foie gras sans alcool. Pour Air Lanka, brochettes aux huîtres et au bacon. Un cuisinier japonais a été engagé pour préparer sushis et yakitoris à bord des vols d'Air France vers Tokyo et Osaka. En tout, 9 millions de petits pains, 28 t de jambon, 107 t de farine, 5 000 l de vinaigre, 22 t de poulets fermiers et 320 t de fromage ont été utilisés en un an. Une liste gargantuesque que l'on protège minutieusement de l'ennemi : le microbe. Les produits peuvent être, à tout moment, analysés par des spécialistes. Une fiabilité et une qualité qui a permis à Servair d'être couronné, en 1988, des Lauriers d'or du prestige européen.

Mise en place dans un Boeing 747.

Le Constellation perd son créateur

Burbank, 21 décembre

« Be quick, be quiet, be on time » (Sois rapide, soit calme et sois à l'heure), telle était la devise du concepteur d'avions américain Clarence L. Johnson. Une devise qu'il a su appliquer tout au long de sa carrière. Il a joué un rôle essentiel dans la fabrication de plus de quarante avions, parmi lesquels le premier chasseur à réaction américain, le XP-80 Shooting Star, un prototype achevé en 43 jours. Il est également à l'origine des YF-12 et SR-71 Blackbird, deux appareils qui ont dépassé les 3 200 km/h à une altitude inégalée : 26 000 m. Il construit le F-104 Starfighter, premier avion produit en série à atteindre Mach 2. Mais on se souviendra surtout de Johnson comme l'un des créateurs du Constellation. Depuis 30 ans, il dirigeait la Lockheed Advanced Development Company. Il avait 80 ans.

Le premier prototype du McDonnell Douglas MD-11, triréacteur gros porteur, est un développement à technologie nouvelle du DC-10.

Le BAe 1000, version modernisée du BAe (ex-de Havilland, ex-Hawker Siddeley) 125 des années soixante.

Le révolutionnaire EMBRAER CBA-123 Vector de transport régional est équipé de deux propfans propulseurs sur le fuselage arrière.

Le prototype du Beech 1900D tire son origine du King Air, mais il incorpore de nombreuses améliorations dont les dérives auxiliaires en bout d'aile.

Retour aux sources pour Taylorcraft avec son Model F-22A Classic, un triplace de sport et de tourisme.

Le premier Boeing E-3D Sentry destiné à la RAF est équipé de capteurs de mesures électroniques en bout d'aile et d'une perche de ravitaillement.

Le Boeing Sikorsky Fantail de démonstration est un H-76 modifié par l'installation d'un fenestron ou rotor de queue caréné.

Le Rockwell/MBB X-31A EFM est un chasseur expérimental à grande maniabilité et angle d'attaque élevé.

Le prototype Boeing MH-47E, version du Chinook optimisée pour les opérations nocturnes et équipée d'une perche de ravitaillement en vol.

Le Lockheed YF-22 a remporté le concours de l'USAF pour un chasseur tactique avancé. Il devrait remplacer le F-15.

Le Rutan Model 151 Ares, monoplace économique d'appui tactique dont le réacteur et l'armement sont montés de façon asymétrique.

L'un des deux Boeing VC-25A choisis pour les voyages du Président des Etats-Unis en remplacement des VC-137 Air Force One.

Le Northrop YF-23, bien que considéré comme plus performant, a été rejeté par l'USAF en faveur du YF-22.

L'Atlas Rooivalk, un hélicoptère de combat construit en Afrique du Sud dans le prolongement des hélicoptères expérimentaux Alpha et Beta.

Un des premiers exemplaires du AMX italo-brésilien, un avion d'appui tactique qui a été parfois surnommé le Tornado de poche.

1991

 **7 297 km/h** Etats-Unis William Knight North American X-15 3.10.67

 **40 245 km** Etats-Unis Jeana Jeager et Dick Rutan Voyager 23.12.86

 **107 960 m** Etats-Unis Joseph Walker North American X-15 22.8.63

 **600 000 kg** URSS Antonov An-225 Mriya

 27 910 kgp Etats-Unis General Electric CF6-80 C2

France, 8 janvier
La direction générale à l'armement a mis à la disposition du CNRS une Caravelle pour la mission *Tropoz 2*. Ce voyage de 45 000 km vise à établir l'influence de la pollution dans la destruction de l'ozone. (→ 3.8)

Seattle, 13 janvier
Le premier Boeing 727 construit et livré à United Airlines arrive de San Francisco pour son dernier vol. Il entre au musée Boeing à Everett. L'appareil compte 64 495 h de vol et 48 060 atterrissages.

Chine, 25 janvier
Un Tupolev 154, en provenance de Shanghai, a été immobilisé au sol à Taiyun. Huit souris s'en étant échappées, les autorités craignent que les rongeurs ne s'en soient pris au cablage de l'appareil.

West Palm Beach, 26 janvier
Le personnel de cabine d'un appareil d'US Air, venant de Pittsburgh, se déguise en Arabes et simule un détournement d'avion, dix jours après le déclenchement de l'opération *Tempête du désert*. Un couple de passagers libano-américain porte plainte auprès de la FAA.

Wichita, 2 février
Le prototype du Citation VII effectue son vol initial durant 1 h 36 min en montant jusqu'à 12 500 m d'altitude. Cette cellule de Citation III est dotée de deux réacteurs Garrett TFE731-4 de 1 814,4 kgp. (→ 29.4)

Los Angeles, 12 février
Un Falcon 20, remotorisé par la firme Volpar Aircraft Corp. avec deux réacteurs Pratt & Whitney PW 305, commence ses vols d'essai sur l'aéroport de Van Nuys. Il doit atteindre une vitesse de croisière de Mach 0.81 à 41 000 pieds, contre 0.76 sur la version originale.

Toulouse, 8 mars
Le nouveau quadriréacteur Airbus A-340 n° 001 quitte son poste d'assemblage et sort à l'air libre pour rejoindre le poste des essais généraux, à l'intérieur du hall Clément Ader.

Phoenix, 10 mars
Un passager du vol AS603 d'Alaska Airlines, en partance pour Seattle, demande à débarquer de l'avion, en apprenant que le pilote est une femme. Celle-ci arrête son B-727 sur le parking. Le passager descend par l'escalier de la porte arrière.

Grande-Bretagne, 15 mars
La nouvelle aérogare de l'aéroport de Stanstead, à 40 km de Londres, d'une capacité annuelle de 8 millions de passagers, est inaugurée.

Suède, 25 mars
Le troisième prototype de l'avion de combat JAS-39 Gripen effectue son vol initial, aux mains d'Arne Lindholm, chef pilote d'essai de Saab Aircraft. C'est le premier équipé d'un radar qui va être testé.

Cracovie, 5 avril
Un Tupolev 154 de la compagnie polonaise LOT ouvre une liaison hebdomadaire sur Paris, en exploitation conjointe avec Air France.

Roissy-CdG, 6 avril
Un second Boeing 747-400 atterrit en provenance de Seattle et rejoint la flotte d'Air France. Le premier a été livré le 28 février dernier. Les deux appareils sont affectés à la desserte quotidienne de Tokyo.

Istres, 3 mai
Le centre d'essai en vol prend en compte le Mirage F1CT, après un vol de 1 h 5 min depuis Biarritz-Parme. Avion de combat tactique, il atteint Mach 1.5 durant ce vol.

Canada, 10 mai
Dix jours après ses essais de roulage à grande vitesse sur l'aéroport international de Dorval, le biréacteur de transport régional RJ de Canadair se pose sur l'aérodrome de la firme à Cartierville. Ce vol initial train sorti a duré 1 h 25 min.

Istres, 19 mai
Guy Mitaux-Maurouard décolle le Rafale C.01, propulsé par deux Snecma M88-2. Il atteint dès ce premier vol une vitesse de croisière supersonique sans utiliser la réchauffe de ses réacteurs. (→ 16.7)

Suisse, 31 mai
L'avion d'affaires Pilatus PC-12 effectue son vol initial à Stans.

New York, 1er juin
Un passager, sur le vol Delta DL 236 venant d'Orlando, a découvert un python dans un compartiment à bagages au-dessus des sièges.

Le Bourget, 17 juin
Kuwait Airways Corp., qui a perdu près des trois quarts de sa flotte durant l'invasion irakienne, commande 15 Airbus avec une option sur 9 autres appareils. Les commandes fermes portent sur cinq A-300-600, trois A-310 et trois A-320, ainsi que quatre A-340.

Bruxelles, 22 juin
Après plusieurs mois d'hospitalisation Carlos Van Rafelghem décède. Pierre Godfroid lui a succédé à la présidence de Sabena le 1er janvier dernier. (→ 31.7)

Bastia, 17 juillet
Deux sacs plombés sont chargés dans la soute de vol Air France en partance pour Paris. A l'arrivée, les employés de la Brink's, qui récupèrent les sacs, notent sur la décharge que les plombs ont sauté. Un passager voyageant à l'intérieur d'une malle dans la soute pressurisée a volé 5,74 millions de francs.

Etats-Unis, 22 juillet
TWA et American Airlines surenchérissent sur l'offre de Delta Air Lines pour le rachat des actifs de Pan Am. Les deux compagnies font une proposition commune de 310 millions de dollars. (→ 12.8)

Londres, 26 juillet
Aeroflot et British Airways s'associent et créent conjointement la compagnie aérienne Air Russia qui fonctionnera selon les règles internationales en vigueur en Occident. Son siège se trouvera à Moscou.

Roissy-CdG, 23 août
Mlle Hellen Korpaczewski, réfugiée allemande enceinte de neuf mois, refuse toute aide dans l'aéroport où elle vit en zonarde. Les médecins interviennent cependant pour mettre au monde Elisa, le premier bébé domicilié dans une aérogare.

Bruxelles, 26 août
Le premier Boeing 747-229 acquis par la Sabena en décembre 1973, le OO-SGA, est toujours en service. L'appareil a 88 023 h de vol et 16 690 atterrissages à son actif.

Seattle, 1er septembre
Boeing annonce l'arrêt de la fabrication de son quadriréacteur B-707 apparu en 1954. La firme n'a plus enregistré de commande pour cet appareil depuis plus de quatre ans.

Liège, 6 septembre
TEA demande au tribunal de Commerce le concordat judicaire.

Quelques chiffres...

Prix d'un billet Paris-Nice (avril) : 925 F
Prix d'un billet Paris - New York (avril) : 4 390 F
Salaire moyen d'un commandant de bord : 24 760 F
Salaire moyen d'un commandant de bord long-courrier : 75 530 F
Salaire moyen d'une hôtesse : 11 260 F
Salaire moyen d'un chef de cabine : 22 950 F
Prix d'un B-747 400 : 126 millions de dollars
Prix d'un A-340 : 108,2 millions de dollars
Prix d'un B-737 500 : 30 millions de dollars
Prix de 1 000 litres de carburant Jet A1 (juillet) : 215,5 dollars
Taux de change du dollar (moyenne de juillet) : 6,0719 F

Les Mirage F-1CR de la 33e escadre française ont été expédiés dans le Golfe. La force aérienne française d'intervention est basée à al-Asha.

L'opération « Tempête du désert » est déclenchée

Les Jaguar français neutralisent al-Jaber

Pour ce pilote de Jaguar qui décolle, c'est la première mission de guerre.

Koweït, 17 janvier

Un impact sur la verrière, un grand choc à la tête. La vue du capitaine Alain Mahagne se trouble. Il vient d'être touché par une balle de petit calibre. Instinctivement, il tire sur le manche pour s'éloigner du sol. L'officier français a basculé dans la guerre ce matin à 4 h 30, lors du briefing à al-Asha. Les pilotes de la 11e escadre de chasse de Toul recevaient pour mission de bombarder l'aérodrome al-Jaber au Koweït. A 5 h 30, douze Jaguar décollent : les pilotes vont recevoir leur baptême du feu. Quatre appareils sont équipés de missiles AS 30 à guidage laser. Les Jaguar attaquent à basse altitude : une tactique qui va s'avérer très risquée face à la DCA irakienne. Avec l'appareil du capitaine Mahagne, quatre avions sont touchés. Une balle est venue se loger dans la commande de profondeur de l'un d'entre eux. Un autre a reçu un missile SAM 7, qui n'explosera pas, dans son réacteur droit, tandis que les moteurs d'un quatrième étaient criblés de mitraille. Deux Jaguar ont dû se poser d'urgence à Jubail. Désormais, les pilotes français attaqueront en piqué.

Bagdad sous les bombes des avions alliés

Les B-52 entrent en action, certains opèrent depuis leur base en Espagne.

Bagdad, 17 janvier

Le ciel de Bagdad vient de s'illuminer. Il est 2 h 40, les tirs de batteries anti-aériennes éclatent au-dessus de la capitale irakienne. Les avions furtifs américains sont entrés dans la danse. Une trentaine de F-117A, équipés de bombes BLU 109 de 900 kg à guidage laser, signent le début de la guerre. Des missiles de croisière Tomahawk, tirés depuis le Golfe, frappent au cœur de la ville avec une précision époustouflante. Avant la première vague d'assaut, des EF-111A Raven, F-4G Wild Weasel et autres avions spécialisés dans la guerre électronique ont brouillé les radars, les conduites de tir et les communications ennemies. A 3 h 15, dans son F-15, le capitaine Steve Tate, 28 ans, survole Bagdad : « Avec toutes les explosions, la ville était comme couverte d'une décoration de Noël ! » L'alarme du radar retentit. Dans l'obscurité, un avion irakien, vraisemblablement un Mirage F-1, prend rapidement de l'altitude. Une pression du doigt, le missile Sparrow fonce sur sa proie. Une boule de feu : la première victoire aérienne de la guerre.

Un F-15 Eagle abat deux Mirage irakiens

Abattu par un pilote saoudien.

Golfe, 24 janvier

L'avion radar Awacs vient de déclarer hostiles les cinq échos qui apparaissent sur les scopes. Deux Mirage F-1 et un MiG-23 irakiens longent la frontière irako-iranienne et foncent en direction de la mer. C'est la première sortie de l'aviation de Saddam. Les Mirage sont armés de missiles antinavires Exocet. Une patrouille de F-15 Eagle saoudiens prend les bandits en compte. Le jeune capitaine Ayed al-Shamrani plonge vers les deux Mirage lourdement armés, qui volent à 65 mètres au-dessus de la mer. Il les engage successivement. Les deux missiles air-air Sidewinder vont droit au but. Le MiG s'est enfui en largant ses bombes. Les Saoudiens peuvent désormais célébrer leur héros national.

Baptême du feu pour le Fairchild A-10A

Irak, 24 novembre

Deux yeux menaçants et une mâchoire carnassière. La peinture du fuselage rend encore plus impressionnant le A-10 Thunderbolt à la silhouette déjà inquiétante. Conçu pour arrêter les blindés soviétiques, le A-10A est engagé pour la première fois dans le Golfe. Pour appuyer les troupes au sol, il fallait un avion lent, puissamment armé et fortement blindé. Le pilote est protégée par un bac en titane : la moitié des 1 415 kg de blindage. L'arsenal est impressionnant : sur le nez, un canon rotatif de 30 mm à sept tubes (2 100 à 4 200 coups par minute). Sous les ailes, 7 200 kg de charges extérieures : roquettes, bombes ou missiles à guidage laser Maverick. Le tueur de chars est devenu la hantise des tankistes de Saddam.

Les blindés irakiens le redoutent.

Le Tigre d'Eurocopter vole 28 ans après les premiers accords

Marignane, 19 mars

Ce Tigre est noir et peut attaquer, presque sans bruit, de jour comme de nuit. Et ce Tigre-là est né virtuellement le 22 janvier 1963, lorsque le chancelier allemand Konrad Adenauer et le général de Gaulle signèrent un traité d'amitié et de coopération prévoyant des accords industriels, notamment dans la mise au point de systèmes d'armes antichar et antiaérien. Vingt-huit ans plus tard, le prototype de l'hélicoptère de combat franco-allemand a effectué son premier vol sur le terrain de Marignane. Fruit de la collaboration entre l'Aérospatiale et la MBB-Dasa, il a été testé sur un oiseau de fer, sorte de squelette métallique de l'hélicoptère. Au nombre de ses atouts, il est le premier appareil militaire de série en matériaux composites, ce qui le rend plus léger, plus résistant aux impacts et imperméable à la corrosion. Pour sa structure principale, ses constructeurs ont veillé à le ga-

Le premier vol du prototype à Marignane. Biplace, il sera fortement armé.

rantir contre les crashes, les interférences électromagnétiques et les effets de la foudre. Très maniable grâce aux qualités de son rotor principal, il est équipé de canons de 7,62 et de 12,7 mm. Conçus en versions antichar et antiaérienne, les premiers Tigre seront livrés en 1997 aux armées de terre française et allemande.

L'Aéropostale du Latécoère au Boeing 737

France, 25 février

Il faut que « le courrier passe » : 80 ans exactement ont passé, mais la règle d'or des pionniers de l'Aéropostale reste de mise. Les Hiboux de Didier Daurat, qui transportaient chaque nuit 160 tonnes de lettres et de colis vers 19 aéroports, ont simplement passé le relai aux 15 Fokker et 16 Boeing 737 qui, à compter d'aujourd'hui, vont couvrir la totalité du réseau français. Pour le compte de la Société d'exploitation aéropostale, les avions entièrement conteneurisés décolle-

ront de deux plaques tournantes. De Roissy, les B-737, qui, en moins d'une heure trente, peuvent passer du transport des passagers à celui du fret, voleront vers Marseille, Toulouse, Montpellier, Rennes, Lyon, Nantes, Strasbourg, Bordeaux, Mulhouse et Nancy. Les Fokker partis de Lyon-Satolas desserviront Marseille, Toulouse-Pau, Montpellier, Nice, Bordeaux, Poitiers et Limoges-Clermont-Ferrand. Leur mission : acheminer chaque jour 250 tonnes de courrier, dont les colis spéciaux Chronopost.

Le surbooking sera indemnisé

Europe, 8 avril

L'impossibilité pour les compagnies d'honorer les réservations enregistrées sera désormais pénalisée. En 1990, 14 passagers sur 10 000 se sont vu refuser leur vol pour surréservation. Le motif de ce refus est très simple : certains clients réservent une place sur deux vols différents, pour des raisons diverses qui vont de la réunion d'affaires aux impératifs familiaux. Ils ne se présenteront qu'à l'un d'eux : il y a 5 à 10 % de passagers *no show* sur chaque vol. Pour pallier ce manque à gagner, on vend environ 10 % de réservations de plus que le nombre de places disponibles sur les vols : c'est le surbooking, avec les problèmes qu'il entraîne lorsque tout le monde se présente ! La CEE vient de tarifer les indemnisations : de 525 F pour un retard de moins de 2 h sur moins de 3 500 km, à 2 100 F pour plus de 4 h sur plus de 3 500 km.

British Airways fait l'offre la plus folle

Grande-Bretagne, 23 avril

Coup médiatique d'une rare audace pour British Airways : cinquante mille places gratuites vont être distribuées au départ de ses escales à travers le monde. Pour la France, cette opération de promotion représente 4 367 sièges, offerts au départ de Paris, Bordeaux, Lyon, Nice, Marseille et Toulouse à destination de Londres, Manchester, Birmingham et Glasgow. On estime déjà à 500 000 le nombre de demandeurs pour l'Hexagone. Par cette initiative, le transporteur britannique

espère redonner confiance à une clientèle que les récents événements du Golfe ont traumatisée : d'après David Scowsill, directeur général pour l'Europe, les appareils, qui volaient à pleine capacité il y a quelques mois, sont à présent presque vides. Des suppressions d'emplois et de lignes ont dû être effectuées. Le trafic aérien mondial a lui aussi enregistré une baisse inquiétante : 30 % pour le 4e trimestre 1990. Cette campagne publicitaire de British Airways est estimée à cinquante millions de livres.

Les seize Boeing 737 de l'Aéropostale opèrent la nuit depuis Roissy.

C'est une première, British Airways offre cinquante mille voyages gratuits.

McDonnell Douglas améliore la sécurité des hélicoptères

Le MD 520N de McDonnell Douglas peut emporter cinq personnes. Son hélice arrière est remplacée par des jets d'air.

Etats-Unis, 1er juin
McDonnell Douglas révolutionne l'hélicoptère. Ses derniers modèles n'ont plus de rotor de queue. Le constructeur américain l'a remplacé par un jet d'air : une soufflante couplée au moteur injecte de l'air sous pression dans la poutre de queue. Ce système baptisé Notar (pour *No Tail Rotor*, c'est-à-dire sans rotor de queue), équipe un pro-

totype MD 520N depuis six mois avec le double avantage de le rendre moins dangereux et plus facile à piloter. L'hélicoptère est beaucoup moins sensible aux vents de travers, et peut effectuer des figures de vol, déplacements ou virages difficilement accessibles à un appareil traditionnel. Il peut ainsi rester en vol stationnaire la queue dans les arbres alors que la manœuvre est suicidaire

avec tout autre appareil. Enfin le Notar, tout en éliminant les risques de blessure qui existaient avec le petit rotor, est moins fragile : la poutre de queue peut recevoir plusieurs impacts sans que l'appareil soit mis hors de combat. McDonnell Douglas annonce la mise en service commerciale de cet hélicoptère aux Etats-Unis pour le courant de l'année prochaine.

Lauda Air perd un avion en Thaïlande

Ban Chang, 26 mai
Il est 23 h 30, heure locale, lorsque le Boeing 767 de la compagnie Lauda Air, qui assurait la liaison Bangkok-Vienne, explose en plein vol, comme une boule de feu. A son bord, les 223 personnes, dont 84 Autrichiens, ont trouvé la mort. La catastrophe a eu lieu 20 min après le décollage de Bangkok, à Ban Chang, dans la province de Suphanburi. Le Boeing de la compagnie privée autrichienne a disparu des radars, bien que le commandant de bord, Thomas Welsh, n'eût pas signalé d'incident à bord. La déflagration s'est produite à 10 000 m d'altitude et à la vitesse de croisière de l'avion, 900 km/h. Niki Lauda, fondateur de la compagnie en 1978, ancien champion de Formule 1, est venu rejoindre les 250 sauveteurs sur les lieux de l'accident. Pour accueillir les victimes, le petit temple de Ban Rai a été transformé en chapelle ardente.

Orly est enfin relié au centre de Paris

Wissous, 15 mai
La première rame d'Orlyval vient d'être livrée à Wissous, le garage-atelier situé près d'Orly. Cette nouvelle ligne va enfin résoudre le problème de la desserte des aérogares d'Orly-Sud et Ouest. Dès le 30 septembre, le métro reliera le centre de Paris à l'aéroport en 30 min. Ainsi, les passagers arriveront directement dans l'aérogare, sans devoir transiter par un service d'autocars.

Il est prévu que le trafic de pointe pour 1992 sera de 7 200 passagers par heure, Orlyval devant en acheminer le cinquième. Le projet a été présenté en 1987 par Matra Transfinex qui détient 26,7 % du capital à égalité avec Air Inter. Orlyval est par ailleurs un atout important pour la compagnie : grâce à ce gain de temps d'une demi-heure, ses avions pourront devenir plus compétitifs vis-à-vis du TGV.

Le trafic est réduit à Issy-les-Moulineaux

Issy-les-Moulineaux, 15 juin
Une bretelle routière sera implantée à Issy-les-Moulineaux. La PUR (le service de la Mairie de Paris, attaché à l'urbanisme) a proposé de couper par moitié l'espace nord de l'héliport de Paris. Devant les réductions sans cesse croissantes du potentiel de la plate-forme de Paris (en 1890, le champ de manœuvre destiné aux militaires était de 63 ha, il n'est plus que de 9 ha), le GFH

(Groupement français de l'hélicoptère) a expliqué pourquoi Issy-les-Moulineaux doit survivre. Si la plate-forme venait à disparaître, Paris ne suffirait pas à accueillir tous les hélicoptères. Or, la pratique et l'utilisation de ces appareils de ville à ville se développent chaque année davantage. Le GFH a rappelé que la France est le leader mondial en matière de savoir-faire dans le domaine de l'hélicoptère.

Un trajet direct en trente minutes du centre de Paris aux aérogares d'Orly.

L'étau se resserre de plus en plus autour de l'héliport d'Issy-les-Moulineaux.

Le transport aérien régional français va s'internationaliser

Touraine Air Transport (TAT).

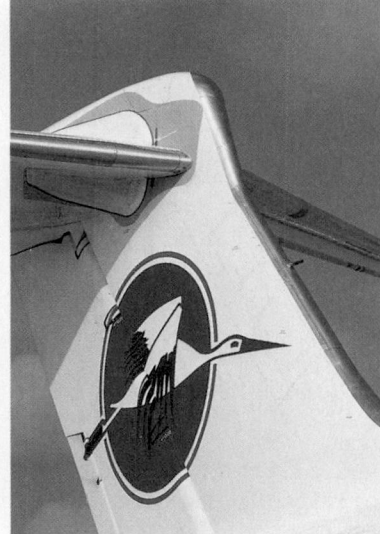

L'emblème d'Air Alsace.

Air Littoral, basée à Montpellier.

France, 15 juin
Touraine Air Transport, Air Alsace et Air Littoral, trois compagnies ambitieuses. Dans le cadre de l'Europe de 1993, elles ont demandé au CSAM des droits de trafic hors de nos frontières. Elles préparent déjà ce réseau international vers les pays limitrophes comme la Grande-Bretagne, l'Italie, l'Espagne, l'Allemagne, la Scandinavie, la Suisse et le Benelux. Pour TAT, 17 lignes sont déjà à l'étude : elle est devenue une compagnie importante avec ses 3 millions de passagers et ses 52 appareils, et a commandé 16 Fokker 100. Une chance inespérée pour les constructeurs d'avions court-courriers. Air Littoral possède quant à elle une quarantaine d'avions dont des ATR 42 et des Fokker 100. Les compagnies régionales se construisent peu à peu une flotte performante.

Le Rafale détruit la piste 03 du Bourget

Le Bourget, 16 juillet
Le Salon du Bourget sera ouvert au public. Il s'en est fallu de peu, car il y a deux jours la piste 03-21, située en face des tribunes, était dans un bien piteux état : plus de 200 m² du revêtement de la piste avaient en effet été littéralement décollés par le souffle des réacteurs d'un A-320 de Lufthansa. Les problèmes avaient commencé le 12 juillet lorsque le Rafale avait décollé à 17 h 20 de cette piste, refaite en 1944 par les Allemands. Le revêtement particulièrement dur, posé par ces derniers, avait été recouvert par la suite d'une couche de macadam de 5 cm. Mais des craquelures étaient peu à peu apparues et lorsque le Rafale a décollé, postcombustion allumée, 40 m² de revêtement se sont envolés. Le lendemain, après une réparation de fortune, l'A-320 a décollé, provoquant des dégâts tels que la société Scraig a dû refaire, en l'espace de 48 heures, 12 000 m² de piste.

La TEA s'allie avec American Airlines

Bruxelles, 2 juin
Le ministre belge des Communications a donné le feu vert aux premiers vols réguliers de la TEA. Ils ont débuté sur la ligne Bruxelles-Londres, à raison de trois vols réguliers par jour. Une concession en matière de concurrence accordée à la compagnie indépendante belge depuis que le P-DG, Georges Gutelman, a annoncé un accord avec le premier transporteur d'outre-Atlantique, American Airlines. Il s'agit de construire à Bruxelles-National un centre d'éclatement du trafic, qui sera en concurrence directe avec celui que la Sabena voudrait réaliser avec British Airways. Le couple TEA-American a annoncé pour la fin de l'année la desserte de nouvelles destinations vers l'Espagne, l'Allemagne et la Grèce.

Un aéroport pour 100 milliards de francs

Pékin, 30 juin
Cent milliards de francs, c'est ce que coûtera le nouvel aéroport de Hong Kong, situé sur l'île de Lantau. Un prix exorbitant qui représente un quart de plus que le tunnel sous la Manche ou la moitié de la reconstruction du Koweït. La Chine populaire et la Grande-Bretagne ont conclu à Pékin un accord pour ce gigantesque chantier qui devrait être achevé en 1997, l'année du retour de la colonie britannique à la Chine. Ce nouvel aéroport de Shek Lap Kok s'imposait, car celui de Kai Tak, 6e du monde en terme de passagers internationaux, ne possède qu'une piste et arrive à saturation avec 31 décollages et atterrissages par heure. Le premier ministre britannique, John Major, viendra signer l'accord à Pékin.

La flotte de Trans European Airways comporte maintenant cinq Boeing 737.

L'aéroport actuel requiert un vol de reconnaissance pour les commandants.

Grâce à la Perestroïka l'Occident découvre enfin le MIG 31

Salon du Bourget, 23 juin
Merci à M. Gorbatchev ! Sans sa nouvelle politique, jamais le très secret MIG-31 Foxhound n'aurait été montré en Occident. Le voici au Salon, dans sa livrée aluminium et bleu, l'air un peu vieillot comparé aux monstres américains fraîchement revenus du Golfe, qui s'alignent juste en face avec leurs peintures de guerre. Pourtant, huit ans après son entrée en service opérationnel, le MIG-31 reste le plus puissant intercepteur au monde. Biplace dérivé du MIG-25, 41 tonnes au décollage, il est doté de deux réacteurs Soloviev de quinze tonnes de poussée chacun. Sa mission : interdire le ciel soviétique aux bombardiers stratégiques et missiles de croisière. Son atout : le radar Zaslon, le premier conçu en URSS avec une capacité de détection vers le bas, ce qui lui permet de repérer et

Depuis quelques mois, les usines Mikoyan écrivent MIG et non plus MiG.

tirer des cibles évoluant à basse altitude, malgré l'effet de sol qui brouille les échos radar. Dix hostiles peuvent être pistés simultanément par le Zaslon, dont quatre engagés au missile en même temps. Le MIG-31 présenté au Salon du Bourget est un modèle export. Il a été récemment proposé... aux Israéliens !

Piper Aircraft est déclaré en faillite

West Palm Beach, 1er juillet
Piper Aircraft, le plus important constructeur américain d'avions légers, s'est mis à l'abri des poursuites de ses créanciers en invoquant l'article 11 de la loi sur les faillites. La firme de Vero Beach, dont les impayés s'élèvent à 28 millions de dollars, espère ainsi rassurer les investisseurs susceptibles de lui apporter le financement nécessaire à la reprise de ses activités. De crise en crise, Piper avait reçu le coup de grâce en mars dernier, lorsqu'un de ses meilleurs produits, le Malibu (un petit avion d'affaires), se vit interdire de voler par mauvais temps à la suite d'une série d'accidents. Il reste un dernier atout à Piper : son carnet de commandes représente potentiellement près de 200 millions de dollars.

Air France soutenue par la BNP

Paris, 17 juillet
La BNP se prépare à rentrer dans le capital du groupe Air France à hauteur de un milliard de francs. L'opération se négocie actuellement dans le cadre de l'augmentation de cinq milliards de francs du capital de la compagnie aérienne nationale. Son contrat de plan pour 1991-1993 prévoit en effet plus de 39 milliards de francs de dépenses d'investissement, avec la livraison de 66 avions nouveaux. Le groupe veut autofinancer l'affaire à 65 % et compte sur l'aide de la BNP pour maintenir son endettement dans des limites raisonnables. Huitième banque mondiale pour le montant de ses actifs, celle-ci avait déjà participé, l'année dernière, au rachat d'UTA par Air France.

Un Iranien réfugié à Roissy-CdG 1

Roissy-CdG, 31 juillet
Nom : Karemi Nasserri Mehran. Statut : aucun. Pas de passeport, pas de papiers. Domicile : aéroport Roissy-Charles-de-Gaulle depuis le 26 août 1988. Réfugié iranien condamné à l'expulsion, Mehran s'est rebiffé au moment de son embarquement, arguant d'une autorisation de séjour de trois mois. Depuis, il attend à Roissy-1 que la justice statue sur son cas. Il couche au niveau Départs (le plus confortable), vit de ce que lui donnent les employés de l'aérogare, grappille les restes de plateaux-repas. Qu'espère-t-il ? S'envoler un jour pour le Canada ou la Grande-Bretagne...

Les Boeing 767 seront modifiés

Washington, 16 août
Obligation aux transporteurs de neutraliser les inverseurs de poussée des moteurs sur les Boeing 767. Cet ordre de la FAA (l'administration américaine chargée de l'aviation civile) fait suite à une série de tests effectués par Boeing qui montrent la possibilité d'un déploiement incontrôlé en vol de ces inverseurs. Danger, car en déviant le jet du moteur, l'inverseur (qui sert de frein d'appoint à l'atterrissage) peut rendre l'avion incontrôlable. Ceci expliquerait pourquoi un 767 de la Lauda Air s'est écrasé en Thaïlande le 26 mai (223 morts). Boeing n'a plus qu'à modifier tous ses 767.

Minerve profite de la libéralisation

Orly, 7 mai
La compagnie privée Minerve a ouvert aujourd'hui une ligne régulière entre Paris et Nice. Trois vols quotidiens (et bientôt six) pour se tailler une place face aux vingt et un allers-retours offerts par Air Inter et Air France sur le même trajet. L'initiative de Minerve est une conséquence du rachat d'UTA et d'Air Inter par Air France, achevé en janvier 1990. Ce nouveau géant paraissait trop monopolistique à la commission européenne de Bruxelles, qui y a mis une condition : l'ouverture à la concurrence, d'ici à la mi-1992, d'une cinquantaine de liaisons en France ou vers l'étranger, restées jusqu'ici chasse gardée des trois compagnies qui forment désormais le groupe Air France.

Un des cinq Concorde d'Air France.

Il vit à Roissy depuis trois ans.

La partie arrière est mise en cause.

Minerve dispose aussi de DC-10.

Delta Air Lines s'offre le rachat partiel de Pan Am

Delta Air Lines se hisse au niveau des plus grands sur l'Atlantique Nord.

L'emblème de Pan Am ne subsistera que dans le ciel d'Amérique latine.

New York, 12 août
En faillite depuis janvier dernier, Pan American paie cher des années d'erreurs stratégiques et de déroute financière. La compagnie légendaire, qui servit longtemps ses passagers dans de la vaisselle d'argent, défricha maintes routes aériennes et s'imposa sur la voie royale qu'est l'Atlantique Nord, est réduite au-jourd'hui au rang de transporteur secondaire sur l'Amérique latine. Là même où elle fit ses débuts, en 1927. Tels sont les termes de l'ac-cord judiciaire conclu aujourd'hui entre Delta Air Lines, la direction de Pan Am et ses nombreux créan-ciers. Au moins la disparition pure et simple est-elle évitée grâce à la solution originale proposée par Delta. La compagnie d'Atlanta ac-cepte d'investir 455 millions de dol-lars pour restructurer Pan Am dans son nouveau rôle. Pour 416 mil-lions supplémentaires, Delta va re-prendre à la compagnie déchue ses installations de la côte Est, ses pla-ques tournantes de New York et Francfort, ses routes vers l'Europe, l'Afrique, l'Asie et le Moyen-Orient, ainsi que 24 Boeing 727 et 21 Airbus A-310. Elle s'ouvre ainsi la porte sur l'Atlantique Nord, dont elle pourrait vite engranger 10 % du marché. Plus de onze milliards de dollars de chiffre d'affaires, une flotte de 505 appareils, 2 500 vols quotidiens : la nouvelle Delta ac-cède au peloton de tête, sur les talons d'American et de United.

Une restructuration pour la Sabena

Bruxelles, 31 juillet
Qui apportera 166 millions de dol-lars d'argent frais à la Sabena ? Bri-tish Airways ou Air France ? Ré-ponse à la fin du mois de septembre, lorsque sera annoncé l'accord de participation entre la compagnie aérienne nationale belge et un des deux transporteurs précités. Ces derniers « se tiennent dans un mouchoir de poche », vient de dé-clarer Pierre Godfroid, le patron de la Sabena. Les négociations qui sont en cours conditionnent une partie de l'aide du gouvernement belge (974 millions de dollars au total) qui restera gelée tant que Pierre Godfroid n'aura pas conclu avec l'un ou l'autre de ses inter-locuteurs. La Sabena est en pleine restructuration pour tenter d'éviter le désastre financier. Les pertes cu-mulées s'élevaient à 1,17 milliard de dollars en mars dernier. Le plan de relance mis en place par Pierre Godfroid prévoit 2 204 suppres-sions d'emplois sur un effectif de 11 800 personnes. Le retour vers l'équilibre est espéré pour 1992.

Déjà cent commandes pour le CitationJet

Wichita, 29 avril
Les quatre cents invités de Cessna à Wichita ont commencé par dé-couvrir le climat parfois très spécial de la région, qui leur aura fait passer quelques heures supplémentaires au Hilton Airport Hotel. Ce n'est qu'à 17 h 38 que le Citation Jet a pu prendre son envol avec les pilotes d'essai Bob Leonard et Bob Carna-han. Il a répondu aux performances qui avaient déjà été annoncées par le président Russell Meyer au cours d'une très belle réunion à Atlanta en octobre 1989. A cette époque, Cessna espérait enregistrer 20 com-mandes au prix de 2,5 millions de dollars. En deux jours, il y en eut plus de 50. Ce biréacteur (un Cita-tion I doté d'une technologie de pointe) a une vitesse de 730 km/h et sera livré à la fin de 1992.

Le prototype et un avion de présérie feront 1 000 heures de vol en un an.

Air Inter dit adieu à la Caravelle

Orly, 3 août
Quelques verres de champagne pendant le vol, des applaudisse-ments à l'atterrissage et beaucoup de nostalgie lors de la dernière liai-son effectuée par Air Inter avec une Caravelle. C'était un Nantes-Paris à bord d'une Super XII, la dernière version de l'appareil, construite en 1972. Tous modèles confondus, la compagnie intérieure française aura mis en œuvre vingt-huit exemplai-res de ce célèbre moyen-courrier, si caractéristique avec ses deux réac-teurs placés à l'arrière du fuselage. Air France en avait exploité pour sa part quarante-six entre 1959, année de la première mise en service, et 1981. Sud-Aviation en fournit à plusieurs grands transporteurs eu-ropéens, au Brésil et même aux Etats-Unis où United Airlines en acheta vingt exemplaires. Mais les développements, prometteurs, fu-rent négligés dès 1961 au profit du Concorde supersonique. Seulement 279 Caravelle ont été construites. Cinquante-cinq sont encore en service dans dix-huit pays.

LES MOTEURS

Depuis le premier bond de Clément Ader au siècle dernier, suivi du vol contrôlé des frères Wright, les hommes n'ont cessé de se relever des défis pour aller plus vite, plus loin et plus haut. En 1909, Louis Blériot traversait la Manche avec un avion équipé d'un moteur Anzani de 25 chevaux. Chaque cheval faisait s'élever une masse de 12 kg. En 1916, Georges Guynemer volait sur un Spad doté d'un moteur Hispano-Suiza de 150 chevaux. En 1944, Pierre Closterman se battait dans le ciel de France sur un Spitfire équipé d'un moteur Rolls-Royce qui développait plus de 2 000 ch. Quinze ans

plus tard, en 1959, Jean Dabry faisait décoller un Super Constellation d'Air France en utilisant la puissance des quatre moteurs Wright Cyclone de 3 500 ch chacun. La même année, le premier Boeing 707 de Pan Am était propulsé par quatre réacteurs qui développaient en vitesse de croisière une puissance totale de 85 450 chevaux. En 1969, André Turcat lançait sur la piste de Toulouse le prototype de Concorde. En faisant claquer à fond de butée les manettes de gaz, il lançait un avion qui allait atteindre la puissance fantastique de 275 000 ch à Mach 2. Elle est donnée par les

quatre réacteurs Rolls-Royce Olympus. Soixante ans après l'exploit de Blériot, chaque cheval ne contribuait plus qu'à soulever 600 grammes de masse de l'avion. Cette course à la puissance et à la vitesse a aussi été celle des ingénieurs métallurgistes. Ils ont découvert les alliages qui résistent aux hautes températures. Alors que le moteur Anzani atteignait en régime 150 °C, les réacteurs actuels ont des températures de l'ordre de 1 500°. Les études se poursuivent pour utiliser toute cette énergie accumulée et ne plus laisser en sortie de tuyère que des gaz à basse température.

SOMMAIRE

LE MOTEUR A EXPLOSION

Les différents moteurs à explosion

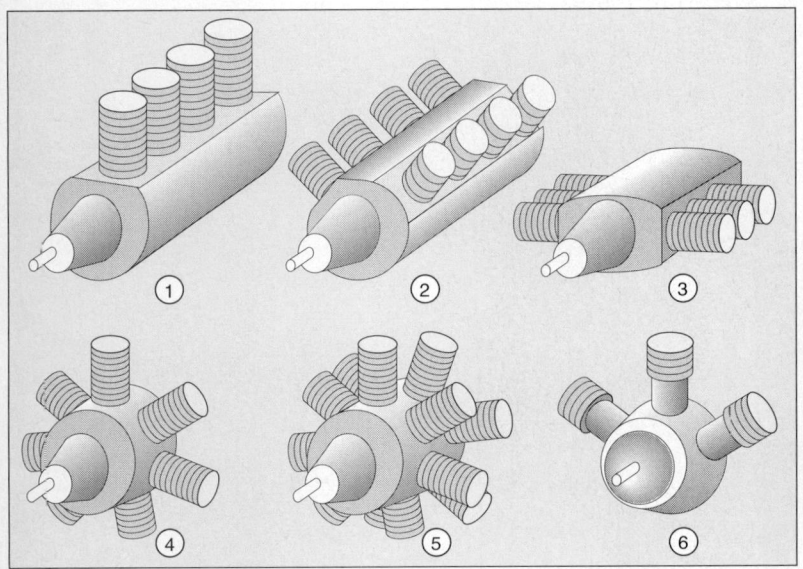

Les cylindres peuvent être disposés : en ligne (1), en ligne double formant un V (2), en ligne à plat et opposés les uns aux autres (3), en étoile rotative ou fixe (4), en double étoile rotative ou fixe (5) et en éventail (6).

L'Anzani 25 ch consommait 10 litres d'essence à l'heure à 1 600 tr/min.

Rotatif, le Rhône du Caudron G3.

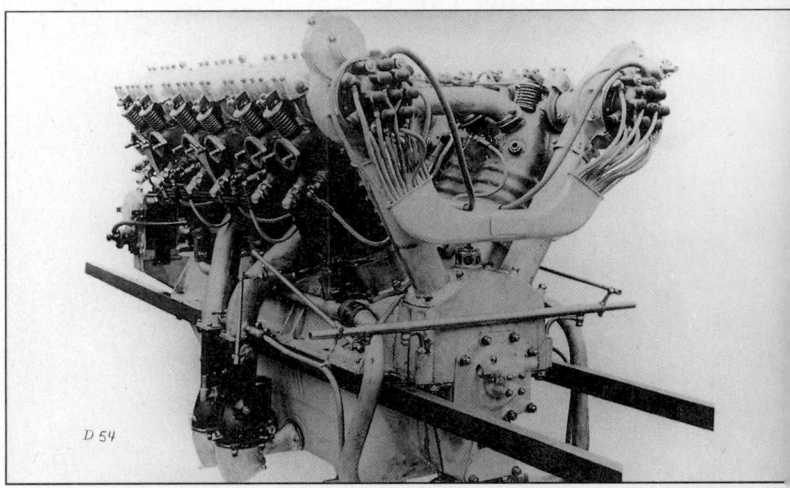

Le Lorraine 12 cylindres en V de 400 ch équipait le Farman Goliath.

Le fonctionnement du moteur à explosion à quatre temps

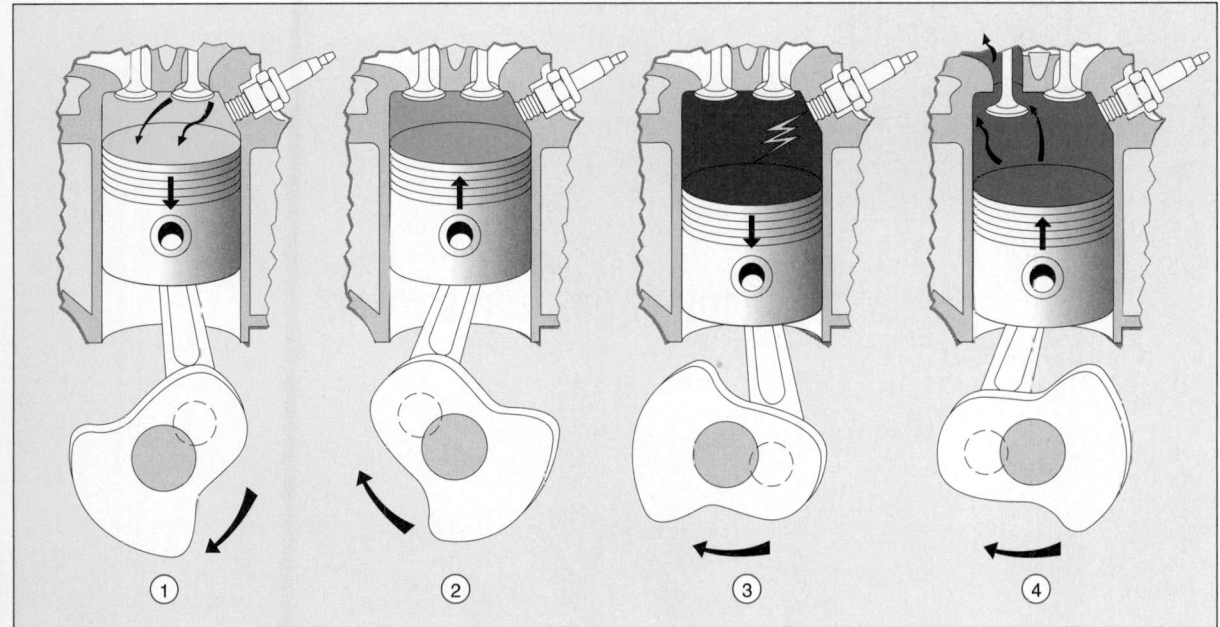

Premier temps, l'admission :
Le piston descend en aspirant le mélange air-carburant qui pénètre dans la culasse par la soupape d'admission qui est ouverte.

Deuxième temps, la compression :
Le piston remonte et comprime le mélange, car la soupape d'admission s'est refermée.

Troisième temps, la détente :
Lorsque le piston arrive au sommet de sa course, l'étincelle de la bougie allume le mélange. Comme les soupapes sont fermées, le piston est refoulé vers le bas sous la pression de l'explosion des gaz.

Quatrième temps, l'échappement :
La soupape d'échappement s'ouvre et la remontée du piston refoule les gaz brulés vers l'extérieur.

Ce monoplan Renard R.33 est équipé du moteur en étoile Renard de 120 ch.

Le Clerget 2K de 16 ch de 1920.

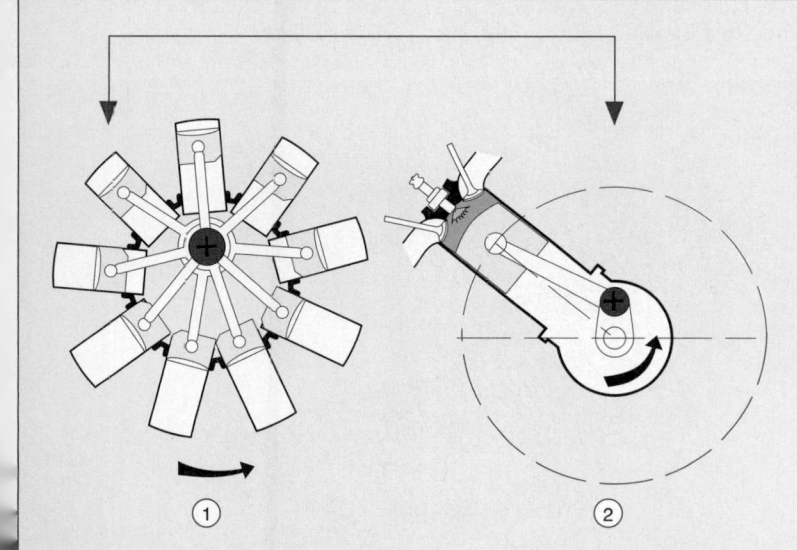

(1) Dans le moteur rotatif l'embiellage est fixe, carter et cylindres tournent avec l'hélice. (2) Lorsque l'ensemble du moteur est fixe, c'est un embiellage classique qui tourne avec le vilebrequin pour entraîner l'hélice.

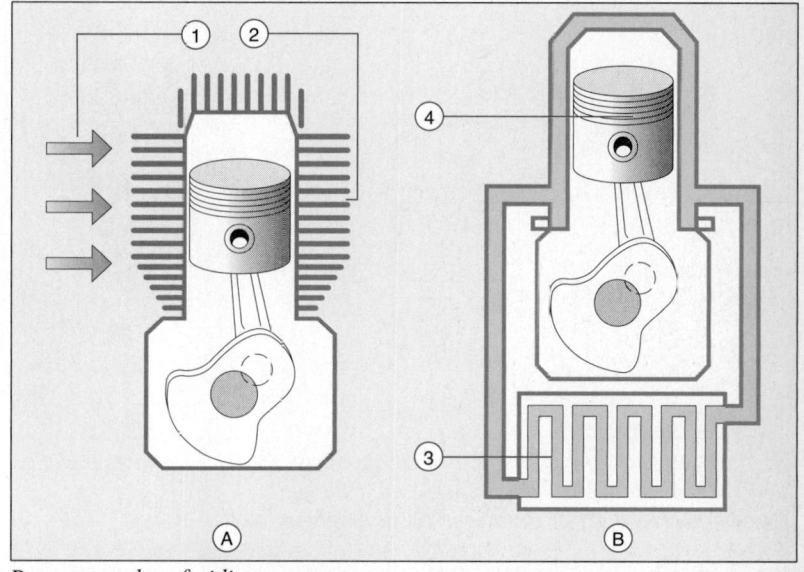

Deux types de refroidissement :
(A) : L'air (1) refroidit le cylindre muni d'ailettes (2). (B) : L'eau circule dans le radiateur (3), puis dans la chemise du cylindre (4) pour le refroidir.

Le moteur à essence

Le moteur des frères Wright

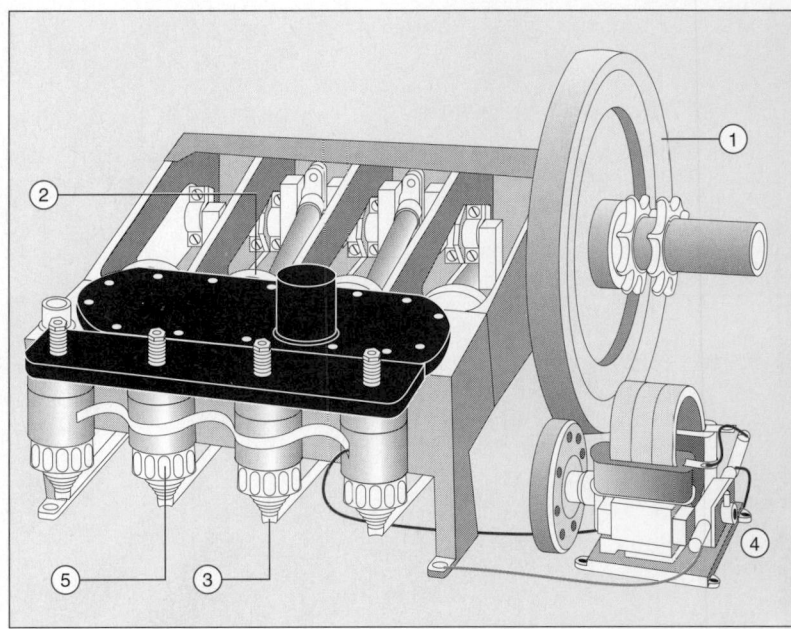

Volant d'inertie avec ses 2 pignons d'entraînement (1); carter (2); tête de cylindre avec le ressort de soupape (3); magnéto (4); entrées d'air (5).

Les frères Wright, dans l'impossibilité de trouver un moteur assez léger pour leur Wright Flyer décident d'en construire un. Avec leur mécanicien Charles Taylor, il fabrique un quatre cylindres refroidi par eau pesant 82 kg. La puissance de 12 ch environ est transmise aux deux hélices par des chaînes et des pignons de bicyclette.

PUISSANCE
L'UNITÉ INTERNATIONALE EST LE KILOWATT

1.36 CH ←——— **1 KW** ———→ 1.34 HP

1 CHEVAL
=
75 KG/MTR/SECONDE

CH	CH ou HP	HP
102	100	96
202	200	197
508	500	493
710	700	690
1015	1000	985
1522	1500	1478
2030	2000	1971
2537	2500	2463
3045	3000	2956

1 HORSE POWER
=
550 LBS/FT/SECOND

1 SECONDE

75 KGS

1 M

1 SECOND

550 LBS

1 FT

La puissance est la quantité de travail que peut produire un moteur dans un temps donné. Pour l'aéronautique on distingue :
- la puissance effective, calculée et mesurée sur un banc d'essai ;
- la puissance maximale au décollage, utilisation limitée à 5 minutes ;
- la puissance nominale, égale à 90 % du maximum, elle sert en montée ;
- la puissance de croisière égale à 75 %, 65 % ou 55 % du maximum.

Blériot XII doté d'un 8 cylindres en V de 60 ch refroidi par eau construit en 1909 par la société ENV, le sigle indique d'ailleurs la spécialisation.

Le moteur Antoinette

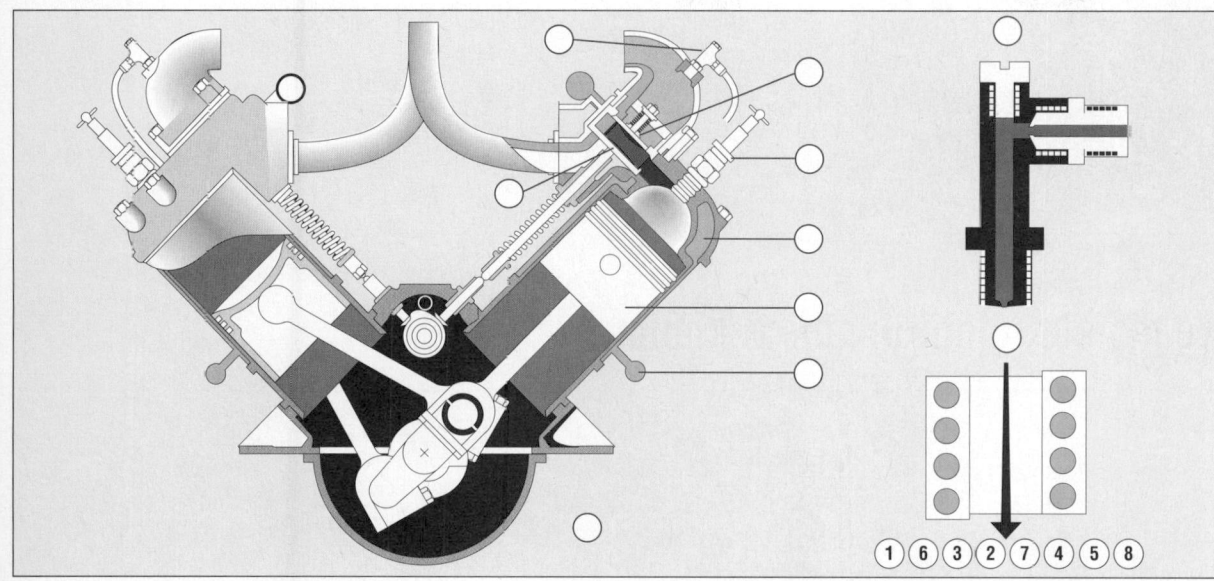

(A) Le moteur.
(1) Soupape d'échappement.
(2) Injecteur dans l'entrée d'air.
(3) Soupape d'admission.
(4) Bougie d'allumage.
(5) Chemise à eau.
(6) Piston dans son cylindre.
(7) Liquide de refroidissement.

(B) Injecteur de carburant.

(C) Ordre d'allumage.

Léon Levavasseur a produit des moteurs en V Antoinette de 24 ch à 120 ch jusqu'en 1910. De conception révolutionnaire pour l'époque, ils étaient équipés d'un système d'injection directe du carburant et d'un refroidissement par évaporation : après son passage autour des cylindres, l'eau de refroidissement est transformée en vapeur. Celle-ci se condense dans un radiateur de grande dimension suspendu sur le côté du fuselage. Le V8 de 1905 pesait 50 kg pour 50 ch, ce rapport masse/puissance de 1 ne fut égalé que vingt-cinq ans plus tard.

Léon Levavasseur a construit l'aéroplane et le moteur; les deux portent le nom d'Antoinette. Ce 16 cylindres en V pèse 145 kg et développe 100 ch.

Le Boeing FB-5 (model 67) de 1927 est doté d'un moteur Packard 2A-1500. D'une puissance de 520 ch, ses 12 cylindres en V sont refroidis par liquide.

Le Continental C-125-2 développe 125 ch à 2 550 tr/min. C'est un 6 cylindres à plat refroidi par air, sa consommation est de 30 litres d'essence 73 octane.

Le moteur rotatif

Le moteur rotatif Gnome & Rhône

Sur cette coupe du Gnome Oméga on distingue : l'arrivée du mélange dans le carter par l'axe central ; les cylindres montés sur roulement ; l'orifice d'admission au centre du piston ; le culbuteur de la soupape d'échappement et l'étrier pour la fixation de l'hélice.

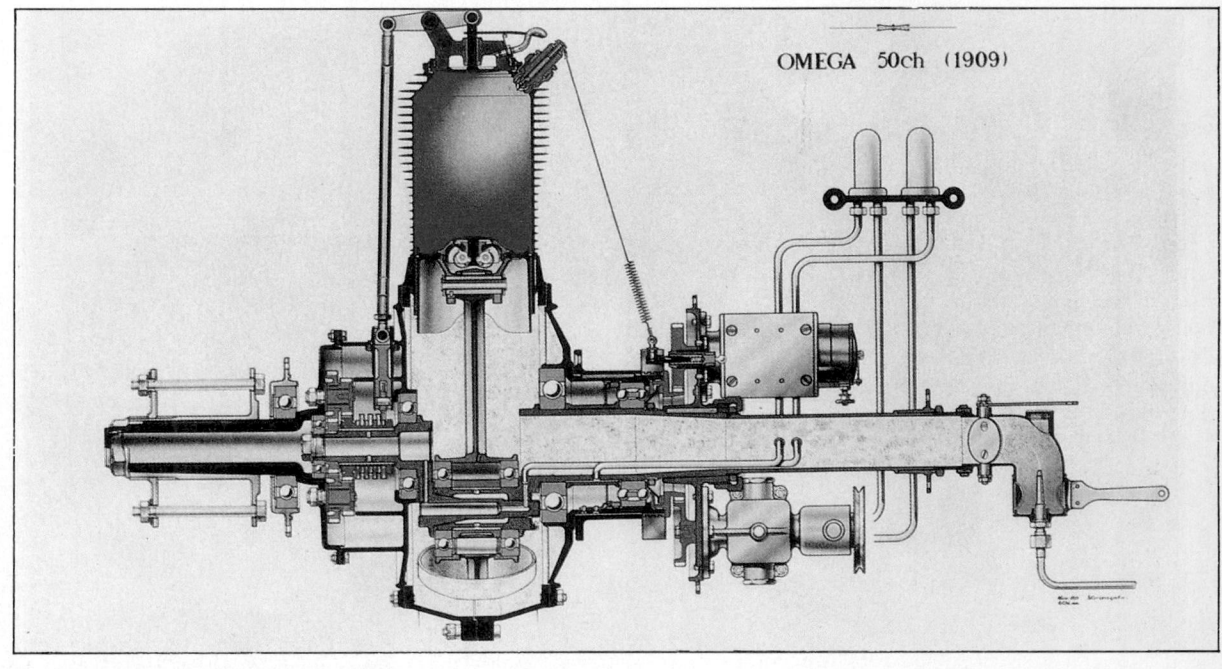

OMEGA 50ch (1909)

Le premier moteur étudié spécifiquement pour l'aéronautique a été le Gnome Oméga des frères Seguin. Sa conception révolutionnaire se différenciait de la technique empruntée à l'industrie automobile dès les débuts de l'aviation. Avec sept cylindres disposés en étoile, il délivrait une puissance de 50 ch et ne pesait que 76 kg. Vendu au prix catalogue de 13 000 francs il permit de battre plus d'une trentaine de records entre 1909 et 1913. Il fut le moteur le plus performant de la Première Guerre mondiale.

Dans l'Oméga le vilebrequin est fixe. Ce sont donc les cylindres qui tournent autour de l'axe et sont ainsi refroidis par la vitesse de rotation (1 200 tr/min). L'hélice est fixée sur les cylindres. L'arbre du moteur qui est creux donne le passage au mélange air-carburant. Celui-ci pénètre dans la culasse par une soupape automatique située au fond du piston. L'allumage est réalisé par une magnéto et des bougies. La présence du carburant dans le carter ne pose pas de problèmes particuliers de graissage, les moteurs deux temps actuels en sont la preuve. L'huile de ricin fut le choix naturel pour le rotatif, car c'était à l'époque un des meilleurs lubrifiants. Cette huile est encore appréciée pour la résistance du film qu'elle dépose sur les pièces en mouvement. La fiabilité de ce moteur était due à une grande qualité de fabrication. Les cylindres étaient en acier avec des ailettes taillées dans la masse.

Les forces centrifuges importantes ont été une des limitations en puissance du moteur. Plusieurs modèles de rotatifs furent construits. Ils comportaient 5, 7, 9, ou 14 cylindres. Ce dernier, d'une puissance de 100 ch, était réalisé par accouplement de 2 Oméga. Ce type moteur remporta les six premières places au concours de Reims en 1911.

Le rotatif a été construit sous licence dans de nombreux pays. Bentley le fabriqua en Angleterre, Siemens et Oberursel en Allemagne et Thulin Motor en Suède. Cette société les exportait en Allemagne où les pilotes les préféraient pour leur fiabilité. Sa robustesse et sa légèreté firent de ce moteur le préféré des constructeurs d'avions. Les pilotes aimaient son ronronnement régulier mais redoutaient le couple gyroscopique limitant la cadence des virages.

C'est avec le Gnome de 50 ch que Garros a traversé la Méditerranée.

Le moteur rotatif Rhône 9 JB de 120 ch était construit en 1915.

Les pilotes de « rototo » étaient astucieux

Le réglage des premiers moteurs rotatifs demandait une adresse exceptionnelle de la part du pilote. Le mélange de l'air et du carburant se faisait directement à l'entrée du moteur. Une manette actionnait un volet qui calibrait le débit d'air, tandis qu'une autre contrôlait le volume de carburant injecté. Lorsque le mélange devenait trop riche, débit d'essence trop important, le moteur répondait soit avec retard, soit par un grognement suivi d'un arrêt brutal dû à l'encrassement des bougies. L'inexpérience du pilote était sanctionnée par l'atterrissage en campagne. En combat aérien, cette panne soudaine était souvent fatale. Lorsque la carburation était parfaitement réglée, le pilote était peu enthousiaste à l'idée de modifier le mélange. Aussi, la méthode du contact coupé était-elle très utilisée par les pilotes. Elle consistait simplement à couper l'allumage, donc le moteur, pour réduire la vitesse ou pour perdre de l'altitude. Dès que le pilote rétablissait le contact, le moteur reprenait rapidement la pleine puissance dans un nuage de fumée. Cette méthode était très dommageable pour la tenue mécanique des moteurs. Elle fut appliquée parce qu'elle permettait un contrôle total de la puissance sans prendre de risques. Dès que les carburateurs furent modernisés et dès que l'entraînement des pilotes fut plus complet, l'astuce du contact coupé fut abandonnée.

Autre difficulté pour les pilotes de rotatif : le graissage qui, lui, posait des problèmes de visibilité. En effet la force centrifuge projetait l'huile vers le haut des cylindres, forçant son évacuation par la soupape d'échappement. A chaque remise de gaz, le moteur libérait sa fumée blanche : l'huile de ricin déposait un voile visqueux et tenace sur l'avant de l'appareil et sur le cockpit. L'équipement de base du pilote d'aéroplane doté d'un moteur rotatif comportait la veste de cuir, les lunettes et le long foulard blanc pour les essuyer. L'odeur de cette huile, appréciée aussi pour ses qualités laxatives, permettait de reconnaître le pilote de « rototo » parmi tous les autres.

Le Farman de 1909 est le premier avion a être équipé du rotatif Oméga.

Le Sopwith Snipe équipé du nouveau rotatif Bentley B.R.2 de 230 ch est lancé par un démarreur Hucks entraîné par le moteur d'une Model T.

Le Nieuport 12 est doté du rotatif Clerget-Blin 9B (9 cylindres) de 130 ch.

La fin du rotatif

A la fin de la Première Guerre mondiale, le moteur rotatif Gnome était en service dans toutes les forces aériennes d'Europe.

Le principe des cylindres tournants de Gnome & Rhône avait été adopté en Angleterre par W.O. Bentley (BR 2), en Allemagne par Oberursel et Siemens Halske, et en France par Clerget. Les contraintes imposées par les forces centrifuges limitaient leur vitesse de rotation, donc leur puissance, qui plafonnait à 230 ch. Toujours compétitif pendant la Première Guerre, ils furent victimes du développement rapide de l'aviation civile. Les grandes traversées imposaient des moteurs fiables et moins gourmands en carburant. La recherche de performances dans les domaines de la vitesse et de l'altitude justifiait les améliorations dans le rapport entre le poids du moteur et la puissance qu'il développe. L'apparition de moteurs turbocompressés ou suralimentés favorisa le développement des moteurs fixes fabriqués par Rolls-Royce en Angleterre, US Liberty aux Etats-Unis, Mercedes en Allemagne, Salmson, Renault et Canton-Unne en France.

Les révisions toutes les vingt heures de vol du rototatif n'étaient acceptables que pour les amateurs fortunés. La production fantastique de 1914-1918, environ 92 400 moteurs, permit au « rototo » de survivre dans les cirques aériens et dans les associations jusqu'en 1926. Maintenant, ils sont entretenus avec soin par les musées qui ont le privilège de faire voler d'antiques aéroplanes avec des moteurs rotatifs, fruits du génie des frères Seguin.

Les moteurs célèbres

L'Eagle de 225 ch a été le premier moteur réalisé par Rolls-Royce en 1914...

... et en 1943 le dernier, de 3 590 ch, portait également le nom d'Eagle.

Le Spad S. VII, doté d'un Hispano 8 Aa de 150 ch, arrive au front en 1916.

L'ingénieur suisse Marc Birkigt débuta en Espagne dans la fabrication automobile, d'où le nom de la société Hispano-Suiza, installée en France en 1915. La première réalisation fut un moteur de 150 ch en V refroidi par eau, les 8 cylindres en acier étaient vissés à des culasses en aluminium. Ce moteur équipa le Spad S.7 qui, dès son premier vol, battit tous les records de l'époque avec 250 km/h. Tous les grands as l'adopteront et Guynemer demanda le 3e S.7 sorti de la chaîne.

En décembre 1924, des mécaniciens de la jeune compagnie Pratt & Whitney achevaient la mise au point du premier propulseur de la firme : le Wasp (guêpe), un moteur refroidi par air de neuf cylindres en étoile.

Le Wasp S1D1 de 550 ch, qui a équipé les avions Lockheed Orion dès 1930, était léger et robuste. Le moteur d'origine fut amené par la suite à développer 600 ch. Vingt ans plus tard, naissait le Wasp Major, un monstre réunissant quatre étoiles de sept cylindres chacune.

Dérivée du propulseur Rolls-Royce R, la famille des moteurs Merlin a notamment équipé les Spitfire et Hurricane. Ce moteur à suralimentation de 12 cylindres en V porte le nom d'un oiseau de proie, comme tant autres propulseurs à pistons de Rolls-Royce. Développant entre 1 650 et 1 830 ch selon la version, le Merlin consommait plus de 500 litres de carburant par heure à plein régime.

Le Sikorsky S.38 de Pan American Airways possédait deux Pratt & Whitney Wasp de 420 ch, qui lui donnait une vitesse de croisière de 180 km/h.

Une Lady offre un moteur aux Anglais

Heinkel a arnaqué Rolls-Royce

Les Anglais ayant gagné la coupe Schneider deux années de suite, ils avaient une chance de remporter le trophée attribué au vainqueur de trois coupes successives. A Venise, le Flt Lt S.N. Webster gagna, en 1927, sur le Supermarine S.5, et le Fg Off H.R. Waghorn sur le Supermarine S.6 en 1929. Le ministère de l'Air décida de ne plus financer la course pour 1931, car la rigueur de la crise imposait d'utiliser l'argent des contribuables pour résoudre les problèmes de l'emploi plutôt que pour le sport et le prestige. Lady Houston, veuve d'un magnat du transport maritime, disposait de nombreuses relations et d'une grande fortune personnelle. Déçue de la décision ministérielle, elle offrit 100 000 livres à Rolls-Royce et à Supermarine pour que l'Angleterre reste dans la compétition. Cette donation et la pression des médias forcèrent le ministre à revenir sur sa décision. Rolls-Royce se mit au travail et développa le moteur R pour obtenir une puissance de 2 350 ch. La

Lady Houston visite Supermarine.

veille de la course le moteur était prêt. Seules l'Italie et la France restaient alors en compétition. L'Italie abandonna en août, car le Macchi M.C. 72, équipé de deux moteurs de 1 500 ch montés bout à bout, rencontra de nombreux problèmes. La France jouait de malchance, le Nieuport-Delage NiD 450 et le Bernard 120 s'écrasaient au sol. Le 12 septembre, jour de la course, le Flt Lt John Boothman parcourut seul les 7 tours de 50 km à la vitesse de 547,305 km/h, donnant le trophée Schneider à la Grande-Bretagne. Quatre ans plus tard, le Supermarine devait servir de base au célèbre Spitfire.

Le Heinkel He 70 G-ADZF sert de banc d'essai au Rolls-Royce Kestrel.

En 1935, Rolls-Royce utilisait des biplans pour les vols d'essai. Mais ces avions peu aérodynamiques n'étaient pas adaptés au développement des moteurs. Pour résoudre ce problème, il fallait donc trouver un nouveau type d'appareil, plus performant. Ce devrait être un monoplan, aérodynamique, doté d'un train d'atterrissage escamotable et de volets de bord de fuite. A cette époque, l'avion le plus adéquat était le Heinkel He 70, construit en Allemagne pour le transport civil, mais que les Britanniques soupçonnaient être un appareil militaire. Quand la commande fut passée, Rolls ne comprit pas pourquoi la firme Heinkel refusait de livrer l'appareil avec son moteur d'origine, le BMW à 12 cylindres en ligne de 630 ch et à refroidissement par liquide. On expédia donc un Kestrel à l'usi-

ne Heinkel. Après des essais en vol couronnés de succès, des délais inexplicables retardèrent la livraison du Heinkel de trois mois. A son arrivée en Angleterre, une inspection de l'appareil flambant – neuf, il n'avait que six heures de vol – révéla que son moteur Kestrel perdait de l'huile et était bien fatigué pour une si courte utilisation. En réalité, le moteur avait été démonté et inspecté dans le but de connaître tous ses secrets. De plus, il avait été monté sur les chasseurs Messerschmitt Bf 109 et Heinkel He 113 pour évaluer leurs performances avec le Kestrel. Les Allemands, profitant de la naïveté et de la bonne volonté des Britanniques, ont ainsi pu faire voler les avions qui allaient devenir les plus redoutables adversaires de la bataille d'Angleterre avec des moteurs Rolls-Royce.

Rolls-royce série R, avec sa turbine de suralimentation sur la droite.

L'Angleterre avait raison de croire que la Luftwaffe utiliserait le He 70.

Le moteur Diesel

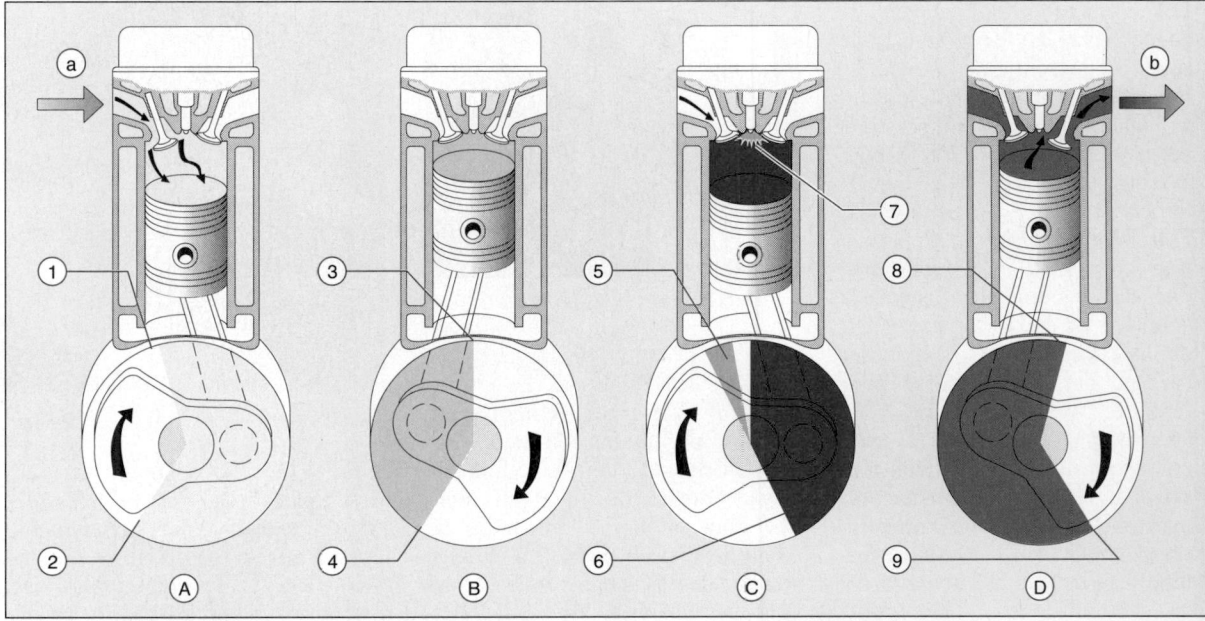

(A) Admission : *(1) ouverture de la soupape d'admission et entrée du gasoil, (2) fermeture de l'admission.*
(B) Compression : *(3) début de la compression par la remontée du cylindre, (4) fin de la compresssion.*
(C) Injection : *(5) (7) injection du gasoil qui s'enflamme spontanément, (6) détente et cycle moteur.*
(D) Echappement : *(9) ouverture de la soupape d'échappement, les gaz brûlés s'évacuent jusqu'à la fermeture (8).*

Pierre Clerget, ingénieur au service technique de l'aéronautique, a étudié la pulvérisation du gasoil dans les moteurs destinés à l'aviation.

Le Morane MS.135 est le premier avion français équipé d'un moteur Diesel Clerget de 100 ch en étoile. Le vol d'essai a eu lieu le 28 septembre 1929.

Le colonel Lindbergh examine ce monoplan Stinson, doté du moteur diesel Packard de 250 ch, qui vient de réaliser aux Etats-Unis un vol de 1 100 km.

Ce Ju 52 est équipé de moteurs Diesel Jumo IV de 500 ch, ces derniers seront construits sous licence par Peugeot et la Compagnie lilloise des moteurs.

Le moteur Junkers Jumo 205 de 600 ch. Quatre de ces moteurs équipaient le Blohm & Voss Ha 139 qui traversa l'Atlantique le 9 septembre 1936.

Le Jumo 205C, diesel 6 cylindres opposés à injection directe de gasoil.

Le moteur Diesel fut inventé par un Allemand résidant à Paris, Rudolf Diesel, en 1892. Le principe a été adapté pour l'aviation par un Français, Pierre Clerget.

Comme le moteur à essence, le moteur Diesel peut fonctionner en deux temps ou en quatre temps. La principale différence réside dans le fait que l'air admis dans le cylindre est soumis à une grande compression, avec une température qui atteint 500 °C. A cette température, le carburant injecté s'allume spontanément sans l'aide d'une bougie. Le moteur Diesel tourne plus lentement que le moteur à essence. Il ne requiert pas un système d'allumage élaboré et sa carburation se résume à l'injection. Il peut être turbocompressé et donne des performances intéressantes et économiques grâce au carburant moins raffiné qu'il nécessite. La mise en route fait appel à une bougie incandescente pour initialiser le cycle. En 1921, un V12 de 400 ch et pesant 600 kg a été testé. Les problèmes de combustion ne furent réglés qu'en 1928 par Pierre Clerget qui fit tourner son 9A pesant 228 kg pour une puissance de 100 ch. Le premier avion français équipé d'un Morane Diesel, le Morane 235, vola le 28 septembre 1929.

Après la Première Guerre, les perfectionnements apportés aux moteurs à essence contribuèrent à augmenter la fiabilité, permettant des vols de plus en plus longs. Néanmoins, pour accomplir de très longs vols, il était nécessaire de transporter de très grandes quantités d'essence, augmentant sensiblement les risques d'incendie. Pour permettre de réduire ce danger, des études furent conduites pour utiliser des moteurs Diesel dont le carburant, le fuel, était moins inflammable, mais, hélas, plus lourd : un volume de 1 000 l pèse 710 kg d'essence et 800 kg de fuel. De surcroît, le fonctionnement des diesels à très basse température pose de sérieux problèmes.

Il y eut relativement peu d'avions équipés de moteurs Diesel. Une exception toutefois, l'Allemagne, puisque la compagnie Lufthansa fit voler le Dornier Do 18, équipé de deux moteurs Junkers Jumo 205 de 500 ch. Par la suite, Lufthansa et Swissair utilisèrent le Junkers Ju 86 avec le même moteur Jumo 205. Une des versions de l'avion le plus célèbre, le Junkers 52, fut également équipée du moteur Jumo. Aux Etats-Unis, Packard a équipé d'un moteur Diesel de 250 ch un avion de transport Stinson.

Les moteurs à refroidissement par air

Le de Havilland Puss Moth est doté du très fiable Gipsy Major de 130 ch.

Dans un moteur à explosion, la moitié seulement de la chaleur produite par la combustion est évacuée par l'échappement des gaz. Une température excessive est néfaste au bon fonctionnement des moteurs. Elle conduit à une combustion prématurée provoquant la détonation et un cliquetis. Autre aspect de l'échauffement, les propriétés lubrifiantes de l'huile diminuent. Enfin, le potentiel de vie du moteur est diminué par la dilatation excessive de la culasse, des pistons et des cylindres. Lorsque ceux-ci sont disposés en ligne, il est difficile d'assurer le refroidissement par le seul vent relatif produit par la vitesse. Des cloisons permettent une meilleure circulation de l'air autour des cylindres et vers l'arrière du moteur. De petits volets mobiles situés sur le capot du moteur permettent au pilote de contrôler la température des culasses. Malgré tous ces dispositifs, ce type de refroidissement est toujours le facteur limitatif de la puissance des moteurs en ligne. Le refroidissement par air des moteurs à explosion, montés sur hélicoptère, est assuré par un ventilateur centrifuge caréné entraîné par le moteur. Il est intéressant de noter qu'en 1912

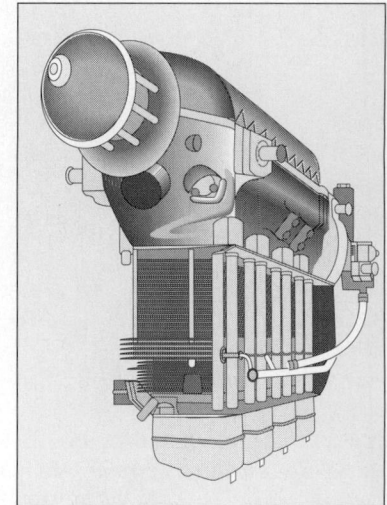

Sur le moteur de Havilland Gipsy Major les cylindres sont inversés.

Louis Renault avait déjà réalisé ce type de montage pour des moteurs d'avion. Les appareils de tourisme et d'affaires sont équipés de moteurs en ligne à refroidissement par air d'une puissance allant de 20 à 800 ch environ. Ce type de moteur offre l'avantage d'une traînée frontale minimale, et donc de bonnes performances sur avion. Il est relativement léger et d'une grande facilité d'utilisation et d'entretien.

Les 8 cylindres en V de ce Renault 80 ch sont refroidis par un ventilateur...

Le même avec carénage, cette formule s'adapte bien aux hélices tractives.

Les moteurs à refroidissement par eau

Pour augmenter la puissance de la motorisation, le refroidissement par liquide s'imposa pour les moteurs en ligne. Cette technique, empruntée à la construction automobile, fut utilisée dès le début du siècle par les frères Wright, Levavasseur, Renault et Clerget. Le circuit de refroidissement comprend un réservoir, une pompe, un radiateur et un système de régulation. Entraînée par le moteur, la pompe refoule le liquide dans les chemises qui entourent les cylindres. L'échange de température se fait dans le radiateur, qui peut prendre les formes les plus diverses. Il peut également être positionné dans le fuselage ou sur ses côtés, dans les ailes ou à l'avant du fuseau moteur. Un volet, commandé du poste, permet de réguler la température du circuit. L'eau a été le premier liquide utilisé. Mais les risques de gel ont conduit à la remplacer ou lui adjoindre des produits abaissant son point de congélation. Dès 1923 l'éthylène-glycol, pur ou dilué, a été utilisé aux Etats-Unis. Ce liquide élargit la plage de température de moins 18 ° à plus de 176 ºC. En 1909, les ingénieurs Canton et Unne présentèrent à Emile Salmson un moteur en étoile refroidi par eau. Abandonné en 1923, il reste l'exception dans cette catégorie de moteur.

Un grand radiateur est monté derrière le pilote Houdini.

Les Liberty de 400 ch, montés sur les NC-4 de la traversée de l'Atlantique, étaient construits par Packard et possédaient des radiateurs de voiture.

Les radiateurs sont fins et longs sur la Demoiselle *de Santos-Dumont.*

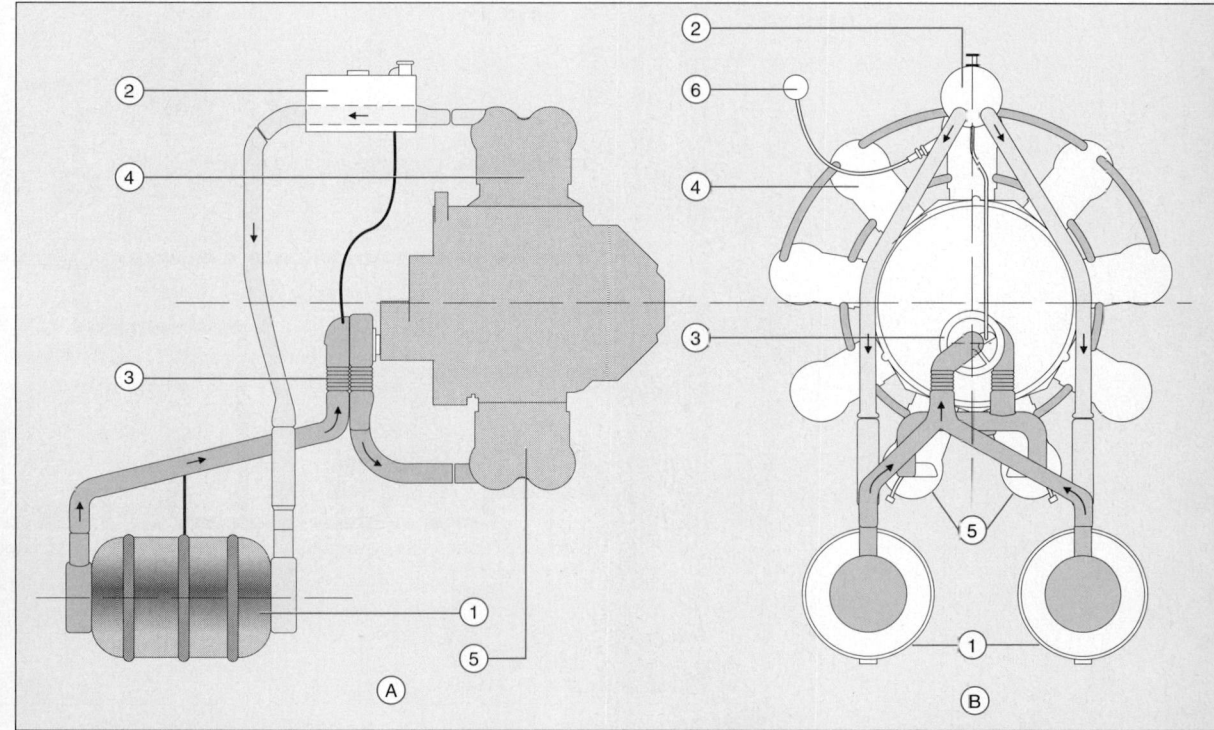

Ce moteur Salmson Z9 Canton-Unne, refroidi par eau, est une exception dans la catégorie des moteurs en étoile. Vue de profil (A) et de l'arrière (B) : (1) radiateur, (2) réservoir, (3) pompe, (4) (5) cylindres, (6) thermomètre.

La carburation et l'injection

La carburation. Dans les moteurs d'avion, tout comme dans ceux d'automobiles, le rôle du carburateur est de fournir au moteur un dosage très précis de carburant et d'air, quelles que soient l'altitude et la vitesse de l'appareil. L'air pénètre dans le carburateur en passant par un filtre. Lorsqu'il passe par le venturi d'admission, sa vitesse augmente et sa pression diminue, ce qui appelle du carburant par les gicleurs. La quantité de mélange air-carburant est réglée par le papillon qui s'ouvre au fur et à mesure que le pilote actionne la commande des gaz. De là, le mélange parvient aux cylindres en passant par le conduit d'admission. L'air entre également dans le conduit avant de passer par le diffuseur et de pénétrer dans l'arrivée d'air par un gicleur. La densité de l'air diminue à mesure qu'augmente l'altitude de l'avion. Afin d'éviter que le mélange air-carburant ne devienne trop riche en essence, le carburateur est équipé d'une petite capsule barométrique. En se dilatant, celle-ci ouvre la vanne d'entrée, apportant ainsi davantage d'air au mélange. Lorsque le papillon est ouvert en grand par la commande des gaz, le carburant passe par la pompe qui le refoule vers les cylindres afin d'enrichir le mélange. Venu des réservoirs de l'avion, le carburant passe par la cuve à flotteur. En montant ou en descendant, ce flotteur contrôle l'arrivée de l'essence.

L'injection. L'injection de carburant a été une étape très importante pour la sécurité de vol des avions dotés de moteurs à pistons. Les carburateurs à injection apportent une amélioration de la sécurité en vol par l'élimination du givrage au niveau de la vaporisation du mélange. Il s'agit d'un système hermétique qui n'est donc pratiquement pas affecté par la gravité ou l'inertie lors de manœuvres en vol. En outre, ce type de carburateur assure une protection contre le blocage de vapeur et le dosage d'essence est beaucoup plus souple et plus précis que dans un carburateur classique. Avec l'injection le mélange est plus dense, ce qui augmente la puissance spécifique du moteur.

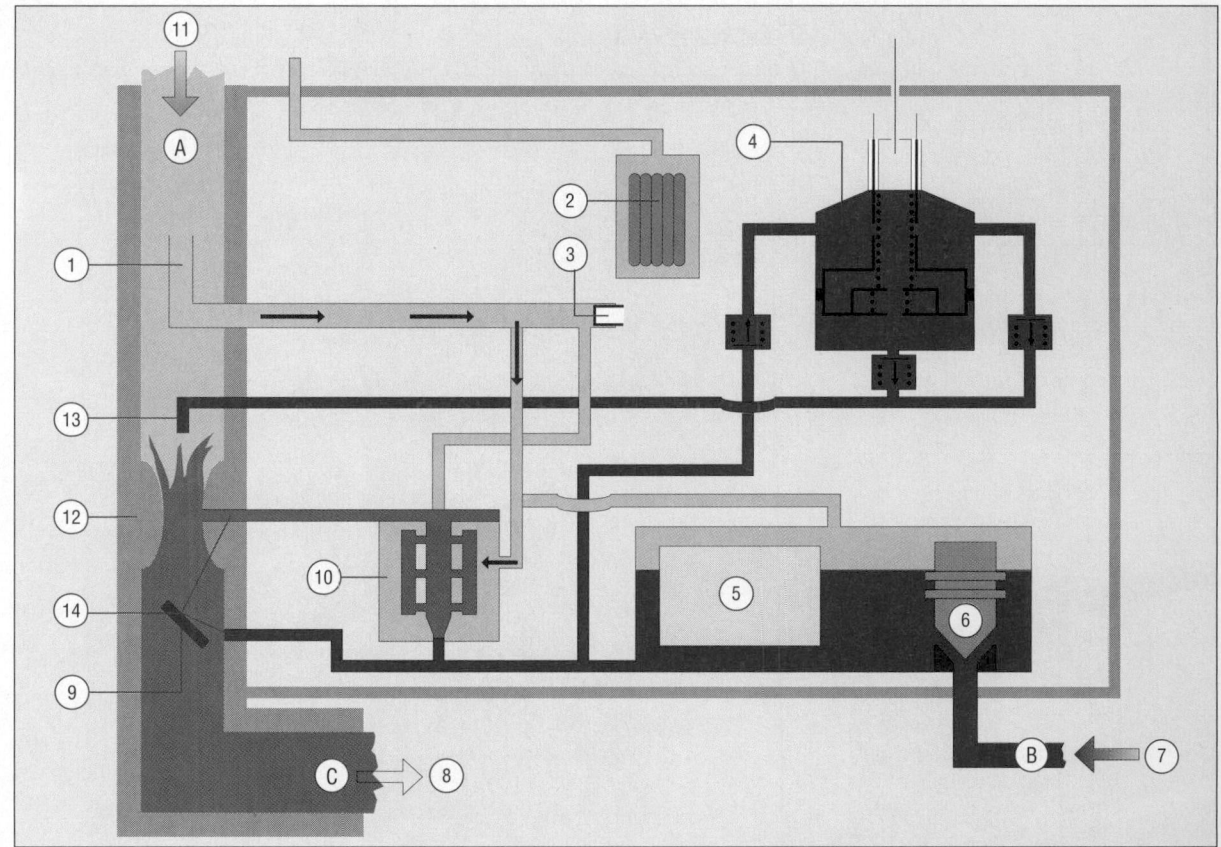

Carburateur : *(1) tube d'impact ; (2) (3) capsule et vanne altimétriques ; (4) pompe de reprise ; (5) flotteur ; (6) pointeau ; (7) arrivée d'essence ; (8) pipe d'admission ; (9) papillon des gaz ; (10) diffuseur du mélange ; (11) arrivée d'air ; (12) manche d'admission ; (13) gicleur de la pompe ; (14) gicleur principal.*

Le réchauffage du carburateur
La suralimentation du moteur

Le réchauffage du carburateur

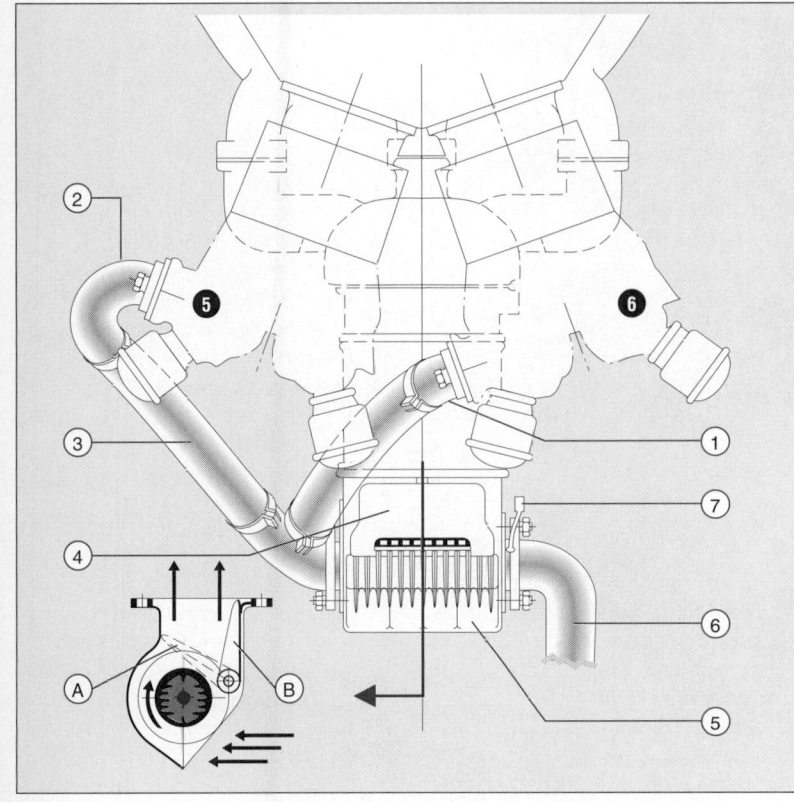

Le givrage du carburateur a été pendant 40 ans la hantise des pilotes. Des milliers d'aviateurs ont en effet rencontré ce phénomène, qui a eu parfois des conséquences dramatiques, à la suite de la formation de petits cristaux de glace à l'intérieur du carburateur, notamment au niveau du papillon. La détente de l'air à la sortie du venturi d'admission a pour effet de faire baisser brutalement la température à cet endroit de cinq à six degrés, avec pour résultat de rendre les buses d'entrée des carburateurs particulièrement exposées au givrage en présence d'air humide dont la température est voisine de six degrés. La meilleure solution est de réchauffer la buse du carburateur avec de l'air chaud prélevé dans le moteur. Cet air est chauffé en passant au travers d'un radiateur installé directement sur le pot d'échappement. Lorsque les conditions atmosphériques de vol risquent de devenir givrantes, le pilote actionne une manette dans le cockpit pour protéger l'arrivée de l'air au carburateur. La prévention est de rigueur dans ce domaine.

**Réchauffage du carburateur
du moteur Wright Whirlwind**
(1)(2)(3) Pipes d'échappement
(4) Volet de réchauffage
(5) Boîtier de réchauffage
(6) Sortie des gaz d'échappement
(7) Levier de commande du volet
(A) Volet fermé
(B) Volet ouvert

La suralimentation du moteur

La puissance d'un moteur est directement liée à la masse de mélange gazeux, donc à la pression dans les cylindres. En gavant ces derniers, donc en les alimentant à une pression supérieure à la pression atmosphérique, le moteur dispose d'une masse de mélange air-carburant plus importante qu'en fonctionnement normal. Un instrument indique au pilote la pression d'admission (PA) dans le moteur. Au fur et à mesure qu'un avion prend de l'altitude, la masse de mélange air-carburant diminue dans les cylindres car la pression atmosphérique diminue. En effet par rapport au niveau de la mer la densité de l'air diminue de 25 % à 3 000 m, de 50 % à 6 000 m et de 67 % à 9000 m. Ainsi lorsque l'avion atteint une altitude à laquelle la puissance disponible ne permet plus de monter, on dit qu'il a atteint son plafond. Seule solution pour améliorer le plafond : augmenter la masse de mélange air-carburant fournie aux cylindres. Un moteur à suralimentation est donc équipé d'un compresseur, souvent entraîné par le moteur. Lorsque la compression est effectuée après le carburateur, elle est dite interne. Ce dernier dispositif est utilisé sur des appareils qui ne sont pas prévus pour voler à très haute altitude.

L'utilisation la plus courante en est l'augmentation de la puissance au décollage sur des pistes situées en altitude, lorsque la masse de l'avion nécessite la puissance maximum.

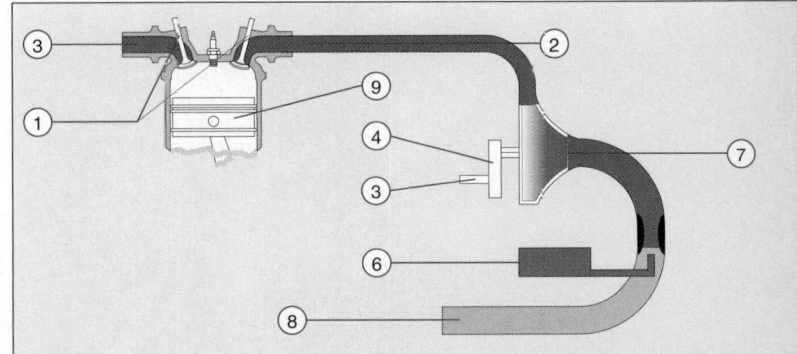

(1) Soupapes, (2) collecteur d'admission, (3) collecteur d'échappement, (4) pignon du compresseur (5) pignon du moteur, (6) carburateur, (7) compresseur entraîné par le moteur, (8) entrée d'air, (9) piston. →

Les moteurs turbocompressés

Les moteurs turbocompound

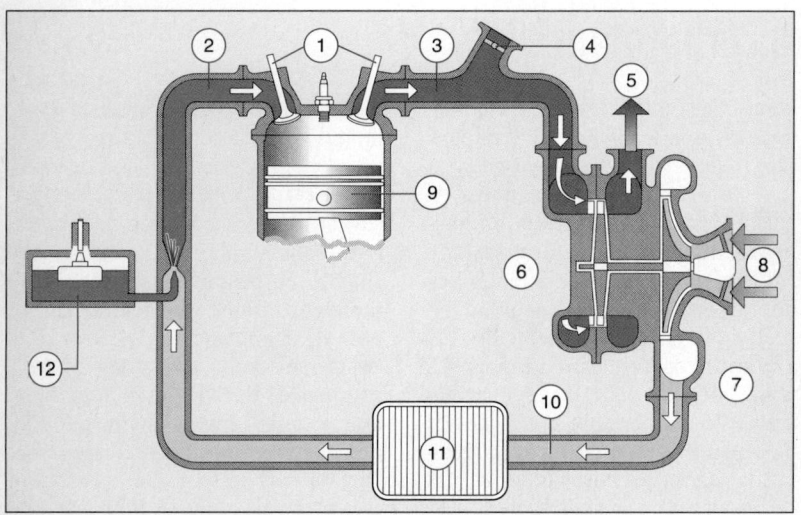

(1) soupapes, (2) admission, (3) échappement, (4) volet de dérivation, (5) sortie après turbine, (6) turbine, (7) compresseur, (8) entrée d'air au compresseur, (10) sortie compresseur, (11) radiateur, (12) carburateur.

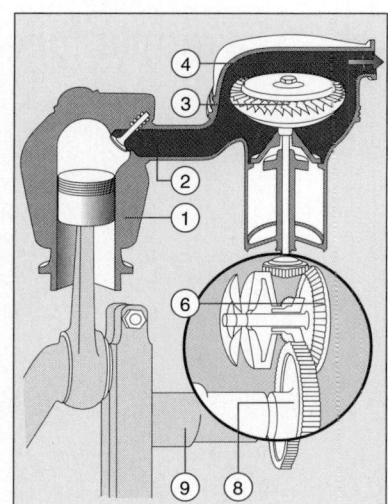

(1) Cylindre
(2) Collecteur d'échappement
(3) Turbine de récupération
(4) Sortie des gaz d'échappement
(5) Arbre turbine-engrenages
(6) Engrenages réducteurs
(6) Embrayage hydraulique
(8) Pignon sur le vilebrequin
(9) Vilebrequin

L'ingénieur français Auguste Rateau a mis au point la première turbine de récupération de l'énergie des gaz d'échappement en 1917. Cette méthode, appelée turbocompression, possède l'avantage d'utiliser la source d'énergie que constitue la détente des gaz brûlés, évitant que cette énergie ne soit dilapidée en aval du moteur. Plus simple que le compresseur à entraînement mécanique, le turbocompresseur dispose d'une turbine centrifuge actionnée par les gaz d'échappement.

Cette turbine compresse les gaz issus des cylindres avant de les refouler vers un radiateur échangeur où les gaz sont refroidis. Ils sont ensuite canalisés vers le carburateur. De là, le mélange comprimé est acheminé vers les cylindres. Il existe aussi des compresseurs à entraînement mécanique à un ou deux étages. Ceux-ci augmentent progressivement le rapport de compression et comportent plusieurs vitesses qui peuvent être sélectionnées selon l'altitude de l'avion.

Le moteur compound utilise le même principe que le moteur turbocompressé : la récupération des gaz d'échappement. Mais la turbine, au lieu d'entraîner un compresseur, restitue directement de la puissance sur l'arbre moteur.
Les ingénieurs de la Wright Aéronautical Corp. ont ainsi créé le moteur Wright Turbocompound en transformant le Cyclone R-3350 à dix-huit cylindres. Il est doté de trois turbines supplémentaires, disposées derrière le carter moteur et

réparties à 120° les unes des autres. Chacune d'elle entraîne un embrayage hydraulique afin de stabiliser les variations de vitesse de l'entraînement et fournit 300 ch de plus.
La puissance d'origine de 2 700 ch a été portée à 3 250, puis à 3 700 ch. Ces accroissements se firent sans augmentation notable de consommation de carburant, apportant une plus grande autonomie de vol. Ce moteur permit de traverser l'Atlantique sans escale, monté sur DC-7C et sur L-1649A Starliner.

Canadair a choisi le très robuste Pratt & Whitney R-2800 de 2100 ch.

Super G équipé de Wright Turbo-Cyclone, double étoile donnant 3 250ch.

L'allumage des moteurs à explosion

(1) Enroulement primaire
(2) Enroulement secondaire
(3) Rupteur
(4) Contact de la magnéto
(5) Blindage du fil de bougie
(6) Contact du distributeur
(7) Doigt du distributeur
(8) Distributeur
(9) Bougies, 2 par cylindre
(10) Condensateur
(11) Contact du distributeur
(12) Fil de bougie
(13) Moteur

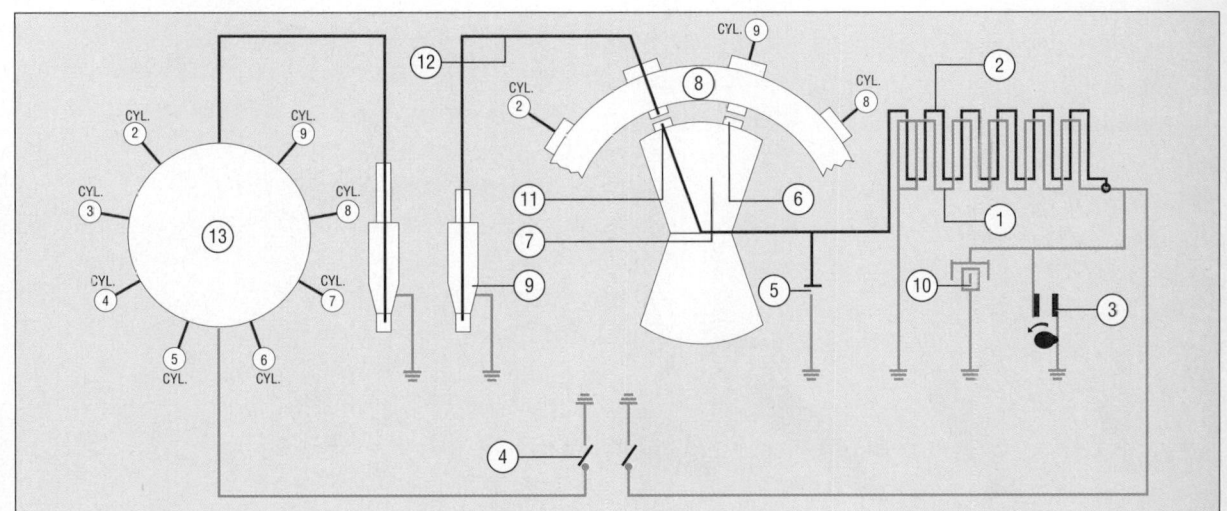

Sur les premiers moteurs d'aviation, l'allumage était réalisé par une étincelle d'induction exigeant une bobine et un accumulateur. Il s'agissait de provoquer l'inflammation du mélange carburé à l'instant précis où sa compression est la plus forte. Mais lorsque le piston atteint sa course limite haute, il est pratiquement l'objet d'un redémarrage, perte considérable du rendement thermodynamique du moteur. La solution fut apportée par l'avance à l'allumage, jaillissement de l'étincelle à la bougie quelques centièmes de secondes avant que le piston n'atteigne son point mort haut.

Puis l'allumage par magnéto fit son apparition. Ce générateur d'électricité était constitué au départ d'un inducteur (aimant fixe) et d'un induit tournant entre les pôles de l'aimant. La rotation de l'induit, entraîné par une prise sur l'arbre moteur, créait un courant alternatif dont on provoquait la rupture pour produire l'étincelle. A la même époque, grande innovation devenue aujourd'hui une pratique courante, l'ingénieur Marc Birkigt doublait

certains organes par mesure de sécurité. Son moteur Hispano-Suiza-Spad était ainsi muni de deux magnétos et de deux bougies par cylindre.

Enfin, l'allumage à haute tension se généralisa. Il reprend les deux premières technologies : bougie productrice d'étincelles et magnéto productrice de courant à basse et haute tension. La magnéto est constituée d'un enroulement primaire dans lequel circule un courant basse tension. Ce courant étant brusquement coupé, il se produit dans un enroulement secondaire un courant haute tension. Les deux enroulements, isolés, sont l'un sur l'autre. Pour déclencher le courant haute tension une brusque variation de flux est créée dans le noyau des enroulements. Pour cela, le courant basse tension est coupé par un interrupteur commandé par le moteur, le rupteur. Le courant haute tension ainsi produit (15 000 volts) est dirigé vers la bougie convenable par le distributeur. La combustion est alors provoquée par une étincelle de très forte température, 3 000 °C.

La magnéto Scintilla AG-D droite, du Wright Whirlwind de Lindbergh, alimente les bougies avant, la magnéto gauche les bougies arrière.

Les hélices

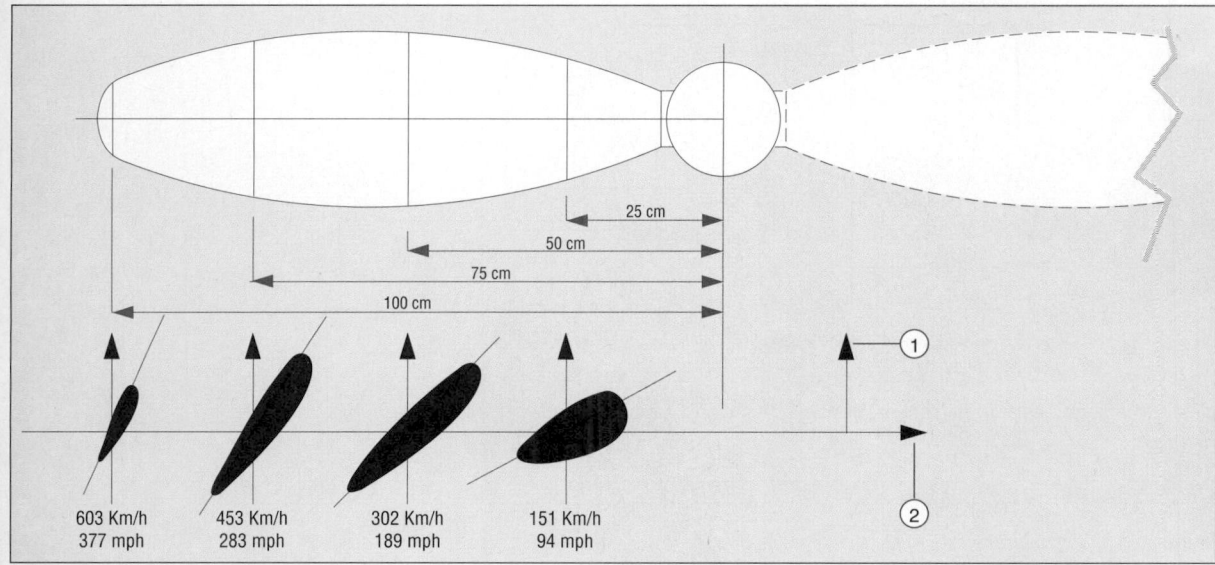

Avec l'écart au moyeu de chaque section de pale, les vitesses atteintes sont données en km/h et en mph. (1) Sens d'application des forces de traction et de torsion. (2) Sens d'application de la force centrifuge.

Gnome & Rhône a fabriqué des hélices métalliques en 1928.

L'hélice est le seul et unique moyen par lequel la puissance transmise par l'arbre moteur peut être convertie en propulsion. Une pale d'hélice n'est en réalité qu'une aile en réduction : une pale, coupée transversalement, possède un profil hautement aérodynamique. L'air passe sur les pales exactement comme sur une aile lorsque l'hélice est en rotation. Seule différence, la vitesse du passage de l'air est plus grande du pied de pale à la tête de pale. L'hélice prend de l'air, l'accélère puis le rejette en arrière en un flux circulaire de grand diamètre. Tout comme une vis dans un écrou, le pas d'une hélice est la distance que celle-ci parcourrait s'il n'y avait aucune perte d'énergie. L'angle de calage d'une d'hélice est celui formé par la corde de la pale et une ligne passant par son plan de rotation. Une pale n'est pas uniforme sur toute sa longueur : vers la tête de pale, là où la vitesse est la plus élevée, voire parfois supersonique, l'incidence est la plus faible. En pied de pale, là où la vitesse est la moins grande, l'incidence est beaucoup plus élevée. Cette différence

d'incidence est nécessaire, car sans cela la pale n'exercerait pas une pression uniforme sur toute sa longueur. Divers types de matériaux ont été utilisés pour les hélices. Les avions de tourisme sont toujours dotés d'hélices en bois, même si le bord d'attaque des pales est renforcé par un profilé en bronze. Les

premières hélices métalliques, construites en Duralumin, ont vu le jour après la Première Guerre mondiale, et furent généralisées à partir de 1926. Les années 70 ont vu l'apparition des premières pales en matériaux composites, beaucoup plus légères et permettant de diminuer les niveaux de vibration et de bruit.

Sur ce Blériot XI un Gnome Oméga entraîne une hélice intégrale, construite par Louis Chauvière, elle a contribué à tous les records jusqu'en 1920.

Les hélices à pas fixe sont celles ou l'angle des pales ne peut pas être modifié. Leur conception est en fait un compromis entre deux rôles : le décollage, lorsque le moteur est à plein régime et la pression atmosphérique élevée, et le vol en altitude, lorsque les gaz sont réduits et que la pression diminue. Les inconvénients de ce compromis sont qu'au décollage le moteur ne peut jamais utiliser toute sa puissance, car l'angle des pales est trop élevé, alors qu'en altitude, l'angle est trop faible pour assurer une traction efficace. Cela imposait des limitations sur l'altitude et la vitesse auxquelles pouvaient opérer les avions équipés d'hélices à pas fixe. Les contraintes imposées par de telles hélices sont devenues inacceptables avec l'introduction de moteurs à turbocompression. En effet, ces derniers rétablissent la puissance maximale en altitude et de ce fait obligent le pilote à réduire les gaz, l'hélice ne pouvant pas absorber l'énergie. En quelque sorte, le turbocompresseur a contraint les ingénieurs à rechercher une solution à la variation du pas de l'hélice.

L'hélice à pas variable

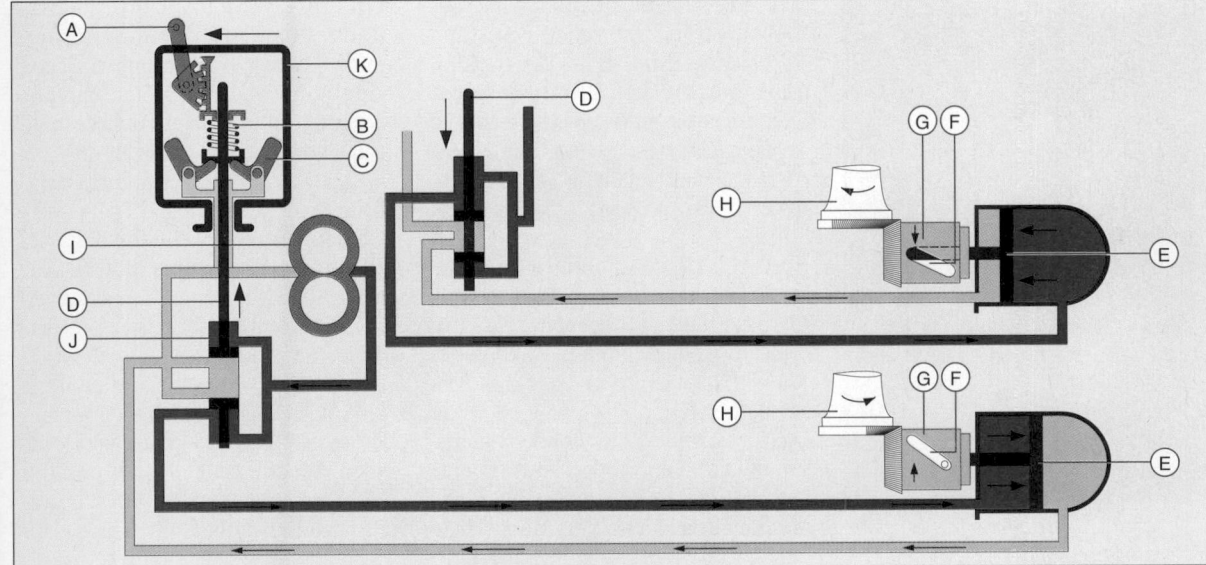

Lorsque le pilote tire sur la manette de pas (A), le régulateur par l'intermédiaire du ressort (B) et des masselottes (C) permet au distributeur (J) d'alimenter l'hélice avec la pression d'huile du moteur. La pression s'exerce sur la face arrière du vérin d'hélice (E) et augmente le pas de l'hélice (H). Le passage en petit pas procède du raisonnement inverse. (croquis du haut).

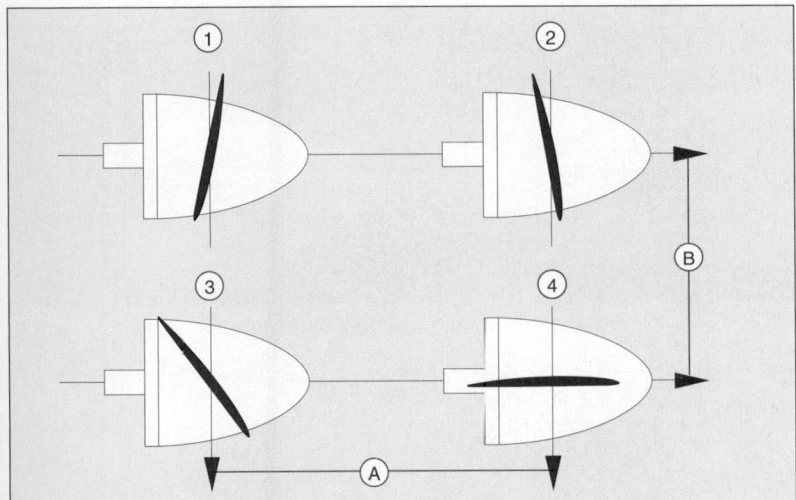

(1) Pale en pas inverse : frein, (2) pale au petit pas : décollage, (3) pale au grand pas : croisière, (4) pale perpendiculaire, en drapeau : panne de moteur.

Pales d'une hélice à pas variable.

La variation du pas d'hélice

La première hélice à pas variable, qui ait été conçue, n'était autre qu'une hélice à pas fixe dont on pouvait modifier l'angle de calage en vol, mais sur deux positions seulement : le petit pas pour le décollage et l'atterrissage, et le grand pas en régime de croisière. Le moteur pouvait ainsi tourner vite et fournir la puissance maximale au décollage sans atteindre la survitesse. En vol de croisière, l'augmentation du pas permettait de diminuer la consommation par un compromis entre la vitesse voulue et une faible rotation. Dès 1916, un RE-8 britannique décollait muni d'une hélice quadripale à deux positions commandées par le pilote. Ses pales en bois tournaient sur des paliers rotatifs fixés sur un moyeu en acier. Cette hélice pesait environ 23 kg de plus qu'une hélice à pas fixe.

La nécessité d'obtenir tous les calages de pas intermédiaires apparut alors. La première véritable hélice à pas variable fabriquée en série fut construite par la firme américaine Hamilton. En plus des deux positions initiales de calage, le pilote pouvait augmenter encore plus le pas pour éviter les surrégimes dans un piqué ; en cas de panne moteur, il pouvait placer les pales dans le lit du vent pour diminuer la traînée (hélice en drapeau).

Puis les moteurs furent dotés de régulateurs d'hélice connectés à la fois à l'hélice et à la commande de pas d'hélice du pilote. L'hélice à vitesse constante, pour un calage donné, était née. La première fut essayée en vol sur un chasseur Gloster Grebe en 1927. Mais, c'est la firme Hamilton qui développa ce type avec l'hélice Hydromatic, mise en service en 1936. Ses pales, montées sur paliers à galets et roulements à billes, étaient positionnées par des cames. La rotation de la came était obtenue par un piston hydraulique placé dans le moyeu et commandé par un régulateur.

L'ultime évolution dans le calage du pas fut l'apparition d'une nouvelle position : l'inversion de pas. Elle inverse la force de traction de l'hélice, ce qui permet d'obtenir une force de ralentissement diminuant la course des avions à l'atterrissage.

Les hélices multipales
Les hélices contrarotatives

Cinq pales sont nécessaires pour absorber la puissance de ce moteur.

L'accroissement de puissance des moteurs a très vite rendu nécessaire la mise au point d'hélices tripales, puis quadripales, afin d'absorber cet excès de puissance. L'hélice à trois pales présente un rendement presque équivalent à l'hélice bipale, mais avec une moins grande vitesse périphérique, donc des efforts centrifuges moindres qui diminuent les vibrations dues au couple gyroscopique. L'hélice à quatre pales possède les mêmes avantages que la tripale, mais avec un rendement inférieur.

Ainsi, durant la Seconde Guerre mondiale, l'apparition du moteur Merlin fut rapidement suivie par l'adjonction d'une quatrième pale aux hélices. Puis le Rolls-Royce Griffon de 2 400 ch provoqua la transformation du Spitfire qui termina la guerre avec une hélice à cinq pales. A cette même époque, apparut un doublet d'hélices contrarotatives à six pales, monté sur le Seafire, version navale du Spitfire.

Ce doublet est constitué par l'association de deux hélices montées sur deux arbres coaxiaux. Les deux hélices tournant en sens contraire l'une de l'autre, il n'y a pratiquement plus de couple et les effets du souffle hélicoïdal, qui affectent les avions équipés d'une seule hélice, disparaissent. La disposition contrarotative permet ainsi d'absorber une plus grande puissance pour un diamètre d'hélice réduit.

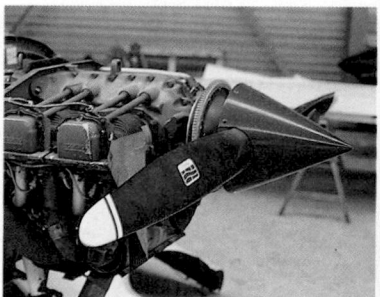

Hélice McCauley sur Continental.

L'hélice à pas variable a contribué au confort des avions de tourisme.

Chaque moteur Griffon de 2 400 ch entraîne deux hélices Rotol tripales qui tournent chacune dans un sens, pour limiter les effets d'une panne moteur.

Les pilotes de Spitfire ont apprécié cette version dotée du moteur Griffon, les hélices contrarotatives limitaient les efforts au pied pour le décollage.

Les instruments de contrôle moteur

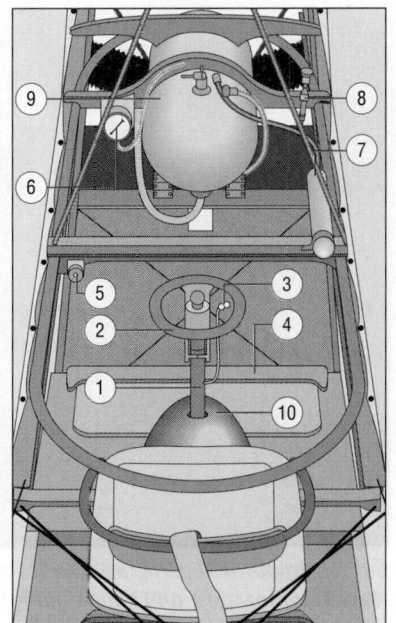

(1) Manche à balai
(2) Commande de gauchissement
(3) Manette des gaz
(4) Palonniers
(5) Contact de l'allumage
(6) Manomètre de pression d'huile
(7) Injection manuelle d'essence
(8) Etouffoir pour l'arrêt moteur
(9) Réservoir d'essence
(10) Cloche du manche à balai

Le contrôle du moteur de Lindbergh était parfait : un large compte-tours, un manomètre de pression et un thermomètre pour le circuit d'huile, très utile pour les transferts de carburant un manomètre de pression d'essence.

Panneau de contrôle d'un bimoteur moderne, le Piper Chieftain. Pour la puissance : le manomètre de pression d'admission (1) et le compte-tours (2). Pour le moteur gauche : pression (3) et température d'huile (4) des cylindres (5) et des gaz d'échappement (6). Pour le carburant : la pression (7) et le débit (8).

L'évolution des instruments destinés au contrôle du fonctionnement du moteur a été très lente. Sur le *Spirit of St Louis*, Lindbergh disposait de l'ensemble du contrôle du circuit d'huile. Sur les avions modernes aucune nouveauté dans ce domaine. Lindy avait également la possibilité de vérifier la pression d'essence, maintenant le pilote peut connaître sa consommation horaire et totale. C'est la surveillance des températures des cylindres qui a été l'outil de l'utilisation rationnelle du moteur en matière de longévité. La connaissance de la température des gaz d'échappement a permis d'apprécier avec précision le réglage de la richesse du mélange, donc de la consommation. En effet, lorsque le mélange est riche la combustion imparfaite permet à l'excédent de carburant de refroidir les gaz brûlés. L'hélice à pas variable a introduit une nouvelle possibilité pour afficher avec précision la puissance du moteur. D'un côté le nombre de tours du moteur et de l'autre la pression du mélange dans le collecteur d'admission. Le rendement dépend de ces deux valeurs.

891

de ceux-ci, une détente et une accé-

l'arrêt, il ne fonctionne pas.

sion chute en aval. A condition de le lancer à une vitesse d'une dizaine

puis une rampe par une catapulte, le V1 volait à 500 km/h.

Le turbopropulseur

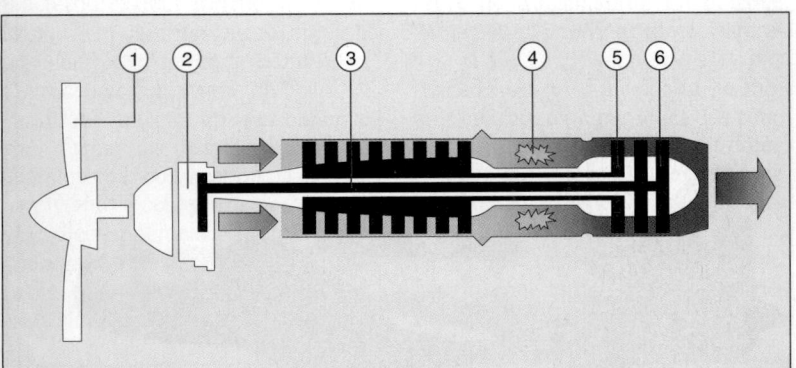

(1) Hélice classique, (2) pignon réducteur qui adapte la vitesse de l'hélice, (3) compresseur axial entraîné par la turbine haute pression (5), (4) chambre de combustion, (6) double turbine basse pression qui entraîne l'hélice.

L'idée d'utiliser une turbine à gaz pour entraîner une hélice conventionnelle a été à l'origine de toutes les applications modernes des moteurs à réaction : turbopropulseurs à hélices ; réacteurs double flux ; turbofan ; groupes auxiliaires de puissance (APU). Le principe est simple : au lieu d'utiliser l'énergie des gaz (température et vitesse) en poussée, on récupère le maximum de cette énergie à l'aide d'une deuxième turbine, en général à plusieurs étages. Cette turbine est dite basse pression par opposition à la haute pression qui entraîne le compresseur. Par un arbre de transmission la turbine basse pression entraîne une hélice. Sur les avions à turbopropulseurs, les hélices tournent entre 1 000 et 2 000 tr/min. Comme la turbine tourne à plus de 10 000 tr/min, il est indispensable de disposer d'un réducteur à pignons. Le gros avantage du turbopropulseur sur le réacteur simple flux est son rendement, donc sa consommation de carburant raisonnable, l'Allison 501-D13 de 3 750 ch consomme 245 g par cheval à l'heure.

Le Transall est équipé de ce turbopropulseur Tyne 21, d'une puissance de 6 185 ch. Sa consommation est faible, il est de petite taille et pèse 1 086 kg.

Le groupe auxiliaire de puissance

Un Airbus A-320 avec la sortie des gaz de son « auxillary power unit ».

(1) Arbre d'entraînement des servitudes auxiliaires, (2) Compresseur axial entraîné par la turbine haute pression (4), (3) chambre de combustion, (5) double turbine basse pression qui entraîne l'arbre et éjecte les gaz chauds.

Une des applications des turbomoteurs dans l'aviation ne sert en rien à la propulsion : c'est le groupe auxiliaire de puissance, en anglais *auxiliary power unit* APU. Généralement installé dans le cône de queue de l'avion, il fournit sur son arbre de transmission de l'énergie mécanique. Cette dernière est utilisée par un alternateur, un compresseur d'air et une pompe hydraulique. Il est mis en route lorsque l'avion est au sol. Les passagers sont ainsi confortablement installés pendant l'escale, l'APU les éclaire et débite de l'air climatisé en cabine. L'énorme porte de soute à bagages s'ouvre majestueusement, actionnée d'un doigt par un mécanicien, c'est l'APU qui fournit l'assistance hydraulique. Bonne à tout faire au sol, l'APU devient en vol un ange gardien : en cas de panne, le voici qui peut venir au secours de l'alternateur défaillant. Il est à la fois un élément de confort et de sécurité.

Le turboréacteur à double flux

(1) Compresseur basse pression, (2) compresseur haute pression entraîné par la turbine haute pression (4), (3) chambre de combustion, (5) sortie du flux froid et mélange avec les gaz chauds, (6) tuyère d'éjection des gaz chauds.

Comment écarter les deux inconvénients majeurs des turboréacteurs simple flux : le bruit et la forte consommation de carburant ? Historiquement, les ingénieurs travaillèrent d'abord pour réduire la consommation et allonger le rayon d'action des avions. Ils établirent que pour augmenter la poussée il fallait accroître le débit d'air aspiré par le réacteur, et pour augmenter le rendement il convenait de récupérer sur la turbine un maximum d'énergie. C'est ainsi que virent le jour les réacteurs double flux. Une turbine *basse pression* récupère le plus possible d'énergie du jet de gaz chaud, et par un arbre de transmission concentrique entraîne un compresseur dit *basse pression* placé tout à l'avant du réacteur. Une partie seulement de l'air qu'il comprime ira vers la combustion. L'autre partie, le flux secondaire ou flux froid, contourne le générateur de gaz chauds, et étouffe leur bruit. Le résultat est un vrai succès : peu de bruit et peu de consommation.

Le Rafale C-01 était doté de deux Snecma M88-2 pour le vol de mai 1991.

Le B-737-100 était propulsé par 2 réacteurs Pratt & Whitney JT8D, d'une poussée de 6350 kgp. JT8 signifie Jet Turbine n° 8, et D double flux.

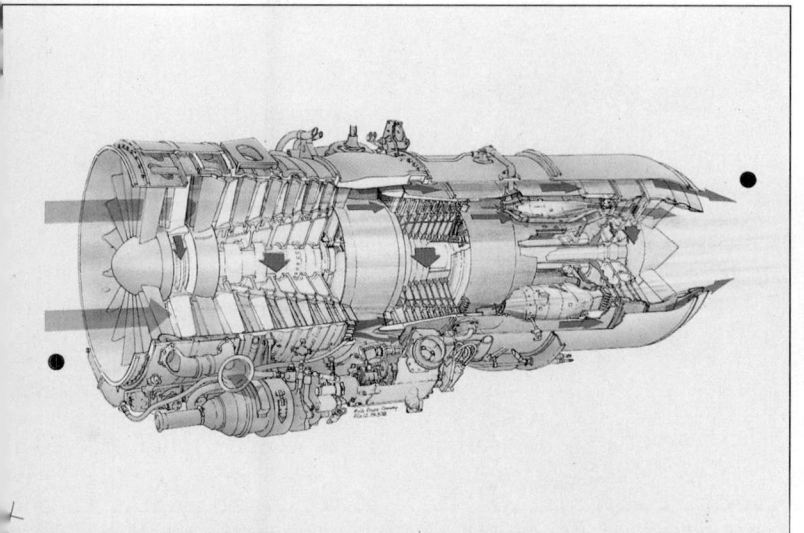

Sur ce turboréacteur double flux, les flèches bleues foncées indiquent le flux secondaire qui est compressé, détourné et éjecté sans combustion.

Le JT8D a été le plus construit au monde avec 12 000 exemplaires. Il a équipé aussi les B-727, les DC 9, les Caravelle X et XII et les Mercure.

Le turbofan

(1) Le fan ou soufflante refoule le flux froid autour du réacteur, (2) compresseur axial à plusieurs étages, (3) chambre de combustion, (4) turbines basse pression entraînant le fan, (5) turbine haute pression.

Ce turbofan CFM 56-5 est construit par la Snecma et General Electric. D'une poussée de 13 890 kgp dont 75 % environ sont produits par le fan.

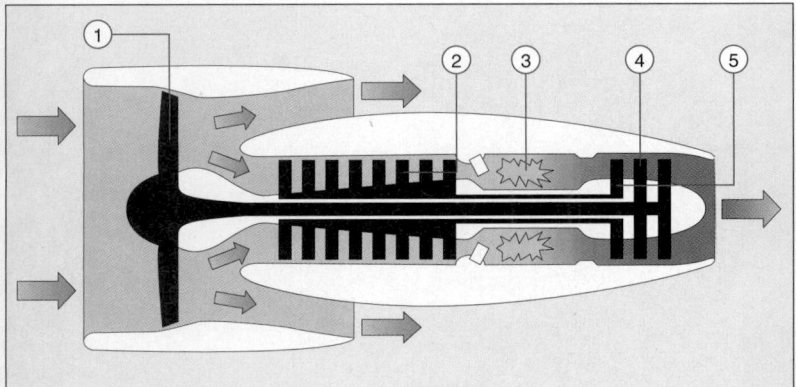

Le fan est une hélice de grande taille. Réparé ici dans un atelier d'Air France, il souffre surtout, lors du décollage, des chocs avec les oiseaux.

Poussons la logique du réacteur double flux jusqu'au bout : augmentons le débit en agrandissant le premier étage du compresseur basse pression, le réacteur devient en fait le moteur qui entraîne cette gigantesque hélice carénée : le fan. Le générateur de gaz ne consomme qu'une petite partie de l'air brassée par le fan, environ 20 %. Les quatre cinquièmes de l'air aspiré sont rejetés autour du réacteur sans participer à la combustion. Le jet, considérablement ralenti par la turbine basse pression à plusieurs étages, ne procure que 30 % de la poussée, tandis que 70 % de celle-ci sont produits par le fan. La consommation de carburant chute de façon importante. Un simple flux au décollage consommait 1,4 kg par kg de poussée, un double flux moderne ne consomme plus que 0,7 kg, un turbofan moderne atteint 0,35 kg. A chaque génération la consommation a été divisée par 2. Un B-747-400 avec 450 passagers en vol à 950 km/h ne consomme que 2,9 litres de kérosène aux 100 km par passager ; pour l'A-320 on atteint 2,15 litres.

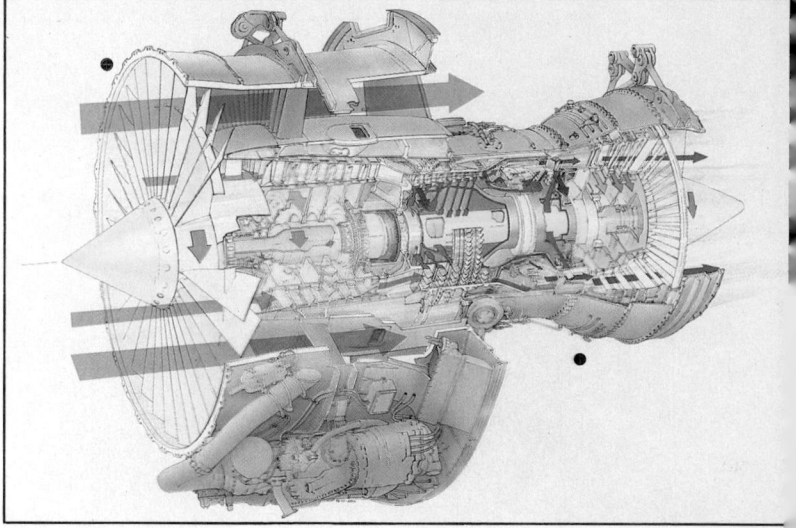

Sur ce Rolls-Royce RB.211-535C, la soufflante carénée mesure plus de 2 m de diamètre, et l'extrémité de ses pales atteint Mach 1.5 en croisière. La température des gaz est proche de 1 250 ºC à l'entrée de la turbine.

La postcombustion

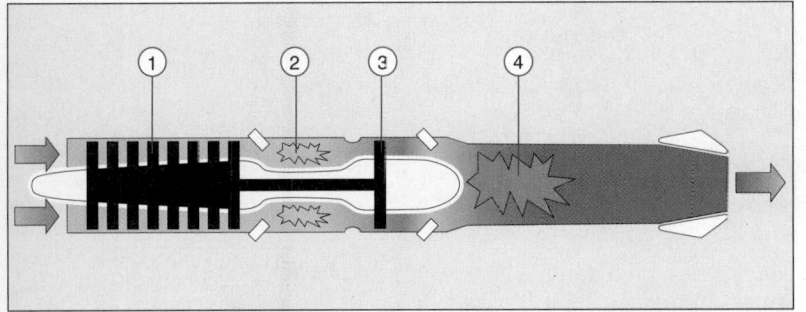

(1) Compresseur axial, (2) chambre de combustion avec ses injecteurs de carburant, (3) turbine, (4) le dispositif de postcombustion comprend les injecteurs de carburant en sortie de turbine et la tuyère d'échappement.

Pour augmenter la poussée d'un réacteur double flux, on peut brûler un supplément de carburant dans les gaz d'échappement de la turbine : c'est la postcombustion. Un avion supersonique a besoin de ce supplément de poussée au décollage et pour traverser la zone transsonique, autour de Mach 1.00. En effet, c'est là que la traînée aérodynamique, qui freine l'avion en vol, augmente très fortement. Au début des avions à réaction, les pilotes appelaient mur du son, la difficulté rencontrée pour passer cette zone. Concorde utilise donc la postcombustion entre Mach 0.9 et Mach 1.7. La postcombustion, ayant un rendement faible, est très gourmande en carburant. Concorde consomme ainsi au décollage 80 tonnes de kérosène à l'heure avec les réchauffes allumées. Les réchauffes procurent 25 % de poussée supplémentaire, soit l'équivalent d'un cinquième réacteur. Le Dassault Rafale est doté de deux réacteurs Snecma M 88 de 7 140 kgp de poussée chacun, sans la postcombustion, et de 10 710 kgp avec. Les deux réchauffes lui donnent l'équivalent d'un troisième réacteur.

La postcombustion, réchauffe pour les pilotes, est allumée sur chaque Turbomeca Adour Mk 811 de 3 810 kgp de ce Sepecat Jaguar au décollage.

Les inverseurs de poussée

Sur Concorde les 2 réacteurs Olympus 593 sont accolés. En position freinage les paupières de la tuyère basculent pour fermer et dévier le flux d'air.

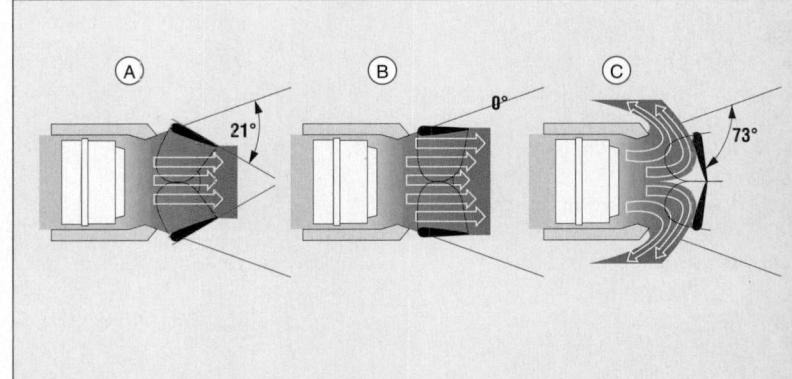

Tuyère déchappement Concorde : (A) décollage, (B) vol à Mach 2, (C) en position flux inverse, les paupières rejettent le jet d'air vers l'avant.

Utilisés le plus souvent après l'atterrissage pour freiner l'avion, les inverseurs de poussée dévient vers l'avant le flux des gaz sortant du réacteur. Le système est commandé par le pilote, un verrou mécanique empêche toute manœuvre si l'avion n'est pas au sol et si les réacteurs ne sont pas au ralenti. On n'utilise pas l'inversion de poussée jusqu'à l'arrêt complet de l'appareil, car les gaz chauds refoulés vers l'avant des réacteurs peuvent être réingérés dans l'entrée d'air. Dans ce cas le réacteur tousse fortement, car la combustion est perturbée. Ce phénomène appelé pompage peut être très violent et être ressenti en cabine. Les pilotes appellent les inverseurs de poussée les reverses.

L'adaptation des turboréacteurs en vol supersonique

Pour un avion supersonique, l'adaptation de son moteur au très grandes vitesses pose un problème difficile à résoudre. Le réacteur de Concorde par exemple ne peut fonctionner que jusqu'à des vitesses voisines de 600 km/h. Il en est d'ailleurs de même pour les chasseurs et bombardiers supersoniques. Il est indispensable d'alimenter le réacteur avec un flux d'air adapté, sinon il risque l'étouffement ou l'explosion. Cette adaptation est réalisée par des entrées d'air à géométrie variable qui sont disposées devant le réacteur. Deux rampes hydrauliques à commande électronique montent ou descendent pour contrôler le flux, deux trappes peuvent s'ouvrir pour évacuer le trop-plein. Pour le décollage les rampes sont entièrement remontées, car le réacteur a besoin de beaucoup d'air. Les rampes entrent en action à Mach 1.3, elles s'abaissent pour ralentir le flux. A Mach 2.00, elles sont baissées afin que l'onde de choc, formée à l'endroit où l'air en ralentissant passe Mach 1.00, ne pénètre pas dans les entrées d'air. Sur les avions de chasse l'adaptation des réacteurs se fait généralement à l'aide d'un cône qui se déplace dans l'entrée d'air. Sa forme pointue qui émerge de l'entrée d'air l'a fait surnommer Souris par les ingénieurs et les pilotes de la société Dassault.

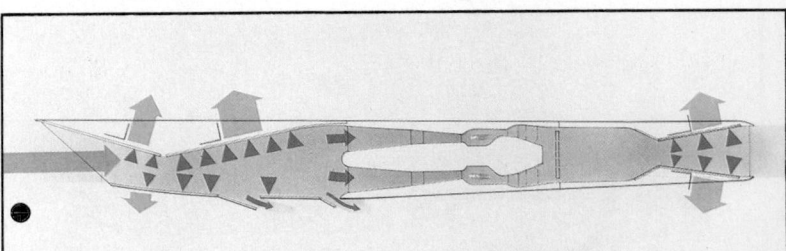

L'air pénètre dans l'entrée d'air dont la géométrie est variable grâce à des rampes hydrauliques qui ramènent le flux en vitesse subsonique. La section de la tuyère de sortie peut être modifiée pour faire varier le régime réacteur.

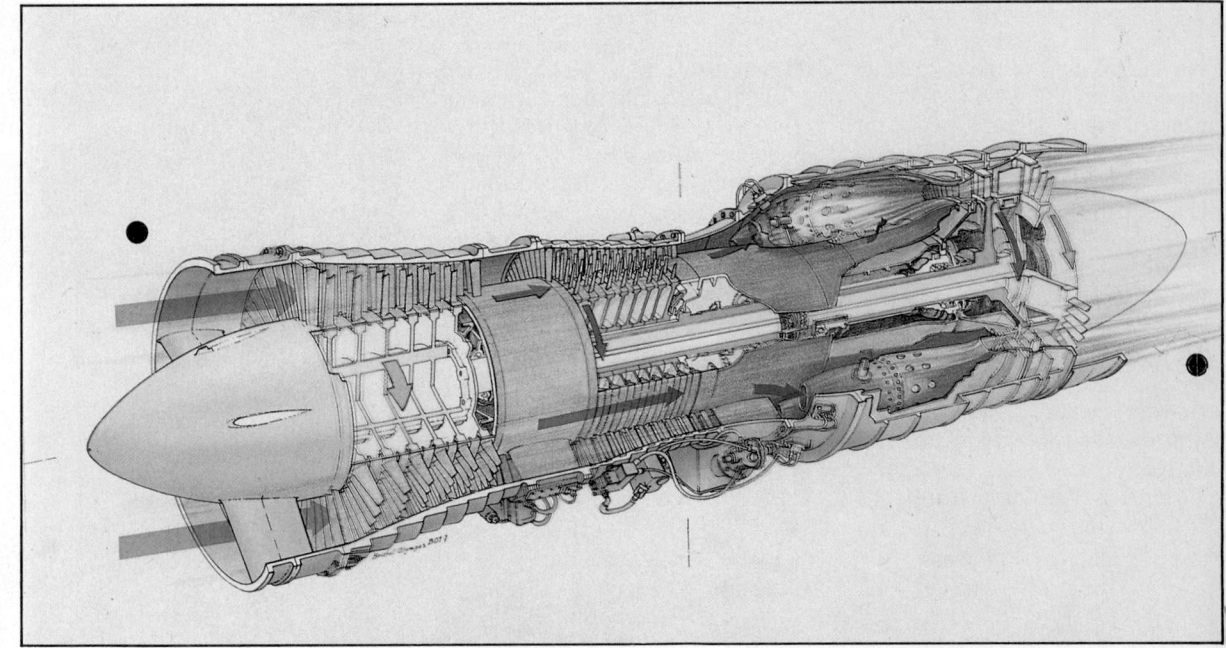

Le turboréacteur simple flux Bristol Olympus BOI.1 possède un compresseur à 2 étages, entraîné par 2 turbines.

La trappe ouverte sur le moteur donne la taille relative de l'entrée d'air.

L'Olympus 593 Mk 610 a été developpé par Rolls-Royce et par la Snecma.

Turboréacteur pour le décollage à la verticale

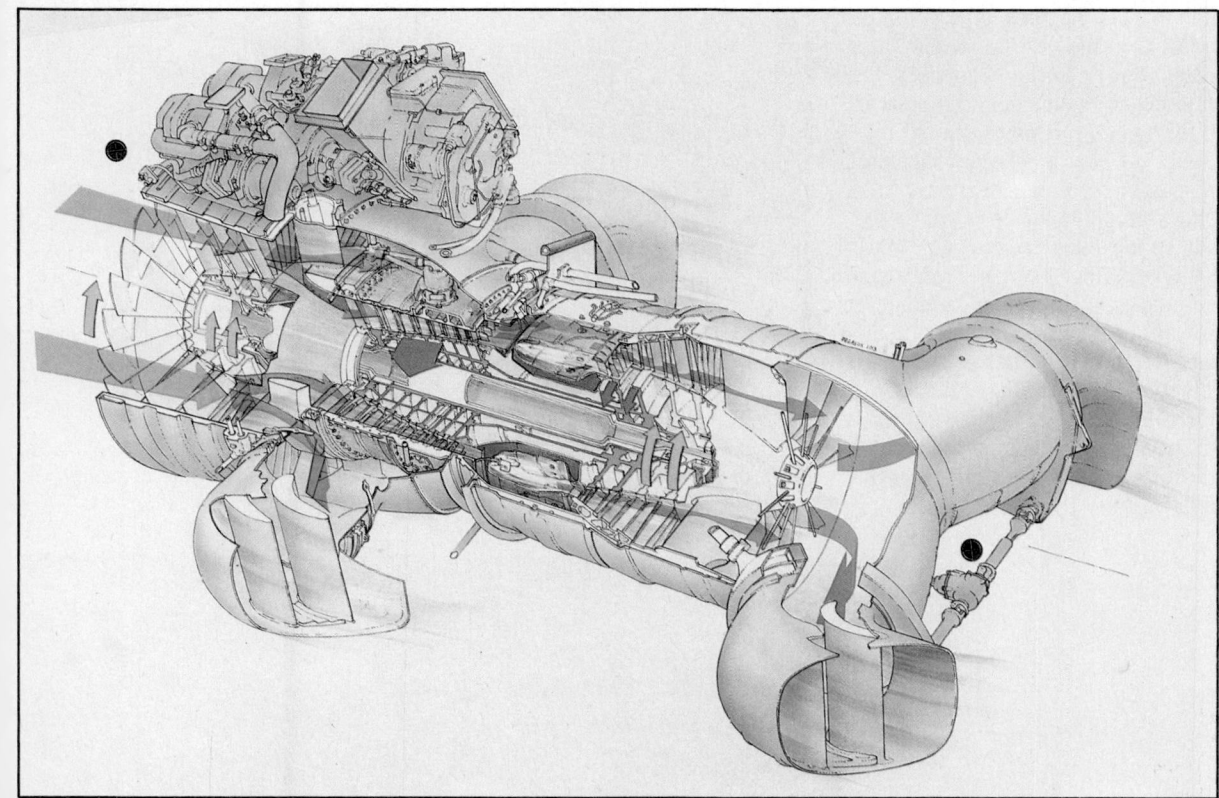

Au milieu des années 50, l'ingénieur français Michel Wibault formula le concept d'un avion Adav fondé sur le réacteur Bristol Orion. Le flux du réacteur était éjecté par quatre tuyères qui pouvaient s'incliner vers le bas pour le vol stationnaire et pivotaient pour passer en vol horizontal. Partant du moteur Orpheus, plus puissant que l'Orion, Bristol Siddeley entreprit en 1958 la réalisation d'un moteur à poussée vectorielle, le BS.53, désigné ensuite Pegasus. Il était doté d'une soufflante à l'avant entraînée par une turbine. Le flux de gaz chauds était éjecté par une tuyère classique. Ce système manquant de puissance, les ingénieurs eurent l'idée de séparer le flux primaire. Une partie du flux froid était déviée sur des tuyères latérales, alors que l'autre était envoyée dans la chambre à combustion. Pour le vol vertical, les deux buses froides étaient orientées vers le bas. La rotation des tuyères était assurée par un moteur alimenté par de l'air prélevé au niveau du compresseur.

Ce Pegasus 30, réacteur double flux, est muni d'un bipasse qui régle le débit des buses directionnelles.

Le « Lit-cage volant » de Rolls-Royce comportait deux réacteurs centrifuges Nene montés dos à dos. Il a permis d'étudier les turbines des Adav.

Le Pegasus 11-21 donne une poussée vectorielle de 9 775 kgp qui permet au McDonnell Douglas AV-8B de décoller à la masse de 13 500 kg.

Le turboréacteur à hélice rapide

Alors qu'un turbofan comporte une grande hélice carénée devant le réacteur, un moteur UDF (Unducted Fan) dispose d'au moins deux hélices contrarotatives et non carénées placées derrière le réacteur. Connu en France sous l'appellation de Turboréacteur à hélice rapide (THR), ce système est au stade des essais en Europe, chez la Snecma, et aux Etats-Unis, chez General Electric et Pratt & Whitney. Des moteurs UDF ont déjà été testés sur banc d'essai volant à des vitesses supérieures à Mach 0.85. Un UDF est un turbomoteur qui entraîne deux turbines contrarotatives, chacune de ces turbines entraînant

une hélice. Légères et résistantes, celles-ci disposent de nombreuses pales courtes, larges et coudées. Les principaux avantages du système UDF sont : consommation inférieure de 20% à celle des meilleurs réacteurs actuels, résistance aux chocs et pilotage facile par action sur le pas des hélices. En outre, l'UDF permet de faire l'économie en poids et traînée d'un carénage, et son diamètre (3,6 m pour un moteur de 10 t de poussée) est à peine supérieur à celui d'un réacteur actuel. De plus, les pales tournant beaucoup moins vite que celles d'un turbofan, l'UDF est moins sensible à la rupture d'une pale.

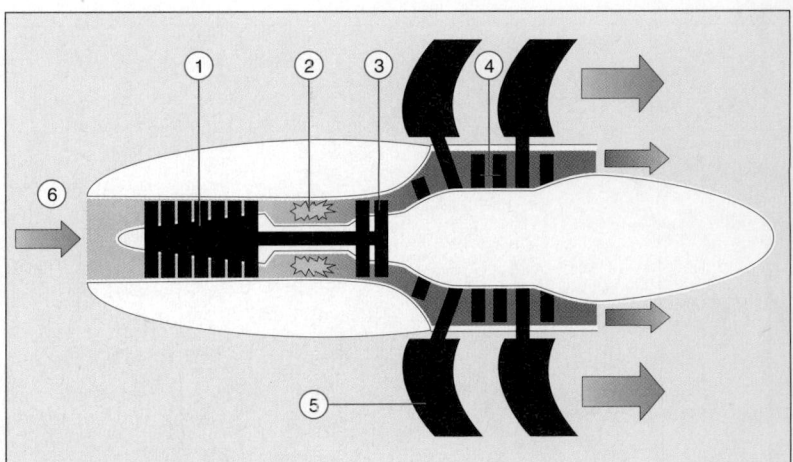

(1) Compresseur axial, (2) chambre de combustion, (3) turbine entraînant le compresseur, (4) jeu de 2 turbines contrarotatives entraînant les hélices.

Le turboréacteur à hélice rapide (THR) de General Electric et Snecma.

Un B-727 a atteint 11 000 m et Mach 0.84 avec le THR de General Electric.

Le turboréacteur à cycle variable

Le 14 juin 1991 Gulfstream et Sukhoï ont annoncé leur intention de débuter les essais en soufflerie de l'avion d'affaires supersonique SSBJ S21-G.

Les avions supersoniques futurs devront répondre aux normes de bruit des avions subsoniques actuels, et avoir des consommations raisonnables pour allonger leur rayon d'action. L'objectif de ce type de transport est la traversée de l'océan Pacifique de Los Angeles à Tokyo. Pour résoudre ce problème, il faudrait équiper l'appareil de turbofan

pour le décollage et le vol jusqu'à Mach 0.8, et les remplacer alors par des simple flux pour le supersonique. C'est exactement le concept du moteur à cycle variable, qui, selon les phases de vol, se transforme de paisible et silencieux turbofan en simple flux avec postcombustion. Un Concorde dissimulé dans un B-747-400 en quelque sorte.

Le 7 novembre 1989 à Strasbourg, le projet de transport hypersonique a été présenté. La propulsion serait mixte : statoréacteur et turbofan en parallèle.

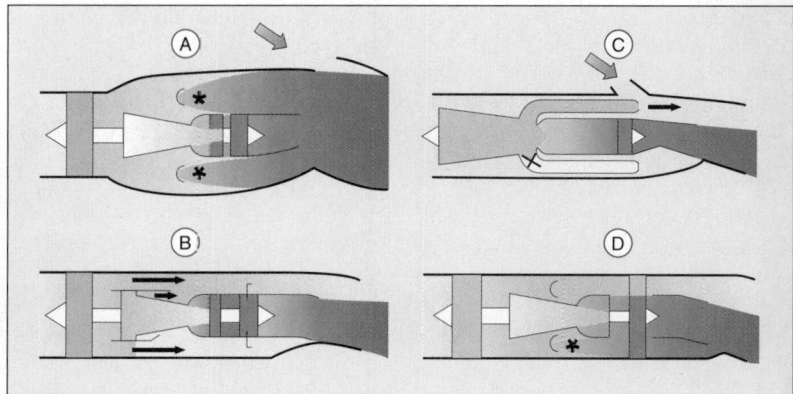

Réacteurs à compresseur unique

Formules de réacteurs à cycle variable étudiée par les motoristes américains. (A) Flux secondaire réchauffé et dilution par effet de trompe, (B) double flux dont une partie réchauffée, (C) bipasse et effet de trompe dont une partie réchauffée, (D) double cycle sur la turbine dont une partie réchauffée.

Toutes les configurations ci-dessus sont proposées avec un compresseur unique. Avec cette solution le degré de variabilité est faible, le flux réchauffé est bruyant au décollage.

Le taux de dilution à faible variation permet un vol supersonique jusqu'à Mach 3.00. Sur tous les croquis le flux froid offre de bonnes performances en subsonique

Réacteurs à double compresseur

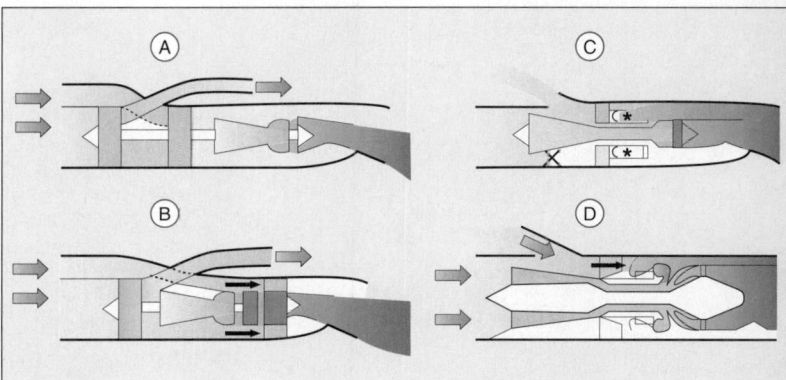

Formules de réacteurs à cycle variable étudiés par Rolls-Royce et la Snecma. (A) Double soufflante croisée, (B) double soufflante une à l'avant et une à l'arrière, (C) deux réacteurs concentriques, (D) Snecma MCV99.

Les réacteurs qui comportent des compresseurs doubles offrent une meilleure optimisation globale pour l'ensemble des vitesses jusqu'à Mach 2.5. Cette formule permet de

répondre aux limitations de bruit au décollage. La configuration réacteur concentrique de la Snecma offre le compromis le plus prometteur pour la consommation.

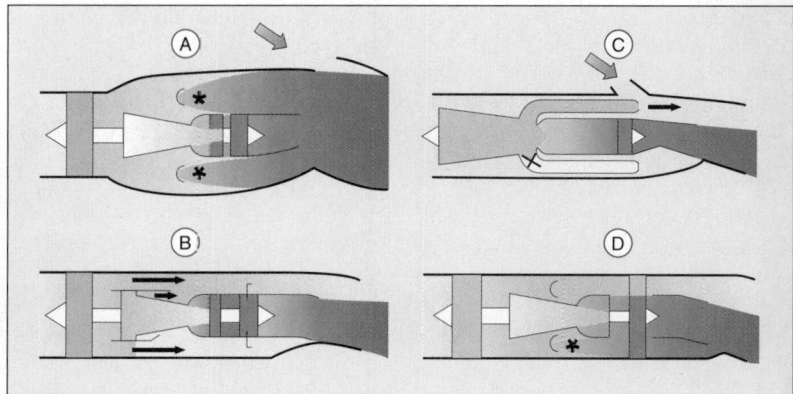

(répété)

La propulsion du futur

La course à la puissance n'est pas terminée. Mais les motoristes doivent affronter de nouvelles contraintes en relevant le défi issu des problèmes de l'environnement. Trop de bruit et trop de pollution ne sont plus tolérés. Ils doivent désormais satisfaire aux règles de bruit de plus en plus strictes pour le décollage, et diminuer sensiblement la pollution due à leurs machines, du sol à la stratosphère. Les motoristes retournent donc à la case départ en se retrouvant dans une situation identique à celle de la mise en service du Boeing 707 en 1958. Pour des projets toujours plus ambitieux qui requièrent des progrès technologiques essentiels, les industriels seront amenés à s'allier. Outre l'aérodynamique, le système de propulsion et les matériaux devront répondre à des avancées majeures. Ainsi, l'Aérospatiale en France, avec l'ATSF; British Aerospace en Grande-Bretagne, avec l'AST; et Boeing et McDonnell Douglas, partenaires de la Nasa aux Etats-Unis, avec le HSCT, étudient depuis plusieurs années l'avion de transport supersonique de seconde génération. L'Aérospatiale développe aujourd'hui le projet Alliance. Il pourrait, à l'aube du XXIe siècle, transporter 250 à 300 passagers à une vitesse de Mach 2.05, avec un rayon d'action de l'ordre de 11 000 km, alors que Concorde transporte 100 passagers sur une distance de 6 200 km.

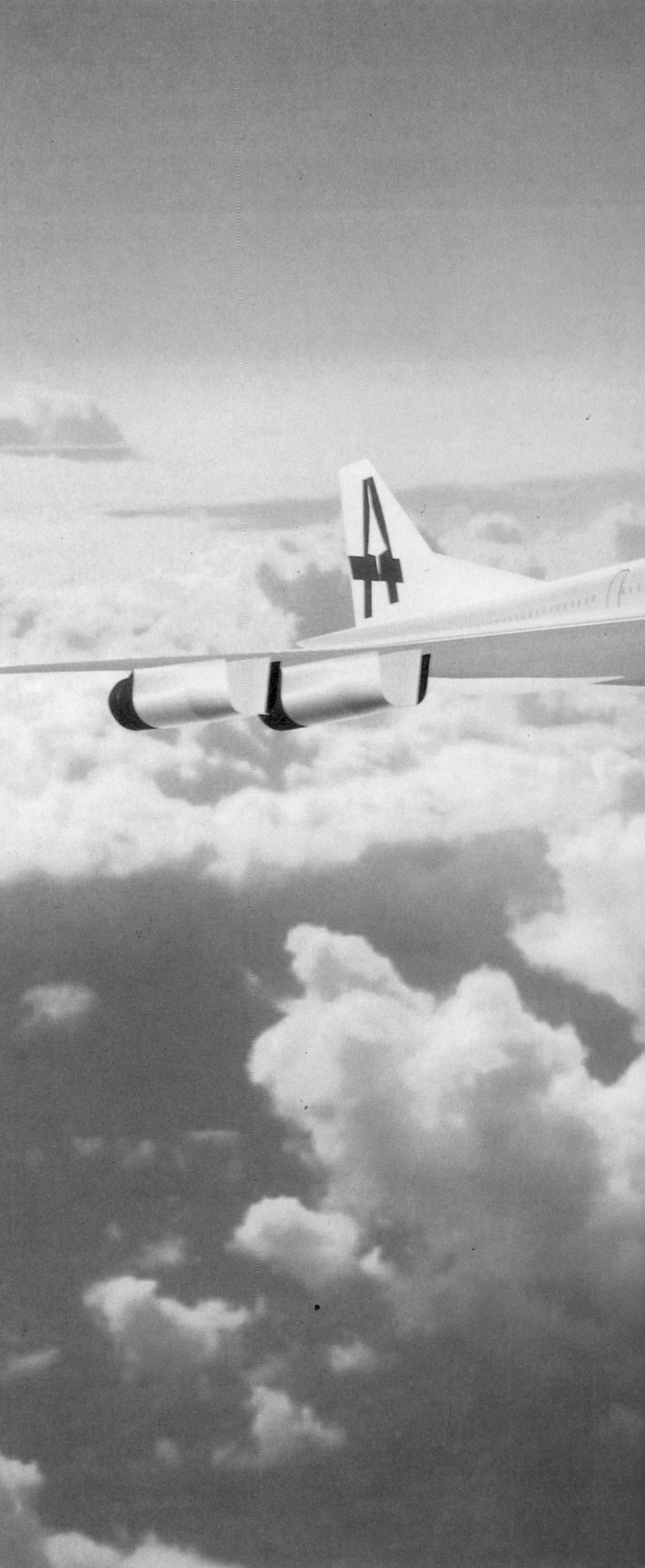

Source : Musée Royal de l'Armée (Bruxelles).

I - ÉVOLUTION DU MOTEUR D'AVION

DATE et MODE de PROPULSION	PUISSANCE	RAPPORT PUISSANCE/POIDS	MODÈLE CHOISI
1898 (Piston)	2,5 ch	0,07 ch/kg	DE DION-BOUTON
1914 (Piston)	80 ch	0,66 ch/kg	CLERGET-BLIN 7Z
1918 (Piston)	370 ch	1,03 ch/kg	LORRAINE
1939 (Piston)	480 ch	1,1 ch/kg	ROLLS-ROYCE (KESTREL)
1945 (Piston)	2 000 ch	2,1 ch/kg	ROLLS-ROYCE (GRIFFON)
1949 (Piston)	3 500 ch	2,9 ch/kg	WRIGHT-CYCLONE R3350
1944 (Jet)	260 kg de poussée 575 ch à 600 km/h	5,08 ch/kg	V1
1987 (Jet)	30 000 kg de poussée 240 000 ch à 2 200 km/h	48 ch/kg	GE-4 GE CF6-80C2 PW 4000 PW JT-17A R.B. 211 (ROLLS-ROYCE)

II - ROLE DES GUERRES

ÉVOLUTION	PÉRIODE	ÉVOLUTION DE LA PUISSANCE	ÉVOLUTION DU RAPPORT PUISSANCE/POIDS
Évolution pendant la 1e guerre mondiale	1914-1918	Puissance multipliée par 4,6	Rapport puissance/poids multiplié par 1,5
Évolution pendant la 2e guerre mondiale	1939-1945	Puissance multipliée par 4	Rapport puissance/poids multiplié par 1,9

III - CONCLUSION

ÉVOLUTION	PÉRIODE	ÉVOLUTION DE LA PUISSANCE	ÉVOLUTION DU RAPPORT PUISSANCE/POIDS
Évolution du moteur à pistons	1898-1949	Puissance multipliée par 1 400	Rapport puissance/poids multiplié par 40
Évolution du JET	1944 à nos jours	Puissance multipliée par 400	Rapport puissance/poids multiplié par 9
Évolution absolue	1898 à 1987	Puissance multipliée par 96 000	Rapport puissance/poids multiplié par 685

Les compagnies aériennes

Le trafic aérien a connu un tel développement au cours des dix dernières années qu'on ne compte pas moins, à ce jour, de 697 compagnies assurant, de par le monde, des vols de toute nature : vols réguliers ou vols à la demande (charters) pour les passagers, transport du fret et des petits colis (avions cargos). Nombre d'entre elles répondent exclusivement aux besoins intérieurs des marchés nationaux.

Ne sont répertoriées ici que les principales compagnies, soit un peu plus de trois cents, au premier rang desquelles viennent, évidemment, les compagnies nationales.

Classée selon l'ordre alphabétique, chaque notice comporte la date de création de la compagnie, un historique précisant les circonstances qui ont présidé à sa formation, son statut juridique, la flotte dont elle dispose (avec le type des appareils en service), sa base d'activité, le réseau desservi, le personnel employé, le nombre annuel de passagers et, dans certains cas, l'importance du fret. Ces informations sont complétées par la reproduction du logo attaché à chaque compagnie.

ABX AIR
Créée le 2 avril 1980

Historique : Connue sous le nom d'Airborne Express, cette société de transport de colis est une filiale de la société Airborne Freight. Après avoir fusionné avec Midwest Charter Express, la compagnie a gardé quelque temps le nom d'Airborne Express pour adopter, finalement, le nom d'ABX Air.
Pays : Etats-Unis
Base : Wilmington, Ohio
Personnel employé : 3 500
Fret annuel (en tonnes) : 293 430
Flotte : 6 DC-9-33 ; 2 DC-9-10 ; 13 DC-9-31 ; 9 DC-9-32 ; 3 DC-8-63F ; 9 DC-8-61F ; 6 DC-8-62F ; 13 YS-11A.
Total : 61 appareils.

ACES
Créée en août 1971

Historique : Aerolineas Centrales de Colombia (ACES) effectue ses premières liaisons en 1972. ACES est une compagnie qui assure uniquement les lignes régulières intérieures.
Pays : Colombie
Base : Medellin
Personnel employé : 900
Passagers par an : 1 200 000
Flotte : 3 B727-100 ; 10 DHC-6 Twin Otter-300 ; 2 F-27J.
Total : 15 appareils.

ADRIA Airways
Créée en 1961

Historique : La compagnie est d'abord créée sous le nom d'Adria Airways mais, en 1968, une réorganisation la fait passer sous le contrôle du groupe Interexport. Elle s'appelle alors Inex Adria Airways. Après avoir repris son indépendance en mai 1986, elle reprend son nom d'origine.
Pays : Yougoslavie
Base : Ljubljana
Réseau : Europe, Afrique du Nord, Moyen-Orient, Seychelles

Personnel employé : 931
Passagers par an : 409 989
Fret annuel (en tonnes) : 1 536
Flotte : 3 A320 ; 2 DHC-7 ; 3 DC-9-32/33 ; 5 MD-81/82 ; 2 Boeing Canada Dash 7.
Total : 15 appareils.

AER LINGUS
Créée en 1936

Historique : Aer Lingus commence ses premières liaisons entre la Grande-Bretagne et l'Irlande dès 1936. Parallèlement, en 1947, Aerlinte Eireann est créée pour assurer des vols transatlantiques qui ne débutent en fait qu'en 1958. Les deux compagnies fusionnent ensuite sous le nom d'Aer Lingus.
Pays : Irlande
Base : Dublin
Réseau : Europe, Amérique du Nord
Personnel employé : 7 059
Passagers par an : 4 067 289
Fret annuel (en tonnes) : 45 834
Flotte : 3 BAC 1-11-200 ; 10 B737-200 ; 2 B737-300 ; 4 B737-400 ; 1 B737-500 ; 3 B747-100 ; 4 Shorts 360 ; 4 F50.
Total : 31 appareils.

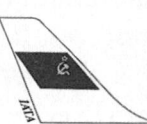

AEROFLOT
Créée le 9 février 1923

Historique : En 1923, la compagnie commence son activité sous le nom de Dobrolet, sous l'égide du Conseil de l'aviation civile. En 1925, Dobrolet reprend Zakavia Airline et Ukrainian Ukrozduput Airline. En 1930, elle devient une société gouvernementale sous le nom de Dobroflot. Le nom d'Aeroflot n'est adopté qu'en 1932. Aujourd'hui, Aeroflot est n° 1 mondial en nombre de passagers et nombre d'employés. Elle a aussi la flotte la plus importante au monde.
Pays : URSS
Base : Moscou
Réseau : Le monde entier et un réseau important de lignes intérieures.
Personnel employé : Plus de 400 000
Passagers par an : 137 198 200
Fret annuel (en tonnes) : 2 900 500

Flotte : 57 Il-18 ; 62 Il-62 ; 166 Il-76F ; 89 Il-86 ; 160 Tu-134 ; 584 Tu-154 ; 85 Tu-154M ; 62 An-12F ; 4 An-22F ; 17 An-24 ; 12 An-26 ; 1 An-28 ; 30 An-30 ; 19 An-124F ; 1 L-410 ; 26 Yak-40 ; 4 Yak-42.
Total : 1 379 appareils.

AEROLINEAS ARGENTINAS
Créée en décembre 1949

Historique : Le ministère du Transport a créé cette compagnie commerciale pour diriger les opérations des compagnies Fama, Alfa, Aeroposta et Zonda. Les quatre arrêtent leurs activités et fusionnent en Aerolineas Argentinas en décembre 1949.
Pays : Argentine
Base : Buenos-Aires
Réseau : Amérique du Sud et du Nord, Europe, lignes intérieures.
Personnel employé : 10 372
Passagers par an : 3 248 041
Fret annuel (en tonnes) : 30 924
Flotte : 6 B747 ; 8 B727 ; 1 B707 ; 11 B737 ; 3 F28.
Total : 29 appareils.

AERO-LLOYD
Créée le 5 décembre 1980

Historique : Cette compagnie allemande lance une opération de charter en mars 1981. Des lignes régulières intérieures sont inaugurées en octobre 1988.
Pays : Allemagne
Base : Oberursel
Réseau : Europe, Afrique du Nord, Moyen-Orient, lignes intérieures
Personnel employé : 812
Passagers par an : 231 127
Flotte : 12 MD-83 ; 4 MD-87 ; 3 DC-9-32 ; 2 Caravelle.
Total : 21 appareils.

AEROMARITIME Int.
Créée en 1966

Historique : Filiale d'UTA, (51 % UTA, 49 % UTA Transport) Aeromaritime fait ses premiers vols en

1967 en affrétant des appareils d'UTA. Elle offre de nombreux vols internationaux, en particulier vers les Antilles, dont une grande partie pour le compte de la société Nouvelles Frontières.
Pays : France
Base : Roissy
Réseau : Le monde entier
Personnel employé : 450
Passagers par an : 459 422
Flotte : 2 B767-200ER ; 1 B747-200 ; 1 B747-300 ; 6 B737-300 ; 1 B737-400.
Total : 11 appareils.

AEROMEXICO
Créée en janvier 1934

Historique : Cette compagnie portait le nom d'Aeronaves de Mexico jusqu'en février 1972, date à laquelle elle change pour AeroMexico. En 1952, elle absorbe plusieurs petites compagnies, dont Lamsa, Aerovias Reforma, Aerolineas Mexicana et Guest Aerovias. C'est en 1959 qu'elle est nationalisée. En avril 1988, le gouvernement déclare AeroMexico en faillite. Elle est reprise six mois plus tard à 65 % par le groupe Dictum. Le reste des actions passe entre les mains de l'association des pilotes mexicains, l'ASPA. Elle prend alors le nom d'Aerovias de Mexico, mais est toujours commercialisée sous le nom d'AeroMexico.
Pays : Mexique
Base : Mexico
Réseau : Amérique du Nord, lignes intérieures
Personnel employé : 5 524
Passagers par an : 5 460 148
Fret annuel (en tonnes) : 14 661
Flotte : 2 DC-10-15 ; 4 DC-10-30 ; 15 DC-9-32 ; 10 MD-82 ; 8 MD-88.
Total : 39 appareils.

AERONICA
Créée en 1981

Historique : Aeronica, ou Aerolineas Nicaraguenses est une compagnie gouvernementale. Elle couvre les lignes intérieures ainsi que quelques destinations sur les Etats-Unis.
Pays : Nicaragua

Base : Managua
Réseau : Sud de l'Amérique du Nord et Amérique Centrale
Personnel employé : 453
Passagers par an : 129 603
Fret annuel (en tonnes) : 3 180
Flotte : 1 B727 ; 1 B707 ; 2 An-32 ; 1 CASA 212 ; 1 Tu-154M.
Total : 6 appareils.

AEROPERU
Créée en mai 1973

Historique : L'origine d'AeroPeru est la compagnie Lineas Aereas Nacionales, fondée en 1931, qui devient Transportes Aereos Militares. En 1960, cette dernière est divisée en deux : TANS couvre les petites lignes intérieures et SATCO, unité militaire péruvienne, relie les villes plus importantes. Réorganisée à son tour en 1973, SATCO devient AeroPeru, et reste aux mains du gouvernement. Elle est dénationalisée en juillet 1981.
Pays : Pérou
Base : Lima
Réseau : Amérique Centrale, du Sud et du Nord
Personnel employé : 2 123
Passagers par an : 901 801
Fret annuel (en tonnes) : 7 536
Flotte : 3 B727-100 ; 6 DC-8-62/63 ; 2 F28.
Total : 11 appareils.

AEROPOSTAL
Créée en 1933

Historique : En 1933, la Compania Generale Postale, fondée en 1930, passe sous le contrôle du gouvernement vénézuélien. Cette compagnie est alors commercialisée sous le nom de Linea Aeropostal Venezolana (LAV), ou Aeropostal. Cette dernière absorbe la compagnie TACA de Venezuela le 1er juillet 1957.
Pays : Venezuela
Base : Caracas
Réseau : Amérique Centrale, Caraïbes, lignes intérieures
Personnel employé : 2500
Passagers par an : 4 000 000
Flotte : 1 DC-9-15 ; 4 DC-9-32 ; DC-9-51 ; 6 DHC-6 Twin Otter ; MD-83.
Total : 20 appareils.

AIR 2000
Créée en 1987

Historique : Air 2000 est une compagnie de charters qui lance ses liaisons entre Glasgow et la Floride en 1989. Des vols sur Larnaca et Chypre au départ de Glasgow, Manchester, Birmingham et Gatwick sont prévus en 1991 après l'obtention d'une licence en 1990 pour des services réguliers sur ces destinations.
Pays : Grande-Bretagne
Base : Crawley, West Sussex
Réseau : Europe, Afrique de l'Est, Amérique du Nord et du Sud, Caraïbes.
Personnel employé : 675
Passagers par an : 1 849 000
Flotte : 10 B757-200

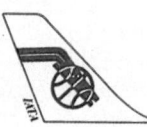

AIR AFRIQUE
Créée en mars 1961

Historique : La Société Aérienne Africaine Multinationale, ou Air Afrique, est créée par douze pays africains indépendants. Après le retrait du Cameroun et du Gabon, les dix pays actionnaires sont les suivants : Bénin, Burkina Faso, République centrafricaine, Congo, Côte d'Ivoire, Mauritanie, Niger, Sénégal, Tchad et Togo. Ils possèdent un total de 72 % des actions.
Pays : Côte d'Ivoire
Base : Abidjan
Réseau : Afrique centrale et de l'Ouest, Europe, Moyen-Orient, Amérique du Nord.
Personnel employé : 5 654
Passagers par an : 750 000
Flotte : 3 A300B4 ; 1 DC-8-63F ; 3 DC-10-30.
Total : 7 appareils.

AIR ALGERIE
Créée en 1949

Historique : La fusion d'Air Algérie avec la Compagnie Air Transport, en 1953, aboutit à la création de la nouvelle compagnie Air Algérie. En 1972, Air Algérie le gouver-nement décide la nationalisation.
Pays : Algérie
Base : Alger
Réseau : Afrique, Europe, Moyen-Orient, lignes intérieures.
Personnel employé : 8 900
Passagers par an : 1 850 535
Fret annuel (en tonnes) : 9 881
Flotte : 2 A310-200 ; 11 B727-200 ; 17 B737-200 ; 1 B707 ; 2 B737-200C ; 3 L-382 ; 4 L-1011 ; 8 F27.
Total : 48 appareils.

AIR ATLANTIQUE
Créée le 28 février 1986

Historique : Air Atlantic Transport, ou Air Atlantique, débute ses activités en 1986 en offrant tout un réseau de lignes intérieures et quelques lignes sur l'Est des Etats-Unis. Elle fait partie de l'association Canadian Partner. Elle est privatisée.
Pays : Canada
Base : St. John's, Newfoundland
Réseau : Est du Canada et des Etats-Unis
Personnel employé : 500
Passagers par an : 450 000
Flotte : 3 BAe 146-200 ; 12 DHC-8-100.
Total : 15 appareils.

AIR BC
Créée en 1980

Historique : La fusion en 1980 de plusieurs petites compagnies a donné naissance à Air BC. Entre 1983 et 1986, cette compagnie sévit essentiellement sur les lignes intérieures canadiennes en tant que « Canadian Pacific Commuter ». En avril 1987, Air Canada rachète 85 % de ses actions. Aujourd'hui, Air BC est membre de l'association Air Canada Connector.
Pays : Canada
Base : Richmond, British Columbia
Réseau : Ouest des Etats-Unis, lignes intérieures.
Personnel employé : 1 200
Passagers par an : 1 500 000
Flotte : 5 BAe 146-200 ; 8 DHC-6 Twin Otter ; 4 DHC-7 ; 16 DHC-8 ; 6 BAe Jetstream 31.
Total : 39 appareils.

AIR BELGIUM
Créée le 3 mai 1979

Historique : Créée par trois sociétés (Abelag Aviation, Sun International et Belgavia), Abelag Airways est reprise en grande majorité par Sun International et devient Air Belgium, avec une activité de vols charters.
Pays : Belgique
Base : Bruxelles
Réseau : Europe
Personnel employé : 55
Passagers par an : 385 000
Flotte : 1 B757 ; 2 B737-400

AIR BERLIN
Créée en 1978

Historique : C'est la société agricole américaine Lelco, basée dans l'Oregon, qui contrôle et détient 100 % des actions d'Air Berlin, compagnie de transport allemande créée en 1978. Air Berlin est surtout spécialisée dans les vols charters entre Berlin et les côtes méditerranéennes ou l'Afrique du Nord.
Pays : Allemagne
Base : Berlin
Réseau : Europe, Mediterranée, Afrique du Nord
Personnel employé : 90
Flotte : 2 B737-400 ; 1 B737-300.
Total : 3 appareils.

AIR BOTSWANA
Créée en 1972

Historique : Air Botswana succède à Botswana Airways. Cette dernière avait elle-même repris les activités de Botswana National Airways depuis 1969. Elle est étatisée en 1988.
Pays : Botswana
Base : Gaborone
Réseau : Afrique du Sud et lignes intérieures
Personnel employé : 415
Passagers par an : 101 255
Fret annuel (en tonnes) : 1 749
Flotte : 2 ATR 42 ; 1 BAe-146 ; 1 Dornier 228.
Total : 4 appareils.

AIR CALEDONIE
Créée en 1954

Historique : Cette compagnie du Pacifique Sud a été créée en 1954 pour établir une liaison entre Nouméa et les îles Loyauté.
Pays : Nouvelle-Calédonie
Base : Nouméa
Réseau : Lignes intérieures.
Personnel employé : 180
Passagers par an : 160 000
Flotte : 1 B737-300 ; 1DHC-6-300.
Total : 2 appareils.

AIR CANADA
Créée en 1937

Historique : La plus importante compagnie aérienne canadienne est née en 1937 sous le nom de Trans-Canada Airlines. Elle lance ses premiers vols internationaux en avril 1939. C'est en 1965, par décision du gouvernement fédéral, qu'elle adopte le nom d'Air Canada. Elle est ensuite entièrement privatisée, fin 1989. Air Canada est la première compagnie à avoir interdit de fumer sur ses vols transatlantiques.
Pays : Canada
Base : Montréal, Québec
Réseau : Amérique du Nord, Caraïbes, Europe, Asie du Sud-Est, lignes intérieures
Personnel employé : 23 062
Passagers par an : 10 324 948
Fret annuel (en tonnes) : 200 903
Flotte : 7 A320 ; 21 B767 ; 6 B747 ; 2 B727C ; 25 B727 ; 5 DC-8-73 ; 35 DC-9-32 ; 8 L-1011 ; 6 L-1011-500.
Total : 115 appareils.

AIR CHARTER
Créée en 1966

Historique : Air Charter, ou Société Aérienne Française d'Affrètement, est une filiale d'Air France. Air Inter prend 20 % des parts en 1978.
Pays : France
Base : Rungis
Réseau : Le monde entier

Personnel employé : 55
Passagers par an : 1 918 000
Flotte : 2 A300B4 ; 3 B737-200 ; 7 B727-200 ; 4 Caravelles 10B de l'Aérospaciale ; 10 737-200
Total : 26 appareils.

AIR CHINA Int.
Créée en 1984

Historique : L'Administration Civile de l'Aviation de Chine (CAAC) est remaniée en 1984 et réduit son activité de transporteur aérien. C'est pour pallier à cette réduction que Air China est créée.
Pays : Chine
Base : Beijing
Réseau : Extrême-Orient, Australasie, Europe, Afrique de l'Est, Amérique du Nord, lignes intérieures.
Flotte : 6 B767-200ER ; 3 B747-400C ; 3 B747-200B ; 4 B747SP ; 1 B747-200F ; 3 B737-200 ; 2 B737-300 ; 5 B707-300 ; 4 BAe 146-100 ; 4 An-24 ; 4 Y-7.
Total : 39 appareils

AIR DJIBOUTI
Créée en 1963

Historique : Air Djibouti ou Red Sea Airlines date de 1963. Après avoir été rachetée par Air Somalia en 1971, la nouvelle société Air Djibouti devient compagnie nationale de la république de Djibouti. Aujourd'hui, ses activités sont suspendues.
Pays : République de Djibouti
Base : Djibouti
Réseau : Afrique de l'Est, Moyen-Orient, Europe, lignes intérieures
Personnel employé : 225
Flotte : 2 DC-9-30 ; 2 DHC-6 Twin Otter.
Total : 4 appareils.

AIR EUROPA
Créée en 1986

Historique : Cette compagnie, aux mains de capitaux privés, propose

---

essentiellement les vols intérieurs européens, mais est surtout connue pour ses liaisons avec les îles Canaries et Baléares.
Pays : Espagne
Base : Palma de Majorque
Réseau : Europe, Afrique du Nord, Amérique du Nord
Personnel employé : 760
Passagers par an : 2 000 000
Flotte : 4 B737-300 ; 4 B757-200.
Total : 8 appareils.

AIR EUROPE
Créée en juillet 1978

Historique : Air Europe propose essentiellement des vols charter vacances. Elle est contrainte de cesser ses activités début 1991 à cause de difficultés financières. La guerre du Golfe en serait responsable.
Pays : Grande-Bretagne
Base : Sussex
Réseau : Europe, Afrique du Nord, Amérique du Nord, Caraïbes, Amérique Centrale
Personnel employé : 2 142
Passagers par an : 3 700 000
Flotte : 15 B737-300 ; 5 B737-400 ; 11 B757-200 ; 1 B747-100 ; 4 F100.
Total : 36 appareils.

AIR EXEL BELGIQUE
Créée en 1988

Historique : Basée à Liège, cette compagnie régionale est créée en 1988 et inaugure sa ligne Orly-Liège en 1989. Son succès lui permet d'ouvrir très vite des lignes régulières sur Nice et Londres.
Pays : Belgique
Base : Liège
Réseau : Régional
Personnel employé : 34
Flotte : 2 Saab 340B.

AIR EXEL FRANCE
Créée en 1988

Historique : Cette compagnie française régionale est créée en 1988 pour ouvrir les lignes sur Lyon,

---

Liège, Luxembourg, Genève et Milan. Elle prévoit d'ouvrir un service de transport de fret en septembre 1991.
Pays : France
Base : Lyon
Réseau : Europe, lignes intérieures
Personnel employé : 74
Passagers par an : 110 000
Flotte : 3 EMB Brasilia.

AIR FRANCE
Créée le 30 août 1933

Historique : Fusion d'Air Orient, d'Air Union, de la Cidna, de la SGTA et de la Compagnie Générale Aéropostale, nationalisée, elle devient le 1er janvier 1946 la société nationale Air France, puis compagnie nationale Air France le 16 juin 1948.
Pays : France
Base : Paris
Réseau : Le monde entier. Opère également pour la Postale (réseau intérieur) et Air Charter International.
Personnel employé : 39 810
Passagers par an : 15 693 320
Fret annuel (en tonnes) : 515 935
Flotte : 5 Concorde ; 17 A300 ; 7 A310-200 ; 2 A310-300 ; 14 A320 ; 10 B747 Combi ; 9 B747 Cargo ; 21 B727-200 ; 19 B737-200 ; 17 B747-100/200.
Total : 121 appareils.

AIR GABON
Créée en 1951

Historique : La compagnie aérienne gabonaise ne devient compagnie nationale officiellement qu'en 1968. Elle lance ses premières lignes internationales en 1977, après être sortie du consortium des douze pays qui avaient créé Air Afrique.
Pays : Gabon
Base : Libreville
Réseau : Afrique centrale et de l'Ouest, Europe
Personnel employé : 1 383
Passagers par an : 398 312
Fret annuel (en tonnes) : 9 316
Flotte : 1 B747-200C ; 1 B737-200C ; 1 L-100-30 ; 1 F100 ; 2 F28.
Total : 6 appareils.

AIR GUADELOUPE
Créée en 1970
Historique : Air Guadeloupe relie essentiellement les îles des petites Antilles. Ses principaux actionnaires sont le département de Guadeloupe et Air France. Elle utilise essentiellement des avions de petite capacité.
Pays : Antilles françaises
Base : Pointe-à-Pitre, Guadeloupe
Réseau : Caraïbes
Personnel employé : 160
Passagers par an : 190 000
Flotte : 2 ATR42-300 ; 2 F27 ; 4 DHC-6 Twin Otter 300 ; 2 Dornier 228-200.
Total : 10 appareils

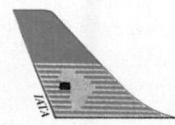

AIR GUINEE
Créée en 1960
Historique : La compagnie nationale Air Guinée est créée à l'initiative de l'URSS et de la Tchécoslovaquie. Elle couvre essentiellement les lignes intérieures.
Pays : République de Guinée
Base : Conakry
Réseau : Afrique de l'Ouest, lignes intérieures
Personnel employé : 400
Flotte : 3 An-12 ; 4 An-24 ; 1 B737-200C ; 1 DHC-7 ; 1 Yak-40.
Total : 10 appareils.

AIR HOLLAND
Historique : Air Holland propose uniquement des vols charters aux agences de voyage et tour opérateurs et relie plus particulièrement les Pays-Bas au Kenya et aux îles des Caraïbes. Elle prévoit d'étendre son activité en 1991 en offrant des vols réguliers.
Pays : Pays-Bas
Base : Schiphol
Réseau : Europe, Caraïbes, Kenya
Personnel employé : 260
Passagers par an : 277 000
Flotte : 6 B757-200 ; 2 B767-200
Total : 8 appareils.

AIR INDIA
Créée en 1946
Historique : Cette compagnie est formée en 1946 pour reprendre les activités de la société Tata Airlines fondée en 1932. C'est en août 1953 qu'elle est nationalisée. Elle adopte le nom d'Air India en juin 1962.
Pays : Inde
Base : Bombay
Réseau : Le monde entier
Personnel employé : 17 669
Passagers par an : 2 304 901
Fret annuel (en tonnes) : 101 804
Flotte : 3 A300 ; 8 A310 ; 9 B747-200 ; 2 B747-300.
Total : 22 appareils.

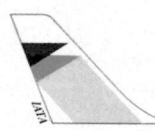

AIR INTER
Créée en 1954
Historique : Cette compagnie nationale française reçoit en 1977 20 % des actions d'Air Charter et s'engage à ne pas concurrencer ses activités, qui sont essentiellement des vols charter. Air Inter, qui n'offre que des vols réguliers, est contrôlée à 100 % par Air France.
Pays : France
Base : Paris
Réseau : Lignes intérieures
Personnel employé : 8 041
Passagers par an : 17 141 046
Fret annuel (en tonnes) : 56 656
Flotte : 2 A300B4-2C ; 16 A300B2 ; 7 A320 ; 1 B747-100 ; 11 Dassault Mercure ; 12 Caravelle 12 de l'Aérospaciale.
Total : 49 appareils.

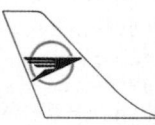

AIR IVOIRE
Créée en 1956
Historique : Air Ivoire est née d'un accord entre les sociétés Air Afrique, UTA et Sodetraf. Ce sont ces trois compagnies qui en détiennent les actions jusqu'en 1976, date à laquelle le gouvernement en prend le contrôle.
Pays : Côte d'Ivoire
Base : Abidjan
Réseau : Afrique de l'ouest,

lignes intérieures
Personnel employé : 300
Passagers par an : 102 000
Flotte : 1 F28-1000 ; 2 F28-4000 ; 2 F27.
Total : 5 appareils.

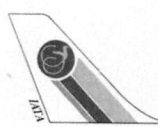

AIR JAMAICA
Créée en octobre 1968
Historique : Le gouvernement jamaïcain et Air Canada ont créé ensemble cette compagnie dont l'activité ne commence qu'en avril 1969. En 1980, elle passe aux mains du gouvernement. Aujourd'hui, Air Jamaica offre des vols sur Londres en association avec British Airways.
Pays : Jamaïque
Base : Kingston
Réseau : Caraïbes, Amérique du Nord
Personnel employé : 1 348
Passagers par an : 910 163
Fret annuel (en tonnes) : 12 222
Flotte : 4 A300B4 ; 4 B727.
Total : 8 appareils.

AIR JET
Créée en mai 1980
Historique : Initialement filiale de la société de transport express de colis Jet Services, Air Jet devient indépendante en 1981. Aujourd'hui, la compagnie se spécialise dans le transport régional de passagers et dans les vols charters cargo.
Pays : France
Base : Aéroport de Paris-Orly
Réseau : Lignes intérieures
Personnel employé : 120
Passagers par an : 61 000
Flotte : 5 F27-600QC ; 2 Super King Air 2.
Total : 7 appareils.

AIR LANKA
Créée le 10 janvier 1979
Historique : La compagnie gouvernementale du Sri Lanka est créée au départ pour reprendre les activités d'Air Ceylan. Air Lanka offre des

lignes régulières internationales et un service cargo.
Pays : Sri Lanka (Ceylan)
Base : Colombo
Réseau : Asie, Extrême-Orient, Europe, Moyen-Orient, Australie, lignes intérieures
Personnel employé : 3 298
Passagers par an : 891 791
Fret annuel (en tonnes) : 21 443
Flotte : 2 B737-200 ; 4 L-1011-500 ; 1 L-1011-100 ; 1 L-1011-50.
Total : 8 appareils.

AIR LIBERTE
Créée le 19 juin 1987
Historique : Air Liberté est une compagnie de charters assurant principalement des vols européens, dont l'accès aux grandes stations balnéaires méditerranéennes. Elle vient de recevoir l'autorisation de relier également Rome et Montréal sur des lignes régulières.
Pays : France
Base : Orly
Réseau : Europe, Mediterranée, Amérique du Nord
Personnel employé : 465
Passagers par an : 696 500
Flotte : 2 A300-600 ; 2 A310-300 ; 6 MD-83
Total : 10 appareils

AIR LITTORAL
Créée en 1972
Historique : Cette société française régionale, créée en 1972 pour ouvrir d'autres lignes intérieures que celles offertes par Air Inter, fusionne avec la Compagnie Aérienne du Languedoc (CAL). Air Littoral reçoit son premier jet fin 1989. Elle étend progressivement son réseau à l'Italie et à l'Espagne.
Pays : France
Base : Maguio
Réseau : Espagne, Italie, lignes intérieures
Personnel employé : 460
Passagers par an : 421 041
Fret annuel (en tonnes) : 146
Flotte : 5 ATR 42 ; 4 F100 ; 9 EMB-120 ; 3 EMB-110 ; 3 Nord 262 ; 6 SWM II.
Total : 30 appareils.

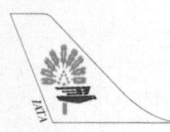

AIR MADAGASCAR
Créée le 14 octobre 1962
Historique : Le gouvernement de la république malgache et la compagnie Air France créent ensemble Air Madagascar en octobre 1962 pour reprendre les activités de la compagnie Madair.
Pays : Madagascar
Base : Tananarive
Réseau : Afrique de l'Est, Europe, lignes intérieures.
Personnel employé : 1 229
Passagers par an : 422 548
Fret annuel (en tonnes) : 7 239
Flotte : 1 B747-200B ;
2 B737-200 ; 2 BAe-748 ;
2 DHC-6-300 ; 1 PA-31 ;
3 PA-28.
Total : 11 appareils.

AIR MALAWI
Créée en 1964
Historique : Air Malawi était à l'origine une filiale de Central African Airways jusqu'à la dissolution de celle-ci en 1967. A cette époque, Air Malawi devient indépendante et le gouvernement du Malawi en prend le contrôle.
Pays : Malawi
Base : Blantyre
Réseau : Afrique de l'Est et du Sud, lignes intérieures
Personnel employé : 831
Passagers par an : 120 868
Fret annuel (en tonnes) : 1 301
Flotte : 2 BAC-1-11 ; 1 BAe-748.
Total : 3 appareils.

AIR MALTA
Créée en mars 1973
Historique : Avec le gouvernement comme actionnaire principal, Air Malta débute ses activités en avril 1974. Elle offre des lignes régulières et un service charter sur de nombreuses destinations européennes.
Pays : Malte
Base : Luqa
Réseau : Europe, Afrique du Nord
Personnel employé : 1 384

Passagers par an : 597 775
Fret annuel (en tonnes) : 3 153
Flotte : 1 A320-200 ;
6 B737-200A ; 2 B727-200.
Total : 9 appareils.

AIR MARSHALL ISLANDS
Créée en 1980
Historique : Compagnie nationale de l'Etat semi-indépendant des îles Marshall, Air Marshall Islands (AMI) adopte son nom actuel en 1989 et concentre son activité sur la surveillance maritime et les évacuations sanitaires. Elle offre également un ligne régulière bihebdomadaires vers Honolulu et des liaisons internationales.
Pays : Etat semi-indépendant des îles Marshall
Base : Iles Marshall
Réseau : Iles du Pacifique, Etats-Unis, lignes intérieures.
Personnel employé : 100
Passagers par an : 36 000
Flotte : 1 BAe 748-2B ;
2 Dornier 228 ; 1 DC-8-62 Combi.
Total : 4 appareils.

AIR MARTINIQUE
Créée le 25 juillet 1981
Historique : Cette compagnie des Antilles françaises est créée pour reprendre les activités de Satair-Air Martinique qui venait de faire faillite. Son nom officiel est la Compagnie Antillaise d'Affrètement Aérien.
Pays : Antilles françaises
Base : Le Lamentin, Martinique
Réseau : Les Antilles, Caraïbes
Personnel employé : 162
Passagers par an : 101 353
Flotte : 2 ATR 42 ; 3 Dornier 228.
Total : 5 appareils.

AIR MAURITIUS
Créée en juin 1967
Historique : Pendant les dix-huit premiers mois d'activité, tous les vols de cette compagnie se font en association avec British Airways,

Air France et Air India. Depuis la fin de l'année 1977, elle a pris son indépendance.
Pays : Ile Maurice
Base : Port-Louis
Réseau : Afrique, Extrême-Orient, Moyen-Orient, Europe
Personnel employé : 1 306
Passagers par an : 519 632
Fret annuel (en tonnes) : 12 963
Flotte : 3 B747SP ; 2 B767ER ;
1 B737 ; 1 B707C ; 1 B747C ;
2 ATR 42.
Total : 10 appareils.

AIR MONGOL-MIAT
Créée en 1956
Historique : Mongolyn Irgeniy Agaaryn Teever (MIAT) ou Mongolian Civil Air Transport, offre des services réguliers. Une partie de sa flotte est consacrée à la surveillance agricole et aux évacuations sanitaires. Aeroflot a participé à la création de cette compagnie qui est commercialisée sous le nom d'Air Mongol ou MIAT.
Pays : Mongolie
Base : Ulan Bator
Réseau : URSS, lignes intérieures
Flotte : 1 Tu-154M ; 20 An-24 ;
2 An-26 ; et plusieurs Antonovs, Yakovlevs et Mikoyans.

AIR NEW ZEALAND
Créée en 1939
Historique : Une association entre Britanniques, Australiens et Néo-Zélandais donne naissance à cette compagnie appelée à l'origine Tasman Empire Airways. Elle est créée pour relier la Nouvelle-Zélande à l'Australie. En 1961, le gouvernement néo-zélandais en prend le contrôle et lui donne son nom actuel.
Pays : Nouvelle-Zélande
Base : Auckland
Réseau : Australasie, Asie, Iles du Pacifique, Amérique du Nord, Europe, lignes intérieures.
Personnel employé : 8 410
Passagers par an : 4 254 471
Fret annuel (en tonnes) : 84 742
Flotte : 4 F27 ; 13 B737-200 ;
8 B767-200ER ; 5 B747-200 ;
1 B747-400 ; 1 B737QC.
Total : 32 appareils.

AIR NIPPON
Créée en 1974
Historique : A l'origine, Air Nippon vole sous le nom de Nihon Kinkyori Airways. Elle est le fruit d'une association entre Japan Air Lines, All Nippon Airways et TOA Domestic, association qui a lieu en 1974. Depuis, cette compagnie, qui offre essentiellement des vols nationaux, a adopté le nom d'Air Nippon.
Pays : Japon
Base : Tokyo
Réseau : Lignes intérieures
Personnel employé : 350
Passagers par an : 2 800 000
Flotte : 4 B737-200 ; 2 DHC-6 Twin Otter ; 10 YS-11.
Total : 16 appareils.

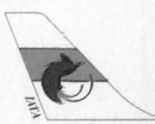

AIR NIUGINI
Créée en 1973
Historique : La compagnie gouvernementale de Papouasie-Nouvelle-Guinée naît en 1973 d'un accord entre le gouvernement et les compagnies Ansett, Qantas et TAA. Le gouvernement rachète en 1976, puis en 1981, les actions des autres compagnies, ce qui en fait aujourd'hui le seul actionnaire.
Pays : Papouasie-Nouvelle-Guinée
Base : Port Moresby
Réseau : Iles du Pacifique, Australie, Asie, lignes intérieures.
Personnel employé : 1 894
Passagers par an : 635 000
Flotte : 1 A310-300 ; 7 F28-1000 ;
2 DHC-7.
Total : 10 appareils.

AIR NOVA
Créée en mai 1986
Historique : Cette compagnie canadienne est la première à avoir signé un accord avec Air Canada pour être membre de l'association Air Canada Connector. Air Nova couvre les lignes intérieures des régions de l'est du Canada.
Pays : Canada

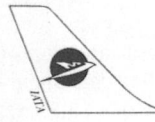

Base : Bedford, Nouvelle-Ecosse
Réseau : Est du Canada, Etats-Unis
Personnel employé : 500
Passagers par an : 815 000
Flotte : 5 BAe 146-200 ;
9 DHC-8-100.
Total : 14 appareils.

AIR ONTARIO
Créée en 1987
Historique : Après avoir acheté 75 % de Austin Airways (fondée en 1934), et de Ontario Limited (fondée en 1961 en tant que Great Lakes Airlines), Air Canada fusionne les deux sociétés et en fait Air Ontario en 1987. Air Canada en reste actionnaire à 75 %. Air Ontario fait partie de l'association Air Canada Connector.
Pays : Canada
Base : London, Ontario
Réseau : Centre du Canada et nord des Etats-Unis
Personnel employé : 700
Passagers par an : 900 000
Flotte : 17 DHC-8-100 ;
4 DHC-8-300.
Total : 21 appareils.

AIR PACIFIC
Créée le 13 avril 1947
Historique : La première bannière de la compagnie internationale de Fidji était Katafaga Estates. Elle devient Fidji Airways, puis Air Pacific en juillet 1972.
Pays : Fidji
Base : Suva
Réseau : Australie, Nouvelle-Zélande, Extrême-Orient
Personnel employé : 575
Passagers par an : 314 842
Fret annuel (en tonnes) : 6 861
Flotte : 1 B747-238B ;
1 B767-205ER ; 2 ATR 42-300.
Total : 4 appareils.

AIR PANAMA Int.
Créée en août 1967
Historique : La compagnie espa-

gnole Iberia est à l'origine de la création d'Air Panama en 1967. Etatisée, la société lance ses premiers services régionaux en 1969. Des difficultés financières l'obligent à cesser ces activités début 1991 et elle est sur le point d'être rachetée par une compagnie privée d'intérêts panamanéen et américain.
Pays : Panama
Base : Panama
Réseau : Amérique centrale et du Sud
Personnel employé : 350
Passagers par an : 89 000
Flotte : 1 B727-100 ; 1 B727-200.
Total : 2 appareils.

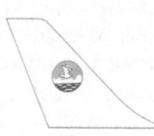

AIR RWANDA
Créée en 1975
Historique : Air Rwanda, ou Société Nationale des Transports Aériens du Rwanda, est la compagnie gouvernementale du pays. Elle offre principalement les lignes à l'intérieur du Rwanda.
Pays : Rwanda
Base : Kigali
Réseau : Lignes intérieures
Personnel employé : 200
Passagers par an : 13 000
Flotte : 1 B707-320C ;
2 DHC-6 Twin Otter 300 ;
1 PBN-2A Islander.
Total : 4 appareils.

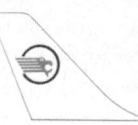

AIR SENEGAL
Créée en 1962
Historique : Le gouvernement nationalise Air Sénégal en février 1971 et l'appelle Société Nationale de Transport Aérien. A l'origine, Air Sénégal, ou Compagnie Sénégalaise des Transports Aériens, est fondée pour reprendre les activités de Ardic Aviation. Elle couvre des lignes essentiellement sur l'intérieur du pays.
Pays : Sénégal
Base : Aéroport de Dakar-Yoff
Réseau : Afrique de l'Ouest, lignes intérieures
Personnel employé : 135
Passagers par an : 72 000
Flotte : 2 BAe 748 ; 2 DHC-6-300 Twin Otter.
Total : 4 appareils.

AIR SEYCHELLES
Créée en septembre 1977
Historique : Cette compagnie gouvernementale est créée pour ouvrir de nouvelles lignes entre les Seychelles, l'Europe et le Moyen-Orient.
Pays : Seychelles
Base : Mahé
Réseau : Europe, lignes intérieures
Personnel employé : 378
Passagers par an : 53 764
Fret annuel (en tonnes) : 1 353
Flotte : 1 B767ER ;
3 DHC-6-130 ; 2 BN-2 Islander.
Total : 6 appareils.

AIR TAHITI
Créée en 1953
Historique : Air Tahiti est appelée initialement Réseau Aérien Interinsulaire. Cinq ans après sa création, elle est reprise par la compagnie française TAI (devenue UTA). Devenue Air Polynésie en 1970, elle change encore de nom en 1987 pour Air Tahiti.
Pays : Polynésie française
Base : Papeete, Tahiti
Réseau : Polynésie
Personnel employé : 305
Passagers par an : 290 083
Fret annuel (en tonnes) : 917
Flotte : 4 ATR 42 ; 1 Dornier 228.
Total : 5 appareils.

AIR TANZANIA
Créée le 11 mars 1977
Historique : Cette compagnie nationale est créée à l'origine pour reprendre les activités d'East African Airways, appartenant au Kenya, à l'Ouganda et à la Tanzanie. Air Tanzania lance ses activités en juin de la même année.
Pays : Tanzanie
Base : Dar-es-Salaam
Réseau : Afrique centrale et du Sud, Moyen-Orient, lignes intérieures
Personnel employé : 1 011
Passagers par an : 282 008
Fret annuel (en tonnes) : 2 134

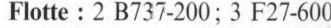

Flotte : 2 B737-200 ; 3 F27-600 ;
3 DHC-6.
Total : 8 appareils.

AIR TORONTO
Créée le 17 décembre 1984
Historique : Cette compagnie canadienne est une filiale de Soundair Corporation. Elle est fondée en 1984 sous le nom de Commuter Express. Aujourd'hui, Air Toronto est devenue indépendante et fait partie de l'association Air Canada Connector. Elle se distingue en étant une des rares compagnie à offrir des vols sans escale sur un grand nombre de villes américaines au départ de Toronto.
Pays : Canada
Base : Mississauga, Ontario
Réseau : Etats-Unis, Canada
Personnel employé : 150
Passagers par an : 120 000
Flotte : 9 BAe Jetstream Super 31 ;
1 Fairchild Metro II.
Total : 10 appareils.

AIR TRANSAT
Créée en décembre 1986
Historique : Air Transat lance ses activités en 1987. Elle propose des vols charters nationaux et internationaux sur l'Amérique du Nord, les Caraïbes et l'Europe.
Pays : Canada
Base : St. Janvier, Québec
Réseau : Etats-Unis, Mexique, Caraïbes, Europe, lignes intérieures
Personnel employé : 400
Passagers par an : 300 000
Flotte : 4 L-1011 Tristar 100.
Total : 4 appareils.

AIR UK
Créée le 1er janvier 1980
Historique : Air UK est le résultat d'une fusion entre Air Anglia, Air Wales, Air West et British Island Airways, membres du British & Commonwealth Shipping Group. La reprise des court-courriers intérieurs entre Londres et l'Ecosse en

1988 contribue à son succès.
Pays : Grande-Bretagne
Base : Stansted, Essex
Réseau : Europe, lignes intérieures
Personnel employé : 1 567
Passagers par an : 1 912 818
Fret annuel (en tonnes) : 5 532
Flotte : 12 F27-100/200/600 ;
2 F27-500 ; 2 Shorts 360 ;
2 BAe-146-100 ; 3 BAe-146-200 ;
4 BAe-146-300.
Total : 25 appareils.

AIR UK LEISURE
Créée en juin 1987
Historique : Reprise en partie par Air UK, Air UK Leisure en est néanmoins la société sœur et opère de façon indépendante. Elle offre des vols charter vers de nombreuses stations balnéaires depuis le début de son activité, en 1988.
Pays : Grande-Bretagne
Base : Stansted, Essex
Réseau : Europe, Méditerranée, lignes intérieures
Personnel employé : 200
Passagers par an : 400 000
Flotte : 4 B737-400.

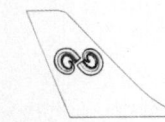

AIR VANUATU
Créée en 1981
Historique : Née de l'initiative du gouvernement de cette île du Pacifique et du groupe Ansett, en 1981, Air Vanuatu est passée entièrement en 1987 sous le contrôle du gouvernement.
Pays : Vanuatu
Base : Port Vila
Réseau : Australie, Nouvelle-Zélande
Personnel employé : 80
Flotte : 1 B727-200A.

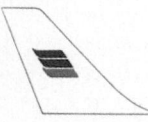

AIR WISCONSIN
Créée en août 1965
Historique : Air Wisconsin lance ses premières lignes régulières dès sa création. Elle offre essentiellement des vols court-courriers sur l'est et le centre des Etats-Unis.

En 1986, un accord est signé avec United Airlines. Depuis, la compagnie est devenue membre du réseau United Express.
Pays : Etats-Unis
Base : Appleton, Wisconsin
Réseau : Intérieur
Personnel employé : 1 400
Passagers par an : 2 200 000
Flotte : 5 BAe 146-200 ;
5 BAe 146-300 ; 14 F27-500 ;
6 ATP.
Total : 30 appareils.

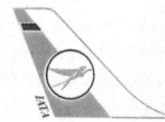

AIR ZAIRE
Créée en juin 1961
Historique : Cette compagnie vole les premières années après sa création sous le nom d'Air Congo. En octobre 1971, quand le Congo devient indépendant et adopte le nom de Zaïre, la compagnie change aussi sa bannière pour Air Zaïre.
Pays : Zaïre
Base : Kinshasa
Réseau : Europe, Afrique de l'Ouest, lignes intérieures
Personnel employé : 2 616
Passagers par an : 196 997
Fret annuel (en tonnes) : 15 656
Flotte : 2 B737 ; 1 DC-8-63F ;
1 DC-10-30.
Total : 4 appareils.

AIR ZIMBABWE
Créée en 1961
Historique : Cette compagnie africaine est à l'origine une société gouvernementale contrôlée par le ministère des Transports et vole sous la bannière de Rhodesia Airways. Quand le Zimbabwe devient indépendant en 1980, elle abandonne son nom initial pour devenir Air Zimbabwe. Certains de ces vols se font en association avec la compagnie australienne Qantas.
Pays : Zimbabwe
Base : Harare
Réseau : Afrique, Europe, Australie
Personnel employé : 1 800
Passagers par an : 590 000
Flotte : 1 BAe 146-200 ;
2 B767-200ER ; 3 B737-200 ;
4 B707-300.
Total : 10 appareils.

ALASKA Airlines
Créée en 1932
Historique : Alaska Airlines est à l'origine la McGhee Airways. La fusion avec plusieurs compagnies locales donne naissance à Alaska Star Airlines qui, en 1944, prend le nom d'Alaska Airlines. En 1987, elle absorbe une nouvelle compagnie, Jet America.
Pays : Etats-Unis
Base : Seattle, Washington
Réseau : La côte ouest des Etats-Unis, Mexique
Personnel employé : 6 454
Passagers par an : 4 405 565
Fret annuel (en tonnes) : 43 541
Flotte : 7 B737-200 ; 1 B727-100 ;
26 B727-200 ; 28 MD-80.
Total : 62 appareils.

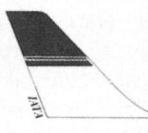

ALISARDA
Créée en mars 1963
Historique : Compagnie d'avions-taxis et de charters, Alisarda propose ses premiers vols réguliers en 1966.
Pays : Italie
Base : Olbia
Réseau : Europe, lignes intérieures
Personnel employé : 1 000
Passagers par an : 1 547 290
Fret annuel (en tonnes) : 4 997
Flotte : 6 DC-9-51 ; 5 MD-82.
Total : 11 appareils.

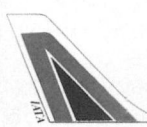

ALITALIA
Créée en septembre 1946
Historique : Cette société gouvernementale, qui débute ses activités en 1947, fusionne en 1957 avec la compagnie LAI pour devenir Alitalia.
Pays : Italie
Base : Rome
Réseau : Le monde entier
Personnel employé : 29 641
Passagers par an : 18 203 000
Fret annuel (en tonnes) : 228 196
Flotte : 14 A300-B4 ; 11 ATR 42 (ATI) ; 1 B747F ; 12 B747-200B ; 42 DC-9-30 ; 2 DC-8-51.
Total : 82 appareils.

ALL NIPPON Airways
Créée en décembre 1952
Historique : Connue sous le nom de Japan Helicopter and Airplane (JHAT) à sa création, cette compagnie lance ses activités en 1953. JHAT fusionne en 1958 avec Far Eastern Airlines, puis reprend Fujita Airlines en 1963, Nakanihon Air Services en 1965 et Nagasaki Airways en 1967.
Pays : Japon
Base : Tokyo
Réseau : Asie, Australie, Europe, Etats-Unis
Personnel employé : 16 664
Passagers par an : 33 069 828
Fret annuel (en tonnes) : 375 610
Flotte : 2 A320 ; 2 B747-400 ;
5 B747-200B ; 17 B747-200SR ;
25 B767-200 ; 19 B767-300ER ;
15 B737 ; 11 L-1011-1 ;
12 YS-11A.
Total : 108 appareils.

ALM ANTILLEAN Airlines
Créée en 1964
Historique : Antilliaanse Luchtvaart Maatschappij a été créée afin d'assurer les vols de KLM Airlines sur les Caraïbes. En 1969, KLM revend ses actions au gouvernement des Antilles néerlandaises.
Pays : Antilles néerlandaises
Base : Curaçao
Réseau : Caraïbes, Amérique du Nord et du Sud
Personnel employé : 800
Flotte : 3 MD-82 ; 2 DHC-8-300 ;
1 L-188F Electra.
Total : 6 appareils.

ALOHA Airlines
Créée en juin 1946
Historique : Fondée sous le nom de Trans-Pacific Airlines, Aloha Airlines adopte son nom actuel en 1958. En 1987, la compagnie passe entre les mains de capitaux privés.
Pays : Etats-Unis
Base : Honolulu, Hawaii
Réseau : Les îles Hawaii

Personnel employé : 1 956
Passagers par an : 4 625 697
Fret annuel (en tonnes) : 53 195
Flotte : 13 B737-200 ; 3 B737-300.
Total : 16 appareils.

AMERICA WEST Airlines
Créée en février 1981
Historique : America West Airlines connaît un réel succès dès sa création et elle s'inscrit très rapidement dans la liste des plus grandes compagnies américaines. America West démarre ses activités en août 1983 et propose un réseau très important de lignes intérieures grâce à une flotte importante.
Pays : Etats-Unis
Base : Phoenix, Arizona
Réseau : Lignes intérieures et l'ouest du Canada
Personnel employé : 12 764
Passagers par an : 15 567 472
Fret annuel (en tonnes) : 53 264
Flotte : 1 B737-100 ; 33 B737-200 ; 42 B737-300 ; 11 B757-200 ; 4 B747-200 ; 12 DHC-8.
Total : 103 appareils.

AMERICAN Airlines
Créée le 25 janvier 1930
Historique : American Airlines est la première compagnie américaine d'aujourd'hui. Sa flotte est très importante et, en plus de 73 millions de passagers par an, elle transporte près de 400 000 tonnes de fret. Créée aux débuts de l'aviation commerciale, elle naît de la fusion de petites compagnies aériennes qui dataient de 1926, sous le nom d'American Airways. C'est en 1934 qu'elle devient American Airlines.
Pays : Etats-Unis
Base : Dallas -PFort Worth, Texas
Réseau : Le monde entier sauf l'Afrique
Personnel employé : 85 680
Passagers par an : 73 243 658
Fret annuel (en tonnes) : 384 367
Flotte : 25 A300 ; 10 B737-200 ; 8 B737-300 ; 26 B757 ; 30 B767-200 ; 15 B767-323ER ; 2 B747SP ; 125 B727-200 ; 39 B727-100 ; 213 MD-80 ; 10 DC-10-30 ; 49 DC-10-10.
Total : 552 appareils.

AMERICAN TRANS AIR
Créée en août 1973
Historique : America Trans Air est initialement créée pour reprendre les activités d'Ambassadair Travel Club. Aujourd'hui, cette compagnie propose essentiellement des vols charters nationaux et internationaux, mais aussi quelques lignes régulières.
Pays : Etats-Unis
Base : Indianapolis, Indiana
Réseau : Le monde entier
Personnel employé : 1 700
Passagers par an : 2 500 000
Flotte : 6 B757-200ER ; 8 B727-100 ; 10 L-1011 Tristar.
Total : 24 appareils.

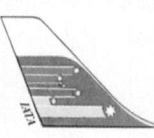

ANSETT AUSTRALIA
Créée en 1936
Historique : Ansett Airways est l'une des deux plus grandes compagnies australiennes sur les lignes intérieures. C'est une filiale de Ansett Transport Industries.
Pays : Australie
Base : Melbourne, Victoria
Réseau : Lignes intérieures
Personnel employé : 9 611
Passagers par an : 5 276 034
Fret annuel (en tonnes) : 53 587
Flotte : 8 A320 ; 5 B767-200 ; 5 B727-200 ; 1 B727-200F ; 15 B737-300.
Total : 34 appareils.

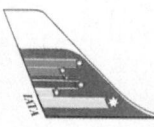

ANSETT NEW ZEALAND
Créée le 13 février 1985
Historique : Ansett New Zealand est créée à l'origine par trois sociétés : Brierley Investments, Newmans Group et Ansett Australia. Quand les deux premiers actionnaires quittent l'association, Ansett Australia assume à 100 % le contrôle de la compagnie.
Pays : Nouvelle-Zélande
Base : Auckland
Réseau : Australasie, Asie, les îles du Pacifique, Amérique du Nord, Europe, lignes intérieures

Personnel employé : 918
Passagers par an : 1 132 752
Fret annuel (en tonnes) : 15 977
Flotte : 5 BAe-146-300 ; 3 BAe-146-200 ; 2 DHC-8-100 ; 1 EMB-110 ; 1 PA-31 Chieftain.
Total : 12 appareils.

ARIANA AFGHAN Airlines
Créée le 27 janvier 1955
Historique : Cette compagnie contrôlée par le gouvernement est créée à l'origine pour assurer les liaisons entre l'Asie, l'Union soviétique et l'Afghanistan. Aujourd'hui, elle relie aussi l'Europe.
Pays : Afghanistan
Base : Kaboul
Réseau : Asie, Europe, lignes intérieures
Personnel employé : 1 500
Passagers par an : 85 000
Flotte : 2 An-24 ; 3 An-26 ; 2 B727-100C ; 2 Tu-154M ; 2 Yak-40.
Total : 11 appareils.

ARKIA ISRAELI Airlines
Créée en 1950
Historique : Arkia Inland Airlines est la première bannière de cette compagnie. En mars 1980, elle fusionne avec Kanaf Arkia Airlines et devient Arkia Israeli Airlines.
Pays : Israël
Base : Tel-Aviv
Réseau : Lignes intérieures (régulières) ; Europe (charter)
Personnel employé : 450
Passagers par an : 416 000
Flotte : 3 B707 ; 1 Commander 680 FL ; 2 Cessna 337 ; 4 Dash 7 ; 1 DHC-6 Twin Otter ; 5 Navajo Chieftan ; 1 PBN Islander ; 2 B737 (appartenant à El Al)
Total : 19 appareils

ASIANA Airlines
Créée en décembre 1988
Historique : Asiana Airlines est une compagnie régionale privée coréenne créée à l'origine sous le nom

de Seoul Air International.
Pays : Corée du Sud
Base : Séoul
Réseau : Japon, lignes intérieures
Personnel employé : 2 441
Passagers par an : 3 605 826
Fret annuel (en tonnes) : 35 977
Flotte : 14 B737.

ATI
Créée en décembre 1963
Historique : Aero Transporti Italiani, connue sous le nom d'ATI, est une filiale d'Alitalia. Sa création a pour but de reprendre les activités de la compagnie SAM et de couvrir ainsi les lignes intérieures. En 1985, Aermediterranea est absorbée par ATI.
Pays : Italie
Base : Naples
Réseau : Lignes intérieures
Personnel employé : 2 000
Passagers par an : 5 500 000
Flotte : 9 ATR 42 ; 17 DC-9-30 ; 12 MD-82.
Total : 38 appareils.

AUSTRAL LINEAS AEREAS
Créée en juin 1971
Historique : C'est de la fusion d'Austral Compania Argentina de Transportes Aeros et de Aerotransportes Litoral Argentino que naît cette compagnie. Depuis leur création, les deux compagnies d'origine volaient en association. Austral Lineas Aereas n'est que l'officialisation de cet état de fait.
Pays : Argentine
Base : Buenos Aires
Réseau : Lignes intérieures
Personnel employé : 1 655
Passagers par an : 954 969
Fret annuel (en tonnes) : 11 332
Flotte : 8 BAC 1-11-500 ; 2 MD-81 ; 2 MD-83.
Total : 12 appareils.

AUSTRALIAN Airlines
Créée en 1945
Historique : Assurant les vols inté-

rieurs, Trans Australia Airlines se partage avec Ansett Australia le gros du marché australien. Ses activités débutent en septembre 1946. C'est en 1986 que cette compagnie gouvernementale adopte le nom d'Australian Airlines.
Pays : Australie
Base : Melbourne, Victoria
Réseau : Lignes intérieures
Personnel employé : 9 500
Passagers par an : 5 803 757
Fret annuel (en tonnes) : 31 405
Flotte : 4 A300B4 ; 10 B727-276 ; 16 B737-376 ; 4 B737-476.
Total : 34 appareils.

AUSTRIAN Airlines
Créée le 30 septembre 1957
Historique : Austrian Airlines naît de la fusion d'Air Austria et de Austrian Airways, avant même que ces deux sociétés aient le temps de commencer officiellement leurs activités. Le gouvernement autrichien, Swissair, Air France et All Nippon Airways en sont les actionnaires.
Pays : Autriche
Base : Vienne
Réseau : Europe, Afrique du Nord, Extrême-Orient, Japon, Amérique du Nord
Personnel employé : 4 128
Passagers par an : 2 261 418
Fret annuel (en tonnes) : 25 095
Flotte : 2 A310-324 ; 4 F50 ; 13 MD-81/82 ; 5 MD-87.
Total : 24 appareils.

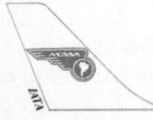

AVENSA
Créée en juin 1943
Historique : Créée à l'origine sous le nom de Aerovias Venezolanas, Avensa débute ses activités en offrant des vols intérieurs dès 1944. Ses liaisons internationales ne commencent qu'en 1955. En avril 1976, le gouvernement vénézuélien rachète les 30 % des actions que Pan American détenait dans la société depuis sa fondation. Il contrôle alors entièrement Avensa. En 1961, les liaisons internationales avaient été regroupées avec celles de la compagnie LAV (Linea Aeropostal Venezolana) pour former la nou-

velle société aérienne Viasa.
Pays : Venezuela
Base : Caracas
Réseau : Amérique centrale, lignes intérieures
Personnel employé : 2 600
Passagers par an : 3 400 000
Flotte : 9 B727-200 ; 9 B727-100 ; 2 Convair 580.
Total : 20 appareils.

AVIACO
Créée le 18 février 1948
Historique : Créée sous le nom d'Aviacion y Comercio, cette compagnie avait été créée uniquement dans le but d'assurer des vols cargo. Aviaco avait composé sa flotte avec des avions Bristol. En 1950, des lignes commerciales pour passagers s'ouvrent et, en 1987, cette compagnie lance de nouvelles lignes régulières pour étendre son réseau. En fait, elle reprend de nombreuses liaisons couvertes auparavant par Iberia.
Pays : Espagne
Base : Madrid
Réseau : Lignes intérieures
Personnel employé : 1 696
Passagers par an : 4 902 732
Fret annuel (en tonnes) : 21 401
Flotte : 4 F27-600 ; 13 DC-9-32 ; 8 DC-9-34.
Total : 25 appareils.

AVIANCA
Créée en 1919
Historique : Créée à l'origine par la SCADTA, Avianca est la compagnie américaine au sens large du terme la plus ancienne. En 1940, la fusion avec SCADTA et Servicio Aereo Colombiano donne naissance à Avianca, dont les actions sont entre les mains de Pan American jusqu'en 1978.
Pays : Colombie
Base : Bogota
Réseau : Amérique du Nord, du Sud et centrale, Europe, Caraïbes
Personnel employé : 5 604
Passagers par an : 3 204 698
Fret annuel (en tonnes) : 38 908
Flotte : 2 B767-200ER ; 3 B707 ; 12 B727-200 ; 10 B727-100.
Total : 27 appareils.

AVIATECA
Créée en 1945
Historique : C'est sous le nom d'Aviateca Empresa Guatemalteca de Aviacion que cette compagnie nationale est créée en 1945, pour reprendre les activités de Aerovias de Guatemala, fondée en 1939. En 1974, elle adopte le nom d'Aerolineas de Guatemala, ou Aviateca.
Pays : Guatemala
Base : Guatemala
Réseau : Etats-Unis, lignes intérieures
Personnel employé : 500
Passagers par an : 80 000
Fret annuel (en tonnes) : 16
Flotte : 3 B727-300.
Total : 3 appareils

AVIOGENEX
Créée en 1968
Historique : Créée sous le nom de Genex Airlines en 1968, cette compagnie est une division de la société Yugoslavian General Export. Elle offre des vols charters en association avec Yugotours.
Pays : Yougoslavie
Base : Belgrade
Réseau : Europe, Méditerranée
Personnel employé : 440
Passagers par an : 634 000
Flotte : 4 B727-200A ; 4 B737-200A
Total : 8 appareils

BAHAMASAIR Holdings
Créée en 1973
Historique : Bahamasair est créée pour relier Nassau et la Floride, mais aussi pour établir des liaisons entre les différentes îles des Bahamas. Elle est sous le contrôle de l'Etat.
Pays : Bahamas
Base : Nassau
Réseau : Floride, Caraïbes, lignes intérieures
Personnel employé : 800
Flotte : 3 B737-200 ; 1 B727-200 ; 3 BAe HS-748 ; 4 DHC-800.
Total : 11 appareils.

BALAIR
Créée en 1953
Historique : Swissair est l'actionnaire majoritaire de la compagnie Balair, qui offre depuis 1954 des vols charters sur de nombreuses routes internationales.
Pays : Suisse
Base : Bâle
Réseau : Le monde entier (charters)
Personnel employé : 435
Passagers par an : 590 000
Flotte : 1 A310-322 ; 1 DC-10-30 ; 3 MD-82.
Total : 5 appareils

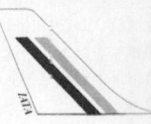

BALKAN BULGARIAN Airlines
Créée en juillet 1947
Historique : Cette compagnie soviéto-bulgare commence sous le nom de TABSO. En 1954, 100 % des capitaux passent entre les mains des Bulgares. En 1986, elle est réorganisée et offre tout un réseau de vols charters et réguliers sur une grande partie du monde.
Pays : Bulgarie
Base : Sofia
Réseau : Europe, Afrique du Nord, Moyen-Orient, Asie, lignes intérieures
Personnel employé : 4 048
Passagers par an : 1 906 983
Fret annuel (en tonnes) : 4 950
Flotte : 2 B737 ; 15 An-24 ; 3 An-12 ; 24 Tu-154 ; 7 Tu-134 ; 3 Il-18.
Total : 54 appareils

BANGLADESH BIMAN Airlines
Créée en janvier 1972
Historique : Biman Bangladesh Airlines est une compagnie gouvernementale. Elle débute ses activités un an après sa création et offre tout un réseau de lignes nationales et internationales.
Pays : Bangladesh
Base : Dhaka
Réseau : Asie, Europe, lignes intérieures
Personnel employé : 4 500

Passagers par an : 1 000 000
Flotte : 2 B707-320C ;
3 DC-10-30 ; 3 F27-600 ; 2 F28.
Total : 10 appareils

BAR HARBOR Airlines
Créée en 1946
Historique : Bar Arbor Airlines est une compagnie qui centralise son activité dans l'Est des Etats-Unis. En 1987, elle reprend Provincetown-Boston Airlines, puis est rachetée par Continental. Filiale de cette dernière, Ban Harbor passe sous le contrôle d'Eastern Air Lines qui lui donne le nom d'Eastern Express en août 1990. Elle cesse ses activités en janvier 1991 après avoir été mise en liquidation.
Pays : Etats-Unis
Réseau : Lignes intérieures
Personnel employé : 830
Passagers par an : 1 000 000
Flotte : 8 ATR 42 ; 6 SF-340 ; 15 Beech C99 ; 16 Beech 1900.
Total : 45 appareils

BERLIN EUROPEAN
Créée en 1985
Historique : Fondée sous le nom de Berlin Regional UK, cette compagnie prend le nom de Berlin European en mars 1988. En 1991, son activité de charters sur le territoire allemand est reprise par Germania Airlines of Cologne.
Pays : Allemagne
Base : Berlin
Réseau : Europe, Afrique du Nord
Personnel employé : 50
Passagers par an : 201 000
Flotte : 2 B737-300

BIRMINGHAM EUROPEAN
Créée en 1983
Historique : Birmingham Executive Airways est créée à l'origine pour offrir, comme son nom l'indique, un service uniquement en classe affaire. En 1988, la compagnie est rachetée par The Plimsoll Line et adopte son nom actuel. Bri-

tish Airways et Maersk Air détiennent chacun 40% des actions.
Pays : Grande-Bretagne
Base : Birmingham
Réseau : Europe, lignes intérieures
Personnel employé : 318
Passagers par an : 218 044
Fret annuel (en tonnes) : 989
Flotte : 5 BAC 1-11-400 ; 2 Shorts 360.
Total : 7 appareils

BOURAQ INDONESIA Airlines
Créée en avril 1970
Historique : Bouraq Indonesia est une compagnie privée qui dessert exclusivement les différentes îles d'Indonésie.
Pays : Indonésie
Base : Jakarta
Réseau : Lignes intérieures
Personnel employé : 800
Passagers par an : 450 000
Flotte : 16 BAe-748 ; 4 Viscount 800.
Total : 20 appareils.

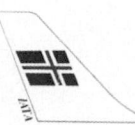

BRAATHENS SAFE
Créée en 1946
Historique : Braathens Shipping Company offre des vols charters long-courriers. Safe veut dire South American and Far East Air Transport (transport aérien sud-américain et moyen-oriental).
Pays : Norvège
Base : Oslo
Réseau : Lignes intérieures (régulières), le monde (charter)
Personnel employé : 2 754
Passagers par an : 3 347 953
Fret annuel (en tonnes) : 9 868
Flotte : 17 B737-200 ; 4 B737-400.
Total : 21 appareils

BRIT'AIR
Créée en 1973
Historique : Brit'Air offre des vols réguliers sur la Bretagne et la Normandie au départ de Londres, Cork, Lyon et Toulouse. De nombreux

vols sont en association avec Air France et Air Inter.
Pays : France
Base : Morlaix
Réseau : Intérieur, Grande-Bretagne
Personnel employé : 395
Passagers par an : 492 000
Flotte : 8 ATR42-300 ; 2 BE Super King Air 200 ; 3 EMB 110P2 Bandeirante ; 1 PA-31T Cheyenne II ; 6 Saab SF340A
Total : 20 appareils

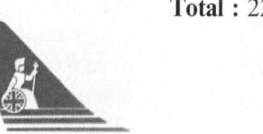

BRITANIA Airways
Créée en 1962
Historique : Ayant débuté ses activités sous le nom de Euravia en 1962, Britannia Airways adopte son nom actuel en 1964. Première compagnie européenne à voler sur des B737-200 en 1968, sur des B767 en 1984, Britannia Airways se veut la réputation d'être une compagnie moderne. Elle développe aussi des services de maintenance et de formation pour les ingénieurs, services qui ne sont pas exclusivement réservés à son propre personnel.
Pays : Grande-Bretagne
Base : Luton
Réseau : Europe, Amérique centrale et du Nord, Caraïbes, Australie, Nouvelle-Zélande
Personnel employé : 3 300
Passagers par an : 6 200 000
Flotte : 4 B737-200 ; 19 B737-200A ; 5 B737-300 ; 6 B757-200 ; 3 B767-200 ; 5 B767-200ER.
Total : 42 appareils

BRITISH Airways
Créée en 1940
Historique : Numéro 1 en Grande-Bretagne, British Airways peut se vanter d'avoir la clientèle la plus internationale du monde. Ne portant son nom actuel que depuis 1972, elle naît de la fusion de British Overseas Airways (fondée en 1940) et de British European Airways (fondée en 1946). British Airways reprend British Caledonian Airways en 1987.

Pays : Grande-Bretagne
Base : Londres
Réseau : Le monde entier
Personnel employé : 53 615
Passagers par an : 25 172 160
Fret annuel (en tonnes) : 363 113
Flotte : 7 Concorde ; 10 A320 ; 43 B737-200 ; 4 B737-300 ; 16 B747-100 ; 15 B747-200 ; 16 B747-400 ; 3 B747 Combi ; 34 B757-200 ; 5 B767 ; 4 B767ER ; 34 BAC 1-11-500 ; 8 DC-10 ; 9 BAe-748 ; 8 BAe-ATP ; 4 Tristar 100 ; 8 Tristar 200.
Total : 228 appareils

BRITISH MIDLAND
Créée en 1933
Historique : Cette compagnie a débuté sous le nom d'Air Schools en 1938, puis a adopté le nom de Derby Aviation en 1949 et de Derby Airways en 1959. En 1964, elle devient officiellement British Midland Airways puis, en 1985, British Midland. British Midland est devenue la deuxième compagnie d'Heathrow au niveau des vols réguliers.
Pays : Grande-Bretagne
Base : Derby
Réseau : Europe, lignes intérieures
Personnel employé : 2 928
Passagers par an : 3 410 062
Fret annuel (en tonnes) : 5 639
Flotte : 3 BAe-ATP ; 6 B737-300 ; 3 B737-400 ; 6 DC-9-19, 8 DC-9-32 ; 2 DHC-7.
Total : 28 appareils

BRITISH WEST INDIAN AIR
Créée en 1940
Historique : British West Indian Air Internationnal (BWIA) fusionne avec la compagnie Trinidad et Tobago Airways en 1980. La compagnie Trinidad et Tobago Airways avait démarré en 1974 pour relier les deux îles.
Pays : Antilles
Base : Trinitad et Tobago
Réseau : Caraïbes, Amérique du Nord et du Sud, Europe, lignes intérieures
Personnel employé : 2 615
Passagers par an : 1 285 419
Flotte : 9 MD-83 ; 4 L-1011-500.
Total : 13 appareils

BRITT Airways
Créée en 1956
Historique : Portant le nom de ses créateurs, William and Marilyn Britt, cette compagnie régionale est rachetée en 1986 par le groupe People Express. Britt Airways relie aujourd'hui les petites villes du centre des Etats-Unis en association avec Continental Airlines.
Pays : Etats-Unis
Base : Terre Haute, Indiana
Réseau : Lignes intérieures
Personnel employé : 1 000
Passagers par an : 1 200 000
Flotte : 4 ATR 42 ; 8 F27 ; 6 EMB Brasilia ; 12 Beech 99 ; 7 FH227B/C ; 18 Metro II.
Total : 55 appareils

BRYMON Airways
Créée en 1969
Historique : Créée sous le nom de Brymon Aviation Ltd., cette compagnie offre un service régulier entre London City Airport et les capitales européennes.
Pays : Grande-Bretagne
Base : Plymouth City Airport
Réseau : Europe, lignes intérieures
Personnel employé : 370
Passagers par an : 230 402
Fret annuel (en tonnes) : 74
Flotte : 1 DHC-6 ; 7 DHC-7 ; 2 DHC-8-100.
Total : 10 appareils

BUSY BEE OF NORWAY
Créée en 1966
Historique : Busy Bee of Norway exerce sous le nom d'Air Executive Norway entre 1972 et 1980, même si elle vole aux couleurs de Busy Bee Airservice les six années suivant sa création. Cette compagnie assure quelques missions pour les forces armées norvégiennes ainsi que des vols charters.
Pays : Norvège
Base : Oslo
Réseau : Europe (charter), lignes intérieures

Personnel employé : 330
Passagers par an : 339 800
Flotte : 1 B737-200C ; 5 F50 ; 7 F27-100 ; 4 F27-200.
Total : 17 appareils

CAAC
Créée le 1er novembre 1949
Historique : L'Administration Civile de l'Aviation de Chine (CAAC) est la compagnie gouvernementale de la République de Chine populaire jusqu'en 1984, date à laquelle elle est réorganisée en plusieurs compagnies, chacune desservant certaines régions. Aujourd'hui, la CAAC s'occupe principalement de la régulation de l'aviation et réduit au fur et à mesure son activité commerciale.
Pays : République de Chine populaire
Base : Beijing
Réseau : Lignes intérieures
Personnel employé : 50 000
Flotte : 3 A300-600R ; 3 A310-200 ; 2 A310-200 ; 2 An-12 ; 35 An-24 ; 24 An-26 ; 24 BAe 121 Trident 2E ; 6 BAe 146-100 ; 2 B707-320B ; 6 B707-320C ; 9 B737-200 Advanced ; 5 B737-200 ; 4 B737-300 ; 16 B757-200 ; 5 DHC-6 Twin Otter 300 ; 18 Il-14 ; 9 Il-18 ; 1 Harbin Yunshuji Y-12 ; 10 MD/SAIC MD-82 ; 6 MD-82 ; 4 PA31 Cheyenne IIIA ; 11 Shorts 360 ; 21 Tu-154M ; 24 Xian Yunshuji Y-7 ; 20 Xian Yunshuji Y-7-100.
Total : 270 appareils.

CALEDONIAN Airways
Créée en 1988
Historique : Caledonian Airways est créée sous le nom de British Airtours, pour reprendre les activités charter de British Airtours et de British Caledonian Airlines. C'est une filiale de British Airways, qui détient 100 % des actions.
Pays : Grande-Bretagne
Base : Gatwick Airport
Réseau : Europe, Extrême-Orient, Afrique, Amérique du Nord, Caraïbes
Personnel employé : 400

Passagers par an : 1 454 000
Flotte : 2 B757-200ER ; 2 L1011 TriStar 1 ; 1 L1011 TriStar 50 ; 2 L1011 TriStar 100
Total : 7 appareils

CALM AIR Int.
Créée en 1959
Historique : La compagnie canadienne régionale Calm Air International est fondée à l'origine pour assurer les liaisons sur Manitoba et les territoires du Nord-Ouest. Depuis que Canadian Airlines, sa société mère, a racheté la majorité de ses actions, Calm Air est devenue membre de l'association Canadian Partner.
Pays : Canada
Base : Thompson, Manitoba
Réseau : Lignes intérieures
Personnel employé : 140
Flotte : 4 BAe-748 ; 3 DHC-6 Twin Otter ; 1 BE Super King Air 200 ; 1 Navajo Chieftain.
Total : 9 appareils.

CAMEROON Airlines
Créée en juillet 1971
Historique : Cette compagnie, également connue sous le nom de Cam-Air, est créée après la décision du Cameroun de se retirer de l'actionnariat d'Air Afrique. Le gouvernement en est son principal actionnaire. Air France en possède également quelques parts.
Pays : Cameroun
Base : Douala
Réseau : Afrique, Europe, lignes intérieures
Personnel employé : 2 193
Passagers par an : 475 035
Fret annuel (en tonnes) : 8 953
Flotte : 1 B747-200SCD ; 3 B737-200 ; 1 BAe-748.
Total : 5 appareils.

CANADIAN Airlines Int.
Créée en 1942
Historique : En 1987, la fusion de Pacific Western Airlines et de Ca-
nadian Pacific donne naissance à la seconde compagnie du Canada (n°1 sur les lignes régionales). Canadian Pacific avait été créée en 1942 quand la société de chemins de fer du même nom avait repris dix petites compagnies aériennes pour n'en faire qu'une seule.
Pays : Canada
Base : Calgary, Alberta
Réseau : Amérique du Nord et du Sud, Europe, Asie, Australasie, lignes intérieures
Personnel employé : 17 832
Passagers par an : 8 550 373
Fret annuel (en tonnes) : 93 430
Flotte : 8 A310-304 ; 58 B737-200 ; 10 B767-300 ; 1 B747-400 ; 11 DC-10-30.
Total : 88 appareils.

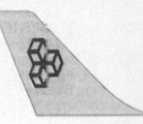

CARGOLUX Airlines Int.
Créée en mars 1970
Historique : Cargolux est la plus grande compagnie européenne de cargo sur des lignes régulières et charter ; elle offre également un service de maintenance et de leasing.
Pays : Luxembourg
Base : Luxembourg Airport
Réseau : Europe, Moyen-Orient, Amérique du Nord, Asie
Personnel employé : 741
Fret annuel (en tonnes) : 116,559
Flotte : 1 An-124 ; 3 B747-200F ; 1 747-100
Total : 5 appareils.

CATHAY PACIFIC Airways
Créée en 1946
Historique : Cette compagnie porte le nom de l'hôtel où se sont réunis ses fondateurs. Elle débute par un service cargo, assuré par plusieurs DC-3, et commence à prendre quelques passagers sur la ligne Shanghai-Sydney. Depuis 1948, elle est contrôlée par la Swire Pacific.
Pays : Hong-Kong
Base : Central
Réseau : Asie, Australasie, Europe, Moyen-Orient, Amérique du Nord
Personnel employé : 12 764
Passagers par an : 7 519 628
Fret annuel (en tonnes) : 310 733
Flotte : 23 B747 ; 17 L-1011.
Total : 40 appareils.

CAYMAN Airways
Créée en juillet 1968
Historique : Cayman Airways est créée quand la compagnie de Costa Rica LACSA est reprise partiellement par le gouvernement de Grand Cayman. En 1977, elle est entièrement étatisée.
Pays : British West Indies
Base : George Town, Grand Cayman
Réseau : Caraïbes, Etats-Unis
Personnel employé : 350
Flotte : 2 B727-200 ;
1 Shorts 330-200.
Total : 3 appareils.

CHINA Airlines
Créée en 1959
Historique : China Airlines (CAL) devient société gouvernementale en 1965. Elle offre un réseau de lignes régulières régionales et internationales pour passagers et cargo.
Pays : Taiwan
Base : Taipei
Réseau : Asie, Europe, Amérique du Nord, lignes intérieures
Personnel employé : 7 000
Passagers par an : 5 300 000
Flotte : 6 A300B4-200 ;
3 A300-600R ; 5 A300B4 ;
6 B747SP ; 4 B747-200B ;
4 B747-200F ; 2 B747-400 ;
3 B737-200ADV ; 1 B737.
Total : 34 appareils.

CHOSONMINHANG KOREAN
Créée en 1954
Historique : Chusonminhang Korean Airways (CAAK) reprend à sa création les activités de la compagnie Sokao, créée en commun entre l'Union soviétique et la Corée du Nord en 1950. Cette dernière couvrait alors les lignes entre Pyongyang, l'Union soviétique et la Chine. CAAK est la société gouvernementale de la république démocratique de Corée.
Pays : Corée
Base : Pyongyang

Réseau : Régional, URSS, Europe de l'Est, lignes intérieures
Flotte : 4 Tu-154B ; 2 Tu-134B ;
8 An-24 ; 4 Il-62M ; 1 Il-62 ;
4 Il-18 ; 5 Il-14.
Total : 28 appareils.

CIMBER AIR DENMARK
Créée en 1950
Historique : Créée par le capitaine Ingolf L. Nielsen, Cimber Air offre, à partir de 1963, des lignes régulières court-courriers au départ de Sonderborg. La compagnie Danair est créée en avril 1971 par les compagnies SAS, Maersk Air et Cimber Air. A partir de novembre de cette année, les lignes de Cimber Air sont incorporées dans le réseau de Danair, qui ne détient que 5 % des actions. Cimber Air GmbH est une filiale de Cimber Air. Elle relie Kiel à Francfort et Marseille en association avec la Lufthansa.
Pays : Danemark
Base : Sonderborg
Réseau : Europe, lignes intérieures
Personnel employé : 140
Passagers par an : 100 000
Fret annuel (en tonnes) : 251
Flotte : 2 AS Nord 262 ;
6 ATR42-300 ; 2 F28-3000 ;
1 BE Super King Air 200 ;
1 Dassault Falcon 20.
Total : 12 appareils.

CITY EXPRESS
Créée en décembre 1970
Historique : Atonabee Airways est le nom d'origine de cette compagnie basée à Toronto. Le nom City Express est adopté en 1984 quand la compagnie est rachetée par Victor Papparlardo. Elle relie essentiellement l'aéroport de Toronto Island (en plein cœur de Toronto) à celui de Newark, à New York. Les créditeurs demandent sa liquidation début 1991.
Pays : Canada
Base : Toronto, Ontario
Réseau : Etats-Unis, lignes intérieures
Personnel employé : 350
Flotte : 4 DHC-8-100 ;
3 DHC-7-100.
Total : 7 appareils.

COMAIR
Créée en 1977
Historique : Société privatisée, Comair est une des plus grandes compagnies américaines régionales. Elle fait partie de la Delta Connection et vole à ses couleurs.
Pays : Etats-Unis
Base : Cincinnati, Ohio
Réseau : Canada, Bahamas, lignes intérieures
Personnel employé : 2 000
Passagers par an : 1 800 000
Flotte : 11 EMB Bandeirante ;
20 SA227AC Metro III ;
19 SF-340 ; 18 EMB Brasilia.
Total : 68 appareils.

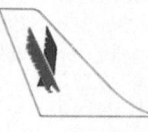

COMMAND Airways
Créée en 1966
Historique : Command Airways est rachetée par la compagnie mère de American Airlines en 1988 pour assurer en partie le réseau de American Eagle. Elle est absorbée mi-1991 par Nashville Eagle et prend le nom de Flagship Airlines.
Pays : Etats-Unis
Base : Wappingers Falls, New York
Réseau : Lignes intérieures
Personnel employé : 600
Passagers par an : 520 000
Flotte : 5 ATR 42 ; 10 Shorts 360.
Total : 15 appareils.

CONAIR
Créée en octobre 1964
Historique : Consolidated Aircraft (Conair) est une compagnie de charters et de tour opérateurs. Tous ses vols sont organisés par l'agence de voyage Spies travel, qui en est propriétaire.
Pays : Danemark
Base : Aéroport de Copenhague
Réseau : Europe, Afrique du Nord et de l'Ouest
Personnel employé : 375
Passagers par an : 850 000
Flotte : 3 A300B4 ; 1 B737-300.
Total : 4 appareils.

CONDOR FLUGDIENST
Créée en 1961
Historique : Filiale de Lufthansa, cette compagnie naît de la fusion de deux autres filiales de Lufthansa, Condor Luftreederei (fondée en 1957) et de Deutsche Flugdienst (fondée en 1955). Son activité principale est le charter de passagers.
Pays : Allemagne
Base : Neuisenburg
Réseau : Le monde entier (charters)
Personnel employé : 1 350
Passagers par an : 2 900 000
Flotte : 4 A310-200 ; 2 A310-300 ;
5 B737-300 ; 6 B727-200 ;
2 DC-10-30.
Total : 19 appareils.

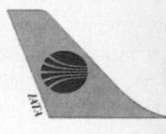

CONTINENTAL Airlines
Créée le 15 juillet 1934
Historique : Continental Airlines est fondée à partir de Varney Speed Lines. En 1937, elle prend le nom de Continental et s'installe à Denver. En 1982, la fusion avec Texas International l'amène à effectuer des vols en association avec cette dernière, mais Continental a des difficultés financières en 1983. Après une reprise florissante, elle récidive en 1990.
Pays : Etats-Unis
Base : Houston, Texas
Réseau : Canada, Amérique Centrale, Europe, Extrême-Orient, Australasie, lignes intérieures
Personnel employé : 35 076
Passagers par an : 35 165 180
Fret annuel (en tonnes) : 220 507
Flotte : 17 A300B ; 25 B737-200 ;
14 B737-100 ; 7 B747-200 ;
2 B747-100 ; 13 B727-100 ;
89 B727-200 ; 55 B737-300 ;
13 ATR 42 ; 10 DC-10-30 ;
7 DC-10-10 ; 7 DC-9-10 ;
28 DC-9-30 ; 65 MD-80.
Total : 339 appareils.

COPA
Créée en juin 1944
Historique : Pan American World

Airways est la société fondatrice de cette compagnie d'Amérique centrale, la Compania Panamena de Aviacion. Elle lance ses premiers vols réguliers en 1947.
Pays : Panama
Base : Panama
Réseau : Amérique centrale, du Sud et du Nord, Caraïbes
Personnel employé : 350
Passagers par an : 200 000
Flotte : 1 B737-200QC ;
1 B737-100.
Total : 2 appareils.

CORSE AIR Int.
Créée en 1981
Historique : Corse Air Int., qui opère à partir des aéroport d'Orly et d'Ajaccio, offre des vols charters internationaux. La société Nouvelles Frontières détient 30% des actions.
Pays : France
Base : Ajaccio et Paris
Réseau : Europe, Méditerranée, Amérique du Nord
Personnel employé : 200
Passagers par an : 375 000
Flotte : 2 B737-300 ; 1 B747-200.
Total : 3 appareils.

CROSSAIR
Créée le 14 février 1975
Historique : La plus grande compagnie régionale suisse débute ses activités en 1979. Elle est la première à mettre en service le Saab 340.
Pays : Suisse
Base : Bâle
Réseau : Europe, lignes intérieures
Personnel employé : 1 052
Passagers par an : 602 054
Fret annuel (en tonnes) : 882
Flotte : 22 SF-340 ; 2 F50 ;
3 BAe-146-200.
Total : 27 appareils.

CRUZEIRO
Créée le 10 décembre 1927
Historique : Cette compagnie brésilienne a d'abord volé sous le nom de Sindicato Condor pour devenir

Servicos Aeros Condor en 1941, puis Cruzeiro en 1943, lors de sa nationalisation. Cruzeiro absorbe deux compagnies en 1967 et passe dans les capitaux de la Varig qui organise la plupart de ses vols.
Pays : Brésil
Base : Rio de Janeiro
Réseau : Lignes intérieures
Personnel employé : 1 963
Passagers par an : 3 227 157
Fret annuel (en tonnes) : 45 142
Flotte : 5 B727-100 ; 6 B737-200.
Total : 11 appareils.

CSA CZECHOSLOVAK Airlines
Créée en 1923
Historique : La compagnie gouvernementale tchécoslovaque, Ceskoslenske Aerolinie (CSA), est fondée en 1923. En 1945, cette société, CSA, fusionne avec Ceskoslovenska Letecka Spolecnost (CLS), société privée fondée en 1927, pour devenir CSA Czechoslovak Airlines. Sa flotte est uniquement composée d'avions russes, Illiouchine, Tupolev et Yakolev.
Pays : Tchécoslovaquie
Base : Prague
Réseau : Europe, Moyen-Orient, Afrique, Amérique du Nord et centrale, Extrême-Orient, lignes intérieures
Personnel employé : 5 891
Passagers par an : 1 094 678
Fret annuel (en tonnes) : 5 426
Flotte : 9 Il-62M ; 7 Tu-154M ;
10 Tu-134A ; 6 Yak-40.
Total : 32 appareils.

CTA
Créée en septembre 1978
Historique : La Compagnie de Transport Aérien (CTA) est fondée à l'origine par la compagnie Swissair, dont elle est filiale, pour reprendre les activités de la compagnie de charters SATA, qui cesse d'opérer la même année. Elle est basée à l'aéroport de Genève.
Pays : Suisse
Base : Aéroport de Genève
Réseau : Europe, Méditerranée
Personnel employé : 153
Passagers par an : 380 000
Flotte : 4 MD-87

CUBANA
Créée en 1929
Historique : Cette compagnie gouvernementale a été créée à partir de la Compania Cubana de Aviacion, fondée en 1929. Cubana ou Empresa Consolidada Cubana de Aviacion reprend les activités de cette compagnie en juin 1961.
Pays : Cuba
Base : La Havanne
Réseau : Amérique du Sud et centrale, Europe, Afrique, lignes intérieures
Personnel employé : 2 720
Passagers par an : 1 130 300
Fret annuel (en tonnes) : 7 808
Flotte : 12 Il-62 ; 3 Il-18 ; 2 Il-76 ;
9 Tu-154 ; 9 An-24 ; 1 An-26 ;
4 Yak-40 ; 2 Yak-42.
Total : 42 appareils.

CYPRUS Airways
Créée en 1947
Historique : C'est avec la collaboration du gouvernement de Chypre, de la BEA et de quelques sociétés privées qu'a été créée cette compagnie. Le gouvernement en est l'actionnaire majoritaire. Cyprus Airways offre des vols cargos ainsi que des lignes régulières pour passagers.
Pays : Chypre
Base : Nicosie
Réseau : Europe, Moyen-Orient
Personnel employé : 1 579
Passagers par an : 813 744
Fret annuel (en tonnes) : 11 751
Flotte : 4 A320-200 ; 4 A310-200 ;
3 BAC-1-11-500.
Total : 11 appareils.

DAN-AIR SERVICES
Créée en 1953
Historique : Cette compagnie, aussi appelée Dan-Air London, est une filiale du groupe Davies et Newman, agence de voyage de Londres, créée en 1922. Dan-Air offre de nombreux vols réguliers ainsi que des vols charters.

Pays : Grande-Bretagne
Base : Londres
Réseau : Europe, Méditerranée, lignes intérieures
Personnel employé : 3 910
Passagers par an : 1 795 000
Fret annuel (en tonnes) : 5 988
Flotte : 2 BAC 1-11-200 ;
1 BAC1-11-300 ;
11 BAC 1-11-500 ; 6 BAe-748 ;
2 BAe-146-100 ; 2 BAe-146-300 ;
8 B727-200 ; 4 B737-200 ;
2 B737-300 ; 3 B737-400 ;
Total : 41 appareils.

DELTA Air Lines
Créée en 1924
Historique : A sa création, Delta Air Lines a comme activité la pulvérisation des champs de culture : il en est n°1. Ce n'est qu'en 1929 qu'il lance des lignes commerciales. En 1953, Delta fusionne avec Chicago Airlines et Southern Airlines. En 1972, elle absorbe également North-East Airlines. En 1991, elle reprend le contrôle du géant américain en faillite, Pan American.
Pays : Etats-Unis
Base : Atlanta, Géorgie
Réseau : Amérique du Nord, Mexique, Extrême-Orient, Europe, lignes intérieures
Personnel employé : 62 913
Passagers par an : 65 871 280
Fret annuel (en tonnes) : 362 599
Flotte : 129 B727-200 ;
59 B737-200 ; 13 B737-300 ;
61 B757-200 ; 15 B767-200 ;
16 B767-300 ; 6 B767-300ER ;
36 DC-9-32 ; 67 MD-88 ;
29 L-1011-1/200/250 ;
11 L-1011-500 ; 2 MD-11 ;
Total : 444 appareils plus 45 appareils de la flotte de Pan Am.

DHL INTERNATIONAL
Créée en 1969
Historique : DHL sont les initiales des trois fondateurs de cette compagnie créée à San Francisco : Dalsay, Hillblom and Lynn. C'est la première compagnie américaine de transport de colis à ouvrir, en 1974, un bureau en Europe. Aujourd'hui, ils ont pris 41 % du marché sur 187 pays et peuvent ainsi prétendre être

le n°1 au monde.
Pays : Belgique
Base : Bruxelles
Réseau : Le monde entier
Personnel employé : 23 700
Fret annuel : 60 millions de colis
Flotte : 1 Bell Jet Ranger Helicopter ; 3 B727-031 ; 10 B727-100 ; 6 B727-200 ; 1 Cessna 402B ; 1 Convair 520 ; 12 Convair 580 ; 10 Fairchild Expeditor ; 1 Falcon 20D ; 1 Learjet ; 1 Learjet 35A ; 4 Metro ; 3 Metro II ; 1 Metroliner III.
Total : 55 appareils.

DLT
Créée en 1958
Historique : DLT Luftverkehrsgesellschaft est à l'origine la Ostfriesische Lufttaxi. Elle devient OLT-Ostfriesische Lufttransport puis DLT le 1er octobre 1974. Lufthansa en est l'actionaire majoritaire. De nombreux vols sont faits en association entre Lufthansa et DLT sur l'Europe et sur les lignes intérieures.
Pays : Allemagne
Base : Kriftel
Réseau : Europe, lignes intérieures
Personnel employé : 520
Passagers par an : 600 000
Flotte : 12 EMB-120 Brasilia ; 10 F50.
Total : 22 appareils.

DOMINICANA
Créée en 1944
Historique : Compania Dominicana Aviacion C por A est créée par Pan American (40 %) et un groupe d'hommes d'affaires dirigé par Guillermo Santoni Callero (60 %). Aujourd'hui, Dominicana appartient à une institution financière gouvernementale.
Pays : République Dominicaine
Base : Saint-Domingue
Réseau : Amérique centrale, du Sud et du Nord, Caraïbes
Personnel employé : 580
Flotte : 1 B707-320C ; 2 B727-200 ; 1 B727-100 ; 1 B727-100C.
Total : 5 appareils.

DRAGONAIR
Créée en avril 1985
Historique : Dragonair ou Hong-Kong Dragon Airlines est créée à l'origine pour relier dix villes de Chine. Aujourd'hui, elle va au Japon, en Thaïlande et au Népal.
Pays : Hong-Kong
Base : Kowloon
Réseau : Extrême-Orient, lignes intérieures
Personnel employé : 533
Passagers par an : 575 948
Fret annuel (en tonnes) : 3 226
Flotte : 5 B737-200 ; 1 L-1011.
Total : 6 appareils.

EAGLE AIR
Créée le 10 avril 1976
Historique : Eagle Air (Arnarflug) débute ses activités en lançant des lignes régulières sur Amsterdam, Hambourg, Milan et Zurich, ainsi que 11 lignes intérieures. Toutes ces lignes sont lancées en juin 1976.
Pays : Islande
Base : Reykjavik
Réseau : Europe, lignes intérieures
Personnel employé : 100
Passagers par an : 52 000
Fret annuel (en tonnes) :
Flotte : 1 B737-200 ; 1 DHC-6 Twin Otter ; 2 Cessna 402C ; 1 Piper Chieftan
Total : 5 appareils

EASTERN Air Lines
Créée le 15 septembre 1927
Historique : Eastern met fin à ses activités le 18 janvier 1991, principalement à cause de la grève qui l'a terrassée en 1989, et qui a duré presque toute l'année. La compagnie avait commencé en tant que Pitcairn Aviation, avec une activité postale. En 1929, North American Aviation l'absorbe et lui donne le nom d'Eastern Air Lines.
Pays : Etats-Unis
Base : Miami, Floride
Réseau : Amérique du Sud, Canada, lignes intérieures

Personnel employé : 30 000
Passagers par an : 21 505 000
Fret annuel (en tonnes) : 48 662
Flotte : 2 A300B4 ; 51 B727-200 ; 25 B757-200 ; 20 B737 ; 3 DC-9-31 ; 25 DC-9-51 ; 2 DC-10-30 ; 14 L-1011.
Total : 142 appareils.

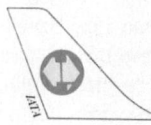

EASTWEST Airlines
Créée en juillet 1947
Historique : Cette compagnie australienne, renommée récemment Eastwest au lieu de East-West, est reprise en 1987 par TNT News. En plus de ses lignes intérieures, elle a une importante activité de maintenance pour la compagnie New South Wales Air Ambulance.
Pays : Australie
Base : New South Wales, Australie
Réseau : Lignes intérieures
Personnel employé : 850
Passagers par an : 730 000
Flotte : 5 BAe 146-300 ; 2 F28-3000 ; 3 F28-4000.
Total : 10 appareils.

N.C.

ECUATORIANA
Créée en juillet 1974
Historique : Empresa Ecuatoriana de Aviacion est la compagnie gouvernementale de l'Equateur. Elle reprend les activités de la compagnie privée Compania Ecuatoriana de Aviacion. Leur engineering et leur support technique est assuré par Israël Aircraft Industries.
Pays : Equateur
Base : Quito
Réseau : Amérique du Sud, centrale et du Nord
Personnel employé : 1 192
Passagers par an : 262 538
Fret annuel (en tonnes) : 13 917
Flotte : 3 B707-321B ; 1 B707-321C ; 1 DC-10-30.
Total : 5 appareils.

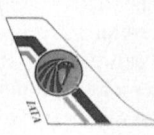

EGYPTAIR
Créée en mai 1932
Historique : Créée sous le nom de

Misr Airwork, le gouvernement égyptien reprend 100 % des actions de cette compagnie, et l'appelle Misr Air SAE en 1949. En 1960, elle devient United Arab Airlines pour finalement adopter le nom d'Egyptair en 1971.
Pays : Egypte
Base : Le Caire
Réseau : Afrique, Moyen-Orient, Asie, Europe, Amérique du Nord, lignes intérieures
Personnel employé : 13 156
Passagers par an : 3 239 222
Fret annuel (en tonnes) : 47 297
Flotte : 4 A300-600 ; 7 A300B4 ; 6 B707-320C ; 7 B737 ; 3 B767-200 ; 2 B767-300 ; 2 B747 ; 2 F27.
Total : 33 appareils.

EL AL-ISRAEL Airlines
Créée en novembre 1948
Historique : Le gouvernement israëlien en est actionnaire majoritaire. Ses activités vers l'Europe commencent en 1949. Les lignes sur les Etats-Unis et l'Afrique du Sud sont ouvertes en 1950.
Pays : Israël
Base : Tel-Aviv Ben-Gurion
Réseau : Moyen-Orient, Europe, Afrique, Amérique du Nord
Personnel employé : 3 617
Passagers par an : 1 580 536
Fret annuel (en tonnes) : 168 069
Flotte : 4 B747-258B ; 1 B747-238B ; 2 B747-258C ; 1 B747-258F ; 1 B747-124SF ; 1 B707-358B ; 2 B707-358C ; 4 B767-258 ; 4 B757-258 ; 2 B737-258.
Total : 22 appareils.

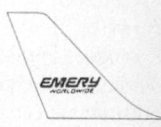

EMERY WORLDWIDE
Créée en 1946
Historique : Créée sous le nom d'Emery Air Freight, cette compagnie a comme activité principale le transport de colis. Après avoir affrété les avions d'autres compagnies, Emery se dote de sa propre flotte en 1980.
Pays : Etats-Unis
Base : Palo Alto, Californie
Réseau : Le monde entier
Personnel employé : 18 000

Fret annuel (en tonnes) : 638 750
Flotte : 12 B727 ; 6 DC-8-74 ;
11 DC-8-63 ; 2 DC-8-62 ;
4 DC-8-54 ; 4 Convair 640 ;
1 de Havilland Caribou ; 1 Shorts
Skyvan ; 1 Cessna Caravan.
Total : 42 appareils.

EMIRATES
Créée en mai 1985
Historique : La compagnie interna-
tionale des Emirats arabes unis est
fondée par le gouvernement de Du-
baï. Elle lance ses activités en oc-
tobre 1985.
Pays : Emirats arabes unis
Base : Dubaï
Réseau : Moyen-Orient, Extrême-
Orient, Afrique, Europe
Personnel employé : 1 769
Passagers par an : 914 935
Fret annuel (en tonnes) : 31 364
Flotte : 2 A310-300 ; 3 A300-600 ;
3 B727-200.
Total : 8 appareils.

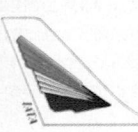

ETHIOPIAN Airlines
Créée en décembre 1945
Historique : La compagnie gouver-
nementale d'Ethiopie débute en
1945 et lance ses premières lignes
régulières en avril 1946. TWA par-
ticipe à la mise en route de la com-
pagnie en lui donnant l'assistance
technique qui lui est nécessaire.
Pays : Ethiopie
Base : Addis-Abeba
Réseau : Afrique, Moyen-Orient,
Extrême-Orient, Europe, lignes in-
térieures
Personnel employé : 3 350
Passagers par an : 620 304
Fret annuel (en tonnes) : 21 594
Flotte : 2 ATR42 ; 1 B737 ;
4 B727 ; 4 B707 ; 1 B757 ;
3 B767 ; 3 DHC-3/C-47 ;
5 DHC-6 ; 1 DHC-5 ; 2 L-100.
Total : 26 appareils.

EURALAIR INTERNATIONAL
Créée en octobre 1964
Historique : La compagnie privée

Euralair International, basée au
Bourget, offre des vols passagers et
cargos sur l'Europe et la Méditerranée. Elle reçoit récemment l'autorisation de lancer des vols réguliers sur Madrid. Elle fait aussi
quelques vols en association avec
TNT, avec ses BAe.
Pays : France
Base : Le Bourget
Réseau : Europe
Personnel employé : 400
Passagers par an : 648 000
Flotte : 6 B737-200 ;
2 BAe 146-200QT ;
2 Cessna Citation 1 ;
2 Cessna Citation II ;
1 Cessna Citation III ;
2 Cessna Citation V ;
2 Dassault Falcon 10 ;
2 Dassault Falcon 20.
Total : 19 appareils.

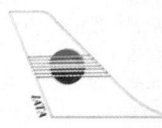

EUROBERLIN FRANCE
Créée en septembre 1988
Historique : Un accord entre Air
France et Lufthansa est à l'origine
de cette compagnie, qui offre des
vols réguliers sur les lignes intérieu-
res allemandes. Air France et Luft-
hansa en sont les deux actionnaires.
Pays : France
Base : Paris
Réseau : Allemagne
Personnel employé : 200
Passagers par an : 603 800
Fret annuel (en tonnes) : 1,5
Flotte : 8 B737-300.

EUROPE AERO SERVICE
Créée en 1965
Historique : Cette compagnie fran-
çaise couvre à sa création des vols
charters en Europe, en Afrique et
au Moyen-Orient. Ses premières li-
gnes régulières sont lancées l'année
suivante.
Pays : France
Base : Perpignan
Réseau : Europe, Afrique, Moyen-
Orient, lignes intérieures
Personnel employé : 513
Passagers par an : 1 200 000
Flotte : 11 AS Caravelle 10B ;
2 B727-200 ; 3 B737-200 ;
1 SF-340.
Total : 17 appareils.

EVERGREEN Int. Airlines
Créée en 1924
Historique : Créée sous le nom de
Johnson Flying Service en 1924,
Evergreen adopte son nom actuel
en 1975. Aujourd'hui, elle offre des
vols cargos sur le monde entier. Elle
fait des vols en association avec
United Parcel Service et US Postal
Service.
Pays : Etats-Unis
Base : McMinnville, Oregon
Réseau : Le monde entier (charters)
Personnel employé : 600
Flotte : 2 B747-200C ;
2 B747-100F ; 5 B747-100 ;
2 B727-200 ; 4 B727-100C ;
5 B727-100F ; 1 B727-100QC ;
1 B727-100P ; 2 DC-8-73F ;
1 DC-8-62F ; 2 DC-9-32F ;
2 DC-9-33F ; 2 DC-9-15F ;
2 DC-9-33C.
Total : 33 appareils.

EXPRESS Airlines I
Historique : Cette compagnie amé-
ricaine a signé un accord avec
Northwest Airlines et vole sous le
nom de Northwest Airlink sur les
vols court-courriers.
Pays : Etats-Unis
Base : Atlanta, Georgie
Réseau : Lignes intérieures
Personnel employé : 1 000
Passagers par an : 1 100 000
Flotte : 25 BAe Jetstream 31 ;
17 SF-340.
Total : 42 appareils.

FAUCETT PERU
Créée en septembre 1928
Historique : Compania de Aviacion
Faucett est une compagnie privée
créée par un américain. Aujour-
d'hui, cette compagnie sud-améri-
caine est en grande majorité entre
les mains de Aeronaves, l'autre
compagnie péruvienne.
Pays : Pérou
Base : Lima
Réseau : Lignes intérieures, Floride
Personnel employé : 1 270

Passagers par an : 1 390 000
Flotte : 2 B737-200 ; 1 B737-100 ;
2 B727-200 ; 5 DC-8-50.
Total : 10 appareils.

FEDERAL EXPRESS
Créée en 1971
Historique : Cette compagnie de
transport de colis de tout type
débute ses activités en 1973. En
1977, lors de la dérégulation des
cargos, elle ajoute à sa flotte des
avions plus gros. En 1989, Federal
Express reprend la compagnie
Flying Tigers et devient ainsi la
plus grande compagnie de transport de colis du monde.
Pays : Etats-Unis
Base : Memphis, Tennessee
Réseau : Le monde entier
Personnel employé : 80 006
Fret annuel (en tonnes) : 2 617 484
Flotte : 98 B727-100F ;
55 B727-200F ; 7 B747-100F ;
10 B747-200F ; 2 B747-200 ;
2 DC-8F ; 11 DC-10-10F ;
16 DC-10-30F ; 194 Cessna 208.
Total : 395 appareils.

FINNAIR
Créée en novembre 1923
Historique : Fondée sous le nom
d'Aero, cette compagnie a jusqu'en
1936 une flotte composée unique-
ment d'hydravions, les aéroports
n'existant pas jusqu'à cette date.
Quand la Finlande ouvre ses premiers terrains, la compagnie Aero
est réorganisée. C'est en 1968
qu'elle adopte le nom de Finnair.
Cette date marque aussi la participation du gouvernement qui en est
aujourd'hui majoritaire.
Pays : Finlande
Base : Helsinki
Réseau : Europe, Amérique du
Nord, Extrême-Orient, Afrique, lignes intérieures
Personnel employé : 8 056
Passagers par an : 3 902 572
Fret annuel (en tonnes) : 37 793
Flotte : 2 A300B4 ; 1 B737-210C ;
5 DC-10-30 ; 12 DC-9-51 ;
5 DC-9-41 ; 1 MD-11 ;
7 MD-82 ; 4 MD-83 ; 3 MD-87 ;
5 ATR 72.
Total : 45 appareils.

GARUDA INDONESIA
Créée le 31 mars 1950
Historique : En 1950, le gouvernement indonésien et la KLM forment ensemble la compagnie nationale d'Indonésie sous le nom de Garuda Indonesian Airways. Elle succède à la division de la KLM Inter-Island de l'après-guerre.
Pays : Indonésie
Base : Jakarta
Réseau : Iles du Pacifique, Australie, Amérique du Nord, Extrême-Orient, Moyen-Orient, Europe, lignes intérieures
Personnel employé : 10 376
Passagers par an : 6 733 152
Fret annuel (en tonnes) : 150 575
Flotte : 12 A300 ; 7 B747 ;
6 B737-300 ; 7 DC-10-30 ;
15 DC-9-32 ; 14 F28-4000 ;
6 F28-3000.
Total : 67 appareils.

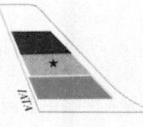

GHANA AIRWAYS
Créée en juillet 1958
Historique : Le gouvernement du Ghana forme cette compagnie pour reprendre les activités de West African Airways sur le Ghana.
Pays : Ghana
Base : Accra
Réseau : Afrique, Europe, lignes intérieures
Personnel employé : 1 339
Passagers par an : 188 080
Fret annuel (en tonnes) : 3 253
Flotte : 1 DC-10-30 ; 1 DC-9-51 ;
1 F28-2000 ; 1 F28-4000.
Total : 4 appareils.

GREENLANDAIR
Créée en novembre 1960
Historique : Greenlandair (Groenlandsfly) offre des lignes régulières et des vols cargos sur le Danemark, l'Islande et le Canada.
Pays : Groenland
Base : Nuuk
Réseau : Danemark, Islande, Canada, lignes intérieures
Personnel employé : 470

Flotte : 2 AS 350B1 Ecureil ;
1 Agusta-Bell 206B Jet Ranger II ; 1 Bell 206B Jet Ranger II ; 3 Bell 206B Jet Ranger III ; 6 Bell 212 ;
1 BE King Air E90 ; 1 Cessna Citation II ; 3 DHC Dash 7 ;
3 DHC-6 Twin Otter ;
3 Sikorsky S-61N
Total : 25 appareils

GULF AIR
Créée en mars 1950
Historique : Depuis 1974, Gulf Air est propriété des gouvernements de Bahrein, des Emirats arabes unis, du Qatar et d'Oman. La compagnie ne relie plus Dubaï depuis 1985, date à laquelle cet émirat a créé sa propre compagnie.
Pays : Bahrein
Base : Manama
Réseau : Europe, Moyen-Orient, Afrique, Amérique du Nord, Extrême-Orient
Personnel employé : 5 154
Passagers par an : 3 083 659
Fret annuel (en tonnes) : 177 253
Flotte : 8 L-1011 ;
9 B767-300ER ; 9 B737-200.
Total : 26 appareils.

HANG KHONG VIETNAM
Historique : Compagnie gouvernementale du Viêt-nam, Hang Khong Vietnam est créée par l'Administration de l'aviation civile générale du Viêt-nam (CAAV), dont elle prend le nom, avant d'adopter son nom actuel.
Pays : Viêt-nam
Base : Hanoï
Réseau : Lignes intérieures
Flotte : 11 An-24 ; 2 An-26 ;
3 Il-18 ; 6 Tu-134A ; 2 Tu-134B ;
3 Yak-40.
Total : 27 appareils.

HAPAG-LLOYD
Créée en juillet 1972
Historique : Hapag-Lloyd fusionne avec Bavaria-German Air en jan-

vier 1979. Cette compagnie offre essentiellement des vols charters.
Pays : Allemagne
Base : Hanovre
Réseau : Europe, Méditerranée, Moyen-Orient, Afrique de l'Ouest, Amérique du Nord, Caraïbes
Personnel employé : 1 150
Passagers par an : 2 793 000
Flotte : 4 A310-200 ; 1 A310-300 ;
2 B727-100 ; 2 B727-200
4 B737-200 ; 4 B737-400
Total : 17 appareils

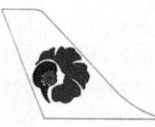

HAWAIIAN AIR
Créée en 1929
Historique : Appelé Inter-Island Airways à sa création, Hawaiian Airlines adopte son nom actuel en 1941. Cette compagnie américaine relie les îles Hawaii ainsi que le continent américain et les îles du Pacifique Sud.
Pays : Etats-Unis
Base : Honolulu, Hawaii
Réseau : Hawaii, ouest des Etats-Unis, Australie, Nouvelle-Zélande, îles du Pacifique
Personnel employé : 2 300
Passagers par an : 4 700 000
Flotte : 12 DC-9-50 ; 5 DC-8-62 ;
2 DC-8-63 ; 6 L-1011 TriStar 50 ;
8 DHC-7.
Total : 33 appareils.

HEAVYLIFT CARGO Airlines
Créée 31 octobre 1978
Historique : Spécialiste des vols cargos internationaux, HeavyLift Cargo Airlines est basé en Angleterre, à l'aéroport de Stansted. Ses actionnaires sont la compagnie Cunard Streamship et Trafalgar House. Sa filiale HeavyLift Aircraft Engineering assure la maintenance des avions et est basée à l'aéroport de Southend.
Pays : Grande-Bretagne
Base : Stansted, Essex
Réseau : Le monde entier
Personnel employé : 160
Fret annuel (en tonnes) : 30 000
Flotte : 1 B707-324C ; 1 Canadair CL-44-0 Guppy ; 1 L-100-30 Hercules ; 5 Short Belfast SCF ;
1 SAA365 Dauphin
Total : 9 appareils.

HENSON Airlines
Créée en 1931
Historique : Henson Airlines devient une filiale de Piedmont en 1986 puis de US Air en 1988, quand la compagnie américaine Piedmont décide de liquider toutes les activités de Henson. Aujourd'hui, Henson Airlines vole aux couleurs de US Air Express.
Pays : Etats-Unis
Base : Salisbury, Maryland
Réseau : Lignes intérieures, Bahamas
Personnel employé : 1 127
Passagers par an : 2 006 000
Flotte : 33 DHC-8-100 ;
5 DHC-7-100.
Total : 38 appareils.

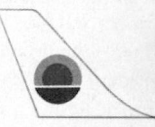

HORIZON AIR
Créée en mai 1981
Historique : Le groupe Alaska Air est propriétaire de cette compagnie régionale américaine. Horizon absorbe Air Oregon l'année suivant sa création et devient ainsi une des plus grandes compagnies du nord-ouest du Pacifique. En 1984, Transwestern est également reprise par Horizon.
Pays : Etats-Unis
Base : Seattle, Washington
Réseau : Lignes régionales
Personnel employé : 1 500
Passagers par an : 1 816 000
Flotte : 3 F28-1000 ;
32 SA227AC Metro III ;
13 DHC-8-100.
Total : 48 appareils.

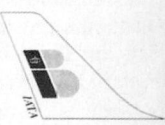

IBERIA
Créée en 1927
Historique : Lineas Aereas de Espana est la première bannière de cette compagnie créée en 1927 par la fusion de petites sociétés aéronautiques datant de 1921. Iberia crée deux filiales, Binter Canarias et Binter Mediterraneo, pour assurer les lignes régionales, et étudie une possibilité de dénationalisation.

Pays : Espagne
Base : Madrid
Réseau : Le monde entier
Personnel employé : 28 843
Passagers par an : 16 227 735
Fret annuel (en tonnes) : 240 428
Flotte : 8 A300B4 ; 7 B747-200 ;
35 B727-200 ; 8 DC-10-30 ;
18 DC-9-30 ; 17 MD-87.
Total : 93 appareils.

ICELANDAIR
Créée en 1937
Historique : A l'origine, Icelandair vole sous la bannière Flugfelag Islands, créée en 1937. En 1973, elle fusionne avec Loftleidir (compagnie islandaise fondée en 1944). Aujourd'hui, Icelandair fonctionne comme un holding.
Pays : Islande
Base : Reykjavik
Réseau : Europe, Amérique du Nord, lignes intérieures
Personnel employé : 1 264
Passagers par an : 807 024
Fret annuel (en tonnes) : 13 542
Flotte : 3 B737-400 ; 2 B757-200 ;
5 F27.
Total : 10 appareils.

INDIAN Airlines
Créée le 1er août 1953
Historique : Indian Airlines est fondée pour reprendre les activités de huit compagnies aériennes nationales sous l'égide du gouvernement. Elle est devenue l'une des plus grandes compagnies nationales et vole à partir de Delhi, Bombay, Calcutta et Madras. C'est une société autonome sous le contrôle du ministère du Tourisme et de l'Aviation civile. De son côté, Indian Airlines possède 50 % des actions de Vayudoot, une autre compagnie aérienne indoue.
Pays : Inde
Base : New Delhi
Réseau : Lignes intérieures
Personnel employé : 22 041
Passagers par an : 8 214 061
Fret annuel (en tonnes) : 88 185
Flotte : 11 A300 ; 18 A320 ;
24 B737 ; 1 Tu-154 ;
1 Il-76 Freighter.
Total : 55 appareils.

INTAIR
Créée en septembre 1987
Historique : Compagnie la plus importante du Canada, Intair est fondée en 1987 lors de la fusion de Nordair Metro, Quebec Aviation et Quebecair. Créée sous le nom de Inter Canadian, sa bannière actuelle est adoptée en 1989.
Pays : Canada
Base : Dorval, Québec
Réseau : Lignes intérieures
Personnel employé : 1 076
Passagers par an : 841 962
Fret annuel (en tonnes) : 2 354
Flotte : 3 B737 ; 2 F28 ; 7 F100 ;
6 ATR42 ; 6 Convair 580 ;
8 SWM ; 8 PA-31 Navajo.
Total : 40 appareils.

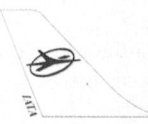

INTERFLUG
Créée en 1954
Historique : Formé en 1954 comme compagnie nationale de la RDA, Interflug a monté un réseau important de lignes internationales. Après la réunification des deux Allemagne, Lufthansa et British Airways ont essayé, sans succès, de se porter acquéreur d'Interflug. Aujourd'hui, son activité est basée essentiellement sur l'entraînement des pilotes.
Pays : Allemagne (ancienne RDA)
Base : Berlin
Réseau : Actuellement néant
Personnel employé : 10 000
Passagers par an : 1 616 000
Fret annuel (en tonnes) : 6 568
Flotte : 3 A310-300 ;
8 Let L-410UVP ; 12 Il-18 ;
17 Il-62/62M ; 29 Tu-134A
Total : 69 appareils.

IRAN AIR
Créée en février 1962
Historique : C'est la fusion de deux compagnies privées, Iranian Airways et Persian Air Services, qui a donné naissance à Iran Air (The Airline of the Islamic Republic of Iran). Cette compagnie, connue

également sous le nom de Homa, est devenue depuis société gouvernementale. Iran Air offre essentiellement des vols réguliers, mais aussi des vols cargos et quelques vols charters.
Pays : Iran
Base : Téhéran
Réseau : Moyen-Orient, Extrême-Orient, Europe, lignes intérieures
Personnel employé : 10 205
Passagers par an : 5 205 611
Fret annuel (en tonnes) : 52 647
Flotte : 5 A300 ; 4 B747SP ;
3 B747-200 ; 3 B707 ; 4 727-200 ;
2 B727-100 ; 3 B737 ; 2 B747F ;
1 B707F ; 3 F100.
Total : 30 appareils.

IRAQI Airways
Créée en 1948
Historique : Compagnie gouvernementale, Iraqi Airways a déplacé sa flotte en Iran lors de la guerre du Golfe, début 1991. Quand le gouvernement rend ses avions à l'Irak, toute compagnie est invitée à chartériser les appareils afin d'aider Iraqi Airways à sortir de la crise.
Pays : Irak
Base : Bagdad
Réseau : Moyen-Orient, Europe, Asie, Afrique du Nord, lignes intérieures
Personnel employé : 4 624
Passagers par an : 1 160 808
Fret annuel (en tonnes) : 18 022
Flotte : 3 B747 ; 3 B707 ; 5 B727 ;
2 B737.
Total : 13 appareils.

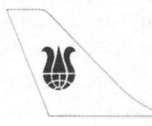

ISTANBUL Airlines
Créée en décembre 1985
Historique : La compagnie turque Istanbul Hava Yollari lance ses premières lignes régulières en 1986 sur l'Europe, Chypre et Israël. Elle est commercialisée sous le nom d'Istanbul Airlines.
Pays : Turquie
Base : Istanbul
Réseau : Europe, lignes intérieures
Personnel employé : 550
Passagers par an : 600 000
Flotte : 4 AS Caravelle 10R ;
3 B737-400.
Total : 7 appareils.

JAMAHIRIYA
Créée en 1964
Historique : Fondée sous le nom de Kingdom of Libya Airlines, cette compagnie adopte le nom de Libyan Arab Airlines en 1969, après la révolution. Elle devient en 1982 Jamahiriya Air Transport, compagnie gouvernementale puis Jamahiriya Libyan Arab Airlines, son nom officiel actuel.
Pays : Libye
Base : Tripoli
Réseau : Afrique, Moyen-Orient, Europe, lignes intérieures
Personnel employé : 5 830
Passagers par an : 1 803 030
Fret annuel (en tonnes) : 8 337
Flotte : 2 A310 ; 5 B707 ; 10 B727 ;
3 F28 ; 16 F27 ; 2 Tu-154.
Total : 38 appareils.

JAPAN Air Lines
Créée en août 1951
Historique : Japan Air Lines est étatisée en 1953 et garde le nom de la compagnie créée en 1951 par des capitaux privés, JAL. Plus grande utilisatrice de Boeing 747s, JAL perd le monopole des lignes internationales à partir du Japon quand All Nippon Airways lance les mêmes avions sur les mêmes lignes.
Pays : Japon
Base : Tokyo
Réseau : Le monde entier, lignes intérieures
Personnel employé : 21 213
Passagers par an : 23 463 918
Fret annuel (en tonnes) : 730 203
Flotte : 16 DC-10-40 ;
36 B747-100/200/300 ;
10 B747SR ; 10 B747-400 ;
10 B747-100F/200F ;
16 B767-200/300.
Total : 98 appareils.

JAPAN AIR SYSTEM
Créée en mai 1971
Historique : Cette compagnie est créée lors de la fusion de Japan Domestic Airlines et de Toa Air-

ways, en 1971. Appelée alors Toa Domestic Airlines, elle adopte le nom de Japan Air System.
Pays : Japon
Base : Tokyo
Réseau : Lignes intérieures
Personnel employé : 4 757
Passagers par an : 13 435 534
Fret annuel (en tonnes) : 82 571
Flotte : 15 A300B2/B4 ;
2 DC-10-30 ; 13 DC-9-41 ;
19 MD-81 ; 4 MD-87 ;
19 YS-11.
Total : 72 appareils.

JAPAN ASIA Airways
Créée le 8 août 1975
Historique : Japan Asia Airways est une filiale de Japan Air Lines. Elle débute ses activités en 1975 pour offrir des lignes régulières pour passagers et des vols cargos entre le Japon et Taiwan.
Pays : Japon
Base : Tokyo
Réseau : Taiwan
Personnel employé : 500
Passagers par an : 1 339 000
Flotte : 2 B747-100 ; 1 B747-300 ; 3 DC-10-40.
Total : 6 appareils.

JAT-YUGOSLAV Airlines
Créée en 1947
Historique : Cette compagnie gouvernementale Jugoslovenski Aerotransport, plus connue sous le nom de JAT-Yugoslav Airlines, est créée initialement pour inaugurer des liaisons sur les lignes intérieures yougoslaves, ainsi que quelques lignes sur l'Europe. Filiale de JAT, Air Yugoslavia a été formée pour assurer son activité charters.
Pays : Yougoslavie
Base : Novi Beograd
Réseau : Europe, Moyen-Orient, Afrique du Nord, Extrême-Orient, Australie, Amérique du Nord, lignes intérieures
Personnel employé : 9 459
Passagers par an : 3 258 047
Fret annuel (en tonnes) : 33 956
Flotte : 8 B727-200 ; 9 B737-300 ; 9 DC-9-32 ; 4 DC-10-30 ; 2 ATR 72.
Total : 32 appareils.

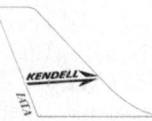

KENDELL Airlines
Créée en 1967
Historique : Cette importante compagnie nationale australienne débute ses activités sous le nom de Premiair Aviation. Ses vols réguliers datent de 1971. Onze ans plus tard, elle devient Kendell Airlines.
Pays : Australie
Base : Wagga Wagga, New South
Réseau : Lignes intérieures
Personnel employé : 187
Passagers par an : 348 841
Fret annuel (en tonnes) : 309
Flotte : 5 SF-340 ; 8 Metro II.
Total : 13 appareils.

KENYA Airways
Créée en 1977
Historique : La dislocation de East African Airways et la réorganisation qui suit donne naissance à la compagnie gouvernementale Kenya Airways. Elle relie l'Inde, le Moyen-Orient et l'Europe au Kenya et offre quelques lignes intérieures.
Pays : Kenya
Base : Nairobi
Réseau : Afrique, Europe, Moyen-Orient, Inde, lignes intérieures
Personnel employé : 2 720
Passagers par an : 793 658
Fret annuel (en tonnes) : 12 070
Flotte : 3 A310-300 ; 3 B707-320 ; 1 B720B ; 1 B757 ; 1 DC-8 ; 3 F50 ; 1 F27.
Total : 13 appareils.

KLM CITYHOPPER
Créée en 1966
Historique : Fondée sous le nom de NLM, cette compagnie devient NLM CittyHopper-Netherlines en avril 1988, après la reprise de Netherlines par NLM. CityHopper, appelée ainsi en 1991 quand KLM rachète cette compagnie, est une filiale de KLM.
Pays : Pays-Bas
Base : Schiphol
Réseau : Europe, lignes intérieures
Personnel employé : 300

Passagers par an : 500 000
Fret annuel (en tonnes) : 748
Flotte : 10 F50 ; 4 F28-4000 ; 12 SF-340.
Total : 26 appareils.

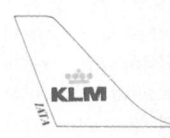

KLM ROYAL DUTCH Airlines
Créée en 1920
Historique : KLM Royal Dutch Airlines, connue sous le nom de KLM, est la compagnie au monde qui a le plus d'années d'expérience, avec 71 ans à son actif. Elle débute ses activités en 1920 en reliant Amsterdam à Londres avec un de Havilland DH-16 pouvant transporter deux passagers.
Pays : Pays-Bas
Base : Amsterdam
Réseau : Le monde entier
Personnel employé : 26 434
Passagers par an : 6 902 989
Fret annuel (en tonnes) : 341 799
Flotte : 10 A310-203 ;
2 B747-206B Sud ;
5 B747-306B Sud ;
8 B747-206 Combi ;
4 B747-406 Combi ;
4 B747-406 ; 13 737-306 ;
6 B737-406 ; 5 DC-10-30.
Total : 57 appareils.

KOREAN AIR
Créée en juin 1962
Historique : Korean Air reprend les activités de la compagnie créée en 1948, Korean National Airlines. Cette compagnie privée a connu une expansion particulièrement importante et a aujourd'hui une flotte impressionnante d'Airbus et de Boeing 747.
Pays : Corée
Base : Séoul
Réseau : Europe, Extrême-Orient, Moyen-Orient, Australie, Amérique du Nord, lignes intérieures
Personnel employé : 13 470
Passagers par an : 12 090 549
Fret annuel (en tonnes) : 508 456
Flotte : 8 A300B4 ; 2 A300F ;
10 A300-600R ; 4 B 747-400 ;
8 B 747-200 ; 8 B 747F ;
3 B 747-300 ; 2 B 747SP ;
12 B 727 ; 3 DC-10 ; 1 F27 ;
3 F28 ; 8 MD-82.
Total : 72 appareils.

KUWAIT Airways
Créée en mars 1954
Historique : Fondée sous le nom de Kuwait National Airways Company, cette compagnie devient Kuwait Airways Company (KAC) en mars 1957. British International Airlines est absorbée en avril 1959, suivie de Trans Arabia Airways en avril 1964. Elle devient compagnie nationale en 1962. Lors de l'occupation du pays en 1989, les Irakiens ont détruit 19 appareils de sa flotte. La plupart des avions sont alors transférés en Iran. L'aéroport est détruit en grande partie. Le bilan des dégâts s'élève à 1.2 milliard de dollars pour le Koweit.
Pays : Koweit
Base : Safat
Réseau : Moyen-Orient, Extrême-Orient, Europe, Afrique du Nord, Amérique du Nord
Personnel employé : 5 587
Passagers par an : 1 640 556
Fret annuel (en tonnes) : 67 305
Flotte : 7 A310-222 ;
1 A300C4-600 ; 4 B747-200C ;
4 B727-200 ; 3 B767-200ER.
Total : 19 appareils.

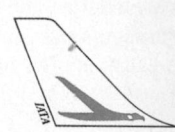

LAB Airlines
Créée le 15 septembre 1925
Historique : Une des plus anciennes compagnies de Bolivie, Lloyd Aereo Boliviano (LAB) est contrôlée par le gouvernement.
Pays : Bolivie
Base : Cochabamba
Réseau : Amérique du Sud et centrale, Etats-Unis, lignes intérieures
Personnel employé : 1 517
Passagers par an : 1 239 161
Fret annuel (en tonnes) : 5 424
Flotte : 1 A300 ; 1 B767 ; 1 B727 ;
3 B727-100 ; 3 B727-200 ;
2 B707F ; 1 DC-10 ; 2 F27.
Total : 14 appareils.

LACSA
Créée en 1945
Historique : Lineas Aereas Costar-

ricenses (LACSA) a été fondée par Pan Am, le gouvernement de Costa Rica, et plusieurs groupes privés. Elle débute ses opérations en 1946. En 1952, elle absorbe la compagnie Taca de Costa Rica, une filiale du groupe Taca.
Pays : Costa Rica
Base : San José
Réseau : Amérique du Nord, centrale et Sud, Caraïbes
Personnel employé : 1 183
Passagers par an : 448 158
Fret annuel (en tonnes) : 21 351
Flotte : 3 B727-200 ; 1 B727-100 ; 1 DC-8.
Total : 5 appareils.

LADECO
Créée en septembre 1958
Historique : Linea Aerea del Cobre a été créée en 1958 pour assurer le service intérieur ainsi que des vols internationaux. Cette société est propriété du groupe Ibanez et de Ansett Transport Industries.
Pays : Chili
Base : Santiago
Réseau : Amérique du Sud et du Nord, lignes intérieures
Personnel employé : 1 476
Passagers par an : 566 843
Fret annuel (en tonnes) : 18 182
Flotte : 1 BAC1-11 ; 4 B727-100 ; 2 B707 ; 1 B707F ; 1 B737-300 ; 2 B737-200 ; 2 F27-500.
Total : 13 appareils.

LAM
Créée en août 1936
Historique : La Deta, Direcao de Exploracao dos Transportes Aereos, a été fondée par le gouvernement du Mozambique en temps que division du ministère des Transports. Elle a adopté le nom de Linhas Aereas de Moçambique après sa restructuration en 1980.
Pays : Mozambique
Base : Maputo
Réseau : Europe, lignes intérieures
Personnel employé : 1 869
Passagers par an : 279 600
Fret annuel (en tonnes) : 3 759
Flotte : 2 B737 ; 1 DC-10 ; 1 Il-62M, 2 Beech King Air.
Total : 6 appareils.

LAN-CHILE
Créée le 5 mars 1929
Historique : Fondée par le gouvernement chilien en 1974, Lan-Chile a été la première à assurer la liaison entre l'Amérique du Sud et le pôle Sud. En 1986 elle lance son premier service transatlantique en reliant Santiago à Madrid.
Pays : Chili
Base : Santiago
Réseau : Amérique du Sud et du Nord, Australie, lignes intérieures
Personnel employé : 1 743
Passagers par an : 751 298
Fret annuel (en tonnes) : 35 547
Flotte : 2 B707-385C ; 1 B707-321B ; 1 B707-351C ; 1 B707C ; 1 B737-2T5 ; 1 B737-291 ; 1 B737-2L9 ; 2 B767-216ER ; 2 B767-200PW ; 3 BAe-146-200.
Total : 15 appareils.

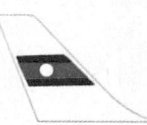

LAO AVIATION
Créée en janvier 1976
Historique : Lao Aviation est contrôlée par le gouvernement de la République populaire du Laos qui la fonde en 1976. Elle assure les liaisons régionales.
Pays : Laos
Base : Vientiane
Réseau : Lignes intérieures
Personnel employé : 260
Flotte : 7 An-24 ; 2 Yak-40 ; 3 Fairchild Provider ; 2 Sikorsky S-58 ; 1 Vickers Viscount 700.
Total : 15 appareils.

LAP
Créée en 1962
Historique : LAP commence ses opérations en 1963. L'administration de cette compagnie est contrôlée par des officiers de l'armée de l'air paraguayenne. Elle offre des vols réguliers intérieurs et internationaux pour passagers ainsi que des vols cargos.
Pays : Paraguay

Base : Asuncion
Réseau : Amérique du Sud et du Nord, Europe, lignes intérieures
Personnel employé : 1 135
Passagers par an : 238 800
Fret annuel (en tonnes) : 3 578
Flotte : 3 B707 ; 4 DC-8.
Total : 7 appareils.

LATUR
Historique : Linea Aerea Turistica est une compagnie mexicaine qui offre essentiellement des liaisons entre les Etats-Unis et les stations balnéaires du pays. Elle prévoit d'offrir les mêmes services avec la France et l'Allemagne.
Pays : Mexique
Base : Mexico
Réseau : Etats-Unis, lignes intérieures
Personnel employé : 170
Passagers par an : 630 000
Flotte : 2 A300-600 ; 2 MD-83.
Total : 4 appareils.

LAUDA AIR LUFTFAHRT
Créée en avril 1979
Historique : Lauda Air, compagnie autrichienne, tient son nom du courreur automobile Niki Lauda. Lauda en est propriétaire à 100 % jusqu'à ce qu'il cède une partie de ses actions à Itas Austria. Il en est toujours majoritaire.
Pays : Autriche
Base : Vienne
Réseau : Europe, Méditerranée, Extrême-Orient, Australie
Personnel employé : 519
Passagers par an : 65 687
Fret annuel (en tonnes) : 1 277
Flotte : 2 B737-300 ; 2 B767-300.
Total : 4 appareils.

LESOTHO Airways
Créée le 1er janvier 1971
Historique : Lesotho Airways ou Air Lesotho est la compagnie nationale du Lesotho. Elle est créée pour reprendre les activités de Lesotho Airways. L'assistance techni-

que est assurée par KLM.
Pays : Lesotho
Base : Masero
Réseau : Lignes intérieures
Personnel employé : 160
Passagers par an : 52 000
Flotte : 1 F27-600 ; 4 DHC-6 Twin Otter.
Total : 5 appareils.

LIAT (1974)
Créée en novembre 1974
Historique : Plusieurs gouvernements des Caraïbes se partagent l'actionnariat de la LIAT. Elle succède à Leeward Islands Air Transport (LIAT), une ancienne filiale de British West Indian Airways qui date de 1956.
Pays : Caraïbes
Base : Antigua
Réseau : Caraïbes
Personnel employé : 975
Passagers par an : 715 000
Flotte : 4 BAe Super 748 ; 7 DHC-8-100 ; 6 DHC-Twin Otter ; 2 PBN-2A Islander.
Total : 19 appareils.

LINA CONGO
Créée en août 1965
Historique : Propriété du gouvernement de la République du Congo, la compagnie Lina (Lignes nationales aériennes congolaises) succède à la société privée Air Congo en 1965.
Pays : Congo
Base : Brazzaville
Réseau : Régionale, lignes intérieures
Personnel employé : 250
Flotte : 1 B737-200QC ; 1 F28-1000 ; 1 F27-600 ; 2 DHC-6 Twin Otter.
Total : 5 appareils.

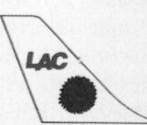

LINEAS AEREAS CANARIAS
Créée en 1985
Historique : Fondée en 1985, Lineas Aereas Canarias assure essentiellement des vols charters et un

service fret entre les îles Canaries, l'Europe et l'Afrique du Nord.
Pays : Espagne
Base : Tenerife
Réseau : Iles Canaries, Afrique du Nord et de l'Ouest, Europe
Personnel employé : 188
Flotte : 5 MD-83.
Total : 5 appareils.

LINJEFLYG
Créée en 1957
Historique : Cette ligne suédoise a été fondée pour assurer des vols passagers intérieurs mais aussi pour assurer la livraison de la presse. Aujourd'hui Linjeflyg est la compagnie d'Europe qui utilise le plus grand nombre de Fokker F28. Elle est la propriété de ABA Aerotransport et de Bilspedition AB qui possèdent chacune 50 % des actions.
Pays : Suède
Base : Stockholm-Arlanda
Réseau : Lignes intérieures
Personnel employé : 2 936
Passagers par an : 4 914 400
Fret annuel (en tonnes) : 4 429
Flotte : 3 F28-1000 ; 17 F28-4000 ; 5 B737-500 ; 8 SF-340.
Total : 33 appareils.

LOGANAIR
Créée le 1er février 1962
Historique : Cette compagnie écossaise fondée en 1962 a l'un des plus courts vols réguliers dans le monde : deux minutes pour relier Westray à Papa Westray. Loganair offre, bien sûr, des vols plus longs dans son réseau sur le Royaume-Uni. Elle fait partie des compagnies appartenant au groupe Airlines of Britain. Quelques vols charters sont également assurés.
Pays : Ecosse
Base : Glasgow Airport
Réseau : Irlande, Belgique, lignes intérieures
Personnel employé : 552
Passagers par an : 562 140
Fret annuel (en tonnes) : 1 216
Flotte : 2 BAe-146-200 ; 2 BAe-ATP ; 3 DHC-6 ; 5 BN-2 ; 5 Shorts 360.
Total : 17 appareils.

LONDON CITY Airways
Créée en 1986
Historique : London City Airways débute ses activités en octobre 1987 en reliant Bruxelles et Paris à partir de l'aéroport de London City Airport. Cette compagnie est formée sous le nom de Eurocity Express. En 1988, elle ouvre une nouvelle ligne sur Amsterdam, ainsi que sur les îles Britanniques situées dans la Manche. Elle fait partie des compagnies contrôlées par le groupe Airlines of Britain.
Pays : Grande-Bretagne
Base : Derby
Réseau : Europe, lignes intérieures
Nombre d'employés : 135.

LOT POLISH Airlines
Créée en janvier 1929
Historique : The gouvernement polonais, qui possède 100 % des actions de LOT, lance cette compagnie en 1929 pour reprendre les activités de Aero et de Aerolot, deux compagnies privées.
Pays : Pologne
Base : Varsovie
Réseau : Europe, Extrême-Orient, Moyen-Orient, Afrique, Amérique du Nord, lignes intérieures
Personnel employé : 7 296
Passagers par an : 1 510 023
Fret annuel (en tonnes) : 10 479
Flotte : 2 B767 ; 1 B767-300 ; 7 Il-62 ; 3 Il-18 ; 13 Tu-154 ; 7 Tu-134 ; 11 An-24 ; 1 Piper Seneca.
Total : 45 appareils.

LTE INTERNATIONAL Airways
Créée en 1987
Historique : Cette compagnie de charter espagnole est en partie propriété de la compagnie allemande LTU. Elle porte d'ailleurs les couleurs de LTU et de LTU Sud.
Pays : Espagne
Base : Palma de Majorque
Réseau : Europe, Méditerranée,

Kenya
Personnel employé : 1 370
Passagers par an : 2 745 000
Flotte : 4 B757-200.
Total : 4 appareils.

N.C.

LTU
Créée en 1955
Historique : LTU est créée à l'origine sous le nom de Luftransport Union. En 1956, elle prend le nom de Luftransport-Unternehmen KG (LTU).
Pays : Allemagne
Base : Düsseldorf
Réseau : Europe, Amérique du Nord et du Sud, Caraïbes, Afrique, Extrême-Orient
Personnel employé : 1 363
Passagers par an : 2 744 000
Fret annuel (en tonnes) : 2 100
Flotte : 3 L-1011-500 ; 6 L-1011-100 ; 1 L-1011-200.
Total : 10 appareils.

LTU-SUD
Créée en décembre 1983
Historique : LTU Sud International Airways est la société sœur de LTU, basée à Düsseldorf. Elle adopte son nom actuel en 1988 (Lufttransport Sud ou LTU-Sud).
Pays : Allemagne
Base : Munich
Réseau : Europe, Méditerranée, Afrique, Extrême-Orient, Caraïbes, Mexique
Personnel employé : 800
Passagers par an : 1 746
Fret annuel (en tonnes) : 698
Flotte : 7 B757-200 ; 3 B767-300.
Total : 10 appareils.

LUFTHANSA GERMAN Airlines
Créée le 6 avril 1926
Historique : Une des plus anciennes et des plus grandes compagnies européennes, Lufthansa date en fait de 1917. C'était alors la compagnie n° 1 d'Europe. Elle est dissoute à la fin de la Seconde Guerre mondiale. Réorganisée en 1953, elle

prend le nom de Luftag et devient Deutsche Lufthansa AG en 1954.
Pays : Allemagne
Base : Cologne
Réseau : Le monde entier
Personnel employé : 47 619
Passagers par an : 21 612 934
Fret annuel (en tonnes) : 706 515
Flotte : 9 A300B4-603 ; 12 A310-203 ; 8 A310-304 ; 17 A320-211 ; 38 B737-230 Adv ; 2 B737-230C ; 27 B737-330 ; 3 B737-530 ; 19 B727-230 Adv ; 4 B747-230 ; 12 B747-230SCD ; 5 B747-230F ; 1 B747-230C ; 6 B747-430 ; 4 B747-430SCD ; 10 DC-10-30.
Total : 177 appareils.

LUXAIR
Créée en 1961
Historique : Cette société Luxembourgeoise de navigation aérienne est fondée en 1961 sous le nom de Luxembourg Airlines. C'est en 1962 qu'elle prend le nom de Luxair. Elle est partiellement nationalisée.
Pays : Luxembourg
Base : Aéroport de Luxembourg
Réseau : Europe, Méditerranée
Personnel employé : 1 050
Passagers par an : 544 000
Flotte : 1 B747SP ; 3 B737-200 ; 3 F50 ; 2 F27 ; 1 Brasilia.
Total : 10 appareils.

MAERSK AIR
Créée en 1969
Historique : Cette compagnie danoise contrôle 40 % de la société The Plimsoll Line (TPL), dont Brymon Airways et Birmingham Executive Airways sont des filiales. Elle détient également 38 % des actions de la compagnie britannique Danair.
Pays : Danemark
Base : Copenhague
Réseau : Norvège, Méditerranée, lignes intérieures, Grande-Bretagne.
Personnel employé : 1 000
Passagers par an : 1 153 000
Flotte : 2 B737-200 ; 7 B737-300 ; 3 DHC-7 ; 8 F50 ; 4 Bell 212 ; 2 AS332L Super Pluma.
Total : 26 appareils.

MALAYSIA Airlines
Créée en avril 1971
Historique : C'est après la cessacion d'activités de Malaysia-Singapore Airlines, en 1971, qu'est créée la Malaysian Airlines System. En 1987, cette compagnie privatisée adopte son nom actuel, Malaysia Airlines.
Pays : Malaisie
Base : Kuala Lumpur
Réseau : Extrême-Orient, Australasie, Moyen-Orient, Etats-Unis, Europe, lignes intérieures
Personnel employé : 16 227
Passagers par an : 10 255 117
Fret annuel (en tonnes) : 185 815
Flotte : 4 A300B4 ; 2 B747-236B ;
1 B747-3H6 ; 3 B747-4H6 ;
15 B737-2H6 ; 13 B737-400 ;
6 DC-10-30 ; 5 DHC-6 ; 10 F50.
Total : 59 appareils.

MALEV HUNGARIAN Airlines
Créée en mars 1946
Historique : Cette compagnie nationale est créée sous le nom de Maszovlet. Au départ, c'est une société russe. Après être passée sous le contrôle du gouvernement hongrois, en 1954, la compagnie devient Malev Hungarian Airlines.
Pays : Hongrie
Base : Budapest
Réseau : Europe, Moyen-Orient, Afrique du Nord
Personnel employé : 4 857
Passagers par an : 1 362 917
Fret annuel (en tonnes) : 5 015
Flotte : 3 B737-200 ;
12 Tu-154B2 ; 6 Tu-134A ;
1 PA-601P.
Total : 22 appareils.

MARTINAIR HOLLAND
Créée en mai 1958
Historique : Martin's Air Charter est la première bannière de Martinair, nom qu'elle adopte en 1974. Son activité principale est le transport de cargos sur des vols charters. Elle forme aussi des pilotes et orga-

nise son propre catering.
Pays : Pays-Bas
Base : Aéroport de Schiphol
Réseau : Le monde entier (charter)
Personnel employé : 1 605
Passagers par an : 1 322
Flotte : 2 A310-200 ;
2 B767-300ER ; 2 B747-200C ;
3 DC-10-30CF ; 1 MD-82 ;
2 Citation II ; 1 Cessna 404.
Total : 13 appareils.

MAYA Airways
Créée en 1961
Historique : Cette compagnie d'Amérique centrale est créée pour reprendre les services offerts par British Honduras Airways, un an après que cette dernière eut cessé ses activités.
Pays : Belize
Base : Belize City
Réseau : Lignes intérieures
Personnel employé : 50
Passagers par an : 50 000
Flotte : 3 PBN-2A-26 Islander.
Total : 3 appareils.

MERPATI NUSANTARA Airlines
Créée en septembre 1962
Historique : Merpati est créée pour couvrir les lignes précédemment assurées par l'Air Force. En 1978, la compagnie Garuda en prend le contrôle. Elle continue cependant à voler aux couleurs de Merpati.
Pays : Indonésie
Base : Jakarta
Réseau : Lignes intérieures
Personnel employé : 1 800
Passagers par an : 2 484 000
Flotte : 2 BAe 748 ; 2 Vickers Viscount ; 16 DHC-6 Twin Otter ;
4 F27-200 ; 1 F27-400 ;
6 F27-500 ; 4 F27-600 ; 2 F28 ;
3 CN235 ; 20 CASA 212 ;
2 L382G Hercules.
Total : 62 appareils.

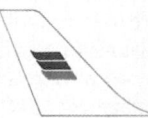

MESA Airlines
Créée en octobre 1980
Historique : Mesa Airlines naît de

la signature d'un accord commercial avec United Airlines afin d'opérer dans le cadre du réseau United Express. United Express a pour but de relier les villes américaines de moyenne importance aux villes plus grandes, desservies par United. Mesa rachète Air Midwest le 12 juillet 1991.
Pays : Etats-Unis
Base : Farmington, New Mexico
Réseau : Lignes intérieures
Personnel employé : 367
Passagers par an : 648 837
Flotte : 26 BE 1900 Airliner ;
4 Embriaire 120 ; 16 Metro 2.
Total : 46 appareils.

MESABA Airlines
Créée en 1944
Historique : Mesaba Airlines est une filiale de Mesaba Aviation. Aujourd'hui, elle fait partie du réseau Northwest Airlink, organisé par Northwest Airlines.
Pays : Etats-Unis
Base : Minneapolis, Minnesota
Réseau : Lignes intérieures
Personnel employé : 911
Passagers par an : 931 000
Flotte : 16 Metro III ; 15 F27.
Total : 31 appareils.

METRO Airlines
Créée en 1966
Historique : La Nasa Commuter Airlines, nom sous lequel est créée Metro Airlines, devient n° 1 des compagnies régionales américaines. C'est en 1969 qu'elle adopte son nom actuel. Depuis, elle a absorbé les compagnies Sunaire, Metro Express II, Chaparral, Brockway Air et Metroflight. Des difficultés financières menacent aujourd'hui cette compagnie.
Pays : Etats-Unis
Base : Dallas - Fort Worth, Texas
Réseau : Lignes intérieures, Caraïbes
Personnel employé : 2 106
Passagers par an : 3 315
Flotte : 12 DHC-6 Twin Otter ;
8 DHC-8 ; 37 BAe Jetstream 31 ;
36 SF-340 ; 5 Gulfstream G1C ;
6 Shorts 330 ; 11 Beech 1900.
Total : 116 appareils.

MEXICANA
Créée le 2 juillet 1921
Historique : Deuxième compagnie créée sur le continent américain, quatrième au monde, Mexicana démarre ses activités sous le nom de Compania Mexicana de Transportes Aereos. Elle adopte son nom actuel en 1924.
Pays : Mexique
Base : Mexico
Réseau : Etats-Unis, Amérique centrale, Caraïbes, lignes intérieures
Personnel employé : 12 274
Passagers par an : 8 681 187
Fret annuel (en tonnes) : 78 602
Flotte : 43 B727-200 ;
6 DC-10-15.
Total : 49 appareils.

MIDDLE EAST Airlines
Créée en 1945
Historique : MEA fusionne avec Air Liban en 1965. En 1969, elle absorbe Lebanese International Airways.
Pays : Liban
Base : Beyrouth
Réseau : Moyen-Orient, Europe, Afrique
Personnel employé : 4 159
Passagers par an : 572 325
Fret annuel (en tonnes) : 11 952
Flotte : 1 B747-200B ;
8 B707-320C ; 5 B707-020B.
Total : 14 appareils.

MIDWAY Airlines
Créée en 1976
Historique : Cette compagnie régionale de passagers, bien que créée en 1976, ne débute ses activités qu'en 1979. Après avoir absorbé Air Florida en 1984, elle change de nom pour Midway Express. En 1987, Midway reprend Fischer Bros Aviation qui vole actuellement sous le nom de Midway Commuter.
Pays : Etats-Unis
Base : Chicago, Illinois
Réseau : Lignes intérieures,

Canada, Caraïbes
Personnel employé : 5 700
Passagers par an : 7 136 000
Flotte : 10 B737-200 ;
34 DC-9-30 ; 9 DC-9-10 ;
8 MD-87 ; 9 MD-80.
Total : 70 appareils.

MIDWEST EXPRESS Airlines
Créée le 11 juin 1984
Historique : Cette compagnie aérienne est initialement une filiale de Kimberly-Clark's, elle-même filiale de K-C Aviation. Midwest Express offre des services réguliers et vole depuis peu sur tous les Etats-Unis.
Pays : Etats-Unis
Base : Milwaukee, Wisconsin
Réseau : Lignes intérieures
Personnel employé : 950
Passagers par an : 754 000
Fret annuel (en tonnes) : 1 785
Flotte : 8 DC-9-10 ; 3 DC-9-30 ;
2 MD-88.
Total : 13 appareils.

MINERVE
Créée en 1975
Historique : Minerve (Compagnie française de transports aériens) est créée par René Meyer en 1975. Elle offre des services réguliers ainsi que quelques vols charters et cargos. Elle est contrôlée par le Club Méditerranée.
Pays : France
Base : Orly
Réseau : Europe, Caraïbes, Afrique, Extrême-Orient
Personnel employé : 501
Passagers par an : 46 392
Fret annuel (en tonnes) : 1 439
Flotte : 1 B747-283B ;
1 DC-8-62F ; 2 DC-8-73 ;
1 DC-10-30 ; 6 MD-83.
Total : 11 appareils.

MONARCH Airlines
Créée en 1967
Historique : Monarch Airlines s'est spécialisée dans la liaison des sta-

tions balnéaires méditerranéennes depuis la Grande-Bretagne. Elle assure sa propre maintenance.
Pays : Grande-Bretagne
Base : Bedfordshire
Réseau : Europe, Méditerranée, Amérique du Nord
Personnel employé : 1 074
Passagers par an : 2 483 000
Flotte : 2 A300-600 ; 9 B757-200 ;
4 B737-300.
Total : 15 appareils.

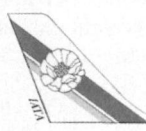

MOUNT COOK Airlines
Créée en 1920
Historique : Mount Cook Airlines offre de nombreuses lignes intérieures. Elle fait partie du groupe Mount Cook dans lequel Air New Zealand détient 92 % du capital.
Pays : Nouvelle-Zélande
Base : Christchurch
Réseau : Lignes intérieures
Personnel employé : 321
Passagers par an : 474 937
Fret annuel (en tonnes) : 988
Flotte : 6 BAe-748 ; 1 DHC-6 ;
1 PA-31 ; 1 BN-2A ; 1 F27-200 ;
1 F27-100.
Total : 11 appareils.

MYANMA Airways
Créée en 1948
Historique : Myanma vole sous le nom de Union of Burma Airways jusqu'en 1972. Ce n'est qu'en 1989 qu'elle adopte son nom actuel. Elle est entièrement contrôlée par le gouvernement birman.
Pays : Birmanie
Base : Myanmar
Réseau : Lignes intérieures
Personnel employé : 1 120
Flotte : 2 AS SA330J Puma ;
2 F28-4000 ; 1 F28-1000 ;
5 F27-600.
Total : 10 appareils.

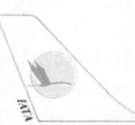

NAMIB AIR
Créée en 1946
Historique : La compagnie étatisée de Birmanie est créée sous le nom

de South West Air Transport. Elle démarre ses activités en 1948. En 1978, elle adopte son nom actuel, mais ce n'est qu'en 1987 qu'elle devient compagnie nationale.
Pays : Namibie
Base : Windhoek
Réseau : Lignes régionales
Personnel employé : 428
Passagers par an : 128 813
Fret annuel (en tonnes) : 1 383
Flotte : 1 B747SP ; 1 B737-244 ;
3 Beechcraft 1900C.
Total : 5 appareils.

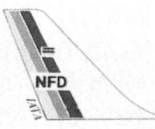

NFD LUFTVERKEHRS
Créée en 1974
Historique : Nurnberger Flugdienst lance ses opérations de compagnie d'avions-taxis en 1974. Près de 20 % des vols réguliers sont contrôlés par Lufthansa. NFD a aussi une activité de cargos et assure les évacuations sanitaires.
Pays : Allemagne
Base : Nuremberg
Réseau : Europe, Méditerranée, lignes intérieures
Personnel employé : 506
Passagers par an : 253 788
Fret annuel (en tonnes) : 4 410
Flotte : 9 ATR 42 ; 1 BAe-146 ;
2 B757 ; 7 Metro III ;
1 Dornier 228 ; 1 Beechcraft King Air.
Total : 21 appareils.

NIGERIA Airways
Créée en 1958
Historique : Le gouvernement fédéral du Nigeria crée cette compagnie pour reprendre les activités de West African Airways. Elle relie aujourd'hui les dix-neuf états fédéraux aux grandes métropoles nigériennes.
Pays : Nigeria
Base : Lagos
Réseau : Afrique, Europe, Moyen-Orient, Etats-Unis, lignes intérieures
Personnel employé : 4 450
Passagers par an : 964 822
Fret annuel (en tonnes) : 10 157
Flotte : 4 A310 ; 7 B737 ;
3 B707 ; 2 DC-10.
Total : 16 appareils.

NIPPON CARGO Airlines
Créée en septembre 1978
Historique : Cette compagnie japonaise, spécialisée dans les vols cargos, ne débute ses activités qu'en 1985. C'est l'attente d'autorisations du gouvernement japonais qui a retardé la mise en service de ses lignes. Nippon Cargo propose également quelques vols charters.
Pays : Japon
Base : Tokyo
Réseau : Extrême-Orient, Europe, Amérique du Nord
Personnel employé : 550
Fret annuel (en tonnes) : 101 873
Flotte : 5 B747-200F.

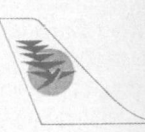

NORFOLK ISLAND Airlines
Créée le 1er août 1975
Historique : Cette filiale du groupe Norfolk Airlines, qui a assuré depuis sa création la liaison entre Sydney et les îles Norfolk et Lord Howe, rencontre aujourd'hui des difficultés financières qui menacent son avenir.
Pays : Australie
Base : Brisbane, Queensland
Réseau : Lignes intérieures
Flotte : 2 DHC-8 ; 6 King Air ;
2 Learjet 35 ; 2 Islander ;
2 Navajo/Chieftain.
Total : 14 appareils.

NORTHWEST Airlines
Créée en août 1926
Historique : Fondée sous le nom de Northwest Airways, cette compagnie régionale prend le nom de Northwest Orient Airlines en 1934. En 1985, elle entre dans un holding composé de plusieurs compagnies aériennes et devient Northwest Airlines (NWA).
Pays : Etats-Unis
Base : St. Paul, Minnesota
Réseau : Lignes intérieures, Canada, Europe, Extrême-Orient
Personnel employé : 40 000
Passagers par an : 41 046 000
Flotte : 11 A320-200 ;

10 B747-400 ; 12 B747-100 ;
20 B747-200 ; 8 B747F ;
33 B757-200 ; 62 B727-200 ;
9 B727-100 ; 20 DC-10-40 ;
28 DC-9-50 ; 77 DC-9-30 ;
33 DC-9-10 ; 1 DC-9-40 ;
8 MD-80.
Total : 332 appareils.

NWT AIR
Créée en 1961
Historique : Le Président de CEO of Northwest Territorial Airways, Robert Engle, créateur de cette compagnie en 1961, revend 90 % de ses actions à Air Canada en 1987. NWT fait partie du système Air Canada Connector.
Pays : Canada
Base : Yellowknife, Northwest
Réseau : Lignes intérieures
Personnel employé : 250
Flotte : 2 B737-200C ;
1 L382G Hercules ; 3 L188C-130.

OASIS Int. Airlines
Historique : Cette compagnie de charters est créée sous le nom d'Andalusair. Oasis offre des lignes sur les Canaries et sur de nombreuses destinations européennes.
Pays : Espagne
Base : Madrid
Réseau : Europe, Méditerranée
Personnel employé : 150
Passagers par an : 46 500
Flotte : 4 MD-83.
Total : 4 appareils.

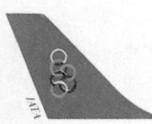

OLYMPIC Airways
Créée en 1957
Historique : Aristote Onassis prend le contrôle de TAE en 1957. C'est la seule société autorisée au transport aérien sur les lignes intérieures. TAE devient Olympic. La société accusant de fortes pertes, Onassis quitte Olympic en 1974, date à laquelle la compagnie est nationalisée.
Pays : Grèce
Base : Athènes

Réseau : Le monde entier, lignes intérieures
Personnel employé : 11 906
Passagers par an : 6 134 574
Fret annuel (en tonnes) : 55 311
Flotte : 8 A300B4 ; 4 B747-200 ;
9 B727-200 ; 11 B737-284 ;
5 Shorts 330 ; 7 Dornier 228 ;
3 ATR 42 ; 2 Augusta ; 1 Snias.
Total : 50 appareils.

ONTARIO EXPRESS
Créée le 15 juillet 1987
Historique : Cette société régionale fait partie du groupe de Canadian Airlines. La maison mère de Canadian, PWA, est actionnaire majoritaire d'Ontario Express.
Pays : Canada
Base : Toronto, Ontario
Réseau : Etats-Unis, lignes intérieures
Personnel employé : 545
Passagers par an : 557 000
Flotte : 5 ATR42-300 ; 14 BAe Jetstream 31 ; 3 EMB 120 Brasilia ; 5 Beech 1900.
Total : 27 appareils.

PAKISTAN Int.
Créée en 1954
Historique : Pakistan International fusionne en 1955 avec Orient Airways, créée en 1946.
Pays : Pakistan
Base : Karachi
Réseau : Moyen-Orient, Europe, Extrême-Orient, Amérique du Nord
Personnel employé : 20 931
Passagers par an : 5 180 171
Fret annuel (en tonnes) : 107 019
Flotte : 8 A300 ; 6 B747 ;
2 B747 Combi ; 3 B707 ; 2 B707F ;
6 B737 ; 2 DHC-6 ; 14 F27.
Total : 43 appareils.

PAN AM
Créée le 28 octobre 1927
Historique : Cette compagnie, fondée au tout début de l'aviation commerciale, est la première à avoir

couvert les lignes sud-américaines. Son premier conseiller technique est Charles Lindbergh. Elle devient la plus grande compagnie du monde occidental. En 1991, des difficultés financières lui font céder à United ses lignes sur Londres, puis à Delta Air Lines l'entièreté de ses activités sauf l'Amérique du Sud.
Pays : Etats-Unis
Base : New York
Réseau : Le monde entier
Personnel employé : 23 513
Passagers par an : 17 527 380
Flotte : 13 A300B4 ; 7 A310-200 ;
14 A310-300 ; 5 B747-212 ;
26 B747-121 ; 89 B727-200.
Total : 154 appareils.

PAN AM EXPRESS
Créée en mars 1967
Historique : Fondée sous le nom de Ransome Airlines, cette compagnie vole dans le réseau Allegheny Commuter entre 1970 et 1982. Après deux ans d'activités dans la Delta Connection, Ransome est rachetée en 1986 par Pan Am, et adopte le nom de Pan Am Express.
Pays : Etats-Unis
Base : Philadelphie, Pennsylvanie
Réseau : Europe, lignes intérieures
Personnel employé : 412
Passagers par an : 1 213 000
Flotte : 8 ATR 42 ; 10 DHC-7.
Total : 18 appareils.

PENNSYLVANIA Airlines
Créée en 1965
Historique : Pennsylvania Commuter Airlines est la première bannière de cette compagnie régionale qui opère pour Eastern Air Lines. Après avoir rejoint le consortium Allegheny Commuter en 1973, US Air absorbe la compagnie Pennsylvania Airlines en 1985. Elle est ensuite absorbée par United Express.
Pays : Etats-Unis
Base : Middletown, Pennsylvanie
Réseau : Lignes intérieures
Personnel employé : 341
Passagers par an : 753 000
Flotte : 5 DHC-8 ; 5 Shorts 360 ;
13 Beech 1900.
Total : 23 appareils.

PHILIPPINE Air Lines
Créée en mars 1941
Historique : Philippine Air Lines (PAL) est la plus ancienne compagnie asiatique : elle vient de fêter ses 50 ans. Compagnie gouvernementale, PAL suspend ses vols pendant la Seconde Guerre mondiale et reprend ses activités en 1946, date à laquelle elle lance ses premières lignes internationales.
Pays : Philippines
Base : Metro Manille
Réseau : Extrême-Orient, Australasie, Moyen-Orient, Europe, Amérique du Nord, lignes intérieures
Personnel employé : 11 188
Passagers par an : 1 672 000
Fret annuel (en tonnes) : 122 421
Flotte : 7 A300B4 ; 7 B747-200B ;
3 B737-300 ; 2 DC-10-30 ;
10 BAC-111-500 ; 7 Shorts 360 ;
7 F50.
Total : 43 appareils.

PLUNA
Créée en novembre 1936
Historique : Compagnie privée à sa création, Pluna est étatisée en 1951. Primeras Lineas Uruguayas de Navegacion Aerea (PLUNA) n'offre que des lignes internationales depuis 1973, date à laquelle les lignes nationales sont reprises par Tamu, la division de transport de la force aérienne uruguayenne.
Pays : Uruguay
Base : Montevideo
Réseau : Amérique du Sud, Espagne
Personnel employé : 1 106
Passagers par an : 318 266
Fret annuel (en tonnes) : 1 131
Flotte : 3 B737-200 ; 1 B707

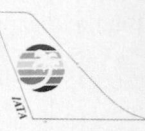

POLYNESIAN Airlines
Créée en 1959
Historique : Le gouvernement des Samoa occidentales détient 100 % des actions de cette compagnie régionale. Polynesian Airlines relie

plusieurs îles du Pacifique ainsi que Sydney.
Pays : Samoa occidentales
Base : Apia
Réseau : Iles du Pacifique, Australie, Nouvelle-Zélande, lignes intérieures
Personnel employé : 236
Passagers par an : 127 600
Flotte : 1 B727-200;
1 PB-N Islander;
1 DHC-6 Twin Otter.
Total : 3 appareils.

QANTAS Airways
Créée le 16 novembre 1920
Historique : Qantas est la deuxième compagnie aérienne fondée dans le monde. Queensland And Northern Territory Aerial Services (Qantas) est une des rares compagnies à construire ses propres avions, comme le DH50 en 1926. Aujourd'hui, Qantas a la réputation d'être une compagnie extrêmement fiable, grâce au peu d'accidents qu'elle a connus depuis sa création.
Pays : Australie
Base : Sydney
Réseau : Le monde entier
Personnel employé : 17 469
Passagers par an : 4 207 510
Fret annuel (en tonnes) : 158 127
Flotte : 11 B747-238B;
2 B747-238B Combi;
6 B747-338; 2 B747-38SP;
7 B767-238ER; 8 B767-338ER;
9 B747-438.
Total : 45 appareils.

REEVE ALEUTIAN Airways
Créée en 1932
Historique : Cette compagnie basée en Alaska débute ses activités de charters en 1932 sous le nom de Reeve Airways. Ses lignes régulières sont lancées en 1948. Elle adopte son nom actuel, Reeve Aleutian Airways, en 1951.
Pays : Etats-Unis
Base : Anchorage, Alaska
Réseau : Alaska
Personnel employé : 300
Passagers par an : 57 000
Flotte : 2 B727-100QC;
3 L-188 Electra; 3 YS-11A.
Total : 8 appareils.

ROCKY MOUNTAIN Airways
Créée en 1964
Historique : Rocky Mountain Airways offre des lignes sur le nord-ouest et le centre des Etats-Unis. En 1986, Texas Air absorbe Rocky Mountain, qui reprend en 1987 Trans-Colorado Airways.
Pays : Etats-Unis
Base : Denver, Colorado
Réseau : Lignes intérieures
Personnel employé : 650
Passagers par an : 982 000
Flotte : 2 ATR 42-300;
3 DHC-7; 3 DHC-6 Twin Otter;
10 Beech 1900.
Total : 18 appareils.

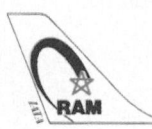

ROYAL AIR MAROC
Créée en 1953
Historique : Compagnie nationale marocaine, Royal Air Maroc dessert l'Afrique, l'Europe et le Moyen-Orient depuis 1953. Elle adopte son nom actuel en 1957.
Pays : Maroc
Base : Casablanca
Réseau : Europe, Afrique, Moyen-Orient, Amérique du Nord, lignes intérieures
Personnel employé : 4 925
Passagers par an : 1 579 951
Fret annuel (en tonnes) : 15 176
Flotte : 1 B747SP; 1 B747-200;
2 B757-200; 8 B727-200;
2 B737-400; 7 B737-200;
1 B737-500; 2 B707C; 3 ATR 42.
Total : 27 appareils.

ROYAL BRUNEI Airlines
Créée le 18 novembre 1974
Historique : British Airways Associated Companies a pris en charge l'assistance technique et fourni le personnel à Royal Brunei lors de sa création. C'est une compagnie étatisée. Ses lignes sont lancées en 1975.
Pays : Brunei
Base : Bandar Seri Begawan
Réseau : Extrême-Orient, Australie, Moyen-Orient

Personnel employé : 1 147
Passagers par an : 307 002
Fret annuel (en tonnes) : 9 909
Flotte : 3 B757-200; 1 B767-200.
Total : 4 appareils.

ROYAL JORDANIAN
Créée en décembre 1963
Historique : Royal Jornanian Airlines vole sous le nom d'Alia jusqu'en 1986, date à laquelle la compagnie adopte son nom actuel. Elle a plusieurs filiales dont Arab Air Cargo, Arab Wings, Gateway Hotel, Royal Tours et Alia Hospitality Services.
Pays : Jordanie
Base : Amman
Réseau : Moyen-Orient, Amérique du Nord, Europe, Extrême-Orient, Afrique
Personnel employé : 4 799
Passagers par an : 963 915
Fret annuel (en tonnes) : 53 170
Flotte : 6 A310; 2 A320; 3 B707;
3 B727; 5 L-1011.
Total : 19 appareils.

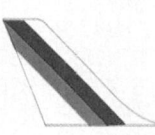

ROYAL NEPAL Airlines
Créée le 1er juillet 1958
Historique : Contrôlée par le gouvernement du Népal, Royal Nepal est créée à l'origine pour reprendre les activités d'Indian Airlines.
Pays : Népal
Base : Katmandou
Réseau : Extrême-Orient, Moyen-Orient, Europe, lignes intérieures
Personnel employé : 2 153
Passagers par an : 609 000
Flotte : 1 B757-200;
1 B757-200 Combi; 1 B727-100C;
1 B727-100; 3 BAe-748; 12 Twin Otter.
Total : 19 appareils.

ROYAL SWAZI NATIONAL
Créée le 1er août 1978
Historique : Le Swaziland crée en 1978 sa compagnie nationale, Royal Swazi National Airways, pour relier le sud de l'Afrique.

Pays : Zwaziland
Base : Manzini
Réseau : Lignes régionales
Personnel employé : 177
Passagers par an : 54 513
Fret annuel (en tonnes) : 212
Flotte : 1 F28-3000.

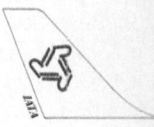

RYANAIR
Créée en mai 1985
Historique : Ryanair est une des premières à introduire les tarifs réduits sur des vols réguliers entre l'Irlande et la Grande-Bretagne. Ryanair absorbe London European Airways en 1986.
Pays : Irlande
Base : Dublin
Réseau : Lignes intérieures, Europe
Personnel employé : 450
Passagers par an : 744 999
Fret annuel (en tonnes) : 909
Flotte : 5 BAC 1-11-500;
3 ATR42.
Total : 8 appareils.

SABENA WORLD Airlines
Créée en 1923
Historique : Bruxelles s'imposant progressivement comme capitale de l'Europe, la Sabena (Société anonyme belge d'exploitation de la navigation aérienne) a entamé un programme d'expansion qui devrait se terminer en 1995. Différents accords au niveau d'une association avec des compagnies étrangères ont jusqu'à présent échoué. Sabena succède en 1923 à la Sneta. Ses premières lignes sont ouvertes en Europe, puis elle développe un réseau important en Afrique, en particulier vers le Zaïre, ancien Congo belge.
Pays : Belgique
Base : Bruxelles
Réseau : Europe, Moyen-Orient, Extrême-Orient, Afrique, Amérique du Nord
Personnel employé : 7 743
Passagers par an : 3 165 833
Fret annuel (en tonnes) : 121 250
Flotte : 2 A310-200; 1 A310-300;
1 B747-129; 2 B747-300;
12 B737-229/229C; 6 B737-329;
5 DC-10-30CF.
Total : 29 appareils.

SAHSA
Créée en 1945
Historique : Cette compagnie du Honduras, Servicio Aereo de Honduras (SAHSA), est créée en 1945 pour acheminer des passagers entre l'Amérique centrale et du Nord. Une grande partie de ses actions sont entre les mains de TAN, une autre compagnie aérienne du Honduras. TAN possède également la compagnie ANHSA.
Pays : Honduras
Base : Tegucigalpa
Réseau : Amérique centrale et du Sud, Etats-Unis, lignes intérieures
Personnel employé : 375
Passagers par an : 484 570
Fret annuel (en tonnes) : 9
Flotte : 2 B737-200 ; 1 B727-100 ; 3 DC-3.
Total : 6 appareils.

SAS
Créée en 1946
Historique : Scandinavian Airlines System a pour but, en 1946, d'ouvrir des lignes transatlantiques régulières pour la Suède, la Norvège et le Danemark. SAS vole en association avec All Nippon, Texas Air, Thaï Airways et Varig.
Pays : Scandinavie
Base : Stockholm, Suède
Réseau : Le monde entier
Personnel employé : 20 229
Passagers par an : 14 937 964
Fret annuel (en tonnes) : 111 238
Flotte : 2 B767-200 ; 10 B767-300 ; 3 DC-10-30 ; 47 DC-9-41 ; 9 DC-9-21 ; 16 MD-81 ; 11 MD-82 ; 2 MD-83 ; 8 MD-87 ; 20 F50.
Total : 128 appareils.

SATA-AIR ACORES
Créée en 1941
Historique : la compagnie Servico Açoreano de Transportes Aereos est créée pour assurer la liaison entre huit des neuf îles de l'archipel des Açores : Santa Maria, Sao Miguel, Terceira, Graciosa, Sao Jorge, Pico, Faial et Flores.
Pays : Açores
Base : Sao Miguel
Réseau : Lignes intérieures
Personnel employé : 593
Passagers par an : 247 372
Fret annuel (en tonnes) : 1 592
Flotte : 2 BAe-748 ; 1 BAe-ATP.
Total : 3 appareils.

SAUDIA
Créée en 1945
Historique : Saudia est la compagnie la plus importante du Moyen-Orient. Elle est créée par le gouvernement. Saudi Arabian Airlines (Saudia) débute ses activités commerciales en 1947.
Pays : Arabie Saoudite
Base : Djeddah
Réseau : Moyen-Orient, Extrême-Orient, Afrique, Europe, Amérique du Nord, lignes intérieures
Personnel employé : 23 834
Passagers par an : 10 311 467
Fret annuel (en tonnes) : 191 862
Flotte : 11 A300-600 ; 11 B747-368 ; 8 B747-168 ; 3 B747SP ; 1 B747-200F ; 20 B737 ; 1 B747F ; 1 B707F ; 2 B707 ; 1 DC-8 ; 1 DC-8F ; 1 DHC-6 ; 17 L-1011 ; 1 L-1011-500 ; 2 Cessna Citation II ; 1 Falcon ; 2 Beechcraft A100 ; 6 Beechcraft A36 ; 4 Gulfstream II ; 3 Gulfstream III ; 2 Gulfstream IV ; 8 Piper.
Total : 107 appareils.

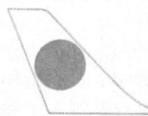

SCANAIR
Créée le 30 juin 1961
Historique : Créée en tant que compagnie de charter, Scanair est réorganisée en 1965 et passe sous le contrôle de SAS. Elle offre des vols charters sur l'Europe, l'Afrique et les Etats-Unis.
Pays : Scandinavie
Base : Bromma, Suède
Réseau : Europe, Afrique, Extrême-Orient, Amérique du Nord, Caraïbes
Personnel employé : 900
Passagers par an : 1 704 000
Flotte : 6 DC-10-10.

SCENIC Airlines
Créée en 1926
Historique : Une des plus anciennes compagnies américaines, Scenic a fait voler les premiers quadrimoteurs de 1920. L'un d'eux appartenait à Charles Lindberg. Scenic est réorganisée en 1967 et transporte entre 1 800 et 2 000 passagers par jour au-dessus du Grand Canyon, à bord de Twin Otters.
Pays : Etats-Unis
Base : Las Vegas, Nevada
Réseau : Local
Personnel employé : 289
Passagers par an : 368 100
Flotte : 23 DHC-6 Twin Otter 300.
Total : 23 appareils.

SHANGAI Airlines
Historique : Cette compagnie régionale est partiellement contrôlée par le gouvernement chinois.
Pays : Chine
Base : Shangai
Réseau : Lignes intérieures
Personnel employé : 500
Flotte : 3 B757-20.

SIMMONS Airlines
Créée en 1978
Historique : Cette compagnie américaine passe sous le contrôle d'American Airlines quand AMR, maison mère d'American Airlines, décide de racheter la Simmons en 1988. C'est la compagnie la plus importante du réseau American Eagle, sur les vols court-courriers. Son activité se centralise sur Chicago et le Mid-West des Etats-Unis. Elle est basée à Chicago, dans l'Illinois.
Pays : Etats-Unis
Base : Chicago, Illinois
Réseau : Lignes intérieures
Personnel employé : 1 800
Passagers par an : 2 005 000
Flotte : 18 Shorts 360 ; 15 Shorts 360 Advanced ; 14 ATR 42-300.
Total : 47 appareils.

SINGAPORE Airlines
Créée le 28 janvier 1972
Historique : Singapore Airlines (SIA) reprend une partie des activités de Malaysia-Singapore Airlines. Elle est créée à l'origine par le gouvernement qui, aujourd'hui, garde la majorité (55,7 %). Le reste des actions est détenu par Temasek.
Pays : Singapour
Base : Singapour
Réseau : Extrême-Orient, Australasie, Moyen-Orient, Europe, Amérique du Nord
Personnel employé : 13 828
Passagers par an : 7 093 000
Fret annuel (en tonnes) : 291 041
Flotte : 7 A310-300 ; 6 A310-200 ; 7 B747-400 ; 11 B747-300 ; 3 B747-300 Combi ; 5 B747-200 ; 1 B747-200F.
Total : 40 appareils.

SOBELAIR
Créée en juillet 1946
Historique : La Société belge de transports par air (Sobelair) est une filiale de Sabena World Airlines. Elle offre des vols charters sur l'Afrique et le bassin Méditerranéen. A sa création, Sobelair s'était spécialisée dans des vols sur le Zaïre (ancien Congo belge).
Pays : Belgique
Base : Bruxelles
Réseau : Europe, Méditerranée, Afrique
Personnel employé : 140
Passagers par an : 806 000
Flotte : 2 B737-200 ; 1 B737-300 ; 1 B737-400.
Total : 4 appareils.

SOMALI Airlines
Créée en mars 1964
Historique : Cette compagnie est créée en 1964 par le gouvernement de Somalie et la compagnie aérienne Alitalia. Elle est entièrement nationalisée en 1977.
Pays : Somalie
Base : Mogadiscio

Réseau : Afrique, Moyen-Orient, Europe, lignes intérieures
Personnel employé : 797
Passagers par an : 85 475
Fret annuel (en tonnes) : 2 500
Flotte : 1 A310-300 ;
2 B707-320B ; 2 Dornier 228.
Total : 5 appareils.

SOUTH AFRICAN Airways
Créée le 1er février 1934
Historique : En 1934, le gouvernement d'Afrique du Sud reprend les activités de Union Airways. Il réorganise la compagnie et l'appelle South African Airways. En 1935, South African Airways (SAA) absorbe South West African Airways.
Pays : Afrique du Sud
Base : Transvaal
Réseau : Afrique, Europe, Moyen-Orient, Extrême-Orient, Amérique du Sud, lignes intérieures
Personnel employé : 11 190
Passagers par an : 5 245 560
Fret annuel (en tonnes) : 58 686
Flotte : 1 B747-400 ;
1 B747 Combi ; 4 B747SR ;
2 B747SP ; 2 B747-300 ;
4 B737 ; 12 B737S.
Total : 26 appareils.

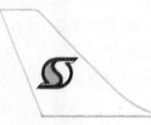

SOUTHERN AIR TRANSPORT
Créée en 1947
Historique : Cette compagnie américaine s'est spécialisée dans le transport. Celui-ci est organisé en vols charters sur des lignes non couvertes par d'autres compagnies.
Pays : Etats-Unis
Base : Miami, Floride
Réseau : Le monde entier
Personnel employé : 800
Flotte : 17 Hercules ;
12 B707-320CQ ;
3 DC-8-71.
Total : 29 appareils.

SOUTHWEST Air Lines
Créée le 20 juin 1967
Historique : Japan Air Lines est l'actionnaire majoritaire de South-west Air Lines. Cette compagnie japonaise est créée pour reprendre les activités de Ryukyu Islands, qui était auparavant contrôlée par Air America.
Pays : Japon
Base : Okinawa
Réseau : Lignes intérieures
Personnel employé : 500
Passagers par an : 148 300
Flotte : 7 B737-200 ; 6 YS-11A ;
4 DHC-6.
Total : 17 appareils.

SOUTHWEST Airlines
Créée en mars 1967
Historique : Cette importante compagnie américaine doit sa réputation aux billets bon marché émis sur l'Etat du Texas. Sa première bannière est Air Southwest. En 1971, elle adopte son nom actuel et, en 1985, elle absorbe Muse Air.
Pays : Etats-Unis
Base : Dallas, Texas
Réseau : Lignes intérieures
Personnel employé : 8 620
Passagers par an : 19 831 000
Flotte : 46 B737-200 ;
50 B737-300 ; 10 B737-500.
Total : 106 appareils.

SPANAIR
Créée en mars 1988
Historique : Cette compagnie de charter espagnole est fondée en 1988 pour offrir des vols entre l'Europe et Mexico. SAS Leisure et Viajes Marsans, une agence de voyage espagnole, en sont actionnaires.
Pays : Espagne
Base : Palma de Majorque
Réseau : Europe, Méditerranée, Mexique, lignes intérieures
Personnel employé : 444
Passagers par an : 766 500
Flotte : 7 MD-83 ; 1 MD-82.
Total : 8 appareils.

STERLING Airways
Créée en mai 1962
Historique : Cette compagnie scan-dinave est contrôlée par l'agence de voyage Tjaereborg International. Elle offre des vols charters sur l'Europe, l'Afrique, l'Amérique du Nord et l'océan Indien. Elle est contrôlée par le groupe Sterling.
Pays : Danemark
Base : Copenhague
Réseau : Europe, Amérique du Nord, Méditerranée, océan Indien
Personnel employé : 1 350
Passagers par an : 1 678 000
Flotte : 10 B727-200A ;
6 Caravelle.
Total : 16 appareils.

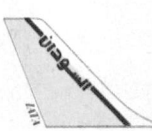

SUDAN Airways
Créée en 1947
Historique : Sudan Airways est une compagnie étatisée. Elle démarre ses activités en tant que filiale des chemins de fers soudanais (Sudan Railways System). En 1954, elle lance ses premières lignes internationales. En 1957, Sudan Airways devient membre de l'Iata, de l'Icao et de l'Afraa. Elle est la première compagnie aérienne africaine à mettre en service des Fokker F27s.
Pays : Soudan
Base : Khartoum
Réseau : Afrique, Moyen-Orient, Europe, lignes intérieures
Personnel employé : 2 472
Passagers par an : 454 118
Fret annuel (en tonnes) : 10 036
Flotte : 5 B707 ; 2 B737 ; 3 F27 ;
2 F50.
Total : 12 appareils.

SUNSTATE Airlines
Historique : Cette compagnie australienne, qui offre des vols nationaux, est rachetée par Australian Airlines. Sunstate offre des vols passagers ainsi que des vols cargos au départ de Brisbane.
Pays : Australie
Base : Maryborough, Queensland
Réseau : Lignes intérieures
Personnel employé : 124
Passagers par an : 189 542
Fret annuel (en tonnes) : 150
Flotte : 3 Shorts 360 ;
3 Shorts 330 ; 2 DHC-6-300 ;
1 EMB-110 ; 1 Cessna 404.
Total : 10 appareils.

SURINAM Airways
Créée le 30 août 1962
Historique : Surinaamse Luchtvaart Maatschappij est une compagnie gouvernementale. A l'origine, elle n'offre que des vols intérieurs. Depuis, de nombreuses lignes internationales ont été ouvertes.
Pays : Surinam
Base : Paramaribo-Zuid
Réseau : Amérique du Sud et du Nord, Caraïbes, Europe, lignes intérieures
Personnel employé : 500
Passagers par an : 112 258
Fret annuel (en tonnes) : 1 694
Flotte : 1 DC8-63 ; 2 DHC-6 Twin Otter 300.
Total : 3 appareils.

SWISSAIR
Créée le 26 mars 1931
Historique : La compagnie Ad Astra Aero, fondée en 1919, fusionne avec Basle Air Transport en 1931 et devient Swiss Air Transport Company. Elle a deux filiales : Balair et Crossair. C'est l'une des compagnies à avoir mis au point le système Galilée, programme de réservation de billets sur ordinateur.
Pays : Suisse
Base : Zurich
Réseau : Europe, Amérique du Nord et du Sud, Extrême-Orient, Moyen-Orient, Afrique
Personnel employé : 21 465
Passagers par an : 7 806 933
Fret annuel (en tonnes) : 213 830
Flotte : 5 A310-221 ; 4 A310-322 ;
5 B747 ; 11 DC-10-30 ; 8 F100 ;
22 MD-81.
Total : 55 appareils.

SYRIANAIR
Créée en 1946
Historique : Syrian Arab Airlines, ou Syrianair, est créée en 1946 sous le nom de Syrian Airways. C'est en 1961 qu'elle change de nom. Elle est contrôlée par le gouvernement syrien.

Pays : Syrie
Base : Damas
Réseau : Moyen-Orient, Afrique du Nord, Extrême-Orient, Europe, lignes intérieures
Personnel employé : 3 615
Passagers par an : 613 304
Fret annuel (en tonnes) : 5 655
Flotte : 2 B747SP ; 3 B727-200 ; 2 Caravelle ; 3 Tu-154M ; 2 Tu-134.
Total : 12 appareils.

TAAG ANGOLA Airlines
Créée en 1939
Historique : Lors de sa fondation, TAAG vole sous le nom de DTA et est une division du ministère des Transports de l'Afrique de l'Ouest portugaise (Portuguese West Africa's Ports, Railways and Transport Authority). Elle adopte son nom actuel à l'indépendance du pays.
Pays : Angola
Base : Luanda RP
Réseau : Afrique, Europe, Amérique du Sud, Caraïbes, lignes intérieures
Personnel employé : 5 857
Passagers par an : 509 779
Fret annuel (en tonnes) : 10 000
Flotte : 6 B707 ; 5 B737 ; 5 F27 ; 2 Yak-40 ; 1 L-100 Hercules ; 1 Gulfstream ; 2 BN-2A ; 5 Piper.
Total : 27 appareils.

TACA Int. Airlines
Créée en 1939
Historique : Cette compagnie du Salvador possède des actions de la compagnie du Guatemala, Aviateca.
Pays : El Salvador
Base : San Salvador
Réseau : Amérique du Nord et du Sud
Personnel employé : 1 000
Passagers par an : 448 500
Flotte : 1 B767-200 ; 4 B737.

TAGB
Historique : Transportes Aereos da Guine-Bissau (TAGB) ou Air Bis-

sau est une compagnie étatisée. Elle réalise la majorité de ses vols sur l'Europe en association avec Europe Aero Service.
Pays : Guinée-Bissau
Base : Bissau
Réseau : Afrique de l'Ouest, Europe, lignes intérieures
Personnel employé : 130
Flotte : 1 BAe 748 ; 8 DC-3 ; 1 Dornier 228.
Total : 10 appareils.

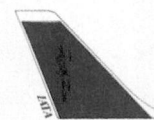

TALAIR ou Papouasie
Créée en 1952
Historique : Territory Airlines est la première bannière de cette compagnie de Papouasie-Nouvelle-Guinée. En 1987, Elle absorbe Co-Air.
Pays : Papouasie-Nouvelle-Guinée
Base : Goroka
Réseau : Lignes intérieures
Personnel employé : 656
Passagers par an : 238 273
Fret annuel (en tonnes) : 7 333
Flotte : 15 DHC-6 200/300 ; 1 DHC-8 ; 7 EMB-110 ; 1 Cessna 402 ; 10 BN-2A.
Total : 34 appareils.

TAM
Créée le 27 mai 1976
Historique : TAM (Transportes Aereos Regionais) est une compagnie brésilienne régionale dont les actions sont détenues par Vasp et TAM-Taxi Aero Marilia.
Pays : Brésil
Base : Sao Paulo
Réseau : Lignes intérieures
Personnel employé : 736
Flotte : 8 F27.

TAP AIR PORTUGAL
Créée le 14 mars 1945
Historique : Cette compagnie nationale portugaise est créée par un département spécial du secrétariat de l'Aviation civile, sous le nom de Transportes Aereos Portugueses.
Pays : Portugal
Base : Lisbonne

Réseau : Europe, Afrique, Amérique du Nord et du Sud
Personnel employé : 10 493
Passagers par an : 3 257 041
Fret annuel (en tonnes) : 58 528
Flotte : 4 A310-300 ; 2 B727-200 ; 9 B737-200 ; 5 B737-300 ; 7 L-1011-500.
Total : 26 appareils.

TAROM ROMANIAN
Créée en 1954
Historique : Transporturile Aeriene Romane, ou Tarom Romanian Air Transport, est créée pour développer les lignes intérieures.
Pays : Roumanie
Base : Bucarest
Réseau : Europe, Afrique du Nord, Moyen-Orient, Extrême-Orient, Etats-Unis, lignes intérieures
Passagers par an : 1 321 000
Flotte : 4 B707-320C ; 2 BAC-111-400 ; 7 BAC 111-500 ; 3 Il-62 ; 2 Il-62M ; 32 An-24 ; 12 An-26.
Total : 62 appareils.

TAT
Créée en 1968
Historique : Transport Aérien Transrégional (TAT) est une compagnie d'avions-taxis. Depuis, elle a absorbé Taxi Avia France, Air Paris, Air Alpes, Air Alsace, Air Rouergue et Rousseau Aviation.
Pays : France
Base : Tours
Réseau : Europe, lignes intérieures
Personnel employé : 2 359
Passagers par an : 3 000 000
Flotte : 5 B737-200 ; 2 F100 ; 5 F28-4000 ; 4 F28-2000 ; 12 F28-1000 ; 11 FH-227B ; 4 ATR42-300 ; 3 DHC-6 Twin Otter ; 4 Beech 99 ; 5 King Air 200 ; 2 King Air 90.
Total : 57 appareils.

TEA
Créée en décembre 1970
Historique : Trans European Air-

ways (TEA) absorbe en 1989 Mediterranean Express, qui vole aux couleurs de TEA UK. TEA a aussi des filiales en France, en Italie et en Suisse. Elle propose essentiellement des vols charters. Après avoir été en juin 1991 candidat repreneur de la Sabena, TEA a demandé le concordat judiciaire le 6 septembre.
Pays : Belgique
Base : Melsbroek
Réseau : Europe
Personnel employé : 250
Passagers par an : 390 000
Flotte : 5 B737-300 ; 3 B737-200.
Total : 8 appareils.

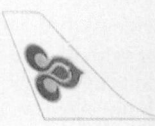

THAI Int.
Créée en août 1959
Historique : Filiale de Thaï Airways en 1959, Thaï International reçoit l'assistance technique de SAS. Elle développe ses lignes sur l'Asie, l'Australie puis l'Europe en 1972.
Pays : Thaïlande
Base : Bangkok
Réseau : Extrême-Orient, Moyen-Orient, Australie, Europe, Amérique du Nord, lignes intérieures
Personnel employé : 17 360
Passagers par an : 8 201 362
Fret annuel (en tonnes) : 180 370
Flotte : 14 A300B4 ; 11 A300-600 ; 2 A310-300 ; 2 A310-200 ; 6 B747-200 ; 2 B747-300 ; 2 B747-400 ; 3 B737-200 ; 2 B737-400 ; 2 ATR 72 ; 2 ATR 42 ; 1 BAe 146-200 ; 4 BAe 146-300 ; 3 DC-10-ER ; 1 DC-8-62F ; 4 Shorts 330-200 ; 2 Shorts 360-200.
Total : 63 appareils.

TIME AIR
Créée en 1966
Historique : Pacific West Airlines est l'actionnaire majoritaire de cette compagnie canadienne. Elle fait partie de l'association Canadian Partner, de Canadian Airlines.
Pays : Canada
Base : Lethbridge, Alberta
Réseau : Lignes intérieures, Etats-Unis
Personnel employé : 1 300

Passagers par an : 1 250 000
Flotte : 3 Convair 580 ;
3 Shorts 360 ; 7 DHC-8-100 ;
11 DHC-8-300 ; 4 F28-1000.
Total : 28 appareils.

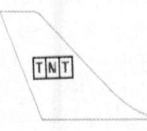

TNT Int.
Créée en mai 1987
Historique : TNT offre essentiellement des lignes régulières de nuit à partir de Cologne, en Allemagne. Elle offre depuis peu des vols charters de jour. TNT est la plus grande compagnie de transport diversifié.
Pays : Grande-Bretagne
Base : Windsor, Berkshire
Réseau : Europe
Personnel employé : 250
Fret annuel (en tonnes) : 100 000
Flotte : 12 BAe 146-200QT ;
5 BAe 146-300QT ;
1 F27-600 Freighter.
Total : 18 appareils.

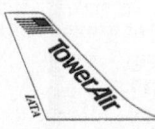

TOWER AIR
Créée en août 1982
Historique : Cette compagnie américaine est créée pour reprendre les activités de Metro International Airways. Tower Air lance ses lignes entre New York, Bruxelles et Tel-Aviv en 1983.
Pays : Etats-Unis
Base : New York
Réseau : Lignes intérieures, Europe
Personnel employé : 472
Passagers par an : 225 635
Flotte : 5 B747-100.
Total : 5 appareils.

TRADEWINDS PRIVATE
Créée le 17 février 1975
Historique : Tradewinds est une filiale de Singapore Airlines. Elles n'offre que des vols en association avec Singapore Airlines jusqu'en 1989, date à laquelle elle fait son vol inaugural indépendant.
Pays : Singapour
Base : Singapour
Réseau : Lignes régionales
Personnel employé : 274

Passagers par an : 185 000
Flotte : 2 B737-300.
Total : 2 appareils.

TRANSAVIA HOLLAND
Créée en 1965
Historique : Transavia Limburg est la première bannière de cette compagnie allemande. C'est en 1967 qu'elle adopte son nom actuel. KLM est actionnaire à 40 % de Transavia.
Pays : Pays-Bas
Base : aéroport de Schiphol
Réseau : Europe, Méditerranée
Personnel employé : 844
Passagers par an : 186 998
Fret annuel (en tonnes) : 899
Flotte : 1 B737-200 ; 7 B737-300.
Total : 8 appareils.

TRANSBRASIL
Créée en 1955
Historique : Cette compagnie brésilienne est créée à l'origine pour le transport de viande. Depuis, elle a élargi ses activités et offre des vols charters pour passagers ainsi que des vols cargos. En plus de ses lignes intérieures, Transbrasil Linhas Aereas a lancé depuis peu des lignes internationales. Elle est la propriété de la famille Fontana.
Pays : Brésil
Base : Brasilia
Réseau : Lignes intérieures, Etats-Unis
Personnel employé : 4 932
Passagers par an : 2 587 800
Fret annuel (en tonnes) : 46 507
Flotte : 3 B767-200 ;
11 B737-300 ; 3 B737-400 ;
3 B707-320.
Total : 20 appareils.

TRANSWEDE Airways
Créée le 1er avril 1985
Historique : Cette compagnie suédoise offre des vols charters sur l'Europe, la Méditerranée et la Floride. Transwede Airways appartient à Nordisk AB et est la plus

grande compagnie privée suédoise.
Pays : Suède
Base : Stockholm-Arlanda
Réseau : Europe, Méditerranée, Etats-Unis
Personnel employé : 459
Passagers par an : 852 000
Flotte : 2 B737-200 ; 4 MD-83 ;
2 MD-87.
Total : 8 appareils.

TRUMP SHUTTLE
Créée en octobre 1988
Historique : A l'origine, il s'agit d'une compagnie qui vole aux couleurs d'Eastern Air Lines. Elle devient Trump Shuttle quand le magnat M. Trump rachète à Texas Air, qui contrôle Eastern, la possibilité de couvrir les routes de cette compagnie, ce qui lui coûte 365 millions de dollars. Les lignes entre New York, Washington et Boston sont ouvertes en juin 1989.
Pays : Etats-Unis
Base : La Guardia, New York
Réseau : Etats-Unis
Personnel employé : 1 000
Passagers par an : 1 915 000
Flotte : 13 B727-200 ;
7 B727-100.
Total : 20 appareils.

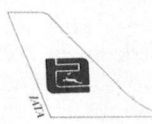

TUNIS AIR
Créée en 1948
Historique : Le gouvernement tunisien crée Société Tunisienne de l'Air en 1948. Air France détient 5,6 % des actions.
Pays : Tunisie
Base : Tunis
Réseau : Afrique, Europe, Moyen-Orient, lignes intérieures
Personnel employé : 5 200
Passagers par an : 1 313 642
Fret annuel (en tonnes) : 14 492
Flotte : 1 A300B4 ; 2 A320-200 ;
8 B727-200 ; 4 B737-200.
Total : 15 appareils.

TURKISH Airlines
Créée en mai 1933

Historique : Créée par le gouvernement turc, Devlet Hava Yollari est absorbée par Turk Hava Yollari (THY) en 1956. Elle est commercialisée sous le nom de Turkish Airlines
Pays : Turquie
Base : Istanbul
Réseau : Europe, Moyen-Orient, Extrême-Orient, Afrique, Amérique du Nord
Personnel employé : 9 088
Passagers par an : 4 137 532
Fret annuel (en tonnes) : 50 884
Flotte : 7 A310-200 ; 6 A310-300 ;
9 B727-200 ; 2 B707F ;
9 DC-9-32.
Total : 33 appareils.

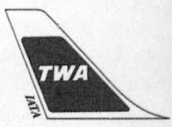

TWA
Créée le 1er octobre 1930
Historique : Trans World Airways (TWA) est à l'origine créée par Transcontinental, Western Air Express, TAT-Maddux et Pittsburgh Aviation. Aujourd'hui, des difficultés financières menacent la compagnie. Elle vient de vendre ses routes sur Londres à American pour tenter de survivre.
Pays : Etats-Unis
Base : New York
Réseau : Amérique du Nord, Caraïbes, Europe, Moyen-Orient
Personnel employé : 31 946
Passagers par an : 24 482 822
Fret annuel (en tonnes) : 166 034
Flotte : 11 B727-131 ;
55 B727-231 ; 16 B747-100/200 ;
11 B767-231 ; 14 L-1011-1 ;
7 L-1011-50 ; 11 L-1011-100 ;
7 DC-9-10 ; 38 DC-9-30 ;
3 DC-9-40 ; 33 MD-80.
Total : 206 appareils.

TYROLEAN Airways
Créée en 1958
Historique : Aircraft Innsbruck est la première bannière de cette compagnie autrichienne. En 1980, elle adopte le nom de Tiroler Luftfahrt, ou Tyrolean Airways.
Pays : Autriche
Base : Innsbruck
Réseau : Europe, Méditerranée, lignes intérieures
Personnel employé : 220

Passagers par an : 205 000
Fret annuel (en tonnes) : 665
Flotte : 8 DHC-8-100 ;
2 DHC-7-100.
Total : 10 appareils.

UNITED Airlines
Créée le 1er juillet 1931
Historique : United est l'une des plus importantes compagnies américaines. Elle débute avec Boeing, Pratt & Whitney et Sikorsky. C'est la première compagnie à engager des hôtesses et à proposer le transport de cargos tout type. Elle forme un réseau de compagnies sous le nom de United Express pour assurer les liaisons avec les villes américaines de moyenne importance.
Pays : Etats-Unis
Base : Chicago, Illinois
Réseau : Lignes intérieures, Canada, Mexique, Extrême-Orient, Australasie
Personnel employé : 75 025
Passagers par an : 57 752 906
Fret annuel (en tonnes) : 425 458
Flotte : 24 B727-100 ; 104 B727-200 ; 74 B737-200 ; 101 B737-300 ; 4 B737-500 ; 18 B747-100 ; 2 B747-200 ; 8 B747-400 ; 11 B747SP ; 24 B757-200 ; 19 B767-200 ; 17 DC.8 ; 54 DC.10
Total : 462 appareils.

N.C.

UNITED EXPRESS Airlines
Créée en 1972
Historique : Créée sous le nom de STOL Air en 1972, cette compagnie fusionne avec Golden Eagle Airlines en 1978 et devient Western Airlines. En 1983, elle adopte le nom de Westair Airlines puis, en 1986, signe un accord avec United. C'est à cette date qu'elle adopte son nom actuel.
Pays : Etats-Unis
Base : Fresno, Californie
Réseau : Lignes intérieures
Personnel employé : 2 300
Passagers par an : 2 357 400
Flotte : 6 BAe 146-200 ; 26 BAe Jetstream 31 ; 16 BAe Jetstream Super 31 ; 30 EMB Brasilia ; 23 EMB Bandeirante ; 2 Shorts 360.
Total : 103 appareils.

UPS
Créée en 1929
Historique : United Parcel Service (UPS) est la plus grande compagnie mondiale de transport de colis. A l'origine, c'est une petite société de la côte ouest des Etats-Unis. C'est en 1982 qu'elle commence ses services de livraison en 24h sur les Etats-Unis.
Pays : Etats-Unis
Base : Greenwich, Connecticut
Réseau : Le monde entier
Personnel employé : 245 000
Fret annuel : 2,9 billions de colis
Flotte : 11 B747 ; 47 B727 B727-200 ; 55 B757 ; 49 DC-8-73.
Total : 162 appareils.

US AIR
Créée en 1939
Historique : US Air a pour première bannière All American Aviation. Elle devient Allegheny Airlines en 1953 puis US Air en 1979. Elle absorbe de nombreuses compagnies aériennes dont Lake Central (1968), Mohawk (1972), PSA (1988) et Piedmont (1989).
Pays : Etats-Unis
Base : Arlington, Virginie
Réseau : Lignes intérieures, Canada, Europe
Personnel employé : 49 151
Passagers par an : 60 059 269
Fret annuel (en tonnes) : 102 330
Flotte : 18 BAe-146 ; 29 B727-200 ; 81 B737-200 ; 102 B737-300 ; 45 B737-400 ; 9 B767-200 ; 74 DC-9-30 ; 20 F100 ; 20 F28-1000 ; 25 F28-4000 ; 31 MD-80.
Total : 454 appareils.

UTA
Créée en octobre 1963
Historique : Importante compagnie française indépendante, l'Union des transporteurs aériens (UTA) naît en 1963 de la fusion de l'Union aéromaritime de transport (UAT) et de la Compagnie de transport aérienne intercontinentale.
Pays : France
Base : Paris
Réseau : Afrique, Moyen-Orient, Extrême-Orient, Australasie, Amérique du Nord
Personnel employé : 6 946
Passagers par an : 895 158
Fret annuel (en tonnes) : 78 748
Flotte : 5 B747-300/400 ; 1 B747-200F ; 6 DC-10.
Total : 12 appareils.

VARIG
Créée en 1927
Historique : Viaçao Aérea Rio-Grandense (Varig) débute ses activités en lançant des vols locaux dans le sud du Brésil. C'est le groupe allemand Condor qui en assure l'assistance technique. Cette compagnie a absorbé depuis de nombreuses petites compagnies aériennes nationales.
Pays : Brésil
Base : Rio de Janeiro
Réseau : Amérique du Nord et Sud, Europe, Afrique, Japon
Personnel employé : 25 654
Passagers par an : 6 896 074
Fret annuel (en tonnes) : 223 088
Flotte : 4 B727-100 ; 6 B727-100F ; 11 B737-200 ; 15 B737-300 ; 3 B747-200 ; 2 B747-300 ; 3 B747-341 ; 6 B767-200 ; 4 4 B767-300 ; 10 DC-10-30 ; 2 DC-10-30F ; 14 L-188 Electra.
Total : 80 appareils.

VASP
Créée en 1933
Historique : Viacao Aerea Sao Paulo (VASP) offre un réseau de lignes intérieures. Elle vole aussi en association avec Varig et Cruzeiro.
Pays : Brésil
Base : Sao Paolo
Réseau : Lignes intérieures, Amérique du Sud, Caraïbes
Personnel employé : 7 797
Passagers par an : 4 552 988
Fret annuel (en tonnes) : 58 291
Flotte : 3 A300B2 ; 21 B737-200 ; 10 B737-300 ; 2 B737-200F.
Total : 36 appareils.

VAYUDOOT
Créée en 1981
Historique : Troisième compagnie de l'Inde, Vayudoot est créée par les deux compagnies de l'Etat. Elle fait des vols en association avec Indian Airlines. Elle s'occupe aussi du traitement agricole.
Pays : Inde
Base : New Delhi
Réseau : Lignes intérieures
Personnel employé : 1 860
Passagers pan an : 4 470 000
Flotte : 11 BAe 748 ; 11 Dornier 228 ; 4 F27-100.
Total : 26 appareils.

VIASA
Créée en 1961
Historique : Cette compagnie nationale vénézuélienne, Venezuelan International Airways (Viasa), est créée à l'origine pour reprendre les lignes internationales d'Avensa et de LAV, qui couvrent essentiellement les lignes intérieures. Elle est privatisée en 1990.
Pays : Venezuela
Base : Caracas
Réseau : Amérique du Nord et Sud, Caraïbes, Europe
Personnel employé : 3 508
Passagers par an : 680 677
Fret annuel (en tonnes) : 21 587
Flotte : 3 A300B4-203 ; 5 DC-10-30.
Total : 8 appareils.

VIRGIN ATLANTIC Airways
Créée en 1984
Historique : Cette compagnie britannique est la propriété de Richard Branson. Virgin Atlantic offre des vols transatlantiques au départ de Gatwick ainsi que quelques liaisons sur l'Extrême-Orient. Elle prévoit de s'implanter bientôt à l'aéroport d'Heathrow.
Pays : Grande-Bretagne
Base : Londres
Réseau : Amérique du Nord, Extrême-Orient

Personnel employé : 1 591
Passagers par an : 837 912
Fret annuel (en tonnes) : 29 501
Flotte : 6 B747-100/200.
Total : 6 appareils.

WIDEROE'S FLYVESELSKAP
Créée le 19 février 1934
Historique : Fred Olsen, SAS, et Braathens Safe sont les actionnaires de cette compagnie norvégienne, Wideroe's Flyveselskap.
Pays : Norvège
Base : Bodo
Réseau : Lignes intérieures
Personnel employé : 610
Passagers par an : 773 649
Fret annuel (en tonnes) : 4 677
Flotte : 12 DHC-6 ; 8 DHC-7.
Total : 20 appareils.

WORLDWAYS CANADA
Créée en 1974
Historique : Quatrième compagnie canadienne, Worldways offre des vols charters pour passagers pour des Tour opérateurs européens et canadiens.
Pays : Canada
Base : Mississauga, Ontario
Réseau : Le monde entier (charters)
Personnel employé : 850
Passagers par an : 1 150 000
Flotte : 3 B727-100 ; 4 DC-8-63 ; 2 L-1011-50 ; 2 L-1011-1.
Total : 11 appareils.

YEMEN Airways
Créée en 1963
Historique : Yemen Airways, ou Yemenia, est réorganisée en 1972, date à laquelle cette compagnie est nationalisée. Son nom actuel date de 1978. La réunification des deux Yémen, en 1990, doit aboutir à la fusion entre Yemenia et Alyemda.
Pays : République du Yémen
Base : Saan'a
Réseau : Moyen-Orient, Afrique, Europe, lignes intérieures
Personnel employé : 1 954

Passagers par an : 460 130
Fret annuel (en tonnes) : 3 551
Flotte : 4 B727-200 ;
1 B737-200 ; 2 DHC-7-100.
Total : 7 appareils.

ZAMBIA Airways
Créée en septembre 1967
Historique : A sa création, des accords entre Alitalia et Zambia Airways sont signés afin que cette dernière reçoive une assistance technique et une aide au niveau de la direction. En 1974, c'est Aer Lingus qui en reprend l'assistance, suivie d'Ethiopian Airlines en 1982.
Pays : Zambie
Base : Lusaka
Réseau : Afrique, Europe, Inde, Etats-Unis, lignes intérieures
Personnel employé : 2 325
Passagers par an : 407 211
Fret annuel (en tonnes) : 7 278
Flotte : 2 ATR 42 ; 2 B737-200 ;
1 B707-320 ; 1 DC-10-30 ;
1 DC-8-71.
Total : 7 appareils.

Liste des abréviations des constructeurs

A	Airbus Industries
An-	Antonov
ATP	British Aerospace
ATR	Aerospatiale/Aeritalia
B	Boeing
BAC, BAe	British Aerospace
BE	Beechcraft
BN	Pilatus Britten-Norman
C-	Casa
Caravelle	Aerospatiale
CN-	Casa/IPTN
Concorde	Aerospatiale/British Aerospace
DC-	McDonnel Douglas
DHC	Boeing (de Havilland) Canada
EMB, Bandeirante and Brasilia	Embraer
F	Fokker
F-, FH-	Fairchild
Falcon	Dassault
GE	Gulfstream Aerospace
Gulfstream	Grumman
HS	British Aerospace
Il-	Iliouchine
Islander	Pilatus Britten-Norman
L-	Lockheed
Li	Lisinov
Mercure	Dassault
Metro	Fairchild Aircraft
MD-	McDonnel Douglas
Nord	Aerospatiale
One-Eleven	British Aerospace
PA	Pipper
SF	Saab
SWM	Swearengen
Trident	British Aerospace
Trislander	Pilatus Britten-Norman
Tu-	Tupolev
Twin Otter	Boeing (de Havilland) Canada
Viscount	British Aerospace
Y	Yungshunji
Yak	Yakovlev
YS-	Nihon Aeroplane Manufacturing Co. (NAMC)

Index général

947

Hanoi – Honolulu

Hanoi
- Liaison depuis Paris par André Japy 19/11/36 340
- Escale pour le *Condor* 30/11/38 362
- Transports opérationnels sur Diên Biên Phu 1/3/54 534
- Attaque de l'USAF 29/6/66 654
- Attaque du pont Paul Doumer 11/8/67 667
- Victoire de l'US Marine Corps sur un MiG 21 11/9/72 708
- Arrêt des bombardements de l'USAF 30/12/72 708

Hanovre
- Fin du blocus de Berlin 12/5/49 484
- Arrivée depuis la Nouvelle-Orléans du *Scarlett O'Hara* 22/6/62 614

Hanriot (avions)
- HD-1 135
- HD-14 3/1/23 192

Hanriot (hydravions)
- Hanriot 17 24/9/25 212

Hansa-Brandenburg (avions)
- Biplan 20/3/18 146
- W.25 156

Hanworth
- Démonstration du Focke Wulf F-19 Ente 255
- Ouverture d'une école de pilotage 31/5/32 290

Hanworth Air Park
- Vol d'inspection du HP.42 6/6/31 284

Harbin (avions)
- Y-12 Turbo-Panda 786

Harbour Grace
- Escale de Kingsford-Smith 26/6/30 273
- Départ de Boyd et de Connor pour Tresco 10/10/30 276
- Départ d'Amelia Earhart 21/5/32 295

Hards Travel
- Dépôt de bilan 30/8/86 823

Hardt (forêt du)
- Crash d'un A-320 d'Air Charter International 26/6/88 839

Hardwick (loi américaine)
- Double la solde des officiers pilotes volontaires 5/8/12 92

Haren
- Difficultés pour la Sabca 30/4/74 729

Haren (aérodrome de)
- Inauguration 30/11/29 262
- Arrivée du 3e Ju 53/3m de la Sabena 31/12/36 341
- Arrivée des DC-3 de la Sabena 16/1/39 369
- Arrivée du Lodestar de la Sabena depuis Léopoldville 10/7/45 441
- Mise en service de Melsbroek 25/12/46 448
- Entretien des DC-4 de la Sabena 31/8/47 465

Hariri, Hussein Ali Mohamed 24/7/87 832

Harlington
- Essai du Fairey Rotodyne Y 6/11/57 571

Harlow, Jean 7/6/30 274

Harmon Trophy
- Décoration de Jacqueline Auriol 13/11/52 510
- Décoration d'André Turcat 11/12/59 584

Harper, Henry 5/10/08 61

Harris, Arthur Travers 20/4/38 356, 22/2/42 402, 09/3/42 402 31/5/42 406, 19/8/42 408

Harris, Harold 26/4/49 480

Hart, Marion 27/8/53 522, 01/1/78 758

Hart, William 9/5/12 92, 29/6/12 92

Harteman-Dickson (accords)
- Livraison de Spitfire à l'escadre de chasse française 28/1/46 448

Hartford
- Mise au point d'un nouveau procédé pour Pratt & Whitney 26/11/43 412

Hartford Bridge
- Décollage du groupe Lorraine 6/6/44 428

Harvard-Boston (meeting d'aviation) 1/7/12 95

Harwich
- Un zeppelin L 53 abattu par la force navale 11/8/18 152

Hassel, Kai Uwe von 10/12/65 651

Hat (Cy)
- Acquisition des licences de l'Alouette III 21/6/62 614

Hatfield
- Vol d'essai du De Havilland vampire 20/9/43 412
- Essai du Vampire F Mk-1 23/3/48 473
- Liaison aller-retour sur Tripoli avec un DH.Comet 27/7/49 487
- Essai du DH.121 Trident I 9/1/62 616
- Crash du British Aerospace Trident 3/6/66 657
- Essai du BAe 146 3/9/81 784

Hatston
- Départ des escadrilles du Fleet Air Arm 10/4/40 379

Hattes (les)
- Sauvetage des tortues luth par hélicoptère 30/6/90 856

Hauptmann, Bruno 3/4/36 330

Haussner, Stanley 11/6/32 296

Haute-savoie
- Crash d'un Robin à Saint-Jean-de-Tholomé 16/8/87 828

Havilland, Geoffrey de 1/5/09 64, 31/12/12 98, 31/12/13 107, 01/6/15 118, 06/5/17 139, 22/2/25 212, 09/9/48 476, 13/8/62 619, 26/5/65 644, 31/12/99 124, 31/12/99 135

Havilland, Geoffrey Jr. de
- Tente de franchir le mur du son 27/9/46 448

Havilland Goblin (réacteur)
- Essai du J.21R de SAAB 10/3/47 460
- 1 701 kg de poussée 9/9/48 476

Havre (Le)
- Inauguration de la ligne Southampton-Le Havre 30/9/19 158
- Bordeaux-Le Havre-Lille-Strasbourg par Air Bleu 10/7/35 325
- Bombardement raté du Bomber Command 12/3/41 393

Hawaii
- Echec de la tentative de Rodgers 10/9/25 218
- Vol sans escale depuis la Californie 29/6/27 240
- San Francisco-Hawaii sans escale 17/7/27 230
- Liaison depuis San Fransisco par des hydravions P2Y 11/1/34 310
- Liaison Honolulu-Oakland par Amelia Earhart 12/1/35 322
- Liaison depuis San Fransisco par la Pan Am 23/4/35 323
- Largage de bombes sur le volcan Mauna Loa 27/12/35 320
- Arrivée de l'escadrille de l'US Army Air Corps 14/5/41 394
- Attaque de Pearl Harbor 7/12/41 399
- Ravitaillement en vol pour *Lucky Lady* 2/3/49 483
- Liaison directe avec Teterboro par William Odom 8/3/49 482
- Acheminement d'avions et de soldats au Viêt-nam 22/1/66 654
- Liaison directe avec Wichita en Lear Jet 36 5/4/75 734
- Perte d'une partie du fuselage d'un B-747 en vol 24/2/89 844

Hawker (avions)
- Woodcock 201
- Cygnet 210
- Horsely 221
- Hart 254
- Hawker Hart 27/7/29 256
- Fury 267
- Osprey 279
- Hawker Fury 1/5/31 280
- Fury 289
- Nimrod 299
- Hind 319
- Hurricane 31/12/35 327
- Henley 355
- Typhoon 24/2/40 376, 31/12/40 388
- Typhoon IA 26/5/41 390
- Hurricane 400
- Tempest Mk V 2/9/42 408
- Tempest II 420
- Tempest Mk V 30/4/44 422
- Sea Fury 447
- P.1040 468
- Sea Hawk 468
- 1040 14/5/49 485
- P.1081 499
- Hunter 20/7/51 500
- P.1067 509
- P.1127 21/10/60 594, 31/12/60 603
- Siddeley Gnat 1/2/62 614
- Kestrel 7/3/64 637, 31/12/64 643

Hawker, Harry 24/10/12 92, 27/8/13 103, 29/11/13 102, 28/5/16 126, 23/5/19 163

Hawker, Lanoe 25/7/15 121

Hawker Siddeley
- Absorption de De Havilland Aircraft Cy 17/12/59 584
- Essai du P.1127 19/11/60 600
- Réussite du P.1127 22/9/61 610
- Signature d'un accord pour la construction d'Airbus 26/9/67 667
- Retrait de la Grande-Bretagne du projet Airbus 1/3/69 683
- Création d'Airbus Industrie 18/12/70 690
- Premier vol de l'A300-B1 28/10/72 713
- Premier vol du Coastguarder 18/2/77 750
- Mise au point du AEW Mk-3 du Nimrod 31/3/77 750
- Fusion 29/4/77 752
- Démonstration du Sea Harrier 20/8/78 762

Hawker Siddeley (avions)
- P.1127 19/11/60 600
- Model 748 602
- DH.121 Trident 1 622
- HS.125 622
- Andover 633
- 121 Trident 1E 642
- Harrier 31/8/66 654
- Harrier P.1127 661
- Nimrod 28/6/68 672, 31/12/68 679
- Trident 3B 688
- Harrier T.Mk 689
- Harrier AV-8A 6/1/71 698
- Shackleton MR.2 707
- P.1182 Hawk 733
- Coastguarder 18/2/77 750
- Sea Harrier 20/8/78 762
- HS.146 786

Hawker Siddeley Dynamics
- Fusion 29/4/77 752

Hawkes, William 29/1/47 462

Hawks, Frank 17/12/32 290, 30/9/33 305, 31/5/37 347

Hawks, Howard 31/12/30 268, 03/2/43 412

Haynes, Ralph 20/4/22 184

Hayward, Ron 7/2/22 184

Hazebrouck
- Survol d'un bombardier allemand 10/5/40 381

Headle, Marshall 23/2/34 314

Hearle, Frank 1/5/09 64

Hearst, George Randolph 16/8/27 230

Hearst, William Randolph 10/1/10 77, 05/11/11 88

Heathrow (aéroport d')
- Devient l'aéroport de Londres 1/1/46 448
- Ouverture au trafic 31/5/46 452
- Transfert des services de la BEA 31/10/54 534
- Départ des Comet 4 de la BOAC 4/10/58 580
- Atterrissage automatique d'un Trident I de la BEA 10/6/65 648
- Arrivée de Sheila Scott 20/6/66 657
- Atterrissage d'un Boeing de la BOAC en flammes 8/4/68 675
- Changement des infrastructures pour le B-747 1/6/69 685
- Remise de deux pirates de l'air aux autorités 12/9/70 694
- Atterrissage du Concorde 002 13/9/70 690
- Atterrissage automatique d'un B-747 de Pan Am 26/6/73 716
- Liaison depuis Roissy avec un Airbus A-300 d'Air France 20/5/74 730
- Vol inaugural du Concorde pour Bahrein 21/1/76 744
- Arrivée de Judith Chisholm 3/12/80 777
- 96 atterrissages automatiques en un jour 30/1/81 780
- Inauguration d'une ligne vers Glasgow par BMA 25/10/82 788
- Mise en service du terminal 4 12/4/86 822

Hedges-Butler, Frank 29/10/01 26

Hedjaz (Emirat du)
- Marché fictif de 36 Dewoitine 510 T avec l'Espagne 31/12/36 330

Hedrick, Frank 12/7/60 599

Hegenberger, Albert 29/6/27 240, 31/12/27 242, 12/3/32 293

Heinemann, Edward 30/9/33 305, 17/12/54 534

Heinkel (avions)
- He 57 266
- He 50 288
- He 59 288
- He 70 Blitz 1/12/32 290
- He 70 298
- He 45 299
- He 60 309
- He 51 309
- He 72 309
- He 111 24/2/35 323
- He 112 328
- He 118 329
- He 111 329
- He 70 3/6/36 330
- He 115 342
- He 111 342
- He 112 27/8/37 344
- He 119 355
- He 115 355
- He 100 365
- He 100 V8 26/4/39 366
- He 176 27/8/39 371
- He 177 374
- He 111 28/10/39 366
- He 178 375
- He 280 27/2/41 390, 31/12/41 400
- He 219 15/11/42 402, 31/12/42 410
- He 219 Uhu 6/6/43 412
- He 162 Salamandre 6/12/44 422
- He 162 434
- He 274 447

Heinkel (Cy)
- Présentation du He 111 24/2/35 323
- Formation de Flugzeug-Sud-Union 16/11/56 561

Heinkel (hydravions)
- He 114 342

Heinkel, Ernst 10/7/14 108, 24/2/35 323, 15/4/36 330, 27/8/39 371, 30/1/58 574

Helder, Ruth 11/10/27 243

Helen, Emmanuel 8/9/11 82, 31/10/12 94

Héli-Union
- Transport en hélicoptère d'une maison en kit 12/6/72 712

Hélices 18/12/07 53, 02/5/16 128

Helicopter Association of America
- Convention à Anaheim 9/2/77 750

Hélicoptères
- Essai de Paul Cornu 30/10/06 44
- Vol de Cornu à Lisieux 13/11/07 53
- Voyage à Paris de Sikorsky pour acheter les éléments 31/1/09 62
- Essai d'Etienne Oehmichen 15/1/21 178
- Essai du marquis de Pescara 11/1/22 186
- Bane atteint 1,80 m de haut 18/12/22 184
- Oehmichen-Peugeot no 2 1/5/23 195
- No 3 de Pescara 29/1/24 202
- 1 km en 7 min par Oehmichen 4/5/24 202
- Essai du Corradino d'Ascanio 13/10/30 268
- 605 m avec le ZAGI 1A 14/8/32 290
- Essai du Breguet-Dorand 26/6/35 325
- Essais du Fw-61 26/6/36 330
- 158 m d'altitude avec le Breguet-Dorand 22/9/36 330
- 100 km avec le FW-61 26/6/37 344
- Record d'altitude pour le Zagi 1A 26/6/37 344
- Record de distance sur le Fa 61 24/6/38 356
- Essai du VS-300 de Sikorsky 31/12/39 373, 13/5/40 382
- 1 h 32 min en l'air avec le VS-300A 6/5/41 390
- Premier décollage du VS-316A 14/1/42 409
- Essai du prototype du Bell Model 30 29/7/43 412
- Utilisation du HNS-1 par l'US Coast Guard 3/1/44 424
- Evacuation avec un YR-4 du Jungle Rescue 4/4/45 436
- Ouverture d'un marché commercial 1/8/46 455
- Décollage impossible pour l'Ariel de Guignard 3/4/47 462
- Inauguration du service postal par la BEA 1/6/48 474
- Essai du SE-3101 à Villacoublay 15/6/48 474
- Essai du combiné autogire-hélicoptère Fairey Gyrodyne 28/6/48 470
- Atterrissage d'un Bell-47 sur les Galeries Lafayette 4/7/48 470
- Essai du SO-1100 Ariel I 7/3/49 480
- Présentation à la parade aérienne d'Orly 14/5/49 485
- Inauguration d'un héliport à New York 18/5/49 480
- Essai du SO-1110 Ariel II 21/4/50 492
- Inauguration d'une ligne régulière par la BEA 1/6/50 496
- Inauguration du premier service postal par la Sabena 21/8/50 492
- Inspection des lignes électriques de Paris à Toulon 23/10/50 492
- Démonstrations de l'Alouette I 31/7/51 506
- Traversée de l'Atlantique 31/7/52 515
- Vol record sans escale 17/9/52 510
- Installation d'une ligne internationale par la Sabena 1/9/53 528
- Premier vol du Sikorsky S-56 18/12/53 522
- Record du monde d'altitude pour le Sikorsky XH-39 17/10/54 534
- Atterrissage sur le Mont-Blanc avec un Bell 47 G2 6/6/55 544
- Record d'altitude à 8 209 m 6/6/55 544
- Liaison San Diego-Washington par un Vertol H-21 23/8/56 554
- 261,910 km/h avec un Sikorsky S-56 11/11/56 554
- Essai du Hiller Rotorcycle 30/11/56 554
- Inauguration de l'héliport d'Issy-les-Moulineaux 3/3/57 567
- 8 458 m d'altitude avec un SO-1221 22/3/57 564
- 9 076 m d'altitude pour Bowman sur Cessna YH-41 28/12/57 564
- Record d'altitude pour l'Alouette II 13/6/58 578
- Essais du Frelon en vol libre 10/6/59 589
- Inauguration du premier héliport australien 6/12/60 594
- Sortie de l'hélicoptère Kaman II-43 25/1/61 604
- Record de vitesse sur un Sikorsky 17/5/61 604
- Essai du Bell Model 205 16/8/61 604
- Accord du certificat de vol tout temps au S-61N par la FAA 6/10/64 641
- Premier vol du Sikorsky CII-53A 14/10/64 634
- Liaison San Diego-Jacksonville avec un Sikorsky SH-3A 6/3/65 644
- Essai du Bell AH-1 Cobra 7/9/65 644
- Démonstrations du Mi-6 en Europe 1/4/66 656
- Essai du SA-315B Lama 17/3/69 680
- Record pour le Mi-12 6/8/69 680
- Premier vol du Sikorsky S-67 Black Hawk 20/8/70 693
- Record d'altitude avec un CH-54 3/11/71 705
- Record d'altitude avec un SA-315B Lama 21/6/72 708
- Première qualification IFR 9/1/75 734
- Record mondial d'altitude sur un Mi-26 3/2/82 788
- Premier vol autour du monde 30/9/82 788
- Premier vol solo autour du monde 22/7/83 796
- Essai du Tigre d'Eurocopter 19/3/91 865
- Réduction du trafic à Issy-les-Moulineaux 30/6/91 866

Héli Inter Guyane
- Sauvetage des tortues luth 30/6/90 856

Helio (avions)
- H.391 Courier 532
- Helio Stratocourrier 6/6/57 564
- Model HST-550 Stallion 642
- H-295 652

Helio Aircraft Corporation
- Essai de l'Helio Stratocourrier 6/6/57 564

Héliopolis
- Grande Semaine de l'aviation 6/2/10 77

Heli Union
- Mise en service du S-76 AF Gift 24/4/89 844

Helsinki
- Londres-Helsinki par la BEA 4/2/46 451

Helwan (avions)
- Ha-300 643

Henderson, Jack 17/8/61 610

Hendon
- Première liaison sans escale avec Issy 12/4/11 86
- Démonstration de l'Avro type D 12/5/11 82
- Vols d'essai du bombardier Handley Page O/100 17/12/15 118
- Arrivée d'un DH.4 depuis Paris 10/1/19 160
- Organisation d'un meeting militaire de la RAF 3/7/20 168
- Fête de l'aviation militaire britannique 30/6/27 238
- Essai du Vickers Wellington 15/6/36 330

Henke, Kurt 10/8/38 361

Hennequin, Jean 20/11/53 531

Henschel (avions)
- Hs 130 279
- Hs 121 319
- Hs 123 328
- Hs 126 342
- Hs 129 374

Henschel (bombe)
- Hs 293 18/12/40 387

Héraklion
- Largage de parachutistes allemands 30/5/41 395

Herbemont, André 7/8/18 146, 12/12/20 168, 16/6/21 176

Hercule (moteur)
- 1 690 ch 1/9/46 455

Hereil, Georges 27/5/55 548, 01/3/57 567, 25/6/57 569, 24/3/59 588, 14/4/59 588, 29/12/60 601

Hermon (mont)
- Attaque des Syriens et des Egyptiens 24/10/73 723

Herndon, Hugh 5/10/31 280

Hernu, Charles 2/7/84 808

Herring, Augustus 20/3/09 62

Herring-Curtiss Cy
- Fondation 20/3/09 62

Herrington, George 3/6/66 657

Hertz, John 22/4/38 359

Herveux, Jane 22/12/11 86

Hervieu (parachute) 31/12/11 87

Herzorg, Maurice 31/12/63 628

Heseltine, Michael 24/1/86 818

Hess, Herman 11/4/24 202

Heston
- Arrivée de Reid et Ayling du Canada 9/8/34 310

Heston Aircraft (avions)
- Phœnix 328

Heurtaux, Alfred 3/9/17 136, 26/9/18 151

Hey! Ha'Avir
- Attaque de l'armée égyptienne 20/5/48 470

Heyser, Richard Stephen 14/10/62 614

Hickham (aérodrome de)
- Bombardement par les Japonais 7/12/41 399

Hill, George Roy 31/12/75 739

Hill, Graham 29/11/75 734

Hill, James 6/9/27 243

Hill, Peter 30/10/35 326

Hiller (avions)
- X-18 593
- OH-5A 633

Hiller (hélicoptères)
- Model 360 478

Hiller, Stanley 27/1/55 544

Hillman, Edward 24/11/32 290

Hillman Airways
- Fusion pour la création de British Airways 29/10/35 320

Hilsz, Maryse 10/5/31 283, 14/5/33 304, 31/8/35 320, 23/6/36 334, 23/9/36 338, 19/12/36 330, 23/12/37 344, 30/1/46 450

Hilton
- Inauguration de l'hôtel d'Orly 23/10/65 644

Himalaya
- Survol par l'Air Transport Command 8/5/43 415
- Atterrissage d'un Alouette III sur le Deo Tibaa 5/11/60 601

Hincks, Agnes Novaha 3/5/33 304

Hindustan (avions)
- HT-2 509
- HUL-26 Pushpak 582
- HF-24 Marut 613
- HJT-16 MK II Kiran 643
- HA-31 Basant 714
- Ajeet 749
- HPT-32 757

Hindustan Aeronautics
- Vol inaugural du Marut 29/3/67 662
- Livraison du premier MiG construit 19/10/70 690
- Essai du premier Ajeet de série 30/9/76 742
- Livraison de MIG-27M à l'armée 11/1/86 818

Hinkler, Bert 22/2/28 248, 24/5/30 272

Hiroshima
- Largage de la bombe atomique 6/8/45 436

Hirsch, René 1/12/54 534

Hirschauer, Auguste Edouard 23/8/15 118

Hispano (avions)
- HA-100 533
- HA-200 Saeta 553

Hispano (moteur)
- 8 A de 150 ch 10/5/16 126
- 300 ch 21/8/18 146
- 180 ch 29/1/24 202
- Hispano-Suiza de 450 ch 21/3/26 225
- Hispano-Wright 9 Qc de 300 ch 31/7/29 261
- 1 200 ch 16/1/37 344

Hispano-Suiza (moteur)
- 220 ch 134
- 12 Ha de 450 ch 190
- 12 mc 30/11/30 268
- 600 ch 11/6/33 305
- 650 ch 4/1/34 312
- 860 ch 14/8/34 310
- 580 ch 25/4/36 335
- 650 ch 6/6/36 336
- 12Y-45 365
- 1 250 ch 7/7/45 436

Hispano-Suiza (réacteur)
- 2 270 kg 12/10/48 476
- Nene de 2 270 kgp 15/3/51 500
- Tay de 2 850 kgp 28/9/52 510

Hispano-Suiza (Sté)
- Essai du 8 cylindres en V 26/2/15 118
- Actionnaire chez Dewoitine 1/1/24 202
- Entretien des moteurs des DC-4 d Air France 30/4/49 483
- Sortie du millième réacteur Nene 2/6/54 534

Hitchcock, Frank 23/9/11 89

Hitler, Adolf 6/6/39 370, 28/1/42 402

Hoa Binh
- Intervention de l'aviation française 15/4/47 463

Hoare, Maude 2/5/28 248

Hodapp, Denis 31/12/27 242

Hokkaido
- Relié à Washington par un B-29 23/11/45 444
- Attaque d'un B-29 de l'USAF par un MiG-15 9/11/54 540

Hollandair (avions)
- HA-001 572

Holloman, George 23/8/37 351

Hollywood
- Sortie du film *The Dawn Patrol* 31/12/30 268
- Sortie du film *Night Flight* 31/12/33 300
- Sortie du film *Top Gun* 31/12/86 818

Holman, Charles 255 01/9/30 268

Holste, Max 17/11/52 518, 16/4/73 719

Holt Thomas, Georges 5/10/16 126, 05/6/17 136, 12/1/19 160, 01/1/29 256

Honduras
- Monopole du service postal à la Pan Am 29/12/28 246

Hong Kong
- Liaison avec Pékin par Perry Hutton 24/4/32 290
- Londres-Hong Kong-Penang par Imperial Airways 23/3/36 330
- Retour du DC-3 de la China National Aviation Corp. 30/6/44 427
- Macao-Hong Kong par Cathay Pacific 7/7/48 470
- Liaison depuis Londres par la BOAC 6/12/49 489
- Ouverture d'une agence d'Air France 23/6/67 662
- Développement de Cathay Pacific 17/11/67 668
- Etape de la course Paris-Pékin-Paris 6/3/87 831
- Arrivée de Mobutu en Concorde 20/2/89 844
- Construction d'un aéroport 30/6/91 867
- Projet de construction d'un nouvel aéroport 30/6/91 867

Hongrie
- Budapest relié depuis New York 16/7/31 280
- Visite du général Gömbös en Italie 28/3/36 332
- Signature d'un accord avec la France 2/5/60 594

Honolulu
- Disparition depuis Oakland du Vega Golden Eagle 16/8/27 230
- Création de la Dole Airplane Race 31/12/27 242
- Arrivée de Kingsford-Smith depuis Oakland 9/6/28 251
- Départ de Kingsford-Smith pour les îles Fidji 9/6/28 251
- Inauguration du premier vol de l'IISN 11/11/29 265
- Liaison avec Oakland par Amelia Earhart 12/1/35 322
- Escale pour Edwin Musick 29/11/35 327
- Escale sur la ligne du Pacifique de la Pan Am 27/10/36 340
- Dernière liaison avec San Francisco en hydravion pour Pan Am 9/4/46 452
- Relié au Caire par Irvine 6/10/46 448
- Liaison avec Oakland par William Odom 13/1/49 480

L

Malmõ – Melun-Villaroche

Malmö
- Paris-Malmö par la CGTA 30/7/22 184
- Malmö-Hambourg avec le Junkers G-23 15/5/25 212
- Malmö-Amsterdam avec Junkers G-23 15/5/25 212

Malouines
- Départ du HMS *Hermes* et du HMS *Invincible* 5/4/82 788
- Invasion par l'Argentine 30/4/82 791
- Un Mirage III argentin abattu par un Sea Harrier 1/5/82 788
- Le HMS *Sheffield* touché par un missile Exocet 4/5/82 788
- Capitulation de l'Argentine 14/6/82 788

Malraux, André 7/3/34 310, 18/8/36 337

Malte
- Atterrissage forcé pour Alan Cobham 22/9/34 310
- Bataille entre les Spitfire et la Luftwaffe 10/5/42 405
- Prise d'assaut du Boeing d'Egypt Air détourné 24/11/85 812

Malus, Robert 5/11/60 601

Managua
- Escale sur la ligne Miami-Canal de Panama 22/5/29 256

Manche (La)
- Traversée par Louis Blériot 25/7/09 66
- Traversée sur un Blériot XI 31/12/09 72
- Disparition de Lawrence Sperry 13/12/23 192
- Traversée des Fipper-Cub 10/6/44 429
- Traversée en Bristol 170 Freighter 13/7/48 475
- Amerrissage forcé d'un Convair 240 de Swissair 20/6/54 534
- Traversée du Short SC-1 27/5/61 604
- Traversée en parachute ascensionnel 17/10/62 614
- Un million de voitures transportées par la Buaf 6/6/64 634
- Traversée en vol musculaire 13/6/79 769
- Traversée par le Solar Challenger 7/7/81 784

Manche à balai 10/10/07 53

Manchester
- Liaison Londres-Manchester par Louis Paulhan 28/4/10 78
- Liaison depuis Londres par Louis Paulhan 81
- Essai de l'Avro Lancaster 9/1/41 390
- Essai de l'Avro York 685 31/7/42 402
- Lille-Manchester par la Société Air Transport 19/12/46 457
- Liaison avec Agen sur un BAC-111 8/1/76 742
- Liaison économique avec la Suisse sur Laker Airways 1/4/81 783
- Accident d'un B-737 de British Airtours 22/8/85 812

Manchester-United
- Accident de Zurich 6/2/58 576

Mandchourie
- Liaison depuis Titzikar par Costes et Bellonte 31/12/29 265
- Achat des droits de construction du DC-3 par Mitsui 24/2/38 356

Manhattan
- Survol par l'Alouette II 31/12/57 570

Manhattan project
- Essai de la bombe Fat Man 16/7/45 436

Manille
- Arrivée du *China Clipper* depuis Guam 29/11/35 327
- Arrivé du vol de la Pan Am depuis San Fransisco 27/10/36 340
- Disparition de l'*Hawaiian Clipper* 30/7/38 359
- Sidney-Darwin-Manille-Tokyo par la Qantas 3/5/55 544

Manke, John 14/10/70 695, 15/11/73 721

Manly (moteur)
- 5 cylindres en étoile 31/1/02 28

Manly, Charles 31/1/02 28, 7/10/03 34

Mannock, Edward 145, 26/7/18 150

Manome
- Escale sur la ligne Bruxelles-Congo de la Sabena 24/5/38 359

Mansdorf, Lee 19/9/62 619

Manston
- Bombardement par la Luftwaffe 15/8/40 384
- Atterrissage de Pierre Clostermann 27/8/43 412
- Arrivée du *Solar Challenger* 7/7/81 784

Mantell, Thomas 7/1/48 470

Mantz, Paul 28/2/47 460, 22/1/50 492, 26/6/65 649

Maracaibo
- Reconnaissance de la route par Vachet 20/2/30 268

Marble Arch
- Arrivée de la course Paris-Londres 23/7/59 584

Marchal, Anselme 21/6/16 131, 3/3/18 146

Marchandeau, Georges 26/2/57 567

Marchetti, Alessandro 3/3/28 246

Marchetti, Charles 12/3/55 547, 13/6/58 578

March Field (aéroport de)
- Premier vol du Lockheed P-38 27/1/39 368

Marciano, Rocky 31/8/69 680

Mariannes (îles)
- Formation du XXIe Bomber Command 24/11/44 433
- Départ des B-29 pour le bombardement de Tokyo 23/5/45 436
- Arrivée du 509e Composit Bomb Group à Tinian 29/5/45 436
- Départ du B-29 *Enola Gay* pour Hiroshima 9/8/45 442
- Guam-Washington sans escale par un B-29 Superfortress 20/11/45 444

Marie, Jules 2/11/28 246

Marienehe 15/4/36 330
- Décollage sur le moteur-fusée 27/8/37 344

Marietta
- Premier vol du Martin 202 22/11/46 448
- Assemblage de B-47 à l'usine de Lockheed 24/10/56 554
- Essai du Lockheed C-5A Galaxy 30/6/68 675

Marignane (aéroport de)
- Retour du vol d'Air Orient 16/2/31 282
- Départ de Lauro de Bosis pour Rome 3/10/31 280
- Installation d'une police de l'air 8/9/34 310
- Départ de Guillaumet et de son équipage 27/11/40 387
- Essai du Breguet 731 Bellatrix 20/12/44 422
- Essai de l'hydravion SE-200 2/4/46 448
- Crash de Charles Duchesnes 26/7/50 492
- Atterrissage de justesse de Pierre Maulandi 31/8/50 492
- Essai du Mistral 2/4/51 503
- Premier vol du S-55 *Elephant Joyeux* 3/10/52 517
- Atterrissage de deux Savoia-Marchetti par erreur 30/10/52 519
- Fabrication des Fouga Magister Zéphir 25/7/56 557
- Vol inaugural de l'Alouette III 28/2/59 584
- Essai du SA-3210 no 1 7/12/62 621
- Agrandissement de la piste 23/4/63 624
- Essai du SA-330 Puma 15/4/65 644
- Arrivée de l'hélicoptère Mil Mi-6 1/4/66 656
- Arrivée des athlètes français 5/10/67 662
- Essai du SA-315B Lama 17/3/69 680
- Accident au décollage d'une Caravelle 9/9/69 686
- Essai de l'Ecureuil SA-350 24/6/74 726
- Base des Canadair de la protection civile 31/8/74 731
- Vol initial de l'Ecureuil 14/2/75 734
- Premier vol du SA-332 Super-Puma 13/9/78 758
- Essai du SA-365N Dauphin-2 31/3/79 766
- Essai de l'Ecureuil 2 27/9/79 766
- Premier vol du SA-366G Dauphin II 23/7/80 774
- Essai du Tigre d'Eurocopter 19/3/91 865

Marina di Pisa
- Ateliers de la Cmasa 31/12/24 209

Marine française
- Expérience à bord du porte-hydravions *La Foudre* 7/3/14 110
- Commande de Fouga Zéphir 25/7/56 557

Marine impériale (Japon)
- Essai du chasseur Mitsubishi A6M1 1/4/39 368

Market Street
- Looping de Richard Bong 7/7/42 402

Markham, Beryl 6/9/36 336

Marmande-Aéronautique
- Construction du Microjet 24/6/80 777

Marmier, Lionel de 27/10/21 176, 3/10/40 387, 2/1/46 450

Marne
- Victoire finale 15/7/18 150

Marnier, Lionel de 14/9/42 408

Maroc
- Visite du ministre de l'Air français 6/10/22 188
- Utilisation de l'aviation dans la guerre du Rif 18/7/25 217
- Capture des pilotes de Latécoère par les Maures 25/12/25 219
- Jean Mermoz échangé contre 12 000 pesetas 27/5/26 224
- Sauvetage de quatre aviateurs uruguayens 10/3/27 235
- Pont aérien avec l'Espagne 29/7/36 337
- Fin de l'opération *Torch* 11/11/42 409
- Cessation de l'aéroport de Tanger 16/12/61 610

Marol
- Crash de l'avion de Claude Dellys 21/2/52 512

Maroua
- Escale de la Balair sur la ligne de Nairobi 31/12/58 574

Marsalis, Frances 22/8/32 290

Marseille
- Liaison postale d'essai vers Alger 11/9/26 222
- Liaison postale Marseille-Beyrouth par Aulo 8/6/29 260
- Liaison Marseille-Beyrouth par Air Orient 31/12/29 256
- Départ de Noguès et de Delaunay pour Saigon 16/2/31 282
- Ligne Marseille-Saigon par Air Orient 16/2/31 282
- Etape pour le D.332 *Emeraude* 14/1/34 312
- Montage des hydravions Sikorky 2/12/36 341
- Ligne postale Marseille-Nice par Air Bleu 16/2/38 356
- Ligne postale Paris-Marseille 16/2/38 356
- Escale sur la ligne Bruxelles-Congo de la Sabena 24/5/38 359
- Liaison avec New York par la Pan Am 23/5/39 369
- Nouvelle base pour la Sabena 14/2/40 376
- Arrivée du dernier courrier de Saigon 17/6/40 376
- Transport d'or depuis le Mali 22/2/41 392
- Escale sur la ligne Léopoldville-Bruxelles de la Sabena 10/7/45 441
- Mise au point du Bloch-161 17/9/45 443
- Bordeaux-Toulouse-Montpellier-Marseille-Nice par la STAM 19/12/46 457
- Ligne Marseille-Calvi-Nice par la STAM 19/12/46 457
- Démonstration de l'hélicoptère Alouette I 31/7/51 506
- Paris-Lyon-Marseille-Alger par Air France 31/12/54 541
- Survol par un Super Constellation 1049 G d'Air France 15/8/55 549
- Fabrication des Fouga Magister Zéphir 25/7/56 557
- Marseille-Paris retour avec Air Inter 17/3/58 576
- Nantes-Bordeaux-Toulouse-Marseille-Nice avec Air Inter 17/3/58 576
- Paris-Marseille-Douala avec Cameroon Airlines 2/11/71 698

Marseille, Hans Joachim 23/4/41 390, 30/10/42 402

Marshall, Chris 13/7/88 836

Martell, Christian 15/5/43 416

Martigues
- Essai d'hydroplane de Fabre 28/3/10 76

Martin (avions)
- MB-1 156
- NBS-1 174
- Great Lakes Sports 200
- B-12 30/10/35 326
- 167 Maryland 374
- Model 179 389
- B-26 Marauder 389
- Baltimore 400
- B-26 Marauder 20/12/43 419
- Mauler 435
- 202 22/11/46 448
- 2-0-2 458
- XP4M Mercator 459
- XB-48 468
- XB-51 490
- Canberra 491
- 2-0-2 1/9/50 497
- Model 4-0-4 508
- Camberra 533

Martin (hydravions)
- M-130 29/11/35 327, 27/10/36 340
- M-130 Clipper 31/12/36 341
- Mars 411
- JRM-1 Mars 446
- PBM Marlin 23/4/52 513
- Mars 30/9/52 516
- XP6M SeaMaster 553

Martin, Frederick 14/7/24 206

Martin, Glenn 17/8/18 146

Martin, Lucien 28/2/49 482, 17/11/56 561

Martin-Baker (avions)
- MB.2 364
- MB.3 411
- MB.5 434

Martin-Baker (Corp.)
- Essais du siège éjectable 24/7/46 448
- Fabrication de siège éjectable 17/2/83 796

Martin-Handasyde 30/3/12 96

Martin-Handasyde (avions)
- Eléphant Martinsyde 124

Martin-Marietta
- Tests du X-24A 31/12/67 669

Martin-Marietta (avions)
- X-24A 14/10/70 695
- X-24 696
- X-24B 15/11/73 721

Martin Fields
- Record du monde de vitesse pour Howard Hughes 13/9/35 326

Martinique (La)
- Installation d'un réseau d'Air France 12/6/52 514
- Inauguration des installations de l'aéroport 16/12/64 634

Martinsyde (avions)
- S.I Scout 116

Martlesham
- Essai du HP.42E Hannibal 17/11/30 268

Martyn (Sté)
- Fusion avec la Aircraft Manufacturing 5/6/17 136

Marvingt, Marie 20/5/29 261

Maryland
- L'*Evening Sun* collecte des reportages par avions 1/9/20 168

MASH
- Livraison d'hélicoptères 15/12/50 492
- Utilisation du Bell HU-1 1/12/62 620

Mason, Grant 14/3/27 234

Masque à oxygène
- Essai d'un respirateur à oxygène 12/6/20 168

Massimi, Beppo de 31/10/22 188

Masson, Didier 30/5/13 105

Massoti, Jean 20/5/74 730

Massy
- Création du centre d'instruction de Vilgenis 2/1/46 450

Massy-Palaiseau
- Mise en service du simulateur de vol du B-707 8/2/71 698

Mathieu, Mireille 31/12/67 668

Mathis (moteur)
- Propulsif 9/5/46 448
- G-7 3/4/47 462
- 100 ch 15/6/48 474

Matra
- Projet Olyval retenu 9/12/87 828

Matra (avions)
- 360-4 Jupiter 632

Matra Transfinex
- Détentention de 26,7% du capital d'Orlyval 15/5/91 866

MATS
- Essai du Boeing C-135A Stratofighter 19/5/61 604
- Opération *Big Lift* en Allemagne fédérale 25/10/63 631

Mattern, James 17/8/32 296

Mauboussin, Pierre 14/7/49 486, 30/6/50 492, 23/7/52 515, 1/9/58 579

Maugham, Russel 14/10/22 184, 17/7/23 196, 201, 23/6/24 202

Maughan, Charles 23/7/59 584

Maui
- Essai des radio phares 29/6/27 240
- Atterrissage en catastrophe d'un B-737 d'Aloha Airlines 28/4/88 836

Maulandi, Pierre 31/8/50 492, 1/8/53 528

Maule (avions)
- M-5 Lunar Rocket 706

Mauna Loa (volcan)
- Largage de bombes par l'US Army Air Corps 27/12/35 320

Maunoury, Joseph 4/9/14 114

Maunoury, Catherine 11/8/88 839

Maupertuis, Fernand 9/3/35 322

Maures (Les)
- Capture des pilotes de Latécoère 25/12/25 219

Maurice (île)
- Un Super Starliner pris dans un cyclone 28/2/62 616

Mauritanie (côte de)
- Atterrissage forcé sur une plage 21/8/19 164

Max Holste (avions)
- MH.52 23/7/45 436
- MH.152 509
- MH.1521 Broussard 17/11/52 518
- MH.1521 Broussard 521, 24/6/55 549
- MH.250 Super-Broussard 20/5/59 584
- MH.250 Super-Broussard 592

Max Holste (Sté)
- Acquisition de 49% du capital par Cessna 15/2/60 594
- Devient Reims Aviation 15/2/62 614

Maxime Gorki (escadrille)
- Vols de propagande dans les campagnes 1/5/33 304

May, Eugene 28/5/47 463

May, Wesley 12/11/21 176

Maya-Maya (aéroport de)
- Installation du premier hôtel à Brazzaville 10/11/50 497

Maybach (moteur)
- 245 ch 157
- 230 ch 11/5/26 225

Mayo, Robert 23/2/38 358

Mazatlan (port de)
- Ouverture d'une ligne avec Tayoltita 27/8/34 310

Mazer, Paul 15/2/62 614

Mazières, Pierre 26/6/88 839

MBB
- Création 14/5/69 686
- Construction de l'avion de combat européen 8/11/85 815
- Essai du X-31 à Palmdale 14/2/90 855

MBB (avions)
- Siat 223 670
- BK 117 772
- Bo 108 842

MBB-Dasa
- Essai du Tigre d'Eurocopter 19/3/91 865

McCarran (aéroport de)
- Base de Scenic Airlines 20/7/83 800

McClean, Francis 18/9/11 82

McConnell, James R. 18/4/16 129

McCormick, Bryce 11/6/72 711

McCready, Marshall 7/8/80 777

McCready, Paul 23/8/77 754, 13/6/79 769, 7/8/80 777, 15/5/81 780, 7/7/81 784

McCudden, James 20/10/16 132, 31/12/17 145, 9/7/18 146

McCullen, James 31/5/32 290

McCurdy, John 1/10/07 52, 15/9/08 59, 6/12/08 57, 23/2/09 64, 10/3/09 62, 27/8/10 78, 1/2/11 84

McDonnell (avions)
- XFD-1 Phantom 446
- FH-1 Phantom 21/7/46 448
- XF2H-1 Banshee 469
- XH-20 469
- XF-85 Goblin 478
- XF-88 479
- F3H-1 Demon 508
- F-101A Voodoo 542
- XHJD-1 573
- Phantom 27/5/58 577
- Demon 27/5/58 577
- XF4H-1 583
- Phantom F4-B 25/3/61 604
- Phantom II F-110A 27/5/63 628
- Phantom F-4C 633
- Phantom RF-4C 633
- Phantom II F-4D 653
- Phantom F-4J 27/5/66 654
- Model 188 31/12/69 687

McDonnell (Corp.)
- Premier vol du Phantom F-4J 27/5/66 654
- Fusion avec Douglas Aircraft 28/4/67 662

McDonnell, James 22/11/29 256, 25/6/39 372, 21/7/46 448

McDonnell Douglas
- Essai du premier DC-9 série 40 28/11/67 662
- Sortie d'une version modifiée du DC-9 17/6/68 672
- Commande de DC-10 26/6/69 680
- Utilisation du réacteur G.E. F-6 sur le DC-10 30/11/69 680
- Démonstration du Model 188 31/12/69 687
- Premier vol du A-4M Skyhawk 10/4/70 690
- Premier vol du DC-10 29/8/70 694
- Essai du DC-10-30CF 21/6/72 711
- Essai du F-15 Eagle 27/7/72 712
- Scandale autour du crash du DC-10 de THY 7/3/74 729
- Candidats pour remplacer le C-130 du Tactical Air Command 5/8/75 738
- Premier vol du YF-18 18/11/78 763
- Essai du DC-9 Super 80 18/10/79 766
- Vol initial du F-15J Eagle 4/6/80 774
- Certification du DC-9 Super 80 par la FAA 26/8/80 774
- Livraison du KC-10A Extender au Strategic Air Command 17/3/81 782
- Essai du AV-8B Harrier II 5/11/81 780
- Livraison de F-18 Hornet à l'US Marine Corps 7/1/83 796
- Commande de 30 MD-82 par Alitalia 9/12/83 801
- Commande de 67 MD Super 80 par American Airlines 29/2/84 804
- Livraison des premiers AV-8B Harrier II aux Marines 31/1/85 814
- Lancement du MD-88 23/1/86 818
- Lancement du F-15S/MTD 7/9/88 840
- Présentation du MD-11 11/1/90 854
- Essai du YF-23 à l'Edwards AFB 27/8/90 856
- Essai du MD 520N équipé du système Notar 1/6/91 866

McDonnell Douglas (avions)
- DC-9-40 671
- Phantom F-4M 671
- DC-8-60 671
- AC-47 Spooky 27/2/68 674
- DC-9-10 679
- A-4M Skyhawk 10/4/70 690
- DC-10 29/8/70 694, 31/12/70 696
- A-4M 697
- F-4EJ 707
- DC-10-30CF 21/6/72 711
- F-15 Eagle 27/7/72 712
- DC-10-20 714
- DC-10-30 714
- YF-15A Eagle 715
- A-4S Skyhawk 725
- TF-15A 725
- DC-10-40 741
- YC-15 741
- YF-18 Hornet 18/11/78 763
- F/A-18 Hornet 765
- YAV-8B Harrier 765
- DC-9 Super 80 18/10/79 766
- MD-80 772
- F-15J Eagle 4/6/80 774
- MD-81 778
- DC-10 Serie 15 778
- KC-10A Extender 779, 17/3/81 782
- AV-8B Harrier II 5/11/81 780
- DC-8 Super 71 786
- AV-8B Harrier II 787, 31/1/85 814
- MD-87 826
- F-15E Eagle 827
- MD-80 834
- MD-88 834
- Hawk 843
- F-15S/MTD 851
- MD-11 11/1/90 854
- YF-23 27/8/90 856
- MD-11 860

McDonnell Douglas (hélicoptères)
- MD 520N équipé du système Notar 1/6/91 866

McFadzean, Francis Scott 1/10/82 792

McGinness, Peter J. 16/11/20 172

McGinnis, Paul 2/11/22 189

McGrath
- Vol postal depuis Fairbanks 2/2/24 202

McGraw-Hill
- Jugement de Clifford Irving 13/3/72 708

McIntosh, John 2/8/20 168, 16/9/27 243

McIntyre, Donald 16/3/37 344

McKenzie, Grace 25/10/10 74

McMaster, Fergus 16/11/20 172

McMillian, Norman 24/8/22 188

McMurdo
- Base de l'US Navy dans l'Antarctique 23/1/60 596
- Atterrissage d'un C-130 après 9 000 km 1/10/63 624

McNamara, Robert 25/10/63 631, 21/12/64 641

McReady, John 3/8/21 176, 6/10/22 184, 3/5/23 196, 17/7/23 196, 10/4/26 225

McRobertson (course)
- Victoire du DH Comet 24/10/34 310

MEA
- Destruction d'avions par Israël 28/12/68 672

Meaulte
- Ouverture d'un aérodrome 31/12/27 230

Méaulte
- Essai du Potez 63 25/4/36 335

Médaille de l'Aéronautique
- Décoration de Lefèvre, Oury et Kieffer 15/12/53 530

Medang
- Escale sur la ligne Amsterdam-Batavia 16/2/31 282

Medcalf, James 29/8/27 243, 1/9/27 243, 5/9/27 243

Médecins sans frontières
- Organisation d'un vol spécial avec Concorde 20/5/83 796

Medellin
- Collision entre deux avions 24/6/35 320
- Bombardement de la colonne du général Yagüe 18/8/36 337

Méditerranée
- Disparition d'Henri Guillaumet et de son équipage 27/11/40 387

Méditérranée
- Vol au-dessus de l'eau 5/3/11 82
- Disparition d'Edouard Bague en mer 5/6/11 88
- Traversée par Garros 23/9/13 103

Melbourne
- Vol de Houdiny sur son Voisin 21/3/10 74
- Vol postal avec Sydney 18/7/14 108
- Arrivée de Goble et McIntyre 19/5/24 202
- Départ et arrivée d'un vol autour du continent 29/8/24 208
- Course Londres-Melbourne 23/10/34 316
- Arrivée de la course McRobertson 24/10/34 310
- Inauguration du premier héliport australien 6/12/60 594

Melsbroek
- Retour du *Ville de Bruxelles* depuis Santa Monica 18/2/46 448
- Mise en service de l'aérogare 25/12/46 448
- Arrivée du DC-6 de la Sabena depuis New York 18/7/47 460
- Décollage des DC-4 de la Sabena 31/8/47 465
- Arrivée du premier Boeing 707-320 de la Sabena 22/12/59 591

Melun-Villaroche
- Essai du réacteur Atar 101-B 2 500 kgp 5/12/51 500
- Dellys s'écrase en se rendant à Istres 21/2/52 512
- Essai du SO-6025 Espadon 10/6/52 510
- Essai d'un déviateur de jet 26/7/52 510
- Essai du Mystère IV de Dassault 28/9/52 510
- Essai du SO-4050 de la SNCASO 16/10/52 517
- Le mur du son passé par un Mystère II 12/11/52 518
- Premier vol du MS-755 Fleuret 29/1/53 524
- Essai du SO-9000 Trident 2/3/53 522
- Essai du SO-4050-01 30/6/53 527
- Premier vol du Mystère IV de Dassault 1/9/53 529
- Passage du mur du son en vol horizontal 15/12/53 522
- Essai du PA-49 22/1/54 534
- Passage du mur du son en vol horizontal par Rozanoff 24/2/54 534
- Accident de Constantin Rozanoff 3/4/54 537
- Essai du Morane-Saulnier 760 Fleuret II 29/7/54 534
- Essai du Trident 4/9/54 540
- Essai du M-Aé-RCH-100 1/12/54 534
- Essai du Mirage MD-550 de Dassault 25/6/55 549
- Essai du Nord-1500 Griffon I 20/9/55 544
- Essai du Dassault Super-Mystère B-2 15/5/56 554
- Essai de l'Atar 13/7/56 554
- Essai de l'Etendard II 24/7/56 554
- Essai du Mirage III de Dassault 17/11/56 561
- Accident mortel de Fernand Richard 28/2/57 564
- Record d'altitude en hélicoptère 22/3/57 564
- Essai de l'Atar C-400 P-2 14/5/57 568
- Accident mortel de Charles Goujon 20/5/57 564

N

Crédits photographiques

Jaquette

- 1: Larousse
- 2: DR/Collection Bauer
- 3: A. Ernoult/Ernoult Features
- 4: Keystone
- 5: A. Ernoult/Ernoult Features
- 6: Jacques Boireau
- 7: A. Ernoult/Ernoult Features
- 8: Kharbine/Tapabor
- 9: Cole/Sipa Press
- 10: A. Ernoult/Ernoult Features
- 11: Aquarelle: Elisabeth Chemel
- 12: DR/Collection Chemel
- 13: P. Kern/Sygma

- 14: E. de Malglaive/Ernoult Features
- 15: E. de Malglaive/Ernoult Features
- 16: A. Ernoult/Ernoult Features
- 17: Larousse
- 18: DR/Collection Chemel
- 19: E. de Malglaive/Ernoult Features
- 20: Courtesy of Sabena
- 21: Dassault Aviation
- 22: Courtesy of Sabena
- 23: UPI/Bettmann Archive
- 24: DR/Collection Bauer
- 25: IPS/Dite
- 26: DR/Collection Chemel
- 27: DR/Collection Chemel
- 28: De Selva/Tapabor
- 29: A. Ernoult/Ernoult Features

| 1 | 2 | 3 | 4 | 5 | 6 | 7 | 8 | 9 |

Chronique **de l'aviation**

| 10 | 12 | 14 / 15 | 17 / 18 | 20 | 22 | 25 | 27 |
| 11 | 13 | Dos / 16 | 19 | Côté / 21 | 23 | 24 | Face / 26 | 28 | 29 |

La position des illustrations est indiquée de la façon suivante: H = haut, B = bas, M = milieu, G = gauche, D = droite.

Certaines erreurs d'attribution ont pu être commises. Nous prions l'agence propriétaire du copyright de nous en excuser et lui demandons de nous contacter aux fins de rectification.

341 HG Tallandier - **HD** Courtesy of Sabena - **BG** Kharbine-Tapabor - **BD** Coll. UTA
345 PP J.L. Charmet
346 HG, BG, BD Sygma/Illustration - **HD** Keystone
347 HG Sygma/Illustration - **HD** DR/Coll. Jean Yves Lorant - **BG** Keystone - **BD** Courtesy of Lockheed
348 HG Keystone - **HD** Archives of Aviation Hall of Fame of NJ - **MD** Smithsonian Institution photo nº 91229 - **B** DR/Coll. musée de l'Air et de l'Espace
349 HG Artwork - **M** Keystone - **BG** Coll. UTA - **BD** Kharbine-Tapabor
350 HG Coll. Bauer - **HD, BG, BD** Sygma/Illustration
351 HG, BG Keystone - **HD** Courtesy of Lufthansa
352 HG, HM, HD, BD Sygma/Illustration - **BG** Artwork
353 HG, HD, BD Sygma/Illustration - **BG** Artwork
357 PP Courtesy of Lufthansa
358 HG Sygma/Illustration - **HD** Dite - **BG** Courtesy of Beechcraft
359 HG Coll. Library of Congress - **HD** Courtesy of Sabena - **BG** Aerospace Publishing - **BD** Artwork
360 HM Courtesy of Lockheed - **BG** Haremberg - **BD** Imperial War Museum
361 HD Courtesy of Lufthansa - **M** Courtesy of Latécoère - **MG** Keystone
362 HM Courtesy of McDonnell Douglas - **BG** SHAA - **BD** Keystone
363 HM Smithsonian Institution photo nº 89-5932 - **BG** DR/Coll. musée de l'Air et de l'Espace - **BD** Keystone
367 PP Kharbine-Tapabor
368 HG Courtesy of Lockheed - **HD** Dite - **BG** SHAA - **BD** National Archives of Canada
369 HM, BM Courtesy of Pan American - **M** Keystone
370 HG Courtesy of Bell - **HD** DR/Coll. musée de l'Air et de l'Espace - **BG** DR/Coll. Jean Yves Lorant - **BD** SHAA
371 HG Keystone - **MD, BD** Aerospace Publishing - **BG** Royal Aeronautical Society
372 HG Tallandier - **HD** Topham - **BG** Keystone - **BD** Musée Air France
373 HG DR/Coll. Larousse - **HD** Aerospace Publishing - **BG** Kharbine-Tapabor - **BD** Coll. Jean Boulet
377 PP Coll. Mac Clancy
378 HG SHAA - **HD** Popperfoto - **BG** Tallandier - **BD** Sygma/Illustration
379 HG SHAA - **HD, BG** Sygma/Illustration - **BD** Aerospace Publishing
380 HG UCPA - **HD** USAF - **MD** Sygma/Illustration - **BG** Musée de l'Air de Bruxelles - **BD** DR/Coll. Larousse
381 HG SHAA - **HD** Keystone - **BG** DR/Coll. Jean Yves Lorant - **BD** DR
382 HG SHAA - **HD** Courtesy of Sabena - **BM** Aerospace Publishing
383 HG, BD DR/Coll. musée de l'Air et de l'Espace - **HD** SHAA
384 HG Popperfoto - **HD** Imperial War Museum - **BG** Tallandier - **BD** Topham
385 HG Royal Aeronautical Society - **HD** SHAA - **BG** DR/Coll. musée de l'Air et de l'Espace - **BD** Tallandier
386 HD Topham - **BM** Artwork - **BG** Imperial War Museum
387 HG Courtesy of Sabena - **HD** Sygma/Illustration - **MD** DR/Coll. Jean Yves Lorant - **BG** Aerospace Publishing - **BD** DR
391 PP Imperial War Museum
392 HG Kharbine-Tapabor - **HD** SHAA - **BG** DR/Coll. Jean Yves Lorant - **BD** Aerospace Publishing
393 Toutes d'Aerospace Publishing
394 HG Newark - **HD** Topham - **BG** Tallandier - **BD** Royal Aeronautical Society
395 HG Camera Press - **HD** ECPA - **BM** DR/Coll. musée de l'Air et de l'Espace
396 HG DR/Coll. musée de l'Air et de l'Espace - **HD** Artwork - **BG** Courtesy of Lockheed - **BD** ET Archives
397 HG Aerospace Publishing - **HD** Popperfoto - **BM** SHAA
398 HG Coll. Chemel/DR - **HD** ECPA - **BG** Courtesy of Lockheed - **BD** Dite
399 HM, BD Dite - **BG** Aerospace Publishing
403 PP Imperial War Museum
404 HG US Air Force Museum - **HD** Aerospace Publishing - **BG** Topham - **BD** Keystone
405 HG Camera Press - **HD, BD** Aerospace Publishing - **MG** Dite
406 HM Robert Hunt Library - **BG** Aerospace Publishing - **BD** Topham
407 HG Dite/Nasa - **HD** Dite - **BG** Aerospace Publishing - **BD** SHAA
408 HG Aerospace Publishing - **MD** DR/Coll. musée de l'Air et de l'Espace - **BG** Keystone
409 HG Dite - **HD** Keystone - **M** Bundesarchive - **BG** Sygma/Illustration - **BD** Aerospace Publishing
413 PP Kharbine-Tapabor
414 HG Keystone - **HD** Aerospace Publishing - **MD** Artwork - **BG** Dite - **BD** Tallandier
415 HG Kharbine-Tapabor - **HD, BM** Dite
416 HG, HM US Air Force Museum - **BG** Aerospace Publishing - **BD** DR/Coll. musée de l'Air et de l'Espace
417 HG Courtesy of McDonnell Douglas - **HD** Dite - **BG** DR/John Philipps - **BD** Aerospace Publishing
418 HG SHAA - **HD** Courtesy of McDonnell Douglas - **BG** Keystone - **BD** Topham
419 HG, HD, MG, BD Aerospace Publishing - **BG** Dite
423 PP Aerospace Publishing
424 HG, BG DR/Coll. musée de l'Air et de l'Espace - **HD** Dite - **BD** DR/Coll. Larousse
425 HG Coll. Bauer - **HD** DR/Coll. Larousse - **BG** Dite - **BD** Coll. J. Legrand
426 HG DR/Coll. musée de l'Air et de l'Espace - **HD** DR/Coll. Larousse - **BG** Coll. Chemel/DR - **BD** DR/Coll. Jean Yves Lorant
427 HG Aerospace Publishing - **HD, BD** Courtesy of McDonnell Douglas - **BG** Dite
428 HG, HD, BG Dite - **BD** P. Lengellée/Coll. Larousse
429 HG, HD Aerospace Publishing - **BG** Dite - **BD** Courtesy of Lockheed
430 HG Aerospace Publishing - **HD** Dite - **BM** Courtesy of Qantas
431 HD Tallandier - **HM, BD** Dite - **BG** Aerospace Publishing
432 HM, M Aerospace Publishing - **MG** Dite - **BD** DR/Coll. musée de l'Air et de l'Espace
433 HG US Air Force Museum - **HD** Topham - **BM** Aerospace Publishing
437 PP US Air Force Museum
438 HG Keystone - **HD, BG** DR/Coll. musée de l'Air et de l'Espace - **BD** Kharbine-Tapabor
439 HG Keystone - **HD** DR/Coll. musée de l'Air et de l'Espace - **BG** Dite - **BD** Aerospace Publishing
440 HG Aerospace Publishing - **BG** SHAA
441 HG Courtesy of Sabena - **HD** Popperfoto - **BG** DR/Coll. musée de l'Air et de l'Espace - **BD** Keystone
442 HM Topham - **BG** Dite - **BD** Keystone
443 HG DR/Coll. musée de l'Air et de l'Espace - **HD** Courtesy of Pan American - **BG** Coll. Chemel/DR - **BD** Aerospace Publishing
444 HG Keystone - **HD** Courtesy of McDonnell Douglas - **BG** DR - **BD** Dite
445 HG, BD Keystone - **HD** DR/Coll. musée de l'Air et de l'Espace - **BG** Courtesy of Sabena
449 PP Kharbine-Tapabor
450 HM, BD DR/Coll. musée de l'Air et de l'Espace - **BG** Courtesy of McDonnell Douglas
451 HG DR/Coll. musée de l'Air et de l'Espace - **HD** Courtesy of British Airways - **BG** Keystone - **BM, BD** Courtesy of Sabena
452 HM Courtesy of Pan American - **BG** DR/Coll. musée de l'Air et de l'Espace - **BD** Courtesy of Lockheed
453 HG Musée Air France - **HD, BG** DR/Coll. musée de l'Air et de l'Espace - **BD** DR
454 HG Courtesy of Air Canada - **HD** Aerospace Publishing - **BG** TRH Pictures - **BD** DR/Coll. musée de l'Air et de l'Espace
455 HG Courtesy of Scandinavia Airlines Systems - **HD** Courtesy of McDonnell Douglas - **BM** Keystone
456 HM DR/Coll. musée de l'Air et de l'Espace - **M** Courtesy of Lockheed - **BD** US Air Force Museum
457 HG Courtesy of Lockheed - **HD** DR/Coll. musée de l'Air et de l'Espace - **BM** Coll. UTA
461 PP Kharbine-Tapabor
462 HG Musée Air France - **HD** DR/Coll. musée de l'Air et de l'Espace - **BM** Courtesy of Sabena
463 HG, BG DR/Coll. musée de l'Air et de l'Espace - **HD** Keystone - **BD** DR
464 HG TRH Pictures - **HD** Courtesy of Latécoère - **BG** Airmondial Photavia/Coll. musée de l'Air et de l'Espace
465 HG, MG, BG Courtesy of Sabena - **MD** Keystone
466 HG Bettmann Archive - **HD, BG** Dite - **BD** DR/Coll. musée de l'Air et de l'Espace
467 HD, MD DR/Coll. musée de l'Air et de l'Espace - **MG** Keystone - **BM** Courtesy of Sabena
471 PP Musée Air France
472 HG, BM DR/Coll. musée de l'Air et de l'Espace - **HD** Keystone
473 HG, BG, BD DR/Coll. musée de l'Air et de l'Espace - **HD** Keystone
474 HG Topham - **HD** DR/Coll. musée de l'Air et de l'Espace - **BG** Musée Air France - **BD** Dite
475 HM, HD, BD DR/Coll. musée de l'Air et de l'Espace - **BG** Keystone
476 HG Courtesy of Lockheed - **HD** Keystone - **BG** DR - **BD** Kharbine-Tapabor
477 HG Keystone - **HD** Topham - **BD** Courtesy of General Dynamic
481 PP Coll. UTA
482 HG Topham - **HD** Dite - **BM** DR/Coll. musée de l'Air et de l'Espace
483 HM DR/Coll. Larousse - **MD** Coll. Chemel/DR - **BG** Keystone
484 HG Courtesy of Pan American - **HM** Topham - **BG** Courtsy of McDonnell Douglas - **BD** DR/Coll. musée de l'Air et de l'Espace
485 H, MD DR/Coll. musée de l'Air et de l'Espace - **BM** Keystone
486 HG Courtesy of McDonnell Douglas - **HM, HD, BG** DR/Coll. musée de l'Air et de l'Espace - **BD** Coll. UTA
487 H Dite - **BM** Courtesy of Swissair
488 HM Coll. UTA - **HD** Musée Air France - **BG** Keystone - **BD** Coll. Ferry
489 HG, BM, BD Keystone - **HD** Aerospace Publishing
493 PP Courtesy of Lockheed
494 HG, HD, MG, MD Keystone - **BG, BD** DR/Coll. Larousse
495 H DR/Coll. musée de l'Air et de l'Espace - **BM** Keystone
496 HG Popperfoto - **HD** TRH Pictures - **BG** DR/Coll. musée de l'Air et de l'Espace
497 HD Keystone - **BG** DR/Coll. musée de l'Air et de l'Espace - **BD** Dite
501 PP Musée Air France
502 HG Coll. Bauer - **HD** SNCASO/Coll. Larousse - **M** DR/Coll. musée de l'Air et de l'Espace
503 HM, HD Coll. Georges Libert - **BG** DR/Coll. Larousse - **BD** Courtesy of Lockheed
504 HG DR/Coll. Larousse - **BG** TAI - **BD** TRH Pictures
505 HG Keystone - **MD, BD** Coll. Bauer
506 HG Hulton Deutsch Collection - **HD** DR - **BM** Courtesy of Sabena
507 HG Coll. Bauer - **M** Keystone
511 PP Musée Air France
512 HG Keystone - **HD, BG, BD** DR/Coll. musée de l'Air et de l'Espace
513 HG, HD DR/Coll. musée de l'Air et de l'Espace - **BG** Coll. Chemel/DR - **BD** Coll. Bauer
514 H Hulton Deutsch Collection - **MG, MD** Popperfoto
515 HG Kharbine-Tapabor - **HD** DR/Coll. musée de l'Air et de l'Espace - **BG** Dite - **BD** Popperfoto
516 HG Coll. Bauer - **HD** DR/Coll. musée de l'Air et de l'Espace - **B** Dite
517 Toutes de DR/Coll. musée de l'Air et de l'Espace
518 HG Musée Air France - **HD** DR/Coll. Larousse - **BM** Dite
519 HG Stephano Coll. UTA - **HD** Coll. UTA - **MD** ECPA - **BG** Dite
523 PP DR/Coll. Larousse
524 HG, BG DR/Coll. musée de l'Air et de l'Espace - **HD** Aerospace Publishing - **BD** Coll. UTA
525 HM Musée Air France - **BG** Popperfoto - **BD** DR/Coll. musée de l'Air et de l'Espace
526 HG National Archives of Canada - **BG** DR/Coll. Larousse
527 HG, MD DR/Coll. musée de l'Air et de l'Espace - **HD** Sud-Aviation - **BG** Musée Air France - **BD** Dite
528 HG DR/Coll. musée de l'Air et de l'Espace - **HD** DR/Coll. Larousse - **BG** Musée Air France - **BD** Courtesy of Sabena
529 HG, HM Coll. Terry - **BM** DR/Coll. musée de l'Air et de l'Espace
530 HG, HM Coll. Chemel/DR - **BG** Coll. Bauer
531 HM DR/Coll. Larousse - **MG** Coll. Chemel/DR - **BG** Musée Air France - **BD** Dite
535 PP Dite
536 HG Keystone - **BG** Coll. Bauer - **BD** Courtesy of Lockheed
537 HD Keystone - **BG** Artwork - **BD** Direction du Ministère de la Défense Nationale
538 HM AFP - **HD** Keystone - **MD, BD** Informations aéronautiques - **BG** Topham
539 HM Keystone - **HD** Courtesy of Boeing - **BD** Society of British Aircraft Constructors
540 HM, MG Dite - **BG** DR/Coll. Larousse
541 HM Courtesy of Scandinavian Airlines Systems - **BG, BD** DR/Coll. Larousse
545 PP Coll. Ferry
546 HM Coll. UTA - **BG** Keystone - **BD** Coll. Chemel/DR
547 HG Courtesy of Hurel-Dubois - **BG** DR/Coll. Larousse - **BD** Courtesy of Lufthansa
548 H, BD Keystone - **BG** DR/Coll. musée de l'Air et de l'Espace
549 HG Keystone - **HD** Dengremont/Coll. Larousse - **BD** Musée Air France
550 HG, BG Keystone - **HD** Coll. Bauer - **BM** Musée Air France - **BD** Coll. Roland de Narbonne
551 HG Courtesy of Boeing - **HD** Courtesy of McDonnell Douglas - **BM** United Press photo
555 PP DR/Coll. Larousse
556 HG, HM TRH Pictures - **BG** Coll. UTA - **BD** DR/Coll. Larousse
557 HG Courtesy of Piper - **HD** DR/Coll. musée de l'Air et de l'Espace - **BD** Coll. Bauer
558 HG, BG DR/Coll. Larousse - **BD** Courtesy of Lufthansa
559 HM DR/Coll. Larousse - **BG** Coll. Chemel/DR - **BD** DR/Coll. musée de l'Air et de l'Espace
560 HG Courtesy of Sabena - **HD, BD** Coll. Bauer - **BG** DR/Coll. Larousse
561 H DR/Coll. Larousse - **BM** Keystone
565 PP Coll. Chemel/DR
566 HG Coll. Chemel/DR - **HD** Courtesy of Cessna - **BG** Dite - **BD** Nord Aviation
567 HG, HD DR/Coll. musée de l'Air et de l'Espace - **BM** Courtesy of Hurel-Dubois
568 HG Popperfoto - **HM, BM** Keystone - **HD** Dite
569 HG Coll. Bauer - **HD, BM** Keystone
570 H Coll. Chemel/DR - **BG** Courtesy of Lockheed - **BD** Keystone
571 H Keystone - **BG** Fairey Aviation - **BD** Bristol Aeroplane
575 PP Courtesy of TWA
576 HG DR/Coll. musée de l'Air et de l'Espace - **HD** Popperfoto - **BM** Coll. Chemel/DR
577 HM Courtesy of Boeing - **BM** Courtesy of McDonnell Douglas
578 H Coll. Bauer - **BG** Keystone - **BD** Informations aéronautiques
579 HD, BG Keystone - **HG** Aéroports de Paris - **BD** DR/Coll. musée de l'Air et de l'Espace
580 HG, HM DR/Coll. musée de l'Air et de l'Espace - **BG** TRH Pictures - **BD** DR/Coll. Larousse
581 H Courtesy of Pan American - **BG** Courtesy of Cessna - **BD** Sud-Aviation
585 PP Sud-Aviation
586 HM Coll. Bauer - **BG** Courtesy of Lockheed - **BD** Keystone
587 HG Keystone - **HD, BM** DR/Coll. musée de l'Air et de l'Espace
588 H, BM Keystone - **MG, MD** Musée Air France
589 HG Courtesy of Snecma - **HD, MG** DR/Coll. musée de l'Air et de l'Espace - **BD** DR/Coll. Larousse
590 HG Keystone - **HD** Courtesy of Qantas - **BM** Bréguet Dassault
591 HG, HD DR/Coll. musée de l'Air et de l'Espace - **BM** Musée Air France
595 PP Coll. Ferry
596 HG Courtesy of SAAB - **HD** Coll. Bauer - **MG, M, MD** DR/Coll. Larousse
597 HM Coll. Bauer - **BG** Coll. Ferry - **BD** Musée Air France
598 HG Topham - **HD** Coll. J. Legrand - **M** Keystone
599 HM DR/Coll. Larousse - **BG** Keystone - **BD** SIRPA Air
600 HG Ph: Servan/Cedri - **HD** Ph: General Aeronautique Marcel Dassault - **BG** Coll. UTA - **BD** Coll. Bauer
601 HM Keystone - **BG** Sud-Aviation - **BD** Musée Air France
605 PP Coll. UTA
606 HG Courtesy of Convair - **HD** Courtesy of Sabena - **BM** Keystone
607 HG Coll. Bauer - **HD** Keystone - **BG** Dite - **BD** Hulton Deutsch Collection
608 HG Coll. UTA - **HD** Coll. Bauer - **BG** Courtesy of Pilatus - **BD** Courtesy of General Dynamic
609 HG Aerospace Publishing - **HD** Yan - **BM** DR/Coll. Larousse
610 HG Topham - **HD** Keystone - **BM** WMAL
611 HG Keystone - **HD, BG** Coll. Bauer - **BD** Courtesy of American Airlines
615 PP Coll. Bauer
616 HG Michael Stroud Collection - **BG** Courtesy of Piper - **BD** Musée Air France
617 HG Keystone - **HD** Courtesy of Sikorsky - **BG** Courtesy of Swissair - **BD** Coll. Bauer
618 HG Topham - **BD** Dite
619 HD Michael Stroud Collection - **BG** Keystone - **BD** Coll. Bauer
620 HG DR/Coll. musée de l'Air et de l'Espace - **HD, BD** Coll. Bauer - **BG** Keystone
621 HD DR/Coll. Larousse - **BG** Sud-Aviation - **BD** Coll. Bauer
625 PP Coll. Bauer
626 HG DR/Coll. Larousse - **BM** DR/Coll. musée de l'Air et de l'Espace
627 H Courtesy of Boeing - **BG** DR/Coll. Larousse
628 HD Coll. Bauer - **BG** DR/Coll. Larousse - **BD** Keystone
629 HG Coll. Bauer - **MG** DR/Coll. musée de l'Air et de l'Espace - **MD** DR/Coll. Larousse
630 HG Courtesy of Lear - **MG** Courtesy of Mitsubishi Aircraft - **BG** Coll. Bauer - **BD** Coll. UTA
631 HD Keystone - **BG** Aerospace Publishing - **BD** Dite
635 PP Coll. Bauer
636 HM Artwork - **BG** DR/Coll. musée de l'Air et de l'Espace - **BD** Dassault/Larousse
637 HM, BD Coll. Bauer - **M** Courtesy of United Airlines - **BG** DR/Coll. musée de l'Air et de l'Espace
638 HG Coll. Bauer - **HD, MD** DR/Coll. musée de l'Air et de l'Espace - **BG** DR/Coll. Simon Danger
639 HG Keystone - **BG** Dassault - **BD** Coll. Bauer
640 HG Dite - **BG** Novosti - **BD** Keystone
641 HG Courtesy of Sikorsky - **HD** Keystone - **BD** Musée Air France
645 PP Courtesy of McDonnell Douglas
646 HG, BG DR/Coll. musée de l'Air et de l'Espace - **HM** Courtesy of McDonnell Douglas - **BD** DR/Coll. Larousse
647 HG Novosti - **HD** Courtesy of Qantas - **BG** Keystone - **BD** Dite
648 HG, HD Eastfoto/New China Pictures - **BG** Coll. Bauer
649 HG Coll. Bauer - **HM** Courtesy of Boeing - **BG** Industries aéronautiques - **BD** Kipa
650 HG Musée Air France - **HD** DR/Coll. musée de l'Air et de l'Espace - **B** Artwork
651 HG Courtesy of Boeing - **HD** Coll. Bauer - **BG, BD** Coll. André Marinie
655 PP Musée Air France
656 HG Courtesy of Boeing - **HD** Aerospace Publishing - **BG** Keystone - **BD** DR/Coll. musée de l'Air et de l'Espace
657 HG Musée Air France - **HD** Ph:H. Levy/Coll. Larousse - **BG** TRH Pictures - **BD** Topham
658 HM Coll. Bauer - **BG** Dite - **BD** Keystone
659 HG, BD Coll. Bauer - **HD** DR/Coll. musée de l'Air et de l'Espace - **BG** Keystone
663 PP Coll. Bauer
664 HG, BD Coll. Bauer - **HD** Keystone - **BG** DR/Coll. musée de l'Air et de l'Espace
665 HM, BG Coll. Bauer - **BD** Keystone
666 HG DR/Coll. Larousse - **BD** M. Isaac/Air et Cosmos
667 HM AFP - **HD** Coll. Bauer - **MG** Onera/Coll. Larousse - **BG** Musée Poste/SIRP-PTT - **BD** DR/Coll. musée de l'Air et de l'Espace
668 HG Courtesy of Cathay Pacific - **HD, BD** Coll. Bauer - **BG** Musée Air France
669 H Industries aéronautiques - **BM** Aerospace Publishing
673 PP Roger Demeulle
674 HG, BD Coll. Bauer - **HD** Aerospace Publishing - **BG** Courtesy of Lufthansa
675 HD Coll. Bauer - **BG** Keystone - **BD** Air et Cosmos
676 HG, BM Coll. Bauer - **HD** Courtesy of Boeing
677 HG Roger Demeulle - **HD** Topham - **BM** Courtesy of Lockheed
681 PP Coll. Chemel/DR
682 HG Courtesy of Lockheed - **HD** DR/Coll. Larousse - **BG** Keystone - **BD** Roger Demeulle
683 H Topham - **MG** Keystone
684 HG Tallandier - **HD** Sud-Aviation - **BG** Keystone - **BD** Hulton Deutsch Collection
685 H, BD Keystone - **BG** DR/Coll. musée de l'Air et de l'Espace
686 HG Coll. Bauer - **HD** Musée Air France - **BM** Courtesy of Messerschmitt-Bölkow-Blohm
687 HG DR/Coll. musée de l'Air et de l'Espace - **HD, BM** Coll. Bauer
691 PP Chambon/Ernoult Features

692 H Courtesy of Pan American - **M, BG** Keystone - **BD** Courtesy of Sabena

693 Keystone - **HD** Coll. Bauer - **BG** DR/Coll. musée de l'Air et de l'Espace - **BD** United Aircraft

694 HG, HD Keystone - **BG** Coll. Bauer

695 HG Dite - **HD** Courtesy of Lockheed - **BG** Coll. Bauer - **BD** Roger Demeulle

699 PP Coll. Chemel/DR

700 HG, BG Coll. Bauer - **HD** Keystone - **BD** DR/Coll. musée de l'Air et de l'Espace

701 HG Coll. Chemel/DR - **HD** Keystone - **BG** Novosti - **BD** Dassault

702 HG Keystone - **BG** DR/Coll. Larousse - **BD** Coll. Bauer

703 HG DR/Coll. Larousse - **HD** Keystone - **BG** Coll. Bauer - **BD** Roger Demeulle

704 HG Airbus Industries - **HD, DR, BG** Courtesy of Lufthansa - **BD** Keystone

705 H Courtesy of Air Canada - **BM** Keystone

709 PP Coll. Bauer

710 HG, HD Coll. Bauer - **BG** Courtesy of Boeing - **BD** IGN

711 HG Coll. J. Legrand - **BM** Coll. Bauer

712 HG Coll. Bauer - **HD** Aérospatiale - **BM** Simon Danger

713 H, BD Coll. Bauer - **BG** DR/Coll. Simon Danger

717 PP AMD-BA/Dornier/Ernoult Features

718 HG Tass/Keystone - **HD** Popperfoto - **BG** Keystone

719 H, BG Coll. Bauer - **BD** Keystone

720 HG Ellidge/Sipa Press - **HD** Musée Air France - **BG** Coll. Bauer - **BD** Dite

721 HG, HD, BD Keystone - **BG** Aerospace Publishing

722 HG Courtesy of Sabena - **BG** DR/Coll. Larousse - **BD** TRH Pictures

723 HG Laurent/Gamma - **HM, BD** Keystone - **BG** Courtesy of Pan American

727 PP Aérospatiale

728 HM Coll. Bauer - **BM** Mingam/Sipa Press

729 HG, HD Keystone - **BG** Frank B. Mormillo

730 HM, BM Keystone - **BG** Coll. Bauer - **BD** Popperfoto

731 HG Courtesy of Canadair - **HD** Paskall Gouachet - **BD** Coll. Bauer

735 PP Aérospatiale

736 HG Aérospatiale - **HD** Coll. Bauer - **BM** Keystone

737 HG TRH Pictures - **HD, BD** Keystone - **BG** Aéroport de Lyon Satolas

738 HM Coll. Bauer - **BG** TRH Pictures - **BD** DR/Coll. musée de l'Air et de l'Espace

739 HM Courtesy of McDonnell Douglas - **HD** Novosti - **BG** Keystone - **BD** Coll. André Marinie

743 PP Coll. Chemel/DR

744 HG, BM Musée Air France - **HD** Hulton Deutsch Collection

745 HG Keystone - **HD** Courtesy of Pan American - **BM** Courtesy of Lockheed

746 HG Sipa Press - **HD** DR - **BM** DR/Coll. Simon Danger

747 HG Breguet Dassault - **HD** Tass/Keystone - **BG** Airbus Industries - **BD** Coll. Bauer

751 PP Wheeler/Sipa Press

752 HG Gamma - **HD** Andreetti/Sipa Press - **BM** DR/Coll. musée de l'Air et de l'Espace

753 HG, BG Coll. Bauer - **HD** Associated Press/Topham - **MG** Keystone - **BD** Dite/Nasa

754 HG Keystone - **HD** Topham - **BM** IPS/Dite

755 HM Popperfoto - **BG** De Malglaive/Ernoult Features - **BD** Alain Ernoult/Ernoult Features

759 PP Ernoult Features

760 HG Coll. Bauer - **HD** Coll. Chemel/DR - **BM** F. Sutter/Ernoult Features

761 H AMD-BA/Aviaplans - **BG** Topham

762 HG Courtesy of Sabena - **HD** Roger Demeulle - **BM** Hulton Deutsch Collection - **BD** Ernoult Features

763 HG Alain Ernoult/Ernoult Features - **HM** Shakespeare Center - **BD** David Mondey - **BD** Coll. Bauer

767 PP DR/Coll. Larousse

768 HG AMD-BA - **HD** Coll. Bauer - **BG** Musée Air France - **BD** Sygma/Illustration

769 HM, HD Dite - **BG** Coll. Bauer

770 HG Coll. Chemel/DR - **HD** Hulton Deutsch Collection - **BM** Keystone

771 HM Novosti - **BG** Coll. Bauer - **BD** Coll. André Marinie

775 PP Ernoult Features

776 HG Air et Cosmos/Morisset - **HD** Aerospace Publishing - **BG** De Malglaive/Ernoult Features - **BD** DR/Coll. musée de l'Air et de l'Espace

777 HG, BG Keystone - **HD** Courtesy of Piper - **BD** Topham

781 PP Airbus Industries

782 HG Courtesy of Lear - **HD** Simon Danger - **BG, BM** Mi Seitelman/Ernoult Features

783 HM, BD Popperfoto - **BG** Courtesy of Boeing

784 HG, BG Coll. Bauer - **BD** Associated Press/Topham

785 HG, HD Airbus Industries - **BG** Courtesy of Lockheed - **BD** Musée Air France

789 PP Airbus Industries

790 HG Pereira/Sipa Press - **HD** Coll. Bauer - **BM** Popperfoto

791 HM Airbus Industries - **BG** Coll. Bauer - **BD** Press Association/Topham

792 HG Sipa Press - **HD** De Malglaive/Ernoult Features - **BG, BM, BD** Pierre-Yves Grasset

793 HG François Besse/Ernoult Features - **HD** Coll. Ferry - **BG, BD** Coll. Bauer

797 PP Sipa Press

798 HG Courtesy of Cessna - **HD** De Malglaive/Ernoult Features - **BD** DR/Coll. musée de l'Air et de l'Espace - **BG** Witt/Sipa Press

799 HG Courtesy of Piper - **HD, BM** DR/Coll. musée de l'Air et de l'Espace

800 HD Associated Press/Francfort - **BM** Coll. Chemel/DR

801 HG Dite - **HD** DR/Coll. musée de l'Air et de l'Espace - **BG** Agusta/Ernoult Features - **BD** Courtesy of Alitalia

805 PP Coll. Bauer

806 HD Courtesy of Boeing - **BG** DR/Coll. Courteville - **BD** Coll. Bauer

807 HM Musée Air France - **BG** Alain Ernoult/Ernoult Features - **BD** Ng Widh/Saab-Scania

808 HG Courtesy of El Al - **HD, BD** Alix/Sipa Press - **BG** Press Association/Topham

809 HG DR/Coll. Simon Danger - **BG** AMD-BA/Aviaplans - **BD** Dite

813 PP Coll. Bauer

814 HM Courtesy of McDonnell Douglas - **BG** Franklin/Sygma - **BD** Coll. Bauer

815 HG, HD Daifu/Keystone - **HM** AFP - **BG** AFP/Photo staff Ismain

819 PP AMD-BA/Aviaplans

820 HG, HM Joachim/Sipa Press - **HD** Boccon-Gibod/Sipa Press - **BM** De Malglaive/Ernoult Features

821 HG Courtesy of Embraer - **HD** Alain Ernoult/Ernoult Features - **BG** Boccon-Gibod/Sipa Press - **BM** Argyropoulos/Sipa Press - **BD** Sipa Press

822 HM DOD/Sipa Press - **HD** Hammod/Sipa Press - **BG** Press Association/Topham - **BD** Dassault/Ernoult Features

823 HM, HD, BD Alain Ernoult/Ernoult Features - **BG** Coll. Bauer

824 HG, HD, BG Coll. Bauer - **BD** Topham

825 HG Artwork - **HD** Tomassin/Sipa Press - **BG** Waite/Liaison/Gamma - **BD** Fernandez/Sipa Press

829 PP Meauxsoone/Sygma

830 HG De Malglaive/Ernoult Features - **HD** Meauxsoone/Sygma - **BG** Courtesy of Sabena - **BD** Olle Arpfors/Saab-Scania

831 HG Alain Ernoult/Ernoult Features - **HD** Hemon/Sipa Press - **BM** NBC/Sipa Press

832 HG, HM Chine nouvelle/Sipa Press - **HD** Funk/Sipa Press - **BG** Toulorge/Air France/Direction de la Communication - **BD** Alain Ernoult/Ernoult Features

833 HG Courtesy of Brymon - **HD** Air France/direction de la communication - **BG** Courtesy of Boeing - **BD** Pinson/Sipa Press

837 PP Coll. Bauer

838 HG De Malglaive/Ernoult Features - **BD** Courtesy of Boeing

839 HG Associated Press/Topham - **HD, BG** Alain Ernoult/Ernoult Features - **BD** Courtesy of Schweizer

840 HG Associated Press/Topham - **HD** Air France/direction de la communication - **BM** Coll. Bauer

841 HG Courtesy of Lockheed - **BM, BD** Sipa Press

845 PP Coll. Bauer

846 HG Coll. Chemel/DR - **HD** Al Jawad/Sipa Press - **BG** Tokunaga/Sipa Press - **BD** Alain Ernoult/Ernoult Features

847 HG, MG, BG Sipa Press - **HM** Coll. Bauer - **BD** Press Association/Topham

848 HG Coll. Bauer - **HD** Witt/Sipa Press - **BG** Coll. P. Grange - **BD** Strong/Sipa Press

849 Toutes de Coll. Chemel/DR

853 PP Aérospatiale/R. Guigui

854 HG Coll. Bauer - **HD** Ernoult Features - **BM** Musée Air France

855 HG Associated Press/Topham - **HD** Coll. Bauer - **BG** Courtesy of British Aerospace - **BD** Scott Andrews/Sipa Press

856 HG Nicole/Sipa Press - **HD** Coll. Bauer - **BG** Yalalaz/Sipa Press - **BD** Courtesy of Embraer

857 HG, HD De Malglaive/Ernoult Features - **BD** Air France/direction de la communication

858 HG Pata/Sipa Press - **HD** Courtesy of Boeing - **BG** Courtesy of Kansaï - **BD** Hermanof/Sipa Press

859 HM Courtesy of Lufthansa - **HD** Courtesy of McDonnell Douglas - **MG, BM, BG** Courtesy of Servair

863 PP Witt-Pool/Sipa Press

864 HG Sipa Press - **HD** JM Guhl/Sipa Press - **BG** Aviaplans/Sipa Press - **BD** Mathieson/Sipa Press

865 HG Simon Danger - **HM** Courtesy of Eurocopter - **BD** De Malglaive/Ernoult Features

866 HG Courtesy of McDonnell Douglas - **BG** Nahassia/Sipa Press - **BD** Alain Ernoult/Ernoult Features

867 HG, BG De Malglaive/Ernoult Features - **HM, HD, BD** Alain Ernoult/Ernoult Features

868 HM Alain Ernoult/Ernoult Features - **MG** Alain Buu/Gamma - **MD, BD** De Malglaive/Ernoult Features - **BG** Edouard Chemel

869 HG De Malglaive/Ernoult Features - **HD** Ernoult Features - **BM** Courtesy of Cessna

871 PP Alain Ernoult/Ernoult Features

872 MG Jacques Legrand S.A. - **MD, ED** DR/Coll. musée de l'Air et de l'Espace - **BG** DR

873 HG, BG, BD Jacques Legrand S.A. - **MG** Sygma/Illustration - **MD** DR/Coll. musée de l'Air et de l'Espace

874 HD, BG Jacques Legrand S.A. - **BD** Smithsonian Institute photo n° 90-2220

875 HG Jacques Legrand S.A. - **MD** DR/Coll. musée de l'Air et de l'Espace - **BG** Courtesy of Boeing - **BD** Courtesy of Rolls-Royce

876 H Coll. Chemel/DR - **BG, BD** Courtesy of Snecma

877 MG, BG Kharbine-Tapabor - **MD** DR

878 HG DR/Coll. Bodemer - **HD** Courtesy of Rolls-Royce - **BD** National Archives of Canada

879 BD DR/Coll. musée de l'Air et de l'Espace - **HG** Royal Aeronautical Society - **HD** Courtesy of Rolls-Royce - **BG** Courtesy of Snecma

880 HD Sygma/Illustration - **MG** Jacques Legrand S.A. - **BG** Courtesy of Snecma

881 Toutes de DR/Coll. musée de l'Air et de l'Espace

882 HG Hulton Deutsch Collection - **MG** Jacques Legrand S.A. - **BG, BD** DR

883 M Coll. Library of Congress - **MD** US Navy - **BG** Documentation Cartier - **BD** Jacques Legrand S.A.

884 et 885 Toutes de Jacques Legrand S.A.

886 HG, HD Jacques Legrand S.A. - **BG** Courtesy of Canadair - **BD** Coll. Chemel/DR

887 HD Jacques Legrand S.A. - **BD** DR/Coll. musée de l'Air et de l'Espace

888 HG Jacques Legrand S.A.

889 HG, MG Jacques Legrand S.A. - **BG** Simon Danger

890 HG Alain Ernoult/Ernoult Features - **MG** Courtesy of Cessna - **BG** Simon Danger - **BD** DR/Coll. musée de l'Air et de l'Espace

891 HG Jacques Legrand S.A. - **HD** DR/Coll. musée de l'Air et de l'Espace - **BG** Coll. Chemel/DR

892 HG Courtesy of BP - **HD** Courtesy of Lufthansa - **BG, BD** Jacques Legrand S.A.

893 MD Aerospace Publishing - **HG, BD** DR

894 HG, MD, BD Coll. Chemel/DR - **BG** Courtesy of Sabena

895 HG Aerospace Publishing - **MG, MD** Jacques Legrand S.A. - **BG** DR/Coll. musée de l'Air et de l'Espace

896 HG, BD Jacques Legrand S.A. - **HD** Courtesy of Rolls-Royce - **BG** Courtesy of Snecma

897 HG Jacques Legrand S.A. - **HD** Courtesy of Rolls-Royce - **MD** DR/Courtesty of Sabena - **BG, BD** Coll. Chemel/DR

898 HG, BD Jacques Legrand S.A. - **HD** Courtesy of Rolls-Royce - **BG** Alain Ernoult/Ernoult Features

899 HG Jacques Legrand S.A. - **HD** Courtesy of Rolls-Royce - **HD** Coll. Chemel/DR - **BG** Coll. UTA

900 H, M Coll. Chemel/DR - **BG** Edouard Chemel - **BD** Ph: Pupat Gérard

901 H Coll. Chemel/DR - **BG, BD** Courtesy of Rolls-Royce

902 HG Jacques Legrand S.A. - **BG, BD** Courtesy of Snecma

903 HG Courtesy of Gulfstream/Sukhoï - **HD, BD** Jacques Legrand S.A. - **BG** Deutsch Aerospace/Ernoult Features

904 et 905 PP Aérospatiale

937 BD De Malglaive/Ernoult Features

984